Fiódor Dostoiévski
Obra completa

BIBLIOTECA
UNIVERSAL

Fiódor Dostoiévski
OBRA COMPLETA
Em 4 volumes

VOLUME 1
INTRODUÇÃO GERAL
NOVELAS DA JUVENTUDE
Pobre gente / O duplo / O senhor Prokhártchin / A dona da casa / Um romance em nove cartas / Polzunkov / Coração frágil / O ladrão honrado / A mulher alheia e o homem debaixo da cama / Uma árvore de Natal e um casamento / Noites brancas / Niétotchka Niezvânova / O pequeno herói / o sonho do tio / A granja de Stiepântchikovo e os seus moradores

VOLUME 2
OBRAS DE TRANSIÇÃO
Humilhados e ofendidos / Memórias da casa dos mortos / Uma história aborrecida / Notas de inverno sobre impressões de verão / Memórias do subterrâneo
ROMANCES DA MATURIDADE
Crime e castigo

VOLUME 3
O jogador / O idiota / O eterno marido / Os demônios

VOLUME 4
O adolescente / Os irmãos Karamázovi
OUTROS ESCRITOS
Esquema para o grande pecador / O crocodilo / O Mujique Márei / Uma doce criatura / O sonho de um homem ridículo / Excertos do diário de um escritor

Fotografia de Dostoiévski com pouco mais de sessenta anos.

Fiódor Dostoiévski
Obra completa

VOLUME 2
Obras de transição
Romances da maturidade

Versão anotada de
NATÁLIA NUNES E OSCAR MENDES

Precedida de uma Introdução Geral e Prólogos às Seções, por NATÁLIA NUNES

Acompanhada de extenso documentário gráfico e ilustrada com uma centena de desenhos de LUIS DE BEN

Editora
Nova
Aguilar

Sumário

Obras de transição

- 13 Prólogo geral
- 19 Humilhados e ofendidos
- 269 Memórias da casa dos mortos
- 485 Uma história aborrecida
- 525 Notas de inverno sobre impressões de verão
- 571 Memórias do subterrâneo

Romances da maturidade

- 648 Prólogo aos Romances de Maturidade
- 665 Crime e castigo

Apêndice e Índice

- 1062 Glossário de termos russos e de outras línguas, respeitados na tradução
- 1069 Índice do volume

OBRAS DE

TRANSIÇÃO

Prólogo geral
Humilhados e ofendidos
Memórias da casa dos mortos
Uma história aborrecida
Notas de inverno sobre impressões de verão
Memórias do subterrâneo

Prólogo geral

Obras de Dostoiévski que antecederam a fase dos seus grandes romances

É indubitável que a experiência siberiana divide, por assim dizer, a vida e a obra de Dostoiévski em dois períodos. Se o seu gênio literário-psíquico-metafísico é de natureza inata, se na sua obra da juventude surgem já muitos dos elementos que constituirão, mais tarde, diretrizes constantes em todas as suas futuras criações, o que se verifica é que não há ainda, nessa obra da juventude, o pleno desenvolvimento de toda a capacidade genial do escritor. Porque nela permanece muito de embrionário, de tentativa, de hesitação e de simples prefiguração; e porque o escritor não se libertou do pendor imitativo próprio da mocidade; em suma, não encontrou ainda, verdadeiramente, a sua maneira.

Esta maneira é qualquer coisa que não se refere propriamente à técnica formal – embora a revelação de uma técnica romanesca mais complexa e perfeita coincida, de fato, nele, com o encontro dessa nova maneira de formulação da sua temática essencial; vimos como a obra da juventude é quase toda escrita na primeira pessoa, sob a forma de memórias, ou com a intervenção direta do narrador na ação novelística, e como foi sempre laboriosa, neste escritor, sabemos, a construção das suas obras.

A nova maneira corresponde mesmo à explicitação dos seus grandes temas, que são sobretudo de natureza ético-religiosa, e à criação dos grandes tipos que assumem tal problemática. Na obra da juventude de Dostoiévski, nenhuma das suas personagens atinge, nas paixões que sofrem, aquela intensidade e densidade elevadas, aquele grau de febre que vamos encontrar, por exemplo, no Raskólhnikov de *Crime e castigo*. Um Makar Alieksiéievitch é uma alma de grande sensibilidade, mas essa, se bem que profunda e intensa, é um rio manso que corre sempre por leito de fracos desníveis, não forma nunca uma autêntica cachoeira, não espuma, não ruge nem espadana, nem se contorce por meandros apertados e caprichosos.

Claro que surgem aqui e além pequenas torrentes impetuosas que deixam já pressentir o fragor que há de ouvir-se mais tarde: a Nástienhka das *Noites brancas* e a Niétotchka Niezvânova, do romance do mesmo nome, são já almas tumultuosas que se liberam em ímpetos ardentes e violentos. Mas só quando a par da intensidade *patológica* surgir um outro elemento, o da razão dialética e argumentadora, nos surgirá também uma daquelas formidáveis personagens verdadeiramente demoníacas, como Raskólhnikov, Stávroguin ou Ivan Karamássov. Prefigurações destes tipos, na obra da juventude de Dostoiévski, aparecem talvez apenas com o senhor Goliádkin, de *O duplo*, e com Fomá Fomitch de *A granja de Stiepântchikovo*.

É pois exatamente este elemento dialético, esta espécie de maiêutica socrática transposta para a criação romanesca, para uma progressiva formulação da problemática ética e religiosa essencial humana, o que caracteriza a nova maneira de

Dostoiévski, que será a maneira dos seus grandes romances da maturidade. Mas, não a consegue o escritor logo após sua saída do presídio. Antes disso hão de decorrer ainda alguns anos e terá de fazer ainda novos ensaios.

Quando saiu do presídio de Omsk, em 1854, e se instalou em Semipalatinsk, também na Sibéria, onde ficará ainda cumprindo pena mais leve, que o obriga, agora, a servir no 7º Batalhão das linhas siberianas, Dostoiévski, desejando retomar a sua interrompida carreira literária, escreve dois romances jocosos, *O sonho do tio* e *A granja de Stiepântchikovo e os seus moradores*[1]. O primeiro é uma obra leve e fácil, diga-se, sem qualquer implicação de ordem filosófica, uma caricatura de certos tipos e meios provincianos; já o segundo tem mais envergadura e nele se agitam personagens que apresentam, em certo grau, muitas características da intensidade patológica dostoievskiana: a figura do coronel Iegor Ilhitch preludia a do príncipe Míchkin de *O idiota*, e a de Tatiana Ivânovna é uma dessas desconcertantes mas verídicas mulheres desvairadas, como a Ekatierina Ivânovna, de *Crime e castigo*, e outras, que aparecem em cena nos grandes romances da maturidade; e o teatral, grotesco, sádico, terrível e, no fundo, frustrado e humilhado Fomá Fomitch, também possui já muitas das características dos vários demônios que espalharão labaredas de fogo pelos fundos obscuros dos ambientes dostoievskianos.

De regresso a Petersburgo, fundada já a revista literária *Vriémia (O Tempo)* de sociedade com seu irmão Mikhail, escreve e publica Dostoiévski, afanosamente, em 1861, um novo romance, grande, na extensão, *Humilhados e ofendidos*. Não será ainda este novo livro, porém, que reconquistará para o escritor o seu perdido lugar na literatura russa. A crítica foi-lhe novamente desfavorável, e ele próprio reconhece que, se bem que haja nesse romance algumas páginas de que não se envergonha, não realizara ainda a obra desejada e que, no fundo, sabia seria capaz de produzir. Na verdade, esse romance, de caráter folhetinesco, embora nos apresente personagens de admirável contextura psicológica, como o leviano e inconstante Alhocha, e a indomável e ardente Nelly, é, em última análise, um dramalhão convencional e de exagerado ultrarromantismo.

Por volta da sua primeira viagem ao estrangeiro escreveu e publicou Dostoiévski duas pequenas obras: uma coletânea de notas de viagem, escritas já na Rússia, e que são mais um ensaio de crítica psíquico-social dos povos e das terras por onde passou – Alemanha, França e Inglaterra – do que, verdadeiramente, um livro de viagens. De maneira quase rigorosa, tudo quanto era tópico e concretizado aí foi abolido, para ficarem apenas as suas observações, aliás argutas, mas de generalização apressada, parte motivada por um conhecimento superficial de gentes com quem só teve um contacto brevíssimo, parte pelo seu parcialismo de eslavófilo quase fanático.

A segunda destas duas pequenas obras é uma novela, *Uma história aborrecida*, publicada no mesmo ano que a anterior, em 1862, e na mesma revista *Vriémia*. Aí a sua capacidade crítica se apresenta sob a forma de sátira, que, aproveitemos para sublinhar isso, é uma das formas sob a qual se exprime uma das facetas que mais concorrem para a expressão da genialidade do escritor – o humorismo. Porque Dostoiévski não nos pinta apenas o sofrimento do homem, faz-nos rir ou sor-

---

[1] Publicados no primeiro volume desta edição.

rir também do seu ridículo. *Uma história aborrecida,* se bem que não seja um dos melhores contos de Dostoiévski, como é por exemplo O *pequeno herói,* possui no entanto verdade psicológica e sagacidade de observação da realidade.

A obra que, entretanto, durante este período da sua vida e da sua carreira, que medeia entre a saída do presídio e a publicação do primeiro grande romance, lhe daria a glória, não só na sua pátria, como em todo o mundo, seriam as *Memórias da casa dos mortos,* publicadas ainda em 1861.

O contacto permanente, desde a infância, do escritor com o povo, prova-o no "episódio do camponês Márei", mais tarde relatado no *Diário de um escritor,* e as suas deambulações pelos bairros populares de Petersburgo. Mas foi a experiência do presídio que lhe deu, a ele, intelectual e nobre, a possibilidade de um conhecimento muito mais direto e profundo desse mesmo povo. Aí ele conheceu o povo russo na sua naturalidade, em toda a verdade dos seus sentimentos e da sua mentalidade, em toda a sua vitalidade carregada de instintos e na força ardente da sua alma mística, resignada e sofredora; aí conheceu Dostoiévski caracteres de homens fortes e endurecidos, e foi colocado em presença desse ingrediente que, afinal, é um componente real da existência: o mal, o mal essencial, o mal metafísico.

Havia no presídio criminosos de têmpera dura, que não conheciam o remorso nem o arrependimento dos seus crimes, que se moviam para além das noções tradicionais e acatadas de mal e de bem. E viu também o sofrimento, injusto às vezes, de tantos que sofriam devido às consequências más de uma sociedade imperfeita. Teve, apesar de tudo, oportunidade de ir tomando as suas notas, e registrava frases, às vezes diálogos inteiros, ou esboçava, a breves traços, os retratos físicos e morais dos seus companheiros de trabalhos forçados. Mas decorrem alguns anos antes que o escritor tivesse coragem de pôr-se a recordar o grande pesadelo. Foi-lhe necessário primeiramente apagar na memória as cores demasiado cruas das impressões e comoções ainda frescas, espalhar sobre elas a penumbra do tempo, que deixa ver melhor os contornos e os pormenores. E quis também apagar a sua própria figura para dar maior realce às outras personagens do drama e apresentar-nos a realidade com a maior objetividade e verdade nua de que fosse capaz. Foi assim que nasceram esses quadros impressionantes das *Memórias da casa dos mortos;* que fizeram chorar lágrimas ao czaréviche, e lhe granjearam de novo a aprovação da crítica e o apreço do público.

Aliás, o escritor não esgotaria todo o rico manancial haurido nessa fonte de amargura, que foram os quatro anos de presídio, nas suas *Memórias da casa dos mortos.* Como disse Henri Troyat, "Não devemos julgar que, com as *Memórias da casa dos mortos,* Dostoiévski traça um risco debaixo duma soma e alinha o total das suas últimas verificações. Aquela obra magnífica de verdade humana, de probidade cruel, é o primeiro resultado de quatro anos de sofrimentos e meditações.

Dostoiévski viu o mundo. Descreveu-o magistralmente. Mas só apresentou o dinheiro miúdo do seu tesouro. Desembaraçou-se dele como quem atira o lastro.

Uma vez realizado esse gesto, pode tomar altura. Pode desprender-se do pitoresco siberiano, esquecer os crânios rapados, as faces devastadas, as conversas ordinárias, para só pensar na lição inefável do presídio. Transmite o que aprendeu. E a vida inteira não lhe chegará para levar a cabo semelhante tarefa".

Uma das coisas que Dostoiévski aprendeu no presídio foi, como vimos, a certeza da existência de seres para quem a ética tradicional era uma palavra vã. Veremos como no primeiro grande romance da maturidade, *Crime e castigo*, o protagonista procurará também colocar-se à margem dos "princípios eternos" gravados no coração dos homens, e arrogará a si o direito de ultrapassar certas normas, surgindo assim a ética do super-homem, e, tal como alguns dos criminosos que o escritor conheceu na Sibéria, Raskólhnikov, o tenebroso protagonista desse romance, não chegará nunca a conhecer, verdadeiramente, o arrependimento.

É nesta obra, publicada em 1866, que o escritor atinge já em plenitude não só a nova maneira dialética a que aludimos como também a técnica formal de um autêntico romance.

Entretanto, este romance foi precedido por uma outra obra que talvez seja a única que poderemos classificar de "obra de transição", na totalidade de todos os escritos de Dostoiévski. Dizemos a única, porque, a respeito da obra deste genial escritor, não se pode falar de fases de transição. A sua obra está, desde o início, em trânsito contínuo para uma definição cada vez mais clara e aprofundante, que só vem a ser dada pelo panorama da sua totalidade; o espírito de Dostoiévski foi, desde o início, possuído de certos fantasmas que revestiram diversas aparências ao longo dessa obra, e ele sempre procurou encarar certos temas essenciais por vários ângulos e caminhos; por exemplo, o problema da sensualidade, tanto foi estudado no tipo do perverso Svidrigáilov, como no do pervertido Stavróguin; o seu próprio complexo de Édipo, contra o pai, aparece sob vários aspectos: foi visto, na obra da juventude, por exemplo, na figura do padrasto de Niétotchka, será de novo visto em breve na da velha usurária de *Crime e castigo*, e até, em última transposição, no velho Karamássov. O que há na obra de Dostoiévski anterior a *Crime e castigo* é pressentimento e prefiguração, mas não transição. Obra de transição, referimo-lo, serão, por suas características de fundo e de forma, essas estranhas e geniais *Memórias do subterrâneo*. É precisamente esse ato de penetração decisiva no subterrâneo, isto é, no subconsciente do espírito humano, ainda antes de Freud, que marca o momento da grande exploração desse novo mundo até então quase intocado na literatura e na psicologia.

Embora o herói-narrador dessas memórias, o homem do subterrâneo, se sirva já, antes de Raskólhnikov, da dialética argumentadora, não chega, no entanto, a atingir o mesmo demonismo, a mesma envergadura; é apenas um quase-demônio, um anti-herói, como já alguém considerou. Toma impulso, mas não dá o salto decisivo; aproxima-se da barreira, do limite, mas não o transpõe; não comete um crime, contenta-se com um pequeno desforço de ressentido e humilhado, humilhando e magoando, por sua vez, um ente que é ainda mais indefeso que ele. Não consegue conquistar, verdadeiramente, a liberdade. Possui já a sua filosofia, mas exprime-a numa arenga, num monólogo em que combaterá precisamente a razão; possui a sua filosofia, mas não possui ainda a arte de filosofar, e é isto, além da técnica formal de uma narrativa compósita em que, juntamente com as memórias do narrador, se intercalam dois episódios novelísticos, que nos leva a classificar esta obra como de transição.

Misturada a reflexão e as comoções obtidas na experiência da Sibéria, com a meditação sobre os grandes problemas filosóficos da existência e sobre a situação política agitada da sua pátria, que se prepara para viver uma grande convulsão, e com os seus complexos pessoais profundos, a sua natureza de tímido, de masoquista e sensual, de ambicioso, de crítico, de artista, de profeta e de místico genial, da sua pena sairão finalmente os grandes romances da maturidade, que marcam momentos capitais na evolução da consciência humana.

Humilhados e ofendidos

Humilhados e ofendidos
(1861)

Primeira parte

Capítulo primeiro

O ano passado, em 22 de março à noite, aconteceu-me uma coisa extraordinária. Todo o dia percorrera a cidade à procura de alojamento. O anterior era muito úmido e, por essa altura, eu começara a tossir fortemente. No outono planejara mudar-me, mas adiei a mudança até à primavera. Em todo aquele dia não conseguira arranjar nada que me servisse. Em primeiro lugar desejava um quarto independente só para mim, e que, além disso, fosse bem amplo e, ao mesmo tempo, o mais barato possível, É que numa casa pequena também as ideias se tornam pequenas. Quando planejo os meus futuros romances, gosto de passear ao longo de meu quarto. É verdade, sempre gostei mais de ruminar as minhas obras e as minhas fantasias à medida que me ocorriam, do que de escrevê-las – e isto não é por preguiça. Mas por que será então?

Desde manhã sentia-me indisposto e, ao pôr do sol, achava-me mesmo muito mal; começava a apoderar-se de mim uma espécie de febre. Além disso não parara de andar durante todo o dia e estava esgotado. Ao entardecer, antes do crepúsculo, saí até ao Próspekt Vosniessiénski.[1] Adoro o sol de março em Petersburgo, sobretudo quando se põe numa tarde radiante e fria. A rua toda começa logo a faiscar, salpicada de luz claríssima. Todas as casas começam imediatamente a cintilar. As suas cores cinzentas, amarelas, e de um verde sujo, perdem num instante toda a fealdade. Pode-se dizer que nossa alma se ilumina, como se estremecêssemos ou alguém nos despertasse, dando-nos uma cotovelada. Vemos logo tudo com outros olhos, outros pensamentos. É extraordinário o poder dum raio de sol na alma dum homem!

Mas o raio de sol foi-se; o frio aumentou e começou a picar-me o nariz; adensaram-se as sombras; refulgiu o gás das lojas e dos armazéns... Ao passar em frente da pastelaria do Müller, parei, como se esperasse um acontecimento; algo que pressentia de extraordinário, e efetivamente, nesse mesmo momento vi no passeio fronteiro um velho com um cão. Recordo-me de como o meu coração estremeceu sob o peso de uma sensação desagradável e sem que eu possa explicar por quê. Não sou nenhum místico; não creio em impulsos do coração nem em pressentimentos, e no entanto têm-me acontecido coisas muito difíceis de explicar pelos fenômenos conhecidos e naturais. Por exemplo: por que motivo a aparição daquele velho se me afigurou o anúncio de algo de extraordinário? Será que a febre e o mal-estar geram ideias enganosas?

O velho dirige-se à pastelaria, aproxima-se com passo lento, inseguro, apoiando-se nas pernas como em dois pedaços de madeira inarticulados, curvado, fincando o bordão entre as pedras da rua.

---

[1] Uma das principais avenidas de Petersburgo.

Nunca vira uma figura tão estranha, e já antes disto, todas as vezes que o encontrava em casa de Müller, deixava-me uma triste impressão. A elevada estatura, os ombros arqueados; o rosto de oitenta anos, de aspecto cadavérico; o casaco puído, o chapéu redondo, todo amassado e rasgado, que devia contar bem mais de vinte anos de serviço sobre aquela cabeça sem um único cabelo, com apenas um pequeno tufo na nuca, não brancos, mas amarelos; os movimentos de autômato. Tudo nele chocava a quem pela primeira vez o visse. Causava uma impressão esquisita olhar aquele velho sobrevivente, por assim dizer, sem tutela nem vigilância, que parecia um louco fugido do manicômio. Era de uma magreza imensa incorpórea, uma armação só de pele e ossos. Os olhos, grandes e meigos, rodeados de olheiras profundas, olhavam constantemente para o vácuo, sem que parecessem dar conta do que os rodeava, e tive ensejo de verificar que, embora eu me colocasse na sua frente, continuava a caminhar como se nada obstruísse o seu caminho, como se o espaço estivesse vazio. Os frequentadores habituais da pastelaria nunca se haviam decidido a dirigir-lhe a palavra, e ele tampouco havia interpelado jamais alguém. "No entanto, por que irá a casa do Müller e que terá a fazer ali?", pensava eu, parado do outro lado da rua e contemplando-o contra vontade. Um certo aborrecimento, consequência da doença e do cansaço, se apoderava de mim. "Em que pensará ele?", continuei, comigo mesmo. "Que se passará naquela cabeça? E pensará sequer em alguma coisa? Tem um rosto sem vida a tal ponto que, evidentemente, perdeu toda a expressão. Além disto, onde teria ido buscar aquele cão sarnoso, que não o larga – como se os dois formassem um todo inseparável – e tão parecido com ele?"

Aquele infortunado cão parecia ter igualmente oitenta anos; sim, sem dúvida, devia ter. Em primeiro lugar, pelo aspecto denotava uma velhice imprópria de um cão e, além disso, por que me surgira imediatamente, desde que o vi pela primeira vez, a ideia de que aquele cão não era como os outros, mas que era... um cão extraordinário, que fatalmente devia ter algo de fantástico, de mágico, que talvez fosse uma espécie de Mefistófeles em forma de cão, e que o seu destino, de certo modo misterioso, ignorado, estava ligado ao do seu dono? Só de olhá-lo alguém adivinharia imediatamente que com certeza haviam decorrido uns vinte anos desde a última vez em que o cão comera. A sua magreza era de esqueleto, – ou pior – tal como a do dono. Caíra-lhe o pelo quase todo e o rabo, que lhe pendia como um pau, sempre torcido, trazia-o metido entre as pernas. A cabeça alongada e fraca, olhava só para o chão. Nunca na minha vida vira um cão tão repelente. Quando os dois iam pela rua o dono adiante e o espantalho atrás – roçava este pelas abas do casaco do outro, como se lhes fosse colado. E o seu modo de andar, todo o seu aspecto, pareciam dizer a cada passo: "Que velhos somos, Senhor, que velhos somos!".

Lembro-me de que me ocorreu também pensar terem-se o velho e o cão escapado de alguma estranha narrativa de Hoffmann, ilustrada por Gavarny[2], e que andassem pelo mundo na qualidade de anúncio ambulante do editor...

Atravessei finalmente a rua e dirigi-me atrás do velho até à pastelaria.

Aqui conduzia-se ele de maneira estranha, e Müller, nos últimos tempos, costumava fazer uma careta de aborrecimento quando, de pé, atrás do balcão, via

---

2 Nome pelo qual era conhecido o célebre caricaturista francês Sulpice Guilherme Chevalier (1804-1866), pintor irônico e mordaz da sociedade do seu tempo.

entrar o incômodo visitante. Em primeiro lugar, o estranho hóspede nunca pedia nada. Ia sempre direito a um canto, junto da estufa, e ali se sentava. Se esse lugar se encontrava ocupado, depois de permanecer algum tempo contemplando com sobressaltada perplexidade aquele que se apoderara do seu posto, o velho, como que inibido, encaminhava-se para outro canto junto da janela. Pegava numa cadeira, sentava-se devagar, tirava o chapéu, colocava-o no chão, ao seu lado, punha perto o bordão, e depois, recostando-se na cadeira, quedava-se imóvel durante umas três ou quatro horas. Jamais pegava num jornal, proferia uma palavra ou fazia qualquer rumor; limitava-se a sentar e assim se deixava ficar, olhando para o vazio com os olhos muito abertos; porém, com tal fixidez e tanta ausência de vida que poderia apostar-se em como ele nada via nem tampouco ouvia de tudo o que o rodeava. O cão, depois de dar duas ou três voltas sem sair do mesmo lugar, acabava por deitar-se tristemente a seus pés; afundava o focinho entre as patas, respirava profundamente e, estendendo-se no chão a todo o comprimento, ficava assim imóvel toda a noite, como se estivesse morto. Era como se aqueles dois seres passassem o dia inteiro em algum lugar de defuntos e somente ao pôr do sol ressuscitassem com a única finalidade de se dirigirem à pastelaria do Müller e cumprir ali algum dever misterioso e ignoto. Depois de estar assim sentado três ou quatro horas, o velho finalmente levantava-se, apanhava o chapéu e empreendia o regresso a casa. Igualmente se levantava o cão e, voltando a encolher a cauda e a baixar a cabeça, com o mesmo vagaroso caminhar de antes, começava maquinalmente a seguir o dono. Os fregueses da pastelaria acabaram por guardar distância do velho, evitando aproximar-se dele, como se lhes inspirasse desprezo. Porém ele nunca chegou a dar por isso.

    Esses clientes eram, na maioria, alemães. Iam ali de todo o Próspekt Vosniessiénski; eram todos proprietários de vários estabelecimentos: serralharias, padarias, tinturarias, chapelarias, casas de arreios, todos eles gente patriarcal, na acepção germânica da palavra. Em casa de Müller observava-se o patriarcalismo. O dono costumava participar de conversas com os clientes conhecidos, sentando-se com eles à mesa, e consumiam a costumada quantidade de ponche. Os cães e a prole do pasteleiro aproximavam-se também frequentemente dos fregueses; estes afagavam os cães e as crianças. Todos se conheciam uns aos outros e todos se guardavam mútuo, respeito. E quando os clientes se ensimesmavam na leitura de periódicos alemães, por detrás da porta do fundo, nos aposentos do dono, ouviam-se as notas da valsa *Augustin* que no derreado piano tocava a sua filha mais velha, uma alemãzinha loura, de cabelo eriçado, muito parecida com um ratinho branco. A valsa era acolhida com satisfação. Eu ia a casa de Müller nos primeiros dias de cada mês para ler os diários russos que se recebiam ali.

    Quando entrei na pastelaria, reparei que o velho estava sentado junto da janela, e a seus pés o cão agachado, como sempre. Em silêncio, sentei-me num canto e, mentalmente, fiz-me esta pergunta: "Por que viria eu aqui, quando decididamente nada tenho a fazer neste lugar e, além disso, estando assim doente? Devia era ir depressa para casa, tomar uma chávena de chá e meter-me na cama. Será o caso de que eu venha unicamente para ver este velho?". Apoderou-se de mim um grande descontentamento. "Que me importa esse velhote? – pensei recordando a estranha, mórbida impressão que me provocara o seu encontro na rua. – E, além disso; que me importam também estes aborrecidos alemães? Por que esta fantástica disposição de espírito? Por que este invencível desejo de solidão que noto em mim de algum tempo para cá e que me impede de viver e de olhar a vida com olhos claros, este desejo que um crítico já notou em mim ao censurar com aspereza a minha novela?" Entretanto, pensando e resmungando, continuava no meu lugar, sem que o mal-estar deixasse de me afligir cada vez mais e mais, até que, por fim, ficava doloroso abandonar aquele recanto tão quentinho. Peguei na *Gazeta de Frankfurt,* li duas linhas e quedei-me amodorrado. Os alemães não me incomodavam. Liam, fumavam, e só de quando em quando, uma vez em cada meia hora, comunicavam laconicamente e em voz baixa uns aos outros, alguma notícia de Frankfurt ou algum dito do seu célebre escritor humorista, Scheffel. Depois, com o seu orgulho nacional duplicado, voltavam a enfronhar-se de novo na leitura.

Permanecera assim adormentado uma meia hora até que despertei com um grande calafrio. Decididamente, devia ir para casa. Entretanto, naquele mesmo instante, uma cena alemã, na pastelaria, obrigou-me uma vez mais a ficar. Disse que o velho, ainda mal se sentava na sua cadeira, imediatamente fixava o olhar num ponto e não voltava a pousá-lo em nenhum outro durante toda a noite. Uma vez por outra me ocorreu que fosse o branco daquele olhar que se fixava algures, embasbacado e teimoso e, quando isso acontecia, dava-me pressa em mudar de lugar. Daquela vez a vítima do velho era um alemão pequenino, rechonchudo e extraordinariamente afetado, com um colarinho duro, muito engomado, com uma carantonha vermelhusca, freguês de passagem, o qual tinha um negócio em Riga e se chamava, segundo soube depois, Adam Ivânitch Schultz, amigo íntimo de Müller, mas que não conhecia ainda o velho nem a maioria dos fregueses. Lia com deleite o *Dorfbardier* e saboreava o seu ponche, quando de repente lhe aconteceu levantar a cabeça e encontrar o olhar parado do ancião fixo na sua pessoa. Aquilo aborreceu-o. Adam Ivânitch era muito rabujento e suscetível como são em geral todos os alemães "importantes". Pareceu-lhe estranho e ofensivo que se pusessem a examiná-lo com aquela insistência descortês. Com mal contido descontentamento afastou a vista do pouco delicado freguês, resmungou qualquer coisa consigo próprio e, em silêncio, tornou a aplicar-se à leitura do jornal. Entretanto não pôde conter-se e, passados dois minutos, observou o velho furtivamente por cima do jornal: o mesmo olhar obstinado, o mesmo exame imbecil. Ainda por aquela vez Adam Ivânitch se calou. Mas, ao repetir-se aquilo pela terceira vez, irritou-se e julgou do seu dever sair em defesa de sua honra e não deixar mal vista diante de um público notável a nobre cidade de Riga, da qual, pelo visto, se julgava representante. Com um gesto de enfado pôs o jornal na mesa, deu sobre ela uma pancada enérgica com a vareta a que estava seguro o periódico e, arrebatado por um sentimento de dignidade pessoal, todo vermelho do efeito do ponche e da indignação, pousou por sua vez os olhinhos injetados de sangue no velho maçador. Era de dizer que ambos, o alemão e seu adversário, se esforçavam por se dominar com o poder magnético dos olhares e que esperavam, a ver qual dos dois se rendia primeiro, baixando a vista. Aquela pancada com a vareta e a extravagante atitude de Adam Ivânitch atraíram para ele a atenção dos presentes. Todos, a seguir, deixaram suas ocupações e, com grave e tranquila curiosidade, puseram-se a contemplar os dois contendores. A cena era realmente muito cômica. No entanto, o magnetismo das olhadelas de réptil do rubicundo Adam Ivânitch não dava resultado. O velho, sem se preocupar com coisa alguma, imperturbável, continuava a olhar o furioso Senhor Schultz, e, evidentemente, não reparava que era objeto da curiosidade geral, como se tivesse a cabeça na lua e não cá na terra. Por fim a paciência de Adam Ivânitch esgotou-se e explodiu.

— Por que me olha o senhor com tal fixidez? — interpelou em alemão, com voz cortante e estentórea e aspecto ameaçador. Mas o adversário persistiu no silêncio, como se nada tivesse percebido nem ouvido. Adam Ivânitch interpelou-o então em russo:

— Pergunto-lhe, por que me olha com tanta insistência — exclamou com redobrada fúria. — Sou conhecido na corte e o senhor não! — acrescentou saltando da cadeira.

Entretanto, o velho nem por um instante se moveu. Entre os alemães ouviu-se um murmúrio de desagrado. O próprio Müller, atraído pelo barulho, veio para o meio da sala. Informado da questão, pensou que talvez o velho fosse surdo e foi dizer-lhe ao ouvido:

— O Senhor Schultz pede-lhe que não o encare tão fixamente — gritou-lhe com todas as forças e olhando nos olhos o estranho freguês.

O velho olhou maquinalmente para Müller e logo no seu rosto impassível até então transluziram indícios de um pensamento desagradável, de determinada e desassossegada comoção. Inclinou-se, apanhou depressa o chapéu e o bordão, levantou da cadeira e, com um sorriso doloroso, o sorriso humilde de um desventurado que, por engano, ocupou um lugar que lhe não correspondia, dispôs-se a deixar o estabelecimento. Naquela precipitação mansa, submissa, do pobre ancião esfarrapado, havia qualquer coisa que fazia tanto dó, tanto disso que às vezes parece oprimir-nos o coração, que todos os presentes, a começar por Adam Ivânitch, mudaram logo de atitude. Era evidente que o velho não somente era incapaz de ofender alguém, como também, a todo instante, pelo visto, temia pudessem escorraçá-lo dali como a um mendigo.

Müller era homem bom e compassivo.

— Não, não! — exclamou dando uma palmadinha animadora no ombro do velho. — Sente-se! *Aber Herr!*[3] Schultz pede-lhe "encarecidamente" que o não "olhe" com tanta "insistência". É "conhecido" na corte...

Mas o pobrezinho nada compreendia. Baixou-se ainda mais do que anteriormente, recolheu o seu velho lenço azul feito em farrapos, que lhe caíra do chapéu, e começou a fustigar o cão que continuava estendido no chão, sem se mexer, e que parecia bem ferrado no sono, com o focinho entre as patas dianteiras.

— Azorka! Azorka! — gritou o velho com voz tremente. — Azorka!

Azorka permanecia impassível.

— Azorka! Azorka! — repetiu ansiosamente o velho dando com o pau no cão.

Mas este continuou sem mudar de posição.

O bordão tombou das mãos do velho. Agachou-se, pôs-se de joelhos e com ambas as mãos levantou o focinho do cão. Pobre Azorka! Estava morto. Morrera sem dar por isso, aos pés do dono, quem sabe se de velhice, se de fome. O velho contemplou-o um instante, transtornado, como se lhe fosse impossível compreender que Azorka pudesse ter morrido. Depois, em silêncio, inclinou-se sobre o seu defunto servidor

---

[3] Mas o senhor!

e roçou o rosto pálido pelo focinho frio do cão. Estávamos todos comovidos... Finalmente o infeliz levantou. Estava lívido e tremia como atacado de febre.

– Pode-se embalsamá-lo – disse o compassivo Müller, desejoso de consolar um pouco o velhote. – Pode-se embalsamá-lo; Fiódor Kárlovitch Krieger é mestre nessa arte – afirmou Müller apanhando do chão o cajado e entregando-o ao velho.

– Sim; isso faço eu bem – encareceu o próprio Herr Krieger, chegando-se ao primeiro plano.

Era um alemão compridaço, seco e afável, cabelos eriçados e revoltos, olhinhos diminutos e nariz recurvo.

– Fiódor Kárlovitch Krieger tem muito talento para fazer todo gênero de excelentes trabalhos de dissecação – acrescentou Müller, que começava a entusiasmar-se com a própria ideia.

– É verdade que tenho muito jeito para "fasser" toda espécie de excelentes "trrabalos de dissekação" – tornou a dizer Herr Krieger – e dissecarei o seu "contrapeso", de graça, para você – acrescentou num rasgo de magnânimo desinteresse.

– Isso não; eu "pagarrei" ao "senhorr" o seu "trrabalo" – exclamou Schultz pondo-se duplamente vermelho, arrebatado também de generosidade e considerando-se causa inocente daquela desdita.

O velho escutava tudo aquilo com cara de não compreender e continuava com o corpo todo a tremer.

– Não se vá embora! Vai mas é beber uma dose de conhaque do melhor! – exclamou Müller ao ver que o enigmático cliente se dispunha a sair.

Trouxeram-lhe o conhaque. O velho pegou, maquinalmente, no copo, mas como a mão lhe tremia, antes que chegasse a levá-lo aos lábios entornou metade no chão e, sem beber uma gota, voltou a pô-lo sobre o balcão. A seguir, esboçando um sorriso estranho, sem qualquer relação com o caso, com passo apressado, desigual, saiu da confeitaria deixando ali Azorka. Estávamos todos atônitos; ouviram-se exclamações.

– *Schwernot! Was fur eine Geschichte!*[4] – diziam os alemães olhando uns para os outros.

Lancei-me em perseguição do velho. A alguns passos da confeitaria, à direita de quem sai, há uma ruela estreita e escura, de casas enormes. Uma coisa me dizia que o velho devia com certeza ter ido por ali. A segunda casa da direita estava em construção e cheia de andaimes. A vala que circundava a casa avançava quase até o meio da rua; junto da vala tinham posto um passadiço de tábuas para os transeuntes. Num recanto obscuro que a vala formava com a casa vizinha, encontrei o velho. Estava sentado no extremo da passadeira de tábuas e segurava a cabeça com as mãos, os cotovelos apoiados nos joelhos. Sentei-me junto dele.

– Escute – disse-lhe sem saber bem por onde começar – não se aflija por causa de Azorka. Venha, que o levarei a sua casa. Acalme-se. Vou buscar um carro. Onde mora?

O velho não me respondeu. Eu já não sabia o que havia de fazer. Por ali não passava ninguém. De repente pegou-me na mão.

– Estou abafado! – exclamou com voz débil, dificilmente perceptível. – Estou abafado!

---

4 Que infelicidade! Mas que história!

– Vamos para sua casa! – exclamei, obrigando-o a levantar. – Vai tomar um pouco de chá e deitar-se... Volto já com um carro. E chamo o médico. Conheço um...

Provavelmente lhe disse muito mais. O velho conseguiu levantar; porém, mal se pusera de pé, deixou-se cair de novo ao chão e começou a resmungar não sei o que, com aquela sua voz confusa e apagada. Inclinei-me para ele e consegui ouvir:

– Em Vassílievski Óstrov – murmurou – na Sexta Linha... Sexta Linha. – E calou-se logo.

– Mora em Vassílievski? Pois não ia por bom caminho, porque fica à esquerda e não à direita. Eu vou levá-lo...

O velhote não se mexia. Peguei-lhe pela mão, mas a sua desprendeu-se como morta. Olhei-lhe para o rosto, inclinei-me sobre o seu corpo... Era um cadáver! Tudo aquilo me parecia um sonho.

Este incidente acarretou-me muitos trabalhos, durante os quais caí também com febre. Pus-me logo à procura da casa do velho. No entanto ele não vivia em Vassílievski, mas a dois passos do próprio local em que morreu, no edifício Klugen,[5] num quinto andar de água-furtada, num aposento para ele somente, composto de um insignificante vestíbulo e de um quarto grande mas de teto muito baixo, com três frestas a modo de janelas. Vivia na maior miséria. O mobiliário reduzia-se a uma mesa, duas cadeiras e um divã velhíssimo, duro como uma pedra, e soltando palha por todos os lados. Este era todo o seu mobiliário. O fogão, pelo visto, há muito tempo não se acendia; tampouco se viam por ali algumas velas. Julgo agora seriamente que o velho ia a casa do Müller com o único fito de encontrar ali luz e calor. Em cima da mesa havia uma bilha de barro vazia, e uma velha côdea de pão duro. No que respeita a dinheiro, nem um copeque. Nem sequer se encontrou a roupa branca necessária, para lhe fazer a mortalha; uma pessoa ofereceu uma camisa. Era evidente que não podia viver assim, sozinho, daquela maneira, e era provável que, ainda de longe em longe, alguém fosse visitá-lo. Na mesma mesa estavam guardados os seus documentos. O defunto era estrangeiro, mas súdito russo, Jeremias Smith, mecânico, de setenta e oito anos. Em cima da mesa estavam dois livros: um compêndio de Geografia e o Novo Testamento, na versão russa, com as margens riscadas a lápis e marcadas com as unhas. Adquiri aqueles livros para mim. Fiz perguntas aos vizinhos, ao senhorio; pouco ou nada sabiam. Havia muitos inquilinos naquele prédio, quase todos operários e alemães, que ocupavam dependências mobiladas e com pensão. O administrador do prédio, que era pessoa de condição, também não soube dizer-me grande coisa do seu falecido inquilino, a não ser que alugava aquele quarto por seis rublos mensais, que vivia ali havia quatro meses, mas que nos dois últimos não pagara um só copeque, e por isso até se vira obrigado a despedi-lo. Perguntei-lhe se não costumava vir ninguém vê-lo. A essa pergunta pessoa alguma soube dar-me uma resposta satisfatória. O prédio era grande e entrava muita gente naquela espécie de arca de Noé. Seria impossível lembrarem-se de todos. O porteiro, que vivia ali havia já cinco anos, e certamente poderia dar-me algumas informações, partira para a terra havia umas duas semanas, com seus pais, deixando a substituí-lo um sobrinho, rapaz novo, que ainda não

---

5 Os prédios eram designados pelo nome do proprietário.

conhecia nem sequer a metade dos moradores. Não sabia muito bem como ia terminar tudo aquilo; o certo é que acabaram por sepultar o morto. Naqueles três dias, entre várias coisas que tive de fazer, fui a Vassílievski Óstrov, na Sexta Linha, e mal ali chegara, logo tive de rir de mim próprio. Que podia eu encontrar na Sexta Linha senão um amontoado de casas vulgares? No entanto – dizia para comigo – por que motivo o velho, ao morrer, teria mencionado a Sexta Linha e Vassílievski Ostrov? Não estaria delirando?

Voltei a ver o quarto desalugado de Smith e agradou-me. Aluguei-o para mim. O essencial era tratar-se de um quarto grande, ainda que de teto muito baixo; tanto que, de princípio, experimentava sempre a impressão que ia bater nele com a cabeça. Entretanto, não tardou que me acostumasse. Por seis rublos mensais não era possível encontrar coisa melhor. Seduziu-me a sua independência; não me restava senão regular a questão do serviço, porque sem ter quem para nós o faça é impossível viver. O porteiro, a princípio, ofereceu-se para subir ao meu andar pelo menos uma vez por dia e atender-me no mais necessário. "E, quem sabe – pensava eu – se não virá alguém procurar o velho." Entretanto tinham passado cinco dias depois da sua morte e ninguém ainda aparecera.

Capítulo II

Por esse tempo, quer dizer, há um ano, ainda eu colaborava em jornais, redigindo artigos, e acreditava firmemente que havia de chegar a escrever algo de extraordinário, de muito bom. Trabalhava então num romance extenso. Mas a coisa parou quando caí doente num hospital, e, pelo visto, estou condenado a uma morte rápida. E se tenho de morrer em breve, para que hei de escrever?

Sem querer constantemente estou a recordar aquele tedioso ano passado da minha vida. Quero agora descrevê-lo todo, pois, se a mim próprio não proporcionasse esta ocupação, morreria de tristeza. Todas essas passadas impressões me põem, às vezes, num verdadeiro transe de paixão e de tortura. Mas, passadas a palavras escritas, hão de tomar um aspecto mais tranquilizador, mais sereno; vão se tornar menos semelhantes a um delírio, a um pesadelo. Isto é o que eu penso. O próprio mecanismo da caneta é por si benéfico; acalma, refreia, desperta em mim os antigos hábitos de literato, transforma as minhas evocações e sonhos dolorosos num trabalho, numa ocupação... Sim, estou pensando bem. Além disso deixo como legado o meu manuscrito ao enfermeiro, ainda que as minhas memórias lhe venham a servir unicamente para tapar as janelas, quando chegar a ocasião de lhes pôr as vidraças de inverno.

No entanto, depois de tudo, não sei por que razão comecei a minha narrativa pelo meio. Mas, como vou contar tudo, é preciso começar pelo princípio. Além do mais, não há de ser muito extensa a minha autobiografia.

Não nasci aqui, mas bem longe, no distrito de***. Quero acreditar que os meus pais eram boas pessoas, no entanto deixaram-me órfão muito cedo e fui assim criado em casa de Nikolai Sierguiéitch Ikhmiêniev, um modesto proprietário que me acolheu por dó. Tinha apenas uma filha, Natacha, mais nova do que eu três anos. Criamo-nos juntos, como irmão e irmã. Oh! Minha doce infância! Como te deploro e lamento agora que tenho vinte e cinco anos, e ao morrer, somente a ti recordarei com entusiasmo e gratidão! Então, o céu era tão límpido, com um sol tão pouco petersburguês, e transbordavam tal alegria e alvoroço os nossos pequenos corações! Então, à nossa volta tínhamos campos e bosques e não um montão de pedras inertes, como agora. Que maravilhosos o jardim e o parque Vassiliévskoie, de que Nikolai Sierguiéitch era administradorl Naquele jardim, Natacha e eu costumávamos brincar; por detrás dele havia um denso e triste bosque, no qual um dia nos perdemos os dois... tempos lindos, dourados! A vida começava a aparecer-nos misteriosa e atraente, e era um prazer conhecê-la. Então, atrás de cada arbusto e de cada árvore, parecia-nos que vivia um ser misterioso e desconhecido; o mundo das aparências confundia-se com o da realidade; e quando nos fundos vales se adensava a bruma da tarde e em faixas cinzentas e sinuosas se ia enroscando entre a vegetação bravia que trepava pela vertente pedregosa da nossa grande encosta, Natacha e eu, mesmo no extremo do cume, de mãos dadas, olhávamos para baixo e ficávamos à espera que alguém viesse lá de baixo ter conosco ou surgisse de entre a névoa... Os contos da nossa ama eram então a pura, a indubitável verdade. Em certa ocasião, muito tempo depois, tive oportunidade de fazer recordar a Natacha como nessa época nos presentearam uma vez com um livro de *Leituras infantis,* e como imediatamente tínhamos ido para o jardim, para junto do tanque, onde, à sombra de um velho e frondoso castanheiro, tínhamos o nosso predileto banco verde, e como ali sentamos e nos pusemos a ler um conto de fadas que se chamava *Alphonse et Lalinde.* Ainda hoje não posso lembrar-me dessa historiazinha sem sentir um estranho tumulto no coração; e quando relembrei a Natacha, há um ano, as duas primeiras linhas – "Afonso, o herói do meu conto nasceu em Portugal; seu pai foi Dom Ramiro, etc." – por um pouco que não me pus a chorar. É certo que isto foi um disparate e por isso Natacha sorri tão estranhamente do meu entusiasmo. Também ela pensou logo isso, nessa ocasião (lembro-me), e para consolar-me pôs-se ela própria a evocar o passado. Palavra após palavra, também ela se ia comovendo. Inesquecível aquela noite, rememoramos tudo, tudo... Quando me enviaram à capital do distrito, para um colégio interno – Senhor! Como eu chorei então! – e quando nos voltamos a separar, na altura em que eu deixei para sempre Vassiliévskoie! Então terminara os estudos no colégio e mudei-me para Petersburgo para entrar na Universidade. Tinha eu então dezoito anos e ela quinze. Diz Natacha que eu era tão esganifrado que ninguém podia olhar-me que não sentisse vontade de rir. No momento da despedida chamei-a à parte, com intenção de dizer-lhe algo de terrivelmente sério; porém logo a minha língua ficou paralisada e não consegui dizer nada. Recorda ela que eu estava muito perturbado. E assim se frustrou a nossa conversa. Eu não sabia o que havia de dizer, e ela, é possível que também não soubesse; porque senão talvez me tivesse compreendido. A única coisa que fiz foi pôr-me a chorar tristemente e acabei por me afastar sem ter dito nada. Voltamos a nos encontrar em Petersburgo, haverá uns dois anos. Tinha então o velho lkhmiêniev vindo ali para tratar da sua demanda.

Capítulo III

Nikolai Sierguiéitch Ikhmiêniev procedia de boa família, que, entretanto, de há muito vinha empobrecendo. Mas apesar disso herdara ainda de seu pai uma boa propriedade, de cento e cinquenta almas. Aos vinte anos resolveu ingressar nos hussardos. Tudo caminhava pelo melhor, quando no sexto ano de serviço lhe aconteceu perder todos os seus bens no jogo, numa noite de azar. Não pregou olho em toda essa noite. Na seguinte voltou a apresentar-se à banca do jogo e apostou numa carta o seu cavalo, a última coisa que lhe restava. Ganhou aquela carta, e depois outra, e mais uma terceira, de tal maneira que passada meia hora de jogo, recuperara uma das suas propriedades, a Ikhmiênievka, que conta cinquenta almas, segundo o último censo. Não continuou a jogar e no dia seguinte pediu a reforma. Mas perdera cem almas irremediavelmente. Depois de dois meses deram-lhe a reforma como tenente e foi estabelecer-se na sua granja. Nunca depois na sua vida falou daquelas jogadas e, apesar da sua indiscutível bondade, decerto que se teria chegado a vias de fato com quem tivesse o atrevimento de tocar no assunto. Na aldeia ocupava-se constantemente com o cuidado das suas terras, e aos trinta e cinco anos casou-se com uma jovem pobre mas de boa linhagem. Chama-se Anna Andriéievna Chumílova; não trazia dote mas fora educada num conhecido internato da capital, dirigido por uma emigrada, a Senhora de Mont Revèche – do que Anna Andriéievna se orgulhou durante toda a vida, ainda que ninguém pudesse jamais adivinhar em que consistia aquela educação. Sierguiéitch tornou-se um excelente administrador dos seus bens. Com ele aprendiam a economizar todos os proprietários dos arredores. Passaram alguns anos, quando, na quinta próxima, no lugarejo de Vassiliévskoie, de novecentas almas, se apresentou, procedente de Petersburgo, o seu dono, o príncipe Piotr Alieksándrovitch Valkóvski. A sua chegada produziu em todos aqueles arredores uma grande impressão. O príncipe era ainda novo, se bem que não mais um rapaz; ocupava uma elevada posição, tinha relações distintas, era bem apessoado, dispunha de dinheiro e, finalmente, era viúvo, o que naturalmente mais interessava às mulheres e moças de todo o distrito. Falava-se do brilhante acolhimento que lhe dispensara o governador da capital, do qual era ainda parente em certo grau; e de que "todas as senhoras da capital ficaram encantadas com a sua distinção", etc., etc. Numa palavra: era um desses brilhantes representantes da alta sociedade petersburguesa, que raramente aparecem pelas províncias e que, quando tal acontece, produzem um efeito extraordinário. O príncipe, entretanto, não era nada amável, sobretudo com aqueles de quem não necessitava e aos quais considerava inferiores. Com os seus vizinhos de chácara, entendeu por bem não travar relações, o que lhe granjeou muitos inimigos. E por isso todos ficaram muito admirados quando um dia ele se lembrou de fazer uma visita a Nikolai Sierguiéitch. É certo que Nikolai Sierguiéitch era um dos seus mais próximos vizinhos. Em casa dos Ikhmiênievi produziu o príncipe uma grande impressão. Quem mais se entusiasmou com ele foi Anna Andriéievna. Passado pouco tempo já ele entrava ali como em sua casa, ia vê-los todos os dias; convidava-os para a sua chácara, procurava ser engraçado, contava anedotas, passava as mãos pelo seu detestável piano, cantava. Os Ikhmiênievi não saíam do seu espanto: como seria possível que, dum homem tão fino e simpático, se pudesse dizer que era orgulhoso, altivo, egoísta, como unanimemente proclamavam os vizinhos? Temos de admitir que, efetivamente, logo de princípio simpatizara com Nikolai Sierguiéitch, homem simples, reto, franco, de nobre condição. Aliás, não tardou que tudo se explicasse. O príncipe fora a Vassiliévskoie com o intuito de demitir o seu administrador, um alemão libertino, ambicioso, agrônomo já de cabelos brancos e de nariz aquilino, mas que apesar de todas estas excelências roubava com o maior descaro e, como se isto não bastasse, matara de pancada alguns campônios. Finalmente Ivan Kárlovitch era esperto e sempre pronto para se aproveitar das ocasiões, dizendo muitas bravatas e falando constantemente do cavalheirismo germânico; apesar de tudo isso foi posto dali para fora e não sem certa dose de enxovalho. O príncipe precisava de um administrador e pôs os seus olhos em Nikolai Sierguiéitch, muito entendido e honradíssimo, a respeito do qual seria impossível conceber a mínima suspeita. Ao que parece, o príncipe desejaria que o próprio Nikolai Sierguiéitch se tivesse oferecido para o cargo de administrador; porém, tal não aconteceu, e o príncipe, uma bela manhã, foi ele próprio fazer-lhe essa proposta, na forma de um amistoso e insistente pedido. A princípio, Ikhmiêniev negou-se; mas as consideráveis gratificações seduziram Anna Andriéievna, e as amabilidades redobradas do interessado acabaram por dissipar as últimas hesitações. O príncipe alcançara o seu objetivo. Concordemos em que era grande conhecedor das pessoas. No curto tempo do seu convívio com Ikhmiêniev percebeu logo perfeitamente com quem tratava e compreendeu que, àquele teria de cativar de um modo amistoso e cordial, atrair a sua amizade, e que sem isso o dinheiro de pouco serviria. Necessitava de um administrador no qual pudesse confiar cegamente e para sempre, a fim de nunca mais ter de aparecer em Vassiliévskoie, segundo efetivamente pensava. A sedução que exerceu em Ikhmiêniev foi tão forte, que este acreditou plenamente na sua amizade. Nikolai Sierguiéitch era um destes indivíduos bons e ingenuamente românticos, tão abundantes por aqui, na Rússia, que nem vale a pena falar deles, e que se tomam afeição a uma pessoa (e sabe Deus, por que, às vezes), entregam-lhe toda a sua alma, levando as demonstrações da sua adesão até um ponto verdadeiramente grotesco.

    Passaram uns anos. A propriedade do príncipe prosperava. As relações entre o proprietário de Vassiliévskoie e o seu administrador mantinham-se também sem o menor desentendimento de qualquer das partes, reduzindo-se exclusivamente a assuntos de caráter prático. O príncipe, sem intrometer-se nunca naquilo que Nikolai Sierguiéitch determinava, dava-lhe às vezes certos conselhos que causavam a admiração de Ikhmiêniev pela sua índole sumamente prática e oportuna. Era evidente que não só não gostava de fazer gastos supérfluos, mas também sabia economizar. Cinco anos após a sua visita a Vassiliévskoie, outorgou poderes a Nikolai Sierguiéitch para a aquisição de outra magnífica propriedade de quatrocentas almas, no mesmo distrito. Nikolai Sierguiéitch estava entusiasmado; os êxitos do príncipe, os boatos sobre a sua prosperidade tocavam-lhe a alma como se se tratasse de um irmão seu. E o entusiasmo atingiu o cúmulo quando o príncipe, em certa ocasião, chegou a demonstrar-lhe a grande confiança que nele depositava. Mas ao chegar a este ponto é imprescindível que eu recorde alguns pormenores particulares da vida do dito príncipe Valkóvski, o qual é, de certo modo, uma das personagens principais da minha narrativa.

Capítulo IV

Já anteriormente disse que ele era viúvo. Casara muito novo, e por interesse. De seus pais, irreparavelmente arruinados em Moscou, quase nada herdou. Vassiliévskoie estava hipotecado e re-hipotecado; pesavam sobre ele dívidas enormes. O príncipe, que contava então vinte e dois anos, e se vira obrigado a colocar-se em Moscou, não sei bem em que repartição, não dispunha de um copeque e andava nesta vida "como um pobre ramo de um velho tronco". O casamento com a filha, já madura, de um lavrador-negociante foi a sua salvação. O sogro ludibriou-o sem dúvida no que respeitava a dote, mas apesar de tudo, com o dinheiro da mulher pôde resgatar as terras de seu pai e levantar a cabeça outra vez. A filha do comerciante, a mulher do príncipe, mal sabia escrever e não era capaz de dizer duas palavras seguidas; feia de rosto, apenas possuía uma enfatuada dignidade; e era também boa e dócil. O príncipe soube tirar completo partido daquela dignidade; logo no primeiro ano de casamento abandonou a mulher que entretanto lhe dera um filho, deixando-a em companhia do sogro em Moscou, e partiu para o distrito de***, onde, graças à influência de uma conhecida personagem de Petersburgo, alcançou uma posição muito brilhante. A sua alma estava ávida de honrarias, de distinções, de um bom futuro, e compreendendo que, com a mulher, não poderia viver nem em Petersburgo nem em Moscou, resolveu, na esperança de conseguir algo de melhor, iniciar a sua carreira pelas províncias. Diz-se que já no primeiro ano da sua vida com a esposa fez sofrer muito a infeliz, com os seus maus tratos. Tais rumores mortificavam sempre muito Nikolai Sierguiéitch, que se punha com veemência na defesa do príncipe, afirmando que ele era incapaz de comportar-se de modo tão vil. Até que ao fim de oito anos a princesa morreu e em seguida o viúvo mudou-se para Petersburgo. Aí causou também uma certa impressão. Novo ainda, de boa aparência, rico, dotado de algumas brilhantes qualidades, de indiscutível habilidade, de bom gosto e de inalterável bom humor – apresentou-se ali, não como quem procura proteção e boa sorte, mas com certa independência. Dizem que, de fato, possuía algo de fascinante, de arrebatador e de poderoso. Agradava extraordinariamente às mulheres e as suas relações com uma beldade da alta roda granjearam-lhe uma fama escandalosa. Desbaratava sem custo o dinheiro, apesar da sua tacanhez natural, que roçava pela mesquinhez; jogava forte nas cartas e nem sequer franzia o sobrolho perante as perdas mais elevadas. Não fora a Petersburgo para se divertir; precisava estabelecer-se definitivamente na capital e de consolidar a sua carreira, o que conseguiu. O conde Nainzki, seu parente influente, que a princípio, por ele lhe ter aparecido como um solicitante, não lhe prestara atenção, impressionado agora pelos seus triunfos na sociedade, julgou possível e até distinto fixar nele a sua particular atenção e dignou-se até receber na sua casa, para o educar, o filho dele, que contava então oito anos. Foi nesse tempo que se deu a visita do príncipe a Vassiliévskoie e o seu conhecimento com Ikhmiêniev. Finalmente, tendo obtido por intervenção do conde um posto relevante numa das mais importantes embaixadas, passou-se para o estrangeiro. De novo voltaram a correr confusos rumores acerca dele; falavam de certo incidente aborrecido que lhe acontecera no estrangeiro; porém, ninguém podia ao certo dizer do que se tratava. Soube-se apenas que conseguira comprar quatrocentas almas, segundo se disse. Regressou do estrangeiro muitos anos depois com um cargo importante e ocupou imediatamente em Petersburgo uma posição elevada. Pela propriedade de Ikhmiêniev espalhou-se o boato de que ia casar-se em segundas núpcias, ligando-se a uma distinta, opulenta e poderosa família. "Vão vê-lo feito um grande senhor!", exclamou Nikolai Sierguiéitch esfregando as mãos de contente. Eu estava então em Petersburgo, na Universidade, e recordo-me de que Ikhmiêniev me escreveu de propósito para falar-me disso e perguntar-me se eu sabia algo de positivo sobre aqueles boatos de casamento. Escreveu também ao príncipe, pedindo que me protegesse; mas este não respondeu à sua carta. Eu, a única coisa que sabia era que seu filho, que se educara primeiro em casa do conde, e depois no Liceu, terminara os seus estudos de ciências aos dezenove anos. Foi isto que comuniquei a Ikhmiêniev, e também lhe dei a saber que o príncipe queria muito ao filho, tratava-o muito bem e começava já a preocupar-se com o seu futuro. Tudo isso sabia eu por intermédio de um condiscípulo meu que conhecia o jovem príncipe. Por esse mesmo tempo, numa bela manhã, recebeu Nikolai Sierguiéitch uma carta do príncipe que lhe provocou o mais extraordinário assombro...

O príncipe, que até então, como já disse, nas suas relações com Nikolai Sierguiéitch se limitara pura e simplesmente a tratar dos assuntos da propriedade, escrevia-lhe agora nos termos mais minuciosos, francos e amistosos, acerca das suas circunstâncias familiares; lamentava-se do filho, dizia-lhe que este o desgostara muito pela sua conduta; mas que, naturalmente, não se deviam tomar muito a sério aquelas diabruras de garoto (como se vê; esforçava-se por desculpá-lo); no entanto estava disposto a castigá-lo, a infundir-lhe um certo medo, e isto faria enviando-o por uma temporada para a aldeia, debaixo da tutela de Ikhmiêniev. Acrescentava o príncipe que confiava totalmente no seu excelente e nobilíssimo Nikolai Sierguiéitch; e em particular em Anna Andriéievna, pedindo a ambos que acolhessem aquele ciclone na sua família, procurassem assentar-lhe a cabeça no lugar, lhe tomassem afeto e, se possível, e isso era o principal, corrigissem o seu desajuizado caráter, "inculcando-lhe as regras de vida, salvadoras e rígidas, tão necessárias ao homem". Nem vale a pena dizer que o velho Ikhmiêniev se encarregou do assunto com entusiasmo. O principezinho chegou e ele recebeu-o em sua casa como se fosse seu próprio filho. Não tardou que Nikolai Sierguiéitch criasse por ele uma viva afeição, e o mesmo se deu com Natacha, e a tal ponto que ainda depois, quando já rompera relações com o príncipe pai; o velho se recordava com gosto do seu Alhocha, nome por que ele costumava tratar Alieksiéi Pietróvitch. Este era no fundo um rapaz extremamente simpático, gentil, fraco de caráter e nervoso como uma mulher, mas ao mesmo tempo jovial e ingênuo, de alma franca e capaz dos mais nobres sentimentos, e coração amoroso, sincero e agradecido... Chegou a ser o ídolo dos Ikhmiêniev. Apesar dos seus dezenove anos era todavia uma autêntica criança. Tornava-se difícil imaginar por que o teria enviado para ali o pai, que, segundo disse já, lhe queria tanto. Murmuravam que o principezinho, em Petersburgo, levara uma vida tempestuosa e louca; não queria entrar no serviço do Estado e o pai estava muito descontente por essa razão. Nikolai Sierguiéitch nada quis perguntar a Alhocha, porque seu pai, ao que parece, passava deliberadamente por alto, na sua carta, a verdadeira causa da deportação do filho. Ademais corriam rumores relativos a certa imperdoável loucura de Alhocha, a não sei que amores com uma dama, e um duelo; também sobre certas perdas inverossímeis no jogo chegavam mesmo a falar de uns dinheiros alheios que ele teria gasto em proveito próprio. Diziam também que o príncipe tomara a deliberação de afastar de si o filho, não porque este fosse culpado de alguma coisa, mas por causa de certas considerações de ordem pessoal e egoísta. Nikolai Sierguiéitch afastava com repugnância tais suposições, tanto mais que Alhocha queria muitíssimo a seu pai, com o qual não convivera em todo o tempo da sua infância e adolescência; falava dele com entusiasmo arrebatado; era evidente que estava sob sua influência. Alhocha costumava falar também de certa condessa, pela qual bebiam os ares o pai e o filho, a qual dera a preferência a Alhocha, o que muito aborrecera o príncipe. Contava sempre esta história com infantil candura, por entre risadas ruidosas e joviais; porém, Nikolai Sierguiéitch imediatamente se interpunha, cortando-lhe a palavra. Alhocha afirmava também que o pai queria casá-lo.

Havia quase um ano estava desterrado, escrevendo de quando em quando cartas respeitosas a seu pai, nos prazos combinados e, por fim, a tal ponto se aclimatara a Vassiliévskoie que, no fim desse ano, quando o príncipe foi em pessoa à aldeia (do que oportunamente prevenira Ikhmiêniev), foi ele, o próprio desterrado, que acabou por pedir a seu pai o deixasse continuar ali o maior tempo possível, garantindo-lhe que a vida rústica... era a mais indicada para ele. Todas as resoluções e desmandos de Alhocha provinham do seu temperamento, delicado e nervoso no mais alto grau; do seu fogoso coração, do seu aturdimento, que às vezes tocava as raias da insensatez; da sua extraordinária facilidade para se deixar submeter a qualquer influência e da sua absoluta falta de vontade. Entretanto, o príncipe escutou o pedido do filho com certa apreensão.

Nikolai Sierguiéitch sentia agora certa dificuldade em reconhecer o seu antigo "amigo": o príncipe Piotr Aliekeándrovitch sofrera uma modificação considerável, tornara-se subitamente muito desconfiado para com Nikolai Sierguiéitch. Na revisão das contas, sobretudo, mostrava uma avidez repulsiva, uma tacanhez e meticulosidade incompreensíveis. Tudo isso afligiu profundamente o excelente Ikhmiêniev que, durante muito tempo, nem queria acreditar nessas coisas.

Dessa vez tudo correu de maneira diferente daquela em que o príncipe fizera a sua primeira visita a Vassiliévskoie, catorze anos atrás. Agora o príncipe travava conhecimento com todos os seus vizinhos, com os de categoria importante, sobretudo. Em compensação, a Nikolai Sierguiéitch não o visitou nem uma só vez e comportou-se como se ele fora seu subordinado. Até que de repente se deu um acontecimento extraordinário: sem motivo aparente, produziu-se uma ruptura violenta, entre o príncipe e Nikolai Sierguiéitch. Soaram frases duras, ofensivas, proferidas por ambas as partes. Indignado, Ikhmiêniev afastou-se de Vassiliévskoie; porém, as coisas não ficaram por aí. Por todos aqueles arredores começaram a difundir-se boatos repugnantes. Afirmavam que Nikolai Sierguiéitch, adivinhando o caráter do príncipe mais novo, soubera aproveitar-se de todos os seus defeitos; que a sua filha Natacha (que nessa ocasião completara dezoito anos) resolvera dar volta ao juízo do jovem, de vinte; que os pais dela protegiam aqueles amores, ainda que fingissem não dar por eles; que a astuta e "imoral" Natacha acabara por transtornar o rapaz; que durante todo aquele ano, graças aos seus ardis, não vira ele uma só das moças autenticamente nobres, como tantas poderia ter conhecido nas respeitáveis casas dos proprietários vizinhos. Asseguravam, finalmente, que os noivos tinham combinado entre si irem casar a quinze verstas de distância de Vassiliévskoie, na aldeia de Grigóriev, segundo as aparências, às escondidas dos pais de Natacha, os quais entretanto estavam a par de tudo, até nos seus mínimos pormenores, e assediavam a filha com os seus abomináveis conselhos. Em resumo: um livro inteiro seria pequeno para recolher tudo o que as comadres da freguesia vieram a dizer sobre aquela história. E o mais importante: o príncipe acreditava piamente em tudo isso e chegou até a apresentar-se em Vassiliévskoie, exclusivamente por essa razão, em consequência de certa delação anônima que da província lhe tinham enviado a Petersburgo. Sem nenhuma dúvida alguém que conhecesse a Nikolai Sierguiéitch não teria acreditado nem uma só palavra de tudo aquilo de que o inculpavam. No entanto o certo era que, como é costume, todos se alvoroçavam, falavam, comentavam e viravam a cabeça e... pronunciavam uma sentença irrevogável. Ikhmiêniev era suficientemente orgulhoso para pôr-se a justificar a filha perante aquelas linguarudas e, com toda a severidade, proibiu à mulher que entrasse em quaisquer explicações sobre o assunto com os vizinhos. Quanto a Natacha, durante um ano inteiro alvo daquelas calúnias, nada sabia de semelhantes murmúrios; em casa ocultavam-lhe tudo com o maior cuidado; e por isso vivia tão alegre e inocente como uma garota de doze anos.

Com tudo isto, o desentendimento entre o príncipe e Ikhmiêniev tornava-se cada vez mais fundo. E os boateiros também não adormeciam. Apareceram delatores e testemunhas, e o príncipe pôde comprovar por fim que a administração durante tantos anos desempenhada por Nikolai Sierguiéitch nem de longe se distinguira por honrada. Ainda mais: que havia três anos, com o pretexto da venda de um bosque, Nikolai Sierguiéitch guardara para si mil rublos de prata. Do que podia apresentar provas claras perante os juízes, baseadas na lei. Tanto mais que na venda desse bosque, procedera sem contar com os poderes legais do príncipe e por sua livre escolha, tendo nessa ocasião prevenido o príncipe de que isso era imprescindível, e remetendo-lhe pela venda uma quantia inferior à que realmente recebera. Claro que tudo isto eram puras calúnias, como depois se demonstrou. Mas o príncipe assim o afirmava e, apoiado por testemunhas, arrastou Nikolai Sierguiéitch perante os tribunais. Ikhmiêniev não pôde suportar mais e respondeu com insultos igualmente fortes. Deu-se uma cena terrível. E o pleito judicial começou imediatamente. Nikolai Sierguiéitch, por falta de alguns documentos, e, sobretudo, de influências, e por não ser também muito experiente em tais assuntos, começou desde o princípio a perder terreno. Embargaram-lhe as terras. Irritado, o velho deixou tudo e resolveu finalmente trasladar-se a Petersburgo, a fim de conduzir pessoalmente a sua parte na questão, deixando como administrador dos seus assuntos um hábil advogado. Segundo parece, não tardou o príncipe a reconhecer de si para si que agravara injustamente a Ikhmiêniev. Porém, as ofensas de parte a parte tinham sido tão graves, que seria despropositado falar de reconciliação. O príncipe, enfurecido, pôs então em jogo todas as suas forças para conseguir que a questão se decidisse a seu favor, ou o que vinha a dar no mesmo, para arrebatar ao seu ex-administrador o último pedaço de pão.

Capítulo V

Vieram pois os Ikhmiênievi viver em Petersburgo. Não quero descrever o meu encontro com Natacha, de quem estivera separado durante aqueles quatro anos e a quem não pudera esquecer nem um instante. Não sabia explicar o sentimento que ela me inspirava; mas ao vê-la agora de novo, o meu primeiro pensamento foi que era a mulher que o destino me trazia. Pareceu-me logo pouco desenvolvida e que continuava a ser a mesma garota de antes da nossa separação. Mas dia a dia ia descobrindo nela um novo e ignorado encanto, que parecia ter ocultado até então... Que entusiasmo me provocavam essas descobertas! Durante os primeiros tempos da sua estada em Petersburgo, Ikhmiêniev mostrava-se irritável, bilioso; a sua causa não caminhava bem e ele encolerizava-se e enchia-se de indignação, entregando-se por completo à sua papelada, sem querer saber dos outros para nada. Anna Andriéievna, sua mulher, estava como que transtornada; Petersburgo fazia-lhe medo; suspirava e chorava recordando-se da terra onde até então vivera. Queixava-se de que Natacha estava em idade de casar-se e que não lhe apareciam pretendentes, do que se lamentava com uma grande franqueza comigo, certamente por não ter outra pessoa de mais confiança a quem fazer as suas confidências. Eu terminara então o meu primeiro romance; estava no início da minha carreira literária e, como principiante, não sabia para onde voltar os olhos. Nada tinha dito aos Ikhmiênievi, com receio de uma reprimenda, pois continuamente me censuravam por viver na ociosidade, sem ofício nem benefício, e por não tentar nada para arranjar colocação.

Meu pai adotivo ralhara-me muito e, como as suas censuras nasciam de um afeto paternal, não tive coragem de dizer-lhe em que me ocupava. Menti, dizendo-lhe que não encontrava emprego, se bem que fizesse tudo para consegui-lo. Um dia, Natacha, de lágrimas nos olhos, chamou-me de parte e disse-me que pensara no futuro; fez-me perguntas, quis saber como empregava eu o tempo e, como evitei dizer-lhe a verdade, obrigou-me a jurar-lhe que não consentiria nunca que a preguiça e a ociosidade provocassem a minha desdita. Não lhe tinha dito o gênero de trabalho em que me ocupava, se bem que uma só palavra sua de encorajamento me traria mais contentamento do que os juízos mais favoráveis de todos os críticos juntos.

Até que o meu livro apareceu; já antes da publicação produzira grande celeuma no mundo literário. B***[6] ficou contente como uma criança, ao ler os meus escritos. Nunca senti tanta felicidade como nos primeiros momentos do meu triunfo; eu não comunicara nem lera a minha obra a ninguém; trabalhava a altas horas da noite, cheio de sonhos e de esperanças; trabalhava com paixão; vivia com as pessoas que eu próprio criava, como se fossem meus filhos, como seres que verdadeiramente existissem; amava-os; tomava parte nos seus sofrimentos e alegrias e chorava lágrimas sobre o infortúnio do meu herói.

Nem sei descrever quanto os alegrou, a Ikhmiêniev e a sua mulher, o rumor do meu êxito, se bem que a sua primeira impressão tivesse sido de surpresa. Anna Andriéievna não queria acreditar que aquele jovem escritor, a quem toda a gente elogiava, fosse... eu próprio, aquele Vânia que... e punha-se a abanar a cabeça. O velho foi mais demorado em render-se à minha admiração, e quando os primeiros rumores lhe chegaram aos ouvidos, veio para mim, todo assustado, dizendo-me

---
[6] Inicial de Belínski, o famoso crítico.

que eu podia dar por perdida toda a esperança de entrar para o serviço do Estado e falando-me da vida desordenada que, em geral, levavam os escritores.

Mas, as apreciações favoráveis que de mim faziam os jornais, e algumas palavras de elogio que ouviu da parte de pessoas nas quais depositava uma confiança que tocava a adoração, fizeram-no mudar de ideia. Os seus últimos escrúpulos desfizeram-se quando viu que o meu trabalho me trouxera dinheiro e o que se podia ganhar com a literatura. Passou assim da dúvida à confiança plena; feliz como uma criança, com o meu êxito, entregou-se às maiores ilusões, aos sonhos mais brilhantes sobre o meu futuro. Todos os dias idealizava para mim novos triunfos e forjava um novo projeto. E que projetos!

Começava a demonstrar por mim uma certa consideração que antes não sentia. Não obstante, lembro-me de que, até no meio do entusiasmo, voltavam a assaltá-lo as dúvidas antigas, e assim, às vezes costumava dizer: "Ser poeta, que coisa esquisita! Os poetas... tinham alguma vez feito caminho, alcançado honras? Nada havia a esperar desses escrevinhadores, lambuzadores de papel!". Pude observar que estas perplexidades lhe chegavam sempre à hora do crepúsculo (tenho bem gravado na memória tudo quanto respeita a esse tempo). Sobretudo a essas horas, punha-se nervoso, impressionável e desconfiado. Natacha e eu sabíamos disso e dávamos risada de antemão. Eu fazia todo o possível por meter-lhe na cabeça ideias mais otimistas e contava-lhe algumas anedotas de Sumarókov,[7] que fora nomeado general,[8] ou de Dierjávin,[9] ao qual uma vez presentearam com uma tabaqueira cheia de moedinhas de ouro; dizia-lhe que a imperatriz Ekatierina visitara a Lomonóssov[10]; falava-lhe de Púchkin, de Gógol...

– Bem sei, meu filho, já sei isso tudo – respondia, quando era natural que tivesse ouvido essas histórias pela primeira vez na sua vida. – Quanto a ti, o que me consola um pouco, rapaz, é que não te inclinas muito para a versalhada. Os versos são absurdos e não me agradam. Acredita num velho que só deseja o teu bem: é tempo perdido; que os colegiais façam versos, vá lá. Agora, num jovem da tua idade, seria caminhar direto para o manicômio. Púchkin pode ser um grande homem, ninguém o nega. Mas para dizer a verdade, eu não o li muito. Versos e nada mais, e isto é bem efêmero. Agora, a prosa, é coisa diferente; na prosa pode instruir-se o povo, falar do amor da pátria, da virtude... Não sei explicar-me bem, mas tu compreendes-me. É a amizade que me faz falar assim. Mas vamos ver, lê – disse ele como remate, em tom protetor, no dia em que por fim lhe levei o meu livro, quando nos encontrávamos todos reunidos à volta da mesa redonda, depois do chá. – Lê-nos alguma coisa do que escrevinhaste. Deste muito que falar. Vamos, vamos ver do que se trata.

Abri o livro e dispus-me a ler. O meu romance fora posto à venda nesse mesmo dia e, quando consegui um exemplar, corri com ele à casa de Ikhmiêniev. Custara-me muito não lhe ter lido anteriormente algum pedaço, mas o manuscrito estava nas mãos do editor. Natacha chorou de despeito e queixou-se de que os estranhos vies-

---

[7] Aleksandr Sumarókov (1717-1777). Poeta e teatrólogo do reinado de Isabel, filha de Pedro, o Grande; as suas peças são baseadas em temas da história russa ou imitam o teatro francês.
[8] Na Rússia existia também a categoria de general no funcionalismo civil, e correspondia à de conselheiro privado.
[9] Gavrila Dierjávin (1743-1816). Foi, de certa maneira, o poeta oficial da corte de Catarina II. Foi também ministro da Justiça.
[10] Mikhail Lomonóssov (1711-1765). Uma das personagens mais notáveis da Rússia do séc. XVIII, depois do reinado de Pedro, o Grande. Filho dum pescador, foi ao mesmo tempo poeta, historiador, gramático e físico. É sobretudo conhecido pelas suas odes à imperatriz Catarina (ou Ekatierina).

sem a ler o meu livro antes dela... Por fim, estávamos todos preparados; o pai tomou um ar extraordinariamente solene, de crítico. Queria julgar severamente (convencer-se por si mesmo). A velha Anna mostrava também um aspecto mais solene do que o costume; pouco faltou para que não pusesse uma touca nova para ouvir a leitura.

Havia já um certo tempo observara ela que eu olhava para a sua querida Natacha com um infinito amor, que o meu espírito estava suspenso do dela, que se me enevoava a vista quando lhe falava, e que Natacha, por sua vez, olhava-me com uns olhos mais brilhantes do que antigamente; chegara o tempo em que o êxito vinha para dar realização aos meus sonhos dourados e para trazer-me a felicidade.

A velhota reparara também, havia algum tempo, que o marido me elogiava de modo excessivo, e que nos olhava, à filha e a mim, de certa maneira... e alarmou-se. Eu não era nenhum conde, nem príncipe ou duque reinante! Nem sequer um conselheiro da Instrução Pública, com ideias, como era próprio, ou um jovem galante, com muitas condecorações. "Não sei por que o hão de elogiar tanto – pensava ela... – Um escritor, um poeta... Afinal, que vem a ser um escritor?" Quando fantasiava, a pobre Anna não era nada humilde.

"Elogiam-no – pensava referindo-se a mim – e por quê? Não sei. Escritor, poeta... Mas o que vem a ser, afinal, um escritor?"

Capítulo VI

Li-lhes o meu romance todo de uma vez. Começamos imediatamente depois do chá e permanecemos sentados até às duas da madrugada. A princípio, o velho franziu o sobrolho. Esperava qualquer coisa de uma sublimidade que lhe fosse incompreensível, pelo menos algo de muito elevado, e em vez disso encontrou-se perante coisas que sucediam diariamente e que toda a gente sabia; as mesmas que aconteciam constantemente à nossa volta. Se ao menos o meu herói fosse um homem de interesse excepcional! Alguma personagem histórica como Roslávliev, ou Iúri Miloslávski...[11] Mas não. Eu punha em evidência o pobre-diabo de um empregado, com a casaca coçada e sem botões, e isto contado na linguagem com que toda a gente fala... Era verdadeiramente extraordinário! Anna Andriéievna olhava para o marido com ar interrogativo e um tanto enfadada, como se estivesse para dizer:

– Vale a pena imprimir um livro destes e, sobretudo, dar dinheiro por ele?

Natacha era toda atenção, escutava com grande interesse; não deixava um instante de olhar os meus lábios e a cada palavra que eu pronunciava movia os seus, tão bonitos. Que mais podia eu desejar? Já todos os meus ouvintes tinham os olhos arrasados de lágrimas. Anna Andriéievna chorava de verdade, compadecida do meu herói, de todo o coração e, segundo deduzia dos seus gestos, desejaria poder ajudá-lo nas suas desditas. O velho renunciara aos seus sonhos de grandeza e de elevação. "Dos primeiros passos se vê que não vais muito além disso. Está contada com simplicidade mas chega ao coração – disse. – Compreende-se e fixa-se na memória aquilo que acontece à nossa volta. Por esta história se vê que até o homem mais decaído e humilde continua a ser um homem e merece o nome de irmão nosso."

---

[11] Heróis de dois grandes romances históricos de Zagóskin, escritor do começo do século XIX, que tiveram grande êxito.

Natacha escutava, chorava e, às escondidas, por debaixo da mesa, apertava-me as mãos com força. Acabou a leitura; Natacha pôs-se de pé, com as faces vermelhas e os olhos rasos de pranto; pegou-me de repente na mão, beijou-a e saiu precipitadamente da sala. Os velhos trocaram um olhar.

— Hum! Que entusiasmo! — disse o pai admirado da ingenuidade da filha. — Não há nisto maldade nenhuma, é uma boa menina — acrescentou, olhando para a mulher com o intento de desculpar a filha e também, de certo modo, a si próprio.

Anna Andriéievna, porém, apesar da comoção que experimentara durante a leitura, demonstrava agora menos entusiasmo e parecia que estava para dizer:

"Alexandre da Macedônia pode ser um herói, mas isso não é razão para se ficar de cabeça à roda".

Natacha não tardou em voltar, feliz e contente e, ao passar perto de mim, beliscou-me levemente. Ikhmiêniev queria ajuizar "a sério" a minha obra; mas a alegria o fez esquecer seu propósito.

— Muito bem, amigo Vânia, muito bem — disse-me alvoroçado. — Isso saiu-te bem, melhor do que eu esperava, se bem que não seja nada de grande nem de sublime. Olha, eu tenho *A libertação de Moscou,* que li lá mesmo, em Moscou, e logo desde as primeiras linhas se sente algo de elevado pelos ares, como uma águia, rapazinho... Este teu livro é muito simples e muito fácil de compreender. É o que mais me agrada, que seja tão compreensível e tão real. Até me parece que tudo isso me aconteceu a mim próprio. E afinal para que falar de coisas tão sublimes, que ninguém compreende? Ainda que, em verdade, não te ficaria mal se modificasses um pouco o teu estilo; dou-te todos os meus elogios, mas creio que te falta, dize lá o que quiseres, um pouco de elevação... Bom, agora já é tarde, pois já está impresso. Mas na segunda edição — pois terá de fazer uma segunda edição... e te dará mais dinheiro...

— É verdade, Ivan Pietróvitch, que isto te deu muito dinheiro? — perguntou Anna Andriéievna. — Oh! Meu Deus, quanto mais olho para ti, mais me custa a acreditar!

— O dinheiro que hás de ganhar! Olha, Vânia — continuou Ikhmiêniev alegrando-se por instantes: — isso não vale o que vale o serviço do Estado, mas no fim de contas, sempre é uma profissão. Hão de ler-te as pessoas mais importantes. Não dizes que Gógol recebe uma pensão e que foi enviado ao estrangeiro? Quem sabe se tu... eh! É capaz de ser ainda cedo demais! Sim, deve ser ainda demasiado cedo, é preciso que escrevas outra coisa. Nesse caso, escreve, rapaz, e apressa-te, não te ponhas a dormir sobre os louros alcançados.

Dizia isto tão convencido, com tal bondade, que não tive coragem para cortar-lhe a palavra e refrear o seu entusiasmo.

— E se te dessem uma cigarreira para te animar! Quem sabe! Talvez te convidem para a corte — acrescentou com certa malícia, piscando o olho a Natacha: — Ou será ainda muito cedo para que te chamem?

— Bom, já o temos na corte — disse a mãe ressentida.

— Um pouco mais e fazem-me general — disse eu a rir.

O velho ria também com toda a vontade; estava absolutamente satisfeito.

— Meu general, não deseja comer qualquer coisa? — disse Natacha, que entrementes havia preparado a ceia. E soltando uma gargalhada, lançou-se nos braços de seu pai.

— *Papacha, papacha,* que bom! — gritava, louca de entusiasmo.

– Bem, bem – dizia Ikhmiêniev também muito comovido. – Bem, bem, chega... General ou não, vamos comer. Que coração sensível! – dizia, dando leves pancadinhas nas faces coradas de Natacha. – Afinal de contas, Vânia, é a minha amizade que me faz falar assim; mas suponhamos que não eras general (e mesmo isso ainda está longe); todavia, de qualquer maneira, não serias um desconhecido, mas um autor!

– Agora diz-se escritor, *papacha*.

– Ah, não é autor? Não sabia disso. Bom, chamemo-lo escritor. Quero dizer que se o não fizerem gentilhomem da câmara pelo fato de ter escrito um romance, também não tem importância; entretanto podem fazê-lo qualquer outra coisa: agregado de uma embaixada estrangeira; também podem enviá-lo à Itália para se aperfeiçoar na arte ou estipularem-lhe uma pensão em dinheiro. Certamente pelos teus méritos hás de receber distinções ou recompensas. Pelo teu trabalho e não como uma proteção humilhante.

– Apre! Não te conformas com pouco, Ivan Pietróvitch! – acrescentou Anna Andriéievna.

– Não, papá – disse Natacha rindo. – Deem-lhe antes uma condecoração; agregado de embaixada! Que miséria! – E deu-me outro beliscão no braço.

– Repara como ela ri – dizia o velho pousando um olhar de orgulho na sua Natacha, de faces coradas como a romã e olhos radiantes como estrelas. – Talvez eu tenha ido um pouco longe demais, meus filhos; mas sou assim; e no entanto, quando te olho, não vejo em ti nada de extraordinário, Vânia...

– Meu Deus, mas que querias tu ver, *papacha*?

– Não é isso o que eu quero dizer: quero dizer é que não acho nada de poético na sua figura... Os poetas dizem que têm uns cabelos assim, enormes, e uns olhos assa... Como o Goethe e companhia. Li isso num almanaque. Mas... que é? Disse alguma tolice? Porque se riem de mim? Tenho ideias mas não sei explicar-me; "a tua figura não me parece má, até pelo contrário, agrada-me"... Não era isso que eu queria dizer... Ser um homem honrado, um homem de coração, isso é que importa. Leva sempre uma vida honrada e não te preocupes com mais coisa nenhuma. Tens à tua frente um vasto caminho. Realiza com honra a tua obra. Era isso o que eu queria dizer, era isso!

Que tempos felizes! Passava todas as tardes em casa dos Ikhmiênievi, todas as minhas horas de liberdade; contava aos velhos todas as notícias do mundo literário; imediatamente os escritores lhes tinham começado a interessar; liam os artigos de B***, o crítico que eu tanto elogiara e, ainda que o não compreendessem, admiravam-no e censuravam asperamente os seus inimigos que escreviam na *Abelha do Norte*. Eu tinha finalmente acabado por ouvir Natacha dizer-me "sim" em voz mansa, de cabeça baixa e lábios quase cerrados.

A mãe vigiava-nos. Mas Natacha e eu ludibriávamos a sua vigilância. Os nossos corações palpitavam em uníssono. Os pais andavam alerta, conjeturando e refletindo.

– Alcançaste um grande êxito – dizia-me Anna Andriéievna mexendo muito a cabeça, – mas se para a próxima vez fraquejas ou sai por aí qualquer coisa de outro autor, que hás de fazer? Se ao menos tivesses um emprego!

– Quanto a mim, ouve o que te digo – acrescentou o velho depois de refletir um instante: – tive já ocasião de reparar que tu e Natacha... Hem? Não vejo mal algum nisso. No entanto são ainda muito novos e a minha Anna Andriéievna tem razão. Aguardemos. Tu tens talento, muito talento mesmo. Muito bem. Não chegas a ser um gênio, como disseram de ti a princípio, mas tens realmente talento. Hoje voltei a ler aquela crítica que te dedicaram na *Abelha*. Tratam-te nela com severidade excessiva. No entanto temos de reparar que se trata de um jornaleco. Mas vê: o talento, apesar de tudo, não significa dinheiro no bolso e vocês dois são pobres. Esperem um meio aninho ou um ano. Se tudo te correr bem, se então caminhares em terreno sólido, Natacha será tua. Se não, pensa tu próprio...

E ficamos nisto. Mas vejam em que situação nos encontrávamos um ano depois!

Sim, foi precisamente um ano depois. Num esplêndido dia de setembro, ao anoitecer, doente e com o desespero na alma, cheguei à casa dos meus velhotes e deixei-me cair numa cadeira meio desfalecido, de tal maneira que todos se assustaram ao me ver. Minha cabeça rodava, o meu coração estava cheio de angústia. Por dez vezes chegara à porta e outras tantas retrocedera. Não porque não alcançasse êxito na minha carreira literária ou não tivesse ainda obtido glória e dinheiro; não por não ser ainda adido de embaixada nem ver jeitos de ir à Itália como bolsista, mas porque... Num só ano podem viver-se dez e neste ano que acabava de passar, a minha Natacha tinha-os vivido. Um abismo se abrira entre nós dois e recordo-me de estar, naquela tarde, sentado em frente do velho, silencioso, torturando com mãos nervosas a já muito amassada copa do meu chapéu. Estava sentado e esperava não sabia o quê, quando Natacha entrou. Eu vestia um terno muito gasto e que me assentava mal. Meu rosto tinha ficado muito magro e pálido e, sem dúvida, nem de longe me parecia com um poeta; nos meus olhos nada transluzia daquela grandeza de que um dia falara Nikolai Sierguiéitch.

A velha mirava-me com mal dissimulada compaixão; mostrava-se muito solícita para comigo e parecia pensar: "Olhem a quem eu ia entregar a minha Natacha! Deus me livre!".

– Toma uma chávena de chá, Ivan Pietróvitch. – O samovar fervia sobre a mesa. – Como te sentes, meu rapaz? Sentes-te doente? – perguntou-me num tom lamuriento que ressoa ainda nos meus ouvidos.

Enquanto falava comigo parecia pensar noutras coisas; o marido estava também absorto nas suas meditações.

Eu sabia que eles sentiam agora grande inquietação sobre o resultado do seu pleito com o príncipe Valkóvski e experimentavam ainda outra contrariedade que quase fizera adoecer Nikolai Sierguiéitch. O príncipe filho achara maneira de vir visitá-los uns cinco meses antes. O velho Ikhmiêniev, que lhe queria como a um filho e diariamente se recordava muito dele, recebeu-o cheio de alegria.

À mulher, isso levava-a a recordar-se de Vassiliévskoie e dava-lhe vontade de chorar. As visitas do jovem tornaram-se cada vez mais frequentes. Ikhmiêniev, reto e franco, recusou com indignação toda a espécie de subterfúgios. Por espírito de nobre orgulho, nem sequer se demorava a pensar o que poderia dizer o príncipe e desprezava todas as absurdas suposições que ele pudesse fazer, quando viesse a saber que o filho frequentava a casa dos Ikhmiênievi. Mas o velho ignorava se ainda lhe restariam forças para suportar novos agravos. O príncipe jovem deu em ir ali quase diariamente. Entendia-se muito bem com os velhos e ali se deixava ficar quase até ao cair da noite. Como era natural, não tardou viesse o príncipe a saber tudo. Pronunciou então as mais abomináveis palavras. Insultou Nikolai Sierguiéitch numa carta horrível e proibiu terminantemente a seu filho que visitasse os Ikhmiênievi. Isto se passara precisamente quinze dias antes da minha visita.

O velho mostrava-se extremamente aflito. Como podia acontecer voltassem a caluniar daquela maneira à sua Natacha, criatura tão pura, tão inocente? O nome de sua filha manchado pelo mesmo que tão horrorosamente havia ultrajado o seu...

Iria suportar tudo isto sem exigir uma reparação? Nos primeiros dias, o desgosto obrigou-o a ficar de cama. De tudo isto eu tinha conhecimento. Chegara até aos meus ouvidos, se bem que doente e abatido pelo sofrimento, não tivesse ido a casa dos Ikhmiênievi havia já três semanas. E sabia também... quero dizer, não, não fazia mais do que pressenti-lo; sabia, porém não ousava acreditá-lo, que outra coisa lhe importava agora, a ela, mais do que o resto, e tratava de ler isso nos seus olhos...

Sim, aquilo era um suplício. Tinha medo de adivinhar, tinha medo de acreditar; mas desejava o momento fatal. E no entanto ali estava eu por causa dela. Sentia que alguma coisa me atraía para ela naquela noite!

– Olá, Vânia! – disse imediatamente Ikhmiêniev, como se despertasse. – Estiveste doente? Há quanto tempo te não vejo! Sinto-me culpado, devia ter ido ver-te. Mas, acontece que... – e voltou a afundar nos seus pensamentos.

– Tenho estado um pouco adoentado – respondi-lhe.

– Hum! Adoentado! – replicou depois de uns momentos. – Adoentado! Bem te avisei, mas não me quiseste escutar. Hum! Meu caro Vânia, a musa viveu sempre na trapeira, morta de fome, e assim há de viver eternamente...

Não estava de bom humor o velho. Era preciso ter o coração muito magoado para falar-me assim. Pus-me a observá-lo: estava lívido e os seus olhos exprimiam certa inquietação; tinha algum problema que não conseguia resolver. Mostrava-se mais violento e bilioso do que de costume. A mulher olhava-o com ansiedade e aproveitou um momento em que ele voltou a cabeça para fazer-me um rápido sinal.

– Como passa Natacha Nikoláievna? Está em casa? – perguntei timidamente a Anna Andriéievna.

– Está sim – respondeu a mãe, a quem a minha pergunta parecia contrariar. – Ela já vem. Mas que coisa engraçada! Três semanas sem nos vires ver! Ela também está um pouco... não sei como dizer; não sei o que ela tem, se está bem ou mal! Deus a proteja! – e lançou ao marido um olhar assustado.

– Está mal o quê! – respondeu Nikolai Sierguiéitch de mau humor, comentando – Está boa. Está-se tornando mulher e nada mais. Quem pode compreender esses desgostos, esses caprichos de mocinha!

– Não fales de caprichos! – respondeu Anna Andriéievna num tom ressentido.

O velho calou-se e pôs-se a tamborilar com os dedos sobre a mesa.

"Meu Deus, terá sofrido algum desgosto?", pensava eu, inquieto.

– E tu, que nos contas de novo? – disse um instante depois. – B*** continua com as suas críticas?

– Sim, continua com elas – respondi-lhe.

– Ah, Vânia! Vânia! – acrescentou ele deixando cair os braços. – Para que serve a crítica!

A porta abriu-se e Natacha entrou.

Capítulo VII

Trazia na mão o chapéu que, ao entrar, deixou sobre o piano; depois dirigiu-se para mim e, sem dizer uma palavra, estendeu-me a mão. Os seus lábios agitaram-se levemente como se desejasse dirigir-me alguma frase de cortesia, mas não, não chegou a dizer nada.

Havia três semanas que não nos víamos; eu a contemplava com assombro e espanto. Que transformação se operara nela! O meu coração perturbou-se ao ver as suas faces pálidas e descarnadas, os lábios trêmulos como se sentisse arrepios de febre e os olhos que, debaixo da sombra das suas pestanas escuras, irradiavam uma chama ardente e uma apaixonada energia.

Mas, meu Deus, como estava bonita! Nunca, nem antes nem depois, a vi tão bela como nesse dia fatal. Era esta a mesma Natacha que havia um ano, no máximo, não tirava os olhos de mim, cujos lábios se moviam ao mesmo tempo que os meus durante a leitura do meu livro, e que com tanta alegria e despreocupação ria e gracejava com o pai e comigo à sobremesa do jantar? Era esta a mesma Natacha que, no quarto próximo, com as faces vermelhas e os olhos baixos me dissera "sim"?

Ouviu-se a voz sonora e grave dum sino que tocava a vésperas. Natacha estremeceu e a velha benzeu-se.

– Estão tocando a vésperas, Natacha; tu queres ir... – disse – Isso mesmo, vai, Natacha, vai rezar; a igreja é perto. Por que hás de estar sempre aqui recolhida? Estás tão pálida! Até parece que alguém te rogou uma praga!

– Acho que hoje... não vou – disse Natacha lentamente e baixando a voz, quase num murmúrio. – Não me... sinto... bem.... – acrescentou, empalidecendo cada vez mais.

– Era melhor ires, Natacha; há pouco querias ir e até já estavas com o chapéu na mão; vai, vai rezar, Natacha; vai pedir a Deus que te dê saúde – disse Anna Andriéievna olhando para a filha com receio.

– Sim, vai; ao mesmo tempo apanhas um pouco de ar – reforçou o velho olhando com inquietação o rosto da filha. – A tua mãe tem razão. Olha, Vânia acompanha-te.

Pareceu-me que um amargo sorriso assomava aos lábios de Natacha. Dirigiu-se para o piano, pegou e pôs o chapéu; as mãos tremiam-lhe. Todos os seus movimentos pareciam inconscientes; não dava conta do que fazia. Os pais olhavam-na com estranheza.

– Adeus – disse ela com uma voz que mal se ouvia.

– Por que nos dizes adeus, minha querida? Vais assim para tão longe? Será bom apanhares ar, estás tão pálida. Ah! Meu Deus, já me esquecia! (Esqueço-me de tudo). Acabei o teu breve e cosi-lhe por dentro uma oração. Meu amigo! Foi uma freira de Kiev[12] que me ensinou o ano passado, é muito eficaz. Leva-o, Natacha! Vamos, Natacha! Pode ser que Deus Nosso Senhor te dê saúde. És a nossa única filha...

Tirou da sua caixa de costura uma cruzinha de ouro que Natacha trazia sempre ao pescoço; o breve que acabava de terminar pendia da mesma fita.

– Deus te dê saúde! – disse, pondo-lhe a cruz e benzendo-a. – Há algum tempo benzia-te todas as noites antes de adormeceres e dizia uma oração que tu ias repe-

---
12   É a maior cidade da Ucrânia, hoje um país independente. Foi também uma capital da antiga Rússia.

tindo, mas agora já não és a mesma. Deus Nosso Senhor não quer dar-te a paz de espírito. Ah, Natacha, Natacha! As minhas orações de mãe já não te servem de nada!
– E a velhinha desatou a chorar.

Natacha beijou em silêncio a mão de sua mãe e deu um passo para a porta; mas de súbito retrocedeu e aproximou-se do pai, muito agitada.

– *Papacha*, abençoe também a sua filha – disse com uma voz abafada e caindo de joelhos diante dele.

Estávamos todos perturbados ao vermos a sua atitude tão inesperada e solene. O pai olhou para ela um momento, completamente atônito.

– Natacha! Minha pequenina! Minha filhinha! Minha adorada! Que tens tu? – gritou por fim e dos seus olhos caíram lágrimas. – Que desgosto te consome? Por que choras dia e noite? Eu bem vejo tudo; nem durmo; levanto-me a todos os momentos e vou escutar à porta do teu quarto. Diz-me tudo, Natacha; confia os teus desgostos a teu velho pai e nós...

Não acabou e amparou-a entre os seus braços.

Ela apertou-se convulsivamente contra o seu peito e escondeu a cabeça no seu ombro...

– Não é nada! Não é nada! É que estou um tanto nervosa – dizia ela, sufocada pelas lágrimas que retinha.

– Que Deus te abençoe como eu te abençoo, minha querida, minha adorada filha, – disse o pai – que te envie a paz de espírito; e te defenda sempre de todo o mal. Pede a Deus, meu amigo, para que chegue até Ele a súplica deste pecador.

– E que a minha bênção te acompanhe – acrescentou a mãe desfeita em lágrimas.

– Adeus – murmurou Natacha com voz fraca.

Chegou à porta e parou. Olhou para eles outra vez, como se quisesse dizer qualquer coisa; mas faltaram-lhe as forças e saiu de casa correndo. Eu me precipitei atrás dela com o pressentimento de que alguma coisa de mau ia acontecer.

Capítulo VIII

Natacha caminhava em silêncio, de cabeça baixa e sem olhar para mim; mas quando voltou a cabeça, no cais do Nievá, parou de repente e pegou-me a mão.

– Estou abafada – murmurou – tenho o coração opresso! Sinto-me sufocar!

– Voltemos, Natacha – exclamei assustado.

– Mas não compreendes, Vânia, que eu saí para não voltar? – disse, olhando-me com uma angústia indizível.

O meu coração deixou de pulsar. Tinha este pressentimento; enquanto caminhava já o pressentia, como através de um nevoeiro, há muito tempo; no entanto as suas palavras caíram sobre mim como um raio.

Caminhávamos tristemente pelo cais. Eu não podia falar; fazia esforços para raciocinar; mas estava completamente transtornado; a cabeça andava-me às voltas. Aquilo parecia-me tão monstruoso, tão impossível!

– Tu hás de culpar-me, Vânia – exclamou finalmente.

– Não... Não... Não acredito, isso não pode ser – respondi, sem saber o que dizia.

— E no entanto é assim, Vânia! Deixei-os; não sei o que será deles. Nem sequer o que será de mim!

— Vais à casa dele, Natacha? Vais?

— Vou – respondeu-me.

— Mas isso é impossível! – gritei com exaltação. – Tu sabes que é impossível. Minha pobre Natacha! Isso é absurdo! Acabas com teus pais e corres para a perdição. Não compreendes, Natacha?

— Sim, eu sei, mas não posso deixar de fazê-lo; não é a minha vontade – disse, e as suas palavras tinham um acento de desespero, como se caminhasse para um suplício.

— Volta, volta, que ainda estás a tempo! – suplicava-lhe eu com tão maior insistência, com tanto maior ardor quanto eu mesmo reconhecia a inutilidade das minhas exortações e a sua ineficácia em tal momento. – Pensaste no teu pai? Bem sabes que o pai *dele* é inimigo do teu, que o insultou e acusou de ladrão! Não percebes? Tu sabes que o seu pleito... Não sabes isto, Natacha? Sim, meu Deus! Sim, bem sabes: disseram que teus pais te quiseram ligar a Alhocha quando ele estava em vossa casa, no campo. Lembra-te. O que teu pai sofreu com essas calúnias durante estes anos! Até os cabelos lhe embranqueceram! Pensa bem. Mas o principal já sabes, Natacha. Meu Deus! Imagina o que lhe custará perder-te agora para sempre, a ti, o seu tesouro, a única coisa que lhe resta na sua velhice. Tu bem sabes, o teu pai julga-te inocente e caluniada por essa gente soberba. A antiga animosidade recrudesceu ao receber agora Alhocha em casa. O pai dele voltou a insultar o teu; e a cólera ferve na alma do pobre velho por causa desta nova injúria, e assim todas essas acusações ficarão justificadas. Hão de todos dizer que o príncipe tem razão em acusar-vos, a ti e ao teu pai. Que vai acontecer? Ele morre de vergonha. E de quem e que vem o golpe? De ti, da sua filha, da sua única e adorada menina! E a tua mãe? Pensas que sobreviverá ao velho? Natacha, Natacha, que vais tu fazer? Cai em ti, regressemos.

Ela continuava calada; finalmente olhou-me com um ar de censura, e eu li uma dor tão intensa, um sofrimento tão grande nos seus olhos, que compreendi como o coração ferido lhe sangrava. Compreendi como lhe custara tomar aquela resolução e como eu acabava por torturá-la e dilacerá-la com as minhas inúteis e tardias reflexões; mas apesar de tudo não pude conter-me e continuei:

— Há um instante dizias a Anna Andriéievna que talvez não saísses, que não virias à igreja. Desejavas ficar. Talvez a tua decisão não seja irrevogável, não é verdade?

Um sorriso amargo foi a sua única resposta. Por que lhe perguntei eu aquilo? Eu bem via que a sua decisão era irrevogável.

— Gostas assim tanto dele? – gritei com desgosto, olhando-a e sem aperceber-me da minha pergunta.

— Que queres que te diga, Vânia? Tu bem vês; ele me disse que fosse e eu vou esperá-lo – disse ela com o mesmo sorriso dolorido.

— Mas escuta, ao menos – disse-lhe eu agarrado ainda a uma última esperança. – Tudo se pode arranjar ainda, tudo se pode ainda arranjar, Natacha; eu próprio prepararei os vossos encontros... tudo. Ninguém te obrigará a deixares a tua casa; não te vás, eu passarei as vossas cartas. Que não faria eu? Eu saberei arranjar tudo; tu ficarás contente, vais ver... Pelo menos não te perderás, Natacha. Tudo há de correr bem; hão de namorar quanto quiserem e quando os vossos pais tiverem deixado de guerrear-se e injuriar-se (o que há de acontecer, mais tarde ou mais cedo), então...

– Basta, Vânia, cala-te – e apertava-me a mão, sorrindo por entre lágrimas. – Meu bom amigo, meu querido Vânia, como és bom e honesto! Não dizes nem uma palavra de ti! Ofendi-te e perdoas-me, não pensas senão na minha felicidade. Queres encarregar-te de levar e trazer as nossas cartas – e rompeu em pranto. – Eu sei como gostaste de mim, como ainda gostas, que não me fazes nenhuma censura e nunca me disseste uma palavra dura. E eu, eu... Meu Deus, como eu sou má para ti! Lembras-te, Vânia, lembras-te do tempo que passamos juntos? Ah! Mais valia que não o tivesse conhecido, que nunca o tivesse encontrado... Teria sido tão feliz contigo, Vânia, contigo meu amiguinho querido! Já vês como eu sou... Pois não me ponho eu, agora, a recordar a nossa felicidade passada, como se não tivesses já bastantes desgostos... Estiveste três semanas sem vires; pois olha, nem um momento sequer pensei que pudesses maldizer-me e odiar-me. Eu bem sabia por que é que tu não vinhas: para não seres uma censura viva para mim. Mas tu próprio não tinhas pena de me veres? Eu, Vânia, também tinha pena de ti. Ouve, Vânia, eu amo Alhocha com um amor louco, mas parece-me que a ti te queria mais como amigo, e que não saberei viver sem ti; és-me preciso; faz-me falta o teu coração de ouro... Ah, Vânia, que tempos dolorosos e cheios de amargura se aproximam!

E desfazia-se em lágrimas. "Que vontade eu tinha de te ver!", dizia-me, afogando as lágrimas.

– Estás magro, pálido. Estiveste doente, Vânia? Só te falo de mim; e tu... como vais com os teus jornais? Vai adiantado o teu romance?

– Que me interessam os meus romances, Natacha? Nada. Mas diz-me: ele exigiu-te que fizesses isto?

– Não. Sou eu que... ou melhor... eu... Escuta! Ele tem razão quando diz que sou eu. Olha, meu querido Vânia, vou contar-te tudo; querem casá-lo com uma jovem de família distinta e rica. O pai dele, já tu o conheces, é um intrigante e quer à viva força que ele case, e fará tudo o que for necessário para o conseguir, porque uma ocasião assim nem em dez anos torna a aparecer. Grandes relações, uma enorme fortuna, muito bonita, bem educada e um anjo de bondade. Alhocha está enamorado dela, e como o pai tende a desembaraçar-se do filho o mais cedo possível para poder ele próprio casar-se, quer a todo custo desfazer a nossa união. Receia a influência que eu tenho sobre Alhocha.

– Mas o príncipe – interrompi-a, assustado – não conhece as vossas relações? Até aqui apenas suspeitava...

– Sabe, sabe tudo. Alhocha ultimamente contou-lhe tudo. Ele próprio me confessou que dissera tudo ao pai.

– Meu Deus! Então ele contou tudo ao pai... e em que altura!

– Não o culpes, Vânia – interrompeu-me Natacha – não te rias dele. Seria injusto julgá-lo como tu o julgas. É uma pessoa que teve uma educação diferente da nossa. Achas que ele tem consciência do que faz? A primeira influência é suficiente para fazê-lo esquecer o juramento que acaba de fazer, de guardar um segredo. Ele não tem personalidade: está de prevenção contra uma pessoa, e no mesmo dia, com a mesma boa-fé, confia-se a outra qualquer. No primeiro encontro vai contar tudo. Comete qualquer a ação má e nós não sabemos se havemos de culpá-lo ou defendê-lo. É capaz de chegar ao sacrifício mas isso não lhe dura senão até à próxima impressão, e de novo esquece tudo. Também se esquecerá de mim se eu não estiver constantemente ao seu lado; é assim, ele.

— Ah, Natacha! Pode ser que isso não seja verdade, que seja apenas um boato. Como queres que ele se case, se ainda é uma criança?

— O pai tem os seus cálculos, acredita!

— Como sabes tu que a sua noiva é tão bonita e que lhe agrada?

— Foi ele mesmo que disse.

— Quê? Disse-te que pode amar outra e ao mesmo tempo exige de ti esse sacrifício?

— Não, Vânia, não. Tu mal o conheces, quase não o viste, precisavas de conhecê-lo melhor para julgá-lo. Não há coração mais honesto e puro do que o seu. Seria melhor que ele mentisse? Que possam seduzi-lo, não é estranho. Se estivesse oito dias sem me ver, esqueceria de mim para amar outra, ao passo que, se me vir constantemente, cairá outra vez aos meus pés. Não. Ele fez bem em não me esconder isso, senão eu morreria de ciúmes. Sim, Vânia! A minha decisão é irrevogável. Se eu não estiver constantemente ao seu lado, imediatamente deixará de amar-me, vai me esquecer e me abandonar. Pode outra seduzi-lo, e eu, que faria depois? Morreria, mas que importa? A morte seria uma felicidade para mim. Mas viver sem ele é mil vezes mais horrível do que a morte, do que todos os tormentos! Oh, Vânia, Vânia... Podes compreender até que ponto eu o amo para deixar os meus pais por causa dele? Não me ralhes, porque eu estou decidida. Preciso que ele esteja ao meu lado a todas as horas, a todos os instantes! Eu não posso voltar atrás. Sei que me perco e perco a outros... Ah, Vânia! — exclamou, estremecendo toda. — Se ele já não me amasse! Se fosse verdade o que disseste, — eu não dissera tal coisa — que ele não faz outra coisa senão enganar-me! Se não fosse bom e sincero de verdade sem o ser apenas na aparência! Se ele fosse mau e vaidoso! Vê tu se eu estaria aqui a defendê-lo contra ti, enquanto ele estava com outra, quando eu, vil criatura, abandonei tudo por ele e vou à sua procura pelas ruas! Ai, Vânia!

E deixou escapar uns gemidos tão dolorosos que a alma me doeu. Compreendi imediatamente que Natacha já não era dona da sua vontade. Apenas os ciúmes podiam cegá-la até ao ponto de ter tomado uma resolução tão louca e insensata. Mas também eu me consumia de ciúmes, e tinha o coração dilacerado. Não fui capaz de continuar a dominar-me e deixei-me possuir de um sentimento mesquinho.

— Não compreendo como possas amá-lo depois do que me disseste dele. Tu não o estimas, tu não acreditas no seu amor e, no entanto, corres para ele e sacrificas-lhe as vidas dos seres mais queridos. Que vais fazer? Preparam um para o outro uma vida cheia de amarguras. Tu o amas demais, Natacha, demais! Não compreendo um amor assim!

— Sim, amo-o loucamente — respondeu-me, empalidecendo, como se tivesse adoecido. — A ti nunca cheguei a amar assim, Vânia. Compreendo que perdi a razão, que não devia amá-lo desta maneira... Não é bom este amor. Sinto-o. Ouve, Vânia, já desde há algum tempo que o sinto; nos momentos mais felizes tive sempre o pressentimento de que ele não me daria senão desgostos e tormentos. Mas que hei de eu fazer se as dores que dele me vierem são venturosas para mim? Não sei eu de antemão o que me espera, o que hei de padecer? Jurou amar-me, fez-me toda a espécie de promessas, mas eu não tenho fé alguma nelas; não acredito nele; nunca acreditei; agora mesmo não sei se me mente, não sei se é capaz de mentir-me. Disse-lhe sinceramente. Não quero obrigá-lo a nada. Ninguém gosta de obrigações e eu sou a primeira que as odeio. Eu me sinto feliz em ser sua escrava voluntária e em sofrer por ele, contanto que esteja junto de mim, que possa vê-lo, olhá-lo. Creio que o deixaria amar outra, contanto que eu estivesse ali ao seu lado... Que baixeza! Não é verdade, Vânia? – gritou, fixando em mim os olhos chamejantes. – Sei que isto é uma baixeza e, no entanto, se ele me abandonasse, iria procurá-lo pelo mundo inteiro, embora ele me repudiasse e expulsasse. Tu me exortas a renunciar à minha decisão, a voltar atrás. De que serviria isso? Amanhã iria com ele, se ele me dissesse, se ele me mandasse. Não precisa senão chamar-me, assobiar-me como a um cão, para que eu me ponha logo ao seu lado... Tormentos... Não acredito nos tormentos, se vierem dele... Ao menos saberei que é por ele, por ele que sofro! Oh! Não tens vergonha disto que eu te digo, Vânia?

"E os seus pais?", pensava eu comigo. Ela parecia já os ter esquecido.

– Mas ele não quer casar contigo, Natacha?

– Prometeu, prometeu-me tudo. Disse-me que iríamos já amanhã, discretamente, casar fora da povoação; mas ele não sabe o que diz. Talvez nem saiba o que é preciso para um casamento. Que marido singular! Dá vontade de rir, na verdade! E se casarmos e não for feliz no casamento, depois há de censurar-me... Não quero que tenha nunca uma censura a fazer-me. Eu lhe dou tudo sem exigir-lhe nada. Se ele não há de ser feliz com o casamento, para que torná-lo desgraçado?

– É uma criança, Natacha – disse. – E és tu mesma que o vais agora procurar?

– Não, prometeu vir buscar-me aqui. Marcamos encontro – e olhou com impaciência, ao longe; mas não se via ninguém.

– E ainda não chegou! És tu a primeira a chegar – gritei-lhe indignado. Natacha estremeceu, como se lhe tivessem dado uma pancada. A sua face mostrou uma dor enorme.

– É muito possível que não venha – disse com um amargo sorriso. – Escreveu-me dizendo que se eu não lhe prometia vir, se veria obrigado a adiar a sua decisão... A nossa fuga e o nosso casamento. Que o pai queria levá-lo à casa da noiva. Disse-me isso com tanta simplicidade e naturalidade, como se o fato não tivesse importância. E se ele tivesse realmente ido vê-la, a ela, Vânia!

Não respondi. Natacha pegou-me nas mãos com força; os seus olhos cintilavam.

– Está com ela – repetiu tão baixo que mal o ouvi. – Esperava que eu não viesse para ir a casa da noiva e dizer depois, que era eu que não tinha vindo. Já está cansado de mim e abandona-me! Oh, meu Deus! Louca que eu sou! Da última vez disse-me que eu o aborrecia... Portanto, por que o espero eu?

– Olha, lá vem ele! – gritei eu, de repente, ao vê-lo ao longe. Natacha estremeceu, deu um grito e, largando a minha mão, correu ao seu encontro. Ele acelerou também o passo e um momento depois já estavam os dois nos braços um do outro. Na rua, além de nós, não havia quase ninguém. Eles se beijavam e riam. Natacha ria e chorava ao mesmo tempo. Parecia que se viam depois de uma longa separação. As suas faces pálidas tingiram-se de vermelho; parecia pregada ao chão... Alhocha viu-me e dirigiu-se para mim.

Capítulo IX

Eu olhava para ele avidamente, embora o tivesse visto já muitas vezes; procurava o seu olhar como se ele viesse dissipar todas as minhas dúvidas e explicar-me tudo. Como podia aquele jovem ter enfeitiçado Natacha, inspirando-lhe um amor tão arrebatado, um amor que a fazia esquecer os seus primeiros deveres e sacrificar loucamente tudo o que até então julgara mais sagrado?

O príncipe pegou-me nas duas mãos, apertou-as com força, e o seu olhar, doce e sereno, chegou-me ao coração.

Pensei que podia ter-me enganado no conceito que fizera dele, levado apenas pelo fato de ele ser meu rival. Eu não lhe tinha afeição e não poderia nunca vir a tê-la; pode ser que fosse eu a única pessoa que o não via com bons olhos. Tinha muitas coisas que não me agradavam, a começar pela sua figura sedutora, e precisamente por este particular. Mais tarde reconheci que o apreciei levianamente.

Era alto, esbelto, delgado; o rosto ovalado, sempre pálido; o cabelo louro, grandes olhos azuis, doces e pensativos, que brilhavam às vezes com uma alegria ingênua, infantil. Os lábios, vermelhos e carnudos, de um desenho admirável, quase sempre com um ricto sério; e por isso mesmo se tornava ainda mais encantador o seu inesperado e jovial sorriso, tão ingênuo, que fosse qual fosse a disposição em que estivéssemos, sentíamos necessidade de corresponder-lhe com outro. Vestia sem excessivo apuro, mas sempre com elegância, e esta elegância que ostentava em tudo, via-se bem que não lhe custava nenhum esforço, era-lhe inata. Possuía na verdade algumas qualidades feias; era estouvado, presunçoso e um pouco impertinente; e sofria de alguns maus costumes de menino elegante. Mas era muito franco e simples. Era o primeiro a reconhecer os próprios defeitos, a censurá-los e metê-los a ridículo.

Eu julgava que aquele rapazote nunca seria capaz de mentir, nem por brincadeira, e que, se mentia, o fazia sem dar por isso. Até o seu egoísmo se tornava simpático porque não procurava escondê-lo de maneira nenhuma. Não havia nele uma ponta de dissimulação. Fraco, confiado e tímido de espírito, não tinha força de vontade. Ofendê-lo ou enganá-lo seria um pecado tão grande como enganar ou ofender uma criancinha. De uma ingenuidade inacreditável para a sua idade, quase nada sabia da vida e parecia que aos quarenta anos nada chegaria também a saber dela. Há pessoas assim, que parecem condenadas a esperar eternamente a maioridade. Parecia-me que não podia haver uma pessoa que não gostasse dele; sabia lisonjear-nos com as suas carícias de criança. Natacha dissera a verdade: debaixo de qualquer influxo poderoso, era capaz de cometer uma ação má; mas creio que morreria de repente, quando compreendesse as suas consequências. Natacha sentia instintivamente que havia de ser a sua soberana, a sua dominadora, e que acabaria por torná-lo sua vítima. Sentia prazer amando-o até à loucura e atormentando-se até à dor, tal a maneira como gostava dele; talvez por isto se tivesse apressado a ser a primeira a sacrificar-se. Mas nos olhos dele cintilava o amor e contemplava-a numa espécie de êxtase. Ela olhou para mim, distraída. Nesse instante esquecera tudo... era feliz.

— Vânia! — gritou de repente. — Fui injusta para com ele, não o mereço. Pensava que não virias, Alhocha. Esquece o meu mau pensamento! — acrescentou, olhando-o com um amor imenso. Ele sorriu, beijou-lhe a mão e, sem largá-la, disse dirigindo-se a mim:

– Não me culpe, já há algum tempo eu queria abraçá-lo como a um irmão. Ela me tem falado tanto no senhor! Nós nos temos visto pouco; quase não temos trocado uma palavra. Sejamos amigos e... perdoe-me – disse, corando um pouco e com um sorriso tão sedutor que eu não pude contrariá-lo.

– Sim, sim – respondeu Natacha, – para nós é como um irmão; já nos perdoou e, sem ele, não poderíamos ser felizes. Ah, como nós somos maus, Alhocha! Mas agora viveremos os três juntos. Vânia, vai ter com eles, pois conhecem o teu coração bondoso, e quando virem que me perdoaste, pode ser que abrandem um pouco contra mim. Diz-lhes tudo, tudo, com as palavras que o coração te ditar. Defende-me, salva-me, expõe-lhes todas as minhas razões. Sabes, Vânia, que talvez eu não me tivesse decidido a isto, se tu não tivesses aparecido lá em casa? Tu és a minha salvação. Eu construí imediatamente a esperança de que tu saberias falar-lhes de maneira a adoçar-lhes o horror da primeira impressão. Oh, meu Deus, meu Deus! Diz-lhes da minha parte, Vânia, que já sei que, para mim, não há perdão; que eles me perdoariam, mas Deus não poderá perdoar-me; mas ainda que eles me amaldiçoem eu os abençoo e rezarei por eles toda a minha vida. O meu coração está com eles. Ah! Por que não poderemos ser todos felizes? Por que, por que... meu Deus? Que fiz eu? – gritou de repente como se tivesse voltado a si, tapando o rosto com as mãos. Alhocha apertou-a entre os seus braços. Ficamos todos calados por uns momentos.

– E teve coragem de exigir-lhe semelhante sacrifício? – gritei lançando a Alhocha um olhar de censura.

– Não me condene – repetiu ele. – Por muito grandes que sejam todos estes desgostos, não hão de durar mais do que um instante, é a minha íntima convicção. Um pouco de firmeza é o suficiente para suportar este momento. Foi a própria Natacha que me disse. O senhor sabe que a causa de tudo é esse orgulho de família, essas querelas que hão de terminar um dia, e esse processo... Mas... Eu refleti muito sobre isso, afirmo-lhe. Há de acabar um dia. Havemos de nos reunir todos de novo e seremos tão felizes que os nossos pais, quando nos virem, hão de reconciliar-se... Quem sabe se o nosso casamento não será o princípio da reconciliação! Penso que não poderá ser de outra maneira. Que lhe parece?

– Fala de casamento; mas quando se casam? – perguntei, olhando para Natacha.

– Amanhã ou depois de amanhã; no máximo depois de amanhã... Não tenho a certeza, vejam bem, nem eu mesmo sei; e na verdade não tenho nada preparado. Pensei que Natacha talvez não viesse hoje. Aliás o meu pai quer levar-me esta noite à casa da minha noiva. (Porque me arranjaram uma noiva, Natacha não lhe disse? Mas eu não a quero.) Por isso não posso decidir nada de maneira segura. Seja como for, casaremos depois de amanhã. Pelo menos é isto o que eu penso, porque não pode ser de outra maneira. Amanhã vamos sair a caminho de Pskov. Tenho um companheiro de estudos do Liceu, que vive perto daí, um ótimo rapaz. Pode ser que eu lhe apresente. Aí devemos encontrar algum pope, embora eu não saiba ao certo se lá haverá agora. Devia ter-me informado antes mas não tive tempo... Embora, no fim de contas, isso seja um pormenor sem importância. O que importa é atender ao principal. Podemos mandar vir um de uma aldeia próxima, não é verdade? É pena não ter tido tempo de escrever ao meu amigo umas linhas a preveni-lo... Devia tê-lo feito... E se ele, agora, não estivesse em casa... Ora, não tem importância! Desde que a gente queira, tudo o mais se arranjará por si. Não é verdade? Amanhã ou depois de amanhã, o mais tardar, Natacha estará em minha casa. Aluguei um andarzinho no qual nos instalaremos no nosso regresso. Como deve compreender, não quero voltar a casa de meu pai, não é verdade? O senhor há de ir visitar-nos, arranjei uma casinha muito boa. Os meus antigos companheiros de estudo irão também visitar-nos, organizaremos tertúlias...

Eu o olhava com assombro e angústia. Natacha parecia implorar-me com os olhos que não o julgasse com severidade e fosse mais indulgente; ela seguia as suas palavras com um sorriso triste e no mesmo tempo admirava-o como se admira um menino lindo e traquinas, ao escutar a sua tagarelice absurda mas encantadora. Eu olhava Natacha com olhos de censura. Sentia um desgosto enorme.

– E o seu pai? – perguntei-lhe. – Tem a certeza de que lhe perdoará?

– Com certeza, é o que lhe resta. Claro que a princípio há de amaldiçoar-me, bem sei. É tão severo para comigo! Pode ser que se dirija à Justiça e, numa palavra, queira fazer valer a sua autoridade paterna... Mas não deve ser coisa séria. Gosta muito de mim, a princípio ficará zangado, mas acabará por perdoar-me. Depois todos se reconciliarão e todos poderemos ser felizes, todos. Até o pai dela.

– E se não perdoar? Pensou nisso?

– De certeza que perdoará, embora não tão depressa como seria para desejar; mas se não fosse assim, iria lhe provar que tenho caráter. Ele não faz outra coisa senão censurar a minha falta de energia, a minha leviandade; pois agora é que ele há de ver se eu sou um maluco ou não. O homem que funda um lar não é nenhum palhaço; eu já não sou... nenhuma criança... Hei de dizer-lhe que quero ser como os outros, como os homens casados. Viverei do meu trabalho. Natacha disse que mais vale isso do que viver à custa dos outros, como eu vivo. Se soubessem como ela me dá bons conselhos! Eu nunca me teria lembrado, não fui criado dessa maneira, não me educaram nessas ideias. Na verdade eu próprio reconheço que sou um aturdido e quase um inútil; mas olhe, há três dias tive uma ideia maravilhosa. Embora o momento não seja muito oportuno, vou contar-lhe porque é preciso que Natacha o ouça também, e o senhor, espero que me aconselhe. Trata-se disto: quero escrever crônicas para os jornais, como o senhor. Vai pôr-me em contato com os jornalistas, não é verdade? Conto com a sua ajuda. Esta noite estive pensando num romance, sabe? Podia ser que saísse bem. O argumento foi tirado de uma comédia de Scribe...[13] Mas outro dia lhe contarei. O principal é que isto me renda dinheiro... O senhor ganha alguma coisa com os seus escritos, não é verdade?

Não pude conter um sorriso.

– Não se ria – disse ele sorrindo também. – Não, desculpe – acrescentou com uma ingenuidade inconcebível. – Não olhe para mim assim, asseguro-lhe que tenho o dom da observação, e o senhor há de ver. Mas por que não experimentar? Talvez consiga qualquer coisa, embora o senhor talvez tenha razão: não sei nada da vida real; isso é o que me dizem, Natacha e toda a gente. De que poderia eu escrever? Ria, ria, mas corrija-me, faço-o por amor dela. Reconheço e lamento; não sei como pude inspirar-lhe um amor tão grande. Creio que seria capaz de dar a minha vida por ela! Nunca tive medo de nada; mas agora já começo a ter medo. Que vai ser de nós? Meu Deus! É possível que, a um homem que sabe e quer cumprir o seu dever, chegue

---

13 Eugène Scribe (1791-1861). Fecundo autor dramático francês, autor de *O copo d'água, Bertrand e Ratou*, etc.

um momento na vida em que lhe faltem forças para fazer isso? Venha o senhor em nosso auxílio. O senhor é o único amigo que nos resta. Isto é a única coisa que sei. Desculpe contar tanto com sua pessoa; sei que tem um grande coração, que vale muito mais do que eu. Mas hei de emendar-me, de certeza que hei de tornar-me digno de ambos.

E no seu olhar brilhava um sentimento bom e lindo. Com que confiança me apertava a mão e como estava certo da minha amizade!

— Natacha há de ajudar a corrigir-me – prosseguiu. – Não faça má opinião de nós. Tenho muitas esperanças e, no ponto de vista material, podemos estar completamente tranquilos; se por exemplo o meu romance não me saísse bem (eu, na verdade, penso que é um mamarracho e se lhe falei dele foi para ouvir a sua opinião), daria lições de música. Não sabia que eu aprendi música? Não tenho vergonha de viver do meu trabalho. A respeito disso tenho ideias modernas. Aliás, possuo uma quantidade de coisas bonitas que não servem para nada; vou vendê-las e teremos com que viver, sabe Deus quanto tempo. Enfim, supondo que as coisas corram mal, posso, em último caso, entrar para a Administração. O meu pai já quis obrigar-me a isso mas eu aleguei que estava mal de saúde. (Em último lugar, trabalharei em qualquer coisa.) Assim verá como o meu casamento me foi útil; que me tornou mais sério e que, efetivamente, sirvo para alguma coisa; vai se alegrar e me perdoar.

— Mas, Alieksiéi Pietróvitch, já pensou no que pode acontecer entre o seu pai e o de Natacha? Que pensa que se passará esta noite em casa deles?

Eu apontava para Natacha, que de súbito empalidecera, ao ouvir as minhas palavras. Eu era inexorável.

— Sim, sim. Diz bem, tem razão, é horrível – respondeu ele. – Estou consternado... Mas que se há de fazer? Se ao menos os pais dela nos perdoassem! E se soubessem como eu gosto deles! Trataram-me sempre como a um filho e veja como eu lhes pago! Estas querelas, este processo! Não pode imaginar até que ponto tudo isto me é odioso! E por que hão de zangar-se? Nós, que gostamos tanto uns dos outros, zangarmo-nos! Se pudessem reconciliar-se! Verdadeiramente deviam fazê-lo; tudo se acabaria. As suas palavras fizeram-me sofrer, Natacha; é horrível o meu procedimento para contigo. Eu bem te preveni... És tu quem insistes; mas há de ver, Ivan Pietróvitch, como tudo se arranjará o melhor possível. Não lhe parece? Acabarão por fazer as pazes. Nós vamos reconciliá-los. Isso é certo, não poderão resistir ao nosso amor; ainda que nos amaldiçoem, continuaremos a amá-los. O senhor não sabe como o meu pai, às vezes, tem bom coração; simplesmente, às vezes perde a cabeça. Se visse com que ternura me falava ele esta manhã, esforçando-se por me convencer! E entretanto eu procedo agora contra a sua vontade. Não sabe o que me custa! E tudo isto por causa de vis preconceitos. Que loucura! Bastava que reparasse bem nela e estivesse meia hora ao seu lado, para que o meu pai desse o seu consentimento para tudo – e ao dizer isto Alhocha dirigiu a Natacha um olhar cheio de ternura e paixão. – Já tenho pensado mil vezes com delícia em como ele há de gostar dela quando a conhecer bem e como todos ficarão assombrados quando virem quanto ela vale. Nunca deve ter visto moça desta qualidade. O meu pai está convencido de que ela é uma intrigante. O meu dever é reabilitá-la na sua honra e saberei cumpri-lo. Ah, Natacha! Todos vão gostar de ti! – gritou triunfante. – Todos! Quem é que não há de gostar de ti? – acrescentou com entusiasmo. – Tenho certeza absoluta de que este dia nos há de trazer todas as venturas, paz e reconciliação. Abençoado seja este dia! Não é verdade, Natacha? Mas que tens tu? Meu Deus! Que te aconteceu?

Natacha estava lívida. Durante todo o tempo que Alhocha falou, manteve o olhar fixo sobre ele; mas os seus olhos estavam imóveis e o rosto cada vez mais pálido. A mim parecia-me que já não escutava e que estava quase desfalecida. As exclamações de Alhocha despertaram-na. Estremeceu, olhou à volta e, de repente, me encarou. Tirou uma carta do bolso e a passou para mim, repentinamente, às escondidas de Alhocha.

Era uma carta para os seus, escrita na véspera; entregou-a com um olhar de desespero, que ainda recordo e que me encheu de espanto; compreendi que agora via claramente todo o horror da sua conduta; quis dizer-me qualquer coisa e começou a falar, mas desmaiou e eu não tive tempo senão para ampará-la.

Alhocha, então, empalideceu de terror; friccionava-lhe as fontes, beijava-lhe as mãos e a boca; passados alguns momentos, Natacha recuperou os sentidos. Perto, estava o coche de aluguel em que viera Alhocha. Mandou-o aproximar-se e nele colocou Natacha, a qual parecia privada de conhecimento. Quando se despediu, apertou-me a mão e a salpicou de lágrimas ardentes. O coche partiu e eu fiquei durante muito tempo cravado no mesmo lugar, seguindo-o com os olhos. Toda a minha felicidade se desfizera, toda a minha vida estava estragada.

Compreendia isso muito bem. A seguir voltei à casa dos velhos, pelo mesmo caminho por que tínhamos vindo. Não sabia como entrar, o que dizer; tinha as ideias entorpecidas, minhas pernas se dobravam...

Esta é toda a história da minha felicidade; assim terminou e se desfez o meu amor! Agora continuarei a minha narrativa interrompida.

Capítulo X

Cinco semanas depois da morte de Smith, instalei-me no seu alojamento. Para mim foi este um dia de tristeza insuportável. Fazia frio e caía continuamente uma chuva misturada de neve. Ao entardecer, o sol apareceu por um momento e um raio perdido entrou no meu quarto, sem dúvida por curiosidade. Comecei a ficar arrependido de ter-me instalado ali. Conquanto fosse grande, o quarto era de teto baixo e muito escuro, de ar viciado devido à má ventilação e desagradavelmente vazio, apesar dos móveis. Então pensei que ia perder nesse cubículo a pouca saúde que me restava.

Passei toda a manhã arrumando os meus papéis, revendo-os e pondo-os em ordem. Como não havia pasta, guardei-os numa fronha. Depois sentei-me a escrever. Estava trabalhando no meu romance grande, mas a pena escorregava-me da mão; tinha o pensamento noutra coisa...

Larguei a pena e sentei-me à janela. Começava a escurecer e a minha tristeza cada vez aumentava mais; assaltavam-me ideias lúgubres. Assaltava-me o pressentimento de que acabaria por sucumbir em Petersburgo. "A primavera aproxima-se – pensava. – Voltarei à vida, sairei deste tugúrio para a luz do dia e respirarei o cheiro fresco dos campos e dos bosques, pois já há muito não os gozo." Lembro-me de que pensei também:

"Que felicidade, se, por obra de magia ou por um milagre, pudesse esquecer completamente todo o passado, tudo o que sofri nos últimos anos, esquecer tudo, refrescar a cabeça e começar a viver com ideias novas!". Pus-me a sonhar com isso e a esperar uma ressurreição. "E se eu fosse para um manicômio – decidi finalmente – para dar uma volta ao cérebro e mudar de modo de ser e começar a viver de novo?" Tenho sede de viver e de acreditar na vida... Mas lembro-me de que então soltei uma gargalhada. Que havia eu de fazer quando saísse da casa dos loucos? Continuar a escrever romances?

Assim sonhava e me apoquentava eu, enquanto ia escurecendo completamente. Nessa noite tinha eu uma entrevista com Natacha, que me escrevera na véspera. Levantei-me e dispus-me a sair. Sentia, mesmo sem isso, a necessidade de deixar aquele quarto triste e de ir a qualquer parte, embora me caísse chuva ou neve em cima.

À medida que a escuridão aumentava, o meu quarto parecia-me mais amplo, como se se fosse dilatando cada vez mais. Imaginava que todas as noites e em todos os cantos ia ver Smith, que ele estaria ali, sentado, olhando-me fixamente, como olhava na pastelaria de Adam Ivânitch, e com Azorka deitado a seus pés.

E exatamente nesse momento aconteceu-me qualquer coisa que me causou profunda impressão. Além disso, ou fosse porque tinha os nervos cansados, ou pelas novas impressões que em mim produzia o meu novo alojamento, ou, enfim, pela melancolia que nos últimos tempos me dominara, o certo é que acabei por me encontrar nessa disposição de espírito em que costumo cair frequentemente à noite, desde que estou doente, e a que chamo "pavor místico". Consiste num temor profundo, inquietante, qualquer coisa que eu próprio não consigo definir, algo de fantástico ou de irreal relativamente às outras coisas, mas que parece postar-se diante de mim e avolumar-se num instante, como se quisesse troçar de todos os raciocínios com a irrefutabilidade de um fato terminante, horrível, informe, implacável. Este pânico vai crescendo em mim gradualmente, a despeito de todas as invocações que faço à serenidade e ao raciocínio, de maneira que, embora finalmente nesse momento consiga o espírito maior lucidez, nem por isso deixa de se encontrar privado de toda possibilidade de afugentar a inquietação. Não presta ouvidos à razão: é ineficaz, e esse vislumbre de discernimento apenas serve para aumentar ainda mais a sobressaltada ansiedade da expectação. Parecia-me esse medo, em parte, o medo das pessoas que temem as almas do outro mundo. Mas no meu sobressalto, o aspecto vago dessa inquietação agravava ainda mais o meu suplício. Lembro-me que estava de pé diante da minha mesa, de costas para a porta, e que ia já pegar o chapéu, quando, de repente, nesse mesmo instante me assaltou a ideia de que inevitavelmente, quando me voltasse, iria ver Smith: começaria por abrir a porta sem ruído e ficaria parado entre os umbrais examinando o meu quarto; depois, docemente, baixando a cabeça, viria postar-se na minha frente, fixaria em mim o seu olhar e de repente daria risada com um longo riso desdentado, imperceptível, que havia de convulsionar o seu corpo durante muito tempo. Esta visão surgiu à minha frente com clareza e precisão extraordinárias, e ao mesmo tempo apoderou-se de mim a certeza plena, irrefutável, de que tudo isso havia infalível e inevitavelmente de acontecer, que já acontecera e que, se eu ainda o não via, era apenas porque estava de costas para a porta, a qual talvez acabara de abrir-se nesse mesmo instante. Súbito voltei-me e... de fato, a porta abriu-se suave por si só, sem ruído, exatamente como eu tinha imaginado um minuto antes. Dei um grito.

Durante um momento não apareceu ninguém, como se a porta se tivesse aberto sozinha; mas de súbito, entre os umbrais surgiu uma figura estranha: dois olhos, conforme pude distinguir na obscuridade, olhavam-me fixos e tenazes.

Senti que todos os membros me ficavam gelados. Com um espanto enorme, reconheci que era uma garotinha; e se tivesse sido o próprio Smith em pessoa, talvez não me tivesse assustado tanto como com essa aparição estranha, inesperada, de uma menina desconhecida no meu quarto, àquela hora e naquele momento.

Já disse que a porta se abrira devagarinho e cautelosamente, como se ela tivesse medo de entrar. Depois de se ter apresentado, parou à entrada e olhou-me com um espanto que raiava pela hipnose; finalmente, adiantou dois passos devagarinho, suavemente, e parou diante de mim sem ter pronunciado uma palavra. Examinei-a mais de perto: era uma menina de doze ou treze anos, baixinha, magra e pálida, como se convalescente de uma doença grave.

E por isso mesmo os seus olhos grandes e negros brilhavam extraordinariamente. Com a mão esquerda segurava um grande lenço velho, esburacado, com o qual cobria o peito, que lhe tremia ainda do frio da noite. O vestuário era um autêntico farrapo; os cabelos, pretos e bastos, estavam em desordem.

Permanecemos assim um ou dois minutos fitando-nos mutuamente.

– Onde está o meu avô? – perguntou-me ela, finalmente, com uma voz rouca e fraca, como se tivesse o peito ou a garganta doentes.

Todo o meu pavor místico desapareceu perante esta pergunta. Perguntava por Smith; a sua pista aparecia de repente, de uma maneira inesperada.

– O teu avô? Morreu! – disse-lhe eu bruscamente, sem pensar na resposta, mas em seguida arrependi-me.

A menina permaneceu um instante imóvel, e de repente pôs-se a tremer tão fortemente que eu pensei que ela ia ter um ataque de nervos. Tive de ampará-la para que não tombasse. Passados poucos minutos, encontrava-se melhor e pude ver claramente que fazia esforços sobre-humanos para disfarçar a comoção.

– Perdoa-me, pequena, perdoa-me! – supliquei-lhe. – Disse-te isso, assim, tão de repente... e além disso pode ser que não fosse assim, minha pobrezinha! Quem procuravas tu? O velho que vivia aqui?

– Sim – respondeu desanimadamente e olhando-me com inquietação.

– Chamava-se Smith?

– Sim.

– Então é ele... Sim, morreu... Mas não chores, minha pomba. Porque não apareceste há mais tempo? E agora... donde vens tu? Foi enterrado... ontem. Morreu de repente. És neta dele?

A menina não respondeu às minhas perguntas rápidas e desordenadas. Deu meia volta em silêncio e saiu do quarto devagarinho. Eu estava tão desorientado que não fiz nada para retê-la nem para continuar a interrogá-la. Parou outra vez à porta e, voltando-se para mim, perguntou-me:

– Azorka também morreu?

– Sim, Azorka também morreu – respondi, achando a pergunta estranha; parecia convencida de que Azorka havia de morrer ao mesmo tempo que o velho.

Ouvindo a minha resposta, a menina saiu do quarto, fechando com cuidado a porta atrás de si. Um minuto depois corri em sua busca, muito contrariado por tê-la deixado partir. Saiu tão discretamente que nem sequer a ouvi abrir a outra porta do patamar. "Não deve ter tido tempo de abrir a outra porta", pensei, e pus-me à escuta no patamar. Mas estava tudo em silêncio e não se ouvia o menor ruído de passos; apenas se ouviu a porta dum andar inferior, ao fechar-se, e tudo voltou a mergulhar no maior silêncio. Apressei-me a descer a escada; desde o meu quarto até ao quinto andar era de caracol, mas a partir do quarto era direita. Era uma escada suja, negra e sempre escura; uma dessas escadas que costuma haver frequentemente nos prédios grandes, divididos em andares modestos. Nesse momento já estava completamente às escuras.

Tateando, desci até ao quarto andar e parei; e de repente pareceu-me sentir que ali, no patamar, havia alguém que se colava à parede e procurava fugir de mim. Pus-me a tatear com as mãos: a menina estava ali, no canto, o rosto contra a parede, chorando baixinho.

– Por que tens medo? – disse-lhe. – Assustei-te, fui desajeitado; o teu avô, quando morreu, falou de ti; foi a sua última palavra... Deixou-me ali uns livros que talvez sejam teus... Como te chamas? Onde moras? Ele disse que era na Sexta Linha...

Mas não acabei. Ela deu um grito de susto, talvez por eu saber onde ela vivia, repeliu-me com a sua mão fraca e ossuda e desceu a escada rapidamente. Corri atrás dela. Ainda se ouvia o barulho dos seus passos. De repente, parou. Quando cheguei à rua, desaparecera. Fui até ao Próspekt Vosniessiénski e as minhas pesquisas foram inúteis. "Naturalmente escondeu-se em qualquer parte", pensei, quando ainda na escada.

Capítulo XI

Mal pusera o pé no sujo e resvaladiço passeio do Próspekt, deparei um transeunte que, pelo visto, mergulhado em profundas reflexões, ia ligeiro e cabisbaixo. Grande foi o meu espanto quando reconheci nele o velho Ikhmiêniev.

Essa era para mim uma noite de encontros inesperados. Eu sabia que o velho Ikhmiêniev estivera três dias muito doente e agora encontrava-o na rua, com aquela umidade. Aliás, ele já não saía à noite e, desde a fuga de Natacha, isto é, havia quase meio ano, mal punha os pés na rua. Pareceu ficar contente por me ver, como quem finalmente encontra um amigo com o qual pode trocar impressões; estendeu-me a mão efusivamente e, sem perguntar onde eu ia, levou-me com ele. Mostrava certo alarme e inquietação. "Onde poderá ele ir?" – pensava eu. Era inútil perguntar-lhe. Tornara-se terrivelmente desconfiado e, às vezes, na pergunta ou na observação mais ingênua via uma alusão humilhante ou uma ofensa. Olhei-o às furtadelas: tinha aspecto doentio; estava muito mais magro e com barba de uma semana. Os seus cabelos, completamente brancos, escapavam-se, revoltos, do chapéu amassado; e caíam-lhe em grandes madeixas na gola do sobretudo, velho e puído. Já disse que, às vezes, tinha momentos da mais completa distração, esquecia-se, por exemplo, de que não estava só e punha-se a falar consigo mesmo, gesticulando e mexendo-se. Fazia pena vê-lo.

– Onde vais, Vânia? – perguntou ele. – Eu vim tratar dos meus assuntos. Tens passado bem de saúde?

– Sim. E o senhor? – respondi-lhe. – Ainda está convalescente e já sai...

O velho não me respondeu, como se não me tivesse ouvido.

– Como está Anna Andriéievna?

– Está bem... está bem, embora com os seus achaques. Anda um pouco triste. Fala muitas vezes de ti... Por que não nos vais ver? Ias agora a nossa casa, Vânia? Não te estarei aborrecendo, desviando de teu caminho? – perguntou, olhando-me desconfiadamente, pois o melindroso velho era tão sensível que, se lhe tivesse dito que não ia naquele momento à sua casa, se teria ofendido e despedido de mim. Apressei-me a dizer-lhe que ia precisamente visitar Anna Andriéievna, embora soubesse muito bem que já era tarde e talvez não pudesse ir à casa de Natacha.

– Muito bem – disse, completamente tranquilizado com a minha resposta. – Está muito bem – e de repente calou-se e ficou pensativo, como se não soubesse o que havia de dizer mais. – Sim, está muito bem – repetiu maquinalmente passados alguns momentos, como se despertasse de um sonho profundo. – Hum! Olha, Vânia, tu foste sempre para nós como uma pessoa de família; Deus não nos quis dar um filho, mas te enviou a nós; sempre pensei isto e a minha velha também... Que Deus te abençoe por isso, Vânia. Tu foste sempre respeitador e obediente como um filho, bom e grato para conosco, e nós os dois te abençoamos e te amamos...

A sua voz tremia; calou-se um minuto antes de continuar.

– Mas bem, que te aconteceu? Estiveste doente? Por que não nos vens ver há tanto tempo?

Eu lhe contei a história de Smith e desculpei-me também dizendo-lhe que estivera um pouco adoentado e que ficara difícil ir a Vassílievski, porque era muito longe; continuavam vivendo em Vassílievski. Estive quase a confessar que, apesar de tudo isso, tivera oportunidade de visitar Natacha; felizmente contive-me a tempo. A história de Smith interessou-o vivamente. Seguia as minhas palavras com atenção. Quando soube que o meu alojamento era lúgubre e quase pior do que o outro, e que me custava seis rublos por mês, indignou-se.

De maneira geral era muito impaciente e colérico. Apenas Anna Andriéievna sabia acalmá-lo quando se punha assim, e nem sempre.

– Hum! Toma, aí tens, aí tens a literatura, Vânia! – gritou irritado. – Levou-te a uma trapeira e há de levar-te ao cemitério; eu já te disse, eu já te disse... E B***, ainda faz críticas?

– Morreu tísico... parece-me que já o disse.

– Morreu! Hum! Morto! Tinha de ser! E deixou alguma coisa à mulher e aos filhos? Tu me disseste que tinha mulher. Para que casará essa gente?

– Não, não deixou nada – respondi com tristeza.

– Já podes ver! – gritou tão indignado como se falasse de um parente próximo, do seu próprio irmão. – Vês, Vânia? Eu já imaginava que ele teria de acabar assim! Não deixou nada! Muito bonito! A glória imortal mas... com isso não se come. Quanto a ti, meu amigo, também já o pressentia; gabava-te, mas o coração já me adivinhava tudo. Quer dizer que B*** morreu! Como é que ele não havia de morrer? A vida é bela... e este lugar também... Olha!

E com um movimento de mão repentino, impaciente; mostrou-me a perspectiva lúgubre da rua, fracamente iluminada pelos revérberos escondidos entre a névoa, as casas sujas, as lajes do chão reluzentes de umidade, os transeuntes tristes, tristes e aborrecidos por causa da chuva; todo aquele quadro, coroado pela cúpula negra, como salpicada de nanquim, do céu de Petersburgo. Já tínhamos chegado à praça; diante de nós erguia-se a estátua, no meio das trevas, um pouco iluminada embaixo pelas lanternas do gás; e mais adiante erguia-se a imensa mole sombria da Catedral de Isaak, que sobressaía vagamente na cor nebulosa do céu.

– Dizias tu, Vânia, que B*** era um homem bom, generoso, simpático e simples, um homem de coração. São todos assim, simpáticos e bons. Mas a única coisa que sabem é multiplicar o número de órfãos... Hum! Sim, calculo que devem sentir-se felizes por morrer! Eh! Mais valia que fossem para longe, para qualquer parte, para a Sibéria! Que queres tu, menina? – perguntou de repente ao ver no passeio uma pequenina que pedia esmola.

Era uma garotinha miúda e débil, de sete ou oito anos, no máximo, coberta de sujos andrajos; trazia os pezinhos sem meias, calçados nuns sapatos rotos. Esforçava-se por tapar o corpinho, trêmulo de frio, com uma espécie de vestido sem feitio e que já lhe ficava apertado. Voltava para nós a sua carinha triste, pálida e doentia; olhava-nos com timidez e resignação e, como se receasse um mau acolhimento, estendia-nos a mãozinha trêmula... O velho estremeceu também quando a viu e encarou-a tão vivamente que a assustou. Ela teve um sobressalto e afastou-se.

– Que te aconteceu, menina – disse-lhe. – Estás pedindo esmola? Então, toma...

Tremendo de comoção, rebuscou nos bolsos e tirou duas ou três moedinhas de prata; mas pareceu-lhe pouco, procurou novamente e tirou um rublo do porta-moedas, que era tudo quanto levava, e o pôs na mão da mendiga.

– Deus te proteja... minha filha! Que o anjo da guarda te acompanhe!

E com a sua mão tremente fez várias vezes o sinal-da-cruz sobre a infeliz; mas, de repente, ao ver que eu o observava, franziu as sobrancelhas e continuou a andar com grandes passadas.

– Olha, Vânia, não posso ver – disse, depois de um silêncio cheio de tristeza, que durou muito tempo – não posso ver essas inocentes criaturinhas, tiritando de frio no meio da rua, por culpa dos seus malditos pais. Embora, pensando bem, que mãe é que seria capaz de enviar uma menina para este horror, se ela própria não fosse uma desgraçada? Provavelmente, além, no seu casebre, terá outros irmãozinhos e esta deve ser a mais velhinha; talvez a pobre mulher esteja doente ou já seja velha, e... hum!, estes não são filhos de príncipes. Há muitos neste mundo, Vânia, que não são filhos de príncipes. Hum!

Calou-se por uns momentos, pensativo.

– Ouve, Vânia, eu prometi a Anna Andriéievna, prometi-lhe... isto é, concordamos os dois em adotar uma orfãzinha... a primeira que encontrássemos, naturalmente, pobre e pequenina, compreendes? Nós, já velhos, aborrecemo-nos sozinhos. Hum! Simplesmente, a minha mulher põe algumas objeções; por isso fala-lhe tu, peço-te, não em meu nome, mas como coisa tua; expõe razões ... Compreendes? Já há muito tempo que queria te pedir isso... para que consigas o seu consentimento... mas era-me difícil. Perfilhar uma menina? Bem sei que não há necessidade disso. Era só para ouvir uma voz infantil... Bem, para que falar de tolices? E afinal é pela minha velha que eu o faço, para que se distraia mais do que comigo. Mas que tolices! Olha, Vânia, desta maneira nunca mais chegamos! Tomemos uma carruagem; ainda estamos longe e Anna Andriéievna já deve estar à nossa espera com impaciência.

Eram sete e meia quando chegamos à casa de Anna Andriéievna.

Capítulo XII

Os velhos amavam-se muito. O amor e a longa convivência tinham-nos unido com um laço indestrutível. No entanto, jamais, nem agora nem nos tempos mais felizes, Nikolai Sierguiéitch fora muito expansivo com Anna Andriéievna, e muitas vezes chegava até a ser rude, sobretudo diante de estranhos. Algumas pessoas ternas e sensíveis experimentam certa timidez, certo pudor e aversão em mostrarem o seu coração, mesmo à pessoa amada, não somente em público como também na intimidade, e apenas de longe em longe lhes escapa uma demonstração de amor, tanto mais efusiva quanto mais tempo esteve reprimida.

Assim fora sempre o velho Ikhmiêniev para com a sua Anna Andriéievna. Estimava-a e amava-a muitíssimo, embora ela não fosse mais do que uma mulher bondosa e que não sabia outra coisa senão amá-lo; mas ele não permitia muitas vezes que ela lhe demonstrasse com demasiada efusão o seu amor. Desde a fuga de Natacha, o amor dos velhos aumentara. Sentiam doentiamente que tinham ficado sozinhos no mundo. E ainda que Nikolai Sierguiéitch tivesse momentos em que se punha muito sombrio, nem por isso era menos verdade que não podiam estar separados umas horas sem sentirem verdadeira tristeza. Parecia que tinham feito um acordo tácito para não falarem nunca de Natacha, como se ela não existisse. Anna Andriéievna, embora isso lhe fosse muito doloroso, não ousava fazer alusão à fugitiva na presença de seu marido. Havia muito que, no seu coração, tinha perdoado. Tínhamos combinado entre os dois, entre mim e ela, que eu lhe levaria notícias da sua amada e sempre lembrada filha.

A velhinha ficava doente quando se passava um certo tempo sem nada saber de Natacha; quando eu ia vê-la perguntava-me e tornava a perguntar-me com uma curiosidade insaciável, e as minhas palavras aliviavam-lhe a alma. Uma vez ia morrendo de desgosto ao saber que Natacha estava doente e quis até ir vê-la. Mas isto foi um caso extremo. A princípio não ousava exprimir o desejo de ir ver a filha, e quase sempre, depois dos nossos diálogos, quando já me perguntara tudo, achava que não podia passar sem se queixar diante de mim, e afirmava que embora se interessasse pela sorte da filha, Natacha cometera uma falta tão grande que era impossível perdoar-lhe. Mas tudo isto era fingido; havia ocasiões em que Anna Andriéievna quase desmaiava, chorava, chamava por Natacha com os nomes mais doces, queixava-se amargamente do marido; depois, na presença deste, falava de orgulho e de dureza de coração, e chegava a dizer que Deus não perdoa aos que não querem perdoar; mas não ousava tocar mais diretamente na questão. Nesses momentos o velho punha-se carrancudo e sério; franzia as sobrancelhas sem nada dizer, mudava de conversa ou, finalmente, retirava-se para o quarto e deixava-nos sozinhos, de maneira que a mulher podia desabafar a tristeza com lágrimas e lamentações. Parecia que, quando eu chegava, depois de me cumprimentar se metia no quarto de propósito para me dar tempo a comunicar a Anna Andriéievna as últimas notícias de Natacha.

Foi o mesmo que fez naquele momento: "Venho todo molhado – disse quando entrou em casa. – Vou lá dentro num instante. E tu, Vânia, senta-te. Conta o que te aconteceu no teu novo alojamento. Eu volto já". E saiu dali precipitadamente, fazendo o possível por não olhar para nós, como se se envergonhasse de ser ele próprio a proporcionar a nossa conversa. Quando regressava, nestas ocasiões, mostrava-se severo e sério, tanto para comigo como para Anna Andriéievna, e até pesaroso para consigo próprio pela sua falta de firmeza e excessiva condescendência.

– Procede sempre assim, – disse-me a pobre velha, que nos últimos tempos me comunicava até os seus pensamentos mais íntimos – procede sempre assim comigo e o mesmo faz para com a filha. Para que será esse fingimento para comigo? Então eu sou uma estranha para ele? Podia perdoar à minha Natacha e talvez o deseje, só Deus o sabe. À noite, chora, que eu o ouço. Mas quando não está só faz-se forte, o orgulho sustém-no. Diga-me, Ivan Pietróvitch, onde ia ele?

– Nikolai Sierguiéitch? Não sei, vinha precisamente perguntar-lhe.

– Assustei-me quando o vi sair com esse tempo. "É preciso que tenha qualquer coisa de muito importante a tratar", disse para comigo. Mas que poderá ele fazer de mais importante do que aquilo que já sabes? Pensei isso mas não ousei interrogá-lo; eu agora o vejo sempre em aflição e por isso não me atrevo a perguntar-lhe nada. Meu Deus, cheguei a pensar que ele ia vê-la, mas não tive coragem de lhe perguntar nada! Ele sabe tudo a respeito dela, até as coisas mais insignificantes. Sim, eu creio que ele está a par de tudo, mas não sei como. Ontem e anteontem passou o dia numa grande inquietação. Mas por que estás calado? Diz-me, meu filho, aconteceu qualquer coisa? Esperava-te como a um anjo da guarda. Bem, diz-me, esse malvado abandonou a Natacha?

Contei a Anna Andriéievna, com toda a franqueza, o que sabia. Eu era sempre muito franco para com ela. Disse-lhe que Natacha e Alhocha estavam à beira de um rompimento; que havia entre eles sérias desavenças e que Natacha me escrevera suplicando-me fosse vê-la nessa mesma noite, às dez, e que teria ido se não tivesse encontrado Ikhmiêniev. Expliquei-lhe que a situação era crítica; que o pai de Alhocha, que havia uma semana regressara da sua viagem, não queria aceitar nada, fazia grande pressão sobre o filho, e o mais grave era que o rapazote parecia agora sentir já menos repulsa pela noiva que lhe destinavam e achava-a até muito a seu gosto.

Acrescentei que Natacha me escrevera num momento de grande excitação; dizia que esta noite devia decidir-se tudo; o que, não sabia. Também era estranho me tivesse escrito com data do dia anterior, mas pedindo-me que fosse hoje, a uma hora determinada, às dez. E que, por isso, desejava ir lá o mais cedo possível.

– Vai, vai já, meu amigo, vai sem falta! – exclamou a velha. – Quando ele voltar, tomas uma chavenazinha de chá... Ah! Não trouxeram o bule. Matriona! És uma estabanada e não uma criatura às direitas! E o samovar?... Já sabes, tomas uma chávena de chá e em seguida procuras um pretexto e vais. E amanhã virás sem falta contar-me tudo. Vai já! Ai, meu Deus, se aconteceu alguma nova desgraça! Embora, pensando bem, que poderia ser pior do que o presente? Não é verdade, Vânia? O meu marido está a par de tudo quanto se passa, tenho a certeza. Eu sei muitas coisas por Matriona, que se informa por intermédio de Agacha, e Agacha pelo marido de Maria Vassílievna, que serve em casa do príncipe... O meu Nikolai está de péssimo humor, zanga-se e grita, e depois custa-lhe muito falar; estamos em falta de dinheiro. Parece que está assim por causa do dinheiro. Tu já conheces a nossa situação. Depois do jantar meteu-se no quarto com o pretexto de se deitar um pouco; mas eu olhei por uma fresta da porta, que ele não conhece, e vi-o ajoelhado diante da imagem, rezando. Diante daquilo, também as minhas pernas fraquejaram. Ele não tomou chá nem dormiu a sesta; pegou o chapéu e saiu às cinco. Não me atrevi a perguntar-lhe para onde, pois acabaria por gritar. Por tudo e por nada grita com Matriona e algumas vezes comigo também. E, quando ele começa assim, as pernas tremem-me e parece que me arrancam coração. Claro que tudo isso é forçado, bem sei que é forçado; mas, seja como for, é horrível. Quando ele partiu, estive durante uma hora pedindo a Deus lhe desse bons pensamentos... Mas onde está essa carta? Quero vê-la.

Mostrei-a; sabia que Anna Andriéievna alimentava a doce ilusão de que Alhocha, a quem ela algumas vezes chamava malvado, desalmado e maluco, acabaria por casar-se com Natacha, e que o pai, o príncipe Piotr Alieksándrovitch, daria para isso o seu consentimento. Assim o dizia muitas vezes diante de mim, embora noutras se arrependesse e desdissesse as palavras. Mas por nada deste mundo se teria atrevido a exprimir as suas esperanças na presença de Nikolai Sierguiéitch, embora soubesse que o velho o supunha e já em mais de uma ocasião lhe dirigira censuras. Penso que teria amaldiçoado definitivamente Natacha e que a teria expulso para sempre do seu coração, se tivesse acreditado na possibilidade desse matrimônio.

Era esta então a opinião de todos. Ele esperava a filha com todas as ânsias do coração; mas esperava a ela sozinha, arrependida e depois de ter arrancado do coração até a recordação de Alhocha. Era esta a condição necessária para o perdão, e embora ele o não dissesse, era o que todos deduzíamos, ao vê-lo.

– É um rapaz sem caráter e de mau coração, sempre lhe disse – confiava-me Anna Andriéievna. – Não souberam educá-lo, saiu um estouvado. Vai abandoná-la. Que será da pobre Natacha? Meu Deus, com o amor que ela lhe tem! Mas que achará ele de particular na outra? É estranho!

– Eu ouvi dizer que é encantadora e Natacha Nikoláievna também o diz, Anna Andriéievna – interrompi-a.

– Tu não falas a verdade! Para vocês, garatujadores de papel, assim que veem umas saias, todas são encantadoras. Se Natacha a gaba é porque tem uma alma muito nobre. Não sabe chamá-lo às contas, aguenta tudo e sofre. Quantas vezes a terá enganado esse malvado, esse desalmado! Mas eu, Ivan Pietróvitch, fico espantada. O orgulho cega-os a todos. Se ao menos o meu marido vencesse os seus ressentimentos, perdoasse a minha pombinha e a trouxesse para cá... Como eu a trataria bem! Está mais magra?

– Está, sim, Anna Andriéievna.

– Querido Ivan Pietróvitch, como eu sou desgraçada! Choro dia e noite... Hei de contar-te... Quantas vezes tenho estado quase para pedir-lhe indiretamente que a perdoe; mas falta-me a coragem. O coração adivinha-me, temo que se zangue e nos amaldiçoe a todos. Até agora ainda não lhe ouvi maldições... mas tenho muito medo que nos amaldiçoe. Seria uma desgraça. O pai amaldiçoa e Deus castiga. Por isso passo a minha vida a tremer... Mas tu, Ivan Pietróvitch; devias ter vergonha, tu que não recebeste de nós senão palavras de amizade, como podes achá-la encantadora? Como havia eu de esperar isto de ti? Encantadora! Não é isso o que diz Maria Vassílievna, que vive em casa do príncipe (eu não procedi bem, mas um dia convidei-a a tomar chá aqui, quando o meu marido estava ausente), e ela contou-me todos os pormenores. O pai de Alhocha mantém relações ilícitas com uma condessa, a qual já há muito tempo que o censura por não se casar com ela; mas ele faz-se desentendido. Esta condessa tornou-se notável, ainda em vida do marido, pela sua conduta escandalosa. Quando enviuvou, partiu para o estrangeiro e aí... ora, italianos ou franceses, tanto fazia, todos lhe serviam. Foi lá que ela pescou o príncipe Piotr Alieksándrovitch, pai de Alhocha. Mas a enteada, que era muito bonita, foi crescendo. Ficou-lhe do seu primeiro casamento. A condessa dava cabo da sua fortuna; a pequena ia crescendo e os dois milhões que o pai, negociante de aguardente, lhe deixara, iam também crescendo. Dizem que tem agora três milhões; o príncipe, que não é tolo, pensou: "Bom partido para Alhocha!". (Não é tão tolo que deixe escapar uma oportunidade destas.) Há um conde seu parente, homem de elevada posição, que o apoia. Três milhões não são para desprezar. "Está bem – disse – fala à condessa." O príncipe foi e comunicou-lhe o seu plano; ela não o quis ouvir; é uma mulher sem princípios, dizem, uma insolente; aqui já não a recebem em parte nenhuma; isto não é como no estrangeiro. "Não – disse-lhe – casa tu comigo, e não o teu Alhocha com a minha enteada." Dizem que a moça gosta da madrasta e que lhe obedece em tudo. Segundo dizem, tem uma alma de anjo. O príncipe respondeu-lhe: "Olha, condessa, não te apoquentes. Perdeste a tua fortuna e estás crivada de dívidas. Mas se a tua enteada casar com Alhocha, farão um ótimo par; ela é uma santinha e o meu filho, um palerminha; nós dois vamos manejá-los à nossa vontade, vão ficar debaixo da nossa tutela e tu terás dinheiro. E em compensação – diz-me – para que servia eu casar-me contigo?". Que espertalhão! É mesmo um pedreiro-livre! Há seis meses que isso se passou e a condessa ainda não decidiu nada; mas agora dizem que fizeram uma viagem a Varsóvia e já se puseram de acordo. Isto tudo me foi contado por Maria Vassílievna, e é verdade, pois ouviu-o da boca dum homem de confiança. Portanto aí tens: dinheiro, milhões, e além disso encantadora.

A história de Anna Andriéievna impressionou-me profundamente, pois concordava com o que havia pouco me dissera Alhocha, jurando-me que jamais faria um casamento por dinheiro. Mas Ekatierina Fiódorovna ia-o conquistando e seduzindo. Além disso Alhocha dissera-me ainda que o pai talvez se casasse também, embora repudiasse esses receios, para não inquietar prematuramente a condessa. Já disse que Alhocha gostava muito do pai; gostava dele, elogiava-o muito e acreditava nele como num oráculo.

– A tal encantadora não é fidalga, sabes? Não é condessa – insistiu Anna Andriéievna, magoada com o meu elogio da futura noiva do jovem príncipe. – Natacha seria melhor partido para ele, é nobre, é uma autêntica senhora. A outra é filha dum comerciante, ao passo que Natacha... Ainda ontem – esqueci de te dizer – o meu velho abriu o cofre onde guarda os seus papéis e passou toda a noite revendo e arrumando os nossos velhos pergaminhos. Estava aí sentado, muito sério. Eu tricotava, sem olhar para ele, medrosa; ele percebeu que eu não dizia nada, aborreceu-se, e depois, apesar disso chamou-me e esteve a explicar-me a nossa genealogia. Os Ikhmiênievi, já no reinado de Ivan, o Terrível, eram nobres, e os meus, os Chumílovi, já eram conhecidos nos tempos de Alieksiéi Mikháilovitch[14]; possuímos todos os documentos, e Karamzin[15] menciona-os na sua história. Por isso, meu filho, já vês que neste campo nada temos a invejar a ninguém. Assim que o velho começou a

---

14 Um dos primeiros Românov, reinou de 1645 a 1676.
15 Nikolai Karamzin (1766-1826). Escreveu uma *História do Império Russo* em onze volumes.

me explicar isso, compreendi imediatamente a sua intenção. Não havia dúvida que estava ferido pelo desprezo que mostram por Natacha. A outra, mais do que nós, só tem a riqueza. Mas o que é certo é que esse bandido vai atrás da fortuna. Isso já se sabe. Não tem coração, é um avarento. Dizem que professou secretamente nos jesuítas de Varsóvia. É verdade?

— Esse boato é absurdo — exclamei, interessando-me involuntariamente por aquele boato; e também me impressionou a notícia de que Nikolai Sierguiéitch se tivesse posto a rever a sua ascendência.

— São todos uns malvados sem coração — continuou Anna Andriéievna. — Então ela, a minha querida, sofre e chora? Ah, já é tempo de ires ter com ela! Matriona, Matriona! Que estúpida é esta criada! Uma criminosa e não uma criada! Não a ofenderam? Diz-me tudo, Vânia.

Que havia eu de responder-lhe? A velhota chorava. Eu perguntei-lhe que desgraça era essa que lhe acontecera e à qual aludira havia pouco.

— Ai, meu filho, uma desgraça só não chegava; decerto o cálice ainda não estava esgotado! Olha, meu amigo, não te lembras que eu tinha um medalhão de ouro com o retrato da minha Natacha quando era pequena? Contava apenas oito anos, o meu anjo! Encomendamo-lo a um pintor que passou por aqui; mas tu, segundo parece, já não te lembras desse retrato. Representava-a de Cupido, com os seus cabelos louros, como ela os tinha então, todos frisados, e uma camisinha de musselina branca, através da qual se via o corpinho... Estava tão bonita que uma pessoa não se cansava de olhar para ela. Pedi ao pintor que lhe pusesse duas asas, mas ele não quis. Pois olha, eu, depois de tantos desgostos como os que temos sofrido, tirei o medalhão da caixinha onde o guardara e pendurei-o ao pescoço, num fiozinho onde trago a cruz. Mas com muito medo que o meu marido o visse. Já sabes que ele mandou tirar ou queimar tudo o que havia dela nesta casa, para que nada a recordasse. Mas assim, ao menos já podia olhar para ela, e às vezes chorava ao contemplá-la, o que me aliviava; dizia-lhe palavras ternas, e à noite, quando estava só, beijava-a no medalhão como se beijasse a ela mesma, e outras vezes falava-lhe baixinho; quando estava só, fazia-lhe perguntas, parecia-me que ela me respondia e então continuava a perguntar, e antes de me deitar persignava-a... Ai, *golubtchik!*[16] Vânia, como custa dizê-lo! Eu estava muito contente porque ele não sabia nada nem reparara no medalhão. Mas uma manhã não o encontrei. Procurei, revolvi tudo... mas em vão. Se eu sabia onde o tinha posto! Julguei que morria. Continuei a procurar, a procurar... Nada! Onde poderia ter ido parar? "Talvez – disse para comigo – tenha caído na cama." Revistei tudo, e nada! Alguém o devia ter encontrado. Mas quem poderia ter sido senão ele ou Matriona? Ela gosta muito de mim (Matriona, então o samovar?). "Bem – disse para mim mesma – se foi ele que o encontrou, que vai agora acontecer?" Sentei-me. Invadiu-me uma grande tristeza e comecei a chorar, sem poder conter as lágrimas. Mas Nikolai Sierguiéitch demonstra-me maior ternura do que nunca; quando repara no meu estado aflige-se, como se soubesse por que choro e tivesse dó de mim. E eu penso: como é que ele pode saber? Naturalmente encontrou o medalhão e o destruiu. Era capaz disso, na sua ira. Destruiu e agora está arrependido. Fui procurá-lo debaixo da janela, junto da fonte, com Matriona... Nada. Poderia ter caído na água. Passei a noite toda chorando.

---

16 Pombinho! Meu bem!

Era essa a primeira em que não fazia o sinal-da-cruz sobre o retrato. Ah, ah, isto é um mau agouro, Ivan Pietróvitch! Não anuncia nada de bom. No outro dia, ainda de olhos molhados, recomeço a chorar. Esperava-te a ti, meu amigo, como a um anjo de Deus, embora sentisse a alma em ferida.

E a velha rompeu num pranto desolador.

– Ah, esquecia de dizer-te uma coisa! – exclamou de repente, satisfeita por ter lembrado. – Ouviste-o falar a respeito de uma órfã?

– Ouvi, Anna Andriéievna. Disse-me que pensavam os dois e tinham combinado adotar uma menina pobre, uma órfã. É verdade?

– Eu não pensei nisso. Não quero nenhuma órfã. Recordava-me a nossa infelicidade, o nosso desgosto. Eu só posso gostar da minha Natacha. Era e será a minha única filha. Mas por que teria ele tido essa ideia, meu amigo? Que pensas tu, Ivan Pietróvitch? Talvez pense que assim posso consolar-me. Como me vê tão chorosa! Também pode ser que queira esquecer a sua filha adotando outra. Que te disse ele de mim durante o caminho? Como o achaste, carrancudo, zangado? Depois falaremos nisso. Não te esqueças de vir amanhã, pelo amor de Deus!

Capítulo XIII

O velho entrou; olhou curioso e como se estivesse envergonhado, e sentou à mesa.

– E o samovar? – perguntou. – Por que não o trouxeram?

– Vem já, paizinho, vem já – apressou-se a dizer Anna Andriéievna.

Assim que viu Nikolai Sierguiéitch, Matriona apareceu com a chaleira, como se estivesse à espera que ele chegasse para a trazer.

Era uma velha criada, hábil e dedicada, mas muito rabujenta, caprichosa e teimosa. Tinha medo de Nikolai Sierguiéitch e diante dele tinha cuidado com a língua. Do que se desforrava sobejamente no seu trato com Anna Andriéievna. Estava sempre resmungando e via-se bem que tinha a pretensão de dominar a patroa, embora ao mesmo tempo estimasse, cordial e sinceramente, tanto a ela como a Natacha.

A esta Matriona já eu a conhecia há muito tempo.

– Hum! Não é muito agradável chegar a casa molhado e não quererem preparar-lhe rapidamente uma chávena de chá – resmungou o velho a meia voz.

Anna Andriéievna olhou para mim. Ele não gostava de gestos disfarçados e naquele momento esforçava-se por não olhar para nós; mas percebia-se em seu rosto que tinha reparado.

– Fui tratar de um assunto, Vânia – disse de repente. – É uma vileza. Já te contei? Condenam-me em tudo. Claro, não tenho provas! Fazem-me falta documentos que não possuo e o inquérito judicial é injusto.

Falava do seu litígio com o príncipe; o processo ainda se arrastava e tomara um mau aspecto para Nikolai Sierguiéitch. Eu me calava sem saber o que responder-lhe. Ele me olhava com receio.

– Então? – gritou de repente, excitado pelo nosso silêncio. – Quanto antes, melhor! Fará bem em condenar-me; não ficarei desonrado, ainda que me obriguem a pagar. A minha consciência está tranquila; condenem-me até onde quiserem.

Quando me tiverem arruinado, pelo menos vão me deixar em paz. Abandonarei tudo e irei para a Sibéria.

— Meu Deus! Para onde é que tu queres ir? Para que para tão longe? – exclamou Anna Andriéievna.

— Que fazemos nós aqui? – perguntou-lhe ele com rudeza, como se tivesse ficado contente com a sua contrariedade.

— Mas... e as outras pessoas? – disse Anna Andriéievna olhando-me com ansiedade.

— Quais pessoas? – gritou ele passeando a sua vista irritada de mim para ela e vice-versa. – Quais pessoas? Os traidores? Os ladrões? Os caluniadores? Esses existem de sobra em todos os lados. Espera que também os encontraremos na Sibéria. E além disso, se não quiseres vir comigo, ficas, eu não te obrigo.

— Nikolai Sierguiéitch... meu amigo! Que faria eu aqui, sem ti? – exclamou a pobre Anna Andriéievna. – Além de ti, não tenho mais ninguém no mundo...

Ficou confusa. Calou-se e olhou para mim cheia de espanto, como se implorasse proteção e ajuda. O velho mostrava-se desesperado. Tudo o irritava, era impossível contradizê-lo.

— Acalme-se, Anna Andriéievna! Na Sibéria já não se vive hoje tão mal como antes. Se lhes acontecer qualquer infelicidade, se se virem forçados a vender a propriedade de Ikhmiênievka, nesse caso, o projeto de Nikolai Sierguiéitch é excelente. Na Sibéria pode encontrar-se facilmente uma boa propriedade e... então...

— Aí está! Ao menos tu, Ivan, compreendes-me. Foi precisamente isso o que eu pensei. Deixo tudo e vou-me.

— Não esperava isso – gritou Anna Andriéievna juntando as mãos. – Também tu, Vânia. Não esperava isso de ti, Vânia... Só tens recebido mimos de nós, e agora...

— Ah! Ah! Ah! Pois que esperavas tu? Como julgas que vamos viver aqui? Pensa um pouco! O dinheiro voou; estamos gastando os últimos copeques e com certeza não me aconselhas a ir pedir perdão ao príncipe Piotr Alieksándrovitch, não é verdade?

Quando ouviu falar do príncipe, a pobre velha começou a tremer de medo; a colher de chá escapou-lhe das mãos e foi cair ruidosamente na tigela.

— Não, com certeza – exclamou Ikhmiêniev, troçando, com um sorriso maldoso e desabrido. – Que te parece, Vânia? Achas que faria bem em ir? Para que hei de eu emigrar para a Sibéria? Amanhã, cedinho, visto-me, penteio-me e calço-me. Anna Andriéievna prepara-me uma camisa nova (com pessoas desta classe é necessário). Compro umas luvas de categoria e apresento-me diante de Sua Excelência: *"Bátiuchka*, Excelência, meu benfeitor, meu pai... perdoe-me e tenha dó de mim! Dê-me pão, tenho mulher e filhinhos!". Achas isto bem, Anna Andriéievna? É isto o que tu queres?

— *Bátiuchka,* eu não quero nada, falei sem saber o que dizia; desculpa-me se te ofendi em alguma coisa; mas não grites – disse ela tremendo cada vez mais de medo.

Estou persuadido de que ele sentia a alma dorida ao ver as lágrimas e o terror da sua pobre mulher; estou convencido de que sofria mais do que ela, mas que não podia conter-se. É o que costuma acontecer às pessoas melhores mas nervosas, e que apesar da sua bondade se deixam dominar pela sua excitação e pelo seu desgosto, até com prazer, e chegam até, seja lá pelo que for, a ofender outras pessoas inocentes, e, em particular, os seres mais próximos.

As mulheres, por exemplo, sentem às vezes necessidade de se fazerem de vítimas e desejam que os outros se apiadem delas, ainda que não existam nem ofensas nem desgraças. Há alguns homens que, nisto, são parecidos com as mulheres, e precisamente aqueles que não têm nada de feminino. O velho Ikhmiêniev sentia a necessidade de ralhar, embora com isso ele próprio sofresse também.

Lembro-me de que tive uma ideia. Não teria ele feito já algumas diligências do gênero da que propusera Anna Andriéievna? Não teria sido inspirado pelo Senhor, e não teria saído efetivamente com a intenção de ver Natacha, mas tinha se arrependido no caminho ou se lhe frustrou qualquer coisa e desistiu do seu propósito – como fatalmente tinha de acontecer – e voltara para casa ressentido e humilhado, envergonhado dos seus recentes desejos e sentimentos, procurando alguém sobre quem descarregar a sua raiva por causa da sua fraqueza e escolhendo precisamente a pessoa que sabia partilhar esses desejos e sentimentos? Podia ser que, desejando embora perdoar à filha, imaginasse o entusiasmo e a alegria da pobre Anna Andriéievna, e em vista do fracasso, naturalmente, descarregasse de preferência sobre ela.

Quando viu a mulher tremer de espanto, conteve-se. Parecia envergonhar-se da sua cólera e, por um momento, reprimiu-se. Estávamos todos calados; eu me esforçava para não olhar para ele. Mas esse momento durou pouco. De qualquer forma, era preciso desabafar, ou com uma explosão ou com uma maldição.

– Olha, Vânia – disse de repente – a mim, custa-me; eu não queria, mas chegou o momento de falar francamente, sem rodeios, como um homem honrado. Compreendes-me, Vânia? Estou satisfeito por que estejas presente e quero dizer diante de ti, para que também o ouçam os outros, que todos esses suspiros e essas lágrimas me exasperam. Quando eu arranco alguém do meu coração, ainda que seja com sangue e dor, nunca mais esse alguém volta. É assim. Disse e faço. Refiro-me ao que aconteceu há meio ano. Compreendes, Vânia?

Levantou da cadeira e deu um soco sobre a mesa com tanta força que as chávenas tilintaram.

– E falo disto, francamente, com toda a intenção, para que as minhas palavras não possam nunca enganar-te – acrescentou olhando com olhos cintilantes e evitando nitidamente o olhar da mulher. – Repito-o: isso é um absurdo. Não quero... A mim, o que mais me indigna é que, como a um imbecil, como ao maior malandro, todos me julguem capaz de ter tão baixos, tão covardes sentimentos... Pensam que a dor me faz perder a cabeça... Que absurdo! Eu afugentei, esqueci-me dos antigos sentimentos.

– Nikolai Sierguiéitch, tenha piedade de Anna Andriéievna – gritei, indignado, sem poder conter-me e olhando-o quase com aborrecimento. – Repare na maneira como está procedendo com ela.

Mas isto não foi senão deitar mais lenha no fogo.

– Não há piedade! – exclamou ele tremendo e empalidecendo. – Não tenho piedade porque de mim também não a têm... Na minha própria casa há conjuras contra a minha fronte agravada, a favor de uma filha corrompida, digna de maldição e de todos os castigos.

– *Bátiuchka* Nikolai Sierguiéitch, não a amaldiçoes! Tudo o que quiseres, tudo, menos isso! Não amaldiçoes a tua filha! – gritou Anna Andriéievna.

– Sim, amaldiçoo – gritou o velho ainda com mais energia do que antes – já que exigem de mim, que fui ofendido, uns com suspiros e outros com alusões, que eu vá ver essa maldita e lhe peça perdão. Sim, sim, é assim mesmo! Por causa disso martirizam-me de dia e de noite, diariamente, na minha casa. Olha, Vânia – acrescentou, tirando do bolso uns papéis, com a mão trêmula – olha para os maços do nosso pleito, onde dizem que eu despojei o meu benfeitor, onde me chamam ladrão e esbanjador... Eu estou desonrado, difamado, e isso por causa dela!

E jogou sobre a mesa vários papéis que tirara com precipitação do bolso, uns atrás dos outros, procurando impacientemente entre eles o que desejava mostrar-me; mas o documento preciso parecia esconder-se propositadamente. Na sua impaciência tirou do bolso tudo quanto lhe vinha à mão e de repente... qualquer coisa pesada e sonora caiu sobre a mesa. Anna Andriéievna deu um grito. Era o medalhão perdido! Eu não queria acreditar no que via. O sangue afluiu ao rosto do velho e afogueou as suas faces.

Teve um sobressalto. Anna Andriéievna levantou, estendeu a mão e olhou-o, suplicante. O seu rosto brilhava numa esperança alegre e luminosa. Aquela cor no rosto, aquela comoção do velho, à nossa vista... Sim, ela não se enganara; compreendia agora como o medalhão desaparecera. Compreendia que ele o tinha encontrado e ficado satisfeito com o achado, e talvez, trêmulo de alegria, o tivesse guardado para escondê-lo de todos os olhares; talvez, sozinho, às escondidas de todos, se tivesse comprazido em contemplar o rosto da sua filha querida... olhando-o sem nunca se cansar; talvez ele, tal como a sua mãe infeliz, se escondesse de todos para falar com a sua adorada Natacha, imaginar as suas respostas e responder por ela; e à noite, numa tristeza torturante e lançando suspiros, beijaria a imagem querida e em vez de maldições daria o seu perdão e a sua bênção àquela que não queria ver e que amaldiçoava à frente dos outros.

– Então ainda gostas dela, meu querido? – exclamou Anna Andriéievna sem poder conter-se, diante daquele pai sombrio que havia um instante amaldiçoara a sua Natacha.

Ao ouvir isto, um furor ensandecido brilhou nos olhos do velho. Pegou no medalhão, atirou-o ao chão e espezinhou-o furiosamente. – Para sempre, amaldiçoo-a para sempre! – gritou com uma voz cortante. – Para sempre, para sempre!

– Meu Deus! – exclamou a velha. – A ela, a ela, à minha Natacha! A carinha da minha Natacha debaixo dos teus pés! Tirano, cruel, orgulhoso, coração de pedra!

Quando ouviu os gemidos da mulher, o velho furioso quedou-se espantado do que fizera.

De repente, pegou no medalhão e ia já para sair do quarto; mas ainda mal saíra, caiu de joelhos, agarrando-se com as mãos ao divã que estava próximo e apoiando a cabeça inerte sobre ele. Gemia como uma criança, como uma mulherzinha. Os soluços tomavam-lhe o peito, como se quisessem aniquilá-lo. O severo velho estava nesse instante mais débil do que uma criança. Oh, agora já não podia amaldiçoar; agora já não se envergonhava de nós, e no seu irreprimível arrebatamento de amor, pôs-se na nossa presença a cobrir de beijos inumeráveis o retrato que um minuto antes espezinhara sobre o chão. Parecia que toda a sua ternura, todo o seu amor pela filha, tanto tempo reprimidos, irrompiam agora com uma força irresistível e ao estalarem com essa força arrastavam atrás de si todo o seu ser.

– Perdoa-lhe! Perdoa-lhe! – gritou Anna Andriéievna abraçando-o. – Deixa que ela volte para casa de seus pais, meu querido, que Deus, no seu terrível juízo, há de levar em conta a tua mansidão e a tua clemência!

– Não, não, nunca! – exclamou ele com uma voz estridente e ofegante. – Nunca, nunca!

Capítulo XIV

Até às dez horas não consegui aparecer em casa de Natacha. Ela vivia agora no cais do Fontanka, perto da ponte Siemiônovski, no sujo prédio principal do comerciante Kolotúchkin, no quarto andar. Nos primeiros tempos, quando da sua fuga da casa paterna, ela e Alhocha moravam num andar, não muito grande mas bonito e cômodo, na Litiéinaia.[17] Mas em breve se acabaram os recursos do jovem príncipe. Não se tinha feito professor de música; começou a pedir dinheiro emprestado e contraiu dívidas enormes. Gastava o dinheiro em pagar o andar e em presentes para Natacha, que protestava contra esse esbanjamento, ralhava com ele e às vezes até se punha a chorar. O sensível e terno Alhocha, que passava às vezes uma semana inteira pensando com prazer no presente que lhe daria e como é que ela o acolheria, que fazia disso uma verdadeira festa e estava constantemente a falar-me das suas esperanças e ilusões, ficava tão desanimado com aqueles ralhos e lágrimas que sofria dolorosamente e por causa desses presentes surgiam entre eles censuras, discussões e desgostos. Além disso Alhocha gastava muito, às escondidas de Natacha, divertindo-se com antigos camaradas que o impeliam a enganá-la... Ia com Josefinas e Minas[18], apesar de amá-la loucamente. Amava-a até com certa dor. Dizia-me muitas vezes, triste e pesaroso, que o humilhava valer menos que um dedo da sua Natacha e que se sentia incapaz de elevar-se até ela e de fazer-se digno do seu amor.

Em parte, tinha razão. Eram completamente diferentes. Ele sentia-se uma criança diante dela e ela olhava-o sempre como uma criança. Confessava-me, com lágrimas nos olhos, suas aventuras com Josefinas e pedia-me que não falasse disso a Natacha; e quando, tímido e irritado, ia vê-la em minha companhia (tinha que ser em minha companhia, afirmando-me que não se atrevia a enfrentar o seu olhar, depois da sua falta, e que só eu podia valer-lhe), a Natacha bastava-lhe vê-lo para adivinhar tudo. Ela era muito boa e nem sei como podia perdoar-lhe sempre todas as culpas. De maneira geral as coisas passavam-se assim: Alhocha entrava comigo e começava a falar-lhe com humildade, olhando-a timidamente nos olhos. Ela adivinhava imediatamente que ele tinha culpas; mas não dizia nada, nem começava logo a falar nisso, nem lhe fazia censuras, e, pelo contrário, começava a acariciá-lo e mostrava-se muito contente, não por uma atitude estudada ou por fingimento, mas sinceramente, pois para esta bondosíssima criatura era um prazer perdoar e amar.

Parecia que, perdoando a Alhocha, experimentava uma satisfação especial. Mas por então tratava-se apenas de Josefinas. Ao vê-la assim tão clemente e mansa, Alhocha já não podia conter-se e punha-se então ele próprio a contar-lhe tudo sem que ninguém o tivesse interrogado, para desabafar e "ficar como antes", conforme dizia.

Quando lhe perdoávamos, o seu entusiasmo não tinha limites. Às vezes até chorava de júbilo, de prazer. Beijava-a e abraçava-a. Depois ficava muito contente e co-

---

17 Uma das principais avenidas de Petersburgo.
18 Nomes de cortesãs alemãs.

meçava a contar-nos com uma sinceridade infantil todos os pormenores das suas relações com Josefinas; ria-se, ria-se às gargalhadas, e o serão acabava bem, alegremente.

Quando acabou o dinheiro, começou a vender objetos. Para alojamento de Natacha procuraram um quarto pequenino, barato, no Fontanka.

Continuaram a vender coisas; Natacha chegou a vender vestidos e a procurar trabalho de costura; quando o soube, Alhocha ficou desesperado; jurou, gritou que se desprezava a si próprio; mas com isso não se remediava nada.

Atualmente, até esses últimos recursos tinham acabado. Restava-lhe apenas o trabalho; mas a retribuição era insignificante.

Nos primeiros tempos em que viveram juntos, Alhocha teve grandes altercações com o pai. A insistência do príncipe em querer casar o filho com a enteada da condessa, Ekatierina Fiódorovna, não passava de um projeto; no entanto estava bem aferrado a este projeto. Apresentou a Alhocha a sua futura noiva, incitou-o a esforçar-se por se lhe tornar simpático e obrigou-o a isso com muitos conselhos; entretanto o caso dificultava-se por causa da condessa. Depois o pai começou a fechar os olhos sobre as relações do filho com Natacha, confiado no tempo e esperando que, dada a leviandade do rapaz, o tempo esfriaria o seu amor. Quase que deixou de importar-lhe a hipótese de o filho casar-se com Natacha.

Os amantes, esses, tinham adiado tudo até à reconciliação com o pai e até que as circunstâncias mudassem.

Era visível, também, que Natacha não queria falar disso. Alhocha segredara-me que o pai estava muito contente com toda esta história, pois gozava com a humilhação dos Ikhmiênievi.

Somente por formalidade continuou a mostrar má cara ao filho; reduziu-lhe a sua já bastante exígua pensão (era demasiado avaro com ele) e ameaçou-o de a retirar completamente; mas em breve partiu para a Polônia, ao encontro da condessa, que tratava então aí dos seus interesses, sempre com a ideia de conseguir o seu projeto nupcial. A bem dizer, Alhocha era ainda muito novo para se casar; mas a noiva que ele lhe propunha era muito rica e não se podia pensar em perder uma tal oportunidade. O príncipe conseguiu o seu fim. Até nós chegaram rumores de que finalmente o casamento fora combinado. No tempo a que me refiro, acabava o príncipe de regressar a Petersburgo. Acolheu o filho afavelmente; mas a sua teimosia em continuar com Natacha desgostou-o. Começou a duvidar, a recear. Exigiu-lhe enérgica e terminantemente a ruptura; mas depois pensou que seria melhor apelar para outros meios e levou Alhocha à casa da condessa. A enteada, embora ainda quase uma criança, tinha a reputação de possuir uma grande beleza, extraordinária bondade e um espírito sereno e alegre, inteligente e sensato. O príncipe pensava que seria necessário meio ano para conseguir o seu objetivo, que Natacha então não teria já para seu filho o atrativo da novidade, e que ele não olharia para a sua futura noiva da mesma maneira que agora. Em parte, mas apenas em parte, acertou. De fato, Alhocha ficou seduzido. Acrescentarei que o pai, de um momento para o outro começou a mostrar-se muito amável com o filho (exceto na questão de dinheiro). Alhocha suspeitava que debaixo dessa afabilidade se ocultava um propósito decidido, irrevogável, e sofria... embora não tanto como teria sofrido se não visse todos os dias Ekatierina Fiódorovna. Eu sabia que havia já cinco dias que Alhocha não ia à casa de Natacha. Com a avidez de vê-la, que sempre conservei, corri até lá, de casa dos Ikhmiênievi, pensando naquilo que ela queria dizer-me. Ainda ao longe descobri uma vela acesa na janela. Havia muito tínhamos combinado que ela poria uma vela na janela quando tivesse uma grande e imprescindível necessidade de me ver, para que, se por casualidade me acontecesse passar por ali próximo (o que acontecia quase todas as noites), ao ver essa luz, fora do comum, na janela, eu pudesse compreender que ela me esperava e eu lhe era necessário. Nos últimos tempos rara era a noite em que faltava a luz...

Capítulo XV

Fui encontrar Natacha sozinha. Passeava pelo quarto de um lado para o outro, com os braços cruzados no peito e como se estivesse afundada num sonho. Havia já algum tempo o samovar me esperava sobre a mesa.

Natacha estendeu-me a mão em silêncio e sorrindo. Tinha o rosto pálido, a sua expressão era de sofrimento. O sorriso aparentava algo de resignado, doloroso e terno. Os seus olhos claros de pomba pareciam maiores do que de costume, e os cabelos mais espessos, naturalmente por efeito da sua magreza e da doença.

– Julguei que não viesses – disse estendendo-me a mão. – Ia mandar Mavra para ver se estavas doente.

– Não, não estive doente, é que me entretiveram. Eu já te conto. Que há de novo?

– Nada – disse ela fingindo surpresa. – Por que me fazes essa pergunta?

– Como me escreveste ontem marcando-me uma hora e dizendo-me que não deixasse de vir pontualmente, nem mais cedo nem mais tarde, e isto não é normal...

– Ah, sim! É que julguei que ele viria hoje...

– Mas ele não vem todos os dias?

– Não; e eu pensava que, se ele não viesse, teria de falar contigo – acrescentou depois de um momento de silêncio.

– E tu o esperavas esta noite?

– Não, não esperava. À noite vai ele até lá.

– E tu pensas, Natacha, que já não virá mais?

– Há de voltar, com certeza – respondeu, olhando-me com uma seriedade especial.

Não lhe agradava a rapidez das minhas perguntas. Ficamos um momento calados, continuando a passear pelo quarto.

– Estive bastante tempo à tua espera – disse, sorrindo de novo. – Sabes o que eu fazia? Olha, passeava de um lado para o outro recitando uns versos. Lembras-te? *O pequeno chocalho, o caminho sob a neve. O samovar que ferve sobre a mesa de carvalho...* [19] Nós os recitávamos juntos:

> O Sol já se pôs; o caminho está claro
> E a noite olha
> Com os seus milhões de pupilas turvas...

---
19 Versos de um poema de Polônski, poeta posterior a Púchkin.

E depois:

> De repente o meu ouvido escuta... a voz apaixonada do poeta
> Vibrando no doce tilintar do chocalho.
> Oh, quando, quando chegará o meu amigo
> Para descansar no meu regaço!
> Que hora tão doce! Brilhando sobre os vidros,
> A lua começa a brincar com o orvalho.
> O samovar ferve sobre a mesa de carvalho
> O fogão crepita e jorra luz, num canto.
> Atrás da cortina colorida está o leito...

Que bonito! Que versos comovedores e que quadro fantástico eles descrevem! Há apenas a tela, o desenho está só esboçado... podemos bordar nele o que quisermos. Duas comoções, a primeira e a última.

Esse samovar, essa cortina de indiana... como isso tudo é natural! Tal como nas casas abastadas da nossa vila; parece-me que vejo essa casa; novinha, de madeira, ainda sem tábuas a revesti-la... E depois este outro quadro:

> Depois a mesma voz se torna a ouvir,
> Ressoando tristemente no tilintar do chocalho.
> Onde está o meu velho amigo? Tenho medo de que ele não venha mais
> Para me encher de beijos e carícias.
> Oh, que vida a minha! Tão triste, tão mesquinha!
> Como está triste este quarto! O vento sopra sobre os vidros!
> Lá fora há apenas uma torre que a névoa já não deixa ver;
> Pode ser que tenha desaparecido.
> Oh, que vida! As cortinas do meu leito já estão descoloridas!
> Estou doente mas não volto para casa de meus pais,
> Seria enganar a todos... Para mim não haveria mais perdão...
> E a velhota começaria logo a resmungar...

"Estou doente". Esse "doente", como está bem aplicado! "Seria enganar a todos"... quanta ternura e languidez nestes versos e quanta dor de recordação; mas uma dor dessas que a própria pessoa provoca e ama... Senhor, como isso é tudo tão verdadeiro!

Ficou calada, como se se abandonasse ao começo duma vertigem mental.

– Meu querido Vânia! – disse depois de uns minutos de silêncio.

Em seguida calou-se de repente, como se tivesse esquecido do que queria dizer ou tivesse dito aquilo só por dizer, levada por um impulso de momento. E ao mesmo tempo continuávamos a passear pelo quarto. Em frente da imagem ardia uma lamparina. Nos últimos tempos Natacha mostrava-se mais devota mas não gostava que lhe falassem disso.

– Quê? Há festa amanhã? – perguntei-lhe eu. – Acendeste a lâmpada?

– Não, não há festa – respondeu. – Mas senta, Vânia, deves estar cansado. Queres chá? Ainda não o tomaste? Donde vens agora?

– De casa deles – era assim que designávamos sempre os pais dela.

Submeteu-me a um verdadeiro interrogatório. Devido à comoção, tornara-se ainda mais pálida. Expliquei-lhe pormenorizadamente o meu encontro com o velho, a minha conversa com a mãe e a cena do medalhão. Contei-lhe tudo minuciosamente, sem omitir nada. Escutava-me avidamente, bebendo cada uma das minhas palavras. Eu nunca lhe escondia nada. Brilhavam lágrimas nos seus olhos; a cena do medalhão provocou-lhe uma comoção violenta.

– Diz-me mais coisas, Vânia, mais coisas! – disse, interrompendo a minha narrativa a todos os momentos. – Dá-me mais pormenores, diz-me tudo, tudo, com o máximo de pormenores que possas. Tu saltas muitas coisas.

Repeti-lhe a minha narrativa pela segunda e terceira vez, respondendo largamente às suas contínuas perguntas.

– Achas que, de fato, ele queria vir aqui? – perguntou depois de um momento de silêncio.

– Eu não sei, Natacha, não faço a menor ideia. Que ele está triste por tua causa e gosta de ti, salta à vista... Tenho a certeza de que gosta de ti e sofre por te ter perdido; quanto a ter a intenção de vir ver-te, isso... isso...

– Dizes que beijou o meu retrato? E que dizia quando o beijava?

– Apenas palavras soltas, exclamações. Chamava-te os nomes mais doces... chamava-te...

– Chamava-me!
– Sim.

Pôs-se a chorar em silêncio.

– Coitados! – disse. – E ele sabe tudo – acrescentou depois de um silêncio. – Isso não é prudente. E a respeito do pai de Alhocha também sabe muitas coisas.

– Natacha – disse-lhe eu timidamente. – Vamos vê-los... vem comigo, queres?

– Quando? – disse alarmada e estremecendo no seu lugar.

Pensava que eu queria ir naquele mesmo instante.

– Não! Não falemos mais nisso... é melhor, Vânia – acrescentou cruzando as mãos sobre o peito e sorrindo tristemente. – Não, meu amigo! Insistes sempre sobre a mesma coisa, mas não me fales mais disso...

– Então... nunca, nunca mais esta terrível história terá fim – gritei desolado. – És tão orgulhosa que não te decides a dar o primeiro passo. Ele só espera isso; tu deves ser a primeira. Talvez não espere senão isso para perdoar-te... Ele é teu pai, tu ofendeste-o. Respeita a sua dignidade, que é lógica, que é natural. É isto o que deves fazer! Vem, que ele vai te perdoar sem condições.

– Isso é impossível, Vânia, e não me censures inutilmente. Desde que os abandonei tenho pensado nisso dia e noite. Quantas vezes não falei disto contigo! E tu mesmo sabes como não é possível tentar uma coisa dessas. Não, meu amigo, não posso! Se o tentasse, ainda se enfurecia mais contra mim. O passado não volta, e sabes por que é impossível que volte? Porque é impossível que voltem aqueles anos felizes da minha infância, que passei com eles. Ainda que meu pai perdoasse, agora já não me reconheceria. Ele amava ainda em mim a criança, a menina. Amava a minha inocência infantil. Quando me acariciava olhava-me ainda na testa, como quando eu tinha sete anos, e, sentada sobre os seus joelhos, lhe cantava as minhas cantiguinhas de roda. Desde a primeira até à última noite em que estive com eles, sempre foi até à minha cama para abençoar-me. Um mês antes da nossa desgraça comprou-me uns brincos sem eu saber. Estava contente como um garoto, pensando como eu ia ficar satisfeita com o presente, e zangou-se muito com todos, e comigo em primeiro lugar, quando eu lhe disse que havia já algum tempo que estava a par da compra dos brincos. Três dias antes da minha saída notou que eu estava triste e afligiu-se tanto que até ficou adoentado e... sabes o que ele fez? Para me distrair, empenhou-se em levar-me ao teatro... Oh, meu Deus! Julgava que podia assim curar a minha tristeza. Repito-o, ele via e amava em mim a criança e não queria pensar que algum dia me tornaria mulher. Isto não lhe entrava na cabeça. Se eu voltasse agora para casa não me reconheceria. Ainda que me perdoasse, com quem é que ele se acharia agora? Eu já não sou a mesma. Já vivi muito. Embora lhe agradasse assim, ele havia de suspirar pela felicidade passada e teria de reconhecer com desgosto que eu já não sou a mesma de antes, de quando ele amava ainda em mim a criança; e o que passou parece sempre melhor. É sempre com dor que recordamos! Oh, e que belo é o passado, Vânia! – exclamou, interrompendo-se com este grito, que lhe apertava dolorosamente o coração.

– É verdade o que tu dizes, Natacha – respondi-lhe eu. – Mas isso significa que, agora, terá de conhecer-te e querer-te outra vez... Porque o principal é conhecer... Mas que importa? Pensas por acaso que ele não será capaz de compreender-te? Ele, com o coração que tem...

– Vânia, não sejas injusto. Que tem de especial que me compreenda? Eu não estava falando disso... Mas escuta. O amor paterno também tem os seus ciúmes. Ele está ofendido por eu ter convivido com Alhocha sem ele saber. Ele sabe que nem sequer suspeitava isto e ainda mais que as infelizes consequências do nosso amor, a minha fuga, lhe custa sobretudo a minha ingrata dissimulação. Eu não fui ter com ele desde o princípio, não lhe revelei a menor palpitação do meu coração desde o começo do meu amor; pelo contrário, ocultei-lhe tudo, escondi-me dele. E afirmo-te, Vânia, essas dissimulações doem-lhe mais, ofendem-no mais do que as próprias consequências do meu amor... Isto é, o meu afastamento deles e a minha entrega total ao meu amante. Suponhamos que ele me recebe agora como um pai carinhoso e afável; ainda assim, ainda vai ter alguns motivos de hostilidade. Ao segundo, ao terceiro dia surgiriam as reticências, as recordações, as mortificações. Embora me perdoasse não o faria incondicionalmente. Suponhamos que eu, no fundo do meu coração, reconheço que ele tem direito a estar ressentido até ao último extremo com a culpada. E embora me seja doloroso que ele não queira compreender quanto me custa a mim própria esta felicidade com Alhocha e os sofrimentos que eu própria tive de padecer, que me submeto em tudo à sua vontade, a tudo me resigno... pois, ainda assim, tudo isso há de parecer-lhe pouco. Exigirá de mim uma submissão impossível; exigirá que renegue o meu passado, que renegue Alhocha e o meu amor por ele. Há de pretender o impossível: que volte ao passado e apague da nossa vida este meio ano. Mas eu não posso renegar nada disso, eu não posso renunciar... O que aconteceu, tinha de acontecer... Não, Vânia, agora já não é possível! Ainda não chegou o momento.

– Então quando chegará?

– Não sei. Ainda devo sofrer pelo nosso bem futuro... comprá-lo ao preço de novas torturas. O sofrimento purifica tudo!

Eu fiquei calado e olhei-a, pensativo.

– Por que me olhas assim, Alhocha... isto é, Vânia? – exclamou, enganando-se e rindo do seu erro.

– Vejo-te rir, Natacha. Onde foste buscar esse riso? Há pouco não o tinhas.

– Pois que tem o meu sorriso?

– Mostra que, verdadeiramente, ainda conservas a candura infantil... Mas quando te ris, parece que te dói o coração... Estás mais magra, Natacha, até parece que tens o cabelo mais farto; é esta a recompensa que te dão? Isso também é obra dele?

– Como tu gostas de mim, Vânia! – respondeu, olhando-me com afeto. – E tu, que fazes agora? Trazes qualquer trabalho entre mãos?

– O costume; escrevo romances, mas com muito custo e sem proveito. A inspiração não me acode. Não é possível escrever e concentrar a atenção quando se está triste; a dor destrói as ideias felizes. Além disso, para os jornais é preciso escrever com prazo fixo. Eu, agora, penso deixar o romance e escrever narrativas curtas, qualquer coisa de leve e gracioso e sem ponta de tristeza. Estou decidido. Todos precisam de estar contentes e divertir-se!

– Pobre de ti! Trabalhas tanto... E Smith?

– Smith morreu.

– Ele não te apareceu? Digo-te isto a sério, Vânia, porque estás com os nervos escangalhados; tudo isso são desvarios. Quando me falaste em alugar esse quarto, logo te avisei. Deve ser um quarto úmido e insalubre.

– Isso é. Ainda esta noite me aconteceu lá uma coisa... Mas depois te contarei...

Ela estava agora afundada numa meditação profunda.

– Como teria eu podido escapar-me deles? Devia ter febre – disse, olhando-me com uns olhos que não esperavam resposta.

Se eu lhe tivesse falado naquele momento, não me teria ouvido.

– Vânia – disse-me com uma voz imperceptível – pedi-te que viesses para falar-te de uma coisa.

– De quê?

– Rompi com ele. É preciso acabar com esta vida. Chamei-te para desabafar contigo tudo quanto tenho calado até agora.

Era sempre assim que a pobrezinha começava as suas confidências, anunciando-me segredos mas percebendo logo que eu já os conhecia todos.

– Ai, Natacha! Já te ouvi mil vezes dizer a mesma coisa! Não duvido que, embora vivam juntos, nada há de comum entre vocês; a vossa união é um tanto estranha. Mas... terás coragem para separar-te?

– Até hoje havia apenas essa intenção, Vânia, mas agora estou resolvida. Gosto dele até à loucura; no entanto compreendo que sou o seu primeiro inimigo, que estou a estragar o seu futuro. É preciso que lhe devolva a sua liberdade. Casar-se comigo, não pode, não tem energia para fazer frente ao pai. E eu também não posso obrigá-lo. E além disso fico muito satisfeita se ele se casar com essa noiva que lhe arranjaram. Assim não lhe custará tanto separar-se de mim. Devo fazê-lo. É a minha obrigação... Se o amo, devo sacrificar tudo por ele, devo provar-lhe o meu amor, tenho obrigação disso. Não é verdade?

– E poderás convencê-lo?

– Nem sequer o tentarei. Se entrasse aqui neste momento, seria para ele a mesma de sempre. Mas tenho a obrigação de encontrar um meio para que ele me abandone sem remorsos. É isto o que me aflige, Vânia. Não serias capaz de aconselhar-me qualquer coisa?

– Só há um meio – disse eu – deixá-lo completamente e amar outro. Simplesmente, é difícil; já conheces o seu caráter. Há cinco dias que não vem. Suponhamos que te abandonou definitivamente; não tinhas mais nada a fazer senão escrever-lhe uma carta dizendo-lhe que eras tu quem o deixavas e verias como ele vinha logo.

– Por que não gostas dele, Vânia?

– Eu?

– Sim, tu, tu. Tu és o seu inimigo secreto e raivoso. Tenho visto muitas vezes que o teu maior prazer é rebaixá-lo e enegrecê-lo. Sobretudo pintá-lo de cores negras; digo-te isto a sério.

– Já me disseste isso mil vezes, Natacha! Basta, Natacha! Falemos de outra coisa.

– Queria mudar-me para outro quarto – disse outra vez. – Mas não te aborreças, Vânia...

– Juro-te que não estou aborrecido! Mas para que te hás de mudar? Ele dava logo contigo.

– O amor é poderoso e o seu novo amor ia retê-lo. Se voltasse para mim, não seria senão por um momento... Não achas?

– Não sei, Natacha. Nesse homem tudo é inexplicável. Quer casar-se com outra e amar-te a ti. Ele é capaz de tudo ao mesmo tempo.

– Se eu tivesse a certeza de que ele a amava, então, Vânia, não me escondas nada! Sabes alguma coisa e não me queres dizer?

Olhou-me com olhos inquietos e indagadores.

– Não sei nada, minha amiga, palavra de honra. Sempre fui franco para contigo. Aliás, suponho que não deve estar tão apaixonado pela enteada da condessa como nós pensamos.

– Achas, Vânia? Meu Deus, se isso fosse verdade! Só queria que ele entrasse neste momento, pois conhecia logo tudo no seu rosto. Mas não vem, não vem!

– Estás à espera dele, Natacha?

– Não. Ele está com ela, bem o sei... mandei indagar... Quanto eu daria para vê-la, a ela! Ouve, Vânia, vou dizer um absurdo, mas não será possível que eu a veja, não poderei chegar um dia a conhecê-la? Que pensas tu?

Aguardava a minha resposta num desassossego.

– Vê-la, ainda seria possível... Mas vê-la, só, é pouco.

– Eu me contentaria com vê-la; isso bastava para eu adivinhar o resto. É que eu endoideço andando assim, sozinha, com os meus pensamentos, por este quarto, para trás e para diante! Pensamentos como um torvelinho, tão dolorosos! Pensei se tu não poderias conhecê-la. Disseste-me que a condessa elogiou muito o teu romance. Tu vais algumas noites a casa do príncipe R***, onde ela também vai. Procura que te apresentem. Alhocha mesmo pode apresentar-te. Depois, poderás dizer-me tudo aquilo que eu quero saber.

– Natacha, minha amiga, disso falaremos depois. Mas diz-me seriamente: achas que terás coragem para uma ruptura? Examina-te agora. Estás serena?

– Havia de ter – disse muito baixo. – Por ele... tudo. A minha vida toda por ele! Mas escuta, Vânia, o que me enlouquece é pensar que agora ele está com ela, esquecido de mim, sentado ao seu lado, conversando e rindo – lembras-te? – como quando se sentava aqui... Olhando-a nos olhos... Ele olha sempre assim; e nem sequer se lembra de que eu estou aqui... contigo...

– E és tu, Natacha... aquela que ainda há um instante dizia...

– Unamo-nos e não nos separaremos nunca – atalhou-me com olhos cintilantes. – Eu lhe estou grata por isto. Mas custa muito, Vânia, que seja ele o primeiro a esquecer-me. Ai, Vânia, que suplício! Nem eu mesma me compreendo. Penso uma coisa e depois outra... Que vai ser de mim?

– Basta, basta, Natacha, acalma-te!

– Já lá vão cinco dias que a todas as horas, a todos os momentos... A sonhar, acordada, sempre ele, ele! Vânia, vamos até lá, leva-me.

– Basta, Natacha, não vamos.

– Estava à tua espera, Vânia! Há três dias que penso neste projeto. Por isso te escrevi... Tu deves levar-me, não deves negar-te a isso... Esperava-te há três dias...

Parecia fora de si. No vestíbulo ouviu-se um ruído; parecia que Mavra discutia com alguém.

– Escuta, Natacha! Quem será? – perguntei-lhe.

Escutou com um sorriso incrédulo e, de repente, fez-se terrivelmente pálida.

– Meu Deus! Quem será? – disse com voz sumida.

Quis reter-me mas eu precipitei-me para o vestíbulo, ao encontro de Mavra. Ele perguntava qualquer coisa a Mavra, e esta, a princípio não queria deixá-lo entrar.

– De onde virá? – dizia ela cheia de autoridade – Como? Está bem, está bem; mas por onde temos andado? Agora vai-te. A mim não me enganas tu. Vamos, desaparece. Que disseste?

– Não tenho medo de ninguém... Vou entrar! – disse Alhocha um pouco desconcertado.

– Bom, vai-te. És demasiado estouvado.

– Eu entro... Ah! O senhor está aqui? – exclamou quando me viu. – Muito prazer em vê-lo! Bem, já aqui estou! Que devo fazer?

– Entrar, simplesmente – respondi-lhe. – De quem é que tem medo?

– Eu não tenho medo de nada, afirmo-lhe, porque eu, para com ela, Deus é testemunha, não sou culpado. Pensa talvez que sou? Pois vai ver como eu me justifico imediatamente. Natacha, posso entrar? – disse com um peculiar sorriso afetuoso, em pé, diante da porta fechada.

Ninguém lhe respondeu.

– Que significa isto? – perguntou com inquietação.

– Nada; ela estava aí há um momento – respondi eu. – Talvez qualquer coisa...

Alhocha abriu a porta e, cautelosa e timidamente, deitou um olhar para o quarto. Não estava ninguém. Depois, de repente, viu Natacha escondida entre o armário e a janela. Estava aí escondida, mais morta do que viva.

Quando me lembro disto ainda hoje não posso deixar de sorrir. Alhocha aproximou-se dela devagarinho.

– Natacha, que tens? Boa noite, Natacha – disse timidamente olhando-a com certo receio.

– Quem... eu? Nada! – respondeu ela terrivelmente comovida, como se tivesse cometido uma culpa. – Queres chá?

– Natacha, escuta – disse Alhocha completamente transtornado – pensas que eu sou culpado e não sou... De maneira nenhuma! Tu própria hás de ver... Hei de contar-te tudo!

— Para quê? – murmurou Natacha. – É inútil. Toma a minha mão de amiga e o resto acabou-se para sempre – e quando saiu do seu esconderijo as cores começavam a subir-lhe às faces. Tinha os olhos baixos, como se não se atrevesse a olhar para Alhocha.

— Oh, meu Deus! – exclamou ele comovidamente. – Se eu tivesse alguma culpa não me atreveria a olhá-la no rosto depois disto. Repare, repare! – gritou me encarando. – Considerar-me culpado; estão todos contra mim, todas as aparências me condenam. Há cinco dias que não venho. Correm boatos de que estou com a noiva, e que faz ela? Despede-me. Diz-me: "Dá-me a mão e acabou-se!". Natacha, minha querida, meu anjo, eu não tenho culpa, tu bem sabes! Eu não tenho culpa de nada! Pelo contrário, pelo contrário!

— Mas... tu, lá... Tu, agora, foste convidado para lá... Como é que estás aqui? Que horas são?

— Onze e meia. Eu estive lá, é verdade... Mas disse-lhes que me sentia indisposto e vim, e esta é a primeira, a primeira vez que em cinco dias me vejo livre, que consegui deixá-los e vir ver-te, Natacha. Claro que podia ter vindo antes, mas foi intencionalmente que o não fiz. Por quê? Já vais saber, que eu já explico. Foi para isso que vim, para te explicar, e juro em nome de Deus que desta vez não tenho nada que censurar-me diante de ti. Nada!

Natacha levantou a cabeça e olhou-o... Como resposta, os olhos do rapaz brilharam com tal alegria, com um tão honesto alvoroço, que era impossível não acreditar nele. Eu pensava que eles, como tantas outras vezes, iriam lançar um grito e atirarem-se nos braços um do outro. Esperei um dos momentos que já presenciara. Natacha, como se estivesse sucumbida de felicidade, inclinou a cabeça no seu peito e de repente começou a chorar... Alhocha não pôde conter-se. Lançou-se a seus pés. Beijava-lhe as mãos e os pés, parecia delirante. Aproximei uma cadeira e ele sentou. As pernas fraquejavam-lhe.

Segunda parte

Capítulo primeiro

Um instante depois ríamos como loucos.

— Mas deixem-me, deixem-me contar-lhes – gritou Alhocha impondo a sua voz sonora sobre os nossos risos. – Eles julgam que, agora, é o mesmo de antes... Que eu me entretenho com ninharias... Mas eu digo-lhes que trago entre mãos um assunto interessantíssimo... Então não se calam?

Ardia de impaciência por falar. Pelo seu aspecto podia concluir-se que trazia notícias importantes. Mas a própria gravidade do seu rosto, ingenuamente ufana, fazia rir Natacha. Eu me pus também a rir. E quanto mais ele se aborrecia, mais nós nos ríamos. A zanga e o desespero infantil de Alhocha acabaram por fim por nos pôr nesse estado de espírito em que basta mostrar o dedo mínimo para imediatamente se desatar a rir, como o marinheiro de Gógol. Mavra, que chegava da cozinha, parou à porta e, olhando-nos com sincero desgosto, lamentou que a boa Natacha não tivesse deixado Alhocha na rua, como esperara que acontecesse durante esses cinco dias, e que ainda por cima estivéssemos todos tão contentes. Finalmente, quando viu que os nossos risos ofendiam Alhocha, Natacha deixou de rir.

– Que queres tu contar-nos?

– Então o samovar não se prepara? – perguntou Mavra intrometendo-se, sem a menor consideração por Alhocha.

– Sai daqui, Mavra, sai! – respondeu-lhe este pegando-lhe a mão e empurrando-a precipitadamente. – Vou contar-lhes tudo, tudo o que se passou, e tudo o que está para se passar, pois eu já sei tudo. Eu bem vejo, meus amigos, que querem saber onde estive estes cinco dias e é isso o que eu quero contar-lhes; simplesmente, vocês não me deixam. Em primeiro lugar deves ficar sabendo, Natacha, que te enganei durante todo este tempo; já há muito, muito, que te engano, e isto é o principal.

– Que me enganas!

– Sim, há um mês, ainda antes que o meu pai tivesse vindo. Agora chegou o momento de falar com franqueza. Há um mês, quando ainda estava fora, o meu pai escreveu-me uma carta muito longa, da qual não vos disse nada. Nessa carta comunicava-me ele simplesmente, e reparem, num tom tão sério que fiquei assustado, que o assunto do meu casamento já estava arrumado, que a minha noiva era um modelo de perfeição, e que embora naturalmente eu fosse indigno dela, casaríamos irrevogavelmente; e que por isso devia fazer o possível por esquecer todas as loucuras que me enchiam a cabeça, etc., etc. Bem; o que ele entende por loucuras, já sabem o que é. Ora eu lhes ocultei esta carta com o maior mistério.

– Ocultaste-nos! – interrompeu Natacha. – Olhem do que ele se gaba! Contaste-nos logo tudo! Ainda te vejo a procurares desculpar-te, terno e conciliador, como se eu tivesse alguma coisa que perdoar-te; e disseste-nos o conteúdo da carta, parágrafo por parágrafo.

– Isso não é possível. Do principal não lhes disse uma palavra. Talvez tenham adivinhado alguma coisa; isso é lá com vocês, mas eu não lhes contei nada. Ocultei-lhes tudo e sofri horrivelmente com isso.

– Lembro-me, Alhocha, que tu me contaste tudo pormenorizadamente, aos pedaços, imediatamente, em frases soltas – interrompi eu olhando para Natacha.

– Contaste-nos tudo! Não te gabes agora do contrário! – insistiu ela. – Mas porventura tu podes calar alguma coisa? Até Mavra o sabia. Não é verdade, Mavra?

– Claro, como não havia de saber? – concordou Mavra apontando-o com a cabeça. – Nos primeiros três dias contou tudo. Não é lá muito esperto!

– Que aborrecimento discutir com vocês! Dizes isso tudo por má, Natacha! E tu, Mavra, também te enganas. Lembro-me de que, nessa altura, eu não estava em mim. Lembras-te, Mavra?

– Como não havia de lembrar-me? Se agora também não está bom!

– Não, não, eu não falo disso. Lembra-te. Nessa ocasião nós estávamos sem dinheiro e tu foste empenhar a minha cigarreira de prata. Mas vamos ao principal. Desculpa-me, Mavra, se te faço notar que me tratas com muito pouca consideração. Tudo isso foi Natacha quem te ensinou. (Agora acho que me lembro.) Mas do tom, do tom da carta, vocês não sabem nada, e o tom, numa carta, é o principal. Era disso que queria falar-lhes.

— Bom. Então que tom era esse? – perguntou Natacha.

— Ouve, Natacha; tu perguntas de uma maneira... Não ri, pois isto não é para rir. Afirmo que se trata de alguma coisa muito séria. Nunca o meu pai me falara assim. Seria preferível o terremoto de Lisboa a afrontar as consequências da oposição à sua vontade. Era digno de ver, esse tom!

— Bem. Conta. Por que te sentiste obrigado a esconder de mim essa carta?

— Ah, meu Deus! Para não te assustar. Pensava que tudo poderia arranjar-se. Mas com a recepção dessa carta e a chegada imprevista do meu pai, começaram os meus tormentos. Propunha-me responder-lhe de maneira clara, séria e firme, mas não surgiu a ocasião. Ele não me falou do caso. Que espertalhão! Pelo contrário, parecia pensar que era coisa resolvida e que não podia haver entre nós discussões nem dúvidas. Estás ouvindo? Como se as coisas tivessem fatalmente de ser assim. Que presunção! Estava tão carinhoso comigo, tão terno! Eu estava simplesmente pasmado. Como ele é inteligente, Ivan Pietróvitch! Se o conhecesse! Leu tudo, sabe tudo; basta ver uma pessoa uma só vez para lhe conhecer logo os pensamentos, como se fossem os seus; não há dúvida de que deve ser por isto que lhe chamam jesuíta. Natacha não gosta que eu o elogie. Não te zangues, Natacha. Bem. A princípio ele não queria dar-me dinheiro, mas ontem deu. Natacha, meu anjo, a nossa miséria acabou-se. Olha, olha, tudo quanto descontou na minha pensão, para castigar-me durante este meio ano, me deu ontem. Olha para este dinheiro todo, ainda nem o contei. Mavra, olha para este dinheiro! Já não precisas de empenhar colherinhas.

Tirou do bolso um grosso punhado de dinheiro, mais de cem rublos, e atirou-os ruidosamente sobre a mesa. Mavra ficou satisfeita e elogiou Alhocha. Natacha cortou-lhe a palavra.

— Bem. Que havia eu de fazer? – continuou Alhocha. – Como havia eu de ir contra a sua vontade? Juro-lhes que se ele se tivesse portado mal comigo, eu não teria pensado em nada nem um segundo. Eu lhe diria redondamente que não, que já sou um homem feito e refeito e que agora já... pronto, acabou! E acreditem-me, teria me mantido firme. Mas agora, que dizer-lhe? Não me culpes. Vejo que estás descontente comigo, Natacha. Por que olham um para o outro dessa maneira? Estão convencidos de que cedi à primeira pressão e que perdi logo a firmeza? Nada disso; sou mais firme do que vocês pensam! A prova é que, apesar da minha situação comprometida, pensei logo a seguir: "É este o meu dever, tenho obrigação de dizer tudo a meu pai; é o meu dever", e então contei-lhe tudo e ele escutou-me até ao fim.

— Que lhe disseste, afinal? – perguntou Natacha inquieta.

— Disse-lhe que não queria outra noiva senão aquela que tenho, ou seja, tu. Verdadeiramente ainda não lhe disse isto, mas já o preparei e vou dizer amanhã; é coisa decidida. De momento disse-lhe que era vergonhoso e indigno isso de uma pessoa casar com outra por causa do dinheiro, e uma estupidez da nossa parte o considerarmo-nos aristocratas. Com ele, sou franco como com um irmão. Depois expliquei-lhe que eu sou *tiers état*[20], e que o *tiers état* é o essencial, que sinto orgulho de parecer-me com todos e que não quero distinguir-me de ninguém... Numa palavra: procurei enfiar-lhe na cabeça todas estas ideias sãs. Falei-lhe com um entusiasmo, com um aprumo de que eu próprio me admirava. Combati os seus pontos

---

20 Terceiro estado isto é, povo, plebe.

de vista. Disse-lhe à queima-roupa: "Que espécie de príncipes somos nós? Só pela linhagem; mas, na realidade, que temos de principesco? Em primeiro lugar não somos verdadeiramente ricos, e hoje a riqueza é o principal. Nestes tempos, o príncipe dos príncipes é Rothschild. Além disso há já um longo século que não se ouve falar de nós na alta sociedade; o último que ainda teve alguma fama foi tio Siemion Valkóvski, e apenas ficou conhecido em Moscou porque desbaratou as últimas trezentas almas que restavam à nossa família. E se o seu pai não tivesse feito economias, todos os seus descendentes estariam hoje lavrando a terra como aconteceu a outros príncipes. Por isso não temos de que nos orgulhar". Enfim disse-lhe tudo o que tinha cá dentro... tudo, com entusiasmo e franqueza, e ainda acrescentei mais qualquer coisa. Ele não se aborreceu mas até me censurou por me ter esquecido do conde Nainzki e aconselhou-me a que me tornasse simpático à princesa X***, minha madrinha, que poderia facilitar-me a entrada na alta sociedade; que se a princesa me recebesse bem, também em todos os lugares me receberiam bem e poderia então dar a minha carreira por ganha, e assim continuou a pintar o meu futuro.

O pior era que eu, por tua causa, deixava tudo. Eu estava debaixo da tua influência! Mas até agora nunca chegou a mencionar-te e vê-se até claramente que evita isso. Procedemos os dois astuciosamente, procuramos ver qual é que engana o outro e estou convencido de que o nosso dia há de chegar.

— Muito bem; mas em que ficaram? Que decidiu ele? Isso é o principal. E presta atenção ao que dizes, Alhocha!

— O que ele decidiu só Deus sabe; eu não falo demasiado, cinjo-me ao assunto; ele não resolveu nada, sorria a todos os meus raciocínios, mas com um certo sorriso, como se tivesse pena de mim. Compreendo que isto é humilhante, mas é assim mesmo. Ele me disse: "Estou perfeitamente de acordo contigo, sou da tua opinião, vamos lá um pouco até a casa do conde Nainzki, mas tem cuidado, não digas uma palavra de tudo isto. Eu te compreendo, mas eles não te compreenderiam". Segundo parece, também não o recebem ali muito bem, e isso aborrece-o. De maneira geral, o meu pai, presentemente, não goza de simpatia na alta sociedade. O conde, a princípio, recebeu-me friamente e, do alto da sua grandeza e como se eu me tivesse esquecido de que me criei em sua casa, começou a me lembrar disso. Parecia ofendido pela minha ingratidão, quando, verdadeiramente, não há tal ingratidão da minha parte. É que uma pessoa aborrecia-se tanto naquela casa! Recebeu o meu pai com a máxima frieza; tão frio, tão frio, que não consigo perceber por que é que meu pai vai lá. Tudo isso me custava... Pouco faltava ao meu pobre pai para se curvar diante dele. Compreendo que fazia tudo isso por minha causa, que afinal não preciso disso. Propus-me demonstrar a meu pai todo o meu sentir, que procurava dominar. E por quê? Das suas convicções não conseguiria fazê-lo mudar; não consigo senão aborrecê-lo e desgostos já ele tem que cheguem. "Basta! – disse para comigo – apelemos para a astúcia; eu sou mais esperto que todos eles; obrigarei o conde a respeitar-me..." E acreditem, atingi imediatamente o meu fim. Um dia foi o suficiente. Agora, o conde é para mim a amabilidade personificada. E isto foi exclusivamente obra minha, efeito da minha esperteza pessoal, sem que o meu pai se tivesse metido no caso.

— Ouve, Alhocha, o melhor era falares no assunto – disse Natacha com impaciência. – Eu pensava que ias falar em qualquer coisa do nosso caso e limitas-te a contar-nos os teus êxitos em casa do conde Nainzki. Que me interessa o teu conde?

– Que te importa? Ouve isto, Ivan Pietróvitch! Se este é o assunto principal! Tu vais ver, tu própria acabarás por ficar admirada. Tudo se há de esclarecer no fim. Mas é preciso que me deixem falar... Eu, finalmente (por que não dizer com franqueza?), olha, Natacha, e você também, Ivan Pietróvitch: eu, às vezes, sou... na verdade, sou muito pouco sensato. Concordemos até que (às vezes sou) até simplesmente estúpido. Bom. Mas garanto-vos que nessa altura empreguei a maior astúcia... Bom... E até mesmo talento. E olhem, eu pensava que vocês ficariam contentes por eu não ser sempre... desajeitado...

– Pronto, chega, Alhocha, chega, meu querido!

Natacha não podia suportar que Alhocha fosse tomado por tolo. Quantas vezes se zangou comigo por eu lhe fazer ver, sem rodeios, que Alhocha cometera uma tolice! Não podia consentir que humilhassem o seu amante, tanto mais que ela, no seu foro íntimo, o tinha por um medíocre. Mas nunca deixava transparecer a sua opinião, receando ofender o seu amor-próprio. Ele nestes casos era particularmente perspicaz e adivinhava os mais secretos pensamentos dela. Natacha percebia, tinha pena dele e punha-se logo a lisonjeá-lo e a acariciá-lo. Eis o motivo por que, agora, as suas palavras a feriam profundamente.

– Basta, Alhocha! Tu és apenas um pouco estouvado, nada mais – acrescentou. – Mas por que hão de rebaixar-te?

– Muito bem. Mas deixa-me acabar. Depois da visita ao conde, meu pai ficou furioso. Eu disse comigo: "Espera um pouco". Fomos depois a casa da princesa. Eu tinha ouvido dizer que ela coxeava e estava surda e adorava cãezinhos. Em sua casa reúne-se muita gente, mas ela não ouve o que dizem. No entanto tem grande influência social e o próprio conde Nainzki, *le superbe, faisait antichambre chez elle*.[21] Pelo caminho compus o meu plano de campanha, baseado, sabem em quê? Na simpatia que felizmente inspiro a todos os cães. Já percebi isso. Será que eu possuo certa força magnética ou será isso o resultado do muito que eu gosto dos animais? Sabe-se lá! A propósito de forças magnéticas, ainda não te contei, Natacha, que estive uma vez em casa dum médium e que evocamos alguns espíritos. É muito engraçado. Mas eu fiquei impressionado, Ivan Pietróvitch. Evoquei o espírito de Júlio César.

– Ah, meu Deus. Por que o de Júlio César? – exclamou Natacha soltando uma gargalhada. – Não te contentavas com menos?

– É que eu... tinha de chamar alguém... Então não tinha o direito de chamar Júlio César? Que tinha isso de especial? Bom, podes dar risada!

– Nada, é claro... Meu querido! Bem, mas conta-nos... que te disse Júlio César?

– Dizer-me, não me disse nada. Eu tinha um lápis e o lápis deslizava sozinho por cima do papel e escrevia. Diziam que era Júlio César quem escrevia. Eu não acredito.

– Bem, mas que escreveu ele?

– Escreveu qualquer coisa no estilo de Gógol... Mas para de dar risada!

– Então fala-nos da princesa!

– Bem; chegamos à casa da princesa e eu comecei a fazer caretas para Mimi. Mimi é uma horrível cadela, velha e desdentada. A princesa é doida por ela; parece

---

21 ... o soberbo, tinha de aguardar o momento de ser recebido.

que têm ambas a mesma idade. Enchi a cadelinha de bombons e num quarto de hora ensinei-a a dar-me a patinha, coisa que não tinham conseguido durante a sua longa existência. A princesa estava entusiasmada; chorava de alegria. "Mimi, Mimi, dá cá a patinha." Assim que chegava alguém punha-se logo: "Mimi, a patinha. Olhem como ela aprendeu a cumprimentar!". Entrou o conde Nainzki. "Mimi, a patinha!" E dirigia-me um olhar comovido, de gratidão. É uma boa velhinha. Até me dá pena! Continuei a lisonjeá-la. Vi numa tabaqueira um retrato de mulher (o seu), feito talvez há sessenta anos, quando ela era nova e, pegando-lhe entusiasmado, exclamei: "Que lindo retrato! Que beleza maravilhosa!". Esteve quase a derreter-se; falou-me disto e daquilo; gabou-me, perguntou-me onde fizera os meus estudos e disse-me que eu tinha um cabelo muito bonito, etc., etc. E também a fiz rir contando-lhe uma história escandalosa. Isso encantou-a; limitou-se a ameaçar-me com um dedo, embora tivesse rido muito. Quis que me aproximasse dela... Beijou-me, benzeu-me, pediu-me que fosse todos os dias distraí-la. O conde apertou-me a mão; tinha uma expressão untuosa, e meu pai, que é uma excelente criatura, honesta e nobre, talvez não acreditem, mas quase chorava de alegria quando regressávamos os dois à casa; abraçou-me, falou-me com franqueza, com uma franqueza um pouco misteriosa, acerca da minha carreira, de relações, de dinheiro, de casamento, de tal maneira que muitas coisas nem entendi. E também me deu dinheiro. Isto foi ontem. No dia seguinte voltei à casa da princesa. O meu pai sempre é uma boa pessoa... Não pensem que, embora ele tente afastar-me de ti, Natacha, o faz porque esteja enganado ou porque ambiciona os milhões de Kátienhka; tu não os tens, mas ele ambiciona-os apenas para mim, e é só por ignorância que é injusto para comigo. E que pai não deseja a felicidade do filho? Ele não tem culpa de se ter acostumado a resumir a felicidade no dinheiro. Acontece o mesmo a todos eles. É preciso ter em conta que é desse ponto de vista que devemos julgá-lo e não de outro... e por isso não temos outro remédio senão dar-lhe razão. Eu vim de propósito para convencer-te disto, Natacha, porque sei que tu tens uma ideia preconcebida contra ele, embora também não tenhas culpa disso. Eu não te acuso...

– De maneira que tudo se resume a que tiveste um grande êxito junto da princesa. É essa a tua grande astúcia? – perguntou Natacha.

– Quê? Que disseste? Isso é apenas o princípio... Se falei da princesa foi porque, compreendes, graças a ela poderei convencer meu pai e ainda não fiz mais do que principiar a história principal.

– Bem, então conta lá tudo!

– Hoje aconteceu-me outro episódio, e também bastante estranho, de tal maneira que ainda estou impressionado – continuou Alhocha. – Devo avisar-vos de que, embora o meu pai tenha combinado o meu casamento com a condessa, até agora, oficialmente, não havia nada assente. De maneira que podíamos romper sem que se produzisse nenhum escândalo; o único que está informado é o conde Nainzki, e este considera-se como nosso parente e protetor. Embora eu, nestas duas semanas, tenha visitado muito Kátia, até esta mesma noite ainda não lhe disse uma palavra a respeito do futuro, isto é, do casamento, e... bom, do amor. Estava também combinado, de princípio, conseguir o consentimento da princesa K***, da qual se esperam lá em casa toda espécie de benefícios e uma chuva de ouro. Quando ela diz uma coisa, todos a repetem; tem tantas relações! Está empenhada em introduzir-

-me na alta sociedade. Mas a que particularmente inspira todos estes planos é a condessa, a madrasta de Kátia. O fato é que a princesa, por causa dos seus enredos, ainda não quis recebê-la em sua casa, e quando a princesa não recebe uma pessoa os outros também já não a recebem; por isso agora apresenta-se para ela uma boa ocasião... o meu casamento com Kátia. E por isso a condessa, que dantes se opunha ao casamento, hoje ficou extremamente contente com o meu êxito junto da princesa. Mas isto é secundário, vamos ao principal. Eu conheço Ekatierina Fiódorovna desde o ano passado. Mas então eu era ainda uma criança, não percebia nada. Nem sequer reparei nela...

– Acontecia que então gostavas mais de mim – interrompeu-o Natacha – e por isso não reparaste nela. Em compensação, agora..

– Não continues, Natacha! – exclamou Alhocha com veemência. – Estás redondamente enganada e ofendes-me! Além disso eu não te interrompo a ti. Continua a escutar e ficarás sabendo de tudo... Ah, se tu conhecesses Kátia! Se soubesses que alma terna, límpida, adorável é a sua! Mas já vais conhecê-la, escuta até o fim! Há duas semanas, quando a condessa chegou, fez com que o meu pai me levasse a visitar Kátia e eu estive todo o tempo a olhá-la atentamente. Observei que ela também me olhava. Isto excitou muito a minha curiosidade, para não falar em que eu já tinha proposto a mim próprio conhecê-la mais a fundo... Propósito que datava já de quando eu recebi aquela carta do meu pai, que fez tanta impressão. Não quero dizer nada nem pôr-me a gabá-la; afirmarei apenas que é uma brilhante exceção dentro do seu meio. É uma criatura tão original, uma alma tão firme e reta, forte, precisamente pela sua pureza e retidão, de tal maneira que eu, perante ela, não passo de um garoto, de um seu irmãozinho mais novo, embora só tenha dezessete anos. Houve outra coisa que observei também: é muito melancólica, aparenta uma espécie de pesar secreto. Quase não falava; em casa, está quase sempre calada, como se tivesse medo... Está sempre meditando... Parece ser medo do meu pai. Não gosta da madrasta, segundo me pareceu... A condessa, não sei com que fim, faz ver a todos que a enteada é louca por ela, mas isso não é verdade. Kátia, o que faz é obedecer-lhe com resignação e como se isso fosse uma coisa combinada. Havia já quatro dias que eu pensava no meu projeto, que realizei esta noite. Falar claro a Kátia, contar-lhe tudo com a mais estrita verdade, interessá-la a nosso favor e acabar com tudo isto de uma vez...

– Quê? Que foste tu dizer-lhe? Confessaste-lhe? – disse Natacha sobressaltada.

– Tudo, absolutamente tudo – respondeu Alhocha – e abençoo o céu que me inspirou tal ideia. Mas escutem, escutem. Há quatro dias, depois de ter feito todas estas observações, decidi separar-me de ti para trabalhar por minha própria conta, sem que tu nem ninguém influísse em mim. Somente colocando-me num estado de espírito em que fosse preciso dizer de minuto a minuto que era necessário resolver este caso, que eu tinha o dever de resolvê-lo, fui capaz de armazenar energias e... resolvi-o! Propus-me voltar a ver-nos e trago uma solução!

– Qual? Quê? Conta já!

– É muito simples! Eu me dirigi a ela sem rodeios, honesta e corajosamente... Mas antes de mais devo contar-vos uma coisa que me sucedeu antes disto e que me impressionou de um modo horrível. Antes de sairmos de casa, o meu pai recebeu uma carta. Nesse momento dispunha-me eu a entrar no seu escritório e parei à porta. Ele não me viu. A carta tinha-o impressionado tanto que se pôs a falar só, a lançar exclamações e a dar voltas pela sala e, de repente, soltou uma gargalhada, com a carta na mão. Eu não me atrevia a entrar; esperei um pouco e depois entrei. O meu pai, não sei por que razão, estava muito contente, contentíssimo; falou-me de um modo um pouco estranho; depois ordenou-me que me preparasse para sair, embora fosse ainda muito cedo. Em casa delas não havia hoje mais ninguém senão nós, e tu pensavas erroneamente, Natacha, ao supor que tinham convidados para esta noite. Não te informaram bem...

— Bem, não divagues, Alhocha, por favor. Fala, diz como foi que contaste tudo a Kátia.

— Tive a sorte de que, durante duas horas, nos deixassem completamente sós. Eu lhe expliquei simplesmente que, embora quisessem casar-nos, o nosso casamento era impossível; que eu, no fundo do meu coração, tinha a maior simpatia por ela e que dela esperava a minha salvação. Depois expliquei-lhe tudo. Imaginem que ela não sabia nada a nosso respeito, da minha vida contigo, Natacha! Se tu visses a impressão que isso lhe fez! A princípio até se assustou. Empalideceu. Contei-lhe toda a nossa história: que tu tinhas fugido dos teus por minha causa; que vivíamos juntos; que agora sofríamos muito e tínhamos medo de tudo e que acudíamos a ela (eu falava também em teu nome, Natacha) para que se pusesse do nosso lado e dissesse francamente à madrasta que não queria casar-se comigo; que a nossa salvação estava nisto, e que, de ninguém mais, senão dela, podíamos esperar nada. Ela me escutou com muita curiosidade, com muita simpatia. Que olhos os seus! Parecia que a alma se lhe espelhava toda nos olhos! Tem mesmo uns olhos de pomba... Agradeceu-me a confiança que eu tinha nela e deu-me a sua palavra de que nos ajudaria na medida das suas forças. Depois começou a perguntar-me por ti; disse-me que tinha muita vontade de conhecer-te; pediu-me que te dissesse que já gosta de ti como de uma irmã; e quando soube que havia já cinco dias sem ver-te, foi ela mesma quem me mandou para aqui...

Natacha estava comovidíssima.

— E tiveste coragem de me contar em primeiro lugar os teus êxitos com essa princesa surda! Ai, Alhocha, Alhocha! – exclamou com uma censura no olhar. – Bem, e Kátia estava alegre, contente, quando te mandou embora?

— Sim... Estava contente por poder realizar uma nobre ação, mas ao mesmo tempo chorava. Porque repara, Natacha, ela também gosta de mim. Ela mesma me confessou que já começara a gostar de mim, que não vê mais ninguém, e que desde há muito tempo eu lhe agradava; que me distinguira porque à sua volta tudo é astúcia e intriga, ao passo que eu lhe parecia sincero e honesto. Depois ficou em pé e disse: "Deus te ajude, Alieksiéi Pietróvitch... mas eu pensava...". Não acabou a frase e retirou-se chorando. Combinamos que amanhã dirá à madrasta que não gosta de mim, e que eu também, ainda amanhã contarei tudo a meu pai, e que nos manteremos ambos firmes no nosso propósito. Censurou-me por eu não lhe ter dito mais cedo: "Um homem honesto não deve ter medo de nada...". Oh, que natureza nobre a sua! Não simpatiza com meu pai; diz que é astuto e que anda atrás do dinheiro. Eu o defendi mas não me acreditou. Combinamos que se não conseguisse que meu pai me atendesse amanhã (e ela com certeza pensava que eu não conseguiria), falasse francamente com a princesa K***. Porque então já ninguém se atreveria a opor-se.

Prometemos ser como irmãos um para o outro. Oh, se conhecesses a sua história! Como é infeliz, com que aversão encara a sua vida em casa da madrasta, onde tudo é uma comédia! Não me disse assim diretamente, como se eu lhe inspirasse medo; mas eu adivinhei por algumas palavras suas. Minha querida Natacha, que admiração eu sentiria por ti, se vocês viessem a conhecer-se! Que coração bom ela tem! Que bem se está ao seu lado! Vocês nasceram para serem irmãs. É preciso que gostem uma da outra. Isto é uma coisa que não me sai do pensamento. E na verdade, o que me agradava era vê-las juntas para as olhar a toda a hora e amar as duas com loucura. Não penses nada mau, Natacha, e deixa-me falar dela. É isso exatamente o que eu sinto, desejos de falar dela a ti e de ti a ela. Tu bem sabes que gosto de ti mais do que de todas as outras, mais do que dela... Tu és tudo para mim!

Natacha olhava-o em silêncio, doce, mas tristemente. As suas palavras pareciam lisonjeá-la e atormentá-la ao mesmo tempo.

— Há duas semanas que comecei a estimar Kátia, a perceber o que ela vale — prosseguiu Alhocha. — Ia vê-la todas as noites. Quando voltava a casa, pensava em ti e comparava as duas.

— E qual das duas te agrada mais? — perguntou-lhe Natacha sorrindo.

— Umas vezes és tu, outras, é ela. Mas eras sempre tu quem acabavas por ganhar a palma. Quando falo com ela parece-me que me torno melhor... mais inteligente, de melhor fundo... Enfim, amanhã, amanhã tudo se decidirá.

— E não tens pena dela? Não? Repara que ela gosta de ti, segundo disseste... que tu próprio já reparaste nisso!

— É uma pena, Natacha! Mas nós três vamos amar-nos todos e... depois...

— Ah, e depois... Adeus! — murmurou Natacha muito baixo, como se falasse consigo mesma. Alhocha olhou para ela, perplexo. Mas nesse momento a conversa foi interrompida da maneira mais inesperada. Na sala, que servia ao mesmo tempo de cozinha e de vestíbulo, ouvimos um leve ruído, como se alguém tivesse entrado. Passado uns minutos Mavra abriu a porta e pôs-se a fazer sinais para Alhocha, às furtadelas, chamando-o. Voltamo-nos todos para ela.

— Perguntam por ti; chega aqui num instante, por favor — disse num tom misterioso.

— Quem será? — perguntou Alhocha olhando-nos com inquietação. — Já vou.

Na cozinha estava um criado com a libré que se usava em casa do príncipe seu pai. Pelo visto era o criado do príncipe, o qual, de regresso a casa, mandara parar a carruagem diante do alojamento de Natacha e o enviava para saber se Alhocha se encontrava ali. Depois de informar-se, o criado saiu.

— É curioso. É a primeira vez que pergunta. Até agora nunca o tinha feito — exclamou Alhocha olhando-nos com inquietação. — Que significará isto?

Natacha olhou para ele sobressaltada. De repente Mavra abriu outra vez a porta do quarto.

— Aqui está o príncipe em pessoa! — balbuciou, desaparecendo em seguida.

Natacha, muito pálida, ficou em pé. De repente, os seus olhos cintilaram. Apoiada à borda da mesa, olhava com comoção para a porta por onde devia entrar o inesperado visitante.

— Natacha, não tenhas medo; eu estou contigo; não consentirei que te ofendam — murmurou Alhocha dominando a sua perturbação.

A porta abriu-se e apareceu o príncipe Valkóvski em pessoa.

Capítulo II

Envolveu-nos num olhar rápido, atento, pelo qual não era possível adivinhar se vinha como amigo ou como inimigo. Mas descreverei minuciosamente o seu aspecto. Aquela noite deixou-me uma impressão especial. Eu já o vira anteriormente. Era homem de uns quarenta e cinco anos, não mais; de feições belas e regulares, que mudavam de expressão segundo as circunstâncias, e estas variações eram muito repentinas, passando do gesto mais amável ao mais sombrio, como se obedecessem a uma mola. O rosto, ovalado, um pouco moreno; os dentes, magníficos; os lábios, finos; o nariz reto, um pouco comprido; a fronte ampla na qual não se via ainda uma só ruga; os olhos, grandes e cinzentos. Tudo era belo nele, e no entanto não produzia uma impressão agradável. Aquele rosto repelia precisamente porque a sua expressão não parecia sua, mas outra constantemente estudada, falsa, postiça, que os prevenia de que jamais se poderia conhecer a sua expressão verdadeira. Olhando-o com atenção, começava-se a suspeitar por debaixo daquela máscara permanente não sei que de mau, de hipócrita e altamente egoísta. Chamavam particularmente a atenção os seus olhos cinzentos e francos.

Somente eles pareciam não estar completamente sujeitos à sua vontade. Esforçava-se por torná-los doces e acariciadores; mas os raios do seu olhar bifurcavam-se, por assim dizer, e por entre os que eram doces e amáveis viam-se brilhar outros, duros e desconfiados, perscrutadores e maliciosos... Era bastante alto e bem proporcionado, um pouco seco, e parecia incomparavelmente mais novo do que era. Os cabelos, castanhos e finos, mal começavam a branquejar. As orelhas, as mãos, os pés, tinha-os de uma delicadeza surpreendente, de uma delicadeza de raça. Vestia com requintada elegância mas com uma série de pormenores juvenis que não lhe ficavam mal. Parecia o irmão mais velho de Alhocha. Pelo menos ninguém o teria suposto pai dum filho já tão crescido. Avançou em direção a Natacha e disse-lhe, olhando-a fixamente:

— A minha presença em sua casa, a esta hora e sem aviso prévio... é estranha e fora do normal; mas espero que há de reconhecer pelo menos que eu me apercebo da excentricidade da minha conduta. Sei também com quem trato; sei que é compreensiva e generosa. Conceda-me apenas dez minutos e tenho a certeza de que há de compreender-me e perdoar-me.

Disse tudo isto num tom cortês mas enérgico e com certa fatuidade.

— Queira sentar — disse Natacha, ainda não completamente refeita da primeira comoção e um pouco alvoroçada. Fez uma leve reverência e sentou.

— Antes de mais dê-me licença que dirija duas palavras a este — começou, apontando para o filho. — Alhocha, saíste de lá sem esperar por mim e sem te despedires de nós, e disseram à condessa que Ekatierina Fiódorovna estava mal disposta. Retirou-se para o seu quarto, mas depois, de repente, apareceu-nos muito agitada. Sem mais rodeios, disse-nos que não podia ser tua esposa. Disse também que ia meter-se num convento, que tu tinhas implorado o seu auxílio e lhe tinhas confessado que amavas Natália Nikoláievna... Tão inesperada declaração da parte de Ekatierina Fiódorovna, e além disto, em tal momento, era consequência da estranhíssima atitude que tiveras para com ela. Estava quase transtornada. Deves compreender qual seria a comoção e o temor que ela sentiria. Quando passei agora por aqui vi luz na sua janela – continuou, dirigindo-se a Natacha. – Então, uma ideia, que havia já algum tempo me perseguia, apoderou-se de mim com tal força que não pude resistir ao primeiro impulso e entrei em sua casa. Por quê? Vou dizer-lhe imediatamente; mas antes, quero pedir-lhe que não fique admirada se as minhas palavras lhe parecerem um pouco estranhas. Tudo isto foi tão inesperado...

– Creio que serei capaz de compreendê-lo e apreciar... devidamente aquilo que me disser – exclamou Natacha com hesitação.

O príncipe olhava-a fixamente, como se fosse preciso "penetrar-lhe" a alma em um minuto.

– Eu também confio na sua benevolência – continuou – e se tomei a liberdade de vir visitá-la a esta hora, foi precisamente porque sabia com quem tratava. Há muito tempo já que a conheço, embora algumas vezes tenha podido ser injusto e incorrer em falta para com a senhora. Bem sabe que entre mim e o seu pai há aborrecimentos já antigos. Não quero justificar-me; talvez eu seja mais culpado para com ele do que até agora tenho suposto. Mas se assim for, é porque me enganei. Sou desconfiado, confesso-o. Sou mais propenso a pensar mal do que bem; é uma má qualidade, própria de corações duros. Mas não tenho o costume de dissimular os meus defeitos. Acreditei em todas as calúnias e, quando a senhora deixou os seus pais, tremi por Alhocha. Mas então não a conhecia. As informações que fui colhendo pouco a pouco, animaram-me. Observei, estudei e convenci-me de que as minhas suposições não eram fundadas. Soube que se tinha zangado com a sua família e soube também que o seu pai se opunha com todas as suas forças ao seu casamento com o meu filho. O fato de a senhora ter uma tal influência, um tão grande domínio sobre Alhocha, e não o ter aproveitado até agora para obrigá-lo a casar, bastava esse fato para mostrá-la a meus olhos sob um bom aspecto. E no entanto, confesso-o francamente, tomei a resolução de fazer tudo quanto pudesse para evitar toda possibilidade de que a senhora casasse com o meu filho. Sei que me explico com demasiada sinceridade, mas neste momento a sinceridade, pelo meu lado, é mais necessária do que tudo. Há de concordar com isto, quando terminar de ouvir. Na altura em que a senhora deixou a sua casa, saí eu de Petersburgo, mas no momento em que o fiz já não temia por Alhocha. Contava com o seu nobre orgulho. Compreendi que a senhora não desejava o casamento enquanto não ficassem arrumadas as nossas desavenças familiares e não queria perturbar as boas relações existentes entre mim e meu filho, compreendendo que não lhe perdoaria nunca, e muito menos queria poder ser acusada de ter procurado um noivo príncipe e uma ligação com a nossa casa. Deixou até perceber, pelo contrário, o seu desdém por nós, esperando o momento em que fosse eu próprio a vir pedir-lhe que me desse a honra de conceder a sua mão ao meu filho. Mas apesar de tudo eu persistia na minha hostilidade para com a senhora. Sem querer justificar a minha conduta, não posso esconder os motivos que me impeliram a proceder assim. Ei-los: a senhora não pertence a uma grande família nem é rica. Nós, embora possuamos algum dinheiro, precisamos de muito mais do que aquele que temos. A nossa casa está em decadência. Precisamos de relações e de dinheiro. A enteada da condessa Zinaída Fiódorovna, embora também não possua relações, é rica. É deixar passar algum tempo e logo começarão a aparecer os pretendentes que nos roubarão a noiva; mas não é possível perder uma tal oportunidade, e por isso, embora Alhocha seja ainda muito novo, resolvi oficializar as suas relações com ela. Já vê que não lhe escondo nada; a senhora pode olhar com desprezo para um pai que é o primeiro a reconhecer que induz o filho, por interesse, a cometer uma má ação, pois abandonar uma moça desinteressada, que sacrificou tudo por ele, e perante a qual é culpado... constitui uma má ação. Mas não procuro justificar-me. A segunda razão para o projetado casamento do meu filho com a enteada da condessa Zinaída Fiódorovna é a de que esta menina é altamente digna de amor e de respeito. É graciosa, de uma educação esmerada, de excelente caráter e muita ponderação, embora seja ainda uma criança, sob muitos aspectos. Alhocha não tem caráter. É estouvado, um tonto. Com vinte anos é uma autêntica criança, sem outro mérito talvez senão o de um coração nobre, bom... Qualidade que, reunida aos seus outros defeitos, se torna até perigosa. Há algum tempo notei que a minha influência sobre ele tinha começado a diminuir; o ardor da sua juventude dominava-o, fazendo-o esquecer certos deveres. Eu, é possível que lhe queira demasiado, no entanto estou convencido de que ele precisa de uma influência constante e boa. É um temperamento dócil, fraco, carinhoso, mais inclinado a amar e a acusar-se do que a mandar. É assim e assim há de ser enquanto for vivo. Já pode imaginar qual não seria a minha alegria ao encontrar em Ekatierina Fiódorovna a jovem ideal que eu desejava para esposa do meu filho. Mas a minha alegria chegava tarde; sobre ele imperava já outro ascendente, impossível de desenraizar: o seu. Quando há um mês regressei de Petersburgo, observei-o perscrutadoramente e, assombrado, verifiquei nele uma notável mudança para melhor. O seu estouvamento, o seu infantilismo continuavam quase os mesmos, mas afirmavam-se nele algumas nobres inclinações; começava a interessar-se por mais qualquer coisa, sem ser apenas por simples brincadeiras, por tudo quanto é nobre, elevado e honesto. As suas ideias são estranhas e levianas, às vezes injustas; mas os seus desejos, os seus impulsos, o seu coração são agora melhores, e isto é a base de tudo, e isto que nele há de melhor... é indiscutivelmente obra sua. A senhora transformou-o. Confesso-lhe que me lembrei então de que a senhora, melhor do que ninguém, poderia fazê-lo feliz. Mas repeli este pensamento. Eu precisava de afastá-lo da senhora, fosse como fosse; comecei a manobrar e pensava conseguir o meu objetivo. Ainda há uma hora pensava que a vitória era minha. Mas o episódio de casa da condessa fez mudar radicalmente minha maneira de pensar, e acima de tudo impressionou-me um fato inesperado: a estranha seriedade de Alhocha, a firme consciência do seu dever para com a senhora, a vitalidade destas relações. Repito, a senhora realizou nele uma mudança definitiva. E fiquei também admirado de que essa mudança tenha ido ainda mais longe do que eu supunha. Hoje, de repente, mostrou diante de mim indícios de um talento que eu de maneira nenhuma suspeitava nele, e ao mesmo tempo uma sutileza extraordinária, um grande poder de observação. Descobriu o melhor caminho para sair de uma situação que julgava difícil. Estimulou a mais nobre faculdade do coração humano, a faculdade de perdoar e de pagar o mal com o bem. Entregou-se nas mãos da pessoa que ele ofendera e correu para ela pedindo-lhe simpatia e assistência. Despertou todo o orgulho duma mulher, duma mulher que o ama, confessando-lhe diretamente que tem uma rival, e ao mesmo tempo soube suscitar a sua simpatia por essa mesma rival e obteve o seu perdão para ela e a promessa de uma amizade fraterna. Entrar em tais confidências, sem ferir os sentimentos nem ofender, é uma coisa que às vezes se torna difícil até para as pessoas mais sensatas e discretas; mas não o é para os que têm um coração nobre, puro e bom, como o dele. Eu estou convencido de que a senhora, Natália Nikoláievna, não tomou parte alguma na sua conduta de hoje, nem com uma palavra nem com um conselho. Pode ser que até ao momento de ele lhe ter contado, não o tenha sabido. Estou enganado? Não teria sido assim?

– Não, não está enganado – concordou Natacha, cujos olhos e rosto resplandeciam com um estranho fogo, como de inspiração. A dialética do príncipe começava a produzir os seus efeitos. – Havia já cinco dias que eu não via Alhocha – respondeu. – Foi ele sozinho que pensou e fez tudo isso.

– Assim o creio – confirmou o príncipe. – No entanto este inesperado poder de observação, esta força de vontade, esta consciência do seu dever, esta nobre firmeza, tudo isto, enfim, é o efeito da sua influência sobre ele. Refleti sobre tudo isto demoradamente, quando voltei para casa, e depois de pesar todas as circunstâncias tomei a resolução de vir. Os nossos projetos matrimoniais com a enteada da condessa caíram por terra e já não poderão erguer-se; mas ainda que o contrário fosse possível, não o desejava para ele; estou convencido de que só a senhora poderá fazer feliz o meu filho e ser... o seu verdadeiro guia, pois foi quem lançou os fundamentos da sua felicidade futura. Não lhe ocultei nem lhe ocultarei nada; eu aprecio tudo quanto significa dinheiro, carreiras brilhantes, distinção, linhagem, embora no fundo considere uma grande parte de tudo isso como preconceitos; mas eu adoro estes preconceitos e não quero de maneira nenhuma desprezá-los. No entanto há circunstâncias que impõem silêncio a todas as outras considerações e nas quais não é possível avaliar tudo pela mesma medida... Além disso eu gosto muito do meu filho. Em suma, cheguei à conclusão de que Alhocha não deve separar-se da senhora, porque sem a senhora estaria perdido. E... quer que lhe diga? Há um mês pensei isto, mas até agora não tinha pensado que esta era a solução adequada. Podia ter deixado estas explicações para amanhã em vez de vir importuná-la quase à meia-noite. Mas a minha urgência atual será suficiente para fazer-lhe ver com que interesse e, sobretudo, com que sinceridade trato deste assunto. Eu não sou nenhuma criança e não poderia na minha idade decidir-me a dar um passo irrefletido. Quando me decidi a vir aqui já trazia tudo resolvido e pensado. No entanto compreendo que será ainda preciso um certo tempo para convencê-la de toda a minha sinceridade. Mas vamos ao caso! Será necessário repetir-lhe por que é que vim? Vim cumprir o meu dever para com a senhora, e peço-lhe, com todo o imenso respeito que me inspira, que faça feliz o meu filho e lhe conceda a sua mão. Oh! Não veja em mim um pai severo que acabou por perdoar ao filho e concordou finalmente em contribuir para a sua felicidade. Não, não! Isto seria injurioso para mim. Não pense também que, sabendo como se sacrificou pelo meu filho, eu viesse já seguro do seu consentimento, baseado em que a senhora se sacrificou por ele; mais uma vez lhe digo que não. Eu sou o primeiro a reconhecer que ele, para a senhora, pouco valor tem, e ... ele, que é sincero e bom, há de também vê-lo. Mas deixemos isto. Eu não vim a esta hora por causa disso mas sim – levantou respeitosamente e com solenidade – vim aqui porque quero ser seu amigo. Não ignoro que não tenho direito algum a isso, pelo contrário. Mas... peço-lhe que me dê a oportunidade de merecê-lo. Consinta que lhe faça esta promessa!

Respeitosamente inclinado diante de Natacha, aguardou a sua resposta. Eu o tinha observado atentamente durante toda a sua arenga. Ele reparou nisto. Pronunciou o seu discursozinho friamente mas com certas pretensões dialéticas e afetando às vezes um certo à-vontade. O tom da sua parlenda não correspondia ao impulso que o tinha levado ali, a desoras, pela primeira vez e em tais circunstâncias. Era evidente que trazia algumas das suas frases já preparadas, e em certos momentos do seu longo, e por isso mesmo, estranho discurso, aparentou ser uma boa criatura que se esforçava por dissimular os seus sentimentos sob a capa do humorismo, da despreocupação e do gracejo. Mas tudo isto eu pensei mais tarde. Naquele momento era outra coisa. As últimas palavras pronunciou-as ele comovidamente, com uma tal expressão de sincero respeito por Natacha que seduziu a todos. Qualquer coisa parecida com uma lágrima brilhava nos seus olhos. O nobre coração de Natacha estava completamente vencido. Levantou e, sem proferir palavra, tomada da mais viva comoção, estendeu-lhe a mão. Ele a tomou e beijou-lhe com ternura. Alhocha estava louco de entusiasmo.

— Eu não te dizia, Natacha? — gritou. — Tu não querias acreditar! Não acreditavas que meu pai era o mais nobre coração do mundo! Agora vês, tu própria, já vês!

E atirou-se ao pescoço de seu pai abraçando-o efusivamente. Ele respondeu-lhe da mesma maneira e tratou de dar fim à cena sentimental, como se tivesse vergonha de demonstrar a sua comoção.

— Pronto — disse, pegando o chapéu — vou-me embora. Pedi-lhe apenas dez minutos e estive aqui uma hora — acrescentou sorrindo. — Mas tenho pressa em voltar outra vez. Dá licença que volte, assim que for possível?

— Sim, sim, sim! — respondeu Natacha. — O mais cedo que puder! Quero começar já a gostar muito do senhor! — acrescentou, perturbada.

— Que franca! Que honesta! — disse o príncipe sorrindo das suas palavras. — Nem sequer se esforça por responder com uma fórmula de simples cortesia. Aprecio mais a sua sinceridade do que todas essas finezas. Sim! Vejo que ainda precisarei de muito tempo para tornar-me digno da sua amizade.

— Oh, por favor! Chega de elogios — murmurou Natacha muito comovida.

Como estava bonita naquele momento!

— Bem. Está então tudo combinado? — disse o príncipe. — Só mais uma palavra, para que veja como eu sou infeliz. Não poderei vir vê-la, nem amanhã, nem depois de amanhã. Recebi esta noite uma carta tão importante para mim (reclama a minha imediata participação no assunto) que não posso de maneira nenhuma deixar de comparecer. Preciso sair de Petersburgo amanhã de manhã. Foi por isso que vim, assim, fora de horas, pois não poderia vir dentro dos próximos dois dias. Naturalmente, a senhora não podia supô-lo. Mas como eu sou desconfiado! Por que me pareceria que a senhora havia de ter essa ideia? Sim, esta desconfiança sempre me prejudicou na minha vida e em todos os meus litígios com a sua família, que, é possível, tivessem origem neste meu caráter ruim... Hoje é terça-feira; quarta, quinta e sexta não estarei em Petersburgo. Espero estar de volta no sábado e nesse mesmo dia virei vê-la. Permite que venha passar a tarde com a senhora?

— Claro, claro! — gritou Natacha. — Sábado à tarde, espero-o. E com impaciência.

— Terei o maior prazer. Assim poderei conhecê-la melhor. Bem, tenho de ir, mas não irei sem ter apertado a sua mão — disse, voltando-se então para mim. — Peço-lhe que me desculpe esta conversa toda... Já tenho tido muitas vezes o gosto de encontrá-lo e creio que até já fomos apresentados. Não posso ir-me sem exprimir-lhe quanto me é agradável renovar este conhecimento.

— Já nos encontramos muitas vezes, é verdade – disse-lhe eu apertando a mão que me estendera – mas sinto muito não me lembrar de que nos tenham apresentado.

— Em casa do príncipe de R***, o ano passado.

— Perdão, tinha-me esquecido. Mas asseguro-lhe que desta vez não será assim. Esta noite há de ficar especialmente gravada na minha memória.

— Tem razão, e na minha também. Sei que o senhor é um verdadeiro e sincero amigo de Natacha Nikoláievna e do meu filho. Tenho a esperança de que me admitam como o quarto entre os três. Não é verdade? – acrescentou dirigindo-se a Natacha.

— Sim, ele é o nosso verdadeiro amigo e vamos viver todos juntos – gritou Natacha com profunda convicção.

Pobrezinha! O seu rosto encheu-se de alegria ao ver que o príncipe não se esquecia de despedir-se de mim. Como gostava de mim!

— Conheço muitos admiradores do seu talento – continuou o príncipe – e entre estes duas verdadeiras admiradoras suas. Teriam muito gosto em conhecê-lo pessoalmente a condessa, a minha melhor amiga, e sua enteada, Ekatierina Fiódorovna Filimônova. Permita-me esperar que me concederá a satisfação de apresentá-lo a estas senhoras.

— Para mim seria uma honra; atualmente tenho poucas relações..

— Mas dê-me o seu endereço. Onde vive? Quero ter o prazer...

— Eu não posso receber em minha casa, príncipe, pelo menos por agora.

— Mas para mim, embora não o mereça, não fará o senhor uma exceção?

— Já que tem assim tanto empenho... eu moro no... no Beco de V***, Casa Klugen.

— Casa Klugen! – exclamou um pouco assombrado. – Quê? Mora aí há muito tempo?

— Não, há muito não – respondi observando-o involuntariamente. – Moro no número quarenta e quatro.

— No quarenta e quatro! Vive... sozinho?

— Completamente só.

— Ah! É que... parece-me que conheço essa casa... ótimo. Passarei sem falta por lá, para cumprimentá-lo; tenho muitas coisas a dizer-lhe e espero muito do senhor. Quero pedir-lhe um favor. Como vê, começo logo com pedidos. Bem, até à vista. As suas mãos!

Apertou a minha mão e a do filho, beijou outra vez a de Natacha e partiu sem consentir que Alhocha o acompanhasse. Ficamos os três em silêncio. O que acabava de acontecer era tão inesperado e imprevisto! Sentíamos todos que tudo mudara num momento em que qualquer coisa de novo, de ignorado, ia começar. Alhocha, sentado junto de Natacha, beijava-lhe as mãos em silêncio e fitava-a no rosto, esperando que ela falasse.

— Querido Alhocha, amanhã irás visitar Ekatierina Fiódorovna – disse-lhe por fim.

— Era isso mesmo o que eu pensava – respondeu. – Não deixarei de o fazer.

— Embora talvez lhe seja doloroso ver-te... Que se há de fazer?

— Não sei, minha amiga, eu também pensava isso mesmo.

Ela sorriu e olhou-o longa e ternamente.

— Que delicadeza a sua! Viu o teu quarto, tão pobre, e nem uma palavra.

— Uma palavra de quê?

— Ora, de... de te mudares para outro... ou qualquer coisa assim – acrescentou, corando.

— Basta, Alhocha! A que propósito vem isso?

— Quero pôr em relevo a sua delicadeza... e como te elogiou! Eu não te dizia? É capaz de compreender e de sentir tudo. A mim tratou-me como a uma criança. Como ele gosta de mim! E de fato eu sou uma criança!

— Sim, és uma criança, mas mais inteligente do que nós. Meu bom Alhocha!

— Disse também que a minha bondade me prejudicava. Por quê? Não compreendo. Mas diz-me, Natacha, não achas que eu devo já ir ter com ele? Amanhã de manhã tens-me outra vez aqui.

— Vai, vai, meu querido. É uma boa ideia. Mas amanhã vem o mais cedo possível. Daqui para diante já não poderás andar cinco dias longe de mim – acrescentou com malícia, acariciando-o com o olhar.

Estávamos todos cheios de uma alegria doce, plena.

— Vem comigo, Vânia? – disse-me Alhocha ao sair do quarto.

— Não, fica; tenho de falar-te, Vânia. Já sabes, amanhã cedinho.

— Assim que amanhecer. Adeus, Mavra!

Mavra está possuída de uma grande agitação. Ouvira tudo o que o príncipe dissera mas não compreendera bem. Tinha vontade de informar-se e de perguntar. Mas no entanto mostrava-se muito séria, muito ufana. Adivinhava também que se operara uma grande transformação.

Ficamos sós. Natacha pegou-me a mão e ficou durante algum tempo em silêncio, como se procurasse o que havia de dizer.

— Estou cansada – disse finalmente com uma voz fraca. – Diz, vais amanhã visitar os meus pais?

— Com certeza.

— À *mámienhka* podes dizer tudo, mas a ele, não.

— Já sabes que nunca lhe falo de ti.

— Ele logo saberá. Mas repara no que ele diz, como é que encara o caso. Meu Deus, Vânia! Achas que me amaldiçoará se eu vier a casar? Mas não, não é possível!

— Quem há de arranjar tudo é o príncipe; deve reconciliar-se com o teu pai e assim ficará tudo arrumado.

— Ai, meu Deus! Se assim fosse, se assim fosse! – exclamou num tom suplicante.

— Fica tranquila, Natacha. Tudo se há de arranjar. Foi para isso que eu vim.

Ela me olhou fixamente.

— Vânia, que pensas do príncipe?

— Creio que falou com sinceridade e que, se assim é, é um perfeito cavalheiro.

— Que queres dizer? Então ele podia, por acaso, não ser sincero?

— É o que eu penso também – respondi. – "Pode ser que ande a tramar qualquer coisa", pensei comigo.

— Tu estiveste sempre a olhar para ele tão fixamente... É estranho!

— Sim, parecia-me um pouco estranho.

— A mim também. Tem uma tal maneira de falar... Estou esgotada, meu caro Vânia. Olha, deixa-me, agora, e vem ver-me amanhã, quando saíres de casa dos meus pais... Ah! Diz-me, ele não ficaria ofendido por eu lhe ter dito que desejava começar imediatamente a gostar dele?

— Não. Por que havia ele de ofender-se?

— E não foi também uma tolice? Com isso eu lhe dava a entender que ainda não gostava dele.

— Pelo contrário; foi uma lembrança muito simpática, ingênua e natural. Estavas muito bonita nesse momento! Ele é que será um idiota se, do alto da sua grandeza, não o apreciar assim.

— Parece que o olhas com desconfiança, Vânia. Eu também sou desajeitada, desconfiada, vaidosa. Não te rias; já sabes que nunca escondo nada de ti. Ah, Vânia, tu és o meu melhor amigo! Se eu voltasse a ser infeliz, se os desgostos voltassem, serás tu quem estará junto de mim, e talvez sejas tu só. Como poderei eu agradecer-te? Nunca me abandones, Vânia!

Assim que cheguei em casa, despi-me imediatamente e deitei-me. O meu quarto estava úmido, sombrio como uma gruta. Sentia que em mim se agitava toda a espécie de ideias e sentimentos estranhos e fiquei muitas horas sem poder adormecer.

Mas como havia de rir, nesses mesmos instantes, de todos nós, um homem que dormia em cômodo leito, supondo que se dignasse rir! Mas, não, não se dignaria!

Capítulo III

No dia seguinte, às dez da manhã, quando saía de minha casa a correr para ir ver os Ikhmiênievi, e ir depois daí a casa de Natacha, encontrei à minha porta a mesma visitante da véspera, a netinha de Smith. Não sei por que, mas lembro que fiquei contente com esse encontro. Não tivera tempo de olhá-la bem na noite anterior e surpreendeu-me mais em pleno dia. De fato seria difícil encontrar uma criatura mais estranha, de aspecto mais original. Pequena, de olhos negros cintilantes, nada russos; uma cabeleira negra, abundante e desgrenhada; um olhar mudo, fixo e perscrutador. Chamaria a atenção de qualquer transeunte na rua. O que mais me impressionava nela era o seu olhar cintilante, inteligente, e ao mesmo tempo desconfiado. De dia, o seu vestuário, velho e sujo, parecia ainda mais esfarrapado. Parecia-me que devia estar minada por alguma doença lenta que ia gradual e inexoravelmente destruindo o seu organismo. A sua carinha, fraca e pálida, era de um amarelo escuro, pouco natural, com pintas biliosas. Mas, de uma maneira geral, apesar de todos os sinais da miséria e da doença, não era feia. Tinha as sobrancelhas bem desenhadas, finas e belas; particularmente bonitos eram a testa ampla e os lábios magnificamente desenhados, com uma prega que indicava orgulho e ironia, mas muito pálidos, quase incolores.

— Ah! És tu outra vez – disse. – Sempre pensei que havias de voltar. Entra.

Como na véspera, entrou lentamente, olhando à sua volta com desconfiança. Olhava atentamente para o quarto onde vivera o avô, como se quisesse observar as mudanças que ali introduzira o novo inquilino. "Bem. A neta condiz com o avô – pensei eu. – Não estará louca?" Enquanto eu pensava isto, ela continuava calada; eu esperava.

— Os livros – murmurou por fim, baixando os olhos.

– Ah, sim, os livros! Aqui tens, toma; guardava-os precisamente para ti.

Olhou-me com curiosidade e torceu a boca de um modo estranho, como se quisesse esboçar um sorriso incrédulo. Isto durou apenas um minuto e o seu rosto recuperou logo a sua expressão severa e enigmática.

– O meu avô falou-lhe de mim, por acaso? – perguntou, olhando-me dos pés à cabeça com um pouco de ironia.

– Não, ele não me falou de ti, mas...

– E como sabia o senhor que eu viria? Quem lhe disse? – perguntou rapidamente, interrompendo-se.

– Porque pensei que o teu avô não podia viver só, abandonado de todos. Estava tão velho e tão fraco que supus que alguém viria visitá-lo. Toma, aqui tens os teus livros. Estudas com eles?

– Não.

– Então para que os queres?

– A princípio, quando eu vinha vê-lo, o avozinho fazia-me estudar por eles.

– Então depois deixaste de vir?

– Deixei de vir... Estive doente – acrescentou, à guisa de desculpa.

– Tens pai, mãe, família?

Franziu imediatamente as sobrancelhas e olhou-me assustada. Depois voltou-se e saiu do quarto devagar, sem dignar-se responder-me, como tinha feito na véspera. Estupefacto, segui-a com os olhos. Mas ela deteve-se à entrada.

– De que morreu ele? – perguntou-me de súbito, voltando-se um pouco para mim e com o mesmo gesto e a mesma atitude com que entrara na noite anterior, e também quando parou à porta perguntando-me por Azorka.

Eu me aproximei dela e comecei a contar-lhe tudo à pressa. Ela me escutava, calada e curiosa, com a cabeça baixa e de costas para mim. Contei-lhe também como o velho, ao morrer, me falou da Sexta Linha.

– Eu calculava – acrescentei – que aí devia viver alguém que lhe era querido e esperava que viessem perguntar por ele. Devia gostar muito de ti, porque, no último instante, de quem se lembrou foi de ti.

– Não – murmurou ela involuntariamente, – não gostava de mim.

Estava muito excitada. Enquanto falava eu olhava-a no rosto. Reparei que fazia esforços espantosos para reprimir a sua comoção diante de mim, como se fosse por orgulho. Estava cada vez mais pálida e franziu o lábio inferior. Mas o que mais me impressionava era o bater do seu coração. Cada vez lhe batia com mais força, de tal maneira que parecia ter um aneurisma. Eu pensava que, de repente, ia pôr-se a chorar como na véspera, mas dominou-se.

– Onde fica o lugar em que ele morreu?

– Eu te mostro quando sairmos. Mas diz, como te chamas?

– Não é preciso.

– Não é preciso?

– Não é, não é preciso, eu não tenho nome – exclamou num tom cortante e como se tivesse ficado zangada, e fez menção de retirar-se. Eu a detive.

– Espera, pequena, que estranha tu és! Olha que eu gosto de ti. Custou-me muito aquilo de ontem, quando te puseste a chorar num canto da escada. Não posso lembrar-me disso. Além disto o teu avô morreu nos meus braços, e com certeza pensava em ti quando me falou na Sexta Linha, como se te lançasse nos meus braços. Apareceu-me em sonhos. Olha, eu arranjei-te uns livros, e és tão arisca que pareces ter medo de mim. Deves ser muito pobre e órfã, e viver sob o domínio de estranhos. É assim ou não?

Eu a contemplava comovidamente e não poderia dizer o que é que me atraía nela. No meu sentimento imiscuía-se qualquer outra coisa que não era a piedade. Talvez o mistério de todo desamparo, a impressão que Smith me deixara ou a fantasia do meu próprio temperamento... Não sei, mas qualquer coisa de indefinido me atraía para ela. As minhas palavras pareciam tê-la perturbado; olhava-me de um modo estranho, já não arredio mas sim suave e demoradamente. Depois voltava a baixar a cabeça, como se refletisse.

– Eliena – murmurou de repente, de um modo inesperado e numa voz sumida.
– Então chamas-te Eliena?
– Sim.
– Queres viver aqui comigo?
– Não pode ser... Não sei... Eu hei de voltar – murmurou ela com esforço e perturbada.

Nesse momento, em qualquer lado ouviu-se um relógio de parede. Estremeceu e, olhando-me com uma tristeza indefinível, doentia, balbuciou:
– Que horas são?
– Devem ser onze e meia.
Estremeceu de medo.
– Senhor! – exclamou, e, de repente, saiu correndo. Eu a detive outra vez no patamar.
– Não tenhas medo de mim! – disse-lhe. – Por que tens medo? Já é tarde, para ti?
– Sim, vim aqui às escondidas. Vou-me embora. "Ela" vai bater-me – exclamou, libertando-se das minhas mãos.
– Escuta – disse-lhe. – Eu também vou a Vassílievski Óstrov, à Linha Treze. Vem comigo que eu te levo a tua casa.
– À minha casa? Não pode ser, não pode ser! – gritou, muito admirada. O seu rosto crispou-se de espanto com o pensamento só de que eu pudesse segui-la até onde vivia.
– Já te disse que tenho de ir à Linha Treze tratar de um assunto, e não à tua casa. Não te acompanharei. Mas, de carruagem, chegaremos depressa. Vamos.

Descemos a escada. Eu mandei parar o primeiro cocheiro que passou com um *drójki* detestável. Pelo visto, Eliena tinha uma grande pressa de partir. O mais curioso de tudo era que nem sequer me atrevia a interrogá-la. Agitava os braços e por pouco não se arremessou do coche quando eu lhe perguntei por que temia tanto a sua própria casa. "Que mistério será este?", pensava eu.

A pequena ficou mal acomodada. A cada movimento do *drójki* agarrava-se ao meu paletó com a mão esquerda, pequena, suja e gelada. Com a outra segurava os livros, que devia estimar muito. Quando se acomodou melhor deixou a descoberto um pé e, pelos sapatos esburacados, vi, com grande assombro, que trazia apenas esses sapatos escalavrados, sem meias. Embora tivesse resolvido não perguntar nada, não pude conter-me.

— Então não usas meias? – perguntei-lhe. – Como podes andar assim, com um tempo tão úmido e frio?

— Não – respondeu com secura.

— Mas com certeza deves viver com alguém! Pede-as a qualquer pessoa quando tiveres de sair.

— Ando assim porque quero.

— Pois olha que podes adoecer e morrer.

— Quem me dera morrer!

Era evidente que não queria responder e que as minhas perguntas a irritavam, e contive-me.

— Olha, aqui é que ele morreu – disse-lhe eu apontando para o muro diante do qual morrera o velho.

Olhou fixamente para o lugar e depois disse-me, suplicante:

— Pelo amor de Deus, não venha comigo! Eu irei, eu irei! Assim que puder, irei!

— Bem. Eu já te disse que não iria a tua casa. Mas diz: de quem é que tens medo? Deves ser muito infeliz. Fazes-me pena, quando olho para ti.

— Não tenho medo de ninguém – disse ela desabridamente, num certo tom de aborrecimento.

— Mas por que disseste "ela bate-me"?

— Que me bata! – gritou, e os seus olhos chispavam. – Que me bata! Que me bata! – repetiu com veemência, e o seu lábio superior arqueava, exprimindo desdém.

Finalmente, chegamos a Vassílievski Óstrov. Ela mandou parar a carruagem à entrada da Sexta Linha e saiu, olhando com inquietação à sua volta.

— Adeus, eu vou sozinha, eu vou sozinha! – repetiu com estranha inquietação, pedindo-me que não a seguisse. – Vá embora já, já!

Continuei o meu caminho. Mas depois de ter andado ao acaso durante algum tempo, mandei embora o *drójki* e, voltando para a Sexta Linha, atravessei rapidamente para o outro passeio da rua. Ainda a vi. Não tivera tempo de afastar-se muito, embora caminhasse muito depressa e olhando à sua volta; chegou até a parar um momento para certificar-se de que ninguém a seguia. Mas eu escondi-me atrás de um portão e ela não me viu. Seguiu o seu caminho e eu atrás dela, pelo outro passeio da rua.

A minha curiosidade estava altamente excitada. Apesar de ter resolvido não a seguir, queria a todo custo ficar conhecendo a casa em que entrasse. Encontrava-me sob o influxo duma impressão dolorosa e estranha, semelhante àquela que me provocara antes, na pastelaria, o seu avô, quando morreu Azorka.

Capítulo IV

Andamos muito, até ao Próspekt Máli[22]. Ela parecia fugir, mas por fim entrou numa loja. Parei à sua espera. "Não deve viver na loja", pensei.

De fato, passado um momento, saiu, mas já sem os livros; em vez deles trazia na mão uma tigela. Depois de andar um pouco, entrou pela porta duma casa sór-

---

22 Uma das principais avenidas de Vassílievski Óstrov, bairro-ilha residencial de Petersburgo.

dida. Era uma casa pequena, de pedra, velha, de dois andares, pintada de amarelo sujo. Numa das janelas do andar inferior, de três ao todo, via-se um pequeno caixão vermelho, insígnia dum modesto construtor de ataúdes. As janelas do andar superior eram muitíssimo pequenas e perfeitamente quadradas, com uns vidros sujos, verdes e estilhaçados, através dos quais se percebiam umas cortinhas de cor, de indiana. Atravessei a rua, aproximei-me da casa e li numa tabuleta de ferro por cima da porta: "Casa da burguesa Bubnova".

Mal acabara de ler esta inscrição quando, no pátio da Casa Bubnova se ouviram uns gritos insistentes de mulher, seguidos de pragas. Olhei pela portinhola; no patamar da escada de madeira estava uma mulher gorda, vestida com um traje citadino, descabelada e com um xale verde sobre os ombros. O rosto tinha uma repugnante cor avermelhada; os olhos pequeninos, enterrados nas órbitas, injetados de sangue, cheios de maldade. Percebia-se claramente que, apesar de não serem ainda horas de jantar, ela estava já completamente embriagada. Gritava contra a pobre Eliena, petrificada diante dela, com a sua tigela na mão.

Na escada, por cima do ombro da mulher vermelha, olhava outra mulher com o vestido e o cabelo em desordem, borrada de carmim e de branco. Um instante depois abria-se a porta da escada do sótão e nos degraus apareceu, provavelmente atraída pela gritaria, outra mulher de meia idade, pobremente vestida mas graciosa e de aspecto simpático. Pelas portas abertas do andar de baixo espreitavam outros inquilinos: um velho completamente decrépito e uma jovem. Um mujique robusto e de elevada estatura, provavelmente o porteiro, estava a meio do pátio e, apoiado à vassoura, presenciava a cena, indiferente.

– Ah, maldita! Ah, sanguessuga, percevejo! – gritava a mulher lançando numa catadupa pela boca afora todos os insultos de que era capaz, sem interrupção e engasgando-se, quase. – É assim que agradeces os meus cuidados, meu frangalho? Mando-a buscar pepinos e desaparece. Eu já adivinhava. Eu já sabia o que fazia, quando a mandei. Já adivinhava, olá! Ontem apanhou por causa do mesmo e vejam como hoje tornou a fugir. Por onde andas, vagabunda? Onde é que vais? Com quem vais ter, malvada, piolhosa, com esses olhos espantados, víbora? Onde vais, lama dos charcos? Fala ou mato-te!

E a velha, furiosa, atirou-se sobre a pobre garota, mas conteve-se ao ver que a inquilina do andar de baixo a olhava e, voltando-se para ela, continuou com as suas lamentações, guinchando ainda mais do que antes e como se a tomasse por testemunha do monstruoso crime da sua vítima:

– A mãe foi desta para melhor! Já sabem, senhores; esta miserável está só no mundo, como um cogumelo, e eu, vendo-a assim tão desamparada e para agradar a São Nicolau, fui e tomei conta desta órfã. Recolhi-a. E que pensam vocês? Há já dois meses que a sustento... e nestes dois meses tem dado cabo de mim, tem-me esfolado e sugado o sangue... Oh, esta sanguessuga, esta serpente venenosa, diabo raivoso! E ela sem dizer pio; batem-lhe e como se tivesse a boca pregada, não diz uma! Dá cabo de mim... e não diz uma palavra! Quem julgas tu que és, toleirona, maltrapilha, mostrengo? Se não fosse eu, tinhas esticado a canela no meio da rua. O que devias era beijar a terra que eu piso, meu aborto! Se não fosse eu, tinha morrido de fome!

– Por que está assim tão zangada, Anna Trifônovna? Deu-lhe outro aborrecimento, ela? – perguntou a mulher com respeito.

– O que é que ela fez, criatura, o que é que ela fez outra vez? Pois contraria-me em tudo. Para salvar um olho dela, eu era capaz de arrancar os meus dois... Eu sou assim! E ela, hoje, por pouco não me manda para o outro mundo. Quando me levantei, mandei-a buscar pepinos e aparece-me às três da tarde. Eu já palpitava isto, quando a mandei; já adivinhava, já adivinhava. Aonde foste? Apareceram-te alguns protetores, não? Não te chego eu? À mãe dela perdoei eu catorze rublos que me devia, paguei-lhe o enterro e fiquei-lhe com esta filha endiabrada, para a educar; tu bem sabes, criatura, tu estás cansada de saber. E depois disto não terei eu direitos sobre ela? Se ao menos ainda me agradecesse... mas não; vai sempre contra mim. Contra mim, que só quero o seu bem! Quis pôr-lhe vestidos de musselina, comprei-lhe botinas, vesti-a como uma boneca. E que imaginam os senhores? Em dois dias esfarrapou tudo e olhem como anda agora. Para castigo deixei-a sem leite durante uma semana. Ponho-a a lavar e ela lava toda a porcaria. Põe-me maluca com o seu silêncio e a sua inflexibilidade; por isso, ontem, bati-lhe até me doerem as mãos. Tirei-lhe os sapatos e as meias para que não pudesse sair... e saiu, mesmo assim! Onde estiveste? Com quem andaste? Fala! A quem é que foste queixar-te? Fala, vadia, fala!

Raivosamente, lançou-se sobre a pequena, segurou-a pelos cabelos e sacudiu-a.

O prato com os pepinos caiu ao chão e fez-se em cacos, com o que aumentou ainda a fúria da mulher, que se pôs a castigar a vítima na cara e na cabeça, sem que a garota deixasse escapar um grito ou uma queixa.

Precipitei-me para o pátio e, de um salto, lancei-me sobre a ébria, que parecia enraivecida.

– Que faz a senhora? Por que maltrata assim uma pobre criança? – gritei, segurando aquela fúria por um braço.

– Mas que é isto? Quem és tu? – perguntou-me num ar fanfarrão e pondo as mãos na cintura. – Que fazes tu aqui, em minha casa?

– Não tem compaixão! Como se atreve a torturar assim esta pobre órfã?

– Senhor! Jesus! – gritou a megera. – Mas quem és tu e quem é que te chamou? Vieste com ela? Pois vais ver como eu vou fazer queixa ao comissário de Polícia! Então Andron Timofiéitch, que tanto me aprecia! É então contigo que ela vai ter? Socorro, socorro! Por que te vens meter numa casa alheia?

Caminhou para mim de mãos no ar...

Mas nesse momento ouviu-se um grito penetrante, que não parecia humano...

Voltei-me... Eliena, que estava de pé, como insensibilizada, tombou de repente no chão com um alarido terrível, antinatural, tomada de horríveis convulsões. O seu rosto estava transtornado. Costumavam dar-lhe ataques epilépticos. A moça do quarto independente e a mulher de baixo acudiram, levantaram-na e apressaram-se a levá-la para cima.

– Se ao menos rebentasse, essa malvada! – grunhiu a mulher correndo atrás dela. – Já é o terceiro ataque num mês... Fora daqui, delatora! – e de novo fez menção de atirar-se a mim. – Mas que fazes aí pespegado, *dvórnik*? Para que te pago eu?

– Sai! Sai daqui depressa, se não queres que te dê uma coça! – disse o porteiro por dever de ofício – Não te metas onde não és chamado, mete a viola no saco e põe-te a mexer.

Compreendi que era o melhor que tinha a fazer e parti, convencido de que a minha intervenção tinha sido completamente inútil. Mas fervia de indignação.

Já na rua, parei no passeio e olhei pela vigia da porta. Mal eu saí, a mulher gorda dirigiu-se lá para cima e o *dvórnik*, acabado o seu trabalho, desapareceu. Um momento depois, a mulher que ajudara a levar Eliena atravessou o portal em direção à sua casa. Quando me viu parou e olhou-me com curiosidade. A doçura e a bondade do seu rosto encorajaram-me. Voltei a aproximar-me da porta e interroguei-a diretamente.

— Com licença — perguntei-lhe. — É daqui essa garota, a quem acabava de tratar tão mal essa mulher cruel? Pode crer que não se trata apenas de curiosidade. É que eu conheço essa garota e por uma certa razão, interesso-me muito por ela.

— Pois se lhe interessa, leve-a, não deixe que ela se perca aqui — disse-me com receio de que a ouvissem e fez menção de retirar-se.

— Mas explique-me o que devo fazer. Digo-lhe desde já que não sei nada. A Bubnova deve ser a dona desta casa...

— Sim, é.

— E como se encontra esta pequena em seu poder? A mãe dela morreu aqui?

— Parece que sim... Mas isso não é comigo — e procurou outra vez escapar.

— Diga-me, quem é essa pequena? Afirmo-lhe que me interessa muito. E talvez eu possa fazer qualquer coisa. Quem era a mãe dela? Não poderá me dizer?

— Uma estrangeira recém-chegada; vivia conosco, aqui embaixo; estava sempre doente, tísica, e morreu.

— Devia ser muito pobre para viver num canto, num saguão!

— Se era! Fazia pena. A nós ficou ela devendo seis rublos em cinco meses que esteve conosco. Fomos nós que lhe pagamos o enterro; o meu marido fez-lhe o caixão.

— Então como é que a Bubnova diz que foi ela quem lhe pagou o enterro?

— Que ia pagar!

— Como se chamava a falecida?

— Eu não sou capaz de dizê-lo, *bátiuchka*, era um nome pouco vulgar, devia ser alemão.

— Smith?

— Não, não era assim. Mas Anna Trifônovna ficou com a pequena para educá-la, segundo diz. Mas... a coisa não está muito clara...

— Não teria ficado com ela com alguma outra intenção?

— Os seus negócios não são muito claros — respondeu a mulher, perplexa e hesitante (deveria falar ou não?) — Mas, no fim de contas, nós não temos nada com isso, nós somos estranhos...

— Não seria melhor dares um nó na língua? — gritou nas nossas costas uma voz de homem.

Era um homem já idoso, que trazia uma bata até um pouco abaixo da cintura e por cima desta um caftã, e de aspecto citadino. Era o marido da minha interlocutora.

— Olhe, *bátiuchka*, não temos nada a dizer-lhe, isso não nos diz respeito — murmurou, olhando-me de soslaio. — E tu, vem cá. Adeus, cavalheiro! Nós fazemos caixões. Se alguma vez precisar dos nossos serviços, temos muito gosto... em... De outras coisas não temos nada que falar...

Saí daquela casa pensativo e profundamente comovido. Nada podia fazer, mas era-me muito doloroso deixar o caso assim. Algumas das palavras da mulher do fabricante de ataúdes tinham-me impressionado particularmente. Havia ali qualquer coisa que não estava bem; era esse o meu pressentimento.

Ia cabisbaixo e pensativo, quando de repente uma voz forte chamou pelo meu nome. Olho... e vejo à minha frente um homem bêbado, que mal podia manter-se de pé, bem vestido, mas com uma pobre capa e um gorro ensebado. A sua cara era-me bem conhecida.

Parei a olhar para ele. Ele me piscou um olho e sorriu ironicamente.

– Então, já me reconheceste?

Capítulo V

– És tu, Maslobóiev – exclamei, reconhecendo de súbito o meu antigo condiscípulo do Ginásio do Governo. – Que encontro!

– Há quanto tempo! Há seis anos que não nos víamos! Embora talvez nos tenhamos já encontrado, simplesmente Vossa Excelência não se dignou olhar para mim. Agora és um general, em sentido literário, já se sabe! – e ao dizer isto sorria zombeteiramente.

– Olha, meu caro Maslobóiev, não mintas – interrompi-o eu. – Em primeiro lugar, os generais, mesmo os literários, não têm o meu aspecto, e além disso permite-me que te diga que na verdade me lembro de ter-te encontrado umas duas vezes na rua; mas tu parecias fugir de mim e eu abstenho-me quando vejo que me evitam... Sabes o que eu penso? É que se tu não estivesses agora "alto", não me terias cumprimentado. Não será isto verdade? Bem. Pois então, boa tarde! Eu, meu caro, estou muito satisfeito por ter-te encontrado.

– Sério? Não te comprometo com a mi... com este aspecto? Bem, é escusado perguntar-te, isso não tem importância; eu nunca me esqueço de que eras um bom rapaz, Vânia. Lembras-te daquela vez em que foste castigado por minha culpa? Tu te calaste, não me denunciaste, e eu, em vez de agradecer-te, fiquei a rir-me de ti durante uma semana. Que alma inocente a tua! Bom dia, meu amigo, saúde! – e beijamo-nos – Já há anos que ando sozinho... trabalhando dia e noite... e no entanto... Isso não se esquece! E tu, e tu?

– Eu? Também trabalho, e só...

Ele me olhou durante um longo momento, com a viva simpatia dum homem amansado pela aguardente. Embora afinal não precisasse disso para ser uma excelente pessoa.

– Não, Vânia, não; tu não estás como eu – exclamou finalmente com uma expressão trágica. – Olha, eu tenho lido, tenho lido, Vânia, tenho lido... Mas escuta. Fala-me com a alma.. Tens pressa?

– Tenho fome e, confesso-te, estou terrivelmente preocupado com um caso. O melhor era... Onde moras?

– Já te digo. Mas isso não é o melhor. Não seria preferível outra coisa?

– Quê?

– Olha para ali. Estás vendo? – e apontava-me uma tabuleta a dez passos do lugar em que nos encontrávamos. – Vês? Pastelaria e restaurante, isto é, trata-se simplesmente de uma casa de pasto, mas é um lugar bom. A clientela é distinta e há boa vodca; não terás nada a dizer. Vim de Kiev a pé. Bebi, bebi bastante, reconheço-o, e aqui não se atrevem a dar-me da má. Sabem quem é Filip Filípitch. Quê? Torces o nariz? Não. Deixa-me falar. É agora meio-dia e um quarto, vi agora. Pois bem, a uma

menos vinte e cinco em ponto, largo-te. Entretanto poderemos matar o bicho. Vinte minutos para o velho amigo, valeu?
— Se se trata apenas de vinte minutos, seja, porque, meu caro, juro-te que o assunto...
— Bom. Sempre vens. Assentemos em que vens. Mas, antes de mais, duas palavras. Estás com má aparência; acabas de sofrer algum desgosto, não é verdade?
— Sim.
— Já vês como eu adivinhei. Eu, meu amigo, agora virei fisionomista, é uma profissão como outra qualquer. Bem, vamos lá, entremos e conversemos. Eu, em vinte minutos terei tempo de sobra para estrangular o Almirante Tchaínski[23] e engolir outro trago de aguardente, outro de anis, outro de Pomerânia, outro de *parfait amour*, e mais qualquer coisa ainda. Eu bebo, meu amigo! Só nos dias de festa, antes da missa, é que eu valho qualquer coisa. Tu, se não quiseres, não bebes. Mas eu preciso de ti para uma coisa. Mas entra, mostra a tua bondade. Entremos. Trocaremos duas palavras, e depois, outra vez, até daqui a dez anos. Eu sou o teu irmão, Vânia, e não o teu igual!
— Bem. Não fales mais e entra quanto antes. Durante vinte minutos estou ao teu dispor, mas depois tenho de deixar-te.

Para se entrar no restaurante era necessário subir por uma pequena escada de madeira, com um patamar no segundo andar. Na escada encontramos dois senhores que deviam ter bebido muito. Quando nos viram, afastaram-se, cambaleando.

Um deles era um rapaz muito novo, ainda imberbe, com um bigodinho incipiente e uma expressão de cara completamente estúpida. Vestia com elegância mas com um certo ridículo, era como se trouxesse roupa alheia; trazia anéis valiosos nos dedos, um alfinete de preço na gravata, e tinha um penteado disparatado, com uma espécie de topete na frente. Não fazia senão rir às gargalhadas. O seu companheiro devia ter já uns cinquenta anos; era um homem gordo, barrigudo, vestido com muito desleixo, mas que trazia também um vistoso alfinete na gravata; calvo e de cor arroxeada, uma cara de bêbado, rubicunda e afogueada, óculos no nariz, do tamanho dum botão; a expressão do seu rosto era maliciosa e implicativa. Os seus chispantes, maliciosos e suspicazes olhinhos estavam enterrados em gordura e pareciam olhar por uma fresta. Pelo visto ambos conheciam Maslobóiev; mas o pançudo, quando se encontrou conosco, aparentou, embora apenas por um momento, uma expressão de contrariedade, ao passo que o rapaz esboçava um sorriso de troça disfarçada de servil obsequiosidade. Até tirou o gorro. Porque ia de gorro.

— Desculpe-me, Filip Filípitch — murmurou, olhando-o com servilismo.
— Por quê?
— Porque pecamos... por aqui — e apontou o pescoço. — Lá dentro está Mitrochka. A semana passada, em certo lugar, apanhou uma tosa! Hi, hi!

O companheiro, contrariado, deu-lhe uma cotovelada.

— Mas o senhor, Filip Filípitch, não quer esvaziar uma garrafa conosco?
— Não, paizinho, agora é impossível — respondeu Maslobóiev — agora tenho um assunto...
— Hi, hi! Também eu tenho um assunto para tratar com o senhor.

---
23 Expressão picaresca para designar o chá (*tchai*).

O companheiro tornou a dar-lhe com o cotovelo. Via-se que Maslobóiev fazia esforços para os não olhar. Mas ainda mal tínhamos entrado no primeiro compartimento, ao longo do qual corria um armário, bem fornecido de aperitivos, frascos e garrafas de várias cores, quando Maslobóiev me levou para um canto e me disse:

– O rapaz.. é o filho de Sizebríukhov, o famoso fabricante de farinhas, que herdou do pai meio milhão, e dedica-se agora à boêmia. Esteve em Paris e arejou ali os bolsos de tal modo que gastou quase a herança toda. Depois herdou outra vez de um tio e veio de Paris gastar aqui o que lhe restava. Escusado será dizer que, dentro de um ano, ficará teso. É um doidivanas. É nos melhores restaurantes, nas casas de mariscos e nas tabernas, com atrizes e hussardos, que ele anda sempre... Há pouco apresentou uma demanda. O outro, o mais velho é... Arkhípov, também comerciante ou qualquer coisa do gênero, e também é doido pela pinga. É um velhaco, um covarde, esse atual comparsa de Sizobríukhov; Judas e Falstaff num pé só, duas vezes falido e de uma sensualidade repugnante, e com certos caprichos... Conheço-lhe um caso de crime, neste gênero... É por isso que ele me evita. Por um lado estou satisfeito por tê-lo encontrado aqui; estava à espera dele... É claro que Arkhípov vive à custa de Sizebríukhov; conhece todos os lugares e é do melhor que há para acompanhar rapazes deste gênero. Eu, meu caro, aqui há tempos mostrei-lhe os dentes. Mitrochka também os mostrou... é esse rapazinho muito bem vestido que está ali, junto da janela, com cara de cigano. É negociante de cavalos e não há aqui um hussardo que o não conheça. Previno-te de que é tão astuto que é capaz de fabricar moeda falsa na tua frente, e tu, que o estás vendo, vais passá-la. Veste de pelúcia, é verdade, e parece um eslavófilo (o que, em minha opinião, não lhe fica mal); mas põe-lhe um fraque de bom corte, leva-o ao Clube Inglês[24] e verás como todos dizem: "Caramba! Aquele é o poderoso conde Barbônov!". E durante duas horas vão tratá-lo como se fosse o tal conde... E ele fará o seu papel e falará como um conde, de tal maneira que ninguém suspeitará de nada e os enganará a todos. Há de acabar mal. Pois bem. Esse tal Mitrochka[25] mostrou também os dentes ao barrigudo, porque agora anda a tinir e o pançudo roubou-lhe Sizobríukhov, que antes era seu amigo e lhe está roubando a pele. Se se encontraram os dois aqui no restaurante é porque, de certeza, tramam qualquer coisa. Poderia até dizer o que, e calculo que foi Mitrochka, e não outro, quem me avisou de que Arkhípov viria aqui com Sizobríukhov, e que trazem entre mãos algum assunto feio. Eu tenciono aproveitar-me do ódio que Mitrochka tem a Arkhípov, cá tenho as minhas razões; foi precisamente por isso que vim aqui. Mas vou me fazer desentendido com Mitrochka e tu faz também que não reparas nele. Quando sairmos, com certeza que será ele próprio quem há de aproximar-se e me dirá aquilo que preciso de saber... Agora, Vânia, vamos para aquela salinha. Olha... Vamos lá ver, Stiepan – prosseguiu, dirigindo-se ao moço. – Sabes o que eu quero?

– Sei.

– E está pronto?

– Está.

– Então, traz. Senta, Vânia. Mas por que me olhas assim? Estás admirado? Não

---

24 Fundado no tempo de Catarina II, esteve muito em moda no séc. XIX. Era o lugar de reunião da aristocracia e dos altos funcionários.
25 Esta personagem imaginária corresponde a outra real que Dostoiévski conheceu no presídio (Volkovo) e que descreve nas *Memórias da casa dos mortos*, quase com as mesmas palavras.

te admires. A um homem podem sempre acontecer coisas com as quais nem sequer sonhou, sobretudo quando... bem, sobretudo quando eu lia contigo o *Cornélio Nepote*. Mas, olha, Vânia, não te esqueças de uma coisa. Por muito batido que Maslobóiev seja, ainda tem coração, e tudo se reduz a que as circunstâncias mudaram. Eu quis estudar Medicina, fazer-me professor de literatura nacional, escrevi um artigo sobre Gógol, trabalhei também como pesquisador de ouro, e além disso estive quase para casar... E "ela" estava pelos ajustes embora eu não tivesse nem para mandar tocar um cego. Fiz os preparativos necessários para o casamento e fui comprar umas botas fortes porque as minhas já estavam em tiras... Mas não cheguei a casar. Ela partiu com um professor e eu fiquei num escritório, não num escritório comercial, mas numa casa de penhores. Mas aquilo não me agradava. Os anos passaram e, embora eu não tenha agora nenhum emprego, dinheiro não me falta; deito as minhas contas e faço valer os meus direitos; sou feroz para com os mansos, e manso para com os ferozes. Sigo uma regra. Sei, por exemplo, que ninguém pode lutar sozinho, e... arranjo-me... Geralmente, trabalho à socapa... compreendes?

— És agente secreto ou qualquer coisa do gênero?

— Não, não sou agente, mas ocupo-me de assuntos, em parte oficiais e em parte privados. Olha, Vânia, bebo. E como nunca deixei afogar o juízo, sei bem qual há de ser o meu futuro. O meu tempo já passou; e águas passadas não movem moinhos. Só te digo uma coisa. Se eu apesar de tudo não fosse um homem, não me teria aproximado de ti, Vânia. Tu tinhas razão. Encontrei-me contigo, já te vira mais vezes e quis falar-te; mas não me atrevia, faltava-me coragem. Disseste a verdade, Vânia; se me aproximei de ti foi porque estou bêbado. Mas embora tudo isto tenha o seu interesse, chega de falar de mim! Falemos agora de ti. Bem, meu amigo, pois eu li, li e reli tudo, e meu caro, é à tua primeira obra que me refiro, e ao lê-la estive quase a tornar-me um homem disciplinado. Pouco faltou; simplesmente pensei mas não fiz, achei melhor continuar a ser um homem desordenado. Por isso...

Disse-me ainda muitas outras coisas. Cada vez estava mais bêbado e começou depois a enternecer-se muito e ficou quase a ponto de chorar. Maslobóiev fora sempre um bom rapaz, mas incapaz de ter juízo e de desenvolver uma ideia. Esperto, brigão, desinquietador e buliçoso, já no colégio; mas na realidade um homem de coração; um homem perdido. Há muitos indivíduos como ele entre os russos. Costumam possuir grandes aptidões mas permanecem improdutivos e, além disso, propendem inconscientemente a atuar contra a sua consciência, por pura fraqueza, em determinados pontos, e não só se perdem, como já de antemão sabem que se hão de perder. Maslobóiev, entre outras coisas, naufragava em aguardente.

— Agora, meu caro, ainda duas palavras – continuou. – Eu dei pelo barulho que fez o teu primeiro livro; li depois várias críticas sobre ti (li, de fato; tu supões que eu já não leio); encontrei-te depois mal calçado, sujo, sem galochas, com um chapéu todo amassado e adivinhei qualquer coisa. Não escreves agora nos jornais?

— Escrevo, sim, Maslobóiev.

— Quer dizer então que fazes de carregador?

— Qualquer coisa do gênero.

— Pois, olha meu amigo, ouve o que eu te digo: embebeda-te melhor. Eu me embebedo, estendo-me no divã (porque eu tenho um divã, fofo, de molas) e imagino que sou qualquer coisa da categoria de Homero, Dante, ou de Frederico Barba-Roxa... Bom. Tudo o que de melhor se pode imaginar. Mas tu, claro, não podes imaginar que és Dante nem Barba-Roxa; primeiro, porque aspiras a ser tu próprio e, além disso, porque não podes permitir-te caprichos, visto que és um carregador. Para mim, a fantasia, para ti, a realidade. Escuta-me com toda a franqueza e como irmão, senão ficarei ofendido e humilhado para os dez anos mais próximos: precisas de dinheiro? Tal qual. Não faças trejeitos. Pegas no dinheiro, pagas os adiantamentos ao editor, sacodes o jugo, descansas sem preocupações durante um ano, imaginas um assunto e escreves um grande livro. Hem? Que dizes?

– Ouve, Maslobóiev. Agradeço a tua fraternal oferta, mas não posso aceitá-la... Por quê? Seria preciso entrar em muitos pormenores. Mas prometo contar-te tudo mais tarde, como de irmão para irmão. Agradeço o teu oferecimento; prometo vir visitar-te e hei de ir, por mais de uma vez. Mas vamos ao assunto. Tu és franco para comigo e por isso resolvi pedir-te um conselho. Tanto mais que, segundo parece, és mestre nestas coisas.

E contei-lhe toda a história de Smith e da sua netinha, começando pela pastelaria. Coisa estranha: enquanto eu falava parecia-me adivinhar no seu olhar que ele sabia qualquer coisa dessa história. Perguntei se era assim.

– Não, não sei – respondeu. – Mas de fato ouvi dizer qualquer coisa a respeito de um tal Smith, de um velho que morreu numa pastelaria. E de *Madame* Bubnova, sei, efetivamente, qualquer coisa. Dessa senhora recebi eu, haverá dois meses, uma quantia *(je prends mon bien où je le trouve,*[26] e é só nisto que eu sou parecido com Molière). E, embora lhe tenha apanhado cem rublos, nesse mesmo instante jurei a mim próprio apanhar-lhe, não cem, mas quinhentos. Que mulher mais repugnante! Dedica-se a negócios ilícitos. E isso ainda seria o menos; mas é que às vezes ultrapassa todas as marcas. Mas não me tomes por um Dom Quixote, peço-te. O que eu quero é tirar daqui proveito, e quando há um momento nos encontramos com Sizobríukhov, fiquei muito satisfeito. Sizobríukhov visita-a, ao que parece, e deve levar o seu barrigudo; ora como eu já sei a que espécie de negócios se dedica o barrigudo, deduzo que... Bem. Eu o arranjarei. Estou muito satisfeito por que me tenhas falado dessa jovem; agora já tenho outra pista. Eu, meu caro, trato de vários assuntos, e se visses as pessoas com quem lido... Há pouco tive de tratar de um caso com certo príncipe. Se quiseres posso te contar uma certa história, de uma mulher casada. Vem visitar-me, meu amigo, que eu te darei assuntos para livros, assuntos tais que, se os escreveres, nem hão de querer acreditar-te...

– Qual é o sobrenome desse príncipe? – interrompi-o, imaginando qualquer coisa.

– Que te interessa? Bem, é Valkóvski.

– Piotr?

– Isso mesmo.

– Tu o conheces?

– Conheço-o, mas não muito bem. Olha Maslobóiev, vou perguntar-te algumas minúcias acerca desse cavalheiro – disse, levantando-me. – Despertaste em mim um interesse enorme.

---

26 Governo-me como posso, deito a mão ao que aparece.

— Meu caro, podes perguntar o que quiseres. Eu posso contar histórias, mas só até certo ponto... compreendes? Senão, de outra maneira perde-se o crédito e a fama nos negócios e ainda mais.

— Bem. Tudo quanto a dignidade permita.

Eu estava muito comovido. Ele reparou nisso.

— Bom. Que me dizes agora a respeito dessa história que acabo de contar-te? Sugeriu-te qualquer coisa ou não?

— A tua história? Um momento. Espera dois minutos que eu vou pagar.

Aproximou-se do balcão, e aí, como um desesperado, surgiu de repente o rapazinho do jaquetão de pelúcia, ao qual tão familiarmente tratava por Mitrochka. A mim parecia que Maslobóiev o conhecia melhor do que aparentava. Pelo menos era evidente que não era aquela a primeira vez que se viam. Mitrochka era um rapaz de aspecto muito original. Com o colete, que deixava ver uma linda camisa de seda vermelha; com as feições enérgicas mas bem desenhadas, muito novo ainda, uns olhos cintilantes e trocistas, provocava uma impressão estranha mas não antipática. Os seus gestos tinham qualquer coisa de afetadamente obsequioso, mas ao mesmo tempo esforçava-se visivelmente por dominar-se, adotando um ar altamente preocupado, grave e sério.

— Olha, Vânia — disse Maslobóiev dirigindo-se a mim — vem até minha casa esta noite, às oito, pois talvez possa dizer-te alguma coisa; simplesmente eu agora não sou ninguém; já fui, mas agora sou apenas um bêbado e não me ocupo de negócios. Mas tenho boas relações; posso interrogar alguém, andar na farra com gente fina; com isso é que eu conto verdadeiramente quando estou livre; isto é, como bêbado também faço qualquer coisa; mas por meio dos amigos... Mas, bom, eu estou meio bêbado... Basta! Aqui tens o meu endereço; na Chestilavótchnaia.[27] Ainda vou beber do dourado; mas em casa. Depois deito-me. Vai! Apresento-te a Alieksandra Siemiônovna e falaremos de poesia.

— E do outro assunto também?

— Bem. Pode ser que sim.

— Irei, irei sem falta...

Capítulo VI

Havia muito tempo que Anna Andriéievna me esperava. O que eu lhe dissera na noite anterior a respeito da carta de Natacha excitara vivamente a sua curiosidade e por isso ela me esperava desde cedo, pelo menos desde as dez. Quando apareci em sua casa, às duas da tarde, a tortura da espera esgotara quase por completo as forças da pobre anciã. Além disso ansiava por comunicar-me as novas esperanças que concebera no dia anterior e por falar-me de Nikolai Sierguiéitch, o qual andava desde a véspera rabujento e esquivo, embora ao mesmo tempo se mostrasse carinhoso para com ela, de maneira muito especial. Quando eu entrei acolheu-me com uma expressão de frieza e de descontentamento no rosto; mal me cumprimentou, por entre den-

---

[27] Rua "das Seis Lojas".

tes, e não manifestou a menor curiosidade. Foi como se desejasse dizer-me "Por que vieste? Que gosto o teu, de palmilhar as ruas todo o dia". Estava zangada até mais não poder. Mas eu apressei-me e, sem mais preâmbulos, contei-lhe toda a cena da véspera em casa de Natacha. Assim que ouviu a referência à visita do velho príncipe e o solene pedido da mão de Natacha que ele fizera, logo a anciã abandonou toda a sua fingida indiferença. Não haveria palavras suficientes para descrever a sua alegria e até o seu êxtase, a maneira como se benzeu, chorou e prostrou-se diante da imagem em genuflexões até ao chão, e como, depois de abraçar-me, quis correr em busca de Nikolai Sierguiéitch e comunicar-lhe a sua alegria.

– *Bátiuchka*, ele está aborrecido com tantas ofensas e humilhações. Mas agora, quando souber que vão dar uma satisfação a Natacha, há de esquecer tudo num momento.

Com muito custo a dissuadi. A boa velhota, apesar de casada havia vinte e cinco anos, ainda não conhecia bem o marido. Queria também ir comigo imediatamente à casa de Natacha. Fiz-lhe ver que não só podia muito bem acontecer que Nikolai Sierguiéitch não aprovasse o seu procedimento, como até poderíamos fazer assim com que tudo se estragasse ainda. Foi só à força que consegui convencê-la a desistir, mas no entanto reteve-me ainda meia hora e em todo esse tempo não parou de falar.

– Mas por que hei de estar eu aqui metida entre estas quatro paredes, com esta alegria tão grande? – dizia.

Finalmente convenci-a a deixar-me sair, fazendo-lhe notar que Natacha devia estar já à minha espera com impaciência. A velhinha benzeu-me várias vezes durante o caminho até à porta; encarregou-me de felicitar Natacha em seu nome e por pouco não se punha a chorar quando lhe disse que já não podia voltar naquela noite, a menos que não acontecesse a Natacha qualquer coisa de especial. A Nikolai Sierguiéitch não cheguei a vê-lo nesse dia; não dormira a noite passada e queixava-se de dor de cabeça; mas nessa altura descansava no escritório.

Também Natacha me esperara durante toda a manhã. Quando entrei, passeava pelo quarto, como era seu costume, com os braços cruzados e como quem medita em alguma coisa. Ainda hoje, quando me lembro dela, não posso imaginá-la de outra maneira senão sempre sozinha, no seu mísero quarto, pensativa, abandonada, à espera, de braços cruzados, os olhos dolorosamente fixos no chão e dando voltas sem objetivo, de um lado para o outro.

Com uma voz tranquila e sem deixar de caminhar, perguntou-me por que tinha eu demorado tanto. Expus-lhe com brevidade a minha situação; ela quase não me ouviu. Era evidente que estava preocupada com qualquer coisa.

– Há alguma coisa de novo? – perguntei-lhe.

– De novo, nada – respondeu-me num tom que me fez adivinhar imediatamente que de fato havia qualquer coisa de novo e que ela me esperava para contar-me aquela novidade, mas que, conforme seu hábito, não me diria logo, mas quando eu saísse.

Era assim que fazia sempre. Eu já o sabia e aguardava.

Como era natural, iniciamos a nossa conversa falando do dia anterior. Fiquei muito admirado ao ver que coincidia absolutamente com ela acerca da impressão que o príncipe me deixara; a ela era-lhe decididamente antipático, muito mais antipático do que na véspera. Mas quando lhe fiz notar certos aspectos da sua visita, Natacha disse de repente:

– Ouve, Vânia, a mim tem acontecido sempre que, quando alguém me é antipático na primeira vez, bastava isso apenas para ser indício quase infalível de que mais tarde viria a ser-me simpático. Pelo menos é o que me tem acontecido sempre.

– Deus queira, Natacha. Aliás vou dar a minha opinião, que é definitiva. Eu reparei em tudo e concluí que o príncipe, embora seja um tanto jesuíta, deu o seu consentimento para o vosso casamento com toda a seriedade e de boa-fé.

Natacha ficou parada no meio do quarto e olhou-me com severidade. Todo o seu rosto mudara; até os lábios lhe tremiam levemente.

– Mas como é que ele, num caso destes, poderia empregar a astúcia e... mentir? – perguntou com uma altiva segurança.

– Claro, claro! – apressei-me a responder.

– É claro que não deve mentir. Acho que nem sequer devemos pensar nisso. Também não é possível ir procurar uma razão que justificasse tal mentira. E, finalmente, que sou eu a seus olhos, no fim de contas, para que quisesse troçar de mim até esse ponto? Pode existir um homem capaz de infligir tal ofensa?

– Claro, claro! – corroborei eu, enquanto pensava para mim: "Tenho a certeza de que era nisto e apenas nisto que tu pensavas enquanto davas esses passeios pelo quarto, minha pobrezinha, e pode ser que duvides disso ainda mais do que eu".

– Ah, que vontade eu tenho de que ele volte depressa aqui! – disse. – Queria ficar junto de mim uma noite inteira e afinal... Com certeza devia ter assuntos muito importantes, uma vez que deixou tudo e partiu. Sabes alguma coisa, Vânia? Não ouviste dizer nada?

– Vá-se lá saber! Ele anda sempre à cata de dinheiro. Ouvi dizer que está ligado a certa empresa, aqui, em Petersburgo. Eu, Natacha, de negócios não percebo patavina.

– Bem sei. Alhocha falou-me de não sei que carta, de ontem.

– Alguma notícia. A propósito: Alhocha veio?

– Veio.

– Cedo?

– Ao meio-dia. Já sabes que ele é pouco madrugador. Esteve aqui um momento. Eu o mandei para Ekatierina Fiódorovna; não é possível outra coisa, Vânia.

– Então não foi ele próprio lá, por sua livre vontade?

– Não, fui eu que o mandei.

Quis acrescentar qualquer coisa mas ficou calada. Eu a olhei e esperei. O seu rosto exprimia tristeza. De boa vontade a teria interrogado; mas às vezes as perguntas incomodavam-na muito.

– Que rapaz estranho! – disse por fim franzindo levemente a boca e como se se esforçasse por não me olhar.

– Quê? Tiveram alguma zanga?

– Não, de maneira nenhuma; simplesmente... Além disso ele é tão bom... Apenas...

– Bem, em breve acabarão todas as suas amarguras e inquietações – disse-lhe eu.

Natacha olhou para mim, atenta e curiosa. Pode ser que tivesse pensado em responder-me que Alhocha nunca chegara verdadeiramente a ter grandes inquietações; mas pareceu-lhe que nas minhas palavras se encerrava o mesmo pensamento. Mas enganava-se.

Logo se pôs afetuosa e amável. Dessa vez foi particularmente amável. Fiquei fazendo-lhe companhia por mais de uma hora. Estava muito desassossegada. O príncipe metia-lhe medo. Eu pude inferir de algumas perguntas suas que ela desejava saber verdadeiramente a impressão que lhe causara na noite anterior. Como se conduzira? Não teria demonstrado demasiada alegria com a sua presença? Não se teria mostrado demasiadamente exigente? Ou, pelo contrário, excessivamente condescendente? Que teria ele pensado? Não lhe teria parecido ridícula? Não teria sentido desprezo por ela? Com todas estas cavilações, as faces ardiam-lhe como fogo.

– Para que te comoves tanto perante a ideia de que um mau homem tenha podido pensar? Que pense o que quiser! – disse-lhe eu.

– Mau, por quê? – perguntou-me.

Natacha era receosa, mas de coração puro e caráter íntegro. Os seus receios procediam de uma fonte pura. Era orgulhosa, nobremente orgulhosa, e não podia suportar que aquilo que ela julgava superior a tudo fosse objeto de mofa perante os seus próprios olhos. Ao desprezo dum homem vil teria respondido com o mesmo desprezo; mas doía-lhe que troçassem daquilo que considerava sacrossanto, fosse quem fosse o trocista. Isto não era devido à falta de firmeza mas sim ao seu pequeno conhecimento do mundo, à sua falta de convívio com as pessoas, a ter passado a vida metida num canto. Passara a vida toda quase sem sair de casa. E, finalmente, essa qualidade dos seres ingênuos, que talvez lhe tivesse transmitido o pai, de apreciar uma pessoa, considerando-a por aquilo que verdadeiramente é e exagerar exaltadamente a sua parte boa, tinha-se desenvolvido nela num grau violento. A essas criaturas custa-lhes depois muito refazerem-se da sua desilusão e ainda mais quando sentem que são elas mesmas as culpadas. Para que esperar de uma pessoa mais do que aquilo que ela pode dar? Dizem que, a tais pessoas, uma desilusão as espera a cada momento. O melhor de tudo seria estarem muito quietas nas suas casas e não andarem pelo mundo; e eu já reparei que, efetivamente, têm tal amor ao seu cantinho que acabam por se tornar ariscas. Além disso Natacha sofrera muitos dissabores, muitas afrontas. Era uma criatura doente e ninguém podia culpá-la, se é que as minhas palavras encerravam qualquer recriminação.

Mas eu tinha pressa e levantei para sair. Ela ficou admirada, e por pouco não se pôs a chorar quando viu que eu me retirava, apesar de que, durante todo o tempo que eu ali estivera, não me demonstrou nenhum afeto especial, mas até, pelo contrário, parecia estar mais fria do que de costume. Beijou-me com ímpeto e ficou olhando-me por muito tempo.

– Ouve – disse-me – Alhocha hoje esteve ridículo e até me deixou ficar admirada. Na aparência estava muito carinhoso, muito contente; mas agitava-se e remexia-se muito e não fazia outra coisa senão olhar para o espelho. Não parecia contrariado... mas esteve muito pouco tempo comigo. Calcula que me trouxe doces.

– Doces? Ah, é muito bom e ingênuo! Ah, como vocês são! Agora põem-se a observar-se um ao outro, a espiarem-se, a investigar os rostos e a ler pensamentos secretos sem conseguir decifrá-los. E ele nem sequer... Continua tão alegre e colegial como antes. Mas tu, tu!

E sempre que Natacha mudava de tom e me vinha com queixas de Alhocha ou à procura de que eu lhe resolvesse alguma pequena dúvida, ou a contar-lhe algum segredo, desejosa de ser compreendida apenas por meias palavras, lembro-

-me de que nessas ocasiões ficava sempre a olhar-me, entremostrando os dentes, e parecia pedir-me que a todo custo eu lhe dissesse qualquer coisa, contanto que ela ficasse mais alegre. Mas lembro-me também de que eu, nesses casos, adotava sempre um tom um pouco severo e cortante, à guisa de repriminda, o que fazia de um modo completamente inconsciente e "me dava sempre resultado". A minha seriedade e gravidade pareciam de fato mais autoritárias, porque às vezes sentimos a necessidade indispensável de que alguém nos ralhe. Pelo menos Natacha ficava algumas vezes perfeitamente tranquila.

— Não, Vânia — continuou, apoiando uma das suas mãos no meu ombro e apertando a minha com a outra — parece-me que ele está pouco entusiasmado... Procede comigo como mari... sabes? Como se fôssemos casados há dez anos, embora como um marido que gosta ainda da mulher. Não achas que é ainda muito cedo para isso? Dá risada, anda de um lado para o outro, como se tudo isso lhe fosse indiferente, como se já estivesse um pouco aborrecido, e não como antes... Está sempre com pressa de ir para junto de Ekatierina Fiódorovna... Falo-lhe e ele não me ouve ou começa a falar-me de outra coisa. Sabes? É esse desagradável costume da alta sociedade, que nós dois lhe tínhamos tirado. Enfim, conduz-se de um modo... como se tudo lhe fosse indiferente... Mas que digo eu! Como nós somos exigentes, Vânia, que déspotas tão voluntariosos! Só agora é que vejo! Não perdoamos a uma pessoa uma simples mudança de expressão e afinal só Deus sabe por que terá sido. E tu, meu amigo Vânia, ainda me vens com censuras! Serei eu a única culpada? Somos nós próprios que provocamos os nossos aborrecimentos e ainda por cima nos queixamos depois... Muito obrigada, Vânia! Conseguiste acalmar-me! Ah, mas se ele viesse! Mas para quê? Até quando? Olha, ainda estou zangada pelo que se passou.

— Mas vocês brigaram? — perguntei-lhe, assombrado.

— Não, não é isso! Simplesmente, eu estava um pouco tristonha, e ele, de tão alegre que estava no princípio, pôs-se de repente murcho, e pareceu-me que se despediu de mim friamente. Mas eu vou mandar chamá-lo... Vem tu também, Vânia, esta noite.

— Sim, sem falta, a não ser que um certo assunto me mantenha ocupado.

— Que assunto vem a ser esse?

— Um caso que me preocupa. Mas penso que hei de poder vir.

Capítulo VII

Às sete em ponto estava eu em casa de Maslobóiev. Ele vivia na Chestilavótchnaia, num prédio pequeno, do qual ocupava uma ala num andar muito sujo, composto de três quartos no máximo, satisfatoriamente mobiliados. Além disso notava-se ali um certo desafogo e ao mesmo tempo uma excessiva falta de ordem doméstica. Veio abrir a porta uma jovem muito jeitosa, de uns dezenove anos, vestida com simplicidade mas com gosto; muito amável e com uns olhos magníficos. Adivinhei imediatamente que se tratava da própria Alieksandra Siemiônovna, à qual ele já se referira, convidando-me a conhecê-la. Perguntou-me quem era e quando ouviu o meu nome disse-me que ele já me esperava, embora estivesse dormindo no seu gabinete, onde me conduziu. Maslobóiev dormia num bonito e fofo divã, embrulhado no seu capote seboso e com uma almofada de couro debaixo da cabeça. Tinha um sono muito leve. Mal eu entrei, chamou logo pelo meu nome.

– Ah, és tu! Estava à tua espera. Sonhei que vinhas e entravas aqui. Já é tempo. Vamos.

– Aonde?

– À casa dessa senhora.

– De que senhora? Para quê?

– A casa de *Madame* Bubnova, para falar com ela... É uma beldade! – exclamou dirigindo-se a Alieksandra Siemiônovna e até beijou as cabeças dos dedos só com a recordação de *Madame* Bubnova.

– Bom, mas procede com cuidado! – exclamou Alieksandra Siemiônovna, que considerou seu dever mostrar-se um pouquinho aborrecida.

– Ainda não se conhecem? Então vão conhecer-se! Aqui apresento Alieksandra Siemiônovna a este general literato; não se veem gratuitamente senão uma vez por ano; o resto do tempo, só pagando.

– Bem, lá se saiu ele com uma das suas! Mas o senhor, por favor, não faça caso; está sempre zombando de mim. Mas há generais dessa classe?

– São de um gênero especial. Mas tu, Excelência, não imagines que nós sejamos idiotas; somos muito inteligentes, mais do que parece à primeira vista.

– Não lhe ligue importância. Há de sempre envergonhar-me diante das pessoas decentes, este desavergonhado! Ainda se ao menos me levasses no teatro de vez em quando...

– Dedique-se mas é aos trabalhos domésticos, Alieksandra Siemiônovna... Já se esqueceu daquilo de que deve gostar? Esqueceu-se das palavrinhas que eu lhe ensinei?

– Com certeza que me não esqueci... Isto é alguma tolice?

– Não, nada disso; é qualquer coisa de literário.

– Não quero tornar-me ridícula diante do visitante. Pode ser que signifique qualquer coisa de absurdo. Até a língua se me embrulha ao dizê-lo.

– Se é assim, é porque te esqueceste!

– Pois então não havia de esquecer! Os penates. Amai os vossos penates... foi o que me ensinaste. Pode ser que os penates não existam; mas por isso mesmo é que é preciso amá-los. É tudo mentira.

– Em compensação, *Madame* Bubnova...

– Vai para o diabo com a tua *Madame* Bubnova!

E Alieksandra Siemiônovna retirou-se muito indignada.

– Já é tempo. Vamos. Adeus, Alieksandra Siemiônovna!

Saímos.

– Olha, Vânia, primeiro que tudo tomemos essa carruagem. Isso mesmo! Ora bem. Há pouco, quando nos despedimos, fiquei sabendo uma coisa e soube não por suposições, mas com toda a exatidão. Ainda demorei uma hora em Vassiliévski, uma hora. Esse barrigudo... é um grande canalha, um porco repugnante, de ações baixas e vis. A essa Bubnova há já algum tempo que a conheço, por se ter metido em enredos desse gênero. Ainda há poucos dias tramava a perdição de uma moça honesta. Esses vestidos de musselina que vestia a essa órfã, conforme me disseste há pouco, causam-me inquietação, porque já ouvira qualquer coisa a respeito disso. Recentemente chegaram até mim certos rumores, por acaso; mas, segundo parece, com fundamento. Quantos anos tem essa jovem?

— A avaliar pela sua aparência, uns treze.

— Mas pelo seu desenvolvimento parece ter menos. Bem. Ela procede desta maneira: se for preciso, dirá que tem onze, se não, quinze. E como a pobre garota é indefesa, sem amparo nem família...

— Que queres dizer?

— Que julgas tu? *Madame* Bubnova não é mulher para tomar conta de uma órfã só por compaixão. Se o pançudo vai lá, é assunto arrumado. Esta manhã já se encontrou com ela. A esse melquetrefe de Sizobríukhov tinham-lhe prometido para hoje uma beldade, uma mulher casada, esposa dum funcionário. Os filhos de comerciantes que se entregam à farra parecem-se todos. Pedem sempre mulheres de funcionários. Já a gramática latina o dizia, lembras-te?: "A distinção é preferível à perfeição". Mas, no fim de contas, também é possível que eu estivesse bêbado. Bem. A Bubnova não deve atrever-se a meter-se em tais embrulhadas. Pretende zombar da Polícia, mente. Mas também tem medo de mim, sabe que eu tenho boa memória... etc... compreendes?

Eu estava muito excitado. Todas essas notícias me haviam perturbado. Receava chegar tarde e dava pressa ao cocheiro.

— Não te preocupes, pois foram tomadas todas as precauções – disse-me Maslobóiev. – Mitrochka deve estar lá, Sizobríukhov vai lhe dar dinheiro; mas o barrigudo é mau... por natureza. Tudo isto ficou combinado há pouco, mas a Bubnova encontra-se à minha mercê. Por isso não se atreverá...

Chegamos e apeamos em frente do restaurante; mas o indivíduo chamado Mitrochka não se encontrava aí. Depois de dizermos ao cocheiro que esperasse à porta do restaurante, dirigimo-nos a casa da Bubnova. Mitrochka esperava-nos à porta. Pelas janelas filtrava-se a claridade e ouviam-se as risadas de Sizobríukhov, bêbado.

— Já lá estão todos há um quarto de hora – disse-nos Mitrochka. – Não há tempo a perder.

— Mas como nos apresentaremos?

— Como visitas – respondeu-me Maslobóiev. – Eu e Mitrochka somos seus conhecidos. Com certeza que devem ter a porta fechada, mas para nós, não.

Chamou de manso à porta e abriram imediatamente. Foi o porteiro quem a abriu e trocou um olhar significativo com Mitrochka. Entramos devagarinho. Ninguém deu por nós. O porteiro conduziu-nos pela escada e chamou. Perguntaram-lhe quem era e respondeu que ia só – caramba, é preciso mentir! – Abriram e nós entramos de roldão. O porteiro eclipsou-se.

— Ah! Quem são os senhores? – exclamou a Bubnova, bêbeda e encolhendo-se toda no minúsculo vestíbulo, com uma luz na mão. – Que vem a ser isto? – exclamou Maslobóiev. – Então tu, Anna Trifônovna, não conheces os teus estimados visitantes? Não te lembras de mim? Filip Filípitch...

— Ah, Filip Filípitch! É o senhor... meu caro amigo? É que, como o senhor... eu... Mas façam o favor de entrar para aqui...

E atrapalhava-se cada vez mais.

— Para onde? Para aqui? Para esse compartimento? Não. A senhora vai ser mais amável. Queremos beber champanhe; e deve haver aí garotas jeitosas, não?

A dona da casa animou-se imediatamente.

— Para amigos destes arranja-se sempre, iria à China, se fosse preciso.
— Duas palavras, caríssima Anna Trifônovna. Onde está Sizobríukhov?
— A ... qui.
— É que eu preciso falar com ele. Como se atreve esse malandro a vir para a pândega sem contar comigo?
— Garanto-lhe que ele não se esqueceu. Estava à espera de alguém, naturalmente era do senhor.

Maslobóiev bateu uma pancadinha na porta e vimos de repente um quartinho com duas janelas com gerânios, umas cadeiras de palha e um piano velhíssimo; tudo adequado àquele lugar. Mas ainda antes que tivéssemos tempo de entrar, quando estávamos ainda conversando no corredor, Mitrochka desapareceu. Soube depois que não entrara mas ficara esperando à porta. Teria de abri-la depois a alguém. A uma mulher desgrenhada e pintada que nessa manhã me olhara por cima do ombro da Bubnova e que era sua comadre.

Sizobríukhov estava sentado num frágil e pequeno divã, forrado de vermelho, diante de uma mesa circular, coberta com um pano. Em cima da mesa viam-se duas garrafas de champanhe sem gosto e uma de um rum detestável; havia também ali bandejas com doces, pães de especiarias e nozes de três espécies. Do outro lado da mesa, em frente de Sizobríukhov, sentada, uma fêmea repelente, quarentona e bexiguenta, vestida de tafetá prêto e com pulseiras e berloques de metal. Era a esposa dum oficial do Estado-Maior; mas, evidentemente, tratava-se de uma falsificação. Sizobríukhov estava embriagado e muito contente. O barrigudo, seu comparsa, não estava ali.

— É assim que se procede, não? – gritou Maslobóiev a plenos pulmões. – Dussot não me tinha convidado?
— Que prazer, Filip Filípitch! – resmungou Sizobríukhov levantando-se para vir ao nosso encontro com um ar satisfeito.
— Bebes?
— Sim, desculpa.
— Deixa-te de desculpas e convida os amigos! Viemos precisamente para nos embebedarmos em tua companhia. Olha, além disso trago-te outro convidado, um amigo. – E Maslobóiev apontou para mim.
— Muito prazer, muito contente... Hi, hi!
— Mas é a isto que chamam champanhe? Parece sopa de couves azedas!
— Isso é ofensa.
— Por isso tu não ousas aparecer em casa de Dussot! E ainda convidas pessoas!
— Estava contando-me precisamente há um momento que estivera em Paris – disse a mulher do oficial. – E agora já se vê que é mentira. Não queria mais nada!
— Fiedóssia Títichna, não sejas ofensiva. Estive. Fui até lá.
— Sim, sim... Um campônio como tu, ir a Paris!
— Mas fui. Tal qual. E tornei-me célebre, juntamente com Karp Vassílitch. Não conheces Karp Vassílitch?
— Por que havia de conhecer o teu Karp Vassílitch?
— É que... Trata-se de um assunto de política. Eu estive lá com ele, em Paris, em casa de *Madame* Joubert, onde partimos um tremó.
— O que é que partiram?

– Um espelho. Um espelho assim, enorme, que ocupava toda a parede, até o teto. Karp Vassílitch já estava bêbado. De tal maneira que até falava em russo a *Madame* Joubert. Estava junto do espelho e, foi, e ameaçou-o com o punho. A Joubert começou a gritar-lhe à sua maneira: "É um espelho que vale setecentos francos (a meu ver, valia só a quarta parte). Cuidado, não o quebre!". Ele pôs-se a rir e olhou para mim; eu estava sentado em frente dele, num canapé e com uma beldade ao meu lado, embora não tão interessante como esta; mas também tinha a sua graça, para dizer tudo. E ele pôs-se a gritar: "Stiepan Tieriêntitch, Stiepan Tieriêntitch, vamos a meias?". E eu respondi-lhe: "Vamos!". E ele então foi e descarregou um murro sobre o espelho... Paf! Ficou feito em estilhas. A Joubert deu um grito e increpou-o: "Que fizeste bandido?". Mas ele foi e respondeu-lhe: "*Madame* Joubert, aqui tens o dinheiro e não te oponhas aos meus caprichos". E foi e entregou-lhe seiscentos e cinquenta francos. Ela lhe abateu cinquenta.

Nesse momento um terrível e agudo alarido se ouviu por detrás duma porta, dois ou três quartos para além daquele em que nos encontrávamos. Eu dei um pulo e deixei escapar também um grito. Tinha reconhecido a voz de Eliena. Imediatamente a seguir a esse alarido de horror ouviram-se outros gritos, insultos, vozes, e por fim o barulho de várias bofetadas aplicadas em cheio, ressoantes, fortes. Aquilo, provavelmente, pedira a intervenção de Mitrochka. De repente a porta do quarto abriu-se, e Eliena, lívida, de olhos alterados, com um vestido de musselina branca todo cheio de rasgões, com o cabelo arranjado mas revolto como se tivesse andado numa briga, irrompeu pelo quarto. Eu estava de pé, em frente da porta, e ela correu direita para mim e agarrou-me as mãos. Todos saltaram dos seus lugares; todos ficaram comovidos. Quando ela entrou, ouviram-se gemidos e gritos. Atrás dela apareceu Mitrochka à entrada da porta, arrastando pelos cabelos o odiado barrigudo, com o aspecto mais miserável que imaginar se possa. Largou-o junto da porta, no chão, e entrou no quarto.

– Aqui está ele! Aí o têm! – disse Mitrochka com um ar de quem cumpriu o seu dever.

– Escuta – exclamou Maslobóiev aproximando-se tranquilamente e dando-me uma palmadinha no ombro. – Vai para a carruagem, leva a pequena contigo para tua casa e o caso está acabado. Amanhã trataremos do resto.

Não precisei de ouvir mais nada. Pegando na mão de Eliena, apressei-me a tirá-la daquele antro. Não sei como o caso acabou por lá. Não procuraram deter-nos; a dona da casa estava petrificada de admiração. Tudo aquilo acontecera tão inesperadamente que nem sequer pôde impedi-lo. O cocheiro estava à nossa espera e, vinte minutos depois, chegávamos em casa.

Eliena estava meia morta. Desabotoei-lhe o vestido, borrifei-a com água e deitei-a no divã. Começara com febre e entrava no delírio. Contemplei o seu rostozinho pálido, os seus lábios descorados, os cabelos negros, todos revoltos para um lado, mas retorcidos em espiral e untados de brilhantina. Aquele penteado, aquelas fitinhas vermelhas que conservava ainda presas ao vestido... e acabei por compreender toda aquela história odiosa. Pobrezinha! Cada vez ia piorando mais. Não me afastei de junto dela e resolvi não ir ver Natacha nessa noite. De vez em quando Eliena erguia as suas longas pestanas recurvadas e olhava-me, olhava-me longa e atentamente, como se me reconhecesse. Já tarde, à uma da noite, adormeceu. Eu adormeci também junto dela, no chão.

Capítulo VIII

Levantei-me muito cedo. Passei toda a noite acordando de meia em meia hora e aproximando-me da minha pobre hospedazinha para mirá-la de alto a baixo. Tinha febre e estava um pouco delirante. Mas de manhã continuava profundamente adormecida. "Bom sinal", pensei. Mas como ainda era cedo, decidi ir o mais depressa possível em busca de médico. Conhecia um alemão, um velhinho solteiro e bondoso que vivia há muito em Vladimírski, na companhia dum criado. Fui à sua procura. Prometeu-me que viria às dez. Eram oito quando fui procurá-lo. Eu tinha um grande desejo de ir, de passagem, procurar Maslobóiev; mas pensei que certamente estaria ainda dormindo, e que além disso Eliena podia acordar de um momento para o outro e assustar-se quando se visse só no meu quarto. No estado em que estava podia esquecer como, quando e por que tinha ido parar a minha casa.

Acordou no momento preciso em que eu entrava no quarto. Aproximei-me dela e perguntei-lhe com cuidado como se sentia. Não me respondeu; mas ficou a olhar-me durante muito tempo, de alto a baixo, com os olhos negros e expressivos. A avaliar pelo seu olhar, parecia-me que compreendia tudo e que se lembrava de tudo perfeitamente. Pode ser que, seguindo o seu inveterado costume, não me respondesse. E nem nessa noite nem no terceiro dia da sua permanência em minha casa respondeu uma palavra às minhas perguntas, limitando-se a olhar-me nos olhos com o seu longo e pertinaz olhar, no qual, à perplexidade e à curiosidade selvagem se misturava um certo orgulho. Agora, notava também nos seus olhos seriedade e qualquer coisa como desconfiança. Ia pôr-lhe a mão na testa para ver se tinha febre; ela, porém, suavemente e em silêncio, afastou a minha mão com a sua mãozinha e voltou o rosto para a parede. Eu me retirei para não assustá-la.

Tinha eu um grande serviço de chá de cobre. Havia muito tempo o empregava, em vez do samovar, e servia-me dele para pôr a água a ferver. Também tinha lenha que o porteiro me trouxera, para cinco dias. Acendi o fogão, fui buscar água e pus a água para o chá. Entretanto coloquei também o serviço sobre a mesa. Eliena voltou-se para mim e olhava tudo aquilo com curiosidade. Perguntei-lhe se queria alguma coisa. Mas ela voltou de novo o rosto contra a parede e não me respondeu.

"Por que estará zangada comigo? – pensei eu. – Que moça estranha!"

Conforme disse, o meu velho doutor chegou às dez. Examinou a doente com toda a sua germânica atenção e animou-me muito, dizendo-me que, embora se tratasse de um estado febril, não havia motivo para inquietação. Acrescentou que ela devia ter outra doença real, qualquer coisa como palpitações do coração, "mas que esse ponto requeria uma observação especial, e que, por agora, a doentinha estava fora de perigo". Receitou-lhe uma mistura e não sei que papeizinhos, mais por hábito do que por necessidade, e depois começou a perguntar-me por que é que ela se encontrava ali, ao mesmo tempo que, admirado, passava revista ao meu alojamento. Esse velhinho era um terrível tagarela.

Eliena interessou-o. Dera-lhe uma palmada quando ele quis tomar-lhe o pulso e negava-se a mostrar-lhe a língua. As suas perguntas não respondeu nem uma palavra, limitando-se todo tempo a olhar com muita atenção a sua enorme cruz de São Estanislau, que lhe pendia do pescoço.

– Deve doer-lhe muito a cabeça – observou o velhinho. – Mas que maneira de olhar! Que olhos!

Julguei desnecessário contar-lhe qualquer coisa a respeito de Eliena e desculpei-me alegando que era uma história muito comprida.

– Avise-me, se for preciso – disse-me à saída, – Por agora não há cuidado.

Decidi ficar todo aquele dia ao lado de Eliena e, se fosse possível, não a deixar enquanto não estivesse bem. Mas como sabia que Natacha e Anna Andriéievna podiam sofrer, estando à minha espera, resolvi avisar pelo menos Natacha, pelo correio interior, de que nesse dia não podia ir vê-la. A Anna Andriéievna não era possível escrever. Ela mesma me pedira terminantemente que nunca lhe escrevesse, a partir daquela vez em que lhe participei por carta a doença de Natacha.

"O velho franziu o sobrolho quando viu a tua carta – disse-me. – Queria saber o que dizia, mas não se decidiu a perguntar. E ficou todo esse dia de mau humor. E a mim também, amigo, me puseste fora de mim com a tua cartinha. Apenas dez folhas! Tinha vontade de perguntar-te mais pormenores, e tu, nada!"

Por isso decidi escrever somente a Natacha e quando fui à farmácia com a receita, de caminho coloquei a carta no correio.

Entretanto Eliena voltou a adormecer. Durante o sono queixava-se levemente e estremecia. O médico acertara: doía-lhe muito a cabeça. De vez em quando dava um gritinho e acordava. E olhava para mim até com aborrecimento, como se lhe fosse particularmente desagradável a minha atenção. Confesso que isto me custava muito.

Aí pela uma chegou Maslobóiev. Vinha preocupado e distraído; ficou apenas um momento e parecia ter muita pressa de partir.

– Bem, meu amigo, eu já calculava que não devias viver à larga – observou, depois de examinar todo o quarto. – Mas, francamente, não esperava vir encontrar-te nesta baiúca imunda. Porque isto é uma baiúca e não um andar. Mas, enfim, não falemos nisto; o principal é que todas estas ocupações secundárias não fazem outra coisa senão distrair-te do teu trabalho. Ia pensando nisso ontem, quando nos dirigíamos a casa da Bubnova. Mas olha, meu caro, atendendo ao meu temperamento e à minha posição social, sou uma dessas pessoas que não procedem bem mas pregam sermões de moral aos outros. Agora escuta: pode ser que eu venha ver-te amanhã ou depois de amanhã; mas tu não tens outro remédio senão vir a minha casa no domingo de manhã. Espero que nessa altura já esteja completamente arrumado o caso desta pequena; e te falarei seriamente, já que contigo é preciso tomar as coisas a sério. Viver assim não é possível. Ontem limitei-me a fazer alusões; mas agora vou te apresentar raciocínios lógicos. E por fim farei a pergunta: mas o que te aconteceu? Consideras alguma desonra pedir-me dinheiro emprestado?

– Não discutamos – interrompi-o. – Conta-me melhor como terminou aquilo, ontem.

– Como tinha de terminar. Da maneira mais feliz deste mundo e com o bom êxito do nosso plano, compreendes? Agora não tenho tempo. Vim apenas por um momento, para avisar-te de que não tenho tempo para estar contigo. Mas diz-me, tencionas pô-la em algum lugar ou tê-la em tua casa? Porque é preciso pensar nisso e tomar uma decisão.

– De fato ainda não sei bem o que hei de fazer e esperava-te precisamente para que me aconselhasses. Porque, vejamos; em que poderia eu fundamentar-me para a ter comigo?

– Quanto a isso... Na qualidade de criada..

– Peço-te que fales mais baixo. Embora esteja doente, conserva toda a lucidez e pareceu-me que estremeceu. O que quer dizer que se lembra do que aconteceu ontem.

Descrevi-lhe depois o seu caráter e tudo o que tinha observado nela. As minhas palavras interessaram Maslobóiev. Acrescentei que talvez pudesse encontrar-lhe amparo numa casa e contei-lhe por alto o caso dos meus velhos. Verifiquei com grande espanto que conhecia já qualquer coisa da história de Natacha, e às perguntas que lhe fiz para saber como se informara, respondeu-me:

– Há muito ouvi qualquer coisa referente a um certo assunto. Já te disse que conheço o príncipe de Valkóvski. É muito bem pensado isso que disseste de levá-la a viver com os teus velhos. De contrário seria um estorvo para ti. Mas ouve ainda uma coisa. É preciso pô-la decente. Mas não te preocupes com isso, fica por minha conta... Adeus! Vai visitar-me muitas vezes. Que faz ela, agora? Dorme?

– Parece que sim – respondi-lhe.

Mas assim que ele saiu, Eliena chamou-me imediatamente.

– Quem é? – perguntou-me. A voz dela tremia, mas olhava-me de alto a baixo com altivez. Não consigo exprimir-me de outro modo.

Eu lhe disse que se chamava Maslobóiev e acrescentei que graças a ele conseguira tirá-la da casa da Bubnova, e que a Bubnova tinha muito medo dele. De súbito as suas faces afoguearam-se, como o céu que reflete um incêndio, provavelmente devido às reminiscências da noite anterior.

– E ela não virá até aqui? – perguntou Eliena, olhando-me com curiosidade.

Apressei-me a tranquilizá-la Ela ficou calada e segurou-me a mão com os seus dedinhos febris, mas largou-a imediatamente, como se recordasse qualquer coisa. "Não é possível que, no fundo, sinta por mim uma tal aversão – disse para comigo. – É que assim, a não ser que... a pobrezinha tenha sofrido tantas amarguras que já não tenha fé em ninguém neste mundo."

À hora marcada fui à farmácia buscar o remédio, e ao mesmo tempo a uma casa de pasto conhecida, onde costumava comer e onde me fiavam. Dessa vez, quando saí de casa levei comigo uma tigela e pedi na casa de pasto uma porção de caldo de galinha para Eliena. Ela não queria comer e tive de deixar o caldo à espera no fogão.

Depois de dar-lhe o remédio, pus-me a trabalhar. Supunha que estaria adormecida; mas ao dirigir involuntariamente a vista para ela, reparei que se erguera e que olhava com muita atenção, para me ver escrever. Fingi que não percebia.

Até que finalmente acabou por adormecer, com grande satisfação da minha parte, sem delírios e sem gemidos. Comecei então a pensar que Natacha ignorava tudo aquilo, podia aborrecer-se comigo por não ir vê-la, tanto mais que além disso já tinha motivos de sobra para isso, por eu a ter abandonado precisamente quando precisava talvez mais de mim. Ela podia também ter algumas preocupações, alguma incumbência para mim, e eu, parecia de propósito, a esquecia.

Quanto a Anna Andriéievna também não sabia como havia de apresentar-me diante dela no dia seguinte. Pensava e tornava a pensar, e de repente decidi ir aos dois lados. A minha ausência não podia ser superior a duas horas. Eliena dormia e não me sentiria sair. Levantei da cadeira, pus o sobretudo, peguei o gorro, e dispunha-me a sair, quando de repente Eliena me chamou. Fiquei espantado. Teria sido fingido aquele sono?

Devo dizer que, embora parecesse que Eliena não queria falar comigo, aqueles chamamentos tão frequentes, aquele afã de dirigir-se a mim para todas as suas dúvidas, vinham demonstrar o contrário, e confesso que me eram muito agradáveis.

– A quem pensa entregar-me? – perguntou, quando me aproximei dela.

De maneira geral fazia as suas perguntas de repente, de modo totalmente inesperado. Também dessa vez não compreendi logo o que ela queria dizer.

– Há pouco, quando falava com o seu amigo, o senhor disse que queria levar-me não sei para que casa. Mas eu não irei para nenhuma.

Inclinei-me sobre ela: estava de novo ardendo, repetia-se a crise febril. Procurei distraí-la e desenganá-la; afirmei-lhe que se ela preferia continuar comigo, não a confiaria a ninguém. Enquanto falava, tirei o sobretudo e o gorro. Não me decidia a deixá-la só naquele estado.

– Não, vá! – disse ela percebendo que eu queria ficar. – Quero dormir, não tarda que eu pegue outra vez no sono...

– Mas como é que vais ficar sozinha? – disse-lhe, perplexo. – Se bem que dentro de duas horas aqui estarei outra vez...

– Está bem, vá. Senão vou ficar o ano todo doente para que não saia mais de casa – e procurou sorrir e olhou-me de modo estranho, como se lutasse com algum bom sentimento que se insinuava no seu coração. Pobrezinha! O seu bom e terno coraçãozinho mostrava-se agora, apesar do seu ódio pelos homens e desespero aparentes.

A primeira coisa que fiz foi correr à casa de Anna Andriéievna, que me esperava com uma impaciência febril e me acolheu com recriminações; estava na maior inquietação; Nikolai Sierguiéitch saíra logo depois do jantar... Não sabia para onde. Eu calculava que a velha não tivera paciência e devia ter-lhe contado tudo, segundo o seu costume, sob a forma de alusões. Aliás foi o que ela me confessou dizendo que não pudera conter-se para não lhe dar aquela grande alegria, mas que Nikolai Sierguiéitch se mostrara, segundo as suas próprias palavras, mais sombrio do que uma nuvem e nada dissera. "Aferrou-se ao seu silêncio e não respondeu às minhas perguntas" e depois, de repente, saiu depois da refeição. Quando me contava isto Anna Andriéievna tremia quase de medo. Depois pediu-me que lhe fizesse companhia até que Nikolai Sierguiéitch voltasse. Eu me desculpei e disse-lhe, quase abruptamente, que no dia seguinte não poderia ir vê-la e que viera de fugida, a fim de preveni-la. Quase nos zangamos. Ela se pôs a chorar e dirigiu-me censuras duras e amargas. Mas quando me encaminhava já para a porta, correu para mim, atirou-me os braços ao pescoço e pediu-me que não ficasse zangado com ela, que era "uma órfã", e não ficasse ofendido com as suas palavras.

A Natacha, contrariamente ao que esperava, fui encontrá-la também sozinha e pareceu-me que não estava nesse dia tão contente comigo, como no anterior e, em geral como das outras vezes. Parecia que qualquer coisa a desgostava e coibia. À minha pergunta: "Alhocha veio hoje?", respondeu-me:

– É claro que veio, mas por pouco tempo. Prometeu-me vir esta noite – acrescentou, como duvidosa.

– E ontem, veio?

– Não... não. Prenderam-no – acrescentou depressa. – E então, Vânia, como vão as tuas coisas?

Compreendi que, por qualquer motivo, queria mudar de assunto e encaminhar o nosso diálogo noutra direção. Olhei-a com atenção; estava visivelmente nervosa. Além disso, quando reparou que eu a observava com toda a atenção, dirigiu-me de repente um olhar rápido e mal-humorado, e tão violento que parecia querer trespassar-me com ele. "Sofre de novo – pensei. – Simplesmente não quer dizer."

Quando respondi à sua pergunta a respeito da minha vida, contei-lhe toda a história de Eliena, com todas as minúcias. Mostrou grande interesse e ficou muito admirada com a minha narrativa. – Meu Deus! E tiveste coragem para deixá-la sozinha, assim doente? – exclamou.

Expliquei-lhe que de boa vontade teria ficado em casa todo o dia; mas que temia que ela, Natacha, se zangasse comigo e tivesse necessidade de mim na minha ausência.

– Ter necessidade de ti – murmurou para si, refletindo. – Ter necessidade de ti, tenho, Vânia; mas o melhor é deixar tudo para outra ocasião. Foste visitar os meus pais?

E contei-lhe a minha visita.

– Bem. Sabe Deus como meu pai receberá todas estas notícias. Apesar de que, no fim de contas, como é que ele vai recebê-las?

– Como é que vai recebê-las? – perguntei-lhe eu. – Uma mudança dessas!

– Tão grande... Aonde foi ele agora? Vocês pensavam que tinha vindo ver-me. Ouve, Vânia, se puderes vem visitar-me amanhã. É possível que tenha de dizer-te alguma coisa... Só contigo eu tranquilizo a minha consciência. Mas agora volta para casa, vai para junto da tua protegida. Não haverá duas horas que saíste?

– Sim. Adeus, Natacha. Bem; e como esteve hoje Alhocha contigo?

– Quanto a Alhocha não tenho nada a dizer... Admira-me até a tua curiosidade.

– Até à vista minha amiga.

– Adeus.

Estendeu-me a mão com certa indolência e evitou o meu último olhar de despedida. Saí de sua casa um pouco admirado. Pensava que devia estar preocupada com qualquer coisa. "Alguma coisa de grave. Amanhã vai me contar tudo", pensei.

Voltei a casa triste e, assim que entrei, senti uma terrível comoção. Escurecera. Vi que Eliena estava sentada no divã, a cabeça caída sobre o peito, como num profundo êxtase. Nem sequer me dirigiu um olhar, como se estivesse completamente abstraída.

Aproximei-me dela. Murmurou qualquer coisa para si mesma. "Estará delirando?", pensei.

– Eliena, minha amiga, que tens? – perguntei-lhe sentando-me a seu lado e pegando-lhe a mão.

– Eu quero ir para lá... Prefiro ficar com ela – sussurrou sem levantar a cabeça.

– Para onde? Com quem? – perguntei-lhe admirado.

– Com ela, com a Bubnova. Não faz outra coisa senão dizer-me que eu lhe devo muito dinheiro, que pagou o enterro da minha mãezinha à sua custa... Não quero que tenha que dizer da minha mãe... Quero trabalhar para ela e pagar-lhe tudo... Só depois disso sairei de sua casa. Agora quero voltar outra vez para a companhia dela.

– Acalma-te, Eliena; não é possível voltares para lá – disse-lhe eu. – Essa mulher tortura-te e procura a tua perdição...

– Pois que me perca, que me mate – respondeu Eliena com veemência. – Não serei eu a primeira; a outras, melhores do que eu, também ela martiriza. Já me disse uma mendiga da rua. Sou pobre e pobre quero continuar. Toda a minha vida hei de ser pobre; foi o que a minha mãe me ordenou, ao morrer. Trabalharei... Não quero andar com este vestido...

– Amanhã compro-te outro. E também hei de trazer-te livros. Viverás comigo. Não te confiarei a ninguém, desde que não queiras; sossega...

– Trabalharei.

– Muito bem, muito bem. Mas acalma-te, deita-te e dorme.

Mas a pobre pequena rompeu em pranto. Pouco a pouco, as suas lágrimas transformaram-se em soluços. Eu não sabia o que havia de fazer-lhe; dei-lhe água, umedeci-lhe as fontes e a testa. Até que por fim, se deixou cair sobre o divã, completamente esgotada e de novo a assaltou a febre. Cobri-a com o que encontrei à mão e ela adormeceu, mas com um sono desassossegado, interrompido de tremuras e de bruscos despertares. Eu, embora tivesse andado pouco nesse dia, estava terrivelmente cansado e decidi deitar-me logo. A minha imaginação povoava-se de torturantes inquietações. Tinha o pressentimento de que aquela pequena ia causar-me muitos sobressaltos. Mas o que mais me preocupava eram Natacha e os seus problemas. De maneira geral, agora me lembro, raras vezes me vi numa disposição de espírito mais aborrecida do que nessa noite infeliz, quando me deitei.

Capítulo IX

Acordei muito tarde, às dez. Minha cabeça doía e parecia girar. Olhei para a cama de Eliena; estava vazia.

Nesse mesmo instante, vindos do lado direito do meu quarto, chegaram aos meus ouvidos certos ruídos, como se alguém andasse a varrer o chão. Fui ver. Eliena tinha a vassoura na mão e, segurando com a outra o vestido bonito, que ainda não tirara, desde o dia anterior, varria a casa. Um monte de lenha, que se destinava ao fogão, estava colocado a um canto; sobre a mesa, o pano de cobri-la e o serviço de chá, limpos; numa palavra: Eliena fazia as vezes de dona de casa.

– Olha, Eliena – gritei-lhe – quem te mandou varrer a casa? Eu não quero que faças isso, tu estás doente. Eu não te trouxe para minha casa para trabalhares...

– Mas então quem é que há de varrer o chão? – respondeu ela endireitando-se e olhando-me de frente. – Eu já não estou doente.

– Mas eu não te trouxe para trabalhares, Eliena. Naturalmente tens medo que eu vá ralhar-te, como a Bubnova, e te jogar na cara que vives à minha custa? Onde foste buscar essa horrível vassoura? Aqui não havia nenhuma – acrescentei, olhando-a assombrado.

– É a minha vassoura. Fui eu quem a trouxe. Eu varria aqui o chão do quarto do avô com ela. E ficou aí esquecida, atrás do fogão, até agora.

Voltei para o meu quarto, pensativo. Podia ser que eu estivesse enganado; mas parecia-me que lhe custava aceitar a minha hospitalidade e queria mostrar a todo custo que não era debalde que comia o meu pão. Mas, sendo assim, "que caráter melindroso!", pensei. Passados dois minutos ela entrou e sentou no seu lugar do dia anterior, no divã, e pôs-se a olhar-me com curiosidade. Entretanto pus o samovar a ferver, pus o chá, enchi uma chávena e a passei para ela com um pedaço de pão branco. Ela o aceitou em silêncio e sem protestos. Durante aquelas vinte e quatro horas quase nada comera.

– E foste varrer, com o vestido novo! – eu disse, reparando numa grande mancha, na orla do seu vestido.

Ela se olhou de alto a baixo e, de repente, com grande espanto meu, deixou a chávena, apanhou a orla da saia de musselina, com muita calma, e rasgou-a de alto a baixo, de uma só vez. Quando fez aquilo ergueu para mim, em silêncio, os seus olhos penetrantes e brilhantes. O seu rosto estava pálido.

– Que fizeste, Eliena? – exclamei convencido de que se tratava de uma louca.

– É um vestido mau – disse ela, quase sufocada de comoção. – Por que disse que era bom? Eu não o quero vestir – exclamou de repente, saltando do seu lugar. – Hei de rasgá-lo todo. Eu não lhe tinha pedido para vesti-lo. Foi ela quem me obrigou a fazer isso, à força. Eu já rasguei outro vestido e hei de rasgar este também, hei de rasgar, hei de rasgar, hei de rasgar!

E, numa fúria, começou a rasgar o vestido. Num momento deixou-o quase feito em tiras. Quando acabou estava tão pálida, que mal podia ter-se de pé. Eu contemplei, atônito, aquele ato de desespero. Ela me lançou um olhar de desafio, como se eu tivesse procedido mal com ela. Mas eu já sabia o que havia de fazer.

Sem hesitar, decidi comprar-lhe ainda nessa mesma manhã outro vestido. Com aquela criatura selvagem, exasperada, era preciso empregar a bondade. Parecia que nunca encontrara pessoas na sua vida. Se já uma vez, sem se lembrar do castigo cruel que a esperava, estragara o primeiro vestido, com que desespero não devia ela olhar agora aquele que lhe recordava um recente e terrível momento!

Em Tolkutchka[28] podia comprar-se barato um vestidinho, bonito e bonzinho. O mal era que, naquele momento, eu quase não tinha dinheiro que chegasse. Mas desde a véspera, quando me deitei, eu resolvera ir neste dia a um lugar onde esperava encontrá-lo e assim que o tivesse em meu poder dirigir-me à Tolkutchka. Peguei o chapéu. Eliena seguiu-me atentamente com os olhos, como se estivesse à espera de alguma coisa.

– Vai tornar a fechar-me? – perguntou, ao ver que eu tomava a chave para fechar o quarto, quando saísse, como fizera no dia anterior e no outro.

– Minha amiga – disse-lhe eu, aproximando-me dela. – Não te zangues por causa disto. Eu fecho porque podia entrar alguém. Tu estás doente e ficarias assustada. E sabe Deus quem poderia vir, talvez até a Bubnova, para te levar...

Disse-lhe isto intencionalmente. Mas fechava-a porque não tinha confiança nela. Tinha a impressão de que ia escapar de um momento para o outro. Por isso resolvera proceder cautelosamente. Eliena ficou calada e eu fechei-a mais uma vez.

Sabia de um editor que havia três anos publicava uma obra em muitos tomos. Costumava encontrar trabalho em sua casa quando precisava ganhar rapidamente algum dinheiro. Pagava pontualmente. Fui ter com ele e consegui vinte e cinco rublos adiantados, com a obrigação de levar-lhe, daí a uma semana, um artigo

---

28 A feira-mercado de S. Petersburgo.

de compilação. Mas eu esperava ganhar tempo para a minha novela. Era isto o que eu fazia quando me encontrava em grandes apuros.

Depois de receber o dinheiro, dirigi-me a Tolkutchka. Não demorei a encontrar ali uma velha penhorista, minha conhecida, que vendia toda espécie de roupas. Descrevi-lhe a figura de Eliena e trouxe-me num instante um vestidinho claro, de algodão, muito apropriado por ser facilmente lavável. Além disso comprei-lhe também um lencinho para o pescoço. Depois de ter pago, pensei que Eliena precisava também de algum casaco, uma capa, ou qualquer coisa assim. O tempo estava frio e ela mal tinha com que cobrir-se. Mas adiei essa compra para outra vez. Eliena era tão susceptível, tão orgulhosa, tão soberba... Só Deus sabe como é que ela acolheu o vestidinho, e isso apesar de eu ter escolhido o mais simples e barato, o mais modesto que se podia imaginar. Também lhe comprei dois pares de meias: um de algodão e outro de lã. Entreguei-os com o pretexto de que ela estava doente e que no nosso quarto fazia frio. Também precisava de roupa interior. Mas deixei isto para quando a conhecesse melhor. Em vez disso comprei-lhe umas cortinas para a cama, velhas... coisa indispensável e com as quais Eliena iria ficar muito satisfeita.

Com tudo isso não voltei a casa antes do meio-dia. A minha porta abria-se quase sem fazer ruído, e por isso, Eliena, no primeiro momento não me sentiu chegar. Fui encontrá-la de pé, junto da mesa, folheando os meus livros e papéis. Quando me sentiu, deixou imediatamente o livro que lia e retirou-se da mesa, muito vermelha. Eu olhei para o livro; era o meu primeiro romance, um número solto duma revista, em cuja capa tinham posto o meu nome.

– Enquanto esteve fora houve alguém que bateu – disse, como se quisesse dizer: "Por que diabo me fechou à chave?".

– Talvez fosse o médico – respondi-lhe. – Não lhe respondeste, Eliena?

– Não.

Não lhe respondi, desatei o embrulho e tirei o vestido que comprara.

– Vê, Eliena – disse, aproximando-me dela – não podes continuar com esses farrapos. Por isso comprei este vestido para uso, muito barato, para que não precises de ter muitos cuidados com ele; custou-me apenas um rublo e vinte copeques. Que o uses com muita saúde.

Deixei-lhe o vestido ali próximo. Ela estremeceu e, durante um momento, olhou-me com os olhos muito abertos.

Estava muito admirada e ao mesmo tempo parecia-me perceber nela uma vergonha enorme. Mas qualquer coisa de suave e terno se espalhava pelos seus olhos. Quando vi que ela não dizia nada, aproximei-me da mesa. O meu procedimento surpreendera-a, visivelmente. Mas fez um esforço para dominar-se e sentou, fixando a vista no chão.

Doía-me a cabeça e estava cada vez mais incomodado. O ar fresco não me fizera bem algum. No entanto era preciso ir à casa de Natacha. A minha inquietação por ela não diminuíra desde o dia anterior, mas, pelo contrário, cada vez aumentava mais. De repente pareceu-me que Eliena me chamava. Voltei-me para ela.

– Quando sair, não me feche – disse ela olhando para outro lado e esticando com o dedo a tela do divã, como se estivesse absorvida nessa ocupação. – Eu não penso fugir.

– Muito bem, Eliena, está combinado. Mas se vier alguém estranho? Sabe-se lá quem é que pode vir!

— Deixe-me a chave que eu me fecho por dentro e se alguém chamar, respondo: "Não está ninguém" — e olhou-me maliciosamente, como se quisesse dizer-me: "Já vê como é simples!".

— Quem é que lava a sua roupa branca? — perguntou-me de repente, antes de eu ter tempo de responder ao que dissera antes.

— Uma mulher que vive neste prédio.

— Eu também sei lavar. E de onde é que trouxe o jantar, ontem?

— Da casa de pasto.

— Eu também sei cozinhar. Eu lhe faço a comida.

— Basta, Eliena. Como podes tu saber cozinhar, Eliena? Dizes isso por dizer...

Eliena calou-se e baixou a cabeça. Era evidente que não lhe agradara a minha observação. Passaram pelo menos dez minutos e nenhum de nós falou mais.

— Sopa — disse de repente, sem levantar a cabeça.

— Sopa, o quê? Que é isso de sopa? — perguntei-lhe assombrado.

— Sei fazer sopa. Era eu que a fazia para a minha mãezinha, quando ela estava doente. E também ia às compras.

— Já podes ver Eliena, já podes ver como és orgulhosa — disse-lhe aproximando-me dela e sentando a seu lado no divã. — Eu procedo contigo com toda a sinceridade. Tu, agora, estás sozinha, és infeliz. Eu quero ajudar-te. Como tu me ajudarias também se me visses mal. Mas tu não queres conformar-te com isso e custa-te a aceitar de mim o menor favor. Queres imediatamente pagá-lo, trabalhar para recompensá-lo, como se estivesses com a Bubnova e eu te ralhasse. É assim e isso é uma vergonha, Eliena.

Não respondeu e os lábios tremeram-lhe. Parecia querer dizer qualquer coisa. Mas dominou-se e ficou calada. Eu me levantei para ir ver Natacha. Dessa vez deixei a chave a Eliena e pedi-lhe que, se alguém tocasse, acudisse à porta e perguntasse: "Quem é?". Estava convencido de que acontecera algo de muito grave a Natacha e que havia algum tempo me escondia qualquer coisa, o que nunca antes fizera. Mas de toda maneira decidi ir vê-la, embora fosse apenas por um minuto, pois, de contrário, podia magoá-la com o meu abandono.

Assim aconteceu. Natacha recebeu-me com um ar zangado e um olhar severo. Eu devia ter-me retirado imediatamente mas doíam-me os pés.

— Venho só por um minuto, Natacha — comecei — para pedir-te um conselho: que devo fazer da minha pupila? — e apressei-me a contar-lhe tudo quanto se referia a Eliena. Natacha escutou-me em silêncio.

— Não sei que aconselhar-te, Vânia — respondeu. — Parece tratar-se de uma criatura muito estranha. Talvez esteja muito ressentida, muito assustada. Toma conta dela, pelo menos até ficar boa. Queres levá-la aos nossos?

— Ela diz que não quer separar-se de mim. E, aliás, sabe Deus como eles a acolheriam. Não sei o que hei de fazer. Bem, e tu, minha amiga, como estás? Estiveste doente, ontem? — perguntei-lhe timidamente.

— Sim.... e hoje também me dói um pouco a cabeça — respondeu-me, distraída.

— Não viste ninguém dos nossos?

— Não. Vou lá amanhã. Amanhã é sábado...

— Que queres dizer com isso?

– Que à noite, o príncipe deve vir...
– Está bem. Não me tinha esquecido.
– Não, é que eu...

Pôs-se diante de mim e durante bastante tempo olhou-me nos olhos com muita atenção. Nos seus notava-se uma certa obstinação, uma certa decisão; algo de febril, de fogoso.

– Sabes uma coisa, Vânia – disse. – Seria bom que não viesses ver-me; metes-te demasiado na minha vida...

Eu saltei da cadeira e fiquei a olhá-la com um espanto inexprimível.

– Natacha, minha amiga! Que te aconteceu? Que tens? – exclamei inquieto.

– Não me aconteceu nada! Amanhã saberás tudo, tudo; mas agora quero estar sozinha. Olha, Vânia, vai-te embora já. Custa-me tanto, tanto, olhar para ti!

– Mas diz-me ao menos...

– Tudo, amanhã saberás tudo! Oh, meu Deus, mas não te irás embora?

Saí. Ia tão transtornado que mal me lembrava de mim mesmo. Mavra alcançou-me no patamar.

– Está zangada? – perguntou-me. – Eu já tenho medo de me aproximar dela.

– Mas que se passa?

– Ora, o que há de ser? Que o "nosso" há três dias que não se lhe vê nem a sombra nesta casa.

– Há três dias? – perguntei-lhe eu estupefato. – Mas se ela própria me disse ontem que, ele tinha vindo de manhã e que depois voltaria à noite...

– Qual noite! Nem sequer esteve de manhã! Já te disse que não aparece nesta casa há três dias. Foi ela quem te disse que ele tinha estado ontem de manhã?

– Ela mesma.

– Bom – disse Mavra pensativa – uma vez que ela não quer confessar-te que ele não veio, isso quer dizer que o fato a magoa. Um grande estróina, é que ele é!

– A respeito de quem dizes isso? – exclamei.

– A respeito desse, que não sei o que anda fazendo com ela – continuou Mavra abrindo as mãos. – Ontem fez-me ir duas vezes procurá-lo, mas depois mandou-me voltar para trás outras duas vezes. Hoje nem sequer se digna dirigir-me a palavra. Por que não vais tu ter com ele? Eu não me atrevo a deixá-la.

Eu saí, fora de mim, pelas escadas abaixo.

– Voltas esta noite? – gritou Mavra lá de cima.

– Depois verei – respondi-lhe sem parar. – Pode ser que venha e te pergunte: "Como vai a coisa?". Contanto que não a entregue...

Parecia-me, de fato, que me tinham dado uma pancada em pleno peito.

Capítulo X

Encaminhei-me diretamente para casa de Alhocha. Vivia com o pai na Málaia Morskaia.[29] Apesar de viver só, o príncipe ocupava todo um grande andar. Alhocha tinha para si dois magníficos quartos. Visitara-o apenas muito poucas vezes, outra

---

29 Um dos mais bonitos bairros de Petersburgo.

e esta, se bem me lembro. Em compensação ele vinha me visitar com mais frequência, sobretudo ao princípio, nos começos das suas relações com Natacha.

Não estava em casa. Dirigi-me diretamente aos seus aposentos e deixei-lhe este bilhete:

> Alhocha: Segundo parece, o senhor perdeu a cabeça. Terça-feira passada, à noite, quando o seu pai foi pedir a Natacha que o fizesse feliz, aceitando ser sua esposa, mostrou-se muito contente com esse pedido, do que fui testemunha; há de concordar que a sua maneira de proceder para com a sua futura esposa é altamente indigna e leviana. Sei muito bem que não tenho direito algum de pregar-lhe moral e prescindo de fazê-lo.
> P.S. – Ela não sabe nada desta carta e também não me disse nada do senhor.

Selei a carta e deixei-a em cima da mesa. Às minhas perguntas, o criado respondeu-me que Alieksiéi Pietróvitch mal parava em casa e que só devia voltar de madrugada.

Não sei como cheguei em casa. Parecia que a cabeça me queria voar. As pernas doíam-me e fraquejavam-me. A porta do andar estava aberta. Lá dentro estava sentado, à minha espera, Nikolai Sierguiéitch Ikhmiêniev. Estava sentado à mesa, calado; contemplava Eliena com espanto, a qual o olhava também com grande assombro, embora conservasse um obstinado mutismo. "É claro – disse-me ele – não há dúvida de que há de parecer-lhe estranha."

– Olha, meu amigo; há uma hora estou à tua espera e, confesso, nunca esperei encontrar-te assim – continuou, passando revista ao quarto e apontando-me Eliena com um piscar de olhos imperceptível. Parecia estupefato. Mas, observando-o atentamente, percebi no seu olhar pesar e melancolia. Tinha o rosto mais pálido do que de costume.

– Senta aqui, senta – continuou com um ar preocupado e abstraído. – Vim correndo, à tua procura; há qualquer coisa de grave. Mas diz-me como estás? Tens mau aspecto.

– Não ando bem de saúde. Desde esta manhã sinto tonturas.

– Pois é preciso ter cuidado com isso. Estás constipado?

– Não. É um ataque de nervos. É uma coisa que costuma acontecer-me. E o senhor, está bom?

– Qual bom! Até me parece que sinto febre. Mas tenho um assunto para tratar contigo. Senta.

Aproximei uma cadeira e sentei em frente dele, junto da mesa. O velho encostou-se a mim e começou em voz baixa:

– Ouve, não olhes para ela e finge que falamos de coisas sem importância. Que hóspeda é esta que trouxeste para tua casa?

– Depois lhe explicarei tudo, Nikolai Sierguiéitch. É uma pobre garota, órfã de pai e mãe, neta daquele Smith que vivia aqui e morreu de repente na pastelaria.

– Ah, então ele também tinha uma netinha! Mas na verdade, meu amigo, que estranha ela é! Que maneira de olhar, que maneira de olhar! Digo-te a sério, se demorasses mais cinco minutos, não esperava mais por ti. Quis por força abrir-me a porta e, até agora, nem uma palavra; é simplesmente um bicho do mato, nem parece uma pessoa. Mas como veio ela parar aqui? Ah, já percebo! Naturalmente veio procurar o avô, sem saber que ele falecera.

— Foi, foi. Tem sido muito infeliz. O velho, ao morrer, lembrou-se dela.

— Hum! Tal avô, tal neta. Depois me contarás tudo. Talvez seja possível ajudá-la em qualquer coisa, seja como for, visto que é tão infeliz... Mas, por agora, meu amigo, não se poderia dizer-lhe que se retirasse, pois preciso falar-te de um assunto sério...

— Mas dizer-lhe que se vá embora é impossível, porque ela vive aqui!

E expliquei ao velho em duas palavras o que pude, acrescentando que podíamos falar diante dela, pois era uma criança.

— Sim, isso é verdade, é uma criança. Mas tu, meu amigo, deixas-me apalermado. Então ela vive contigo?

E o velho tornou a olhar para ela, atônito. Eliena, compreendendo que falavam dela, continuava silenciosa, de cabeça baixa e beliscando o divã com os dedos. Já tivera tempo de pôr o novo vestido, que chegara mesmo no momento oportuno. Tinha-se penteado com mais esmero que de costume, talvez em honra do vestidinho novo. De maneira geral, sem contar com a expressão arisca do seu olhar, era uma menina muito engraçada.

— Em resumo, eis aqui do que se trata, meu amigo – tornou o velho. – Trata-se de qualquer coisa de sério, de importante...

Estava sentado com a cabeça baixa, com um ar grave e pensativo e apesar da sua precipitação e daquele "Em resumo", não soltava uma palavra. "Que será?", pensava eu.

— Olha, Vânia, vim para te fazer um pedido muito importante. Mas antes... segundo eu mesmo compreendo, é preciso explicar-te algumas circunstâncias... Circunstâncias sumamente delicadas...

Expectorou e olhou-me com timidez; olhou-me e corou; pôs-se encarnado e aborreceu-se consigo próprio pela sua falta de aprumo; zangou-se e decidiu-se:

— Bom. E afinal, para que explicar? Tu mesmo compreenderás! Olha, desafiei o príncipe para um duelo e peço-te que te encarregues de arranjar as coisas e de seres meu padrinho.

Eu me inclinei para trás, na cadeira, e olhei-o no cúmulo do assombro.

— Por que olhas? Não penses que perdi o juízo.

— Mas me dê licença, Nikolai Sierguiéitch! Com que pretexto, para que fim? E, por último, como é possível isso?

— Pretexto! Fim! – exclamou o velho. – É boa!

— Bem, bem, já sei o que quer dizer; mas que lhe adiantará isso? Um duelo! Confesso-lhe que não percebo patavina.

— Eu bem via que não me compreendias. Mas ouve. O nosso processo acabou, isto é, acabará dentro de dias; faltam apenas umas formalidades sem importância; serei condenado. Tenho de pagar-lhe dez mil rublos, assim diz a sentença. A Ikhmiênievka serve de hipoteca. De maneira que esse homem vil ficará com o meu dinheiro, enquanto eu, despojado da Ikhmiênievka, lhe pago e fico reduzido à miséria. Mas então eu levanto a cabeça:

"Pois bem, respeitável príncipe; há já dois anos que o senhor me ofende; escarnece do meu nome, da honra da minha família. E eu não tive outro remédio, até aqui, senão suportar tudo isso. Então, eu não podia desafiá-lo. O senhor teria dito: 'És um espertalhão, queres matar-me, para não pagar o dinheiro, pois já te cheira a que serás condenado a pagar mais tarde ou mais cedo. Mas não; primeiro é preciso ver como vai acabar, o processo e depois poderás desafiar-me'. Ora, então, respeitabilíssimo príncipe, o processo está perdido, o senhor saiu triunfante, de maneira que não há inconveniente nenhum; por isso faça o favor de sair à liça". É este o caso. Que te parece? Não terei eu, finalmente, direito de vingar-me de tudo, de tudo?

Os olhos brilhavam-lhe. Eu o contemplei durante muito tempo em silêncio. Queria penetrar o seu pensamento íntimo.

— Ouça, Nikolai Sierguiéitch — respondi-lhe, por último, resolvido a dizer-lhe o principal, sem o que não nos poderíamos entender. — Não poderia falar-me com toda a franqueza?

— Posso — respondeu com voz firme.

— Então fale francamente. É apenas o sentimento de vingança que o impele a esse desafio ou não terá em vistas outra finalidade?

— Vânia — respondeu-me — tu sabes que eu não consinto a ninguém que me falem a respeito de certas coisas; mas por esta vez abro uma exceção contigo, porque tu, com uma lúcida inteligência, compreendeste imediatamente que é impossível evitar essa explicação. Sim, eu tenho outro fim: salvar minha filha, que está a caminho da perdição, tirá-la desse caminho, no qual a espera agora o pior extremo.

— Mas como pode salvá-la com esse duelo? Aí é que está a questão.

— Desfazendo tudo o que eles tramam atualmente. Ouve. Não penses que fala em mim a ternura paterna ou alguma fraqueza do gênero. Tudo isso são balelas! O fundo do meu coração não o mostro eu a ninguém, e tu bem o sabes. A minha filha abandonou-me, fugiu de casa com um amante, e eu arranquei-a do meu coração, arranquei-a de uma vez para sempre, nessa mesma noite, compreendes? Embora tu me tivesses visto chorar por causa dela naquele dia do retrato, não vás concluir daí que eu estou disposto a perdoar-lhe. Também não lhe perdoei nesse dia. Chorava pela felicidade perdida, pelo sonho desvanecido e não por "ela" como é agora. Talvez eu chore muitas vezes, não me envergonho de confessá-lo, como também não me envergonho de reconhecer que amei a minha filha mais do que tudo no mundo. Tudo isto está aparentemente em contradição com a minha decisão atual. Tu podes objetar-me: "Se é assim, se é indiferente à sorte daquela que já não considera como sua filha, então para que se mete de permeio nos projetos dos outros?". Mas a isso posso responder: "Em primeiro lugar porque não quero que se ria de mim um homem velhaco e covarde e, além disso, porque me impele um sentimento do mais vulgar humanitarismo. Embora ela já não seja minha filha, é no entanto uma criatura fraca, desamparada, da qual abusaram e da qual hão de abusar ainda mais até perdê-la definitivamente. Interceder diretamente no assunto, não posso, mas posso de uma maneira indireta; por meio de um desafio. Se me matarem ou derramarem o meu sangue, como irá ela, passando por cima do meu corpo, e talvez do meu cadáver, casar-se com o filho do meu matador, como a filha daquele czar (lembras-te daquele livro que havia em nossa casa e em que aprendeste a ler) que passou por cima do cadáver de seu pai com o carro? Se o nosso príncipe aceitar o duelo, isso significa que já não quer o casamento. Numa palavra, eu não quero esse casamento e empregarei a força para impedi-lo". Compreendes-me, agora?

— Não. Se quer bem a Natacha, como se atreve a impedir o seu casamento, isto é, precisamente aquilo que pode reabilitar o seu bom nome? Lembre-se de que ela ainda é muito nova e precisa de ter boa reputação.

– Ela devia cuspir sobre todas as reputações do mundo! Devia compreender que a maior ignomínia para ela, estará nesse casamento, sobretudo nas suas relações com essa gente vil, com essa sociedade ruim. Um nobre orgulho... devia ser essa a sua resposta a toda essa gentalha! Então... podia ser que eu consentisse em estender-lhe a minha mão; e depois veríamos quem é que se atrevia a insultar minha filha.

Surpreendi-me perante um idealismo tão desesperado. Mas compreendi imediatamente que não estava em seu perfeito juízo e que devia delirar.

– É idealismo demasiado – respondi-lhe – e, por conseguinte, cruel. Exige dela forças que talvez não lhe tenha transmitido quando a gerou. Aceitará ela esse casamento por ter a ambição de ser princesa? Lembre-se de que ela ama. Trata-se da paixão, do *fatum*. E, finalmente, exige dela o desprezo da opinião pública, perante a qual o senhor mesmo se inclina. O príncipe ofendeu-o publicamente, infamou-o com a acusação vil de que o senhor quis manhosamente ligar-se à sua casa principesca, e o senhor então diz para si próprio: "Se ela o repelir agora, depois desse pedido de casamento, será essa a mais cabal e visível refutação da calúnia anterior". De maneira que, assim, o senhor se inclina perante a opinião desse mesmo príncipe; o senhor aspira a que ele próprio reconheça o seu erro. Pretende vexá-lo, vingar-se dele, e para isso não hesita em sacrificar a felicidade da sua filha. Não será isso egoísmo?

O velho continuava amuado e irritado e durante muito tempo não disse palavra:

– Tu és injusto comigo, Vânia – exclamou finalmente e as lágrimas assomaram-lhe aos olhos. – Juro-te que és injusto. Mas deixemos isto. Não posso abrir-te o meu coração! – continuou, levantando-se e pegando o chapéu. – Só te digo uma coisa. Há um momento, falavas da felicidade da minha filha. Eu digo-o com toda a convicção, não creio em tal felicidade, e isto para não falar já de que nunca esse casamento se realizará, ainda que eu não me intrometa no caso.

– Mas por quê? Por que pensa isso? Sabe alguma coisa? – exclamei com curiosidade.

– Não, não sei nada de concreto. Mas esse canalha maldito não era capaz de tomar uma decisão dessas. Tudo isso são absurdos, tretas. Tenho a certeza disso, sou capaz de dar a minha palavra de honra. Além disso, supondo ainda que esse casamento se realizava, o que apenas se daria no caso de que a sua maldade visse nele alguma vantagem especial, misteriosa, ignorada... e que eu não veja, nesse caso, julga por ti mesmo, interroga o teu coração: seria ela feliz com esse casamento? Censuras, humilhações, a vida com um garoto que já está farto do seu amor, e, quando se casasse... imediatamente lhe perderia o respeito e começaria a ofendê-la e a rebaixá-la; e ao mesmo tempo, a força da paixão pelo lado dela será reforçada, enquanto do lado dele irá arrefecendo; ciúmes, torturas, dores, a separação e quem sabe se até um crime! Não, Vânia! Se é isto que eles preparam e tu apoias, então aviso-te, terás de dar contas a Deus, mas depois será tarde! Adeus!

Detive-o.

– Ouça, Nikolai Sierguiéitch, façamos uma coisa: esperemos. Acredite que dois olhos, sozinhos, não podem apreciar este assunto e que talvez ele se resolva por si do melhor modo possível, sem decisões forçadas e artificiais, como por exemplo esse duelo. O tempo... é a melhor solução para tudo. E, por fim, deixe-me também dizer-lhe que todo esse projeto é absolutamente impossível. E o senhor imagina que o príncipe vai aceitar o seu desafio?

– Quê? Que dizes? Repara bem!

– Juro-lhe que não o aceitará e acredite que há de encontrar algum pretexto para isso, muito razoável, que conduzirá tudo com uma seriedade pedante e o senhor vai se cobrir de ridículo...

– Obrigado, meu amigo, obrigado! Tu atiras todos os meus raciocínios por terra! Não aceita o desafio?! Não, Vânia; tu és simplesmente um poeta, é isso mesmo, um verdadeiro poeta. Achas que eles não acharia honroso bater-se comigo? Pois eu valho tanto como ele. Eu sou um pai de família, velho, ofendido; tu... um literato russo e por isso és também uma pessoa respeitável; podes muito bem servir de padrinho e... e... verdadeiramente, não consigo compreender o que desejas ainda...

– O senhor espanta-me. Há de apresentar tais pretextos que o senhor será o primeiro a reconhecer que bater-se com ele... é absolutamente impossível.

– Hum! Bom, está bem, meu amigo; seja como dizes! Mas eu esperarei até que expire o prazo marcado, naturalmente. Veremos o que o tempo nos traz. Mas ouve uma coisa, meu amigo; vais me dar tua palavra de honra de que nem lá nem junto de Anna Andriéievna dirás nada a respeito da nossa conversa.

– Está dada.

– E também, Vânia, hás de fazer-me o favor de nunca mais me recordares este assunto.

– Dou-lhe minha palavra de honra.

– Outro pedido ainda. Eu sei, meu filho, que tu te aborreces em nossa casa; mas apesar disso vem visitar-nos o maior número de vezes que puderes. A minha pobre Anna Andriéievna gosta tanto de ti e... e... aborrece-se tanto sem ti... Compreendes, Vânia?

Apertou-me a mão com força. Eu prometi fazer-lhe a vontade,. de todo coração.

– E agora, Vânia, o último ponto delicado: tens dinheiro?

– Dinheiro! – repeti eu assombrado.

– Sim – e o velho corou e baixou os olhos – Eu, meu amigo, vejo a maneira como estás instalado... As circunstâncias em que te encontras ... E penso que também podes ter outras despesas extraordinárias (podias tê-las agora, precisamente) e... bem, meu amigo, aqui tens estes cento e cinquenta rublos como primeira providência.

– Cento e cinquenta rublos, e ainda como "primeira providência", e tendo perdido o processo!

– Vânia, pelo que vejo não me compreendes! Deves compreender que podem aparecer gastos "extraordinários", indispensáveis. Em certos casos o dinheiro proporciona-nos uma posição independente, prepara-nos para procedermos com independência. Pode ser que agora não te seja necessário, mas não te fará falta no futuro? Em todo caso aí ficam. Foi tudo o que pude arranjar. Não te preocupes, depois me pagarás. Mas agora, adeus. Meu Deus, como estás pálido! Estás doente?

Não lhe respondi e aceitei o dinheiro. Percebia perfeitamente por que é que ele o deixava.

– Mal posso ter-me de pé – respondi-lhe.
– Toma cuidado, Vânia, meu querido, toma cuidado! Não saias hoje. Vou dizer a Anna Andriéievna como estás. Tens médico? Amanhã virei ver-te outra vez; pelo menos farei todo possível para isso, desde que os pés me deixem... Mas, agora, deita--te... Adeus! Adeus, pequena. Eu voltarei. Ouve, meu amigo, aqui tens estes cinco rublos, são para a pequena. Não lhe digas que fui eu que os dei, compra-lhe antes qualquer coisa, uns sapatinhos, roupa interior... O que lhe for mais preciso! Adeus, meu amigo!

Acompanhei-o até à porta. Precisava de dizer ao porteiro que fosse buscar o jantar. Eliena ainda não comera nada.

Capítulo XI

Mal chegara lá em cima quando a cabeça se me esvaiu e tombei no meio do quarto. Lembro-me apenas do grito de Eliena, que estendeu os braços e correu para me amparar. Foi esse o último pormenor que conservei gravado na memória.

Do que me lembro é do que se passou depois, quando estava na cama. Eliena contou-me depois que ela e o porteiro, que entretanto viera trazer-me o jantar, me tinham levado para o divã. Acordei e adormeci por várias vezes e via sempre inclinada sobre mim a compassiva e preocupada carinha de Eliena. Mas lembro-me de tudo isso como em sonhos, como através de uma névoa, e a doce figura da pobre garota desaparecia perante mim, por entre coisas esquecidas, como se fosse um panorama ou uma estampa; dava-me de beber, acomodava-me na cama ou sentava à minha cabeceira, triste, assustada, e acariciava-me o cabelo com os seus dedinhos. Lembro-me de que uma vez me deu um beijo muito suave no rosto. De outra, quando abri de repente os olhos de noite, vi, à luz da vela acesa que ardia à minha frente, na mesinha próxima do divã, Eliena com a cabeça sobre o meu travesseiro e timidamente adormecida, de lábios descorados e com a palma da mão debaixo da face pálida. Mas na manhã seguinte acordei restabelecido. A vela estava completamente gasta; um raio de luz da aurora, claro e rosado, brincava na parede. Eliena, sentada numa cadeira, junto da mesa, reclinava a sua cabecinha cansada sobre a mão esquerda, apoiada na mesa; estava profundamente adormecida e lembro-me de que fiquei a contemplar o seu rostinho infantil, que mesmo adormecido tinha uma expressão pouco infantil e apresentava uma beleza estranha e doentia; pálida, com os grandes olhos rebrilhantes nas faces vincadas, aureoladas pelos cabelos de azeviche, que lhe caíam desalinhados e bastos, em um nó frouxo, para um lado. A sua outra mão descansava no meu travesseiro. Suavemente beijei aquela mãozinha, descansada; mas a pobre garota não acordou e apenas um sorriso pareceu assomar aos seus lábios pálidos. Estive a mirá-la e remirá-la e, sem dar por isso, fui-me tranquilizando e adormeci profundamente. Dessa vez não acordei até ao meio-dia. Quando abri os olhos, sentia-me completamente bem. Apenas a debilidade e o peso dos meus membros acusavam a doença recente. Ataques nervosos desse gênero, antes costumavam assaltar-me. Conhecia-os muito bem. De uma maneira geral o mal--estar desaparecia completamente em vinte e quatro horas, o que apesar de tudo não impedia de me provocar nessas vinte e quatro horas efeitos intensos e graves.

Era quase meio-dia. A primeira coisa que vi foram as cortinas que eu comprara no dia anterior, suspensas de uma corda. Fora Eliena quem as arranjara colocando-as no cantinho que ocupava no quarto. Estava sentada junto do fogão e preparava o chá. Quando viu que eu acordara, sorriu, contente, e aproximou-se imediatamente de mim.

— Minha amiga – disse-lhe eu pegando-lhe a mão – passaste a noite toda velando-me. Não sabia que eras tão bondosa.

— E como é que sabe que eu o velei? Como o sabe, se passou a noite dormindo? – perguntou-me, olhando-me com uma ingênua e envergonhada malícia, e pondo-se ao mesmo tempo muito corada.

— Acordei e vi-te. Só adormeceste de madrugada.

— Quer chá? – interrompeu-me ela como se lhe custasse continuar aquela conversa, como costuma acontecer aos temperamentos pudicos e muito severos em pontos de honra, quando os apontamos para elogiá-los.

— Quero, sim – respondi. – Não jantaste, ontem?

— Não jantei mas ceei. O porteiro trouxe-me a ceia. Mas não fale, deixe-se estar deitado e sossegado. Ainda não está completamente bom – acrescentou, trazendo-me o chá e sentando-se à minha cabeceira.

— Qual deitado! Estarei até à tarde, mas depois levanto, não tenho outro remédio, Liênotchka.

— Ora! Mas por quê? Com quem tem de encontrar-se? Com o visitante de ontem?

— Não, não é com ele.

— Pois ainda bem que não é com ele. Foi ele o culpado de que ficasse assim, ontem. Então é com a filha dele?

— Como sabes que ele tem uma filha?

— Porque ouvi tudo, ontem – respondeu, baixando a cabeça.

Estava aborrecida. Arqueava as sobrancelhas.

— É um velho severo – acrescentou depois.

— Mas tu o conheces? Pois olha, é muito bondoso.

— Não, não, é mau, eu estive a ouvi-lo – respondeu com veemência.

— Mas que foi que tu ouviste?

— Não quer perdoar à filha...

— Mas gosta dela. Ela se portou mal com ele, e ele, no entanto, preocupa-se com ela e sofre por causa dela.

— Mas por que não lhe perdoa ele? Agora, ainda que não lhe perdoasse, a filha já não iria com ele.

— Não? E por quê?

— Porque ele não merece que a filha goste dele – respondeu com exaltação. – Mais vale que o deixe para sempre e se ponha a pedir esmola e que ele veja a filha pedindo esmola e sofra.

Os seus olhos brilhavam e tinha as faces em fogo. "Não há dúvida de que deve dizer o que sente", pensava eu.

— E era em casa deste homem que o senhor queria que eu fosse viver? – acrescentou depois de uma pausa.

— Sim, Eliena.

— Não, preferia ir servir.

– Nada do que dizes está certo, Eliena! Que absurdo! Onde pensas que poderias colocar-te?

– Em casa de qualquer mujique – respondeu-me com impaciência, cada vez mais meditabunda.

Era muito irascível.

– Mas um mujique não precisa de criados – disse-lhe eu sorrindo.

– Bem, então em casa de algum senhor.

– Com o teu temperamento, tu, ires colocar-te em casa de uns senhores?

– Com o meu...

Quanto mais se zangava mais cortantes eram as suas respostas.

– Mas se tu não te dominas!

– Hei de dominar-me. Levarei bronca e portanto ficarei quieta intencionalmente. Vão me bater e eu não abrirei a boca, ainda que me matem, e por nada deste mundo hei de chorar. Vai ser mais difícil suportar uma pessoa que não chora.

– Mas que dizes tu, Eliena?! És assim tão má? E tão soberba! Deves ter sofrido muito...

Levantei e aproximei-me da minha mesa grande. Eliena continuou no divã, olhando para o chão, pensativa e beliscando o pano com os dedinhos. Permanecia em silêncio. "Teria ficado aborrecida por causa das minhas palavras?", pensei.

De pé, junto da mesa, pus-me a folhear maquinalmente os livros do dia anterior, que me tinham levado para a compilação que devia fazer e, pouco a pouco, fui-me absorvendo na leitura. Costuma acontecer-me isso frequentemente; pego num livro apenas por um momento, folheio-o, afundo-me na leitura e esqueço-me de tudo.

– Que está escrevendo agora? – perguntou-me Eliena com um sorriso tímido, aproximando-se da mesa devagarinho.

– Olha, Liênotchka, isto é uma bagunça. Mas é para isto que me pagam.

– Processos?

– Não, não são processos – e expliquei-lhe conforme pude que eu escrevia diversas histórias de diferentes personagens, com o que compunha livros, aos quais dava o nome de contos e romances. Ela me ouvia com grande curiosidade.

– É verdade tudo quanto escreve?

– Não, é inventado.

– E por que escreve coisas que não são verdade?

– Faz favor de ler e verás; aqui tens este livrinho; tu já o folheaste uma vez. Porque tu deves saber ler ...

– Sei.

– Bem, então já vais ver. Olha, este livrinho fui eu que escrevi.

– O senhor? Vou lê-lo.

Queria dizer-me ainda qualquer coisa, mas parece que isso lhe custava e estava muito comovida. As suas perguntas escondiam qualquer coisa.

– E pagam-lhe muito por isso? – perguntou-me finalmente.

– Conforme. Umas vezes muito, e outras nada, porque o trabalho não corresponde. É um trabalho difícil, Liênotchka.

– Então o senhor não é rico?

– Não, não sou rico.

– Bem. Então eu trabalharei e hei de ajudá-lo.

Deitou-me um olhar rápido, ruborizou-se, baixou os olhos e, dirigindo-se para mim, pegou-me de repente em ambas as mãos e apertou com força, com muita força, o seu rosto contra o meu peito. Eu olhei para ela atônito.

– Eu gosto do senhor... Eu não sou orgulhosa – disse. – Disse-me há pouco que eu sou soberba. Não, não... Eu não sou assim... Eu gosto do senhor. O senhor é a única pessoa que gosta de mim...

E já as lágrimas a sufocavam. Um momento depois brotaram do seu peito com o mesmo ímpeto que no dia anterior, no momento do ataque. Caiu aos meus pés de joelhos e pôs-se a beijar-me as mãos, os pés...

– O senhor gosta de mim! – repetia. – É o único, o único!

Abraçou-me os joelhos, convulsamente. Todo o seu sentimento, tanto tempo reprimido, afluía agora ao exterior, num impulso indomável, e eu compreendia aquela estranha teimosia do coração que se escondera pudicamente até então, tanto mais teimosamente, com tanta maior severidade, quanto mais violenta era a sua ânsia de expansão, e tudo isso até à explosão inevitável, em que todo o seu ser, de repente, cedeu àquela necessidade de amor, de gratidão, de carícias, de lágrimas, até ao esquecimento de si mesmo.

Pouco a pouco foi serenando, mas ainda não levantava os olhos para mim. Por duas vezes, suavemente, os seus olhos pousaram no meu rosto, e havia neles uma grande doçura e qualquer coisa de semelhante a um sentimento sobressaltado que entrava logo a esconder-se. Finalmente fez-se muito corada e sorriu.

– Estás melhor? – perguntei-lhe. – Como tu és sensível, Liênotchka, e delicada, minha pequena!

– Não, Liênotchka, não! – murmurou ela escondendo o rosto ainda.

– Liênotchka, não? Então?

– Nelly.

– Nelly? Mas por que há de ser Nelly? Bem, está bem, é um nome muito bonito. Se é esse o teu gosto, chamo-te assim.

– Era assim que me chamava minha *mámienhka*... E nunca mais ninguém senão ela me chamou assim. E eu também só queria que fosse ela a chamar-me assim. Mas o senhor pode chamar-me dessa maneira, eu gostava muito. Eu, do senhor, hei de gostar sempre, sempre...

"Coraçãozinho amoroso e orgulhoso – pensei eu. – Quanto tempo não foi preciso para que te rendesses... Nelly!" Mas agora eu sabia que o seu coração me pertencia para sempre.

– Olha, Nelly – disse-lhe eu assim que ela serenou. – Acabas de dizer que apenas a tua *mámienhka,* e mais ninguém, gostou de ti. Mas o teu avozinho também não gostava muito de ti?

– Não gostava de mim.

– Mas tu choraste por ele aqui, na escada, lembras-te?

Ficou um momento pensativa.

– Não gostava de mim... Era mau!

E que sentimento de dor se refletiu no seu rosto!

– Mas deves pensar que, a ele, não se lhe podia exigir nada, Nelly. Segundo parece não estava em seu perfeito juízo. Morreu inconsciente. Já te contei como é que ele morreu.

— Sim. Mas ele só ficou assim no último mês em que viveu. Costumava ficar aqui sentado todo o dia e, se eu não viesse vê-lo, assim ficava dois ou três dias sem comer nem beber. Mas antes estava muito melhor.

— Antes, quando?

— Antes de a minha *mámienhka* ter morrido.

— Tu trazias-lhe de comer e de beber, Nelly?

— Trazia.

— E onde ias buscá-lo? À casa da Bubnova?

— Não, eu nunca recebia nada de casa da Bubnova – respondeu-me com altivez e com uma voz um pouco tremente.

— Mas onde ias buscá-lo? Porque tu não tinhas nada.

Nelly não respondeu e empalideceu extraordinariamente; depois pousou em mim um longo, longo olhar.

— Eu andava pedindo esmola pelas ruas... Juntava cinco copeques e comprava-lhe pão e rapé...

— E ele consentia? Nelly! Nelly!

— A princípio saía sozinha e não lhe dizia nada. Mas depois, quando soube, era ele mesmo quem me mandava pedir. Punha-me no passeio, pedia aos que passavam, e ele, entretanto, punha-se às voltas por aí, à espera; e quando via que me davam alguma coisa, aproximava-se de mim e tirava-me o dinheiro, como se eu tencionasse escondê-lo, como se eu não estivesse pedindo para ele.

Dizendo isto, sorria de um modo cáustico, amargo.

— Tudo isso foi quando a minha *mámienhka* morreu. Ele ficou meio tolo.

— Então, parece que gostava muito da tua *mámienhka*. Por que não vivia com ela?

— Não, não gostava... Era mau e nunca chegou a perdoar-lhe... como esse velho mau, de ontem – disse em voz baixa, como num murmúrio, e cada vez se punha mais pálida.

Eu estremeci. O enredo de todo um romance brilhava na minha imaginação. Essa pobre mulher, que morreu num saguão, em casa de um carpinteiro de caixões; a filha, órfã, visitando de quando em quando o avô, que tinha amaldiçoado a mãe; o velho extravagante e aloucado, que morre numa pastelaria, ao mesmo tempo que o cão...

— Olhe, Azorka, dantes, era da minha *mámienhka* – disse Nelly de súbito, sorrindo a não sei que evocação. – O avô, dantes, gostava muito da minha *mámienhka* e, quando ela fugiu de casa, ele ficou com Azorka, que era dela. Por isso gostava tanto de Azorka... Não perdoou à minha mãe; mas quando o cão morreu, ele morreu também – acrescentou Nelly gravemente e o sorriso fugiu do seu rosto.

— Nelly, que era ele "dantes"? – perguntei-lhe depois de esperar um momento.

— Dantes era rico. Eu não sei o que fosse... – respondeu. – Parece que tinha uma fábrica... Era o que a minha *mámienhka* me dizia. A princípio ela pensava que eu era ainda muito pequena e contava-me tudo. Não fazia senão beijar-me e dizer-me: "Hás de saber tudo, lá chegará esse tempo, pobrezinha, minha infeliz". E chamava-me sempre pobre e infeliz. E de noite, quando pensava que eu estava dormindo, e eu realmente fingia que dormia, não fazia outra coisa senão chorar, inclinada sobre mim; dava-me muitos beijos e dizia: "Desgraçadinha!".

— E de que morreu a tua *mámienhka*?

— Tísica; está agora fazendo seis semanas.
— E tu lembras-te de quando o teu avô ainda era rico?
— Então, ainda eu não tinha nascido! A minha *mámienhka* fugiu de casa antes de eu ter nascido...
— Com quem fugiu?
— Não sei – respondeu Nelly com uma voz apagada e como se refletisse. – Ela foi para o estrangeiro e eu nasci lá.
— No estrangeiro? Onde?
— Na Suíça. Eu estive lá, e na Itália, e também estive em Paris.
Fiquei espantado.
— E lembras-te de tudo isso, Nelly?
— De muitas coisas ainda me lembro.
— E como falas tão bem o russo, Nelly?
— É que a minha mãe, quando ainda estávamos lá, ensinou-me russo. Era russa e a mãe dela também era russa; mas o avô era inglês, embora fosse como russo. E quando voltamos de lá, com a minha *mámienhka*, há ano e meio, acabei de aprender a língua. A minha mãe estava doente. Passávamos muitas necessidades. *Mámienhka* não fazia mais nada senão chorar. A princípio procurou o avô aqui, em Petersburgo, e eu dizia-lhe muitas vezes que ela procedera mal para com ele, e então, ela punha-se a chorar... Como chorava! Como chorava! Mas quando soube que o avô também estava na miséria, as suas lágrimas redobraram. Começou a escrever-lhe cartas e mais cartas; mas ele não respondia a nenhuma.
— E por que voltou a tua mãe do estrangeiro? Foi por causa do pai?
— Não sei! Estávamos lá tão bem! – e os olhos de Nelly iluminaram-se. – A minha *mámienhka* vivia só comigo. Tinha um amigo muito bom, tão bom como o senhor... Conheceu-o aqui. Mas morreu no estrangeiro e então a minha *mámienhka* regressou...
— Então foi com ele que a tua mãe fugiu?
— Não, não foi com ele. A *mámienhka* fugiu de casa do avô com outro, que a deixou logo.
— E com quem fugiu, Nelly?
Nelly olhou-me e não respondeu. Parecia que sabia com quem tinha fugido a mãe e quem era o seu pai, mas que lhe custava dizer-me o nome...
Eu não quis mortificá-la com perguntas. O seu caráter era estranho, nervoso e impetuoso, capaz de arrebatamentos; simpático mas hermético, de tão orgulhoso e desconfiado. Durante todo o tempo que eu a tratei, apesar de amar-me de todo o seu coração, com o amor mais luminoso e transparente, quase igual ao que dedicava à sua falecida mãe, da qual não podia recordar-se sem dor... apesar disso raras vezes era franca comigo e, a não ser nesse dia, quase nunca sentia necessidade de falar no seu passado; pelo contrário, até parecia ocultá-lo zelosamente. Nesse dia, durante algumas horas, por entre suspiros e soluços convulsos que interrompiam a sua narrativa, revelou-me tudo o que a fazia sofrer e mais mortificava nas suas recordações, e nunca me esquecerei dessa história estranha. Mas o principal dessa história vamos deixar mais para diante.
Era uma história estranha: a história duma mulher abandonada, que sobreviveu à sua felicidade; doente, cansada e abandonada por todos; repelida pela última

criatura em que podia ainda esperar... seu pai, ao qual ofendera em outro tempo e que por sua vez acabara por perder a razão devido aos desgostos e humilhações sofridos. A história duma mulher levada até aos extremos do desespero, que, juntamente com a filha, à qual considerava ainda uma criancinha, andava pelas sujas e frias ruas petersburguesas pedindo esmola; de uma mulher que esteve longos meses moribunda num saguão lúgubre e à qual o pai negou o perdão até o último instante da vida, e depois, quando se arrependeu e correu a perdoar-lhe, apenas encontrou um cadáver hirto, em vez daquela a quem amava mais do que tudo neste mundo. Era um história singular, de misteriosas e mal compreensíveis relações entre o ancião que perdera a razão e a netinha, que já compreendia muito de tudo isso, apesar da sua tenra idade, sem ter conhecimento de mais nada durante anos da sua vida triste e monótona. Era uma história lúgubre, uma dessas tristes e dolorosas histórias, que com tanta frequência e sem se dar por isso se desenrolam debaixo do sombrio céu petersburguês, nos escuros, escondidos refúgios da enorme cidade, entre vidas loucas e tumultuosas, profundos egoísmos, interesses desenfreados, repugnante perversidade e crimes sangrentos, entre todo esse inferno duma vida desenfreada e anormal...

Mas esta história vai ficar para mais tarde.

Terceira parte

Capítulo primeiro

Havia algum tempo escurecera e a noite chegara, quando acordei de um macabro pesadelo e voltei a recordar-me da realidade.

– Nelly – disse – olha, agora estás doente, fraca, e eu sou obrigado a deixar-te só, nesse estado de comoção e cheia de lágrimas. Minha amiga, perdoa-me, e fica sabendo que existe também uma criatura amável e a quem também não perdoaram, infeliz, ofendida e humilhada. Espera por mim. E eu próprio me sinto tão atraído para ela, agora, depois do que me contaste, que me parece que não seria capaz de suportar o não vê-la imediatamente, neste mesmo instante...

Não sei se Nelly compreenderia tudo o que eu lhe disse. Eu estava fora de mim, tanto pela impressão que me deixara o seu relato como pela minha recente enfermidade; mas dirigi-me à casa de Natacha. Já era tarde, eram nove horas quando lá cheguei.

Na rua, à porta da casa onde Natacha vivia, vi uma carruagem e pareceu-me a do príncipe. Para se chegar ao andar de Natacha passava-se pelo pátio. Assim que comecei a subir a escada ouvi diante de mim, um degrau acima, um indivíduo que subia tateando, com cuidado, e que aparentemente não conhecia a casa. Pensei que seria o príncipe, mas não tardei a pôr de parte essa ideia. O desconhecido subia resmungando e blasfemando, e com tanto mais vigor e energia quanto mais subia. É certo que a escada era empinada, suja, estreita, sempre às escuras; mas aquelas pragas que começaram no terceiro andar, não poderia eu nunca atribuí-las ao príncipe:

o senhor que subia à minha frente praguejava como um cocheiro. Mas no terceiro andar começava a haver luz; diante da porta de Natacha ardia constantemente uma lanterna. Ali alcancei o meu desconhecido e qual não foi a minha surpresa quando reconheci o príncipe. Pareceu-me que lhe era muitíssimo desagradável encontrar-se assim cara a cara comigo. No primeiro momento não me reconheceu; mas não tardou a mudar completamente a expressão do rosto. Ao seu primeiro olhar, hostil e rancoroso, sucedeu de repente outro, afetuoso e alegre, e, com um alvoroço um pouco exagerado, estendeu-me as duas mãos.

– Ah, era o senhor! Tenho vontade de ajoelhar-me a seus pés e pedir a Deus a salvação da minha vida. Ouviu como eu praguejava? – E começou a rir de uma maneira bonacheirona. Mas de repente o seu rosto tomou uma expressão séria e preocupada.

– E Alhocha pôde instalar Natália Nikoláievna em semelhante alojamento? – disse, movendo a cabeça. – Olhe, há pormenores insignificantes e que no entanto servem para caracterizar um homem. Eu receio por ele. É bom, tem um coração nobre, mas repare: ama loucamente e instala aquela a quem ama num tugúrio destes. Eu tenho ouvido dizer que às vezes até passa fome – acrescentou em voz baixa, procurando o botão da campainha. – Parece-me que endoideço quando penso no seu futuro, e sobretudo no de Anna Nikoláievna, quando for sua mulher.

Enganou-se no nome, mas não reparou nisso, muito aborrecido por não atinar com a campainha. Mas não havia campainha. Eu puxei pela tranqueta da fechadura; em seguida Mavra veio abrir e recebeu-nos com muita amabilidade. Na cozinha, separada do minúsculo vestíbulo por um tabique de madeira, viam-se pela porta aberta alguns preparativos; tudo estava como sempre, limpo e arranjado; no fogão ardia o fogo; sobre a mesa via-se uma baixela, nova. Percebia-se que estavam à nossa espera. Mavra dispôs-se a tirar-nos os sobretudos.

– Alhocha está? – perguntei-lhe.

– Não tem vindo – respondeu-me como em segredo.

Fomos ter com Natacha. No seu quarto não se via espécie nenhuma de preparativos. Aliás ela conservava sempre tudo limpo e atraente, sem que fosse necessário arranjar nada à pressa. Natacha veio receber-nos, de pé, à porta. Eu fiquei impressionado perante o seu rosto, consumido e extremamente pálido, apesar de, por um momento, uma vermelhidão ter brilhado nas suas faces mortiças. Os seus olhos estavam febris. Em silêncio e perturbada, estendeu a mão ao príncipe, visivelmente alterada e atarantada. A mim, nem sequer me olhou. Eu continuava de pé e esperava em silêncio.

– Cá estou eu! – exclamou amistosa e jovialmente o príncipe. – Há apenas umas horas que voltei. Durante todo esse tempo não me esqueci em nenhum momento da senhora – e beijou com ternura a sua mão. – Tenho tanto que dizer-lhe, que contar-lhe! Bem. Já falamos de tudo. Em primeiro lugar, vejo que não se encontra aqui o meu ciclone...

– Com licença, príncipe – atalhou Natacha corando e sorrindo. – Preciso de dizer duas palavras a Ivan Pietróvitch; Vânia, chega aqui... Só duas palavras...

Pegou-me na mão e levou-me para trás do biombo.

– Vânia – disse-me em voz baixa, levando-me para o canto mais escuro – perdoas-me?

– Claro, Natacha! Por que não?

– Não, não, Vânia; tu acabas sempre por me perdoar mas toda paciência tem limites. Tu nunca deixarás de gostar de mim, bem sei; mas poderás chamar-me ingrata, e eu, ontem e anteontem, portei-me contigo como uma ingrata, egoísta e cruel...

De repente rompeu em lágrimas e apoiou-se ao meu ombro.

– Basta, Natacha! – tentei convencê-la. – Olha, eu estive muito mal a noite passada, e hoje ainda só com muito esforço é que consigo ficar de pé, e foi por isso que não vim ver-te nem ontem à noite, nem hoje em todo o dia, donde tu concluíste que eu estava zangado. E, minha amiga, não saberei eu o que se passa na tua alma?

– Bem, isso quer dizer que, como sempre, me perdoas – disse ela sorrindo por entre lágrimas e apertando-me a mão até magoar-me. – O resto fica para logo. Tenho muitas coisas para te dizer, Vânia. Mas agora vamos ter com ele.

– Vamos já, Natacha. Não está certo deixá-lo só, assim tão de repente...

– Tu vais ver, vais ver o que vai acontecer – murmurou rapidamente. – Agora já sei tudo, já tinha adivinhado tudo. O culpado de tudo é *ele*. Esta noite é decisiva. Vamos então!

Eu não a compreendi bem mas não tive tempo de perguntar-lhe. Natacha aproximou-se do príncipe com um sorriso alegre. Ele continuava de pé, com o chapéu na mão. Ela lhe pediu desculpa, muito bem disposta, pegou-lhe o chapéu, ofereceu-lhe uma cadeira e sentamos os três à volta da mesa.

– Tinha começado a falar-lhe do meu ciclone – principiou o príncipe. – Eu o vi apenas um momento, quando se preparava para dirigir-se à casa da condessa Zinaida Fiódorovna. Estava cheio de pressa e, calculem, nem sequer se dignou demorar-se um pouco nos meus aposentos, depois de termos estado quatro dias sem nos ver. E, parece, eu é que tenho a culpa, Natália Nikoláievna, de que ele não esteja aqui e de que eu tenha chegado antes dele; eu aproveitei a oportunidade e, como não podia hoje ir ver a condessa, passei o encargo para ele. Mas não tarda que ele esteja aqui.

– Deu-lhe a certeza de que viria hoje? – perguntou-lhe Natacha dirigindo ao príncipe o olhar mais ingênuo.

– Ah, meu Deus, não faltava mais nada senão que não viesse! Por que me pergunta isso? – exclamou o príncipe olhando-a assombrado. – Embora, no fim de contas, eu compreenda; está zangada com ele. De fato não está certo que seja o último a chegar. Mas, repito-lhe, o culpado de tudo sou eu. Não se zangue com ele. É um estouvado, um furacão. Eu não estou a defendê-lo. Mas há certas circunstâncias especiais que exigem, não só que ele não abandone agora a casa da condessa e de outras pessoas nossas conhecidas, mas que, pelo contrário, as frequente o mais possível. Mas como ele, agora, tenho a certeza, não sai de sua casa e se esquece de tudo mais, não se aborreça se alguma vez eu o roubar por umas duas horas apenas, por causa das incumbências que lhe dou. Tenho certeza de que ele não esteve nem uma só vez em casa da princesa K***, desde aquela noite, e sinto muito não ter tido tempo, há pouco...

Olhei para Natacha. Ouvia o príncipe com um sorriso levemente irônico. Mas ele falava tão francamente, com tanta naturalidade.. Parece que não havia o menor motivo para suspeitar das suas palavras.

— Mas o senhor não sabe, seriamente, que ele durante todos estes dias nem uma só vez apareceu por aqui? – perguntou-lhe Natacha numa voz mansa e tranquila, como se falasse de uma coisa muito natural.

— Quê? Nem uma só vez? Que me diz? – exclamou o príncipe extraordinariamente admirado, pelo menos na aparência.

— O senhor veio ver-me na terça-feira, ao começar a noite; na manhã seguinte ele veio ver-me e esteve comigo uma meia hora, e a partir daí nunca mais o vi.

— Mas isso é inverossímil! – estava cada vez mais assombrado. – E eu pensando que ele não saía daqui! Desculpe, mas isso é tão estranho... é simplesmente inverossímil.

— No entanto é verdade, uma triste verdade; eu estava precisamente à sua espera, para ver se sabia pelo senhor onde ele para.

— Ah, meu Deus! Mas não deve tardar que ele esteja aqui! O que acaba de me dizer choca-me a tal ponto que eu... confesso-lhe, eu não esperava dele... semelhante coisa.

— Mas por que se admira assim? Eu supunha que o senhor não só não devia ficar admirado, como estaria até informado do que se passava...

— Informado! Eu! Pois afirmo-lhe, Natália Nikoláievna, que apenas o vi hoje um momento e não perguntei a ninguém por ele; e acho muito estranho que a senhora não me acredite – continuou, olhando para nós dois.

— Deus me livre – respondeu Natacha. – Estou firmemente convencida de que o senhor diz a verdade.

E tornou a sorrir abertamente, na cara do príncipe, de uma maneira a que ele não pareceu achar muita graça.

— Explique-se – disse, inquieto.

— Mas eu não tenho nada a explicar! Eu falo com toda a simplicidade. O senhor bem sabe como ele é irrequieto e esquecido. Pois bem, como agora lhe deram liberdade plena, diverte-se.

— Mas divertir-se até esse ponto é impossível. Aqui há mais qualquer coisa, e assim que conseguir apanhá-lo, hei de obrigá-lo a explicar-me tudo. Mas o que mais me espanta é que a senhora parece culpar-me, a mim, de qualquer coisa, quando eu, afinal, nem sequer aqui estive. Vejo também que está muito zangada com ele, mas isso é compreensível. Tem todo o direito e, naturalmente, sou eu o primeiro culpado, embora somente por ter sido o primeiro a vir, não é verdade? – continuou, dirigindo-se a mim com uma zombaria irritada.

Natacha excitou-se.

— Com licença, Natália Nikoláievna – continuou o príncipe com dignidade. – Concordo que eu seja culpado, mas apenas de ter partido em viagem no dia seguinte àquele em que nos conhecemos, e por causa disso, em virtude de um certo receio que observei no seu caráter, já se apressou a mudar de opinião a meu respeito, tanto mais que as circunstâncias favoreciam isso. Ao passo que, se eu não tivesse partido, a senhora poderia me conhecer mais a fundo e Alhocha não se teria transviado, debaixo da minha vigilância. Vai ouvir o que eu lhe vou dizer...

— Com isso, fará com que ele me tome aversão. É impossível que o senhor, com a sua inteligência, pense realmente que pode ser-me útil desse modo.

— Suponho que não quer dar a entender que eu procuro intencionalmente conseguir que ele lhe tome aversão. A senhora ofende-me, Natália Nikoláievna.

— Eu procuro sempre evitar alusões indiretas quando falo com alguém, seja com quem for — respondeu Natacha. — E, pelo contrário, esforço-me sempre por expressar-me com a maior clareza possível e pode ser que ainda hoje mesmo me seja fácil demonstrar isso. Não tenho a menor intenção de ofendê-lo, nem sequer que o senhor levasse a mal palavras que eu não disse... Disto tenho a certeza absoluta, porque compreendo muito bem as nossas relações recíprocas. O senhor não disse isso a sério, não é verdade? Mas se de fato eu o ofendi, estou disposta a pedir-lhe perdão para cumprir em tudo, para com o senhor, os deveres da... hospitalidade.

Apesar do tom de despreocupação e de alegria com que Natacha pronunciou essas palavras, com um sorriso nos lábios, nunca eu a vira tão excitada. Até então não me apercebera até que extremo ela devia ter sofrido naqueles três dias. As suas enigmáticas palavras, das quais eu já sabia tudo e tudo adivinhara, deixaram-me numa inquietação; referiam-se diretamente ao príncipe. Mudara de opinião a respeito dele e considerava-o como seu inimigo; isso era evidente. Percebia-se que atribuía à sua influência o seu fiasco com Alhocha e talvez tivesse razão. Eu receava que se desse repentinamente uma cena entre eles. O seu tom de gracejo era demasiado transparente, quase diáfano. As últimas palavras dirigidas ao príncipe, dizendo-lhe que ele não podia tomar as suas relações a sério e pedindo-lhe perdão em nome dos deveres da hospitalidade, assim como a sua promessa, em tom de ameaça, de demonstrar-lhe nessa mesma noite que sabia falar com franqueza... Tudo isso era a tal ponto sincero e explícito, que não era possível que o príncipe não compreendesse. Eu via que o seu rosto se transformara, embora ele se dominasse. Tomou imediatamente o ar de não ter reparado naquelas palavras, de não ter compreendido a sua verdadeira intenção e, naturalmente, tomou-as por gracejo.

— Deus me livre de pedir explicações! — encareceu, sorrindo. — Eu não pretendia isso, de maneira nenhuma, e além disso não faz parte das minhas regras de conduta pedir explicações a uma mulher. No nosso primeiro encontro tive o cuidado de preveni-la sobre o meu caráter e, portanto, com certeza que a senhora não se zangará comigo por causa de uma simples observação, tanto mais que, de uma maneira geral, se refere a todas as mulheres. Com certeza que o senhor também deve estar de acordo com essa observação — continuou, dirigindo-se a mim com muita amabilidade. — Dizia eu, concretamente, que o caráter feminino apresenta certos aspectos que fazem com que, se por exemplo, uma mulher é culpada de qualquer coisa, procure de preferência compensar a sua falta com mil lisonjas, a reconhecer a sua culpa no próprio instante em que a comete, ou a confessar-se culpada e pedir perdão. De fato, se a senhora supusesse que me ofendera, eu, nesse mesmo instante e intencionalmente, não quereria explicações; estas poderiam ser mais úteis para mim depois, quando reconhecesse o seu erro e quisesse indenizar-me por ele... com mil lisonjas. E a senhora é tão boa, tão honesta, tão sincera, que eu calculo como devia estar encantadora no momento do arrependimento. Mas em vez de apresentar-me desculpas, o melhor será dizer-me se eu próprio não poderia demonstrar-lhe que procedo consigo com mais sinceridade e franqueza do que a senhora imagina.

Natacha corou. Parecia-me que na resposta do príncipe havia demasiada leviandade, até excessivo à vontade, qualquer coisa como uma graciosidade intempestiva.

— Queria demonstrar-me que procede comigo de um modo sincero e franco? — perguntou Natacha olhando-o com um olhar de desafio.

— Sim.

– Sendo assim, quero fazer-lhe um pedido.
– Desde já prometo atendê-la.
– É este: não incomode Alhocha com uma palavra nem com uma alusão a meu respeito, nem hoje nem amanhã. Nem uma só censura por se ter esquecido de mim, nem uma só repreensão... Eu própria quero recebê-lo como se entre nós nada se tivesse passado, para que ele não possa notar nada. Dá-me a sua palavra de que fará isto?
– Com muito gosto – respondeu o príncipe. – E permita-me acrescentar, de todo o coração, que raramente tenho encontrado quem saiba ver uma questão deste gênero com tão sensato e claro critério... Mas parece-me que Alhocha já chegou.

Efetivamente ouviu-se um ruído na sala de entrada. Natacha estremeceu e pareceu aperceber-se de qualquer coisa. O príncipe continuou sentado, com uma expressão séria e na expectativa; seguia Natacha atentamente, com os olhos. A porta abriu e Alhocha entrou rapidamente.

Capítulo II

Entrou com um rosto radiante, alegre, jovial. Era evidente que vivera muito contente e feliz durante esses quatro dias. Via-se no seu rosto que queria comunicar-nos qualquer coisa.

– Ora aqui estou eu! – disse, espraiando o olhar por toda a sala. – Aqui está aquele que devia ter sido o primeiro de todos a chegar. Mas já vão saber tudo, tudo. Há pouco, *papacha*, foi-me impossível trocar sequer duas palavras contigo e tinha muitas coisas para te dizer. É só quando ele está bem disposto que eu me permito tratá-lo por tu – interrompeu-se, dirigindo-se a mim. – Valha-me Deus! Tirando esses casos não consente nunca! E é de ver a técnica que emprega: é ele próprio quem começa a tratar-me por "você"! Mas a partir de hoje quero que ele esteja sempre bem disposto e vou tratá-lo assim. Sofri uma grande mudança durante estes quatro dias, uma mudança radical, radical, eu já vos conto tudo. Mas fica para logo. Agora vamos ao principal: eu estou outra vez com ela! Outra vez! Ela! Natacha, minha querida, boa noite, meu anjo! – disse, sentando a seu lado e beijando-lhe a mão com avidez. – Como eu devo ter-te feito sofrer durante estes dias! Mas que queres! Não posso, não posso corrigir-me! Minha querida! Parece que emagreceste um pouco... e como estás pálida!

Cobria-lhe as mãos de beijos, com entusiasmo, olhando-a avidamente nos seus lindos olhos, como se não pudesse afastar deles os seus. Eu olhava para Natacha e adivinhava no seu semblante que pensávamos os dois o mesmo, isto é, que ele era inocente. Mas, sendo assim, como é que aquele inocente podia tornar-se culpado? De repente um vivo rubor se espalhou pelas faces de Natacha, como se o sangue concentrado no coração lhe tivesse subido à cabeça. Os seus olhos chispavam fogo e olhava ufana para o príncipe.

– Mas por onde... andaste... tantos dias? – exclamou numa voz débil e entrecortada.

Estava com uma respiração difícil e irregular. Meu Deus, como o amava!

– De fato, de certo modo parece que sou culpado para contigo, *parece*. Que sou culpado, eu já sei, e porque sei é que vim, Kátia disse-me ontem e hoje que não há mulher alguma que perdoe semelhante abandono (ela está a par de tudo o que se passou aqui na terça-feira; contei-lhe no dia seguinte). Pus-me a discutir com ela; demonstrei-lhe, disse-lhe que essa mulher se chama Natacha e que talvez não haja outra parecida com ela, a não ser Kátia; e vim aqui sabendo, naturalmente, que ganharia a discussão. Então um anjo como tu não poderia perdoar? "Quando não vem, é porque tem que fazer, ou então deixou de me querer...", foi qualquer coisa deste gênero que deve ter pensado a minha Natacha. Mas poderia eu deixar de amar-te? Seria possível? Sofria por tua causa. Mas não há dúvida de que sou culpado. Simplesmente, quando souberes tudo serás tu a primeira a desculpar-me. Vou já contar-te tudo; preciso desabafar minha alma convosco, foi para isso que vim. Se tivesse tido um segundo livre, já hoje teria vindo ver-te num instante para dar-te um abraço; mas não pôde ser, Kátia mandou-me chamar com urgência para um assunto importantíssimo. Foi quando eu já estava na carruagem, *papacha,* tu bem viste; já era a segunda vez que, acedendo a um pedido de Kátia, me dirigia para sua casa. Pois deves saber que nós, agora, passamos o dia inteiro mandando cartinhas de uma casa para a outra. Ivan Pietróvitch, não pude ler a sua carta senão hoje, e tem toda a razão naquilo que me diz. Mas que se há de fazer? Impossibilidade física! De maneira que eu pensava: "Amanhã à tarde apresentarei as minhas desculpas a todos". Pois esta noite para mim seria impossível não te vir ver, Natacha.

— A que carta te referes? — perguntou Natacha.

— É que ele esteve em minha casa, não me encontrou, naturalmente, e deixou-me uma carta recriminando-me por não te vir ver, na qual tinha razão de sobra. Isso foi ontem.

Natacha olhou para mim.

— Mas tinhas tempo para estares em casa de Ekatierina Fiódorovna, desde manhã até à noite – insinuou o príncipe.

— Já sei, já sei o que vais dizer – atalhou Alhocha. – "Se tinhas tempo para estares com Kátia, então tinhas o dobro da razão para vires aqui." Perfeitamente de acordo e acrescentarei até por minha conta: não tinha o dobro da razão mas um milhão de razões. Mas, em primeiro lugar acontecem coisas estranhas, inesperadas, na vida, que alteram e perturbam tudo. Ora aconteceu-me uma dessas coisas, a mim. Já lhes disse que nestes dias sofrera uma mudança radical, dos pés à cabeça, pois surgiram-me circunstâncias gravíssimas!

— Ai, meu Deus! Mas que te aconteceu? Continua, por favor! – exclamou Natacha sorrindo perante a veemência de Alhocha.

De fato, tornava-se um pouco ridículo. Atrapalhava-se, engasgava-se com as palavras que lhe vinham à boca, atropelando-as, às vezes sem ilação, falando, enfim, numa grande algaraviada. O seu desejo era falar, falar, contar. Mas, enquanto falava não largava a mão de Natacha e levava-a constantemente aos lábios, Como se não se fartasse de beijá-la.

— Enfim, aconteceram-me muitas coisas! – continuou Alhocha. – Ai, meus amigos, o que eu fiz, o que conheci! Em primeiro lugar, Kátia. Que bonita! Eu não a conhecia, não a conhecia, a bem dizer, até agora! E na terça-feira passada, quando te falei dela, Natacha... lembras-te com que entusiasmo? Bem, pois nessa altura ainda mal a conhecia. Ela se escondeu de mim até esse momento. Mas agora conhecemo-nos os dois a fundo. Já nos tratamos por tu. Mas começarei pelo princípio. Em primeiro lugar, Natacha, se tivesses ouvido o que ela me disse sobre ti, quando no dia seguinte, na quarta-feira, eu lhe contei o que houvera entre nós... E de fato lembro como me portei estupidamente contigo, quando vim ver-te na manhã dessa quarta-feira. Tu me recebeste comovida, ainda perturbada pela nossa nova situação; querias falar comigo de tudo isso, estavas triste, e ao mesmo tempo coqueteavas e brincavas comigo, enquanto eu aí fiquei, armado em senhor grave! Oh, que idiota, que idiota! Mas juro que o que eu queria dar a entender era que em breve serei um homem, um homem sério! E com quem fui eu tomar esses ares... Contigo! Ai como devias ter dado risada de mim e como foram merecidos esses risos!

O príncipe permanecia silencioso e contemplava Alhocha com um certo sorriso irônico e triunfante. Parecia que se alegrava por seu filho se mostrar tão estouvado e até ridículo. Observei-o constantemente nessa noite e percebi que não gostava do filho, apesar de falar a toda hora no grande amor de pai que lhe tinha.

– Daqui fui ter com Kátia – disse Alhocha continuando a sua narrativa. – Já disse que foi só a partir desta manhã que nós começamos a conhecer bem um ao outro e foi bem estranha a maneira como isso aconteceu. Nem sequer me lembro... Algumas palavras entusiásticas, algumas comoções e pensamentos francamente declarados e... eis-nos aproximados para sempre. É preciso, é preciso que a conheças, Natacha. A maneira como ela me falava de ti, como te compreende, como ela me explicava o tesouro que tu és para mim! Pouco a pouco ia-me expondo todas as suas ideias e todo o seu modo de pensar acerca da vida! Que moça séria e exaltada! Falava-me do dever, do nosso destino, da obrigação que todos temos de servir à Humanidade, e assim ficamos juntos umas cinco... ou seis horas, a falar, até que acabamos por jurar uma amizade eterna e procedermos sempre em conjunto na vida.

– Proceder em quê? – perguntou o príncipe assombrado.

– Eu sofri uma tal transformação, *papacha*, que tudo isto, sem dúvida, tem de causar-lhe estranheza; até já calculo de antemão quais serão as tuas objeções – respondeu Alhocha com solenidade. – Todos vós sois gente prática, que atende apenas a regras velhas, sérias, rigorosas, mas que olha com receio, com hostilidade e com sarcasmo tudo quanto é novo, juvenil e fresco. Mas eu já não sou aquele que era ainda há poucos dias. Já sou outro! E tenho a coragem de encarar a todos! Como sei que a minha convicção é justa, sigo-a até às suas últimas consequências e na medida em que não me afasto do caminho, sou um homem honesto. Para mim é bastante. Portanto podem dizer o que quiserem, que eu não me importo.

– Bravo! – exclamou o príncipe sorrindo.

Natacha olhou para nós desassossegada. Receava por Alhocha. Quando falava, costumava entregar-se a divagações, que lhe eram pouco lisonjeiras, e ela sabia-o. Não queria que Alhocha se tornasse ridículo diante dos outros e, sobretudo, diante de seu pai.

– Mas que dizes tu, Alhocha? Isso, é pura filosofia – disse ela. – Não há dúvida nenhuma de que ela te iniciou... Mas o melhor era contares...

– Mas se já estou contando! – exclamou Alhocha. – Pois bem. Kátia tem dois primos afastados, dois primos, creio; Lióvonhka e Bórienhka, um é estudante e outro é ainda um garoto. Dá-se com eles e eles são simplesmente... uns tipos invulgares! À condessa, apenas a visitam por uma questão de princípios. Quando eu estava falando com Kátia a respeito do destino do homem, da vocação e de outras coisas do gênero, ela mencionou-os e depois entregou-me uma carta de apresentação para eles. E eu tratei imediatamente de conhecê-los. Ainda nessa mesma noite tivemos oportunidade de falar. Havia lá doze pessoas de várias condições: estudantes, oficiais, artistas, um escritor... Todos o conhecem, Ivan Pietróvitch, isto é, todos leram as suas obras e esperam muito de si para o futuro. Foi assim que eles mesmos me disseram. Eu lhes disse que era seu amigo e que havia de apresentá-lo. Todos eles me receberam como a um irmão, de braços abertos. Eu, desde o primeiro, momento, lhes anunciei que não tardaria a casar-me, de maneira que me trataram como a um homem casado. Vivem no quinto andar e aí se reúnem frequentemente, em casa de Lióvonhka e de Bórienhka. São todos rapazes muito espertos, todos animados de um ardente amor pela Humanidade; falaram todos do nosso presente e do nosso futuro, de ciências, de literatura, e se vissem como falavam bem, com que franqueza e simplicidade! Também lá vai um do liceu. A maneira como se tratam entre si, como são todos bondosos! Até agora ainda não tinha visto pessoas semelhantes! Onde vivera eu até agora? Que tinha visto? Em que me ocupava? Só tu, Natacha, é que foste a única pessoa que me falou desse modo. Ah, Natacha, tu tens de conhecê-los! Kátia já os conhece. Falam dela quase com reverência e Kátia já disse a Lióvonhka e a Bórienhka que quando entrar na posse dos seus bens sacrificará um milhão a favor da utilidade geral.

— E os administradores desse milhão com certeza que serão Lióvonhka e Bórienhká e demais companhia, não? – perguntou o príncipe.

— Não senhor, não senhor; que vergonha dizer uma coisa dessas, pai! – exclamou Alhocha com veemência. – Já me queria parecer que havias de sair com uma dessas! A respeito desse milhão falamos nós durante muito tempo e exaustivamente. Em que empregá-lo? Finalmente chegamos à conclusão de que devíamos empregá-lo na civilização geral...

— Sim, eu, de fato, até agora não conhecia Ekatierina Fiódorovna – observou o príncipe, como se falasse consigo mesmo, sem deixar o sorriso zombeteiro. – Embora esperasse muitas coisas dela, isso francamente...

— Mas que tens a dizer a isto? – interrompeu-o Alhocha. – Por que te espanta tanto? Por que sai um pouco das tuas normas? Por que ninguém até agora sacrificou um milhão e ela sacrifica-o? Que tem isso de particular? Alguém tem alguma coisa com o fato, de ela não querer viver à custa dos outros? Porque viver desses milhões significa viver à custa dos outros (só agora é que eu o compreendi). Ela quer ser útil à pátria e a todos e contribui com o seu óbolo para a utilidade geral. O óbolo, já se fala nas escrituras, esse óbolo, afinal, pode transformar-se num milhão. Em que se fundamenta toda essa encarecida sensatez na qual eu tive tanta fé até aqui? Por que me olhas dessa maneira, *otiets*?[30] Parece que tens na tua frente um palhaço ou um imbecil. Bem, mas que importa ser imbecil? Natacha, não ouviste o que Kátia disse acerca disto? "O principal não é a inteligência mas sim aquilo que a rege... A natureza, o coração, as nobres qualidades, a cultura..." Mas neste campo é muito importante a genial expressão de Biezmíguin. Este Biezmíguin é um amigo de Lióvonhka e de Bórienhka e, aqui para nós, é uma cabeça; uma cabeça verdadeiramente genial! Ainda ontem o demonstrou durante a discussão! "O idiota que se reconhece

---

30 Pai, em língua russa. Expressão tópica.

idiota já não é idiota!" Isto é que é ver bem! E, frases como esta, ele as tem a cada passo. Diz cada verdade...

– Genial, efetivamente! – observou o príncipe.

– Tu troças de tudo. Mas o certo é que, a ti, nunca eu ouvi nada de semelhante, nem tampouco a ninguém da vossa sociedade. Entre vós, pelo contrário, tudo se achata e se pega ao chão, para que todas as estaturas e todos os narizes se ajustem sem escapatória a determinadas medidas, a determinadas regras... Como se isso fosse possível! Como se isso não fosse mil vezes mais impossível do que aquilo que nós dizemos e pensamos! E ainda nos chamam utópicos! Se tivesses ouvido as coisas que eles me disseram ontem!

– Mas que vem a ser isso que vocês dizem e pensam? Conta, Alhocha, que até agora ainda não compreendi – disse Natacha.

– De uma maneira geral trata-se de tudo quanto se refere ao progresso, ao humanismo, ao amor; tudo o que constitui os problemas do nosso tempo. Falamos da vida pública, das reformas que começam a realizar-se, do amor pela Humanidade, dos fatores contemporâneos; reunimo-nos e lemos. Mas o mais importante é que damos mutuamente a nossa palavra de que falaremos com absoluta sinceridade e franqueza, sem estarmos com dissimulações. Só a sinceridade, só a franqueza podem conseguir os seus fins.

Eu falei disto a Kátia e ela está de acordo em tudo com Biezmíguin. Por isso todos nós, debaixo da direção de Biezmíguin, nos comprometemos a proceder com honradez e franqueza durante toda a vida, digam os outros o que disserem e julguem-nos como nos julgarem, a não nos envergonharmos dos nossos entusiasmos, das nossas convicções nem dos nossos erros, e a caminhar sempre reto. Se queres que te respeitem, deves começar por respeitar-te a ti próprio. Só assim, só com este respeito por ti mesmo obrigarás os outros a respeitarem-te. Era assim que dizia Biezmíguin e Kátia estava totalmente de acordo com ele. De uma maneira geral, agora, discutimos acerca das nossas convicções e cada um por seu lado reflete sobre elas, para trocarmos impressões depois, todos juntos...

– Mas que aranzel! – exclamou o príncipe inquieto. – E quem é esse Biezmíguin? Não, isso não pode ficar assim...

– O que é que não pode ficar assim? – perguntou Alhocha. – Ouve, *otiets*: sabes por que disse eu agora tudo isto diante de ti? Porque quero e espero atrair-te para o nosso círculo. Já lhes dei a minha palavra. Tu, sorris. Bom, eu já sabia que havias de levar o caso para brincadeira. Mas escuta, tu és bom, nobre, hás de compreender! Não vês que não conheces esses indivíduos, nem ouviste falar deles? Suponhamos no entanto que estás a par de tudo isso, que estás informado de tudo, que és imensamente culto; pois ainda assim seria preciso conhecê-los, conviver com eles; de maneira que não podes apreciá-los devidamente. Tu imaginas apenas que sabes. Mas não. Tu deves ir vê-los, ouvi-los, e depois... dou-te a minha palavra de que serás um dos nossos! E o principal é que eu quero empregar todo gênero de meios para salvar-te de te perderes na tua sociedade, à qual tanto te agarras, e das tuas convicções.

O príncipe escutou toda essa arenga em silêncio e com um sorriso sarcástico; o seu rosto refletia maldade. Natacha olhava-o com uma aversão evidente. E ele bem o notava; mas fazia que não dava por isso. Quando Alhocha acabou, soltou uma gargalhada. Até se repoltreou na cadeira, como se não tivesse forças para se suster. Mas aquela gargalhada, não havia dúvida, era postiça, Via-se perfeitamente que ele ria apenas com o fim de ridicularizar e humilhar o filho. De fato Alhocha sentiu muito; todo o seu semblante refletia um desgosto imenso. Mas esperou pacientemente que acabasse o ataque de hilaridade de seu pai.

– *Otiets* – começou com tristeza – por que ris assim de mim? Eu me dirijo a ti franca e abertamente; se, em tua opinião, eu digo tolices, faz-me ver onde está a razão, mas não troces de mim. E de que terias tu rido? Daquilo que eu tenho por santo e sublime? Ora vejamos. Suponhamos que eu esteja enganado, que tudo isso seja falso, errôneo; suponhamos que eu seja um imbecil, como tu algumas vezes me chamas; mas, se eu me engano, faço-o honrada, sinceramente; nem por isso perco a minha nobreza de alma. Eu me entusiasmo por ideias elevadas. Suponhamos que sejam falsas; mas o seu fundamento é sagrado. Eu comecei por dizer-te que nem tu nem os teus nunca me disseram nada que me guiasse, que me levasse para vós. Ao repudiar essas coisas, diz-me algo de melhor, que eu te seguirei; mas não rias de mim, pois isso me fere profundamente.

Alhocha pronunciou essas palavras com extraordinária nobreza e com severa dignidade. Natacha olhava-o com agrado. O príncipe ouvia o filho, espantado, e a seguir mudou de tom.

– Não, não tive a menor intenção de ofender-te, meu amigo – respondeu. – Pelo contrário, tenho até pena de ti. Tu te dispões a dar na vida um passo de tal transcendência, que, perante isso, devias deixar de ser um rapaz estouvado. É este o meu pensamento. Dei risada sem querer e de maneira nenhuma tive a intenção de ofender-te.

– Mas então por que me teria parecido isso? – continuou Alhocha com amargura. – E por que será que há muito me olhas com olhos hostis, com um sorriso frio e não como um pai ao seu filho? Por que será que, se eu estivesse no teu lugar, não riria tão ofensivamente de um filho meu como tu ris de mim? Olha, expliquemo-nos francamente, agora mesmo, de uma vez para sempre, para que não nos fique dúvida alguma. E... quero dizer toda a verdade. Quando entrei aqui, pareceu-me que se produzia alguma celeuma; não esperava encontrar-vos todos reunidos. Tenho razão ou não? Ora, se é assim, não seria melhor que cada qual manifestasse seus sentimentos? Quantos males se podem evitar com a franqueza!

– Fala, fala, Alhocha! – disse o príncipe. – Acho muito bem a tua proposta. Talvez fosse por aí que se devesse ter começado – acrescentou, olhando para Natacha.

– Não te aborreças comigo por causa da minha franqueza – começou Alhocha. – És tu mesmo quem a desejas, tu mesmo quem a reclamas. Escuta. Tu consentiste no meu casamento com Natacha; proporcionaste-me essa felicidade e, para isso, venceste a ti mesmo. És generoso e todos nós apreciamos a tua nobre conduta. Mas por que é que tu, agora, estás continuamente, e com uma certa alegria, a dar-me a entender que eu ainda sou uma criança, não estou de maneira alguma apto para ser um marido e, como se isto ainda fosse pouco, parece que queres ridicularizar-me, humilhar-me e até desprestigiar-me aos olhos de Natacha? Ficas muito contente sempre que podes ridicularizar-me; não foi só agora que eu notei isto, mas já há muito tempo. É para dizer que tens um interesse especial em nos convenceres de que nosso casamento seria ridículo, estúpido, e que não fazemos um par conveniente. Verdadeiramente, parece que não acreditas naquilo que dispuseste, como se considerasses tudo isto como uma troça, como uma divertida situação de *vaudeville*... Previno-te de que não concluí isto apenas das tuas palavras de hoje.. Também naquela outra noite, na de terça-feira passada, quando regressei na tua companhia, depois de termos saído daqui, te ouvi certas expressões estranhas que me assombraram e até me irritaram. E na quarta-feira, à partida, fizeste também algumas alusões à nossa situação atual e disseste a respeito dela... Não, não foi nada de ofensivo; pelo contrário, mas qualquer coisa que eu desejaria não ter ouvido de ti, qualquer coisa de demasiado leviano, desamorável e menos respeitoso para com ela... Seria difícil defini-lo; mas o tom não deixava dúvidas, o coração também ouve. Diz que estou enganado. Dissuade-me; encoraja-me e... e a ela também; porque também a ela fizeste sofrer. Adivinhei-o ao primeiro olhar assim que entrei...

Alhocha disse tudo isto com ardor e dignidade. Natacha ouvia-o com uma certa solenidade e muito comovida, de rosto afogueado e murmurou por duas vezes enquanto ele falava: "Sim, é assim mesmo, assim mesmo!". O príncipe ficou mal-humorado.

– Meu amigo – respondeu-lhe – eu, é claro, não posso lembrar-me de tudo quanto te tenho dito; mas é muito estranho que interpretes as minhas palavras dessa maneira. Estou disposto a convencer-te do teu erro por todos os meios ao meu alcance. Que eu, agora, tenha rido, é muito compreensível. Só te digo que, com o meu riso, procurava dissimular a minha amargura. Quando penso, agora, que não tardarás a casar, isso me parece perfeitamente impossível, insensato e, perdoa-me, ridículo até. Censuras-me por rir; mas afirmo-te que a culpa é toda tua. Também me acuso a mim mesmo; pode ser que eu próprio me tenha preocupado pouco contigo nestes últimos tempos e por isso, até esta noite, não esteja ainda a par daquilo para que poderás ter utilidade. Mas agora começo a tremer quando penso no teu futuro com Natacha Nikoláievna; procedi levianamente; vejo agora que são muito diferentes um do outro. O amor acabará, mas a desigualdade fica. Não quero já falar do teu destino; mas se tens ao menos boas intenções, pensa em que te perdes a ti e perdes ao mesmo tempo Natacha Nikoláievna, com toda certeza. Estiveste aqui a falar do amor pela Humanidade e da nobreza das convicções desses excelentes indivíduos que acabas de conhecer, durante uma hora; mas pergunta a Ivan Pietróvitch o que lhe dizia eu há pouco, quando subíamos até este quarto andar, por esta repugnante escada, e paramos depois à porta agradecendo a Deus por termos chegado sãos e salvos. Sabes de que foi que, involuntariamente, eu me lembrei? De que, apesar do amor que tens a Natália Nikoláievna, possas suportar que ela viva em semelhante tugúrio. Como é que não percebes que, se não tens meios, se não estás em condições de cumprir os teus deveres também não tens o direito de casar nem de arcar com nenhuma responsabilidade? O amor, sozinho, de nada vale; o amor demonstra-se por atos, mas tu pensas deste modo: "Ainda que tenhas de sofrer a meu lado, hás de viver comigo". Mas repara que isso não é humano, não é digno. Falar do amor em geral, interessar-se pelas questões que respeitam a toda a Humanidade, e ao mesmo tempo cometer uma má ação contra o amor, sem dar sequer por tal... Isso é inconcebível! Não me interrompa, Natália Nikoláievna; deixe-me terminar; eu não posso suportar isso e é necessário que desabafe. Dizias tu, Alhocha, que nos dias antecedentes andaste cheio de entusiasmo por tudo quanto é digno, belo e honesto, e censuraste-me porque na nossa sociedade não existem tais sentimentos e apenas existe o árido bom senso. Mas vê: entusiasmares-te tanto com o que é nobre e sublime e, depois do que aconteceu na terça-feira passada, abandonares durante quatro dias aquela que, segundo todas as aparências, devias apreciar mais do que tudo no mundo... Falaste também da tua discussão com Ekatierina Fiódorovna a respeito de que Natália Nikoláievna gosta de ti a tal ponto que te perdoa todos os teus desvarios. Mas que direito tinhas tu de contar com esse perdão e de jurar sobre ele? Mas nem uma vez ao menos te detiveste a pensar quantas dores, quantas ideias amargas, quantas dúvidas e suspeitas causaste nestes dias a Natália Nikoláievna? Então, pelo fato de teres andado assim entusiasmado com essas ideias novas, tinhas o direito de desprezar o mais importante dos teus deveres? Desculpe-me, por faltar à minha palavra, Natália Nikoláievna. Mas o assunto que agora nos preocupa é mais importante que essa palavra; a senhora mesma há de compreender... Sabes, Alhocha, que eu vim encontrar Natália Nikoláievna tão magoada que se compreende todo o sofrimento que lhe causaste nestes quatro dias, que deviam ter sido afinal os melhores dias da sua vida? Tal conduta, de uma parte, e... palavras, palavras e palavras da outra... Não tenho razão? E podes tu, depois disso, vires acusar-me a mim, sendo tu tão culpado?

O príncipe acabou de falar. Tinha-se deixado arrastar pela sua eloquência e não podia ocultar-nos a sua vitória. Quando Alhocha ouviu falar do sofrimento de Natacha olhou para ela com um olhar desgostoso; mas Natacha já tomara uma resolução:

— Basta, Alhocha, não te preocupes – disse – pelo fato de que outros te joguem culpas. Fica quieto e ouve o que eu vou dizer ao teu pai. Chegou o momento!

— Desculpe, Natália Nikoláievna – insistiu o príncipe. – Peço-lhe respeitosamente. Já há duas horas que ouço falar deste enigma. Isso torna-se insuportável e confesso-lhe que não esperava tal coisa desta entrevista.

— Pode ser que seja assim, porque o senhor pensava deslumbrar-nos com palavras, para que não pudéssemos penetrar as suas intenções secretas. Mas para que explicar-lhe alguma coisa? O senhor sabe tudo e compreende tudo. Alhocha tem razão. O principal desejo do senhor... consiste em separar-nos. O senhor sabia tudo de antemão, quase de cor, tudo quanto ia acontecer aqui depois de terça-feira e contava até com isso. Eu já lhe disse que o senhor não nos tomava a sério, nem a mim nem a esse casamento que planejara. O senhor estava brincando comigo, fazia jogo e perseguia os seus fins. O seu jogo saiu certo. Alhocha tinha razão quando lhe censurou o fato de o senhor considerar tudo isto como um *vaudeville*. O senhor, pelo contrário, devia até estar contente e não censurar Alhocha porque ele, que não sabe nada, fizesse tudo quanto dele esperava, tudo e talvez mais ainda.

Eu estava atônito. Esperava que, nessa noite, acabasse por dar-se ali alguma catástrofe. Mas a franqueza decisiva de Natacha e o tom claramente depreciativo das suas palavras surpreenderam-me extraordinariamente. "Não há dúvida, ela sabe de fato qualquer coisa", pensava eu e, sem rodeios, decidiu declará-lo. É possível até que tenha esperado o príncipe com impaciência para dizer-lhe tudo na cara. O príncipe empalideceu levemente. O rosto de Alhocha exprimia um medo ingênuo e uma expectativa ansiosa.

— Lembre-se daquilo de que me culpava há um momento — exclamou o príncipe — e medite um pouco nas suas palavras. Eu não as compreendo.

— Ah! De maneira que não quer compreender, nem em duas palavras — disse Natacha — que também ele; também Alhocha o compreendia, como eu, apesar de não nos termos falado nem visto um ao outro? A ele também lhe parecia que o senhor fazia comigo um jogo indigno, ofensivo; mas ele gosta do senhor e tem fé no senhor como num deus. O senhor não achou necessário usar com ele de mais cautela, de mais astúcia; contava que ele não o percebesse. Mas ele tem um coração sensível, terno, impressionável, e as suas palavras, o seu tom, como ele disse, chegaram-lhe ao coração...

— Nada, não compreendo nada! — repetiu o príncipe dirigindo-se a mim com uma expressão do maior assombro, como se me tomasse por testemunha. Estava irritado e excitava-se. — A senhora é desconfiada e está alarmada — continuou, dirigindo-se a Natacha. — Numa palavra, tem ciúmes de Ekatierina Fiódorovna e por isso não se importa de acusar a todos e a mim em primeiro lugar, e... e deixe-me que lhe diga tudo para não se formar uma opinião estranha acerca do seu caráter... Eu não estou acostumado a estas cenas; eu não ficaria aqui nem mais um instante se não fosse por causa do meu filho... Mas não perdi ainda a esperança de ouvir as suas explicações.

— De maneira que o senhor teima em não querer compreender as coisas em duas palavras, quando afinal sabe já tudo de cor e salteado? Quer, a todo custo, que lhe diga tudo por claro?

— É isso mesmo o que eu desejo.

— Bem, então, ouça — exclamou Natacha de olhos chamejantes de ira. — Vou dizer-lhe tudo, tudo...

Capítulo III

Levantou e começou a falar, de pé, sem reparar nisso. O príncipe escutava-a, escutava-a e levantou também do seu lugar. Essa cena teve um aspecto muito solene.

— Lembre-se das suas próprias palavras de terça-feira passada — começou Natacha. — O senhor disse: "Eu preciso de dinheiro, de caminhos desimpedidos, de uma posição elevada na sociedade...". Lembra-se?

— Lembro.

— Bem; pois, para isso, para conseguir todos esses triunfos, que via escapar-lhe das mãos, é que o senhor veio aqui na terça-feira e planejou este casamento, pensando que esta farsa o ajudaria a recuperar aquilo que lhe fugia.

— Natacha — exclamei eu — vê aquilo que dizes!

— Farsa! Cálculo! — repetia o príncipe com expressão de dignidade ultrajada.

Alhocha estava acabrunhado de desgosto e olhava sem entender quase nada.

— Sim, sim, não me interrompa; eu jurei dizer-lhe tudo — continuou Natacha excitada. — Senão, julgue o senhor mesmo. Alhocha não tinha feito caso do que o senhor lhe dizia. Havia ano e meio que o senhor se esforçava em vão por que ele me deixasse. Ele não se rendia. E de repente houve um momento em que isso se tornou para o senhor urgente. Deixá-lo escapar a ele e à noiva, ao dinheiro, ao principal... o dinheiro, nada mais, nada menos do que três milhões de dote, que lhe fugiam das mãos. Restava apenas um recurso: que Alhocha criasse amizade por aquela que lhe destinava como noiva; o senhor disse para consigo: "Quando chegar a ganhar-lhe amizade, pode ser que deixe a outra...".

— Natacha, Natacha! — exclamou Alhocha com tristeza. — Que dizes tu?

— Foi isso o que o senhor fez — continuou ela sem se deter perante o grito de Alhocha — mas... e lá temos outra vez a mesma história. Tudo podia arranjar-se, desde que ele lhe fizesse uma visita. Havia só um coisa em que tinha esperança; o senhor, como homem experiente e esperto, talvez tivesse já observado que Alhocha costumava cansar-se dos seus anteriores afetos. Também não podia ter deixado de reparar que ele começava a prestar-me menos atenção, a aborrecer-se a meu lado, que deixava passar cinco dias sem me ver. "Talvez acabe por cansar-se de todo e por abandoná-la", quando, de repente, a decisão de Alhocha, na terça-feira passada, o surpreendeu profundamente. Que fazer?

— Com licença — exclamou o príncipe. — Nada disso; esse fato...

— Agora falo eu — atalhou Natacha com altivez — o senhor perguntava a si próprio nessa noite: "Que hei de fazer, agora?", e decidiu: "Dar-lhe o meu consentimento para que se case com ela, não a sério, mas assim, por boca, só para o calar. A data do casamento pode ser adiada até onde for necessário — pensou o senhor — e entretanto terá já surgido um novo amor". O senhor já o conhecia. Era precisamente nesse novo amor nascente que o senhor se fundava.

— Romances, romances — exclamou o príncipe em voz baixa, como para si. — Solidão, desvario e leitura de romances!

— Sim, nesse novo amor fundava o senhor tudo — repetiu Natacha, sem lhe dar ouvidos e sem prestar atenção às suas palavras, cheia de ardor febril e cada vez mais exaltada. — E quantas probabilidades para esse novo amor! Como que começara quando ele nem sequer conhecia todas as perfeições dessa jovem! No mesmo instante em que naquela noite lhe declarou que a não podia amar, porque há muito amava outra... essa jovem logo lhe mostrou tanta nobreza, tanta simpatia, a ele e à sua rival; logo o desculpou tão amigavelmente que ele, apesar de reconhecer a sua beleza, viu que nunca pensara, até àquele instante, em como ela era formosa. Dali veio ver-me só para me falar dela. Que impressão lhe causara! Sim, no dia seguinte teve de reconhecer a necessidade imprescindível de ver de novo essa criatura tão formosa, ainda que fosse apenas por gratidão. E por que não ir vê-la? A outra, a antiga, essa já não sofre. O seu casamento é coisa decidida: irá pertencer-lhe toda a vida; ao passo que a esta apenas poderá dedicar uns breves momentos. Que ingrata seria Natacha se sentisse ciúmes por esses momentos. Veja como, insensivelmente, foi tirando a essa Natacha, em vez de um minuto, um, dois, três! E durante esse tempo a jovem vai se revelando para ele sob um aspecto novo, totalmente inesperado... é de condição tão nobre... é uma criança tão entusiasta e ingênua... e liga tão bem com o seu feitio.... Juram-se amizade, fraternidade. E não querem separar-se toda a vida. "Em cinco ou seis horas de conversa", toda a alma dele se abre a novas emoções e entrega-lhe o seu coração. Já chegou o momento, pensa o senhor. Está fazendo comparações entre o antigo amor e as novas, recentes, sensações: ali tudo é conhecido, constante; ali todos são sérios, exigentes; ali têm ciúmes, mostram-se enfadados, choram e procuram agradar, brincam com ele. Fazem-no, não como a um igual, mas como a uma criança... mas... sobretudo, tudo está como era dantes, tudo é conhecido...

Afogavam-na as lágrimas e soluços ardentes, mas Natacha fez-se forte por um momento.

– Que mais? O tempo! O casamento com Natacha já se não celebrará imediatamente; há muito tempo e pode mudar tudo. E aqui intervêm também as suas palavras, as suas explicações, os seus raciocínios. Pode também caluniar-se essa antipática Natacha, pode-se apresentá-la sob um aspecto pouco favorável, e... em que irá parar tudo isto... não se sabe! Mas a vitória será sua! Alhocha, não me culpes, meu amigo. Não digas que não compreendo o teu amor e que tenho pouco apreço por ele. Olha, sei que ainda me amas e que, neste momento, é muito possível que não percebas as minhas queixas. Sei que fiz mal e que tudo isto agora o demonstra. Mas que hei de fazer se, apesar de ver tudo isto, te amo cada vez mais!... Completamente... sem pensar!...

Cobriu o rosto com as mãos, caiu na cadeira e rompeu em soluços como uma criança. Alhocha deu um grito e lançou-se para ela. Nunca podia ver sem lágrimas as suas lágrimas.

Os seus soluços prestaram um grande serviço ao príncipe. Todo o arrebatamento de Natacha no decorrer daquela larga explicação, toda a dureza dos seus ataques (ante os quais, ainda que fosse apenas por decoro, não tinha outro remédio senão mostrar-se ofendido), tudo isso podia agora atribuir-se a um absurdo ataque de ciúmes, a amor ressentido, a doença... Até poderia mostrar-lhe simpatia...

– Tranquilize-se, acalme-se, Natacha Nikoláievna – consolou-a o príncipe. – Tudo isso é efeito da fantasia, de desvario, da solidão... a que ponto a senhora se deixou levar pela sua desvairada conduta... Veja que se trata apenas de perturbação da sua parte. O principal fato que recorda, a cena de terça-feira, deveria mostrar-lhe o infinito afeto dele pela senhora e a senhora vai imaginar...

– Oh! Não me fale, não continue a atormentar-me – cortou Natacha chorando amargamente. – Há muito que o coração me adivinhava tudo isto! Pensa, por acaso, que não noto que já se desvaneceu o antigo amor dele? Aqui neste quarto, sozinha... Quando ele me deixava, esquecia-me. Eu já vivia antecipadamente tudo isto... pressentia tudo. Mas que havia de fazer? Não culpo a ti, Alhocha. Por que é que o senhor me enganava? Pensava acaso que eu não havia de fazer tudo para me enganar a mim mesma?... Oh! Quantas vezes, quantas vezes! Não ouvia eu a voz dele em cada ruído? Não tinha eu aprendido a ler no seu rosto, no seu olhar? Tudo, tudo acabou. Tudo está enterrado... Ai! Que desgraçada sou!

Alhocha chorava diante dela, de joelhos.

– Sim, sim, tenho a culpa de tudo. Tudo aconteceu por minha causa – repetia entre soluços:

– Não, não te culpes, Alhocha... São coisas dos outros, dos nossos inimigos... São eles... eles!

– Mas permita-me finalmente – começou o príncipe, com certa impaciência – com que fundamento me atribui a senhora todos esses... crimes? Pense que tudo isso são suposições suas, sem a mínima prova...

– Provas! – exclamou Natacha levantando-se rapidamente. – Provas para o senhor, grande traidor! O senhor não podia proceder de outro modo ao vir aqui!

O senhor precisava tranquilizar seu filho e adormecer os remorsos, para ele poder entregar-se por completo a Kátia, com maior liberdade e mais tranquilamente! De outro modo, ele havia de se lembrar de mim, não lhe obedeceria, e o senhor estava farto de esperar. Ou não será assim?

– Confesso – respondeu o príncipe com um sorriso sarcástico – que, se quisesse enganá-la, decerto havia de calcular as coisas desse modo. A senhora é muito inteligente, mas veja, é preciso demonstrar tudo isso e só então poderá ofender as pessoas com semelhantes recriminações...

– Demonstrar! Mas... e toda a sua conduta anterior, quando o afastou de mim? Quem ensina seu filho a desprezar deveres como estes e o leva a rir, por vantagens materiais... O que faz é pervertê-lo! Que dizia o senhor, há pouco, desta escada e deste novo quarto? Não lhe retirou a pensão que antes lhe dava, com o fim de o obrigar a deixar-me, assim, pela miséria e pela fome? O senhor tem a culpa deste quarto e desta escada, e vem agora com censuras, grande pérfido! E de onde tirou, naquela noite, tanto ardor, convicção tão nova, tão pouco naturais no senhor? E para que lhe fazia eu tanta falta? Eu andava de um lado para outro no meu quarto, durante esses quatro dias; pensava em tudo, ponderava tudo, cada palavra sua, cada expressão do seu rosto, e convencia-me de que tudo havia sido algo fictício, uma farsa, uma comédia ofensiva, ruim e indigna. Já vê o senhor que o conheço, que o conheço há muito. Cada vez que Alhocha aqui vinha, tendo ido à sua casa, eu adivinhava no seu semblante tudo o que o senhor lhe dissera e sugerira. Compreendia toda a sua influência sobre ele. Não, o senhor não chegou a enganar-me. Talvez pensasse outra coisa... Talvez eu não tenha dito o mais importante; mas é o mesmo. O senhor queria enganar-me e isso é o principal... e isso eu precisava dizer-lhe cara a cara!

– Mas como! São essas as suas provas? Compreenda, minha senhora: com esse passo (como chama à minha proposta de terça-feira), eu comprometia-me bastante. Teria sido muita leviandade da minha parte.

– Em que se comprometia o senhor? Que significava a seus olhos o fato de me enganar? Que representa semelhante ofensa para uma moça, para uma criança que, além do mais, é uma pobre desgraçada, desprezada pelo pai, indefesa, "Manchada por si mesma, imoral"? Valerá a pena mostrar consideração por ela, se essa farsa trouxer algum proveito, por pequeno que seja?

– Mas em que situação se coloca a si própria, Natacha Nikoláievna. Pense! A senhora insiste em que houve da minha parte uma grave ofensa à senhora. Mas, se se trata de uma ofensa tão grande, tão humilhante, não percebo como é possível expô-la, e menos ainda como se pode insistir nela. É necessário estar acostumada a tudo para admitir essa ofensa tão à-vontade; desculpe-me que o diga. Eu a censuro, na verdade, mas porque vira o meu filho contra mim. Se ele ainda se não revoltou contra mim por sua culpa, o seu coração está contra...

– Não, pai, não! – exclamou Alhocha – ainda que me revolte contra ti, julgo que não podes ofender e não posso crer, também, que fosse possível ofenderes a tal ponto.

– Ouviu? – exclamou o príncipe.

– Natacha, tenho a culpa de tudo, não o culpes a ele. Isso é um grande pecado.

– Ouviste, Vânia? Ele já está contra mim! – exclamou Natacha.

– Basta! – disse o príncipe. – É necessário acabar com esta cena vergonhosa. Este absurdo e furioso ataque de ciúmes, fora de todos os limites, mostra-me o seu caráter sob um aspecto completamente novo para mim. Eu estava enganado. Precipitei-me; sim, precipitei-me. A senhora nem sequer vê como me ofendeu; isso, a si, não lhe importa. Precipitei-me, procedi levianamente. Claro que a minha palavra deve ser sagrada, mas... sou pai e desejo a felicidade do meu filho...

– O senhor desobriga-se da sua palavra! – exclamou Natacha fora de si. – O senhor alegra-se com o que aconteceu. Pois saiba que eu própria, há uns dois dias, decidi desobrigá-lo a ele dessa palavra. Mas agora lhe declaro diante de todos: desobrigo-me da minha palavra!

– Quer dizer que a senhora procura talvez despertar nele todas as antigas inquietações, o sentimento do dever, "a noção das suas obrigações", como há pouco dizia, para assim se assegurar do seu apego como antes. Isso está mais de acordo com a sua teoria (e eu digo o mesmo), mas basta; o tempo decidirá. Aguardarei momentos de mais calma para ter uma explicação com a senhora. Espero que não vamos cortar definitivamente as nossas relações. Espero também que a senhora aprenda a conhecer-me melhor. Eu também queria comunicar-lhe hoje os meus projetos acerca de seus pais, projetos pelos quais poderia ver... Mas basta! Ivan Pietróvitch – acrescentou aproximando-se de mim – agora mais do que nunca ficarei agradecido por conhecermo-nos com mais familiaridade, não falando já do meu antigo desejo. Espero que me entenderá. Dentro de dias vou passar por sua casa, permite-me?

Eu lhe fiz um cumprimento. Parecia-me que já o não podia evitar. Ele me apertou a mão, fez, em silêncio, uma reverência a Natacha, e saiu com ar de dignidade ofendida.

Capítulo IV

Durante alguns minutos nenhum de nós pronunciou uma palavra. Natacha permanecia triste, pensativa e deprimida. Toda a sua energia a abandonara. Olhava abstrata, sem nada ver, como que ausente, e segurava entre as suas as mãos de Alhocha. Este, imóvel, chorava a sua dor, olhando às vezes para ela com curiosidade discreta.

Finalmente, começou a consolá-la, com certa timidez. Pediu-lhe que se não aborrecesse e culpou-se de tudo. Era evidente que queria desculpar o pai e estava nisto a sua maior preocupação. Por mais de uma vez começou a falar dele; mas não se atreveu a falar com clareza, temendo causar novo aborrecimento a Natacha. Jurou-lhe amor eterno; inalterável; e desculpou-se com veemência pelas suas relações com Kátia. Repetia constantemente que só queria Kátia como a uma irmã, como a uma boa e terna irmã, a quem não é possível abandonar – o que seria uma grosseria e uma crueldade da sua parte. E continuava a assegurar que quando Natacha a conhecesse, imediatamente ambas se fariam amigas e já nunca se haviam de separar; e então acabariam todas as desavenças. Esse pensamento era-lhe especialmente grato. O pobrezinho não mentia. Não compreendia o alarme de Natacha e, de modo geral, o que ela há pouco dissera a seu pai. Compreendia apenas que ambos tinham discutido e isto pesava como uma pedra sobre o seu coração.

– Tu me culpas por causa de teu pai? – perguntou-lhe Natacha.

– Mas... posso eu acusar alguém – respondeu ele com amargura – quando sou eu quem tem a culpa de tudo? Fui eu quem te levou a esse extremo de cólera, e na tua cólera chegaste a culpá-lo, porque querias justificar-me. Tu procuras sempre desculpar-me e eu não mereço. Era preciso buscar um culpado, e tu pensaste que era ele. Mas ele, realmente, não tem culpa alguma – exclamou Alhocha anelante. – E foi para isto que ele veio! Por certo que não esperava!..

Mas, ao ver que Natacha o olhava com tristeza e inflexibilidade, perdeu as forças.

– Bem! Não voltarei a fazê-lo, não voltarei! Perdoa-me! – exclamou. – Sou eu o culpado de tudo.

– Sim, Alhocha – continuou ela com fadiga. – Agora ele interpôs-se entre nós e estragou a nossa paz para toda a vida. Tu sempre tiveste mais confiança em mim do que em ninguém, mas agora ele insinuou no teu coração uma suspeita contra mim: a incredulidade. Tu me acusas. Ele me tirou metade do teu coração. Há uma sombra entre nós.

– Não fales assim, Natacha! Por que dizes tu que "há uma sombra entre nós"? – aquela expressão caíra-lhe mal.

– Com falsa bondade, com generosidade fingida, conseguiu atrair-te – prosseguiu Natacha – e, de hoje em diante, mais te indisporá contra mim.

– Juro-te que não será assim! – exclamou Alhocha, embora sem grande ardor. – Ele estava irritado ao dizer que "procedera levianamente"... Verás, amanhã ou depois, como ele se justifica. E se estivesse tão aborrecido que se opusesse ao nosso casamento, então juro-te que lhe desobedeceria... Não me falta resolução para isso. E, olha, sabes quem nos vai ajudar? – exclamou, entusiasmado com a ideia. – Pois vai ser Kátia! Vais ver que boa ela é! Vais ver se ela pretende ser tua rival e separar-nos... Que injusta foste há pouco, ao dizer que eu sou dos que podem esquecer o seu amor no dia seguinte ao casamento! Quanto me custou ouvir-te! Não, eu não sou desses, e se vou com frequência ver Kátia...

– Basta, Alhocha, vai vê-la quando quiseres. Eu não me referira a isso: não posso exigir do teu coração mais do que ele pode dar-me...

Entrou Mavra.

– Então? Trago o chá ou não? Com todas estas zangas, o samovar já ferve há duas horas. São onze.

Falava aborrecida e com mau modo. Via-se claramente que estava fora de si e aborrecida com Natacha. A verdade é que, desde terça-feira, mostrara-se sempre tão entusiasmada com a ideia de que a sua menina (a quem tinha grande afeto) ia casar, que já se apressara a divulgar a notícia por toda a casa e pela vizinhança, na loja e na porteira. Estava muito presumida e contava com solenidade que o príncipe – uma pessoa de grande importância, extraordinariamente rico – fora em pessoa pedir a mão da sua menina, e que ela, Mavra, pudera ouvir tudo com os seus próprios ouvidos. E agora tudo estava perdido. O príncipe saíra dali como uma fúria e os outros já não queriam o chá. Claro que a culpada era apenas a sua menina: Mavra ouvia-a tratar o príncipe sem nenhum respeito.

– Bem... traz o chá – respondeu Natacha.

– E trago também os aperitivos?

– Pois sim, traga também. – E Natacha sorriu.

– Tinha preparado tudo – continuou Mavra. – Desde ontem que não descanso. Fui buscar vinho em Niévski, mas... – e saiu, batendo, aborrecida, com a porta.

Natacha corou e olhou-me de modo algo estranho. Depois serviu-me o chá e uma refeição ligeira: peixe, duas garrafinhas de um vinho excelente de Elissiéiev.[31] "Para quem teria preparado tudo isto?" – pensei eu.

– Olha, Vânia, vê como eu sou – disse Natacha, sentando-se à mesa e olhando-me algo confusa. – Meu coração adivinhava como tudo isto ia acabar e, não obstante, pensava que talvez não acabasse deste modo. Alhocha vinha, fazíamos as pazes, verificava-se que todas as minhas suspeitas eram injustas, eu convencia-me disso e... pronto, mandei preparar um lanche. "Que, importa? – pensava. – Conversaremos, ficaremos sentados..."

Pobre Natacha! Como corou ao dizer isto! Alhocha entusiasmou-se

– Pois já vês, Natacha! Tu própria não acreditavas no que pensavas; há tempo não acreditavas nas tuas suspeitas. Não, é preciso reparar tudo. Eu sou o culpado, sou o causador de tudo, e tenho de arranjar as coisas. Natacha, deixa-me ir falar com meu pai. Preciso vê-lo; está ofendido, pesaroso. É preciso consolá-lo. Vou lhe dizer tudo, tudo o que me respeita, apenas o que me respeita. Não te misturarei em nada. Hei de arranjar tudo... Não te aborreças comigo por ter tanta pressa de o ir ver, deixando-te. Não se trata disso; é que ele me faz pena. Depressa se há de justificar para contigo, verás... Amanhã, ao amanhecer, estarei aqui, passarei todo o dia contigo e não irei ver Kátia.

Natacha não o reteve, mas ela própria o aconselhou a ir. Receava horrivelmente que Alhocha viesse passar com ela um dia inteiro "à força", e que se aborrecesse na sua companhia. Só lhe pediu que a não mencionasse e esforçou-se por sorrir, com a maior alegria possível, ao despedir-se dele. Ele, por sua vontade, teria ido imediatamente embora; mas aproximou-se dela, segurou-lhe as mãos e sentou a seu lado. Contemplou-a com ternura inexprimível.

– Natacha, minha amiga, meu anjo, não te aborreças comigo, não briguemos. Dá-me a tua palavra de que sempre hás de crer no que te digo, como eu creio em ti. Ouve, meu anjo, o que vou contar. Brigamos uma vez, já não me lembro por quê. Tive eu a culpa. Estivemos algum tempo sem nos vermos. Eu não queria pedir perdão em primeiro lugar, mas isso causava-me uma tristeza horrível. Andava de um canto para outro pela cidade, espreitava por todos os lados, ia ver os meus amigos, e tinha o coração tão triste, tão triste... E então pensei: "E se ela, por acaso, adoecer e morrer?" E ao pensá-lo senti uma tristeza tão grande, como se na verdade te tivesse perdido para sempre. Os meus pensamentos eram cada vez mais tristes, mais estranhos. E foi então que, pouco a pouco, comecei a imaginar que ia à tua sepultura e caía sem sentidos sobre ela, a ela me abraçava e morria de dor. Pensei também que me punha a beijar a tua sepultura e que te pedia que saísses dela, ao menos por um momento... e pedia a Deus um milagre: que, mesmo por breves momentos, te ressuscitasse. Pensava como te iria abraçar, como te beijaria... E morreria ali mesmo, completamente feliz, por ter podido abraçar-te como dantes, embora apenas durante um instante. Imaginando tudo isto, disse para comigo, de repente: "Vou pedir a Deus que a devolva por um instante e vou dizer-lhe: Há seis meses vivemos juntos e, durante eles, quantos dias não estivemos sem nos falarmos. Estivemos zangados dias inteiros, desperdiçando a nossa felicidade. Mas agora, por,

---

31 Famosa loja de Petersburgo; conhecida pelo nome do proprietário.

um minuto, vou levantar-te da sepultura e estou disposto a pagar este minuto com a minha vida...". Ao pensar tudo isto, não pude conter-me e corri para ti. Corri para aqui, e tu já estavas à minha espera. Quando nos abraçamos, depois daquela zanga, lembro-me de que te apertei muito contra o meu peito, como se te quisesse sufocar. Natacha, não voltemos a zangar-nos – nunca mais! Quanto me custa tudo isto! E é possível, Senhor, pensar que eu sou capaz de te abandonar?

Natacha chorava. Abraçaram-se com força um ao outro e Alhocha mais uma vez lhe jurou que nunca a abandonaria. Depois saiu a correr, à procura do pai. Estava plenamente convencido de que tudo se arranjaria, de que tudo havia de acabar bem.

– Acabou tudo! Tudo se desfez! – disse Natacha, apertando-me convulsivamente a mão. – Ainda me ama e nunca deixará de me querer; mas também ama Kátia e, dentro em pouco, há de amá-la mais do que a mim. Mas esse malvado do pai dele não se deixará dormir, e então...

– Natacha! Eu também penso que o príncipe não age honradamente, mas....

– Tu não acreditas em tudo o que disse. Vi na tua cara. Mas, por Deus, tu mesmo o estás vendo: tinha ou não razão? E todavia olha que eu falava em termos gerais. Deus sabe o que ele estará maquinando; é um homem terrível. Passei aqui estes quatro dias, aqui neste quarto, e adivinhei tudo. Ele precisava aliviar, distrair o coração de Alhocha da sua dor, que o impedia de viver, pela responsabilidade do amor que me tinha. E pensou nesse casamento, ao mesmo tempo com intenção de se interpor entre nós com a sua influência e de deslumbrar Alhocha com a sua nobreza e generosidade. É esta a verdade, a verdade, Vânia. Alhocha tem precisamente esse caráter. Inquietava-se pela minha sorte: o seu sobressalto era por mim. Ele havia de dizer: "Agora ela é minha mulher, *in aeternum*", e involuntariamente iria prestando mais atenção a Kátia. O príncipe, sem dúvida, estudaria essa Kátia e adivinharia que era quem convinha a Alhocha, que poderia distraí-lo mais do que eu. Oh! Vânia, cifram-se agora em ti todas as minhas esperanças. Ele, não sei por que, quer relacionar-se contigo, fazer amizade. Não o afastes: procura, *golubtchik*, por amor de Deus, ir quanto antes por casa da condessa. Trava relações com essa Kátia, olha-a bem e diz-me como é. Preciso que ponhas nela os olhos. Ninguém me entende como tu, e vês como isso me é necessário. Observa também até que ponto se fizeram amigos, o que há entre eles, de que falam. Kátia, Kátia sobretudo, olha-a bem. Demonstra-me também agora, querido, meu querido Vânia, demonstra-me também agora a tua amizade. Em ti, só em ti, tenho agora posta a minha esperança...

Quando voltei a casa era uma hora da noite. Nelly veio abrir-me a porta com uma carinha de sono. Sorria e olhava-me, carinhosa. A pobrezinha estava triste por se ter deixado adormecer. Empenhava-se sempre em esperar-me. Disse que fora procurar-me um indivíduo e que, depois de esperar um pouco, acabara por me deixar um bilhete em cima da mesa. O bilhete era de Maslobóiev. Convidava-me a ir a sua casa, no dia seguinte, à uma hora. Eu quis interrogar Nelly, mas deixei isso para o outro dia, insistindo para que se fosse deitar; a pobrezinha já estava cansada de me esperar e só se deixara adormecer uma meia hora antes da minha chegada.

Capítulo V

No outro dia, Nelly contou-me coisas muito estranhas acerca do visitante da véspera. Além do mais, já era estranho que tivesse ocorrido a Maslobóiev ir ver-me naquela noite. Ele, certamente, sabia que eu não estava em casa; eu mesmo o avisara na nossa última entrevista, lembrava-me muito bem. Nelly disse-me que, de início não quisera abrir-lhe a porta, por ter medo: eram oito da noite. Mas ele insistiu, através da porta fechada, afirmando-lhe que, se me não deixasse um aviso, poderia suceder-me algo desagradável no dia seguinte.

Assim que ela o mandou entrar, garatujou umas linhas, aproximou-se dela e sentou a seu lado no divã. "Eu me pus de pé e não quis dar-lhe conversa, contou-me Nelly – eu sentia muito medo; ele se pôs a falar-me da Bubnova, de como está aborrecida, de que já se não atreveria a vir-me buscar. E depois começou a falar-me do senhor, disse que era muito seu amigo e que o conhecia desde rapaz. Então comecei a falar-lhe. Ele pegou num embrulhinho com doces e pediu-me que os aceitasse. Eu não queria, mas ele procurou convencer-me de que era uma boa pessoa, que sabia cantar coplas e dançar, saltou do lugar e pôs-se a fazer piruetas. Estava cheia de vontade de rir... Então ele disse que esperaria mais um bocado: 'Esperarei por Vânia, pode ser que volte'. Insistiu muito para que eu não tivesse medo e sentasse a seu lado. Sentei, mas não queria falar com ele. Então disse-me que conhecera a minha mãezinha e o avozinho. Comecei logo a falar, e ele esteve sentado muito tempo."

– E de que falaste?

– Ora... Da minha mãezinha, da Bubnova, do avozinho. Demorou aqui duas horas.

Parecia que Nelly não queria dizer-me de que tinham falado. Nada lhe perguntei, esperando saber tudo pelo próprio Maslobóiev. Só me parecia que Maslobóiev fora intencionalmente procurar-me durante a minha ausência, para encontrar Nelly sozinha. "Por que teria feito isso?", perguntei a mim mesmo.

Ela me mostrou três doces que ele lhe dera. Eram de açúcar pilé, embrulhados em papeizinhos verdes e vermelhos. Não prestavam e deviam ter sido comprados numa mercearia. Nelly sorria ao mostrá-los.

– Mas... não os comeste? – perguntei-lhe.

– Não os quero – respondeu muito séria, franzindo o sobrolho. – Nem sequer os aceitei por minhas mãos; foi ele que os deixou no divã...

Naquele dia devia dar muitas voltas. Resolvi despedir-me de Nelly.

– Aborrece-te estar só? – perguntei-lhe ao sair.

– Sim e não. Só me aborrece por o senhor estar fora muito tempo.

E olhou-me com muita ternura ao dizer-me aquilo. Toda aquela manhã me olhou com uns olhos cheios de meiguice e parecia tão alegre, tão carinhosa e, ao mesmo tempo, tão envergonhadinha e até inquieta, como se receasse contrariar-me, perder a minha estima. E... parecia também como que sufocada.

– E por que é que te não aborreces? Disseste "que sim e que não"... – perguntei eu, sorrindo sem querer, tão grata e querida me era.

– Sei muito bem por que – respondeu sorrindo e voltando-se, corada de vergonha.

Falávamos junto da porta aberta. Nelly estava de pé, diante de mim, com os olhos baixos, uma das mãos apoiada no meu ombro e a outra ocupada em beliscar-me na manga do sobretudo.

– Como? É segredo? – perguntei.

– Não, nada disso. É que eu comecei a ler o seu livrinho, sem o senhor aqui estar – murmurou em voz baixa e, levantando para mim um olhar terno e compreensivo, pôs-se muito vermelha.

– Ah! sim! E gostas?

Eu experimentava a confusão do autor a quem elogiam cara a cara. Deus sabe quanto daria para poder beijá-la naquele instante, mas não era possível fazê-lo. Nelly calou-se. Depois perguntou-me:

– Por que é, por que é que ele morre?

A sua expressão refletia uma pena profunda. Lançou-me um olhar rápido e depois baixou de novo os olhos.

– Ele quem?

– Ora... O rapazinho tísico... o do livro...

– Não podia fazer outra coisa, Nelly.

– Podia, sim! – respondeu ela quase em voz baixa, mas rapidamente, quase com mau humor. Franziu os lábios e pôs, ainda mais obstinadamente, os olhos no chão. Passou um minuto.

– Mas ela... bem, eles... a mocinha e o velho[32] – murmurou, enquanto continuava a puxar-me a manga ainda com mais força – chegam a viver juntos? E deixam de ser pobres?

– Não, Nelly. Ela vai para longe, casa com um proprietário; e ele fica só – respondi com pena, lamentando efetivamente não poder dizer nada mais consolador.

– Ah! Bem, bem! Então é assim? Oh! Então... já não quero lê-lo.

E, com pesar, soltou a minha mão, afastando-se rapidamente de mim; dirigiu-se para a mesa e voltou o rosto para a parede, os olhos postos no chão. Estava muito corada e respirava nervosamente como que devido a algum grande desgosto.

– Basta, Nelly. Aborreceste-te? – disse, aproximando-me dela. – Olha que nada disso é verdade, é uma coisa escrita, uma ficção. Bem! Vais aborrecer-te por isso? Que criaturinha sensível tu és!

– Eu não estou aborrecida – respondeu timidamente, levantando para mim uns olhos cheios de luz e de carinho. E, de repente, apertou-me a mão, encostou o rosto ao meu peito e desatou a chorar.

Mas, no mesmo instante, pôs-se a rir... e ria e chorava ao mesmo tempo. A mim também me apeteceu rir e senti como que... alegria. Mas ela nem por sombras queria olhar para mim; quando eu tentei afastar a sua carinha do meu ombro, segurou-se a ele ainda com mais força, rindo-se cada vez com mais gosto.

Finalmente, terminou aquela cena sentimental. Despedimo-nos; eu estava com pressa. Nelly, toda afogueada, como que cheia ainda de vergonha e com olhos muito brilhantes, veio correndo atrás de mim até à escada, pedindo-me que voltasse depressa. Prometi-lhe regressar, infalivelmente, à hora de jantar, sendo possível ainda antes.

---

32 Alusão às personagens de *Pobre gente*, Makar Alieksiéievitch e Várienhka.

A primeira coisa que fiz foi ir ver os velhos. Achavam-se ambos mal. Anna Andriéievna estava muito doente; Nikolai Sierguiéitch encontrava-se no seu gabinete. Sentiu-me chegar, mas eu sabia que, como de costume, só se apresentaria passado um quarto de hora, a fim de nos dar tempo de falar. Eu não queria incomodar Anna Andriéievna e, assim, adocei quanto pude o meu relato sobre a noite anterior, embora dizendo toda a verdade. Com grande espanto meu, a velhinha, embora ficasse triste, pareceu receber sem surpresa a notícia de uma possível ruptura.

– Bem, *bátiuchka,* bem me parecia – disse-me ela. – O senhor já vê... Há muito que eu penso e vejo que aquilo não podia ser. Não merecíamos, valha-nos Deus, um homem tão desavergonhado. Que coisas boas podiam esperar-se dele? Brincando, brincando, deve-nos dez mil rublos. Ele sabe que os deve, mas não os paga. Tira-nos o último pedaço de pão, põe à venda a Ikhmiênievka. Natacha é justa e inteligente em não dar crédito à sua palavra. Mas o senhor não sabe – continuou em voz baixa – o que diz o meu...? Pois que é absolutamente contrário a esse casamento. Pronunciou-se contra. "Não quero", diz ele. Eu, primeiro, pensava que ele havia de transigir; mas não, é a sério. E que vai ser dela, da minha pombinha? Por que, nesse caso, ele vai amaldiçoá-la. Mas, bem; e Alhocha? E ele o que diz?

Fez-me muitas perguntas e, segundo o seu costume, suspirava e dava mostras de grande aflição a cada resposta minha. Eu já observara que ela, nos últimos tempos; estava completamente abatida. Qualquer notícia lhe fazia profunda impressão. A ofensa feita a Natacha feria de morte o seu coração e a sua saúde.

O velho entrou, de roupão e chinelos. Queixava-se de febre, mas olhou a esposa com ternura. Durante todo o tempo que lá estive, atendeu a mulher como uma enfermeira, olhando-a nos olhos e como que corando na sua presença. Quanta ternura havia no seu olhar! Estava alarmado pela doença dela. Pressentia que tudo lhe faltaria na vida quando ela lhe faltasse.

Estive com eles uma hora. Ao despedir-me, Nikolai Sierguiéitch veio comigo até ao vestíbulo e falou-me de Nelly. Tinha o firme propósito de a levar para sua casa, em lugar da filha. Queria resolver comigo a maneira de convencer Anna Andriéievna. Perguntou-me por Nelly com muita curiosidade... se eu não tinha nada de novo para lhe contar a seu respeito. Contei-lhe tudo rapidamente. As minhas palavras impressionaram-no.

– Voltaremos a falar disto! – disse com decisão. – Mas, entretanto... quanto ao mais, eu mesmo irei a tua casa, quando me sentir melhor. Resolveremos então.

Ao meio-dia em ponto já eu estava em casa de Maslobóiev. Com grande espanto meu, a primeira pessoa com quem encarei foi o príncipe. Estava no vestíbulo, vestindo o casaco, ajudado solicitamente por Maslobóiev, que lhe oferecia também a bengala. Já me falara da sua amizade com o príncipe, mas, apesar de tudo, aquele encontro deixou-me estupefato.

O príncipe pareceu contrariado ao ver-me.

– Ah! É o senhor! – exclamou com demasiada veemência. – Olhem que encontro! O senhor Maslobóiev me estava precisamente dizendo que são amigos. Muito prazer, muito prazer, muitíssimo prazer em vê-lo. Estava justamente pensando em visitá-lo; espero fazê-lo quanto antes. Dá-me licença? Tenho de fazer-lhe um pedido: ajude-me, explique-nos a nossa atual situação. Decerto já percebeu que me refiro ao que se passou ontem à noite... O senhor é um amigo da casa, seguiu todo o desenrolar dos acontecimentos, tem influência... Sinto muito não poder falar-lhe agora... Mas, dentro de dias, o mais cedo possível, terei o prazer de o visitar. Agora...

Apertou-me fortemente a mão, trocou um olhar com Maslobóiev e foi-se embora.

– Diz-me, por Deus!... – comecei, ao entrar no quarto.

– Não posso dizer-te absolutamente nada – cortou Maslobóiev, apanhando à pressa a boina e dirigindo-se para o vestíbulo. – Coisas! Eu, meu caro, tenho que fazer, estou atrasado...

– Mas lembra-te de que me escreveste convocando-me para o meio-dia.

– Que importa que te escrevesse? Ontem escrevi-te, mas hoje escreveram-me a mim; estou com a cabeça rodando... Que coisa! Esperam por mim. Perdoa, Vânia! Tudo o que posso fazer é consentir que me batas por te ter incomodado inutilmente. Se queres, bate-me. Mas, por Cristo, vamos depressa. Não digas nada, que tenho muita pressa...

– Mas, por que havia eu de bater-te? Já que tens de fazer, apressa-te, porque há sempre que contar com o imprevisto. Apenas...

– Não sobre esse apenas já te direi – atalhou, saindo para o vestíbulo e pondo o sobretudo. Eu vesti também o sobretudo. – Também tenho de falar contigo, e por um motivo muito importante. Por isso te chamei. Diz-te respeito diretamente, a ti e aos teus interesses. Mas assim, em tão pouco tempo, é-me impossível contar-te tudo. Mas, pelo amor de Deus, dá-me a tua palavra de que voltas aqui ainda hoje, esta noite, às oito em ponto, nem antes nem depois. Estarei em casa.

– Hoje... – disse eu indeciso – esta noite, tenho de ir...

– Mas vai, meu caro, vai imediatamente onde querias ir e vem à noite ver-me. Porque, Vânia, nem sequer podes imaginar tudo quanto tenho para te dizer.

– Bem, bem. Mas de que se trata? Confesso que me enches de curiosidade.

Com tudo isto tínhamos saído de casa e estávamos já a meio do passeio.

– Então; virás? – perguntou-me receoso.

– Já te disse que sim.

– Não, dá-me a tua palavra de honra.

– Como tu estás! Bem! Palavra de honra.

– Ótimo. Muito obrigado. Por onde vais?

– Por ali – respondi, apontando para a direita.

– Eu vou por aqui – disse ele indicando a esquerda. – Adeus, Vânia! Lembra-te: às oito.

"É estranho", pensei, seguindo-o com o olhar.

Naquela noite eu queria ir ver Natacha. Mas, como combinara com Maslobóiev, resolvi dirigir-me logo à sua casa. Estava convencido de que lá iria encontrar Alhocha e, na verdade, ele lá estava e ficou muito contente quando me viu entrar.

Estava muito carinhoso, extraordinariamente terno com Natacha, e até se alegrou muito com a minha visita. Natacha, embora se esforçasse por parecer alegre, via-se bem que a sua alegria era fictícia. Tinha cara de doente, estava pálida; dormira mal na noite anterior. Mostrava-se carinhosa para Alhocha, mas de maneira forçada.

Alhocha, apesar de falar muito e contar muitas coisas, desejoso, ao que parece; de alegrá-la e arrancar um sorriso dos seus lábios, que ela involuntariamente mantinha apertados, notava-se que evitava falar de Kátia e do pai. Provavelmente não obtivera êxito a sua tentativa de reconciliação.

– Sabes uma coisa? Está cheio de pressa de me deixar – murmurou Natacha apressadamente, enquanto Alhocha saiu para dizer qualquer coisa a Mavra – e tem medo de o dizer. Eu também não me atrevo a dizer-lhe que se vá, porque então, com certeza, vai insistir em ficar e o que eu mais receio é que ele se aborreça e se afaste totalmente de mim. Que fazer?

– Meu Deus, em que situação se colocam ambos perante a senhora! Que desconfiados, e como se espiam! Que um se explique, e acabou-se. De contrário, pode ser que esta situação acabe efetivamente por aborrecê-lo.

– Mas, como fazer? – exclamou ela assustada.

– Deixa estar que eu arranjarei tudo...

E entrei na cozinha com o pretexto de pedir a Mavra que me limpasse uma das galochas que estavam sujas.

– Cuidado, Vânia! – gritou ela.

No momento de entrar na cozinha, Alhocha precipitou-se para mim como se já me esperasse.

– Ivan Pietróvitch, meu caro amigo, que hei de eu fazer? Aconselhe-me. Empenhei ontem a minha palavra em como estaria hoje, precisamente a esta hora, em casa de Kátia! Não posso faltar! Eu quero a Natacha como não sei a quem, por ela me lançaria no fogo; mas concorde que é impossível deixar a outra abandonada...

– Bem, então ande, vá-se embora.

– E como deixar Natacha? Vai ficar ofendida. Ivan Pietróvitch, veja se pensa em qualquer coisa...

– O que penso é que o melhor é ir-se embora. Sabe como ela lhe quer...vai julgar que se aborrece junto dela e que vem aqui à força. O melhor é proceder com naturalidade. Além disso, eu vou ajudá-lo.

– Querido Ivan Pietróvitch! Que bom que é!

Entramos. Passado um minuto disse-lhe:

– Acabo de ver seu pai.

– Onde? – exclamou ele assustado.

– Na rua, por mero acaso. Esteve comigo um momento e mais uma vez manifestou o desejo de sermos amigos. Perguntou-me pelo senhor, se eu sabia onde estava, pois precisava muito vê-lo, para dizer-lhe não sei quê.

– Ai, Alhocha, anda, vai procurá-lo! – insistiu Natacha, compreendendo o meu intuito.

– Mas... onde vou eu encontrá-lo agora? Estará em casa?

– Não, lembro-me de ele ter dito que ia à casa da condessa...

– Bem, então... – exclamou ingenuamente Alhocha, olhando, triste, para Natacha.

– Ai, Alhocha, vamos ver! – disse. – Queres deixar essa amizade para me tranquilizar? Não compreendes que isso é infantil? Em primeiro lugar é impossível, e em segundo procederias como um ingrato para com Kátia. Vocês são amigos! Será possível, por acaso, romper tão bruscamente as vossas relações? Finalmente, confesso que me ofendes julgando-me tão ciumenta. Anda, vai imediatamente, peço-te. Assim também o teu pai ficará tranquilo.

— Natacha, meu anjo, não valho nem o teu dedo mindinho! – exclamou Alhocha, entusiasmado e contrito. – És tão boa, ao passo que eu... eu...! Bem, quero que saibas: há pouco pedi a Ivan Pietróvitch na cozinha, que me ajudasse a ir embora. E foi ele quem se lembrou disto. Mas não me julgues mal, meu anjo, Natacha. Não sou inteiramente culpado, porque te quero mil vezes mais que a toda a gente e porque me ocorrera uma ideia nova: abrir-me com Kátia e expor-lhe a minha situação atual e tudo o que ontem aqui se passou. Ela há de pensar em alguma coisa para nos salvar; ela nos tem tanta afeição...

— Bem, vai! – respondeu Natacha sorrindo. – E quero que saibas, meu amigo, que eu também tenho muito gosto em conhecer Kátia. Como havemos de fazer para conseguir isto?

O entusiasmo de Alhocha não tinha limites. Depois começou a pensar no modo como haviam de travar conhecimento. Segundo ele, era muito simples: Kátia já pensara nisso. Desenvolveu a sua ideia com ardor, com veemência. Prometeu que voltaria com a resposta no mesmo dia, daí a duas horas, e que passaria o serão com Natacha.

— De verdade que vens? – perguntou Natacha, empurrando-o.

— Duvidas por acaso? Adeus Natacha, adeus minha querida... minha sempre muito querida. Adeus, Vânia. Ai, meu Deus, chamei-o Vânia sem querer. Ouça, Ivan Pietróvitch: eu o estimo muito, por que não havemos de tratar-nos por "tu"?

— Bem, tratemo-nos por tu.

— Graças a Deus! Já pensei nisto cem vezes. Só não me atrevia a dizer. Mas veja como continuo a tratá-lo por "senhor". É muito difícil acostumarmo-nos ao tratamento por "tu". Tolstói nota-o muito bem, numa das suas obras. Dois amigos juram tratar-se por tu e nenhum deles consegue acostumar-se a isso, ambos evitam empregar frases em que entrem pronomes. Natacha, leste *Infância e adolescência?* Se visses como está bem escrito!

— Mas vai, vai – e Natacha empurrava-o, rindo. – Põe-se a falar, a falar, de alegre que está...

— Adeus. Até logo, dentro de duas horas.

Beijou-lhe a mão e saiu correndo.

— Viste, viste, Vânia? – exclamou ela, rompendo a chorar.

Fiz-lhe companhia durante duas horas, consolei-a e consegui convencê-la. Claro que tinha razões de sobra para o seu alarme. Meu coração se enchia de pena ao pensar na sua situação. Receava por ela. Mas que fazer?

Alhocha também me causava estranheza; amava-a, não menos que antes, mais ainda talvez, com mais força e ânsia, por arrependimento e gratidão. Mas, ao mesmo tempo, apoderara-se fortemente do seu coração um novo amor. Em que daria tudo aquilo... era impossível prevê-lo. Eu experimentava uma grande curiosidade de conhecer Kátia; mais uma vez prometi a Natacha fazer com que me apresentassem a ela.

Por fim, pareceu alegrar-se. Entre outras coisas, falei-lhe de Nelly, de Maslobóiev e da Bubnova. Contei-lhe o meu encontro com o príncipe em casa de Maslobóiev e participei-lhe a minha combinação para as oito. Tudo a interessou muitíssimo. Falei pouco dos velhos e não quis falar-lhe de Ikhmiêniev antes da devida altura; o projetado duelo de Nikolai Sierguiéitch com o príncipe poderia alarmá-la.

Também lhe referi as estranhas relações do príncipe com Maslobóiev e o seu vivo desejo de estabelecer relações comigo, o que se explicava bem pela atual situação...

Às três horas voltei para casa. Nelly veio receber-me, com o seu luminoso rostinho...

Capítulo VI

Às sete em ponto da noite estava eu em casa de Maslobóiev. Veio receber-me efusivamente e de braços abertos. Não é preciso dizer que estava completamente embriagado. Mas o que mais me impressionou foram os extraordinários preparativos feitos para a minha visita. Saltava à vista o que me esperava. Um belo samovar de ouro e cobre fervia sobre mesa redonda, coberta com uma linda toalha, que devia ter sido muito cara. O serviço de chá era de cristal, prata e porcelana. Noutra mesa, coberta com uma toalha doutro gênero, mas não menos valiosa, havia em diversos pratos doces, frutas de Kiev maduras ou secas, marmeladas, pastilhas doces, geleias, pastéis franceses, laranjas, maças e três ou quatro variedades de nozes. Numa palavra, uma completa confeitaria. Numa terceira mesinha, coberta com uma toalha branca como neve, havia grande variedade de aperitivos, caviar, queijo, empadinhas, presunto, peixes, e uma fieira de magníficas garrafas de cristal com licores de várias marcas e de cores muito atraentes: verdes, vermelhas, canela e ouro. Finalmente, numa mesinha posta de lado, mas ainda assim coberta com um pano branco, havia duas garrafas de champanhe. Na mesa defronte do divã erguiam-se três garrafas: Sauternes, Laffitte e conhaque – garrafas paradisíacas e caríssimas. Junto da mesinha de chá estava sentada Alieksandra Siemiônovna, em traje simples e modesto, embora visivelmente rebuscado, e que lhe ficava muito bem. Compreendia quem iria à sua casa e era evidente que fazia gala nisso. Ao receber-me, levantou com certa solenidade. A satisfação e o contentamento espalhavam-se no seu fresco semblante. Maslobóiev calçava umas lindíssimas babuchas chinesas, vestia um roupão de preço e deixava ver uma roupa interior elegante e aparatosa. Na sua camisa, onde quer que se pudessem prender, mostrava botões e broches à moda. Tinha o cabelo penteado, untado com cosmético, e com risco ao lado, segundo a moda.

Estava tão surpreendido que me detive no meio do quarto e pus-me a olhar de boca aberta, ora para Maslobóiev, ora para Alieksandra Siemiônovna, cuja satisfação raiava pela beatitude.

– Mas, que é isto, Maslobóiev? Tens festa esta noite? – exclamei, finalmente, inquieto.

– Não, só te esperava a ti – respondeu solenemente.

– Mas, e isso? – e apontei os aperitivos. – Há aí o suficiente para abastecer um exército completo!

– E para lhe dar de beber... esquecias o principal; para lhe dar de beber – acrescentou Maslobóiev.

– Tudo isso só por mim!

– E por Alieksandra Siemiônovna. Preparou tudo com tanto gosto...

– Bem, já me queria parecer! – exclamou, corando, Alieksandra Siemiônovna, mas sem perder o seu ar de satisfação. – Não se pode receber dignamente um hóspede?... Sou sempre eu a culpada de tudo!

— Esta mesma manhã, já podes ver, desde esta mesma manhã, quando soube que virias à noite, não parou um momento. Esteve tão atarefada!

— Sim, sim! Mas não desde esta manhã; desde ontem à noite que o sabia. Quando vieste, disseste-me que íamos ter visitas.

— Ouviste mal.

— Não ouvi mal; foi o que tu disseste. Eu nunca minto. E por que não receber as visitas? Passam-se dias e dias sem que ninguém nos venha ver... Já que temos de tudo, que as pessoas vejam que nós também sabemos viver.

— E que vejam o principal: como é diligente e hábil a dona da casa – acrescentou Maslobóiev – já vês, amiguinho, porque é que eu terei caído aqui. Bordam-me camisas de Holanda, colocam-me os botões de punho, calçam-me as babuchas, vestem-me um roupão chinês; penteiam-me e põem-me cosmético e bergamota. Não sei que essências queria também que eu usasse... *crème brulée;* só sei que perdi a paciência, levantei e fiz valer a minha autoridade de marido...

— Não é bergamota, é o melhor cosmético francês, no seu frasco de porcelana – insistiu, toda aborrecida, Alieksandra Siemiônovna. – Veja o senhor mesmo, Ivan Pietróvitch: nunca me leva ao teatro nem ao baile; só sabe oferecer-me vestidos e vestidos. Que hei de fazer? Vestir-me e pôr-me a dar voltas por aqui sozinha... Há dias estava combinado que iríamos ao teatro; já me vestira e só me faltava pôr um broche. Fui buscá-lo e, ao voltar, já se metera com as garrafas. Em resumo: ficamos em casa. Ninguém, absolutamente ninguém, nos vem ver. Só de manhã, para negócios, vem alguém e, ainda assim, deixam-me a meio... E não nos falta o samovar, nem o serviço de chá com lindas chávenas... Temos tudo isso, e tudo ganhamos de presente. E nos dão também comestíveis; quase que só temos de comprar a aguardente e o cosmético. Aí tem: aperitivos, empadinhas, presunto e até doces compramos para o senhor, para que veja como vivemos. Há um ano ando a pensar: "Se vier algum convidado; poderíamos mostrar-lhe tudo isto e obsequiá-lo; ele havia de nos elogiar, o que nos daria muito prazer". E pus o cosmético a este, embora o não mereça pois, por seu gosto, andaria sujo. Veja o roupão que traz. Foi presente. Por acaso merece ele um roupão como este? Do que ele gosta é de beber. Vai ver como, antes de lhe oferecer chá, lhe oferece vodca.

— E então? É assim, é, vamos beber um golinho, Vânia, da garrafa de licor de ouro e também licor de prata. Depois, com a alma iluminada, passaremos a outra bebida.

— Então, eu não dizia?

— Não te assustes, Sáchenhka; também tomaremos chá, com um trago de conhaque, à tua saúde.

— Bem, aí temos! – exclamou Alieksandra, levantando os braços. – Um chá de seis rublos que nos ofereceu o comerciante há três dias, e ele prefere beber conhaque. Não faça caso, Ivan Pietróvitch, eu vou servir-lhe o chá! Já vai ver, já vai ver que chá...

E pôs-se a andar de um lado para o outro, afanosamente, à volta do samovar.

Evidentemente haviam pensado entreter-me ali toda a noite. Alieksandra Siemiônovna passara um ano à espera de um hóspede e agora se dispunha a desafogar a sua alma comigo. Mas aquilo não estava nos meus cálculos.

— Desculpa, Maslobóiev – disse eu, sentando – eu não vim ver-te como convidado, tenho que fazer. Chamaste-me para me comunicares não sei quê...

— Bem, é verdade. Negócios são negócios, mas também há lugar para uma conversa de amigos...

— Não, meu caro, não tenhas ilusões. Às nove e meia vou-me embora. Tenho que fazer, comprometi a minha palavra...

— Não penses nisso. Faz favor de ver como vais proceder comigo. Que vais fazer a Alieksandra Siemiônovna? Olha para ela. Até faz pena! Para que me pôs o cosmético? Para que me pôs a bergamota? Olha!

— Levas tudo na brincadeira, Maslobóiev. Juro a Alieksandra Semiônovna que para a semana que vem, sexta-feira, por exemplo, virei jantar com vocês. Mas hoje, caro irmão, dei a minha palavra, ou, melhor, preciso simplesmente ir a determinado lugar. É melhor que me expliques já o que querias dizer-me.

— Mas o senhor só vai estar conosco até às nove e meia? – exclamou Alieksandra Siemiônovna com voz tímida e lastimosa, a dois dedos do pranto, enquanto me servia uma chávena de excelente chá.

— Não te aflijas, Sáchenhka, é tudo vontade de falar – insistiu Maslobóiev. – Ficará conosco; outra coisa seria absurdo. Mas diz-me Vânia, que lugar é esse onde vais sempre? Que assunto te ocupa? Não se pode saber? Passas os dias de cá para lá, não trabalhas.

— E isso que te importa? Além do mais, pode ser que te diga... Mas diz-me tu antes: por que foste ontem à noite à minha casa, quando eu te disse – lembras-te – que não estaria lá?

— Lembrei-me depois, mas ontem me esqueci. Queria efetivamente falar contigo sobre um assunto, mas o que mais me interessava era distrair um pouco Alieksandra Siemiônovna. "Olha – disse-me ela – esse homem parece-me simpático. Por que não o convidas?" E por tua culpa não me deixou descansar durante quatro dias. Por causa da bergamota, meu irmão, terás de me perdoar, indubitavelmente, muitos pecados... Então pensei: "Por que não passar um serão agradável em companhia de um amigo?". E pensei num estratagema: escrevi-te, falando desse assunto e dizendo que, se não viesses, tudo iria por água abaixo.

Eu lhe pedi que, numa outra vez, não fizesse isso de novo, mas que me falasse francamente. Apesar de tudo, aquela explicação não me satisfez totalmente.

— Bem! Mas em primeiro lugar, por que fugiste de mim? – perguntei.

— Ora, porque de fato tinha que fazer, não te mentia.

— Com o príncipe, por acaso?

— Gosta do nosso chá? – perguntou-me Alieksandra Siemiônovna com voz melíflua.

Esperava há cinco minutos que eu elogiasse o seu chá e eu não reparara.

— É excelente, Alieksandra Siemiônovna, magnífico! Nunca tomei outro igual.

Alieksandra Siemiônovna corou de satisfação e serviu-me outra chávena.

— O príncipe! – exclamou Maslobóiev. – Bom desavergonhado, meu irmão, é um bom desavergonhado, o tal príncipe. Irmãozinho, vou dizer-te uma coisa: não me tenho em grande conta, mas apenas por vergonha, não quereria encontrar-me na sua pele. Basta! É um tratante. Isso é tudo o que posso dizer dele.

— Pois vim ver-te com toda a intenção de te falar nele, entre outras coisas. Mas deixaremos isso para depois. Agora diz: por que é que ontem, na minha ausência, ofereceste doces à minha Eliena e até te puseste a dançar diante dela? E de que estiveste falando durante hora e meia?

— Eliena é uma criança de onze ou doze anos, que vive agora com Ivan Pietróvitch — explicou Maslobóiev à mulher, voltando-se para ela. — Olha Vânia, olha — prosseguiu, apontando-a com os dedos — toda ela estremeceu ao ouvir que levo doces a uma desconhecida. Pôs-se vermelha e estremeceu como se tivesse disparado contra mim uma pistola... Veja como os seus olhos brilham como brasas. Mas, Alieksandra Siemiônovna, não há nada, nada que ocultar! Anda, põe-te com ciúmes. Se não tivesse explicado que era uma garota de onze anos, estava bem servido... Nem a bergamota me salvaria!

— A partir de agora, com certeza não te salva.

Ao dizer aquelas palavras, Alieksandra Siemiônovna de um salto dirigiu-se para nós, abandonando a sua mesinha de chá, e, antes que Maslobóiev tivesse tempo de esconder a cabeça, agarrou-o pelos cabelos e deu-lhe uns poucos de bofetões.

— Toma, toma! Para não te atreveres a dizer diante do nosso hóspede que sou ciumenta. Para não te atreveres, para não te atreveres, para não te atreveres.

Corara e, embora sorrisse, nem por isso batia com menos força no marido.

— Diz coisas que envergonham! — acrescentou, a sério, dirigindo-se a mim.

— Já vês, Vânia, que vida é a minha! Não tenho remédio senão consolar-me com a aguardente — decidiu Maslobóiev alisando os cabelos e dirigindo-se, pouco menos que a correr, para a garrafa.

Mas Alieksandra Siemiônovna adiantou-se a ele, inclinou-se sobre a mesa, serviu-lhe o vinho ela própria, passou-lhe a taça e até lhe deu, com carinho, uma pancadinha na face. Maslobóiev, ufano, piscou-me o olho, estalou com a língua e bebeu solenemente.

— Quanto aos doces é difícil pensar — começou, sentando-se junto de mim no divã. — Comprei-os há três dias, embriagado, numa mercearia... Não sei com que fim. Talvez com o único fim de fomentar o comércio e a indústria nacionais... não sei bem. Só me lembro de que caí, embriagado, no meio da rua; que caí na lama, puxei os cabelos e me pus a chorar, vendo que inútil eu era. Naturalmente esqueci-me dos doces que ficaram no meu bolso até ontem à noite; sentei sobre eles quando descansei no teu divã. Quanto às danças, eu estava também embriagado; tinha uma bebedeira muito respeitável e, quando estou assim e me sinto feliz da vida, costumo dançar. E é tudo. Falta talvez apenas acrescentar que a orfãzinha me inspirou dó e também que ela não queria falar comigo, como se estivesse aborrecida. Dancei também para a alegrar e para o mesmo lhe ofereci os doces.

— Mas não os terias oferecido com o fim de a sondar? Confessa francamente: foste procurar-me intencionalmente, sabendo que eu não estava em casa, para falares a sós com a pequena, e para lhe arrancares algum pormenor, não é? Lembra-te que sei que estiveste falando com ela durante hora e meia, que lhe disseste que tinhas conhecido a sua falecida mãe e que lhe perguntaste não sei que mais.

Maslobóiev piscou o olho e sorriu maliciosamente.

— Olha, não teria sido má ideia – disse. – Mas não, Vânia, não é assim. Claro que não fica mal perguntar, mas não se tratava disso. Escuta, velho amigo, embora esteja agora muito embriagado, como é costume, deves saber que nunca Filip Filípitch te enganou com "má intenção". Assim mesmo: com "má intenção".

— Bem. E sem má intenção?

— Ora... tampouco sem má intenção. Mas que é isto? Bebamos e vamos ao assunto! É muito simples – continuou sem deixar de beber: – Essa Bubnova não tinha nenhum direito de reter a criança. Estou a par de tudo. Nem a perfilhara sequer. A mãe devia-lhe dinheiro, e daí ela ter ficado com a pequena. A Bubnova, por muito esperta e desavergonhada que seja, é, como todas as mulheres, uma tola. A defunta possuía um passaporte em regra. Eliena pode viver contigo, embora fosse preferível que qualquer família generosa a adotasse. Mas, por agora, pode continuar contigo. Isso não importa; arranjarei tudo. A Bubnova não se atreve nem a mover um dedo. Da defunta não pude averiguar nada de concreto. Só sei que era viúva e tinha o sobrenome de Salzmann.

— É assim, é. Nelly já me disse.

— Bem, está o caso arrumado. Agora, Vânia – começou com certa solenidade – tenho de fazer-te um pedido insignificante. Vais conceder-me o que te peço. Vais contar-me, o mais pormenorizadamente possível, que assunto é esse que te preocupa, onde vais, onde passas os dias inteiros. Embora algo tenha ouvido e saiba sobre isso, preciso de mais dados.

Aquela solenidade surpreendeu-me e até me causou inquietação.

— Como? Para que precisas saber? Perguntas tão solenemente...

— Vou dizer-te, Vânia, sem palavras supérfluas: quero prestar-te um serviço. Olha, meu amigo, se eu usasse de astúcia, poderia, sem solenidade nenhuma, arrancar-te da língua o que desejo saber. Mas pensas que estou usando de astúcia; compreendi quando falaste dos doces. Mas, ao falar-te agora com esta solenidade, não o faço no meu interesse, mas no teu. Assim, não duvides e conta-me, com toda a franqueza, a verdade inteira... sinceramente...

— Mas que serviço é esse? Ouve, Maslobóiev. Por que não me contas alguma coisa sobre o príncipe? Se visses que falta me faz... Isso sim seria um favor.

— Do príncipe? Hum... Bem, seja. Vou te falar com franqueza. Ia precisamente perguntar-te agora qual a sua conduta.

— Sim?

— Olha, meu irmão, eu já notara que ele andava de permeio no teu assunto. Entre outras coisas, perguntou-me por ti. Como se inteirou de que tu e eu somos amigos... é coisa que te não diz respeito. O principal é isto: tem cuidado com esse príncipe. É um judas traidor e fico-me por aqui. Quando vi que estava metido nos teus assuntos, comecei a recear por ti. Quanto ao mais, não sei nada; por isso te pedia que me dissesses, para poder ajuizar... E por isso também te convidei para hoje. Olha que isto é um assunto importante. Não posso explicar-me com mais clareza.

— Mas, pelo menos, quererás dizer-me qualquer coisa, ainda que seja só a razão pela qual devo ter cuidado com o príncipe.

— Pois bem, seja. Eu, meu irmão, costumo, por vezes, meter-me em assuntos alheios. Mas julga por ti mesmo: há quem tenha confiança em mim, porque não sou linguarudo. Como hei de contar-te alguma coisa? Não te aborreças, pois, se te falar apenas de modo geral, só para te mostrar que tratante é esse homem. Mas começa primeiro com as tuas coisas.

Eu pensei que realmente não devia ocultar nada a Maslobóiev. O assunto de Natacha não era nenhum segredo e, além disso, podia esperar de Maslobóiev algo de útil para ela. Claro que, no meu relato, procurei, dentro do possível, passar por alto alguns pontos. Maslobóiev escutou com particular atenção tudo o que dizia respeito ao príncipe. Muitas vezes obrigava-me a parar para perguntar várias coisas que tornassem o meu relato mais pormenorizado. Falei durante meia hora.

— Hum! Que inteligente é essa moça! – concluiu Maslobóiev. – Supondo ainda que não tivesse acertado em tudo o que respeita ao príncipe, pelo menos acertou numa coisa, desde o primeiro instante: foi em compreender com quem tinha de haver-se e cortar as relações com ele. Bravo, Natacha Nikoláievna! Bebo à tua saúde! – e bebeu... – Mas não basta a inteligência; também é preciso coração para uma pessoa se não deixar enganar. Coração foi o que lhe faltou. Naturalmente que o assunto já está arrumado; o príncipe realiza os seus desejos e Alhocha deixa-a abandonada. O único que me faz pena é Ikhmiêniev... Ter de pagar dez mil rublos a esse desavergonhado. Quem se encarregou do seu caso? Quem deu cabo dele? Talvez ele próprio. Ah! Cuidado com esses homens tão veementes, mas tão nobres! Não servem para nada! Com o príncipe era necessário proceder de outro modo. Eu teria arranjado a Ikhmiêniev um advogado que... ah! – e deu com aborrecimento um soco na mesa.

— Bem, e agora, que me dizes do príncipe?

— Para ti não existe senão o príncipe. Que hei de dizer-te dele? Não me agrada, além disso, que me fizesses lembrá-lo. Eu, Vânia, só queria prevenir-te contra esse desavergonhado, a fim de te pôr a salvo da sua influência. Quem se relaciona com ele não se livra de inquietações. Por isso, toma cautela. Aqui tens tudo. Parece-me que já tinhas pensado que eu te ia contar sabe Deus que mistérios de Paris. Para alguma coisa hás de ser romancista... Bem! Que vou dizer desse tratante? Que é um desavergonhado?... Pois bem: vou contar, por exemplo, uma das suas façanhas; naturalmente sem especificar lugar, cidade ou personagens. Quer dizer, sem precisão. Deves saber que, na sua mocidade, quando se via obrigado a viver do seu ordenado de funcionário, teve de casar-se com a filha de um opulento negociante. Bem! Pois não se portou nada bem com a tal filha do comerciante, e, embora ela não seja agora nosso assunto, vou te fazer notar de passagem, Vânia, que toda a vida gostou de empregar estes recursos. Mas continua ouvindo. Fez uma viagem ao estrangeiro. Ali...

— Para, Maslobóiev. A que viagem te referes? Em que ano foi?

— Faz agora precisamente noventa e nove anos e três meses... Bem; também lá raptou uma filha-família, filha única, e levou-a para Paris. E sabes o que fez? O pai da pequena era dono de uma fábrica ou sócio de uma empresa, não sei bem. Olha que o que te conto tive de reconstituí-lo com argumentos e suposições inferidos de outros dados. Pois o príncipe enganou-o e entrou de sociedade com ele. Enganou-o completamente e tirou-lhe uns dinheiros. Quanto ao dinheiro roubado, o velho possuía documentos. O príncipe, porém, queria levá-lo; mas não pensava devolvê-lo, e também não queria mostrar que praticara simplesmente um roubo. O velho tinha uma filha, uma filha encantadora, e desta formosura estava enamorado um homem ideal, um irmão de Schiller, poeta e ao mesmo tempo comerciante, um jovem sonhador, numa palavra, um perfeito alemão, chamado Pfefferkuchen,[33] ou qualquer coisa semelhante.

— Então chamava-se Pfefferkuchen?

— Pode ser que não, mas isto pouco importa. O certo é que o príncipe começou a fazer a corte à pequena, e de tal modo a fez que ela se enamorou dele como uma louca. O príncipe, com isto, pretendia duas coisas: primeiro, possuir a jovem, e depois, os documentos que o velho tinha e que comprovavam a quantia emprestada. As chaves de todas as gavetas do velho tinha-as a filha. O velho queria-lhe com loucura, a ponto de a não querer dar em casamento a ninguém. Tinha ciúmes de todos os noivos, não se convencia a separar-se dela e expulsou de sua casa esse tal Pfefferkuchen, que era um inglês...

— Inglês? Mas onde se passava toda esta história?

— Disse inglês por comparação, e tu agarras-te logo a isto... Esta história passou-se em Santa Fé de Bogotá, ou talvez em Cracóvia, numa cidade ou noutra, tanto faz. Olha, parece-me que, pelo mais certo, tudo aconteceu no principado de Nassau, quer dizer, escreveu-se na areia precisamente em Nassau. Estás satisfeito? Bem. O príncipe raptou a moça e, por indicação dele, esta levou consigo alguns documentos. Que paixão... Vânia! Ufa! Meu Deus, e diz que a pequena era decente, boa, distinta. Para dizer a verdade, talvez não soubesse muito de livros. A ela só a preocupava uma coisa: que o pai a não amaldiçoasse. O príncipe conjurou os seus temores comprometendo-se com ela, legal e formalmente, a casar-se. Assegurou-lhe, além disso, que só estariam ausentes uma temporada, para dar tempo a que o velho deixasse de estar zangado. Voltariam então, já casados, e viveriam para sempre juntos, os três, em amor e concórdia, assim até à eternidade. A pobrezinha fugiu, o velho amaldiçoou-a e teve de declarar-se falido. Frauenmilch[34] correu a Paris atrás dela, deixando tudo e abandonando até o negócio, pois estava perdidamente enamorado.

— Mas que Frauenmilch era esse?

— Bem, como se chamava ele? Feuerbach...[35] quer dizer, Pfefferkuchen! Bem! Claro que ao príncipe era impossível casar-se, porque – que diabo! – que diria a condessa Khliestova? Que pensaria o barão Pomóikin? Por conseguinte, era necessário usar de artimanhas. E não esteve com meias medidas... Em primeiro lugar, pouco faltou para lhe bater e, além disso, convidou intencionalmente para sua casa o próprio Pfefferkuchen, o qual acudiu à chamada, fez-se amigo dela e derramaram juntos umas lágrimas, passaram juntos alguns serões, lamentando a sua desdita e consolando-se. Eram ambos uns ingênuos. O príncipe preparara tudo... Uma vez surpreendeu-os tarde e saiu dizendo que ambos se entendiam e começou a procurar questões. Dizia que vira com os seus próprios olhos. Expulsou-os imediatamente de casa e foi-se para Londres. Mas, pouco tempo depois de a deixar, ela deu à luz uma menina, quer dizer, um menino, é isso, um filhinho, ao qual pôs o nome de Volodka. O Pfefferkuchen foi o padrinho. Enfim, ela foi viver com Pfefferkuchen, que tinha um dinheirinho. Viajaram pela Suíça, pela Itália... por todas essas terras poéticas, ao acaso. Ela não fazia senão chorar e Pfefferkuchen choramingava também. Assim se

---

33 Torta de pimenta. Trocadilho em alemão.
34 Leite de mulher.
35 Rio de fogo. Trocadilhos em alemão.

passaram muitos anos e a menina cresceu. Ao príncipe tudo saíra bem, exceto uma coisa: não pôde arrancar-lhe o documento pelo qual se comprometia a casar-se.

"És um vilão – disse ela ao despedir-se. – Raptaste-me, desonraste-me e agora abandonas-me. Adeus! Mas não contes que te devolvo a certidão do casamento. Não é que pense fazer uso dela, mas porque sei que receias este documento. Por isso o guardarei sempre em meu poder." Numa palavra, exaltou-se; mas o príncipe permaneceu tranquilo. Em geral, esta classe de indivíduos sabe muito bem regular os seus assuntos com essas criaturas a que chamamos exaltadas. Estas são de condição tão nobre que se deixam enganar facilmente. Além disso, rematam sempre tudo com sublime desdém, em vez de tentar arrumar o assunto de maneira prática e justa, se for possível. Pois essa mãe procedeu assim: pôs fim ao episódio com altivo desprezo e, embora ficasse com os documentos, o príncipe bem sabia que antes se havia de enforcar do que fazer uso deles. Assim continuou tranquilo até agora. O certo é que, embora lhe tivesse chamado, cara a cara, desavergonhado, ela ficou com Volodka nos braços. Se ela morresse, que seria dele? Mas não ficou pensando nisso. Bruderschaft[36] também a animava, e não ficava a pensar... Ambos liam Schiller. Até que finalmente deu a Bruderschaft uma grande tristeza, não sei por que, e... foi-se...

– Referes-te a Pfefferkuchen?
– Claro que sim, diabos o levem. Mas ela...
– Para! Quantos anos andaram viajando no estrangeiro?
– Duzentos bem contados. Bem! Como ia dizendo, ela voltou para Cracóvia. O pai não quis recebê-la. Amaldiçoou-a e ela foi-se e acabou por morrer, enquanto o príncipe estourava de alegria. Eu também lá estava. Provei o mel: pelos bigodes passou, mas à boca não chegou. Deram-me um empurrão e sai pela porta afora... Bebamos, meu irmão!
– Bem me parecia que tu estavas dentro do assunto, Maslobóiev.
– Achas que sim?
– Só não compreendo o que terás feito.
– Pois olha: quando ela voltou a Madri, depois de dez anos de ausência, foi preciso averiguar o que acontecera a Bruderschaft e ao velho, se ela de fato voltara, que teria acontecido ao menino, de que teria ela morrido, que fora feito dos documentos, etc., para maior tranquilidade. Mas basta. É um homem perigoso. Foge dele, Vânia, e lembra-te sempre disto: pelo que respeita a Maslobóiev, nunca, por nada no mundo, lhe chames vilão. Embora tenha algo de desavergonhado (a meu entender, não há ninguém que esteja livre disso), nunca o será contra ti. Eu estou muito embriagado, mas ouve: se alguma vez, cedo ou tarde, agora ou para o ano, te parecer que Maslobóiev te fez objeto de alguma maroteira (e peço-te que não esqueças esta palavra, maroteira), lembra-te que foi sem má intenção. Maslobóiev olha por ti. Além disso, não creias em suspeitas, mas vem cá e explica-te, com toda a franqueza e fraternalmente, com o próprio Maslobóiev. Bem. Queres agora outro trago?
– Não.
– Só um bocadinho?
– Não, meu irmão, desculpa...

---

36 Fraternidade, em alemão. Outro nome humorístico para designar o romântico apaixonado pela moça.

— Bem, então vai-te. São nove menos um quarto e tu és orgulhoso. Já está na tua hora.

— Como? Que é isso? Bebes até te embriagares e depois despedes as visitas? És sempre o mesmo. Ah! Desavergonhado! – exclamou, quase chorando, Alieksandra Siemiônovna.

— Não misturemos alhos com bugalhos... Alieksandra Siemiônovna, nós ficamos juntos e podemos adorar-nos mutuamente. Mas esse é um general. Não, Vânia, minto, não és um general, mas eu... sou um desavergonhado. Olha-me. Que pareço agora? Que sou eu comparado contigo? Perdoa, Vânia, não leves a mal e deixa-me desabafar...

Abraçou-me e salpicou-me de lágrimas. Eu me dispus a retirar.

— Ah! meu Deus, e eu que preparara a ceia – exclamou Alieksandra Siemiônovna com grande pena. – Mas sexta-feira, sem falta, virá jantar conosco, não?

— Virei, Alieksandra Siemiônovna, palavra de honra que virei.

— Talvez o senhor se aborreça de vê-lo tão... embriagado. Mas não faça caso, Ivan Pietróvitch. Ele é muito bom... e se visse quanto lhe quer! Dia e noite, não faz senão falar-me do senhor; não tem outro tema. Comprou-me os seus livros, mas não pude ainda lê-los – começarei amanhã. E se visse que prazer me dá se vier! Nunca vejo ninguém, ninguém vem nunca a esta casa. Não nos falta nada, mas estamos sós. Estava eu ali, sentada, a ouvir de que falavam... e se soubesse com que prazer! Bem, até sexta-feira.

Capítulo VII

Apressei-me a voltar a casa. As palavras de Maslobóiev tinham-me causado funda impressão. Deus sabe as coisas de que me lembrei! Como que intencionalmente, aguardava-me em casa um episódio que me impressionou tão vivamente como uma descarga elétrica.

Em frente da porta de casa havia um lampião. Ainda não chegara à porta, quando de junto dele se dirigiu a mim um estranho vulto, que até me fez gritar: era uma pobre criatura assustada, tremendo, meio louca, e que, dando um grito, me agarrou num braço. O espanto apoderou-se de mim: era Nelly.

— Nelly! Que é isto? – exclamei. – És tu?

— Lá em cima... Está lá em cima... Em casa...

— Mas quem? Subamos, sobe comigo.

— Não quero, não quero. Esperarei que se vá embora... Não saio daqui... Não quero... Desci quando ele entrou.

Eu subi, com um pressentimento estranho. Abri a porta e... encontrei-me com o príncipe. Estava sentado à mesa e lia um romance. Pelo menos tinha o livro aberto.

— Ivan Pietróvitch! – exclamou alvoroçado. – Quanto me regozijo que tenha voltado! Estava quase a ir-me embora... Já o espero há uma hora, mais ou menos. Eu comprometi hoje a minha palavra, ante insistente e reiterado pedido da condessa, de vir hoje aqui à sua casa. Insistiu tanto comigo, tem tal desejo de o conhecer... Assim, como o senhor já tinha prometido, julguei melhor vir eu mesmo buscá-lo, antes que o senhor tivesse tempo de ir a outro lugar, a fim de o convidar para casa da condessa. Agora calcule a minha arrelia: a sua criadinha explicou-me que o senhor não estava em casa. Que fazer? E eu que dera a minha palavra de honra de que só voltaria na sua companhia... Resolvi sentar, para o esperar apenas um quarto de hora. Sim, sim, apenas um quarto de hora. Peguei no seu romance e pus-me a ler. Que maravilha! E não o compreendem ainda depois disto!... Mas, se o senhor conseguiu fazer-me chorar! É que, quero que o saiba, eu chorei – e não costumo chorar com muita frequência...

– Então o senhor quer levar-me consigo? Pois devo dizer-lhe que agora... embora eu também desejasse ir...

– Pelo amor de Deus, venha. Se não vier, que vai ser de mim? Olhe que estou à sua espera há hora e meia... Além disso, preciso tanto, tanto, de falar com o senhor... Não se lembra de quê? O senhor está mais a par do assunto que eu... Talvez possamos resolver alguma coisa, optar por qualquer solução. Pense! Pelo amor de Deus, não deixe de me atender!

Eu pensei que, mais cedo ou mais tarde, não teria remédio senão ir. Supondo até que Natacha está só e que precisa de mim, não me encarregou ela de tentar, quanto antes, conhecer Kátia? Além disso pode ser que Alhocha lá esteja... Eu sabia que Natacha não ficaria tranquila enquanto eu lhe não levasse notícias de Kátia, e resolvi ir. Mas tinha pena de Nelly.

– Desculpe-me – disse ao príncipe.

E saí para a escada. Nelly estava escondida num canto escuro.

– Por que não queres entrar, Nelly? Que te fez ele? Que te disse?

– Nada... Mas não quero, não quero... – repetia. – Tenho medo...

Por mais que lhe pedisse, foi inútil. Combinei então que, assim que eu saísse com o príncipe, ela entraria no quarto e se fecharia.

– E não abres a ninguém, Nelly, por mais que insistam.

– Mas o senhor vai com ele?

– Vou, sim.

Estremeceu e agarrou-me a mão, como se quisesse pedir-me que não saísse, mas não disse nada. Eu decidi interrogá-la mais detidamente no outro dia.

Depois de apresentar as minhas desculpas ao príncipe, comecei a vestir-me. Ele me garantiu que não era necessário traje de cerimônia.

– Vista qualquer coisa leve – acrescentou, passando-me revista da cabeça aos pés. – Apesar de que, afinal, esses preconceitos mundanos... é impossível alguém desprender-se completamente deles. Tal perfeição não se encontra no nosso mundo – concluiu, ao verificar, com ar satisfeito, que eu usava fraque.

Saímos. Mas detive-o no patamar e entrei no quarto onde Nelly já se metera e, mais uma vez, despedi-me dela. Estava comovidíssima. Tinha o rosto azulado. Receei por ela; custava-me muito deixá-la.

– Que estranha é a sua criadinha! – disse-me o príncipe ao sair para a escada. – Suponho que essa mocinha é sua criada...

– Não... é... vive comigo provisoriamente.

– Que estranha criatura. Tenho a impressão de que está louca. Imagine que, a princípio, respondia muito bem às minhas perguntas; mas, assim que me olhou, atirou-se a mim. Pôs-se a dar gritos e a tremer. Agarrou-se a mim e parecia querer dizer algo e não poder. Confesso que tive medo e já me dispunha a fugir, quando ela, graças a Deus, se adiantou, fugindo de mim. Eu estava atônito. Como pode o senhor aguentá-la?

— Sofre de ataques — respondi.
— Ah! Sim? Então não há que estranhar... se sofre de ataques...

No mesmo instante ocorreu-me que a visita de Maslobóiev na véspera, sabendo que eu não estava em casa, o relato que o próprio Maslobóiev me fez, embriagado e de má vontade, o seu convite para as oito em sua casa, a advertência para que eu não supusesse haver, da sua parte, vilania para comigo, e, finalmente, o fato de o príncipe ter me esperado hora e meia, sabendo talvez que eu estava com Maslobóiev, quando Nelly fugiu para a rua... — ocorreu-me que tudo devia estar relacionado. Havia motivo para assim pensar.

À porta esperava-nos o coche do príncipe. Subimos e fomos embora.

Capítulo VIII

Não tínhamos de ir longe: só até Torgovi Riad.[37] Durante os primeiros momentos, fomos em silêncio. Eu só pensava: "Que será que ele quer me dizer?". Parecia querer pôr-me à prova, fazer-me frente, sondar-me. Mas ele começou a falar sem rodeios e foi logo direito ao assunto.

— Estou atualmente muito preocupado com uma ideia, Ivan Pietróvitch. Quero falar-lhe sobre ela, antes de falar com mais ninguém, para que me dê a sua opinião. Há tempo que decidi desistir da demanda iniciada e perdoar a Ikhmiêniev os dez mil rublos do litígio. Como hei de fazer?

"Não me parece que não saibas o que hás de fazer — pensei. — Quererás troçar de mim?"

— Não sei príncipe — respondi com a maior ingenuidade possível. — Sobre outro assunto, o referente a Natália Nikoláievna, estou pronto a declarar-lhe que é absolutamente imprescindível que combinemos todos uma reunião; mas quanto à esse assunto de que me fala, o senhor sabe mais do que eu.

— Não, não, sei menos. O senhor conhece-os e talvez a própria Natacha Nikoláievna lhe tenha exposto o seu modo de pensar sobre o assunto. Isso para mim é o guia principal. O senhor pode ajudar-me; trata-se de um problema muito difícil. Estou disposto a renunciar e até já decidi fazê-lo, enquanto se resolvem as outras coisas. Compreende? Mas como? Que aspecto dar a essa desistência? Que pretexto lhe atribuir? O velho é orgulhoso, insolente. É possível que se ofenda com a minha generosidade e recuse esse dinheiro...

— Mas permita-me: como considera o senhor esse dinheiro? Seu ou dele?

— Eu ganhei a demanda, portanto é meu.

— E em consciência?

— Naturalmente que o considero meu — respondeu-me um pouco melindrado pela minha falta de urbanidade. — Além do mais, segundo me parece, o senhor não conhece o assunto a fundo. Eu não acuso o velho de me ter enganado com intenção e confesso-lhe que nunca o acusei. Foi ele mesmo quem, voluntariamente, se considerou ofendido. Eu só o acusei de descuido, de não olhar pelas coisas que lhe estavam entregues. Segundo tínhamos combinado, estava obrigado a responder so-

---
[37] Fila (Rua) do Comércio, existente em muitas cidades russas, inclusive Petersburgo, onde esta denominação persiste até hoje.

bre algumas dessas coisas. Mas saiba que também não se tratava disso: tratava-se da nossa questão, das nossas ofensas mútuas, numa palavra, do nosso amor próprio ofendido. É possível que eu nem sequer tivesse prestado atenção a esses miseráveis dez mil rublos... O senhor já sabe por ele como a coisa começou... Reconheço que procedi com desconfiança e até com injustiça (quer dizer, fui injusto naquela altura), mas sem reparar, e, na minha arrelia, ao sentir-me ofendido pelas grosserias do velho, não quis perder a ocasião e iniciei a demanda. Talvez isto lhe pareça pouco nobre da minha parte. Não me vou justificar. Só quero fazer-lhe notar que a ira e, sobretudo, o amor próprio ferido não significam ausência de nobreza, porque são enfermidades naturais, humanas. Confesso e repito que quase não conhecia Ikhmiêniev quando dei crédito a todos aqueles rumores a respeito de Alhocha e da filha dele. Assim, pude também crer num desfalque premeditado... Mas deixemos isto. O principal é outra coisa: que hei de fazer? Renunciar ao dinheiro? Mas, se eu lhe digo que o considero meu, com confirmação do Direito, isso significa que o ofereço. E veja o que a situação tem de delicado, se se pensar em Natália Nikoláievna... Ele vai infalivelmente atirar-me com o dinheiro à cara...

— Veja como o senhor próprio diz que "vai atirá-lo". Isso demonstra que o considera um homem honrado e, sendo assim, é porque o senhor está absolutamente convencido de que ele não roubou o dinheiro. E então por que não vai o senhor vê-lo e não lhe explica, com toda a franqueza, que considera a demanda ilegal? Isso seria muito nobre. Talvez que então Ikhmiêniev não achasse inconveniente em receber o "seu dinheiro".

— Hum... o "seu dinheiro"... Bem, mas veja, que quer que eu faça? Que vá explicar-lhe que considero a minha demanda ilegal? Mas donde conclui o senhor, como sabe que a minha demanda é ilegal? Dizer-me assim, cara a cara! Eu não mereço isso, porque eu estava no meu direito... Nunca disse ou escrevi que ele me tinha roubado. Quanto ao seu descuido, à sua despreocupação, ao seu modo desacertado de tratar dos assuntos, de tudo isso estou convencido. Esse dinheiro é indiscutivelmente meu e, portanto, é-me doloroso renunciar a ele. Em último caso, repito-lhe que foi o velho quem me ofendeu. E o senhor quer obrigar-me a pedir-lhe desculpa... É forte!

— A mim parece que quando dois homens querem fazer as pazes...

— Crê que é assim tão simples?

— Sim.

— Não. Algumas vezes é muito difícil, tanto mais...

— Tanto mais que estas circunstâncias estão relacionadas com outras. Com isto deve o senhor concordar, príncipe. O caso de Natália Nikoláievna e do seu filho tem o senhor de o resolver em todas as partes que dependem de si, e tem de resolvê-lo de modo satisfatório para os Ikhmiênievi. Só então poderá ter uma explicação com Ikhmiêniev, acerca do litígio, com absoluta sinceridade. Mas agora, que nada está resolvido, só tem um caminho: reconhecer a injustiça da sua demanda, e reconhecê-la franca e... publicamente, se for preciso. É esta a minha opinião. Se lhe exponho com franqueza é porque o senhor próprio pediu; decerto não quereria que eu faltasse à sinceridade... Isto dá-me coragem para perguntar: por que se preocupa tanto com a devolução desse dinheiro a Ikhmiêniev? Se pensa que estava dentro da justiça nesse processo, por que restituí-lo? Perdoe a minha curiosidade, mas como está tudo tão relacionado com outras circunstâncias...

– Mas que pensa? – perguntou imediatamente, como se não tivesse ouvido a minha pergunta. – Está certo de que o velho Ikhmiêniev vai recusar o dinheiro se lhe entregarem os dez mil rublos sem nenhuma desculpa e... e... sem nenhuma dessas atenuantes?

– Claro que o recusará!

Eu estremeci e até fiz um impaciente movimento de aborrecimento; aquela pergunta cética fez-me a mesma impressão de que se o príncipe me tivesse cuspido nos olhos. À minha ofensa juntava-se outra: aquele grosseiro modo mundano com que, sem responder à minha pergunta e como que não reparando nela, me interrompeu com outra, dando-me claramente a entender que eu distraía e me familiarizava demasiado ao fazer-lhe tais perguntas. A mim eram-me antipáticos até o ódio esses modos aristocráticos e, já antes, tinha posto todo o meu empenho em tirá-los a Alhocha.

– Hum... O senhor é muito fogoso, e no mundo há coisas que não podem fazer-se como pensa – fez-me notar o príncipe, tranquilamente, ante a minha exclamação. – Além do mais, penso que isto poderia ser em parte resolvido por Natália Nikoláievna. Diga-lhe. Ela poderá talvez aconselhar-nos.

– Nem pense nisso – respondi secamente. – O senhor não se dignou escutar o que eu comecei há pouco a dizer-lhe, e cortou-me a palavra. Natália Nikoláievna pensará que, se o senhor devolve o dinheiro sinceramente e sem nenhuma dessas "atenuantes", como diz, isso quer dizer que paga ao pai pela filha, e à filha por Alhocha; numa palavra: que os indeniza com dinheiro...

– Hum... Como o senhor me trata, meu caro Ivan Pietróvitch! – e o príncipe sorriu. Por que se teria sorrido? – Mas, para já – continuou – temos ainda tanto, tanto de que falar! E agora não há tempo... Só lhe peço que tenha presente "uma coisa": o assunto afeta diretamente Natália Nikoláievna e todo o seu futuro... e tudo depende da maneira como o senhor e eu resolvermos isto e daquilo que estabelecermos. O senhor é imprescindível... Já o está percebendo. Por isso, se continua a ter afeto por Natália Nikoláievna, não pode negar-se a uma conferência comigo, por pouca que seja a simpatia que eu lhe inspire. Mas já chegamos... *à bientôt*.

Capítulo IX

A condessa vivia muito bem. A casa apresentava-se com conforto e gosto, embora sem fausto. Tudo, no entanto, tinha o aspecto de uma instalação provisória; era apenas uma elegante vivenda para uma temporada e não a residência permanente de uma família rica, com todos os seus refinamentos aristocráticos e esses caprichos que se julgam indispensáveis. Corria o rumor de que a condessa, no verão, se mudaria para a sua propriedade (arruinada e hipotecada) da província de Simbirsk, e que o príncipe a acompanharia. Eu já o ouvira dizer e pensava com pena: "Que fará Alhocha, quando Kátia se for com a condessa?" A Natacha ainda eu não falara disto, por receio; mas, por alguns indícios, pude inferir que tal rumor também chegara aos seus ouvidos. Simplesmente calava e sofria em silêncio.

A condessa recebeu-me muito bem, estendeu-me afetuosamente a mão e disse-me que havia muito desejava ver-me em sua casa. Ela própria me serviu o chá, de um magnífico samovar de prata, em volta do qual estávamos sentados, o príncipe, eu e outro cavalheiro da alta sociedade, já entrado em anos, com uma condecoração, afetado e com ares de diplomata. A esse senhor, segundo parecia, todos tinham muito respeito. A condessa, ao voltar do estrangeiro, ainda não tivera tempo de fazer muitas amizades em Petersburgo, nem de consolidar a sua situação, como queria e esperava. Além daquele senhor, ninguém mais apareceu durante toda a noite. Procurei com o olhar Ekatierina Fiódorovna. Estava noutra sala, com Alhocha; mas, ao ouvir a nossa chegada, acorreu imediatamente. O príncipe beijou-lhe a mão com carinho e a condessa chamou-lhe a atenção para mim. O príncipe, em seguida, fez as apresentações. Eu a observava com atenção impaciente. Era uma lourinha delicada, vestida de branco, estatura mediana, com uma expressão serena e plácida no semblante, olhos de pomba (como Alhocha dizia) – tinha a formosura da juventude e nada mais. Eu esperava encontrar-me com um modelo de beldade, mas não havia tal beleza. O oval do rosto, regular e finamente traçado, umas feições bastante regulares, cabelos abundantes e realmente bonitos, penteados muito simplesmente, olhos serenos e atentos... Se a tivesse encontrado nalgum lugar, teria passado junto dela sem lhe dedicar particular atenção. Mas foi só o primeiro olhar, porque, ao observá-la com mais vagar, me pareceu melhor. Quando me apertou a mão, olhou-me nos olhos com atenção ingênua e insistente, sem dizer palavra. Impressionou-me pela sua singularidade; não pude deixar de lhe sorrir. É evidente que experimentei a impressão de me encontrar perante um ser de coração puro. A condessa não tirava a vista de cima dela. Depois de me apertar a mão, Kátia, com certa pressa, afastou-se de mim e foi sentar no outro extremo da sala, junto de Alhocha. Este, depois de me saudar, sussurrou-me ao ouvido: "Só estou aqui um minuto, depois vou para lá".

O "diplomata" – ignoro o seu sobrenome e chamo-lhe diplomata para lhe chamar alguma coisa – falava com calma e tranquilidade, desenvolvendo não sei que ideia. A condessa ouvia com atenção. O príncipe sorria de modo encorajador e lisonjeiro. O orador, que se dirigia a ele amiúde, apreciava-o, certamente, como a um ouvinte digno. Serviram-me o chá e deixaram-me em paz, com o que muito me alegrei. No meio de tudo isto, ia observando a condessa. À primeira vista agradou-me muito, confesso que sem eu querer. Talvez já não fosse muito nova, mas parecia-me que não teria mais de vinte e oito anos. Tinha o rosto ainda fresco e, na juventude, devia ter sido interessantíssima. Os cabelos, de um louro escuro, eram ainda muito abundantes. Um olhar bondoso, embora um pouco frívolo, brincalhão e travesso. Mas, agora, por alguma razão, reprimia-se visivelmente. No modo de olhar refletia-se também muito espírito, mas mais do que tudo, bondade e alegria. Afigurava-se-me que o traço predominante do seu caráter era certa frivolidade, ânsia de prazeres e até muito certo egoísmo, talvez. Achava-se sob o domínio do príncipe, que exercia sobre ela extraordinária influência. Eu sabia que eles mantinham relações e também ouvira dizer que ele não fora um amante muito zeloso, durante a permanência no estrangeiro. Parecia-me, porém – e ainda agora me parece – que a ambos unia, além das suas antigas relações, alguma outra circunstância, em parte secreta, algo como um compromisso recíproco, baseado nalgum cálculo... numa palavra, qualquer coisa nesse gênero. Também sabia que o príncipe já estava cansado dela, apesar de não cortar aquelas relações. Talvez ainda os unissem os seus desígnios sobre Kátia, a iniciativa dos quais devia ter sido do príncipe. Por esta razão, aquele abstinha-se de casar com a condessa, que exigia isso, convencendo-a de que isso facilitaria o casamento de Alhocha com a sua enteada. Era o que eu deduzia do ingênuo relato que me fizera Alhocha, no qual tive forçosamente de ver alguma coisa, por pouco que fosse. Parecia-me também, a julgar por estas mesmas referências, que o príncipe, embora tivesse a condessa completamente à sua mercê, não deixava de ter alguma razão para a recear. Também Alhocha notara isto. Vi logo que o príncipe desejava casar a condessa com qualquer outro e que era talvez com essa intenção que a enviava para a província de Simbirsk, esperando encontrar-lhe um bom marido naquela região.

Eu estava sentado e escutava, sem achar o modo de conseguir, o mais depressa possível, conversar à parte com Ekatierina Fiódorovna. O diplomata respondia a não sei que pergunta da condessa referente ao estado dos assuntos contemporâneos, às reformas incipientes e se seria ou não razoável assustar-se com elas. Falava muito, com fleuma e como quem tem autoridade. Desenvolvia a sua tese com muito senso e espírito, apesar de repulsiva: sustentava que toda a reforma e modificação espiritual não tardariam a produzir os resultados esperados; que esses seriam outras tantas provas da necessidade de se ser razoável; e que, não só na sociedade (naturalmente numa certa parte da sociedade...), mas fora dela, aquele novo espírito encontraria acolhimento – apesar de que logo, com a experiência, haviam de reconhecer o erro cometido e, então, com dobrada energia, voltariam a defender o antigo regime. Que a experiência, embora de lamentar, resultaria proveitosa, porque ensinaria a defender essa antiguidade salvadora e porque proporcionaria novos dados. Por conseguinte, seria de desejar que, quanto antes, se chegasse aos últimos extremos da imprudência. "Sem nós nada é possível – concluiu – sem nós nenhuma sociedade perdurou. Nós não sairemos perdendo, mas ganhando; vamo-nos mantendo por cima e o nosso lema, no momento presente, deve ser *Pire çá va, mieux ça est!*"[38] O príncipe sorriu-lhe com uma simpatia que me repugnou. O orador estava satisfeitíssimo consigo próprio. Eu estive prestes a cometer a tolice de lhe dar resposta: o coração parecia saltar-me. Mas conteve-me um olhar do príncipe que, imperceptivelmente, se voltou para mim. Pareceu-me que esperava alguma estranha e juvenil saída da minha parte: talvez que até o desejasse, para se divertir ao ver-me comprometido *ex abrupto*. Além disso eu já estava firmemente persuadido de que o diplomata não iria fazer caso da minha objeção, nem talvez, até, de mim próprio. Ia ficando insuportável permanecer a seu lado, mas Alhocha tirou-me de apuros.

Aproximou-se de mim devagar, deu-me uma pancadinha no ombro e pediu-me duas palavras. Adivinhei que vinha enviado por Kátia, e assim era. Ao fim de um minuto eu conversava com eles. A princípio Kátia olhou-me atentamente, como se pensasse: "Bem, já sei como és". No primeiro instante, nenhum dos dois atinava com uma palavra para iniciar o diálogo, apesar de estar convencido de que valeria a pena ficar palestrando com ela até de manhã. "As cinco... ou seis horas de conversa" de que nos falara Alhocha vieram-me à ideia. Alhocha estava perto de nós e também aguardava com impaciência que começássemos.

---

38 Quanto pior, melhor.

– Mas então não falam? – disse, olhando-nos sorridente. – Estão juntos e não falam?

– Ai, Alhocha, como tu és!... Vamos já falar – respondeu Kátia. – Eu precisava muito de falar com o senhor, Ivan Pietróvitch, e veja: agora não sei por onde começar. Conhecemo-nos demasiado tarde; devíamos ter-nos encontrado antes, embora eu já o conheça há muito tempo. E tinha tanto desejo de vê-lo! Até pensei escrever-lhe uma carta.

– Acerca de quê? – perguntei sorrindo involuntariamente.

– De qualquer coisa – respondeu-me a sério – ainda que fosse para lhe perguntar se é verdade o que este me disse de Natália Nikoláievna: que ela não se ofendeu por ficar só tanto tempo... Bem. É possível alguém proceder como ele procede? Mas... queres dizer-me por que estás aqui agora?

– Ai, meu Deus, já me vou! Eu tinha dito que só ficaria aqui um minuto, mas vejo que se dispõem a falar e gostava de poder estar cá e lá.

– Mas que tem de especial o fato de falarmos? Já viu? Há de sempre ser o mesmo – afirmou ela corando levemente e apontando Alhocha com o dedo. – Ele disse "Um instante, só um instante", e veja o senhor, fica aqui até à meia-noite. "Natacha não se aborrece, é muito boa." Veja como ele pensa! Quer fazer o favor de me dizer se isto assim está bem, se isto é correto?

– Bem, já me vou – respondeu Alhocha, lastimoso. – É que gostava de ficar com vocês...

– Mas que tens a fazer aqui? Nós é que temos muito de que falar a sós. Faze o favor de te não aborreceres: é indispensável... Pensa bem!

– Se é indispensável, vou-me agora mesmo... Mas... por que havia de me aborrecer? Estarei apenas um momento com Lióvonhka e imediatamente voltarei para casa dela. Veja, Ivan Pietróvitch – continuou, enquanto pegava o chapéu – não sabe que meu pai quer renunciar ao dinheiro que ganhou no pleito com Ikhmiêniev?

– Sim, sei. Já me disse.

– Como procede nobremente ao renunciar! Mas veja o senhor: Kátia não crê que proceda com nobreza. Fale-lhe disto. Adeus, Kátia, e, por favor, não duvides de que eu amo Natacha. Mas por que me impõem essa condição, por que me recriminam e me seguem com os olhos... como se me tivessem sob tutela? Ela sabe quanto lhe quero e tem fé em mim, estou convencido de que tem. Eu a amo sem nada, sem nenhum compromisso, nem mesmo sei quanto lhe quero. Amo-a, simplesmente. Por isso não me interroguem como a um criminoso. Olha, pergunta a Ivan Pietróvitch, agora que o tens aqui, e ele te dirá que Natacha é ciumenta e que, apesar de me querer muito, há no seu amor um pouco de egoísmo, pois, por nada do mundo, renunciaria a mim.

– De verdade? – perguntei eu, assombrado, não querendo dar crédito aos meus ouvidos.

– Que estás dizendo, Alhocha? – quase gritou Kátia, sacudindo as mãos.

– Bem, que tem isso de particular? Ivan Pietróvitch sabe. Ela pretende que eu esteja a seu lado, quer dizer, ainda que não diga, vê-se que é isso que deseja.

– Mas... não te envergonhas, não te envergonhas de dizer isso? – exclamou Kátia cheia de cólera.

– Por que me havia de envergonhar? Que graça te acho, Kátia. Olha, eu amo-a mais do que parece, mas se ela me quisesse verdadeiramente, como eu lhe quero a ela, ia se sacrificar por mim. Claro que ela me diz que venha aqui, mas vê-se na cara dela quanto isso lhe custa, o que para mim vale o mesmo que nada me dizer.

– Não, isto não são ideias dele! – exclamou Kátia, dirigindo-se a mim com os olhos flamejantes de cólera. – Confessa, Alhocha, confessa agora que tudo isso foi influenciado pelo teu pai! Falou-te nisso hoje mesmo? E, por favor, não te faças de esperto comigo, que eu já te conheço! É assim ou não?

– Sim, foi ele quem disse – respondeu, mortificado, Alhocha. – Que tem de particular? Esteve hoje tão carinhoso para mim, tão meu amigo, e fez-me tais elogios sobre ela, que eu estava assombrado. Natacha ofendeu-o tanto e meu pai a julgá-la deste modo!

– Mas pode estar certo – disse eu – de que agora mesmo, hoje mesmo, toda a inquietação dela era pelo senhor, por ti a quem ela deu quanto podia dar, para que não estivesse triste, para que se não privasse da possibilidade de estar com Ekatierina Fiódorovna! Foi o que ela própria me disse. E o senhor a dar logo crédito a semelhantes afirmações!... Não tem vergonha?

– Ingrato! Mas se nunca se envergonha de nada! – exclamou Kátia, apontando-o com a mão, como a um homem completamente perdido.

– Mas que é que me censuram agora? – continuou Alhocha com voz lastimosa. – Fazes sempre o mesmo, Kátia! Só vês em mim o lado mau... Não me refiro a Ivan Pietróvitch! O senhor pensa que não amo Natacha. Não foi isto que eu quis dizer ao achá-la egoísta. Só quis dizer que me quer em excesso, com um amor que passa todas as medidas e que é doloroso, tanto para ela como para mim. Mas o meu pai nunca seria capaz de me manobrar à sua vontade, ainda que o quisesse. Ele também não disse que ela era egoísta no mau sentido do termo: eu o compreendi bem. Apenas quis dizer aquilo que eu próprio acabo de exprimir: que ela me ama a tal ponto, com tal violência, que isso redunda em egoísmo, o que se torna aborrecido para os dois e, com o andar dos tempos, ainda se há de tornar mais aborrecido para mim. Reparem que ele tinha o direito de falar assim, pelo afeto que me tem. Isto não quer dizer, de maneira nenhuma, que ofendesse Natacha; antes significa que ele vê nela um amor muito forte, um amor sem medida, tocando quase o impossível...

Mas Kátia interrompeu-o e não o deixou concluir. Começou a censurá-lo com veemência, a mostrar-lhe que só intencionalmente seu pai se pusera a gabar Natacha, para o enganar com a sua aparente bondade, tudo com o intuito de afrouxar os laços e de acabar por virar contra ela, de modo quase insensível, o próprio Alhocha. Com ardor e discrição fez ressaltar quanto Natacha o amava, que nenhuma mulher lhe perdoaria o modo como estava procedendo para com ela, e que o único e verdadeiro egoísta era ele próprio, Alhocha. Pouco a pouco Kátia foi-lhe fazendo sentir um terrível desgosto e um arrependimento completo; estava sentado junto de nós, com os olhos no chão, sem responder nada, completamente aniquilado e com uma expressão de sofrimento no rosto. Mas Kátia era inexorável. Eu a contemplava com extrema curiosidade. Queria conhecer a fundo, quanto antes, aquela estranha jovem. Era na verdade uma criança, mas uma criança especial, "com convicções", com normas firmes e com um amor apaixonado, agressivo, à bondade e à justiça. Embora se lhe pudesse chamar uma criança, pertencia a essa classe de crianças "que pensam", muito numerosas nas nossas famílias. Saltava à vista que já pensara muito. Era curioso olhar aquela cabecinha pensadora e observar como nela alternavam ideias e suposições pueris com impressões seriamente sentidas e observações da vida (porque Kátia já não era uma criança). Ao mesmo tempo havia ideias que (ela própria o ignorava) não eram vividas, que a tinham seduzido abstratamente nos livros – ideias que deviam ser muito numerosas e que por certo tomara como experiência própria.

Em toda aquela noite e depois aprendi a conhecê-la muito bem. Tinha um coração veemente e sensível. Em alguns momentos, parecia esquecer o dom de se dominar, pondo acima de tudo a sinceridade. Considerava a coação mundana como um preconceito e, ao que parecia, ufanava-se de tal convicção, o que costuma suceder a muitas pessoas fogosas, ainda que já não sejam muito novas. Mas tudo isto lhe conferia uma atração particular. Gostava muito de pensar e procurar as razões de tudo. Estava a tal ponto isenta de pedantismo, tinha tantas saídas infantis, dignas de uma criancinha, que desde o primeiro instante se tornava encantadora a sua originalidade e até nos acostumávamos a ela. Eu me recordava de Lióvonhka e Bórienhka e pensava que tudo isto estava perfeitamente de acordo. E, coisa estranha, o seu rosto, no qual não encontrara nenhuma beleza especial, ao primeiro olhar, tornou-se para mim, naquela mesma noite, muitíssimo belo e atraente. Aquela ingênua duplicidade da criança e da mulher que pensa, aquela ânsia infantil e absolutamente sincera, de verdade e justiça, a sua fé inquebrantável nas próprias aspirações, tudo isso parecia iluminar-lhe o semblante com um certo fulgor de sinceridade, muito belo, e comunicava-lhe uma espécie de suprema beleza espiritual. Começava-se a compreender que não era fácil atingir o pleno significado daquela formosura, que esta não se patenteava toda a qualquer olhar vulgar e indiferente. Compreendi que Alhocha devia estar apaixonadamente ligado a ela. Como não era capaz de discorrer nem pensar, ele amava precisamente quem pensasse, e até quem desejasse por ele. Kátia tomara-o sob a sua tutela. Alhocha tinha um coração nobre e dócil; propendia sempre para o honesto e sublime, e Kátia fizera-lhe ver muitas coisas com toda a sua franqueza e simpatia infantis. Ele não possuía uma só ponta de vontade própria; ela, em troca, tinha uma grande firmeza, uma vontade ardente. Alhocha só poderia prender-se a quem o soubesse dominar e até impor-lhe a sua vontade. Foi por isso, em parte, que Natacha conseguiu atraí-lo no início das suas relações, mas Kátia tinha uma grande vantagem sobre Natacha: a de ser uma garota e de haver de continuar a sê-lo por muito tempo ainda. A sua infantilidade, a sua inteligência lúcida e, ao mesmo tempo, uma certa falta de senso, tudo estava mais de acordo com Alhocha. Este sentia-o e por isso Kátia cada vez o atraía mais. Estou convencido de que, quando falavam a sós, alternariam com as sérias expressões "de propaganda", de Kátia, algumas brincadeiras. E, embora Kátia, seguramente, ralhasse com Alhocha e até o tivesse nas suas mãos, era evidente que ele estava a seu lado com mais prazer do que junto de Natacha. Eram mais "iguais" entre si, e isso é o essencial.

– Basta, Kátia, basta. Tu tens sempre razão e eu nunca. Isso deve-se ao fato de teres uma alma mais pura que a minha – disse Alhocha levantando-se e estendendo-lhe a mão em sinal de despedida. – Vou agora mesmo ver Natacha e não subirei à casa de Lióvonhka.

– Não tinhas nada que fazer em casa de Lióvonhka. Acho muito bem que me obedeças e te vás embora.

– Está sempre bem o que fazes – respondeu, triste, Alhocha. – Ivan Pietróvitch, tenho de lhe dizer duas palavras.

Afastamo-nos um pouco.

– Conduzi-me hoje como um desavergonhado. Procedi muito mal e incorri em culpa com toda a gente e, sobretudo, com elas duas. Hoje, o meu pai, depois do jantar, apresentou-me Alexandrine (uma francesa), uma mulher deslumbrante. Eu... me deixei levar e... bem! Sou indigno de estar com elas... Adeus, Ivan Pietróvitch!

– É bom, é nobre! – apressou-se a dizer Kátia, logo que voltei a sentar a seu lado. – Mas já falaremos dele, e não há de ser pouco. Agora, antes de mais, é necessário que me responda a uma pergunta: que lhe parece o príncipe?

– Um homem odioso.

– A mim também. Nisto, portanto, estamos completamente de acordo. Quanto ao resto, vai ser fácil ajuizar. Falemos agora de Natacha Nikoláievna... Sabe, Ivan Pietróvitch, que eu ando completamente às escuras e que o esperava como à luz?... O senhor vai-me aclarar tudo, porque, quanto ao essencial, eu não pude ajuizar senão por conjeturas tiradas do que me contava Alhocha. Não tinha mais ninguém por quem me informar. Diga-me, em primeiro lugar, qual é a sua opinião. Se Alhocha e Natacha se unirem serão felizes ou desventurados? Isto é o que preciso saber primeiramente, para adotar uma resolução definitiva, para saber como devo conduzir-me.

– Que lhe hei de dizer de seguro sobre este ponto?

– Evidentemente que não espero nenhuma informação segura – interrompeu – apenas aquilo que lhe parece... Porque o senhor é um homem muito inteligente...

– Ao que me parece, não poderão ser felizes.

– Por quê?

– Porque não são iguais.

– Era o que eu pensava – e deixou cair os braços, profundamente aflita. – Conte-me mais pormenores. Ouça, eu tenho uma enorme vontade de ver Natacha, porque preciso muito falar com ela. Parece-me que, entre ambas, resolveremos tudo. Já a imagino mentalmente: deve ser muito inteligente, muito séria, sincera e bonita. É assim?

– É assim.

– Tinha a certeza disso. Mas bem. Se é assim, como pode querer a Alhocha, que é tão infantil? Explique-me isto. É só o que me preocupa.

– Não é possível explicar, Ekatierina Fiódorovna. É difícil ver as razões por que cada um ama. Sim, ele é infantil; mas não sabe até que ponto se pode querer a uma criança?

O meu coração enternecia-se ao olhá-la, ao ver os seus olhos que me contemplavam atentos, com uma funda, séria e impaciente atenção.

– E precisamente porque Natacha não é uma menina – prossegui – precisamente porque é mais séria, mais facilmente se enamorou dele. Ele é sincero, franco, terrivelmente ingênuo e, por vezes, graciosamente simples. Talvez que ela o amasse (quem poderia dizer?), como que por dó... Um coração generoso pode amar por compaixão... Mas, depois de tudo, vejo que não posso explicar-lhe bem... Em troca, vou agora perguntar-lhe uma coisa: ama-o deveras?

Formulei ousadamente esta pergunta, mas senti que com ela não poderia perturbar a infinita, a juvenil pureza daquela alma.

– Por Deus, não sei ao certo! – respondeu, em voz baixa, olhando-me nos olhos. – Parece-me que o amo muito...

— Bem, já vê. E poderá explicar-me por que o ama?

— Nele não há mentira – respondeu, depois de pensar um momento – e quando me olha e me fala, isso me é muito agradável... Ouça, Ivan Pietróvitch, estou falando com o senhor sobre tudo isto, mas eu sou uma moça e o senhor um homem. Faço bem ou mal?

— Que mal pode haver?

— Efetivamente! Claro, que mal pode haver? Mas veja: eles – e assinalou com os olhos o grupo junto do samovar – por certo diriam que isto não estava bem. Têm razão ou não?

— Não. O seu coração não a avisaria de que andava mal, se assim fosse?

— Eu procedo sempre assim – apressou-se ela a interromper-me, com o visível desejo de falar comigo o mais possível – quando estou preocupada com alguma coisa; consulto o coração e, se este está tranquilo, eu também fico tranquila. É assim que se deve proceder sempre. Além disso, falo com o senhor tão francamente como comigo própria, em primeiro lugar porque o senhor é um homem bom e porque conheço a sua história com Natacha, antes de Alhocha. Chorei ao ouvir contá-la.

— Mas quem a contou?

— Alhocha, naturalmente; e também chorava ao contar. Portou-se muito bem neste caso, o que muito me agradou. Creio que ele gosta mais do senhor do que o senhor dele, Ivan Pietróvitch. Veja: por estas coisas é que ele me agrada. Bem... Em segundo lugar falo com o senhor com tanta franqueza como falaria a mim própria, porque o senhor é um homem muito inteligente e pode aconselhar-me e ensinar-me muitas coisas.

— Mas como sabe que eu tenho inteligência suficiente para a ensinar?

— Olhem que pergunta! – e ficou pensativa. – Ouça – prosseguiu – eu apenas queria dizer-lhe isto, que pode falar-me do principal. Ajude-me, Ivan Pietróvitch, eu sinto agora que sou rival de Natacha, sei disso; como hei de proceder? Por isso lhe perguntei há pouco se eles "poderiam ser felizes". Penso nisto noite e dia. A situação de Natacha é horrível, horrível... Porque, quero que saiba, ele já a não ama, ao passo que a mim me quer mais, dia a dia. Não é assim?

— Parece.

— E veja: ele não a engana. Ele próprio ignora que deixou de amá-la, ao passo que ela já por certo deu conta do que se passa. Quanto deve sofrer!

— E que pensa fazer, Ekatierina Fiódorovna?

— Projetos, tenho muitos – respondeu ela seriamente – mas, até agora, não fiz nada. Por isso o aguardava com tanta impaciência, para que o senhor resolva tudo. Sabe muito mais do que eu sobre o assunto. O senhor é agora para mim pouco menos que um deus. Ouça, eu, a princípio, pensava assim: se eles se amam reciprocamente, têm por força de ser felizes e, nesse caso, estou obrigada a sacrificar-me e a ajudá-los no que puder. É o que lhe digo.

— Sei bem que se havia de sacrificar!

— Sim, me sacrificaria... Mas, quando ele começou a vir por aqui e a querer-me cada vez mais, comecei a pensar sobre isto: "Sacrifico-me ou não me sacrifico?". Foi muito mal, não acha?

— Isso é natural – respondi. – Tinha de ser assim... e a culpa não é sua.

— Eu não penso assim. O senhor diz-me isso porque é muito bondoso. Mas eu acho que não tenho um coração puro. Se o tivesse, saberia o que resolver. Mas deixemos isto. Vim a saber mais pormenores acerca das relações entre eles, pelo príncipe, pela mamãe e pelo próprio Alhocha, e deduzi que eles não estão bem um para o outro. O senhor mesmo acaba de o confirmar. Então insisti mais do que nunca nas minhas meditações: que fazer agora? Porque, se eles não vão ser felizes, é melhor que se separem. Resolvi, portanto, pedir-lhe mais pormenores e ir eu própria visitar Natacha e resolver tudo com ela.

— Mas... resolver como? A questão é esta...

— Bem, vou lá e digo-lhe: "A senhora ama-o mais do que a tudo e, portanto, deve desejar acima de tudo a felicidade dele. Assim, o seu dever é deixá-lo".

— Sim, mas que efeito produzirá nela ouvir isso? Mesmo supondo que concorda com a senhora, terá coragem suficiente para fazer o que lhe vai pedir?

— É nisso precisamente que penso, noite e dia, e... e...

E começou a chorar.

— Não calcula que pena tenho de Natacha — murmurou com os lábios trêmulos de pranto.

Não havia mais que dizer. Eu estava calado e também tinha vontade de chorar, ao vê-la sofrer tanto. Que criança simpática! Nem sequer lhe perguntei por que se considerava capaz de fazer Alhocha feliz.

— Gosta de música? — perguntou-me, depois de serenar um pouco, embora ainda comovida.

— Gosto muito — respondi, um pouco assombrado.

— Se tivesse tempo, havia de lhe tocar o concerto número três de Beethoven. Ando agora a estudá-lo. Reflete os mesmos sentimentos... que eu experimento agora. Pelo menos, é o que me parece. Mas ficará para outra vez. Agora precisamos de falar.

E procuramos resolver como poderia ela ver Natacha e como se arranjariam as coisas. Ela me explicou que era vigiada; embora a madrasta fosse boa e lhe mostrasse afeto, por nada no mundo iria consentir que travasse amizade com Natacha Nikoláievna. Estava, pois, resolvida a empregar a astúcia. De manhã, costumava sair a passeio, mas quase sempre com a condessa. Quando esta, algumas vezes, não podia ir com ela, entregava-a à francesa, agora doente. Isso costumava acontecer quando a condessa ficava com enxaqueca e, portanto, era necessário esperar que assim sucedesse. Então ela combinaria tudo com a francesa (uma espécie de dama de companhia, uma velha), muito boa. Em resumo: era impossível indicar antecipadamente o dia da visita a Natacha.

— Há de conhecer Natacha e não o lamentará — disse eu. — Ela também deseja conhecê-la, e é necessário que falem, ainda que seja apenas para se saber quem há de renunciar a Alhocha. Não se preocupe muito com este assunto. O tempo, só por si e sem que nós nos inquietemos, resolverá tudo. Ouvi dizer que vai fazer uma viagem ao campo.

— Sim, dentro em pouco, talvez dentro de um mês — respondeu ela. — E sei que o príncipe insiste nessa viagem.

— E que pensa? Alhocha vai acompanhá-la?

— Sim, já pensei nisso — exclamou, olhando-me atentamente. — Virá!

— Irá.

– Meu Deus, não sei em que vai dar tudo isto! Ouça, Ivan Pietróvitch. Eu lhe escreverei, vou lhe escrever com frequência. Vou lhe contar tudo com pormenores. Já que comecei a aborrecê-lo... Virá ver-nos algumas vezes?

– Não sei, Ekatierina Fiódorovna. Depende das circunstâncias. Talvez não possa vir.

– Por quê?

– Depende de muitas coisas, mas principalmente das minhas relações com o príncipe.

– É um velhaco – declarou Kátia resolutamente. – Mas ouça, Ivan Pietróvitch, e se eu fosse à sua casa? Estaria bem ou não? Que lhe parece?

– A mim parece que estava bem.

– Assim, poderia lhe contar tudo... – acrescentou sorrindo. – Olhe: eu lhe falo deste modo, porque, além de o respeitar... também o estimo muito... Sim, estimo-o... Mas diga-me, não é uma vergonha eu dizer-lhe estas coisas?

– Vergonha por quê? Eu também já a estimo, como se fosse da minha família.

– Então, quer ser meu amigo?

– Oh! sim, sim! – respondi.

– Bem. Eles seguramente haviam de dizer que era uma vergonha e que uma menina não deve conduzir-se deste modo – observou, indicando-me de novo o grupo formado em volta da mesa de chá.

Devo notar que o príncipe parecia ter-nos deixado intencionalmente falar a sós.

– Eu sei muito bem – acrescentou ela – que o príncipe, o que quer é o meu dinheiro. Eles pensam que sou uma criança e até me dizem isso na cara. Mas eu não penso assim. Eu já não sou uma criança. Eles são muito estranhos; eles é que parecem crianças. Vejamos o que andam planejando.

– Ekatierina Fiódorovna, esqueci-me de lhe perguntar uma coisa: quem são esse Lióvonhka e esse Bórienhka que Alhocha visita tantas vezes?

– São parentes meus, afastados. Uns rapazes muito inteligentes e muito honrados, mas que falam pelos cotovelos... Já os conheço... – e sorriu.

– É verdade que pensa, na devida altura, oferecer-lhes um milhão?

– Vê? Ainda que isso seja verdade, falaram tanto do milhão que já se torna insuportável. Claro que eu estou disposta a sacrificar-me por tudo o que for útil. Para que quero eu tanto dinheiro? Mas olhe que daqui até eu dar o milhão... E, todavia, já estão a fazer e desfazer, a falar, a discutir, gritar e brigar sobre o modo como hão de empregar o dinheiro. Até por isto brigam... o que é realmente estranho. Estão muito apressados... Não obstante, são rapazes sinceros e... inteligentes. Estudam. É preferível isso à vida que outros levam, não é verdade?

Ainda estive bastante tempo falando com ela. Contou-me toda a sua vida e escutou as minhas palavras com avidez. Insistia para que lhe contasse tudo o que soubesse de Natacha e de Alhocha. Seria já meia-noite quando o príncipe se aproximou de mim, dando-me a entender que eram horas de nos retirarmos. Despedi-me. Kátia apertou-me a mão com força e olhou-me expressivamente. A condessa insistiu para que voltasse. Saí com o príncipe.

Não posso deixar de expor uma observação, ainda que resulte incongruente. Da minha conversa de três quartos de hora com Kátia fiquei, entre outras coisas, com a convicção um pouco estranha, mas ao mesmo tempo profunda, de que ela era tão criança que ignorava em absoluto as relações entre homem e mulher. Isto imprimia uma graça desusada a algumas ideias suas e ao tom sério que tomava para abeirar-se de certos problemas importantes.

Capítulo X

– Sabe uma coisa? – disse-me o príncipe, ao sentar a meu lado no coche. – Acho que não ficaria mal tomarmos qualquer coisa. Que lhe parece a minha proposta?

– Verdadeiramente não sei, príncipe – respondi, hesitante. – Eu nunca ceio...

– Bem, é que, naturalmente, "falaríamos", enquanto ceássemos – acrescentou ele olhando-me, atenta e ironicamente, nos olhos. Como não compreender! Ele quer explicar-se comigo e é isso o que eu preciso. Aceitei.

– Pois vamos. À Bolchaia Morskaia, à B***.

– Um restaurante? – perguntei com certa perplexidade.

– Sim, que tem? Eu, é raro cear em casa. Não me permite que o convide?

– Mas é que, já lhe disse, eu nunca ceio...

– Uma vez só, não tem importância. Além disso, sou eu quem convida...

Quer dizer: "Sou eu que vou pagar". Estou convencido de que acrescentou aquilo "intencionalmente". Eu acedi a acompanhá-lo, mas estava resolvido a pagar a minha conta no restaurante. Chegamos. O príncipe pediu um compartimento reservado e, com arte e conhecimento do assunto, escolheu dois, três pratos. Eram pratos caros, tal como as garrafas de excelente vinho de mesa, que encomendou. Aquilo não estava ao alcance da minha bolsa. Olhei a ementa e pedi para mim meio frango e um copo de Laffite. O príncipe protestou:

– Mas não quer cear comigo? Isso é absolutamente ridículo. *Pardon, mon ami*. Olhe que isso... é de uma mesquinhez ofensiva. É de um amor-próprio tacanho. Parece que há aqui preconceitos de classe e apostaria que assim é. Asseguro-lhe que me ofende.

Persisti na minha ideia.

– Bem, como queira – acrescentou. – Eu não quero constrangê-lo... Diga-me, Ivan Pietróvitch, poderei falar-lhe como a um verdadeiro amigo?

– Peço-lhe que o faça!

– Bom, em meu entender essa mesquinhez prejudica-o. Prejudica-o a si e a todos da sua classe. Os senhores, os literatos, precisam conhecer o mundo e, no entanto, mantêm-se alheios a tudo. Não falo agora dos frangos. Veja: o senhor está disposto a recusar todas as relações com o nosso meio, e isto prejudica-o. Perde muito... – numa palavra: perde a sua carreira! O senhor tem necessidade de conhecer de fato o que se descreve, o que se encontra nos romances: condes, príncipes e *boudoirs*. Além de tudo, depois de tudo, como direi? O senhor agora só pinta miséria, inspetores, oficiais violentos, funcionários, tempos passados, conspiradores... Sei muito bem disso, muito bem.

– Engana-se em absoluto, príncipe. Se eu não penetro naquilo a que chama "alta esfera", é porque nela, em primeiro lugar, uma pessoa se aborrece, e depois, porque não tenho lá nada que fazer. Apesar de tudo, não deixo absolutamente de a frequentar...

– Já sei que vai à casa do príncipe R*** uma vez por ano. Já tive ocasião de o ver lá. Mas, no resto do ano, o senhor reveste-se de um orgulho democrático e some no seu casebre. Nem todos os do seu grêmio se conduzem assim: há uns que só procuram aventuras e que me causam náuseas...

– Agradecia-lhe muito, príncipe, que mudasse de assunto e me deixasse em paz com os casebres!

– Ai, meu Deus, já se ofendeu! Mas lembre-se de que foi o senhor mesmo quem me autorizou a falar-lhe como a um amigo íntimo. Mas é verdade, errei, porque ainda não mereci a sua amizade. Excelente vinho. Prove-o.

Encheu-me meio copo da sua garrafa.

– Veja, meu caro Ivan Pietróvitch, eu compreendo muito bem que não é decoroso atirar com a amizade à cara de uma pessoa; veja que nem todos nós somos grosseiros e duros para o senhor, como o senhor pensa... Apesar de que também compreendo muito bem que o senhor está aqui, não por deferência para comigo, mas porque lhe prometi "falar". Não é verdade? – e sorriu. – Já que vela tanto pelos interesses de certas pessoas das suas relações, vai ter a bondade de ouvir o que vou dizer-lhe, não é assim? – acrescentou com sorriso maldoso.

– Não se engana – cortei impaciente; eu via que ele era um desses indivíduos que, ao ver que um homem está em seu poder, ainda que preso por um cabelo, imediatamente o faz saber disso. Eu estava em seu poder; não podia sair dali sem escutar tudo o que quisesse dizer-me, e ele sabia disso de sobra. Mudou subitamente de tom, procurando cada vez mais dar às suas palavras um ar de familiaridade e, até, de brincadeira. – Não se engana, príncipe. Foi por isso que vim, de outro modo, realmente, não estaria aqui... tão tarde.

O que eu queria dizer era: "De outro modo, por nada deste mundo estaria aqui com o senhor"; mas não o disse e empreguei outros termos, não por receio, mas pela minha fraqueza e delicadeza, condenáveis. Depois de tudo, como ofender uma pessoa na sua própria cara, ainda que seja digna disso e que eu quisesse realmente fazê-lo? Pareceu-me que o príncipe leu isto nos meus olhos. Olhou-me, sorrindo, enquanto eu proferia aquela frase, como que satisfeito com a minha pusilanimidade e como que procurando excitar-me com este olhar: "Anda, atreve-te, meu caro!". Foi assim, pois, quando terminei, desatou a rir e, com afetuosidade protetora, deu-me uma pancadinha nas costas.

"Fazes-me rir, meu caro!", li eu nos seus olhos. "Paciência!", pensei para mim.

– Hoje foi para mim um dia muito alegre – exclamou ele – e, na verdade, não sei por quê. Sim, sim, meu amigo. Era precisamente dessa pessoa que queria falar-lhe. É necessário resolver alguma coisa em definitivo, "ficarmos" nalguma coisa. Espero que agora me compreenda perfeitamente. Falei-lhe, há pouco, daquela quantia e desse pai fanfarrão, desse garoto sexagenário... Bem! Não vale a pena falarmos agora disso... ah, ah, ah! O senhor, que é um literato, devia ter adivinhado...

Olhei-o atônito. Ao que parecia, ainda não estava embriagado.

– Bem! Quanto à tal menina, é verdade que eu a respeito e até me inspira afeto, creia-me. É um pouco voluntariosa, mas devemos pensar que "não há rosas sem espinhos", como diziam, e muito bem, há cinquenta anos. Os espinhos picam, mas isso é muito atraente e, embora o meu Alieksiéi seja um tolo, tenho de lhe perdoar, porque revelou bom gosto. Numa palavra: a pequena agrada-me, e eu... – e apertou os lábios de modo significativo – até tenho quanto a ela intenções pessoais... Mas, bom, isso fica para depois...

– Príncipe, por favor! – exclamei. – Não compreendo essa mudança tão brusca; mas... mudemos de conversa, suplico-lhe.

– Lá se zanga outra vez! Está bem... mudarei, mudarei. Só queria perguntar-lhe uma coisa, meu bom amigo, tem-lhe muita estima?

– Naturalmente! – respondi com brusca impaciência.

– E ama-a? – insistiu, estalando repulsivamente com a língua e piscando os olhos.

– O senhor esquece-se! – exclamei.

– Bem, bem, tranquilize-se. É que me encontro hoje com uma excelente disposição. Estou contente como há muito não estava. Não quer champanhe? Que lhe parece, meu caro poeta?

– Não bebo, não quero!

– E também não fala. O senhor está indefectivelmente obrigado a fazer-me hoje companhia. Sinto-me muito bem disposto e com uma bondade que raia pelo sentimentalismo. Não posso ser feliz sozinho. Quem sabe se acabaremos a beber e a tratar-nos por "tu"!... Ah, ah, ah! Não, meu jovem amigo, ainda me não conhece! Estou certo que acabará por me estimar. Quero que compartilhe hoje comigo a tristeza e a alegria, os risos e as lágrimas, apesar de que espero não chorar. Bom, vamos a ver: que diz o senhor, Ivan Pietróvitch? Imagine apenas que se as coisas não me correrem bem, toda a minha inspiração se desvanecerá, volatilizará, desaparecerá, e o senhor não chegará a ouvir nada. E veio aqui só para me ouvir, não é verdade? – acrescentou voltando a piscar-me maliciosamente o olho. – Agora escolha.

A ameaça era grave. Assenti. "Não quererá embriagar-me?", pensei. Efetivamente, é a altura de recordar certo rumor que corria acerca do príncipe, rumor que, há muito, chegara aos meus ouvidos. Diziam que ele, sempre tão elegante em sociedade, gostava de se embriagar às vezes, durante a noite, beber como uma esponja e entregar-se clandestinamente a uma libertinagem torpe e secreta. Ouvira sobre ele rumores terríveis... Diziam que Alhocha sabia que seu pai costumava embriagar-se e que se esforçava por ocultá-lo a toda a gente e, em especial, a Natacha. Certa vez começou a falar-me disso, mas imediatamente mudou de assunto e não respondeu às minhas perguntas. Além do mais, apesar de ter ouvido referir o fato, confesso que, a princípio, me recusava a acreditar. Agora estava à espera do que se iria passar.

Trouxeram-nos vinho. O príncipe encheu dois copos dos grandes, um para ele e outro para mim.

– É uma simpática e linda jovem, apesar de me ter tratado com aspereza – continuou a dizer, enquanto saboreava o vinho com deleite. – As pessoas assim simpáticas são especialmente atraentes em determinados momentos ... Ela havia de estar pensando que tinha conseguido confundir-me, lembra-se, que me reduzira a pó, ah, ah, ah!... Que bem lhe ficam as cores!... O senhor percebe alguma coisa de mulheres? Às vezes um súbito rubor fica-lhes admiravelmente bem às faces pálidas, já reparou? Ai, meu Deus! Vejo que já se aborreceu outra vez.

– Sim, estou aborrecido! – exclamei, sem poder conter-me. – Não quero que fale agora de Natacha Nikoláievna, isto é, não admito que fale nesse tom. Não posso... não posso consentir!

– Bem, desculpe. Vou fazer-lhe a vontade: mudarei de assunto. Porque, veja, sou tão flexível e brando como a cera. Falemos do senhor. Tenho-lhe estima, Ivan Pietróvitch; se soubesse a simpatia que me inspira, tão amigável e sincera.

— Príncipe, não seria melhor falar sobre o assunto? – interrompi.

— Do "nosso assunto", quer o senhor dizer. Eu até o compreendo com meias palavras, *mon ami*. Mas o senhor nem calcula como vamos estar perto do assunto, se falarmos do senhor – se o senhor, naturalmente, me não interromper. Nesse caso, continuo. Queria dizer-lhe, meu inestimável Ivan Pietróvitch, que viver como vive equivale simplesmente a perder-se. Há de permitir que eu toque neste assunto delicado, porque sou seu amigo. O senhor é pobre, recebe dinheiro adiantado do editor e paga as dívidas; no semestre seguinte, porém, alimenta-se apenas de chá e treme de frio na sua trapeira, esperando que se publique o seu romance na revista do seu editor, não é assim?

— Embora seja assim, parece-me que tudo isso...

— É mais honrado que roubar, adular, pedir dinheiro emprestado, enredar, etc., etc. Sei, sei o que o senhor quer dizer. Tudo foi posto a claro, há tempo...

— Mas, na realidade, não me parece que o príncipe tenha de se intrometer nos meus assuntos... Vai dar lugar a que eu lhe dê uma lição de delicadeza...

— Não, não terá de a dar. Que fazer, todavia, quando estamos tocando numa corda tão sensível? Mas, enfim, deixemos em paz as trapeiras. Não gosto nada delas, salvo em determinadas ocasiões – e rompeu num riso repulsivo. – Mas é isto que me espanta: por que tem tanto interesse em fazer papéis de segunda ordem? É verdade que um dos seus camaradas escritores disse uma vez, se bem me lembro, que talvez o maior feito de um homem fosse contentar-se na vida com um papel secundário... Era qualquer coisa deste gênero... E, a propósito, ouvi também qualquer coisa semelhante, não sei onde. Mas, enfim, o caso é que Alhocha lhe tirou a noiva, sei bem, e o senhor, como qualquer Schiller, ainda se esforça por os servir, por lhes ser prestável. Só lhe falta pôr-se a quatro patas por causa deles... Desculpe-me, meu caro, mas acho um pouco vil isso de brincar aos sentimentos generosos. Não sei como o senhor, no fundo, não se aborrece. É até vergonhoso. Eu, no seu lugar, morreria de desespero e, o que é mais importante, de vergonha, sim, de vergonha.

— Príncipe, parece-me que o senhor me trouxe aqui para me insultar! – exclamei, transtornado pela ira.

— Oh! Não, meu amigo! Neste momento sou apenas um homem prático e que deseja a sua felicidade. Numa palavra: desejo arrumar este assunto. Não percamos de vista que se trata de "todo o assunto". Escute-me até o fim, e procure não se irritar, ainda que seja apenas por um momento. Bem, que pensa? E se o senhor se casasse? Vê? Falo-lhe agora sobre "outra coisa". Mas... por que me olha tão espantado?

— Estou à espera de que acabe – respondi, olhando-o, efetivamente com assombro.

— Pois não me interrompa. Quero precisamente saber o que diria o senhor se algum amigo seu, que lhe desejasse uma felicidade sólida, efetiva, não efêmera, lhe propusesse uma jovem interessante mas... que já tivesse passado por certas coisas... Falo alegoricamente, mas deve estar entendendo, uma jovem como Natacha Nikoláievna, claro que com uma indenização decorosa... Olhe que estou a falar-lhe de "outra coisa" e não do "nosso assunto". Bem, então que diria?

— Direi ao senhor que... está louco!

— Ah, ah, ah! Bah! Pouco faltou para se atirar a mim.

Eu, efetivamente, senti tentações de me atirar a ele. Não podia conter-me mais. Dava-me a impressão de um réptil, de uma aranha enorme que eu a todo o custo desejava esmagar. Ele se divertia a troçar de mim. Brincava comigo como o gato com o rato, supondo que eu estava em seu poder. Parecia, lembro-me, que encontrava certa satisfação, certa voluptuosidade até, naquela tirania, naquele cinismo com que tirava diante de mim a sua máscara. Queria divertir-se com o meu espanto, com o meu assombro. Desprezava-me francamente e zombava de mim.

Eu pressentia, desde o início, que tudo aquilo era deliberado e tinha alguma finalidade. Mas estava em tal situação que, houvesse o que houvesse, não tinha remédio senão ouvir o príncipe até o fim. Assim convinha aos interesses de Natacha. Tive, pois, de resignar-me a tudo e tudo aguentar, porque talvez naquele instante se decidisse o seu destino. Mas como seria possível ouvir aquelas cínicas e maldosas apreciações a respeito dela, como seria possível sofrer tudo aquilo a sangue frio? Ele sabia muito bem que eu não tinha outro remédio senão ouvi-lo, e isto duplicava a sua ofensa. "Além do mais, ele também precisa de mim", pensei, e mostrei-me redondamente hostil. Ele o compreendeu.

– Bom! Veja, meu amigo – começou, olhando-me com seriedade – não é possível continuarmos assim. Será melhor ficarmos de acordo. Olhe que eu tinha a intenção de lhe dizer uma coisa; mas é preciso que o senhor seja tão amável que escute o que lhe quero dizer. Desejo falar à minha vontade, a meu gosto e como é necessário, na verdade. Vejamos, meu jovem amigo: está disposto a ter paciência?

Tive de fazer grande esforço, mas calei-me, apesar de que ele me olhava com tal sarcasmo que só parecia desafiar-me a formular o mais vivo protesto. Mas compreendia que eu acedera a não me retirar, e prosseguiu:

– Não se aborreça comigo, meu amigo. Afinal, por que é que se aborrece? Só pelo "parece bem", não é verdade? O senhor, no fundo, não esperava de mim outra coisa, qualquer que fosse a forma por que eu me exprimisse: com grande cortesia, ou como acabei de fazer – as ideias seriam as mesmas. O senhor sente desprezo por mim, não é verdade? Não vê quanta ingenuidade, franqueza e *bonhomie* há em mim! A si tudo confesso, inclusive os meus caprichos pueris. Sim, *mon cher*, sim. Ponha outra tanta *bonhomie* da sua parte e verá então como falamos, chegamos a acordo e nós compreendemos, finalmente, um ao outro. Mas não me olhe com esse espanto. Se soubesse como me aborrecem todas essas inocências, todas essas pastorais de Alhocha, todos esses dramas à Schiller, todas essas exaltações por causa da maldita ligação com a tal Natacha (que, aliás, é uma moça muito interessante)... Posso até dizer que involuntariamente me regozijo de ter uma ocasião para lhe exprimir todo o horror que me inspiram. Bem, chegou a ocasião. Além disso, queria desafogar consigo a minha alma, ah, ah, ah!

– O senhor espanta-me, príncipe, não o reconheço. Está usando o estilo de um polichinelo: essa franqueza inesperada...

– Ah, ah, ah! Veja, isso é verdade, em parte. Que comparação tão acertada. Eu estou muito divertido, meu amigo, estou muito divertido, estou alegre e contente. Mas o senhor, meu caro poeta, tem de me mostrar toda a tolerância possível. Mas será melhor bebermos – decidiu, completamente satisfeito consigo, esvaziando um copo. – Veja, meu amigo. Aquela estúpida noite (lembra-se?), em casa de Natacha, acabou de me matar definitivamente. Ela, na verdade, estava muito interessante. Saí de lá com um desgosto horrível e não posso esquecê-lo. Nem esquecer nem ocultar. Por certo que também me há de chegar a vez, e não deve tardar... Mas deixemos isto, por agora. Queria, entretanto, explicar-lhe que há um traço no meu caráter que o senhor ainda ignora: é a aversão a todos esses imbecis que para nada servem, a todas essas ingenuidades vulgares e baratas. Um dos meus mais gratos prazeres foi sempre fingir concordância, exprimir-me no mesmo tom, acarinhar, encorajar qualquer desses eternamente jovens Schillers e logo, rapidamente, de um só golpe, desconcertá-lo, tirar a máscara na sua frente e, em vez da cara de entusiasmo, fazer-lhe caretas, deitar-lhe a língua de fora... precisamente no instante em que menos se esperasse tal surpresa. Que tal? O senhor não compreende isto, isto parece-lhe abominável, absurdo, talvez ignóbil, não?

– Pois claro!

– O senhor é franco. Bom. Mas que hei de eu fazer, se me aborrecem? Será uma estupidez – também sou sincero – mas é este o meu caráter. Além do mais, gostaria de lhe contar alguns episódios da minha vida. O senhor há de compreender-me melhor e vai achar curioso. Sim, efetivamente, talvez me pareça hoje com um polichinelo. Mas, já vê, o polichinelo é sincero, não é?

– Por favor, príncipe. Já é tarde e, na verdade...

– Como? Meu Deus, que impaciência! Vamos! Continuemos a falar como amigos, sinceramente, sabe? Sim, senhor, junto da garrafa de vinho, como bons camaradas. O senhor pensa que estou bêbado. Que importa? Assim é melhor! Ah, ah, ah! Na verdade, estes momentos em companhia de um amigo ficam, para muito tempo, gravados na memória, e uma pessoa recorda-os com prazer. O senhor não é bom, Ivan Pietróvitch. Falta-lhe sentimentalismo, sensibilidade. Bem, que é para o senhor um bocadinho mais, tratando-se de um amigo como eu? No fundo, isto também tem relação com o "assunto". Como é que não o compreende? Sendo um literato... O senhor até devia celebrar esta ocasião: pode tirar de mim um tipo para os seus romances... Ah, ah!, meu Deus, como eu estou hoje simpático e franco!

Pelo visto, estava embriagado. Mudara de semblante e mostrava agora uma expressão maldosa. Indubitavelmente sentia vontade de morder, ferir, espicaçar, troçar. "Em parte, é melhor que esteja embriagado", pensei eu. Os bêbados dão sempre à língua. Mas ele não perdia a noção das coisas.

– Meu amigo – começou, visivelmente satisfeito consigo próprio – há pouco lhe dei uma indicação, talvez extemporânea, sobre a vontade invencível que às vezes me dá de deitar a língua de fora, em determinadas ocasiões. Devido a esta minha ingênua e simples franqueza, o senhor comparou-me com um polichinelo, ao que, sinceramente, achei muita graça. Mas se o senhor me recriminasse ou, se se espantasse comigo, porque me porto agora grosseiramente, e até (permita-me), de uma maneira indecente, como um mujique – numa palavra, por ter mudado de tom, o senhor seria então absolutamente injusto. Em primeiro lugar, isto agrada-me e, além disso, não estou em minha casa, mas "com o senhor"... Quero dizer que nós, agora, nos estamos divertindo, como bons amigos; finalmente, também confesso que me agradam os caprichos. Não sabe que eu, uma vez, por mero capricho, me fiz também metafísico e filantropo e acabei quase por cair nas mesmas ideias que o senhor tem? Claro que isto foi há muitíssimo tempo, nos dourados dias da minha mocidade. Lembro-me de que, nessa altura, fui às minhas terras, lá para a aldeia, animado de propósitos humanitários. Naturalmente aborreci-me imenso. Quer crer do que me lembrei então? Pois, de tão aborrecido que estava, comecei a cultivar as relações com as moças bonitas... Não franze a testa? Meu jovem amigo! Olhe que nós estamos agora passando um pouco como bons camaradas. Quando se divertem, as pessoas desabafam. E olhe, o temperamento russo, o temperamento russo natural, patriótico, gosta de desabafar. Além disso, é necessário não desperdiçar o momento que passa e gozar a vida. Temos de morrer e então... o quê? Bom... pois também fiz das minhas. Lembro-me de que numa chácara havia uma jovem cujo marido era um mujique, um moço jovem e simpático. Castiguei-o duramente e quis fazê-lo soldado (diabruras passadas, meu amigo), mas não consegui. Morreu em minha casa, no hospital... Porque eu tinha na aldeia um hospital com doze camas (um edifício magnífico, muita limpeza, soalhos encerados), que há muito desmanchei. Naquela altura, porém, ele era todo o meu orgulho, eu era um filantropo... Bem. Pois quase matei o tal camponês, com o chicote, por causa da mulher... Que é isso? Já está outra vez franzindo a testa? Repugna-lhe ouvir estas coisas? Os seus nobres sentimentos sofrem com isto? Bem, bem, tranquilize-se. Tudo pertence ao passado. Fiz isto quando era romântico: queria tornar-me um benfeitor do homem, fundar uma sociedade filantrópica. Em que pedra fui tropeçar... Naquela altura ainda se chicoteavam as pessoas... Agora não, agora é necessário fazer caretas; agora todos fazemos caretas... A que tempos chegamos! Mas quem me dá mais vontade de rir é esse idiota do Ikhmiêniev. Estou certo de que sabia toda essa história com a camponesa... E que importa? Ele, pela bondade da sua alma, feita, ao que parece, de melaço, entusiasmou-se comigo e levou-me a sua casa... Resolveu não acreditar em nada, e assim fez, quer dizer, não deu crédito aos ditos. Andou atrás de mim doze anos até que chegou a vez dele... Ah, ah, ah! Bem, tudo isto é um absurdo! Bebamos, meu jovem amigo. Diga-me, gosta de mulheres?

Não respondi. Limitava-me a ouvi-lo. Já entrara na segunda garrafa.

– Pois eu gosto de falar delas, depois de cear. Quer que lhe apresente como sobremesa uma tal Mademoiselle Philiberte? Que lhe parece? Que pensa? Mas... nem sequer olha para mim! Hum!

Ficou pensativo, mas depois levantou a cabeça, olhando-me de modo significativo. E prosseguiu:

– Olhe, meu caro poeta: quero revelar-lhe um segredo da natureza, que, segundo parece, o senhor ignora por completo. Estou certo de que, neste momento, o senhor me classifica de pecador e, quem sabe, talvez de mau, extravagante, perverso e vicioso. Mas repare no que lhe digo: se fosse possível (o que, claro está, não será nunca, dada a natureza do homem), se fosse possível que cada um de nós escrevesse todos os seus pensamentos, mas sem recear desvendá-los – não só o que se receia dizer e por nada do mundo se diz aos outros, não só o que se não diz ao amigo mais íntimo, mas até aquilo que uma pessoa não se atreve a dizer a si própria – então, creia-me, ia se levantar no mundo tal peste que todos sairíamos a correr, fugindo. E é por isto, diga-se entre parênteses, que resultam tão bons a nossa conveniência e decoro mundanos. Encerra-se neles um sentido profundo... não direi moral, mas simplesmente conservador, confortável, o que, naturalmente, é melhor, porque a moral, no fundo, se reduz à comodidade, quer dizer, só se inventou por comodidade. Mas já iremos falar das conveniências. Agora estou desorientado. Lembre-me depois. Para terminar: o senhor toma-me por um libertino, por um homem perverso, imoral, quando eu talvez não seja agora culpado de outra coisa senão de ser "mais sincero" que os outros... e nada mais; de não ocultar o que os outros ocultam até a si próprios, como já disse... Nisso faço muito mal, mas agora quero que seja assim. Mas não se inquiete – acrescentou com um sorriso irônico – disse "culpado", o que não significa que vá pedir perdão. Lembre-se de uma coisa: eu não pretendo desconcertá-lo, não vou perguntar-lhe: "Não terá o senhor, também, alguns segredos semelhantes, com os quais eu possa justificar-me?". Eu me conduzo de outro modo, decoroso e nobre. Em geral, conduzo-me sempre com nobreza...

– O senhor está apenas divagando – disse-lhe, olhando-o com desprezo.

– Divagar... Ah, ah, ah! Mas diga-me: em que está agora pensando? O senhor há de estar perguntando a si próprio por que seria que eu o trouxe aqui, e por que, bruscamente, sem motivo, me estou abrindo com o senhor. Não será assim?

– É assim, é.

– Bem! Pois já vai saber.

– Pois parece-me bem que a chave de tudo é o fato de se terem já esgotado duas garrafas e... de o senhor estar embriagado...

– Quer dizer, simplesmente, bêbado. Talvez seja assim. "Embriagado". Isso é mais suave que dizer bêbado. Oh! Que homem delicado! Mas... parece-me que estamos de novo discutindo e que nos desviamos de um tema muito interessante. Sim, querido poeta, sim, há neste mundo coisas boas e saborosas – as mulheres.

– Olhe, príncipe: não chego a compreender por que me terá o senhor escolhido, precisamente a mim, para confidente dos seus segredos e alardes amorosos.

– Hum! Já lhe disse que explicarei em breve. Não se inquiete que não há razão para isso. O senhor é poeta, o senhor compreende-me – já lhe falei disto. Existe uma voluptuosidade especial neste repentino tirar de máscara, neste cinismo com que um homem se mostra, de repente, aos demais, sob um aspecto em que já nem sequer se digna envergonhar-se deles. Vou contar-lhe uma história. Havia em Paris um funcionário louco, a quem enviaram para um manicômio, quando verificaram que estava doido. Bem; pois ao ficar louco, veja do que se lembrou para diversão própria: pôs-se nu como Adão, apenas com os sapatos, envolveu-se numa capa ampla e, rosto grave e solene, foi para a rua. Visto de costas, era um homem como os outros, passeando embrulhado numa ampla túnica, a seu bel-prazer. Mas quando se encontrava com algum semelhante nalgum lugar solitário onde não houvesse mais ninguém, aproximava-se em silêncio, com um aspecto grave e pensativo, punha-se, de repente, em frente dele, abria a túnica e mostrava-se com absoluta... sinceridade. A coisa durava um instante, passado o qual se tornava a embrulhar na capa e, em silêncio, sem contrair sequer um músculo da face, passava pelo espectador paralisado de espanto, grave e sutil como o espectro no *Hamlet*. Procedia assim com toda gente: homens, mulheres e crianças, e estava nisto todo o seu prazer. Pois até certo ponto, pode gozar-se esta mesma satisfação desconcertando algum Schiller e deitando-lhe a língua de fora, quando menos se espere. "Desconcertar"... Bem, que palavra é esta? Li-a nalgum trecho de literatura contemporânea.

– Bom, mas ele era louco, ao passo que o senhor...

– Estou no meu perfeito juízo?

– Sim!

O príncipe soltou uma gargalhada.

– O senhor está sendo injusto, meu amigo – acrescentou com a mais cômica expressão no semblante.

– Príncipe! – exclamei irritado com o seu impudor. – O senhor odeia-nos a todos, incluindo-me a mim, e é em mim que se vinga agora de tudo e de todos. Isto tudo revela o mais irritante amor-próprio. O senhor é perverso, demasiadamente perverso. Nós conseguimos confundi-lo, e é talvez por isso, por causa daquela noite, que o senhor está tão furioso. Naturalmente que não poderia vingar-se melhor do que com esse desprezo que mostra por mim. O senhor liberta-se, nem que seja apenas por uma meia hora, de todos os deveres da cortesia a que estamos reciprocamente obrigados. O senhor quer mostrar-me claramente que nem sequer se digna ter vergonha diante de mim, ao tirar na minha presença, de modo tão franco e inesperado, a sua repugnante máscara... e revelar-se em toda plenitude, com tão imoral cinismo...

– Mas por que me diz todas essas coisas? – perguntou bruscamente, olhando-me com ar agressivo. – Para me demonstrar a sua sagacidade?

– Para lhe demonstrar que o compreendo e para que saiba disso.

– *Quelle idée, mon cher!*[39] – prosseguiu, mudando repentinamente de tom, para voltar ao seu anterior aspecto de alegria e bondade ingênuas. – O senhor só está a desviar-me do assunto. *Buvons, mon ami!*[40] Permita-me que o sirva. Eu apenas queria contar-lhe uma aventura interessantíssima e muito curiosa. Vou contar em traços gerais. Uma vez conheci uma senhora, muito jovem, de uns vinte e sete a vinte e oito anos, uma beldade de primeira ordem. Que busto! Que palminho de cara! Que andar! Tinha um olhar penetrante como as águias, sempre muito sério. Mantinha-se sempre muito soberba e altaneira. Era fria como o rigor do inverno e intimidava todos os homens com a sua inacessível, a sua imensa virtude. Isto mesmo: imensa. Não havia nas suas relações um juiz tão severo como ela. Condenava não só os vícios, mas até a mais leve fraqueza das outras mulheres, e condenava sem recurso, sem apelação. No seu meio, gozava de enorme influência. As velhas mais orgulhosas e mais ferozes, quanto ao capítulo virtude, tinham-lhe respeito e até procuravam a sua estima. Ela olhava a todos com uma crueldade inflexível, como a abadessa de um mosteiro medieval. As jovens tremiam ante o seu olhar e as suas censuras. Bastava uma observação sua, uma simples alusão, para deitar por terra uma reputação – tal era a aceitação de que gozava na sociedade. – Até os homens a temiam. Finalmente, veio a cair em certo misticismo contemplativo, aliás também calmo e soberbo... E, todavia, não havia mulher pervertida que fosse mais perversa que aquela mulher. Eu... tive a sorte de merecer a sua confiança absoluta. Mantivemos relações com tal habilidade, tão magistralmente, que ninguém pôde conceber a mais leve suspeita. Só a sua dama de companhia, uma francesa, estava dentro de todos os seus segredos, mas nessa francesa podia haver toda a confiança: também tomava parte... Como se passavam as coisas? Já vou explicar. A minha amiga era tão luxuriosa que poderia dar lições ao próprio Marquês de Sade. Mas o prazer mais

---

39 Que idéia, meu caro!
40 Bebamos, meu amigo!

forte, mais penetrante e violento, era o seu mistério, a sua habilidade para o engano. Aquele modo de pôr a ridículo tudo o que a condessa fingia em sociedade, dando-se ares de altiva, inacessível e inviolável, e, finalmente, aquele riso íntimo e diabólico e aquele modo consciente de espezinhar tudo quanto era intangível... tudo isso sem medida, levado até ao último extremo que a imaginação mais fogosa não poderia conceber... Sim, isso era o principal e constituía o traço mais vivo daqueles prazeres. Sim, ela era o diabo em pessoa, mas tinha uma sedução irresistível. Agora mesmo, não posso ainda recordá-la sem loucura. No momento culminante dos mais ardorosos deleites, soltava uma gargalhada, e eu compreendia, compreendia muito bem aquele riso e ria também. Ainda hoje estremeço só de a recordar, apesar de que já lá vão muitos anos. Ao fim de um ano, ela deixou-me. Mesmo que eu quisesse, não poderia prejudicá-la. Quem me acreditaria? Uma pessoa como ela? Mas, que diz o senhor, meu jovem amigo?

– Ufa! Que abominação! – respondi, após ter ouvido com repugnância aquela confissão.

– Já sabia, meu jovem amigo, que me não poderia responder de outro modo. Já sabia que iria dizer isso mesmo. Ah, ah, ah! Espere, acalme-se, *mon ami*. Viva e compreenderá. Mas agora... agora ainda precisa de comer muito sal. Não, afinal o senhor não é poeta, já se vê. Aquela mulher compreendia a vida e sabia aproveitá-la.

– Mas... para que descer a tamanha bestialidade?

– Que bestialidade?

– Essa a que chegaram essa mulher e o senhor com ela.

– Ah! Chama a isso bestialidade? Sinal de que ainda está muito ingênuo. Já vejo que a oposição pode ser indício de independência. Mas... continuemos a falar, *mon ami*. Há de concordar comigo em que tudo isso é absurdo.

– E que há que não seja absurdo?

– O que não é absurdo... é a personalidade, sou eu próprio. Tudo é meu, e o mundo foi feito para mim. Olhe, meu amigo, eu creio que neste mundo se pode viver bem. E este modo de pensar é excelente, porque sem ele seria impossível viver, mesmo mal. Uma pessoa acabaria por se envenenar. Dizem que foi o que fez certo imbecil: deu em filosofar até tal ponto que rompeu com tudo, inclusive com os deveres humanos, normais e naturais; chegou ao extremo de ficar sem nada, ficou reduzido a zero, pois dizia que nesta vida o melhor era o ácido prússico. O senhor dirá: "Esse é Hamlet, isso é o desespero absoluto, numa palavra, algo tão grande que nunca o compreenderemos". Mas o senhor é um poeta, ao passo que eu sou simplesmente um homem; por isso digo que é mister considerar as coisas sob um aspecto prático, simplesmente. Eu, por exemplo, há tempo já que me libertei de todos os laços e até de todas as obrigações. Só me considero obrigado, quando isso me traz alguma vantagem. O senhor, naturalmente, não pode ver as coisas deste modo; o senhor tem os pés atados e o gosto estragado: fala de ideais, de virtudes. Mas, meu amigo, eu estou disposto a concordar com tudo o que me diga – que hei de fazer, porém, se tenho a certeza de que na base de todas essas virtudes humanas há um egoísmo profundo? Que coisa há mais virtuosa do que o egoísmo? O amor por si próprio, eis a única norma que reconheço. A vida é uma transação comercial; o senhor não deve dar o seu dinheiro em vão; pague pelo prazer e terá cumprido todos os seus deveres para com o próximo... Aí tem toda a minha moral, se é que lhe faz muita falta. Confesso-lhe, porém, que, em meu entender, é melhor não pagar ao próximo, mas saber obrigá-lo a fazer as coisas de graça. Quanto a ideais, nem os tenho nem os quero ter; nunca senti desejos por eles. No mundo, pode viver-se muito bem e muito a nosso gosto sem ideais... *en somme*, aprecio imenso poder passar sem o ácido prússico. Concordo, de boa vontade, que sou pouco "virtuoso", mas, em troca, não farei o mesmo que o imbecil daquele filósofo (sem dúvida alemão). Não. Na vida há ainda tantas coisas boas! A mim atraem-me a distinção, a honra, as grandes jogadas de cartas (gosto imenso de cartas). Mas o principal, o principal, são as mulheres... as mulheres de todos os tipos. Aprecio também as perversas obscuras e tenebrosas, as mais estranhas e originais, com algo, até, de porcaria, para variar... Ah, ah, ah! Estou a ver com que desprezo me olha agora!

– Tem razão – respondi.

– Bem. Suponhamos que o senhor também tem razão. Mas veja: mais vale porcaria que ácido prússico, não acha?

– Não, o ácido prússico é muito melhor.

– Perguntei-lhe intencionalmente "Não acha?", para me divertir com a sua resposta. Já a conhecia, de antemão. Não, meu amigo, se é um verdadeiro filantropo deve desejar que todos os homens inteligentes tenham o mesmo gosto que eu, até pela porcaria, já que, de contrário, nada ficará para fazer neste mundo aos homens de talento; somente ficarão cá os imbecis. Eles é que serão felizes. Mas olhe; também temos um provérbio: "A felicidade é para os tolos". E diga-me: há alguma coisa mais agradável do que viver entre imbecis e fazer coro com eles? É muito proveitoso! Não me censure porque aprecio os preconceitos, respeito as conveniências e aspiro ao bom nome. Bem sei que é em vão que vivo em sociedade, mas, por enquanto, há nela calor. Eu faço como os outros: finjo defendê-la, mas, se fosse necessário, seria talvez o primeiro a pôr-me a salvo. Veja: conheço todas as novas ideias, apesar de que nunca sofri por elas nem por nada. Remorsos, nunca os tive por coisa alguma. Concordo sempre com tudo, o que é muito proveitoso. Como eu, há muitos: nós arranjamo-nos sempre muito bem. Ainda que todo o mundo ruísse, nós havíamos de nos salvar. Existiremos enquanto o mundo existir. O mundo poderá naufragar, mas nós ficaremos à superfície, sobrenadaremos sempre, por cima de tudo. Se acha que não tenho razão, repare numa coisa: a vitalidade que têm as pessoas como eu. Olhe para mim, por exemplo: veja como sou forte. Nunca reparara? Nós vivemos até aos oitenta, até aos noventa anos, o que significa que a própria natureza nos confere privilégios, eh, eh, eh! Quero irrevogavelmente viver noventa anos. Não quero a morte, ela assusta-me. O diabo é que deve saber o que é morrer... Mas... para que falar disto? A culpa é da maldita filosofia. Para o diabo com a filosofia! *Buvons, mon cher.* Olhe, tínhamos começado a falar de moças bonitas... Mas... aonde vai?

– Vou-me embora! Também já são horas para o senhor...

– Ora, ora... Eu, por assim dizer, abri-lhe o meu coração, e o senhor não sabe apreciar esta evidente prova de afeto!... Eh, eh, eh! Tem pouca afetividade, meu poeta! Deixe-se estar, que vou mandar vir outra garrafa...

– A terceira?

– A terceira. Quanto à virtude, meu jovem discípulo (há de permitir que lhe chame este nome tão doce; talvez, até, que a minha lição lhe seja proveitosa)... Efetivamente, meu caro discípulo, quanto à virtude já lhe disse: "quanto mais virtuoso é o virtuoso, mais egoísta é". Vou contar-lhe, a este respeito, uma história muito engraçada. Uma vez estive apaixonado por uma jovem: amava-a quase deveras. Note-se que ela sacrificou muito por mim...

– Foi aquela que o senhor roubou? – perguntei à queima-roupa, sem poder conter-me.

O príncipe deu um salto, mudou de semblante e ficou-se a olhar para mim com uns olhos inflamados; no seu olhar via-se perplexidade e raiva.

– Alto! – murmurou, como falando consigo próprio. – Alto! Deixe-me pensar. Estou muito embriagado e custa-me muito reunir as ideias...

Ficou silencioso e olhou-me com curiosidade, com ar maldoso, apertando-me a mão na sua, como se receasse que eu fugisse. Estou certo de que, naquele instante, pensava, esforçando-se por adivinhar como poderia eu conhecer aquele assunto ignorado quase por toda a gente e tentando ver se não correria com isso algum perigo. Permaneceu assim por um minuto, mas logo mudou a expressão do rosto. Nos seus olhos apareceu uma expressão sarcástica, a alegria da embriaguez. Pôs-se a rir.

– Ah, ah, ah! Com que então nada menos que um Talleyrand! Bem, e quê? Eu, na verdade, fiquei diante dela como um estúpido quando me disse, cara a cara, que eu a roubara. Como gritava e como me insultava! Era uma mulher raivosa e... sem o menor auto domínio. Mas ajuíze por si próprio: em primeiro lugar, eu não lhe roubara absolutamente nada, como o senhor disse há um momento. Foi ela própria quem me ofereceu aquele dinheiro, de forma que ele era meu. Suponhamos que o senhor me oferece o seu melhor fraque – ao dizer isto olhava o meu fraque, o único que eu possuía, já bastante deformado, e que fizera, três anos antes, o alfaiate Ivan Skornáguin. – Eu lhe agradeço, visto-o e, por fim, passados dois anos, o senhor briga comigo e exige que lhe entregue o fraque, já estragado por mim. Isso não seria nobre. Para que então oferecer? Além disso, apesar de o dinheiro ser meu, o teria devolvido sem falta. Mas diga-me: onde iria eu buscar tal quantia, assim de repente, uma quantia como aquela? Mas, sobretudo, não tolero idílios e dramas à Schiller, já lhe disse... e foi essa a verdadeira razão. O senhor não imagina como se pôs comigo, gritando que me dera aquele dinheiro (que, portanto, era meu). A ira apoderou-se de mim, mas imediatamente resolvi o assunto segundo a lógica, porque a presença de espírito nunca me abandona. Pensei que se lhe devolvesse o dinheiro talvez ainda a tornasse mais infeliz. Ia privá-la do prazer de ser completamente desgraçada "por minha culpa" e de me amaldiçoar, por isso, durante toda a vida. Creia-me, meu amigo, numa desgraça desta índole há também como que uma embriaguez suprema de nos considerarmos a nós próprios como totalmente inocentes e de termos o pleno direito de chamar vilão ao ofensor. Esta embriaguez do ódio encontra-se nos temperamentos schillerianos. Claro que... talvez ela tenha tido logo a falta de comer, mas estou certo de que era feliz. Eu não queria privá-la dessa felicidade e não lhe devolvi o dinheiro. Assim, fica plenamente justificada a minha regra de que quanto maior e mais forte for a generosidade humana, tanto maior dose de repugnante egoísmo há nela... Está bem claro? Mas... o senhor queria apanhar-me. Ah, ah, ah! Vamos, confesse que queria apanhar-me! Oh! Talleyrand!

– Adeus! – disse-lhe, levantando-me.

– Um minuto! Duas palavras para terminar – gritou, trocando o seu tom festivo pelo sério. – Ouça o que falta. De tudo o que disse, deduz-se claramente (suponho que já o notou) que eu nunca estou disposto a sacrificar as minhas conveniências, seja pelo que for. Amo o dinheiro e preciso dele. Ekatierina Fiódorovna tem-no em abundância: o pai dela teve, durante dez anos, um negócio de aguardente. A pequena possui três milhões e esses três milhões vêm-me mesmo a calhar. Alhocha e Kátia... são absolutamente semelhantes: dois idiotas a mais não poder, o que também me faz muito jeito. Assim, desejo em absoluto e quero que o seu casamento seja um fato, e o mais rapidamente possível. Dentro de duas ou três semanas, a condessa e Kátia vão para o campo. Alhocha tem de acompanhá-las. Previna Natália Nikoláievna para que não haja idílios nem dramas à Schiller, para que não pensem em contrariar-me. Eu sou mau e vingativo. Olho pelo que é meu. Dela não tenho medo. Tudo sairá à medida dos meus desejos e, se a aviso desde já, é para seu interesse. Procure que ela não faça disparates e que se conduza de modo discreto. De outro modo, tudo irá mal, mas muito mal. Já devia estar-me muito grata por não proceder contra ela como devia: judicialmente. O senhor deve saber, meu caro poeta, que as leis velam pela tranquilidade das famílias, que põem o pai a coberto das culpas do filho e que aquelas que apartam os jovens dos seus sagrados deveres para com os pais não contam com a proteção da lei. Faça reparo, finalmente, que eu possuo um certo número de conhecimentos, ao passo que ela não tem ninguém e... não compreendeu ainda o que lhe posso fazer? Mas não faço nada, porque até agora se conduziu sempre discretamente. Não se inquiete: em cada momento, a cada movimento deles, havia uns olhos penetrantes que tudo vigiavam, durante este meio ano. Eu estava a par de tudo, até ao último pormenor. Além disso eu aguardava tranquilamente que Alhocha a abandonasse, como começa a fazer, embora ela tenha sido para ele uma distração agradável. Fiz-me passar perante eles por um pai humano: precisava que ele pensasse isso de mim. Ah, ah, ah! Como me lembro dos cumprimentos que lhe fiz naquela noite, dizendo-lhe que era muito generosa e desinteressada, para não exigir o casamento com ele! Gostaria de saber como o conseguiria. Ao que me parece, naquela ocasião tudo obedeceu apenas a que já era tempo de pôr termo àquelas relações. Mas eu necessitava de convencer-me de tudo, pelos meus próprios olhos, pela minha própria experiência. Então? E agora? Já lhe chega? Ou quer saber mais alguma coisa? Por que o trouxe aqui? Por que me desmascarei assim diante do senhor e por que me franqueei tão simplesmente? Pois... nada! Vou dizer-lhe com toda a sinceridade... sim?

Contive-me e escutei avidamente.

– Pois foi apenas, meu amigo, porque me pareceu ver no senhor um pouco mais de discrição, uma visão mais clara das coisas, do que nos nossos dois pombinhos. O senhor mais facilmente havia de ver quem eu sou, adivinhar, forjar suposições a meu respeito. Mas eu quis tirar-lhe todo este trabalho e decidi mostrar-lhe claramente "com quem" teria de haver-se. Efetivamente, a impressão é uma grande coisa. Compreenda-me, *mon ami*. O senhor já sabe com quem tem de haver-se. Estima Natacha e, portanto, espero que há de exercer sobre ela todo o seu ascendente (e tem tal ascendente sobre ela...), para "evitar" certos contratempos. De outro modo, eles acontecerão e asseguro-lhe, asseguro-lhe que não serão brincadeira. Aí tem as três razões da minha franqueza para com o senhor... Já deve ver, meu caro... Eu queria cuspir um pouco sobre todo este assunto, e cuspir precisamente diante do senhor...

— E conseguiu o seu propósito – disse eu trêmulo de emoção. – Estou de acordo sobre que não poderia exprimir diante de mim todo o ódio e desprezo que me tem, a mim e a todos nós, de modo mais perfeito do que empregando essa franqueza. O senhor não só não receou que essa franqueza sua "para comigo" pudesse comprometê-lo, mas até nem sentiu vergonha de mim... O senhor, na verdade, pareceu-se muito com o louco da capa. Não me considerou como um homem.

— Adivinhou, meu jovem amigo – disse ele, levantando-se – acertou em tudo. Não é em vão que é escritor... Espero que nos separemos como bons amigos. Não quer que bebamos à *bruderschaft*?

— O senhor está bêbado, e só em atenção a isso lhe não respondo como deveria...

— Outra vez as reticências... Não acabou de dizer o modo como deveria responder! Ah, ah, ah! Permite-me que lhe pague a sua parte?

— Não se preocupe; eu próprio a pagarei.

— Claro, sem dúvida. Não vai para os mesmos lados que eu?

— Não, não vou com o senhor.

— Então, adeus, poeta. Espero que me tenha compreendido...

Saiu com passo incerto e sem se voltar para mim. O lacaio sentou-o no coche. Eu segui o meu caminho. Eram três da madrugada. Chovia. Estava uma noite lúgubre...

Quarta parte

Capítulo primeiro

Não quero demorar-me a descrever o meu despeito. Apesar de poder esperar tudo, estava transtornado; tal como se o príncipe se me tivesse apresentado em toda a sua fealdade, de um modo completamente imprevisto. Lembro-me também que os meus sentimentos eram de inquietação, como se estivesse oprimido, magoado, e uma negra dor me apertava cada vez mais o coração. Receava por Natacha. Pressentia que a esperavam muitos sofrimentos e, cheio de sobressalto, refletia sobre a maneira de libertá-la deles, de dulcificar os últimos períodos antes da solução definitiva de todo o caso. Da referida solução não havia dúvida nenhuma. Aproximava-se. E como não adivinhar qual ia ser!

Não sei como cheguei em casa, embora a chuva me tivesse molhado durante todo o caminho. Eram já três horas da madrugada. Mal chegara à porta do meu quarto quando ouvi um gemido e a porta começou logo a abrir-se, como se Nelly não se tivesse deitado e tivesse ficado durante todo o tempo à minha espera, junto da ombreira. Havia uma luz acesa. Olhei para a cara de Nelly e fiquei assustado. Estava transtornada. Os olhos ardiam-lhe como se sentisse febre e olhava-me de um modo selvagem, como se não me reconhecesse. Estava muito afogueada.

— Nelly, que tens? Estás doente? – perguntei-lhe inclinando-me para ela e pegando-lhe numa mão.

Aproximou-se de mim tremendo, como se receasse não sei o quê; murmurou qualquer coisa numa voz entrecortada e apressadamente, como se tivesse estado à minha espera só para me dizer aquilo. Mas as suas palavras eram incoerentes e estranhas. Eu não a compreendia; delirava.

Levei-a para a cama. Ela se agarrava a mim como se procurasse proteção contra alguém e depois de eu a ter deitado na cama, ainda se segurava à minha mão com muita força, com receio de que eu tornasse a sair.

Achava-me tão cansado e enervado que, ao vê-la assim, até chorava. Também eu estava doente. Quando viu as minhas lágrimas, olhou-me durante muito tempo, com muita atenção, como se se esforçasse por pensar ou imaginar qualquer coisa. Era evidente que considerava isso digno dos maiores esforços. Finalmente, qualquer coisa semelhante a um pensamento aflorou ao seu rosto. Depois de uma forte recaída na sua doença, não podia geralmente concentrar os seus pensamentos durante um momento e articular as palavras de uma maneira clara. Era o que lhe acontecia agora: fazia um esforço enorme para dizer não sei o quê, e, adivinhando que eu não a percebia, soltou a sua mãozinha e pôs-se a enxugar-me as lágrimas, depois do que me deitou os braços ao pescoço, me puxou e me beijou.

Era evidente que na minha ausência lhe havia dado um ataque e precisamente no instante em que estava junto da porta. Aturdida pelo ataque, provavelmente não pôde suster-se. Nesse intervalo a realidade tornou-se delírio e devia ter imaginado qualquer coisa de horroroso, de terrível. Nesse instante devia ter dito a si própria que eu havia de voltar e parar à porta, e assim, estendida à entrada, no chão, esteve esperando atentamente o meu regresso, levantando-se quando me sentiu.

"Mas por que viria para a porta?", pensei eu.

E, de repente, observei com admiração que tinha a samarra vestida (eu acabara de comprá-la a um penhorista conhecido que costumava vir visitar-me ao meu quarto e me entregava os seus artigos a crédito); pelo visto tencionava ir a alguma parte e teria já aberto a porta quando de súbito lhe deu o ataque de epilepsia. Onde pensaria ela ir? Não estaria já transtornada nesse momento?

Entretanto a febre não baixava e não tardou que a pobrezinha perdesse os sentidos. Já sofrera dois ataques desde que vivia comigo; mas passavam sempre sem nada de mais, ao passo que, agora, tinha febre. Depois de estar sentado meia hora junto dela, puxei uma cadeira para junto do divã e deitei-me ao seu lado, vestido como estava, com a intenção de acudir em seu auxílio assim que me chamasse. Não apaguei a luz. E ainda olhei para ela muitas vezes antes de me estender. Estava pálida; tinha os lábios pegajosos da febre e sanguinolentos, provavelmente por causa do ataque. No seu rosto não se apagara ainda uma expressão de espanto e tristeza dolorosa que, segundo parecia, nem em sonhos a deixava. Tomei a decisão de ir procurar um médico no dia seguinte, se ela estivesse pior. Receava que aquilo degenerasse numa febre verdadeira.

"O príncipe deve ter-lhe metido medo", pensei, estremecendo e lembrando-me do que ele me contara daquela moça que lhe atirara com o seu dinheiro à cara.

Capítulo II

Passaram-se duas semanas. Nelly restabeleceu-se. Não chegou a ter febre, mas sentiu-se muito mal. Levantou da cama já em fins de abril, num dia luminoso, radiante. Era na Semana Santa.

Pobre criatura! Não posso continuar a minha narrativa seguindo a mesma ordem que até aqui. Muito tempo passou até ao momento atual, em que descrevo estes acontecimentos; mas ainda agora sinto uma funda, angustiante tristeza, ao recordar aquele rostinho pálido, vincado; aquele longo e triste olhar dos seus olhos pretos, quando ficávamos sozinhos e ela se punha a olhar-me, na sua caminha, a olhar-me longamente, de uma maneira que parecia convidar-me a adivinhar o que se passava na sua alma. Mas ao ver que eu não o adivinhava e persistia na minha ignorância anterior, sorria para si mesma em silêncio e, de repente, estendia-me a sua mãozinha escaldante, de dedinhos fracos, descarnados. Agora tudo passou; tudo se sabe; mas ainda hoje ignoro todos os segredos desse coraçãozinho doente, torturado e ofendido.

Sinto que me estou afastando da narrativa; é que, neste momento, não queria pensar em mais ninguém senão em Nelly. Coisa estranha: agora que estou só no meu leito de doente, abandonado de todos aqueles a quem tanto amei... agora me vem de repente à memória um pequeno pormenor daquele tempo, em que então quase nunca reparava e depois logo esquecia, e, sem eu querer, assume a meus olhos um significado totalmente diferente, que aclara e ilumina aquilo que até aqui não consegui compreender.

Nos primeiros quatro dias da sua doença, nós, eu e o médico, receávamos terrivelmente por ela; mas ao quarto dia o médico chamou-me à parte e disse-me que não receasse nada pois ela na certa ia se restabelecer. Era aquele mesmo médico que eu conhecia havia já algum tempo, um velhinho solteirão, bondoso e extravagante, que eu chamei quando da primeira doença de Nelly, e que tanta impressão lhe causou com o seu Estanislau,[41] de dimensões invulgares, ao pescoço.

– Então não há motivo para receio! – exclamei num alvoroço.

– Não, desta ainda escapa, mas está condenada a não viver muito.

– Como? Por quê? – exclamei acabrunhado perante tal prevenção.

– Sim, não há dúvida de que há de morrer nova. A doentinha tem um defeito constitucional no coração e ao menor contratempo tornará a cair doente. Poderá acontecer que torne a restabelecer-se, mas tornará a recair de novo, e finalmente morrerá.

– E não há maneira nenhuma de salvá-la? Não, isso não pode ser!

– É um caso irremediável. Embora, é claro, se lhe evitarem todos os contratempos desagradáveis, se lhe assegurarem uma vida tranquila e aprazível, se lhe proporcionarem mais satisfações, talvez possa afastar-se a morte, e até se dão casos... inesperados, anormais e raros... Numa palavra: poderia salvar-se a doentinha se se desse uma série de circunstâncias favoráveis, embora, salvá-la radicalmente... isso, nunca.

– Mas, meu Deus, que fazer, agora?

– Seguir as minhas indicações: que leve uma vida tranquila e tome os remédios às horas marcadas. Já reparei que esta menina é voluntariosa, de um temperamento irregular e é até um pouco trocista; não gosta de tomar os remédios indicados e até chega mesmo a negar-se a tomá-los.

– É verdade, doutor. De fato é uma criatura estranha, mas eu atribuo isso à sua excitação doentia. Ontem esteve muito obediente; mas hoje, quando eu lhe le-

---

41 Medalhão que os médicos usavam, com a efígie de São Nicolau.

vei o remédio, deu um empurrãozinho à colher, como se o tivesse feito sem querer, e entornou tudo. Quando eu lhe quis dar pela segunda vez, tirou-me o frasco das mãos, atirou-o ao chão e depois pôs-se a chorar... Mas não acredito que fizesse isso por a obrigarem a tomar remédios – acrescentei, pensativo.

– Hum! Irritação. Essa grande infelicidade que sofreu – eu contara ao médico pormenorizadamente e com toda a sinceridade, a história de Nelly, e a minha narrativa impressionara-o profundamente. – Tem ainda os seus efeitos naquilo que se passa agora e é daí que deriva a sua doença. Por agora o único meio... consiste em tomar os medicamentos e ela tem obrigação de tomá-los. Hei de voltar e vou insistir na obrigação que ela tem de seguir as prescrições do médico e... falando de uma maneira geral, de tomar os remédios.

Saímos da cozinha onde mantivéramos a nossa conversa e o médico voltou a aproximar-se da cama da doentinha. Mas, parece, Nelly conservara-se à escuta; pelo menos erguera a cabeça do travesseiro e parecia estar atenta; escutara tudo. Observei isto pela frincha da porta entreaberta. Quando nos aproximamos, a espertalhona tornou a embrulhar-se na dobra da coberta e olhou-nos com um sorriso trocista. A pobrezinha enfraquecera muito naqueles dias de doença; tinha os olhos encovados e a febre ainda não a deixara. Aquele ar trocista do rosto e o brilho vivo dos olhos admiraram muito o médico, o mais bondoso de todos os alemães de Petersburgo.

Esforçando-se o mais possível para suavizar o tom da voz, pôs-se, com toda a seriedade, com afetuosidade e com ternura, a demonstrar-lhe a necessidade de tomar os remédios, que eram bons, a obrigação que todos os doentes tinham de tomá-los. Nelly ergueu a cabeça, mas, de repente, com o gesto na aparência perfeitamente involuntário, deu um empurrão numa colherzinha e outra vez o remédio se entornou todo no chão. Tenho a certeza de que o fez propositadamente.

– Foi uma imprudência aborrecida – disse o velhinho tranquilamente – e tenho a impressão de que a menina fez isto de propósito, o que é uma má ação. Mas... tudo se pode remediar. É trazer outra vez o remédio.

Nelly riu-se francamente na cara do médico, o qual abanava a cabeça, devagar.

– Isso é uma maldade – disse, trazendo-lhe uma nova porção de remédio – uma grande maldade.

– Não se zangue comigo – respondeu Nelly esforçando-se por não rir outra vez – que eu vou tomá-lo... O senhor gostará de mim?

– Se se portar como deve ser, gostarei muito.

– Muito?

– Muito.

– E agora não gosta de mim?

– Gosto.

– E dá-me um beijinho se eu lhe der outro?

– Sim, se o merecer.

Nelly não pôde conter-se e tornou a rir.

– A doentinha tem um temperamento alegre; mas agora... esses nervos e esses caprichos... – disse-me o médico em voz baixa, com uma expressão muito séria.

– Bem, vou tomar o remédio – exclamou Nelly de repente com a sua vozinha fraca – mas quando eu crescer casa comigo?

Provavelmente a ideia desta nova brincadeira divertia-a muito. Os seus olhos chispavam fogo; mas os lábios reprimiam o riso, à espera da resposta do médico, já desorientado.

– Claro que sim! – respondeu aquele sorrindo involuntariamente perante esse novo gracejo.– Sim, se for uma boa moça, educada, obediente e...

– E tome os remédios, não é verdade? – concluiu Nelly.

– Oh! Isso mesmo, sim, senhora, se tomar os remédios. É uma boa menina – murmurou-me ao ouvido. – É muito, muito... bondosa e inteligente; no entanto... isso de casar-me com ela! Que lembrança estranha!

E tornou a insistir com o medicamento. Mas dessa vez já nem sequer se serviu de artimanhas, deu-lhe simplesmente um empurrão à colher, às claras, e todo o remédio se entornou sobre a camisa e o rosto do pobre velho. Nelly soltou uma gargalhada; mas já não do mesmo modo simples e jovial de antes. No seu rosto refletia-se algo de cruel, de mau. Durante todo esse tempo parecia fugir do meu olhar, olhando unicamente para o médico, e com um sorrisinho, através do qual transparecia no entanto qualquer coisa de inquietação, esperava para ver o que iria fazer agora o ridículo velhote.

– Oh! Outra vez... Que pena! Mas... vamos dar-lhe outra colher – continuou o velho limpando o rosto e a camisa com o lenço.

Isso impressionou terrivelmente Nelly. Esperava que ficássemos zangados, que iríamos começar a zangarmo-nos com ela, a fazer-lhe censuras, e talvez desejasse inconscientemente que assim fosse nesse instante, para ter um pretexto e começar em seguida a chorar, a gritar como uma histérica, a atirar como antes, com os travesseiros para o chão, ou até quebrar qualquer coisa na sua cólera, e satisfazer assim o seu caprichoso e doentio ressentimento. Caprichos desses costumam existir não só nos doentes, não só em Nelly. Quantas vezes me tenho posto a passear pelo meu quarto de um lado para o outro, com o desejo inconsciente de que alguém viesse ofender-me o mais brevemente possível ou me dissesse uma palavra que eu pudesse tomar como ofensa, para desoprimir assim o coração! As mulheres também desabafam desta maneira e começam por derramar as lágrimas mais sinceras; mas as mais sensíveis acabam numa crise de histerismo. O que é muito simples e importante e que costuma acontecer sobretudo quando se tem um desgosto que os outros ignoram e se desejaria escondê-lo o mais possível de todos. Mas de repente Nelly apaziguou-se, desconcertada perante a angélica bondade do velho por ela ofendido e pela paciência com que de novo lhe levou uma terceira colher de remédio, sem dirigir-lhe uma única censura. O tal sorriso desapareceu-lhe dos lábios, corou e seu olhar suavizou-se; olhou rapidamente para mim mas virou logo o rosto. O médico apresentou-lhe o remédio. Aceitou-o, tranquila e mansamente, pegou na mão do velho, vermelha e cabeluda e depois fitou-o nos olhos.

– O senhor... está zangado porque eu sou má – ia dizer; mas não acabou.

Escondeu-se na roupa, cobriu a cabeça e desatou a soluçar ruidosamente, histericamente.

– Oh, minha filha... não chore! Isso não é nada... São os nervos. Beba um pouco de água.

Mas Nelly não o escutava.

– Não se preocupe... não se aflija – continuou ele, também quase a chorar, pois era muito sensível.– Prometo-lhe casar com você, desde que continue a portar-se bem...

— E tome os remédios – ouviu-se debaixo da roupa, ao mesmo tempo que um risinho nervoso, fino como um tilintar de campainha, entrecortado por soluços; um risinho que eu já conhecia.

— Boa e grata mocinha! – disse o médico com solenidade e quase com lágrimas nos olhos. – Pobre moça!

E a partir daí estabeleceu-se uma simpatia estranha entre ele e Nelly. Em compensação Nelly mostrava-se cada vez mais arisca, nervosa e irritável. Eu não sabia a que atribuí-lo e admirava-me sobretudo porque aquela mudança se operara nela repentinamente. Nos primeiros dias da sua doença mostrava-se muito terna e carinhosa; parecia que não podia desviar os olhos de mim; não se afastava do meu lado, costumava pegar na minha mão e uni-la à sua, febril, e obrigava-me a sentar junto dela; e se me via triste e pensativo, esforçava-se por alegrar-me, dizia-me gracejos, brincava comigo e sorria-me, esquecendo-se das suas inquietações pessoais. Não queria que trabalhasse de noite nem que ficasse a velá-la e afligia-se quando via que eu não lhe dava atenção. Às vezes, notava-lhe uma atitude preocupada; punha-se a perguntar e a querer saber por que eu estava triste, em que pensava; mas, coisa estranha, quando eu chegava da casa de Natacha, calava-se e punha-se a falar de outra coisa. Parecia fugir a falar de Natacha e isso admirava-me. Quando eu entrava em casa, ficava muito contente. Quando eu pegava o chapéu para sair, olhava-me com tristeza e de um modo estranho, como se me dirigisse uma censura, e seguia-me com a vista.

No quarto dia da doença passei toda a tarde e até uma parte da noite em casa de Natacha. Tínhamos muitas coisas para dizer. Quando saí de casa disse à minha doente que não me demorava, pois era realmente esse o meu pensamento. Quando me deixei ficar em casa de Natacha, quase involuntariamente, estava tranquilo a respeito de Nelly; não a deixara sozinha. Alieksandra Siemiônovna, informada por Maslobóiev, que me visitara um momento, de que Nelly adoecera, e que eu tinha muito que fazer e estava só, muito só, apressara-se a substituir-me ali. Meu Deus, como tagarelava aquela bondosíssima Alieksandra Siemiônovna!

— Então ele quer vir agora jantar conosco! Ah, meu Deus! E vive tão só, o pobrezinho, tão só! Pois bem, mostramos-lhe agora toda a nossa franqueza. Temos agora uma boa oportunidade.

Veio imediatamente para nossa casa, trazendo consigo no carro uma grande bagagem. Explicou-me imediatamente que agora já não me deixaria, que viera para ajudar-me, depois do que desatou o embrulho. Trazia nele xaropes, doce para doentes, um frango e uma galinha, para quando a doentinha entrasse em convalescença; maçãs para cozer, laranjas, frutas secas de Kiev (supondo que o médico consentisse) e, finalmente, roupa branca: lençóis, toalhas, combinações, ligaduras, compressas... Uma farmácia completa.

— Nós temos isto tudo – disse muito rapidamente e acentuando bem cada palavra, como se estivesse com pressa. – O senhor vive como um celibatário. Não tem quase nada destas coisas. Por isso permita que... além disso foi o que Filip Filípitch me mandou. Ora bem, vamos lá... Quanto mais depressa melhor! Que é preciso fazer? Como está a doente? Conhece as pessoas? Ai, como está mal deitada! É preciso colocar o travesseiro bem para que fique com a cabeça mais baixa. Mas ouça, não seria melhor um travesseiro de couro? Que tola eu sou! Não me lembrei de o trazer... Hei de ir buscá-lo. Não será preciso acender o fogo? Vou trazer-lhe a minha velha. Eu tenho uma velhinha conhecida, e aqui, em sua casa, o senhor não tem quem possa servi-lo. Bem. Que é preciso fazer? Diga-me! Remédios... Que receitou o médico? Naturalmente algum remédio para o peito. Vou já acender o fogo.

Mas eu tranquilizei-a e ela ficou muito admirada e até se afligiu quando me ouviu dizer que o caso não parecia de cuidado. O que no entanto não lhe tirou a coragem. Tornou-se imediatamente amiga de Nelly e ajudou-me muito durante todo o tempo da sua doença; visitava-nos quase diariamente e fazia uma cara como se alguma coisa se tivesse extraviado e fosse preciso encontrá-la imediatamente. Dizia sempre que vinha por ordem de Filip Filípitch. Nelly simpatizava muito com ela. Travaram amizade uma com a outra, como duas irmãs, e eu penso que Alieksandra Siemiônovna era, em muitas coisas, tão criança como Nelly. Contava-lhe histórias, fazia-a rir, e Nelly ficava muitas vezes triste quando Alieksandra Siemiônovna se ia embora. A sua primeira vinda para nossa casa causou grande admiração à minha doente; adivinhou imediatamente por que viera aquela hóspeda espontânea e, segundo o seu costume, ficou amuada, triste e taciturna.

– Por que veio ela para nossa casa? – perguntou-me Nelly, como se estivesse descontente, assim que Alieksandra Siemiônovna saiu.

– Para te fazer companhia e tratar de ti, Nelly.

– Mas por quê? Por quê? Eu não fiz nada por ela.

– As pessoas boas não estão à espera que nós façamos nada por elas, Nelly. Gostam de dar o seu auxílio a quem precise dele, sem necessitarem disso. É assim, Nelly. Neste mundo há muitas pessoas boas. Simplesmente tu não tiveste a felicidade de encontrá-las no teu caminho quando era preciso.

Nelly ficou calada. Eu me afastei. Mas passado um quarto de hora já me chamava com a sua vozinha fraca; pediu-me chá e, de repente, cingiu-se com força contra mim, apoiou a cabeça no meu peito e ficou assim durante muito tempo sem me largar. No dia seguinte, quando Alieksandra Siemiônovna chegou, recebeu-a com um sorriso alegre mas um pouco envergonhado.

Capítulo III

Nesse dia eu passara todo o serão em casa de Natacha. Regressei já tarde. Nelly dormia. Alieksandra Siemiônova dormitava também, mas continuava sentada à cabeceira da doente e à minha espera. Começou a contar-me imediatamente, falando baixo, que Nelly, a princípio, estivera muito contente e se rira muito; mas que depois entristecera e, ao ver que eu não vinha, ficara silenciosa e pensativa. Depois começara a queixar-se de dores de cabeça, pusera-se a chorar e soluçava tanto "que eu já não sabia o que fazer", acrescentou Alieksandra Siemiônovna.

– Falou-me de Natália Nikoláievna; mas nada sabia dizer-lhe sobre ela e então deixou de interrogar-me, as suas lágrimas abrandaram, e acabou por adormecer. Bem, adeus, Ivan Pietróvitch. No entanto parece-me que ela está melhor. Tenho de voltar para casa, conforme Filip Filípitch me mandou. Confesso-lhe que, desta vez, apenas me enviou por duas horas e me demorei. Mas isso não tem importância, não se preocupe por minha causa; ele não ficará zangado... Simplesmente, se por acaso... Ai, meu Deus, meu caro Ivan Pietróvitch, que se há de fazer! Agora, acaba sempre por voltar bêbado para casa. Anda muito preocupado não sei com quê; mal me fala, está muito murcho, deve ter qualquer coisa de importante que o preocupa; mas todas as noites bêbado... A única coisa que eu penso é: "Se ele volta neste momento para casa, quem o ajudará a deitar-se?". Mas bem, deixa-me ir, deixa-me ir. Adeus, adeus, Ivan Pietróvitch! Já vi que tem muitos livros! E devem ser todos bons! Eu sou uma burra, nunca li nada... Bem, até amanhã...

No dia seguinte Nelly acordou amuada e arredia e não queria falar comigo. Não me dirigiu nem uma palavra, como se estivesse zangada comigo. Reparei que me examinava com alguns olhares, às escondidas, olhares em que havia certo mau humor disfarçado, embora deixasse transparecer ternura, apesar de tudo, quando pousavam em mim. Nesse dia deu-se outra cena com o médico, quando este lhe deu o remédio. Eu não sabia o que havia de pensar.

Mas Nelly mudara completamente para comigo. A sua estranheza, os seus caprichos e até, às vezes, o seu quase ódio, tudo isso se prolongou até o último dia em que deixou de viver comigo, até o surgir da catástrofe que veio pôr fim ao nosso romance. Falarei disto mais adiante.

Mas às vezes acontecia que ela durante uma hora se tornasse de repente tão carinhosa comigo como antes. A sua ternura parecia redobrar nesses momentos; o mais frequente era que, nesses momentos, irrompesse num choro amargo. Mas essas horas voavam rapidamente e ela voltava a afundar-se na antiga tristeza e a olhar-me com hostilidade, quando não se tornava também hostil para com o médico, ou, de repente, ao notar que eu não achava graça a uma nova travessura sua, punha-se a rir, para acabar depois quase sempre chorando.

Também brigava com Alieksandra Siemiônovna e dizia-lhe que não precisava dela. Quando eu me punha a ralhar com ela diante de Alieksandra Siemiônovna, enfurecia-se, respondia-me com certa má vontade acumulada; mas de súbito calava-se, e depois, tímida, ficava dois dias sem trocar uma palavra comigo, sem querer comer nem beber, e só o velho médico conseguia convencê-la e dominá-la.

Já disse que se estabelecera uma simpatia estranha entre ela e o médico, desde o primeiro dia em que tomara o remédio. Nelly gostava muito dele e recebia-o sempre com um sorriso alegre, como se todas as tristezas desaparecessem com a sua chegada. Por seu lado, o velho começou a visitar-nos diariamente e até duas vezes por dia, até mesmo quando Nelly se levantou e se restabeleceu completamente, e parecia que ela o fascinara de tal maneira que não podia passar um dia sem ouvir os seus risos e as suas brincadeiras, às vezes muito fortes. Começou a trazer-lhe livros com estampas, todos de índole instrutiva. Um deles comprou-o até de propósito para ela. Depois começou a trazer-lhe guloseimas em caixinhas muito graciosas. Nessas ocasiões costumava entrar com um ar solene, como se fosse o dia do aniversário de alguém, e Nelly adivinhava imediatamente que ele lhe trazia um presente. Mas ele não o mostrava e, limitando-se a sorrir maliciosamente, sentava-se junto de Nelly e dizia-lhe que, se certa menina se tivesse portado bem na sua ausência e fosse merecedora de respeito, então com certeza seria digna de um prêmio. Depois olhava para ela tão candidamente e tão bondosamente, que Nelly se ria com o riso mais franco; mas ao mesmo tempo uma gratidão sincera, afetuosa, se refletia naquele instante nos seus olhinhos radiosos. Por fim, o velho levantava-se solenemente da cadeira, puxava da caixinha com os doces e, quando a entregava, dizia sempre:

– Para a minha futura e amada esposa.

Nesse instante, provavelmente, era mais feliz do que Nelly. Depois disto iniciava-se uma conversa, e ele, com seriedade e persuasão, exortava-a a olhar pela sua saúde e dava-lhe sugestivos conselhos médicos.

– Antes de mais, cuidar da saúde – dizia em tom dogmático – que é a primeira e principal coisa para uma pessoa se manter entre os vivos, e em segundo lugar, para ser sempre sadio, e assim alcançar a felicidade na vida. Minha filha, se tem algum desgosto, esqueça-o, ou para melhor dizer, faça por não se lembrar dele. Mas se não tem desgosto algum, então... também não pense neles e esforce-se, em compensação, por pensar em coisas agradáveis... em qualquer coisa de alegre e gracioso.

– E em que coisa alegre e engraçada devo eu pensar? perguntava Nelly.

Imediatamente o médico desanimava.

– Ora... ora... em qualquer brincadeira própria da sua idade; sobretudo nos seus estudos, ou também... bom, em qualquer coisa do gênero.

– Eu não quero brincar, não gosto de brincar – dizia Nelly. – Preferia um vestido novo.

– Um vestido novo! Hum! Isso é que já não está muito bem. Cada um deve contentar-se modestamente com a sua sorte na vida. Embora afinal... sim... também possa gostar de vestidos novos.

– E o senhor dá-me muitos vestidos quando nos casarmos?

– Que ideia! – exclamou o médico e, sem querer, ficava amuado. Nelly ria-se com malícia, e uma vez, sem dar por isso, lançou-me um olhar no momento em que sorria. – Mas se se portar bem, eu compro-lhe os vestidos – prosseguiu o médico.

– E também terei de tomar todos os dias o remédio quando for sua mulher?

– Pode ser que então já não tenha de o tomar todos os dias – e o médico começou a sorrir.

Nelly interrompeu o diálogo com uma gargalhada. O velhinho riu também, acompanhando a sua alegria com prazer.

– Que marota! – murmurou, dirigindo-se a mim. – Mas em tudo isto há qualquer coisa de voluntarioso e de exaltação.

Tinha razão. Eu não sabia decididamente como havia de proceder com ela. Parecia que não queria de maneira nenhuma falar comigo, tal como se eu fosse culpado perante ela. O que me deixava numa grande amargura. Acabava também por ficar amuado e uma vez passei um dia inteiro sem dirigir-lhe palavra, simplesmente, no outro dia senti-me envergonhado. Às vezes punha-se a chorar e eu não sabia como consolá-la. No entanto, uma vez, quebrou o seu mutismo para comigo.

Dessa vez voltava eu para casa, ao cair da tarde, e reparei que Nelly escondia um livro debaixo da almofada. Era o meu romance, que fora buscar em cima da mesa e que estivera lendo na minha ausência. "Por que escondia isso de mim, como se a envergonhasse?", pensei eu. Mas fingi que não percebera. Passado um quarto de hora fui por um instante até à cozinha, e ela aproveitou a ocasião para saltar da cama e ir colocar outra vez o livro no seu lugar. Quando voltei, encontrei-o em cima da mesa. Passado um minuto ela chamou-me para o seu lado; na sua voz havia uma certa comoção. Havia quatro dias não me falava.

— Hoje... foi ver Natacha? – perguntou-me numa voz entrecortada.

— Sim, Nelly, tinha muita necessidade de vê-la.

Nelly ficou calada.

— Gosta muito dela? – perguntou-me outra vez com uma voz fraca.

— Sim, Nelly, gosto muito dela.

— Eu também gosto dela – acrescentou baixinho, depois do que tornou a ficar calada.

— Queria ir para junto dela e ficar vivendo com ela – começou de novo Nelly, olhando-me timidamente nos olhos.

— Isso não pode ser, Nelly – respondi-lhe um pouco surpreendido. – Não te sentes bem aqui?

— Mas por que não pode ser? – exclamou, exaltando-se. – O senhor dissera-me que eu podia ir viver com o pai dela, mas eu não quero. Ela tem criada?

— Tem.

— Pois bem, ela que despeça a criada que eu ficarei a seu serviço. Vou lhe fazer tudo sem receber nada em troca; gostarei muito dela e vou preparar bons cozinhados. Diga-lhe isto ainda hoje.

— Mas que capricho é esse, Nelly? Que pensas dela? Julgas que ela seria capaz de ficar contigo por criada? Se ficasse contigo seria como tua igual, como a sua irmãzinha mais nova.

— Eu não quero que seja como sua igual. Assim não quero.

— Mas por quê?

Nelly calava-se. Cerrava os dentes. Estava quase chorando.

— Esse, de quem ela gostava, deixou-a sozinha? – perguntou-me por fim.

Fiquei estupefacto.

— Mas como sabes disso, Nelly?

— Foi o senhor mesmo que me disse tudo; e antes de ontem, quando o marido de Alieksandra Siemiônovna veio, de manhã, eu perguntei-lhe e ele contou-me tudo.

— Mas Maslobóiev veio uma manhã?

— Veio – respondeu ela baixando os olhos.

— E por que não me disseste que ele tinha vindo?

— Porque...

Eu refleti um momento. Sabe Deus o motivo por que aquele Maslobóiev andara com aquele segredo. Por que teria vindo? Era preciso saber.

— Bem, que te importa, Nelly, que ele a tenha deixado?

— É que, como o senhor também gosta muito dela... – respondeu Nelly sem levantar os olhos para mim. – E como gosta dela, há de casar com ela, já que o outro a deixou.

— Não, Nelly, ela não gosta de mim como eu gosto dela, e eu... Não, isso não pode ser, Nelly.

— Eu serviria os dois como criada, e viveriam os dois juntos e seriam felizes – propôs ela quase num murmúrio, sem me olhar. "Que lhe teria acontecido, que lhe teria acontecido!", pensava eu, muito agitado.

Nelly ficou calada e durante toda a noite não voltou a dizer mais nada. Quando me retirei, pôs-se a chorar e assim ficou toda a tarde seguinte, conforme me disse

Alieksandra Siemiônovna, e adormeceu chorando. Também nessa noite chorou em sonhos e disse palavras delirantes.

Mas a partir de então tornou-se ainda mais arredia e tristonha e deixou completamente de falar-me. É verdade que notei dois ou três olhares seus, dirigidos para mim às furtadelas, e que nesses olhares transparecia tanta ternura... Mas isso desapareceu juntamente com o momento que provocara aquela súbita ternura. E como se resistisse àquele impulso, Nelly, quase de hora em hora, tornou-se mais carrancuda, inclusive com o médico, admirado daquela mutação do seu caráter.

Entretanto estava já quase completamente restabelecida, e o médico permitiu-lhe finalmente passear ao ar livre, mas apenas por um momento. Fazia um tempo claro, temperado. Era na Semana Santa, que dessa vez caíra para muito tarde; eu saí de manhã cedo; tinha necessidade absoluta de falar com Natacha; mas pensava voltar cedo para casa, para ir buscar Nelly e dar um passeio com ela. Entretanto ela ficara sozinha.

Mas não posso descrever o que me esperava em casa. Vinha com pressa. Entro e vejo que a chave está do lado de fora da porta. Olho; em cima da mesa, um papelinho, e nele, garatujado a lápis, numa letra grande e desigual:

Saio de sua casa e nunca mais voltarei. Mas gosto muito do senhor. Sua Nelly.

Dei um grito de espanto e corri para a rua.

Capítulo IV

Não tivera tempo sequer de chegar à rua, nem para pensar o que havia de fazer, quando uma carruagem parou à nossa porta e dela apeou Alieksandra Siemiônovna, conduzindo Nelly pela mão. Trazia-a muito bem segura, como se receasse que ela fugisse pela segunda vez. Corri imediatamente para ela.

– Nelly, que fizeste? – exclamei. – Para onde fugiste? E por quê?

– Acalme-se, não se desoriente; vamos lá para cima o mais depressa possível e saberá tudo – murmurou Alieksandra Siemiônovna. – Que coisas tenho para contar-lhe, Ivan Pietróvitch! – acrescentou à pressa pelo caminho. – É espantoso... Mas vamos lá que já vai ficar sabendo de tudo.

Era possível ver em seu rosto que trazia notícias de extrema gravidade. – Retira-te, Nelly, retira-te, deita-te um pouco – disse assim que chegamos a casa. – Estás esgotada, essa corrida não foi brincadeira. E sobretudo por cima de uma doença dessas. Deita-te um pouco, querida, deita-te. E o senhor venha comigo para dentro, senão não a deixamos dormir – e fez-me sinal para passar com ela para a cozinha.

Mas Nelly não se deitou. Sentou no divã e cobriu o rosto com as mãos.

Alieksandra Siemiônovna e eu tomamos chá e ela contou-me rapidamente o acontecido. Depois vim ainda a saber mais pormenores sobre o mesmo. Eis o que aconteceu.

Quando saiu de casa, duas horas antes do meu regresso, depois de me ter deixado o jantar preparado, Nelly correu em primeiro lugar à casa do velho médico. Tivera o cuidado de conseguir antes o seu endereço. O médico contou-me que ficara gelado de susto quando viu Nelly em sua casa, e que todo o tempo que ela ali esteve, nem queria acreditar naquilo que os seus olhos viam.

– Ainda agora me parece mentira – acrescentou, como remate da sua história. – E nunca acreditarei.

E no entanto Nelly estivera de fato em sua casa. Achava-se o médico tranquilamente sentado na sua poltrona, no seu escritório, de bata e saboreando o café, quando ela entrou e lhe deitou os braços ao pescoço, antes que pudesse aperceber-se. Chorava, abraçava-o e enchia-o de beijos; beijava-o nas mãos e, com palavras persuasivas, embora incoerentes, pedia-lhe que a deixasse viver a seu lado, que não queria nem podia continuar vivendo comigo e por isso me deixara; que isso lhe custava muito; que daí por diante não tornaria a rir dele nem a falar dos seus vestidos novos, e se portaria bem e estudaria, aprenderia a coser e a passar-lhe as camisas (provavelmente preparara todo este pequeno discurso durante o caminho e talvez ainda com mais antecipação), e que, finalmente, lhe obedeceria em tudo, e tomaria os remédios que mandasse, ainda que tivesse de fazê-lo todos os dias. E que se dissera que queria ser sua esposa, fora por graça e nunca pensara nisso. O velho alemão ficou tão desconcertado que esteve todo aquele tempo de boca aberta, com a mão que segurava o cigarro suspensa no ar e esquecido deste a tal ponto que se gastou sem dar por isso.

– *Mademoiselle* – exclamou por fim, recuperando um pouco o uso da palavra. – *Mademoiselle,* se bem percebi, pede-me que a receba em minha casa. Mas isso é... impossível. Pode ver pelos seus próprios olhos que eu vivo com muita modéstia e não possuo nenhum rendimento certo... Em resumo: assim, de repente, sem ser pensado antes... É horrível! E além disso, você, segundo vejo, fugiu de casa. Isso não está certo, e é impossível... E, finalmente, eu só lhe dei autorização para passear um bocadinho, nos dias em que houver bom tempo, à vista do seu protetor, e você deixa-o e vem para minha casa, quando devia cuidar-se e ... e ... tomar os remédios. E, finalmente... finalmente, eu não compreendo absolutamente nada...

Nelly não o deixou continuar a falar. Pôs-se outra vez a chorar e de novo tornou a suplicar-lhe a mesma coisa; mas nada conseguiu. O velhinho cada vez mostrava-se mais estonteado e cada vez compreendia menos. Por fim, Nelly deixou-o e gritou: "Ai, meu Deus" e saiu do quarto correndo.

– Eu fiquei doente todo esse dia – acrescentou o médico ao terminar a sua narrativa – e à noite tive de tomar um chá... Nelly dirigiu-se então a casa de Maslobóiev. Conhecia também a sua direção mas ainda teve alguma dificuldade em dar com ela. Maslobóiev estava em casa. Alieksandra Siemiônovna bateu palmas quando ouviu o pedido de Nelly, de que a deixasse ficar com ela. Mas às suas perguntas: "Por que queria isso? Se não estava contente junto de mim?", Nelly não respondera e deixara-se cair, soluçando, numa cadeira.

– Soluçava de tal maneira, soluçava tanto – contava-me Alieksandra Siemiônovna – que eu pensei que ia morrer ali.

Nelly pedia-lhe que a aceitasse, ainda que fosse, como criada ou cozinheira; que varreria o chão e aprenderia a lavar roupa. (Nisso de lavar roupa branca depositava ela as maiores esperanças, pensando que era a melhor recomendação para que a aceitassem.) A intenção de Alieksandra Siemiônovna era ficar com ela até que o caso se aclarasse, quando me daria aviso. Mas Filip Filípitch opôs-se decididamente a tal e mandou imediatamente que me fosse entregue a fugitiva. Durante o caminho Alieksandra Siemiônovna abraçou-a e beijou-a e Nelly voltou outra vez a chorar. E Alieksandra Siemiônovna, ao vê-la assim, chorava também. E vieram as duas chorando durante todo o caminho.

– Mas por que não queres, Nelly, viver com ele? Ofendeu-te em qualquer coisa, por acaso? – perguntava-lhe Alieksandra Siemiônovna enxugando as lágrimas.

– Não, ofender-me não me ofendeu.

– Bem. Então por que é?

– Por nada, mas não quero viver com ele... Não posso... Eu sou muito má para ele... e ele é muito bom. Mas em sua casa não me hei de portar mal; trabalharei – dizia, soluçando, como num ataque de histerismo.

– Mas por que és tão má para ele, Nelly?

– Porque sou.

– E não consegui mais do que arrancar-lhe esse "porque sou" – concluiu Alieksandra Siemiônovna, enxugando as lágrimas. – Por que tanto sofrimento? Que pensa o senhor, Ivan Pietróvitch?

Fomos ver Nelly. Estava deitada, com a cabeça escondida debaixo dos travesseiros e chorava. Eu me pus diante dela, de joelhos; peguei-lhe nas mãos e comecei a beijar-lhas. Ela retirou as mãozinhas e aumentou ainda mais os soluços. Não sabia o que havia de dizer-lhe. Nesse momento entrou o velho Ikhmiêniev.

– Venho falar do caso contigo, Ivan. Como estás? – disse, olhando-nos a todos muito admirado, quando me viu de joelhos.

O velho passara doente todo aquele tempo. Estava pálido e fraco; mas, como se quisesse mostrar-se fanfarrão com alguém, desprezou a sua doença, não escutou os conselhos de Anna Andriéievna, não ficou na cama e continuou a sair para tratar dos seus assuntos.

– Dê-me licença, por um momento – disse Alieksandra Siemiônovna, depois de olhar o velho. – Filip Filípitch disse-me que não me demorasse. Temos que fazer. Mas esta tarde hei de ir umas horas à sua casa.

– Quem é? – perguntou o velho em voz baixa, como se estivesse pensando noutra coisa.

Expliquei-lhe.

– Hum! Mas vamos ao assunto, Ivan.

Eu sabia de que assunto se tratava e aguardava a sua visita. Vinha falar comigo e com Nelly, pedir-me que lhe consentisse levá-la para a sua companhia. Anna Andriéievna finalmente consentira em levar uma órfã para sua casa. E isso foi devido às nossas entrevistas secretas. Eu visitara Anna Andriéievna e lhe dissera que a vista de uma órfã cuja mãe concitara também a maldição paterna, talvez fizesse que o sentir do nosso velho enveredasse por outro caminho. Expliquei-lhe tão claramente o meu plano que foi ela própria quem instou depois com o marido para que perfilhasse uma órfã. O velho tomou o assunto a peito; em primeiro lugar queria agradar à esposa e, além disso, tinha também as suas ideias particulares... Mas disto falarei depois mais pormenorizadamente.

Já disse que Nelly não simpatizara com o velho, desde a primeira visita. Depois reparei que nos seus olhos se refletia também certa aversão quando eu pronunciava perante ela o nome de Ikhmiêniev. O velho entrou imediatamente no assunto, sem preâmbulos. Dirigiuse à Nelly que continuava ainda na cama; descobriu-lhe o rosto e, pegando-lhe a mão, perguntou-lhe se queria ir viver com ele, no lugar da sua filha.

— Eu tinha uma filha à qual queria mais do que a mim mesmo — concluiu o velho — mas agora já não está comigo. Morreu. Queres ocupar o seu lugar na minha casa... e no meu coração?

— Não, não quero — respondeu Nelly sem levantar a cabeça.

— Mas por que, minha filha? Tu não tens ninguém. Ivan não pode ter-te decentemente em sua casa; em compensação, na nossa estarás como na de teus pais.

— Não quero, porque o senhor é mau. Sim, mau — acrescentou levantando a cabeça e endireitando-se na cama, diante do velho. — Eu sou má, muito má; mas o senhor ainda é pior do que eu...

Quando disse isto, Nelly empalideceu; os seus olhos chispavam fogo; também os seus lábios, trementes, empalideceram e se crisparam devido à comoção. O velho olhava-a, atônito.

— Sim, é mais mau do que eu porque não quer perdoar à sua filha; quer esquecê-la completamente e pôr outra no seu lugar. Mas será possível esquecer uma filha? Poderá o senhor gostar de mim? Todas as vezes que me olhar há de recordar que sou uma estranha na sua casa, que tinha uma filha que votou ao esquecimento, porque é um homem cruel. E eu não quero viver com gente má. Não quero, não quero!

Nelly soluçou e olhou-me timidamente.

— Amanhã é o dia da Aleluia; todos se beijam e abraçam, todos se reconciliam, todos perdoam mutuamente as suas culpas... É para que veja que o sei... Só o senhor... Desalmado!

E pôs-se a chorar. Parecia ter essas palavras preparadas de antemão, para o caso de o velho vir convidá-la a ir para sua casa. O velho ficou perturbado e mudou de cor. Um grande sofrimento se refletiu no seu rosto.

— Mas por que, por que se preocupam todos comigo? Não quero, não quero! — exclamou Nelly, de repente, com certa exaltação. — Irei pedir esmola!

— Nelly, que tens? Nelly, minha amiga! — exclamei eu involuntariamente; mas a minha exclamação não fez mais do que deitar lenha ao fogo.

— Sim, prefiro lançar-me à rua a pedir esmola a continuar aqui — exclamou soluçando. — Minha mãe pedia esmola e, quando morreu, disse-me: "És pobre e mais vale que peças esmola que não... Pedir esmola não é vergonha". Não a pedirei a uma só pessoa, vou pedir a toda a gente e toda a gente não é uma só pessoa; a uma, faz vergonha pedi-la; mas a todos não é vergonhoso; foi o que me disse uma mendiga. Repare: eu sou pequena, ninguém me quer. Por isso pedirei esmola a todos. Não quero, não quero, eu sou má, pior do que ninguém. Oh, como eu sou má!

E de súbito, Nelly, de um modo completamente inesperado, pegou numa chávena que estava em cima da mesa e, olhando para mim com uma solenidade provocante, atirou-a ao chão.

— Tínhamos duas chávenas — disse ela. — A outra, também já a parti. Agora, onde é que toma o chá?

Estava furiosa e parecia sentir prazer naquela fúria, como se ela própria reconhecesse que aquilo era vergonhoso e mau e, ao mesmo tempo, inflamava-se para novos arrebatamentos.

— Está doente, Vânia; deve ter isso! — disse o velho. — A não ser que... a não ser que eu já não compreenda as pessoas. Adeus!

Pegou no agasalho e apertou-me a mão. Parecia esgotado. Nelly ofendera-o de maneira terrível. Eu sentia intimamente uma revolta enorme.

– Não tiveste piedade dele, Nelly – exclamei quando ficamos sozinhos. – Não tens vergonha, não tens vergonha! Não, tu não és boa, és verdadeiramente má!

E tal como estava, sem chapéu, saí atrás do velho. Desejava alcançá-lo antes que chegasse à porta e dizer-lhe duas palavras só de consolação. Quando descia a escada correndo, parecia-me ver ainda à minha frente o rosto de Nelly, que empalidecera espantosamente perante as minhas censuras.

Depressa alcancei o velho.

– Ofenderam essa pobre moça e está magoada, acredita, Ivan. E eu comecei a falar-lhe das minhas coisas – disse, sorrindo amargamente – e toquei nas suas feridas. Dizem que o saciado não compreende o esfomeado; mas eu, Vânia, acrescentaria que até o esfomeado nem sempre entende o esfomeado.

Tentei falar-lhe de outras coisas, mas o velho moveu a mão.

– Nada de consolações. Faz antes o possível para que ela não fuja; olha de tal maneira... – acrescentou, com certa malícia.

E afastou-se de mim a grandes passadas, agitando a bengala e batendo com ela no passeio.

Mal podia imaginar que fazia um prognóstico certo.

Que não senti eu, quando, ao regressar a casa, cheio de espanto, aí não encontrei Nelly! Vim até ao patamar, procurei-a na escada, chamei-a no quarto vizinho e perguntei por ela; não queria nem podia acreditar tivesse voltado a fugir. E como podia ter fugido? – A casa tinha apenas uma porta. Quando saiu, precisava ter passado diante de nós, enquanto eu falava com o velho. Mas logo pensei com grande tristeza que podia ter-se escondido em algum lugar na escada, à espera que eu voltasse para casa, para fugir, de maneira que eu não pudesse encontrá-la. Fosse como fosse, não podia estar muito longe.

Voltei a procurá-la, com grande inquietação, deixando a porta aberta, como por acaso.

Antes de mais, dirigi-me a casa de Maslobóiev. Ele não estava em casa, nem tampouco Alieksandra Siemiônovna. Depois de lhes deixar um bilhete comunicando-lhes a nova infelicidade e pedindo-lhes que, se Nelly aparecesse por ali, me comunicassem imediatamente, fui à casa do médico. Também não se achava em casa e a criada disse-me que, depois da sua última visita, não voltara a fazer outra. Que fazer? Dirigi-me à da Bubnova e soube por um empregado amigo que ela fora detida no dia anterior, não sei porque motivo, e que até então não vira Nelly. Esgotado, desanimado, voltei de novo à casa de Maslobóiev. A mesma resposta. Ninguém lá fora e os donos da casa nem sequer tinham regressado. O meu bilhete continuava em cima da mesa. Que me restava fazer?

Voltei para casa com um tédio mortal, já noite avançada. Precisava de ir ver Natacha nessa noite; ela própria me mandara chamar de manhã. Mas eu nada comera durante todo o dia. A lembrança de Nelly torturava-me.

– "Que será? – pensava eu. – Será isto uma estranha consequência da doença? Não estaria louca ou terá voltado? Mas, meu Deus! Onde estará ela agora, onde poderei encontrá-la?"

Mal proferira esta exclamação, de súbito vi Nelly a alguns passos de mim, na ponte de V***, de pé, junto do lampião, e não me viu. Quis correr para ela mas detive-me.

"Que fará ela ali?", pensei, perplexo.

E com a certeza de que, dessa vez, não a perderia de vista, decidi esperar e observá-la. Passaram dez minutos e ela continuava ali, olhando para os transeuntes. Finalmente passou um velhinho bem vestido e Nelly aproximou-se. Ele, sem parar, tirou qualquer coisa do bolso e lhe deu. Ela fez uma reverência. Não posso exprimir o que senti naquele momento. O coração estremeceu-me dolorosamente, como se qualquer coisa estimada, que eu amava, acariciava e amimava, se envilecesse e consumisse à minha vista naquele momento; e ao mesmo tempo brotaram lágrimas nos meus olhos.

Sim, lágrimas pela pobre Nelly, embora ao mesmo tempo sentisse enorme aborrecimento; ela não pedia por necessidade; não vivia abandonada nem se encontrava exposta por ninguém à mercê da sorte; não fugira ao poder de opressores cruéis, mas da casa de amigos que a amavam e estimavam. Parecia antes que se propusera assombrar ou assustar alguém com as suas proezas, como se quisesse dar-se ares de pessoa valente. Perante quem? Mas algo de misterioso se agitava na sua alma... Sim, o velho tinha razão; ela estava ofendida, a sua ferida não podia sarar e parecia comprazer-se em irritá-la com aquele receio, com aquela desconfiança por todos. Era de dizer que gozava com o seu mal, com aquela dor egoísta, se me permitem a expressão. Este irritar da ferida e ter prazer nela era compreensível para mim; é o prazer de muitos ofendidos e agravados, maltratados pela sorte e convencidos da sua injustiça. Mas de que injustiça podia Nelly queixar-se? Parece que queria assombrar-nos e assustar-nos com as suas façanhas, com os seus caprichos, com as suas lembranças selvagens; como se quisesse mostrar-se fanfarrona perante nós... Mas não. Agora estava só, nenhum de nós a via pedir esmola. Será que sozinha acha prazer nisto? Para que precisa de esmolas? Para que quer o dinheiro?

Depois de receber uma esmola, retirou-se da ponte e aproximou-se da vitrina iluminada de uma loja. Aí, pôs-se a contar o que recebera; eu estava a dez passos dela. Tinha bastante dinheiro na mão; era evidente que pedira desde manhã. Apertando-o na mão, atravessou a rua e dirigiu-se para uma loja. Eu me encaminhei imediatamente para a porta da loja, aberta de par em par e olhei. Que estaria fazendo ali?

Vi que colocava dinheiro sobre o balcão e lhe entregavam uma chávena, uma simples chávena para chá, semelhante àquela que pouco antes quebrara para nos dar a entender, a mim e a Ikhmiêniev, como era má. Aquela chávena poderia valer cinco copeques e até talvez menos. O comerciante embrulhou-a, atou-a e entregou-a a Nelly, a qual se apressou a sair da loja com uma expressão de satisfação.

– Nelly! – gritei-lhe, quando passava junto de mim. – Nelly!

Ela estremeceu, olhou para mim, deixou cair da mão a chávena, que se partiu no chão. Estava pálida; mas, quando me olhou e se convenceu de que eu a vira e sabia tudo, de repente, corou, e esse rubor revelava uma vergonha intolerável, dolorosa. Peguei-lhe na mão e levei-a a casa, que ainda estava longe. Nem uma palavra trocamos durante o caminho. Em casa, sentei; Nelly estava de pé, na minha frente, apreensiva e comovida, pálida como antes, de olhos fixos no chão. Não podia olhar-me.

– Nelly, tu pediste esmola?

– Sim! – murmurou e ficou ainda mais meditativa.

– Querias juntar dinheiro para comprar outra chávena como a que partiste?
– Sim...
– Mas eu censurei-te ou ralhei-te por causa disso? Não vês, Nelly, quanta maldade, quanta maldade deliciada consigo própria há na tua conduta? Achas isso direito? Não tens vergonha? Não...
– Vergonha? – murmurou ela com uma voz quase imperceptível e uma lagrimazinha rolou pela sua face.
– Vergonha – repeti eu por minha vez. – Nelly, minha filha, se te ofendi em qualquer coisa, perdoa-me e façamos as pazes.

Ela olhou para mim, as lágrimas brotaram dos seus olhos e lançou-se contra o meu peito.

Nesse instante Alieksandra Siemiônovna apareceu correndo.
– Quê? Já está em casa? Outra vez? Ai! Nelly, Nelly, que te aconteceu? Bem. Ao menos ainda teve o bom senso de voltar a casa... Onde a encontrou, Ivan Pietróvitch?

Fiz sinal a Alieksandra Siemiônovna para que não continuasse a perguntar e ela compreendeu-me. Perdoei a Nelly, com ternura, mas continuava chorando amargamente; pedi à bondosa Alieksandra Siemiônovna que continuasse a fazer-lhe companhia até que eu voltasse e dirigi-me a toda pressa à casa de Natacha. Estava atrasado e agora devia correr.

Nessa noite, o nosso destino decidiu-se; eu tinha muitas coisas de que falar com Natacha; no entanto fiz recair a conversa sobre Nelly e contei-lhe tudo quanto se passara, com todos os pormenores.

O meu relato interessou muito a Natacha e até lhe causou impressão.
– Sabes uma coisa, Vânia? – disse pensativa. – Tenho a impressão de que ela está apaixonada por ti.
– Quê? Que dizes? – exclamei surpreendido.
– Nada! Que isso é um começo de amor, de paixão de mulher...
– Não continues, Natacha! Não vês que é uma criança?
– Que em breve vai fazer catorze anos. Tudo isso é puro desespero por ver que não compreendes o seu amor, sim, que talvez nem ela mesma o compreenda; desespero em que há muito de pueril, mas também de seriedade, que é sério, doloroso. Gostas tanto de mim que, verdadeiramente, só pensas em mim, e só te preocupas comigo e falas de mim, sem lhe dedicar a menor atenção. Ela repara e isso exaspera-a. É possível que quisesse falar contigo, que sinta a necessidade de abrir-te o coração; mas não sabe, tem vergonha; não se compreende a si própria; espera uma oportunidade, e tu, em vez de provocares essa oportunidade, te afastas dela, a deixas sozinha para vires me ver, e até quando esteve doente a deixaste dias inteiros sozinha. Por isso ela chora; sente a tua falta e o que mais lhe custa é ver que tu não o notas. Bem vês, agora mesmo, neste momento, acabas de deixá-la sozinha para vires ver-me. E por isso é capaz de ficar doente amanhã; e tu, também, como podes tu deixá-la? Volta para o seu lado quanto antes...
– Eu não a deixaria sozinha, mas...
– Bem, vai. Fui eu própria que te pedi que viesses. Mas agora vai.
– Sim, mas fica sabendo que não acredito nada disso.
– Porque isto não se parece com o resto. Lembra-te da sua história; medita sobre tudo e depois te convencerás. Ela não foi criada contigo, como eu...

Apesar disto, regressei tarde. Alieksandra Siemiônovna contou-me que Nelly, tal como na noite anterior, também chorara muito, e também adormecera a chorar... mas que "agora vou-me embora, Ivan Pietróvitch, conforme me mandou Filip Filípitch, que já deve estar farto de esperar por mim".

Agradeci-lhe e sentei-me à cabeceira da cama de Nelly. Custava-me tê-la deixado naquelas circunstâncias. Fiquei sentado durante muito tempo, junto dela, pensando.... Horas fatais foram essas... Mas é preciso contar o que se passou nessas semanas.

Capítulo V

Depois daquela noite que nunca mais poderei esquecer, que me levou ao restaurante de B*** em companhia do príncipe, durante alguns dias consecutivos senti um verdadeiro receio por Natacha. "Que ameaças lhe fará este maldito príncipe e, sobretudo, qual a vingança que trama contra ela?", a mim próprio perguntava eu a todos os momentos e perdia-me em diversas conjeturas. Cheguei finalmente à conclusão de que as suas ameaças não eram nenhum absurdo nem tinham nada de fantásticas, e que enquanto ela vivesse com Alhocha, o príncipe, efetivamente, podia proporcionar-lhe muitos dissabores. "É exigente, vingativo e interesseiro", dizia para mim próprio. Dificilmente poderá esquecer uma ofensa e não aproveitar a primeira ocasião que se lhe apresente para vingar-se. Seja como for, ele indicou-me um ponto concreto em todo este assunto e exprimiu-se com toda a clareza: tinha absoluta necessidade da ruptura de Alhocha com Natacha, e contava comigo para ir preparando-a para uma separação iminente, para que não viesse a dar-se nenhuma cena de pastoral à Schiller. Evidentemente que se esforçava por todos os meios para que Alhocha ficasse satisfeito com ele e continuasse a tê-lo por um pai amante, o que lhe era muito necessário para poder depois manejar o dinheiro de Kátia. Por isso eu me via na necessidade de preparar Natacha para uma ruptura iminente. Mas eu observara uma notável mudança em Natacha: da sua antiga franqueza comigo não havia agora nem uma amostra; e mais, parecia desconfiar de mim. As minhas consolações só serviam para mortificá-la; as minhas perguntas contrariavam-na cada vez mais e chegavam até a aborrecê-la. Sentava diante dela e observava-a. Ela andava no quarto de um lado para o outro, de braços cruzados, severa, pálida, distraída, esquecida de tudo, inclusive de que eu estava ali junto dela. Quando pousava em mim a vista, por acaso (e evitava também o meu olhar), ao seu rosto assomava uma contrariedade impaciente e apressava-se a voltar os olhos para outro lado. Eu compreendia que ela também elaborava algum plano respeitante à ruptura iminente, e que podia pensar nisso sem sentir dor e amargura. Eu tinha a certeza de que ela já estava decidida à ruptura. Mas apesar disso afligia-me e assustava-me o seu desespero sombrio. Muitas vezes nem sequer me atrevia a falar-lhe e a consolá-la, e assim aguardava com espanto em que acabaria tudo aquilo.

Quanto à sua desconfiada e evasiva atitude para comigo, embora me inquietasse e custasse, sentia-me no entanto certo do coração da minha Natacha; via que ela sofria muito e que estava extremamente agitada. Toda a interferência alheia a aborrecia e irritava. Em casos destes, a interferência, sobretudo de amigos íntimos, que sabem dos nossos segredos, é a que se torna mais aborrecida. Mas eu sabia também que no último momento Natacha havia de voltar para mim a procurar refúgio no meu coração.

É claro que não lhe disse uma palavra da minha aventura com o príncipe; tudo quanto eu dissesse apenas serviria para aumentar a sua agitação e desassossego. Disse-lhe unicamente, como se fosse por acaso, que estivera com o príncipe em casa da condessa e que tivera oportunidade de verificar que era muito mau. Ela não me perguntou por que, o que muito me alegrou; em compensação estava ansiosa por ouvir tudo quanto lhe contei da minha entrevista com Kátia. Depois de me ter ouvido também não disse nada mas corou e durante quase todo esse dia se mostrou muito agitada. Eu nada escondi a Natacha e disse-lhe francamente que Kátia me deixara uma excelente impressão. Para que estar com fingimentos? De qualquer maneira, Natacha adivinhara o que eu lhe ocultara e ainda por cima ficara aborrecida comigo por causa dessa reserva. E foi por isso que eu, propositadamente, lhe contei tudo o mais pormenorizadamente possível, antecipando-me às suas perguntas, tanto mais que, na sua irritação, a ela mesma lhe teria sido difícil interrogar-me. Na verdade, será coisa fácil inquirir com um ar indiferente, das perfeições duma rival?

Pensava que ela ignorasse ainda que Alhocha, por ordem irrevogável do príncipe, tinha de ir fazer companhia à condessa e a Kátia, no campo, a fim de suavizar-lhe o golpe, na medida do possível. Mas qual não foi o meu assombro quando Natacha me deteve logo às primeiras palavras, dizendo-me que não a consolasse, pois havia cinco dias estava a par de tudo!

– Meu Deus! – exclamei eu. – Mas quem é que te disse?
– Alhocha.
– Quê? Foi ele que te disse?
– Sim, e eu estou decidida, Vânia – acrescentou com um gesto que me dava a entender com toda a clareza e quase com impaciência que não devia continuar o diálogo.

Alhocha visitava Natacha com muita frequência, mas apenas por um minuto; houve apenas uma ocasião em que ficou várias horas com ela. Mas isso foi de uma vez em que eu não estava presente. Costumava aparecer muito triste; olhava-a tímida e ternamente, mas Natacha recebia-o com tanta ternura e carinho que ele esquecia imediatamente tudo e punha-se muito contente. Também a mim me visitava com muita frequência, quase todos os dias. Para dizer a verdade, ele também sofria bastante, mas não podia ficar sozinho nem um momento com a sua tristeza e vinha ter comigo em busca de consolo.

Que poderia eu dizer-lhe? Ele reprovava a minha frieza, a minha indiferença e até se aborrecia comigo; lamentava-se, chorava, ia visitar Kátia e ali se distraía.

No mesmo dia em que Natacha me confessou estar já informada acerca da viagem (foi na semana seguinte à minha conversa com o príncipe), veio ele procurar-me, desesperado, abraçou-me, lançou-se nos meus braços e rompeu a chorar como uma criança. Eu me calava, na expectativa do que ele iria dizer.

– Sou vil e velhaco, Vânia – começou. – Salva-me de mim próprio. Eu não choro por ser vil e velhaco, mas porque Natacha vai ser infeliz por minha causa... Porque eu a abandono na desgraça... Vânia, meu amigo, diz-me, resolve por mim, qual das duas é que eu amo mais: Kátia ou Natacha?

– Isso, eu não posso dizer, Alhocha – respondi-lhe. – Tu deves saber melhor do que eu...

– Não, Vânia, não é isso; ainda não sou assim tão tolo que te fizesse uma pergunta dessas; mas é que, no fundo, eu próprio não sei. Interrogo-me e não acho resposta. Ao passo que tu olhas o caso como espectador e pode ser que saibas mais do que eu... Bem; e ainda que não saibas, diz-me: que te parece?
– Parece-me que gostas mais de Kátia.
– Achas? Não, não, de maneira nenhuma. Estás completamente enganado. Eu amo infinitamente Natacha. Nunca, por nada deste mundo, a poderei deixar; foi o que eu disse a Kátia e Kátia está completamente de acordo comigo. Por que estás tão calado? Mas sorris... Ah, Vânia, tu nunca me soubeste consolar nas ocasiões em que estou tão triste, como agora! Adeus!

Saiu do quarto correndo, deixando uma extraordinária impressão em Nelly, que estava assombrada e assistira ao diálogo, em silêncio. Estava ainda de cama e a tomar remédios. Alhocha nunca falou com ela e durante as suas visitas mal reparava nela.

Passadas duas horas voltou a aparecer e eu fiquei admirado do seu rosto tão prazenteiro. Outra vez se atirou para os meus braços.
– É assunto arrumado! – exclamou. – Desvaneceram-se todas as dúvidas. Vou já daqui diretamente para casa de Natacha; eu estava excitado e não podia passar sem ela. Quando entrei lancei-me a seus pés, de joelhos, e beijei-os; devia fazer isso, era um desejo que eu sentia; se não o fizesse morreria de tristeza. Ela me abraçou em silêncio e chorou. E eu então disse-lhe logo que gosto mais de Kátia do que dela.
– E ela, que disse?
– Não me respondeu, limitou-se a acariciar-me e a consolar-me... A mim, que acabava de dizer-lhe aquilo! Como ela sabe consolar uma pessoa, Ivan Pietróvitch! Oh, eu desafoguei com ela toda a minha amargura, contei-lhe tudo! Comecei por dizer-lhe que amo muito Kátia, mas que por muito que a ame, a ela ou a outra, sem Natacha não posso viver e morrerei. Sim, Vânia, compreendo que nem um só dia poderei viver sem ela! Por isso decidimos casarmo-nos imediatamente e, como antes da viagem não é possível, porque agora, na Quaresma, estão encerradas as preces públicas, vamos deixar para o meu regresso, que será nos princípios de junho. O meu pai dará o seu consentimento, disso não duvido. Pelo que respeita a Kátia, pode dizer-se o mesmo. Eu não posso viver sem Natacha! Vamos casar e depois iremos para junto de Kátia!

Pobre Natacha! Como a consolava escutar aquele rapaz, sentado junto dela, ouvir as suas confidências e inventar, para tranquilidade daquele egoísta, a história do seu próximo casamento! De fato, Alhocha ficou assim tranquilo por uns dias. Ia ver Natacha precisamente porque o seu fraco coração não tinha coragem para suportar sozinho a tristeza. No entanto, quando começou a aproximar-se a época da separação, voltou a cair no desassossego, a chorar, e de novo veio ter comigo para desabafar a sua amargura. Nos últimos tempos estava tão ligado a Natacha que não podia separar-se dela nem um dia, quanto mais um mês e meio. Mas não há dúvida de que até o último momento esteve perfeitamente convencido de que apenas a deixava por mês e meio e que no seu regresso se casariam. Quanto a Natacha compreendia muito bem que o seu destino ia transformar-se radicalmente, que Alhocha não voltaria para ela e que assim tinha de ser.

Chegou finalmente o dia da separação. Natacha estava doente, pálida, com os olhos inflamados e os lábios febris; falava sozinha, de vez em quando, e olhava para mim de um modo fixo, penetrante; não chorava, não respondia às minhas perguntas e tremia como uma folha, quando se ouviu a voz sonora de Alhocha, que entrava. Ela ruborizou-se intensamente e apressou-se a ir ao seu encontro; abraçou-se convulsivamente a ele: beijava-o, ria... Alhocha olhava-a, às vezes com inquietação; perguntava-lhe se se sentia bem, consolava-a dizendo-lhe que ia por pouco tempo e que depois se casariam; Natacha fazia esforços visíveis para dominar-se e conter as lágrimas. Não chegou a chorar na sua presença.

Uma vez chegou a dizer que era preciso deixar-lhe dinheiro para todo tempo da sua ausência, para que não passasse necessidades, pois o pai devia dar-lhe muito para a viagem. Natacha ficou amuada. Quando ficamos sós, expliquei-lhe que tinha à disposição dela cento e cinquenta rublos. Não me perguntou pela origem dessa quantia. Isto se passou dois dias antes da partida de Alhocha e na véspera do primeiro e último encontro de Natacha com Kátia. Esta enviara um bilhete a Natacha; no qual lhe pedia que a deixasse visitá-la no dia seguinte; escrevia também umas linhas para mim; pedia-me que assistisse também ao seu encontro.

Eu resolvi estar ao meio-dia (hora marcada por Kátia), sem falta, em casa de Natacha, pondo de parte o que tinha para fazer; mas surgiram muitos obstáculos e daí resultou um atraso. Sem falar de Nelly, nos últimos tempos, os Ikhmiênievki davam-me muitas preocupações.

Estas preocupações começaram uma semana antes. Anna Andriéievna mandara-me chamar uma manhã, pedindo que deixasse tudo e fosse imediatamente a sua casa para tratar de um assunto importantíssimo que não consentia o menor adiamento. Quando lá cheguei, encontrei-a sozinha; andava de um lado para o outro, assustada, num estado de comoção febril, aguardando a tremer o regresso de Nikolai Sierguiéitch. Como de costume, durante bastante tempo não consegui saber de que assunto se tratava e que receava ela, apesar de cada minuto ser precioso. Finalmente, depois de amargas censuras, supérfluas em relação ao assunto: "Por que não gostava deles e os abandonava sozinhos na sua dor?" enquanto "Só Deus sabia o que teriam sofrido sem mim" e explicou-me que Nikolai Sierguiéitch se mostrava indescritivelmente agitado nos últimos três dias.

– Parecia outro, simplesmente – dizia ela – à noite, cheio de febre, rezava em voz baixa, para que eu o não ouvisse, de joelhos diante da imagem, delirava em sonhos e de dia parecia meio louco; ontem, quando lhe trouxe a sopa, nem conseguia segurar a colher; perguntava-lhe uma coisa e respondia-me outra. Saía de casa a todos os momentos: "Tenho de ir tratar de um assunto – dizia – tenho de ir procurar o advogado". Até que esta manhã se fechou no escritório. "Tenho – disse-me – de escrever uma coisa para o assunto do processo." "Bem – pensei eu para comigo – que documento irás escrever se não consegues segurar na colher?" Mas pus-me a espreitar pelo buraco da fechadura: está sentado, escreve e, de vez em quando, parece que chora. Que documento vai sair das suas mãos – dizia para comigo – se se encontra nesse estado? A não ser que, agora, o seu desgosto seja por causa da nossa Ikhmiênievka! Pensava nisto quando, de repente, ele levanta da cadeira, atira a pena sobre a mesa, faz-se vermelho, os seus olhos começam a chispar fogo, pega o gorro e diz-me: "Anna Andriéievna, eu já volto". Assim que ele saiu, aproximei-me da mesa para ver o que escrevera; há aí muitos papeluchos relacionados com o processo e ele não me deixa arrumá-los. Quantas vezes lhe pedi: "Ao menos deixa-me tirar esses papéis uma vez, para limpar o pó da secretária". "De maneira nenhuma – grita – proíbo-te que toques aí"; aqui em Petersburgo tem-se tornado mais impertinente e grita mais do que nunca. Bem; pois eu aproximei-me da mesa e procuro: "Qual será o papel que ele estava escrevendo agora mesmo? Pois sei que não o levou consigo e, quando levantou da mesa, meteu-o debaixo dos outros papéis". Pois bem, amigo Ivan Pietróvitch, aqui tens o que eu encontrei, olha.

E estendeu-me uma folha de papel de carta, escrita até metade, mas com tantos borrões que era impossível decifrá-la.

Pobre velho! Podia adivinhar-se, desde as primeiras linhas, o que e a quem escrevia. Era uma carta para Natacha, para a sua idolatrada Natacha. Começava ardente e terno; dirigia-se a ela oferecendo o seu perdão e chamando-a para o seu lado. Era difícil compreender essa carta toda, garatujada nuns termos arrevesados e incoerentes e cheia de borrões. Era evidente que o sentimento ardente que o levara a pegar na pena e a escrever as primeiras e inspiradas linhas, imediatamente depois de escritas, tinha degenerado noutro; o velho passara a dirigir censuras à filha, pintava-lhe o seu crime com cores negras e recordava-lhe com dureza a sua teimosia, jogava-lhe na cara a sua falta de sentimentos por não ter pensado nem um momento no que fizera a seus pais. Ameaçava-a com um castigo e com a maldição, por causa do seu orgulho, e terminava com a exigência de que voltasse imediatamente para casa, depois do que, e só quando tivesse cumprido uma nova vida exemplar, "no seio da família, me resolverei a perdoar-te", escrevia. Era claro que o seu generoso sentimento inicial lhe devia ter parecido fraqueza, assim que escreveu as primeiras linhas, e que se sentiu envergonhado e, finalmente, sofrendo as torturas do orgulho ofendido, acabou a carta encolerizado e com ameaças. A velhinha, postada na minha frente, juntava as mãos e aguardava, temerosa, o que eu iria dizer depois de lida a carta.

Eu lhe disse, sem rodeios, o que pensava. Isto é, que o velho já não podia viver sem Natacha e que portanto se podia falar já da sua imprescindível e próxima reconciliação; mas que entretanto tudo dependia das circunstâncias. Disse-lhe também, em apoio desta minha suposição, que, em primeiro lugar, o desenlace desfavorável do processo o devia ter alterado e comovido muito, para não falar naquilo que a vitória obtida pelo príncipe devia ter ofendido o seu amor-próprio, nem do desgosto que lhe devia ter trazido essa solução do caso. Perante essas dores espirituais não tinha outro remédio senão procurar quem o ajudasse a suportá-las, e mais do que nunca se lembrou daquela a quem continuava amando mais do que ninguém neste mundo. Por fim, podia ser que lhe tivesse acontecido isto também: que tivesse ouvido dizer (já que estava informado de tudo quanto dizia respeito a Natacha) que Alhocha estava prestes a deixá-la, e pensasse no que iria ser dela, agora, e como iria ficar necessitada de amparo. Mas que, apesar de tudo, não podia dominar-se e considerava-se humilhado e ofendido pela filha. Ao que parece ocorrera-lhe a ideia de que, de qualquer modo, não devia ser ela a primeira a vir ao seu encontro, que talvez não se lembrasse deles nem sentisse necessidade de uma reconciliação. Disse-lhe que, em minha opinião, devia ser este o seu pensar, e por isso não acabara a carta e que talvez de tudo isso resultassem ainda novos agravos que talvez tornassem mais sensíveis os primeiros, e que a reconciliação ficasse assim adiada sabia-se lá até quando.

A velhinha pôs-se a chorar. Por fim, quando lhe disse que me era forçoso ir a seguir à casa de Natacha, e que já estava atrasado, estremeceu e disse-me que se esquecera do principal. Quando tirara a carta debaixo de outros papéis, sem querer virara um tinteiro. De fato, havia um canto todo salpicado de borrões e a velha tinha um medo terrível de que o marido deduzisse, ao ver essas manchas, que lhe tinham remexido os papéis na sua ausência e que ela encontrara a sua carta para Natacha. O seu receio era fundado; só o fato de que nós conhecêssemos o seu segredo poderia ser o bastante para que ele, por pudor e aborrecimento, prolongasse a sua hostilidade e, por orgulho, insistisse na sua exigência.

Mas depois de ter considerado o caso, aconselhei a velha a não se preocupar. Ele levantara depois de ter arrumado a carta, no meio de uma tal comoção, que não poderia recordar-se bem de todos os pormenores, e agora, provavelmente, pensaria que devia ter sido ele quem sujara a carta, se é que o não esquecera. Depois de tranquilizar assim Anna Andriéievna, voltamos a colocar cuidadosamente a carta no seu lugar e preparei-me para, antes de me retirar, falar-lhe seriamente de Nelly. Parecia-me que a pobre órfã abandonada, sobre cuja mãe pesara também a maldição paterna, podia, com a triste e trágica história da sua vida passada e da morte de sua mãe, comover o velho e predispô-lo para sentimentos generosos. Tudo estava disposto, tudo amadurecia no seu coração; a nostalgia da filha começava já a vencer o seu orgulho e o seu amor-próprio ofendido. Só precisava de um impulso, de uma última ocasião apropriada, e essa oportunidade favorável podia Nelly oferecê-la. A velhinha escutava-me com uma atenção extraordinária; o seu rosto iluminava-se de esperança e entusiasmo. Pôs-se imediatamente a fazer-me censuras: "Por que não lhe dissera eu isso antes?". Impaciente, começou a perguntar-me por Nelly e terminou com a solene promessa de que ela mesma iria agora suplicar ao velho que perfilhasse uma órfã. Começava a ganhar amizade sincera por Nelly; custava-lhe que estivesse doente, fazia-me perguntas a seu respeito; empenhou-se em que eu levasse para Nelly um boião de doces, que ela mesma foi buscar à despensa; deu-me cinco rublos de prata, alegando que eu não tinha dinheiro para pagar o médico, e quando viu que eu não os aceitava, apenas se tranquilizou e contentou quando soube que Nelly precisava de roupa para sair e também de roupa interior, e que, portanto, ainda podia ser-lhe útil. Imediatamente abriu a arca, na qual revolveu toda a roupa, apartando as peças que podia oferecer à orfãzinha.

Encaminhei-me para casa de Natacha. Quando subia pela última escada que, como já disse, era de caracol, vi diante da sua porta um homem que se preparava para chamar, mas que se deteve quando sentiu os meus passos. Por fim desistiu subitamente do seu intento e resolveu descer a escada. Encontrei-o no último e escorregadio patamar e qual não seria o meu assombro ao reconhecer Ikhmiêniev! Aquela escada, até de dia era muito escura. Ele se arrimou à parede para me deixar passar e lembro-me ainda do estranho brilho dos seus olhos que me olhavam atentamente. Pareceu-me que corara extraordinariamente; pelo menos ficou visivelmente desorientado e desconcertado.

– Ah, Vânia, eras tu! – proferiu numa voz insegura. – Vim aqui ver um indivíduo... um escrivão... Por causa do meu assunto... Mudou-se há pouco... para estes lados... mas parece que não mora aqui. Adeus.

E, rapidamente, começou a correr escada abaixo.

Resolvi, então, nada dizer acerca deste encontro a Natacha, pensando dar-lhe parte dele somente quando ficasse só, depois da partida de Alhocha. Agora estava tão agitada que, embora compreendesse e apreciasse plenamente todo o poder daquele fato, não teria podido entendê-lo e senti-lo como depois, no instante em que sobre ela caíram o desgosto e o desespero finais. Não era agora o momento.

Durante esse dia podia ter ido ver os Ikhmiênievi, e de fato lembrei-me disso, mas não fui. Parecia-me que o velho estranharia isso e poderia até pensar que eu ia vê-lo intencionalmente, depois do nosso encontro. Só fui visitá-lo passados três dias; o velhinho estava triste mas acolheu-me com bastante desenvoltura e falou-me dos seus assuntos.

– E então, à casa de quem ias tu, quando nos encontramos? Quando foi? Há três dias, parece-me – perguntou-me de repente, com bastante despreocupação, evitando no entanto o meu olhar.

– É que tenho ali um amigo – respondi-lhe, desviando também a vista.

– Ah! Eu ia à procura do meu escrivão, Astáfiev; indicaram-me essa casa... Mas deviam estar enganados. Bem, já te falei no meu caso; no Senado resolveram... etc., etc.

Corou também quando começou a falar no assunto.

Eu contei tudo, nesse mesmo dia, a Anna Andriéievna, para ver se dava uma grande alegria à velhota, pedindo-lhe, entre outras coisas, que não o olhasse agora no rosto de um modo especial, nem suspirasse, nem fizesse alusões, nem lhe desse a entender de maneira nenhuma que estava informado dessa nova saída sua.

A velhinha ficou admirada e alvoroçada a tal ponto que, a princípio, nem queria acreditar. E disse-me, por seu lado, que já falara a Nikolai Sierguiéitch acerca da órfã, mas que ele ficara calado, apesar de ter sido ele quem anteriormente lhe pedira que adotasse uma menina. Decidimos que no dia seguinte eu o interrogaria sobre o assunto, diretamente e sem reservas. Mas no dia seguinte estávamos os dois com um medo e uma inquietação espantosos.

De fato, Ikhmiêniev encontrara-se nessa manhã com um escrivão que dirigia o seu processo. O escrivão explicou-lhe que vira o príncipe, e que este, embora considerasse já como sua a Ikhmiênievka, entretanto, em vista de certas consequências de família, decidira indenizar o velho e abonar-lhe dez mil rublos. E daí correra logo o velho a procurar-me, extraordinariamente agitado; os olhos chispavam-lhe de fúria. Obrigou-me a sair de casa para a escada, sob um pretexto qualquer, e exigiu-me terminantemente que fosse logo procurar o príncipe e o desafiasse em seu nome. Eu estava tão desorientado que demorei muito até compreender. A primeira coisa que eu tinha a fazer era procurar dissuadi-lo. Mas o velho estava tão furioso que o caso era difícil. Entrei em casa, com o pretexto de ir buscar um copinho de vodca, mas quando voltei já não encontrei Ikhmiêniev na escada.

No dia seguinte fui à sua casa, mas já não estava; e passou três dias sem aparecer.

Ao terceiro dia soubemos tudo. Da minha casa fora diretamente à do príncipe e, como não o encontrara, deixou-lhe uma carta; dizia-lhe que fora informado das palavras que lhe dirigia o escrivão e que as considerava como uma ofensa mortal, e a ele um homem vil, e que por isso o provocava para um duelo, esperando que o príncipe não se atreveria a repelir o desafio, pois nesse caso pretendia desonrá-lo publicamente.

Anna Andriéievna contou-me que ele regressara a casa num estado de agitação e estonteamento tais que tivera de se deitar. Que se mostrara muito carinhoso para com ela mas que mal respondera às suas perguntas e parecia esperar qualquer coisa com uma impaciência febril. No dia seguinte recebeu uma carta da província; quando a leu, deu um grito e levou as mãos à cabeça. Anna Andriéievna estava morta de susto. Mas ele pegara imediatamente o chapéu e a bengala e saíra.

A carta era do príncipe. Seca, breve e cortesmente, dizia a Ikhmiêniev que, das palavras que o escrivão dissera, não tinha que dar satisfações absolutamente a ninguém. Que embora sentisse muito que lkhmiêniev tivesse perdido o processo, apesar de todo o seu sentimento nunca poderia achar justo que aquele que perdia um processo se sentisse no direito de desafiar a parte contrária para um duelo, só por vingança. Quanto à desonra pública com que o ameaçava. o príncipe pedia a lkhmiêniev que não se preocupasse com isso, já que não havia nem poderia haver semelhante desonra pública; que enviara a sua carta para onde devia, e que a Polícia, prevenida, havia com certeza de adotar medidas oportunas, velando pela ordem e pela tranquilidade.

Ikhmiêniev, com a carta na mão, foi imediatamente ver o príncipe. Ainda dessa vez também não o encontrou em casa; mas o velho ficou sabendo pelo criado que ele se encontrava nesse momento em casa do velho conde N***. Sem se deter a pensar, correu a casa deste. O guarda suíço do conde deteve-o quando subia a escada. Furioso até ao paroxismo, deu-lhe uma bengalada. Seguraram-no imediatamente, trouxeram-no para o patamar e entregaram-no aos guardas, os quais o levaram preso. Participaram ao conde o que acontecera. Quando o príncipe, que se encontrava de fato ali, explicou ao vicioso velhote que aquele Ikhmiêniev era o pai de Natália Nikoláievna (e o príncipe por mais de uma vez, servira o velho nestes assuntos) o magnate limitou-se a sorrir e mudou o seu aborrecimento em brandura. Os dois, de acordo, fizeram todos os esforços para conseguirem a liberdade de Ikhmiêniev, ao qual a Polícia só pôs em liberdade passados três dias, prevenindo-o (com certeza por ordem deles) que o próprio príncipe e o conde tinham intercedido por ele.

O velho regressou à casa como louco, meteu-se na cama e permaneceu um dia inteiro sem se mexer, até que por fim levantou e, com grande pavor da parte de Anna Andriéievna, declarou-lhe solenemente que amaldiçoava para sempre a filha e a privava da bênção paterna.

Anna Andriéievna estava aterrorizada; mas era preciso ajudá-la, porque parecia agora meio tonta, e ajudar o velho. Durante todo esse dia e toda essa noite estive tratando dele, pondo-lhe na cabeça parches de vinagre e envolvendo-a em gelo. Sentia febre e delirava. Separei-me deles às três da madrugada. Na manhã seguinte Ikhmiêniev levantou e nesse mesmo dia veio ver-me com o fim de levar Nelly definitivamente. Já contei a sua cena com Nelly; essa cena acabou por abatê-lo. Quando voltou para casa, deitou-se. Tudo isso se passou na Quarta-Feira Santa – dia marcado para a entrevista de Kátia com Natacha – a véspera da partida de Alhocha e de Kátia, de Petersburgo. A essa entrevista assisti eu; realizou-se de manhã cedo, antes que o velho tivesse vindo ver-me e antes também da primeira fuga de Nelly.

Capítulo VI

Alhocha apresentou-se antes da hora marcada para a entrevista, com o fim de prevenir Natacha. Cheguei também no momento em que a carruagem de Kátia parava à nossa porta. Kátia vinha acompanhada da velha dama de companhia que, depois de muitos melindres e hesitações, consentira por fim em acompanhá-la e até a deixá-la subir ao andar de Natacha, mas com Alhocha, enquanto ela ficava esperando em baixo, na carruagem. Kátia chamou-me e, sem apear-se, pediu-me que chamasse Alhocha, da sua parte. Fui encontrar Natacha chorando e Alhocha chorava também. Quando soube que Kátia estava ali, levantou da cadeira, enxugou as lágrimas e foi colocar-se em frente da porta, muito comovida. O seu vestido, nessa manhã, era todo branco, os cabelos, de um louro escuro, repuxados para trás, lisos e seguros num grosso topete. Eu gostava muito desse penteado. Quando me viu junto dela, Natacha pediu-me que fosse também receber os seus hóspedes.

— Só agora pude vir ver Natacha – disse-me Kátia enquanto subia a escada. – Espiam-me de maneira horrível. Tive que insistir com *Madame* Albert durante duas semanas inteiras, até ela finalmente consentir. Mas o senhor, o senhor, Ivan Pietróvitch, nem uma vez sequer esteve em minha casa! Escrever-lhe, também eu não podia, nem queria, porque com uma carta não se esclarece nada. E tinha tanta necessidade de vê-lo! Meu Deus, como tenho o coração!

— A escada é muito íngreme – disse.

— Sim, sim, a escada... Mas acha que Natacha não ficará zangada comigo?

— Não. Por quê?

— Por nada... evidentemente... por quê? Já vamos ver isso, não vale a pena estar a perguntar-lhe...

Levava-a pelo braço. Ela também estava pálida e, segundo parecia, muito assustada. Parou no último patamar para respirar, depois olhou para mim e continuou subindo mais decidida.

Tornou a parar à porta do andar de Natacha e murmurou-me ao ouvido: "Entrarei e vou lhe dizer simplesmente que é tal a confiança que tenho nela que vim sem receio... E, aliás, por que estou dizendo isto? Estou convencida de que Natacha é uma criatura nobilíssima. Não é verdade?".

Entrou timidamente, como se se sentisse culpada, e olhou atentamente para Natacha que depois lhe sorriu. Então, Kátia correu rapidamente para ela, pegou-lhe nas mãos e roçou os lábios pelos dela, sombreados por um buço. Depois do que se dirigiu a Alhocha e pediu-lhe, com uma expressão séria e até severa, que nos deixasse sós.

— Não fiques zangado, Alhocha – acrescentou – porque tenho muitas coisas para dizer a Natacha, coisas muito importantes e muito sérias, que tu não deves saber. Por isso sê compreensivo e sai. Mas o senhor fique, Ivan Pietróvitch. Tem de ouvir tudo quanto dissermos.

— Sentemo-nos – disse para Natacha assim que Alhocha saiu. – Eu me sento aqui, na sua frente. Primeiro que tudo, quero vê-la. Sentou quase em frente de Natacha e, durante alguns minutos, ficou a contemplá-la de alto a baixo. Natacha correspondia-lhe com um sorriso involuntário.

— Eu já tinha visto um retrato seu. – disse Kátia – foi Alhocha que me mostrou.

— E então? Acha-me parecida com esse retrato?

— É muito melhor — respondeu-lhe Kátia com seriedade e decisão. — Sim, eu pensava que havia de ser muito melhor.

— Deveras? E eu também a acho tão bonita!

— Que diz? Eu, bonita? Oh, minha querida! — acrescentou, apertando com a sua mão trêmula a de Natacha e outra vez ficaram silenciosas, contemplando-se uma à outra. — Olhe, meu anjo — exclamou Kátia, quebrando o silêncio — temos meia hora para estar juntas; *Madame* Albert só com muito custo consentiu em vir e temos muitas coisas de que falar... Eu quero... eu tenho a obrigação... Bom, vou perguntar-lhe, simplesmente: gosta muito de Alhocha?

— Sim, muito.

— Sendo assim, gostando assim tanto de Alhocha, também deve desejar a sua felicidade — acrescentou timidamente e em voz baixa.

— Sim, quero que ele seja feliz.

— Muito bem. Mas repare naquilo que eu vou perguntar: será verdade que eu represento a felicidade para ele? Tenho eu o direito de falar assim, uma vez que vou roubá-lo? Se assim o entender e nós resolvermos agora, que ele será mais feliz, nesse caso... nesse caso...

— Isso já está decidido, querida Kátia; por si própria pode ver que já está decidido — respondeu Natacha com uma voz branda e baixou a cabeça. Era evidente que lhe era doloroso prolongar aquela conversa.

Kátia dispunha-se a uma demorada elucidação do tema: qual das duas representava melhor a felicidade para Alhocha e a que deveria ceder? Depois da resposta de Natacha compreendeu imediatamente que havia já algum tempo tudo estava decidido e não restava mais nada a dizer. Mordendo os seus lindos lábios, contemplou Natacha com perplexidade e tristeza e, ao mesmo tempo, sem lhe largar a mão.

— Mas gosta muito dele? — perguntou-lhe Natacha de repente.

— Sim. E olhe, eu também queria perguntar-lhe uma coisa e vim com essa ideia: qual o motivo por que gosta dele?

— Não sei — respondeu Natacha, e uma leve impaciência transpareceu na sua resposta.

— É inteligente, não acha?

— Não; gosto dele simplesmente, tal como é...

— Também eu. No entanto, a mim, inspira-me qualquer coisa de semelhante à piedade.

— Também a mim — consentiu Natacha.

— Que havemos de fazer-lhe, agora? Não consigo compreender como pode deixá-la por mim — exclamou Kátia. — Como eu a admiro e não a compreendo!

Natacha não respondeu e fixou os olhos no chão. Kátia ficou calada por um momento e, de repente, levantou do seu lugar e abraçou-a, sem dizer palavra. Choravam as duas abraçadas uma à outra. Kátia sentou no braço da poltrona de Natacha, sem largar-lhe o braço e pôs-se a beijar-lhe as mãos.

— Se soubesse como gosto de você! — exclamou, chorando. — Seremos irmãs, não deixaremos nunca de nos escrevermos e hei de gostar de você eternamente... Hei de gostar muito de você, muito...

— Ele lhe falou do nosso casamento, em junho? — perguntou Natacha.

– Falou. Disse-me que a senhora estava de acordo. Disse tudo isso, assim, só para consolá-lo, não é verdade?

– Claro.

– Foi isso que calculei. Hei de gostar muito dele, Natacha, e vou informá-la de tudo. Segundo parece, não tarda que seja meu marido. Foi por isso que vim. Querida Natacha, a senhora agora volta para sua casa...

Natacha não lhe respondeu; mas beijou-a em silêncio.

– Que seja feliz – disse.

– E... e a senhora... e a senhora também! – exclamou Kátia. Neste momento a porta abriu-se e Alhocha entrou. Não pudera, não tivera coragem para esperar meia hora e, quando viu que as duas se abraçavam chorando, muito comovido, deitou-se aos pés de Natacha e de Kátia.

– Mas por que choras? – disse-lhe Natacha. – Por que te vais separar de mim? Mas se vai ser por pouco tempo! Em junho estarás de volta...

– E então se casam – apressou-se Kátia a dizer, através das suas lágrimas, também para consolar Alhocha.

– Mas não posso, não posso estar separado de ti nem um só dia. Sem ti, morro. Não sabes como te quero, agora. Precisamente, agora!

– Bem. Então vê o que vais fazer – disse Natacha de repente, com animação. – Olha que a condessa ainda fica algum tempo em Moscou!

– Sim, quase uma semana – corroborou Kátia.

– Uma semana! Excelente. Amanhã, tu, vais com elas até Moscou, para o que só precisas de um dia, e depois voltas logo. Quando elas tenham de partir de Moscou, despedimo-nos por um mês e tu voltas para acompanhá-las.

– Isso, isso... E assim passarão os dois quatro longos dias, juntos – exclamou Kátia, encantada, trocando um olhar significativo com Natacha.

Não posso descrever o entusiasmo de Alhocha perante esse novo projeto. Num instante se consolou do seu desgosto, o seu rosto respirava alegria; abraçou Natacha; beijou as mãos de Kátia, deu-me um abraço a mim... Natacha olhava-o com um sorriso triste; mas Kátia não podia mais. Trocou comigo um olhar ardente e cintilante; abraçou Natacha e levantou para retirar-se. Como de propósito, nesse instante a dama de companhia enviou um recado com o pedido a Kátia de que desse a entrevista por terminada o mais depressa possível, pois já passara o tempo marcado.

Natacha levantou. Ficaram de pé as duas, uma em frente da outra, de mãos entrelaçadas e esforçando-se por não dar a entender com os olhos, uma à outra, tudo quanto se agitava na sua alma.

– Já não nos veremos mais – disse Kátia.

– Nunca mais, Kátia – respondeu Natacha.

E abraçaram-se.

– Não me amaldiçoe – murmurou Kátia rapidamente – que eu sempre... pode ter a certeza de que ele será feliz... Vamos, Alhocha, leva-me! – disse apressadamente, pegando-lhe no braço.

– Vânia! – disse-me Natacha comovida e dolorida, assim que eles saíram. – Vai tu também com eles e... não voltes; Alhocha ficará comigo até à tarde, até às oito. Eu ficarei sozinha... Vem às dez... Adeus!

Quando, depois de ter deixado Nelly com Alieksandra Siemiônovna (na ocasião em que ela quebrara a tal chávena), fui ver Natacha, às dez horas, esta já estava sozinha e esperava-me com impaciência. Mavra trouxe-nos o samovar; Natacha serviu-me o chá, sentou no divã e convidou-me a aproximar-me dela.

– Pronto, já se acabou tudo! – disse olhando-me fixamente (nunca esquecerei esse olhar). – Acabou-se o nosso amor. Meio ano de vida! E para sempre – acrescentou, pegando-me na mão. A sua escaldava. Procurei convencê-la a agasalhar-se e a deitar.

– Agora, Vânia, agora; meu bom amigo, deixa-me falar e recordar um pouco. Estou como morta. Amanhã às dez, é a última vez que o vejo... a última!

– Natacha, tens febre, vais começar com arrepios; tem pena de ti própria...

– Que importa? Há meia hora estava à tua espera, Vânia, e que pergunta fiz eu a mim própria, depois que ele partiu? Esta: "Eu amava-o ou não o amava, e que espécie de amor era o nosso?". Quê? Achas ridículo, Vânia, que só quisesse saber isso agora?

– Não te inquietes, Natacha.

– Já vês, Vânia. Olha, eu concluí que não o amara como a um igual, como geralmente as mulheres casadas gostam dos maridos. Eu gostava dele como... quase como uma mãe. Parece-me até que não existe no mundo absolutamente nenhum amor em que os dois se amem de igual para igual. Que pensas?

Olhei-a com inquietação e receei que começasse já a delirar. Parecia que qualquer coisa a atraía; que sentia uma necessidade especial de falar; algumas das suas palavras eram um tanto incoerentes e às vezes até as pronunciava mal. Eu estava inquieto.

– Ele era meu – continuou. – Quase desde a primeira vez que me viu, despertou em mim uma ânsia infinita de que fosse meu, meu, o mais depressa possível, e que não olhasse para ninguém nem conhecesse mais ninguém senão a mim, a mim unicamente... Kátia, esta manhã disse bem: eu o amava de uma maneira, como se constantemente, sem eu saber por que, me inspirasse dó... Quando ficava sozinha, sentia sempre uma ânsia infinita, até ao suplício, de que ele fosse imensa e eternamente feliz. Não podia olhá-lo no rosto, tranquilamente (já conheces a expressão do seu rosto, Vânia); é uma expressão que ninguém tem e, quando sorria, eu sentia frio e tremores. É verdade!

– Natacha, por favor.

– Repara: dizem – interrompeu-me – e és tu quem o dizes, que ele não tem carácter e... e quanto à inteligência, não está longe de uma criança. Bem. Pois era isso o que eu mais amava nele... acreditas? No fim de contas não sei se era isto precisamente a única coisa que eu amava nele; eu o amava simplesmente a ele todo, e se ele fosse diferente, com carácter ou inteligente, pode ser que não o tivesse amado dessa maneira. Olha, Vânia, confesso-te uma coisa: lembro-me de que tivemos uma zanga, há uns três meses, quando ele andou com essa tal Mina... Eu me informei, segui-o, e, quererás acreditar? Isso custou-me muito, terrivelmente, e ao mesmo tempo foi-me quase agradável... não sei por que... só o pensamento de que ele se distraía... ou não, não é isso, era antes o pensamento de que também ele, como qualquer outro homem adulto, juntamente com outros adultos, andava com mulheres, que também andava com Mina. Eu... Que prazer me proporcionou então essa zanga! Depois perdoei-lhe, ao meu querido!

Olhou-me no rosto e sorriu de maneira estranha. Depois ficou um pouco pensativa, como se recordasse ainda tudo aquilo. E durante muito tempo ficou sentada assim, de sorriso nos lábios, absorta no passado.

— Eu tinha uma vontade atroz de perdoar-lhe, Vânia – continuou. – Sabes uma coisa? Quando ele me deixava só, eu costumava passear pelo quarto afligindo-me, chorando, e às vezes eu própria pensava: "Quanto mais culpável for para comigo, tanto melhor...". Sim. E olha, eu imaginava sempre que ele era uma criança; sentava-me e ele punha a cabeça nos meus joelhos, eu, devagarinho, olhava-lhe a cabeça, acariciava-o... Era sempre assim que o imaginava, quando não estava comigo... Ouve, Vânia – acrescentou de repente – como Kátia é atraente!

Parecia-me que se comprazia em irritar as suas feridas, que sentia certa necessidade de fazê-lo, uma necessidade de desespero, de sofrimento. E quantas vezes não sucede isso aos corações que perderam muito!

— Penso que Kátia poderá fazê-lo feliz – continuou a dizer. – Tem caráter e fala com tal convicção e trata-o com tanta seriedade, tão gravemente... não fala senão de coisas importantes, tal como uma pessoa adulta. E apesar de que ela também é... uma verdadeira criança. Simpática, simpática! Oh! Que sejam muito felizes! Deus queira, Deus queira, Deus queira!

E, de repente, brotaram lágrimas e soluços do seu coração. Durante meia hora não conseguiu dominar-se nem tranquilizar-se, por pouco que fosse.

Natacha, meu anjo! Nessa mesma noite, apesar do seu sofrimento, também tomou parte nas minhas preocupações, quando, ao ver que tinha acalmado um pouco, ou melhor, que o cansaço a esgotara, eu, para a distrair, me pus a falar-lhe de Nelly... Separamo-nos tarde, nessa noite. Esperei que ela adormecesse e, quando saí, pedi a Mavra que durante a noite não se afastasse da sua senhora doente.

— Oh, já, já! – exclamei quando voltei a casa. – Acabem já com este suplício. Seja como for, seja como for, contanto que seja agora!

De manhã, aí pelas nove, já eu estava em sua casa. Ao mesmo tempo que eu chegou Alhocha, que ia despedir-se. Não vou descrever, não quero recordar essa cena. Natacha parecia ter prometido a si própria dominar-se, mostrar-se mais alegre, mais serena; mas não pôde. Abraçou-se a Alhocha, convulsiva, fortemente. Pouco falou com ele, mas olhou-o longamente, com uns olhos dolorosos, de louca. Escutava avidamente todas as suas palavras mas, ao que parece, não compreendia nada do que ele falava. Lembro-me de que lhe pediu perdoasse a ele e àquele amor e tudo o que durante aquele tempo a ofendera, a sua leviandade, a sua ausência... Falava com incoerência, as lágrimas sufocavam-no. Às vezes, de repente, punha-se a consolá-la. Dizia-lhe que se ausentava apenas por um mês, ou no máximo, por cinco semanas, e que quando viesse a primavera se casariam e seu pai daria o consentimento, e por fim, o principal: que daí a dois dias voltaria de Moscou e então teriam quatro dias completos para passarem juntos, e que agora, em suma, se separavam unicamente por um dia...

Coisa estranha: estava perfeitamente convencido de que dizia a verdade e que, infalivelmente, daí a dois dias estaria de regresso de Moscou... E se era assim, para que chorar e atormentarem-se?

Finalmente soaram onze. A muito custo pude conseguir que saísse. O trem para Moscou partia às doze em ponto. Restava apenas uma hora. A própria Natacha me disse depois que não se lembrava de como o olhara pela última vez. Lembro-me de que ela o benzeu, o beijou e, cobrindo o rosto com as mãos, reentrou apressadamente em casa. Eu tive de levar Alhocha até à carruagem, senão teria voltado atrás e nunca mais acabaria de descer a escada.

— Toda a minha esperança está em você – disse-me, ao descer. – Meu amigo, Vânia. Eu sou culpado para contigo e nunca serei merecedor do teu afeto; mas sê um irmão, para mim, até o fim; ama-a, não a abandones. Escreve-me tudo, o mais pormenorizadamente possível, e muito, escreve-me o mais que possas, para que me expliques tudo muito bem. Depois de amanhã estarei aqui outra vez sem falta, sem falta. E depois, quando eu tornar a partir, escreve-me.

Levei-o até à carruagem.

— Até depois de amanhã! – gritou-me, já a caminho. – Sem falta!

De coração angustiado, voltei para cima, para o andar de Natacha. Fui encontrá-la de pé, no centro do quarto, de braços cruzados, e olhou-me perplexa, como se não me reconhecesse. Tinha os cabelos penteados para um lado, os olhos vagos e como que toldados por uma nuvem. Mavra, sentada junto da porta, parecia alheada e contemplava-a, espantada.

De súbito, os olhos de Natacha cintilaram.

— Ah! És tu! Tu! – exclamou dirigindo-se a mim. – Só me restas tu, agora! Tu o odiavas! Tu nunca pudeste perdoar-lhe que eu o amasse. Agora estás outra vez ao meu lado. Então? Vens outra vez consolar-me, ver se me convences a ir para o meu pai, que me expulsou de sua casa e me amaldiçoou? Eu já lhe disse ontem e há dois meses: não quero, não quero! Sou eu quem os amaldiçoa a eles! Vai-te, adeus; não posso ver-te! Adeus, adeus!

Compreendi que estava transtornada e que a minha presença lhe provocava uma cólera que raiava pela loucura; compreendi também que assim tinha de ser e achei mais prudente retirar-me. Sentei-me na escada, no primeiro degrau e... esperei. De quando em quando levantava-me, entreabria a porta, chamava Mavra e interrogava-a; Mavra chorava.

Assim se passou hora e meia. Não posso exprimir o que sofri durante todo esse tempo. O meu coração estremecia e sentia um enorme mal-estar. De repente a porta abriu-se e Natacha saiu correndo para a escada, de chapéu e casaco. Parecia fora de si e ela mesma me confessou depois que mal se lembrava disso e que não sabia com que intenção saíra assim de casa.

Ainda eu não tivera tempo de mover-me e esconder-me em qualquer lugar, quando de repente ela me viu e, sobressaltada, parou diante de mim, imóvel. "Lembrei-me de súbito – disse-me ela depois – como é que eu, louca, cruel, podia expulsar-te a ti, meu amigo, meu irmão, meu salvador... E quando vi que tu, infeliz, ofendido por mim, estavas aí sentado perto do meu quarto, na escada, não te foras embora e esperavas que eu voltasse a chamar-te, meu Deus, se tu soubesses, Vânia, o que eu pensei nesse momento! Que sobressalto eu senti!"

— Vânia, Vânia! – exclamou estendendo-me os braços. – Tu, aqui! – e caiu nos meus.

Segurei-a e levei-a para dentro. Desmaiara.

"Que fazer? – disse para comigo. – Vai ficar com febre, com certeza!"

Decidi correr em busca do médico; urgia deter o mal e era uma diligência fácil, essa: o meu velho alemão costumava ficar em casa até às duas. Corri à sua casa, suplicando a Mavra que nem por um minuto nem por um segundo se separasse de Natacha, nem deixasse entrar ninguém. Deus veio em meu auxílio, pois se me tivesse demorado um pouco mais não teria encontrado o meu velho em sua casa. Encontrei-me com ele na rua, quando já saíra. Fi-lo subir para a minha carruagem num instante, de maneira que nem sequer teve tempo de admirar-se e dirigimo-nos para casa de Natacha.

Foi Deus que veio em meu auxílio! Durante a meia hora que durou a minha ausência deu-se em casa de Natacha um acontecimento que poderia tê-la morto, se eu não tivesse chegado a tempo com o médico. Ainda não passara um quarto de hora de minha saída, quando o príncipe chegou. Assim que deixou os seus, veio diretamente da estação. Devia há muito ter planeado essa visita. Foi a própria Natacha quem me contou depois que, no primeiro instante, não se admirou, quando viu o príncipe. "Estava transtornada", disse-me.

– Minha filha – disse o príncipe quando entrou – compreendo a sua dor; já sabia como este instante havia de ser-lhe doloroso e por isso achei que devia visitá-la. Console-se, se for possível, pensando que, ao separar-se de Alhocha, o fez feliz. Mas a senhora deve compreender isto ainda melhor do que eu, quando se decidiu a essa ação generosa...

– Eu estava sentada e escutava – contou-me Natacha – mas a princípio não o compreendia verdadeiramente. Só me lembro de que olhava fixamente para ele, fixamente. Ele me pegou na mão e começou a acariciá-la com a sua. Isso lhe parecia muito agradável. Eu estava tão fora de mim que nem sequer pensei em retirar a minha mão.

– Deve compreender – continuou a dizer – que se se tivesse empenhado em ser esposa de Alhocha, isso teria acarretado consequências aborrecidas, e teve o nobre orgulho de assim o reconhecer e decidir... Mas bem, eu não vim para dizer-lhe galanteios. Queria apenas comunicar-lhe que nunca, em parte alguma, a senhora encontrará melhor amigo que eu. Identifico-me com a sua dor e tenho pena de você. Desempenhei um papel involuntário em todo este assunto, mas... cumpria o meu dever. O seu bom coração há de compreender isto e assim se reconciliará comigo... Eu sofri mais do que a senhora, acredite-me.

– Basta, príncipe – disse Natacha. – Deixe-me em paz.

– Eu já vou – respondeu ele – mas gosto de você como de uma filha e vai com certeza permitir que a visite. Considere-me como seu pai, a partir deste momento, e permita-me que lhe seja útil.

– Eu não preciso de nada! Deixe-me! – tornou Natacha a dizer-lhe.

– Já sei que é orgulhosa... Mas eu falo-lhe sinceramente, com o coração nas mãos. Que pensa fazer agora? Reconciliar-se com os seus pais? Isso seria o melhor, mas seu pai é orgulhoso, injusto e despótico; desculpe-me, mas é assim. Em sua casa, agora, só iria encontrar censuras e novos sofrimentos... É preciso que a senhora seja independente, e o meu dever, o meu sagrado dever... é velar agora pela senhora e ajudá-la. Alhocha pediu-me que não a abandonasse e fosse seu amigo. Aliás, há outras pessoas que também lhe são muito dedicadas. Há de dar-me licença, com certeza, que lhe apresente o conde N***. Tem um excelente coração, é nosso parente, e posso até dizer que protetor de toda a nossa família; fez muito por Alhocha. Alhocha respeita-o e gosta muito dele. É um homem poderoso, com muita influência, e já quase velho, e por isso pode muito bem recebê-lo em sua casa, menina. Já lhe falei de você. Pode dar-lhe uma situação e, se o desejar, dar-lhe uma elevada posição...

em casa dum dos seus parentes. Há muito eu lhe expliquei, franca e abertamente, o nosso caso, e a tal ponto os seus bondosos e nobres sentimentos o encantaram, que ele próprio se apressou a pedir-me que a apresentasse a ele em breve... É um homem que simpatiza com tudo quanto é belo, acredite; é um ancião generoso, honrado, capaz de apreciar os sentimentos dignos e ainda não há muito intercedeu por seu pai, em certo episódio.

Natacha levantou como se a tivessem picado. Agora o compreendia.

– Deixe-me, deixe-me imediatamente! – exclamou.

– Mas a minha amiga se esquece de que o conde pode também fazer muito por seu pai...

– Meu pai não aceita nada de você. Deixe-me! – tornou a gritar Natacha.

– Oh, meu Deus, que impaciente e desconfiada! Que fiz eu para merecer isto? – exclamou o príncipe olhando com certa inquietação à sua volta. – Mas, seja como for, a senhora há de permitir-me que lhe deixe aqui esta prova da simpatia que me inspira e, em particular, da que inspira ao conde de N***, que me incitou com os seus conselhos. Aqui, neste maço, estão dez mil rublos. Espere, minha amiga – insistiu quando viu que Natacha se erguia do seu lugar, com um gesto de aborrecimento – escute-me com paciência até ao fim; fique sabendo que o seu pai perdeu o processo que trazia comigo e que estes dez mil rublos representam a indenização que...

– Fora! – exclamou Natacha – fora daqui com esse dinheiro! Já o conheço... homem vil, vil, vil!

O príncipe levantou da cadeira, pálido de cólera.

Certamente ali fora com a intenção de examinar o lugar e informar-se da situação e, provavelmente, confiava no efeito daqueles dez mil rublos sobre Natacha, reduzida à miséria e abandonada por todos... Mau e velhaco, não era essa a primeira vez que servia de intermediário ao conde N***, velho libertino, em tais enredos. Mas odiava Natacha, e ao ver que a coisa não correra bem, mudou de tom e, com uma alegria maldosa, para ao menos não ir assim sem mais nem menos, disse:

– Olhe, minha filha, não está certo inflamar-se dessa maneira – disse com uma voz um pouco trêmula por causa do impaciente desejo de ver quanto antes o efeito da sua ofensa. – Olhe que não está bem. Oferecem-lhe proteção e a senhora dá-lhe um pontapé... Mas a senhora não sabe que tem a obrigação de ser boa para comigo? Há muito eu poderia tê-la feito encerrar numa casa de correção, como pai de um rapaz seduzido e espoliado por você, e vê que, afinal, não o fiz... Ah... ah... ah... ah!

Mas nós vínhamos chegando. Quando, na cozinha, ouvi aquela voz, obriguei o médico a parar por um momento e escutei até ao fim a frase do príncipe. Depois ouviu-se aquele seu riso repugnante e a desesperada exclamação de Natacha: "Oh, meu Deus!" Naquele momento abri a porta e dirigi-me para o príncipe.

Cuspi-lhe na cara e, com todas as minhas forças, dei-lhe uma bofetada. Certamente se teria lançado sobre mim; mas quando viu que éramos dois, correu, mas não sem que tivesse agarrado primeiramente no maço de notas. Sim, fez isso, vi-o com os meus próprios olhos. Lancei-me em sua perseguição, com um rolo de amassar que apanhei em cima da mesa da cozinha... Quando voltei outra vez para o quarto fui encontrar Natacha debatendo-se entre os braços do médico, acometida, segundo parecia, de um ataque. Demoramos muito tempo a dominá-la, até que por fim conseguimos deitá-la na cama; estava com febre e delirante.

– Que tem ela, doutor? – perguntei, morto de medo.

– Aguarde – respondeu-me. – É preciso observar a doença primeiro e depois veremos... Mas desde já lhe digo que o caso não está bem encarado... A febre poderia acabar por se declarar... Mas vamos tentar evitar isso...

Eu tivera outra ideia. Pedi ao médico que permanecesse ao lado de Natacha mais duas ou três horas e arranquei a sua promessa formal de que não se separaria dela nem um instante. Assim me prometeu e eu corri a casa.

Nelly estava sentada num canto, severa e alarmada, e olhou-me de um modo estranho. Mas é claro que o meu aspecto também não devia ser menos raro.

Peguei-lhe a mão, obriguei-a a sentar num divã, deitei-me a seus pés de joelhos e pus-me a beijá-la com paixão. Ela se exaltou.

– Nelly, meu anjo! – exclamei – queres ser a nossa salvadora? Queres salvar-nos a todos?

Ela olhou para mim, atônita.

– Nelly, em ti se resume agora toda a nossa esperança! Há um pai que amaldiçoou a sua filha e que ontem esteve aqui pedindo-te que fosses com ele para o lugar dela. Agora, a filha dele, Natacha (e tu disseste que gostavas dela), abandonou aquele a quem amava e pelo qual fugiu de casa. É o filho desse príncipe que esteve aqui ontem, lembras-te? e que veio encontrar-te sozinha e tu fugiste dele e depois ficaste doente... Tu o conheces, não é verdade? É um homem mau!

– Eu sei – respondeu Nelly estremecendo e empalidecendo.

– Sim, é um homem mau. Odeia Natacha porque Alhocha, o seu filho, queria casar com ela. Alhocha foi-se hoje embora e uma hora depois ele apareceu em casa dela e ofendeu-a, e ameaçou-a de enviá-la para uma casa de correção e escarneceu dela. Compreendes-me, Nelly?

Os seus olhos negros cintilaram, mas baixou-os imediatamente.

– Compreendo – murmurou numa voz quase imperceptível.

– Natacha, agora, está só e doente; eu a deixei com o nosso médico e corri a ver-te. Escuta, Nelly: vamos ver o pai de Natacha; tu não gostas dele, negaste-te a ir com ele para sua casa; mas agora vamos lá os dois juntos. Assim que entrarmos digo-lhe logo que tu, agora, já queres ir viver com eles, no lugar da sua filha, no lugar de Natacha. O velho, agora, está doente por ter amaldiçoado Natacha e porque há alguns dias o pai de Alhocha lhe fez uma ofensa mortal. Não quer ouvir falar da filha; mas gosta dela, gosta dela, Nelly, e está ansioso por se reconciliar com ela. Eu sei, sei isso tudo. É assim! Estás a ouvir-me, Nelly?

– Estou – disse num murmúrio.

Eu lhe falava afogado em lágrimas. Ela olhava para mim timidamente.

– Acreditas em mim?

– Acredito.

– Bem. Então eu entrarei contigo, tu sentas-te e eles vão te receber, começarão a acariciar-te e a fazer-te perguntas. A seguir eu dirigirei a conversa de maneira que comecem a fazer-te perguntas pela tua vida anterior, pela tua mãe e pelo teu avô. Tu lhes contas tudo, Nelly, como me contaste a mim, tudo; conta-lhes tudo simplesmente e não lhes escondas nada. Conta-lhes como a tua mãe foi abandonada por um mau homem; como veio a morrer no porão da Bubnova; como tu vinhas pedir esmola na rua, com a tua mãe; aquilo que ela te dizia e o que te pediu quando morreu... Fala-lhes também do teu avô. Conta-lhes como ele não queria perdoar à tua mãe e como esta te mandou ter com ele à hora da sua morte, para dar-lhe o seu perdão, e como ele se negou... e como ele morreu. Tudo, conta-lhes tudo! E pode ser que, quando tiveres acabado de contar tudo isto, o velho tenha um rebate de consciência. Olha, ele sabe que Alhocha a deixou hoje e que foi humilhada e insultada, que está sozinha, sem auxílio nem defesa de ninguém, por ter ofendido o seu inimigo. Ele sabe tudo isto... Nelly, salva Natacha! Queres ir?

– Sim – respondeu ela respirando ofegantemente e olhando-me com uns olhos estranhos, fixa e longamente; havia qualquer coisa semelhante a uma censura naquele olhar, pelo menos foi o que me pareceu.

Mas eu não podia abandonar a minha ideia. Tinha muita fé nela. Peguei na mão de Nelly e saímos. Eram três horas da tarde. Havia nuvens. Durante os últimos dias fizera sempre calor e um ar abafado; mas agora anunciava-se ao longe a primeira e precoce tempestade outonal. O vento açoitava as ruas poeirentas.

Tomamos uma carruagem. Durante o trajeto Nelly seguiu calada e apenas de quando em quando me lançava um daqueles olhares seus, estranhos, enigmáticos. Respirava precipitadamente e, ao segurá-la, na carruagem, eu senti como o seu coraçãozinho palpitava sobre a palma da minha mão, como se quisesse saltar-lhe do peito.

Capítulo VII

O caminho pareceu-me interminável. Finalmente chegamos e eu entrei em casa dos meus velhos, meio morto de angústia. Não sabia como sairia dali; mas, de qualquer modo, tinha que conseguir deles o seu perdão e a sua paz.

Eram quatro horas. Os velhos achavam-se sós, como de costume. Nikolai Sierguiéitch estava muito enfraquecido e doente, meio deitado, enterrado na sua cômoda poltrona, pálido e abatido, com um lenço atado à cabeça. Anna Andriéievna estava junto dele; de quando em quando molhava-lhe as fontes com vinagre e espiava-lhe o rosto, o que parecia até inquietar e aborrecer o velho. Este guardava um silêncio obstinado e ela não ousava dirigir-lhe a palavra. O nosso aparecimento inesperado impressionou a ambos. Anna Andriéievna assustou-se de repente, quando nos viu, como se de súbito se sentisse culpada de qualquer coisa.

– Aqui lhes trago a minha Nelly – disse eu assim que entrei. – Pensou melhor e agora quis vir. Aí a têm. Gostem muito dela...

O velho olhava-me, receoso, e só por esse olhar se poderia adivinhar que estava a par de tudo, isto é, que Natacha se achava agora sozinha, abandonada, desprotegida e talvez ofendida. Ansiava penetrar no segredo da nossa vinda e olhava interrogativamente para mim e para Nelly. Esta tremia, segurando com força a minha mão, de olhos fixos no chão, e de vez em quando lançava um olhar medroso, como uma ferazinha apanhada numa armadilha. Mas não tardou que Anna Andriéievna se recordasse e adivinhasse tudo; aproximou-se então de Nelly, beijou-a, acariciou-a, chorou até, e a fez sentar a seu lado com uma terna violência, com a sua mãozinha entrelaçada na sua. Nelly, curiosa e um pouco admirada, olhava-a de soslaio.

Mas, depois de acariciar Nelly e de obrigá-la a sentar a seu lado, a velhinha não sabia o que havia de fazer mais e pôs-se a olhar para mim numa ingênua expectativa. O velho franziu o sobrolho, como se começasse a perceber qual o objetivo com que eu trouxera Nelly. Quando viu que eu reparava na sua expressão de contrariedade e de enfado, levou a mão à cabeça e disse-me secamente:

– Dói-me a cabeça, Vânia.

Nós continuávamos calados e em silêncio; eu pensava por onde devia começar. O quarto estava na penumbra; passava nesse momento uma escuridão e tornou a ouvir-se o ribombar longínquo da trovoada.

– Os temporais começam muito cedo este ano – disse o velho. – Mas há trinta e sete anos, na nossa terra, ainda começavam antes.

Anna Andriéievna suspirou.

– Não trago o samovar? – perguntou timidamente; mas ninguém lhe respondeu e de novo encarou Nelly.

– E tu, minha linda, como te chamas? – perguntou-lhe.

Nelly disse-lhe o seu nome com uma voz fraca e baixou outra vez os olhos. O velho mirava-a de alto a baixo.

– Então Eliena, hem? – continuou a velha, com animação.

– Sim – respondeu Nelly e novamente se fez um silêncio momentâneo.

– A irmã de Praskóvia Andriéievna tinha uma sobrinha chamada Eliena – disse Nikolai Sierguiéitch. – Também era Eliena, lembro-me bem.

– De maneira que tu, minha pequena, não tens parentes nem pais? – tornou a perguntar-lhe Anna Andriéievna.

– Não – murmurou Nelly lacônica e timidamente.

– Já o ouvira dizer, já ouvira dizer. E há muito que a tua mãe morreu?

– Não, há pouco.

– Minha pequena, minha orfãzinha – continuou a anciã, olhando-a compassivamente.

Nikolai Sierguiéitch tamborilava sobre a mesa com os dedos, impaciente.

– E a tua mãe, era estrangeira, por acaso? Creio que foi isso o que disse Ivan Pietróvitch, não foi? – continuou a velha, olhando-me timidamente.

Nelly fitou-me rapidamente com os seus olhos negros, como se pedisse o meu auxílio. Respirava irregular e precipitadamente.

– A mãe dela, Anna Andriéievna – comecei eu – era filha de um inglês, mas era russa. Nelly nasceu no estrangeiro.

– Então a mãe foi viver lá com o marido?

De repente, Nelly estremeceu toda. A velha compreendeu imediatamente que dissera qualquer coisa que não devia e assustou-se ao ver o olhar iracundo do marido. Este olhou-a severamente e voltou-se para a janela.

– A mãe dela foi vítima das falas enganosas dum homem mau e vil – disse encarando de repente Anna Andriéievna. – Fugiu com ele de sua casa e entregou o dinheiro do pai ao amante; isto é, ele o tirou dela com artimanhas, foi para o estrangeiro e deixou-a espoliada e burlada. Houve no entanto um homem bondoso que não a abandonou e a ajudou até à morte. E quando ele morreu, há dois anos, voltou para casa do pai. Não foi isso o que me contaste, Vânia? – perguntou-me à queima-roupa.

Nelly, tomada de uma grande comoção, levantou do seu lugar e fez menção de dirigir-se para a porta.

– Vem cá, Nelly! – exclamou o velho estendendo-lhe por fim a mão. – Senta-te aqui, senta-te ao pé de mim, aqui... senta-te.

Beijou-a na testa e ficou a olhá-la, compassivo. Nelly parecia tremer toda, mas fazia o possível por dominar-se. Anna Andriéievna, assombrada, numa ansiedade alvoroçada, via finalmente Nikolai Sierguiéitch acariciar a órfã.

– Já sei, Nelly, que foi um homem mau e desalmado que perdeu a tua mãe; mas também sei que ela gostava do pai e respeitava-o – continuou o velho, comovido, sem deixar de olhar Nelly no rosto e sem poder dominar-se, para não nos lançar essa provocação naquele momento. Um leve rubor lhe cobriu as faces pálidas; mas esforçou-se por não olhar para nós.

– A minha mãe gostava mais do meu avô do que o meu avô dela – declarou Nelly com timidez, mas com firmeza, esforçando-se também por não olhar para ninguém.

– Como sabes tu isso? – atalhou o velho, cortante, sem se poder dominar, como uma criança e como se se envergonhasse da sua impaciência.

– Sei – respondeu Nelly com secura. – Não quis receber a minha mãe em sua casa e... expulsou-a.

Eu vi que Nikolai Sierguiéitch queria dizer, objetar qualquer coisa, por exemplo, que o velho fizera bem em não receber a filha, mas limitou-se a olhar-nos e ficou calado.

– Onde viviam vocês então, quando o teu avô não quis receber a tua mãe? – perguntou Anna Andriéievna que, de repente, sentiu um desejo teimoso de insistir nesse tema.

– Quando voltamos do estrangeiro, andamos muito tempo à procura do avô – respondeu Nelly – mas não conseguimos dar com ele. A mamãe me disse então que, em tempos, o avozinho fora muito rico e tivera uma fábrica, mas que agora estava na miséria, porque o homem com quem ela fugira levara o dinheiro do avô e não o devolvera. Foi o que ela mesma me disse.

– Hum! – resmungou o velho.

– E também me contou – continuou Nelly cada vez mais animada e como se quisesse responder a Nikolai Sierguiéitch, mas dirigindo-se a Anna Andriéievna – que o avô estava muito zangado com ela e que ela é quem tinha a culpa de tudo e que no mundo apenas lhe restava o avô. E quando me contava isto, chorava... "Ele não me perdoará – dizia, quando andávamos a procurá-lo – mas pode ser que, quando te vir, goste de ti, te ganhe amizade e me perdoe por tua causa." A minha mãe gostava muito de mim e, quando me dizia isso, beijava-me sempre; mas tinha muito medo de ir com o avô. Ensinou-me a rezar por ele e ela também rezava por ele, e contava-me muitas vezes como vivera noutro tempo com o avô, e como ele gostava muito dela; mais do que ninguém. Tocava piano para ele e lia-lhe livros à noite, e o avô beijava-a e dava-lhe muitos presentes, dava-lhe tudo. Certa vez zangaram-se no dia do santo da mamãe, porque o avô pensava que ela não sabia que presente ele ia dar-lhe, ela porém já sabia há muito do que se tratava. A mamãe queria uns brincos; mas o avô, de propósito, disse que lhe ia oferecer, não uns brincos mas um broche, e quando chegou com os brincos e viu que a mamãe já sabia que se tratava de uns brincos e não de um broche, ficou zangado e esteve quase todo o dia sem lhe falar até que por fim se pôs a beijá-la e acabou por lhe pedir perdão...

Nelly contava tudo isto com entusiasmo e até a cor subia às suas faces pálidas e adoentadas.

Era evidente que a sua *mámienhka* falara por mais de uma vez com a sua

Nelly acerca dos seus antigos dias felizes, sentadas a um canto do porão, abraçando e beijando a sua menina (toda a consolação que lhe restava na vida) e chorando por ela, sem suspeitar sequer então com que força se gravariam as suas histórias no coração, morbidamente sensível e precocemente desenvolvido, da sua filha.

Mas a entusiástica Nelly pareceu cair em si de repente: olhou à sua volta com desconfiança e calou-se. O velho franziu o sobrolho e pôs-se outra vez a tamborilar sobre a mesa; uma lagrimazinha apareceu nos olhos de Anna Andriéievna e, sem dizer nada, enxugou-a com o lenço.

– *Mámienhka* chegou aqui muito doente – acrescentou Nelly em voz baixa. – Estava muito doente do peito. Andamos muito tempo à procura do avô sem conseguir encontrá-lo; por isso alugamos um cantinho num porão.

– Um canto num porão! – exclamou Anna Andriéievna.

– Sim, um cantinho – respondeu Nelly – *mámienhka* estava na miséria. *Mámienhka* dizia-me – acrescentou, reanimando-se – que não era pecado ser pobre, mas que o era ser rico e pecar... e que Deus estava castigando-a.

– Foi em Vassílievski Óstrov que alugaram o porão? Em casa da Bubnova, não foi? – perguntou o velho dirigindo-se a mim e esforçando-se por deixar, transparecer uma certa indiferença nas suas perguntas.

– Não, não foi... Primeiro moramos em Miechtchánskaia – respondeu Nelly. – Aquilo era muito escuro e úmido – continuou, depois de uma pausa – e *mámienhka* piorou; mas nessa altura ainda saía. Eu lhe lavava a roupa e ela chorava. Ali vivia também uma velhinha, viúva dum capitão, e vivia também um empregado reformado, que andava sempre bêbado; embebedavam-se todos e passavam as noites todas gritando e chorando. Eu tinha muito medo dele. Eu dormia com *mámienhka* e sentia-a tremer todas as vezes que o reformado guinchava e rosnava. Uma vez ele quis matar a viúva, já muito velhinha, coitada, e andava apoiada num pau. *Mámienhka* teve pena dela e levou-a consigo; o reformado então começou a bater na minha mãe e eu nele...

Nelly, parou por um momento. Essa recordação perturbara-a; os seus olhos brilhavam.

– Meu Deus! – exclamou Anna Andriéievna muito interessada na narrativa e sem tirar os olhos de Nelly, que se dirigia de preferência a ela.

– Quando *mámienhka* saía – continuou Nelly – levava-me também. Era de dia. Andávamos pelas ruas até anoitecer, e *mámienhka* não fazia outra coisa senão andar e chorar, levando-me pela mão. Eu estava muito cansada; não tínhamos comido nada todo o dia. E *mámienhka* falava sozinha e dizia-me: "És pobre, Nelly; mas quando eu morrer, não faças caso de ninguém. Não vás com ninguém; deixa-te ficar sempre sozinha, sê pobre e trabalha e, se não encontrares trabalho, pede esmola; mas nunca recorras a ele". Um dia, ao escurecer, fomos dar numa rua muito grande e, de repente, *mámienhka* começou a gritar "Azorka, Azorka!", e então um cão muito grande, pelado, veio correndo para junto de *mámienhka*, ladrando e erguendo-se à altura do seu corpo; *mámienhka* assustou-se, empalideceu, deu um grito e ajoelhou-se aos pés dum velho muito alto, que se apoiava num bordão e olhava para o chão. E esse velho tão alto era o avô, e estava muito fraco e trazia um terno muito roto. Foi essa a primeira vez que eu vi o avô. Ele também se assustou muito e empalideceu quando viu que *mámienhka* estava a seus pés e abraçada a eles mas depois afastou-se dela com violência, deu-lhe uma pancada com a ponteira do bastão e fugiu de nós quase correndo. Azorka ficou ainda ali por um momento, a ladrar e a lamber a minha *mámienhka;* mas acabou por ir com o avô, agarrou-se às calças dele e puxou-o para trás; mas o avô bateu-lhe também com o bastão. Azorka correu outra vez para junto de nós; mas o avô chamou-o e ele então foi com ele, sem deixar de ladrar. *Mámienhka* estava caída no chão, como morta, e tinha-se juntado muita gente à sua volta. Apareceram guardas. Eu gritava e fazia todo o possível por levantá-la do chão. Até que por fim ela levantou, olhou à volta e veio comigo. Levei-a a casa. As pessoas ainda nos seguiram durante bastante tempo com a vista e todos abanavam a cabeça...

Nelly fez uma pausa para respirar e descansar. Estava muito pálida, mas nos seus olhos lia-se decisão. Percebia-se que estava disposta a contar tudo, até o fim. Parecia que estava inspirada, naquele momento.

– De maneira que – observou Nikolai Sierguiéitch com uma voz hesitante e com certa secura irritada – de maneira que a tua mãe ofendera o avô e ele tinha as suas razões para a repelir...

– A minha mãe, ela própria, me disse isso – insistiu Nelly.

– E quando chegamos em casa, contou-me tudo: "Era o teu avô, Nelly, e eu procedi mal para com ele e por isso ele me amaldiçoou e Deus me castiga agora". E durante toda essa noite e todos os dias seguintes me falou do mesmo. Mas falava como se ela própria não soubesse...

O velho continuava calado.

– Mas depois mudaram-se para outro quarto? – perguntou Anna Andriéievna, que continuava chorando em silêncio.

– *Mámienhka* caiu doente nessa mesma noite; a viúva procurou um quarto em casa da Bubnova. Passados três dias mudamo-nos dali e a viúva veio conosco; assim que saímos dali *mâmienhka* caiu de cama e esteve três semanas doente e então era eu quem saia em vez dela. Já não tínhamos dinheiro nenhum e quem nos ajudava era a mulher do capitão e Ivan Alieksándrovitch.

– Um fabricante de caixões – disse eu, à maneira de explicação.

– E quando *mámienhka* levantou da cama e começou outra vez a sair, contou-me coisas sobre Azorka.

– Que te contava ela de Azorka? – perguntou, recostando-se melhor na poltrona, como se quisesse esconder melhor o rosto e olhar para baixo.

– Ela me falava sempre do avô – respondeu Nelly – e quando estava doente falava-me também sempre dele e delirava. Quando melhorava um pouco, começava logo a falar-me de como decorrera a sua vida... e contava-me coisas sobre Azorka, porque, uma vez, não sei onde, na margem do rio, do outro lado da cidade, uns rapazes levavam Azorka atado por uma corda para irem afogá-lo, e *mámienhka* então lhes deu dinheiro e comprou-o. Quando o avô viu Azorka fez muita troça dele. Mas um dia Azorka fugiu. A mamãe pôs-se a chorar; o avô assustou-se e disse que daria cem rublos a quem lhe trouxesse Azorka. Passados três dias trouxeram-no; o avô deu os cem rublos e a partir desse momento começou a gostar de Azorka. *Mámienhka* gostava tanto dele que até o deixava dormir na sua cama. Contou-me que, dantes, Azorka andava com uns saltimbancos pelas ruas e sabia servir à mesa e trazer um macaco às costas, e também segurar numa espingarda e muitas outras coisas... Mas quando *mámienhka* saiu de casa do avô, este ficou com Azorka e passou a andar sempre com ele; por isso daquela vez, quando a *mámienhka* viu Azorka adivinhou imediatamente que o avô andava por ali...

O velho, ao que parece, não esperava aquilo de Azorka e por isso ficou ainda mais zangado. Não tornou a perguntar mais nada.

— E não tornaram a ver o avô? — perguntou Anna Andriéievna.

— Não. Quando *mámienhka* começou a melhorar eu tornei a encontrá-lo. Foi quando ia à loja comprar pão; de repente vi um homem com Azorka; olhei e reconheci o avô. Desviei-me para um lado e encostei-me à parede. O avô olhou para mim durante muito tempo, e com tal ferocidade que eu fiquei cheia de medo e fugi. Azorka também se lembrou de mim, veio correndo e lambeu-me as mãos. Eu corri para casa o mais depressa que pude, olhando para trás, e o avô entrou na loja. E pensei isto: "Com certeza perguntará e vai se assustar ainda mais, quando for para casa não dirá nada à mãe com medo que ela fique doente". No dia seguinte eu não fui à loja; disse que me doía a cabeça; quando fui, passados três dias, não encontrei ninguém, mas tinha um medo terrível, enquanto ia caminhando. No outro dia, mal voltara a esquina, quando dou de cara com o avô e com Azorka. Corri e meti-me por outra rua e vim ter à loja por outro lado; mas assim que entrei, estanquei e fiquei tão aterrorizada que nem podia dar um passo. O avô estava na minha frente, e outra vez me olhava longamente, e depois olhou-me ainda mais de perto, puxou-me pela mão, e Azorka vinha conosco mexendo a cauda. Foi então que vi que o avô não podia andar direito e tinha de apoiar-se no bastão, e que as mãos lhe tremiam. Levou-me a uma casa de frutas que havia ali perto, onde vendiam tortas e maçãs. O avô comprou-me um galo e um peixe de pão doce, um cartucho de balas e uma maçã, e quando tirava o dinheiro da bolsa de couro tremiam-lhe muito as mãos e deixou cair um *piatak*, que eu apanhei. Ele me deu a moeda, mais os doces; olhou-me de frente, mas não chegou a dizer nada, foi-se no rumo da sua casa.

Quando eu cheguei à minha, contei tudo à *mámienhka* e disse-lhe o medo que sentira do avô e como me esconderá dele. *Mámienhka*, a princípio não queria acreditar; mas depois ficou tão contente que durante toda a noite não fez mais do que interrogar-me, beijar-me e chorar. Quando eu acabei de lhe contar tudo, recomendou-me que daí por diante nunca mais tivesse medo do avô e disse-me que, naturalmente, o avô gostava de mim visto que se aproximara. Recomendou que fosse afetuosa para com o avô e falasse com ele. No dia seguinte, de manhã, mandou-me espiá-lo várias vezes, embora eu lhe tivesse dito que o avô aparecia sempre de tarde. Ela me seguia a uma certa distância e escondia-se numa esquina; e, no outro dia, tornamos a fazer o mesmo. Mas o avô não apareceu; nesse dia choveu e a mamãe apanhou um resfriado, porque vinha sempre acompanhar-me até à porta, e por isso teve de ir para a cama outra vez.

O avô tornou a passar ao fim de uma semana, comprou-me outra empadinha de peixe e outra maçã, mas não me disse nada. Quando nos separamos, segui-o às furtadelas, conforme meu projeto, para ficar sabendo onde vivia e dizer depois à mamãe. Segui-o à distância pelo outro passeio da rua, de maneira que não me visse. Morava bastante longe; não na casa onde veio a morar depois e a morrer, mas na Gorókhovaia, também num prédio grande, no quarto andar. Fiquei sabendo isto tudo e voltei tarde para casa. A mamãe estava muito assustada, porque não sabia por onde eu andava. Quando lhe contei tudo tornou a ficar muito contente e queria ir logo ver o avô, no dia seguinte; mas no dia seguinte pôs-se a refletir e ficou cheia de medo. Por isso não saiu. Depois chamou-me e disse-me: "Olha, Nelly, eu estou doente e não posso sair, mas escrevi uma carta ao avô; e vais levá-la. E tu, Nelly, vê a cara que ele faz ao lê-la, e o que diz, e o que faz; depois ajoelha-te e beija--o e suplica-lhe que perdoe à tua mãe...". E *mámienhka* chorava muito e dava-me muitos beijos e benzia-me durante todo o caminho até à porta e implorava a Deus. Fizera-me ajoelhar a seu lado diante da imagem, e embora estivesse muito doente, veio acompanhar-me até à porta e, sempre que eu me voltava para trás, via-a ali, seguindo-me com os olhos. Eu fui procurar o avô e abri a porta, que não tinha o ferrolho corrido. O avô estava sentado à mesa e comia batatas com pão, e Azorka diante dele via-o comer e mexia a cauda. O quarto do avô tinha o teto baixo e era escuro e só havia nele uma mesa e uma cadeira. Vivia sozinho. Quando entrei, ele ficou tão assustado que empalideceu e tremeu. Eu também me assustei e não disse nada; aproximei-me simplesmente da mesa e entreguei-lhe a carta. Quando a viu, o avô ficou tão furioso... que levantou de um pulo, pegou no bastão e ameaçou-me com ele; não chegou a bater-me, limitou-se a empurrar-me para o patamar. Mal pusera o pé no primeiro degrau quando tornou a abrir a porta e me atirou a carta, por abrir. Regressei a casa e contei tudo. *Mámienhka* teve de meter-se na cama outra vez...

Capítulo VIII

Nesse momento ouviu-se um trovão bastante forte, e a chuva, num rijo aguaceiro, veio bater contra os vidros. A sala escureceu e todos nos quedamos de repente.

– Já está aqui – disse o velho olhando para a janela.

Depois do que levantou e pôs-se a dar voltas na sala, de um lado para o outro. Nelly seguia-o com os olhos, às furtadelas. Estava extraordinariamente agitada, quase doente. Eu o observava mas ela parecia evitar o meu olhar.

– Bem, e que mais? – perguntou o velho tornando a sentar na poltrona.

Nelly olhou, assustada, à sua volta.

– E depois não tornaste a ver o teu avô?

– Não, não o tornei a ver...

– Ah! Conta, minha querida! – insistiu Anna Andriéievna.

– Passaram três semanas sem que eu o visse – começou Nelly – até o inverno. Quando voltei a encontrar o avô, no mesmo lugar de antes, fiquei muito contente porque a mamãe estava muito triste por ver que ele não saía. Assim que o vi, corri para o outro passeio para que notasse que eu fugia dele. Olhei e vi que o avô, a princípio, começou a andar atrás de mim, estugando o passo para me alcançar e se punha a gritar: "Nelly, Nelly!". E Azorka corria atrás dele. Tive pena e parei. O avô aproximou-se, pegou-me na mão; mas quando viu que eu chorava, deteve-se, olhou-me e, deu-me um beijo. Viu que eu trazia uns sapatos muito velhos e perguntou-me: "Não tens outros?". Apressei-me a contar-lhe que a minha mãe não tinha dinheiro e que a dona da casa nos dava de comer, apenas por dó. O avô não disse nada mas levou-me a uma sapataria, comprou-me uns sapatos e mandou-me calçá-los, e daí levou-me a sua casa, na Gorókhovaia; mas antes entrou ainda numa loja e comprou um pastel e dois pacotes de doces; disse-me que comesse o pastel e depois deu-me os doces. E Azorka pôs as patas sobre a mesa a pedir-me um bocadinho do pastel; e eu dava e o velho sorria. Depois pegou em mim, sentou-me ao seu lado, pôs-se a olhar-me de frente e a perguntar-me se eu já tinha alguns estudos e o que sabia. Eu disse e ele mandou-me ir todos os dias à sua casa, se eu pudesse, aí pelas três horas, porque ele próprio me ensinaria. Depois disse-me que me voltasse e olhasse para a janela até que me dissesse quando é que eu podia tornar a olhar. E assim fiz; mas ia voltando a cabeça às escondidas e vi então que descosia a almofada pelo lado de baixo e tirava dela quatro rublos de prata. Assim que os tirou, deu-os a mim e disse: "Toma, são só para ti". Eu ia já a aceitá-los mas pensei melhor e disse: "Se são só para mim, então não os quero". De repente, o avô enfureceu-se e disse-me: "Está bem, é como tu quiseres. Toma-os e vai-te embora!". E saí e ele não me beijou.

    Quando voltei a casa contei tudo à minha mãe. *Mâmienhka* estava cada vez pior. À casa do fabricante de caixões costumava ir um estudante. Ajudava a minha mãe e fazia-a tomar os remédios.

    Eu ia ver o avô muitas vezes. Era a minha mãe que me mandava. O avô comprou o Novo Testamento e uma geografia e começou a dar-me lições, e às vezes dizia-me quantas terras há no mundo, e que pessoas vivem nelas, e como Cristo perdoou a todos nós. Quando eu lhe fazia alguma pergunta, ficava muito contente; por isso eu lhe fazia muitas e ele dizia-me tudo e falava-me muito de Deus. De outras vezes não havia lição e eu punha-me a brincar com Azorka. Azorka gostava muito de mim, e eu ensinava-lhe a saltar por cima dum pau, e o avô ria-se e olhava-me de frente, embora não fosse muito para risos. Às vezes punha-se a falar durante muito tempo mas de repente calava-se e ficava meio adormecido mas com os olhos abertos. E assim ficava até escurecer; e quando escurecia punha-se horrível, tão velho... Eu costumava aproximar-me dele; mas continuava sentado na sua cadeira, meditando e sem ouvir nada, com Azorka estendido a seus pés. Eu esperava, esperava e tossia, mas o avô não se voltava para me olhar. E assim o deixava e ia embora. Em casa, havia muito que a... mamãe me esperava. Estava deitada e eu contava-lhe tudo, tudo, de maneira que a noite aproximava-se e eu continuava a falar, e ela a escutar o que eu dizia do avô, o que fizera nesse dia e as histórias que ele contara e também a lição daquele dia. E depois falava-lhe de Azorka, dizia-lhe que o fizera saltar um pau e que o avô rira e, de repente, também começava a rir e assim permanecia por muito tempo, e ria e ficava muito contente, e pedia-me que lhe contasse tudo outra vez e depois começava a rezar. E eu pensava: "Por que será que *mámienhka* gostará tanto do avô e ele não gostará dela?". E quando eu ia vê-lo punha-me a contar-lhe tudo de propósito, a dizer-lhe como a mamãe gostava dele. Escutava-me, muito mal-humorado e não dizia nada. Então eu lhe perguntava por que seria que a mamãe gostava tanto dele, por que não fazia outra coisa senão perguntar-me por ele e ele nunca me perguntava por ela. Até que um dia o avô se zangou e me pôs fora de casa. Fiquei algum tempo no patamar, atrás da porta; tornou a abri-la de repente e mandou-me entrar; estava muito zangado e silencioso. Mas depois, quando nós pusemos a ler a Lei de Deus tornei a perguntar-lhe: Não é verdade que Jesus Cristo disse: "Amai-vos uns aos outros e perdoai as ofensas" e ele não queria perdoar à mamãe? Então saltou da cadeira e pôs-se a gritar que tudo aquilo fora a minha mãe que me ensinara e mais uma vez me expulsou e me disse que nunca mais voltasse a aparecer ali. Disse-lhe que podia ficar descansado, não voltaria mais, e fui... E o avô no dia seguinte mudou de quarto...

– Eu bem dizia que a chuva passava depressa. Já para e aí vem o sol... Olha, Vânia – disse Nikolai Sierguiéitch, assomando à janela.

Anna Andriéievna lançou-lhe um olhar de grande perplexidade e, de repente, nos olhos até então plácidos e altivos da velha, relampejou uma enorme irritação. Em silêncio, pegou em Nelly e sentou-a nos joelhos.

– Conta-me, meu anjo – disse – que eu te escuto! Deus queira que aqueles que têm um coração duro...

Não acabou e desatou a chorar. Nelly dirigiu-me um olhar interrogativo, entre perplexo e assustado. O velho olhou-me e encolheu os ombros; mas em seguida voltou-se.

– Continua, Nelly – disse.

– Estive três dias sem aparecer em casa do avô – recomeçou Nelly – e durante esse tempo a mamãe piorou. O dinheiro acabara-se completamente; não tínhamos com que comprar os medicamentos, nem de comer, porque a dona da casa também o não possuía; e começaram a atirar-nos à cara que vivíamos à custa alheia. Mas passados três dias eu me levantei de manhã e comecei a vestir-me. A mamãe perguntou-me aonde é que eu ia e respondi-lhe: "A casa do avô, pedir-lhe dinheiro". Ela ficou muito contente, porque eu lhe contara como ele me expulsara de casa e lhe dissera que nunca mais voltaria a procurá-lo, por mais que ela chorasse e procurasse dissuadir-me. Fui até lá e disseram-me que o avô se mudara; fui então procurá-lo em sua nova casa. Assim que o vi, deu um pulo, se dirigiu para mim e bateu com o pé no chão; então disse-lhe que *mámienhka* estava muito doente; que precisávamos de dinheiro para remédios que custavam dez copeques e não tínhamos nem uma côdea de pão para levar à boca. O avô pôs-se a gritar, correu-me para a escada e depois fechou a porta à chave. Mas no momento em que me empurrava ainda lhe gritei que sentaria na escada e não sairia dali enquanto não me desse dinheiro. Passou bastante tempo, até que voltou a abrir a porta e, quando me viu ali, tornou a fechá-la. E depois tornou a abrir e a olhar para mim. Até que por fim saiu com Azorka, fechou a porta e passou junto de mim em direção à rua, e não me disse palavra. Também nada lhe disse e continuei sentada, e ali fiquei até que anoiteceu.

– Pobrezinha! – exclamou Anna Andriéievna – com o frio que devia fazer na escada!

– Eu tinha um casaco – respondeu Nelly.

– Ainda que estivesse de casaco... minha pobrezinha, como tens sofrido! E o teu avô, que fez ele?

Os lábios de Nelly começaram a tremer mas fez um esforço enorme sobre si própria e dominou-se.

– Regressou à casa de noite e quando ia entrando tropeçou em mim e deu um grito: "Quem está aqui?". Disse-lhe que era eu. Ele devia imaginar que com certeza eu já fora embora e, quando viu que continuava ali, ficou muito admirado e olhou para mim durante muito tempo. De súbito deu uma bengalada no degrau, passou de largo, abriu a porta e, passado um minuto, voltou e trouxe-me uns cobres, tudo moedas de cinco copeques, atirando-os para a escada. "Isso é para ti – gritou – toma; é tudo quanto tenho e diz à tua mãe que a amaldiçoo..." e fechou a porta. As moedas espalharam-se pela escada. Pus-me a apanhá-las, no escuro, e o avô, pelo visto, compreendeu que as moedas tinham rolado e que custaria procurá-las na escada. Então abriu a porta, trouxe uma vela e assim, com luz, não tardou que eu as encontrasse. O avô pôs-se também a apanhá-las comigo, disse-me que deviam estar ali oitenta copeques e parecia agora mais brando. Quando voltei a casa dei as moedas à minha mãe e contei-lhe tudo. A minha mãe continuava pior e eu também estive doente toda a noite e na manhã seguinte ainda sentia febre. Mas só pensava numa coisa: por que teria o avô ficado tão furioso. E quando *mamacha* adormeceu, fui e saí para a rua e dirigi-me a casa do avô e, sem chegar até lá, parei no passeio. E então passou *aquele*...

– Refere-se a Arkhípov – disse eu – o indivíduo de quem eu lhe falei, Nikolai Sierguiéitch... o que tinha combinação com a Bubnova e levou aquela sova. Era a primeira vez que Nelly o via... Continua, Nelly.

– Eu o fiz parar e pedi-lhe um rublo de prata. Olhou-me e perguntou: "Um rublo de prata?". Disse-lhe: "Sim". Então pôs-se a rir e disse-me: "Vem comigo". Não sabia se havia de acompanhá-lo ou não. De repente passou junto de nós um velhinho com óculos de aros de ouro, que me ouviu pedir o rublo de prata; dirigiu-se a mim e perguntou-me para que queria eu tanto dinheiro. Respondi-lhe que a minha *mámienhka* estava doente e precisava desse dinheiro para os remédios. Perguntou-me onde vivíamos, tomou nota da morada e deu-me uma nota com o valor dum rublo de prata. Mas o outro, assim que viu o velho dos óculos, afastou-se e não tornou a chamar-me mais. Fui a uma loja e troquei a nota. Embrulhei trinta copeques num papelinho e deixei de lado, para a minha *mamacha*, guardei oito *grívieni* na mão e dirigi-me a casa do avô. Quando cheguei abri a porta, assomei à entrada, juntei o dinheiro e atirei-lho, de maneira que se espalhou pelo chão. "Aí tem, guarde o seu dinheiro! – disse-lhe. – A minha mãe não o quer, por vir do senhor, que a amaldiçoou", gritei à porta e saí logo correndo.

Os olhos de Nelly cintilavam e olhou para o velho com uma expressão de desafio amigável.

– Fizeste muito bem! – disse Anna Andriéievna, sem olhar para Nikolai Sierguiéitch e apertando com força a mão de Nelly. – Era assim mesmo que era preciso proceder com ele. O teu avô era mau e duro de coração...

– Hum! – resmungou Nikolai Sierguiéitch.

– Bom. E que mais, e que mais? – perguntou Anna Andriéievna impaciente.

– Deixei de ir ver o avô e ele não veio ver-me – respondeu Nelly.

– E então ficaste com a tua *mamacha*? Ah, pobrezinha, pobrezinha!

– A minha *mamacha* estava cada vez pior e raro era o dia em que se levantava da cama – continuou Nelly; e a voz tremia e soava estrangulada. – Dinheiro, já não tínhamos nenhum, e eu comecei a sair com a mulher do capitão. E ela andava pelas ruas e também pedia esmola às pessoas e vivia disso. Costumava dizer-me que não era nenhuma mendiga, que tinha documentos onde constava a sua identidade e também que era pobre. Mostrava esses documentos às pessoas e davam-lhe dinheiro. Também me dizia que não era nenhuma vergonha pedir a todos. Saía com ela e davam-nos esmola e disso vivíamos. *Mamacha* ficou sabendo isto porque os vizinhos deram em lançar-lhe em rosto que era uma mendiga e a própria Bubnova veio vê-la e disse-me que mais valia me deixasse ir com ela e não andasse pedindo esmola. Fora ver a mamãe e lhe levara dinheiro; e quando esta não o queria aceitar, a Bubnova dizia: "Por que é tão orgulhosa?" e mandava-lhe comida. Mas quando disse aquilo de mim, a minha *mamacha* pôs-se a chorar e ficou assustada; mas a Bubnova começou a resmungar, porque estava bêbeda e dizia que eu andava fazendo de mendiga sem necessidade disso, e que saía com a mulher do capitão, e nessa mesma noite a expulsou de casa. Quando soube disso tudo *mámienhka* começou a chorar; depois, de repente, foi e levantou da cama, vestiu-se, pegou-me na mão e levou-me consigo. Ivan Alieksándrovitch intentou detê-la mas não consentiu. *Mámienhka* mal podia andar, sentava-se constantemente no chão e eu a ia amparando. Só dizia que ia procurar o avô e pedia-me que a levasse lá; havia já algum tempo que anoitecera. De repente fomos desembocar numa grande rua. Aí, junto de uma casa havia carruagens paradas e saía muita gente, nas janelas brilhavam muitas luzes e ouvia-se música. *Mámienhka* parou, cingiu-se a mim e disse-me: "Nelly, és pobre e toda a vida serás pobre; não vás com ninguém, ainda que te chamem e seja quem for. E ainda que pudesses ficar, como aqueles que estão ali, rica e bem vestida, eu não o queria. Essa gente é má e cruel. Escuta o que eu te recomendo: conserva-te pobre, trabalha e pede esmola; e se alguém te chamar, responde: "Não quero nada com o senhor...". Foi isto o que a minha mãe me disse quando estava doente e hei de obedecer-lhe toda a vida – acrescentou Nelly, trêmula de comoção, com o rosto afogueado – e toda a vida servirei e trabalharei, vim para vossa casa para servir e trabalhar e não quero ficar aqui na qualidade de filha...

– Basta, minha querida, basta! – exclamou a velhota abraçando muito Nelly. – A tua *mamacha* estava doente quando te dizia isso...

– Estava doida – observou o velho, cortante.

– Pode ser que estivesse doida – concordou Nelly, voltando-se, mal-humorada, para o velho – pode ser que estivesse doida, mas foi isso o que ela me mandou e eu hei de obedecer-lhe toda a vida. E quando disse isso, também desfaleceu.

– Meu Deus! – exclamou Anna Andriéievna. – Doente, no meio da rua? E no inverno?

– Os policias queriam levar-nos, mas apareceu um senhor, perguntou o nosso endereço, deu-me dez rublos e mandou levar a minha *mamacha* a casa, na sua carruagem. Depois disso a minha *mámienhka* não tornou mais a levantar... E passadas precisamente três semanas, morreu...

– E o pai, que fez, por fim? Perdoou-lhe? – exclamou Anna Andriéievna, anelante.

– Não lhe perdoou – acrescentou Nelly, dominando-se a custo. – Uma semana antes de morrer, *mámienhka* chamou-me e disse-me: "Nelly, vai outra vez ter com o avô, a última, e diz-lhe que venha ver-me e me perdoe. Diz-lhe que devo morrer num destes dias e te vou deixar sozinha no mundo. E diz-lhe também que me custa muito morrer...". Eu fui e chamei à porta do avô, abriu-a, mas quando me viu fez logo menção de fechá-la; mas eu me agarrei à porta com ambas as mãos e gritei-lhe: "*Mamacha* está morrendo e o chama. Venha vê-la...". Mas ele deu-me um empurrão e fechou a porta. Eu voltei para a minha *mamacha*, deitei-me a seu lado, abracei-me a ela e não lhe disse nada... *Mámienhka* abraçou-me também e também não me perguntou...

Quando Nelly chegou a este ponto, Nikolai Sierguiéitch apoiou a mão sobre a mesa e ficou em pé; mas depois de nos envolver a todos num olhar extremamente doloroso, deixou-se cair novamente na poltrona, como se lhe tivessem faltado as forças.

– Bem; antes de morrer, no último dia, quase ao escurecer, a minha mãe chamou-me e disse-me: "Eu morro hoje, Nelly". E quis continuar falando mas não pôde. Eu olhei para ela mas parecia não me ver; apenas segurava com força a minha mão entre as suas. Eu, devagarinho, retirei a minha mão e saí de casa correndo, e, sem parar de correr durante todo o caminho, dirigi-me à do avô. Quando me viu, saltou da cadeira e ficou tão assustado que se pôs lívido e começou a tremer. Peguei-lhe na mão e só lhe disse isto: "Está expirando". Então ele, de repente, pareceu voltar a si; pegou na bengala e correu atrás de mim. Até se esqueceu de pôr o chapéu e fazia frio. Peguei o chapéu e o pus na cabeça dele e saímos juntos correndo. Eu lhe dizia que era preciso andar depressa e tomar uma carruagem, porque a minha *mamacha* estava à morte; mas o avô só tinha oito copeques. Entretanto mandou parar vários cocheiros e pôs-se a regatear com eles; riam-se e faziam troça de Azorka, porque Azorka vinha conosco e nós continuávamos correndo. O avô cansava-se e respirava com dificuldade, mas apressava-se o mais que podia. De repente caiu e o chapéu fugiu-lhe. Apanhei-o, coloquei-lho, segurei-o pela mão e quando chegamos a casa era quase noite... E a minha mãe já tinha morrido. Quando a viu, o avô juntou as mãos, estremeceu, aproximou-se dela, mas não disse nada. Eu, então, aproximei-me do cadáver da minha *mamacha*, peguei no avô por um braço e gritei-lhe: "Aí tens, homem mau e cruel, aí tens. Olha! Olha!". O avô lançou um grito e caiu no chão como morto...

Nelly estremeceu; soltou-se do braço de Anna Andriéievna e colocou-se no meio de todos nós, pálida, esgotada e espavorida. Mas Anna Andriéievna correu para ela e, abraçando-a outra vez, gritou-lhe, como inspirada:

– Eu, eu serei tua mãe a partir deste momento, Nelly, e tu serás minha filha! Sim, Nelly, vamo-nos, deixemos todos esses seres maus e duros! Que continuem a escarnecer do próximo e que Deus, que Deus os proteja! Vamo-nos, Nelly, vamo-nos daqui, vamo-nos!

Nunca, nem antes nem depois, a vi em tal estado, e nunca pensei que fosse capaz de comover-se a tal ponto. Nikolai Sierguiéitch, erguendo-se do seu lugar, perguntou numa voz sonora e entrecortada:

– Mas aonde vais, Anna Andriéievna!

– Buscá-la a ela, à minha filhinha, Natacha! – exclamou a velha.

E puxou por Nelly, em direção à porta.

– Para, para, espera!

– Qual espera, homem duro e mau! Já esperei muito, mas agora, adeus!

Depois de lhe ter respondido isto, a velha voltou-se, olhou para o marido e mudou de cor. Nikolai Sierguiéitch estava diante dela, pegou o chapéu e, tremendo, desajeitado, pôs à pressa, ele sozinho, o sobretudo.

– Tu também... tu também vens comigo! – exclamou ela estendendo as mãos, suplicante, e olhando incrédula para o marido, como se não se atrevesse a acreditar em semelhante felicidade.

HUMILHADOS E OFENDIDOS

– Natacha! Onde está a minha Natacha? Onde está? Onde está a minha filha? – foram os gritos que brotaram por fim do peito do velho. – Restituam-me a minha filha Natacha! Onde está ela, onde está?

E tirando das minhas mãos a bengala que eu já lhe estendia, dirigiu-se precipitadamente para a porta.

– Perdoou-lhe! Perdoou-lhe! – exclamou Anna Andriéievna. Mas o velho nem chegou a sair. A porta abriu-se de repente e Natacha, pálida, de olhos cintilantes, como se estivesse cheia de febre, entrou na sala. Trazia a roupa toda esgarçada e molhada da chuva. O lenço com que cobria a cabeça escorregara-lhe para a nuca e nas madeixas do seu cabelo, fartas e revoltas, brilhavam grossas gotas de chuva. Entrou, correndo, viu o pai e, dando um grito, deitou-se a seus pés de joelhos, estendendo as mãos para ele.

Capítulo IX

Ele se apressou a levantá-la...

Segurou-a e erguendo-a no ar, como a uma menina, levou-a para a poltrona, sentou-a nela e deixou-se cair a seus pés, de joelhos. Beijou-lhe as mãos, os pés; beijava-a apressadamente, olhava-a avidamente, como se não quisesse acreditar que a tinha novamente a seu lado, que outra vez a via e ouvia... a ela, à sua filha, a sua Natacha. Soluçando, Anna Andriéievna aproximou-se dela, apertou a sua cabeça contra o peito e ficou tão comovida com esse amplexo que nem teve forças para dizer uma palavra.

– Minha vida! Minha vida! Alegria do meu coração! – exclamou o velho com incoerência, segurando as mãos de Natacha, como um apaixonado, olhando o seu rosto abatido e pálido, mas tão bonito, e os seus olhos, nos quais havia lágrimas. – Minha alegria, filha da minha alma! – repetia e tornava a olhá-la em silêncio e como num alvoroço descomedido. – Quem, quem é que me disse que estavas mais magra! – dizia com precipitação, com um riso infantil, dirigindo-se a nós e sem levantar do chão, de joelhos, a seus pés. – Um bocadinho mais magra, é verdade, um pouco pálida, mas olhem, que bonita! Ainda mais do que antes, ainda mais! – acrescentou, acalmando-se involuntariamente sob o efeito da agradável dor que parecia querer partir-lhe a alma em duas.

– Levanta-te, *bátiuchka,* levanta-te! – disse Natacha. – Que eu também queria beijar-te...

– Oh, minha filha! Ouves, ouves, Ânuchka, como ela veio!

E abraçaram-se convulsivamente.

– Não, Natacha, não. Eu tenho de continuar a teus pés até que o meu coração sinta que tu lhe perdoas, porque agora, nunca, nunca poderei merecer o teu perdão! Eu te repeli, amaldiçoei-te, estás ouvindo, Natacha? Eu te amaldiçoei! Tive coragem para isso! Mas tu, tu, Natacha, acreditaste que eu te amaldiçoasse? Acreditaste, sim... acreditaste! Não devias ter acreditado! Não devias, não devias, de maneira nenhuma! Minha malvada! Por que não vieste para mim? Tu bem sabias que eu te receberia! Oh, Natacha, deves lembrar-te de como eu gostava de ti, dantes! Pois bem, agora e durante todo esse tempo gostei de ti o dobro, gostava de ti agora mil vezes mais do que dantes. Queria-te com loucura! Teria dado a minha alma por ti, o meu sangue, teria arrancado o coração para depositá-lo a teus pés, ó alegria da minha vida!

– Então vá, beije-me, homem cruel, nos lábios, no rosto, como beija uma mãe! – exclamou Natacha numa voz dolente, débil, entrecortada por lágrimas de júbilo.

– E nos olhinhos também! Nos olhinhos também! Como dantes, lembras-te? – repetiu o velho depois de um meigo abraço à sua filhinha. – Oh, Natacha! Sonharias de noite comigo, tu? Eu sonhava contigo quase todas as noites, sonhava que voltavas para casa e eu chorava por ti, e uma vez tu vieste, eras pequenina, lembras-te? Como quando tinhas só dez anos e começavas a aprender piano... e trazias um vestidinho curto e uns sapatinhos muito bonitos e umas mãozinhas muito cor-de-rosa... Lembras-de como tinha as mãos rosadas, nesse tempo, Ânuchka? E vieste para mim e puseste-te de joelhos e abraçaste-me... Mas tu, tu, que menina má! Tu pudeste pensar que eu te amaldiçoara, que eu não te receberia se voltasses para casa? Pensaste uma coisa dessas? Pois já vês que eu... Ouve, Natacha, para que fiques sabendo: eu ia muitas vezes até tua casa, sem a tua mãe saber, sem ninguém saber; e parava debaixo das tuas janelas, à espreita; algumas vezes ficava lá metade do dia, às voltas para trás e para diante, no passeio em frente da tua casa. Podia ser que saísses para que eu pudesse ao menos ver os teus olhos! E na tua janela, ao escurecer, muitas vezes havia luz. Quantas vezes eu, Natacha, à noite, ia até tua casa, ainda que fosse só para ver brilhar essa luz e vislumbrar a tua sombra na janela e dar-te as boas noites! E tu também me davas as boas noites? Lembravas-te de mim? Pressentia o teu coração que eu estava ali, ao pé da tua janela? Quantas vezes, durante o inverno, já noite avançada, eu subia a tua escada, parava no patamar sombrio e me punha a escutar junto da tua porta! Podia ser que ouvisse a tua vozinha! Tu podias estar a rindo! E tinha-te eu amaldiçoado! Pois, ouve, para que saibas: uma noite fui até tua casa com a intenção de perdoar-te, cheguei junto da porta mas depois retrocedi... Oh, Natacha!

Ergueu-se, levantou-a da cadeira e estreitou-a fortemente contra o seu coração.

– Estás outra vez aqui, junto do meu coração! – exclamou – Oh, agradeço-te, meu Deus, por tudo, por tudo, tanto pela tua cólera como pela tua bondade! E pelo teu sol que brilha agora, depois da chuva, sobre nós! Dou-te graças por este momento! Oh! Podem ter-nos humilhado, podem ter-nos ofendido, mas estamos outra vez juntos e, agora, que cantem vitória esses orgulhosos e soberbos que nos humilharam e ofenderam! Que nos atirem pedras! Não receies, Natacha... Nós caminharemos de mãos dadas e eu vou lhes dizer: "Esta é a minha querida, a minha muito querida filha, a minha filha inocente, que vocês ofenderam e humilharam mas que eu amo e abençoo pelos séculos dos séculos!".

– Vânia! Vânia! – exclamou Natacha com voz fraca, estendendo-me a mão por entre o abraço do pai.

Oh, nunca mais esquecerei que se lembrou de mim nesse instante e me chamou!

– Onde está Nelly? – perguntou o velho olhando à sua volta.

– Ah, onde estará? – exclamou a velhinha. – Minha querida! Esquecemo-nos dela!

Ela não estava na sala. Sem que déssemos por isso, escapara-se para o quarto de dormir. Dirigimo-nos todos para lá. Nelly estava escondida num canto, atrás da porta e escondia-se de nós, medrosa.

— Nelly, que tens tu, minha filha? — exclamou o velho, fazendo menção de abraçá-la.

— E *mamacha*? Onde está *mamacha*? — exclamou, como se tivesse enlouquecido. — Onde está a minha *mamacha*? — tornou a exclamar estendendo-nos as mãos trementes.

E, de repente, um grito horrível, espantoso, se escapou do seu peito, espasmos contraíram o seu rosto e rolou por terra com um ataque violentíssimo.

Epílogo

Últimas recordações

Meados de junho. Dia quente e sufocante. É impossível permanecer na cidade. Pó, cal, casas em obras, pedras partidas, ar envenenado pelas emanações... Mas eis que, oh alegria! se anuncia uma tempestade. Pouco a pouco, o céu enevoa-se; o vento levanta-se, empurrando à sua frente nuvens de pó da cidade. Algumas grossas gotas caem pesadamente sobre a terra e depois parece que todo o céu desaba e verdadeiras torrentes de água se precipitam sobre a cidade. Quando, passada meia hora, o sol torna a brilhar, abro a janela do meu quarto e, avidamente, aspiro o ar fresco com o meu peito cansado. Extasiado, de boa vontade deixaria a pena e todos os meus trabalhos, e até o próprio editor, e iria com os meus para Vassílievski Óstrov. Mas por grande que seja este desejo, apresso-me no entanto a retomar a tarefa e, com novo ardor, lanço-me sobre os papéis. É preciso acabar, seja como for! O editor manda e, se não for assim, não dá dinheiro.

Lá, estão à minha espera; mas em compensação esta noite ficarei livre, completamente livre, como o vento; o serão me compensará destes últimos dias, nos quais escrevi três folhas.

E eis que o trabalho termina, finalmente, largo a pena e levanto-me, com dores nas costas e no peito, e enxaqueca. Sei que neste momento tenho os nervos abalados até mais não poder e julgo escutar as últimas palavras que me disse o meu velho médico, "Não, não há saúde nenhuma que resista a semelhante esforço porque isso é impossível". No entanto, até agora tem sido possível. Sinto a cabeça rodando; mal posso suster-me de pé, mas uma alegria, uma alegria infinita enche o meu coração. O meu romance está concluído, e o editor, embora lhe deva já bastante, deve dar-me com certeza alguma coisa, quando vir o original nas suas mãos, ainda que sejam só cinquenta rublos, e eu, há já muito tempo que não vejo em meu poder tanto dinheiro junto. Liberdade e dinheiro! Cheio de entusiasmo, pego o chapéu, meto o manuscrito debaixo do braço e corro, para ver se vou encontrar ainda em casa o nosso caríssimo Alieksandr Pietróvitch.

Encontro-o mas disposto já a sair. Ele acaba também por sua vez de fazer um contrato, não literário, mas muito mais proveitoso, e depois de despedir certo judeu melancólico, com o qual esteve em conferência duas horas seguidas no seu gabinete, estende-me afetuosamente a mão e, com a sua simpática, pastosa voz de baixo, pergunta-me pela minha saúde. É um bom homem e estou-lhe seriamente agradecido. Que culpa tem que lhe tenha cabido em sorte ser toda a sua vida, no campo literário, somente editor? Disse para ele que a literatura precisava de editores e disse-o muito oportunamente. Honra e glória lhe seja por isso... Glória editorial, naturalmente!

Com um sorriso amável fica sabendo que o romance está pronto e que o próximo número da revista contará assim com uma seção principal, admira-se que eu tenha podido terminar qualquer coisa, e diz isso com a intenção de ser sutil. Depois vai ao seu cofre de ferro para dar-me os prometidos cinquenta rublos e, entretanto, estende-me um volumoso jornal inimigo e indica-me algumas linhas na seção de crítica, onde dedicam duas palavras ao meu último romance.

Olho. É um artigo do *Copista*. Aí, não me insultam nem me elogiam, e fico muito satisfeito. Mas o *Copista* diz, entre outras coisas, que a leitura das minhas obras, de maneira geral, "cheira a suor"; isto é, que eu devo suar, fazer um grande esforço para as escrever; a tal ponto as enfeito e retoco, que as deixo sem graça nenhuma.

Rio, com o editor. Prometo-lhe escrever o meu próximo romance em duas noites; e agora, em dois dias e duas noites, escrevi duas folhas. Se esse *Copista*, que censura a excessiva dificuldade e a pesada lentidão dos meus trabalhos, soubesse disto!

– No entanto, o senhor é quem tem a culpa, Ivan Pietróvitch. Por que se descuida assim tanto, a ponto de ter necessidade de trabalhar à noite?

Não há dúvida de que Alieksandr Pietróvitch é uma boa criatura, embora tenha a sua opinião literária, sobretudo diante daqueles que, como ele mesmo suspeita, me percebem as intenções. Mas eu não quero discutir literatura com ele; guardo as folhas de papel e pego o chapéu. Alieksandr Pietróvitch dirige-se à ilha, à sua casa de campo, e quando me ouve dizer que eu vou a Vassílievski, oferece-se generosamente para me levar até lá na sua carruagem.

– Tenho uma carruagem nova. Já a viu? É esplêndida.

Subimos. A carruagem na verdade era magnífica e Alieksandr Pietróvitch, nestes primeiros dias, sente uma grande complacência e uma espécie de necessidade espiritual de conduzir nela os seus amigos.

Na carruagem, Alieksandr Pietróvitch torna a insistir nas suas opiniões acerca da literatura contemporânea. Não se sente inibido na minha presença e, com toda a tranquilidade, repete-me várias opiniões alheias, que deve ter ouvido nestes dias a algum literato cujo critério lhe merece respeito. Por sinal que, às vezes, lhe acontece apreciar coisas bem estranhas. Acontece-lhe também modificar as opiniões dos outros, ou interpô-las onde não ficam bem, de maneira que faz assim uma grande barafunda. Eu estou sentado, admiro a diversidade e a fantasia dos indivíduos apaixonados. "Bem, eis aqui um homem – penso comigo – que deve ganhar dinheiro, com certeza, mas que apesar disso ainda precisa da fama literária, da fama de bom editor e de crítico."

Neste momento põe-se a expor-me pormenorizadamente um pensamento literário que há três dias ouviu de mim, e pelo qual há três dias tivemos uma discussão, o que não impede que, agora, o apresente como seu. Mas fraquezas destas costumam acontecer a Alieksandr Pietróvitch a todos os instantes, e esta sua fraqueza inocente é conhecida de todos os seus amigos. Como vai contente, discursando na sua carruagem! Como está contente com a sua sorte, e vaidoso! Mantém uma dissertação de literato oculto, e com a sua pastosa e pundonorosa voz de baixo, abarrota de erudição. Pouco a pouco assume um tom liberal e passa a uma convicção levemente céptica, de que a nossa literatura, e a literatura de uma maneira geral, seja qual for e em todos os tempos, não pode ser honrada nem modesta, e que não passa de uma troca de safanões, sobretudo nos começos literários.

Digo comigo que, para Alieksandr Pietróvitch, todo escritor modesto e sincero, se não é tolo é pelo menos um ingênuo, devido a essa mesma honestidade e sinceridade. É claro que semelhante opinião deriva da extraordinária ingenuidade de Alieksandr Pietróvitch.

Mas deixei de escutá-lo. Na ilha Vassílievski saio da carruagem e corro para os meus. Eis aqui a Linha Treze e aqui está a sua casinha. Quando me vê, Anna Andriéievna ameaça-me com o dedo, estende-me as mãos e faz-me um sinal para que não faça barulho.

— Nelly acaba de adormecer. Pobrezinha! — diz-me em voz baixa. — Pelo amor de Deus, não faça barulho! Ela está tão fraca, coitadinha! Andamos preocupados. O médico diz que, por agora, não é nada. Mas quem é que consegue arrancar-lhe a verdade, ao seu médico? E não será sua a culpa, Ivan Pietróvitch? Estávamos à sua espera, esperávamo-lo para o almoço... e há dois dias que não aparece...

— Mas se há três dias os avisei que durante dois não poderia vir! — disse eu em voz baixa a Anna Andriéievna. — Tinha de acabar um trabalho...

— Prometera-nos que viria hoje almoçar conosco. Por que não veio? Nelly levantou da cama de propósito, coitadinha, e foi acomodada muito sossegada na sua poltrona. Foi assim mesmo, levantou para vir assistir ao almoço. "Quero acompanhar-vos à mesa, a vós e a Vânia." E o nosso Vânia sem aparecer. E já são quase sete horas! Por onde tem andado? Sempre me saiu um maroto! Pois fique sabendo que ela estava tão desassossegada que eu já não sabia o que havia de dizer-lhe... Felizmente que por fim acabou por adormecer. Pobre anjo! Nikolai Sierguiéitch saiu, morto de fome, só com o chá, e eu estou quase caindo de fraqueza... Saiu, ele, Ivan Pietróvitch; calculo que deve ter ido a Perm, é uma ideia que eu tenho...

— E Natacha?

— Está no jardim, meu amigo, no jardim! Vá vê-la... Ela também me parece... Não posso compreender... Ah, Ivan Pietróvitch, sempre tenho um desgosto! Quer convencer-me de que anda contente e alegre, mas a mim não me engana ela... Vá vê-la, Vânia, e diga-me depois, em segredo, o que acha... Está me ouvindo?

Mas eu já não ouço Anna Andriéievna e corro para o jardim. Esse jardinzinho pertence à casa; tem vinte passos de comprimento, e outro tanto de profundidade, e está todo verde.

Há nele três árvores fortes, velhas e frondosas, alguns tenros vidoeiros, algumas sebes de lilaseiros e madressilvas, um cantinho de framboesas, dois canteiros de morangueiros e dois estreitos e sinuosos carreirinhos, um à largura e outro transversal. O velho está entusiasmado com este jardinzinho e afirma que não tardará a dar míscaros. O importante é que Nelly gostava muito do jardinzinho e a trazem com frequência, numa cadeira, para o caminho traseiro, e que Nelly é agora o ídolo de toda a casa. Mas eis aqui Natacha; vem receber-me com alegria e estende-me a sua mão. Como está magra e pálida! Se ainda há tão pouco tempo esteve doente!

— Então, já o acabaste todo, Vânia? — pergunta-me ela.

— Todo, todo! Tenho a noite toda por minha conta.

— Ainda bem, graças a Deus! Trabalhaste muito depressa? Fizeste um grande esforço?

— Que havia eu de fazer? Mas isso não tem importância. Eu trabalho sempre debaixo de uma certa tensão nervosa, debaixo de uma certa excitação; vejo assim mais claramente as coisas, sinto com mais vivacidade e profundidade, e até o temperamento me obedece, de maneira que o trabalho forçado é o que me sai sempre melhor...

— Ah, Vânia, Vânia!

Reparo que Natacha, nos últimos tempos, se interessa estranhamente pelos meus êxitos literários, pela minha fama. Tem uma nota de tudo quanto publiquei o ano passado; pergunta-me minuciosamente pelos meus planos futuros; segue com atenção todas as críticas que me dedicam; aborrece-se com algumas e empenha-se decididamente em que eu sobressaia na literatura. Exprime o seu desejo com tal energia e altivez que fico admirado.

– Simplesmente tu te precipitas, Vânia – diz-me ela. – Fazes esforços demasiados e precipitas-te e, além disso, estragas a tua saúde. Repara em C***, que em dois anos só publicou dois romances e N*** que, em dez, apenas escreveu um, ao todo. Mas em compensação, como tudo isso está correto e primoroso! Não encontras aí nem um só descuido!

– Sim, mas esses têm a vida garantida e não têm de escrever a prazo fixo, ao passo que eu... sou um cavalo de posta. Bom, mas tudo isto é absurdo. Deixemos isso, minha amiga. Que há de novo?

– Muitas coisas. Em primeiro lugar, carta dele.

– Outra?

– Outra – e entregou-me uma carta de Alhocha.

Era a terceira depois da separação. A primeira escrevera-a quando ainda estava em Moscou e escreveu-a num arrebatamento. Apercebera-se de que as circunstâncias se tinham transformado de tal maneira que lhe era impossível regressar de Moscou a Petersburgo, conforme pensara antes da separação. Na segunda carta apressava-se a anunciar-lhe que dentro de dias estaria conosco, para casar-se o mais depressa possível com Natacha, coisa que estava resolvida e que não haveria força alguma no mundo capaz de impedir. E, no entanto, depreendia-se do tom geral da carta que estava desesperado, que uma influência estranha se apoderara por completo dele e nem mesmo acreditava no que dizia. Recordava, entre outras coisas, que Kátia era a sua providência e a única pessoa que o consolava e animava.

Foi com avidez que abri a terceira carta. Era uma carta de duas páginas, escrita de uma maneira incoerente, desalinhada, à pressa e com letra indecifrável, salpicada de borrões e de lágrimas. Começava Alhocha por dizer que renunciava a Natacha e pedia-lhe que o esquecesse. Esforçava-se por mostrar que o seu casamento era impossível, que certa influência estranha, hostil, era mais forte do que tudo, e que, finalmente, tinha de ser assim; que ele e Natacha, juntos, seriam infelizes, porque não eram iguais. Mas não podia conter-se e, de repente, pondo de parte os raciocínios e as demonstrações, começava a dizer, de repente e sem transição, sem largar a pena, que procedera mal para com Natacha; que era um homem perdido e não tinha forças para opor-se à vontade do pai, que aparecera na aldeia. Dizia também que não se sentia com energia suficiente para descrever a sua dor; confessava, entre outras coisas, que se sentia completamente capaz de fazer Natacha feliz; punha-se de repente a demonstrar que eram os dois muito parecidos; rebatia as afirmações paternas com teimosia, com rancor; desesperado, dispunha-se à descrição do quadro da felicidade de toda a sua vida, da vida que se depararia aos dois, a ele e a Natacha, se chegassem a casar; amaldiçoava-se a si próprio pela sua falta de caráter e... terminava despedindo-se *in aeternum*. Essa carta estava escrita com pesar; era evidente que devia tê-la amarrotado, completamente fora de si; a mim vieram lágrimas aos olhos... Natacha deu-me outra carta, de Kátia. Esta carta chegara dentro do mesmo sobrescrito que a de Alhocha, mas fechada. Kátia, muito laconicamente, em poucas linhas, participava-lhe que Alhocha estava de fato muito triste, que chorava muito e mostrava indícios de desespero e parecia até adoentado; mas que ela estava a seu lado e ele seria feliz. Entre outras coisas esforçava-se Kátia por explicar a Natacha, para que esta não se afligisse muito, que Alhocha não tardaria a consolar-se e que a sua dor não devia ser muito profunda. "Nunca se esquecerá de você – acrescentava Kátia – e não poderá esquecê-la nunca, porque não tem temperamento para isso. Ama-a muito; continuará amando-a sempre e, se deixasse de amá-la algum dia, se alguma vez deixasse de sentir tristeza ao evocar a sua recordação, eu própria deixaria de amá-lo imediatamente por esse fato."

Restituí as duas cartas a Natacha. Troquei um olhar com ela e não dissemos nada. Assim fizéramos também quando das duas primeiras cartas e, de uma maneira geral, evitávamos falar do passado, como se tivéssemos feito essa combinação. Ela sofria muito, eu bem via; não queria que ninguém percebesse. Depois do regresso à casa de seus pais esteve de cama durante três semanas, com febre e agora se encontrava apenas em convalescença. Também falávamos da próxima mudança das circunstâncias, apesar de ela saber que iriam dar um destino ao velho e que em breve teríamos de nos separar. Mas apesar disso mostrava-se sempre carinhosa e atenciosa comigo, e preocupava-se também com tudo quanto me dizia respeito, nesse tempo; escutava com muita atenção e firmeza tudo quanto eu lhe dizia de mim, de tal maneira que isso chegava a custar-me, pois parecia que queria recompensar-me por causa do passado. Mas não tardou que este escrúpulo meu desaparecesse; compreendi que tinha outro desejo muito diferente; que me amava, simplesmente; que me amava muito, que não podia viver sem mim e não esquecia coisa alguma que a mim se referisse, e de maneira tal que nunca uma irmã amou o seu irmão assim. Eu sabia muito bem que a nossa separação iminente lhe dilacerava o coração; que Natacha sofria, e ela sabia também que eu não podia viver sem ela; mas não falávamos disto, apesar de falarmos muito pormenorizadamente dos próximos acontecimentos.

Perguntei-lhe por Nikolai Sierguiéitch.

– Penso que não se demora – respondeu-me Natacha. – Prometeu estar aqui para o chá.

– Anda tratando do seu destino?

– Sim; aliás, hão de dar-lhe um destino, com certeza; mas parece-me que hoje, não foi por causa disso que saiu – acrescentou, pensativa. – Creio que, disso, tratará amanhã.

– Então por que saiu?

– Porque eu recebera carta... Está a tal ponto apaixonado por mim – acrescentou Natacha, depois de um silêncio – que até me custa, Vânia. Parece que até em sonhos não vê mais ninguém senão a mim. Tenho a certeza que, tirando a minha saúde, a minha disposição, aquilo em que eu poderei estar pensando, não pensa em mais nada. Todos os meus desgostos se refletem nele. Eu própria vejo os esforços que ele faz, às vezes desajeitadamente, para conter-se e não dar a entender o que sofre por minha causa; finge alegria e faz por rir e por nos fazer rir a nós. A mamãe também não acredita na sua alegria e suspira... É tão desajeitado! Uma alma ingênua! – acrescentou, sorrindo. – Hoje, por exemplo, quando eu recebi a carta, não teve outro remédio senão sair logo correndo, para não encontrar o meu olhar... Eu gosto mais dele do que de mim própria, mais do que de toda a gente, Vânia – acrescentou, baixando a cabeça e apertando-me a mão. – Até mais do que de ti...

Demos duas voltas ao jardinzinho antes que ela recomeçasse a falar.

– Esta noite, Maslobóiev virá também ver-nos – disse.

– Sabes por que vem ele? *Mamacha*, não sei por que, tem fé nele. Pensa que ele sabe tanto de tudo (de leis e de outras coisas), que poderá tratar de qualquer assunto. Sabes em que é que ela anda agora pensando? Pois custa-lhe muito que eu não tenha chegado a ser princesa. Este pensamento a deixa num desassossego e parece-me que acabou por desabafar com Maslobóiev. Com o meu pai não se atreve ela a falar destas coisas e pensa: "Não se poderia conseguir qualquer coisa por meio de Maslobóiev, ainda que tivesse de recorrer às leis?". Pelo visto Maslobóiev não a contradiz e ela vai-lhe oferecendo aguardente – acrescentou Natacha sorrindo.

– Não falemos mais desse velhaco. Mas como é que sabes isso? –

– Ora, porque foi a própria *mamacha* que me deu a entender, por alusões...

– E Nelly? Como está? – perguntei.

– Fazes-me admirar, Vânia. Só agora perguntas por ela – disse Natacha em tom de censura.

Nelly era o ídolo de todos naquela casa. Natacha gostava muito dela e Nelly correspondia-lhe finalmente com todo o seu coração. Pobre pequena! Não podia imaginar existissem no mundo seres assim, que pudessem gostar tanto dela, e eu via com prazer que o seu temperamento arredio se ia abrandando e a todos abria a sua alma. Apoderava-se de todo aquele carinho que a rodeava, com um ardor doentio, por aversão a todo o passado, que gerara nela a desconfiança, o aborrecimento e a inflexibilidade. Aliás, ainda agora, por muito tempo Nelly se mostrou obstinada; ocultou de nós, de propósito, as lágrimas de reconciliação que afluíam aos seus olhos, até que finalmente se nos entregou por completo. Queria muito a Natacha e depois afeiçoou-se ao velho. Também eu me tornei tão indispensável para ela, que caía doente quando tardava um pouco mais a aparecer. Da última vez, quando me despedi por dois dias, para terminar definitivamente o meu trabalho, tive de convencê-la... evidentemente, que com muitos rodeios. No entanto Nelly tinha muito pudor de descobrir os seus sentimentos, com demasiada franqueza...

Dava muita preocupação a todos. Tacitamente, sem a menor discussão, ficou resolvido que já não sairia mais de casa de Nikolai Sierguiéitch; entretanto a data da partida aproximava-se e ela estava cada vez pior. Adoecera no dia em que eu a levei à casa dos velhos, no dia em que estes se reconciliaram com Natacha. Mas que culpa tinha eu? Doente, sempre ela estivera. A doença já antes se fora desenvolvendo gradualmente, e agora começava a agravar-se com extraordinária rapidez. Não sei nem posso descrever exatamente o seu mal. Os ataques, é verdade, repetiam-se agora com mais frequência do que antes; mas o principal era certo esgotamento e enfraquecimento de todas as suas energias, febre e excitabilidade contínuas... o que, tudo junto, acabou por conduzi-la, nos últimos dias, ao extremo de não poder já levantar da cama. E, coisa estranha, quanto mais a doença se apoderava dela, mais comunicativa e carinhosa Nelly se punha para conosco. Três dias antes pegou-me na mão quando eu passei junto da sua caminha e puxou-me. No quarto não estava mais ninguém. O seu rosto queimava (estava espantosamente fraca) e os seus olhos pareciam deitar fogo. Apertou-se contra mim num arrebatamento convulsivo e, quando eu me inclinava para ela, cingiu-me com força o pescoço, com as suas mãozinhas morenas, magras, deu-me um beijo, e depois, logo a seguir, pediu-me que chamasse Natacha. Nelly queria a todo custo que Natacha sentasse na beira da cama e a contemplasse.

– Eu também tinha muita vontade de olhar para ela – dizia. – E ontem vi-a em sonhos e esta noite hei de vê-la também... Eu sonho muito com você... todas as noites...

Além de mim, gostava de Nikolai Sierguiéitch, mais do que ninguém. É preciso dizer que Nikolai Sierguiéitch gostava quase tanto dela como de Natacha. Tinha um jeito especial para fazer rir e distrair Nelly. Assim que ele assomava à porta do seu quarto, logo ela se punha a rir e até com meiguice. A doentinha alegrava-se como uma criança, gracejava com o velho, ria-se dele, contava-lhe os seus sonhos e o velho ficava tão contente, tão vaidoso, ao ver a sua filhinha Nelly, que cada dia saía dali mais entusiasmado com ela.

– Foi Deus que a mandou a nós como recompensa dos nossos sofrimentos – disse-me uma vez ao sair do quarto de Nelly, depois de lhe ter deitado a bênção, como costumava, todas as noites.

Todos os dias, ao fim da tarde, quando nos reuníamos todos (Maslobóiev ia também por ali quase todas as tardes), também o velho médico costumava fazer-nos companhia, pois ganhara amizade aos Ikhmiênievi; e traziam-nos também Nelly na sua poltrona e colocavam-na junto da mesa redonda. Abriam a porta da varanda e víamos então todo o jardinzinho verde, iluminado pelo sol poente. Dele subia o perfume da erva fresca e dos lilases desabrochados. Nelly, sentada na sua poltrona, olhava para todos amigavelmente e escutava a nossa conversa. Às vezes reanimava-se e começava também a falar... Mas quase sempre, nesses momentos, todos nós a escutávamos com extraordinária inquietação, pois nas suas recordações havia casos sombrios em que não era possível tocar. Tanto eu como Natacha e os Ikhmiênievi, sentíamos e compreendíamos toda a nossa culpa para com ela a partir do dia em que, tremente e esgotada, se vira obrigada a contar-nos a sua história. Sobretudo o médico era inimigo dessas evocações e esforçava-se geralmente por mudar de conversa. Nesses casos Nelly procurava não nos dar a entender que compreendia os nossos esforços e punha-se a rir do médico ou de Nikolai Sierguiéitch.

E, no entanto, estava cada vez pior. Tornara-se extremamente sensível. O seu coração pulsava com irregularidade. O médico dizia-me que podia morrer de um dia para o outro.

Eu não falei disto aos Ikhmiênievi para os não alarmar. Nikolai Sierguiéitch estava firmemente convencido de que ela havia de ficar boa durante a viagem.

– Olha, o papá já voltou – disse Natacha, que ouvira, a sua voz. – Vamos encontrá-lo, Vânia!

*

Assim que entrou, Nikolai Sierguiéitch começou a falar em voz alta. Anna Andriéievna teve de fazer-lhe também sinal com as mãos. O velho conteve-se imediatamente e, quando nos viu, a mim e a Natacha, começou a contar-nos o resultado das suas diligências, com precipitação e em voz baixa. O terreno que pedira estava já à sua disposição e ele estava muito contente.

— Daqui a duas semanas teremos de pôr-nos a caminho – disse, esfregando as mãos e olhando, solícito, de soslaio, para Natacha. Esta respondeu-lhe com um sorriso e abraçou-o, e com isso imediatamente se desvaneceram as suas dúvidas.

— Vamos para lá, vamos para lá, meus amigos! – exclamou ele, alegre. – Só temos pena de nos separarmos de ti, Vânia...

(Devo fazer notar que nem uma só vez me tinha proposto viajar com eles, o que, a avaliar pelo seu caráter, infalivelmente teria feito... noutras circunstâncias, isto é, se não tivesse sabido do meu amor por Natacha.)

— Bem, que se há de fazer, meus amigos, que se há de fazer? Tenho muita pena, Vânia, mas a mudança de ares vai dar a todos nova vida... A mudança de lugar... quero dizer, a mudança de tudo! – acrescentou, olhando outra vez para a filha.

Tinha fé naquilo e estava contente com a sua fé.

— Mas... e Nelly? – disse Anna Andriéievna.

— Nelly? Ah, sim, é verdade... Coitadinha, está doentinha; mas com certeza que daqui até lá ficará boa. Agora já está melhor, não achas, Vânia? – disse, um pouco assustado, e olhou-me com inquietação, como se eu tivesse o dever de dissipar as suas dúvidas.

— Como está? Como dormiu? Não lhe aconteceu nada? Sabes uma coisa, Anna Andriéievna? Vamos pôr uma mesinha no terraço; levaremos para lá o samovar, vamos todos nos sentar, e Nelly juntamente conosco... Verás como vai ser bom. Ela ainda não teria acordado? Vou vê-la. Só olhar... Não te preocupes! – acrescentou, ao ver que Anna Andriéievna tornava a agitar as mãos.

Nelly já acordara. Passado um quarto de hora, todos nós nos encontrávamos sentados à volta da mesa, para o chá da tarde. Trouxeram Nelly na sua poltrona. O médico apareceu, bem como Maslobóiev, que trouxe um ramo de lilases para Nelly; mas parecia um pouco preocupado e triste.

De fato, Maslobóiev ia ali quase diariamente. Disse já que todos nós, e sobretudo Anna Andriéievna, gostávamos muito dele; mas nunca nos lembrávamos dos serviços de Alieksandra Siemiônovna; nem o próprio Maslobóiev se lembrava deles. Quando Anna Andriéievna soube por mim que Alieksandra Siemiônovna ainda não conseguira fazer dele seu marido segundo a lei, tomou a resolução de tratar desse assunto; mas falar dele, em casa, era impossível. A própria Anna Andriéievna respeitava este princípio, embora fosse fazendo muitos projetos. Pode ser que, se Natacha não estivesse ali e, sobretudo, se não tivesse acontecido o que aconteceu, pode ser que não estivesse com tantos cuidados.

Nessa tarde Nelly estava especialmente murcha e também preocupada com alguma coisa. Parecia ter tido um pesadelo e que pensava nele. Mas o presente de deixou-a bem disposta e contemplou com prazer as flores que tinham colocado diante dela num vaso.

— Já vejo que gostas muito de flores, Nelly – disse o velho. – Olha! – acrescentou, como se tivesse tido uma ideia. – Amanhã... Também... Bem, depois verás!

– Gosto – respondeu Nelly – e lembro-me de como uma vez demos um ramo de flores à minha mãezinha. A minha *mamacha*, quando nós ainda estávamos lá – "lá", significava no estrangeiro – esteve uma vez um mês inteiro muito doente. Eu e Heinrich combinamos que, quando ela levantasse da cama e saísse pela primeira vez do quarto, onde estivera um mês inteiro, havíamos de encher de flores a casa toda. E assim fizemos. Uma noite, *mamacha* disse que, no dia seguinte, de manhã, levantaria sem falta para ir almoçar conosco. Levantamos muito cedinho. Heinrich trouxe muitas flores e, os dois, enchemos a casa de folhas verdes e grinaldas. Havia hera e também umas flores muito largas... que já não sei como se chamam, e ainda outras que se colam a tudo, e também umas flores grandes, brancas, e narcisos, que são as flores de que eu gosto mais, e rosas, umas rosas lindíssimas, e muitas, muitas outras flores. Armamos grinaldas e ramos e, tantas flores havia ali, que pareciam plantas completas em grandes vasos; espalhamo-las por todos os cantos e, quando apareceu, *mamacha* ficou muito admirada e muito contente... Ainda me lembro.

Nessa noite Nelly estava especialmente fraca e nervosa. O médico olhava-a, inquieto. Tinha muita vontade de falar. E, durante muito tempo, até se fazer noite, contou-nos coisas da sua vida anterior, no estrangeiro; não a interrompemos.

"Lá", viajara muito com *mámienhka* e com Heinrich e as suas recordações desse tempo permaneciam na sua memória com toda a clareza. Comovida, falava-nos dos céus azuis, das altas montanhas de neve que vira e percorrera, das torrentes, das fontes; depois, dos lagos e dos vales da Itália, das flores e das árvores, dos habitantes das aldeias, dos seus trajes, dos seus rostos morenos e dos seus olhos negros; contava-nos vários encontros e episódios que aí se tinham passado. Depois falava-nos das grandes cidades e palácios, dos altos templos com cúpulas, todos iluminados à volta com luzes de várias cores; depois, da cidade quente, em junho, com o céu azul e o mar azul... Nunca Nelly nos contara tão pormenorizadamente as suas recordações. Escutávamo-la com a maior atenção. Até aí, só sabíamos dela, as suas próprias recordações: na cidade sombria, severa, de atmosfera sufocante, opressiva, de ambiente carregado, de suntuosos palácios, sempre manchados de sujidade; com um sol turvo, gente pobre e má, meio enlouquecida, que tanto a fizera sofrer, a ela e à sua mãe. E eu imaginava como as duas, no seu porão infecto, pelas tardes úmidas e sombrias, estendidas no seu mísero enxergão, haviam de ter recordado o passado, o falecido Heinrich e as maravilhas das terras exóticas... Imaginava também Nelly recordando tudo isso já sozinha, sem a sua *mámienhka* quando a Bubnova, com pancadas e selvagem crueldade, queria dominá-la e obrigá-la a coisas torpes.

Até que Nelly começou a sentir-se mal e a levaram para dentro. O velho médico ficou muito alarmado e lamentou que a deixassem falar tanto. Sofrera um ataque, uma espécie de síncope. Esse ataque já se repetira várias vezes. Assim que melhorava, Nelly dizia que me queria ver. Precisava de dizer-me qualquer coisa, unicamente a mim. Insistia tanto nisso que, dessa vez, o próprio médico quis que eu satisfizesse esse seu desejo, e todos saíram do quarto.

– Olha, Vânia – disse Nelly, assim que ficamos sós – eu sei que eles julgam que eu os acompanharei; mas eu não poderei ir com eles, porque não estou em condições; por isso ficarei contigo; era isto o que eu te queria dizer.

Tentei convencê-la; disse-lhe que em casa dos Ikhmiênievi todos gostavam dela, que a consideravam como uma filha. Que todos haviam de sentir muito se ela não os acompanhasse. Que, pelo contrário, a vida comigo ia ser para ela muito mais difícil, e que, embora eu gostasse muito dela, isso não interessava, pois não tínhamos outro remédio senão separarmo-nos.

– Não, isso não pode ser! – respondeu Nelly com decisão. – Porque eu vejo muitas vezes a minha *mamacha* em sonhos e ela diz-me que não vá com eles e fique aqui; diz-me que eu cometi muitos pecados; que deixei o avô sozinho, e vejo-a sempre chorando quando me diz tudo isso. Eu quero ficar aqui e visitar o avô, Vânia.

– Mas se o teu avô morreu, Nelly – disse eu, depois de escutá-la com assombro.

Ela refletiu e olhou-me assombrada.

– Conta-me outra vez, Vânia – disse – como o avô morreu. Conta-me tudo, sem esqueceres nada.

Este pedido espantou-me; no entanto comecei a contar-lhe tudo circunstanciadamente. Parecia-me que ela delirava ou, pelo menos, que não estava ainda absolutamente lúcida depois do ataque. Escutou atentamente a minha narrativa e lembro-me de como os seus olhos escuros e de um brilho doentio e com cintilações febris continuavam fixos e atentos enquanto eu falava. No quarto já estava escuro.

– Não, Vânia, não morreu! – disse resolutamente e uma vez mais ficou meditando. – A minha mãe costuma falar-me do avô e quando eu ontem lhe disse: "Mas se o avô já morreu!", ela ficou muito zangada, pôs-se a chorar e disse-me que não, que me tinham feito acreditar nisso com alguma intenção, mas que ele agora andava pedindo esmola, "tal como dantes a pedia contigo", disse *mamacha,* e vai sempre àquele lugar onde nos encontramos naquele dia, quando eu me deitei a seus pés e Azorka me conheceu...

– Isso são sonhos, Nelly, sonhos doentios, porque agora estás doentinha – disse-lhe.

– Eu também penso isso, que são sonhos – concordou Nelly – e não os contei a ninguém. Só queria contar a ti. Mas hoje quando adormeci, visto que não vinhas, vi o próprio avô em sonhos. Estava na sua casa, sentado à mesa, à minha espera, e estava estranho, muito apoquentado, e disse-me que havia dois dias não comia, e Azorka também não, estava muito zangado comigo e censurava-me. Também me disse que não tinha nem um pó de rapé, e que sem rapé, a vida é impossível. De fato, Vânia, em tempos ele disse-me a mesma coisa, já depois de a minha *mamacha* ter morrido, quando eu fui vê-lo. Estava então muito doente e quase já nem conhecia as pessoas. Pois hoje tornou a dizer isso e então eu pensei: "Então hei de ir para o passeio, pedirei esmola e, com o que me derem, compro-lhe pão, batatas fritas e tabaco." E pareceu-me que eu própria me levantava e vi que o avô andava por ali, fez uns rodeios e depois vai, aproxima-se e olha para ver quanto angariei e tira-me o dinheiro. "Isto – disse ele – é para pão; agora pede para tabaco." Eu peço, ele torna a aparecer e novamente tira-me o dinheiro. Eu lhe digo que não era preciso ele ter vindo, pois eu lhe daria tudo e não ficaria com nenhum. "Não – disse ele – tu roubas-me; a Bubnova disse-me que tu és uma ladra e por isso eu também nunca te admitirei em minha casa. Que fizeste do outro *piatak?*" Pus-me a chorar com pena de que ele não acreditasse em mim; mas ele não quis escutar-me e pôs-se a gritar: "Roubaste-me um *piatak*". E começou a bater-me ali mesmo, no passeio, e doía-me. E eu chorava muito... Aí tens, Vânia, a razão por que eu me lembrei de que ele ainda devia viver, e vai pôr-se à espreita, em qualquer lugar, à espera que eu passe...

Tornei a tentar convencê-la de que não era assim e, finalmente, pelo menos na aparência ficou convencida. Respondeu-me que, agora, tinha medo de adormecer porque via o avô. Por fim abraçou a mim num abraço muito apertado...

— Eu, apesar de tudo, não posso deixar-te, Vânia! — disse-me, roçando o seu rostinho pelo meu. — Ainda que isso do avô não seja verdade, eu não me separarei de ti.

Em casa estavam todos alarmados com o ataque de Nelly. Eu comuniquei em voz baixa ao médico todos os seus desvarios e perguntei-lhe categoricamente o que pensava da sua doença.

— Ainda não há nada de certo — respondeu-me, pensativo. — Até agora me limito a fazer conjeturas, a refletir, a observar, mas... não há nada de positivo. Em princípio, é impossível que recupere a saúde. Morre. Não lhe digo por ter perguntado; mas eu andava muito inquieto e pensei reunir amanhã uma junta médica. Pode ser que a doença tome outro aspecto, depois da consulta. Mas eu tenho muita pena dessa criatura, como de uma filha minha... Pobre menina! E com um feitio tão brincalhão!

Nikolai Sierguiéitch estava particularmente comovido.

— Olha, Vânia, eu pensei — disse-me — que ela gosta muito de flores. Sabes uma coisa? Vamos arranjar para amanhã, para quando ela acordar, um ramo de flores como as que ela arranjou para a mãe, juntamente com o Heinrich da sua história, conforme nos contou hoje... Com que comoção ela nos contou tudo isso!

— Com demasiada comoção — respondi eu. — As comoções, agora, são perigosas para ela...

— Sim, mas as comoções agradáveis não. Acredita, *golubtchik,* acredita na minha experiência, as comoções agradáveis não fazem mal, podem até curar, restituir-nos a saúde.

Em resumo: esta ideia seduzia tanto o velho que já estava entusiasmado com ela. Teria sido impossível fazer-lhe qualquer objeção. Pedi conselho ao médico; mas antes que tivesse podido pensar, já Nikolai Sierguiéitch pegara num saco e corria a pôr em prática a sua iniciativa.

— Olha — disse quando saía — perto daqui há uma estufa de plantas, uma estufa magnífica. Os jardineiros vendem as flores. Há lá tantas e tão baratas! Dão-nas quase de graça! Se eu falasse disto a Anna Andriéievna começava imediatamente a rezingar contra os gastos. Bem, mas ouve uma coisa, meu amigo, onde vais tu agora? Já acabou o teu trabalho? Que pressa tens tu de voltar para casa? Fica para dormir conosco no quarto pequeno, lá em cima, lembras-te? Ainda está como dantes. Ainda lá está o teu colchão e a tua cama; tudo no mesmo lugar de dantes e bem arrumado. Dormirás como um rei de França. Ficas? Amanhã levantamos cedinho, trazemos as flores, e às oito enchemos com elas a casa toda. Natacha também nos ajudará; ela tem mais gosto do que nós dois juntos... Então, estás de acordo? Ficas?

Decidiram que eu passaria ali a noite. O velho tratou de tudo. O médico e Maslobóiev despediram-se e retiraram-se. Os Ikhmiênievi costumavam deitar cedo, às onze. Quando saiu, Maslobóiev parecia preocupado e desejoso de me dizer qualquer coisa, mas que a deixava para outra ocasião. Quando eu, depois de despedir-me do velho, subia para o meu quartinho, fiquei admirado quando o vi ali de novo. Estava sentado junto de uma mesinha, à minha espera, folheando um livro.

– Voltei, Vânia, porque agora está melhor. Senta-te aqui. Repara que coisa tão estúpida, tão lamentável, até...

– De que se trata?

– É que o patife do príncipe tornou a cometer outra proeza, ainda não há duas semanas, e de tal gênero que ainda me sinto indignado.

– Mas que foi? Continuas em relações com o príncipe?

– Bem, aí vens tu com perguntas, quando mal sabe Deus o que se passou... Tu, meu amigo Vânia, és exatamente como a minha Alieksandra Siemiônovna e, de maneira geral, todo esse insuportável mulherio... Não posso tolerar as mulheres... Assim que um corvo grasna logo nos vêm com: "O que foi? De que se trata?".

– Não te zangues.

– Eu não estou zangado, mas acho que é preciso, em todos os assuntos, ver as coisas calmamente, não exagerar... eis tudo.

Ficou calado por um momento, como se ainda estivesse zangado comigo. Eu não o interrompi.

– Olha, meu amigo – insistiu – eu estou metido num caso; ou melhor, verdadeiramente não estou, nem isso teve também as consequências que eu imaginava; de certas razões deduzi eu que Nelly podia ser... Numa palavra, que podia ser filha legítima dum príncipe.

– Que dizes?!

– Lá vens tu com o teu "Que dizes?!". Com indivíduos assim não é possível falar! – exclamou, gesticulando com violência. – Eu afirmei alguma coisa, cabeça de alho chocho? Eu te disse que ela é filha legítima dum príncipe? Foi isso o que eu te disse?

– Escuta, meu amigo – atalhei-lhe eu muito agitado – pelo amor de Deus, não grites, explica-te com clareza e precisão. Juro que te compreendo. Compreendo até que ponto o caso é importante e as consequências que...

– Consequências? Por quê? Onde estão as provas? As coisas não se fazem assim, e agora te falo em segredo. Eu vou explicar a razão por que estou falando assim contigo. Quer isso dizer que não havia outro remédio. Cala-te e escuta e fixa bem que se trata de um segredo... Vê em que consiste o caso. Este inverno, antes de Smith ter morrido, quando o príncipe acabara de regressar de Varsóvia, lançou-se nesta empresa. Embora verdadeiramente a tivesse começado já muito antes, no ano passado. Mas então procurava ele uma coisa e agora anda à procura de outra. O principal de tudo isto é que perdeu a pista. Há treze anos que se separou em Paris da filha de Smith e a abandonou; mas durante todos estes treze anos, ele seguiu-a firmemente, informou-se de que vivia com Heinrich, o mesmo de que nos falaram hoje. Sabia que tinha Nelly ao seu lado e que estava doente. Bem, numa palavra, estava a par de tudo, simplesmente, de repente perdeu-lhe o rasto. E isto aconteceu, segundo parece, na altura da morte de Heinrich, quando a filha de Smith voltou para Petersburgo. Em Petersburgo, naturalmente, não teria tardado em encontrá-la, qualquer que fosse o nome com que ela tivesse regressado à Rússia; mas o certo é que os seus espiões de além fronteira o enganaram com um falso testemunho: fizeram-no acreditar que ela vivia em qualquer aldeola perdida no Sul da Alemanha; é que eles próprios se tinham enganado, por descuido, confundindo as pessoas. Assim esteve a coisa um ano mais. Mas o ano passado o príncipe começou a duvidar; de certos fatos chegara a inferir, já muito antes, que aquilo não podia ser verdade. Depois apareceu-lhe esta interrogação: "Que fora feito da verdadeira filha de Smith?". E lembrou-se (assim, sem o menor indício) de que ela podia estar em Petersburgo. Até então só realizara pesquisas no estrangeiro; mas depois começou a praticá-las aqui; entretanto, pelo visto, não queria servir-se demasiado das vias oficiais, e pôs-se a falar comigo. Fomos apresentados: "Fulano de tal, que trata de investigações várias, como amador" etc., etc. Bem. Então ele foi e explicou-me o assunto, simplesmente de uma maneira obscura, o filho do diabo, escuro e ambíguo. "Cometeram-se muitos erros – repetia algumas vezes – transmitiram-nos os fatos sob várias versões ao mesmo tempo..." Bem como se sabe, por muito espertos que sejam, sempre lhes escapa algum pormenor. Eu, naturalmente, comecei a trabalhar para ele com diligência e honestidade. Numa palavra, com vontade de bem servir; mas, de acordo com a regra a que sempre me atenho, pensando na lei da paternidade (porque há uma lei da paternidade), comecei por dizer para comigo: "Que necessidade tinha ele de me chamar?". E depois: "Atrás da necessidade que apontou, não haverá outra, escondida?". Porque, neste último caso, como tu mesmo poderás compreender, meu caro, com a tua imaginação... ele defraudava-me, porque, admitamos que um dos assuntos valesse um rublo, e o outro, quatro. Pus-me a discorrer e a conjeturar e, pouco a pouco, acabei por formular as seguintes conclusões: um desses assuntos, foi ele próprio quem me declarou; o outro ... tinha de tirá-lo de alguns dos seus servidores, por conta de terceiro, contando com a minha própria habilidade. Hás de perguntar talvez, por que me decidi eu a proceder deste modo. Eis a resposta: bastava a circunstância só de o príncipe se interessar tanto por uma coisa, para eu concluir que ele temia qualquer coisa. Mas, na realidade, que temia ele? Roubara uma filha ao pai, a moça ficara grávida e ele abandonara-a. Bem, que tem isso tudo de especial? Uma travessura simpática e nada mais. Um homem como o príncipe não se inquieta por causa de uma ninharia dessas. Mas o certo é que ele tinha medo... Era aqui que começavam as minhas dúvidas. Eu, meu irmão, acabei por tirar algumas conclusões curiosíssimas, entre outras coisas a propósito de Heinrich. Este, não há dúvida que morreu; mas, por uma das suas primas (agora casada com um padeiro aqui, em Petersburgo), que algum tempo se apaixonara por ele e que continuou a amá-lo durante quinze anos seguidos, apesar da existência do gordo padeiro, com o qual a princípio conviveu oito anos; por esta prima sua, dizia eu, vim a saber, depois de várias diligências, uma coisa importante: Heinrich costumava enviar-lhe, em alemão, geralmente cartas e diários, e antes de ter morrido remeteu-lhe alguns documentos de sua propriedade. Ela, a grande tola, não compreendia a importância dessas cartas e só compreendia os passos em que ele lhe falava da lua, de *Mein lieber Augustin*[42] e também de Vieland, segundo parece. Mas eu arranjei os encontros necessários e, graças a essas cartas, cheguei a novas conclusões. Cheguei ao conhecimento, por, exemplo, da existência do Senhor Smith, do seu dinheiro, da filha que lhe tinham raptado, do príncipe que lhe roubara o seu capital; finalmente, após diversas exclamações, preâmbulos e alegorias, revelou-se-me nessas cartas a verdadeira essência do caso, isto é, Vânia, compreendes-me? Nada de definitivo ... Heinrich escondia-o daquela tonta e só lhe falava por alusões. Pois bem: eu, de to-

---

42   *Meu querido Agostinho*. Título duma alegre canção popular bávara.

das essas alusões, de todo aquele enredo junto, acabei por formar para mim uma interpretação perfeitamente harmônica, isto é: que o príncipe se casara com a filha de Smith. Onde, como e quando se teria casado com ela, se no estrangeiro, se aqui, e onde estavam os papéis? Disso não fazia a mínima ideia. Nada, meu caro Vânia; eu arrepelava os cabelos de furioso e não fazia senão investigar e investigar, de dia e de noite, sempre a investigar! Por fim, dei também com Smith, mas depois morreu de repente. Nem sequer tive tempo de encontrá-lo vivo. Eis senão quando fico sabendo por acaso que morrera uma mulher sobre quem eu tinha as minhas dúvidas, em Vassílievski Óstrov; informo-me e ponho-me na sua pista. Corro a Vassílievski, lembras-te?, foi dessa vez que nos encontramos. Trabalhei muito, então. E por sinal que nessa ocasião Nelly me ajudou muito também...

– Ouve – interrompi-o – achas que Nelly saberá?
– O quê?
– Que é filha do príncipe.
– Aí está, tu também sabes que ela é filha do príncipe – respondeu, olhando-me com uma censura maliciosa. – Mas então, para que me fazes essas perguntas ociosas, homem frívolo? O principal não é isso, mas sim o fato de que não só ela é filha do príncipe como também filha legítima, compreendes?
– Isso não pode ser! – exclamei eu.
– Isso foi o que eu disse também, a princípio: "Não pode ser!", e ainda hoje o digo, às vezes: "Não pode ser!". Mas o que é certo é que pode ser e que há todas as probabilidades de que seja mesmo.
– Não, Maslobóiev, isso não é assim, tu estás devaneando – exclamei. – Não só ela não sabe nada disso como, no fim de contas, é filha natural. Se não fosse assim, como é que a mãe, se possuísse algum documento, qualquer que ele fosse, teria podido suportar tantos dissabores aqui, em Petersburgo e, além disso, deixar a sua filha, depois, em tamanha orfandade? Basta! Isso não pode ser.
– Era isso mesmo o que eu pensava, isto é, até agora, tive-o por indubitável. Mas, apesar de tudo no fundo, a filha de Smith era a mulher menos inteligente e mais tola deste mundo. Era uma mulher extraordinária; imagina unicamente todas as circunstâncias, todo o puro romantismo, toda a estupidez terrena, na dose mais violenta e desaforada. Repara só nisto: logo no princípio, ela não sonhava com outra coisa senão com coisas do Céu na Terra, com anjinhos, apaixonava-se sem saber por quem, era de uma credulidade sem limites e estou convencido de que se tornou louca depois, não porque ele se cansasse dela e a deixasse, mas por se ter enganado com ele, por ele ser capaz de enganá-la e de abandoná-la, pelo seu anjo se ter transformado em lama, cuspindo-lhe em cima e humilhando-a. O seu romântico e aturdido espírito não pôde suportar essa degradação. E para mais, a ofensa: compreendes que ofensa? Com espanto, e sobretudo com orgulho, afastou-se dele, animada de um infinito desprezo. Rompeu todos os laços, todos os documentos, cuspiu-lhe o dinheiro, esqueceu inclusive que não era seu, mas do pai, renunciou a ele como a lama, como a pó, para aniquilar o seu sedutor com a sua grandeza de alma, para poder apontar-lhe o seu roubo e ter direito a desprezá-lo enquanto vivesse; e talvez pensasse também que era uma desonra para ela usar o nome dele, ser sua esposa. Entre nós, o divórcio não existe; mas de fato eles divorciaram-se, e, portanto, como é que ela poderia implorar-lhe a sua ajuda?! Lembra-te que essa, a pobre doida, disse a

Nelly no seu leito de morte: "Não vás com ninguém, trabalha, mata-te a sofrer; mas não vás com ninguém que te chame, seja quem for"; isto é, ainda sonhava que a chamassem e, efetivamente, tinha ocasião de vingar-se outra vez, de aniquilar com o seu desprezo o chamador. Em resumo: em vez de pão era o seu sonho rancoroso que lhe servia de alimento.

Também averiguei muitas coisas a respeito de Nelly, meu amigo, e continuo ainda as minhas indagações. Não há dúvida de que a mãe estava doente, tuberculosa; esta doença dá lugar ao desenvolvimento da maldade e a todo o gênero de ressentimentos; no entanto eu sei de fonte segura, por um indivíduo de casa da Bubnova, que ela escreveu ao príncipe, sim senhor, ao próprio príncipe...

– Escreveu-lhe? E a carta chegou? – exclamei impaciente.

– Ora! Se chegou, ou não, não sei. Uma vez a filha de Smith chegou a acordo com essa tipa (lembras-te de uma moça muito empoada, que havia em casa da Bubnova? Agora está numa casa de correção); foi por intermédio dela que pensou enviar a carta, e chegou a escrevê-la, simplesmente arrependeu-se e não a enviou; isto aconteceu três semanas antes da sua morte... Pormenor significativo: se já uma vez se decidira a escrever-lhe, não tem importância de maior que depois recolhesse a carta: podia ter-lhe escrito outra vez. Na realidade não sei se teria chegado ou não a enviar-lhe outra carta; mas tenho razões para supor que não, pois o príncipe só veio a saber que ela vivia em Petersburgo depois da sua morte. Devia ter ficado bem contente!

– Sim, lembro-me de Alhocha ter falado de certa carta que o pôs de muito bom humor; mas isto foi – ainda há pouco tempo, quando muito há uns dois meses. Bem. E que mais, que mais? Como estavas tu com o príncipe?

– Como estava com o príncipe?! Ora vê: a convicção moral mais absoluta e nem uma prova terminante... Uma posição verdadeiramente crítica. Seria preciso fazer investigações no estrangeiro, mas em que ponto do estrangeiro? Não sabia. É claro que eu compreendi que tinha na minha frente a perspectiva de uma luta, que só podia assustá-lo com alusões, dar-lhe a entender que sabia mais do que realmente sei...

– Bem, e então?

– Para falar verdade, digo-te que tinha muito medo, a tal ponto que ainda hoje continuo a tê-lo. Tivemos várias entrevistas. Como ele sabia fingir! Uma vez, ele próprio se pôs a contar-me tudo, espontaneamente. Pensava que eu sabia tudo. Contou bem, com sentimento, com sinceridade... Claro que, inconscientemente, mentia. E pude ver então até que ponto ele me temia. Durante algum tempo fingi perante ele que era um toleirão que queria dar-se ares de espertalhão. Ele se assustou estupidamente, isto é, com uma estupidez afetada; eu me comportava com ele de um modo propositadamente grosseiro; comecei a ameaçá-lo ... Bom; tudo isso com o fim de que ele me tomasse por um simplório e começasse, a dar com a língua nos dentes. Mas o velhaco é finório... De outra vez fui procurá-lo bêbado e procurei enganá-lo assim; mas o malandro nem assim! Tu, meu amigo, deves compreender o caso, Vânia, é que eu precisava absolutamente de avaliar até que ponto ele tinha medo de mim e, em segundo lugar, fazer-lhe acreditar que sabia mais do que realmente sei.

– Bem, e em que ficou a coisa?

– Em nada. Eram necessárias provas, fatos, e eu não os tinha. Ele só compreendeu uma coisa: é que, fosse como fosse, eu podia fazer escândalo. É claro que receava o escândalo, tanto mais que começava a arranjar relações aqui. Sabes que vai casar?

– Não.

– Para o ano que vem. Até ao ano passado ainda não conhecia a noiva; contava ela então catorze anos; agora tem quinze, segundo parece e ainda usa saias curtas, a pobrezinha. Os pais estão contentíssimos. Compreendes como lhe convinha que a mulher tivesse morrido? A futura esposa é filha dum general, moça de dinheiro, de muito dinheiro[43]. Eu, meu amigo, nunca me casarei assim... Era a única coisa que nunca perdoaria a mim próprio nesta vida! – exclamou Maslobóiev, descarregando um soco forte sobre a mesa. – E... ainda há duas semanas me cuspiu... Malandro!

– Como foi isso?

– Como eu te vou dizer. Vi que ele compreendia que eu não tinha em meu poder nenhuma prova terminante, e, por fim, pensei que quanto mais se prolongasse o assunto, tanto mais cedo, naturalmente, havia de descobrir nele a minha impotência. Numa palavra: acabei por receber dele dois mil rublos.

– Apanhaste dois mil rublos!

– De prata, Vânia, e bem me custou recebê-los. Um assunto destes deveria render mais do que dois mil rublos! Aceitei-os com vergonha. Estavam diante dele como daquele a quem cospem. Dizia ele: "Eu ainda não lhe paguei as suas diligências anteriores, Maslobóiev (quando, por essas diligências anteriores, me pagara já, não havia muito, cento e cinquenta rublos, segundo o combinado), e tenho de partir em viagem; por isso aqui tem dois mil rublos e espero que, com isto, o nosso assunto possa dar-se por perfeitamente liquidado". Eu lhe respondi: "Perfeitamente liquidado, príncipe"; mas não me atrevia a olhá-lo na sua feia cara, e pensei: "Agora deve pensar também: aceitaste então esta grossa quantia? Parece-te suficiente, não? Pois, estou dando é por pura bondade para com um imbecil!". Nem me lembro como saí dali!

– Isso é uma baixeza, Maslobóiev! – exclamei. – E com Nelly, como procedeste?

– Uma baixeza é pouco, é qualquer coisa digna do presídio, é uma porcaria. É... é... Bem, não há palavras para qualificá-lo!

– Meu Deus! Ele, pelo menos, tem obrigação de assegurar a vida de Nelly.

– Qual obrigação?! Como pode ele ser obrigado? Assustando-o? Ele não se assusta. Não vês que eu já aceitei o dinheiro? Eu próprio reconheci perante ele que todo o medo que poderia infundir-lhe valia dois mil rublos de prata; fui eu próprio que me taxei por esse preço. Como assustá-lo, agora?

– De maneira que o caso de Nelly acabou aí? – exclamei quase desesperado.

– Não se trata disso! – exclamou Maslobóiev com veemência e como se estremecesse todo. – Não, não será com isso que eu o assustarei. Vou acometê-lo agora com um caso novo, Vânia, é ponto já assente. Que importa que lhe tenha aceitado os dois mil rublos? Que me importa isso? Eu, no fim de contas, tomo como ofensa o fato de que ele, o grande gozador, me tenha enganado e ainda por cima tenha dado risada de mim. Enganou-me e ainda riu por cima. Não, eu não consinto que riam de mim... Agora vou pôr mãos à obra a respeito de Nelly. Depois de ter feito algumas observações, estou convencido de que nela está a chave deste assunto. Ela sabe tudo, tudo... Foi a mãe que lhe contou. Nas suas horas de febre, nos seus momentos

---

[43] O tema do casamento por interêsse foi já tratado pelo autor em *Uma árvore de natal e um casamento*.

de tristeza, pode muito bem ter-lhe contado tudo. Não tinha ninguém com quem desabafar – insinuou – portanto, desabafaria com ela. E é possível que arranjemos algum documento – acrescentou com grande entusiasmo. – Compreendes agora, Vânia, por que ando eu por aqui de nariz no ar? Em primeiro lugar, pela amizade que te tenho, disso nem é preciso falar; em segundo porque ando observando Nelly, e em último, amigo Vânia, quer queiras quer não, tens a obrigação de apoiar-me, visto que tens tanta influência sobre Nelly.

– Juro – exclamei – e espero, Maslobóiev, que tu, e isto é o principal, farás esse esforço por Nelly, por uma pobre órfã ofendida e não por puro interesse pessoal...

– Mas por que lucro havia eu de esforçar-me num caso destes, criatura! Trata-se apenas de agir... isso é o principal! Não só em relação a uma órfã como em relação ao amor à Humanidade. Mas tu, Vaniuchka, não me julgues mal, pelo fato de velar pelos meus interesses. Eu sou pobre e ele não se coíbe de ofender os pobres. Roubou-me o que me pertencia e, além disso, enganou-me de uma maneira vil. De maneira que eu, a teu ver, havia de estar com cerimônias com um patife destes? *Morgen früh!*[44]

*

Mas a nossa festa floral do dia seguinte não teve êxito. Nelly piorou e não pôde já sair do seu quarto.

Nunca mais tornou a sair daquele quarto.

Morreu duas semanas depois. Durante essas duas semanas da sua agonia, nem uma só vez tornou a recuperar por completo o conhecimento nem conseguiu libertar-se dos seus estranhos desvarios. Parecia ter as faculdades embotadas. Esteve firmemente convencida, até morrer, de que o avô a chamava e se zangava com ela porque não lhe ligava importância, que lhe batia com o bordão e a mandava sair para pedir esmola para pão e tabaco. Muitas vezes desatava a chorar em sonhos, e depois, quando acordava, dizia que tinha visto a mãe.

Às vezes parecia recuperar completamente o raciocínio. Em certa ocasião, estávamos os dois sós, chegou-se para mim e segurou as minhas mãos com as suas, descarnadas, ardentes do calor da febre.

– Vânia – disse-me – quando eu morrer, casa com Natacha.

Esta, pelo visto, era a sua constante e antiga obsessão. Sorri-lhe em silêncio. Quando viu o meu sorriso, sorriu também com uma expressão animada, ameaçando-me com os seus dedinhos descarnados e em seguida pôs-se a dar-me beijos.

Três dias antes da sua morte, numa esplêndida tarde de verão, pediu que erguêssemos as cortinas e abríssemos a janela do seu quarto. Essa janela dava sobre o jardim; contemplou durante muito tempo a verdura exuberante e o sol, que se punha e de repente pediu que nos deixassem sozinhos.

– Vânia – disse-me com uma voz quase imperceptível, pois estava já muito fraca – eu vou morrer em breve, muito em breve, e quero pedir que te lembres

---

44 Amanhã cedinho! Nem o penses!

de mim. Quero deixar-te isto como recordação – e mostrava-me uma bolsinha que trazia ao peito, juntamente com uma pequena cruz. – Isto minha mãe me deixou-quando morreu. Olha, quando eu morrer, pegas esta bolsinha, abres e lês o que nela está escrito. Hei de dizer hoje a todos que não a deem a mais ninguém senão a ti. E assim que tiveres lido o que lá está escrito, irás vê-lo a ele e dirás que eu morri sem perdoar-lhe. Diz-lhe também que ainda há pouco acabei de ler os Evangelhos. Aí diz: "Perdoai a todos os vossos inimigos". Bem, pois eu, embora tivesse lido isso, não lhe perdoei a ele; porque a minha mãe, a morrer, quando ainda podia falar, a última coisa que disse, foi: "Maldito seja!". Por isso eu também o amaldiçoo, e amaldiçoo-o, não por mim mas pela minha *mamacha*. Vais lhe dizer também como morreu a minha mãe e me deixou sozinha com a Bubnova, conta-lhe como foste encontrar-me em casa dela; conta-lhe tudo, tudo, e diz-lhe ainda que, apesar de tudo, eu preferi ficar com a Bubnova a ir ter com ele...

Quando disse isto Nelly empalideceu, os seus olhos chisparam fogo e o coração começou a bater-lhe com tanta força que se deixou cair sobre a almofada e durante um momento não pôde dizer uma palavra.

– Chama-os, Vânia – disse, finalmente, com uma voz fraca. – Quero despedir-me de todos. Adeus, Vânia!

Abraçou-me com muita força pela última vez. Os outros entraram todos. O velho não queria acreditar que ela estivesse morrendo, não se conformava com essa ideia. Esteve até ao último momento discutindo conosco, afirmando que ela havia de recuperar a saúde, com certeza. Passava dias e noites à cabeceira de Nelly, muito preocupado... Na última noite nem dormiu. Esforçava-se por adivinhar o mais pequeno desejo, o mais leve capricho de Nelly; e quando vinha ter conosco, chorava amargamente, embora passado um momento já estivesse outra vez cheio de esperança e procurasse convencer-nos a todos de que ela estava a restabelecer-se. Encheu o seu quarto de flores. Uma vez comprou um ramo de magníficas rosas, brancas e vermelhas, teve de ir buscá-las longe, e trouxe-as à sua Nelly... Ela ficava muito comovida com tudo isto. Não podia corresponder com todo o seu coração a um carinho tão desvelado. Nessa noite, na noite em que se despediu de mim, o velho não queria convencer-se a despedir-se dela para sempre. Nelly sorria e toda a noite fez esforços para parecer contente, dirigiu-lhe gracejos e até se riu com ele... Todos nós nos separamos dela quase esperançados; mas no dia seguinte já não podia falar. Duas horas depois estava morta.

Lembro-me de como o velho encheu o seu féretro de flores e com que desespero contemplava a sua carinha definhada, com aquele seu sorriso e as mãozinhas cruzadas sobre o peito. Chorava por ela como por uma filha. Natacha, eu, todos nós fazíamos por consolá-lo; mas ele não admitia consolações e adoeceu gravemente depois do enterro de Nelly.

Foi a própria Anna Andriéievna quem entregou a bolsinha que ela trazia ao pescoço. Nessa bolsinha estava a carta da mãe de Nelly para o príncipe. Li-a no dia da morte de Eliena. Dirigia-se ao príncipe para amaldiçoá-lo; dizia-lhe que não conseguia perdoar-lhe; descrevia-lhe toda a vida que ultimamente tinha levado, todos os horrores no meio dos quais deixava Nelly e terminava pedindo-lhe que fizesse alguma coisa pela pequena. "É sua filha – dizia – e o senhor mesmo sabe que é sua filha verdadeira. Ordeno-lhe que vá vê-lo quando eu morrer e entregue a ele, esta carta, nas suas próprias mãos. Se não repelir Nelly, pode ser que eu lhe perdoe de lá e que no dia do Juízo seja testemunha perante Deus e interceda perante o Juiz para que lhe perdoe os seus pecados. Nelly conhece o texto da minha carta: leu-o, eu contei-lhe tudo, ela sabe tudo, tudo..."

Mas Nelly não cumpriu a sua promessa; sabia tudo; mas não foi procurar o príncipe e morreu sem reconciliar-se com ele.

Quando voltávamos do funeral de Nelly, eu e Natacha fomos para o jardim. Estava um dia quente, de sol radioso. Daí a uma semana, eles partiriam. Natacha pousou sobre mim um olhar longo, estranho:

– Vânia! – disse ela. – Olha, Vânia, foi tudo um sonho!

– O que é que foi um sonho? – perguntei-lhe.

– Tudo, tudo – respondeu ela. – Tudo quanto se passou este ano, Vânia. Por que teria eu destruído a tua felicidade?

E eu li no seu olhar: "Podíamos ter vivido sempre felizes juntos!".

Memórias da casa dos mortos

Memórias da casa dos mortos
(1860)

Introdução

Nas remotas regiões da Sibéria, no meio da estepe, de montanhas e de bosques impenetráveis, encontram-se às vezes povoações de mil e até de dois mil habitantes, com casas de madeira desmanteladas e com duas igrejas – uma na povoação e a outra no cemitério – povoações que se assemelham mais a fazendas dos arrabaldes de Moscou do que a aldeias; de maneira geral contam até com comissários de Polícia, conselheiros e outros funcionários subalternos. Na Sibéria, apesar do frio, o serviço é quase sempre moderado e as pessoas levam uma vida simples e com poucas liberdades; seguem regras antigas, sólidas, consagradas pelos séculos. Os funcionários, que na realidade desempenham o papel da nobreza siberiana, são moradores, siberianos de origem ou vindos da Rússia, na sua maior parte da capital, atraídos pelo ordenado certo, o pagamento dobrado e as sedutoras ilusões para o futuro. Entre eles, aqueles que conseguem decifrar o enigma da vida, quase sempre ficam na Sibéria e aí se fixam com prazer. Depois acumulam riquezas, recompensas saborosas. Mas os outros, gente desorientada e que não sabe penetrar o enigma da existência, depressa se cansam da Sibéria e a si próprios perguntam tristemente qual o motivo por que foram atraídos para aí. Aguardam com impaciência o fim estipulado do seu serviço, – três anos – pedem imediatamente a transferência e regressam a suas casas, falando mal da Sibéria e troçando dela. Não têm razão, pois não só do ponto de vista do serviço, como em muitos outros, se pode abençoar a Sibéria, que tem um clima excepcional, é notável pelos seus ricos e hospitaleiros mercadores e pelos seus dignos habitantes. As moças têm uma linda cor e são muito honestas. As aves de caça voam pelas ruas e vão cair nas mãos do caçador. O champanhe bebe-se mais do que se deve. O caviar é maravilhoso. Em algumas fazendas tiram-se cinco colheitas... De maneira geral, a terra é de uma fertilidade espantosa. O que é preciso é saber aproveitá-la. E na Sibéria sabem fazê-lo.

Foi numa dessas aldeiazinhas alegres, que se provêm a si próprias, muito bem situadas, cuja recordação se conserva indelével no meu coração, que vim a conhecer Alieksandr Pietróvitch Goriântchikov, colono, pertencente à nobreza da Rússia e proprietário, que depois foi presidiário de segunda categoria[1] por ter assassinado a mulher, e até ao término dos dez anos de presídio impostos pela lei, levava uma existência plácida e ignorada, como colono, na cidade de K***. Verdadeiramente, estava registrado em uma comuna suburbana, mas vivia na aldeia, onde tinha oportunidade de ganhar alguma coisa, o que o ajudava a manter sua casa, dando aulas às crianças. É frequente encontrar na Sibéria professores que são colonos forçados, e que não são exigentes. Ensinam principalmente francês até onde é indispensável para a vida, e do qual não teriam, nestas remotas regiões da Sibéria,

---

[1] Presos do forte, sob comando militar. Prisão mais dura, não só para os nobres, mas também para os outros presos, precisamente porque o chefe e a estrutura dessa categoria eram inteiramente militares. Comando militar severo, regime mais apertado, sempre com cadeias e sentinelas à vista.

a menor notícia a não ser por meio deles. Conheci Alieksandr Pietróvitch em casa dum velho funcionário, prestável e hospitaleiro, Ivan Ivânovitch Gvósdikov, pai de cinco mocinhas de várias idades e que prometiam todas vir a ser belas. Alieksandr Pietróvitch ensinava-as três vezes por semana, a trinta copeques de prata por aula. O seu aspecto exterior interessou-me. Era um homem extremamente pálido e seco, novo ainda, de uns trinta e cinco anos, baixinho e adoentado. Andava sempre muito bem arumado, vestia à europeia. Quando alguém falava com ele ficava olhando a pessoa, fixa e atentamente; escutava com muita atenção todas as palavras que lhe dirigíamos, como se refletisse ao mesmo tempo, como se com a nossa conversa lhe apresentássemos algum problema ou quiséssemos arrancar-lhe um segredo e, finalmente, respondia com clareza e laconismo, pesando cada palavra da sua resposta, de maneira que se acabava por sentir um certo mal-estar e, por fim, todos se alegravam com o fim do diálogo. Dessa vez perguntei eu a Ivan Ivânitch pelo seu passado, e fiquei sabendo que Goriântchikov vivia de maneira irrepreensível e honesta; aliás, se assim não fosse, também Ivan Ivânitch não lhe teria confiado as filhas; apesar disso era um homem estranho. Escondia-se de toda a gente; era muitíssimo culto e lia muito, mas falava pouco e, de maneira geral, era difícil entabular conversa com ele. Alguns afirmavam que ele estava louco, embora reconhecessem ao mesmo tempo que isso não era nenhum defeito grave, e, por outro lado, a maior parte das pessoas importantes da cidade estavam dispostas a usarem de todas as atenções para com Alieksandr Pietróvitch, a fim de que ele lhes redigisse as petições, etc. Calculavam que devia provir de uma boa família russa, talvez de elevada condição, mas sabiam que ele, desde que entrara para a colônia penal, cortara todo gênero de relações com ela. Numa palavra: que se tinha assim prejudicado. Entre nós, todos conheciam a sua história; sabiam que tinha morto a mulher, ainda no primeiro ano de casados; que a tinha morto por ciúmes, e depois, que ele próprio se tinha entregue à Justiça, o que suavizara muito a sua condenação. Crimes deste gênero são sempre considerados como desgraças e tem-se sempre pena dos seus autores. Mas, apesar de tudo isto, esse homem extravagante fugia teimosamente de toda a gente e só aparecia junto dos outros para dar as suas aulas.

A princípio não lhe liguei grande importância, mas não sei por que, pouco a pouco fui-me interessando. Tinha qualquer coisa de enigmático. De conversar com ele, não havia nem a mais leve possibilidade. É verdade que respondia sempre às minhas perguntas e até de uma maneira tal como se considerasse isso um dos seus primeiros deveres; mas depois das respostas ficava difícil continuar a interrogá-lo, pois refletia-se sempre no seu rosto, depois desses colóquios, um certo sofrimento e um certo cansaço. Lembro-me de uma vez em que eu saí, em sua companhia, por uma bela tarde de verão, da casa de Ivan Ivânitch. De repente lembrei-me de convidá-lo para entrar um momento em minha casa e fumar um cigarro. Não sou capaz de descrever o espanto que transpareceu no seu rosto; ficou completamente atrapalhado, começou a murmurar palavras incoerentes olhando-me com maus olhos, e saiu correndo para o passeio que ficava em frente. Eu me quedei, espantado. A partir daí, sempre que se encontrava comigo olhava-me com uma espécie de medo. Mas eu não me conformava com isto; havia qualquer coisa nele que me atraía e, passado um mês, fui eu mesmo procurar Goriântchikov. É verdade que me conduzi nessa ocasião de maneira rude e pouco delicada. Ele vivia precisamente no limite da povoação, em casa de uma velha que tinha uma filha tuberculosa, mãe por sua vez de uma filha natural, uma garotinha de dez anos, muito gentil e alegre. Nesse momento, quando eu entrei no seu quarto, Alieksandr estava sentado junto dela e ensinava-a a ler. Quando me viu ficou de tal maneira perturbado, como se eu tivesse vindo propor-lhe algum crime. Atrapalhou-se, saltou da cadeira e ficou a fitar-me com uns olhos exorbitados. Finalmente sentamos; ele seguia atentamente cada um dos meus olhares como se receasse descobrir neles algum segredo especial. Percebi que era extraordinariamente desconfiado. Olhava-me com aborrecimento, como se me perguntasse: "Mas, quando te irás tu embora?". Pus-me a falar-lhe sobre a povoação, das notícias que corriam; ele abanava a cabeça e sorria, malicioso; não só parecia que ignorava as notícias mais correntes e conhecidas de todos, na cidade, como também que não tinha nenhum interesse em conhecê-las. Falei-lhe depois do nosso país, das suas necessidades, ele me escutou em silêncio e olhava-me nos olhos de um modo tão estranho que cheguei a recear perder o fio à conversa. Além disso, pouco faltou para que o aborrecesse por causa de uns livros e jornais novos que eu trazia debaixo do braço, acabados de chegar pelo correio, quando os ofereci com uma certa hesitação. Fixou sobre eles um olhar ávido, mas mudou imediatamente de intenção e recusou a oferta, alegando que não tinha tempo para os ler. Finalmente, despedi-me dele e, quando saí de sua casa, parecia que trazia sobre o peito um peso insuportável. Sentia-me envergonhado e parecia-me uma vileza extraordinária desejar o convívio de um homem que procurava precisamente resolver o seu problema principal, isto é, a maneira de esconder-se de toda a gente. Mas o que está feito, feito está. Lembro-me de que não vi quase livros nenhuns em sua casa e, portanto, não era verdade aquilo que diziam, de que ele lia muito. Entretanto, quando por duas vezes passei, já noite avançada, em frente da sua janela, vi luz. Que faria ele acordado, assim, a altas horas? Não lia. Então que fazia?

Circunstâncias várias fizeram com que eu me afastasse da povoação por três meses. Quando regressei, soube que Alieksandr Pietróvitch tinha morrido nesse outono, na maior solidão, e que nem uma só vez tinha chamado o médico.

Na povoação, já quase todos o tinham esquecido. O seu alojamento estava vago. Pus-me imediatamente em comunicação com a dona da casa em que ele vivia, com o intento de conseguir alguns informes: a que se dedicava, concretamente, o seu hóspede? Talvez escrevesse... Por uma moeda de vinte copeques trouxe-me um cesto de madeira de tília cheio de papéis deixados pelo falecido. A velha confessou-me que já utilizara dois cadernos completos. Era uma mulher desabrida e taciturna, de quem era difícil obter respostas claras. A respeito do hóspede não podia dizer-me nada de novo. A avaliar pelas suas palavras, raramente fazia qualquer coisa, e passava meses e meses sem abrir um livro ou pegar numa pena; além disso levava a noite toda passeando, ora para um lado ora para outro, no quarto e, às vezes, até falava sozinho; gostava muito e fazia muitas festas à sua netinha, Kátia, sobretudo desde que soube que lhe chamavam Kátia; e ia sempre ouvir uma missa de réquiem no dia de Santa Ekatierina. Visitas, não as suportava. Apenas saía de casa para dar aula às crianças; chegava a zangar-se com ela, com a velhota, quando ela ia uma vez por semana ao quarto para arrumá-lo e, durante três anos completos, quase nunca lhe dirigiu uma palavra. Perguntei a Kátia se se lembrava do seu professor. Ela me olhou em silêncio, encostou-se à parede e começou a chorar. Donde se via que até aquele homem encontrara alguém que gostasse dele.

A mulher trouxe os papéis e fiquei a lê-los todo o dia. Três quartas partes desses papéis estavam em branco, continham apontamentos insignificantes ou exercícios de caligrafia. Mas havia um caderno mais pequeno, bastante volumoso, escrito numa letra miúda e inacabado, talvez abandonado ou esquecido pelo próprio autor. Era uma descrição, embora incoerente, dos dez anos de vida de presídio que Alieksandr Pietróvitch sofrera. De vez em quando esta descrição era interrompida por outras narrativas, por estranhas e espantosas evocações, escritas com mão nervosa, convulsa, como debaixo de algum temor. Reli várias vezes esses passos e fiquei quase convencido de que tinham sido escritos por um louco. Mas os apontamentos do presidiário, *Cenas da casa dos mortos*, conforme ele os chamava em qualquer passagem do seu manuscrito, não me pareciam isentos de interesse. Todo esse mundo completamente novo, desconhecido até agora; algumas observações particulares a respeito desses homens perdidos, seduziram-me e inspiraram-me uma certa curiosidade. É claro que posso estar enganado. Para contraprova escolhi, no princípio, dois ou três capítulos. O público julgará...

Capítulo primeiro / A casa dos mortos

O nosso presídio erguia-se no limite da fortaleza, mesmo dentro do bastião. Se alguém pensasse em olhar através dos intervalos do muro para a luz do sol, não veria nada... isto é, veria unicamente uma nesguinha de céu por cima do alto baluarte de terra, sacudido pelos furacões; e que à frente e atrás do baluarte, de dia e de noite, passeavam as sentinelas; e logo a seguir pensaria, esse alguém, que teriam já decorrido muitos anos, voltaria a olhar pelas fendas do muro e tornaria a ver apenas o baluarte, as mesmas sentinelas e essa mesma nesguinha de céu, não desse céu que fica sobre a prisão, mas de outro céu, longínquo e livre. Imaginem um grande casarão, de duzentos passos de comprimento por cento e cinquenta de largura, rodeado a toda a volta por um alto muro em forma de hexaedro irregular; isto é, por uma fiada de altos postes cravados profundamente na terra, fortemente ligados uns aos outros por meio de cordas reforçadas com triângulos transversais e virados para cima: eis a cerca exterior do presídio. Num dos lados deste recinto estava a porta do forte, sempre fechada, e sempre, de dia e de noite, guardada por sentinelas; somente se abria quando era preciso sair para o trabalho. Para além dessa porta ficava o mundo luminoso e livre, viviam as pessoas normais. Mas aquém do recinto, esse mundo parecia para nós como uma história inverossímil. Na parte de dentro ficava um mundo especial, que não se parecia já nada com o outro, que tinha as suas leis especiais, os seus trajes, as suas regras e costumes, uma casa de mortos de além-túmulo, e uma vida... como não existe em lugar algum, e pessoas singulares. Pois é esse recanto especial que me proponho descrever.

Quando se entra nesse recinto veem-se alguns edifícios. De ambos os lados do espaçoso pátio interior erguem-se dois compridos pavilhões de madeira, de um só andar. São os alojamentos. Aí ficam os presos, distribuídos por categorias. Depois, ao fundo do recinto, há outra jaula idêntica: é a cozinha, dividida em duas seções;

mais além outra barraca, onde, debaixo do mesmo teto, se encontram a adega, os armazéns e a cavalariça. O centro do pátio, vazio, é um descampado plano e muito espaçoso. É nele que os presos formam para a revista, quando então são também contados, de manhã, ao meio-dia e à tarde, e às vezes também durante o resto do dia... conforme a desconfiança dos vigilantes e a sua aptidão para contar depressa. Em redor, entre os barracões e a taipa, resta ainda um espaço bastante extenso. É aí, junto do barracão traseiro, que alguns dos presos, de caráter mais arredio e severo, gostam de refugiar-se, nos momentos de ócio, às escondidas de todos os olhares, para se porem a meditar, sozinhos. Quando me encontrava com eles, na hora desses passeios, gostava de contemplar os seus rostos desconfiados e sulcados de cicatrizes, procurando adivinhar o que pensavam. Havia um deportado cuja ocupação favorita nos momentos livres consistia em contar os postes da paliçada – que eram mil cento e cinquenta – e andava sempre a contá-los e a olhar para eles. Cada poste significava para ele um dia; cada dia punha um de lado, e assim, pelo número deles que ainda lhe restavam, podia saber com um simples olhar quantos lhe faltavam para passar na prisão até chegar o fim dos seus trabalhos forçados. Ficava muito satisfeito quando esgotava um dos lados do hexágono. Ainda lhe faltavam alguns anos; mas no presídio havia tempo de sobra para se aprender a ser paciente. Uma vez assisti à despedida de um preso que passara vinte anos no presídio e que alcançara finalmente a liberdade. Havia alguns dos seus companheiros que se recordavam de como ele entrara na prisão, da primeira vez, jovem, despreocupado, sem pensar no seu crime nem no castigo. Saiu depois, já velho, com uma cara azeda e severa. Atravessou em silêncio todos os nossos seis pavilhões. Quando entrava em cada um deles rezava umas orações, e depois, curvado, abraçava os camaradas pedindo-lhes que não guardassem dele uma má recordação... Também em certa ocasião, era já de noite, vieram chamar à porta um preso que anteriormente fora um abastado camponês siberiano. Meio ano atrás recebera a notícia de que a mulher voltara a casar, o que lhe causou uma grande impressão. Nessa ocasião era ela quem vinha pessoalmente ao presídio, quem o chamava e lhe entregava uma esmola. Falaram durante dois minutos, choraram os dois e despediram-se para sempre. Vi o seu rosto, quando voltou para o pavilhão... Sim, naquele lugar podia aprender-se a ser paciente.

 Quando começava a escurecer, éramos trancados nos alojamentos, onde ficávamos recolhidos toda a noite. A mim custava-me sempre transpor os umbrais do nosso alojamento, que era uma sala comprida, de teto baixo e abafada, torvamente alumiada por velas de sebo que emanavam um vapor pesado e sufocante. Não compreendo agora como é que pude viver aí dez anos. A esteira que forrava a enxerga em que eu dormia abrangia três tábuas, não mais. Sobre essas esteiras dormiam trinta homens em cada alojamento. No inverno recolhiam-nos cedo; demoravam quatro horas a encurralar-nos a todos. E, entretanto... vozes, ruídos, risos, disputas, barulho de cadeias, caras com cicatrizes, roupas em farrapos, insultos com palavras ofensivas... Sim, homens endurecidos. O homem é um ser que a tudo se habitua, e esta é, a meu ver, a melhor das suas qualidades.

 Viviam ao todo no presídio duzentos e cinquenta homens, número que se mantinha quase constante. Uns entravam, outros acabavam de cumprir a sentença e saíam, e outros ainda morriam ali dentro. E que tipos tão variados! Julgo que todos os governos, todas as comarcas da Rússia tinham ali os seus representantes. Havia também estrangeiros; havia até alguns deportados das montanhas caucásicas. Toda essa gente estava dividida segundo os graus da sua delinquência e, por conseguinte, segundo o número de anos que lhe tinham imposto de pena. É legítimo supor que não devia haver delito algum que não estivesse ali representado. A categoria principal da população de presos era composta pelos deportados-presidiários, de classe civil (os forçados, como ingenuamente lhes chamavam os próprios presos). Eram delinquentes completamente privados de direitos civis, radicalmente separados da sociedade, de rostos marcados, como testemunho eterno do seu repúdio. Tinham sido enviados para trabalhos forçados pelo tempo de oito ou doze anos, cumpridos os quais os destinavam, como colonos, a qualquer lugar da região siberiana... Havia também delinquentes de direito de guerra, não privados dos direitos civis, como era norma geral nas companhias de presos militares russos. Eram deportados por pouco tempo, passado o qual tornavam a enviá-los para os pontos de procedência como soldados dos batalhões siberianos de linha. Muitos deles regressavam logo a seguir para o presídio como reincidentes graves; e então já não por um breve período de tempo, mas por vinte anos. A esta categoria de presos chamava-se perpétua. Mas estes perpétuos também não estavam privados de direitos civis. Finalmente, havia ainda outra categoria de delinquentes, muito estranhos, na sua maioria militares e bastante numerosa. Chamavam-lhe a seção especial. Vinham de toda a Rússia os delinquentes que a compunham. Consideravam-se a si mesmos como perpétuos e não sabiam qual era o limite da sua pena. Do ponto de vista legal deviam duplicar e triplicar o termo dos seus trabalhos. Antes da descoberta da Sibéria, realizavam nos presídios os trabalhos forçados mais duros. "Vocês têm um limite, mas nós temos presídio para muito tempo", diziam, quando falavam com os outros, à maneira de conclusão. Soube depois que tinham suprimido esta categoria. Além disso suprimiram também no nosso forte a categoria civil, mas estabeleceram uma companhia geral de presos militares. Escusado será dizer que também aqui se notava o dedo da administração. Mas eu estou aqui a descrever qualquer coisa já velha, que mudou já faz tempo e já vai longe...

  É verdade que faz um certo tempo que tudo isso aconteceu; vejo eu agora tudo isso como num sonho. No entanto ainda me lembro da minha entrada no presídio. Foi numa tarde do mês de outubro. Começara já a escurecer; os presos voltavam do trabalho; preparavam-se para fazer a chamada. Um suboficial de grandes bigodes foi quem veio abrir-me as portas desta estranha casa, onde eu havia de passar tantos anos e de sofrer tantas comoções, que, se não as tivesse experimentado eu mesmo, não poderia agora fazer delas uma ideia nem sequer aproximada. Por exemplo, nunca pude compreender este fato estranho e misterioso de que, durante os dez anos precisos que durou minha clausura, nem uma só vez, nem por um minuto sequer, me visse só. Para o trabalho ia sempre numa caravana, em casa estava sempre com os meus dois companheiros, um de cada lado, e nem uma vez sequer, nem uma só vez... sozinho. Pois também a isso tive de habituar-me.

  Havia ali criminosos ocasionais e criminosos de profissão; bandidos e chefes de bandoleiros. Havia, simplesmente, batedores de carteira e vagabundos, cavalheiros de indústria de todo gênero, e havia também os que deixavam uma pessoa ficar perplexo. Por que estariam no presídio? Mas todos tinham a sua história, turva e densa como os vapores da bruma vespertina. De maneira geral, falavam pouco do seu passado, não gostavam de evocá-lo, e era evidente que se esforçavam por não pensar nele. Conhecia alguns destes delinquentes, de temperamento tão alegre, a tal ponto despreocupados, que seria possível apostar que nunca deixavam escapar uma queixa, pelo menos conscientemente. Mas também se viam caras sombrias, quase sempre silenciosas. Raras vezes alguém contava a sua vida, e a curiosidade não era moda nem hábito ali. Se algum, vez por outra, se punha a falar da sua vida, por se sentir aborrecido, era escutado com frieza e com uma atitude áspera. Ninguém ali podia provocar a admiração de ninguém. "Nós sabemos ler e escrever", diziam alguns com vaidade. Entretanto, lembro-me de como certo bandido, já bêbado (às vezes era possível beber no presídio), se pôs um dia a contar como estrangulara um rapaz de quinze anos, como começara por lhe apertar o pescoço; e que o conduzira para um lugar deserto, de brincadeira, e aí o matara. Todos os do alojamento, que até então o tinham por bobo, levantaram a voz em uníssono e o bandido viu-se obrigado a calar-se; não foi por horror que todos gritaram, mas sim porque não era preciso falar daquilo, porque não era costume falar daquilo. Devo informar que, de fato, aqueles homens sabiam ler e escrever, não em sentido figurado, mas real. Na verdade, mais de metade deles sabiam ler e escrever. Em que outro lugar, onde as pessoas russas se reúnam em grande número, se poderia arranjar um grupo de duzentos e cinquenta homens, metade dos quais soubesse ler e escrever? Ouvi dizer depois a não sei quem, fundamentando-se em dados semelhantes a estes, que a instrução perde os homens. Isso é um erro; existem outras causas muito diferentes, embora não se possa deixar de concordar que a instrução fomenta no povo o espírito de suficiência. Por isso abunda em todos os lados.

Todas as seções se distinguiam pela roupa; uns usavam umas pequenas capas, metade de cor escura e a outra metade amarela, e as calças, da mesma maneira, tinham uma perna amarela e outra escura. Uma vez, no lugar marcado para o trabalho, uma moça que vendia tortas aos presos olhou-me durante muito tempo e de repente desatou a rir:

– Mas que engraçado! – exclamou. – Não tinham bastante pano amarelo e o prêto também não lhes chegou!

Também havia presos que usavam a capa de uma só cor, amarelo; mas, em compensação, tinha as mangas pretas. E também traziam a cabeça rapada de uma maneira diferente: uns tinham a abóbada do crânio rapada ao comprido, outros, de través.

À primeira vista era fácil notar certos traços comuns em toda essa estranha família. As personalidades mais originais, aquelas que dominavam involuntariamente, procuram apagar-se e adotar o tom geral da penitenciária. Direi que, de maneira geral, toda essa gente, salvo raras exceções, composta de indivíduos de uma jovialidade inesgotável, e que por isso sofriam o desprezo geral de toda a colônia penal... era uma gente desconfiada, invejosa, intrigante, vaidosa, irascível, e formalista no mais alto grau. A maior virtude, ali, era o dom de não sentir admiração fosse pelo que fosse. Viviam todos preocupados com a maneira de se conduzirem no exterior. Mas não eram poucas as vezes que um aspecto da maior arrogância se transformava no mais humilde, com a rapidez do relâmpago. Havia ali indivíduos de verdadeira firmeza: eram simples e não gritavam. Mas, coisa estranha, desses indivíduos fortes, perseverantes, alguns eram melindrosos no mais alto grau. Geralmente, a arrogância, o aspecto exterior ocupavam o primeiro plano. A maioria estava pervertida e rebaixava-se de um modo estranho. Bisbilhotices e juízos temerários eram contínuos. Enfim, aquilo era uma autêntica imagem do inferno. Mas ninguém ousava revoltar-se contra as leis interiores e os costumes intactos do presídio, todos os acatavam. Havia caracteres que faziam resistência, que só os acatavam com muito custo e muito esforço, mas que, finalmente, acabavam por acatá-los. Havia nessa colônia penal aqueles que tinham premeditado o seu delito, consumando-o voluntariamente; mas também havia os que o tinham cometido como se não estivessem em seu perfeito juízo, como se nem eles próprios soubessem por que, como num estado de delírio, como crianças. Outros por irritabilidade, delicada e sensível até ao inverossímil. Mas ali nos dominavam imediatamente, apesar de alguns terem sido até à sua entrada para o presídio, o terror dos campos e cidades. Olhando à sua volta, não tardava um novato a perceber que ali não podia impor-se, que ali não se admirava ninguém; por isso esses se moderavam imediatamente e se adaptavam às atitudes gerais, que consistiam numa certa aparência de dignidade especial e pessoal, comum a quase todos os habitantes da penitenciária. O próprio nome de presidiário acabava, no fim de tudo, por tornar-se qualquer coisa como um cargo, honroso até. De vergonha ou de arrependimento, nem sombra! Além disso havia também uma certa serenidade exterior, oficial, por assim dizer, uma certa reflexão tranquila. "Somos gente perdida!", diziam. "Quem não soube viver em liberdade que aguente isto, agora." "Foi por não termos querido obedecer aos nossos pais que obedecemos agora ao batuque do tambor." "Por não termos querido lavrar o ouro, partimos agora pedras com o maço." Tudo isto diziam eles às vezes, à maneira de estribilhos e no tom de quem recita um provérbio ou uma frase feita, mas nunca o diziam a sério. Tudo isso eram simples palavras. Duvido que um só deles refletisse, no seu íntimo, sobre o seu delito. Se alguém se atrevesse a dirigir censuras a um preso por causa do seu crime (embora, afinal, não esteja no espírito dos russos o acusar os delinquentes...) os insultos não teriam fim. Eles insultam de um modo perfeito, artístico. Elevaram o insulto à categoria de uma ciência; esforçam-se por ferir, não tanto com uma palavra ofensiva, como com um pensamento ofensivo, com uma ironia, uma ideia vexatória... e da maneira mais concludente e cáustica. Rixas contínuas acabaram por tornar entre eles essa ciência altamente requintada. Toda essa gente trabalhara anteriormente debaixo de pancadas; assim se tornou indolente e acabou por se perverter; e se já não o estava anteriormente, corrompeu-se quando entrou para o presídio. Ninguém estava ali por sua vontade; eram todos estranhos uns para os outros.

"Quatro pares de *lápti*, pelo menos, foi quanto o diabo gastou para nos trazer até aqui", diziam. Mas depois, intrigas, enredos, histórias de mulheres, invejas, malquerenças ocupavam constantemente o primeiro plano dessa vida infernal. Mulher alguma conseguiria ser tão intrigante como alguns daqueles desalmados. Repito que havia entre eles caracteres enérgicos, acostumados na sua vida a aguentar e a suportar tudo, batidos, duros. A esses, respeitavam-nos, mesmo contra vontade; e eles, por seu lado, embora fossem às vezes muito zelosos da sua fama, empenhavam-se em não serem molestos para os outros, não se metiam em brigas inúteis, conduziam-se com uma dignidade invulgar, eram respeitadores e obedeciam quase sempre aos chefes, não por espírito de submissão, nem por considerá-lo seu dever, mas como por virtude de não sei que contrato mútuo que trouxesse vantagens para uns e outros. Aliás, tratavam-nos com circunspecção. Lembro-me de que uma vez aplicaram um castigo, não sei por que falta, a um desses reclusos, um homem forte e enérgico, conhecido dos chefes pelas suas inclinações bestiais. Era num dia de verão, numa hora de descanso. O major, que era o chefe imediato da colônia penal, apareceu em pessoa no corpo da guarda, que ficava junto da porta de entrada, para presenciar a execução do castigo. Esse major era uma criatura fatal para os presos. Tratava-os de uma maneira que os fazia tremer. Era de uma severidade que raiava pela loucura; calcava as pessoas, como diziam os presos. O que mais intimidava os presos era o seu olhar penetrante e inquisitorial, ao qual ninguém podia escapar. Via tudo, como se não precisasse olhar. Quando entrava no presídio já sabia tudo o que se fazia no outro extremo do mesmo. Os condenados chamavam-lhe o Oito Olhos. Seguia um sistema errôneo. Apenas conseguia piorar os homens já corrompidos, com os seus processos vexatórios e malignos e, se não houvesse acima dele o comandante, homem bom e sensato, que suavizava às vezes as suas ordens selvagens, teria provocado com a sua conduta graves catástrofes. Não percebo como é que pôde acabar a sua carreira são e salvo. Entretanto, só se reformou, diga-se a verdade, depois de ter sido julgado.

 O referido preso empalideceu quando o chamaram. De maneira geral, oferecia-se em silêncio e com decisão às vergastadas; suportava o castigo em silêncio e depois erguia-se, como se o sacudisse de si e encarando serena e filosoficamente o percalço sofrido. Diga-se de passagem que, com ele, usavam sempre de muita severidade. Mas, dessa vez, julgava-se no seu direito. Empalideceu e, afastando-se devagarinho da caravana, apanhou e guardou na manga uma afiada ferramenta de sapateiro. Facas e todos os instrumentos cortantes estavam severamente proibidos no presídio. As buscas eram frequentes, inesperadas e escrupulosas, e os castigos, terríveis; mas é tão difícil descobrir um ladrão quando se propõe esconder uma coisa que as facas e os instrumentos cortantes nunca faltavam no presídio, apesar das buscas, que não davam com eles. E se os tiravam aos presos, não tardava que estes aparecessem com outros.

 Todos os presos saíram para o pátio e, com a maior tranquilidade, puseram-se a espreitar por entre as gelosias de madeira. Todos sabiam que, dessa vez, Pietrov não se prestava à sova de boa vontade, e que chegara o fim do major. Mas no último momento o major subiu para a sua carruagem e partiu, delegando noutro oficial o cuidado de fazer executar o castigo.

 – Foi Deus quem o salvou! – exclamaram depois os reclusos. Quanto a Pietrov suportou pacientemente o castigo. A raiva tinha-lhe fugido, com a ausência do major. O preso é dócil e paciente até certo limite, mas não é prudente passar desse limite. Efetivamente não pode haver nada mais curioso do que esses estranhos arrebatamentos de impaciência e hostilidade. É vulgar que um homem suporte alguns anos, se resigne, suporte os castigos mais duros, e de repente fique colérico só por alguma futilidade, por uma ninharia, quase sem motivo. Um estranho poderia tomá-los por loucos e, de fato, há quem pense assim.

 Disse já que no decurso de alguns anos nunca tive ocasião de observar nestes homens o mais pequeno indício de arrependimento, nem a menor manifestação de peso na consciência, e que a maioria deles achavam que eram, no íntimo, absolutamente inocentes. Este é que é o fato. Não há dúvida de que a explicação de tal fato reside na vaidade, nos maus exemplos, na verdura dos anos e na falsa vergonha. Por outro lado, quem é que pode afirmar que penetrou nas profundidades desses corações degenerados e viu neles o que tão recatadamente escondem de toda a gente? Parece possível observar algum pormenor, no decurso desses anos, surpreender, penetrar nesses corações e achar um ou outro indício de uma angústia interior, de um sofrimento. Mas, comigo, isso não se deu, de certeza que não se deu. Sim, o crime, segundo parece, não pode definir-se em relação a pontos de vista predeterminados e estabelecidos, e a sua filosofia é mais difícil do que se pensa. É certo que os presídios e o sistema dos trabalhos forçados não melhoram os delinquentes, aos quais apenas castigam, mas põem a sociedade a salvo das suas ulteriores tentativas de praticarem danos e proveem à sua própria tranquilidade. O presídio e os trabalhos forçados não fazem mais do que fomentar o ódio, a sede de prazeres proibidos e uma terrível leviandade de espírito no presidiário. Estou convencido que, com o famoso sistema celular, apenas se obtêm fins falsos, enganosos, aparentes. Esse sistema rouba ao homem a sua energia física, excita-lhe a alma, a faz frágil, intimida-a, e depois apresenta-nos uma múmia moralmente seca, um meio louco, como obra da correção e do arrependimento. Não há dúvida que o delinquente, ao rebelar-se contra a sociedade, a odeia e quase sempre se considera a si mesmo inocente e a ela culpada. Depois de ter sofrido o castigo que ela lhe impôs, considera-se já limpo, absolvido. Nesse ponto de vista pode pensar-se que seria quase melhor começar por absolver o delinquente. Mas, apesar de todos os pontos de vista possíveis, todos estão de acordo em que há crimes que sempre e em todas as partes, dentro de todas as leis possíveis, desde o princípio do mundo se consideram crimes indiscutíveis, e como tais serão tidos enquanto o homem não deixar de ser homem. Quantas histórias não ouvi eu no presídio, dos casos mais terríveis e antinaturais, dos crimes mais cruéis, contadas com o sorriso mais inocente e mais infantilmente jovial! Ficou-me especialmente gravada na memória a narrativa dum parricida. Era de família aristocrática; tinha feito o serviço militar, e depois, feito perante seu pai, já setuagenário, o papel de filho pródigo. Levava uma vida completamente licenciosa; estava endividado até à raiz dos cabelos. O pai refreava-o, repreendia-o; mas o pai tinha uma casa, uma granja agrícola, supunham-no endinheirado, e... o filho matou-o, ansioso pela herança. O crime demorou um mês a descobrir-se. Foi o próprio parricida quem foi dar parte do acontecido à Polícia, dizendo que o pai tinha desaparecido de casa, sem que ele soubesse do seu paradeiro. Durante todo esse mês levou a vida mais desregrada. Até que, finalmente, na sua ausência, a Polícia descobriu o cadáver. Ao longo do curral havia um canal, coberto com tábuas, para a condução do esterco. Pois era nesse canal que jazia o cadáver. Estava vestido e penteado; tinha a cabeça encanecida, quase decepada, junto do tronco e, debaixo da cabeça, colocara o parricida uma almofada. Não confessou o crime; era nobre, funcionário, e foi condenado a vinte anos de trabalhos forçados. Durante todo tempo que convivi com ele manteve-se numa excelente disposição de espírito, jovialíssimo. Era um indivíduo estouvado, desorientado, muito insensato, embora esperto. Nunca lhe notei o menor indício de crueldade pessoal. Os reclusos desprezavam-no não por causa do seu crime, do qual nunca falavam, mas sim devido à sua leviandade, por não saber conduzir-se. Nas suas conversas costumava às vezes recordar o pai. Uma vez, falando comigo a respeito da constituição sadia, hereditária na sua família, acrescentou:

– Olhe, o meu pai nunca se queixou de nenhum achaque, até o último dia da sua vida.

Uma tão brutal insensibilidade chega a parecer inverossímil. Trata-se de um fenômeno, de alguma deficiência ingênita, de uma monstruosidade moral e física, ainda ignorada da ciência, e não de um simples crime. Como era natural, eu não acreditava nesse crime. Mas os seus conterrâneos, é claro, deviam conhecer todos os pormenores da história e contaram-me integralmente. Os fatos eram tão evidentes que não havia outro remédio senão acreditar.

Os presos ouviram-no gritar uma noite, em sonhos:

– Segura-o, segura-o! A cabeça, corta-lhe a cabeça, a cabeça!

Quase todos os presos falam durante a noite e deliram. Insultos, palavras entrecortadas, facas, machados, é o que lhes vêm com mais frequência à boca, nos seus delírios.

"Somos uns homens perdidos – diziam. – Estamos mortos por dentro e é por isso que gritamos de noite."

Os trabalhos forçados não eram uma ocupação mas um dever. Os presos davam conta da sua tarefa ou cumpriam as horas legais de trabalho, e voltavam para o presídio. Encaravam o trabalho com ódio. A não ser por causa da sua ocupação pessoal, particular, à qual se entregavam com toda a alma e com todo o seu empenho, não havia um homem que tivesse podido viver no presídio. E como é que toda aquela gente que vivera intensamente e ansiava viver, juntada ali à força para formar um bando, e à força separada da sociedade e da vida moral, teria podido viver normal e retamente, por sua própria vontade e impulso? Bastava a ociosidade para se desenvolverem ali, no homem, qualidades delituosas, de que até então nem sequer faziam ideia. O homem não pode viver sem trabalho e sem condições legais e normais: degenera e converte-se numa fera. Por isso todos no presídio, seguindo um impulso instintivo e obedecendo a um certo sentimento de conservação própria, tinham a sua ocupação e o seu ofício. Durante os grandes dias de verão, os trabalhos forçados ocupavam a maior parte do tempo; e, com a brevidade das noites, apenas lhes restava tempo para dormir. Mas no inverno, obedecendo às ordens, assim que escurecia os presos deviam já estar recolhidos. Mas que fazer nas longas e tristes noites de inverno? Por isso todos os dormitórios, apesar dos ferrolhos, se convertiam em imensas oficinas. O trabalho particular não era proibido, mas era, entretanto, proibido ter ferramentas no presídio e, sem elas, não havia trabalho possível. Mas trabalhavam às escondidas, e os chefes, às vezes, faziam vista grossa. Havia presos que entravam para o presídio sem nenhuma profissão, mas que encontravam ali quem os ensinasse, e depois, recuperada a liberdade, saíam já mestres no seu ofício. Havia sapateiros e alfaiates, carpinteiros e serralheiros, ourives e prateiros. Havia um judeu, Issai Blumstein, que era joalheiro e também usurário. Todos trabalhavam e ganhavam uns cobres. As encomendas de trabalho vinham-lhes da cidade. O dinheiro é liberdade amealhada, e por isso, para o homem totalmente privado de liberdade, torna-se dez vezes mais valioso. Só de senti-lo no bolso já ficavam meio satisfeitos, ainda que o não pudessem gastar. Mas, seja onde for, é preciso gastar o dinheiro, tanto mais que o fruto proibido é o mais desejado. Havia meio de introduzir no presídio até aguardente. O tabaco era severamente proibido, mas todos fumavam. O dinheiro e o tabaco livravam-nos do escorbuto e de outras doenças. O trabalho, por seu lado, salvava-os do crime; a não ser pelo trabalho, os presos teriam comido uns aos outros, como feras. Mas apesar disso o dinheiro e o tabaco eram proibidos. De vez em quando passavam revistas inesperadas, à noite, apreendiam tudo quanto era proibido e... por muito bem escondido que os presos tivessem o dinheiro, o major costumava sempre dar com ele. E por isso os presos não o amealhavam e, pelo contrário, apressavam-se a gastá-lo; e por isso também se bebia aguardente na penitenciária. Depois de cada revista, o culpado, além de ser privado de tudo quanto possuía, recebia geralmente também um castigo severo. Mas, depois de cada revista, preenchiam imediatamente os vazios, davam entrada novos objetos e tudo tornava a ficar como antes. E os chefes sabiam e os presos não murmuravam contra os castigos, apesar de aquela vida se assemelhar à daqueles que habitam nas encostas do Vesúvio.

Aquele que não tinha nenhum ofício, arranjava-se de outra maneira. Havia presos bastante originais. Alguns imaginavam, por exemplo, uma engenhoca qualquer, e ofereciam às vezes tais objetos, que a ninguém, fora dos muros do presídio, poderia ocorrer, não só comprá-los como vendê-los, como até considerá-los objetos. O recluso era pobre mas extraordinariamente engenhoso. O mais ínfimo farrapo tinha ali o seu valor e servia para alguma coisa. Devido à pobreza, também o dinheiro tinha no presídio um valor muito diferente do que possui na zona da liberdade. Com um grande e complicado esforço era possível a uma pessoa vestir-se por alguns grochi. Praticava-se ali com êxito a usura. O preso que se encontrava em penúria ou em completa miséria levava o último objeto que possuía ao usurário e recebia deste alguns cobres, mediante uma percentagem feroz. Se não desempenhava os objetos no prazo marcado, o usurário vendia-os, desapiedada e inexoravelmente; a usura ia até ao extremo de admitir que se empenhassem inclusive objetos que eram imprescindíveis para os presos, em todos os momentos. Mas nestes casos costumavam acontecer contratempos que, entretanto, não eram de todo inesperados. O indivíduo que tinha empenhado os objetos, depois de ter embolsado os cobres, ia contar o sucedido ao oficial, chefe imediato do presídio, e, este apressava-se a tirar ao prestamista os objetos empenhados, sem mais explicações e sem comunicar o sucedido ao chefe superior. É curioso que, em semelhantes casos, não surgiam discussões; o prestamista, muito sério e calado, apressava-se a devolver os objetos, como se tivesse contado de antemão com o percalço. É possível que pensasse para consigo que, se se encontrasse no lugar do cliente, teria feito o mesmo. E embora uma vez por outra protestasse, fazia-o sem ódio, apenas para salvar as aparências.

De maneira geral roubavam-se todos uns aos outros, de uma maneira terrível. Tinham quase todos o seu respectivo cofre com fechadura, para guardar nele os objetos regulamentares. Isso era permitido; simplesmente esses cofres não serviam para nada. Calculo que devem imaginar os espertos larápios que ali havia. A mim, um preso, que me dedicava uma sincera afeição, roubou-me uma vez uma Bíblia que era o único livro permitido no presídio; confessou-me o roubo no mesmo dia, não porque estivesse arrependido, mas porque teve pena de me ver procurar com tanto empenho. Havia taberneiros que faziam contrabando de aguardente e que enriqueciam assim depressa. Hei de falar com mais demora desta espécie de gente, pois era bastante curiosa. Também havia no presídio quem se dedicasse ao contrabando, e por isso não é de admirar que introduzissem aguardente no presídio durante as revistas e nas caravanas. O contrabando é, por sua própria natureza, um delito muito especial.

É possível, por exemplo, imaginar que o dinheiro, o lucro representam para o contrabandista apenas qualquer coisa de secundário, qualquer coisa que não ocupa o primeiro plano? Pois na realidade, assim é. O contrabandista trabalha por prazer, por vocação. Até certo ponto é um poeta. Expõe-se a todos os perigos, coloca-se num transe de terrível inquietação, treme, dá voltas à cabeça e sai como pode do apuro; às vezes, tem até inspirações. Esta aflição é tão forte como o jogo de cartas. Conheci um preso na penitenciária, de uma aparência física gigantesca, mas tão ingênuo, amável e mansarrão, que ninguém podia supor qual o motivo que o teria levado a uma penitenciária. Era tão pacífico e tão comedido com todos, que, durante todo o tempo que esteve no presídio, nunca brigou com ninguém. Mas era da fronteira ocidental; tinha-se dedicado ao contrabando e, como é natural, não podia reprimir-se e começou a introduzir aguardente no presídio. Quantas vezes não foi castigado por causa disso e que medo ele não tinha das vergastadas! No entanto continuava, apesar dos lucros insignificantes, e de que quem enriquecia era o fornecedor. Mas aquele pobre homem amava a arte pela arte. Era tão tímido como uma mulher, e quantas vezes, depois de ter sofrido o castigo, jurava e trejurava que não voltaria mais a meter-se naquelas coisas! Fazendo um grande esforço, conseguia manter a sua palavra durante um mês, até que por fim a tentação era mais forte... Graças a esses indivíduos nunca a aguardente faltava no presídio.

E havia, finalmente, uma fonte de rendimentos, que não enriquecia os forçados, porque era de natureza real e benéfica. Refiro-me aos donativos. A classe elevada da nossa sociedade não faz uma ideia de como os comerciantes, os artífices e todo o nosso povo vela pelos desgraçados.[2] Os donativos eram permanentes e consistiam quase sempre em pão, chá e bolinhos, raras vezes em dinheiro. Se não fossem esses donativos, muitas vezes o preso, sobretudo se estivesse dependente de um julgamento, e, portanto, submetido a um regime muito severo, passaria muito mal. As esmolas eram distribuídas com igualdade religiosa entre todos os presos e cada um deles recebia sempre a sua parte. Lembro-me que, da primeira vez, recebi uma esmola de dinheiro. Foi passado pouco tempo depois de haver entrado para o presídio. Voltava do trabalho matinal, sozinho, separado da caravana. Em direção contrária vinham uma senhora com uma filha, uma menina de dez anos, linda como um anjo. Já de outra vez eu as tinha visto. A mãe era viúva dum militar. Tinham movido um processo contra seu marido, jovem soldado, o qual veio a morrer no hospital da prisão, numa ocasião em que também eu aí estive doente. A mulher e a filha tinham ido despedir-se dele, ambas banhadas em lágrimas. Quando me viu, a menina corou muito e disse à mãe qualquer coisa em voz baixa. Logo depois esta parou, procurou na sua bolsa um quarto de copeque e deu-o à menina. Esta deitou a correr atrás de mim.

– Tome lá, desgraçado, aceite, pelo amor de Deus esta esmolinha – disse, parando diante de mim e metendo-me a moeda na mão.

Eu peguei na moeda e a menina voltou para o lado da mãe, muito contente. Trouxe essa moeda muito tempo comigo.

---

[2] Expressão usada pelo povo para designar os condenados a trabalhos forçados ou exilados.

Capítulo II / Primeiras impressões

O primeiro mês e, de maneira geral, os primeiros tempos da minha vida de presidiário, conservo-os muito vivos na minha imaginação, mas os anos seguintes já estão muito apagados na minha memória. Alguns até quase completamente e confundem-se entre si, deixando-me apenas uma impressão total, pesada, monótona, sufocante.

Mas tudo o que vivi durante os primeiros dias da minha vida de recluso perdura ainda na minha imaginação, como se tudo tivesse acontecido ontem. Assim devia ser e assim é, de fato.

Lembro-me com toda a clareza que, assim que entrei nessa vida, fiquei surpreendido por, afinal, nada daquilo me surpreender; que nessa vida não achava nada de particularmente notável, nada de extraordinário, ou, pelo menos, de inesperado. Parecia-me que já tinha visto tudo aquilo na minha imaginação, quando a caminho da Sibéria me esforçava por admirar o meu futuro. Mas depressa uma quantidade de coisas extraordinariamente insólitas, de fatos espantosos, começaram a fazer-me parar a cada passo. E até muito mais tarde, só quando tinha já muito tempo de presídio, é que me apercebi de tudo quanto havia ali de exclusivo, de inesperado, naquela existência, e sentia então cada vez maior assombro. Confesso que este espanto não me deixou durante todo o longo tempo da minha pena, que nunca o pude afugentar de mim...

A minha primeira impressão, quando entrei no presídio, não podia ser mais repugnante; no entanto – coisa estranha! – achei que no presídio devia viver-se muito melhor do que imaginara durante o caminho. Os presos, embora com cadeias, caminhavam livremente por todo o presídio, provocavam uns aos outros, entoavam canções, trabalhavam por sua conta, fumavam cigarros, e outros até (embora em pequeno número) bebiam aguardente; e à noite alguns jogavam cartas. O próprio trabalho, por exemplo, não me pareceu custoso nem forçado, e só depois de muito tempo percebi que o aspecto pesado e forçado daquele trabalho não estava tanto na sua dificuldade e continuidade como em ser imposto, obrigado, a golpes de vergasta. O camponês em liberdade trabalha incomparavelmente mais, às vezes de dia e de noite, sobretudo no verão, mas trabalha para si, trabalha com uma finalidade racional, e assim o seu trabalho é muito mais leve, para ele, do que o do presidiário, forçado e perfeitamente inútil para si. Acontecia-me às vezes pensar que se me desse alguma vez para perder-me completamente, para abater um homem, para castigá-lo com o mais horrível castigo, um castigo que metesse medo e fizesse tremer antecipadamente o criminoso mais valente, não precisava senão de dar ao seu trabalho o caráter de uma inutilidade e total e absoluta carência de sentido. Embora o atual trabalho forçado não tenha interesse e atrativo para o preso, é, contudo, em si mesmo um trabalho razoável; o preso fabrica tijolos, amontoa terra, faz argamassa, constrói; em todo este trabalho há uma ideia e uma finalidade. E às vezes o trabalhador forçado dedica-se à sua tarefa, aspira a fazê-la com mais destreza, mais rapidez e perfeição. Mas se o obrigassem a transvasar água de uma cuba para outra, e desta para aquela, a calcar areia, a transportar montinhos de terra de um sítio para outro, e vice-versa, penso que o recluso suicidaria passados alguns dias ou cometeria mil desacatos, para, ainda que fosse à custa da sua vida, se ver livre de humilhação, de vergonha e de escárnio semelhantes. É claro que tal castigo apenas podia imaginar-se com fins de tortura ou de vingança, e seria absurdo, porque ultrapassaria o seu próprio fim. Mas ainda que não exista o mínimo vestígio desse tormento, desse absurdo, desse vexame e dessa vergonha, no trabalho forçado, o trabalho do preso é incomparavelmente mais penoso que o do homem livre, precisamente por ser forçado.

Além do mais eu entrei para o presídio no inverno, no mês de dezembro, e por isso não podia ainda fazer ideia do trabalho estival, dez vezes mais pesado. No inverno costumava escassear, no nosso presídio, o trabalho obrigatório. Os presos iam para o Irtichs[3] calafetar velhos barcos do Estado; trabalhavam nas oficinas, varriam dos edifícios oficiais a neve que sobre eles o vento atirava, britavam alabastro, etc. De inverno os dias são curtos, o trabalho acabava depressa e toda a nossa gente regressava cedo ao presídio, onde não havia quase nada para fazer, a não ser para aqueles que se dedicavam a trabalhos particulares. Mas ao trabalho particular apenas se dedicavam três presos, os outros eram parasitas que se punham a deambular sem objetivo de um barracão para outro, discutiam e tramavam intrigas, contavam histórias e bebiam, desde que dispusessem de algum dinheiro; à noite jogavam baralho até empenharem a própria blusa que vestiam e tudo isso apenas por puro desassossego, por pura ociosidade, só para não fazerem nada. Com o tempo acabei por concluir que, além da privação da liberdade, existe na vida de prisão um paradoxo, talvez mais forte do que em todas as outras, e que vem a ser a forçada convivência geral. Essa convivência geral existe também, sem dúvida alguma, em outros lugares, mas no presídio encontram-se indivíduos de tal jaez que nem a todas as pessoas pode agradar conviver com eles, e estou convencido de que todo preso sente este vexame que se lhe faz, embora, naturalmente, a maior parte deles nada diga.

A alimentação também me parecia suficientemente abundante. Os presos pensavam que não havia outra igual nos presídios da Rússia europeia. Acerca destes não me atrevo a julgar, pois não os conheço. Além disso, alguns presos tinham meio de arranjar uma comida especial. A carne de vaca vendia-se ali a *groch* a libra e, de verão, a três copeques. Mas somente os presos que contavam com dinheiro certo é que mandavam vir comida particular; os outros comiam no rancho. Além disso, os presos, quando se ufanavam da sua alimentação, falavam apenas do pão e apreciavam especialmente o fato de que nos dessem pães inteiros e não a peso, partidos em pedaços. Isto metia-lhes medo; se fosse dado a peso, havia sempre alguns que ficavam com fome, ao passo que, repartido pelos barracões, chegava para todos. O nosso pão era especialmente saboroso e por isso tinha fama em toda a cidade. Atribuíam isto à habilidade dos condenados padeiros. As sopas de couves também eram muito boas. Faziam-nas numa caldeira comum, temperavam levemente a massa e, sobretudo no dia seguinte, estava fluida, clara. A mim assustava-me a enorme quantidade de baratas que se encontravam nela. Mas os presos não davam a menor importância a esse pormenor.

Nos primeiros três dias não fui para o trabalho; é assim que procedem sempre para com os recém-chegados; deixam-nos descansar da viagem. Mas no dia seguinte tiraram-me do presídio para me porem os ferros. As minhas cadeias eram grandes

---

3 Rio da Sibéria.

e disformes, e tinham "voz de baixo", segundo diziam os presos. Usavam-se fora do presídio. O modelo que se usava no presídio, disposto de maneira a não estorvar o trabalho, não se compunha de elos mas de quatro varetas de ferro, aproximadamente de um dedo de grossura, unidas entre si por três colchêtes. Era preciso trazê-las debaixo das calças. Por meio de um elo segurava-se uma correia que, por sua vez, se prendia à cintura por meio de outra, a qual se prendia diretamente à blusa.

Lembro-me da minha primeira manhã no presídio. No corpo da guarda, à porta do presídio, o tambor tocou a alvorada e dez minutos depois o oficial das sentinelas abriu os barracões. A luz baça de uma vela os presos se foram levantando das suas esteiras. Na sua maioria mostravam-se taciturnos e ainda com sono. Bocejavam, espreguiçavam-se e franziam as fontes estigmatizadas. Alguns persignavam-se, outros começavam a armar brigas com os outros. Lá dentro fazia um calor horrível. O ar fresco de inverno entrava pelas portas assim que as abriam e formavam-se nuvens de vapor no dormitório. Os presos lavavam-se numa vasilha de madeira; enchiam a boca d'água e borrifavam depois as mãos e a cara com esse líquido. A água tinha sido ali colocada já na véspera, pelo *paráchnik*. Em cada dormitório havia, por ordem superior, um preso, escolhido entre todos, para os serviços desse mesmo dormitório. Era designado com o nome de *paráchnik* e não ia para o trabalho no exterior. O seu dever consistia em zelar pela limpeza do dormitório, lavar e limpar as esteiras e o chão, trazer e levar o urinol, e encher de água fresca duas vasilhas de madeira, de manhã para se lavarem e no resto do dia para beberem. Por causa da vasilha de lavar o rosto, que era única, surgiram imediatamente questões.

– Onde vais, cabeça de alho chocho? – resmungou um preso de má catadura, alto, seco, esverdeado, com uma estranha protuberância no crânio rapado, ao encarar outro, gordo e baixo, com uma cara que transbordava de jovialidade e franqueza. – Para aí!

– Que fazes tu aí rosnando? Para ficar, aqui, paga-se dinheiro; para tu, que és uma espécie de monumento. Tudo quanto tens é pontiagudo, meu caro.

Essa saída produziu um certo efeito; alguns riram-se. O que foi bastante para encher o gordo de satisfação que, pelo visto, desempenhava no dormitório uma espécie de papel de bobo voluntário. O preso alto olhou-o com o maior desprezo.

– Porco! – exclamou, como se falasse para si mesmo. – Como ele engordou com o pão do rancho! Dava uma boa dúzia de presuntos!

– E tu, meu passarão! – exclamou, de repente, o outro, corando. – Isso mesmo, passarão espertalhão.

– Mas que espécie de passarão? Vamos ver...

– Isso é comigo.

– Mas qual? Diz lá, anda...

Comiam-se, um ao outro, com os olhos. O gordo esperava pela resposta e apertava os punhos, como se fosse às vias de fato. Eu, para dizer a verdade, pensei que iam acabar brigando; tudo aquilo era novo para mim e contemplava-o com curiosidade. Mas com o tempo acabei por perceber que essas cenas eram completamente inofensivas e se representavam, como no teatro, para assombrar o público; raramente havia rixas no presídio. Tudo isso era bastante característico e refletia a moral da prisão.

O preso alto permanecia muito tranquilo e orgulhoso. Sentia que o olhavam e esperavam para ver o que fazia, se atinava ou não com uma boa resposta; pois era preciso não afrouxar e demonstrar que ele era de fato um passarão espertalhão e que espécie de passarão. Deitou um olhar ao seu adversário com um indescritível desdém e, para que a ofensa se tornasse ainda mais grave, olhou-o por cima do ombro, de alto a baixo, como se olhasse para um inseto e por fim pronunciou lentamente e com clareza:

— Uma garça real!

Uma ruidosa gargalhada acolheu a saída do preso.

— O que tu és é um embusteiro, e não uma garça! – respondeu o gordo, sentindo-se vencido e louco de raiva.

Mas quando a coisa ia começar a ficar séria, os outros intervieram.

— Hem? Que é lá isso? – gritou a assistência.

— Deem-lhe com força! – atiçou um, de um canto.

— Segurem-nos, para que eles não se atraquem! – responderam os outros.

— Nós somos valentes, cada um de nós pode lutar contra sete de vocês...

— Sim, são sadios, os dois! Um veio para o presídio por causa de uma libra de pão e o outro... o grande fanfarrão, bebeu leite azedo duma mulher e por isso provou o *knut*.[4]

— Bem, bem, já chega! – gritou o inválido que estava encarregado de velar pela ordem dentro do dormitório e que, por esse motivo, dormia num canto, numa esteira especial.

— Água, meus caros! *Neválid*[5] Pietróvitch já acordou! *Neválid* Pietróvitch, meu irmão!

— Irmão?! Mas por que sou eu teu irmão? Se nunca comemos no mesmo prato, como é que somos irmãos? – resmungou o inválido metendo com dificuldade o braço na manga do capote...

Ia proceder-se à contagem; começava já a clarear; na cozinha tinha-se apinhado um grupo compacto de indivíduos. Os presos atropelavam-se, meio vestidos e com os gorros bicolores, recebiam o pão que ia repartindo um dos cozinheiros. Estes cozinheiros eram escolhidos, cada um, pelos alojamentos, dois para cada cozinha. Eram eles também os encarregados de guardar as facas de cozinha para cortar o pão e a carne, uma para cada cozinha.

Os presos espalhavam-se por todos os cantos e à volta das mesas, com os seus gorros e as suas samarras apertada por cinturões, já preparados para partirem imediatamente para o trabalho. Alguns tinham na sua frente tigelas de madeira com *kvas*. Molhavam o pão no *kvas* e depois bebiam-no. A balbúrdia e o barulho eram insuportáveis, mas havia alguns que, discreta e tranquilamente, conversavam pelos cantos.

— Olá, velho Antônitch, bom apetite! – exclamou um preso novo, inclinando-se diante de um recluso tristonho e desdentado.

— Olá... se é que não estás para aí troçando – respondeu este sem baixar os olhos e esforçando-se por trincar o pão com os seus maxilares sem dentes.

---

4 Azorrague composto de várias tiras de couro, terminadas por arames torcidos.
5 Deformação de *invalid* (inválido), termo francês, do qual se utilizaram para apelidar, em tom de troça, o velho soldado condenado. Era desses inválidos que o Comando das prisões russas se valia para vigiar os outros condenados, seus companheiros.

– Olha, Antônitch, eu pensava que tinhas morrido!

– Pois não morri, porque primeiro do que eu ainda hás de ir tu...

Sentei-me junto deles. À minha direita conversavam dois presos muito circunspectos, que se esforçavam por conservar o seu ar grave.

– A mim nunca me roubaram nada – dizia um. – Eu é que tenho de ter cuidado para não roubar o que é dos outros.

– Está bem, mas não tentes tocar nas minhas coisas, senão vais te queimar!

– Ah, é assim? Então não és como nós? Queres saber de uma coisa? Todos nós não passamos de presidiários... Deixa estar que ela se encarrega de te tirar tudo e nem sequer te agradece. Olha, meu amigo, os meus cobres também voam. Ainda há pouco ela esteve... Que se há de fazer? A princípio pensei pedir o auxílio de Fiedka, o carrasco, que ainda tinha uma casa nos arredores, sabes, aquela que ele comprou a Solomonka, o judeu piolhento, aquele que se enforcou, depois.

– Já sei, aquele que nos arranjou aguardente, durante três anos. Chamavam-lhe Grichka, a taberna às escuras. Sei bem...

– Pois não sabes, taberna às escuras é outro...

– Qual outro! Tens sempre a mania de que só tu é que sabes tudo! Mas eu posso provar...

– Então prova lá! Quem achas tu que és? E saberás quem eu sou?

– Quem és tu? Olha, eu já te bati várias vezes, e tu ainda perguntas quem sou!

– Tu, bater-me? Ainda está para nascer aquele que me há de pôr a mão e aquele que alguma vez teve essa ideia, a esta hora, está debaixo do chão.

– Fora daqui! Que o diabo te carregue!

– E a ti, que te coma a lepra!

– Que morras às mãos dum turco!

E a confusão ia começar.

– Eh lá, eh lá! Fiquem quietos! – exclamaram à volta. – Não souberam viver em liberdade... felizmente que aqui vos dão o arroz. Quietinhos!

Serenaram imediatamente. Insultarem-se, desafiarem-se com a língua, era permitido. Em parte, isto constituía para todos uma diversão. Mas nunca acabavam brigando e só excepcionalmente talvez surgissem inimizades. As rixas eram comunicadas aos majores; faziam inquéritos e o major vinha pessoalmente... Em resumo: as rixas acarretavam incômodos a todos e por isso não consentiam que elas se dessem. Até quando os próprios inimigos se insultavam, era mais para se distrair, para desabafar. Muitas vezes eles próprios se enganavam, começando com um furor, uma raiva, que qualquer pessoa pensava... "Cuidado, vão comer-se um ao outro, são capazes de se matarem", mas assim que chegavam a certo ponto, separavam-se imediatamente. A princípio tudo isto me parecia muito estranho. Foi intencionalmente que transcrevi aqui esses exemplos dos diálogos mais correntes entre os presidiários. Eu não podia imaginar, a princípio, que fosse possível as pessoas insultarem-se só por prazer, encontrar nisso uma distração, um exercício agradável, um esporte. E também ali havia vaidade. A dialética do insulto era muito apreciada. Ao bom insultador não faltavam aplausos, como aos autores.

Já desde o dia anterior eu notara que me olhavam de soslaio.

Lembro-me também de alguns olhares sombrios. Mas outros presos, pelo contrário, começavam a rondar-me, supondo talvez que eu trouxesse dinheiro em meu poder. Apressavam-se a servir-me; ensinavam-me a transportar os ferros acabados de fazer; ofereciam-me, é claro, um cofrezinho com chave para que guardasse nele os objetos necessários, que já me tinham entregue, e alguma roupa interior que me pertencia e que levara para o presídio. Mas no dia seguinte roubaram-me e beberam com o dinheiro da venda. Um deles chegou depois a ser um dos que me era mais dedicado, embora não hesitasse em despojar-me na primeira oportunidade. Fazia-o resolutamente, quase inconscientemente, como por dever, e não era possível ficar a odiá-lo.

Entre outras coisas avisaram-me de que era necessário que cada qual tivesse o seu chá e que seria conveniente que eu arranjasse um bule só para mim; por enquanto iam me emprestar um e apresentaram-me também a um cozinheiro, dizendo-me que, por trinta copeques por mês, ele se encarregava de trazer-me tudo quanto eu quisesse, se desejasse comer à parte e comprar as provisões por minha conta... Inútil será dizer que me ficaram com o dinheiro e que todos eles se aproximaram de mim naquele primeiro dia, pelo menos umas três vezes, em busca de um empréstimo.

Mas, de maneira geral, no presídio olhavam os aristocratas com maus olhos.

Apesar de estes estarem já privados de todos os seus direitos civis e a todos respeitos equiparados aos outros presos – estes não os reconheciam nunca como camaradas seus – não procediam assim com qualquer intenção deliberada de ofendê-los, mas de um modo totalmente ingênuo, inconsciente. Consideravam-nos sinceramente como aristocratas, apesar de eles próprios se comprazerem na nossa humilhação.

– Não, agora já chega, fica quietinho! Os tempos mudaram; ontem, ainda Piotr atravessava Moscou em triunfo; hoje, Piotr rói a corda, muito mansinho – e outras amabilidades do gênero.

Contemplavam, compadecidos, o nosso sofrimento, que procurávamos ocultar-lhes. Faziam-nos ver sobretudo a princípio, no trabalho, que não tínhamos tantas forças como eles e que de maneira nenhuma podíamos ajudá-los. Não há nada mais difícil do que adquirir prestígio sobre as pessoas (principalmente sobre pessoas como aquelas) e ganhar o seu afeto.

Havia no presídio alguns presos de origem aristocrática. Em primeiro lugar, cinco polacos. Hei de falar mais demoradamente deles noutra ocasião. Os condenados tinham um ódio muito maior pelos polacos do que pelos deportados russos de sangue azul. Os polacos (refiro-me unicamente aos delinquentes políticos) mantinham para com eles uma cortesia requintada, uma delicadeza ofensiva, cheia de desinteresse, e nunca conseguiam disfarçar bem perante os condenados a sua diferença de classe, o que estes compreendiam claramente, pagando-lhes na mesma moeda.

Eu precisei cerca de dois anos para vencer a indiferença de alguns presos. Mas na sua maioria acabaram todos por ganhar-me afeição e reconhecer que eu era uma boa pessoa.

Aristocratas russos, sem contar comigo, havia quatro. Um – uma criatura reles e má, extremamente depravada, espião e delator por ofício. Puseram-me imediatamente em guarda contra ele desde a minha entrada no presídio e passados poucos dias cortei logo com ele todo gênero de relações. Outro, era aquele parricida de que já falei. O terceiro era Akim Akímitch; creio que nunca conheci um indivíduo tão estranho como esse tal Akim Akímitch. A sua recordação ficou-me fortemente gravada na memória. Era um homem alto, seco, de pouca compreensão, analfabeto, e tão rabugento e rigorista como um alemão. Os condenados riam-se dele; mas alguns fugiam do seu convívio por causa do seu feitio melindroso, questionador e implicante. Andava constantemente provocando arruaças, dizendo insultos e brigando com eles. O seu sentimento de dignidade era fenomenal. Assim que observava alguma irregularidade, não descansava enquanto não a emendasse, fosse ela qual fosse. Era o cúmulo da ingenuidade. Por exemplo: ralhava com os presos e pregava-lhes sermões, fazendo-lhes ver como era feio serem ladrões e aconselhava-lhes, muito sério, a que não roubassem. Tinha servido no Cáucaso, no grau de alferes. Travamos amizade desde o primeiro dia e ele contou-me a sua história. Começara o serviço no Cáucaso com os *junkers*,[6] num regimento de Infantaria, até que por fim o fizeram oficial e o mandaram a não sei que forte na qualidade de chefe. Um certo principezinho, aliado da Rússia, lançou uma vez fogo à fortaleza, contra a qual tentou também um ataque noturno, que não teve êxito. Akim Akímitch fingiu que não sabia quem era o autor da façanha. Deitaram a culpa num dos inimigos e, passado um mês, Akim Akímitch convidou o principezinho para uma festa. Este compareceu imediatamente, sem qualquer receio. Akim Akímitch mandou formar o seu regimento e, diante das tropas, lançou em rosto do principezinho o seu procedimento, dizendo que era uma vergonha ter querido pegar fogo ao seu fortim. Depois começou a explicar-lhe, com todo gênero de pormenores, a maneira como devia conduzir-se um príncipe amigo da Rússia, e por fim mandou-o fuzilar, do que participou em seguida ao Comando, com toda a espécie de detalhes. Foi devido a isso que lhe formaram um Conselho de Guerra e o condenaram à morte, embora depois lhe tivessem suavizado a sentença e mandado à Sibéria, para trabalhos forçados de segundo grau, nas fortalezas, por doze anos. Ele próprio confessava que se conduzira arbitrariamente e disse-me mais que, antes de mandar fuzilar o príncipe, já sabia que um chefe aliado tinha de ser julgado segundo as leis, mas que, apesar de saber, nunca seria capaz de chegar a compreender sua falta.

— Pois repare! que ele tentara incendiar-me o forte! E que havia eu de fazer? Agradecer-lhe, ainda por cima? – dizia-me, em resposta às minhas observações.

Mas os presos, entretanto, apesar de troçarem de Akim Akímitch, devido à sua pouca esperteza, respeitavam-no por causa da sua escrupulosidade e da sua habilidade.

Não havia ofício que Akim Akímitch ignorasse. Era carpinteiro, sapateiro, pintor de paredes, prateiro, serralheiro e aprendera tudo isso no presídio. Era autodidata; via alguém fazer uma coisa e em seguida fazia-a ele logo também. Confeccionava ainda caixinhas, cestinhos, lanternas e brinquedos infantis, que vendia na cidade. Assim, tinha sempre dinheiro que empregava depois em roupa interior fina; em cosméticos e em colchões dobráveis. Ficava no mesmo dormitório que eu e não foram poucos os serviços que me prestou nos primeiros dias da minha vida de forçado.

Quando saíam da penitenciária para irem para o trabalho, os presos formavam em duas filas diante do corpo da guarda; à frente e atrás dos presos alinhavam

---

6 Suboficiais nobres.

os soldados da escolta, de espingardas carregadas. Estavam presentes um oficial de engenharia, o condutor e alguns engenheiros subalternos que se destinavam a assistir aos trabalhos. O condutor distribuía os presos e enviava-os para os lugares onde eram necessários.

Destinaram-me, juntamente com outros, à oficina de engenharia. Consistia esta num edifício de pedra, baixinho, situado no pátio maior, cheio de materiais diversos. Havia aí ferragens, carpintaria, oficina de pintura etc., etc. Era aí que trabalhava Akim Akímitch: pintava, preparava os óleos, misturava as cores e construía mesas e outros móveis de nogueira.

Enquanto me punham as grilhetas entretive-me a conversar com Akim Akímitch acerca das minhas primeiras impressões do presídio.

– Sim, não gostam dos aristocratas – disse ele – especialmente dos presos políticos; de boa vontade os comeriam e não deixam de ter as suas razões. Em primeiro lugar os senhores são pessoas diferentes deles, ainda que eles tenham sido anteriormente modestos proprietários ou militares. Já vê que não é possível que os olhem com simpatia. Acredite que é difícil viver aqui. E entre os presos da Rússia europeia, ainda é mais difícil. Temos aqui muitos que apreciam o nosso presídio, como se tivessem passado do inferno para o paraíso. O trabalho não é nenhuma desgraça. Dizem que na Rússia europeia, o comando não se conduz de maneira estritamente militar; pelo menos procede de maneira diferente para com os presos; dizem que os deportados podem viver em suas casas. Eu nunca estive lá, falo pelo que tenho ouvido dizer. Não lhes rapam a cabeça, não usam uniforme, embora no fim de contas não deixe de estar certo que estes andem de uniforme e de cabeça rapada; assim, torna-se tudo mais ordenado e mais agradável à vista. Simplesmente, eles é que não acham graça. Mas repare, que confusão. Um, é dos cantões; outro, cherquês; o terceiro, *raskólhnik;*[7] o quarto, um camponês ortodoxo, que deixou na terrinha a família e os filhos queridos; o quinto, judeu; o sexto, cigano; o sétimo não se sabe o que é, e todos eles se veem obrigados a viver juntos, a marchar, seja como for, uns com os outros; a comer no mesmo prato, a dormir nas mesmas esteiras. E que liberdade! Os melhores bocados só se podem comer às escondidas; os cobres têm de ser guardados no fundo das botas e, no fim de contas, a penitenciária é sempre a penitenciária... Quer queiras ou não, a loucura sobe-te à cabeça.

Mas isso eu já sabia. Tinha um desejo enorme de interrogá-lo acerca do nosso major. Akim Akímitch não era homem para guardar segredos e lembro-me de que a impressão com que fiquei de tudo quanto me contou não foi muito boa.

Mas eu estava condenado a passar ainda dois anos sob seu domínio. Tudo quanto Akim Akímitch me contou acerca dele, verifiquei depois ser verdade, com a diferença de que a impressão direta é sempre mais forte do que a que se recebe através de uma simples narrativa. Era um homem estranho, embora mais estranho ainda fosse que semelhante homem tivesse um poder ilimitado sobre duzentas almas. Era por natureza um homem severo e mau, e nada mais. Encarava os presos como seus inimigos naturais e nisto consistia o seu primeiro e principal defeito. Possuía sem dúvida alguma aptidões; mas tudo, inclusive o que era bom, apresentava nele um aspecto incompleto. Rancoroso, mau, costumava entrar no presídio durante a

---

[7] Adepto da seita religiosa dos "Velhos Crentes", que se formou na Rússia, no séc. XVII.

noite e, se por acaso via algum preso dormindo sobre o lado esquerdo ou de boca para baixo, no outro dia de manhã, chamava-o para dizer-lhe: "Vamos ver se consegues dormir sobre o lado direito, como te mandei". No presídio, todos lhe tinham antipatia e temiam-no como à peste. Tinha uma cara muito vermelha e encolerizada. Todos sabiam que era um autêntico brinquedo nas mãos do seu assistente, Siedka. De quem ele gostava mais era do seu cãozinho Tresorka e esteve quase morrendo uma vez que o seu Tresorka esteve doente. Diziam que nessa ocasião chorava como se tivesse perdido um filho; chamou um veterinário, com o qual esteve quase a trocar pancada; e quando soube por Fiedka que havia na penitenciária um preso autodidata que fazia curas extraordinárias, mandou imediatamente chamá-lo.

— Salva-me! Vou te cobrir de ouro, se salvares o meu Tresorka! — gritou-lhe.

O homem era um siberiano, esperto, hábil, de fato, ótimo veterinário, mas muito rude.

— Olhei para Tresorka — disse depois aos outros presos, embora já passado bastante tempo da sua visita ao major, quando já tudo aquilo estava esquecido. — Olho-o; o cão está estendido sobre o divã, em cima dum almofadão branco, e concluo que tem uma inflamação, que é preciso fazer-lhe uma sangria para salvá-lo. Mas penso para comigo: "gostava de saber o que é que acontecia se eu não o curasse, se o deixasse estourar para aqui!". Nada; vou e digo-lhe: "Vossa Excelência mandou-me chamar já muito tarde; ontem, ou anteontem, talvez ainda pudesse fazer alguma coisa, mas hoje já não é possível...".

E foi assim que Tresorka morreu.

Contaram-me com todos os pormenores como uma vez quiseram matar o nosso major. Havia na penitenciária um certo preso. Estava conosco havia já alguns anos e distinguia-se de todos nós pelo seu ingênuo modo de conduzir-se. Também reparavam que nunca falasse com ninguém. Achavam que era um pouco amalucado. Sabia ler e escrever e tinha passado todo o ano anterior lendo constantemente a Bíblia, lendo-a de dia e de noite. Quando todos dormiam, à meia-noite, ele se levantava, acendia uma vela de igreja, trepava no fogão, tirava o livro que lá estava escondido e punha-se a ler até que amanhecia. Um dia chegou junto do oficial e disse-lhe que não queria ir para o trabalho. Avisaram o major, o qual ficou furioso e veio imediatamente numa correria. O preso atirou-lhe um tijolo que já levava, às escondidas; mas errou o golpe. Agarraram-no, levantaram-lhe um processo e castigaram-no. Fizeram tudo isso rapidamente. Passados três dias o infeliz falecia na enfermaria. Quando morreu disse que não tinha feito aquilo por ódio a ninguém, mas apenas porque queria sofrer. E isto sem que pertencesse a alguma seita. No presídio lembravam-se dele com respeito.

Finalmente puseram-me as grilhetas. Entretanto, já tinham aparecido na oficina várias vendedoras de bolinhos. Algumas eram ainda umas mocinhas. Enquanto eram jovens, andavam na venda dos bolos; as mães faziam-nos e elas vendiam-nos. Quando já mulheres continuavam entrando ali, mas sem bolinhos; era esse o costume. Entre as vendedoras havia também algumas que eram casadas. Os bolinhos custavam um *groch* cada um e quase todos os presos os compravam.

Reparei num preso carpinteiro, já de cabelo branco mas muito mulherengo, que, sorrindo, não tirava os olhos de cima das vendedoras. Pouco antes de elas terem chegado pôs um lenço vermelho no pescoço. Uma mulher gorducha e toda cheia de marcas de varíola sentou no banco junto dele e entre ambos entabulou-se o diálogo seguinte:

– Por que não foste lá ontem? – perguntou o preso com um sorriso fátuo.

– Eu fui, mas Mitka chamou-os! – respondeu a mulher com desenvoltura.

– É verdade, chamaram-nos; senão, teríamos ido lá, sem falta... Mas antes de ontem foram lá todas...

– Quem é que foi?

– A Mariachka, Khavrochka, Tchekunda, Dvugrochévaia...[8]

– Que quer dizer isso? – perguntei eu a Akim Akímitch. – Será possível?

– É – respondeu-me baixando os olhos, pois era um homem muito austero.

Não havia dúvida de que aquilo era possível, mas apenas uma vez por outra e com grandes dificuldades. De maneira geral entregavam-se mais à bebida do que a isso, apesar da dureza da vida de forçado. Até à mulher era muito difícil chegar. Era preciso arranjar uma hora, um lugar, pôr-se de acordo com elas, marcar um encontro, procurar a solidão, o que era particularmente difícil; escapar da caravana, o que era ainda mais difícil, e depois gastar uma boa soma, relativamente falando. Mas, apesar de tudo isso vim ainda a ter oportunidade, algumas vezes, de testemunhar cenas de amor. Lembro-me de que uma vez, no verão, tínhamos ido para um certo alpendre, nas margens do Irtich, onde nos ocupávamos a acender um forno; as sentinelas eram bons rapazes. Apareceram então ali duas *souffleuses,* como os presos lhes chamam.

– Olá? Então por onde tem andado? Talvez com os Zvierkóvi? – perguntou-lhes um dos presos, do qual se tinham aproximado, e que havia muito tempo as esperava.

– Quem? Eu? Mais tempo demora a pega na árvore do que eu com eles – respondeu com desenvoltura uma das mulheres.

Era uma criatura horrorosa. Vinha acompanhada pelo Dvugrochévaia, a qual era também de uma fealdade superior a toda hipérbole.

– Já há tempo que não vos via – continuou o galã dirigindo-se a Dvugrochévaia. – Que fizeste, para estares assim tão magra?

– Eu já lhe digo. Eu, dantes, era muito gorda, e agora, em compensação... pareço um palito.

– Não andaram com os soldados?

– Qual! Isso são as más línguas que dizem! Embora, no fim de contas... Embora nos deixem sem um cobre, os soldados atraem-nos!

– Então larguem deles e venham conosco; nós temos dinheiro...

Para completar o quadro imaginemos esse galanteador de cabeça rapada, de grilhetas e de terno listado, e vigiado por sentinelas.

Perguntei a Akim Akímitch e ele me disse que eu podia voltar com a escolta para o presídio, e foi o que fiz. Os outros regressavam já. Os primeiros a regressarem eram os que trabalhavam por empreitada. O único processo de obrigar os presos a trabalhar com persistência era dar-lhes uma tarefa. Às vezes davam-lhes umas tarefas enormes; mas, apesar disso, acabavam-nas muito mais depressa do que quando os faziam trabalhar durante todo o dia, até o toque do tambor, que anunciava a hora do rancho. Assim que acabavam o seu trabalho, os condenados voltavam logo para o presídio e já ninguém os incomodava.

---

8 Literalmente, no valor de dois grochi. Ordinária, rameira.

Não comiam todos juntos mas ao acaso, à medida que iam chegando; aliás, também não havia lugar suficiente para todos, ao mesmo tempo, na cozinha. Provei a sopa de couves, mas, por não estar habituado, não fui capaz de ingeri-la e fiz um pouco de chá. Sentei-me na ponta da mesa. A meu lado tinha um companheiro que, tal como eu, era de família nobre.

Os presos entravam e saíam. Havia ainda lugar de sobra, pois ainda não tinham chegado todos. Um grupo de cinco homens formava um pequeno círculo à parte, na mesa ampla. O cozinheiro deu a cada um deles um prato fundo de sopa de couves e deixou em cima da mesa uma travessa com peixe frito. Deviam festejar qualquer coisa e comiam por dois. Olhavam para os outros de soslaio. Entrou um polaco e sentou junto de mim.

– Não estava em casa, mas sei tudo! – exclamou com voz forte um preso alto, entrando na cozinha e passando revista com os olhos a todos os presentes.

Devia ter cinquenta anos e era musculoso e magro. Tinha, ao mesmo tempo, qualquer coisa de sinistro e de cômico no rosto. O que mais chamava nele a atenção era o seu lábio inferior, grosso e proeminente, o que dava ao seu rosto uma expressão muitíssimo engraçada.

– Saúde! E que vos faça muito bom proveito! Mas por que é que nem sequer cumprimentam? – acrescentou, sentando-se junto dos que comiam. – Bom apetite! Recebam bem o convidado!

– Nós, meu caro, não somos de Kursk!

– Ah! Talvez sejam de Tambov!

– Nem de Tambov. De nós não levas nada, meu caro. Dirige-te a algum ricaço e estende-lhe a mão.

– Na minha barriga, meus caros, hoje estão Ivan Taskun e Maria Ikhótchina;[9] mas onde está, onde vive esse ricaço?

– Tens aí Gázin, que é um homem endinheirado; podes dirigir-te a ele.

– Mas Gázin, meus caros, ficou sem dinheiro, embebedou-se, gastou tudo na pinga.

– Tem vinte rublos – disse outro. – Pelo visto, o negócio de taberneiro não é nada mau.

– Mas quê, não admitem convidados? Bem, se é assim, comeremos por conta da casa.

– Vamos lá, pede chá. Olha os senhores, tomam-no.

– Aqui não há senhores, agora; aqui todos são o mesmo que eu – exclamou com mau modo um preso que estava sentado num canto. Até esse momento não tinha dito uma palavra.

– De boa vontade tomaria chá; mas custa-me pedi-lo, também temos a nossa dignidade! – observou o preso do lábio gordo, olhando-nos com uma expressão bonachona.

– Se deseja, eu lhe ofereço – disse, convidando-o – com muito gosto...

– Com muito gosto? Aí é que não havia de aceitar! – e aproximou-se da mesa.

– Em casa só comia sopa de couves; e agora, aqui, apetece-lhe a bebida dos senhores! – exclamou o preso de mau gênio.

---

9 Expressão alegórica entre os presos para designar a fome.

– Então, não há aqui quem beba chá? – perguntei-lhe eu; mas ele não se dignou responder-me.

– Olhem, aí estão com os bolos. Ande, dê-me um também!

Entraram com os bolos. Um preso novo trazia um monte de bolinhos e procurava vendê-los aos outros presos. As vendedoras entregavam-lhe dez bolos e, a partir destes, começaram a contar.

– *Kalátchi, kalátchi!* – gritava ao entrar na cozinha. – Chegados de Moscou, quentinhos! Se não me tivessem custado dinheiro, quem os comia era eu. Vamos, rapazes, que só tenho um! Quem é que teve mãezinha?!

Esta invocação do amor maternal comoveu-os a todos e alguns compraram-lhe bolinhos.

– Mas... vocês não sabem? – acrescentou. – Gázin não cometeu nenhum pecado! Meu Deus! Então não se lembrou de sair! Contanto que o Oito Olhos não o descubra!

– Escondem-no. Mas como, embebedou-se?

– Está mas é furioso.

– Então vamos ter pancadaria...

– De quem falam? – perguntei ao polaco que estava sentado junto de mim.

– De Gázin, o preso. É doido por vinho. Assim que apanha algum dinheirinho põe-se logo a beber; se não fosse isto era o homem mais pacato do mundo, mas quando bebe perde a cabeça e atira-se às pessoas de faca em punho. O que vale é que aqui sabem amansá-lo.

– Como é que o amansam?

– Dez presos atiram-se sobre ele e dão-lhe uma sova, com todas as suas forças, até que fique sem sentidos, isto é, até o deixarem meio morto. Então levam-no para a esteira e deitam-lhe uma samarra por cima.

– Um dia podem matá-lo!

– Se fosse outro, matavam, a ele, não. É o mais forte de todos que estão no presídio, e de uma constituição robustíssima. Na manhã seguinte levanta-se como se nada tivesse acontecido.

– Ora diga-me, por favor – continuei eu a perguntar ao polaco – agora, eles estão comendo, enquanto eu bebo chá. E todos olham para mim, como se invejassem o meu chá. Diga-me: que significa isso?

– Não é por causa do chá – respondeu-me o polaco – mas por o senhor ser nobre, como eu, e não sermos parecidos com eles. Sabe Deus quantos gostariam de brigar conosco. Têm sempre uma vontade enorme de nos ofenderem, de nos vexarem. O senhor admira-se muito desta hostilidade. Aqui, têm-nos um ódio feroz a todos, é uma coisa horrível. A mais horrível, em todos os sentidos. É preciso muita paciência para uma pessoa se acostumar a isto. Há de encontrar muitas vezes essa hostilidade e aversão por causa do chá e da comida especial, apesar de haver aqui muitos que frequentemente comem à parte e alguns que bebem chá constantemente. Eles podem fazer isso, mas o senhor não pode.

Quando disse isto levantou e saiu da mesa.

Passados poucos minutos tive a confirmação das suas palavras.

Capítulo III / Primeiras impressões (continuação)

Assim que Mátski (o polaco com o qual eu tinha acabado de falar) saiu, Gázin, completamente bêbado, apareceu na cozinha. Um preso bêbado, à luz do dia, quando todos eram obrigados a estar no trabalho, tão próximo do lugar onde estavam os chefes do presídio, que podiam aparecer ali de um momento para o outro, a dois passos do suboficial encarregado da guarda dos presos, e que não se afastava do edifício; tão à vista das sentinelas e dos inválidos, numa palavra, de todos os guardiões do presídio, vinha arruinar por completo a ideia que eu fizera da vida dos presos. Foi preciso ainda muito tempo para que a mim mesmo pudesse explicar todos esses fatos, que eram para mim autênticos enigmas, durante os primeiros dias do meu cativeiro.

Já disse que os presos tinham sempre o seu trabalho particular, e que esse trabalho era uma exigência natural da vida presidiária; que à parte essa necessidade, o preso ama extraordinariamente o dinheiro e valoriza-o acima de tudo, quase tanto como a liberdade, sentindo-se satisfeito quando o ouve tilintar no bolso, e que, pelo contrário, se mostra diminuído, tristonho e inquieto, e perde a coragem quando ele acaba, e se torna então capaz de roubar seja o que for, contanto que o arranje. Mas apesar de ser tão precioso na penitenciária, o dinheiro nem sempre contribuía para a felicidade daqueles que o possuíam. Em primeiro lugar, era-lhes muito difícil guardá-lo, de maneira que não o roubassem nem o apreendessem. Se o major conseguisse dar com ele, em qualquer das suas inesperadas revistas, apreendia-o imediatamente. Pode ser que o empregasse em melhorar o rancho dos presos; fosse lá para o que fosse, o certo era que o levava. Mas o mais frequente era roubarem-no; não havia processo de o porem bem seguro. Mais tarde os presos vieram a descobrir um meio de guardar o dinheiro com toda a confiança. Depositavam-no nas mãos dum velho, um antigo crente, que chegara ali como adepto da seita de cismáticos que formavam os camponeses de Staradúbovo... E não posso deixar de dizer algumas palavras acerca deste, embora me afaste do meu assunto.

Era um velho de sessenta anos, baixinho e de cabelos brancos. Causou-me uma profunda impressão da primeira vez que o vi. Era completamente diferente dos outros presos. Qualquer coisa de plácido e de sereno transparecia no seu olhar, a tal ponto que me lembro de como me agradava olhá-lo nos seus olhos claros e luminosos, rodeados de rugas finas e pequenas. Conversávamos muitas vezes e talvez nunca tenha encontrado na minha vida uma criatura tão boa e tão simpática. Tinha sido deportado por um crime muito grave. Entre os aldeões de Staradúbovo, adeptos da antiga fé,[10] começaram a dar-se conversões. O governo protegia os conversos e começou a pôr em jogo todos os seus recursos para que se convertessem também os outros dissidentes. Mas o nosso velho decidiu, juntamente com outros fanáticos, dar público testemunho da sua fé, como ele dizia. Os outros começaram a levantar uma igreja nova e eles incendiaram-na. O nosso velho foi enviado para os trabalhos forçados como um dos instigadores. Era um comerciante rico e tinha mulher e filhos; mas aceitou a sua sorte, sem fraquejar, por considerar, na sua cegueira, que aquilo era um martírio pela sua fé. Quem convivesse durante algum tempo com ele havia de fazer involuntariamente esta pergunta: "Como é possível que este homem, tão amável,

---

10 Seita religiosa dos Velhos Crentes, que não adotou as reformas religiosas preconizadas no séc. XVII.

ingênuo como uma criança, tenha sido um revolucionário?". Algumas vezes eu lhe falava da fé... Não havia quem o demovesse das suas convicções; mas nunca deixava transparecer maldade nenhuma nem ódio nas suas palavras. E no entanto tinha incendiado igrejas e não o negava. Calculo que, segundo a sua maneira de pensar, devia considerar a sua conduta e o martírio como uma felicidade. Mas nunca lhe notei nem lhe ouvi nada que pudesse ser indício de vanglória ou de jactância.

    Havia ali outros adeptos da antiga fé, na maior parte siberianos. Eram pessoas melindrosas, homens brigões, muito irritáveis e pedantes, e grandes dialéticos na sua doutrina; indivíduos altivos, desordeiros, presunçosos e incrivelmente impacientes. O nosso velho era completamente diferente. Talvez mais lido do que todos eles, evitava as discussões. Era muito sociável. Estava sempre contente, e costumava rir, não com esse risinho sombrio, cínico; com que riam os presidiários, mas com um riso claro, plácido, com um riso que transbordava de candura infantil e que combinava muito bem com os seus cabelos brancos. Pode ser que eu esteja enganado, mas parece-me que se pode conhecer os homens pela maneira de rir e que, quando surpreendemos um riso afetuoso na boca de alguém que não conhecemos, podemos afirmar que se trata de uma boa pessoa. O velho era muito considerado em todo o presídio, mas não se envaidecia por isso. Os presos chamavam-no avô e nunca se metiam com ele. Mas apesar da visível dignidade com que suportava os seus trabalhos forçados, escondia na alma um pesar profundo, inconsolável; que se esforçava por dissimular. Eu ficava no mesmo alojamento que ele. Uma vez, aí pelas três da madrugada, acordei e ouvi um chorar manso e reprimido. O velho estava sentado sobre o fogão (aquele mesmo fogão sobre o qual, já antes dele, à noite, se punha a rezar aquele outro preso que lia a Bíblia e queria matar o major), e rezava no seu livro manuscrito. Chorava e eu ouvi como dizia de quando em quando: "Senhor, não me abandones! Senhor, dá-me forças! Os meus filhinhos, tão pequeninos, nunca mais me verão!". Não poderia exprimir a pena que aquilo me fez. Bem. Pois foi a esse velhinho que, pouco a pouco, todos os presos foram confiando o seu dinheiro para que ele o guardasse. No presídio eram quase todos gatunos; mas, de repente, não sei por que, todos adquiriram a convicção de que aquele velho não poderia roubá-los. Sabiam que ele também escondia em qualquer lugar as quantias que lhe enviavam de casa; mas num lugar tão seguro que não era possível descobri-las. Mais tarde veio a revelar-nos o seu esconderijo, a mim e a alguns dos polacos. Numa das estacas da nossa cerca havia nascido um galho que, segundo parecia, estava bem agarrada ao tronco. Mas ele levantou o galho e ficou a descoberto um grande buraco. Era ali que o velhote escondia o seu dinheiro, voltando depois a colocar o galho no seu lugar, de maneira que nunca ninguém pudesse suspeitar de nada.

    Mas afastei-me da minha narrativa. Tínhamos ficado nisto: no motivo pelo qual o dinheiro não durasse muito no bolso dos presos. Mas além da dificuldade de guardá-lo havia no presídio outras causas de sobressalto; o preso é, por natureza, um ser a tal ponto ansioso de liberdade, e também, devido à sua posição social, a tal ponto desorientado e desordenado que, naturalmente, o seduz a ideia de fartar-se de tudo, de gastar de uma só vez todos os seus bens, com balbúrdia e com música, a fim de esquecer, ainda que só por um minuto, a sua sorte. Era estranho ver alguns deles trabalharem sem levantar a cabeça, às vezes durante meses inteiros, apenas com o fim de poderem um dia largar completamente o trabalho, para depois, outra vez, até nova pândega, voltarem a trabalhar outros tantos meses a fio. Muitos gostavam de vestir uma roupa nova e, é claro, qualquer coisa fora do comum: umas calças pretas de feitio especial, ou um cinturão, ou uma samarra siberiana. Também se usavam muito as camisas de cor, de algodão, e o cinturão com fivelas de metal. Quando estavam alegres e foliões por causa de alguma festa, era certo que se punham a percorrer todos os alojamentos, chamando por toda a gente. A satisfação de se sentirem bem frajolas raiava pela infantilidade; e, de fato, muitos desses presos eram umas autênticas crianças. Para dizer a verdade, todos esses objetos vistosos deixavam, como por encanto, de ser propriedade sua, pois às vezes, já nessa mesma noite, os empenhavam ou vendiam por um preço irrisório. Aliás, andavam sempre na farra, para a qual havia oportunidade, geralmente, ou nos dias de festa ou nos dias em que o anfitrião celebrava o seu santo. O preso que celebrava o seu santo onomástico levantava-se nesse dia muito cedo, acendia uma vela e rezava; depois vestia-se, alindava-se e encomendava o jantar. Mandava comprar carne de vaca e peixe e fazer empadas siberianas; a seguir comia como um abade, geralmente sozinho, pois raramente convidava os companheiros para partilharem do festim. Depois aparecia a aguardente; o tipo bebia, percorrendo todos os dormitórios, fazendo barulho, provocando os outros e esforçando-se por demonstrar a todos que estava bêbado, que se excedera, conquistando assim o respeito geral. Entre os russos, em todas as partes se acolhe o bêbado com uma certa simpatia; no presídio quase lhe prestavam homenagem. Havia qualquer coisa de aristocrático na bebedeira dos presidiários. Assim que se embebedava, o preso começava logo a exigir música. Havia no presídio um polaco desertor, muito repugnante, mas que tocava violino, possuindo um que era mesmo seu e representava toda a sua fortuna. Não tinha ofício nem benefício; por isso pensou em dedicar-se a tocar danças alegres para os companheiros que se embriagavam. O seu trabalho consistia em seguir constantemente, de alojamento em alojamento, o bêbado do patrão, tocando o violino com todas as forças. Às vezes o seu rosto refletia desgosto, angústia. Mas aquelas palavras de "Toca, que eu te pago" eram o suficiente para que ele se pusesse a tocar com nova energia. Quando começava a embebedar-se, o preso tinha a certeza absoluta de que, assim que estivesse completamente atascado, os companheiros haviam de dar por isso e então o levariam para deitar e procurariam algum meio de os chefes não chegarem a saber do ocorrido; e, tudo isso, o fariam com o maior desinteresse. Por outro lado, o suboficial e os inválidos, encarregados de velar pela ordem dentro do presídio, estavam completamente seguros de que o bêbado não chegaria a cometer nenhum desacato. Todos os presos, de todas os alojamentos, tomavam conta nisto, e quando o bêbado se excedia e começava a ficar pesado, deitavam-lhe imediatamente água na fervura e, se fosse necessário, manietavam-no, muito simplesmente. Mas a chefia secundária do presídio também fazia vista grossa sobre os bêbados e fingia não saber de nada. Sabiam muito bem que, se não permitissem a aguardente, ainda seria pior... Mas donde vinha essa aguardente?

Vendiam-na no presídio os próprios taberneiros de ofício. Eram vários e praticavam um tráfico contínuo e lucrativo, apesar de os bêbados e desregrados serem normalmente poucos, pois, para beber, era preciso contar com dinheiro e os presos tinham grandes dificuldades para o conseguir. Esse negócio começara, prosperara, e desenvolvera de maneira bastante original. Suponhamos um preso sem ofício e sem vontade de trabalhar (que não faltavam ali), mas com vontade de possuir dinheiro e, além disso, homem impaciente, que deseja ver depressa o resultado das suas diligências. Conta com algum dinheirinho para começar e decide-se a fazer contrabando de aguardente: empresa atrevida e que acarreta riscos graves. Podia acontecer que o tivesse de pagar com o corpo e se visse ao mesmo tempo privado do seu comércio e do seu pecúlio. Mas o taberneiro arrostava com tudo. Dinheiro, a princípio tem algum, e além disso, da primeira vez é ele mesmo quem introduz a aguardente no presídio, tirando, é claro, um bom lucro. Repete a operação pela segunda e pela terceira vez e, desde que os chefes não se intrometam, o seu negócio prospera rapidamente, e é então que assenta sobre uma base mais ampla: arvora-se em negociante, em capitalista, mantém agentes e ajudantes, corre menos perigo e cada vez ganha mais. Quem se arrisca são os ajudantes.

Havia sempre no presídio indivíduos perdulários, jogadores, que se embebedavam até gastar o último copeque; indivíduos sem ofício, desprezíveis e miseráveis, mas dotados de ousadia e iniciativa no mais alto grau. Esses indivíduos, a respeito de capital só possuem um: as costas, que podem servir-lhes para qualquer coisa, e portanto utilizam-no e dispõem-se a tirar dele o rendimento que pode dar. O indivíduo avista-se imediatamente com o comerciante e se oferece para introduzir a aguardente no presídio; o rico taberneiro tem sempre alguns desses auxiliares, em qualquer parte, fora do presídio – um soldado, um camponês, às vezes uma mocinha – que compra a aguardente nas tabernas, em grande quantidade, relativamente, por conta do negociante e pelo preço conveniente, e vai depois ocultá-la em qualquer esconderijo dos lugares por onde os presos devem passar quando se dirigirem para o trabalho. O fornecedor começa sempre por dar a provar a excelência da aguardente; mais isto e mais aquilo, o preso não pode resistir muito e pode dar-se por muito feliz se não deixar ali todo o seu dinheiro em troca de uma aguardente que, por muito boa que seja, no fim das contas é aguardente. Ao referido fornecedor apresentam-se de antemão, designados pelo taberneiro do presídio, os transportadores que hão de trazer os odres. Estes odres, primeiro são lavados, depois enchem-nos de água, para que conservem assim a umidade e elasticidade primitivas e fiquem capazes de receberem a aguardente. Assim que os têm cheios de água, o preso liga os odres à cintura e, se isso for possível, às partes mais escondidas do corpo. É claro que para isto é necessária toda a destreza, toda a manha de larápio do contrabandista. De certa maneira é a sua honra que está em causa. Tem de passar diante dos soldados da caravana e das sentinelas. Mas engana-os; o ladrão eficiente sabe sempre enganar os soldados da caravana, que às vezes se reduzem a algum recruta. É claro que primeiro se informam acerca da natureza da caravana, considerando também o momento e o lugar onde vão trabalhar. O preso é, por exemplo, consertador de fogões, e encarrapita-se em cima de um. Como se há de ver o que ele faz aí? O soldado não há de ir encarrapitar-se também atrás dele. Quando regressa ao presídio traz na mão uma moedinha de quinze ou vinte copeques, como por acaso, e espera o cabo à porta. Quando voltam do trabalho todos os presos são revistados pelo cabo das sentinelas, o qual os olha e apalpa por todas as partes, antes que se abram as portas da penitenciária. O introdutor da aguardente espera, de maneira geral, que durante a revista não cheguem a inspecionar-lhe determinadas partes do corpo. Mas às vezes acontece que o cabo o revista também aí e encontra a aguardente. Então o preso apela para o seu último recurso. Em silêncio e às furtadelas, mete na mão do cabo a moeda que traz na sua. Costuma suceder que, devido a essa manobra, consegue entrar no presídio, sem qualquer contratempo, transportando a sua aguardente. Mas de outras essa manha falha e então não tem outro remédio senão lançar mão do seu último capital: as costas. Dão parte ao major, paga bem com o referido capital, confiscam-lhe a mercadoria e o contrabandista aguenta tudo sem tugir nem mugir e sem denunciar o fornecedor; mas, entenda-se, não porque o papel de delator lhe repugne, mas apenas porque a denúncia não lhe traria proveito algum; ele, de todas as maneiras, havia sempre de apanhar, e a sua única consolação talvez fosse a de que ambos apanhassem. Mas precisa do fornecedor, embora, segundo o costume e em relação à combinação feita, este não dá ao contrabandista nem um só copeque de indenização pelas vergastadas que podem cair-lhe sobre as costas. Quanto às denúncias, costumam ser frequentes. O delator não fica exposto a qualquer contratempo no presídio; nem sequer teme que lhe mostrem desdém. Não o desprezam, tratam-no tão amigavelmente que se no presídio alguém se pusesse a querer demonstrar-lhe a vileza da delação, ninguém o compreenderia. Havia um preso de condição nobre, depravado e mau, com quem rompi todo gênero de relações, o qual era um grande amigo de Fiedka, o delator do major, o que lhe servia de espião e lhe contava tudo o que ouvia aos presos. Pois todos sabiam disso e nunca ninguém pensou em castigá-lo, nem sequer censurar a sua conduta.

Mas já me desviei do assunto. Tínhamos ficado em que a aguardente entrava no presídio sem dificuldade alguma. Bem; uma vez aqui, o taberneiro toma conta dos odres que lhe levam, paga o custo e começa a fazer contas. Verifica então que a mercadoria lhe fica muito cara e, portanto, para obter maior lucro, batiza-a de novo, deitando-lhe outra porção de água, quase metade por metade; e assim aguarda a chegada do cliente, que aparece no primeiro dia de festa, e às vezes no meio da semana: algum preso que trabalhou durante meses como um burro, amealhando alguns copeques para poder depois gastá-los todos num só dia, previamente escolhido. Durante muito tempo o pobre trabalhador sonhou com esse dia, durante a noite, nos seus felizes desvarios, depois do trabalho, e essa ideia ajudou-o a suportar os mil dissabores da vida do presídio. Até que por fim amanheceu o dia abençoado; o dinheiro continua em seu poder; não foi apreendido nem roubado e vai passar agora mesmo para a bolsa do taberneiro que, a princípio, lhe dá aguardente pura, se puder, isto é, batizada apenas duas vezes; mas à medida que o recipiente vai minguando, tudo quanto falta supre-o com água. Paga-se ali por um copo de aguardente cinco ou seis vezes mais do que em qualquer outra taberna. Imaginem, portanto, quantos copos de aguardente terá de embutir o preso e quanto dinheiro terá de gastar para chegar a embebedar-se. Mas, por não estar habituado à bebida e também devido à anterior abstinência, não tarda o preso a embriagar-se e, geralmente, continua bebendo até gastar os últimos cobres. É então que aparece toda a espécie de objetos: o taberneiro, ao mesmo tempo é usurário. Começam por levar-lhe os objetos de uso particular, de aquisição recente; depois os já usados, e por fim os objetos que no presídio lhe destinaram para uso próprio. Depois de ter gasto tudo na bebida, tudo, até ao último farrapo, o preso vai deitar-se; no dia seguinte acorda com um peso insuportável na cabeça e é em vão que corre para junto do taberneiro a pedir-lhe um trago de aguardente, que lhe alivie a enxaqueca. Suporta a sua desdita, amarfanhado, e nesse mesmo dia recomeça de novo o seu trabalho, para novamente, durante meses, trabalhar sem levantar a cabeça, sonhando com o dia feliz da última pândega, que não lhe sairá da memória, até que, pouco a pouco, comece a excitar-se e a pensar noutro dia parecido, que ainda vem longe, mas que há de chegar alguma vez.

Quanto ao taberneiro, quando consegue finalmente reunir uma quantia importante com o seu negócio, algumas dezenas de rublos, prepara pela última vez a aguardente, mas não lhe deita água, pois, dessa vez, destina-a para si mesmo. É que chegou também o seu dia de boêmia! E a festança começa com bebida, comida e música. E tem uma grande ideia: convida também para a orgia as autoridades subalternas e que estão mais próximas do presídio. A festança prolonga-se às vezes durante vários dias. Escusado será dizer que a aguardente não tarda a acabar e então o bêbado anfitrião acode a outros taberneiros, que já estão à sua espera e bebe da aguardente destes até gastar os últimos cobres. Por muito que os presos velem pelo bêbado, às vezes é apanhado pelos chefes superiores, o major ou o oficial de guarda. Então, levam-no ao comando, tiram-lhe o dinheiro, se o encontram, e para conclusão, mandam-no açoitar. Esfalfado, volta para a penitenciária e, passados alguns dias, já está de novo no seu ofício de taberneiro. Alguns desses bêbados, ainda com dinheiro, sonham com o belo sexo. À custa de muito dinheiro, deixam às vezes o trabalho, em segredo, e vão até certos arredores, acompanhados pela escolta subornada. Aí, numa casinha sossegada, precisamente no limite da cidade, oferece um banquete a todos e gasta o dinheiro. Com dinheiro, os presos podem fazer tudo e o próprio soldado da escolta participa de todas essas coisas. Em geral, esses soldados da escolta são futuros candidatos ao presídio. Aliás, sempre que haja dinheiro podem fazer tudo, e essas excursões costumam ficar em segredo. É preciso acrescentar que só muito de longe em longe as realizam. Requerem dinheiro grosso, e os amantes do belo sexo preferem valer-se de outros recursos mais fáceis.

Logo, durante os primeiros dias da minha vida de presidiário, um jovem preso, um rapaz muito bonito, me inspirou uma curiosidade especial. Chamava-se Sirótkin.[11] Era, sob vários aspectos, uma criatura muito enigmática. Em primeiro lugar foi o seu belo rosto que me chamou a atenção; não devia ter mais de vinte e três anos. Pertencia à seção especial, isto é, à perpétua, e justamente por isso era considerado um dos delinquentes militares mais graves. Calmo e simples, falava pouco e raramente sorria. Tinha os olhos azuis, as feições regulares, a cara sem um fio de barba, suave, os cabelos castanhos claros. A cabeça rapada, quase nem chegava a desfeá-lo, tão bonito era o rapaz. Não tinha ofício mas recebia dinheiro com frequência, embora não muito. Era muito preguiçoso e andava mal vestido. Havia alguém que de vez em quando lhe mandava roupa, uma bonita camisa, por exemplo, e Sirótkin demonstrava então grande alegria por causa do presente e ia exibir-se pelos dormitórios. Não bebia nem jogava baralho e nunca tinha rixas com os outros. Costumava andar pelos alojamentos, de mãos nos bolsos, muito tranquilo e meditabundo. É difícil supor em que poderia pensar. Se alguma vez uma pessoa o olhava, por curiosidade, se lhe perguntava qualquer coisa, respondia imediatamente e com delicadeza, não como um presidiário, mas sempre de maneira lacônica, seca,

---

[11] Nome derivado de *sirotá*, órfão.

e olhando para as pessoas como uma criança de dez anos. Quando tinha dinheiro nunca comprava nada que fosse necessário, não dava a roupa para consertar, nem comprava sapatos novos, mas comprava um bolinho, um pão doce e saboreava-o... como se tivesse apenas sete anos! "Olha lá, Sirótkin – costumavam dizer-lhe os presos – tu és a órfã do presídio." Nos dias de folga costumava vaguear pelos outros alojamentos; os outros traziam quase todos algum trabalho entre mãos; ele era o único que nada fazia. Se lhe diziam qualquer coisa, quase sempre uma piada (até os seus próprios companheiros costumavam zombar dele), saía dali sem sequer dizer uma palavra e ia para outro alojamento; às vezes, quando as piadas eram muitas, chegava até a corar. Eu pensava muitas vezes: "Por que teria vindo dar ao presídio está criatura tão agradável e pacata?" Certa vez, estava eu doente no hospital do presídio, Sirótkin também, e a sua cama estava junto da minha; à tardinha pus-me a falar com ele; logo no princípio da conversa se mostrou muito animado e acabou por me contar como é que tinha sido feito soldado, quanto a mãe chorou e a tristeza que sentiu por se ver entre os recrutas. Acrescentou que nunca pôde suportar a vida do quartel, que aí todos eram duros, antipáticos, e que os oficiais estavam quase sempre descontentes com ele.

– E como é que acabou tudo isso? – perguntei-lhe eu. – Porque te mandaram para aqui? E como se isso ainda fosse pouco, ainda por cima te mandaram para a seção especial! Ah, Sirótkin, Sirótkin!

– Pois tive de passar um ano inteiro no batalhão, Alieksandr Pietróvitch, e mandaram-me para aqui porque matei Grigóri Pietróvitch, que era o comandante da minha companhia.

– É quase inacreditável, Sirótkin, pois será possível que tu fosses capaz de matar alguém?

– Foi como lhe disse, Alieksandr Pietróvitch. Agora já estou arrependido.

– E os outros recrutas não se acostumavam a essa vida? Com certeza a princípio também lhes custa, mas depois acostumam-se e, olha, acabam por ser bons soldados. A tua mãe devia ter-te mimado muito; devia ter-te regalado com tortas de anis e leite, até aos dezoito anos.

– É verdade que a minha *mamacha* gostava muito de mim. Quando eu fui para o quartel, dizem que se meteu na cama e não voltou a levantar... A caserna acabou por se me tornar odiosa. Os oficiais não gostavam de mim, castigavam-me a toda hora... E por quê? Eu sou muito poupado em tudo, minha vida é muito ordenada, não bebo aguardente, não me aproprio do alheio, porque isso não está certo, Alieksandr Pietróvitch, uma pessoa apropriar-se daquilo que não lhe pertence... Todos os que me rodeiam têm o coração de pedra... ninguém a quem confiar os meus desgostos... Às vezes ia para um canto e punha-me a chorar. Pois bem. Uma vez, eu estava de sentinela. Era já noite e tinham-me mandado para junto do estaleiro. Ventava muito, era outono e estava tão escuro que até doíam os olhos. E como eu estava desgostoso, ai, tão desgostoso! Vou e pego na espingarda pela culatra, tiro-lhe a baioneta e ponho-a ao meu lado; descalço o pé direito, apoio o cano da espingarda contra o peito, deito-me sobre ele e puxo o gatilho com o dedo grande do pé... Olho... nada! Verifico a espingarda, limpo-a, ponho-lhe outro cartucho e encosto outra vez o cano contra o peito. Mas... que se passa? O cartucho encrava-se e o tiro falha de novo... "Mas que será isto?", digo para comigo. Calço outra vez a bota, calo de novo a baioneta, resigno-me e ponho-me a passear de um lado para o outro. E de repente tomei uma resolução: ir para qualquer lugar, para longe da tropa. Passada meia hora surge o comandante com um piquete. Caminha direito para mim e diz: "Então isto é que é ficar de sentinela?" Levantei a espingarda e enterrei-lhe a baioneta até o cano. Quatro mil varadas e depois para aqui, para a seção especial...

Não mentia. Fora na verdade por isso que o mandaram para a seção especial. Aos delinquentes vulgares davam-lhes castigo mais leves. Além disso Sirótkin era o único de todos os seus companheiros que tinha tão boa aparência física. Quanto aos outros da sua categoria, dos quais se encontravam entre nós uns cinquenta, fazia dó olhar para eles; havia apenas duas ou três caras apresentáveis; os outros tinham as orelhas caídas, eram feios e sujos; alguns já tinham cabelos brancos. Se as circunstâncias o permitirem hei de falar mais minuciosamente de toda essa corja. Sirótkin costumava manter relações amigáveis, até com Gázin, aquele a respeito do qual comecei a falar no princípio deste capítulo, recordando a maneira como entrou bêbado na cozinha e acabou assim por desmentir as ideias que eu construíra acerca da vida no presídio.

Esse Gázin era um indivíduo terrível. Provocava em todos uma estranha impressão de horror. A mim parecia que não podia existir criatura mais feroz e abominável. Eu vira em Tobolsk[12] o bandido Kâmieniev, famoso pelas suas façanhas, e depois também Sókolov, um preso que aguardava a decisão do processo, um desertor e feroz assassino. Mas nenhum deles me impressionou tão desagradavelmente como Gázin. Parecia-me às vezes que tinha diante de mim uma aranha enorme, gigantesca, de forma humana. Era tártaro e possuía uma força terrível, o mais forte de todos os do presídio; de estatura mediana, de constituição hercúlea, tinha uma cabeçorra disforme, desproporcionadamente grande, andava corcovado e olhava de baixo para cima. Acerca dele corriam no presídio boatos estranhos; sabia-se que pertencia à classe militar, mas os presos diziam entre si, não sei se com verdade, que ele desertara de Niertchinsk;[13] já por mais de uma vez tinha estado na Sibéria, por mais de uma vez também tinha fugido e mudado de nome, até que por fim veio parar ali, à seção especial. Diziam também que gostava de matar mocinhas só por puro prazer; que as levava para lugar solitário e começava a meter-lhes medo, a assustá-las, e quando a pobre vítima tinha já caído no cúmulo do espanto e tremia de pavor, ele, então, cortava-lhes o pescoço, mas pouco a pouco, devagar, com deleite. Eu pensava que tudo isto deviam ser suposições sugeridas pela terrível impressão que em todos provocava Gázin; essas suposições condiziam perfeitamente com ele, era o seu próprio rosto que as sugeria. Mas, apesar de tudo, quando não estava bêbado, o homem conduzia-se discretamente no presídio. Mostrava-se sempre tranquilo, não ralhava com ninguém, fugia até das discussões, mas como se desprezasse os outros, como se se considerasse superior a todos eles; falava muito pouco e parecia deliberadamente retraído. Todos os seus movimentos eram lentos, tranquilos, firmes. Lia-se em seus olhos que não tinha nada de bronco, e que, pelo contrário, era muito esperto e havia até sempre na sua cara e no seu sorriso qualquer coisa de extraordinariamente trocista e cruel. Fazia contrabando de aguardente e era um dos mais

---

12 Antiga e importante cidade da Sibéria Ocidental, na Rússia Asiática.
13 Cidade da Transbaical, centro duma região mineira, para onde destinavam os forçados da primeira categoria.

ricos taberneiros do presídio. Mas embebedava-se duas vezes por ano e era então que aparecia à superfície a todos a bestialidade da sua natureza. Embebedava-se pouco a pouco e começava por atingir os outros com os seus sarcasmos maldosos, calculados e como que preparados de antemão, até que por fim, já completamente bêbado, se apoderava dele um furor tremendo, empunhava uma faca e arremetia contra as pessoas. Os presos, que conheciam a sua enorme força, fugiam dele e escondiam-se, e ele arremetia contra o primeiro que encontrasse no seu caminho. Mas em breve encontraram o processo de o meterem na ordem. Dez homens de seu alojamento atiravam-se contra ele imediatamente e a luta começava. Não é possível imaginar nada de mais horrível do que essa luta: batiam-lhe sobre o peito, debaixo do coração, sobre a boca do estômago, no ventre; eram muitos e espancavam-no durante muito tempo, e só o largavam quando ele perdia os sentidos e ficava como morto. A outro não se atreveriam eles a surrarem-no assim, pois bater dessa maneira a uma pessoa equivaleria a matá-la; mas a Gázin, não. Depois da sova, quando ele estava completamente desmaiado, tapavam-no com uma samarra curta e levavam-no para a sua esteira. "Curte aí a bebedeira, porco!" E de fato, na manhã seguinte, levantava-se como se nada tivesse acontecido e, taciturno e severo, encaminhava-se para o trabalho. E todas as vezes que Gázin bebia até ficar embriagado, já toda gente sabia, no presídio, que esse dia havia, inevitavelmente, de acabar para ele com uma sova. Também ele sabia e, no entanto, embebedava-se. Assim aconteceu durante vários anos, até que por fim repararam que Gázin começava a decair. Queixava-se de vários males e tornara-se muito fraco; ia cada vez com mais frequência à enfermaria. "Rendeu-se!", diziam os presos entre si.

Irrompeu na cozinha, seguido daquele reles polaco do violino, que os bêbados contratavam para complemento da sua farra, e ficou ali estacado, em silêncio, olhando insidiosamente para todos os presentes. Todos se calaram. Por fim, reparando em mim e no meu companheiro, lançou-nos um olhar hostil e de chacota, sorriu com muita fatuidade, como se estivesse satisfeito consigo mesmo e bamboleando ostensivamente; dirigiu-se para a nossa mesa.

– Dê licença que lhe pergunte – começou (falava russo) – com que meios é que conta para permitir-se o luxo de tomar chá aqui.

Não respondi e troquei um olhar com o meu companheiro, supondo que seria preferível calar-me a responder. À primeira resposta ele teria rebentado de cólera.

– Terá dinheiro, por acaso? – continuou ele. – Com que então temos dinheiro, hem? Veio para o presídio para tomar chá, não? Como é que se arranja para tomar chá? Vamos, diga lá...

Mas quando viu que nós estávamos decididos a não responder e a não reparar nele, ficou tão furioso que tremia de cólera. Junto dele estava uma grande bandeja, a um canto, na qual punham todo o pão, já cortado e pronto para o jantar dos presos. Era tão grande que nela cabia todo o pão para meio presídio; mas agora estava vazia.

Ele foi, agarrou-a com ambas as mãos e lançou-a por cima de nós. Um pouco mais e teria quebrado nossas cabeças. Se bem que o assassinato ou a intenção de matar inspirasse extraordinária aversão em todo o presídio – começariam as indagações, as rusgas, as medidas de rigor obrigatórias; e por isso os presos procuravam cuidadosamente não se lançarem em tais extremos – apesar disso estavam todos, agora, numa atitude expectante. Nem uma só palavra em nossa defesa. Nem uma palavra para Gázin. A tal ponto era poderosa a inveja que tinham de nós! Era evidente que lhes agradava ver-nos naquele momento difícil... Mas para que o episódio tivesse acabado bem bastou que um, quando ele ia atirar a bandeja sobre nós, lhe gritasse:

– Gázin, estão te roubando a aguardente!

Atirou com a bandeja ao chão e, como louco, saiu da cozinha. "Foi Deus quem os salvou!", disseram os presos entre si. E passado muito tempo ainda o diziam.

Não pude verificar imediatamente se essa notícia do roubo da aguardente era verdadeira ou inventada de propósito exclusivamente para nos salvar.

À tarde, já tinha escurecido, antes de fecharem os alojamentos, saí, comecei a passear à volta da cerca e uma lúgubre tristeza caiu sobre a minha alma, uma tristeza tão grande que nunca depois tornei a sentir outra igual durante toda a minha vida de presidiário. O primeiro dia de desterro é sempre duro de suportar, onde quer que seja, no presídio, na caserna ou nas galeras... Mas lembro-me, com toda a nitidez, de que o pensamento que mais me preocupava depois, e que me acompanhou durante toda a minha vida no presídio – e que, em parte, era um problema insolúvel – e insolúvel continua ainda agora para mim: o da desproporção das penas em relação a crimes idênticos. De fato, nem aproximadamente podem comparar-se uns crimes com outros. Suponhamos que dois homens cometeram um homicídio, que se examinaram as circunstâncias dos dois crimes e que se aplicou aos dois quase a mesma pena. E, entretanto, vejam que diferença entre os dois crimes. Um, por exemplo, matou um homem por uma ninharia, por causa de uma cebola! Saiu para a rua, encontrou o homem no caminho e matou-o. E tudo por causa de uma cebola! "Aí tens, meu caro! Mandaste-me chamar; matei um homem, e tudo isso por causa de uma cebola. Palerma! Uma cebola, que vale um copeque! Cem almas... cem cebolas! Olha, toma um rublo!" (Lenda presidiária.) Outro, em compensação, matou para defender de um tirano inexorável a honra da noiva, da irmã ou da filha. Um outro, servo fugitivo, talvez meio morto de fome, matou um dos que foram enviados em sua perseguição, para defender a liberdade e a vida, ao passo que outro matou umas pobres mocinhas, só pelo prazer de degolá-las, de sentir nas mãos o seu sangue morno, gozando com a sua dor, com os seus derradeiros gemidos de pomba debaixo do gume da faca. E então? Pois tanto um como outro os mandam para o presídio. É certo que há diferenças no valor dessas penas, mas essas diferenças não são relativamente grandes, enquanto a diferença entre um e outro crime... é infinita. São tantas as diferenças, quantos os gêneros de crimes. Suponhamos que é impossível medir, pormenorizar essa diferença; que se trata de um problema insolúvel por sua própria natureza; qualquer coisa como a quadratura do círculo, por exemplo. Mas quem não se aperceba dessa diferença, que atente nesta: a diferença entre as consequências do castigo... Aí tendes um homem que se consome no presídio, se apaga como uma luzinha; e aí tendes um outro que, só depois de ter entrado para o presídio soube o que era uma vida alegre, um agrupamento tão simpático de bravos camaradas. Sim, há alguns deste gênero, no presídio. Eis aí, por exemplo, um homem culto sofrendo os remorsos de uma consciência requintada, torturado por um sofrimento moral, perante o qual todo outro sofrimento nada significa, e que se julga a si mesmo, pelo seu crime, mais implacável, mais severamente que a lei mais cruel. E eis aí, em comparação com ele, um outro que nem sequer, um só momento em toda a sua vida de presidiário, se detém a pensar no crime que cometeu. E mais, que se considera até inocente. E há, assim, os que praticam um crime apenas com o fim de irem dar à prisão e livrarem-se, deste modo, da vida, incomparavelmente mais forçada em liberdade do que no presídio. Na vida livre vive no último grau da humilhação, nunca come o suficiente e trabalha para o senhor desde manhã até à noite; ao passo que no presídio o trabalho é mais leve do que em casa; o pão também é dobrado e tão bom como nunca até então provou, e nos dias de festas tem carne de vaca; além disso há possibilidade de ganhar um copeque trabalhando. E os companheiros? Gente esperta, habilidosa, que sabe tudo. De maneira que o nosso homem olha para os companheiros com admiração: nunca, até então, vira outros como eles; considera-os como a mais elevada sociedade que é possível encontrar no mundo. Será o caso de que o castigo possa inspirar os mesmos sentimentos a estes dois homens? Mas, afinal, para que matar a cabeça, com problemas insolúveis? Ouviu-se o tambor: estava na hora de voltar ao alojamento.

Capítulo IV / Primeiras impressões (continuação)

Começou a última chamada. Depois disto fechavam logo os alojamentos, cada um com as suas chaves especiais, e os presos ficavam hermeticamente trancados até de madrugada.

Era um suboficial que fazia a chamada. Para isto, os presos formavam às vezes no pátio e vinha também o oficial das sentinelas. Mas o mais frequente era que essa cerimônia se realizasse nos próprios alojamentos. Foi o que se deu nessa altura. Os encarregados da contagem costumavam errar e voltavam ao princípio para contar de novo. Até que, por último, as pobres sentinelas contavam até ao número desejado e fechavam então os alojamentos. Em cada um destes alojavam-se uns trinta homens, que se acomodavam com bastante dificuldade nas esteiras. Mas era ainda muito cedo para dormir e portanto cada um procurava ocupar-se com qualquer coisa.

Das autoridades do presídio apenas ficava em cada dormitório um inválido, do qual já falei, e um decano dos presos, naturalmente designado pelo major, em atenção à sua boa conduta. Sucedia com muita frequência que os decanos incorriam, por sua vez, em alguma falta grave; então eram açoitados, destituídos, imediatamente, e nomeavam outros. No meu alojamento o decano era Akim Akímitch, que, com grande espanto meu, censurava muitas vezes os presos, que costumavam responder-lhe com zombarias. O inválido era mais esperto que ele, não se metia em coisa alguma, e se por acaso lhe acontecia censurar algum, fazia-o apenas por causa das aparências, para tranquilizar a sua consciência. Sentava muito caladinho na sua cama de rede e punha-se a costurar as botas. Os presos não lhe davam a menor importância.

Nesse meu primeiro dia de vida presidiária não fazia outra coisa senão observar, e depois tive oportunidade de comprovar que as minhas observações eram acertadas. Sobretudo a de que vigiavam exageradamente os presos todos aqueles que não eram presos, fossem eles quem fossem, começando pelos que não estavam em contacto estreito com os reclusos, como eram os soldados que vigiavam as caravanas, as sentinelas e, de maneira geral, todos aqueles que tinham qualquer relação com a vida penitenciária. Parecia que esperavam que de um momento para o outro um preso investisse com uma faca. E o que é ainda mais curioso: os próprios presos reconheciam que tinham medo deles, o que lhes infundia uma certa coragem. E, no entanto, o melhor chefe para os presos é precisamente aquele que não os teme, e os forçados só se sentem à vontade quando têm confiança neles. Neste caso chega até a ser possível atraí-los. Sucedeu que durante o meu período penitenciário, embora de longe em longe, um ou outro indivíduo do comando entrasse no presídio sem escolta. Era digno de ver como isto impressionava favoravelmente os reclusos. Esses intrépidos visitantes obtinham o seu respeito e se alguma coisa de desagradável tinha de se dar, nunca acontecia na sua presença. O medo que os presos inspiram é geral em todos os lugares onde há presos e, de fato, não sei ao certo a que seja devido isso. Não há dúvida de que deve ter algum fundamento, a começar pelo próprio aspecto do preso, malfeitor reconhecido; além de que, todo aquele que passa pelo presídio deve sentir que toda essa chusma de indivíduos não está ali por sua vontade, e que, apesar de todas as medidas que se tomem, não é possível fazer do homem vivo um cadáver, pois conserva os seus sentimentos, a sua sede de vingança e de vida, as suas paixões e a necessidade de satisfazê-las. Mas apesar de tudo isso, estou firmemente convencido de que não há razão nenhuma para temer os presos. Não é assim tão levianamente nem tão instantaneamente que um homem se lança, de faca em punho, sobre o seu semelhante. Em resumo: supondo que exista algum perigo, e que efetivamente ele exista, só poderá encontrar-se onde, precisamente onde, pela raridade de semelhantes acontecimentos, pode concluir-se que é insignificante. É claro que me refiro apenas aos presos que cumprem a sua pena, muitos dos quais se alegram de se verem finalmente no presídio (a tal ponto às vezes uma vida nova parece boa!), e estão portanto decididos a viver aí em paz e tranquilidade. Mas, ainda sem falar nisto, até os que são por sua natureza turbulentos, não encontram ali muitos motivos para se tornarem arrogantes. Todos os condenados, por muito temerários e duros que sejam, têm medo de tudo, no presídio. Quanto ao preso que está para sofrer um castigo... isso é outro caso. Este, na verdade, pode acometer um desconhecido por qualquer futilidade: pela simples razão, por exemplo, de que no dia seguinte tem de partir para cumprir a pena e, se cometer outro crime, afasta assim o castigo. É esta a causa, a finalidade da agressão: adiar a sua sorte, seja como for, e o mais depressa possível. Conheço também um estranho caso psíquico desta natureza.

Entre nós, havia no presídio, na seção militar, um preso, um soldado, que não estava privado dos seus direitos civis, que fora condenado a dois anos de prisão, e que era um grande fanfarrão e covarde de primeira ordem. De maneira geral só muito raramente a fanfarronice e a covardia existem no soldado russo. O nosso soldado parece estar sempre tão atarefado que, ainda que quisesse fanfarronar, não poderia. Mas se por acaso é fanfarrão, é quase sempre também extremamente covarde. Dútov (era este o nome do preso) acabara, finalmente, a sua breve pena, e voltara de novo para o batalhão. Mas como todos os da sua classe, que são enviados para o presídio para se corrigir, acabam por se corromper em definitivo, acontece geralmente que, ao se verem em liberdade, ao fim de duas ou três semanas, se encontram já envolvidos em novo processo e aparecem outra vez no presídio, com a diferença de que então não vêm já apenas por dois ou três anos, mas sim formando parte da categoria perpétua, por quinze ou vinte anos. Foi o que se deu neste caso. Passadas três semanas da sua saída da penitenciária, Dútov cometeu um roubo por arrombamento e, além disso, armou um escândalo e desatou em impropérios. Instauraram-lhe o processo e condenaram-no à penitenciária. Receoso até ao último extremo do castigo que se aproximava, como o mais vergonhoso covarde, aguardou o próprio dia em que deviam levá-lo para o presídio e atirou-se, de faca na mão, contra o oficial de reserva, que entrara no seu alojamento. É claro que devia saber perfeitamente que, com esse ato, agravava muito a sua pena e aumentava os seus anos de trabalhos forçados. Mas calculava que, assim, adiava, ainda que fosse apenas por uns dias, por umas horas, o terrível instante do castigo. Era a tal ponto covarde que quando arremeteu, de faca na mão, contra o oficial, nem sequer chegou a feri-lo, e fez tudo isso apenas para cometer um novo crime pelo qual tivesse de voltar a ser julgado.

Não há dúvida nenhuma de que o momento que antecede o castigo é terrível para o condenado, e eu, durante alguns anos, tive oportunidade de ver mais de um na véspera do dia fatal. Costumava encontrar-me com presos que estavam pendentes de castigo no hospital do presídio, durante as ocasiões em que aí entrava como doente, o que acontecia com muita frequência. Todos os presos russos sabem que as pessoas que mais compassivas se mostram para com eles são os médicos, que nunca estabelecem distinções entre os presos, como de maneira geral, toda a gente faz, exceto talvez a gente simples do povo. Esta nunca incrimina o preso pelo seu crime, por muito grave que ele seja, e perdoa-lhe tudo em atenção ao castigo que lhe acarreta e à sua desdita. Não é em vão que, em toda a Rússia, o povo chama desgraça ao crime e desgraçado ao criminoso. Definição cheia de um profundo significado. E é sobretudo interessante o fato de ser inconsciente e instintiva. O médico é também... um verdadeiro refúgio para o preso em muitas ocasiões, mas sobretudo para os presos pendentes de castigo, que suportam duros sofrimentos. Por isso costuma o preso que se encontra nestas condições, quando calcula a data provável em que chegará o dia tão temido, recolher-se à enfermaria na ânsia de afastar, ainda que por pouco tempo, esse doloroso momento. Quando sai daí, sabendo quase com exatidão que no outro dia chegará o momento fatal, adoece quase sempre gravemente. Alguns se esforçam por ocultar os seus sentimentos, apenas por vanglória; mas a sua coragem fingida, forçada, não engana os seus companheiros. Todos passaram pelo mesmo e calam-se por humanidade. Conheci um preso, um rapaz novo, um homicida, soldado, condenado ao número máximo de varadas. Tinha um medo tão grande que, na véspera do castigo, resolveu tomar um copo de aguardente no qual deitara pó de tabaco. De fato, antes do castigo, nunca a aguardente falta aos presos. Muito tempo antes da data temida já a têm em seu poder; compram-na muito cara, mas preferem privar-se do indispensável do que se arriscarem a não ter o dinheiro necessário para arranjar um quartilho de aguardente e bebê-lo um quarto de hora antes da execução da pena. Existe entre os presos a crença geral de que o bêbado não sente tanto os açoites ou as pauladas. Mas estou a afastar-me do meu tema. O pobre rapaz, assim que bebeu a aguardente, pôs-se de fato doente: começou a deitar sangue pela boca e levaram-no para a enfermaria quase desmaiado. A tal ponto essa hemoptise lhe despedaçou os pulmões que, passados poucos dias, descobriram-lhe os sintomas de verdadeira tuberculose, da qual veio a morrer passado meio ano. Os médicos que o tratavam não sabiam a que se devia a doença.

Mas, falando dos delinquentes que costumam fraquejar perante o castigo, devo acrescentar que alguns, pelo contrário, desconcertam um observador pela sua extraordinária impassibilidade. Lembro-me de alguns exemplos de intrepidez que roçava pela insensibilidade, exemplos que não eram nada raros. Recordo-me especialmente do conhecimento que travei com um estranho criminoso. Num dia de verão espalhou-se pela enfermaria do presídio o boato de que nessa tarde ia aplicar-se o castigo ao célebre bandido Orlov, desertor do Exército, que tinha sido trazido para ali. Os presos doentes afirmavam que ele seria cruelmente castigado. Aparentavam todos uma certa comoção e, confesso, eu também esperava o aparecimento do famoso bandido com grande curiosidade. Já tinha ouvido contar muitas coisas acerca dele. Era perverso como poucos, degolava sem a menor compaixão velhos e crianças, era um homem de força hercúlea e francamente vaidoso das suas façanhas. Respondia por vários crimes e foi condenado a sofrer uma fila inteira de vergastadas[14]. Já tinha caído a tarde, quando o trouxeram. A enfermaria já está na obscuridade e acenderam as luzes. Orlov vinha quase desmaiado, extremamente pálido, com os cabelos empastados, tesos, pretos como o breu. Tinha as costas inflamadas, de uma cor sanguinolenta, arroxeada. Os presos velaram-no toda a noite, levavam-lhe água, mudavam-no de posição, davam-lhe remédios, cuidavam dele como de uma criança, como de um santo homem. No dia seguinte já levantou e deu dois passeios pela enfermaria. Aquilo me deixou atônito; ele chegara à enfermaria prostrado, num estado de extrema debilidade. Recebera de uma vez metade das pancadas a que o condenaram. O médico só mandou suspender a execução quando viu que, se a prolongassem, o sentenciado correria risco de morte. Além disso Orlov era baixo, de corpo fraco, e ficara sem forças devido ao longo sofrimento durante o castigo. Quando por acaso uma pessoa encontrava presos sentenciados, ficava depois a lembrar-se por muito tempo dos seus rostos espantados, consumidos e pálidos, e dos seus olhares de delírio. Apesar de tudo isso, não tardou que Orlov se restabelecesse. Não há dúvida de que a sua energia interior, anímica, ajudou fortemente a sua natureza. Na verdade, era um homem extraordinário. Por curiosidade convivi de perto com ele e estudei-o durante uma semana. Posso afirmar que nunca na minha vida encontrei um caráter humano mais forte, mais férreo do que o seu. Eu tinha já conhecido em Tobolsk uma celebridade do mesmo gênero, um ex-capitão de bandidos. Esse era uma autêntica fera, e quem quer que se visse diante dele, embora ignorasse o seu nome, havia de pressentir, por instinto, que se encontrava na presença de um ser terrível, bestial. A sensualidade predominava a tal ponto nele, sobre todas as potências espirituais, que só de olhar-lhe o rosto era possível compreender imediatamente que ali havia apenas uma ânsia selvagem de prazeres, satisfações e

---

14 Os condenados às vergastadas deviam passar entre duas filas de soldados, armados de vergastas verdes.

deleite carnais. Estou convencido de que Koriêniev – era esse o nome do bandido – devia também perder a coragem e tremeria de horror perante o castigo, apesar de ser capaz de degolar o próximo sem pestanejar. Com Orlov passava-se o contrário. Este era um verdadeiro dominador da sensualidade. Saltava à vista que este homem tinha um ilimitado poder sobre si mesmo, que desprezava todos os sofrimentos e castigos e nada temia neste mundo.

Percebia-se nele uma energia imensa, uma ânsia de vingança, ânsia de alcançar o fim que se propunha. Entre outras coisas espantava-me a sua extraordinária altivez. Olhava para todos como de uma altura inverossímil, mas sem para isso fazer qualquer esforço, de uma maneira natural. Penso que não deve ter existido neste mundo uma criatura capaz de se impor a ele. Olhava para tudo com uma estranha fleuma, como se não houvesse nada neste mundo que pudesse assombrá-lo. Mas embora soubesse que os outros presos lhe tinham respeito, nunca se tornou soberbo perante eles. Dizem que a vaidade e a soberbia são características de quase todos os presos, sem exceção. Era muito franco e extraordinariamente sincero, embora pouco falador. Às minhas perguntas respondeu imediatamente que esperava restabelecer-se para acabar de cumprir o castigo o mais depressa possível, e que, antes, receara não poder suportá-lo.

– E pronto – acrescentou, piscando-me um olho – é assunto arrumado. Aguentarei o número de vergastas que me restam, e em seguida toca a marchar para Niertchinsk, simplesmente, hei de fugir durante o caminho, ora se fujo! É só ficar bom das costas...

E durante esses cinco dias aguardou com impaciência o momento em que pudesse pedir alta. Nessa expectativa, mostrava-se às vezes muito animado e alegre. Procurei fazer com que ele me falasse das suas aventuras. Ele franzia o sobrolho perante tais perguntas, mas respondia-me sempre com franqueza. Quando percebeu que fazia investigações sobre a sua consciência, procurando algum indício de arrependimento, olhou-me de uma maneira tão nitidamente depreciativa e arrogante como se eu de repente me tivesse convertido, a seus olhos, num rapazinho estúpido, com o qual não se podia conversar do mesmo modo que com um homem feito. Também no seu rosto se refletiu um pouco de piedade por mim. Passado um momento desatou a rir, com o riso mais franco, sem ponta de ironia, e tenho a certeza de que, quando depois ficou só e se lembrou das minhas palavras, é muito possível que voltasse a rir.

Finalmente deram-lhe alta, embora não tivesse ainda as costas completamente saradas; também a mim me deram alta na mesma ocasião, de maneira que saímos juntos da enfermaria: eu, para voltar ao presídio, ele para entregar-se ao corpo da guarda, onde estava alojado. Quando nos despedimos apertou-me a mão, o que nele era sinal de grande confiança. Penso que deve ter feito isso por estar muito satisfeito consigo mesmo nesse momento. Mas de fato, não tinha outro remédio senão desprezar-me e evidentemente que devia olhar-me como um ser humilde, débil, digno de dó e inferior a ele, em todos os sentidos. No dia seguinte aplicaram-lhe a outra metade do castigo...

Quando fechavam o nosso alojamento, este tomava imediatamente um aspecto especial, o aspecto de uma autêntica moradia, de um verdadeiro lar. Era o momento em que eu podia olhar para os meus companheiros, os presos, como pessoas de família. Durante o dia, os suboficiais, as sentinelas e, de maneira geral, os superiores, podem aparecer no presídio a todo momento; e por isso todos os seus habitantes se conduzem de outro modo, como se sentissem uma certa inquietação, como se esperassem ouvir um grito de alarme de um instante para o outro. Mas assim que fecham o alojamento, vão todos tranquilamente para o seu lugar, e a maioria se entrega a algum trabalho manual. O alojamento aparece todo iluminado, de repente. Todos têm a sua vela e o seu candeeiro, geralmente de madeira. Um, põe-se a consertar os sapatos, outro, a coser alguma peça de roupa. O ambiente mefítico do alojamento vai-se agravando de momento para momento. Um grupo de malandrins senta-se à turca sobre um tapete em farrapos, num canto, e põe-se a jogar baralho. Há em quase todos os alojamentos um preso destes, que possui um tapete velhíssimo, de aproximadamente um metro de comprimento, uma vela e um ensebado baralho de cartas, incrivelmente gastas. A este conjunto chamam *maidan*[15]. O dono destes objetos cobra uma certa quantia aos jogadores: quinze copeques por noite, o que é o seu ganho. Os jogadores costumam jogar a três parceiros, a monte, etc. Jogam sempre a dinheiro. Cada jogador coloca na sua frente um monte de cobres, tudo o que traz na bolsa, e não se levanta da sua posição de cócoras senão quando perdeu tudo ou deixou os seus companheiros sem uma só moeda. O jogo acaba a uma hora da noite bastante avançada, e às vezes prolonga-se até de madrugada, até mesmo no momento em que se abrem as portas do presídio. No nosso alojamento, e nos outros também, havia sempre mendigos, pedintes que, ou tinham perdido tudo no jogo e na bebida, ou, simplesmente, eram pedintes por natureza. Digo "por natureza" e insisto particularmente nesta expressão. Na verdade, em todas as partes onde nos encontremos, qualquer que seja o ambiente, quaisquer que sejam as circunstâncias, há e sempre há de haver alguns homens estranhos, agradáveis, e que muitas vezes não são nada tolos, mas que o destino determinou fossem eternamente uns mendigos. São sempre uns pobres-diabos, uns mendicantes, parecem sempre intimidados e de ar abatido, não se sabe por que, e que são sempre os alcoviteiros de alguém, o seu correio particular, geralmente daqueles que andam na boêmia e dos que enriquecem de um dia para o outro e se vão elevando acima dos demais. Todos os começos, todas as iniciativas... para eles, são dolorosos e difíceis. É para dizer que nasceram condenados a não ser nunca os primeiros a começar qualquer coisa, limitando-se a secundar os outros, a viver dependentes da sua vontade, a bailar conforme os outros tocam; o seu destino... é cumprir o dos outros. Ainda que tudo em que tomam parte se conclua favoravelmente, nenhuma circunstância, nem mudança alguma podem enriquecê-los. Hão de ser sempre mendigos. Tive ocasião de observar que esses indivíduos não formam uma casta única, e que se encontram em todas as sociedades, classes, partidos, nas redações dos jornais e nos grupos de acionistas. Pois sucedia o mesmo em cada alojamento, em todo presídio, e bastava que se falasse de *maidan* para que logo se apresentasse algum desses tipos oficiosos. De maneira geral, até, não podia haver *maidan* sem um desses. Contratavam-no para quase todos os jogos, oferecendo-lhe cinco copeques por noite, e a sua missão principal era estar toda a noite de sentinela. Geralmente tinha de passar sete ou oito horas na escuridão, colado à parede, com trinta graus abaixo

---

15 Na sua expressão usual, no Sul da Rússia, mercado, feira.

de zero, de ouvido atento a qualquer rumor, ao menor sussurro, a cada passo que se ouvisse no pátio. O major da praça, ou as sentinelas, apareciam às vezes no presídio a uma hora bastante avançada da noite, entravam muito de mansinho e vinham surpreender velas acesas, que até já do pátio se viam. Pelo menos, quando de repente começavam a ranger as fechaduras das portas dos muros dos pátios, era já tarde para se esconderem, para apagar as luzes e se estenderem nas esteiras. Mas como o *maidan* fazia pagar caro a sua negligência à sentinela contratada, essas surpresas eram muito raras. Não há dúvida de que cinco copeques é uma recompensa ridícula, insignificante, mesmo no presídio; e sempre ali me chocou a desumanidade e falta de compaixão dos que encarregavam outro de alguma incumbência. "Aceitaste o dinheiro, portanto faz o teu serviço!"

Era este um argumento que não admitia réplica. Pelo dinheiro entregue, o contratador exigia tudo o que podia exigir, e até mais, e ainda pensava que ficava prejudicado. Esse boêmio, esse bêbado que esbanjava o dinheiro a torto e a direito, explorava implacavelmente o servidor. Isto tenho eu observado em mais de uma prisão e em mais de um *maidan*.

Já disse que, no alojamento, quase todos se ocupavam de algum trabalho particular; à parte os jogadores, não passariam de cinco os indivíduos completamente desocupados, os quais se estendiam logo para dormir. O meu lugar nas esteiras ficava mesmo junto da porta. No outro lado da minha esteira, com a cabeça ao nível da minha, estava Akim Akímitch. Ficava até às dez ou onze horas trabalhando numa lanterna chinesa de muitas cores, que lhe tinham encomendado na cidade, mediante uma boa retribuição. Fabricava essas lanternas de maneira admirável; trabalhava metodicamente, sem interrupção, e quando acabava a sua tarefa, recolhia os seus utensílios, estendia a sua cama, fazia a sua oração e deitava-se muito dignamente a dormir. Levava o decoro e a ordem até ao extremo, até a uma minúcia quase pedante; era evidente que devia considerar-se um homem muito esperto, o que sucede a todos os indivíduos de vistas curtas. Achei-o antipático logo no primeiro dia, embora me lembre que já nesse primeiro dia me deu muito que pensar, admirando-me, sobretudo, que um indivíduo como ele, em vez de triunfar na vida, tivesse ido parar num presídio. Mais adiante hei de ter ocasião de falar de Akim Akímitch por mais de uma vez.

Mas quero descrever rapidamente o resto do nosso alojamento. Tive de viver nele muitos anos e todos esses indivíduos haviam de ser os meus futuros vizinhos e camaradas. Por isso é compreensível que eu os olhasse com a mais viva curiosidade. À minha esquerda, nas esteiras, havia um grupo de montanheses do Cáucaso, condenados, na sua maior parte a penas várias, por roubo. Entre eles havia dois lésguios, um tchetcheno e três tártaros do Duguestão. O tchetcheno era um homem severo e sombrio; quase nunca falava com ninguém e estava sempre olhando à sua volta com receio e de revés, e com um sorrisozinho transbordante de maldade e zombaria. Um dos lésguios era já velho, tinha um nariz comprido, aguçado, encavalado, uma autêntica cara de bandido. O outro, Nurra, pelo contrário, desde o primeiro dia deixou-me uma impressão muito agradável, muito simpática. Ainda não era velho, de estatura mediana, de natureza hercúlea, louro, de olhos azuis, narizinho curto numa cara de finlandês, e as pernas arqueadas pelo costume de andar sempre a cavalo. Tinha o corpo todo marcado, advindas essas cicatrizes de golpes de baioneta e ferimentos de balas. Pertencia aos montanheses aliados, do Cáucaso, mas, às escondidas, costumava juntar-se aos montanheses inimigos, lutando a seu lado contra os russos. No presídio todos gostavam dele. Estava sempre contente, era sempre amável para todos; trabalhava devagar, com boa vontade e calmamente, embora muitas vezes olhasse com aborrecimento a vergonha e a sujidade da vida do presidiário e se pusesse a resmungar perante qualquer excesso, perante a gatunagem, a bebedeira e, duma maneira geral, por tudo quanto não estivesse bem, mas sem brigar com ninguém e afastando-se até de todos por causa do seu aborrecimento. Nunca, enquanto durou a sua vida de preso, roubou nada a ninguém nem praticou nenhuma má ação. Era extraordinariamente devoto. Rezava as suas orações obedecendo estritamente às regras; nos dias de jejum que precediam as festas maometanas jejuava como um fanático e passava as noites inteiras rezando. Todos gostavam dele no presídio e acreditavam na sua honestidade. "Nurra... tu és um leão", diziam os presos; de maneira que ficara com a alcunha de leão. Estava firmemente convencido de que, depois de cumprida a sua pena, o mandariam outra vez para a sua casa, no Cáucaso, e vivia desta esperança. Creio que teria morrido se lhe tivessem roubado essa ilusão. Desde o meu primeiro dia no presídio reparei logo nele. Não era possível deixar de atentar no seu rosto bonachão e simpático, entre as caras franzidas, ariscas e trocistas dos outros presos. Passada meia hora de eu ter entrado no presídio, passou junto de mim e deu-me uma pancadinha no ombro, sorrindo-me afetuosamente com os olhos. A princípio, não pude compreender o que aquilo significava. Falava muito mal o russo. Passado pouco tempo tornou a passar junto de mim e deu-me outra pancadinha no peito. Depois, isto se repetiu ainda mais vezes. Soube depois que, conforme eu supunha, eu lhe inspirava dó, que compreendia como o presídio me devia ser doloroso, e que queria oferecer-me a sua amizade, dar-me coragem e assegurar-me a sua proteção. Bom e ingênuo Nurra!

Os tártaros do Daguestão eram três e todos irmãos. Dois eram já homens maduros, mas o terceiro, Ali, tinha apenas vinte e dois anos e parecia ainda mais novo. O seu lugar nas esteiras ficava junto do meu. O seu rosto lindíssimo, inteligente, e ao mesmo tempo doce e cândido, desde o primeiro instante cativou o meu coração e senti-me feliz por ter-me o destino reservado aquele vizinho e não outro. Toda a sua alma se refletia no seu belo, direi até... belíssimo rosto. O seu sorriso era tão ingênuo como o de uma criança inocente; os seus negros e grandes olhos, tão suaves, tão acariciadores que eu sentia sempre uma satisfação especial e até uma espécie de alívio dos meus sofrimentos e inquietações quando o olhava. Falo sem exagero. O irmão mais velho (tinha cinco irmãos mais velhos; os outros tinham sido enviados para as minas), quando ainda estavam na aldeia, ordenou-lhe uma vez que pusesse o gorro e montasse a cavalo para acompanhá-lo num assalto à mão armada. Tão grande é o respeito pelo irmão mais velho entre os montanheses do Cáucaso, que o rapaz não se deteve a fazer perguntas, nem sequer se lembrou de indagar onde iam. E os outros não achavam necessário dizer. Lançaram-se todos na aventura criminosa quando encontraram no caminho um rico mercador armênio, e despojaram-no. Eis aqui como isso aconteceu: destroçaram a escolta, mataram o armênio e o séquito, e levaram as suas mercadorias. Mas o caso foi descoberto; prenderam os seis, processaram-nos, julgaram-nos e condenaram-nos a trabalhos forçados na Sibéria. A clemência dos juízes para com Ali reduziu-se a imporem-lhe uma pena mais curta: quatro anos. Os irmãos gostavam muito dele, com um amor mais paternal do que fraterno. Era a sua consolação no presídio e, apesar de serem carrancudos e de natureza arredia, sorriam sempre quando o viam e quando falavam com ele (na verdade falavam muito pouco com ele, como se o considerassem ainda novo demais para falar sobre assuntos sérios) os seus rostos iluminavam-se e eu percebia que lhe diziam qualquer coisa divertida, quase infantil, pelo menos olhavam uns para os outros e sorriam afetuosamente ao escutarem as suas respostas. Ele, por si, não ousava tomar a iniciativa de falar com eles, tal era o respeito que lhes tinha. Custa a saber como é que esse rapaz pôde conservar durante todo tempo do seu cativeiro aquela ternura de coração, aquela docilidade e simpatia, sem se zangar nunca nem perder a calma. Era no entanto de um caráter forte e firme, apesar de toda a sua evidente candura. Com o tempo, acabei por chegar a conhecê-lo a fundo. Era tímido como uma moça solteira e honesta, e qualquer coisa desagradável, cínica, feia ou imprópria, forçada, que sucedesse no presídio, acendia o fogo da indignação nos seus lindos olhos, que, nesses casos, se tornavam ainda mais belos. Mas fugia de todas as brigas e discussões, embora de maneira geral não fosse desses que se deixam ofender impunemente, e sabia velar pela sua dignidade. Simplesmente, nunca altercava com ninguém e todos gostavam dele e o mimavam. A princípio, limitava-se a ser delicado para comigo. Mas, pouco a pouco, comecei a conviver mais com ele; passadas poucas semanas, já sabia muito bem o russo, coisa que os seus irmãos não conseguiram durante toda a sua estada no presídio. Revelou-se um rapaz muito esperto, muito modesto e delicado, e até muito sensato. Apresso-me a dizer que, de maneira geral, considero Ali como uma criatura invulgar, e recordo o meu conhecimento com ele como um dos melhores encontros que tive na minha vida. Há naturezas tão naturalmente belas, a tal ponto favorecidas por Deus, que o pensamento só de que alguma vez possam corromper-se nos parece impossível. Estamos sempre tranquilos a seu respeito. Também eu estou agora, a respeito de Ali. Onde estará ele neste momento?

 Uma vez, quando havia já bastante tempo que eu estava no presídio, estava estendido na minha esteira e pensava em qualquer coisa muito triste. Ali, sempre trabalhador e ocupado, dessa vez não trabalhava, apesar de ainda ser muito cedo para dormir. Atente-se em que nessa ocasião celebravam eles uma festa muçulmana e estavam de folga. Estava deitado, com a cabeça apoiada numa mão e pensando também só Deus saberia em quê. De repente perguntou-me:

 — Então, estás assim tão triste?

 Eu o olhei com curiosidade e achei estranha aquela inesperada e direta pergunta de Ali, sempre tão delicado, tão discreto, tão perspicaz; mas quando o olhei atentamente vi-lhe um rosto tão triste, tão torturado pelas recordações, que compreendi imediatamente que também ele sofria, sobretudo naquele momento. Dei-lhe a entender a minha suposição. Ele suspirou e sorriu tristemente. Eu amava o seu sorriso, sempre terno e cordial. Além disso, quando sorria mostrava duas fiadas de dentes como pérolas, de cuja beleza poderia ufanar-se a maior beldade do mundo.

 — Então, Ali, não será verdade que, agora, estás pensando nas festas que neste tempo se fazem no Daguestão? É bom estar lá, não é verdade?

 — Oh, sim! — respondeu ele com entusiasmo, e as suas pupilas refulgiram. — Mas como é que sabes que eu pensava nisso?

 — Então não havia de saber! Não se está lá muito melhor do que aqui?

– Oh! Por que me dizes isso?
– Na vossa terra deve haver agora flores e luzes...
– Oh! Não continues... – e mostrava um grande desgosto.
– Ouve, Ali, tu tens alguma irmã?
– Tenho... Por que perguntas isso?
– Porque, se é parecida contigo, deve ser muito bonita.
– Comigo! É tão bonita que não há outra como ela em todo o Daguestão! Oh, como é linda a minha irmã! Nunca deves ter visto outra igual em toda a tua vida! E a minha mãe também é muito bonita.
– E gostava muito de ti, a tua mãe?
– Oh! Que dizes? Naturalmente morreu de desgosto por minha causa. Eu era o seu filho preferido. Gostava mais de mim do que da minha irmã, mais que de todos... Sonho sempre com ela e ponho-me a chorar.

Calou-se e durante toda essa noite não tornou a dizer uma palavra. Por esse tempo procurava sempre ocasião para falar comigo, embora, devido ao respeito que eu, sem saber por que, lhe inspirava... nunca se atrevesse a ser o primeiro a interpelar-me. Mas ficava muito contente quando era eu quem lhe dirigia a palavra. Eu lhe fazia perguntas acerca do Cáucaso e da sua vida anterior. Os irmãos não o proibiam de falar comigo, até gostavam. E ao verem a amizade crescente que eu sentia por Ali, começaram a mostrar-se mais atenciosos para comigo.

Ali ajudava-me no trabalho, prestava-me todos os serviços que podia nos alojamentos, e via-se, claramente, que sentiria grande satisfação se pudesse suavizar a minha sorte e agradar-me em tudo, e nesta ânsia de agradar-me não havia a mínima baixeza nem o menor desejo de lucro, e sim um vivo sentimento de amizade, que já não escondia. Entre outras coisas, tinha muito jeito para os trabalhos manuais; sabia muito bem coser a roupa branca, remendar o calçado; aprendeu depois também, até onde era possível, carpintaria. Os irmãos sentiam-se muito orgulhosos por ele.

– Olha, Ali – disse-lhe eu uma vez – por que não aprendes a ler e a escrever russo? Não vês como isso te pode ser útil aqui, na Sibéria, e depois?
– Eu bem queria aprender, mas quem é que me há de ensinar?
– Sim, aqui há poucos que saibam ler e escrever! Mas, se quiseres, eu mesmo te ensinarei!
– Ah, então, ensina-me! – e levantou da esteira e estendeu-me os braços num gesto de súplica.

Começamos no serão seguinte. Eu tinha uma versão russa do Novo Testamento – livro que não era proibido no presídio. – Ali aprendeu o alfabeto muito bem só neste livro, em poucas semanas. Passados três meses já entendia a linguagem do livro... Aprendia com entusiasmo, com prazer.

Uma vez lemos todo o "Sermão da Montanha". Eu reparei que ele lia alguns passos, acentuando-os de uma maneira especial. Perguntei-lhe se gostava do que tínhamos lido. Ele me olhou de frente e ruborizou-se.

– Ah, sim! – respondeu. – Sim! Issa[16] era um santo profeta, Issa falava pela boca de Deus! Que bonito!
– Mas de tudo, o de que gostaste mais?

---
16 Deformação do russo Iésus (Jesus).

– Daquele passo que diz: "Perdoa, ama, não faças mal a ninguém, ama os teus próprios inimigos." Ah, como são belas as suas palavras!

Voltou-se para os irmãos, que assistiam ao nosso diálogo, e começou a falar-lhes com entusiasmo. Ficaram durante muito tempo conversando entre si, num tom sério e movendo afirmativamente a cabeça. Depois, com um sorriso grave e afetuoso, isto é, muçulmano (que é muito do meu agrado, pois a gravidade é precisamente o que mais me agrada nesse sorriso), encararam-me e afirmaram que Issa era um profeta de Deus e que operara grandes milagres; que uma vez fez um pássaro de barro e o pássaro deitou a voar... que isso estava escrito nos seus livros. Ao dizerem isto estavam muito convencidos de que me proporcionavam uma grande alegria louvando Issa e Ali sentia-se muito feliz por ver que os irmãos estavam resolvidos e desejosos de me darem a mim essa satisfação.

Obtivemos também um grande êxito quanto à escrita. Ali arranjou papel (e deixou que eu o pagasse), pena e tinteiro, e passado dois meses já tinha aprendido a escrever muito bem. O que encantou também os irmãos. O seu orgulho e satisfação não tinham limites. Não sabiam como exprimir-me o seu agradecimento. Quando acontecia trabalharmos na mesma seção, ajudavam-me continuamente e consideravam-se felizes por poderem fazê-lo. De Ali, nem quero falar. Queria-me como a um irmão. Nunca mais esquecerei a sua saída do presídio. Levou-me para trás do alojamento, deitou-me os braços ao pescoço e rompeu a chorar. Nunca até então me tinha dado um beijo nem chorado diante de mim. "Fizeste mais por mim – dizia – do que o meu pai e a minha mãe juntos; fizeste de mim um homem. Deus há de pagar-te e eu nunca te esquecerei!"

Onde estás, onde estás a esta hora, meu bom, meu meigo, meigo Ali?

Além dos circassianos, havia nos nossos alojamentos um grupo de polacos que formavam uma espécie de família e que quase não se comunicavam com os outros presos. Já disse que, pelo seu exclusivismo, pela sua má vontade para com os presos russos, se tornavam antipáticos a todos. Eram caracteres atormentados, doentios; eram apenas seis. Alguns deles eram indivíduos instruídos, dos quais falarei em particular e pormenorizadamente mais adiante. Alguns me emprestaram livros durante a minha vida na prisão. O primeiro desses livros provocou-me uma forte, estranha, especial impressão. Falarei dela em outra ocasião, mais particularmente. Considero essa impressão muito curiosa e tenho a certeza de que muita gente havia de encontrar neles muitas coisas completamente incompreensíveis. Quando não se tem experiência, não se pode julgar sobre coisa alguma. Apenas digo isto: que as privações morais são mais difíceis de sobrelevar do que todos os tormentos físicos. A pessoa do povo que vem parar ao presídio, encontra-se aí no seu mundo, e talvez num ambiente mais avançado. Não há dúvida de que perde muitas coisas: a terra, a família, tudo, mas o seu meio continua a ser o mesmo. O homem culto, condenado pela lei a sofrer o mesmo castigo que a gente ignara, perde incomparavelmente mais do que esta. Vê-se obrigado a renunciar a todas as suas exigências, a todos os seus costumes; a mover-se num meio, para ele insuficiente, a aprender a respirar outros ares... É como um peixe que tiram da água e põem sobre a areia... E o castigo imposto pela lei, igual para todos, torna-se frequentemente dez vezes mais duro para ele. Isto é verdade... ainda que se fale apenas dos costumes materiais que é preciso sacrificar.

Mas os polacos formavam um grupo especial. Eram seis e viviam todos juntos. De todos os presos do nosso alojamento apenas gostavam de um judeu e talvez apenas pela única razão de que os divertia. A nosso ver, os outros presos gostavam também dele por outros motivos, embora todos, sem exceção, fizessem troça dele. Era o único judeu que ali havia e ainda hoje não posso lembrar-me dele sem rir. Cada vez que o olhava vinha-me à memória aquele judeuzinho, Ânkel, do *Taras Bulba*, de Gógol, que, ao despir-se para se meter de noite na cama com a sua judia, ficava terrivelmente parecido com um frango depenado. Issai Fomitch, o nosso judeu, era também tão parecido com um frango sem penas como uma gota de água é parecida com outra. Já não era novo, devia ter uns cinquenta anos, baixinho e enfermiço, esperto e, ao mesmo tempo, evidentemente estúpido. Era audaz e fanfarrão e, ao mesmo tempo, terrivelmente covarde. Todo ele era rugas e tinha na testa e nas faces os sinais com que o tinham marcado no pelourinho. Nunca pude compreender como é que ele pôde resistir a sessenta açoites. Mandaram-no para o presídio como culpado de homicídio. Guardava cuidadosamente a receita que lhe deu o médico da sua judiaria, logo após o castigo. Atribuía tanto poder a essa receita, que, em duas semanas, graças a ela, se lhe haviam de tirar os sinais da cara. Não se atrevia a explorar esse poder no presídio e esperava cumprir os seus doze anos de pena para, assim que se visse entre a colônia judaica, se pôr a explorar infalivelmente a receita. "Se não for assim não conseguirei casar – dizia-me uma vez – e eu não tenho outro remédio senão casar." (Dizia "casar", ceceando). Eu era muito seu amigo. Estava sempre de excelente disposição de espírito. A vida era-lhe fácil, no presídio; era joalheiro de ofício e tinha muitas encomendas da cidade, na qual não havia nenhum ourives, e por isso livrava-se dos trabalhos pesados. Escusado será dizer que, ao mesmo tempo, era usurário. E emprestava dinheiro a todo o presídio, com os respectivos juros e garantias. Entrara no presídio primeiro do que eu e um dos polacos descreveu-me com todos os pormenores a sua chegada. Tratava-se de uma história muito interessante, que mais adiante contarei, pois ainda hei de tornar a falar de Issai Fomitch.

O restante dos vizinhos do nosso dormitório compunha-se de quatro velhos crentes, anciãos e muito lidos, entre os quais se achava também o velho de Staradúbovo; de dois ou três pequenos russos,[17] sujeitos de má catadura; de um presidiário novo, com o nariz em bico, dos seus vinte e três anos; que matara oito pessoas; de uma súcia de falsificadores de moeda, um dos quais era o bobo do nosso alojamento e, finalmente, de alguns tipos sombrios e sinistros, rapados e desfigurados, taciturnos e invejosos, que olhavam receosamente por baixo, à sua volta, e predestinados a olhar, entristecer, calar e invejar ainda durante muitos anos... todo o tempo da sua condenação. Tudo isto surgiu diante de mim como através de uma névoa naquela primeira, triste noite da minha nova vida; surgiu assim, por entre o fumo e o barulho, por entre insultos e palavras de um cinismo indescritível, num ambiente pestilencial, por entre ruídos de cadeias, juramentos e risos desvergonhados. Estendi-me nas esteiras descobertas, pus a minha roupa debaixo da cabeça (ainda não tinha almofada) e cobri-me com o meu sobretudo de peles; mas durante muito tempo

---

17 Um dos grupos étnicos da Rússia. Morenos, de cabelos e olhos escuros, eram célebres pelo seu apego feroz à língua, às tradições, à história da sua província, Ucrânia, cujo folclore era magnífico

não fui capaz de adormecer, apesar de estar muito cansado e esgotado por causa de todas as estranhas e inesperadas impressões daquele primeiro dia. A minha nova vida tinha começado. Esperavam-me ainda muitas coisas que nunca imaginara e que nem sequer pressentia...

Capítulo v / O primeiro mês

Passados três dias da minha estada no presídio, ordenaram-me que fosse para o trabalho. Tenho ainda gravado na memória esse primeiro dia de trabalho, se bem que não me sucedera nada de extraordinário, não falando, é claro, de tudo quanto, mesmo sem isso, tinha de extraordinária a minha situação. Mas essa era também uma das primeiras impressões, e eu continuava ainda olhando tudo com assombro. Durante todos esses três primeiros dias experimentei as mais penosas sensações. Eis aqui em que consistia o meu assombro: "Estou no presídio – repetia-me a cada momento. – Esta vai ser a minha vida durante muitos anos; o lugar em que hei de sentir tão inverossímeis, tão mórbidas impressões! E quem sabe? Talvez... quando, passados uns anos, possa finalmente deixá-lo... chegue a sentir saudades disto!", acrescentava, não sem uma mescla dessa maliciosa impressão que às vezes degenera na necessidade de remexermos propositadamente na ferida, pelo desejo de nos distrairmos com o nosso próprio sofrimento, reconhecendo precisamente que no exagero de toda a infelicidade há também um prazer. A ideia de, com o tempo, vir a ter saudades daquele lugar... a mim mesmo me enchia de espanto; já então pressentia até que grau o homem tem o poder de habituar-se. Mas tudo isto era por pressentimento, pois, então, tudo à minha volta era ainda hostil e... horrível... conforme me parecia, embora nem tudo o fosse. Aquela selvagem curiosidade com que me olhavam os meus novos companheiros de presídio, que reforçavam a sua rudeza para com um novato da classe aristocrática, que de repente se introduzia na sua corporação, rudeza que, às vezes, roçava pela maldade... Tudo aquilo me mortificava a tal ponto que era eu mesmo quem desejava ir o mais depressa possível para o trabalho, para saber quanto antes avaliar toda a grandeza da minha miséria e começar como os demais e a colocar-me imediatamente ao seu nível. É claro que eu ainda não tinha reparado nem suspeitado daquilo que tinha diante dos meus olhos, não adivinhava ainda a possibilidade de consolação no meio da hostilidade. Além disso, alguns rostos amáveis, afetuosos, que já encontrara nesses três dias, infundiam-me muita coragem. De todos, o mais carinhoso e amável para comigo era Akim Akímitch. Entre os rostos severos e maldosos dos outros reclusos, não podia no entanto deixar de notar alguns, bondosos e joviais. "Em todos os lugares há gente má e boa também – costumava dizer a mim mesmo, à guisa de consolação. – Quem sabe? Pode ser que estas criaturas, no fim de contas, não sejam piores do que as outras, do que as que ficaram por lá, fora do presídio." Pensava isto e movia a cabeça perante tal pensamento; mas, entretanto... meu Deus! Se eu, ao menos, tivesse sabido logo até que ponto esse raciocínio era exato!

Havia, por exemplo, entre nós, um homem ao qual somente ao fim de muitos, muitos anos, cheguei a conhecer bem a fundo, e que andou constantemente à minha volta, quase todo o tempo da minha condenação. Era um preso chamado

Suchílov. Quando falei há pouco de outros condenados, os quais não eram piores que outras pessoas, lembrei-me imediata e involuntariamente dele. Prestava-me serviços, apesar de eu ter ainda outro servidor. Akim Akímitch, logo desde o começo, no primeiro dia, me apresentara a um preso... Óssip, dizendo-me que, por trinta copeques por mês, ele se encarregaria de preparar-me todos os dias uma comida à parte, se a do presídio me repugnasse e eu contasse com meios para comer por minha conta. Óssip era um dos quatro cozinheiros designados por eleição, entre os presos, para cuidar das nossas cozinhas, embora, no entanto, pudesse livremente aceitar ou recusar o cargo e até renunciar a ele no dia seguinte. Os cozinheiros não saíam para o trabalho e a sua obrigação reduzia-se a cozer o pão para nós e preparar a sopa de couves. Não os chamavam cozinheiros e sim cozinheiras, mas não por desprezo, tanto mais que para a cozinha se escolhiam indivíduos habilidosos e, se fosse possível, sérios, mas por leve troça, com o que os nossos cozinheiros nunca se zangavam. Óssip era quase sempre escolhido, e desempenhou a função de cozinheira uns poucos de anos quase seguidos, e só renunciava ao cargo quando se sentia triste ou, ao mesmo tempo, lhe chegava a ânsia de negociar aguardente. Era de uma honestidade e franqueza raras, apesar de se dedicar ao contrabando. Era aquele mesmo matreiro alto, enfermiço, do qual já fiz menção; tinha medo de tudo, principalmente das varadas; agradável, transigente, afetuoso com todos, jamais armava confusão com alguém, mas não podia abster-se de introduzir aguardente clandestinamente, apesar de todo o seu medo dos perigos inerentes ao contrabando. Negociava aguardente, juntamente com outros cozinheiros, embora, no fim de contas, em menor escala do que Gázin, por exemplo, por não ter coragem para se arriscar mais. Não me engano dizendo que, num mês, se foi todo o meu dinheiro na minha alimentação, sem incluir o pão, que era do rancho, naturalmente, e às vezes a sopa de couves, quando tinha muita fome, apesar da repugnância que me inspirava, e que, diga-se de passagem, desapareceu completamente com o tempo. Costumava comprar um pedaço de carne de vaca, o que me custava uma libra por dia. No inverno, custava um *groch*. Quem ia buscar a vaca era um dos inválidos, dos quais havia um em cada alojamento com a missão de velar pela ordem e que de bom grado se encarregava de ir todos os dias às compras para os presos, sem lhes cobrar por isso absolutamente nada, a não ser uma pequena gorjeta de vez em quando. Faziam isso por interesse próprio, por causa da sua tranquilidade, senão seria impossível para eles conviver com os presos na penitenciária. Assim, introduziam chá em tabletes,[18] carne de vaca, tortas, etc., etc., excetuando quase exclusivamente a aguardente. A eles não lhes pediam aguardente, embora às vezes a oferecessem. Óssip preparou para mim, durante vários anos seguidos, única e exclusivamente um pedaço de carne assada. Como é que ela era assada... isso é outra questão; mas não se trata agora disso. É curioso que, durante esse tempo todo, nunca troquei com ele duas palavras. Muitas vezes punha-me a falar com ele, mas era incapaz de manter uma conversa; respondia sim ou não com um sorriso, e pronto. Também nos provocava uma estranha impressão olhar para aquele Hércules com o raciocínio duma criança de sete anos.

  À parte Óssip, entre o número dos indivíduos que me serviam encontrava-se também Suchílov. Não fui eu quem o chamou nem quem o procurou. Foi ele

---

18 Consome-se na Sibéria muito chá, o qual é vendido sob a forma de pesados tabletes, fortemente comprimidos.

próprio quem se apresentou e se recomendou; nem sequer me lembro de quando foi. Lavava a roupa. Para este fim tinham construído uma grande poça d'água. Era nessa poça, numas selhas que a Administração fornecia, que se lavava a roupa dos presos. À parte isto, o próprio Suchílov inventou mil coisas para me ser agradável; preparava o chá, levava vários recados, arrumava aquilo que eu precisava, levava o meu capote para coser, engraxava minhas botas quatro vezes por mês. Fazia tudo isto com a melhor boa vontade, conscientemente, com o maior esmero. Em suma: unia o meu destino ao seu e considerava as minhas coisas como suas. Por exemplo, nunca dizia: "O senhor tem um rasgão no capote", e outras coisas do gênero, mas sim: "Temos tantas camisas"; "Temos um rasgão no capote". Olhava-me nos olhos e parecia encarar isso como a principal finalidade da sua existência. Ofício, ou, como diziam os presos, ofício manual, não tinha nenhum, e segundo parecia, de mim recebia apenas um copeque. Eu lhe pagava o melhor que podia, isto é, alguns *grochi* e ele se dava sempre por satisfeito, sem nada objetar. Não podia deixar de estar ao serviço de alguém e para isso escolheu-me, por eu ser mais afável do que os outros e mais exato nos pagamentos. Era um desses indivíduos que nunca poderão enriquecer nem prosperar, que se ofereciam para servir de sentinela aos *maidani*, levando horas inteiras à espreita, colados às paredes, aguentando a geada, de ouvido atento ao menor ruído que se ouvisse no pátio, não fosse por acaso o major da praça, prestando-se a tudo isso por cinco copeques mal contados, por quase toda a noite, expondo-se à contingência de serem descobertos e perder tudo, e de ter de pagar ainda com o corpo. Já me referi a estes indivíduos. A sua característica consistia em... anular a sua personalidade, sempre e em todos os lados, e quase à frente dos outros, e representar nos assuntos comuns um papel não de segunda mas de terceira ordem. Tudo isto era inato neles. Suchílov era um pobre rapaz pacato e humilde, parecia quase um cão que apanhou pancada, não porque alguma vez alguém lhe batesse, o que jamais acontecia, mas era assim, de seu natural. A mim inspirava-me sempre dó. E mais: nem sequer podia vê-lo sem experimentar esse sentimento, se bem que eu não fosse capaz... de explicar a causa da minha compaixão. Falar com ele, não podia; ele também não se atrevia a falar comigo e era evidente que isso lhe era difícil, e só se animava quando, no fim do diálogo, o mandava fazer alguma coisa, o mandava sair, dar algum recado. Até que, finalmente, me cheguei a convencer de que, com isso, lhe proporcionava um prazer. Não era estúpido nem esperto, nem novo nem velho, nem alto nem baixo, nem bom nem mau, levemente picado da varíola e um pouco ruivo. Não se podia dizer nada de definido a seu respeito. Apenas uma coisa: segundo penso, e conforme pude adivinhar, pertencia à mesma confraria que Sirótkin, e pertencia a ela unicamente pelo seu aspecto de cão batido e pela sua irresponsabilidade. Os presos, algumas vezes dirigiam-lhe piadas, principalmente por se ter trocado no caminho, ao ir para a Sibéria, e o ter feito por causa de uma camisa vermelha e por um rublo de prata. Segundo as zombarias dos presos, tinha-se vendido por esse preço tão vil. Trocado... significa trocar o seu nome pelo de outro e também a condenação. Por estranho que isto pareça, é exato, e no meu tempo este costume estava ainda em vigor entre os presos enviados para a Sibéria, impondo obrigações aos contratantes e revestindo-se de certas formalidades. A princípio também eu não acreditava nisso, embora, finalmente, não tivesse outro remédio senão acreditar, por ter visto.

Eis de que maneira as coisas se passavam: enviavam, por exemplo, para a Sibéria um grupo de presos. Uns... vão para o presídio, outros para as oficinas, outros para a colônia, mas vão todos juntos. Em determinado lugar do trajeto, suponhamos no governo de Perm, algum dos deportados sente o desejo de trocar com outro. Um certo Mikháilov, assassino ou réu de outro crime grave, pensa que não lhe convém ir passar uns anos no presídio. Suponhamos que é um indivíduo esperto, habilidoso, que conhece o assunto; então procura algum da caravana, que seja mais ingênuo, mais manejável, e ao qual impuseram uma pena relativamente leve: ir para as fábricas por uns poucos anos, ou, inclusive, ir para o presídio, mas por menos tempo. Até que encontra um Suchílov. Suchílov é serviçal, por temperamento, e vai simplesmente para a colônia. Venceu já um percurso de quinhentas verstas, naturalmente sem um copeque no bolso, porque Suchílov nunca pode ter dinheiro... e vai cansado, moído, comendo só do rancho, sem provar qualquer coisinha de melhor, vestido com a farda do presidiário, servindo-os a todos por um miserável *groch*. Mikháilov puxa conversa com Suchílov, torna-se seu amigo íntimo e, por fim, presenteia-o com aguardente. Até que lhe propõe a troca. "Ó homem, eu, Mikháilovitch, vou para o presídio, mas não verdadeiramente para o presídio, e sim para a seção especial..." É claro que aí também é presídio, mas um presídio à parte, onde se está muito melhor... Da seção especial, no tempo em que existia, até os próprios funcionários, os de Petersburgo, por exemplo, não sabiam nada. Era um lugarzinho tão especial e à parte, num dos cantos da Sibéria, e tão pouco povoado (no meu tempo não tinha mais de sessenta homens), que se tornava difícil dar com ele. Conheci depois indivíduos que tinham servido na Sibéria e não o conheciam, e que tiveram notícia da existência dessa seção especial pela primeira vez, através de mim. No Código dedicavam-lhe ao todo apenas seis linhas: "Estabelece-se no próprio presídio uma seção especial para os criminosos mais graves, até que se inaugurem na Sibéria os trabalhos forçados mais duros." Até os próprios presos desta seção ignoravam se era... perpétua ou por tempo determinado. Este não estava marcado, apontado: "Até que se inaugurem os trabalhos forçados mais duros", e portanto... isso equivalia a ficar para sempre no presídio. Não é de admirar que nem Suchílov ou algum da sua caravana o soubessem, incluindo o próprio deportado Mikháilov, o qual pode ser que tivesse alguma ideia acerca de uma seção especial, a avaliar pelo seu crime, bastante grave, pelo qual recebera três ou quatro mil vergastadas. Por isso não devia considerá-lo nenhum bom lugar. Suchílov ia com destino à colônia. Que podia desejar-se de melhor, nestes casos? "Não quererias trocar comigo?". Suchílov, debaixo do efeito da aguardente, alma simples, cheio de gratidão por Mikháilov, que o convidou para a bebida, não tem coragem de negar-se. Além disso já ouviu dizer aos da caravana que uma pessoa se pode trocar, que há alguns que se trocam, e que não se trata portanto de nada de extraordinário nem de inaudito. Chegam a acordo. O desavergonhado Mikháilov, aproveitando-se da singular ingenuidade de Suchílov, compra-lhe o nome por uma camisa de cor e por um rublo de prata, coisa que lhe entrega diante de testemunhas. No dia seguinte, Suchílov ainda está bêbado; mas convidam-no de novo e agora já não lhe fica bem negar-se; o rublo que lhe deram já o gastou na bebida; a camisa vermelha, passado algum tempo, também. "Não queres? Então devolve-me o dinheiro." Mas onde é que Suchílov há de ir buscar um rublo de prata? Mas se ele não o devolve, serão os companheiros que o obrigam a devolver; por isso ele é severamente vigiado. Acrescente-se ainda que, se deu a sua palavra, tem de cumpri-la, e de fazer com que assim seja também se encarrega a companhia. Senão, será condenado à morte. Vão lhe dar uma boa sova ou matam-no, simplesmente; vão pelo menos assustá-lo, ameaçando-o de morte.

No fundo, se os da súcia tivessem uma só vez sido negligentes neste gênero de assuntos, teriam acabado estas frequentes trocas de nomes. Como é possível desdizer a sua palavra e desfazer um contrato depois de receber o dinheiro? Quem é que, então, não cumpriria a sua palavra? Em resumo: isso é um assunto que diz respeito a todos os da caravana, e portanto eram todos muito severos neste ponto. Finalmente Suchílov vê que já não há maneira de escapar e acaba cedendo. Avisa toda a súcia e, além disso, compete-lhe também dar alguns presentes ou convidar uns tantos para uma rodada de copos, se for preciso. Para os outros, é natural, tudo lhes é indiferente; que Mikháilov ou Suchílov vão para o diabo, o caso é que se bebe aguardente; por isso, por seu lado, ficam muito caladinhos. Na primeira etapa fazem, por exemplo, a troca das chamadas; gritam para Mikháilov: "Mikháilov!" e Suchílov responde: "Presente!" e continuam para a frente. E ninguém fala mais no caso. Em Tobolsk os presos são distribuídos. Mikháilov vai para a aldeia a colonizar e Suchílov é enviado para a seção especial, debaixo duma escolta reforçada. Agora já ninguém pode protestar. E como provar a coisa, no fim de contas? Por quantos anos não se arrastaria depois o caso? E qual seria o resultado? E, finalmente, onde arranjar testemunhas? De maneira que o resultado foi Suchílov ter ido dar à seção especial por um rublo de prata e mais uma camisa vermelha.

Os presos troçam de Suchílov – não porque se tivesse trocado (embora desprezassem, como imbecis caídos numa armadilha, aqueles que voluntariamente trocavam trabalhos leves por trabalhos pesados) – mas por se ter contentado simplesmente com uma camisa encarnada e um rublo de prata, isto é, uma paga insignificante. De maneira geral os que se trocam fazem-no por quantias de certa importância, relativamente. Em todo caso, por algumas dezenas de rublos. Mas Suchílov era tão manso, tão dócil e tão humilde com todos, que nem dava vontade rir dele.

Convivi com Suchílov durante alguns anos. Pouco a pouco, foi-me tomando uma dedicação extraordinária; eu não podia deixar de reparar nisso, pois também já me acostumara a ele. Mas uma vez – nunca o perdoarei a mim próprio – não desempenhou satisfatoriamente qualquer incumbência que lhe fiz, embora mesmo assim tivesse recebido o dinheiro, e eu tive a crueldade de dizer-lhe: "Repare, Suchílov, você aceita o dinheiro mas não faz as coisas". Suchílov não disse nada e foi fazer o que eu lhe mandara; mas, de repente, tomou uma expressão muito séria. Passaram dois dias. Eu pensava: "Não é possível que tenha ficado assim por causa das minhas palavras". Eu sabia que um preso, Anton Vassíliev, andava constantemente a reclamar-lhe o pagamento de um *groch* que ele lhe devia. Pensei que, provavelmente, não teria dinheiro e não se atrevia a me pedir. No terceiro dia disse-lhe: "Suchílov, penso que você queria pedir-me dinheiro para pagar a Anton Vassíliev! Então tome lá!". Eu estava sentado na esteira e Suchílov de pé, na minha frente. Parecia lisonjeá-lo muito o fato de eu lhe oferecer dinheiro e preocupar-me com a sua situação, tanto mais que, nos últimos tempos, me pedia demasiados adiantamentos, segundo ele próprio pensava, e por isso não se atrevia a pensar que eu lhe fizesse ainda outro. Olhou para o dinheiro, depois para mim, e de repente deu meia volta e afastou-se. Tudo isto me chocou imenso. Saí atrás dele e fui alcançá-lo atrás dos alojamentos. Estava junto das paliçadas do presídio, de cara voltada para a cerca e com a cabeça apoiada sobre ela e reclinada na mão. "Que tens, Suchílov?", perguntei-lhe. Não olhou para mim e observei com o maior assombro que estava prestes a chorar. "O senhor pensa, Alieksandr Pietróvitch... pensa – exclamou numa voz entrecortada e esforçando-se por olhar para outro lado – que eu... a si... pelo dinheiro... e eu... eu... ah!" E de repente voltou-se de novo para a paliçada de tal maneira que quase machucou a testa... e rompeu a soluçar!

Era a primeira vez que eu via um homem chorar no presídio. Consolei-o e, embora a partir daí começasse a servir-me ainda com mais boa vontade do que dantes, se isso era possível, e a cuidar de mim, apesar de tudo, por alguns indícios quase imperceptíveis, pude reconhecer que, no seu coração, não me perdoava a minha censura. E, no entanto, os outros troçavam todos dele, feriam-no, em circunstâncias semelhantes, insultavam-no, às vezes gravemente, e ele estava sempre bem com eles e nunca se zangava. Sim, é muito difícil compreender os homens, mesmo em longos anos de convívio!

Eis aqui a razão por que, ao primeiro olhar, não podia o presídio surgir para mim sob o aspecto real com que se revelou depois. Eis aí o motivo por que eu dizia que, ainda que o olhasse como olhava, com aquela viva e forçada atenção, não podia ver muitas coisas que se passavam mesmo diante dos meus olhos. É claro que, a princípio, impressionavam-me as coisas mais destacadas, que ressaltavam com maior nitidez; mas até mesmo essas, pode ser que não as interpretasse bem e deixavam somente na minha alma uma impressão ingrata, desesperadamente triste. Contribuiu muito para isso o meu encontro com A...v, outro preso que se dedicou a mim, passado pouco tempo de eu estar no presídio, e que provocou uma impressão especialmente dolorosa nos primeiros dias da minha estada aqui. Aliás, eu já sabia, antes da minha entrada para o presídio, que devia vir encontrar-me aqui com A...v. Amargurou-me esses penosos tempos iniciais e agravou os meus sofrimentos espirituais. Não posso deixar de falar deles.

Era o exemplo mais repulsivo do ponto até que pode perverter-se e degradar-se um homem, e até que extremo pode matar em si todo sentimento de moralidade, sem o menor remorso da consciência. A...v era um jovem aristocrata ao qual me referi já de passagem, dizendo que delatava perante o major da praça tudo o que se passava no presídio e que era amigo do seu espião Fiedka. Eis aqui, em poucas palavras, a sua história. Como não foi capaz de concluir em lado nenhum um curso de estudos, e como, em Moscou, se tivesse zangado com os pais, assustados com a sua conduta licenciosa, mudou-se para Petersburgo e, para arranjar dinheiro, decidiu levar a termo uma reles delação, isto é, resolveu vender a vida de dez homens a fim de poder satisfazer imediatamente a sua implacável sede dos mais grosseiros e repugnantes deleites, nos quais, seduzido por Petersburgo, pelos seus restaurantes e lugares de luxo, se afundou de tal maneira que, apesar de não ser tolo, chegou a ver-se implicado num assunto estúpido e absurdo. Não tardou que se comprovasse a falsidade da sua delação; na sua denúncia acusava seres inocentes, enganou os seus amigos e foi por tudo isso que o enviaram para a Sibéria, por dez anos, para o nosso presídio. Era ainda muito novo, a vida mal tinha começado para ele. Parecia natural que semelhante mudança na sua sorte o tivesse impressionado, provocando uma reação, alguma mudança na sua natureza. Mas aceitou o seu novo destino sem a menor comoção, nem aversão, sem por isso perder a calma nem intimidar-se por nada, como por exemplo com a necessidade iniludível de trabalhar e de ter de renunciar aos restaurantes da moda e aos prazeres. Parecia até que o nome de presidiário lhe caía mesmo a propósito para cometer más ações e vilezas cada vez maiores. O presidiário, de presidiário não passa; uma vez que se encontra nessa situação, já uma pessoa pode descer a tudo sem se envergonhar. Era esta a sua opinião exata. Lembro-me dessa criatura repugnante, como de um fenômeno. Vivi alguns anos com assassinos, com malfeitores repelentes; mas digo convictamente que nunca, até hoje, encontrei na vida uma degradação moral tão completa, uma depravação tão consumada e com tão insolentes baixezas como as que reunia A...v.

Havia até entre nós os da classe aristocrática, um parricida, ao qual já me referi. Pois bem: pude comprovar, por muitos indícios e fatos, que até esse indivíduo era incomparavelmente mais nobre de espírito e mais humano do que A...v. A meus olhos, durante todo o tempo da minha vida presidiária, A... v não era mais do que um pedaço de carne com dentes e estômago e com uma sede insaciável dos mais grosseiros, dos mais bestiais prazeres carnais, e considero que era capaz de matar, de assassinar com o maior sangue frio, contanto que isso lhe proporcionasse a satisfação do mais repelente e caprichoso desses prazeres. Em resumo: de tudo, desde que não corresse nenhum risco. Não exagero, pois cheguei a conhecer bem A...v. Era um exemplo daquilo até onde pode chegar a parte carnal do homem, quando não é interiormente obstada por nenhuma norma, por nenhuma lei. Como me repugnava aquele seu eterno sorriso trocista! Era um monstro, um Quasímodo moral. Acrescente-se a isto que era esperto e inteligente, bonito, e também com alguma instrução e aptidões. Não; melhor seria o fogo, a peste e a fome do que viver com tal homem. Já disse que no presídio todos se envileciam tanto que a espionagem e a delação floresciam e os presos nunca se zangavam por causa disso. Pelo contrário, todos se mostravam muito amigos de A...v e se portavam incomparavelmente melhor para com ele do que para comigo. A brandura que para com ele mantinha o nosso major conferia-lhe a seus olhos distinção e prestígio. Entre outras coisas, convencera o major de que sabia fazer retratos (aos presos, tinha-lhes feito acreditar que era tenente da guarda) e assim conseguiu que o mandassem trabalhar em casa, com o fim de fazer um retrato do major. Como se isso fosse pouco, fez amizade com o delator Fiedka, que tinha uma influência extraordinária sobre o seu amo e, por conseguinte, sobre tudo e todos no presídio. A... v espiava-nos, por ordem do major que, no entanto, quando estava bêbado, batia-lhe na cara, e até o insultava, chamando-o delator e mexeriqueiro. Acontecia com muita frequência: depois de lhe ter dado uma sova, o major se sentava na sua cadeira e ordenava a A...v que continuasse a fazer-lhe o retrato. O nosso major, segundo parece, tinha engolido a patranha de que A...v era um artista notável, quase um Briúlov[19], de quem tinha ouvido falar; mas, apesar disso, julgava-se com o direito de esbofetear-lhe a cara, porque – que diabo! – ali, ele não era o artista mas o preso, e ainda que fosse o próprio Briúlov, ele, major, era seu superior e podia fazer dele o que quisesse. Entre outras coisas obrigava A...v a limpar-lhe as botas e a despejar os bacios de alguns quartos, apesar de que, durante muito tempo, não quis duvidar de que A...v fosse um

---

19 Karl Briúlov (1799-1852). Pintor russo, chefe da escola romântica. Descendente de uma família francesa.

artista. O retrato foi-se protelando infinitamente, quase durante um ano. Até que por fim o major suspeitou que andavam a enganá-lo e, muito admirado por ver que o retrato nunca mais se acabava e que, pelo contrário, cada dia se parecia menos com ele, encolerizou-se, deu uma boa sova no artista e mandou-o trabalhar como um negro... A...v lamentava o percalço e custava-lhe muito renunciar aos bons dias passados, às sobras da mesa do major, ao grande amigo Fiedka e a todas os prazeres que os dois sabiam arranjar na cozinha.

Depois do ostracismo de A...v, deixou o major de perseguir a M***, outro preso com o qual A...v andava continuamente em briga. O motivo fora este: M***, na época em que A...v entrara para o presídio, estava só. Aborrecia-se muito; não tinha nada de comum com os outros presos, olhava-os com horror e desprezo, não reparava nem via neles nada daquilo que podia torná-los simpáticos e não convivia com eles. Os condenados pagavam-lhe na mesma moeda. De maneira geral, a situação dos indivíduos semelhantes a M***, no presídio, é terrível. M*** não conhecia o motivo por que A...v fora parar ao presídio. Em compensação, A...v, adivinhando com quem tinha de haver-se, afirmou-lhe imediatamente que o tinham deportado em virtude de uma denúncia absolutamente falsa, quase pelo mesmo motivo por que tinham deportado também M***.

M*** ficou muito contente com aquele companheiro e amigo. Seguia-lhe os passos, consolava-o nos primeiros dias de cativeiro, supondo que, com certeza, devia sofrer muito; dava-lhe o que lhe restava de dinheiro, presenteava-o e partilhava com ele as coisas indispensáveis. Mas não tardou que A...v lhe ganhasse ódio, precisamente por ser ele nobre, por olhar com tanta repugnância os atos vis, mas sobretudo por ser tão diferente dele; e tudo quanto M*** lhe dissera, nas suas conversas anteriores, a respeito do presídio e do major, foi contar a este. O major ficou muito zangado, vingou-se de M*** tornando-o objeto dos maiores vexames e, se não fosse a intervenção do comandante, teria feito alguma atrocidade... A ... v não só não sentiu a menor comoção quando M*** veio a saber depois a sua baixeza, como até se comprazia em encontrar-se com ele e ficar a olhá-lo com um sorriso trocista. Pelo visto, isso lhe dava prazer. Era o próprio M*** quem me fazia reparar nisso, algumas vezes. Esse reles companheiro fugiu mais tarde, juntamente com outro preso e com o soldado da escolta; mas disso falarei mais adiante. A princípio também quis enganar-me a mim, pensando que eu não conhecia a sua história. Repito que ele me amargurou os primeiros dias de cativeiro, já de si tão tristes. Eu sentia horror perante aquela maldade e vilania cruéis, entre as quais me movia, entre as quais tinha caído. Pensava que todos ali deviam ser maus e vilões. Mas enganava-me, julgando-os a todos conforme A...v.

Durante esses três dias estive de folga, triste folga, no presídio; estendi-me na esteira, dei pano a certo preso que Akim Akímitch me indicara, o qual a Administração me fornecera, para que me fizesse umas camisas, pagando-lhe, é claro (a tantos *grochi* por camisa); arranjei, seguindo os reiterados conselhos de Akim Akímitch, um colchão dobrável (de feltro forrado de linho), tão fino como um biscoito, e também uma almofada cheia de lã, terrivelmente dura para quem não estava acostumado. Akim Akímitch trabalhou com persistência preparando-me todas essas coisas e, além disso, fez por sua própria mão um cobertor das tiras de um velho uniforme que se compunha de umas calças já gastas e de uma samarra, que para esse fim comprara a outro preso. Os objetos da Administração, com os quais se acabava de cumprir a pena, tornavam-se propriedade do preso, que os vendia imediatamente ali mesmo, no presídio, e, apesar de se tratar de peças usadas, tinha sempre a esperança de poder vendê-las por qualquer preço. Tudo isso, a princípio, me admirava muito. Era o meu primeiro e verdadeiro contacto com o povo. Eu próprio me tinha convertido de repente num homem simples, num presidiário como eles. Os seus hábitos, as suas ideias e costumes... eram os meus, pelo menos formalmente, segundo a lei, embora, na realidade, eu não os partilhasse. Estava admirado e comovido, como se nunca tivesse suspeitado a existência de tudo aquilo e nem o tivesse ouvido dizer, apesar de o conhecer e ter ouvido dizer. O fato é que a realidade produz sempre em nós uma impressão muito diferente daquilo que se ouviu dizer. Como podia eu, por exemplo, imaginar anteriormente, mesmo de longe, que uns simples trapos pudessem ser considerados como peças de vestuário? Pois desses trapos fiz eu um cobertor! Também era difícil imaginar de que gênero era o pano destinado à roupa dos presos. Parecia, de fato, uma espécie de pano grosseiro, próprio para soldados; mas assim que uma pessoa o vestia transformava-se num crivo e rompia-se com uma facilidade exasperante. Além do mais, entregavam esses fatos aos presos para um ano; mas antes de expirar o prazo já estavam imprestáveis. O preso trabalha, carrega pesos; o uniforme estraga e rasga depressa. Em compensação as peles que nos davam eram para três anos e, de maneira geral, serviam-nos, durante todo esse tempo, de sobretudo, de manta e de colchão. Mas as peles eram fortes, embora muitas vezes se vissem, no fim do terceiro ano, isto é, ao expirar o seu prazo, peles remendadas com simples pano de linho. Mas apesar disso, ainda que estivessem muito gastas, quando terminava o prazo marcado os donos vendiam-nas por quarenta copeques de prata. E algumas, mais bem conservadas, vendiam-se a sessenta e até setenta copeques de prata... o que, no presídio, era muito dinheiro.

 O dinheiro – e já falei disto – representava verdadeiramente um raro prestígio e um grande poder. Posso afirmar resolutamente que o preso que possui algum dinheiro, por pouco que seja, padece dez vezes menos no presídio do que aquele que não tem nenhum, se bem que a administração do presídio lhe forneça tudo e ainda que alguém possa perguntar-lhe para que quererá ele o dinheiro, como diziam os nossos superiores. Repito novamente que se os presos fossem privados da possibilidade de arranjar dinheiro, ficariam loucos, rebentariam como moscas (se bem que lhes fornecessem tudo) ou iam se entregar, finalmente, à prática de crimes inauditos: uns, por tristeza, outros, para que deixassem o mais depressa possível de torturá-los e acabassem com eles de uma vez, ou também, para, de certa maneira, mudarem de sorte (explicação técnica). Se o preso, que conseguiu dinheiro quase à custa de um suor e sangue, ou resolveu imaginar uma manha extraordinária para o arranjar, incorrendo às vezes em vilezas e patifarias, gasta-o depois de um modo tão absurdo, num aturdimento infantil, isso não quer dizer que não o aprecie, embora à primeira vista assim pareça. O preso está ansioso por dinheiro, até à vertigem, até à loucura, e se de fato o atira pela janela afora, quando o possui, faz isso por qualquer coisa que no entanto aprecia ainda mais. Mas que pode valer mais que o dinheiro, para o preso? A liberdade ou, então, uma pequena ilusão de liberdade. Os presos são grandes sonhadores. Hei de dizer depois qualquer coisa acerca disto; mas já que toquei no assunto, direi que vi presos condenados a vinte anos de prisão, que me diziam com a maior tranquilidade frases como esta: "Tenha paciência, homem, Deus há de fazer com que chegue o dia, e então..." O sentido da palavra preso era este: um homem privado de liberdade; mas, se tem dinheiro, dispõe também da sua liberdade. Apesar de todos os estigmas, das cadeias e das odiosas paliçadas do presídio, que lhe limitam o mundo e o encurralam como uma fera enjaulada, pode ter aguardente, isto é, o prazer mais severamente proibido, encontrar-se com mulheres e, às vezes (embora nem sempre), subornar os superiores imediatos, os inválidos ou algum suboficial, os quais farão vista grossa quando ele infringir a lei e a disciplina; e além disso pode até encher-se de empáfia diante dos camaradas. E o preso gosta loucamente de fanfarronar, isto é, fazer acreditar aos companheiros e acreditar ele mesmo, ainda que seja só por um momento, que possui uma liberdade e um poder maior do que parece. Numa palavra: pode armar tumulto e ruído, olhar alguém por cima do ombro e demonstrar que ele pode fazer tudo isso, que tudo isso está nas suas mãos, isto é, acreditar em tudo aquilo que o pobre nem sequer pode imaginar. Eis efetivamente aqui talvez a razão por que logo ao primeiro olhar se veja no presídio uma tendência especial para a gabolice, para a presunção, para o exagero cômico e extremamente ingênuo das boas qualidades de cada um, ainda que se trate apenas de uma exaltação imaginária. Finalmente, toda esta pândega tem os seus perigos; significa ter apenas um vislumbre de liberdade. Mas que não daria uma pessoa pela liberdade? Um milionário, se lhe pusessem a corda no pescoço, não daria os seus milhões por um hausto de ar?

Os superiores costumavam admirar-se de que um preso que tinha levado ali uma vida pacata durante vários anos, modelar, a tal ponto que chegavam a nomeá-lo vigilante, devido à sua boa conduta, se tornasse de repente, sem uns minutos sequer de reflexão – como se o demônio se tivesse apoderado dele – alvoroçado, questionador, provocador e incorresse às vezes até num ato criminoso, ou se tornasse insolente para com os superiores, ou matasse, ou vexasse continuamente alguém, etc. Viam-no e ficavam espantados. E no entanto talvez a causa dessa mudança súbita naquele homem, do qual podia esperar-se tudo menos isso, não fosse outra senão a brusca, repentina manifestação da personalidade, a instintiva nostalgia do seu próprio eu, o desejo de elevar a sua personalidade humilhada, revoltando-se subitamente e chegando até à cólera, até ao furor, até à perda da razão, até ao espasmo, até à vertigem. Talvez assim o morto-vivo enterrado no sepulcro lance um grito e se esforce por sair dele, embora, naturalmente, a razão possa demonstrar-lhe que todos os seus esforços hão de ser inúteis. Mas tudo assenta precisamente nisso, em que a razão é que já não existe; trata-se de uma loucura. Atentemos, além disso, em que quase todas as manifestações espontâneas da personalidade no preso são consideradas como um crime, e que, nesse caso, para ele indiferente que tal manifestação seja grande ou pequena. Fanfarronar, comprometer-se – comprometer-se por nada, se necessário for, até ao assassinato. Dizem que tudo está no começar; e uma vez metido nesse caminho, não há quem se lhe oponha. Eis a razão por que mais valeria não chegar a tal. Teriam todos mais tranquilidade, sim; mas como conseguir isso?

Capítulo VI / O primeiro mês (continuação)

Quando eu entrei para o presídio, tinha algum dinheiro, do qual algum trazia comigo, com receio de que me roubassem e além disso tinha também escondido alguns rublos entre as folhas do Evangelho, que se podia ler no presídio. Esse livro, com o dinheiro escondido nele, tinham-me dado ainda em Tobolsk umas pessoas também deportadas por dez anos, e que há muito tempo estavam acostumadas a ver um irmão em cada infeliz. Há na Sibéria, e quase nunca faltam, umas pessoas que se impõem a missão de prestar um auxílio fraternal aos desgraçados e partilhar dos seus sofrimentos, como se fossem todos seus filhos, com absoluto desinteresse e sagrada piedade. Não posso deixar de expor aqui com brevidade um desses encontros. Na cidade em que ficava o nosso presídio[20], vivia uma senhora, Nastássia Ivânovna, que era viúva. É claro que nenhum de nós, estando no presídio, podia conhecê-la pessoalmente. Parecia que tomara como missão da sua vida auxiliar os presos; mas de quem mais ela cuidava era de nós. Teria havido na sua família alguma infelicidade semelhante? Teria alguém particularmente querido e chegado ao seu coração, padecido por algum crime, ou seria o caso de que resumisse a sua felicidade em fazer por nós tudo quanto lhe fosse possível? Muito, não havia dúvida de que não podia: era muito pobre. Mas nós, os do presídio, sentíamos que tínhamos fora dele uma amiga leal. Entre outras coisas, comunicava-nos frequentemente novidades, do que tínhamos grande falta. Quando saí do presídio e fui para outra cidade, aproveitei a ocasião para fazer-lhe uma visita e conhecê-la pessoalmente. Vivia nos arredores, em casa de um dos seus parentes próximos. Não era nem velha nem nova, nem bonita nem feia; também não era possível saber se era inteligente, se tinha instrução... Notava-se apenas, a todos os momentos, que era de uma bondade infinita, com um enorme desejo de servir, de animar, de fazer por todos qualquer coisa que lhe pedissem, com o maior agrado. Tudo isto se mostrava nos seus olhos plácidos e bondosos. Juntamente com alguns outros dos meus camaradas, passei quase toda a tarde em sua casa. Olhava-nos nos olhos, sorria quando nós sorríamos, apressava-se a mostrar a sua concordância a tudo quanto dizíamos, esforçava-se por nos oferecer tudo quanto tinha à mão. Deu-nos chá, uma merenda, um pouco de doce de fruta e, se fosse rica, teria ficado satisfeita apenas por poder obsequiar e presentear-nos ainda mais, a mim e aos meus companheiros, que deviam continuar no presídio. À despedida, deu-nos uma cigarreira a cada um, como recordação. Era ela própria quem fazia estas cigarreiras de cartão (sabe Deus como!), forradas com papéis de várias cores, desses mesmos papéis que servem para encadernar os livros de aritmética das crianças (e é possível, afinal, que a sua origem fosse essa). Os bordos e as duas metades da cigarreira eram revestidos de papel dourado, que provavelmente compraria de propósito na loja. "Como os senhores fumam, pode ser que lhes dê jeito", disse, como se pedisse timidamente desculpa pelo seu presente... Dizem alguns (já o tenho ouvido e sei) que o maior amor pelo próximo é, ao mesmo tempo, o maior egoísmo. Mas que egoísmo poderia haver nisto... nunca o cheguei a compreender.

Apesar de não possuir muito dinheiro quando entrei no presídio, não podia aborrecer-me seriamente com aqueles presos, que, quase logo na primeira hora da

---

20 Omsk, na Sibéria Ocidental.

minha vida de cativeiro, depois de me terem enganado uma vez, vinham com muita ingenuidade pedir-me dinheiro por três e até por cinco vezes. Mas confesso uma coisa, com franqueza: custava-me muito que todos aqueles indivíduos, com os seus ardis inocentes, me tivessem, como não podia deixar de ser, segundo me parecia, por um tolo e por um idiota, e acabassem por rir de mim precisamente por eu lhes dar dinheiro cinco vezes, até. Não havia dúvida de que eles deviam pensar que eu caía nos seus logros e nas suas manhas, ao passo que se o negasse e os afugentasse do meu lado, tinha a certeza de que haviam de respeitar-me mais. Mas, por muito que isso me custasse, não podia contudo repeli-los. Custava-me também porque pensava, seriamente e com inquietação, naqueles primeiros dias, em que posição devia colocar-me em relação a eles. Sentia e compreendia que todo aquele ambiente era totalmente novo; que estava mergulhado numa treva completa e que não podia viver na treva tantos anos. Era pois necessário preparar-me. É claro que decidi que, em primeiro lugar, deveria guiar-me conforme os meus sentimentos e a consciência me ordenassem. Mas também sabia que isto era apenas um preceito moral e que a realidade me era completamente desconhecida.

    E por isso, apesar de todos os pormenores da minha instalação no presídio, dos quais já falei, e nos quais fui tão eficientemente ajudado por Akim Akímitch, e de eles me distraírem também um pouco, uma estranha, aguda tristeza me afligia cada vez mais. "É uma casa de mortos!" disse eu a mim próprio, ao olhar uma vez, ao crepúsculo da tarde, à entrada do nosso alojamento, os presos que regressavam do trabalho e se iam espalhando preguiçosamente pelo pátio, pelos alojamentos e pelas cozinhas e vice-versa. Observava-os e procurava adivinhar, pelas suas caras e pelos seus modos, de que gênero de pessoas se trataria e qual seria o seu caráter. Passavam diante de mim de rosto carrancudo ou demasiado alegre (estes dois aspectos são os mais frequentes e, por assim dizer, são característicos do condenado); insultavam-se ou conversavam simplesmente; ou então passavam solitários, meditabundos, devagar, com um ar indiferente; uns com um ar cansado e apático, outros com um olhar sombrio, lúgubre; e estes (até ali!) com um aspecto de superioridade consciente, o gorro à banda, o sobretudo de peles ao ombro, o olhar insolente, sinistro, e um sorriso trocista. "Será tudo isto que vai constituir o meu ambiente, o meu mundo atual – pensava eu – no qual, quisesse ou não, tinha de viver..." Por várias vezes tentei interrogar e fazer falar Akim Akímitch, com o qual gostava muito de tomar o chá para não estar sozinho. É necessário dizer que o chá era quase o meu único alimento nos primeiros tempos. Akim Akímitch nunca recusava o convite para o chá e era ele mesmo quem preparava o nosso gracioso samovar, pequeno e automático, de folha, que M*** me emprestara. Akim Akímitch costumava beber quase sempre um copo (possuía copo); bebia em silêncio e com dignidade, depois passava-o para mim, agradecia e continuava em seguida a fazer o cobertor. Mas aquilo que eu queria saber... não me podia dizer e, além disso, não compreendia por que eu me interessava tanto pelos caracteres dos condenados que nos rodeavam e que estavam tão próximos de nós, e escutava-me com um certo sorrisinho forçado, que conservo bem gravado na memória. "Não, era preciso que eu descobrisse por mim próprio, sem perguntar a ninguém", pensava.

    Mas, no quarto dia, precisamente como na manhã em que me puseram os ferros, estavam os presos já formados, logo de manhã cedo, em duas filas, na esplanada em frente do corpo da guarda, à porta do presídio. À frente e à retaguarda deles alinhavam os soldados, de espingardas carregadas e baionetas caladas. O soldado tem ordem de fazer fogo sobre o preso que faça menção de querer deitar a correr; mas ao mesmo tempo torna-se responsável se disparar sem ser num caso de absoluta necessidade. O mesmo sucede nas revoltas declaradas dos presos. Mas quem é que pensaria em fugir assim, às claras?

Apareceram depois o oficial de engenharia, o dirigente dos trabalhos e também os suboficiais de engenharia, e os soldados encarregados de inspecionarem os trabalhos.

Fizeram a chamada; os primeiros a desfilar foram os presos que trabalhavam na alfaiataria; os engenheiros nada tinham a ver com estes que trabalhavam especialmente para o presídio, confeccionando o vestuário. Depois desfilaram os outros, por oficinas, e os destinados aos trabalhos pesados. Com outros presos, em número de vinte, desfilei eu também. Para além da fortaleza, nas margens do rio gelado, havia duas barcaças que pertenciam ao presídio e estavam já impróprias para navegar, mas que era necessário desmontar para que a madeira velha não apodrecesse inutilmente. Aliás, todo esse material velho, segundo parecia, não valia nada. A lenha vendia-se na cidade por um preço insignificante e por aqueles arredores havia madeira de sobra. Enviavam-nos para ali para que não se juntassem demasiados num mesmo lugar e ficassem portanto sem fazer nada, era o que os presos pensavam. A esses trabalhos entregavam-se eles quase sempre com indolência e apatia; tudo se tornava bem diferente quando se tratava de um trabalho que tinha um fim prático, útil, e, sobretudo, quando podiam fazê-lo de empreitada. Então ficavam verdadeiramente entusiasmados e embora esse trabalho não lhes trouxesse proveito algum, tive oportunidade de verificar como eles davam o melhor dos seus esforços para terminar a tarefa o mais depressa e o melhor possível; o amor-próprio contribuía também de certo modo para interessá-los. Mas nesse trabalho, que se realizava mais por formalidade do que por necessidade, era difícil marcar uma tarefa, impondo-se portanto o trabalho continuado até ao toque do tambor, que chamava ao regresso, às onze da manhã. O dia estava morno e nublado, a neve quase se derretia...

O nosso grupo dirigiu-se para além do forte, para a margem do rio, fazendo um leve ruído com as cadeias, as quais, apesar de irem escondidas debaixo da roupa, emitiam apesar disso um fino e tênue tilintar metálico, a cada um dos nossos passos. Dois ou três homens afastaram-se em direção ao depósito, onde foram buscar a ferramenta necessária. Eu continuei com os outros e, de fato, estava um pouco entusiasmado: queria ver e ficar sabendo imediatamente de que gênero de trabalhos se tratava. Que seria isso de trabalhos forçados? E como é que eu ia trabalhar pela primeira vez na minha vida?

Lembro-me de tudo até ao mais ínfimo pormenor. No caminho encontramos um homem de barba, que parou e levou a mão à bolsa. Logo a seguir um preso saiu do grupo, tirou o gorro, aceitou a esmola – cinco copeques – e depois voltou para o seu lugar. O homem da barba benzeu-se e continuou o seu caminho. Esses cinco copeques gastaram-nos nessa mesma manhã em bolos, que distribuíram em partes iguais entre todos os do nosso grupo.

Desse grupo de presos, conforme era costume, uns eram retraídos e taciturnos, outros indiferentes e indolentes, outros ainda conversavam entre si, em voz baixa. Havia um que se mostrava extraordinariamente alegre e jovial, cantava e pouco faltava para que se pusesse a dançar no meio do caminho, fazendo tilintar as cadeias a cada cabriola. Era o mesmo preso baixinho e manhoso que, na minha primeira manhã no presídio, brigou com outro por causa da água à hora das abluções e porque esse tinha ousado afirmar de si próprio que era uma garça. Chamava-se Skurátov, esse divertido camarada. Até que por fim cantou uma cançoneta, cujo estribilho era este:

>   Casaram-me, sem eu dar por isso,
>   Quando estava no moinho.

Só lhe faltava a balalaica.
A sua boa e alegre disposição de espírito suscitou logo a seguir, é claro, o aborrecimento de outros do grupo, que consideravam aquilo quase como um insulto.

– Isso é ladrar! – resmungou um dos presos, de mau humor, que, afinal, não tinha nada a ver com o caso.

– Isso era a canção do lobo e tu trocaste tudo, cabeça de alho chocho! – observou outro, dos carrancudos, com a pronúncia da Ucrânia.

– Serei cabeça de alho chocho – respondeu imediatamente Skurátov – mas você, na sua Poltava, se enchia de almôndegas!

– Mente! Ele é que as comia! Comia couves e chupava a sola das alpargatas!

– Mas agora o diabo engorda-o com amêndoas de canhão – disse um terceiro.

– Eu, meus amigos, não há dúvida de que sou um menino mimado – respondeu Skurátov com um leve suspiro, para mostrar que a sua educação delicada o fazia sofrer, e dirigindo-se a todos em geral e a nenhum em particular. – Desde pequeno que me criaram com ameixas secas e guloseimas; mas os meus irmãos têm loja aberta em Moscou, negociam com o que aparece e estão podres de ricos.

– E tu, em que negociavas?

– Em várias coisas, e lá íamos indo menos mal. Mas olhem, rapazes, foi então que me deram os primeiros duzentos...

– Rublos? – observou um dos curiosos e até deu um pulo ao ouvir falar em tanto dinheiro.

– Não, homem, qual rublos! Vergastadas! Ah Luká, Luká!

– Que Luká vem a ser esse? É Luká Kuzmitch, não? – exclamou involuntariamente um preso baixinho e magro, de nariz muito afilado.

– Deixa-te lá de Luká Kuzmitch. O diabo te carregue, que eu, cá por mim...

– Sou Luká Kuzmitch,[21] mas não é para ti; tu deves mas é chamar-me tio Kuzmitch.

– Vai para o diabo que te carregue, tu mais o teu tio! Não vale a pena contar-te nada. Mas eu queria dizer-vos uma coisa engraçada. Ora ouçam, meus amigos: depois daquilo ter acontecido, já não fiquei muito tempo em Moscou; deram-me mais cinquenta açoites e mandaram-me para aqui. Eu, então...

– Que terias tu feito para te mandarem para aqui? – interrompeu um que seguia atentamente a história.

---

21 Chamar alguém apenas pelo seu nome de batismo constitui uma grave indelicadeza na Rússia, sobretudo entre o povo. Deve sempre acrescentar-se o nome do pai.

– Era proibido ter patente, beber pelo gargalo e fazer de bobo; por isso, meus amigos, eu não podia ficar em Moscou. E eu, que tinha tanta vontade, tanta, de enriquecer! Uma vontade tão grande que nem sei como hei de dizer!

Alguns riram. Pelo visto Skurátov era um desses homens de bom humor ou, para melhor dizer, apalhaçados, que parecem sentir a obrigação de alegrar os seus companheiros tristes e, é claro, sem receber outra recompensa senão insultos. Pertencia a uma especial e interessante categoria de indivíduos, sobre a qual talvez ainda torne a falar.

– Pode ser que, de repente, te acossem como a uma zibelina! – observou Luká Kuzmitch. – Olhem, o traje dele já valia uns cem rublos.

Skurátov trazia uma pele de carneiro extremamente velha e remendada, na qual se viam buracos por todos os lados. Olhou-a de alto a baixo, com indiferença mas fixamente.

– É verdade – respondeu ele. – Mas em compensação a minha cabeça vale quanto pesa em ouro! Quando me despedi de Moscou, a minha única consolação era que trazia a cabeça no seu lugar. Adeus, Moscou, fica-te com os teus belos banhos e os teus bons ares; bem me tocaram lá a pavana... Quanto à pele, não te importes, meu amigo. Se não olhares para ela, já não te incomoda!

– Talvez queiras que olhe para a tua cabeça?

– A cabeça que ele traz nem sequer é a dele, foi um presente! – disse Luká. – Deram-lha por esmola, quando a caravana passou por Tiumien.

– Bem, mas continua lá com a tua história, Skurátov. Tinhas algum ofício, não?

– Um ofício, ele? Era carregador; acarretava cascalho, empurrava pedras – observou um dos mal-humorados. – Era esse o ofício dele.

– Sim, de fato, experimentei coser sapatos – respondeu Skurátov, sem compreender a maliciosa observação – mas não cheguei a coser senão um par.

– O quê? E compraram-nos?

– Sim, apareceu-me um tipo que não temia a Deus nem tinha respeito aos pais... e Deus castigou-o: ele me comprou os sapatos.

Todos os que estavam à volta de Skurátov se torceram de riso.

– Sim, mas depois voltei a trabalhar outra vez, mas aqui – continuou Skurátov imperturbável – fiz, para Stiepan Fiódorovitch Pomórtsev, outro par.

– E então, agradou-lhe?

– Não, meu amigo, não lhe agradou. Atirou-me insultos que chegavam para a vida toda e até me deu um pontapé no traseiro. Ficou tão furioso! Ah, triste vida é a dum presidiário!

Passado um momento voltou
O marido de Akulina.

Pôs-se a cantar isto inesperadamente e a dar saltinhos no chão.

– Que tipo tão inútil! – exclamou um que estava próximo de mim, num tom que não admitia réplica.

– Que tipo tão maluco! – resmungou o da Ucrânia quando passou a meu lado, com uma expressão maldosa nos olhos.

– É um ordinário! – observou outro num tom de voz seguro e sério.

Eu não conseguia perceber por que é que queriam tão mal a Skurátov e, de maneira geral, a todos os indivíduos de bom humor, conforme pude observar naqueles primeiros dias e pareciam até desprezá-los. O aborrecimento do ucraniano e dos outros parecia provir de qualquer ressentimento. Mas não se tratava disso; simplesmente, esse aborrecimento era devido ao fato de Skurátov não ser um homem metido consigo próprio e não afetar essa seriedade, esse aspecto de especial dignidade que impunha a todos os do presídio um cunho de pedanteria; enfim, por ser, segundo diziam, um homem inútil. No entanto não viam com maus olhos a todos os bem-humorados, nem tratavam todos como a Skurátov e seus congêneres. Tudo dependia da maneira como o homem se portasse. A um indivíduo simplório, ainda que não fizesse palhaçadas, condenavam-no ao desprezo. O que também me admirou. Mas havia alguns desses tipos alegres que sabiam responder e gozavam com isso, e os outros viam-se assim obrigados a respeitá-los. Nesse mesmo grupo de presos que ia para o rio, havia um desses descarados, um tipo na verdade muito divertido e simpático, o qual cheguei a conhecer a fundo, mais tarde, sob este aspecto; um rapagão forte e jeitoso, com um grande sinal numa face e uma cara com expressão muito cômica, embora fosse realmente bonito e muito alegre. Chamavam-lhe o Explorador, porque servira antes como tal; mas agora pertencia à seção especial. Hei de falar dele mais adiante.

Mas nem todos os sérios eram tão expansivos como aquele da Ucrânia, inimigo da alegria. Havia alguns homens no presídio que aspiravam à preeminência, que queriam tornar-se notados em tudo: em saber, em caráter, em inteligência Alguns eram, efetivamente, homens inteligentes e de caráter e, com efeito, alcançavam o que pretendiam, isto é, a superioridade, e uma notável força moral sobre os companheiros. Estes espertalhões costumavam ter grandes inimigos e cada um deles tinha bastante que o invejavam. Mas olhavam os outros presos com dignidade e até com benevolência, não armavam confusões inúteis, mostravam-se ativos no trabalho e nenhum deles se teria aborrecido, por exemplo, por causa de umas simples canções; não se rebaixavam por causa de tais insignificâncias. Comigo eram todos muito afáveis; durante todo o tempo que estive no presídio nunca me dirigiram a palavra, mas apenas por dignidade. Hei de ter ocasião de voltar a falar deles mais pormenorizadamente.

Chegamos à margem. Aí, no rio, havia na água gelada uma barca velha que era preciso desmontar. Para além do rio via-se a estepe azulada; a paisagem era severa e desértica. Eu esperava que os outros começassem a trabalhar; mas eles nem de longe pensavam em tal coisa. Alguns sentaram numas tábuas que estavam por ali espalhadas; quase todos tiraram das botas umas bolsinhas com tabaco da Sibéria, comprado no bazar, em folhas, a três copeques a libra, uns cachimbos de madeira de salgueiro feitos à mão. Acenderam os cachimbos; os soldados da escolta formaram círculo à nossa volta e puseram-se a olhar para nós com a cara mais aborrecida deste mundo.

– A quem é que incumbe desmontar a barca? – murmurou um, como se falasse consigo mesmo e sem dirigir-se a ninguém. – É cão, aquele que o fizer.

– Aquele que o fizer é porque não tem medo de nós – observou outro.

– Onde, diabo, irão todos esses gajos? – perguntou o primeiro a meia voz, fingindo não ter ouvido a resposta à sua anterior pergunta e apontando um grupo de camponeses, ao longe, que se dirigia, em fila, sobre a neve maciça, não sabíamos para onde. Um dos camponeses, o último, era um pouco ridículo: abria muito os braços e levava na cabeça um gorro alto em forma de cone truncado. Toda a sua figura se destacava inteira e nítida sobre a neve branca.

– Ó compadre, olha como anda o amigo Pietróvitch – observou um, chamando assim o camponês, por troça.

É de notar que os presos olhavam sempre os camponeses com um certo desprezo, de maneira geral, apesar de metade serem camponeses.

– O de trás caminha como se estivesse a plantar nabos.

– Pesa-lhe a cabeça; com certeza tem muito dinheiro! – observou outro.

Todos se puseram a rir, mas com certa indolência, como de má vontade. Nisto apareceu por ali uma vendedora de bolos, uma mulherzinha alegre e viva.

Compraram-lhe bolos com os cinco copeques de há pouco e repartiram-nos entre si.

Um rapaz novo, que negociava com bolos no presídio, comprou-lhe vinte; mas pôs-se a discutir com ela para que lhe desse na venda três e não dois bolos, de comissão, como era costume, com o que a mulher não concordava.

– Bem, e isso, também vendes?

– Isso, quê?

– Isso que os ratos não querem!

Até que finalmente apareceu o suboficial, encarregado de inspecionar os trabalhos, com uma vara.

– Então, de que estão à espera? Vamos começar!

– Bem, Ivan Matviéievitch, dê-nos a tarefa – exclamou um dos chefes de grupo, levantando-se imediatamente.

– Por que não pediram antes de sair? Desmontem a barca, é essa a tarefa.

Finalmente alguns levantaram e encaminharam-se para o rio, quase sem mexerem os pés. Surgiram então imediatamente, no grupo, os ativos, pelo menos de garganta. Parecia que a barca não devia ser destruída às cegas, mas sim poupando o mais possível as tábuas e, sobretudo, as de reforço. Estas estavam seguras com grandes cunhas ao fundo da barca, e por isso tratava-se de uma tarefa demorada e delicada.

– Olha, a primeira coisa a fazer é tirar as tábuas, vamos, rapazes – observou um que não se tinha na conta nem de ativo nem de entendido, mas que era simplesmente um mocinho dos trabalhos forçados, calado e sossegado, que não tinha dito nada até então; e, metendo mãos à obra, puxou por uma grossa tábua, pedindo auxílio. Mas ninguém o ajudou.

– Não és capaz de arrancá-la! Mesmo que o teu avô, que devia ser um urso, te viesse ajudar, não serias capaz de a arrancar! – resmungou um deles por entre os dentes.

– Mas como é que se há de começar? Eu não sei – exclamou o outro, um tanto perplexo, largando a tábua e levantando-se.

– Não vais fazer o trabalho todo sozinho... Por que tens tanta pressa?

– Não és capaz de atirar milho às galinhas e agora queres ser o primeiro...

– Eu, meu amigo, eu só... – repetiu o moço indeciso.

– Ó rapazes, vocês querem que eu os guarde num estojo? Ou que vos mande pôr de salmoura para o inverno? – gritou de novo o inspetor, olhando com aborre-

cimento aquele bando de doze homens que não sabiam como começar o trabalho.
– Vamos começar! E depressa!
– Mais depressa do que depressa não pode ser, Ivan Matviéievitch.
– Mas tu não fazes nada, diacho! Vamos, Saviéliev... digo, Pietróvitch, é contigo que estou falando: que fazes aí parado, com esse olhar de pateta? Vamos, despacha-te!
– Sim, mas que posso eu fazer sozinho?
– Marque-nos o trabalho, Ivan Matviéievitch.
– Já lhes disse. Não posso marcar o trabalho. Desmanchem a barca e, em seguida, vamos para casa. Vamos, mãos à obra!

Dispuseram-se finalmente a fazer qualquer coisa, mas sem vontade, desajeitados. Na verdade era revoltante olhar aquele grupo de trabalhadores sãos e rijos que, segundo parecia, não sabiam decididamente por onde começar o trabalho. Assim que tentaram arrancar a primeira cunha, pequeníssima, partiu-se, "partia-se sozinha", como eles explicaram ao inspetor, à guisa de desculpa; por isso, assim não se podia trabalhar, e era preciso experimentar de outra maneira. Seguiu-se uma longa discussão acerca da nova maneira como poderia realizar-se aquele trabalho. Escusado será dizer que, pouco a pouco, acabaram por se insultarem, por dizerem bravatas e qualquer coisa mais... O inspetor tornou a aguilhoá-los e brandiu a chibata no ar; mas a cunha tornou a partir-se. Concluiu-se por fim que não havia ali machados suficientes e que era preciso ir buscar algumas ferramentas. Partiram imediatamente em direção ao forte dois indivíduos com escolta, em busca das ferramentas, e, entretanto, os outros sentaram tranquilamente na barcaça, puxaram dos cachimbos e puseram-se a fumar.

O inspetor, finalmente, cuspiu:
– Bem. É escusado contar convosco para o trabalho! Que gente, que gente! – resmungou, colérico, deixando cair os braços e encaminhando-se para o forte, zurzindo a vara no ar.

Passada uma hora apareceu outro capataz. Depois de escutar os presos com muita calma, declarou-lhes que lhes dava como tarefa tirarem quatro cunhas, de maneira que não se partissem e saíssem inteiras, e que, além disso, tinham de desmontar uma parte considerável da barcaça, após o que já podiam voltar para o presídio. A tarefa era grande; mas como eles a despacharam! Para onde foi a preguiça? Para onde foi a indecisão? Os machados batiam, as cunhas de madeira começaram a girar. Os outros meteram uns paus grossos por debaixo daquelas e, aplicando-lhes doze mãos, simples e magistralmente, extraíram as cunhas que, com grande assombro meu, saíram completamente intactas, sem se partirem. O trabalho avançava rapidamente. Parecia que todos, como por encanto, se tinham tornado habilidosos. Nem palavras supérfluas, nem insultos; cada um sabia o que havia de dizer e de fazer, onde ir e o que aconselhar. Precisamente meia hora antes de soar o tambor a tarefa estava concluída, e os presos voltaram para o presídio cansados mas muito satisfeitos, apesar de não terem conseguido ganhar senão uma meia hora de tempo livre. Quanto a mim mesmo, reparei numa coisa: onde quer que eu me dirigisse, durante o trabalho, para ajudá-los, estava sempre fora do meu lugar, estorvava sempre, e pouco faltava para que me injuriassem.

Até o último de todos, que era um péssimo trabalhador e não se atrevia a levantar a voz diante dos outros presos, que era o mais desajeitado e desocupado, até esse se sentia com direito a descompor-me quando eu me punha junto dele, alegando que o estorvava. Até que por fim um dos ativos me disse com mau modo:

– Vá para outro lugar! Para que se mete onde não é chamado?

– Já viveste bem – lançou imediatamente outro.

– Mais vale pegares num cofre – disse-me um terceiro – e te pores a pedir esmola, para que levantem igrejas e deitem abaixo as tabernas, porque, aqui, não tens nada que fazer.

Por isso via-me obrigado a ir para um canto e a ficar observando, no ócio, como os outros trabalhavam, o que me punha um peso na consciência. Mas quando o fiz e me afastei, e fui para a outra ponta da barcaça, começaram então a gritar-me:

– Sempre nos deram uns ajudantes... Que havemos de fazer deles? Não sabes fazer nada?

É claro que diziam tudo isto intencionalmente e para se divertirem. Era preciso aproveitar a ocasião para se porem a rir de um ex-nobre e não havia dúvida nenhuma de que a agarravam pelos cabelos.

Isso era muito compreensível, agora, porque, como já antes disse, a minha primeira pergunta quando entrei no presídio foi esta: "Como conduzir-me; que atitude devo adotar perante estes homens?". Calculava que devia ter frequentemente choques com eles, como este, de agora, no trabalho. Mas apesar de tais choques resolvi não alterar o meu plano, de conduta, nesse tempo, já meio amadurecido no meu espírito; sabia que estava certo. E assim era; decidi que era preciso conduzir-me com toda a naturalidade e sem mostrar aborrecimento, não deixar transparecer o menor indício de aproximar-me deles, mas sem desprezar a aproximação que eles próprios me oferecessem. Não intimidar-me de maneira nenhuma perante as suas ameaças e sinais de hostilidade e, se fosse possível, fazer-me desentendido. Não concordar com eles, de maneira alguma em certos pontos já conhecidos, e não contrariar nenhum dos seus hábitos e costumes; em suma: não me entregar por completo à sua camaradagem. Adivinhei, ao primeiro olhar, que eles, a princípio, me desprezariam por causa disso. Mas em seu entender, (tive depois ocasião de aprofundar isso) eu estava de certa maneira obrigado a fazer acreditar e respeitar, na sua presença, a minha nobre linhagem, isto é, assumir ares de pessoa fina, fazer espavento, aparentar importância, resmungar a cada passo e fazer trejeitos. Era assim que eles pensavam que os nobres se conduziam. É claro que teriam me insultado por isso... mas, ao mesmo tempo, teriam me respeitado. Mas isso não era para mim; eu nunca seria um nobre como eles imaginavam; mas em compensação prometi a mim próprio não rebaixar, com nenhuma concessão perante eles, nem a minha cultura nem a minha ideologia. Se eu, para os lisonjear, me tivesse rebaixado a seus olhos, concordando com as suas ideias, dando-lhes confiança e adquirindo as suas qualidades com o fim de ganhar a sua simpatia... teriam imediatamente suposto que fazia tudo isso pelo medo que lhes tinha e me virariam as costas com desprezo... A...v não era um exemplo a seguir: denunciava-os ao major e todos o temiam. Por outro lado também não queria proceder para com eles com a frieza e a evasiva cortesia com que os polacos os tratavam. Eu bem via agora que eles me desprezavam, porque desejava trabalhar como eles e não andava com espaventos nem melindres; e embora soubesse muito bem que, com o tempo, haviam de mudar de opinião a meu respeito, apesar da ideia de que entretanto se julgassem com direito a desprezar-me pensando que eu, com o trabalho, procurava as suas simpatias... só essa ideia me pesava de um modo terrível.

Quando, à tarde, ao terminarmos o trabalho do meio-dia, regressei ao presídio, cansado e esgotado, uma tristeza espantosa tornou a invadir-me "Quantos milhares de dias como este me esperavam ainda – pensava eu – todos como este, todos iguais, parecidos!" Em silêncio, já à tarde, pus-me a andar sozinho, para além dos alojamentos; ao longo do pátio, e de repente vi o nosso Chárik, que corria para mim como uma flecha. Chárik era o nosso cão do presídio, da mesma maneira que há cães de companhias militares, de batalhão e de esquadrão. Vivia no presídio desde tempos imemoriais, não tinha dono certo, considerava todos como tais e alimentava-se com as sobras da cozinha. Era um canzarrão prêto com malhas brancas, um mastim ainda não muito velho, com uns olhos muitos vivos e uma cauda, muito espessa. Ninguém o acariciava, ninguém lhe ligava importância. Eu o afaguei no primeiro dia e dei-lhe pão à mão. Quando eu o olhava punha-se muito quieto, contemplando-me com amizade e, em sinal de alegria, agitava brandamente a cauda. Agora, que havia já algum tempo não me via... a mim, o primeiro que no decurso de alguns anos se dignara fazer-lhe uma carícia, corria e procurava-me por todas os lados, e quando eu saía do alojamento ladrava e corria logo ao meu encontro. Não sei o que me aconteceu, mas pus-me a beijá-lo e abracei-lhe cabeça; ele se endireitou, pôs-me as patas dianteiras sobre os ombros e começou a lamber-me a cara. "Eis aqui um amigo que o destino me envia!", pensei eu, e sempre que, naqueles primeiros tempos lúgubres e duros, voltava do trabalho, a primeira coisa que fazia, antes de entrar em algum lugar, era correr para trás dos alojamentos com Chárik, que saltava na minha frente e ladrava alvoroçado, pegar-lhe na cabeça e pôr-me a dar-lhe beijos e mais beijos, e alguma guloseima, e, entretanto, um sentimento torturante amargo, me trespassava a alma. E como me era agradável pensar, valorizando perante mim próprio o meu martírio, que no mundo apenas me restava então um único ser que me amasse e me fosse dedicado: o meu amigo, o meu único amigo... o meu fiel Chárik.

Capítulo VII / Novos conhecimentos. Pietrov

Mas o tempo corria e eu, pouco a pouco, ia-me acostumando. Cada dia me afligiam menos as cotidianas manifestações da minha nova vida. Os acontecimentos, o ambiente os homens... tudo se ia tornando indiferente a meus olhos. Reconciliar-me com aquela vida era impossível, mas já era tempo de aceitá-la como um fato perfeitamente consumado. Todas as incompreensões que ainda conservava, guardava-as para comigo. Não vagueava pelo presídio como um desgraçado, nem deixava transparecer o meu desgosto. Já não se fixavam em mim olhares de curiosidade selvagem com a mesma frequência, nem me seguiam com um descaramento tão intencional. Eu também me ia tornando indiferente para eles, o que me agradava bastante. Sentia-me já no presídio como em casa, sabia o meu lugar nas esteiras e, pelo visto, tinha-me acostumado já a coisas às quais nunca pensei poder acostumar-me na vida. Apresentava-me todas as semanas para que me rapassem metade da cabeça. Faziam-nos sair do presídio, por turnos, todos os sábados e nas vésperas dos dias festivos, e levavam-nos ao corpo da guarda (aquele que não estivesse rapado devia declará-lo) e aí, os barbeiros do Exército ensaboavam-nos a cabeça e rapavam-nos sem dó nem piedade com as navalhas rombudas de tal maneira que ainda hoje me corre um calafrio pelo corpo quando me recordo dessa operação. Aliás, tínhamos o remédio à mão: Akim Akímitch indicou-me um preso da tropa, o qual rapava com uma navalha sua, por um copeque todos aqueles que o desejassem. Muitos presos, apesar de serem gente rude, se valiam dele para escapar aos barbeiros do presídio. Chamavam "major" ao nosso barbeiro-recluso... por motivos que ignoro, assim como também não poderia dizer em que se parecia ele com o major da praça. Agora, ao escrever isto, lembro-me da figura do tal major, um rapagão seco, alto, e taciturno, pouco esperto, eternamente entregue às suas ocupações e sempre com o afiador na mão, afiando dia e noite a navalha, já muito gasta, e segundo parecia, completamente absorvido nessa tarefa, que constituía para ele, segundo parecia, a missão de toda a sua vida. De fato, mostrava-se extremamente satisfeito quando a navalha estava boa e quando alguém ia barbear-se; ensaboava o freguês, tinha a mão leve e a navalha parecia de veludo. Era evidente que sentia prazer e se envaidecia do seu ofício, e recebia desdenhosamente o copeque ganho, como se trabalhasse por amor à arte e não por casa do dinheiro. Em maus lençóis se viu uma vez A...v com o major da praça, quando foi para ele com ditas e contos e, ao referir-se uma vez ao nome do nosso barbeiro-recluso imprudentemente lhe chamou "major". O major do presídio ficou furioso e altamente ressentido: "Saberás tu, velhaco, o que é um major – exclamou lançando espuma pela boca e tratando A...v à sua maneira. – Como te atreves a chamar major a qualquer palhaço e prisioneiro, e mesmo nas minhas barbas, na minha presença?". Só A...v era capaz de entender-se com aquele homem.

  Logo no meu primeiro dia de vida no presídio comecei a sonhar com a liberdade. Calcular quando terminariam os meus anos de prisão, pensar em mil coisas diversas, constituía a minha ocupação predileta. Por mais que desejasse não podia pensar noutra coisa e tenho a certeza de que outro tanto há de acontecer a todo aquele que se veja por uns tempos privado da sua liberdade. "Não sei – pensava eu – se acontecerá o mesmo com todos os presos"; mas a assombrosa leviandade das suas ilusões chocou-me desde o primeiro momento. A esperança do preso privado de liberdade é de outro gênero, completamente diferente da do homem que vive no mundo comum. Não há dúvida de que o homem livre espera qualquer coisa (por exemplo, uma mudança de sorte, a realização de algum empreendimento); mas vive e movimenta-se; a vida real arrebata-o totalmente no seu torvelinho. Não se passa o mesmo com o preso. Concordemos que esta também é vida... presidiária; mas seja qual for o preso e qualquer também a duração da sua pena, ele não pode decidida, instintivamente, considerar a sua sorte como algo de definitivo, de resolvido, como fazendo parte da vida ativa. Todo preso sente que não está em sua casa, mas assim como se estivesse de visita. Vinte anos parecem-lhe dois, e está perfeitamente convencido de que, aos cinquenta, quando sair do presídio, será ainda o mesmo homem novo que é agora, aos trinta. "Enquanto há vida, há esperança!", cogita, e afugenta resolutamente da sua mente todo pensamento aborrecido. Até os condenados à perpétua, os da seção especial, até esses pensavam às vezes que aquilo não podia ser e que de repente havia de chegar uma ordem de Píter[22] transferindo-os para Niertchinsk, nas minas de metais, e marcando-lhes um fim à condenação. E então, que mais poderiam desejar? Em primeiro lugar, para chegar a Niertchinsk demora-se quase meio ano, e depois é preferível qualquer outra coisa a estar no presídio. Depois de cumprida a pena em Niertchinsk, então... E dizer que esses cálculos eram feitos por um homem já de cabelos brancos!

Vi em Tobolsk os presos que estão acorrentados às paredes. Mantêm-nos com cadeias de dois metros de comprimento ao lado da sua esteira. Mandaram acorrentá-los por causa de algum crime totalmente inaudito que cometeram já na Sibéria. Têm-nos assim por cinco anos e até por dez. São, na sua maioria, salteadores de estradas. Somente um que tinha tido um emprego não sei onde, é que tinha melhor aparência. Falava com muita fleuma, quase a meia voz, e com um leve sorriso. Mostrou-nos a grilheta e demonstrou-nos como lhe era possível estender-se comodamente com ela na esteira. Devia ser um bom patife! De maneira geral todos eles se portam com muita mansidão e parecem contentes, mas todos anseiam cumprir quanto antes a sua pena. "Para quê?" dirão. Pois vão já saber para quê: para, deixarem aquele cubículo, abafado, sombrio, de teto baixo e abobadado, sair para o pátio do presídio e... nada mais. Para além do presídio nunca poderá sair. Sabe perfeitamente que os que se libertam finalmente daquelas cadeias hão de permanecer forçosamente até à morte no presídio e com grilhetas. Sabe-o perfeitamente e, no entanto, sente uma ânsia enorme de cumprir o prazo da pena de estar acorrentado às paredes. Mas, se não fosse esta ilusão, poderia suportar as cadeias por cinco ou seis anos, sem morrer ou enlouquecer? A quem é que não sucederia o mesmo?

Eu sentia que o trabalho podia salvar-me, fortalecer a minha saúde, o meu corpo. Uma verdadeira inquietação, um desassossego nervoso, o ar nocivo dos alojamentos podiam arrasar-me completamente. "Sair com frequência para o ar livre, cansar-me todos os dias, aprender a suportar pesos... e, pelo menos vou me salvar – pensava eu – e vou me robustecer e sairei daqui um dia são, forte e com um ar juvenil." Não me enganava: o trabalho e o movimento foram-me muito proveitosos. Eu olhava com horror para um dos meus companheiros (de família nobre), que se foi apagando no presídio, como uma luz. Entrou ao mesmo tempo que eu, novo ainda, bonito, forte, e saiu dali acabado e asmático. "Não, – pensava eu quando olhava para ele – eu quero viver e viverei." E por isso, os presos, a princípio censuravam-me pelo meu amor ao trabalho e durante muito tempo olharam-me com desprezo e troça. Mas eu me fazia desentendido e aplicava-me com firmeza a todas as coisas, ainda que fosse, por exemplo, queimar e britar calcário – um dos primeiros trabalhos que me tinham ensinado. – Era um trabalho fácil. Os nossos chefes, os engenheiros, estavam dispostos a adoçarem o trabalho dos presos nobres, o que, aliás, não era nenhum privilégio, mas simplesmente uma justiça. Estranho seria exigir de um homem com metade das forças, e que nunca trabalhou, o mesmo rendimento que de um verdadeiro trabalhador de profissão. Mas essa graça nem sempre se torna um fato, e concedia-se até um pouco às escondidas, pois os outros presos levariam aquilo a mal. Era necessário, com muita frequência, realizar trabalhos duros, e para os nobres tornavam-se duplamente pesados, muito mais que para os outros tra-

---

22 Abreviatura popular de Petersburgo.

balhadores. Para o mármore costumavam designar geralmente três ou quatro homens, velhos ou fracos, de poucas forças, no número dos quais, naturalmente, nos contavam a nós; e além disso tínhamos como chefe um verdadeiro operário, que sabia do ofício. Designavam quase sempre para isso o mesmo indivíduo, durante alguns anos consecutivos, um tal Almázov, homem grave, moreno e pequeno, já entrado em anos, pouco sociável e muito obstinado. Desprezava-nos profundamente. Além disso era tão pouco falador que chegava até ao extremo de sentir preguiça para nos censurar. O alpendre, no qual se queimava e britava o calcário, ficava num lugar despovoado e não longe das margens do rio. No inverno, sobretudo nos dias nublados, olhar para o rio e para a outra margem, afastada, causava tristeza. Havia qualquer coisa de árido e de nostálgico, naquela paisagem desértica, que partia o coração. Mas a tristeza tornava-se ainda maior quando sobre o branco e interminável sudário da neve, brilhava o sol; oh quem tivesse podido voar por sobre aquela estepe que começava na outra margem e se estendia para o sul, num grande espaço ininterrupto, num espaço de mil e quinhentas verstas! Almázov entregava-se ao trabalho, geralmente em silêncio e com um ar severo; nós sentíamos uma vergonha enorme por não podermos ajudá-lo de maneira positiva, mas ele, intencionalmente, governava-se sozinho; não pedia o nosso auxílio, propositadamente, para que nos sentíssemos culpados perante ele e sofrêssemos com a nossa própria inutilidade. Mas o trabalho reduzia-se a acender o forno onde devia ser queimado o calcário que nós íamos metendo nele. No dia seguinte, quando o calcário já estava completamente queimado, o tirávamos do forno. Cada um de nós pegava num pesado martelo, colocava-se diante da respectiva caixa de calcário e começava a quebrá-lo. Era um trabalho muito agradável. Não tardava que o duro calcário se desfizesse num pó branco e brilhante. Brandíamos alegremente os nossos pesados martelos e batíamos com tal algazarra, que era um gosto. Embora acabássemos por ter de suspender a faina, as nossas faces ficavam afogueadas e o sangue corria-nos mais rápido. Almázov punha-se então a olhar-nos com benevolência, como olharia para umas criancinhas; acendia o cachimbo com um ar condescendente e, no entanto, havia sempre de resmungar quando lhe dirigíamos a palavra. Aliás, é assim que se porta para com todos; mas, na realidade, era, segundo parecia, uma boa pessoa.

 O outro trabalho que me destinaram... realizava-se na oficina e consistia em fazer girar a roda de um torno. Era preciso muita força para a fazer andar, sobretudo quando o torneiro (um sapador de engenharia) torneava qualquer coisa, por exemplo, uma balaustrada para uma escada ou uns pés para uma mesa grande, destinadas à casa de algum funcionário; para os tais pés de mesa era preciso até uma viga inteira. Um homem só não tinha força para fazer girar a roda em tais ocasiões; por isso designavam geralmente dois: a mim e a outro preso nobre, B***. E foi esse o nosso trabalho durante alguns anos, sempre que era preciso tornear qualquer coisa. B*** era aquele homem débil, a que já me referi, ainda novo, e que sofria do peito. Tinha entrado para o presídio um ano antes de mim, juntamente com dois companheiros: um, um velho, que passou todo o tempo da sua vida de presidiário rezando, de dia e de noite (pelo que os presos o respeitavam muito) e que morreu um pouco antes da minha entrada no presídio; o outro era um rapazinho loução, saudável, forte, jovial, que a meia jornada de caminho trouxe B*** às costas, pois estava esgotado, e assim o levou durante um trajeto de setenta verstas seguidas.

Era digna de ver-se a amizade que existia entre os dois. B*** era um homem muito bem educado, de nobre condição, de um caráter generoso, mas azedo e irritado pela doença. Trabalhávamos os dois juntos na roda e nisso consistia a nossa ocupação. Para mim, esse trabalho constituía um ótimo exercício.

Também me agradava especialmente apanhar neve com a pá. Fazia-se isso, geralmente, depois das tempestades, e com muita frequência no inverno. Depois de uma tempestade de vinte e quatro horas, várias casas ficavam com neve até quase metade da altura das janelas e outras ficavam mesmo completamente cobertas. Então, logo que o temporal amainava e o sol saía, mandavam-nos em grandes grupos, e às vezes a todos do presídio... tirar os montões de neve dos edifícios públicos. Marcavam o trabalho de cada um, às vezes de natureza tal, que era para admirar como podíamos realizá-lo, embora nos deitássemos todos à obra com a maior atividade. Leve, pouco compacta e gelada só por cima, a neve escorregava facilmente para as pás em grandes montes, espalhava-se a toda a volta e voava pelos ares, transformada em pó brilhante. A pá enterrava-se naquela massa branca, que brilhava ao sol. Os presos entregavam-se a este trabalho quase sempre com gosto. O fresco ar de inverno, o exercício, fortaleciam-nos. Todos ficavam contentes; ouviam-se risos, vozes, gracejos. Punham-se a brincar com a neve, apesar de que, passado um minuto, já os pacatos e insensíveis aos risos e ao bom humor se punham a protestar, terminando o divertimento geral quase sempre em insultos.

Pouca a pouco fui alargando o círculo das minhas, amizades. Aliás, eu nem sequer pensava em amizades; sentia-me ainda inquieto, pesaroso e receoso. Os meus conhecimentos começaram por si. O recluso Pietrov foi dos primeiros a visitar-me. Digo "visitar" e insisto especialmente na palavra. Pietrov vivia na seção especial e na caserna mais afastada da minha. É claro que, entre nós, não podiam existir relações; não existia absolutamente nada de comum entre nós. E, no entanto, nos primeiros tempos, Pietrov vinha me ver quase todos os dias ao alojamento ou fazia-me parar nas tardes de folga; como se sentisse essa obrigação, quando eu ia passear longe dos alojamentos e o mais longe possível de todos os olhares. A princípio isso não me agradava. Mas ele percebeu pouco a pouco que as suas visitas não tardaram a servir-me de distração, apesar de ele não ser tagarela nem pessoa comunicativa. Quanto ao seu aspecto exterior era baixo, de compleição robusta, ágil, nervoso, com uma cara muito simpática, pálida, largo de ombros, e com uma expressão risonha nos dentes brancos, pequenos e bem juntos, e com uma eterna dose de rapé, no lábio inferior. Era costume de muitos presos trazerem o tabaco aí. Parecia mais novo do que era. Tinha quarenta anos e aparentava apenas trinta. Falava sempre comigo com muita desenvoltura, mantinha-se perfeitamente ao mesmo nível, isto é, com muitíssimo tato e delicadeza. Se notava, por exemplo, que eu estava ansioso por solidão, deixava-me, depois de me ter entretido uns dois minutos, agradecia-me sempre a atenção que eu lhe dispensara, o que não fazia com mais ninguém do presídio. Curioso é que essa nossa amizade não só se tivesse prolongado durante os primeiros dias como no decurso de vários anos seguidos, sem que nunca se tornasse mais íntima, embora ele me fosse efetivamente muito dedicado. Ainda hoje não percebo por que me teria ele tomado aquele afeto e por que viria ver-me todos os dias. No entanto, um dia roubou-me. É que ele roubava inconscientemente; mas era raro que me pedisse dinheiro. Por isso, não era pelo dinheiro nem por nenhum grande interesse que se aproximava de mim.

Também não sei a razão, mas parecia-me sempre que ele não vivia juntamente comigo no presídio, mas sim longe, noutra casa, na cidade, e que apenas visitava o presídio de passagem, para recolher notícias, visitar-me e ver a vida que levávamos. Estava sempre com pressa de ir para qualquer parte, tal como se tivesse deixado alguém à espera ou tivesse um trabalho para acabar em qualquer lugar. E, entretanto, nunca parecia apressar-se muito. O seu olhar era também um pouco estranho: atento, fixo, com assomos de velhacaria e de zombaria, mas projetado sempre na distância, para além daquilo que tinha na sua frente. Isto lhe dava um aspecto de pessoa distraída. Algumas vezes ficava a pensar para onde iria Pietrov quando se despedia de mim. Onde estarão à sua espera? Mas ele desaparecia rapidamente da minha vista em qualquer lugar, nos alojamentos ou na cozinha; sentava junto dos que falavam, punha-se a escutar atentamente, às vezes metia-se na conversa com certo entusiasmo, e depois, de repente, interrompia-se e ficava calado. Mas, quer falasse quer permanecesse em silêncio, era evidente que estava ali de passagem, que tinha algo que fazer em qualquer parte e que o esperavam. O mais curioso é que ele nunca tinha nada para fazer, absolutamente nada; vivia numa preguiça total (não contando com os trabalhos forçados, é claro). Ofício, não tinha nenhum, e por isso quase nunca tinha dinheiro. Mas não se preocupava com o dinheiro. E de que falava ele comigo? As suas conversas eram tão estranhas como ele próprio. Via, por exemplo, que eu andava sozinho por detrás dos alojamentos e aparecia de repente ao meu lado. Andava sempre muito ligeiro e dava umas voltas bruscas; mesmo que viesse a passo lento parecia sempre que corria.

— Boa tarde.
— Boa tarde.
— Não o incomodo?
— Não.
— Queria fazer-lhe uma pergunta sobre Napoleão Terceiro. Ainda é parente daquele que esteve na Rússia em 1812?

(Pietrov era filho de soldado e sabia ler e escrever.)

— Sim, era sobrinho dele.
— Por que lhe chamavam presidente?

Perguntava sempre apressadamente, por hábito, como se tivesse grande urgência em informar-se. Tal como se necessitasse de aclarar algum assunto importantíssimo que não admitisse a menor dilação.

Expliquei-lhe que, de fato, era presidente, acrescentando que talvez não tardasse que fosse imperador.

— Como?

Expliquei como pude. Pietrov escutava atentamente inclinando um pouco o ouvido para mim, e compreendia as coisas rapidamente.

— Hum! Ora bem, agora, Alieksandr Pietróvitch, eu queria perguntar-lhe uma coisa. É verdade isso que dizem de haver uns macacos com uns braços tão compridos que lhes chegam aos tornozelos e que são tão altos como os homens mais altos?

— É verdade, sim.
— E que macacos são esses?

Expliquei-lhe, conforme pude.

— E onde vivem?

— Nos países quentes. Na ilha de Sumatra, por exemplo, existem.

— Isso fica na América, não? Também dizem que as pessoas, aí, andam de cabeça para baixo; isso é verdade?

— De cabeça para baixo, não. O senhor está a falar dos antípodas.

Expliquei-lhe o que era a América e, conforme pude, o que eram os antípodas. Ele me escutava com tanta atenção que parecia exatamente que tinha vindo ter comigo só por causa dos antípodas.

— Ah! Quer saber? O ano passado li a história da duquesa de Lavallière, num livro que o ajudante Ariéfiev me emprestou. Será verdade tudo aquilo, ou apenas ficção? Era uma obra de Dumas.

— É claro que é ficção.

— Bem. Adeus, passe muito bem!

Pietrov desaparecia e, na verdade, era sempre desta maneira que nos falávamos. Comecei a procurar pormenores acerca da sua pessoa. M***, que sabia das nossas relações, deu-me algumas informações. Disse-me que, no princípio, nos primeiros dias da sua estada no presídio, muitos dos reclusos lhe tinham inspirado horror, mas nenhum deles, nem o próprio Gázin, lhe causara uma impressão tão horrorosa como esse tal Pietrov.

— É o mais refinado, o mais desalmado de todos os presos — dizia M***. — É capaz de tudo; não recua perante nada, contanto que faça a sua vontade. Se isso se lhe meter na cabeça, corta-lhe o pescoço, mata-o, muito simplesmente, sem dó nem piedade. Eu até penso que ele não deve ter o juízo perfeito.

Esta opinião interessou-me muitíssimo. Mas M*** não foi capaz de explicar-me a razão dessa opinião sua. E, coisa estranha, durante alguns anos convivi com Pietrov, falava quase todos os dias com ele, e durante todo esse tempo foi-me sinceramente dedicado (embora não perceba por quê) e, durante todos esses anos, embora vivesse discretamente no presídio e nada fizesse de horrível, todos os dias, quando lhe olhava para a cara e falava com ele pressentia que M*** tinha razão, que Pietrov devia ser talvez o mais intrépido, terrível e o mais difícil de dominar de todos os presos, e não reconhecia qualquer autoridade sobre a sua pessoa. E eu também não era capaz de explicar por que é que... pensava também a mesma coisa.

Reparei, além disso, que esse tal Pietrov era o mesmo que quisera matar o major do presídio quando o chamaram para lhe aplicarem um castigo. Já disse que o major "se salvou por milagre", como diziam os outros presos, retirando-se um minuto antes da execução da pena. Uma vez, antes de ter vindo para o presídio, sucedeu que o coronel lhe bateu durante a instrução. Provavelmente já não devia ser a primeira vez que lhe batia; mas dessa vez não quis dominar-se e deu, com a baioneta, uma pancada ao coronel, às claras, diante de toda a tropa. Aliás, não conheço a história em seus pormenores e ele nunca falou nisso. Não há dúvida de que se tratava de arrebatamentos nos quais a sua natureza se mostrava toda. No entanto eram muito raros nele. Vulgarmente era sensato e até pacífico. Palpitavam no seu peito forte paixões ardentes; mas as brasas candentes estavam continuamente cobertas de cinza e ardiam devagar. Nunca pude observar nele uma ponta de fanfarronice nem de jactância, como, por exemplo, noutros. Raramente se zangava com alguém embora não mantivesse amizade particular com ninguém, a não ser talvez com Sirótkin, e ainda somente quando lhe era necessária. Uma vez, no entanto, tive ocasião de vê-lo seriamente enfurecido. Havia qualquer coisa que não lhe queriam dar, qualquer coisa que lhe tinham tirado. Quem questionava com ele era um preso muito forte; corpulento, mau, brigão, chocarreiro e destemido, Vassíli Antônov, da classe dos presos civis. Havia já muito tempo que vociferavam e eu pensava que a coisa havia de terminar pelo menos em pancadaria, como era costume; mas Pietrov, embora raramente, às vezes também se encolerizava e desfazia em impropérios como o último dos condenados. Mas dessa vez não foi assim; de repente Pietrov empalideceu e os lábios roxos empalideceram-lhe; respirava afanosamente. Levantou do seu lugar e, devagarinho, muito devagarinho, com os seus passos silenciosos, descalço (gostava muito de andar descalço no verão), dirigiu-se para Antônov. De súbito e de chofre, todos emudeceram, naquele alojamento ruidoso e vociferante; era possível ouvir uma mosca. Estavam todos atentos ao que ia passar-se. Antônov caminhou ao encontro de Pietrov, que parecia ter perdido a aparência humana... Eu não pude mais e saí do alojamento. Esperava que antes de eu ter tido tempo de transpor a porta, se teria já ouvido o grito dum homem assassinado. Mas dessa vez também o caso acabou em paz; Antônov não deu oportunidade a que Pietrov se lhe aproximasse e entregou-lhe o objeto disputado, em silêncio e apressadamente (tudo isso por qualquer insignificância desprezível, por um farrapo qualquer). É claro que depois Antônov ficou ainda a insultá-lo em voz mais baixa, para tranquilizar a sua consciência e por decoro, para mostrar que não era assim com tanta facilidade que lhe metiam medo. Mas Pietrov nem sequer reparou já nesses insultos, nem lhes respondeu; a coisa não estava no insultar mas apenas nas conveniências; estava muito satisfeito, já tinha o que era seu. Passado um quarto de hora, já andava como antes, vagabundeando pelo presídio, com o aspecto dum homem muito tranquilo que apenas andava a farejar onde é que se falaria de qualquer coisa interessante para meter também a sua colher e saber de novas. Era de dizer que tudo o interessava; no entanto acontecia-lhe às vezes permanecer indiferente a tudo e ficar às voltas pelo presídio sem objetivo algum, pavoneando-se para um lado e para outro. Podia-se compará-lo a um operário, a um bom operário ao qual não dão trabalho e que, enquanto permanece ocioso, se senta e se põe a brincar com as crianças. Eu também não compreendia por que se mantinha ele no presídio, por que não fugia. Com certeza que ele não teria medo de fugir, contanto que o tivesse verdadeiramente desejado Nos indivíduos como Pietrov a razão só impera até ao momento em que o desejo não os tenta. Não há freio possível que possa detê-los neste mundo. E eu estou convencido de que ele seria facilmente capaz de fugir, e que a ele não teria importância alguma estar uma semana inteira sem pão na floresta ou na margem do rio, numa cabana. Mas era evidente que essa ideia não lhe tinha ocorrido e que de maneira nenhuma sentia esse desejo. Uma razão sã, um juízo especialmente são, nunca descobri nele. Parece que estas criaturas nasceram já com uma só ideia que, sem que eles próprios reparem nisso, enquanto vivem, os vai impelindo de um lado a outro, e assim desperdiçam toda a sua vida até que não apareça qualquer coisa com força que os faça então perder completamente a cabeça. Às vezes admirava-me de que aquele homem, que tinha morto o chefe para se vingar de uma correção, se prestasse tão docilmente a ser açoitado no presídio. E sofria esse castigo todas as vezes que era apanhado fazendo contrabando de aguardente. Como todos os presos sem ofício, costumava dedicar-se a esse negócio. Mas quando lhe aplicavam o castigo, prestava-se a isso como em virtude de uma concordância especial, isto é, como se reconhecesse que havia motivo para isso; caso contrário, se não houvesse, ainda que o matassem não se prestaria a tal; era o que parecia. Também me espantava que, apesar da notória dedicação que tinha por mim, não reparasse que me roubava. Foi ele quem me roubou a Bíblia que um dia lhe entreguei unicamente para que a levasse de um lugar a outro. O trajeto era apenas de alguns passos; mas arranjou no caminho um comprador, ao qual a vendeu, gastando depois o dinheiro na bebida. Na verdade a bebida agradava-lhe muito e, quando desejava muito uma coisa, não tinha outro remédio senão consegui-la. Há homens capazes de matarem uma pessoa por vinte e cinco copeques, para beberem um copo desse vinho, enquanto cem mil o deixariam indiferente noutra ocasião. Nessa mesma noite confessou-me ele o roubo, mas sem a menor comoção nem arrependimento, com a maior indiferença, como se se tratasse da coisa mais vulgar. Tentei dar-lhe uma boa repreensão, porque me custava muito ter perdido a Bíblia. Ele me escutou sem se perturbar muito tranquilo; concordou comigo em que a Bíblia era um livro muito útil; lamentou sinceramente que eu a tivesse perdido mas não se mostrou absolutamente nada pesaroso por tê-la roubado; mostrava uma tal serenidade que suspendi imediatamente a repreensão. Provavelmente devia suportar as minhas recriminações, pensando que era uma coisa inevitável censurarem sua conduta; que as injúrias aliviam a alma mas que, no fundo, tudo aquilo era uma bagatela, tão insignificante que nem valia a pena falar no caso. Tenho a impressão de que ele me tomava por uma criança grande, um rapazinho que não compreendia as coisas mais simples deste mundo. Se, por exemplo, eu lhe falava de qualquer coisa que não fosse ciência e livros, é verdade que ele me respondia, mas como se fosse apenas por respeito, limitando-se a respostas muito lacônicas. Costumava perguntar a mim próprio com frequência: "Que interesse terão para ele essas coisas de livros acerca das quais me interroga tantas vezes?". Acontecia que, durante esses diálogos, eu, olhando-o de soslaio, dizia para comigo: "Não estará ele troçando de mim?". De maneira geral escutava-me com seriedade, embora com uma atenção pouco concentrada e isto me contrariava. Fazia as perguntas de maneira precisa, concreta: mas não parecia ficar muito admirado com as informações que eu lhe dava, escutando-as distraidamente... Parecia-me também que chegara à conclusão, sem quebrar muito a cabeça, de que era impossível falar comigo da mesma maneira que com as outras pessoas; que, à parte as questões literárias, eu não sabia nada de nada, nem era capaz de compreender nada, e que por isso não valia a pena incomodar-me.

Estou convencido de que, apesar de tudo, me tinha afeição; e isto desconcertava-me muitíssimo. Devia me considerar um homem atrasado no seu desenvolvimento, incompleto; sentiria por mim essa espécie de piedade especial que instintivamente sente todo ser vigoroso em presença de outro mais fraco, considerando-me também assim? Não sei. E embora tudo isto não o tivesse impedido de roubar-me; estou certo de que, ao mesmo tempo que me roubava, devia ter pena de mim. "Que diabo! pode ser que aprenda a defender o que é seu! – diria para consigo. – Que homem será este que nem sequer sabe defender o que lhe pertence?" E talvez me tivesse afeição precisamente por causa disso. Ele próprio me disse uma vez, como se o fizesse contra vontade, que eu era "uma alma boa demais" e que "eu era tão ingênuo tão ingênuo, que até causava piedade. Mas não se ofenda com isto,

Alieksandr Pietróvitch, não tome isto como ofensa – acrescentou um momento depois. – Eu estou a falar-lhe com o coração".

Sucede às vezes que estes indivíduos se revelam de repente e fazem notar de um modo enérgico no momento de alguma ação ou revolução gerais. Como não tem o dom da palavra não podem ser os principais inspiradores e promotores dos acontecimentos; mas são os principais executores e os que primeiro os põem em prática. Começam simplesmente, sem despertar uma expectativa especial; mas são geralmente os primeiros a arremeter contra o principal obstáculo, sem reflexão, sem medo, a se lançar diretamente contra as baionetas, e todas os seguem, e caminham com persistência, vão até à última barreira contra a qual acabam geralmente por perder a vida. Penso que Piétrov não deve ter acabado bem; bastaria um minuto para ele acabar consigo e se ainda não sucumbiu, deve ser porque ainda não lhe chegou a vez. Embora, no fim de contas, quem sabe? Pode, ser que viva até à idade dos cabelos brancos e que morra de velhice, tranquilamente, e continue andando sem finalidade alguma, de um lado a outro. Mas parece-me que M*** tinha razão quando dizia que este homem era o mais temível de todo o presídio.

Capítulo VIII / Homens temíveis. Luchka

É difícil falar dos homens temíveis; eram raros no presídio, como em toda parte. Uma pessoa vê um homem de aspecto feroz lembrando-se dos horrores que se dizem dele, afasta-se. A princípio havia um sentimento indefinível que me impelia, na medida do possível, a afastar-me destes homens. Depois, havia de vir a mudar muito a minha opinião a respeito até dos mais ferozes assassinos; verifiquei que havia quem nunca tivesse morto ninguém e fosse mais feroz do que outros que tinham sete mortes sobre as costas. Era difícil formar uma ideia, por mais simples, acerca de alguns crimes, a tal ponto algo de estranho devia ter intervindo na sua realização. Falo assim precisamente, porque entre nós, entre as pessoas do povo, se cometem alguns homicídios pelas mais espantosas razões. Existe, por exemplo, um certo tipo de homicida que leva uma vida tranquila e plácida. Sofre um revés da sorte. Suponhamos que é um camponês, um servo, um burguês ou um soldado. De repente, surge qualquer coisa que o contraria; não se contém e arremessa-se de faca em punho contra o seu inimigo e opressor. É neste momento que se torna um ser invulgar, a partir do momento em que o homem sacode o jugo. Começou por matar o seu inimigo, o seus opressor; trata-se de um crime compreensível; havia uma causa; mas depois continua a matar e não já os inimigos; mata o primeiro que encontra, mata por prazer, por uma palavra forte, por um olhar, para fazer um certo número, ou diz simplesmente: "Não te atravesses no meu caminho, senão...", tal como se estivesse bêbado ou delirante de febre. Exatamente como se, ao ter infringido uma vez o mandamento da lei de Deus, começasse depois a gabar-se de que para ele já nada existe de sagrado; como se tivesse enfiado na cabeça saltar de uma vez por cima de todo direito e poder e se refestelasse na mais desenfreada e licenciosa liberdade; de uma liberdade tão desenfreada que a si mesmo espanta. Sabe, além disso, que o espera um castigo severo. Tudo isto se podia comparar com a dor de um homem que se lança duma alta torre para uma cova a seus pés, e se sente feliz por ir assim de cabeça para baixo e acabar o mais depressa possível! E tudo isto pode acontecer aos homens que até então foram pacíficos e mansos. Alguns dos que se lançarem nesta via, ainda por cima se vangloriam. Quanto mais mansos foram antes mais fortemente desejam meter medo nos outros. Sentem prazer com este medo e gozam com a repugnância que inspiram. Fingem um certo desespero e esses desesperados anseiam às vezes que o castigo venha o mais depressa possível, desejam que o despachem logo a seguir, porque no fim acaba ficando difícil parar naquele desespero aparente. É curioso que, em parte, toda esta audácia, toda essa aparência só dura até o patíbulo, mas depois sucumbem; tal como se isto fosse um prazo formal, determinado de antemão, em relação às suas próprias leis. Aí, de repente, esses homens sucumbem e tornam-se uns farrapos. No cadafalso, choramingam... pedem perdão ao público. Entrai no presídio e olhai: aí está esse homem tão manso, tão submisso, tão medroso até, que chama a vossa atenção: será possível que seja o mesmo que praticou cinco ou seis mortes?

Não há dúvida de que há alguns que nao amansam assim tão depressa no presídio. Conservam certas fanfarronices, certas audácias; "Eu não sou aquilo que vocês pensam; fui condenado, por seis!". Mas, apesar de tudo, acaba por amansar. Às vezes só se desforra recordando as suas antigas proezas, as brigas que teve na sua vida, quando estava desesperado, e compraz-se grandemente, quando se encontra com um novato, em gabar-se, dizer fanfarronadas e pavonear-se na sua frente, dando-se ares e contando as suas façanhas, sem no entanto dar a entender, pelo seu aspecto, que, tenha vontade de contar essas coisas. "Vejam o homem que eu fui!"

E com que refinamento observam esta vã precaução, que indiferença e negligência se percebem às vezes na sua história! Que estudada leviandade se revela no tom, em cada palavra do narrador! Mas onde aprendeu esta gente tudo isso?

Uma vez, nesses primeiras dias, numa longa tarde, estava eu estendido sobre a esteira, ocioso e triste, e escutava um desses diálogos. Devido à minha inexperiência tomei aquele que falava por um criminoso extraordinário, ferocíssimo, por um caráter de descomunal dureza; de tal maneira que nesse momento estive a ponto de referir-me a Pietrov. O argumento da narrativa era a descrição da maneira como ele, Luká Kuzmitch, tinha derrubado um major, apenas por prazer, por mais nada. O tal Luká Kuzmitch era aquele mesmo condenado, pequenino, magricela, de nariz bicudo, que pertencia ao nosso alojamento, que era da Ucrânia, e do qual falei já noutra ocasião. De fato, era russo, mas nascera no Sul, na condição de servo. Tinha efetivamente qualquer coisa de contundente, de altivo: pequeno é o pássaro mas tem garras. Mas os presos, instintivamente compreendiam-no. Não tinham grande estima por ele, como dizem no presídio; apreciavam-no muito pouco. Era muito presumido. Nessa tarde estava sentado na esteira, cosendo uma camisa O seu ofício era costurar roupa branca. Junto dele estava um rapazote estúpido e pateta, mas bom e afetuoso, forte e alto, seu vizinho de esteira, o preso Kobílin Luchka. Por causa dessa vizinhança brigava muitas vezes com ele e tratava-o geralmente com soberbia, trocista e despótico, o que Kobílin nem sequer notava às vezes por causa da sua ingenuidade. Nesse momento tricotava e escutava Luchka com indiferença. Este falava em voz alta e clara. Queria que todos os ouvissem, embora fizesse o possível por dar a entender que só contava aquelas coisas a Kobílin.

– Pois eu fui despachado da minha terra – começou, limpando a agulha – para, K...v, por causa de umas rixas entre camponeses.

– Há muito tempo? – perguntou Kobílin.

– Quando as ervilhas amadurecerem... já fez mais um ano. Bem; quando cheguei a K...v, tiveram-me algum tempo no presídio. Olho para aquilo: vejo a meu lado um grupo de vinte homens. Circassianos, altos, sãos, fortes como touros. E além disso tão mansinhos... A comida era má e o major manejava-os como queria – Luchka atropelava as palavras de propósito. – Fico ali um dia, outro; vejo... Que gente tão covarde! "Por que – disse-lhes eu – aguentam vocês esse burro?" "Anda, vai tu falar com ele!" e riam-se de mim. Eu me calo. E havia lá um circassiano muito trocista, rapazes – acrescentou de repente encarando Kobílin e dirigindo-se a todos em geral. – Contava como o tinham condenado e como tinha falado no Tribunal e chorado; dizia que tinha filhos e mulher na terra. Era um homenzarrão grisalho e gordo. "Eu – disse ele – falei-lhe: 'Não! Estou inocente!' Mas ele, o filho do diabo, sempre escrevendo. Fui e gritei-lhe: 'Assim tu te arrebentes, se eu não estou inocente!' E ele sempre, escrevendo... Então perdi a cabeça."

– Vássia, dá-me linha, a do presídio está podre.

– Esta é da loja – respondeu Vássia dando-lhe a linha.

– O nosso novelo, o que temos na oficina, é melhor. Os daqui é o inválido que os compra e sabe-se lá a que comadre é que ele os compra! – continuou Luchka, enfiando a agulha, virado para a luz.

– A dele com certeza.

– Sim, é claro.

– Bem. E que foi feito do major? – perguntou, muito solícito, Kobílin.

Foi o que Luchka quis ouvir. No entanto não retomou imediatamente a sua narrativa e fingiu até não reparar em Kobílin. Enfiou a agulha com muita fleuma; mudou a posição das pernas, com calma e indolência, e por fim continuou:

– Até que por fim sublevei os meus ucranianos e tive de ocupar-me do major. Mas já de manhã eu pedira uma faca ao meu companheiro; fiquei com ela e guardei-a, muita naturalmente, como se fosse por acaso. O major apareceu correndo furioso. Então eu lhes disse: "Não se assustem, russinhos!". Mas parecia que lhes tinha caído a alma aos pés. Chega o major, furioso, bêbado. "Que se passa aqui? Que aconteceu? Eu sou o czar e também sou Deus!" Quando ele disse isso de "Eu sou o czar e também sou Deus!" – continuou Luchka – puxei um pouco a faca para fora da manga. "Não, – disse eu e, pouco a pouco, ia-me aproximando dele – não. Como pode Vossa Senhoria dizer que é ao mesmo tempo o nosso czar e o nosso Deus?" "Ali! Mas quem és tu? Quem és tu? – exclamou o major. – És o causador do motim?" "Não, – disse eu, e cada vez me ia aproximando mais – não; como Vossa Senhoria sabe perfeitamente, o nosso Deus onipotente, e que está em toda parte, é um só – disse eu. – E o nosso czar também é um só, que Deus colocou acima de todos nós. É ele, saiba Vossa Senhoria, o monarca. Mas o senhor – disse eu – é apenas Vossa Senhoria, ou simplesmente, o major... o nosso chefe, por graça do czar e pelos seus serviços." "O quê? O quê? O quê?" E já não sabia o que havia de dizer, e atrapalhava-se todo. Ficou estupefato. "Pois é assim mesmo", disse eu e, arremetendo contra ele, fui e, de repente, enterrei-lhe a faca nas tripas, até ao cabo. Entrou com muita suavidade. Ele caiu, pesado, e apenas mexeu um pouco os pés. Depois guardei a faca. "Olhem, russinhos – disse eu – agora levantem-no."

Neste ponto, vou fazer uma digressão. Infelizmente; expressões como essa de "Eu sou o czar e também sou Deus", e muitas outras do gênero empregavam-se, dantes, frequentemente, entre muitos dos nossos superiores. É necessário reconhecer que restam já poucos desses superiores, se é que todos já não morreram. Reparei também que aqueles que mais gostavam de se gabar e de empregar essas expressões, eram os chefes que provinham das camadas inferiores. Parece que o grau de oficial lhes transtorna a cabeça. Depois de terem estado muito tempo sob as ordens de outros e percorrido todos os graus subalternos, veem-se de repente feitos oficiais, chefes, enobrecidos e, como não estão acostumados, fazem, dentro dessa embriaguez, uma ideia exagerada do seu poder e significado; claro que apenas em relação aos seus subordinados, aos funcionários de categoria inferior. Perante os superiores continuam observando a antiga submissão, já completamente desnecessária e até aborrecida para muitos desses. Alguns bajuladores procuram até, com uma solicitude especial, fazer notar aos superiores hierárquicos que procedem das categorias inferiores, embora agora sejam oficiais, e sabem ocupar sempre o seu ponto. Mas empregam um despotismo ilimitado para com os funcionários inferiores. É claro que agora já não é provável que haja, nem é fácil que se encontre quem diga: "Eu sou o czar e também sou Deus!". Apesar disso, direi entretanto que nada revolta tanto os presos, e em geral também todos os funcionários das categorias inferiores, como essas expressões na boca dos chefes. Felizmente que quase tudo isto pertence ao passado, mas até nesses velhos tempos isso tinha consequências graves para esses chefes. Conheço alguns exemplos.

De maneira geral, também é revoltante para o funcionário inferior toda negligência altiva, todo desdém nas relações com eles. Alguns pensam, por exemplo, que os alimentando bem e cuidando bem do preso, já cumpriram as leis, e o caso está encerrado. Mas isto é um erro. Todos os homens, sejam quem forem, ainda mesmo inferiores, precisam, ainda que seja uma necessidade só instintiva, inconsciente, de que respeitem a sua dignidade de homem. O próprio preso sabe que é um preso, um réprobo, e conhece a sua condição perante o superior; mas nenhum estigma, nenhuma cadeia consegue fazê-lo esquecer que é um homem. E como é de fato um homem, necessário se torna, e por isso, tratá-lo humanamente. Meu Deus! Se um tratamento humano pode humanizar até aquele no qual a imagem de Deus parece já se ter apagado! A estes desgraçados é preciso tratá-los ainda mais humanamente. É nisto que está para eles a salvação e a alegria. Tive oportunidade de conhecer alguns chefes bons e generosos. Vi bem o efeito que produziam nesses degradados algumas palavras afetuosas e os presos quase ressuscitavam moralmente. Alvoroçavam-se como crianças e, como crianças, começavam a amar. No entanto observei uma coisa estranha: esses mesmos presos não gostam do trato demasiado familiar e demasiado benévolo dos superiores. Querem respeitar o chefe e assim perdem-lhe o respeito. O preso deseja que o seu superior possua condecorações, que tenha boa apresentação e goze também das boas graças de algum chefe mais elevado; que seja severo e grave, e reto; e vele pela sua dignidade. São estes os superiores que mais agradam os presos, aqueles que velam pela sua dignidade e não o vexam, e assim tudo correrá bem, às mil maravilhas.

– Bom. Por causa disso deviam ter te assado a pele, não é verdade? – observou Kobílin tranquilamente.

– Hum! Assaram, lá isso é verdade, meu amigo, assaram. Ali, me pega a tesoura. Então, meus amigos; temos hoje *maidan* ou não?

– Já gastaste tudo na bebida – observou Vássia. – Se não o tivesses gasto, terias tido *maidan*.

– Sim, sim, pelo sim dão em Moscou cem rublos – respondeu Luchka.

– E a ti, Luchka, quanto te deram por aquilo? – tornou a perguntar Kobílin.

– Deram-me cento e cinco, meu caro. Sabem que mais? Por um pouco que não me matavam – encareceu Luchka, dirigindo-se de novo a Kobílin. – Depois de me terem condenado a esses cento e cinco, exibiram-me em público. Até essa data eu nunca soubera o que era o chicote. Tinha-se juntado uma multidão enorme, lá estava a cidade toda: vai ser punido um bandido, um assassino. E que gente tão estúpida, aquela! Tanto, que nem se pode, dizer! Tínotchka[23] despiu-me, estendeu-me e gritou: "Coragem, que queima!". Fico à espera. Como será? Quando me deu a primeira chicotada estive quase a ponto de gritar e cheguei até a abrir a boca; mas não gritei. Faltava-me a voz. Quando me bateu pela segunda vez, queres crer que já não o ouvi dizer dois? Quando volto a mim, ouça-o contar: "Sessenta!" Por quatro vezes me tiraram depois do estrado e deixaram-me respirar por uma meia hora. Borrifavam-me com água. Eu olhava para todos com uns olhos exorbitados e pensava: "Vou morrer aqui...".

– E não morreste? – perguntou Kobílin ingenuamente.

Luchka lançou-lhe um olhar cheio de desprezo; ouviram-se risos.

– Que anjinho tu és!

– Há uma aranha no teto – observou Luchka, como se estivesse arrependido de se ter posto a falar com aquele indivíduo.

– És um homem terrível – exclamou Vássia.

Embora Luchka tivesse morto sete homens, nunca meteu medo a ninguém, no presídio, apesar de querer talvez passar diante de todos por um homem terrível...

Capítulo ix / Issai Fomitch. Vânia. A história de Baklúkhin

Chegou o Natal. Os presos esperavam-no com certa solenidade e, quando eu olhava para eles também esperava qualquer coisa de insólito. Quatro dias antes da data festiva, levaram-nos ao banho. No meu tempo, sobretudo nos meus primeiros anos, raras vezes levavam os presos para tomar banho. Todos ficaram alvoroçados e começaram a reunir-se. A saída estava marcada para depois do rancho e nessa tarde não se trabalharia. De todos os de nosso alojamento, o que ficou mais contente foi Issai Fomitch Blumstein, um preso judeu, do qual falei já no quarto capítulo desta minha narrativa. Gostava loucamente dos banhos de vapor; e cada vez que me acodem antigas recordações me vem à ideia a do banho dos presidiários (o que era digno de ser lembrado), imediatamente aparece no primeiro plano da minha memória a figura de Issai Fomitch, inesquecível companheiro de presídio e meu vizinho de alojamento. Meu Deus, que ridículo e excêntrico era aquele homem! Já disse algo acerca da sua figura: cinquentão, enfermiço, engelhadinho, com uns sinais enormes

---

23 Diminutivo de Tina, neste local utilizado para aludir ao carrasco assim apelidado numa canção de presos.

nas faces e na testa, magro, débil e com o corpo branco como o de uma galinha. A expressão do seu rosto deixava transparecer uma firme e refratária suficiência e até felicidade. Parecia que não lhe custava absolutamente nada ver-se num presídio. Fosse como fosse, era joalheiro e, como não havia joalheiro na cidade, trabalhava constantemente para os senhores e para as autoridades da cidade, visto que era o único joalheiro. Embora não fosse muito, sempre lhe pagavam qualquer coisa. Não tinha necessidades, vivia até com riqueza; mas amealhava dinheiro e emprestava-o a juros a toda presídio. Tinha o seu samovar, o seu bom colchão, chávenas e uma baixela completa. Os judeus da cidade não lhe negavam a sua amizade e confiança. Ia todos os sábados, debaixo de escolta, à sinagoga da cidade (o que era permitido por lei); e vivia muito feliz, embora sempre à espera do fim dos doze anos da sua pena, para casar. Tinha um cômico sorriso, de ingenuidade, estupidez, velhacaria, astúcia, candidez, timidez, arrogância e franca grosseria. A mim parecia-me estranho que os presos não se rissem todos dele, sem ser apenas nas ocasiões em que lhe diziam alguns gracejos para se divertirem. Pelo visto, Issai Fomitch servia-lhes de entretimento e constante divertir-se. Não tínhamos outro como ele; "Deixem Issai Fomitch em paz", diziam os presos, e percebia-se perfeitamente que Issai Fomitch, embora percebesse por que diziam eles aquilo, se sentia muito ufano da sua notoriedade, o que muito divertia os presos. Entrara no presídio da maneira mais ridícula (entrou antes de mim, mas contaram-me). Um dia, no fim duma tarde de sábado, espalhou-se de repente pelo presídio o boato de que chegara um judeu, que já tinha passado pelo corpo da guarda e que não tardaria a aparecer. Ainda não havia hebreus no presídio, nessa altura. Os presos esperavam-no com impaciência e assim que ele surgiu à porta, juntaram-se numa roda. O suboficial do presídio levou-o à guarda civil e apontou-lhe o seu lugar nas esteiras. Issai Fomitch trazia a roupa nas mãos, os objeto do regulamento que lhe tinham entregue e os seus, pessoais. Deixou a roupa no chão, trepou de gatinhas para as esteiras e sentou, encolhendo as pernas, sem se atrever a levantar os olhos. Ouviram-se risos e motejos, à volta, provocados pela observação acerca das excelências hebraicas. De súbito saiu do cubículo dos presos um rapaz que trazia nas mãos umas calças muito velhas e sujíssimas, um autêntico farrapo, e um par de sapatos daqueles que eram fornecidos pela administração. Sentou junto de Issai Fomitch e deu-lhe uma palmadinha no ombro:

– Olá, meu caro amigo! Já há sete anos que estava à tua espera. Vamos lá a ver quanto é que me dás por isto.

Issai Fomitch, que, no momento da sua entrada no presídio, estava tão perturbado que nem sequer se atrevia a levantar os olhos para aquela roda de trocistas, marcados e ferozes, que o rodeavam, e nem sequer por delicadeza ousava abrir a boca, quando viu aqueles farrapos ergueu-se de repente e começou a revolvê-los com as mãos.

Todos aguardavam o que ele iria dizer.

– O quê? Não dás nem sequer um rublo de prata por isto tudo? Mas vê bem o que valem! – continuou o preso piscando o olho a Issai Fomitch.

– Um rublo de prata não posso dar. Sete copeques é o máximo.

E foram essas as primeiras palavras que Issai Fomitch pronunciou no presídio. Todos se riram.

— Sete... Bem, dá aqui. Sempre tens uma sorte! Olha, vê se tratas bem dessas coisas, és responsável por elas.

— Ao juro de três copeques são dez copeques — continuou o judeu com uma voz entrecortada e chorona, levando a mão ao bolso em busca de dinheiro e olhando timidamente para os presos. Tinha um medo espantoso e queria resolver o assunto o mais depressa possível.

— Três copeques por ano, hem?

— Não, por ano, não, por mês.

— Sempre me saíste um espertalhão, judeu! Como te chamas?

— Issai Fomitch.

— Muito bem, Issai Fomitch; hás de prosperar aqui. Adeus!

Issai Fomitch tornou a olhar para os trapos e depois guardou-os cuidadosamente no saco, por entre as prolongadas risadas dos presos.

De fato, todos pareciam gostar dele e ninguém o ofendia, embora lhe devessem dinheiro. Era inofensivo como uma galinha e, ao ver qual era a disposição de espírito em que os outros se encontravam para com ele, chegava até a pavonear-se com ares de importância, simplesmente, fazia-o de uma maneira tão ingenuamente ridícula que todos lhe perdoavam. Luchka, que conhecera muitos judeus, costumava meter-se com ele, não com má intenção, mas apenas para passar o tempo, do mesmo modo que se atiça um cãozinho mimado, um papagaio ou uma ferazinha amestrada. Issai Fomitch percebia isso muito bem, mas nunca se aborrecia e às vezes até lhe respondia à letra.

— Ah, judeu, olha que eu te mato!

— Se me deres uma levas dez — respondia-lhe Issai Fomitch, destemido.

— Maldito piolhento!

— E que tem que eu seja piolhento?

— Piolhento e judeu!

— Porque não havia de sê-lo? Sou piolhento mas sou rico. Desde que não me faltem os cobres!

— Vendeste Cristo!

— Essa também não me impressiona!

— Bem, Issai Fomitch! Não lhe façam mal que não temos outro! — gritavam os presos a rir.

— Ah, judeu, mereces o chicote! Vieste para a Sibéria.

— Já estou aqui, isso é verdade.

— Mas ainda hás de ir para mais longe.

— E então? Deus não está em toda parte?

— Lá isso está...

— Então, pronto. Em tendo Deus e dinheiro, em toda parte se está bem.

— Bravo, Issai Fomitch, bem se vê que és um valente! — gritavam à volta.

Mas embora Issai Fomitch visse muito bem que estavam zombando dele, não deixava de se pavonear; os elogios gerais davam-lhe um prazer evidente e punha-se a cantar por todo o alojamento com uma vozinha de falsete:

Lia... lia... lia... lia... lia!

Um motivo absurdo e ridículo, sempre na mesma toada, sem letra, que ia cantarolando por todo o presídio. Quando ganhou mais confiança comigo, afirmou-

-me, sob juramento, que essa toada e esse motivo eram os que cantavam os setecentos mil hebreus, desde o primeiro ao último, ao atravessarem o Mar Vermelho, e todos os judeus tinham o dever de cantar esse motivo nos instantes solenes e de triunfo sobre os seus inimigos.

Nas vésperas dos sábados, às cinco da tarde, vinham presos de outros alojamentos para o nosso, para verem como Issai Fomitch celebrava o seu sábado. Fomitch era presunçoso e vaidoso a tal ponto, que também essa curiosidade geral lhe dava grande satisfação. Arrumava num canto a sua mesinha insignificante, com pedantaria e com uma gravidade postiça, abria o livro de orações, acendia, duas velas e, murmurando não sei que misteriosas palavras, envolvia-se na sua estola ritual ("essola", dizia ele). Era uma espécie de mantelete de lã colorida, que guardava com muito cuidado na sua mala. Punha um bracelete em cada pulso, e fixava a meio da testa, por meio de uma fita, uma caixinha de madeira, o que fazia parecer que saía um ridículo cornicho[24] da testa de Issai Fomitch. Depois disto começava a oração. Punha-se a ler muito depressa, a gritar, a cuspir, a dar voltas sobre si mesmo e a fazer uma quantidade de gestos violentos e extremamente cômicos. Não havia dúvida alguma de que tudo aquilo era prescrito pelo ritual das preces e que não tinha em si nada de ridículo; o ridículo estava em ele pavonear-se na nossa frente e em tomar uns ares importantes ao fazer esses gestos. De súbito, eis que ele cobre a cabeça com as duas mãos e começa a ler com uma voz entrecortada pelos soluços. Estes vão aumentando de intensidade, até que, como num arrebatamento e fora de si, deixa cair sobre o livro, uivando, a cabeça adornada com aquele corno; mas de súbito, no meio daqueles soluços, desata a rir e continua a ler muito depressa, com voz solene e como que alterada pelo excesso de felicidade. "É capaz de se desmanchar!", diziam os presos.

Eu perguntei uma vez a Issai Fomitch o que significavam aqueles soluços e, depois, aqueles risos repentinos e triunfantes de felicidade e de glória. Issai Fomitch gostava imenso destas minhas perguntas. Explicou-me imediatamente que o pranto e os uivos simbolizavam a ideia da perda de Jerusalém, e que a Lei mandava que, perante esse pensamento, se irrompesse no maior alarido e as pessoas se sentissem compungidas. Mas que, no meio de tal alarido, ele, Issai Fomitch, devia lembrar-se de repente, como se fosse de um momento para o outro (esse de repente era também prescrito pela Lei) de que há uma profecia acerca do regresso dos hebreus a Jerusalém. De maneira que tinha a obrigação de pôr-se imediatamente muito alegre, de cantar e de rir às gargalhadas e de continuar recitando a sua oração de tal forma que exprimisse o melhor possível, no tom da voz e na expressão do rosto, a felicidade, a solenidade e o triunfo. Essa repentina transição e a obrigação de fazê-la eram muito do agrado de Issai Fomitch, que via em tudo isso algo de especial, uma obra de arte engenhosa, e era com uma cara muito vaidosa que ele me comunicava essa sutil prescrição da Lei. Uma vez, o major, com a sua escolta de soldados, entrou no alojamento, no ponto culminante da oração. Todos os presos formaram imediatamente junto das suas esteiras e somente Issai Fomitch continuou gritando e gesticulando como um possesso. Sabia que as orações eram permitidas, que não era

---

24 Os filactérios, que os observadores rigorosos da Lei Judaica prendem na testa e no braço esquerdo durante as suas preces, seguindo as prescrições do *Êxodo* e do *Deuteronômio*. Representam o Templo de Salomão, onde estão insertos os Dez Mandamentos da Lei de Moisés.

possível interrompê-las e que não corria risco algum por gritar diante do major. E agradava-lhe muito bambolear-se perante o major e tornar-se importante a nossos olhos. O major avançou e ficou apenas a um passo dele. Issai Fomitch recuou para junto da sua mesinha e pôs-se a ler rapidamente a sua triunfante profecia, mesmo na cara do major, agitando os braços. Era isso o que lhe era ordenado e, nesse momento, o seu rosto exprimia uma felicidade e um orgulho extraordinários, e cumpria escrupulosamente o mandamento, piscando os olhos de maneira especial, rindo e olhando para o major com desdém. O major estava atônito mas, por fim, desatou a rir, fez também uma expressão desdenhosa e afastou-se, redobrando então Issai Fomitch a sua gritaria. Uma hora depois, quando ele estava jantando, perguntei-lhe:

– E se o major, bruto como é, tivesse levado aquilo a mal?

– Que disse o senhor do major?

– Que disse eu do major? Mas então não o viu?

– Não.

– Pois esteve a dois passos da sua pessoa, quase em cima do seu nariz.

E Issai Fomitch pôs-se a afirmar-me, com toda a seriedade, que não tinha visto nem a sombra do major, e que, nas ocasiões em que recitava aquelas preces, costumava mergulhar numa espécie de êxtase, de tal maneira que nada via nem ouvia de tudo o que à sua volta se passasse.

Parece-me que o estou ainda a ver passeando aos sábados por todo o presídio, sem fazer nada, esforçando-se o mais que lhe era possível por não fazer nada, conforme a Lei lhe ordenava. Que anedotas tão inverossímeis ele me contava sempre, quando voltava da sinagoga, que notícias e boatos tão disparatados, acerca de Petersburgo, ele me trazia, afirmando-me que os ouvira aos judeus, mas que estes os tinham ouvido diretamente!

Mas já falei demasiado de Issai Fomitch.

Em toda a cidade havia apenas dois balneários públicos. O primeiro, que era mantido por um hebreu, estava dividido em compartimentos, por cada um dos quais se pagava cinquenta copeques e destinava-se a pessoas de elevada categoria. O outro era para as pessoas inferiores, e era velho, sujo, escuro; neste iam os do presídio. Fazia frio e havia sol; os presos alegravam-se, mais não fosse senão por saírem do forte e poderem deitar uma vista d'olhos à cidade. Íamos escoltados por um piquete completo de soldados, de espingardas carregadas, e as pessoas da povoação ficavam admiradas quando nos viam passar. No balneário distribuíam-nos por dois turnos; o segundo esperava no frígido vestíbulo que o primeiro se lavasse, o que era necessário devido às dimensões exíguas do balneário. E ainda assim chegava a ser difícil compreender como é que essa mesma metade conseguia lá ficar. Pietrov não se afastou do meu lado; sem que eu lhe pedisse, ajudou-me a despir e ofereceu-se para me lavar. Ao mesmo tempo que Pietrov, também Baklúkhin se ofereceu para me ajudar; era um preso da seção especial, que os outros chamavam o Sapador e do qual já falei como do mais jovial e simpático de todos os presos, que na verdade era. Eu tinha tido já algum convívio com ele. Pietrov ajudou-me a despir, pois eu demorava muito a fazer isso por não estar acostumado, e no vestíbulo do balneário fazia quase tanto frio como na rua. De fato, enquanto não aprende, é muito difícil a um preso despir-se. Em primeiro lugar é preciso saber tirar depressa as palmilhas, que são de couro, de quatro *viérchki* de comprimento e se colocam sobre a roupa interior, imediatamente abaixo do largo anel de ferro que apanha o pé. Um par destas palmilhas custa nada mais nada menos do que sessenta copeques de prata e dizem que os presos têm de arranjá-las, à sua custa, é claro, pois sem elas não lhe será possível caminhar. O anel da cadeia não abrange perfeitamente o pé, e entre o anel e o pé pode passar um dedo; de maneira que o ferro bate no pé, magoa-o e, basta um só dia para que o preso que não usa palmilhas fique com os pés feridos. Mas não é difícil tirar estas palmilhas. Mais difícil é aprender a tirar as ceroulas por debaixo das cadeias. Isso é uma verdadeira obra de arte. Depois de se tirarem as ceroulas, suponhamos, do pé esquerdo, é preciso, puxá-las por entre o pé e o anel da cadeia; depois, uma vez posto o pé em liberdade, vão-se puxando as ceroulas para cima, até ao anel; depois, já descalço o pé esquerdo, passa-se o pé direito através do anel, por debaixo; e depois puxa-se tudo para cima, através do mesmo anel. Para vestir roupa lavada, repete-se a mesma cerimônia. Para um novato é difícil adivinhar como é que se faz isto; o primeiro que me ensinou tudo isto foi um preso, um tal Koriêniev, em Tobolsk, que fora chefe de bandoleiros e havia já cinco anos que estava acorrentado à parede. Mas os presidiários estão acostumados e se despem com a maior facilidade. Dei alguns copeques a Pietrov para sabão e para tília; é verdade que no presídio forneciam sabão aos presos, mas davam somente a cada um um pedacinho do tamanho de dois copeques, da grossura dessa fatia de queijo que costumam saborear à tarde as pessoas da classe média. Também vendiam sabão no vestíbulo do balneário, juntamente com hidromel, tortas e água quente. Davam apenas a cada preso, em virtude de contrato com o dono do balneário, a água quente necessária para um jarro; o que desejasse lavar-se melhor podia conseguir por um *groch* outro jarro, o qual introduziam no balneário por uma janelinha aberta, na parede do próprio vestíbulo, para tal. Depois de me despir, Pietrov segurou-me pelos sovacos, pois viu como me era difícil caminhar com as cadeias. "Puxe por elas para cima, puxe-as para as ancas – disse-me, segurando-me como se eu fosse uma criança – mas cuidado; agora, que é o princípio!" Eu sentia um certo remorso, queria convencer Pietrov de que podia andar muito bem sozinho; mas ele não fazia caso do que eu dizia. Tratava-me, convictamente, como uma criancinha inválida, à qual toda a gente tem obrigação de ajudar. Pietrov não era, de maneira nenhuma, um criado; se eu o tivesse ofendido, ele bem sabia como havia de proceder. Não lhe ofereci dinheiro pelos seus serviços, nem ele pediu. Por que seria então que tinha tantos cuidados comigo?

Quando se abriram as portas do balneário pensei que tínhamos entrado no inferno. Imaginem uma sala de vinte passos de comprimento, e de outros tantos de largura, na qual estariam reunidos talvez uns cem homens ao mesmo tempo, ou pelo menos uns oitenta; visto que tinham distribuído os presos todos em dois turnos e ao todo teriam ido ao banho uns duzentos. Havia ali uma tal quantidade de vapor que nos invadia os olhos, tanto suor e sujidade, um aperto tão grande, que uma pessoa nem sequer sabia onde havia de pôr os pés. Fiquei atemorizado e quis recuar, mas Pietrov deteve-me imediatamente. Com muito custo, com enorme trabalho, abrimos passagem até um banco, por entre cabeças de indivíduos sentados no chão, pedindo-lhes que abrissem um intervalo para podermos passar. Mas os bancos estavam todos ocupados. Pietrov explicou-me que era preciso comprar o lugar e entrou

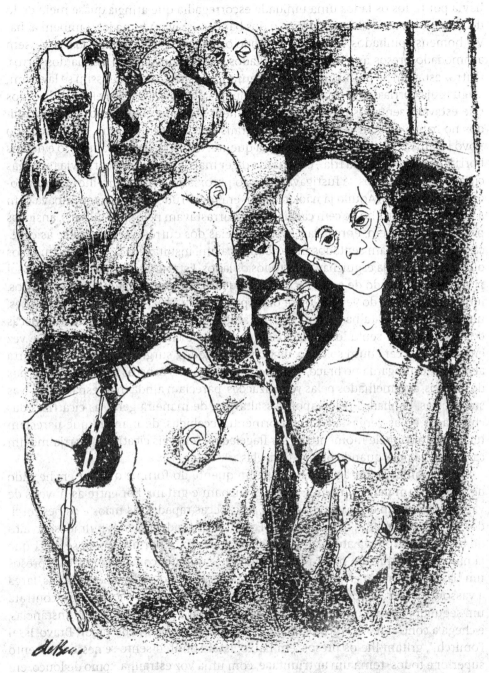

MEMÓRIAS DA CASA DOS MORTOS

imeditamente em contacto com um preso que estava sentado junto de uma janela. Cedeu o seu posto por um copeque; em seguida Pietrov entregou-lhe o dinheiro que tivera até aí apertado na mão; ele o aceitou e meteu-se imediatamente debaixo do banco, precisamente debaixo do meu lugar, onde tudo estava escuro, sujo, e havia por todos os lados uma umidade escorregadia que atingia quase meio dedo de altura. Mas até os lugares debaixo dos bancos estavam tomados; também aí havia homens apinhados. Não havia em todo o chão um palmo onde não se tivessem acomodado presos às escondidas, curvados e vertendo sobre si a água dos jarros. Outros estavam de pé, no meio deles, segurando o jarro na mão, e assim se lavavam; a água suja corria dos seus corpos diretamente sobre as cabeças meio rapadas[25] dos que estavam sentados no chão. Havia homens sentados, encolhidos e comprimidos no banco de suar e em todos os degraus que a ele conduziam. As pessoas do povo lavam-se pouco com sabão e água quente; o que fazem é suar muito e depois borrifarem-se com água fria... é escusado dizer mais. O banco de suar devia ter umas cinquenta filas; todos se fustigavam até ao paroxismo. Forneciam-lhes vapor a todos os momentos. Aquilo já não era calor, era fogo. Tudo vibrava e retumbava com a vozearia e o barulho de cem cadeias que se arrastavam pelo chão. Alguns, ansiosos por se despacharem, enredavam-se nas cadeias dos outros, seguravam-se às cabeças dos que estavam sentados mais abaixo, caíam, insultavam-se e, puxavam pelos outros. A água suja esguichava por todos os lados. Estavam todos embriagados a tal ponto, em tal estado de embevecimento, que irrompiam em gemidos e em gritos. Junto da janelinha do vestíbulo por onde passavam a água, havia insultos, apertões, uma verdadeira batalha. A água quente acabava por se entornar sobre as cabeças dos que estavam sentados no chão, ainda antes de chegar ao seu destino. De vez em quando, a cara dum soldado, de grandes bigodes, surgia na janela ou na porta aberta, de espingarda no braço, velando pela ordem. As cabeças rapadas e os corpos dos presos, avermelhados pelas vaporizações, pareciam ainda mais espantosos. Nas suas costas, banhadas pelo vapor, ressaltavam, de maneira geral, as cicatrizes das chicotadas e das vergastadas anteriormente recebidas, de maneira que pareciam ter acabado naquele momento de ser flagelados. Terríveis cicatrizes! Corria-me um calafrio pela pele, quando olhava para elas.

    Tornam a deitar água sobre a pedra quente do forno e o vapor enche tudo de uma nuvem densa, ardente; todos guincham e gritam. Por entre as nuvens de vapor sobressaem as costas magoadas, as cabeças rapadas, as mãos e os pés torcidos; e, para completar, o quadro, Issai Fomitch, gritando a plenos pulmões, no alto do banco. Transpirava até ficar quase desmaiado; mas, por fim, podia-se dizer que já não há calor que lhe pareça suficientemente quente; contratou entre os presos um banhista por um copeque, mas, por fim, este já não pode suportar mais, larga a vassoura e corre a borrifar-se com água fria. Issai Fomitch não desiste e contrata um segundo, um terceiro; está resolvido a não ligar a gastos, nestas circunstâncias, e chega a contratar até cinco banhistas. "É bem bom o banho de vapor! Bravo, Issai Fomitch!", gritam-lhe os presos, em baixo. Issai Fomitch sente-se nesse momento superior a todos; toma um ar triunfal e, com uma voz estranha, como de louco, en-

---

25 Na Rússia do séc. XVII os pequenos russos eram distinguidos por um topete, que ao mesmo tempo lhes era alcunha, dada pelos grandes russos, de cabelos sobre o occipúcio e o resto da cabeça rapada.

toa a sua canção: "Lia... lia... lia... lia... lia!", agitando a cabeça. Cheguei a pensar que se todos nós juntos estivéssemos num inferno, havia de parecer-se muito com aquele lugar. Não pude deixar de comunicar este pensamento a Pietrov, mas ele se limitou a olhar à volta e não disse nada.

    Era meu desejo comprar-lhe também um lugar junto do meu; mas ele me disse que se sentia muito bem. Entretanto Baklúkhin comprou-nos água e trouxe-a em quantidade suficiente. Pietrov disse-me que me ia lavar dos pés à cabeça, para que eu ficasse todo limpo e obrigou-me a tomar o banho de vapor. Eu não me atrevia a vaporizar-me. Pietrov ensaboou-me todo o corpo cuidadosamente. "E agora vou lavar-lhe os pezinhos", acrescentou como conclusão. Ia para responder-lhe que podia perfeitamente lavar-me sozinho, mas não quis contradizê-lo e entreguei-me à sua vontade. Não havia o menor acento de servilismo nesse diminutivo; tratava-se simplesmente de que Pietrov não podia chamar pés aos meus pés, provavelmente porque os outros, a gente verdadeiramente adulta, tinha... pés e não apenas pezinhos.

    Depois de me ter lavado com essas cerimônias, isto é, com solicitude, cuidado e advertências contínuas, tal como se eu fosse de louça e pudesse quebrar-me, levou-me ao vestíbulo e ajudou-me a vestir a roupa interior, e só quando já me não era necessário para mais nada é que voltou para o balneário, para tomar o seu banho de vapor.

    De regresso a casa ofereci-lhe uma chávena de chá. O chá não lhe desagradava, bebia-o e agradecia-me. Lembrei-me de abrir a minha bolsa e de dar-lhe meio litro de aguardente. Havia sempre aguardente no alojamento. Pietrov ficou muito contente: bebeu, resfolegou, e depois de dizer-me que eu lhe dera vida nova, dirigiu-se para a cozinha, pressuroso, como se se tratasse ali de um assunto que não pudesse ser resolvido sem ele. Em sua substituição aproximou-se outro, Baklúkhin, o Sapador, que eu convidara também no banho para uma chávena de chá.

    Não conheço caráter mais doce do que o de Baklúkhin. Não tinha, verdadeiramente, medo dos outros, e até provocava desordens com frequência; não gostava que ninguém se metesse nas suas coisas; em suma: sabia velar pelos seus interesses. Mas as suas zangas duravam pouco e, pelo menos na aparência, todos gostavam dele. Quando entrava, todos o acolhiam com benevolência. Até na cidade o conheciam como o homem mais divertido do mundo e que nunca perdia a boa disposição. Era um homenzarrão de uns trinta anos, de rosto ameninado e brincalhão, bastante engraçado e com um sinal. Sabia fazer caretas tão cômicas, imitando os outros, que os que o rodeavam não podiam conter o riso. Era também um dos apalhaçados, mas nunca transigia com os nossos tristonhos inimigos do riso, de maneira que nenhum se atrevia a chamar-lhe fútil e inútil. Transbordava de energia e vitalidade. Estabeleceu amizade comigo desde os primeiros dias, confessou-me que era filho dum soldado que tinha servido nos sapadores, e que havia altas personalidades que o distinguiam e estimavam e sentia-se muito ufano por isso, quando o recordava. Pôs-se logo a fazer-me perguntas acerca de Petersburgo. Também lia uns livrinhos. Quando veio tomar chá comigo, começou por fazer rir todo o alojamento, contando como o tenente Sch*** maltratara nosso major nessa manhã e depois de se ter sentado a meu lado, anunciou-me, com uma cara muito alegre, que se ia armar o teatro. No presídio havia representações teatrais nos dias festivos. Planejavam-se as decorações, que se iam fazendo pouco a pouco. Algumas pessoas da cidade tinham-

-se oferecido para nos emprestar os trajes para os vários papéis, inclusive para os papéis femininos; e também contavam poder conseguir um uniforme de oficial, com dragonas e tudo, por meio de um impedido. A única coisa que poderia impedir era se o major inventasse de proibi-lo, como fizera no ano anterior. Mas no ano anterior, pelo Natal, o major não estava em seu juízo perfeito; tinha perdido no jogo e além disso não se portaram muito bem no presídio e por isso o proibira. Mas, agora, esperavam que ele não iria estragar a festa. Em suma, Baklúkhin estava num estado de grande excitação. Via-se claramente que era um dos principais colaboradores do teatro, e eu, então, lhe prometi assistir sem falta à representação. Comoveu-me profundamente o ingênuo entusiasmo de Baklúkhin por causa da festa. Palavra puxa palavra, entabulamos uma longa conversa. Contou-me, entre outras coisas; que não tinha feito o serviço militar todo, em Petersburgo; que tinha cometido aí uma certa falta e por isso o tinham mandado a R***, embora como suboficial, para um batalhão de guarnição.

— E foi daí que me deportaram para aqui – observou Baklúkhin.
— E por quê? – perguntei-lhe eu.
— Por quê? Quer saber por que foi, Alieksandr Pietróvitch? Pois foi por me ter apaixonado.
— O quê? Foi por isso que te mandaram para aqui? – exclamei eu a rir.
— É verdade – acrescentou Baklúkhin – é verdade que por causa disso acabei por dar um tiro de pistola num alemão que havia lá; já pode ver!
— Mas como foi isso? Conta-me, que deve ser curioso.
— É uma história ridícula, Alieksandr Pietróvitch.
— Tanto melhor. Conta-me.
— Quer que a conte? Então ouça.

Eu escutei a história de um homicídio, que não era ridícula e até, pelo contrário, bem invulgar.

— A coisa passou-se assim – começou Baklúkhin. – Quando me transferiram para R***, vi que a povoação era boa, grande, simplesmente, estava cheia de alemães. Bom; eu, é claro, ainda era novo e tinha boa reputação entre o comando. Ia de vez em quando até à cidade de gorro caído para o lado, para matar o tempo, como se costuma dizer, e piscava o olho às alemãs. Ora aconteceu que me apaixonei por uma alemãzinha que se chamava Luísa. Ela e a tia eram as duas costureiras, de roupa branca. A tia era velha, parecia um papagaio; mas vivia honestamente. Eu, a princípio, rondava por debaixo da sua janela, de um lado para o outro; mas depois cheguei à fala com ela. Luísa falava bem o russo, embora gaguejasse um bocadinho... e era tão bonita como nunca vi outra igual. Primeiro, comecei por ver se podia levar alguma coisa... mas ela me respondeu: "Não, isso não pode ser, Sacha; porque eu quero conservar toda a minha inocência para poder um dia ser tua esposa", e fazia-me rapapés e sorria com tal graça... Era tão pura como nunca vi outra. Incitava-me a casar. Bem. E por que não havia de casar? Já estava decidido a ir; procurar o tenente--coronel e expor-lhe o meu desejo de casar... Mas, depois, que seria? Uma vez, Luísa falta à entrevista combinada; à segunda não aparece, à terceira não acode... Escrevo--lhe uma carta e não tenho resposta. "Que é isto? – digo para comigo. – Se me enganasse, seria mais esperta, responderia à carta e viria às entrevistas marcadas. Mas ela não se atrevia a mentir; simplesmente se desligaria de mim. Deve ser a tia", pensei. À tia não me atrevi eu a procurá-la; embora ela estivesse a par de tudo, costumávamos ter os nossos encontros às escondidas. Fiquei num alvoroço; escrevo-lhe uma última carta e digo-lhe: "Se vieres, irei falar com a tua tia". Pois sim, vai falando. Um certo Schulz, alemão, seu parente afastado, relojoeiro, rico e já velho, declarou a sua intenção de casar com ela. "Para tornar-me feliz – dizia – e não se ver sozinho na velhice; diz também que gosta de mim e que havia já algum tempo que tinha esta intenção, simplesmente estava calado e preparava-se. E olha, Sacha, dizem que é muito rico e que fará a minha felicidade. Será possível que tu queiras, privar-me da minha felicidade?" Eu a olho: ela está chorando e abraça-me... Ah! Os outros é que dizem a verdade – penso eu. – Para que casar com um soldado, ainda que seja suboficial? "Bem, – digo – adeus, Luísa. Por nada deste mundo te privaria da felicidade. Mas diz-me: ele é jeitoso?" "Não, – disse ela – já é quase velho e tem um nariz muito comprido..." Ela própria dava risada. Deixei-a. "Tenho a impressão – disse para comigo – de que não vai haver casamento." No dia seguinte de manhã, encaminho-me para a loja dele, na rua que ela me tinha dito. Olho através da vitrina: lá estava o alemão trabalhando nos seus relógios; aparentava uns quarenta e cinco anos; tinha o nariz comprido, uns olhos vivos; estava de fraque e colarinho alto. Escarrei e senti ganas de partir o vidro da vitrina. "Para quê? – pensei. – O melhor é ficar quieto. Caiu, caiu numa armadilha!" Ao entardecer fui ao quartel, estendi-me na tarimba e, acredite, Alieksandr Pietróvitch, pus-me a chorar...

Bem. Esse dia passou, e outro, e o terceiro. A Luísa, não a tinha visto. Entretanto, uma alcoviteira (uma velha, também costureira, que às vezes visitava Luísa) veio contar-me que o alemão estava a par dos nossos amores e por isso decidira apressar as coisas. Se não fosse isso ainda teria esperado dois anos. E que tinha feito jurar a Luísa que não voltaria a ver-me; e que tinha as duas na mão, Luísa e a tia; e que ele ainda não pensara tudo bem, que ainda não estava completamente decidido. Disse-me também que convidara as duas para tomar café em sua casa, daí a dois dias, no domingo, reunião a que devia assistir também certo parente velho que fora comerciante, e que agora se encontrava na maior miséria, ganhando a vida servindo de guarda a umas tabernas. Quando ouvi dizer que podia ser que tudo ficasse decidido no domingo, senti uma tal ira que só com muito custo consegui dominar-me. E nesse dia e no seguinte não fiz outra coisa senão pensar no mesmo. "De boa vontade comeria esse alemão", pensava eu.

No domingo de manhã ainda estava numa indecisão; mas quando saí da missa... tomei uma resolução, embrulhei-me no capote e dirigi-me à loja do alemão. Pensava que ia ali encontrá-los todos. Mas nem eu próprio sabia qual o motivo por que me encaminhava para a loja do alemão nem o que tencionava dizer. Entretanto meti uma pistola no bolso, uma pistola velha, de gatilho antiquado, com a qual brincava em pequeno e que agora já não servia para nada. Mesmo assim meti-lhe uma bala. Pensei: "Hão de tentar correr comigo, vai haver barulho e então eu puxo da pistola e meto um susto a todos". Cheguei. Na loja, ninguém; mas estavam todos reunidos atrás da loja. Em redor, nem vivalma, nem um criado. Ele tinha uma alemã que lhe fazia todo o serviço e lhe preparava também a comida. Entro na loja, olho; a porta estava fechada mas era uma porta velha, com uma aldraba. Sinto que o meu coração tem um sobressalto; paro, escuto: falavam em alemão. Dou um pontapé na porta com todas as minhas forças e ela se abre imediatamente. Olho: a mesa está posta, com uma grande cafeteira e o café fervendo na lamparina de álcool; biscoitos; noutra bandeja uma garrafa de aguardente, arenques e salsichas e também uma garrafa de vinho. Luísa e a tia, muito janotas, sentadas no divã. Em frente delas, sentado à mesa, o alemão, o noivo; de traje domingueiro; de fraque e colarinho engomado, de bicos muito tesos. Na ponta da mesa o outro alemão, homem já velho, gordo, de cabelos brancos, muito calado. Quando eu entrei, Luísa, pôs-se muito pálida. A tia deu um pulo do seu lugar. Mas o alemão franziu o sobrolho, ficou sério, levantou e saiu ao meu encontro.

– Que deseja? – disse-me.

Fiquei um pouco desconcertado, mas de novo a cólera se apoderou de mim.

– Que desejo? – digo – Que recebas o teu hóspede como deve ser e lhe ofereças vodca. Vim de propósito para que me convides.

O alemão refletiu um momento e depois disse:

– Queira sentar.

Sentei.

– Dá-me – disse-lhe eu – um pouco de aguardente

– Aqui está – disse ele – a aguardente. Se gosta, beba.

– Boa aguardente me deste tu! – disse eu, já completamente enfurecido.

– É verdade, é bem boa.

Sentia-me ofendido porque ele fizesse tão pouco caso de mim.

E o pior de tudo era Luísa estar presente. Bebi e disse-lhe:

– Por que me tratas tão mal, alemão? Tu devias ser meu amigo. Eu vim para que ficássemos amigos.

– Eu não posso ser seu amigo – disse ele. – O senhor é um simples soldado...

Quando ouvi aquilo perdi a cabeça.

– E tu és um espantalho – disse-lhe eu – um salsicheiro! Não sabes que eu posso fazer de ti o que quiser? Queres que te meta uma bala?

Puxo da pistola, levanto o gatilho e encosto-lhe o cano na cabeça, numa fronte. Os outros estavam mais mortos do que vivos, não se atreviam a abrir a boca; mas o velho tremia como a folha duma árvore, calava-se e estava lívido.

A princípio o alemão assustou-se; mas depois reanimou-se.

– Eu não tenho medo do senhor – disse – e peço-lhe, como homem educado que é, que acabe com esta brincadeira, embora não me meta medo...

– Oh! Estás mentindo – disse eu. – Tu tens medo! Senão, olhem: com a pistola na fronte, não se atreve sequer a mover-se e deixa-se estar muito quietinho.

– Não. O senhor não se atreve a fazer uma coisa dessas.

– Por que não havia de atrever-me? – disse eu.

– Porque isso não é permitido e, se o fizesse, teria um castigo severo.

Parecia que o diabo queria fazer pouco daquele imbecil alemão. Se ele não me tivesse irritado daquela maneira, a estas horas ainda estaria vivo, porque tudo se teria limitado a uma contenda.

– Com que então não me atrevo, dizes tu?

– Não!

– Não me atrevo?

– De maneira nenhuma se atreverá a fazer uma coisa dessas comigo...

– Ah, não? Então toma lá, salsicheiro!

Mal apertei o gatilho tombou logo na cadeira. Os outros deram um grito. Eu, com a pistola no bolso, escapei-me e, quando cheguei ao forte, atirei a pistola para entre as urtigas, à beira do fosso.

Voltei para, casa, estendi-me na cama e disse, para comigo: "Hão de vir buscar-me de um momento para o outro". Passam uma hora e outra hora... e não vêm. Mas ao escurecer senti uma tal tristeza que saí; tinha absoluta necessidade de ver Luísa. Passei em frente da relojoaria, Olho: gente e polícias. Então disse à velha: "Vá chamar a Luísa". Espero um momento, olho: Luísa aparece correndo, se atira ao meu pescoço e desata a chorar: "A culpada de tudo – diz ela – sou eu, por ter obedecido à tia". Informou-me também que a tia voltara para casa, depois do sucedido, e que ficara tão assustada que até adoecera... mas que não diria uma palavra. "Não disse nada a ninguém e me proibiu de falar; tem medo." Façam o que quiserem! Ninguém nos viu lá, a nós duas. Ele tinha mandado sair a criada porque tinha medo dela. Ela até lhe furaria os olhos se viesse a saber da sua intenção de casar! Também não estava lá nenhum dos empregados da loja, mandara sair toda a gente. Foi ele próprio quem fez o café e preparou a primeira refeição. Quanto ao parente toda a vida se conserva calado e nunca disse nada, e por isso, agora também não falará; a primeira coisa que fez quando aquilo se passou foi pegar o chapéu e desaparecer. Naturalmente também calará o bico..." disse Luísa.

Assim foi. Durante duas semanas ninguém me veio prender nem ninguém suspeitou de mim. E nessas duas semanas, talvez não acredite, Alieksandr Pietróvitch, fui absolutamente feliz. Todos os dias via Luísa. E ela, agora, tomara uma afeição tão grande por mim! Chorava. "Irei atrás de ti para onde quer que vás. Deixarei tudo por ti!" – dizia ela. Eu pensava que já tinha a vida resolvida, ao vê-la assim tão louca por mim. Bem. Mas passadas duas semanas fui preso. O velho e a tia tinham-se posto de acordo e denunciaram-me...

– Com licença – disse eu interrompendo Baklúkhin. – Por tudo isso, só devia ter sido condenado a uns doze anos no máximo, com direito a passar, depois desse tempo, para a categoria civil; mas o senhor está na seção especial. Como foi isso arranjado?

– Isso é outro assunto – disse Baklúkhin. – Quando eu compareci diante do Tribunal, o capitão se pôs a insultar-me com as palavras mais feias, diante dos juízes. Eu não pude conter-me e disse-lhe: "Por que me insultas dessa maneira? Então não vês, velhaco, que estás defronte do espelho da justiça?". A partir desse momento a coisa tomou outro aspecto. Fui julgado de novo e ao todo condenaram-me a quatro mil açoites e depois à seção especial. Mas quando me enviaram para aqui para cumprir a pena, enviaram também o capitão; a mim, pela rua verde[26], e a ele, rebaixado na sua hierarquia, para o Cáucaso, como soldado raso. Até à vista, Alieksandr Pietróvitch. Não deixe de assistir à nossa representação.

Capítulo X / A festa do Natal

Finalmente chegaram as festas. Na véspera de Natal já os presos quase não foram ao trabalho. Entraram os da alfaiataria e das oficinas; os outros, se apareceram foi apenas em pequeno número, e embora houvesse aquém e além alguns isolados,

---

26 Metáfora presidiária para designar a fila das vergastas verdes, por entre a qual deviam passar os que tinham que ser supliciados.

quase todos, sós ou em grupos, voltaram ao presídio, de onde já não saiu nenhum depois do jantar. E de manhã, a maioria só saiu para tratar dos seus assuntos particulares e não do presídio, para tratar da entrada de aguardente e encomendá-la de novo; outros, com o fim de verem os outros também contentes e satisfeitos e, embora alguns deviam por trabalhos já feitos; Baklúkhin e os que deviam tornar parte na representação teatral... para visitar alguns conhecidos, principalmente impedidos, e receber deles os trajes imprescindíveis. Alguns iam com um aspecto muito alegre e vaidoso, só por verem os outros também contentes e satisfeitos e, embora alguns não tivessem a receber dinheiro em parte nenhuma, parecia que iam também recebê-lo. Em suma: parecia que todos esperavam para o dia seguinte alguma transformação, alguma coisa extraordinária. À tarde, os inválidos que iam ao mercado buscar as encomendas dos presos, voltavam carregados com uma quantidade de víveres de todas as espécies: carne de vaca, leitãozinhos, e até gansos. Muitos dos presos, até os mais reservados e econômicos, que amealhavam durante todo o ano os seus copeques, consideravam um dever fazer gastos nesse dia, de maneira a celebrarem condignamente a festa. No dia seguinte havia festa verdadeira, rigorosa, formalmente prescrita pela lei. Nesse dia os presos não podiam ser enviados para o trabalho e, dias iguais a esses, só havia três por ano.

E, em última análise, quem sabe quantas recordações não se agitariam na alma daqueles réprobos, naquele dia! Os dias das grandes festas gravam-se profundamente na memória das pessoas simples e logo a partir da infância. São os dias em que se suspendem os trabalhos rudes e em que se reúnem as famílias. Deviam ser recordados com dor e com desgosto, no presídio. O respeito pelo dia solene manifesta-se também entre os presos por certos pormenores; poucos se embebedavam, todos andavam sérios e como que preocupados, embora muitos não tivessem motivo algum para estar assim. Mas até os bêbados se esforçavam por conservar, apesar de tudo, uma certa gravidade... Parecia que o riso estava proibido. A atitude geral era a de uma certa meticulosidade e irritante impaciência e aquele que destoasse do tom geral, embora sem intenção, era imediatamente advertido com gritos e descomposturas, e ficavam aborrecidos com ele como se fosse culpado de irreverência perante a festa. Essa disposição de espírito dos presos era interessante e até comovedora. Além da inata veneração pelo grande dia, os presos pressentiam inconscientemente que, com este respeito às festas, se uniam assim a todo mundo, que não eram completamente uns réprobos, uns perdidos, uns farrapos abandonados, e que, embora estivessem no presídio, também eram homens. Era evidente e compreensível que era isso o que eles sentiam.

Akim Akímitch fazia também grandes preparativos para a festa. Não tinha relações familiares porque fora criado como órfão numa casa alheia, e entrara para o serviço militar assim que fizera os quinze anos, e não tinha havido na sua existência alegrias extraordinárias, pois sempre vivera de modo regular, monótono, sem se desviar nunca dos deveres que lhe tinham prescrito. Também não era muito religioso, porque a moral, segundo parecia, absorvia nele todas as outras qualidades e particularidades humanas, toda paixão e todo desejo, tanto os maus como os bons. E por isso preparava-se para acolher o dia solene não com frivolidade, sem comoção, sem afligir-se com recordações tristes e perfeitamente inúteis, mas antes com essa moral tranquila, metódica, que era afinal apenas a estritamente necessária para o cumprimento do dever e da norma adotados de uma vez para sempre. De maneira geral não gostava de perder muito tempo pensando. Parecia que o significado dos fatos não era para ele o importante mas cumpria com um escrúpulo sagrado a regra que uma vez lhe ordenavam. Se no dia seguinte o mandassem fazer o contrário, fazia-o com o mesmo esmero e meticulosidade com que realizara o oposto no dia anterior. Uma vez, apenas uma vez na vida, ousara atuar por conta própria... e tinha ido parar ao presídio. A lição não lhe foi inútil. E embora o destino não o tivesse feito capaz de compreender, pouco que fosse, aquilo em que podia ser culpado, deduziu da sua aventura a regra salvadora de... não raciocinar nunca, e em caso algum, já que raciocinar não era da sua incumbência, como diziam para si os presos. Cegamente submisso à regra, inclusive ao seu leitãozinho natalício que recheava de *kacha* e depois assava (por suas próprias mãos, pois sabia assar), olhava-o com o devido respeito, como se não fosse um leitãozinho como os outros, que também se podem comprar e assar, mas sim outro especial, festivo. É possível que estivesse desde pequeno acostumado a ver na mesa, nesse dia, um leitãozinho e pensasse que ele era indispensável em tal dia, e estou convencido de que, se alguma vez não tivesse comido leitão nesse dia, havia de conservar durante toda a vida remorsos de consciência por não ter cumprido o seu dever.

Ia à festa metido no seu velho capote e nas suas velhas calças, ainda decentemente remendados mas já completamente puídos. Podia-se dizer que guardava cuidadosamente na sua arca o novo uniforme que lhe tinham entregue quatro meses antes, e que ainda nem sequer lhe tocara, com a risonha ideia de estreá-lo solenemente na festa. E assim foi, de fato. Foi buscá-lo na véspera, desdobrou-o, mirou-o e remirou-o, limpou-o, alisou-o com a mão e depois experimentou-o. Na verdade o sobretudo ficava-lhe muito bem, estava muito bem feito e podia-se abotoar todo até acima; a gola, como se fosse de cartão, mantinha a barba elevada; o corte tinha qualquer coisa de militar e Akim Akímitch até ria de gosto e pavoneava-se, todo vaidoso, em frente do seu espelhinho, ao qual ele mesmo tinha já posto uma moldura de papel dourado, havia já muito tempo. Apenas uma rugazinha junto da gola da jaqueta parecia extemporânea. Assim que a viu, Akim Akímitch decidiu corrigi-la; a desfez, tornou a provar o sobretudo e finalmente achou-o bem. Tornou então a dobrar tudo, como dantes estava e, com o espírito tranquilo, guardou-o na pequena arca para o outro dia. A cabeça, estava satisfatoriamente semirrapada; mas quando se olhou com atenção ao espelho, reparou que não estava toda por igual: havia alguns cabelos espetados e foi imediatamnete ter com o major para que o rapasse bem, como devia ser. E ainda que ninguém chegasse a vê-lo no dia seguinte, fez-se rapar só para tranquilizar a sua consciência, para cumprir assim, nesse dia, todos os seus deveres. Veneração perante um pequeno botão, uma botoeira, um nó, tudo isso se lhe gravara no espírito de um modo indelével, sob a forma de um dever indiscutível, e no coração... como a imagem do mais alto grau de beleza a que pode chegar um homem ordenado. Depois de completos todos os seus preparativos, como decano do alojamento, mandou que todos trouxessem feno e esteve observando cuidadosamente como é que o espalhavam pelo chão. O mesmo fazia também nos outros alojamentos. Não sei por que, mas pelo Natal espalhavam sempre feno pelo chão dos alojamentos[27] Depois, acabadas todas as suas tarefas, Akim Akímitch pôs-se a rezar a Deus; estendeu-se na sua esteira e afundou imediatamente no sonho duma criança inocente, para levantar no dia seguinte o mais cedo possível. Aconteceu depois o mesmo a todos os outros presos. Em todos os alojamentos se deitaram muito mais cedo do que de costume. Suspenderam-se os habituais trabalhos noturnos; de *maidan*, nem falar. Todos esperavam pela manhã seguinte.

Até que ela chegou. Muito cedo, ainda antes de ter nascido o sol, assim que clareou um pouco, abriram os alojamentos e o suboficial de serviço, que entrava para contar os presos, felicitou-os a todos pela festa. Eles lhe responderam com toda a cortesia e amabilidade. Depois de despachar à pressa as suas orações, Akim Akímitch e muitos outros que tinham os seus gansos e leitões na cozinha correram até lá para verem o que faziam deles, como os assavam e como ia isto, aquilo e mais aquilo. Através da obscuridade, pelos estreitos janelos salpicados de neve e de gelo, podia-se ver do nosso alojamento que em ambas as cozinhas ardia um fogo claro, que tinha sido aceso ainda antes do amanhecer, em todos os seis fornos. Pelo pátio, na obscuridade, andavam já os presos com os seus pelicos curtos, que alguns traziam no braço; dirigiam-se todos para a cozinha. Mas alguns, poucos, por sinal, se apressavam já a visitar os taberneiros. Eram os mais impacientes. De maneira geral portavam-se todos com muita dignidade, com muita calma e com um decoro desusado. Não se ouviam, nem os insultos habituais nem as costumadas disputas. Todos compreendiam que era aquele um dia grande e uma grande festa. Havia alguns que entravam nos outros alojamentos para felicitarem os das suas relações. Revelava-se qualquer coisa parecida com amizade. Tive ocasião de reparar que, entre os presos, não havia amizades; não falo da amizade geral; esta existia, e forte; falo da amizade particular, que podia unir dois presos. Esta, quase não existia entre nós e isto é digno de nota, pois não acontece o mesmo em liberdade. Ali, de maneira geral eram todos duros uns para com os outros, secos, a não ser com raras exceções, e isto era uma espécie de tom formal, adotado e convencionado de uma vez para sempre. Eu também saí do alojamento, assim que começou a alvorecer; as estrelas empalideciam; uma bruma tênue se elevava nos ares. Das chaminés dos fornos da cozinha subiam densas espirais. Alguns dos presos, com os quais me encontrava no caminho, me felicitavam pela festa, muito afetuosos e amáveis. Eu lhes agradecia e correspondia. Havia alguns deles que, durante todo aquele mês, nem sequer me tinham ainda dirigido uma palavra. Foi já quase na cozinha que me alcançou um preso do alojamento militar, com o pelico ao ombro. Antes de chegar à porta, assim que me viu gritou: "Alieksandr Pietróvitch! Alieksandr Pietróvitch!". Corria para a cozinha apressadamente. Eu parei e esperei-o. Era um rapaz de cara redonda e com uma expressão agradável nos olhos, muito falador com os outros, mas que, a mim, nem uma só vez sequer dirigira a palavra, nem ligado a menor importância, desde a data da minha entrada no presídio; eu também não o conhecia nem sabia como se chamava. Aproximou-se de mim, ofegante, e sem mais nem menos colocou-se na minha frente, olhando-me com um sorriso estúpido e, ao mesmo tempo, beatífico.

— Então que há? – perguntei-lhe eu, espantado, ao ver que ele se postava diante de mim, sorria e me olhava com uns olhos muito abertos, mas sem se decidir a falar.

---

27 Provavelmente para recordar aos fiéis que Jesus Cristo nasceu num estábulo.

– É que há festa... – murmurou e, adivinhando ao mesmo tempo que não tínhamos mais nada a dizer, afastou-se e dirigiu-se ansioso para a cozinha.

É de notar que, depois disto, quase nunca mais voltei a encontrá-lo e mal trocamos uma palavra até à minha saída do presídio.

Na cozinha, em volta dos fornos que ardiam com uma chama viva, agitava-se um bando, empurrando-se uns aos outros. Cada qual cuidava daquilo que lhe pertencia: os cozinheiros ocupavam-se do rancho, pois nesse dia o almoço começava mais cedo. No entanto, ninguém começara a comer, embora alguns de boa vontade o tivessem feito, mas guardavam as conveniências perante os outros. Esperavam o padre e só depois começariam a quebrar o jejum. Mal acabara de amanhecer quando começaram a ouvir-se, às portas do presídio, os gritos estentórios do cabo da guarda: "Cozinheiros!". Esses gritos soavam a cada momento e prolongaram-se quase por duas horas. Chamavam os cozinheiros para que fossem aceitar os donativos chegados de todas as partes da cidade para o presídio. Afluíam em enorme quantidade, e eram tortas, pão, queijinhos, bolos, massas e outras iguarias de forno. Penso que não devia ter havido nenhuma dona de casa, mulher de comerciante ou burguesa, que não tivesse enviado do seu pão para felicitar pela festa os desgraçados presos. Havia presentes ricos: massas da melhor farinha, enviadas em grande quantidade. E havia também presentes muito pobres, como por exemplo um bolinho de um *groch* e duas tortinhas ordinárias, mal salpicadas de creme; era o presente dum pobre para outro pobre. Eram todos recebidos com a mesma gratidão, sem se fazer distinção entre os presentes e os seus doadores. Quando os recebiam, os presos tiravam os gorros, saudavam, felicitavam pela data festiva e levavam os donativos para a cozinha. Quando se tinham já reunido montões do pão oferecido, chamavam os decanos respectivos e estes distribuíam-no todo em partes iguais, pelos alojamentos. Não havia disputas nem brigas. A divisão fazia-se por igual e honestamente, no que toca ao nosso alojamento, a distribuição foi feita por Akim Akímitch e por outro preso; fizeram-no por sua própria mão, deram a cada um a sua parte. Não houve a mais pequena discussão nem a menor inveja da parte de ninguém; todos ficaram contentes; não podia existir nenhuma suspeita de que tivessem ocultado parte dos donativos ou não reparti-los equitativamente. Depois de ter resolvido os seus problemas na cozinha, Akim Akímitch foi buscar o seu sobretudo, vestiu-o com toda a dignidade e solenidade, alisando a mais pequena ruga e, uma vez vestido, começou a fazer as suas orações. Esteve rezando bastante tempo. Havia já muitos outros que rezavam também, sobretudo velhos. Os novos, de maneira geral, não rezavam; quando muito persignavam-se quando se levantavam e isso só em dias festivos. Depois de ter feito as suas orações, Akim Akímitch me procurou com certa solenidade e felicitou-me pela festa. Convidei-o para o chá e ele a mim, para o leitão. Passado um momento, Pietrov aproximou-se também de mim para felicitar-me. Parecia que já tinha bebido e, embora viesse ofegante, quase não disse nada e ficou diante de mim um momento, numa certa expectativa, e depois encaminhou-se para a cozinha. Entretanto, no presídio militar preparavam-se para receber o padre. Esse presídio tinha uma planta diferente das outras; aí, nos alojamentos, as esteiras estavam alinhadas ao longo das paredes e não no meio do aposento, como em todas as outras, e era o único compartimento do presídio que não tinha coisas a estorvar no centro. Provavelmente deviam tê-lo construído dessa maneira para concentrarem nele os presos, em caso de necessidade. No meio da sala puseram uma mesinha, cobriram-na com um pano branco, colocaram nela uma imagem e acenderam uma lamparina. Por fim chegou o padre com a cruz e a água benta. Depois de rezar e cantar diante da imagem, pôs-se diante dos presos e todos se foram aproximando e beijando a cruz com devoção sincera. Depois disto, o padre foi percorrendo todos os alojamentos e espargiu-os com água benta. Na cozinha gabou o nosso pão de rancho, célebre na cidade pelo seu ótimo sabor, e imediatamente os presos lhe prometeram enviar dois pães acabados de sair do forno; ficou encarregado de os levar um dos inválidos. Despediram-se da cruz com a mesma veneração com que a acolheram e logo depois chegaram o major do presídio e o comandante. Os presos gostavam e apreciavam o comandante. Percorreu todos os alojamentos escoltado pelo major, felicitou-os a todos pela festa, entrou na cozinha e provou a sopa de couves do rancho. Essa sopa era célebre, pois nesse dia destinavam quase uma libra de carne de vitela para cada preso. Além disso havia *kacha* e manteiga à discrição. Depois de o comandante ter provado o rancho, o major deu a ordem para comer. Os presos esforçavam-se por não chamarem a sua atenção. Não lhes agradava aquele seu olhar maldoso por debaixo dos óculos, à direita e à esquerda, como se encontrasse qualquer coisa em desordem, como se descobrisse algo que não estivesse em regra.

    Começaram a comer. O leitão de Akim Akímitch estava esplêndido. O que não consigo explicar foi isto: assim que o major se retirou, uns cinco minutos depois, apareceu um extraordinário número de bêbados, embora cinco minutos antes todos estivessem completamente serenos. Apareceram muitos rostos corados e reluzentes e surgiram algumas balalaicas. O polaco do violino entrou imediatamente atrás de um bêbado, completamente ébrio, tocando-lhe músicas alegres. A conversa tornou-se mais jocosa e espirituosa. Mas levantamos da mesa sem grande alvoroço. Estavam todos saciados. Muitos dos velhos e dos sérios iam dormir, em seguida, o que Akim Akímitch fez também, supondo, segundo parecia, que nas festas principais não há outro remédio senão fazer uma sestazinha depois do almoço. O velhinho dos "antigos crentes" de Staradúvobo, depois de dormitar também um pouco, encarrapitou-se em cima do fogão, pegou no seu livro e ficou rezando até alta noite, numa oração quase ininterrupta. Custava-lhe ver aquela vergonha, como dizia referindo-se à bebedeira geral dos presos. Todos os cherqueses se tinham sentado no degrau da porta e contemplavam os bêbados com curiosidade mas também com certa repugnância. Aconteceu-me encontrar-me com Nurra: *"Iaman, iaman!*[28] – disse-me, meneando a cabeça com um desgosto sincero – Ah, *iaman!* Alá vai ficar zangado". Issai Fomitch, indiferente e altivo, acendeu uma vela no seu cantinho e pôs-se a trabalhar, dando a entender de maneira evidente que, para ele, aquilo não era uma festa. Em várias partes, pelos cantos, começaram os *maidani*. Não tinham medo dos inválidos, mas puseram sentinelas por causa do suboficial que, apesar disso, procurava fazer vista grossa. O suboficial de guarda revistou três vezes o presídio neste dia. Mas os bêbados escondiam-se, os *maidani* desapareciam antes de ele surgir e ele parecia também ter a intenção de não reparar nas infrações leves. A embriaguez, nesse dia, era considerada como uma falta leve. Pouco a pouco foram-se embebedando todos. E começaram

---

28 Mal! Mal! Exclamação tártara.

também as disputas. Entretanto, na maioria mantinham-se lúcidos. De maneira que havia sempre quem reparasse nos bêbados. Em compensação, os que já estavam bêbados continuavam bebendo sem parar. Gázin estava triunfante. Passeava com um ar fanfarrão à volta do seu lugar nas esteiras, debaixo das quais tinha posto a aguardente, escondida até então, Deus sabe onde, entre a neve, para lá dos alojamentos, e sorria ladinamente, olhando os fregueses costumados. Estava sereno e não bebia nem uma gota. Pelo menos não se embebedaria senão no fim da festa, depois de ter esvaziado os bolsos dos presos. Ouviam-se canções pelos alojamentos. Mas a embriaguez degenerava já em bebedeira sufocante e pouco faltava para passarem das canções às lágrimas. Muitos tocavam nas suas próprias balalaicas, de pelicos ao ombro, e tangiam as cordas dos instrumentos numa atitude fanfarrona. Na seção especial tinha-se formado também um coro, composto de oito homens. Cantavam baixo, com acompanhamento de guitarras e balalaicas. Canções honestamente populares, poucas. Lembro-me apenas de uma modinha alegre.

> Eu, quando era novo,
> Fui a muitas festas...

E aqui escutei também novas variantes dessa canção, que dantes não conhecia. No fim, acrescentavam alguns versos:

> Se eu fosse novo,
> Iam me levar em casa;
> Limpavam-me a colher,
> Regalavam-me com sopa de couves,
> Livravam-me da bebedeira
> E ofereciam-me bolachas.

Na sua maior parte cantavam cantigas a que nós chamávamos "de presos", e que todos conhecíamos. Uma delas, *Era...*, tinha caráter humorístico e descrevia como um homem dantes se divertia e vivia senhor de si próprio, em liberdade, ao passo que agora se encontrava no presídio. Referia como dantes bebia champanhe, e em compensação, agora...

> Dão-me couves com água
> E as orelhas gelam-me...

Também era muito conhecida a xácara:

> Quando era pequeno, divertia-me,
> E tinha o meu capital
> Mas ai, o capital voou,
> E agora estou no presídio...

etc. Simplesmente, não diziam capital, mas "copital", derivando-o da palavra kopit (reunir); também cantavam canções sérias. Uma era própria dos presos e, segundo parecia, também era conhecida:

> A luz do céu refulge,
> O tambor toca a alvorada,
> A velha porta abre-se,
> O escriba já nos chama.
> Por detrás dos muros ninguém vê
> Como vivemos aqui;
> Mas Deus está conosco,
> Ainda que nos mantenha assim, etc.

Cantava-se também outra canção mais melancólica, aliás lindíssima, escrita provavelmente por algum preso de jeito manso e inculto. Agora só me lembro de alguns versos:

> Os meus olhos não veem a terra
> Em que vim ao mundo;
> É horrível ser inocente,
> E estar condenado ao martírio.
> Sobre o telhado a coruja pia
> E esvoaça pelos bosques;
> Também o meu coração sofre e chora
> Por não estar aí.

Esta canção cantavam-na com muita frequência, não em coro mas a uma só voz. Acontecia às vezes que um preso, em dia de festa, subia para o degrau do alojamento, sentava-se, punha-se a meditar, acariciava a face com a mão e entoava essa canção num falsete agudo. Quando o ouvíamos parecia que o nosso coração se dilacerava. Havia boas vozes entre os presos.

Entretanto começara já a escurecer. Através da tristeza, da melancolia e de um vago pesar infantil, aparecia a embriaguez e o aturdimento. Aqueles que davam risada havia ainda uma hora, choravam agora em qualquer canto, completamente bêbados. Outros tinham tido já oportunidade para brigar. Outros ainda, pálidos, mal se sustendo nas pernas, vagueavam pelos alojamentos e armavam confusão. Até aqueles nos quais a aguardente produzia um efeito pacífico, procuravam em vão amigos a quem abrir a sua alma e chorar com eles a sua amarga embriaguez. Toda essa pobre gente desejava animar-se, celebrar alegremente a grande festa... mas, santo Deus, que duro e triste era aquele dia para quase todos! Cada um passava-o o melhor que podia, aferrando-se a alguma ilusão. Pietrov aproximou-se de mim ainda por mais duas vezes. Tinha bebido pouco durante o dia e estava quase completamente lúcido. Mas até à última hora daquele dia esteve sempre à espera de que havia de acontecer infalivelmente qualquer coisa, qualquer coisa extraordinária, festiva e alegre. Embora não tivesse falado acerca disso, era possível ler isso em seus olhos. Andava sem descanso de alojamento para alojamento. Mas não chegou a acontecer nada de extraordinário nem houve mais nada senão bebedeiras, tagarelice incoerente de bêbados e cabeças esquentadas pela aguardente. Sirótkin passeou também com uma blusa vermelha nova por todos os alojamentos, bonito, lavado, e também calmo e simples, como se esperasse alguma coisa. Pouco a pouco tornou-se intolerável e repugnante permanecer nos alojamentos. Não há dúvida de que havia ali muitas coisas ridículas, mas eu tinha uma certa pena e dó de todos eles, e então me invadiam a dor e a tristeza. Eis que, de súbito, dois presos começam a discutir sobre qual deles há de convidar o outro. Vê-se que discutem já há muito tempo e que antes disto já deviam ter brigado por mais de uma vez. Um deles, sobretudo, parece ter uma velha embirração contra o outro. Este se queixa e procura demonstrar por palavras que foi injustamente tratado; houve não sei quem que comprou um pelico, não se sabe quando, alguém guardou uns dinheiros, mas tudo isso foi no ano anterior, na semana da manteiga. No entanto havia qualquer coisa, além disso... O queixoso... um mocetão alto e forte, nada tolo, amável mas bêbado, tem agora o desejo de travar amizades e desabafar a sua amargura. Insulta também e depois mostra o intento de reconciliar-se sinceramente com o seu adversário. O outro é forte, de estatura mediana, cara redonda, astuto. Talvez tivesse bebido mais que o seu companheiro, mas só se embriagou levemente. Tem personalidade e fama de endinheirado; mas agora não lhe convém irritar o seu expansivo amigo por alguma razão e leva-o para a taberna; o amigo afirma que tem a obrigação e se comprometeu a levá-lo a ela, se é que é um homem honrado.

O taberneiro, com algum respeito pelo freguês e com as suas mostras de desdém para com o amigo expansivo, por não beber do seu, mas sim à custa alheia, puxa da garrafa e serve-lhe um copo de aguardente.

– Não, Stiopka, tu tens a obrigação – disse o amigo expansivo ao ver que não faz caso dele – porque é a tua obrigação.

– Não vale a pena estar gastando saliva por tua causa! – responde Stiopka.

– Não, Stiopka, tu mentes – afirma o primeiro, tirando o copo das mãos do taberneiro – porque tu me deves dinheiro ou então não tens consciência e falta-te um olho, porque também o emprestaste! És um velhaco, Stiopka, um velhaco é o que tu és, sem tirar nem pôr!

– Bem, deixa-te de insultos, senão entornas a aguardente! Já que fazem a honra de convidar-te, bebe! – grita o taberneiro para o amigo expansivo. – Ou tenho de estar à espera que bebas, até amanhã?

– Já bebo. Mas por que gritas? Hoje é dia de festa, Stiepan Drofiéietch – e com uma reverência, voltou-se para o outro, para Stiopka, ao qual havia pouco chamara velhaco. – Que vivas com saúde por cem anos, sem contar os que já viveste! – bebeu, pigarreou e limpou a boca com as costas da mão. – Dantes, meus amigos, eu aguentava muita aguardente – observou com seriedade, como se se dirigisse a todos e não a algum em particular – mas agora começo já a sentir o peso dos anos. Muito obrigado, Stiepan Dorofiéietch.

– Não tem de quê.

– Mas sempre te vou dizendo, Stiopka, que, à parte isto, tu és um grande velhaco para mim, como sempre digo...

– E eu, a ti, digo-te que és um bêbado indecente – interrompeu-o Stiopka, perdendo já a paciência. – Escuta bem cada uma das minhas palavras; este é o mundo: metade é para ti, metade para mim. Vai-te e não tornes a aparecer-me. Estou farto!

– De maneira que não dás o dinheiro?

– Que dinheiro te hei de dar eu, cachaceiro?

– Ah, sim! Pois hás de ir ter ao outro mundo para me devolveres... Mas então eu não o aceito. O nosso dinheiro foi bem ganho, custou suor e calos. Hás de ir para o outro mundo por causa dos meus cinco copeques.

Memórias da casa dos mortos

– Vai para o diabo que te carregue!
– Para que me acossas? Não sou nenhum cavalo.
– Puxa, puxa!
– Velhaco!
– Forçado!

E os insultos tornaram-se agora ainda mais fortes do que antes do copo de aguardente.

Nas esteiras estão sentados dois amigos perto um do outro; um é alto, forte, vigoroso, um verdadeiro magarefe, de rosto corado. Pouco lhe falta para chorar porque está muito comovido. O outro é muito fraco, magro, de nariz comprido, que parece pingar-lhe, e uns olhinhos de suíno fixos no chão. É um homem delicado e educado; noutro tempo foi escriturário e trata o amigo com um pouco de altivez, pois no íntimo não vai com ele. Passaram o dia todo bebendo juntos.

– Excedeu-se! – grita o gordo, virando com força a cabeça do escriturário, com a mão esquerda, e segurando-a. O amigo gordo, que veio da classe dos suboficiais, inveja em segredo o seu amigo magro, e por isso falam um ao outro num estilo muito rebuscado.

– Pois eu te afirmo que não tens razão – começa o escriturário, dogmático, sem levantar os olhos para ele e fitando o chão com teimosa gravidade.

– Excedeu-se, não o ouves? – vocifera o outro, sacudindo ainda mais o seu querido amigo. – Tu és a única pessoa que me resta no mundo, compreendes? Por isso é só contigo que me abro; faltou à promessa que me fez!

– Torno a dizer-te, querido amigo, que essa azeda justificação só representa uma vergonha para o teu cérebro – responde o escriturário numa voz fraca e leve – e farias melhor em reconhecer, querido amigo, que toda essa bebedeira é efeito da tua inconstância pessoal...

O amigo gordo deita-se um pouco para trás, fica olhando estupidamente com os seus olhinhos de bêbado para o vaidoso escriturário e, de repente, de maneira completamente inesperada, descarrega com toda a força o seu enorme punho sobre a cara daquele. Assim termina a sua amizade nesse dia. O caro amigo jaz de sentidos perdidos sobre a esteira...

Mas eis que entra no nosso alojamento um amigo meu, da seção especial, um rapaz muitíssimo jovial, bonacheirão, esperto, gracejador inocente e muito ingênuo. É o mesmo que no primeiro dia da minha estada no presídio, na cozinha, depois do rancho, perguntava onde é que vivia algum ricaço, afirmando que era ambicioso, e ao qual convidei para o meu chá. Devia ter quarenta anos, lábio inferior muitíssimo grosso, e nariz grande e gordo, marcado de pústulas. Tinha uma balalaica nas mãos, na qual tocava com indolência. Atrás dele vinha, como que a reboque, um condenado muito pequenino, com cabeça enorme, que eu só conhecia de vista. Aliás, ninguém reparava nunca nele. Era um indivíduo um pouco estranho, desconfiado, sempre calado e sério; trabalhava na alfaiataria e se esforçava visivelmente por viver retraído e não se relacionar com ninguém. Agora, bêbado também, pegava-se a Varlámov como a sua sombra. Seguia-o com uma terrível comoção, magoava os próprios braços, dava punhadas na parede, nas esteiras e quase choramingava. Segundo parecia, Varlámov não reparava nele nem por um momento, como se não o tivesse ao seu lado. É de notar que, até então, nunca esses dois homens tinham andado juntos; nem pela sua profissão nem pelo seu caráter havia nada de comum entre eles. Além disso pertenciam a seções diferentes e viviam também em alojamentos diferentes. O preso pequenino chamava-se... Búlkin.

Quando me viu, Varlámov riu-se francamente. Eu estava sentado na minha esteira, perto do fogão. Ele se plantou na minha frente; pareceu refletir um momento, depois voltou-se e, aproximando-se com passos hesitantes e arranhando levemente as cordas da sua balalaica, começou a recitar, batendo o compasso com os pés:

> Rosto redondo, rosto branco,
> Canta como o rouxinol.
> Minha querida,
> Com o seu vestidinho de cetim,
> Com o seu lindo folho
> Tão bonita...

Parecia que Búlkin tirara essa canção da sua cabeça; e movimentava os braços e, encarando todos, gritou:

– É tudo mentira, meu amigos, tudo mentira! Não diz nem uma palavra verdadeira; tudo mentira!

– Velhinho Alieksandr Pietróvitch! – exclamou Varlámov com um sorriso ambíguo, olhando-me na cara e como se estivesse disposto a dar-me um beijo. Estava bêbado. A expressão Velhinho Fulano equivalia a Fulano, os meus respeitos e empregava-se em toda a Sibéria, até em referência a um jovem de vinte anos. A palavra velhinho significava qualquer coisa de respeitável, digno de referência e lisonjeiro.

– Então, Varlámov, então que tal?

– Vai-se andando. Mas quem celebra a festa começa por embebedar-se. Queira desculpar-me! – Varlámov falava com uma certa ênfase.

– É tudo mentira, tudo mentira! – gritou Búlkin desancando as esteiras com desespero. Mas, por mais que gritasse não conseguia que lhe dessem um mínimo de atenção, o que era muito cômico, pois Búlkin atrelara-se a Varlámov desde a manhã, não por isto ou por aquilo, mas sim precisamente porque Varlámov não fazia outra coisa senão mentir, como, não sei por que razão, lhe parecia. Seguia-o como uma sombra; investia com ele a cada palavra, gesticulava; esmurrava as esteiras e as paredes com os punhos, até se ferir; parecia sofrer, no seu íntimo, por Varlámov mentir sempre. É muito provável que, se tivesse cabelos na cara, os tivesse arrancado de tão furioso que estava. Parecia que a si próprio se tinha imposto a obrigação de responder por todas as mentiras de Varlámov, nem mais nem menos como se pesassem sobre a sua consciência todos os defeitos de Varlámov. Mas o mais engraçado é que este nem sequer olhava para ele.

– Tudo mentira, tudo mentira, tudo mentira! Nem uma só sequer das suas palavras é verdade! – gritava Búlkin.

– E isso que te importa? – respondiam-lhe os presos rindo.

– Participo-lhe, Alieksandr Pietróvitch, que fui um rapaz muito jeitoso e que as moças eram doidas por mim... – começou Varlámov de repente, sem mais nem menos.

– Mentira! Outra mentira! – atalhou Búlkin num gemido. Os presos desataram a rir.

– E eu, fazia-me todo presumido diante delas: camisa encarnada, calças largas e pregueadas, num esmero, como o conde Butílkin[29], isto é, bêbado como um sueco; numa palavra... Que mais podia eu desejar?

– Mentira! – afirmou Búlkin energicamente.

– Mas nesse tempo tinha eu, pelo lado do meu pai, uma casa de pedra de dois andares. Pois em dois anos dei cabo de tudo, ficaram-me só as portas, sem falar nos gonzos. É que o dinheiro... é como as pombas, vem e vai-se!

– Mente! – afirmou Búlkin ainda mais energicamente.

– Por isso agora me lembrei e escrevi daqui a meus pais uma carta de partir o coração; talvez me mandem dinheiro. Andavam sempre dizendo que eu me portava mal com os meus pais, que não lhes tinha respeito! Já decorreram sete anos que lhes mandei essa cartinha.

– E não tiveste resposta? – perguntei-lhe eu sorrindo.

– Não – respondeu ele, sorrindo também de repente e aproximando ainda mais o seu nariz do meu rosto. – Mas eu, Alieksandr Pietróvitch, tenho uma noiva aqui...

– Você? Uma noiva?

– Ainda há pouco tempo Anúfriev dizia: "Pode ser que a minha garota seja picada das bexigas, feia; mas em compensação tem muitos vestidos, ao passo que a tua é pobre como uma mendiga e veste roupa grosseira".

– E isso é verdade?

– Certo, que é uma mendiga! – respondeu ele e esboçou um leve sorriso; ouviram-se também gargalhadas no alojamento. De fato, todos sabiam que estava em relações com uma mendiga e que em meio ano lhe dera dez copeques.

– Bem, e que mais? – perguntei, desejando ver-me finalmente livre dele.

Calou-se, olhou-me, comovido, e disse com ternura:

– Por causa disso, o senhor podia convidar-me para um trago de aguardente? Olhe, Alieksandr Pietróvitch, eu, durante todo o dia, só bebi chá – acrescentou, melancólico, pegando no dinheiro – e tomei tanto chá que me sinto sufocado e o chá me chocalha no estômago como numa garrafa...

Quando ele aceitou o dinheiro, a moral intempestiva de Búlkin pareceu ter atingido o paroxismo. Pôs-se a gesticular desoladamente e pouco lhe faltou para se pôr a chorar.

– Gente de Deus! – exclamou, dirigindo-se a todo o alojamento com estupefação. – Olhem para ele! Tudo quanto diz é mentira! Diga o que disser, tudo, tudo, tudo é mentira!

– Mas a ti que te importa? – gritavam-lhe os presos, admirados da sua veemência. – És um malcriado!

– Não consinto que minta! – exclamou Búlkin deitando chispas pelos olhos e descarregando punhadas com todas as suas forças nas esteiras. – Não quero que minta!

Deram todos uma gargalhada. Varlámov guarda o dinheiro, faz-me um gesto de agradecimento e, fazendo trejeitos, sai do alojamento em direção ao tabernei-

---

29 Nome simbólico para designar a garrafa.

ro, provavelmente. E parece então reparar nesse instante, pela primeira vez, em Búlkin.

– Vamos lá! – diz-lhe, parando à porta, como se realmente precisasse dele para alguma coisa. – Grande trambolho! – acrescenta com desdém, empurrando a sua frente o acalorado Búlkin e pondo-se outra vez a arranhar a balalaica. Mas como descrever aquele barulho! Até que por fim aquele dia opressivo acabou. Os presos deixam-se cair pesadamente nas esteiras. Durante o sono todos falam e deliram ainda mais do que nas outras noites. Jogam as cartas em qualquer canto. Há já algum tempo que o dia tão desejado passou. Amanhã recomeçará a rotina, o trabalho outra vez.

Capítulo XI / O espetáculo

Três dias depois do Natal, certa noite realizou-se a primeira representação no nosso teatro. Os preparativos para a sua organização deviam ter sido muitos; mas os atores arranjaram-se de tal maneira que nós não percebíamos o caminho que as coisas iam levando nem do que faziam, ao certo. Também não sabíamos bem o que iam representar. Todos os atores, durante aqueles três dias, ao se dirigirem para o trabalho, esforçavam-se o mais que podiam por arranjar os trajes necessários. Baklúkhin, quando se encontrava comigo, limitava-se a fazer castanholar os dedos, de tão contente que andava. Parecia que o major do presídio também estava de bom humor. Aliás, nós ignorávamos completamente se ele sabia qualquer coisa do teatro. Se sabia, daria autorização formal ou decidiria simplesmente guardar silêncio, encolhendo os ombros perante aquela travessura dos presos e exigindo, naturalmente, que tudo se fizesse o mais ordenadamente possível. Penso que ele estava a par do teatro, que fatalmente havia de saber, mas que não queria imiscuir-se no assunto, compreendendo que talvez fosse pior proibi-lo; os presos costumavam fazer disparates, embebedarem-se, por isso era preferível que se ocupassem com qualquer coisa. Atribuo este pensamento ao major do presídio, unicamente por ser o mais natural, provável e santo. Também poderia acontecer que dissesse para consigo: "Se os presos não arranjassem teatro nos dias festivos ou alguma distração do gênero, seriam os próprios superiores que deviam encarregar-se de imaginá-lo". Mas como o nosso major se distinguia precisamente pela sua maneira de pensar diferente de todos os outros mortais, incorro em imprudência ao atribuir-lhe tamanha responsabilidade, supondo que estava informado da representação e que tinha dado o seu consentimento para ela. A um homem como o major era absolutamente necessário oprimir sempre alguém, tirar algo a qualquer outro, despojar um terceiro dos seus direitos; em suma, alterar a ordem de qualquer maneira. A este respeito era célebre em toda a cidade. Que lhe importava a ele que, precisamente por causa da sua opressão, se produzissem atrevimentos no presídio? O castigo fez-se para a insolência (assim pensam os indivíduos da têmpera do nosso major); com esses patifes dos presos é preciso uma severidade rigorosa, aplicação estrita da lei... Isso é que é preciso e nada mais! Estes inflexíveis cumpridores da lei não compreendem que a sua aplicação estrita, sem discernimento, sem compreensão da sua alma, conduz diretamente à desordem e nada mais pode gerar senão desordem. "A lei é que o diz, portanto, que mais?", dizem eles e espantam-se sinceramente de que se lhes exija como complemento, ao aplicar a lei, um juízo são e uma mente lúcida. Sobretudo isto parece a muitos deles um luxo supérfluo e irritante, uma opressão feita sobre a sua personalidade, uma intolerância.

Mas, fosse como fosse, o suboficial decano não foi desfavorável à pretensão dos presos e disto é que eles precisavam. Posso afirmar que o teatro e a gratidão por o terem consentido eram a causa de que, nos dias festivos, não se produzissem em todo o presídio uma desordem séria, nem um roubo. Fui testemunha de que os forçados faziam calar alguns bêbados e brigões, somente com o receio de que proibissem o teatro. O suboficial obteve a palavra dos presos de que tudo se faria com ordem e de que eles se portariam bem. Concordaram e cumpriram religiosamente a sua promessa; ficaram muito lisonjeados por terem confiado na sua palavra. É preciso dizer também que dar consentimento para a realização do teatro não implicava o menor sacrifício para os superiores. Não era necessário marcar previamente os lugares; o teatro armava-se e desarmava-se num quarto de hora. A representação devia durar uma hora e meia e, se se recebesse de repente indicação superior para suspender a representação... tudo seria recolhido num instante. Os trajes tinham-nos os presos escondidos nos seus baús. Mas, antes de mais, quero dizer como arranjaram o teatro e quais eram concretamente esses trajes, e falarei do programa do teatro; isto é, do espetáculo que se propunham representar.

Não havia um programa especial manuscrito. Para a segunda ou terceira representação apareceu um, redigido por Baklúkhin, destinado aos senhores oficiais e aos importantes visitantes que tinham honrado o teatro com a sua presença, na primeira representação, e que eram: dos senhores, assistiam geralmente o oficial de reserva, e uma vez assistiu também o próprio oficial encarregado do comando dos oficiais da guarda. Assistiu também uma vez o oficial engenheiro; nesses casos forneciam programas a esses espectadores. Os presos supunham que a fama do nosso teatro presidial se estendia até bem longe, pelo forte e até pela cidade, tanto mais que nela não havia teatro. Quando muito haveria algum espetáculo de amadores. Os presos ficavam contentes como crianças por menor que fosse o êxito e punham-se todos ufanos. "Quem sabe – pensavam e diziam no seu íntimo, para consigo – se os chefes superiores virão a saber e virão assistir; então é que eles veriam o que são os presos!" Não se tratava de nenhum espetáculo de soldados, com espantalhos, barcos flutuantes e ursos e cabras que se põem de pé. Aqui são atores, verdadeiros atores, que representam uma comédia de "senhores"; um teatro assim não existe na cidade. Dizem que o general Abróssimov deu uma vez um espetáculo e que ainda há de dar mais; pois bem, pode ser que em matéria de guarda-roupa nos levem a palma, mas, quanto ao diálogo, devia ficar muito abaixo do nosso. A sua fama chegou até ao governador e "Quem sabe – o diabo tece-as – é possível que sinta vontade de vir ver. Na cidade não há teatro...". Enfim, a fantasia dos presos, sobretudo quando do primeiro êxito, tocou o extremo nos dias festivos, chegaram até a imaginar recompensas ou abreviação do prazo dos trabalhos, embora ao mesmo tempo se pusessem logo depois a rir como crianças dos seus próprios sonhos. Eram umas crianças, completamente umas crianças, apesar de alguns dos que representavam terem já os seus quarenta anos.

Mas, apesar de não haver programas, eu conhecia já a grandes traços o programa do projetado espetáculo. A primeira peça era *Filatka e Mirochka, rivais*. Baklúkhin, uma semana antes do espetáculo, afirmou diante de mim que o papel de Filatka, que estava a seu cargo, havia de ser desempenhado de uma maneira como não o faziam no teatro em Petersburgo. E repetia isso pelos alojamentos, gabava-se de um modo descarado e sem ponta de vergonha, mas, ao mesmo tempo, com a mais completa bonacheirice; às vezes, de repente, dizia qualquer coisa de teatral, isto é, que pertencia ao seu papel, e todos desatavam a rir, tivesse ou não graça aquilo que ele dizia. Quanto ao mais, devo reconhecer que os presos souberam dominar-se e manter a sua dignidade; para admirar as tiradas de Baklúkhin e falar dos preparativos do teatro, era preciso ser, ou novato sem autodomínio, ou então um forçado cuja autoridade estivesse solidamente estabelecida e que pudesse exprimir os seus sentimentos sem rodeios, ainda os mais ingênuos (o que no presídio é o pior dos defeitos). Os outros escutavam os boatos e calavam-se; verdadeiramente não censuravam nem contradiziam; mas punham o maior empenho em receber os rumores acerca do teatro com indiferença e, em parte, também com desdém. Somente no fim, já quase no próprio dia do espetáculo, é que começaram todos a interessar-se. "Que será? Que farão eles? E o major? Sairá tudo tão bem como há dois anos?" etc. Baklúkhin afirmava-me que os atores tinham sido muito bem escolhidos, que cada um deles estava onde devia estar. E que já tinham o pano. Que o papel da noiva de Filatka seria feito por Sirótkin. "Há de ver como ele fica, vestido de mulher!", dizia, piscando o olho e dando estalos com a língua. A "Caseira benfeitora" teria um vestido com folhos pregueados, uma capa e uma sombrinha na mão; e o "Caseiro benfeitor" usaria um sobretudo de oficial com dragonas e uma bengala de punho. Depois vinha a segunda peça dramática: *Kledril, o glutão*. O título interessou-me bastante; mas, por mais que perguntasse pormenores da obra, nada pude saber antecipadamente. Sabia unicamente que não tinha sido tirada de nenhum livro, mas de uma cópia manuscrita; que a tinham obtido de certo oficial reformado que vivia nos arrabaldes e que provavelmente a teria visto representar alguma vez em algum teatro de quartel. Entre nós, em cidades e capitais remotas, há peças teatrais deste gênero que, segundo parece, não têm autor conhecido, que toda a gente conhece, que talvez nunca tivessem sido impressas e constituem e representam, só por si, o patrimônio indispensável de todo teatro popular na zona conhecida da Rússia. Disse teatro popular intencionalmente. Seria muito acertado que algum dos nossos eruditos se ocupasse nessas investigações, mais escrupulosos do que até aqui, acerca do nosso teatro popular, o qual existe e pode ser até que tenha algum valor. Não quero acreditar que tudo quanto vi depois entre nós, no nosso teatro presidial, fosse invenção dos nossos presos. Trata-se, sem dúvida, de uma herança da tradição, de ideias e conceitos estabelecidos de uma vez para sempre e que se vão transmitindo de geração em geração e desde tempos imemoriais. É preciso ir procurá-las entre os soldados e os operários das fábricas, nas cidades fabris e também em alguns ignorados e pobres vilórios, e entre a gente rica. Conservam-se também nas aldeolas e nas capitais dos distritos, entre os servos das grandes casas de proprietários. Penso também que muitas peças antigas se espalharam em cópias pela Rússia, por intermédio dos servos da classe senhorial. Os senhores e os nobres moscovitas de outrora tinham os seus teatros particulares a cargo de artistas servos. E foi nesses teatros que nasceu a nossa arte dramática popular, cujas características são inconfundíveis. Pelo que respeita a *Kiedril, o glutão*, por muito grande que fosse a minha vontade, nada pude saber com antecedência, a não ser que entravam em cena os espíritos do mal e levavam Kiedril para o inferno. Mas que significava isso de Kiedril e, finalmente, por que havia de ser Kiedril e não Kidril? Tratava-se de uma peça de origem nacional ou estrangeira? Nada disso consegui averiguar. Por último tornou-se público que iam representar uma pantomina com música. Não há dúvida de que tudo isso era muito curioso. Eram quinze os atores, todos gente esperta e hábil. Rebuliam, ensaiavam, às vezes por detrás dos alojamentos; ocultavam-se, escondiam-se. Em suma: queriam assombrar os outros com qualquer coisa de extraordinário e inesperado.

Nos dias de trabalho o presídio fechava cedo, assim que anoitecia. Mas durante a quadra do Natal faziam uma exceção; só fechava à hora de recolher. Esta exceção era especialmente favorável para o teatro. Durante a época festiva, todos os dias, antes de anoitecer, enviavam alguém do presídio a pedir humildemente ao oficial da guarda "que desse autorização para o teatro e não fechasse logo o presídio", acrescentando que à noite havia teatro e era preciso ele estar aberto; e que não se produziria nenhuma desordem. O oficial de guarda fazia este raciocínio: "De fato, ontem, não houve desordem e agora me dão eles a sua palavra que esta noite também não haverá; isto é, eles se encarregam de vigiar e isto é o melhor de tudo. Se não dou autorização para o espetáculo, não seria improvável (sabe-se lá, sempre são presidiários!) que provocassem intencionalmente alguma desordem e fizessem sair a guarda." E por fim este outro: "Isto aqui, no corpo da guarda, é um aborrecimento, ao passo que aí há um teatro, não um simples teatro de soldados, mas de presos, e os presos são gente curiosa; será uma distração ir vê-los". O oficial da guarda tinha sempre o direito de assistir.

Aparece o chefe de serviço e diz: "Onde está o oficial?". "Foi no presídio contar os presos e fechar os alojamentos." Primeira resposta e primeira desculpa. E assim, os oficiais da guarda, todas as noites, enquanto duraram as festas deram a sua permissão para o teatro e só fecharam os alojamentos à hora de recolher. Os presos sabiam de antemão que da parte do guarda não haveria obstáculo e estavam tranquilos.

As sete horas Pietrov veio ter comigo e saímos juntos para assistir ao espetáculo. Do nosso alojamento vieram quase todos, exceto o velho crente e os polacos. Os polacos só na última representação, a quatro de janeiro, é que se decidiram a assistir ao teatro e isso apenas depois de se lhes ter afirmado muitas vezes que estava tudo muito bem, divertido e tranquilo. A altivez dos polacos fazia sofrer os presos; mas no dia quatro de janeiro tiveram um acolhimento muito amável. Até lhes guardaram os melhores lugares. Quanto aos circassianos, e sobretudo para Issai Fomitch, o nosso teatro foi um verdadeiro prazer. Issai Fomitch dava cada noite uns três copeques, e na última pôs dez na bandeja, e no seu rosto se refletia a felicidade. Os atores iam recolhendo da mão dos espectadores o que estes entendessem por bem dar, e os donativos se destinavam ao teatro e ao próprio conforto. Pietrov garantia que haviam de dar-me um dos primeiros lugares, por muito cheio que o teatro estivesse, fundamentando-se em que eu, por ser mais rico do que os outros, provavelmente daria mais, para não falar naquilo que eu sabia mais do que eles, daquelas coisas. Assim aconteceu. Mas descreverei em primeiro lugar a sala e a aparência do teatro.

O nosso alojamento militar, no qual armaram o teatro, tinha quinze passos de largura. Do pátio subia-se por uma escadinha; da escadinha passava-se para o andar e do andar para o alojamento. Este alojamento comprido, como já disse, tinha uma construção especial: as esteiras eram encostadas à parede, de maneira que o centro do compartimento ficava livre. A metade da sala mais próxima da entrada, com o degrau, foi deixada para os espetadores; a outra metade, que se comunicava com outro alojamento, foi destinada para cenário. Antes de mais, o que sobretudo me chocou foi o pano de fundo. Apanhava uns dez passos de todo o alojamento, à largura. Era um pano de tal luxo que, na verdade, causava admiração. Além disso era pintado a óleo; representava um campo com caramanchões, lagos e estrelas. Era de pano, novo e velho, conforme aquilo que cada um tinha dado e sacrificado; de batas e camisas velhas dos presos, cosidas umas às outras, para formar uma peça grande e, finalmente, parte dela, para a qual o pano não chegara, era simplesmente de papel, formado também da mesma maneira, às folhas, angariadas em várias oficinas e escritórios. Os nossos pintores, entre os quais se distinguia também "Briúlov" isto é, A...v, encarregaram-se de pintá-lo e decorá-lo. De fato, era surpreendente. Um tal luxo alegrava até aos presos mais severos e impassíveis, os quais, ao presenciarem o espetáculo, pareciam todos tão criançolas como os mais vivos e ruidosos. Estavam todos muito contentes, até exageradamente contentes. A iluminação consistia em algumas velas de sebo partidas em pedaços. Em frente do pano havia dois bancos da cozinha e, diante dos bancos, três ou quatro cadeiras que tinham vindo do quarto do suboficial. Essas cadeiras destinavam-se aos oficiais, mas pareciam ter sido colocadas ali por acaso. Os bancos eram para os suboficiais e para os escriturários dos serviços de Engenharia, para os vigilantes e mais pessoal subalterno, assim como para os superiores que não tinham grau de oficial. E foi o que aconteceu: não faltaram visitantes de todas as categorias durante a festa; numas tardes foram mais, noutras menos; mas no último espetáculo não ficou desocupado nem um só dos bancos. E, por fim, os presos se colocaram atrás dos bancos, de pé, por respeito para com os visitantes, sem gorro, com as jaquetas e meios pelicos, apesar do ambiente sufocante, denso, da sala. Não há dúvida de que o lugar destinado aos presos era muito exíguo. Além de estarem literalmente sentados uns em cima dos outros, sobretudo nas últimas filas, também as esteiras e os entrebastidores estavam ocupados e, finalmente, havia entusiastas que afluíam sem cessar ao teatro, vindos do outro alojamento e, havia ainda, por detrás dos entrebastidores traseiros, quem assistisse ao espetáculo. A exiguidade da primeira metade do alojamento era extraordinária, comparável à exiguidade e aperto que havia pouco eu tinha visto no banho. A porta do vestíbulo estava aberta: nele, onde a temperatura era de vinte graus, havia também gente apinhada. Empurravam-nos para a frente, a mim e a Pietrov, quase para os bancos, onde se via muito melhor do que nos lugares de trás. Não há dúvida de que a mim tinham por um crítico, que já tinha visto outros espetáculos; sabiam que Baklúkhin durante todo aquele tempo se aconselhara comigo e me tratava com respeito; para mim tinham honras e um lugar. Não façamos reparo em que os presos eram gente vaidosa e aturdida; mas tudo isto era só na aparência. Os presos podiam rir de mim, ao ver que eu era o pior de todos os que os ajudavam no trabalho. Almázov podia olhar-nos, a nós, os nobres, com desdém, gabando-se diante de todos da sua habilidade para triturar o calcário. Para os seus vexames e troças contribuía também outra coisa: nós tínhamos sido nobres noutro tempo, pertencíamos à mesma classe que os seus antigos senhores, dos quais não podiam guardar boas recordações. Mas agora, no teatro, afastavam-se diante de mim. Reconheciam que, em assuntos teatrais, eu podia julgar melhor do que eles, que via e sabia mais. Até aqueles que não me encaravam com simpatia (eu sabia que assim era) desejavam agora os meus elogios para o seu teatro e, sem a menor humilhação, procuravam-me o melhor lugar. É o que penso agora, ao evocar as minhas impressões de então. Parecia-me que na sua justa opinião acerca de si mesmos não havia nada de baixeza e apenas o sentimento da dignidade pessoal. O traço característico mais elevado e enérgico do nosso povo é o sentimento da justiça e uma ânsia dela. O vaidoso costume de se pôr diante de toda a gente, nas primeiras filas, seja como for, mereça-se ou não se mereça, não existe no nosso povo. Basta somente levantarmos a casca exterior, artificial, e olhar para o miolo atentamente, mais de perto, sem preconceitos, para descobrirmos no povo propriedades que não suspeitávamos. Os nossos sábios não podem ensinar grande coisa ao povo. E mais, afirmo decididamente que teriam até muito a aprender com ele.

Assim que entramos no teatro, Pietrov disse-me ingenuamente que me colocariam à frente pelo motivo de eu dar mais dinheiro. Não havia preço fixo: cada um dava o que podia e queria. Quase todos davam qualquer coisa, ainda que fosse só um *groch*, quando lhe apresentavam a bandeja. Mas, se me colocaram à frente, foi em parte pelo dinheiro, pensando que eu daria mais que os outros, mas também um pouco por causa desse sentimento de dignidade pessoal: "Tu és mais rico do que eu, por isso vai para a frente, e embora aqui sejamos todos iguais, tu darás mais e, por isso, um espectador como tu é mais agradável para os atores; é para ti o primeiro lugar, porque todos nós não estamos aqui pelo dinheiro, mas sim por respeito; devemos classificar-nos a nós próprios". Quanto verdadeiro e nobre orgulho havia nisto! Não era respeito pelo dinheiro, mas respeito por si próprio. De maneira geral não se conseguia respeito pela pessoa, com o dinheiro, com a riqueza, sobretudo se considerarmos os presos em conjunto, sem fazer distinção, em massa, em grupo. Também não me lembro que algum deles se rebaixasse seriamente pelo dinheiro, ainda que os considerássemos um a um. Comigo eram pedintes, exploradores. Mas nisso havia mais fanfarronería e velhacaria do que outra coisa, mais humor e ingenuidade. Não sei se consigo fazer-me entender... Mas já me esquecia do teatro. Vamos ao assunto.

Enquanto o pano não se erguia, toda a sala apresentava um estranho e animado quadro. Em primeiro lugar tínhamos um grupo de espectadores apertados, comprimidos, sacudidos por todos os lados, cheios de impaciência e com uma expressão de beatitude no rosto, à espera do começo do espetáculo. Nas últimas filas, indivíduos que se apinhavam uns sobre os outros. Muitos tinham trazido madeiros da cozinha; colocando um tronco grosso junto da cozinha, o sujeito empinava-se sobre ele com os pés, apoiava-se com as duas mãos sobre os ombros daquele que tinha na sua frente e, sem mudar de posição, ficava assim duas horas muito satisfeito consigo mesmo e com o seu lugar. Outros encarrapitavam-se sobre o fogão, nos rebordos salientes, e assim ficavam todo tempo, apoiando-se no da frente. Ao lado desta, junto das esteiras, havia também um grosso grupo em cima dos músicos. Aí havia bons lugares. Cinco homens estavam empoleirados em cima do fogão, e aí, de bruços, olhavam para baixo. Que felizardos! Nos parapeitos das janelas, na outra parede, apinhavam-se também grupos de retardatários ou de indivíduos que não tinham conseguido um bom lugar. Todos se mantinham sossegados e com compostura. Todos queriam mostrar perante os senhores e os visitantes a sua melhor parte. Em todos os rosto se refletia a mesma expectativa ingênua. Todos os rostos estavam corados e banhados de suor, devido ao calor e à falta de ar. Que estranho reflexo de alegria pueril, de boa e honesta satisfação refulgia naquelas frontes e faces desfiguradas e marcadas, nos olhares daqueles homens, até ali retraídos e duros, naqueles olhares em que às vezes chispava um fogo estranho! Estavam todos de cabeça descoberta e na primeira fila, todas as cabeças se mostravam rapadas. Mas ouvem-se passos, ruídos, no palco. O pano sobe logo a seguir. A orquestra começa a tocar... É digna de recordar-se, esta orquestra. A um lado, junto das esteiras, estão reunidos oito músicos; dois violinos: um existia no presídio, outro foram buscá-lo não sei onde, ao forte, mas aquele que o tocava era dos nossos; três balalaicas – todas obra dos presos – duas guitarras e um tamborim, em vez de contrabaixo. Os violinos não faziam mais do que ranger e estalar; as guitarras eram péssimas; mas em compensação, as balalaicas eram maravilhosas. A destreza no pulsar das cordas igualava decididamente a do mais hábil executante. Tocavam apenas motivos de dança. Nos passos mais próprios para serem dançados os tocadores batiam com as cabeças dos dedos na tampa das balalaicas; o tom, o gosto, a execução, a maneira de tratar o instrumento, o caráter da reprodução do motivo, tudo aquilo era seu, original, próprio do presídio. Um dos guitarristas sabia também tocar magistralmente o seu instrumento. Era aquele aristocrata que tinha morto o pai. Quanto ao tamborim, havia simplesmente milagres: tão depressa repicava com um só dedo, como passava o polegar pela pele; ora se ouviam pancadas seguidas, retumbantes e monótonas, ora, de repente, aquele dobre forte, cheio, parecia decompor-se numa saraivada, em um número incontável de pequenos, cantantes e claros sons. Finalmente ouviram-se também dois acordeões. Palavra de honra... Eu, até então, não fazia ideia do que podia conseguir-se com esses instrumentos simples e populares; a harmonia entre os sons, a execução, mas, sobretudo, a alma, o caráter da ideia e a reprodução do motivo eram simplesmente admiráveis. Pela primeira vez compreendi então perfeitamente tudo quanto há de infinitamente indômito nas indômitas toadas do bailado russo. Até que o pano subiu. Todos se agitaram, todos mudaram o pé em que se apoiavam, os últimos puseram-se em pontas, outros subiram para o seu madeiro; todos, desde o primeiro ao último, abriram a boca e aguçaram o olhar, e reinou então o silêncio mais completo... O espetáculo ia começar...

Junto de mim estava Ali, de pé, no grupo dos irmãos, e os outros circassianos. Eram todos apaixonados pelo teatro e não faltavam nenhuma noite. Todos os muçulmanos e os tártaros são sempre muito apaixonados por todo gênero de espetáculo, segundo pude observar, não uma só vez, mas várias. Perto deles via-se também Issai Fomitch, o qual, desde que se levantou o pano, era todo olhos e ouvidos e estava possuído da mais ingênua e ávida expectativa de espanto e de gozo. Teria sido doloroso se viesse a ter uma decepção nas suas expectativas. O simpático rosto de Ali brilhava num júbilo tão infantil e belo, que, confesso, sentia uma alegria atroz em olhá-lo, e lembro-me de que, involuntariamente, a cada gesto cômico e acertado dos atores, quando se produzia uma gargalhada geral, eu me voltava imediatamente para olhar para Ali e divertir-me com a sua cara. Ele não me via, não me dava atenção. Muito próximo de mim, do lado esquerdo, encontrava-se de pé um preso já entrado em anos, sempre triste, sempre descontente e resmungando. Pois também ele reparou em Ali e tive oportunidade de observar como se voltava várias vezes para o olhar, com um meio sorriso, tão simpático era ele! Chamava-lhe Ali Siemiônitch, não sei por quê.

Principiou a peça *Filatka e Mirochka;* Filatka (Baklúkhin) tinha, de fato, muita habilidade. Representou o seu papel com admirável fidelidade. Era evidente que meditara cada palavra, cada gesto. Sabia dar intenção e significado a cada palavra e a cada gesto, perfeitamente de acordo com o caráter do seu papel. Acrescentai a esse esforço, a esse estudo admirável, uma alegria espontânea, uma simplicidade e uma naturalidade tais, que se tivésseis visto Baklúkhin, teríeis sem falta de reconhecer que era um verdadeiro ator, um ator nato e com muito talento. Tinha visto já *Filatka,* por mais de uma vez, nos teatros moscovitas e petersburgueses, e declaro terminantemente que os atores dessas capitais, que tinham desempenhado o papel de Filatka, o fizeram pior do que Baklúkhin. Comparados com ele eram artificiais e não uns autênticos camponeses. Punham demasiado empenho em imitá-los. Além disso Baklúkhin era espicaçado pela emulação: todos sabiam que na segunda peça o papel de Kiedril havia de ser desempenhado pelo preso Podsílkin, que todos os outros, não sei por que, consideravam com mais dotes, superior a Baklúkhin, o que muito fazia sofrer este. Quantas vezes se aproximara de mim naqueles últimos dias, comunicando-me os seus sentimentos! Duas horas antes do começo do espetáculo começara a sentir febre. Quando se punham a rir e o público lhe gritava: "Muito bem, Baklúkhin! Bravo!", todo o seu rosto resplandecia de felicidade e nos seus olhos chispava o fogo duma autêntica inspiração. A cena do beijo a Mirochka, quando Filatka grita previamente: "Limpa-te!", e ele se limpa, foi de grande comicidade. Houve uma gargalhada geral. Mas o mais interessante para mim eram os espectadores, que, descontraídos, se entregavam sem peias e sem reservas à sua alegria, à sua satisfação. As ovações repetiam-se cada vez com mais frequência. Aí têm um que dá uma cotovelada ao companheiro e lhe comunica apressadamente as suas impressões, sem saber nem ver quem tem a seu lado; outro, a cada cena cômica, volta-se de repente, entusiasmado, para o público, olha fixamente para todos, como incitando-os a dar risada; agita a mão e logo a seguir volta-se avidamente para o palco. Um terceiro dá estalos com a língua e com os dedos e não pode ficar quieto no seu lugar e, como não pode sair dali, limita-se a mudar de posição. No final da peça a alegria atingiu o cúmulo. Não exagero absolutamente nada. Imaginem um presídio, cadeias, cativeiro, a perspectiva de longos anos tristes à frente, uma vida monótona, num sombrio dia outonal, e que de repente permitem a tudo quanto tem reprimido, soterrado, desentorpecer, alegrar-se, esquecer o pesadelo, fazer um teatro. E de que maneira! Para se pavonearem diante de toda a cidade e deslumbrá-la... para que se saiba, que diabo! quem são os nossos presos. Não há dúvida que, para eles, tudo foi motivo de preocupações: os trajes, por exemplo. Para eles era extraordinariamente curioso verem, por exemplo, Vanhka Otpiéti,[30] ou Nietsvetáiev, ou Baklúkhin, noutro traje completamente diferente daquele com que durante tantos anos diariamente os viam: "Aí o tens: é um presidiário, nada mais que um presidiário; rangem-lhe as cadeias e, no entanto, agora aparece de sobretudo, chapéu redondo, capa... exatamente como um conselheiro de Estado. Pôs uns bigodes e meia

---

30 Morto, no sentido de fracassado, liquidado. Como tantos outros nomes de personagens inventados por Dostoiévski, aproveitando substantivos e adjetivos, e até mesmo verbos, este vem do substantivo *otipietvánie,* que significa o canto funerário, o responso religioso cantado diante do defunto antes de ver enterrado ou conduzido ao cemitério.

peruca postiços. Olha como tira um lencinho vermelho do bolso, como se abana e se dá ares de senhor; tal qual um senhor...". Todos se entusiasmam. O "Caseiro benfeitor" apareceu em cena vestindo uniforme de ajudante, já muito velho, com dragonas, um gorrozinho com borla, e fez um efeito extraordinário. Para esse papel havia dois amadores e – querem acreditar? – os dois, como autênticas crianças, brigaram um com o outro para verem qual dos dois havia de o fazer: queriam os dois ostentar aquele uniforme de oficial com dragonas. Tiveram os outros atores de separá-los e decidiram, por maioria de votos, confiar o papel a Nietsvietáiev, não porque tivesse melhor apresentação que o outro e portanto se parecesse mais com um senhor, mas porque Nietsvietáiev assegurou a todos que apareceria em cena com bastãozinho e havia de atirá-lo ao chão e bater com ele, como um verdadeiro senhor, como o mais refinado frajola, coisa que Vanhka Otpiéti não podia oferecer, pois jamais na sua vida tinha visto um senhor de verdade. E de fato, Nietsvieláiev, ao apresentar-se perante o público no seu papel de senhor, não fez outra coisa senão bater rápida e levemente no chão com o seu fino bastãozinho de cana, que, sabe-se lá onde o teria ido arranjar, provavelmente por considerar isso como o sinal da soberania suprema, da elegância e distinção soberanas. Provavelmente, alguma vez, criança ainda, quando andaria descalço, tivera ocasião de admirar a elegância do vestuário do senhor, com o seu bastãozinho, e se vira talvez seduzido pela sua habilidade para brincar com ele, ficando-lhe essa impressão para sempre bem gravada na alma, de maneira que agora, passados trinta anos, recordava tudo como vira, para completa admiração e gáudio de todo o presídio. Nietsvietáiev estava a tal ponto preocupado com o seu papel que não olhava para nenhum lado nem para ninguém, e até falava sem levantar a vista, e não fazia outra coisa senão seguir com o olhar a ponta da sua bengala. A "Caseira benfeitora" desempenhou também o seu papel de maneira notável; apareceu em cena com um vestido velho, usado, de musselina, que tinha o aspecto de um autêntico farrapo, sem mangas e de decote, com uma cara exageradamente empoada e pintada, uma touca branca de dormir, que se atava debaixo do queixo, uma sombrinha numa mão e na outra um leque de papel pintado, que abanava constantemente. Uma salva de risos acolheu a dama; e nem ela própria conseguia conter-se e por mais de uma vez desatou também a rir. Quem fazia o papel de senhora era o preso Ivanov Sirótkin; ficava muito engraçado, disfarçado de mulher. As cançonetas saíram-lhe muito bem. Em suma: a peça acabou com a mais completa e geral satisfação. Críticos não havia, pois não podia havê-los.

Tornaram depois a tocar a abertura – *Sombras, sombras minhas* – e outra vez o pano se ergueu. Era *Kiedril*. *Kiedril* era qualquer coisa parecida com *Don Juan;* pelo menos, tanto o amo como o criado, no fim da peça, são conduzidos ao inferno. Representaram um ato inteiro, mas, pelo visto, cortado: faltavam o princípio e o fim. Quanto a sentido e intenção, não tinha nenhuns. A ação se passava na Rússia, em alguma estação de postas. O estalajadeiro introduzia o amo no quarto, o qual ia metido numa capa e com chapéu redondo e revirado. Seguia-o seu criado Kiedril, com um baú e um frango assado embrulhado em papel azul. Kiedril trazia pelico curto e gorro de lacaio. Era o glutão. Quem representava esse papel era o preso Podsílkin, o rival de Baklúkhin; quem fazia de senhor era também o mesmo Ivanov, que tinha desempenhado o papel de "Caseira benfeitora" na primeira peça. A estalajadeira, Nietsvietáiev, anuncia ao hóspede que há demônios no quarto e retira-se.

O hóspede, grave e preocupado, resmunga para consigo, dizendo que já sabe disso há muito tempo, e ordena a Kiedril que arrume as coisas e prepare a ceia. Kiedril é covarde e comilão. Ao ouvir falar de demônios, empalidece e treme como uma vara verde. Gostaria de sair correndo, mas tem medo do patrão. Além disso tem apetite. É guloso, néscio e esperto à sua maneira; covarde, a cada passo engana o seu senhor e, ao mesmo tempo, teme-o. É um tipo curioso de criado, que apresenta uns traços vagos e longínquos de Leporello[31] e, de fato, representaram-no de uma maneira notável. Podsílkin tinha inegável talento e, a meu ver, era ainda melhor do que Baklúkhin. Eu, naturalmente, quando no dia seguinte me encontrei com Baklúkhin, não lhe exprimi completamente a minha opinião, pois teria sido para ele um grande desgosto. O preso que fazia o papel de senhor também não o fez mal: disse terríveis absurdos mas a sua pronúncia era correta e insinuante; e o gesto, ponderado. Enquanto Kiedril deixa o baú no chão, o amo caminha no palco, preocupado, de um lado para o outro, e murmura, de maneira que todos possam ouvi-lo, que nessa noite hão de acabar todos os seus desregramentos. Kiedril, curioso, espevita o ouvido, faz caretas e diz apartes e dá assim ocasião a que os espectadores riam à gargalhada, a cada palavra sua. Não tem pena do patrão, mas como ouviu falar de demônios e queria saber que gênero de criaturas serão, começa a fazer observações e perguntas. O patrão explica-lhe por fim como, certa vez, que se encontrou em apuros, implorou a ajuda do inferno, e como os demônios o livraram de dificuldades; mas que termina naquele dia o prazo e que é muito possível que, obedecendo à combinação, venham buscar-lhe a alma. Kiedril começa a sentir medo. Mas o patrão não perde a cabeça e manda-o preparar a ceia. Assim que ouve falar de ceia, Kiedril reanima-se, puxa do frango, de vinho e, ainda antes de ter dado por isso, já ele meteu na boca e engoliu um pedaço de frango. O público ri. De repente a porta range e o vento bate nas janelas; Kiedril estremece, e depressa, quase inconscientemente, mete na boca um pedaço enorme de frango que não pode engolir. Novos risos. "Está pronto?", pergunta-lhe o senhor dando voltas pelo aposento. "Vai já, senhor... estou a prepará-lo", diz Kiedril, que está muito bem sentado à mesa e com a maior tranquilidade se dispõe a comer a ceia do amo. O público estava visivelmente encantado com a insolência e a astúcia do criado e com o fato de o senhor ser um palerma. É preciso reconhecer que, efetivamente, Podsílkin era digno de elogio. A frase "Vou já, senhor... estou a prepará-lo", disse-a de uma maneira admirável. Sentado à mesa, põe-se a comer com sofreguidão, dá um pulo a cada passo do amo, não vá ele reparar no seu atrevimento; assim que ele dá meia volta, esconde-se debaixo da mesa e esconde também o frango. Até que saciou já um pouco o seu apetite; chegou o momento de atender o senhor. "Kiedril, isso está pronto?", grita o amo. "Já está!", responde descaradamente Kiedril, reparando que já pouco resta para o senhor. De fato, há apenas no prato um lombo de frango. O senhor, carrancudo e preocupado, senta-se à mesa sem reparar em nada e Kiedril coloca-se atrás da cadeira com a toalha. Cada palavra, cada gesto, cada careta de Kiedril, quando, voltado para o público, aponta o tolo do patrão, provoca nos espectadores gargalhadas irreprimíveis. Mas eis que, ainda mal o senhor provou o primeiro pedaço, se apresentam os demônios. Agora já não é possível compreender nada e nem os próprios diabos se apresentam

---

31 Personagem de *Don Juan* de Wolfgang A. Mozart (1756-1794), e uma das diversas encarnações do astuto criado de Don Juan.

na maneira como as pessoas imaginam: por uma abertura lateral abre-se uma porta e aparece nela um vulto branco, mas, em vez de cabeça, tem uma lanterna com velas; outro fantasma, também com uma lanterna na cabeça, segura nas mãos um gadanho. Por que as lanternas, por que o gadanho, por que os diabos de branco? Ninguém pode explicar. Embora, afinal, ninguém pense nisso. Assim é e assim deve ser. O senhor vira-se para os diabinhos, com bastante coragem, e comunica-lhes que está disposto a ir com eles. Mas Kiedril tem medo; como uma lebre, esconde-se debaixo da mesa; mas, apesar do seu medo, não se esquece de pegar na garrafa que está em cima da mesa. Os diabos, passado um momento, desaparecem. Kiedril sai de debaixo da mesa; mas ainda mal o senhor começa a atirar-se de novo ao frango, logo três diabos penetram outra vez no quarto, o agarram por trás e carregam com ele. "Kiedril, salva-me!", grita o patrão. Mas Kiedril não pensa em tal coisa. Desta vez levou consigo para debaixo da mesa a garrafa, o prato e até o pão. Mas ei-lo agora sozinho, pois não estão nem os diabinhos nem o patrão. Kiedril sai do seu esconderijo, relanceia a vista à sua volta e um sorriso ilumina o seu rosto. Pisca o olho com malícia, senta-se no lugar do senhor e, fazendo um sinal para o público, murmura em voz baixa: – Eia! Agora já estou sozinho... sem patrão!

Todos acolhem este dito com uma gargalhada. No entanto ele acrescenta a meia voz, dirigindo-se confidencialmente ao público e piscando o olho cada vez com uma malícia mais divertida:

– O patrão foi para os diabos!

O entusiasmo dos espectadores não tem limites. Além daquilo de os diabos terem levado o patrão, a frase foi dita com tal intenção, com uma careta tão cômica e ao mesmo tempo tão solene que, de fato, era impossível não aplaudir. Mas a felicidade de Kiedril não durou muito. Mal acabara de segurar a garrafa, despejar vinho num copo e dispor-se a bebê-lo, quando, de repente, eis outra vez os demônios que se aproximam por trás, nas pontas dos pés, e começam a desancar-lhe as costas. Kiedril grita a plenos pulmões; o seu medo é tanto que não se atreve a olhar para trás. Também mal pode defender-se: tem nas mãos a garrafa e o copo, dos quais não tem coragem de separar-se. Abrindo a boca de espanto, permanece sentado meio minuto, com os olhos fixos no público, com uma expressão tão cômica de medo e covardia, que decerto poderia servir de modelo para um quadro. Agarram-no por fim, levam-no com a garrafa e tudo, enquanto pateia no chão e grita. Os seus gritos são ouvidos para lá dos bastidores. Mas o pano cai e todos riem, todos estão entusiasmados. Então a orquestra começa a tocar a *kamárinskaia*.

Começa baixinho, de um modo quase inaudível, mas o motivo vai-se avolumando cada vez mais, o compasso acelera-se, e ouve-se o ritmo das pancadas nas tampas das balalaicas... A pantomina começa durante a *kamárinskaia*, no seu auge, e teria sido ótimo que Glinka pudesse tê-la ouvido no presídio.

O cenário representa o interior duma cabana, onde se veem o moleiro e a mulher. O moleiro, sentado num canto, prepara os arreios do cavalo; a mulher, noutro canto, fia linho. Quem faz o papel da mulher é Sirótkin; o do moleiro é Nietsvietáiev.

Devo dizer que as nossas decorações eram pobríssimas. Tanto nesta como na peça anterior e nas outras, chegávamos a compreender mais pela imaginação do que por aquilo que víamos com os olhos. O lugar da parede traseira estava coberto com uma espécie de tapete ou gualdrapa de cavalo; a frontaria da direita, por uma colcha velha. O lado esquerdo, descoberto, de maneira que víamos as esteiras. Mas os espectadores não eram exigentes e conseguiam compensar a realidade com a imaginação, coisa de que os presos são bem capazes. "Dizem-lhe que é um jardim, e ele toma-o por tal; que é uma casa, será uma casa; que é uma cabana, será... Tanto faz e não é preciso estar com mais cerimônias." Sirótkin estava muito gracioso no seu disfarce de mulher. Entre os presos ouviram-se alguns galanteios em voz baixa. O moleiro termina o seu trabalho, pega o gorro e o chicote, aproxima-se da mulher e dá-lhe a entender por sinais que tem de sair, mas que, se na sua ausência acontece qualquer coisa... bom, para isso tem ali o chicote. A mulher ouve-o e concorda com um gesto afirmativo da cabeça. Provavelmente já conhece bem aquele chicote: a mulher costuma extraviar-se.

O marido sai. Ainda mal chegou à porta, já a mulher o ameaça com o punho. Decorrem alguns momentos; a porta abre-se e aparece um vizinho, moleiro também, um camponês que veste caftã e usa barba. Traz um presente, um lenço vermelho. A mulher põe-se a rir; mas, assim que o camponês tenta abraçá-la, logo a porta se abre. Onde meter-se? A mulher esconde-o imediatamente debaixo da mesa e ela volta para a roca. Aparece outro adorador: é um escriturário, em uniforme militar. Até aqui a pantomina segue de maneira irrepreensível: cada gesto é exato, até no mínimo pormenor. Havia razão para uma pessoa se admirar ao ver aqueles atores improvisados e, sem querer, chegaríamos a pensar: "Quantas energias e quanto talento se perdem às vezes, aqui, na Rússia, inutilmente, no cativeiro e nos trabalhos forçados!". Mas o preso que fazia o papel de escriturário devia ter já trabalhado em teatros da província ou caseiros, e pensava que os nossos atores, do primeiro ao último, não percebiam nada do assunto e não se portavam como convinha no palco. E ei-lo que se conduz como se conduziam e falavam antigamente nos teatros dos heróis clássicos: caminha a largos passos e ainda não avançou o outro pé, quando para de repente, deita para trás todo o corpo e a cabeça, olha arrogantemente à sua volta e... dá outra passada. Mas se tal maneira de caminhar era já ridícula nos heróis clássicos, mais grotesca se tornava ainda num escriturário militar e numa cena cômica. Entretanto o nosso público pensava que, provavelmente, era assim que era preciso fazer e aceitava as grandes passadas do esgalgado escriturário como um fato consumado, sem crítica especial. Mal o escriturário avançara até ao centro do palco, logo se ouviu outra voz que chamava; a dona da casa fica outra vez atarantada. Onde esconder o escriturário? Num baú que, felizmente, está aberto. O escriturário acocora-se no baú e a mulher fecha-o à chave. Então aparece um visitante especial, também seu pretendente, mas de uma categoria particular. É um brâmane e vem com o traje próprio. Soa uma risada geral entre os presos. Quem faz de brâmane é o preso Kóchkin e desempenha esse papel lindamente. Tem um tipo bramânico. Por meio de gestos, exprime toda a grandeza do seu amor. Ergue as mãos para o céu e depois leva-as ao peito, ao coração; de repente mal acabou com essas ternuras, ouve-se na porta uma pancada forte. Pela maneira de bater conhece-se que é o dono da casa. A mulher fica assustada; fora de si, o brâmane torce as mãos, como se estivesse asfixiado e suplica-lhe que o esconda. Empurra-o rapidamente para trás do armário; mas, esquecendo-se de abrir a porta, volta para a roca e põe-se a fiar, sem ouvir as pancadas que o marido bate na porta; e com o medo pôs-se a fiar um fio imaginário e dá voltas a um fuso que se esqueceu de apoiar no chão. Sirótkin representa admiravelmente essa expressão de susto. Mas o dono da casa abre a porta com um pontapé e aproxima-se da mulher com o chicote. Viu tudo, pois ficara à espreita e dá-lhe a entender, espetando três dedos no ar, que ela tem escondidos três homens. Depois começa a procurar os homens. Primeiro, encontra o vizinho e expulsa-o da cabana aos empurrões. O escriturário, acobardado, quis escapar-se; levanta a tampa do baú com a cabeça e dá assim ocasião a que o vejam. O dono da casa deita-lhe uma chicotada e, desta vez, o escriturário apaixonado não se porta rigorosamente à maneira clássica. Resta o brâmane; o moleiro procura-o durante muito tempo, até que por fim o encontra num canto, atrás do armário; faz-lhe primeiro uma leve reverência e, puxando-o pelas barbas, leva-o para o centro do palco. O brâmane tenta defender-se, grita: "Maldito, maldito!" (a única palavra que se pronunciava na pantomina); mas o campônio não está com meias medidas e trata-o à sua maneira. A mulher, ao ver que se aproxima a sua vez, larga o fuso e sai da cabana correndo. O banquinho rola pelo chão e os presos soltam uma gargalhada. Ali, sem olhar para mim, aperta-me a mão e diz: "Olha! O brâmane, o brâmane!". Mas este também não consegue conter o riso. O pano cai. Principia nova cena.

Mas não vou descrevê-las todas. Havia ainda mais umas duas ou três. Todas elas cômicas e de uma alegria natural. Se não tinham sido escritas pelos próprios presos, tinham pelo menos posto em cada uma delas algo da sua lavra. Quase todos os atores improvisavam da sua cabeça, de maneira que, na noite seguinte, costumava o mesmo ator representá-lo de maneira um pouco diferente. A última pantomina, de caráter fantástico, acabava com um bailado. Enterravam um morto. O brâmane, com os seus numerosos servidores, faz sobre o féretro vários gestos; mas de nada lhe valem. Finalmente ouve-se uma voz: "O sol já se põe!". O morto ressuscita, e todos, muito contentes, põem-se a dançar. O brâmane dança com o morto, e dança de uma maneira especial, à brâmane. E com isto dá-se por terminado o espetáculo, até à noite seguinte. Os nossos saem todos alegres e satisfeitos; elogiam os atores, agradecem ao suboficial. Não se ouviu nenhuma disputa. Todos se mostram invulgarmente contentes, até felizes, e deitam-se, não como das outras vezes, mas com a alma em paz. "Mas por quê?", pode-se perguntar. Não será isto um sonho da minha fantasia? É verdadeiro, real. Só em raras ocasiões se permite a esta pobre gente viver à sua maneira, divertir-se como pessoas, viver, ainda que só por uma hora, de uma maneira que não seja a do presídio; e o homem muda logo moralmente, ainda que seja só por uns minutos... Mas eis que já é noite profunda. Estremeço e acordo bruscamente; o velho continua rezando junto do fogão e ali ficará até amanhecer. Ali dorme tranquilo junto de mim. Lembro-me de que ao deitar-se ainda sorria, falando com os irmãos acerca do teatro e, sem querer, fixo o olhar no seu rosto plácido, infantil. Pouco a pouco, começo a recordar tudo: os últimos dias, a festa, todo aquele mês... Ergo a cabeça com receio e contemplo os meus companheiros adormecidos à luz trêmula das velas de sebo do presídio. Contemplo os seus pobres rostos, os seus pobres catres, toda a sua miséria e nudez irremediáveis; contemplo e parece-me que me convenço de que tudo isto é o prolongamento dum vago sonho e não realidade concreta. Mas não, é realidade. Eis que se ouve não sei que gemido: alguém mexe uma mão, pesadamente, e as cadeias rangem. Outro estremece durante o sono e começa a falar... e o velho do fogão reza por todos os cristãos ortodoxos, e ouve-se a sua voz plácida, branda, tranquila: "Senhor Jesus Cristo, tem piedade de nós!".

"Não é para sempre que estou aqui, mas apenas por alguns anos", penso, e deixo cair outra vez a cabeça sobre a almofada.

Capítulo XII / O hospital

Passado pouco tempo das festas caí doente e levaram-me ao nosso hospital militar. Era um edifício particular, que ficava a meia versta do forte. Um amplo local de um só andar, pintado de amarelo. No verão, quando começaram os trabalhos de reboco, empregaram nele uma enorme quantidade de ocre. No vasto pátio do hospital ficavam a moradia dos médicos e outros edifícios. No corpo principal havia apenas as salas para os doentes. Eram muitas; mas destinavam-nas aos presos, somente dois, e estavam sempre cheias, sobretudo no verão, de maneira que, com muita frequência, era preciso juntar as camas. Estas salas regurgitavam de todo gênero de gente infeliz. Para aqui vinham também os acusados militares de todas as classes, os condenados a castigos corporais, os que já tinham sofrido os castigos, os que tinham adoecido durante a viagem e precisavam de ir ainda para mais longe e, finalmente, os da companhia de castigo: essa instituição especial, de correção, para a qual eram enviados os soldados prevaricantes e dos quais pouco havia a esperar, quanto a emenda na sua conduta, e da qual saíam, geralmente ao fim de dois ou mais anos, transformados nuns parasitas, como seria difícil encontrar outros iguais. Os presos que adoeciam davam parte da sua doença ao suboficial, geralmente da parte da manhã. Apontavam imediatamente o seu nome num livro, e enviavam o doente, juntamente com esse livro e uma sentinela, para o lazareto do batalhão.

Aí eram examinados pelo médico a maioria dos doentes de todos os comandos militares distribuídos pelo forte e aqueles que fossem considerados verdadeiramente doentes eram enviados para o hospital. Tomaram também nota do meu nome no livro, e às duas horas, quando todos os nossos saíam já do presídio para o trabalho da tarde, fui eu conduzido ao hospital. O preso doente costumava levar consigo o dinheiro que podia, pão (pois durante todo aquele dia não podia contar com a comida do hospital), o seu cachimbo, a bolsa do tabaco, fuzil de pederneira e isca. Estes últimos objetos eram cuidadosamente escondidos nas botas. Entrei no vestíbulo do hospital, não sem uma certa curiosidade por aquela nova e para mim desconhecida variação na nossa vida presidial.

Estava um dia morno, triste e nublado: um desses dias em que certos edifícios como um hospital tomam um aspecto especialmente sombrio e lúgubre. Entramos com a escolta no vestíbulo, onde havia dois biombos de cobre e onde aguardavam já outros dois doentes, dos sentenciados a suplício, também com a respectiva escolta. O *feldscher* apareceu, olhou-nos com insolência e autoridade e, ainda com mais insolência, foi avisar o médico de serviço. Este veio logo: examinou-nos, tratou-nos com muita amabilidade e deu-nos papeletas de doentes, nas quais estavam escritos os nossos nomes. As outras indicações referentes à doença, os medicamentos receitados, etc. já tinham sido comunicadas ao enfermeiro encarregado das salas dos presos. Eu já ouvira dizer que os presos não se cansavam de gabar os seus médicos. "Os pais não podiam ser melhores", respondiam às minhas perguntas, quando entrei na enfermaria. Entretanto, despimo-nos. Tiraram-nos o sobretudo e a roupa branca com que entramos e vestiram-nos roupa branca do hospital; deram-nos também meias compridas, pantufas, toucas de dormir e umas batas espessas, de cor preta, feitas de pano e de feltro. Essas batas estavam sujíssimas; mas só reparei nisso quando pus a minha. Pouco depois conduziram-nos às enfermarias dos presos, que ficavam situadas ao fundo dum corredor muito comprido, de teto alto e limpo. O asseio exterior em todas as coisas era surpreendente: tudo quanto via pela primeira vez me parecia brilhante. Aliás, podia ser que me parecesse assim depois de ter estado no presídio. Os dois sentenciados foram para a enfermaria da esquerda; eu, para a direita. Junto da porta, segura por uma cavilha de ferro, estava uma sentinela, de espingarda no braço e, a seu lado, uma subsentinela. O jovem suboficial (da reserva do hospital) mandou que me introduzissem e veio ter comigo a uma sala comprida e estreita, ao longo de cujas duas paredes mais compridas se alinhavam cerca de vinte e duas camas, entre as quais havia duas ou três desocupadas. As camas eram de madeira, pintadas de verde, que todos nós conhecemos tão bem na Rússia: essas mesmas camas que, em virtude de não sei que fatalidade especial, não conseguem nunca ver-se livres de percevejos. Fiquei num canto, na parede onde havia janelas.

Conforme já disse, estavam ali presos dos nossos, dos do presídio. Alguns já me conheciam ou, pelo menos, já me tinham visto antes. Os mais numerosos eram os que estavam pendentes de castigo e os das companhias correcionais. Os gravemente doentes, isto é, aqueles que não se levantavam da cama, eram poucos. Outros, levemente doentes ou convalescentes, estavam sentados em cima das suas camas ou passeavam de um lado para o outro na sala, pois havia um espaço livre entre as camas, suficiente para passear. Na sala havia um ambiente sufocante, doentio. O ar estava carregado de diversas emanações desagradáveis e do cheiro dos remédios, sem contar que todo o dia o fogão estava aceso num canto. Sobre a minha cama estava um roupão caído. Vesti-o. Debaixo do roupão apareceram um vestuário de pano, forrado de algodão, uma roupa interior grosseira e de asseio duvidoso. Junto da cama havia uma mesinha e, sobre ela, um jarrinho e um copinho de estanho. Tudo isto se cobria com um paninho que me tinham entregue. Debaixo da mesinha havia também uma prateleira onde se guardava uma chaleira para os bebedores de chá, outros copinhos de madeira com *kvas*, etc.; mas os bebedores de chá também eram poucos, entre os doentes. O cachimbo e a bolsa do tabaco, que tinham quase todos, sem excluir os tuberculosos, eram escondidos debaixo das camas. O médico e os que estavam às suas ordens quase nunca reparavam nisso e, quando surpreendiam algum com o cachimbo na boca, faziam-se desentendidos. Aliás, os presos eram sempre prudentes e iam fumar para junto do fogão. Talvez, alta noite, se atrevessem a fumar na cama; mas de noite ninguém entrava na enfermaria, a não ser o oficial de guarda ao hospital, quando muito.

Até então eu nunca tinha estado em nenhum hospital; por isso tudo quanto me rodeava era para mim extraordinariamente novo. Observei que despertava uma certa curiosidade. Já tinham ouvido falar de mim e olhavam-me muito descaradamente, até com uma certa presunção de superioridade, como nos colégios olham o novato ou o solicitante, nos lugares oficiais. À minha direita estava deitado um escriturário pendente de castigo, filho natural dum capitão reformado. Tinham-lhe movido um processo por falsificação de moeda e estava ali havia já um ano, segundo parecia, sem estar absolutamente nada doente, mas por ter conseguido convencer os médicos de que tinha um aneurisma. Conseguiu o seu objetivo; perdoaram-lhe o presídio e o castigo corporal e, passado outro ano, enviaram-no para T...k, para tratar-se num hospital. Era um rapaz robusto, forte, de vinte e oito anos, um grande patife, um criminoso, muito esperto, muito orgulhoso e soberbo da sua pessoa, vaidoso, de uma maneira quase mórbida, plenamente convencido de que era o homem mais honesto e justo do mundo, sem culpa absolutamente nenhuma, e viveu sempre nesta convicção. Foi o primeiro a dirigir-me a palavra e começou a interrogar-me com curiosidade, e pôs-me ao corrente das regras exteriores do hospital, com todos os pormenores. Antes de mais informou-me imediatamente que era filho dum capitão. Morria por dar a entender que era de origem nobre, ou, pelo menos, bem nascido. A seguir foi um doente da companhia correcional, o qual começou a afirmar-me que conhecia muitos dos aristocratas antes deportados, designando-os a todos pelos seus nomes e sobrenomes.

Era um soldado já de cabelos brancos; via-se, no seu rosto, que tudo aquilo era mentira. Chamavam-lhe Tchekunov. Era evidente que se tinha aproximado para me falar, suspeitando, provavelmente, que eu tinha dinheiro. Como reparasse no meu embrulhinho de chá e de açúcar, ofereceu-me imediatamente os seus serviços: arranjar-me uma chaleira e fazer-me nela o chá.

A chaleira, tinha-me prometido M... tski que a enviaria no dia seguinte, do presídio, por algum preso dos que iam trabalhar ao hospital. Mas Tchekunov arranjou-me tudo. Trouxe um recipiente de ferro fundido; mais um copo; ferveu a água, fez o chá; em suma: serviu-me com extraordinária diligência, o que lhe valeu imediatamente as observações trocistas dum dos presos. Esse doente era um tuberculoso, que tinha a sua cama em frente da minha, de nome Ustiântsev, soldado pendente de julgamento, aquele mesmo que bebeu um copo de aguardente com uma forte dose de tabaco picado, por medo do castigo, e do qual já falei. Até então tinha permanecido silencioso e respirando ofegantemente, olhando-me fixa e seriamente e seguindo com aborrecimento os movimentos de Tchekunov. Aquela estranha e azeda seriedade transmitia características particularmente cômicas ao seu descontentamento. Por fim, não pode conter-se:

— Olhem que borra-botas! Já arranjou patrão! — exclamou numa voz entrecortada e arquejante, de tão débil que estava. Tinha chegado já aos últimos dias da sua existência.

Tchekunov, muito aborrecido, encarou-o:

— Quem é que é o borra-botas? — exclamou, olhando com desprezo para Ustiântsev:

— O borra-botas és tu! — respondeu imediatamente o outro, num tom de tanta segurança como se se sentisse no pleno direito de insultar Tchekunov e tivesse o dever de o fazer.

— Borra-botas, eu?

— Tu, claro. Escutem, minha gente, parece que não acredita! Fingindo-se admirado!

— A ti que te importa? Não vês que ele está só, indefeso? Vê-se bem que está acostumado a ter quem o sirva. Por que não hei de eu servi-lo, focinho de porco?

— Quem é que é focinho de porco?

— Tu mesmo.

— Eu, focinho de porco?

— Tu, sim!

— Ah! És assim tão jeitoso? Tens uma cara que parece um ovo de grou... Se eu tenho focinho de porco...

— Ora, se tens! Olhem, ele já está quase a esticar o pernil! Mas até assim tem de papaguear. Por que estás aí a palrar?

— Por quê? Mais depressa me inclino diante de um sapato do que de uma alpargata. O meu pai não se inclinava e mandou-me que também não o fizesse. Eu... eu...

Queria continuar mas teve um tremendo ataque de tosse que durou uns minutos e a seguir cuspiu sangue. Depois, um suor frio, torturante, lhe escorreu pela testa estreita. A tosse não o deixou continuar falando; via-se perfeitamente nos seus olhos a vontade que tinha de continuar insultando o outro; mas, devido à falta de força, limitava-se a agitar o braço... De maneira que Tchekunov acabou se esquecendo dele.

Eu senti que a malevolência do tuberculoso se dirigia mais contra mim do que contra Tchekunov. Pelo fato de Tchekunov querer servir alguém e ganhar assim alguns copeques, não tinha nada que ralhar com ele nem que olhá-lo com desdém. Neste ponto, a gente do povo não é tão exigente e sabe muito bem fazer distinções. Eu não fui particularmente simpático para Ustiântsev, não lhe agradava o meu chá, nem que eu, até de cadeias, fosse como um senhor, que não pode passar sem servidores, embora eu não tivesse pedido nada a ninguém nem quisesse nenhum gênero de serviços. De fato, eu desejava sempre fazer tudo, eu próprio, e desejava até bastante não deixar perceber que era um homem de mãos brancas, delicado, senhoril. Nisto, sobretudo, punha o meu amor-próprio, já que tive de falar no caso. Mas aconteceu que – e não me lembro como é que isso acontecia – nunca pude repelir os vários servidores e cortejadores, que se agarravam e acabavam por apoderar-se completamente de mim, de maneira que, na realidade, eram eles os meus verdadeiros senhores e eu o seu criado; mas na aparência era notório que eu era de fato um senhor que não pode prescindir de serviços e de criados. O que sem dúvida me custava muito. Mas Ustiântsev era um tuberculoso, um homem azedado. Os outros doentes tinham ares de indiferença, até com sua presunção de altivez. Lembro-me que estavam todos preocupados com uma circunstância particular: pelas conversas dos presos sabia eu que nessa mesma noite haviam de levar ali um condenado, ao qual castigavam naquele mesmo instante com as vergastadas. Os presos aguardavam o novato com certa curiosidade. Diziam: "No entanto o castigo é leve... Só quinhentas vergastadas".

Relanceei a vista à minha volta, por um momento. Tanto quanto pude observar, os doentes que ali existiam eram na sua maior parte doentes de escorbuto e dos olhos... Doenças predominantes naquela região. Havia na sala alguns desses doentes. Dos outros, verdadeiramente doentes, havia-os com febres, com úlceras várias e doentes do peito. Ali não era como nas outras salas; ali estava reunida toda a espécie de doenças, até venéreas. Disse verdadeiramente doentes porque havia alguns que não estavam, que iam para ali simplesmente para descansar. O médico recebia-os amavelmente, por compaixão, sobretudo quando havia algumas camas disponíveis. A assistência na companhia correcional e no presídio, comparada com a do hospital, parecia tão má que muitos presos optavam gostosamente por se meter na cama, apesar do ar viciado e da sala fechada. Havia até amadores da cama, da vida de hospital; e sobretudo, mais do que ninguém, os da companhia de castigo.

Eu passava revista aos meus companheiros, com curiosidade; mas lembro-me do que me despertou então em mim um, que estava já na última, do presídio, também tuberculoso, que ocupava uma cama perto da de Ustiântsev, e ficava portanto quase na minha frente. Chamavam-lhe Mikháilov; duas semanas antes ainda eu o vira no presídio. Havia muito tempo que estava doente e teria sido muito útil para ele ter-se hospitalizado já há mais tempo; mas tinha-se aguentado a pé firme, com uma paciência obstinada, aliás inutilmente, e só depois das festas entrou no hospital, para morrer ali, passadas três semanas, de uma tuberculose horrível: estava completamente gasto, o homem. A mim, agora, impressionava-me a sua cara extraordinariamente transfigurada, a sua cara, que também já tinha sido uma das que mais me impressionaram quando eu entrei no presídio; lembro-me de que já então reparei muito nele. Junto dele havia uma cama ocupada por um soldado da companhia de castigo, um homem já velho, de má catadura e repelente... Bom, mas não vou enumerar todos os doentes. Recordo agora esse velho unicamente porque me provocou também então uma certa impressão, e num minuto consegui obter uma ideia bastante clara de algumas particularidades da sala dos presos. Lembro-me de que o tal velho tinha nessa altura um catarro fortíssimo. Não fazia outra coisa senão espirrar e passou uma semana espirrando, mesmo quando estava dormindo, sob a forma de salvas de cinco e até de seis espirros consecutivos, e de cada vez exclamava conscienciosamente: "Senhor, mas que castigo!". Sentava-se em cima da cama e enchia avidamente o nariz de tabaco, que tirava de um pacotinho de papel, para espirrar com mais força e maior gosto. Espirrava sobre um lenço de algodão aos quadrados, seu, cem vezes lavado e muito desbotado, com o qual esfregava o nariz de uma maneira especial, vincando uma infinidade de rugazinhas pequenas, e pondo à mostra as raízes dos seus velhos e denegridos dentes e também as suas gengivas vermelhas e apodrecidas. Depois de espirrar, abria imediatamente o lenço, olhava com muita atenção os moncos ali acumulados abundantemente e depois limpava-o ao seu encardido roupão de hospital, de maneira que todo aquele monco ficava ali aderente, enquanto o lenço ficava apenas úmido. Assim fez toda a semana. Aquela mesquinha, tacanha maneira de poupar o lenço à custa do roupão do hospital, não provocava protesto algum da parte dos doentes, embora alguém depois tivesse de pôr aquele mesmo roupão. Mas eu até fiquei assustado naquele momento e pus-me imediatamente a passar revista com repugnância e curiosidade ao meu roupão. E então reparei que havia já bastante tempo que o seu cheiro forte me chamara a atenção; tinha aquecido no meu corpo e cheirava cada vez mais a xarope, a emplastros e, pelo menos era o que me parecia, não sei a que podridão, o que era explicável, pois não saíra dos ombros dos doentes havia já tempos imemoráveis. Talvez o seu forro de algodão tivesse sido cavado alguma vez, mas não sei ao certo. Mas esse forro estava agora impregnado de toda espécie de líquidos repugnantes, de compressas, da água que escorrem as cantáridas, etc. Nessa sala de presos entravam com bastante frequência os supliciados com as vergastadas, de costas chagadas; aplicavam-lhes compressas; mas depois, o roupão, que punham diretamente em cima da camisa úmida, não podia de maneira nenhuma secar, pois absorvia tudo. E durante esses vários anos, durante todo o meu tempo de presídio, sempre que tinha de hospitalizar-me (o que me acontecia com frequência), punha sempre esse roupão com uma enorme desconfiança. Desagradavam-me especialmente os piolhos que costumam encontrar-se nesses roupões e que eram colossais, extraordinariamente gordos. Os presos esmagavam-nos com prazer e quando algum morria, com um estalido debaixo da unha grossa e dura de um deles, podia avaliar-se pela cara do caçador o grau de prazer que sentia com isso. Os percevejos também me repugnavam muito e às vezes acontecia que por um longo e tedioso serão de inverno toda a sala se levantava para exterminá-los. E embora aparentemente tudo estivesse muito limpo na enfermaria (não falando, é claro, no ar pesado); não tinham cuidado com o asseio dos interiores. Os doentes já estavam acostumados a isso e pensavam até que tinha de ser assim, e eles próprios também não observavam regras especiais quanto a asseio. Mas falarei mais adiante das regras...

Assim que Tchekunov me serviu o chá (é preciso dizer que foi feito na água da sala, que traziam uma vez em cada vinte e quatro horas, para todos, e se infectava rapidamente naquele ambiente viciado), a porta abriu-se com um certo barulho e, acompanhado por uma forte escolta, entrou um soldado que acabara de sofrer o castigo das vergastadas. Era aquela a primeira vez que eu via um supliciado. Depois entraram ali com frequência, até alguns dos que sofriam castigos graves, e de todas as vezes aquilo constituía uma grande distração para os doentes. No entanto acolhiam-nos geralmente com uma expressão de severidade forçada, e até também com certa gravidade fingida. Se bem que a recepção dependesse, em parte, do grau de importância do crime e, por conseguinte, da grandeza do castigo. Um indivíduo gravemente supliciado e, portanto, com fama de criminoso, gozava de maior respeito e atenção do que um simples desertor, como esse que agora nos traziam. Mas nem num nem noutro caso havia condolências especiais nem se faziam observações particularmente azedas. Ajudavam o infeliz em silêncio e amparavam-no, sobretudo se não podia passar sem ajuda. Até os *feldscher* sabiam que entregavam o paciente em mãos hábeis. O auxílio prestado consistia, de maneira geral, na frequente e indispensável mudança de um lençol ou da própria camisa empapada em água, que aplicavam sobre as costas doloridas, sobretudo quando a vítima não estava em condições de socorrer-se a si próprio e, além disso, na habilidosa extração das farpas que lhes ficavam muitas vezes enterradas nas costas, farpas essas saídas dos varapaus com os quais tinha sido executado o castigo. Essa última operação em geral era muito dolorosa para o enfermo. Mas eu ficava sempre admirado do extraordinário estoicismo com que eles suportavam a dor física. Muitos supliciados vinham muitíssimo feridos e no entanto raramente algum deles se queixava. Somente o seu rosto parecia transfigurar-se, empalidecer; os seus olhos brilhavam: tinham o olhar fixo, inquieto; os lábios tremiam-lhes, os dentes batiam-lhes como se quisessem morder e não era raro que se mordessem até fazer sangue. O soldado que acabava de chegar era um rapaz de uns vinte e três anos, forte, musculoso, de belo rosto, alto, moreno e bem proporcionado. Tinha as costas completamente laceradas. O corpo, completamente nu da cintura para cima; trazia no ombro um pedaço de lençol molhado, debaixo do qual lhe tremiam os membros todos, como se tivesse febre, e andou meia hora a passear para cima e para baixo, na enfermaria. Eu contemplava o seu rosto; parecia que não pensava em nada naquele instante; olhava de maneira estranha e arredia, os olhos sobressaltados, e percebia-se perfeitamente que lhe era difícil fixar a atenção em qualquer coisa. Pareceu-me que olhava fixamente para o meu chá. O chá estava quente; o vapor saía da chávena e o pobrezinho tiritava de frio, batendo os dentes. Convidei-o a beber. Aproximou-se de mim bruscamente e, em silêncio, pegou na chávena e bebeu de pé e sem açúcar, fazendo-o muito depressa e como se tivesse um empenho especial em não olhar para mim. Depois de o beber todo, devolveu-me a chávena em silêncio e, sem fazer sequer um movimento de cabeça, pôs-se outra vez a andar para cima é para baixo na sala. Ele estava lá para palavras e cumprimentos! Quanto aos presos, todos eles evitavam, por qualquer motivo, entabular conversa com o recruta castigado; mas começaram a ajudá-lo desde o primeiro momento; e depois pareciam pôr um empenho especial em não lhe prestar mais atenção, talvez com o fim de deixá-lo tranquilo e não importuná-lo com mais perguntas e compaixão, o que, segundo parecia, era tudo quanto ele desejava.

Entretanto, escureceu e acenderam a lamparina. Alguns presos pareciam ter também as suas velas privativas, embora não fossem muitas. Finalmente, depois da visita médica da noite, o suboficial tornou a contar todos os doentes e fechou a sala, deixando nela um balde de madeira para de noite... Fiquei admirado ao saber que esse balde ficava ali toda a noite, quando o lugar que verdadeiramente lhe competia era o corredor, que estava a dois passos da porta. Mas era esse o hábito estabelecido. De dia tiravam os presos da sala; mas não por muito mais de um minuto; de noite nunca o faziam. As salas de presos não se pareciam com as vulgares, e o preso doente, até mesmo assim, levava o seu castigo. Quem fosse o primeiro que impôs essa ordem... não sei; sei apenas que em tudo isto não havia nem uma ponta de ordem e que nunca toda a inutilidade desses formalismos se pôs tanto às claras como naquele caso. Essa disposição, é claro, não emanava dos médicos. Repito-o: os presos nunca se cansavam de gabar os seus médicos, consideravam-nos como pais e respeitavam-nos. Todos recebiam deles alguma demonstração de afeto, ouviam alguma palavra amiga, e o preso desprezado por todos apreciava aquilo, porque via a sinceridade e verdade daquela boa palavra e daquela carícia. Podia ter sucedido o contrário; ninguém teria pedido contas, ainda que se tivesse portado de outro modo; isto é duro e desumano; eram bons, por verdadeiro amor à Humanidade. E além disso eles compreendiam que ao doente, fosse quem fosse, preso ou não, era-lhe necessário o ar fresco como a qualquer outro doente de mais alta categoria. Os das outras salas, os convalescentes, por exemplo, podiam sair livremente para o corredor, fazer exercício, respirar um ar menos abafado que o das enfermarias, pesado e inevitavelmente sempre carregado de diversas emanações insalubres. É horrível e cruel imaginar agora até que ponto devia viciar-se aquele ar já viciado à noite, quando introduziam aquele balde, com a temperatura morna da sala e com enfermidades conhecidas, nas quais é impossível passar sem sair. Se há um momento disse que para o preso até a doença é castigo, isso não quer dizer, nem quero dizer agora, que o tivessem estabelecido para esse fim. Isso, naturalmente, teria sido uma absurda calúnia da minha parte. Os doentes não se castigam. Ora, se é assim, conclui-se que alguma coisa grave, severa, imprescindível, obrigou os superiores a ditar essa medida, nociva nas suas consequências. Qual a causa? Mas o pior está em ninguém saber explicar de maneira nenhuma a necessidade dessa e de outras muitas medidas, a tal ponto também incompreensíveis, que não só se torna impossível explicá-las como até vislumbrar a sua explicação. Como explicar semelhante crueldade inútil? Dizendo talvez que o preso pode ir para a enfermaria fingindo-

-se propositadamente doente, enganar os médicos, ir de noite à sala a determinado lugar e fugir, aproveitando-se da obscuridade? Tomar a sério a incongruência de tal suposição parece-me quase impossível. Fugir para onde? Fugir como? Fugir por onde? De dia tiram-nos um a um; pois podiam fazer o mesmo de noite. À porta há uma sentinela com a arma carregada. A retrete fica apenas a dois passos da sentinela; aliás, até aí vai o doente escoltado por uma sentinela que nunca o perde de vista. Aí há apenas uma janelinha de inverno – com vidro duplo e com uma grade de ferro. Debaixo da janela, no pátio, e também debaixo das janelas das salas dos presos, há também uma sentinela toda a noite. Para sair pela janela seria preciso partir o vidro e a grade. Quem o consentiria? Mas suponhamos que primeiramente o fugitivo tivesse morto a sentinela, de maneira que não gritasse e ninguém desse por isso. Concedamos também esse absurdo: da mesma maneira teria de quebrar a janela e a grade. Não se esqueçam que aí, junto da sentinela, dormiam os doentes, e que a dez passos, na outra sala de presos havia outra sentinela e outros doentes. E para onde fugir no inverno, com meias, sapatilhas, o roupão de doente e o gorro de dormir? Ora, sendo o perigo assim tão pequeno (na realidade ele não existia de maneira alguma), para que essa inútil tortura imposta a doentes que talvez se encontrem já nas derradeiras horas da sua vida, a doentes para os quais talvez o ar fresco seja ainda mais preciso do que para os sãos? Para quê? Nunca o pude compreender.

Visto que disse já uma vez: "Para quê?" e a palavra me escapou, não posso deixar de referir-me a outra questão que também durante uns anos pus, mentalmente, perante o fato mais enigmático; e para a qual também de maneira nenhuma consegui arranjar resposta. Não posso deixar de falar nisso, ainda que sejam apenas duas palavras, antes de entrar na minha narrativa. Refiro-me às cadeias, das quais nem na doença o preso consegue livrar-se. Até os tuberculosos morriam à minha vista com as cadeias postas. E, no entanto, todos estavam acostumados a isso e todos as consideravam como algo de perfeitamente indiscutível. Nem há sequer motivo para pensar que alguém se preocupasse com isso, tanto mais que nem os médicos se lembraram, durante todos esses anos, nem uma só vez, de pedir às autoridades que tirassem os ferros de alguns dos presos ou de doentes graves, especialmente aos tuberculosos. Pensemos que as cadeias, só por si, eram muito incomodativas, só Deus sabe quanto. Pesam umas oito a doze libras. Carregar com dez libras não era muito angustioso para um homem são. Além disso disseram-me que, por causa das cadeias, passado alguns anos, os pés começam a adelgaçar. Não sei se isso será verdade, embora realmente tenha certos visos de verossimilhança. Um peso, embora reduzido, pesando apenas dez libras, constantemente ligado ao pé, desfigura um pouco anormalmente todo o membro e, passado algum tempo, pode resultar em consequências prejudiciais... Mas suponhamos que para um homem são isso não representa nada. O mesmo podemos supor para o doente? Admitamos também que não representa nada para um doente vulgar. Mas, repito, e para os doentes graves, e para os tuberculosos, para os que até sem isso ficam de mãos e pés vincados, a um ponto tal que até uma palhinha lhes parece pesada? E se de fato os médicos se preocupassem com aliviar, ainda que fosse só os tuberculosos, isso constituiria só por si um verdadeiro e grande benefício. Suponhamos que surge alguém dizendo que o preso é um malvado indigno de comiseração; mas, até assim, por que agravar o castigo a quem já está assinalado pelo dedo de Deus? É impossível acreditar que isso se faça só por castigo. Ao tuberculoso até a lei o exime aos castigos corporais. De maneira que temos de ver alguma medida misteriosa e importantíssima inspirada na prudência salvadora. Mas quê? É impossível compreendê-lo. Porque, no fundo, é muito difícil, quase impossível mesmo, que um tuberculoso possa fugir. Qual deles pensaria em tal coisa, sobretudo conhecendo os graus de progresso da doença? Fingir-se tuberculoso para enganar os médicos e fugir... é impossível. Com essa doença não pode ser; conhece-se à primeira vista. E, há ainda outra coisa: põem grilhetas nos pés duma pessoa somente para que não fuja ou para dificultar-lhe a fuga? Nada disso... As cadeias... são apenas uma desonra, uma vergonha e uma tortura, tanto física como moral. Pelo menos é o que se pensa. Nunca as cadeias impediram alguém de fugir. O preso mais estúpido e bruto sabe limá-las, sem grande dificuldade e muito rapidamente, ou quebrar os rebites com uma pedra. As grilhetas dos pés não constituem de maneira alguma um obstáculo para fugir; e uma vez que é assim que põem cadeias aos presos apenas para castigá-lo, torno a perguntar: para que castigar um moribundo?

Neste momento em que escrevo isto, lembro-me perfeitamente de um que morreu tuberculoso, daquele mesmo Mikháilov que ocupava uma cama quase em frente da minha, perto de Ustiântsev, e que morreu, lembro-me, no quarto dia da minha entrada no hospital. Talvez eu tenha agora falado dos tuberculosos, repetindo involuntariamente as impressões e ideias que me comoveram por ocasião dessa morte. Aliás, eu mal conhecia Mikháilov. Era ainda um homem muito novo; de uns vinte e cinco anos; alto, seco, com uma figura bem proporcionada. Pertencia à seção especial, e estava sempre estranhamente taciturno, sempre tranquilo, como que animado de uma tristeza plácida. Parecia que estava a asfixiar-se. Adoeceu do peito precisamente no presídio. Pelo menos era o que os presos diziam quando falavam dele, entre os quais deixou uma boa recordação. Lembro-me ainda de que tinha uns olhos muito bonitos e, de fato, não sei por que me recordo tanto dele. Morreu às três da tarde, de um dia frio e claro. Lembro-me de que o sol, atravessando os grossos vidros esverdeados das janelas, levemente cobertos de geada, o iluminava suavemente. Um grosso feixe dos seus raios batia sobre o infeliz. Morreu sem conhecimento e esteve respirando pesada e longamente durante duas horas. Desde a manhã que os seus olhos tinham começado a não reconhecer os que o cercavam. Queria afastar de si tudo o que o oprimia; respirava com dificuldade, profundamente, como se roncasse; o seu peito estava levantado, como se lhe faltasse o ar. Ele próprio afastou a roupa do leito, o vestuário e, por fim, começou a rasgar a camisa. Era horrível olhar para aquele corpo longo, de mãos e pés descarnados, só ossos, consumido, o peito levantado, com as costelas nitidamente marcadas, como as dum esqueleto. Não tinha mais nada sobre o corpo senão uma cruzinha de madeira numa bolsinha, e a cadeia, pela qual parecia poder tirar agora o pé doente. Meia hora antes da sua morte já todos nós estávamos em silêncio e só falávamos casualmente e em voz baixa. Os que caminhavam... faziam-no nas pontas dos pés. Falavam pouco uns com os outros, de coisas secundárias e, de quando em quando, olhavam para o moribundo, que cada vez arquejava com mais força. Finalmente, tateando e com uma mão insegura, procurou sobre o peito a bolsinha com a pequena cruz e começou a querer afastá-la, como se o incomodasse e oprimisse. Tiraram-lhe a bolsa. Dez minutos depois morria. Deram uma pancadinha na porta para chamarem a sentinela e o informaram. O enfermeiro entrou, olhou estupidamente para o morto e foi chamar o *feldscher,* um rapazinho muito bondoso, um pouco demasiado preocupado consigo próprio, que não tardou a aparecer; aproximou-se do morto com passos rápidos, pisando com força a sala silenciosa, e com cara de uma certa satisfação especial, especialmente estudada para aquele transe, como se já esperasse o acontecido, tomou-lhe o pulso, fez um movimento com a mão e foi-se. Participaram imediatamente à guarda o acontecimento; um dos presos exprimiu, numa voz discreta, o pensamento de que deviam fechar os olhos do morto. Houve outro que o escutou atentamente; aproximou-se do cadáver, em silêncio, e fechou-lhe os olhos. Quando reparou na cruzinha que jazia sobre a almofada, apanhou-a, pôs-se a olhá-la e, em silêncio, tornou a pô-la ao pescoço de Mikháilov; depois benzeu-se. Entretanto, a cara do morto tornou-se rígida; os raios do sol brincavam sobre ela; tinha a boca entreaberta; duas fiadas de dentes brancos e juvenis brilhavam por entre os lábios finos e pegados às gengivas. Até que a sentinela chegou finalmente, e o suboficial de guarda, de capacete e espingarda no braço, acompanhado por dois vigilantes. Aproximou-se com passos cada vez mais lentos, olhando assombrado para os presos silenciosos que o olhavam tristemente, de todos os lados. Quando chegou quase junto do morto, parou, rígido, como se tivesse medo. Impressionou-o o cadáver, completamente nu, esquelético, só com as cadeias e, de repente, desligou a corrente do seu capacete, tirou-o, sem que ninguém lho pedisse e persignou-se longamente. Era uma cara severa, envelhecida, de homem experimentado. Lembro-me de que, nesse instante, estava junto dele Tchekunov, também já velho e encanecido. Durante esses momentos esteve sempre olhando para o suboficial, em silêncio e com muita atenção, diretamente e com insistência; e seguia com uma estranha atenção cada um dos seus gestos. Quando os seus olhos se encontraram com os dele, não sei por que, o lábio inferior tremeu-lhe. Devia ter sentido qualquer coisa de estranho; abriu a boca e, rapidamente, apontando desoladamente o morto ao suboficial, disse:

– Ele também tinha mãe! – e retirou-se.

Lembro-me de que essas palavras me trespassaram literalmente... Por que as teria ele dito e por que se teria lembrado delas? Mas eis que começavam a levantar o cadáver; levantavam-no juntamente com o colchão; a palha rangia; as cadeias, no meio do silêncio geral, rolaram ruidosamente pelo chão... Apanharam-nas. Levaram o cadáver. De repente, todos começaram a falar alto. Ouviu-se o suboficial, no corredor, ordenar a alguém que fosse chamar o serralheiro. Era preciso tirar as algemas; ao morto...

Mas já me afastei do assunto.

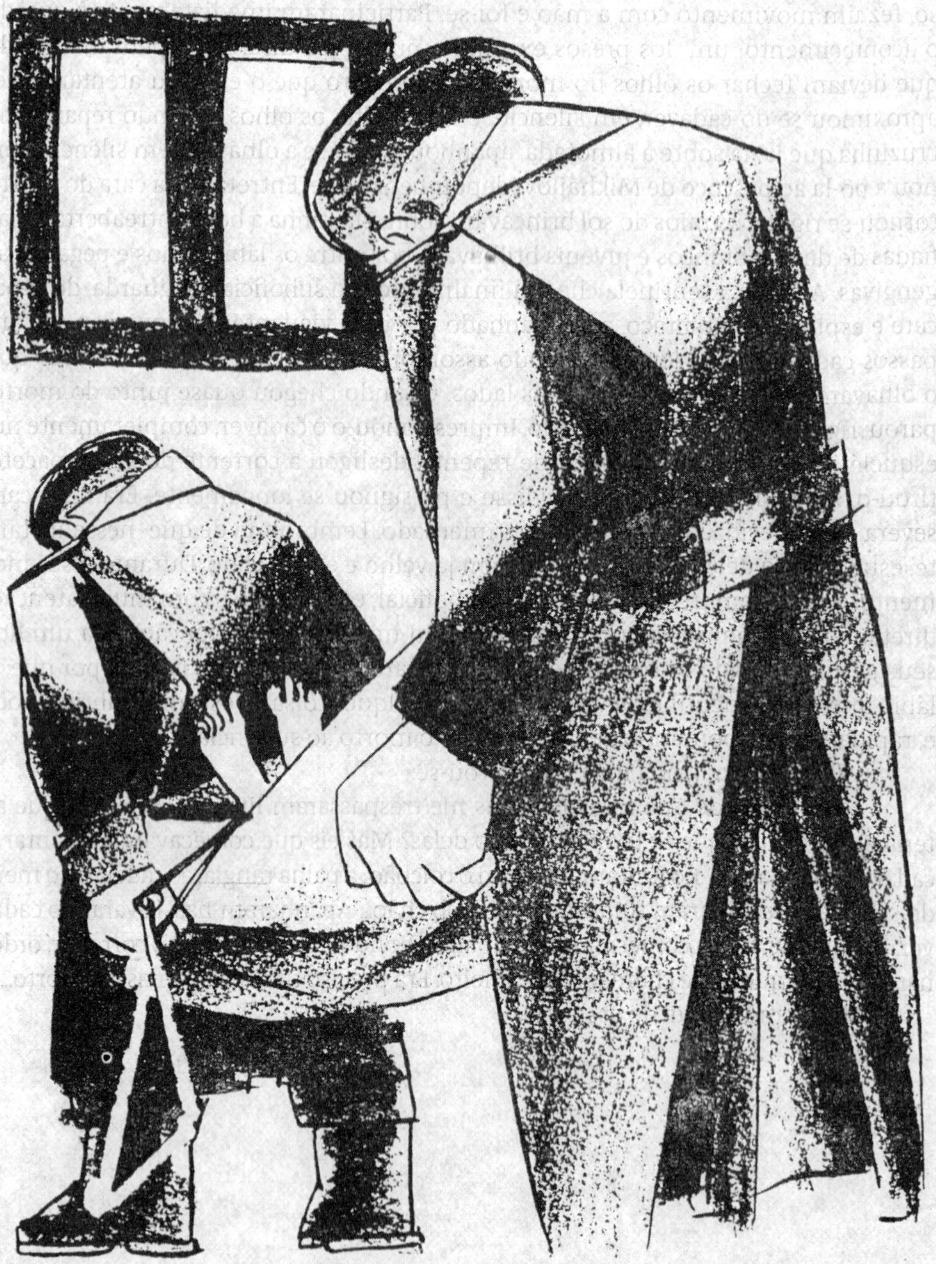

Capítulo XIII / O hospital (continuação)

Os médicos visitavam a enfermaria de manhã; apareciam todos às onze horas, atrás do médico-chefe, e, uma hora antes deles, aparecia na sala a nossa ordenança. Nesse tempo tínhamos como médico de sala um homem novo mas que sabia do seu ofício; era amável, simpático, os presos gostavam muito dele e achavam-lhe só um defeito: ser demasiado modesto. Efetivamente, era inimigo de discussões; parecia que nós o intimidávamos; pouco faltava para que corasse; mudava a dieta ao primeiro pedido do doente e parecia disposto a receitar os medicamentos à medida da sua preferência. Aliás, era um homem fraco. É preciso reconhecer que, na Rússia, muitos médicos gozam do amor e do respeito do povo, o que é justamente merecido. Sei que as minhas palavras hão de parecer paradoxais, sobretudo se tivermos em conta a incredulidade geral do povo russo a respeito da medicina e dos medicamentos exóticos. De fato, as pessoas do povo, até há pouco tempo, ainda que sofressem das piores doenças, prefeririam socorrer-se dos curandeiros ou dos remédios caseiros (que de maneira nenhuma são para desprezar), do que ir procurar o médico ou ir para o hospital. Mas, sem falar nisso, há uma circunstância muito importante, que não tem relação com a Medicina, ou seja, a geral incredulidade de todo o povo a respeito de tudo quanto está ligado à burocracia, às formalidades; além disso a gente do povo tem medo e desconfiança dos hospitais, devido a certas histórias horríveis, frequentemente inventadas, mas que às vezes têm um certo fundamento. Mas temem principalmente a disciplina germânica dos hospitais, o terem gente estranha à sua volta durante todo tempo da doença, a severidade a respeito da alimentação, as histórias acerca do implacável rigor dos *feldscher* e dos médicos, a dissecação e a extração das entranhas dos cadáveres, etc. Além disso o povo pensa também: "Como pretender que um senhor nos cure, se os médicos, seja como for, são senhores também?". Mas, com um conhecimento mais profundo dos médicos (embora não sem exceções mas sim na sua maior parte), todos estes medos desaparecem rapidamente; o que, a meu ver, está relacionado com a honestidade dos nossos médicos, sobretudo dos jovens. Muitos deles sabem granjear o respeito e também o amor do povo. Aliás, eu escrevo daquilo que vi e ouvi muitas vezes e em muitos lugares; e não tenho motivos para pensar que, noutros lugares, as coisas se passassem com demasiada frequência de outra maneira. Não há dúvida que, algumas vezes, o médico deita contas aos seus ganhos, aproveita-se demasiadamente do seu hospital e quase se desinteressa dos doentes e até se esquece da Medicina. Isso acontece, mas eu falo da maioria; ou, para melhor dizer, do espírito, da orientação que existe hoje nos nossos dias, na Medicina. Esses outros, traidores da causa, lobos no redil das ovelhas, digam o que disserem para justificar-se, como por exemplo, que o meio os corrompe; jamais terão justificação, sobretudo se chegaram até o ponto de perderem o amor pela Humanidade. Porque o amor da Humanidade, os bons modos, a fraterna compaixão pelo doente são às vezes mais necessários do que todos os medicamentos. Estamos num tempo em que é sinal de indiferença queixarmo-nos de que o meio nos devora. Suponhamos que isto seja verdade, que corrompe a nossa personalidade; mas nunca completamente e, frequentemente, um velhaco astuto que percebe o caso, encobre e justifica com a influência do meio não só a sua fraqueza mas também muito simplesmente a sua vileza, sobretudo quando sabe falar ou escrever bem. Bem, mas já estou outra vez a desviar-me do meu tema; queria apenas dizer que a gente de inferior condição é verdadeiramente mais incrédula a respeito da administração sanitária do que dos médicos. Assim que chega a perceber como estes são, na realidade, não tarda a perder muitos dos seus antigos preconceitos. A instalação dos nossos sanatórios, até no presente, não corresponde muito ao espírito do povo; é-lhe hostil, com os seus costumes regulamentados, e não estão em condições de granjear decididamente a sua fé e o seu respeito. Pelo menos é o que me parece, a avaliar por algumas das minhas impressões pessoais.

O nosso médico de sala costumava parar junto de cada doente: examinava-o e interrogava-o com a máxima atenção e seriedade, receitava o remédio e a dieta. Às vezes via que o doente não estava realmente doente; mas como o preso ia ali para descansar do trabalho ou para meter-se algum tempo numa cama verdadeira e não nas tábuas nuas das tarimbas e, finalmente, numa sala de temperatura moderada e não no úmido corpo da guarda, onde exiguamente se amontoavam grandes grupos de pálidos e míseros sentenciados (os sentenciados estavam quase sempre pálidos e míseros), sinal de que a sua assistência material e o seu estado de espírito são quase sempre piores que os dos já castigados, o nosso médico assistente diagnosticava, com toda a tranquilidade, uma *febris catarhalis* e permitia-lhe estar ali às vezes uma semana inteira. Todos, entre nós, se riam desta *febris catarhalis*. Sabiam muito bem que se tratava de um acordo tácito entre o médico e o doente, da fórmula para designar uma doença imaginária: "febre de sustento"; conforme traduziam os próprios presos aquela *febris catarhalis*. Às vezes o doente aproveitava-se da brandura do coração do médico e continuava metido na cama até que o expulsavam dali à força. Era então de ver o nosso médico assistente; parecia que não se atrevia, que se envergonhava de dizer na cara do doente que ele já estava bom e tinha de dar-lhe alta, embora estivesse no seu direito de, sem mais rodeios, sem lhe dar satisfações, escrever na papeleta de doente: *sanat est*.[32] Começava por dar-lhe algumas indicações; depois perguntava-lhe: "Então, não é tempo, já? Tu estás quase bom e na sala há poucos lugares", etc., etc., até que o próprio doente acabava por concordar e pedia alta espontaneamente. O médico-chefe, se bem que fosse um homem honesto e amante da Humanidade (os doentes também gostavam muito dele), era, apesar de tudo, incomparavelmente mais rígido e decidido do que o médico da sala, e às vezes mostrava até um severo rigor, e por isso os presos tinham por ele um respeito especial. Aparecia sempre seguido por todos os médicos do hospital, depois do médico da enfermaria; examinava-os também a todos, demorando-se especialmente junto dos doentes graves, aos quais sabia dizer sempre uma palavra bondosa, animadora, até, em algumas ocasiões, reconfortante e geralmente deixava boa impressão. Nunca repelia nem expulsava os atacados de febre de sustento; mas se o doente teimava, então, muito simplesmente, dava-lhe alta: "Vamos, meu amigo, já estiveste bastante tempo de cama descansando; vamos, levanta; é preciso ser honesto". Os que teimavam eram quase sempre os preguiçosos para o trabalho, sobretudo no verão, ou os sentenciados que aguardavam o castigo. Lembro-me que, com um deles, empregaram um rigor especial, ou melhor até, crueldade, para lhe darem alta. Entrara

---

[32] Abreviatura de *sanatus est*: está curado.

para a enfermaria com uma doença de olhos; olhos inflamados; queixava-se de picadas fortes. Tinha sido tratado com cantáridas, sanguessugas, injeções de um líquido especial, etc.; mas a doença, apesar de tudo, persistia; os olhos não se aclaravam. Pouco a pouco, o médico compreendeu a manha; a inflamação, sempre pequena, nem se agravava nem desaparecia, estava sempre no mesmo grau. O caso tornou-se suspeito. Havia já muito tempo que os presos sabiam que era um falso doente, que andava a enganar os outros, embora ele não quisesse reconhecê-lo. Era um rapaz novo, bonito, até; mas dava-nos a todos uma impressão um pouco desagradável; era reservado, receoso, arredio; não falava com ninguém; olhava de soslaio, escondia-se de todos; parecia desconfiar de todos. Lembro-me de que alguns chegaram até a pensar que ele havia de fazer alguma malandragem. Era soldado, tinha roubado muito, foi apanhado e condenado a mil vergastadas e à companhia de castigo. Com o fim de adiar o instante do castigo, conforme disse já, os condenados decidiam-se às vezes a expedientes terríveis: atirarem-se, de faca na mão, na véspera do suplício, sobre algum chefe ou algum preso seu companheiro de trabalho, para terem de ser julgados outra vez, adiando assim por um mês ou dois o castigo e desse modo conseguindo o seu objetivo. Não se detinham a pensar em que deviam ser castigados ao fim de dois meses, com duplo, com triplo rigor; o que procuravam era afastar o momento terrível, ainda que fosse só por uns dias, e depois que fosse o que Deus quisesse. Tal era o extremo a que chegava às vezes a falta de coragem destes infelizes. Entre nós, os presos, costumavam dizer que era preciso ter cuidado com ele, não fosse matar alguém, de noite. Aliás, limitaram-se a falar mas não tomaram qualquer espécie de precauções especiais, nem sequer aqueles que tinham a cama junto da dele. No entanto viam que ele, durante a noite, besuntava os olhos com a cal do estuque da parede e com mais qualquer coisa, a fim de tê-los outra vez inflamados, de manhã. Até que o médico chefe o ameaçou com a mecha de algodão, para manter a supuração, como se fosse um cavalo. Nas doenças crônicas dos olhos, que se prolongam por muito tempo, e quando se experimentaram já todos os recursos da Medicina para salvar a vista, os médicos apelam para um meio forte e doloroso: põem ao doente uma mecha, como se fosse um cavalo. Mas o desgraçado nem assim se restabelecia. Nem sei o que seria aquilo, se coragem ou covardia excessiva, pois a mecha, embora não fosse como as vergastadas, era também muito dolorosa. Seguram o doente por detrás, no pescoço, com a mão, o mais que possam abranger, cortam toda a carne assim apanhada, com uma faca, e fica então aberta uma ferida profunda e extensa em toda a parte ínfero-posterior da cabeça, introduzem nessa ferida uma grande mecha de algodão, quase da grossura dum dedo; depois, todos os dias, à hora marcada, extraem essa mecha da ferida, de maneira que esta se abre de novo para ficar supurando e não se fecha mais. O infeliz sofreu essa tortura teimosamente durante alguns dias, com dores atrozes, até que por fim consentiu em pedir alta. Os olhos ficaram-lhe completamente bons num só dia e quando a ferida do pescoço se fechou, foi levado ao corpo da guarda para receber no dia seguinte outros mil açoites.

    Não há dúvida de que o instante que precede o castigo é muito penoso, tão penoso que pode ser que eu incorra em pecado ao chamar a esse medo pequenez de ânimo e covardia. Devia ser terrível quando se sofria um castigo duplo ou triplo e não era administrado de uma só vez. Já falei de alguns condenados que se apressavam a pedir alta, espontaneamente, quando ainda não tinham sequer as costas cicatrizadas das últimas pancadas, a fim de receberem as restantes e de ficarem definitivamente com as suas culpas saldadas, pois o estar pendente de castigo no corpo da guarda era indubitavelmente pior do que o presídio. Mas, além da diferença de temperamentos, desempenhava também um grande papel na decisão e intrepidez de alguns o costume inveterado das pancadas e dos castigos. Parecia até que os que estão muito acostumados ao azorrague têm também a alma e as costas já endurecidas e que acabam por olhar o castigo com cepticismo, quase como uma doença leve, e não têm medo dele. Um dos nossos presos, da seção especial, um calmuco batizado de Alieksandr ou Alieksandra, como o chamavam entre nós, um rapaz invulgar, velhaco, valente e ao mesmo tempo bondoso, contava-me, rindo e gracejando, mas no entanto com muita seriedade, que, se desde a infância, desde a sua primeira e mais tenra infância, não tivesse sofrido o chicote com tanta frequência, de tal maneira que em toda a sua vida, lá longe, na sua tribo, nunca as costas lhe tinham chegado a cicatrizar, de maneira nenhuma poderia ter resistido àqueles quatro mil. Quando me contava isto, quase que dava graças por essa sua educação, debaixo do chicote. "Alieksandr Pietróvitch, a mim, todos, – disse-me uma vez, sentado na minha esteira, antes de se acenderem as luzes – todos, por isto ou por aquilo, todos me batiam; durante quinze anos seguidos, desde o primeiro dia em que comecei a ter uso da razão, e várias vezes durante o dia; só não me batia aquele que não queria, de tal maneira que acabei acostumando." Não sei como veio parar junto dos soldados; não me recordo, embora possa ser que ele me tivesse contado; era um eterno vagabundo e aventureiro. Só me lembro de que me contou o medo enorme que se apoderou dele quando o condenaram a quatro mil por ter assassinado o seu chefe. "Eu sabia que haviam de dar-me um castigo severo e que talvez não saísse com vida dos açoites, pois, apesar de estar acostumado ao chicote, quatro mil.... não é caso para brincadeira! e, além disso, os chefes estavam todos furiosos contra mim. Eu sabia, sabia de fonte certa, que haviam de bater-me com severidade, que não me levantaria debaixo das vergastas. A princípio pensei fazer-me cristão e disse para comigo: 'Talvez me perdoem'; e embora os meus me dissessem que com isso não conseguiria nada; que não me perdoariam, eu pensava: 'No entanto, vou tentar seja como for, sempre terão mais piedade de um cristão'. E de fato tornei-me cristão e puseram-me o nome de Alieksandr no sagrado batismo; agora, quanto às vergastadas, fiquei na mesma; nem sequer me perdoaram uma; eu tomei isso como um insulto. Disse para comigo: 'Esperem, que eu hei de enganar-vos a todos'. Sabe o que aconteceu, Alieksandr Pietróvitch? Enganei-os! Eu sabia lindamente fingir-me morto; isto é, não completamente morto, mas como se a minha alma estivesse para abandonar o corpo de um momento para o outro. Fui levado para o castigo, deram-me mil pauladas; 'Queima como fogo!' gritava eu; dão-me outras mil. 'Chegou a minha última hora' – pensei; perdi os sentidos, por completo; minhas pernas se dobraram, rolo por terra; tinha os olhos mortiços, a cara arroxeada, mal respirava e a boca cheia de espuma: O médico chegou e declarou: 'Está quase morto'. Levaram-me para a enfermaria, mas eu me reanimei imediatamente. Depois levaram-me outras duas vezes, e já estavam furiosos, muito furiosos comigo; mas eu os enganei por mais duas vezes; ao terceiro milhar, assim que me deram a primeira da série, pus-me logo a morrer; e quando chegou a vez do quarto, parecia que, a cada pancada, era um punhal que me trespassava o coração; cada pancada valia por três, tão fortes eram elas! Enraiveciam-se contra mim. Aquele maldito último milhar (assim lhe...) equivalia a tanto como os três primeiros juntos, e se não entrego a alma ao Criador antes do final (ainda me faltavam duzentas vergastadas) acabaria morto a sério; mas eu não me prestei a isso, outra vez os enganei, morri outra vez; e tornaram a acreditar; como é que não haviam de acreditar; se o próprio médico acreditou? Por isso, os últimos duzentos, apesar de ser como foram, que em outra ocasião, dois mil teriam sido mais leves do que eles, podiam achatar o beque, pois não me mataram; e por que não me mataram? Muito simplesmente porque fui criado debaixo do chicote; desde criança. É por isso que ainda estou neste mundo. Abençoadas pancadas essas! – acrescentou ao terminar a sua narrativa, como que afundado numa triste reflexão, como se se esforçasse por recordar e contar as vezes que lhe tinham batido – mas não – acrescentou passado um minuto de silêncio – não posso calcular quantas foram, já lhes perdi a conta!"

Olhou para mim e sorriu, mas de uma maneira tão bonacheirona que eu também não pude deixar de corresponder-lhe com outro sorriso.

– Sabe, Alieksandr Pietróvitch? Eu, agora, sonho todas as noites que me vão açoitar infalivelmente. É só isso que sonho!

De fato, costumava gritar frequentemente durante a noite, até enrouquecer, de maneira que os presos tinham de acordá-lo à pancada.

– Ó diabo, por que gritas tu?

Era um homem sadio, de estatura mediana, nervoso e jovial, de uns quarenta e cinco anos; dava-se bem com todos, embora gostasse muito de roubar, e por causa disso batiam-lhe muitas vezes. Mas quem é que não roubava e quem é que não apanhava pancada, ali?

Acrescentarei a isto uma só coisa: admirava-me sempre aquela extraordinária bonacheirice com que os chicoteados me falavam de todas as surras ou da maneira como lhes tinham batido e quem tinha sido. Raramente percebia o mais pequeno indício de rancor ou de ódio em tais histórias; depois, às vezes, eram os causadores de que o coração me parasse primeiro e começasse depois a pulsar com violência. Mas eles contavam e riam-se como crianças. Eis M...tski, por exemplo, que me contou o seu castigo; não era nobre e deram-lhe quinhentos. Eu sabia coisas dele por outros e perguntei-lhe:

– Isso é verdade? Como foi?

Ele me respondeu brevemente, como se sentisse uma certa repugnância íntima, como se se esforçasse por não me olhar no rosto, ao mesmo tempo que o seu se ruborizava; passado meio minuto olhou para mim e nos seus olhos brilhava a chama do rancor e os lábios tremiam-lhe de cólera. Eu compreendi que ele nunca poderia esquecer aquela página do seu passado. Mas os outros (não afirmo que não houvesse exceções) quase todos viam isso de outra maneira completamente diferente: "Não é possível – pensava eu às vezes, – que se considerem, a si próprios como absolutamente culpados e dignos do suplício, sobretudo quando pecaram, não contra os seus, mas contra os chefes. A maioria deles não se queixava. Disse já que nunca observei remorsos de consciência, nem naqueles casos em que o crime praticado tinha sido contra a sua própria classe. Dos crimes contra os superiores nem é preciso falar. Parecia-me às vezes que, neste último caso, procediam segundo um ponto de vista pessoal, prático, ou, para melhor dizer, fictício. Tomavam em linha de conta o destino, a irrefutabilidade do fato, e não por reflexão mas sim inconscientemente, como uma crença qualquer. O presidiário, por exemplo, apesar de ter sempre a tendência para considerar-se inocente dos crimes contra os superiores, até ao ponto de parecer-lhe absurda toda pergunta acerca disso, no entanto, aceitava praticamente que os chefes considerassem o seu crime sob outro ponto de vista totalmente diferente, não tendo outro remédio senão castigá-lo. Era uma autêntica luta. O criminoso sabe isso e não duvida de que está justificado perante o juízo do seu meio natural, da sua gente, a qual nunca, e ele sabe isso também, o condenará de um modo definitivo, mas em grande parte, ou até na totalidade, lhe perdoará o seu crime, contanto que este não seja contra os seus, os seus irmãos, da mesma classe do povo a que pertence. A sua consciência está tranquila e essa consciência dá-lhe coragem e não sofre moralmente, e isto é o principal. De certa maneira sente que conta com alguma coisa em que se apoiar, e por isso não experimenta ódio, e encara antes o que aconteceu como um fato inevitável, que não foi começado nem acabado por ele, e se prolongará devido a uma luta que se trava já há muito tempo, passiva mas teimosamente. Qual é o soldado que odeia verdadeiramente o turco, quando guerreia contra ele? E, no entanto, o turco acomete-o e ele aponta e dispara. Aliás, nem todas as histórias eram tão perfeitamente equânimes e benévolas. Do Tenente Tcheriebiátnikov, por exemplo, falavam, embora nem todos, com certas mostras de ódio. Eu conhecia este Tenente Tcheriebiátnikov de ouvir falar acerca dele, desde os primeiros tempos da minha estada no hospital, claro que por referências dos presos. Até que um dia cheguei a conhecê-lo pessoalmente, quando ficou ali, uma vez, de guarda. Era um homem de uns trinta anos, de estatura mediana, gordo, com umas bochechas coradas, regurgitando de gordura, uma dentadura enorme e um riso ameaçador, inquietante. Podia ver-se pela sua cara que era o homem mais atoleimado deste mundo. Gostava muito de castigos, de dar pauladas, quando era designado como executor. Apresso-me a participar que eu já considerava o Tenente Tcheriebiátnikov, por essa altura, como um monstro entre os seus, e os presos consideravam-no da mesma maneira. Além dele havia também carrascos à antiga, é claro, dessa antiguidade recente, cuja tradição está ainda fresca, mas na qual custa a acreditar, os quais gostavam de desempenhar a sua função escrupulosamente. Mas na sua maior parte a coisa se realizava ingenuamente e sem treino especial. O tenente era comparável a um gastrônomo refinado, na sua maneira de ser carrasco. Gostava apaixonadamente da arte de ser verdugo, e amava-a apenas como arte. Isso o deleitava, e, como um patrício do império romano, enfastiado, estragado pelos prazeres, inventara vários requintes, várias modalidades antinaturais, artísticas, com o fim de excitar um pouco e de fazer umas agradáveis cocegazinhas na sua alma, atafulhada de gordura. Eis o momento em que conduzem o preso ao castigo e em que Tcheriebiátnikov faz de carrasco: deita um olhar ao longe e a fileira alinhada de indivíduos, armados de grossos varapaus, começa já a animá-lo. Muito contente, passa revista a essas fileiras e exorta energicamente todos a cumprir a sua missão escrupulosamente, conscienciosamente, senão... Os soldados já sabem o que significa esse "senão". Eis que trazem o próprio réu; se até esse momento ainda não tinha tido notícias acerca de Tcheriebiátnikov, se não ouviu falar pormenorizadamente acerca dele, verá então os gracejos que o

tenente vai dizer-lhe. (E é claro que isso seria apenas uma amostra, pois o tenente, em matéria de invenções, era inesgotável.) Todos os presos (no momento em que o despem da cintura para cima e lhe atam as mãos à culatra da espingarda e puxando pela qual o leva depois o suboficial ao longo de toda a rua verde) todos os presos, dizia, em tal momento começam sempre, seguindo o costume geral, a suplicar ao executor, com voz chorosa, lamurienta, que o castigue com brandura e não ponha rigor excessivo no suplício.

— Vossa Senhoria! — grita o infeliz réu — tenha compaixão, seja meu pai; prometo que rezarei sempre a Deus por Vossa Senhoria; não me mate, tenha piedade!

Tcheriebiátnikov costumava aguardar este momento para suspender imediatamente a coisa e interpelar o réu com uma cara compungida

— Meu amigo — dizia — eu não posso fazer nada por ti, não sou eu quem castiga, mas sim a Lei.

— Está tudo nas mãos de Vossa Senhoria. Tenha piedade!

— Mas tu julgas que eu não tenho pena de ti? Julgas que a mim me agrada ver a maneira como vão surrar-te? Qual! Eu também sou homem! Eu sou um homem ou não sou? Ora diz tu...

— Isso já se sabe, senhor, isso é coisa já sabida; os senhores são os nossos pais e nós somos os seus filhos. Seja Vossa Senhoria o meu pai! — grita o réu começando a alimentar esperanças.

— Mas, meu amigo, já que tens cabeça para pensar, vê bem: eu sei que, humanamente, tenho obrigação de olhar-te a ti, pecador, com benevolência e com doçura.

— Vossa Senhoria acaba de dizer a pura verdade!

— Sim, a olhar-te com doçura, como se não fosses pecador. Mas aqui, repara bem, não se trata de mim, mas da Lei. Lembra-te que eu sirvo a Deus e à Pátria e carregaria a minha consciência de um grande pecado se adulterasse a Lei. Reflete.

— Senhor!

— Bom, no fim de contas, farei isso por ti! Sei que ao fazê-lo cometo um pecado, mas seja... Terei compaixão de ti por esta vez, vou te castigar com brandura. Quem sabe, se, com isto, afinal não te prejudicarei? Desta vez terei piedade de ti; vou te castigar com brandura; mas fixa bem que, se a coisa tornas a repetir-se e tomas a praticar algum delito, então... Juro-te que...

— Senhor! Hei de contar isso a toda a gente, como se estivesse perante o trono do Criador do Céu...

— Bem, bem, está bem, está bem! Mas promete-me que daqui em diante vais ser bom.

— Deus me castigue se... Que no outro mundo...

— Não jures, que é pecado. Eu acredito na tua palavra. Dás a tua palavra?

— Senhor!

— Bem. Escuta: terei compaixão de ti só por essas tuas lágrimas de órfão. Tu és órfão?

— Sou, sim, senhor. De pai e mãe...

— Bem, então, em atenção às tuas lágrimas de órfão... Mas olha que é a última vez... Vamos, levem-no! — ordenava com uma voz tão suave que o réu já não sabia que orações havia de rezar a Deus por um homem tão clemente.

Eis que a terrível procissão se põe em movimento, que o levam: o tambor repica, erguem-se as primeiras vergastadas...

— Com força! – grita fortemente Tcheriebiátnikov. – Batam-lhe, batam-lhe! Sovem-no bem! Mais força, ainda mais! Com mais força, para o órfão, com mais força, para o velhaco! Surrem-no bem, surrem-no bem!

E os soldados batiam com toda a sua força; saltavam chispas dos olhos do infeliz, que começa a gritar; mas Tcheriébiátnikov corre atrás dele ao longo da fileira e ri, ri às gargalhadas, derrete-se a rir, segura as costas com as mãos para aguentar o riso, não pode conter-se; de tal maneira que, por fim, já não pode mais. Mas continua a rir e somente interrompe o seu riso sonoro, são, alegre, de quando em quando, e então ouve-se de novo:

— Batam-lhe! Batam-lhe! Batam com força ao órfão, batam com força ao velhaco!

Mas vejam esta outra variante, também invenção sua. Conduzem o réu ao castigo e ele começa com as súplicas. Desta vez Tcheriebiátnikov não finge, não faz caretas, manifesta-se com franqueza.

— Olha, meu caro amigo – diz – vou castigar-te como é devido; visto que o mereces. Mas ouve o que vou fazer a teu favor: não te atarei à culatra da espingarda. Vais caminhar sozinho, mas de uma maneira diferente. Correrás com todas as tuas forças ao longo da fileira. E ainda que te deem todas as vergastadas, a coisa se torna mais rápida. Que te parece? Queres experimentar?

O réu, duvidoso, escuta incrédulo e reflete: "Tanto faz – diz para consigo. – Pode ser que, efetivamente, assim tudo se abrevie. Correrei o mais depressa que puder e assim o suplício será cinco vezes mais breve e pode ser até que nem todas as vergastas me alcancem."

— Está bem, senhor.

— Bem, então, levem-no. Mas não o atem – grita para os soldados, sabendo no entanto que nem um só pau há de deixar de cair sobre as costas do culpado, pois o soldado que falha o golpe sabe muito bem aquilo a que se expõe. O preso se envaidece, por ir correr com todas as suas forças ao longo da rua verde, mas, naturalmente, não chega na sua carreira nem ao décimo quinto soldado; os paus caem sobre as suas costas como o repicar do tambor e o pobre cai com um grito, desfalecido, como se tivesse sido atingido por um tiro.

— Não, senhor; é melhor fazer conforme manda o regulamento – diz, levantando-se imediatamente do chão, pálido e medroso.

Tcheriebiátnikov, que já de antemão sabia em que ia acabar toda esta brincadeira, desmanchava-se de rir, como um bruto. Mas não vou descrever todas as suas invenções e tudo quanto entre nós se contava acerca dele.

Era de uma maneira um pouco diferente, noutro tom e com outra intenção, que entre nós falavam também de um certo Tenente Smiekálov, que desempenhava o cargo de comandante do nosso presídio antes que viesse para aqui o nosso major da caserna. De Tcheriebiátnikov, embora falassem com bastante imparcialidade, sem ódio especial, não aplaudiam as suas façanhas nem o gabavam, e era evidente que lhe tinham horror. Alguns até o desprezavam. Mas do Tenente Smiekálov recordavam-se entre nós com alegria e prazer. O motivo disso estava em que ele não era apreciador dos castigos: não havia nele nem uma ponta de elemento tcheriebiatnikóvico. No entanto, não era absolutamente oposto ao castigo; mas o certo é que até as suas vergastadas eram recordadas entre os presos com certo prazer, tal era o ponto a que esse homem sabia agradar aos presos! Como é que ele conseguia isso? Como alcançara tanta popularidade? De fato, a população dos presos, e pode dizer-se que todo o povo russo, está sempre disposto a esquecer os suplícios por uma só palavra afetuosa. Falo disto como de um fato, sem relacioná-lo com isto nem com aquilo. É fácil agradar a esta gente a granjear essa popularidade. Mas o Tenente Smiekálov conquistou uma popularidade especial, de tal maneira que chegavam quase a recordar-se com deleite da maneira como ele castigava.

— Nem nos fazia falta o padre – costumavam dizer os presos, e até suspiravam, comparando-o, na sua recordação, o chefe de outros tempos, Smiekálov, com o atual major da caserna. – Era um homem de coração!

Era um homem simples e bom, de seu natural. Mas às vezes acontecia que os cargos de comando eram ocupados por homens não só bons, mas até generosos, e que nem todos gostassem deles e alguns até se rissem deles. O certo é que Smiekálov sabia fazer com que todos o reconhecessem pelo homem que ele era; mas isto é uma espécie de habilidade, ou, para melhor dizer, uma aptidão inata, da qual nem sequer se apercebem aqueles que a possuem. Coisa estranha: costumava haver tipos nitidamente maus e que, apesar disso, conquistavam grande popularidade. Não gritavam nem eram despóticos com as pessoas que dependiam deles e, segundo me parece, devia ser este o motivo disso. Não lhes viam mãos brancas de fidalgo, não tinham cheiro a senhores mas sim um certo cheiro especial da gente de baixa condição, que lhes era inato. E, meu Deus, como o povo fareja esse cheiro! Quem não daria por ele! Está disposto a trocar o homem mais brando pelo mais severo, contanto que exale este cheiro! Que sucederá no caso de o homem que exala este cheiro plebeu, que lhes é próprio, ser ao mesmo tempo bom de seu natural? Nesse caso é para eles um tesouro sem preço!

Conforme disse já, o Tenente Smiekálov, às vezes castigava e bem; mas, fosse como fosse, sabia proceder de maneira que não só não lhe guardavam rancor, mas ainda por cima, no meu tempo, em que tudo isso ia já longe, recordavam as suas coisas a respeito das execuções com riso e até com gosto. Mas, aliás, tinha poucas dessas coisas, não podia vangloriar-se de fantasia artística. Para dizer a verdade, tinha um truque, um só, acerca do qual os presos falaram durante um ano inteiro; mas é possível que fosse tão bom por ser o único. Tinha muito de ingênuo. Levavam-lhe, por exemplo, o preso culpado. O próprio Smiekálov assiste ao castigo. Assiste sorrindo, gracejando, começa a interrogar o réu acerca de algo secundário, dos seus assuntos pessoais, domésticos e prisionais, como se fosse sem qualquer objetivo, nem sequer por chalaça, apenas simplesmente... porque, de fato, gostava de informar-se de todas essas coisas. Trazem as vergastas e a cadeira para Smiekálov: este se senta e acende o cachimbo. Usava um cachimbo muito comprido. O réu começa a suplicar...

— Não, meu amigo, tem paciência, não me venhas agora com... – diz Smiekálov. O réu suspira e conforma-se.

— Um momento, meu amigo, sabes alguns versos de cor?

— Então não havia de saber, senhor? Somos batizados, aprendi-os em criança.

— Bem, então, quero ouvi-los.

E o preso já sabe o que há de recitar e qual é o resultado dessa recitação; que já trinta vezes teve o mesmo gracejo para outros. Sim, também o próprio Smiekálov sabe que o réu não o ignora; sabe que até os soldados que estão ali postados com as vergastas erguidas ao alto sobre a vítima, estendida, já há muito tempo que ouviram falar deste gracejo; e, no entanto, repete-o de novo... pois uma vez lhe agradou e ficou para sempre, talvez precisamente por que o tivesse inventado, por presunções literárias. O preso começa a recitar; os tipos das vergastas esperam; mas Smiekálov até muda de lugar, levanta as mãos e deixa de fumar o seu cachimbo; espera a frase de sempre. Depois dos primeiros versos conhecidos, o preso chega por fim à frase: "Nos Céus". Era isso o que ele esperava.

– Alto! – grita o tenente, excitado e, de repente, voltando-se com um gesto inspirado para o homem que levanta a vergasta, grita:

– Levem-no!

E começa a rir. Os soldados que o circundam também riem; o executor sorri e pouco falta para que o preso ria também, se não fosse o fato de, à voz de comando: "Levem-no para lá", já a vergasta se ergue no ar, para um minuto depois cortar como uma navalha de barbear o seu corpo culpado. E Smiekálov fica contente, porque lhe correu tão bem a coisa... inventada por ele próprio: "nos Céus e levem-no para lá", que de fato rimam.[33] E Smiekálov sai dali perfeitamente satisfeito consigo próprio, o supliciado fica também satisfeito consigo próprio e com Smiekálov, e... passada meia hora anda já contando por todo o presídio como pela trigésima primeira vez se repetiu o já trinta vezes repetido gracejo. Realmente era um homem de coração!

Meia hora depois, a recordação do bondosíssimo tenente tinha qualquer coisa de sedutor.

– Uma vez passava eu diante da casa dele – conta algum dos condenados e todo o seu rosto se ilumina num sorriso, com a recordação – e ele estava lá, sentado junto da janela, de roupão, tomando o chá e fumando o seu cachimbo. Tirei o gorro..

– Onde vais Aksiénov?

– Para o trabalho, Mikhail Vassílievitch, direitinho para a oficina, onde estamos fazendo falta.

Ele sorriu... Era um homem de bom coração, de muito bom coração!

– Nunca mais voltaremos a ter outro igual! – acrescenta algum dos ouvintes.

Capítulo XIV / O hospital (conclusão)

Falei dos castigos, assim como dos vários executores destes interessantes encargos, sobretudo porque foi só quando entrei para o hospital, que pude fazer, uma ideia visual de todas essas coisas.[34] Até então apenas as conhecia de ouvido. Para as nossas salas vinham todos os supliciados com as vergastas, dos vários batalhões, das companhias disciplinares e das outras seções militares estabelecidas na nossa cidade e em todos os seus arredores. Nos primeiras tempos, em que eu contemplava com enorme avidez tudo quanto se passava à minha volta, todas essas coisas, para mim tão estranhas, todos esses castigos e os que tinham sido condenados a sofrê-los provocavam em mim uma fortíssima impressão. Ficava comovido, dorido e assustado. Lembro-me de que então comecei imediatamente a fazer perguntas acerca

---

33   Rimam em russo.
34   Tudo quanto escrevo aqui acerca dos castigos e suplícios refere-se ao meu tempo. Agora tenho ouvido dizer que tudo isso já mudou... ou está para mudar. F. M. Dostoiévski.

desses novos fenômenos, a escutar as narrativas e conversas de outros presos, sobre este tema, e até lhes fazia perguntas, ansioso por saber tudo. Entre outras coisas ansiava conhecer a todo custo todos os trâmites da condenação e da execução, todos os pormenores desta última, e a opinião dos próprios presos acerca de tudo isso; esforçava-me por imaginar o estado psíquico daqueles que se encaminhavam para o suplício. Disse já que, perante o castigo, raro era aquele que conservava o sangue frio, até mesmo aqueles que já anteriormente tinham sofrido mais de uma sova brutal. Quase sempre o condenado sentia um medo terrível, puramente físico, involuntário e inevitável, que afetava todo o ser moral da criatura.

Além do mais, em todos estes anos da minha vida presidiária, observava involuntariamente no hospital como os abandonavam, depois da primeira metade do castigo, e, tratadas as suas costas, para no outro dia irem cumprir a outra metade do castigo a que os tinham condenado. Essa divisão do castigo em duas metades efetuava-se sempre por indicação do médico que assistia ao suplício. Se o número de açoites marcado para o crime era grande, de tal maneira, que o preso não poderia aguentá-los todos de uma vez, dividiam esse número em duas ou em três partes, guiando-se pelo que o médico dizia no próprio momento do castigo, se o réu podia ir avançando ao longo da carreira de vergastas ou se isso acarretaria perigo para a sua vida. De maneira geral, quinhentos, mil, e até mil e quinhentos açoites aguentavam-se de uma vez; mas se o castigo consistia em dois ou três mil, a sua execução fazia-se em duas ou ainda em três vezes. Aqueles cujas costas já estavam cicatrizadas, após terem recebido a primeira metade, saíam do hospital para receber a segunda e, no dia em que lhes era dada alta e na véspera, mostravam-se desusadamente tristes, arredios e irritáveis. Notava-se neles um certo embotamento mental, um estranho ensimesmamento. Não entabulavam conversas e ficavam muito cismativos; o mais curioso de tudo era que os próprios presos nunca lhes dirigiam a palavra e evitavam toda alusão ao que os esperava. Nem palavras de mais nem consolações; procuravam até não fixar a atenção sobre eles. O que sem dúvida era o melhor para o sentenciado. Havia exceções, como, por exemplo, a de Orlov, do qual já falei. Depois da primeira metade do castigo só lhe custava que as suas costas demorassem tanto tempo a cicatrizar, impedindo-o de pedir alta o mais depressa possível, para receber em seguida as outras pancadas, encaminhar-se depois, em caravana, para o lugar de deportação que lhe tinha sido designado e poder assim fugir durante o trajeto. Mas este indivíduo tinha um objetivo e só Deus sabe o que em mente. Era um temperamento estranho e vigoroso. Estava muito satisfeito consigo próprio e num estado de grande exaltação, embora reprimisse os seus sentimentos. O certo era que, antes da primeira metade do castigo, pensava que não escaparia vivo do suplício, que certamente morreria. Até ele tinham chegado já diversos boatos relativos a certas medidas dos chefes, quando ele estava ainda pendente de castigo; já então se preparava para morrer. Mas depois de ter sofrido a primeira metade, ganhou coragem. Entrou no hospital esfrangalhado, meio morto; nunca até então eu vira tais feridas; mas entrou com a alegria no coração, com a esperança de sair com vida, de saber que os boatos eram falsos, de que, de uma vez, já estava livre; depois que, agora, depois do longo processo, começou a sonhar com o caminho, a fuga, a liberdade, os campos e os bosques... Dois dias depois da sua saída do hospital morria ali mesmo, na mesma cama de antes, por não ter suportado a segunda volta de açoites. Mas já falei dele.

E, no entanto, esses mesmos presos que tinham passado dias e noites tão horríveis perante o castigo, sofriam depois o suplício virilmente, até mesmo os fracos. Raras vezes eu os ouvia se queixar, nem sequer os que eram castigados com extrema crueldade; o povo sabe, de maneira geral, suportar a dor. Eu fazia muitas perguntas a respeito da dor. Desejava conhecer concretamente como eram essas dores, com que, no fim de contas, se podiam comparar. Não sei, verdadeiramente, para que desejaria sabê-lo. Lembro-me apenas de uma coisa, mas não por curiosidade vã. Repito, eu estava muito comovido. Mas fosse quem fosse aquele que eu interrogasse, nunca conseguia obter uma resposta que me satisfizesse. "Queima como fogo", era esta a única resposta que me davam e tudo que pude apurar. Nestes primeiros tempos, como eu convivesse mais intimamente com M...m, interroguei-o.

– Dói muito – respondeu-me – mas a impressão é de que queima como fogo, como se uma chama viva queimasse as costas.

Em resumo: coincidiam todos na mesma palavra. Além disso lembro-me de que, então, fiz eu também uma estranha observação, por cuja exatidão não respondo, embora a generalidade das observações dos próprios presos a corrobore firmemente, isto é, que as vergastadas, quando administradas em grande número, representam o castigo mais duro de todos quantos entre nós se empregam. Poderia dizer-se à primeira vista que isto é absurdo e impossível. No entanto, com quinhentas, até com quatrocentas vergastadas, um homem pode ficar à morte e, passadas quinhentas, é certo que morre. Mil vergastadas de uma vez não as aguenta nem o homem de constituição mais robusta. Em compensação, quinhentas pauladas podem aguentar-se sem nenhum risco de morte. A mil, pode resistir sem perigo de vida até um homem de natureza pouco vigorosa. Mais ainda: é impossível matar um homem de forças medianas e de constituição sã. Todos os presos diziam que as vergastadas eram piores que as pauladas.

– As vergastadas dilaceram – diziam – a dor é mais intensa. Não há dúvida de que as vergastas são mais dolorosas que os paus. Excitam mais, atuam mais energicamente sobre os nervos, alteram-nos mais profundamente, quebram-nos extraordinariamente. Não sei como será agora, mas nos tempos de uma antiguidade que não vai longe ainda, havia cavalheiros para os quais a possibilidade de castigar a sua vítima constituía uma sensação que fazia recordar o marquês de Sade e a Brinvilliers. Penso que havia qualquer coisa nessa comoção que aplacava o coração desses cavalheiros: qualquer coisa gostosa e dolorosa, ao mesmo tempo. Há pessoas que parecem tigres ávidos de beber sangue humano. Quem exerceu uma vez esse poder, esse ilimitado domínio sobre o corpo, o sangue e a alma de um semelhante seu, de uma criatura, de um irmão em Cristo; quem conheceu o poder e a plena faculdade de infligir a suprema humilhação a outro ser, que traz em si a imagem de Deus – converte-se sem querer em escravo das suas sensações. A tirania é um costume; possui a faculdade de desenvolver-se e degenera, finalmente, numa doença. Eu afirmo que o melhor dos homens pode embrutecer-se e embotar-se por efeito do hábito, até descer ao nível duma fera. O sangue e o poder embriagam, engendram o embrutecimento, a insensibilidade; tanto a inteligência como o sentimento acabam por achar isso natural e, por fim, aprazíveis as manifestações mais anormais. O homem e o cidadão morrem para sempre no tirano; é-lhe quase impossível regressar à dignidade humana, ao arrependimento, a uma nova vida. Além disso, o exemplo, a possibilidade de tal egoísmo faz aparecer também na sociedade um efeito nocivo: semelhante poder é sedutor. A sociedade que contempla com indiferença esse espetáculo está já minada pela base. Em resumo: o direito de impor castigos corporais, outorgado a um sobre o outro, é uma das pragas da sociedade, é um dos meios mais poderosos para aniquilar nela todo germe de civismo e a base completa para a sua dissolução inevitável e infalível.

A sociedade tem horror ao verdugo; mas o verdugo-cavalheiro também não anda longe. Só há pouco tempo foi exposta a opinião contrária, mas só nos livros, abstratamente. Até aqueles que assim se manifestam, nem todos poderão ainda despojar-se dessa necessidade de domínio. E mais: todo industrial, todo empreiteiro deve infalivelmente experimentar uma certa satisfação comovida pelo fato de um operário e toda a sua família estar inteiramente à sua mercê. Esta é a pura verdade; não é assim tão depressa que o homem se desprende daquilo que herdou; não é assim tão depressa que se alija aquilo que está na massa do sangue, que lhe foi transmitido, como costuma dizer-se, com o leite materno. Não se produzem transformações tão rápidas. Reconhecer a culpa e o pecado original é ainda pouco, pouquíssimo: é preciso desprender-se totalmente deles. Mas isto não é coisa que se faça assim, tão depressa.

Falei do verdugo. A natureza de verdugo encontra-se em germe em quase todo homem contemporâneo. Mas as qualidades brutais do homem não se desenvolvem por igual. Quando, com o desenvolvimento, se abafam num homem todas as outras qualidades, esse homem torna-se, sem dúvida alguma, terrível e selvagem. Há duas espécie de verdugos: voluntários e involuntários, obrigados. O verdugo voluntário é, sob todos os aspectos, pior do que o forçado, o qual, no entanto, provoca no povo tanto espanto e aversão, e até um pavor louco, quase mítico. A que é devido esse terror quase supersticioso do verdugo e essa indiferença, essa quase aprovação em relação ao outro? Há exemplos muito estranhos: conheci pessoas boas e até honestas, até respeitadas na sociedade e, no entanto, não podiam, por exemplo, suportar serenamente que o réu não gritasse debaixo das vergastas nem pedisse clemência. Os réus, quando eram castigados, deviam infalivelmente gritar e pedir compaixão. Era esta a sua mentalidade, tinham isto por decente e imprescindível; e quando acontecia a vítima não gritar, o executor, que eu conhecia, e que a outros respeitos podia passar por um homem, e até por um homem bom, chegava a sentir-se ofendido. Desejaria ter começado a castigar com brandura; mas, como não ouvia as costumadas súplicas "Senhor, pai, tenha piedade, que eu pedirei eternamente a Deus por Vossa Senhoria!", etc... enfurecia-se e mandava dar ao réu mais quinze pancadas, para ver se conseguia arrancar-lhe esses gritos e súplicas... e conseguia. "Não pode tolerar-se uma coisa dessas, é um descaramento", respondia-me muito a sério. Quanto ao verdugo de profissão, forçado, involuntário, já se sabe qual a sua origem: é um preso já julgado e condenado à deportação, que obteve comutação da pena e por isso foi destinado a verdugo; faz a sua aprendizagem com outro verdugo e, uma vez instruído, fica para sempre no presídio com esse encargo, passa a viver aí por sua conta, ocupa moradia à parte e até possui a sua fazendinha, mas sempre sob a guarda de uma sentinela. Não há dúvida de que um homem não é nenhuma máquina; o verdugo bate por obrigação, sim, mas às vezes chega a entusiasmar-se; no entanto, embora o bater lhe produza algum prazer, não sente entretanto nenhum ódio supérfluo contra a sua vítima. A destreza do golpe, o conhecimento do ofício, o desejo de destacar-se entre os camaradas e perante o público esporeiam o seu amor-próprio. Esforça-se pelo seu ofício. Fora disso sabe muito bem que é um réprobo para a sociedade; que em todos os lados encontra um terror supersticioso que o segue por toda parte, e que isto tem sobre ele a influência de fomentar o seu ardor, as suas bestiais inclinações. Até as crianças sabem que os pais o amaldiçoam. Coisa estranha: tive muitas vezes a oportunidade de ver carrascos de perto e de verificar que eram todos homens que sabiam raciocinar, mentalmente desenvolvidos, inteligentes, com uma vaidade extraordinária e até orgulhosos. Seria o caso de se ter desenvolvido neles este orgulho por reação natural contra o desprezo geral que inspiram? Seria provocado pelo reconhecimento do terror que infundem às suas vítimas, e pelo seu sentimento de domínio sobre elas? Não sei. Pode ser que o próprio aparato; a própria teatralidade dessa decoração com que se apresentam em público, sobre o cadafalso, contribua para desenvolver neles um pouco de soberbia. Lembro-me de que uma vez me sucedeu encontrar-me frequentemente durante algum tempo com um verdugo e observá-lo de perto. Era um homem de estatura mediana, musculoso, seco, de uns quarenta anos, de cara bastante simpática e inteligente, e com o cabelo ondulado. Estava sempre com um ar muito grave e tranquilo; tinha o aspecto completo dum cavalheiro; respondia sempre com brevidade, sensatamente, e até com certa amabilidade altiva, como se tivesse razão para mostrar-se orgulhoso perante mim. Os oficiais da guarda costumavam falar com ele diante de mim e, para dizer a verdade, tratavam-no com certo respeito. Ele sabia-o perfeitamente e com os seus superiores dobrava de reserva, de secura e de gravidade. Quanto mais afetuoso se mostrava o superior, mais reservado ele; e embora nunca ultrapassasse os termos duma amabilidade afetada, estou convencido de que, naquele instante, se tinha por infinitamente superior ao chefe que falava com ele. Isso podia ser lido na sua na cara. Acontecia que às vezes, durante as horas ardentes dos dias estivais, o mandavam, com escolta, armado de uma comprida e fina vara, matar os cães vadios da cidade. Naquela cidade abundavam extraordinariamente esses cães, que não tinham dono, e se multiplicavam com extraordinária rapidez. Na época da canícula tornavam-se perigosos, e mandavam o verdugo, por ordem das autoridades, para exterminá-los. Mas até este humilhante encargo não constituía para ele vexame algum. Era curioso ver a dignidade com que atravessava as ruas da cidade, escoltado pela sentinela esgotada, assustando, só com a sua presença, as mulheres e as crianças que encontrava, e a tranquilidade e até altivez com que olhava todos os transeuntes. Aliás, a vida do verdugo é cômoda. Tem dinheiro, come bem, bebe vinho. O dinheiro, recebe-o das gorjetas. O condenado civil, que foi sentenciado a castigo, a primeira coisa que faz, ainda que pertença à classe mais baixa, é gratificar o verdugo. Mas quando se trata dos outros; dos condenados ricos, são eles próprios que lhe apresentam a conta, marcando uma quantia em relação com os recursos prováveis do réu, cobrando-lhes trinta rublos e às vezes mais. Também fazem negócio em grande escala, com os muito ricos. O verdugo não pode castigar com muita brandura: por isso respondem as suas próprias costas. Mas em compensação, pelo preço ajustado promete à vítima não lhe bater com muita força. Cedem quase sempre à sua proposta; senão ele os castiga de maneira bárbara, o que está absolutamente nas suas mãos. Acontece que ele exige uma quantia elevada, até mesmo a um réu pobríssimo; os parentes regateiam e fazem-lhe muitas cortesias; mas ai deles se não chegam a satisfazê-lo! É nestas ocasiões que eles se aproveitam do terror supersticioso que inspiram. Quantas selvajarias não se contam do verdugo! Além disso os próprios presos me afirmaram que o verdugo pode matar com uma só pancada. Mas, em primeiro lugar, quando é que tal se comprovou? Embora, no fim de contas, pudesse ser. Afirmam-no redondamente: Um verdugo afirmou-me ele próprio também que, de fato, assim podia ser. Diziam também que pode bater com todas as forças sobre as costas do réu, mas de maneira que não sofra nem a mais leve arranhadura devido à pancada nem sinta a mínima dor. Correm já por aí demasiadas histórias acerca de todos estes truques e requintes. Mas se o verdugo recebe gratificações para castigar brandamente, apesar de tudo, a primeira pancada pertence-lhe e descarrega-a com todas as suas forças e energias. Isto já se transformou num costume, entre eles. As últimas pancadas dão-se frouxas, sobretudo quando lhes pagaram adiantadamente. Mas a primeira pancada, quer lhes tenham pago ou não; é sua. Não sei, verdadeiramente, por que fazem isso. Talvez para mostrar à sua vítima, nas pancadas seguintes à sua custa, que, depois de uma pancada violenta, as mais fracas já não são tão dolorosas, ou simplesmente pela ânsia de impor-se ao réu, de infundir-lhe medo, mortificá-lo, para que saiba nas mãos de quem está. Em suma: para mostrar o seu poder. Seja como for, o verdugo, antes do início do castigo, encontra-se numa excitação, sente a sua força, reconhece-se poderoso; nesse minuto é um ator: o público admira-o e teme-o, e não há dúvida de que é com certo prazer que grita para a sua vítima, antes da primeira pancada: "aguenta, que queima!", frase habitual e assustadora em tais ocasiões. Custa a imaginar até que ponto pode corromper-se a natureza humana.

    Nos meus primeiros tempos de hospital, escutei todas essas histórias da boca dos presidiários. Para todos era horrivelmente aborrecido. Os dias eram tão iguais uns aos outros! De manhã, ainda nos servia de distração a visita dos médicos, e depois, o desjejum. Não há dúvida de que a comida, numa monotonia daquelas, representava uma distração notável. As dietas eram diferentes, distribuídas em relação às doenças dos enfermos. Alguns recebiam apenas uma sopa com um pouco de cevada; outros, massas, apenas; um terceiro, sêmola, que tinha muitos apreciadores. Os presos, de estarem tanto tempo metidos na cama, acabavam por tornar-se esquisitos e queriam regalar-se. Aos convalescentes e aos que estavam quase bons davam um pedaço de vaca assada, "uma tora", como eles diziam. A melhor de todas as rações era a dos escorbúticos: carne com cebola, rábanos, etc., e também às vezes um copo de aguardente. O pão era, conforme o gênero da doença, negro ou escuro, muito bem cozido. Essa formalidade e prescrição das dietas só inspiravam vontade de rir aos presos. Não há dúvida de que, em certas doenças, o homem chega a não comer. Mas, em compensação, os doentes que tinham apetite comiam o que queriam. Alguns trocavam as suas dietas, de maneira que dietas indicadas para uns doentes eram comidas por outros que sofriam de doenças completamente diferentes. Outros, que deviam observar dieta, comiam carne de vaca e a ração dum escorbútico, e bebiam *kvas*, a bebida do hospital, comprando-o àqueles a quem estava destinado. Alguns ingeriam duas rações. As rações vendiam-se e revendiam-se a dinheiro. A de vaca era muito cara: cinco copeques. Se faltava qualquer coisa na nossa sala, enviavam o enfermeiro à outra enfermaria de presos, e se aí também não havia, mandavam-no às salas dos soldados, dos "livres", como nós lhes chamávamos. Encontrava-se sempre quem quisesse vender a sua ração. Ficavam só com o pão, mas, em compensação, arranjavam dinheiro. Não há dúvida de que a pobreza era geral; mas aqueles que tinham um dinheirinho chegavam até a mandar comprar no mercado tortas, guloseimas, etc. Os nossos enfermeiros cumpriam todos estes recados sem o menor risco. Depois do almoço, começavam as horas mais aborrecidas: um, por não fazer nada, adormecia; outro, tagarelava, este resmungava e aquele punha-se a contar patranhas. Quando não entravam novos doentes, o aborrecimento era ainda maior. A entrada de um novato fazia sempre alguma impressão, sobretudo quando ninguém o conhecia. Olhavam-no, esforçando-se por adivinhar quem seria e como, de onde e por que tinha ido parar ali. Nesses casos interessavam particularmente os que vinham das caravanas de condenados; estes começavam logo a falar, não dos seus assuntos íntimos, é claro; desde que não fosse ele próprio quem falasse acerca disto, os outros também nunca lhe perguntavam mais do que: "De onde vieste? Com quem? Que caminho fizeste? Aonde vais?", etc. Alguns, assim que ouviam a nova história, achavam indispensável contar também alguma coisa a seu respeito; das suas diferentes jornadas, dos castigos e dos chefes de caravanas. Os supliciados com as vergastas chegavam também a essa hora, à tarde. Provocavam sempre uma forte impressão, conforme já disse; mas não apareciam todos os dias e, no dia em que não vinham, sentíamos um tédio tal, que todas aquelas caras se tornavam mutuamente importunas e chegavam até a surgir brigas. Eram para nós um motivo de alegria os loucos que eram trazidos para ficarem em observação. Os réus costumavam entregar-se ao trabalho de se fingirem loucos para escaparem ao castigo. Alguns eram logo forçados a desistir; ou, para melhor dizer, eles próprios decidiam mudar de tática e depois de se terem fingido loucos durante dois ou três dias, tornavam-se sensatos de repente, sem mais nem menos, apaziguavam-se e, tristemente, começavam a pedir alta. Nem os presos nem os médicos os censuravam nem envergonhavam, recordando-lhes a sua recente impostura; davam-lhe alta em silêncio, acompanhavam-nos em silêncio e, daí a dois ou três dias voltavam a aparecer entre nós, já castigados. Mas esses casos eram, de maneira geral, muito raros. Os loucos verdadeiros, colocados em observação, representavam um verdadeiro castigo de Deus para toda a sala. Alguns loucos de bom humor, desinquietos, que gritavam, dançavam e cantavam, a princípio eram acolhidos quase com entusiasmo: "Que engraçado!", diziam, ao verem alguns deles, que entravam fazendo caretas. Mas a mim causavam-me muita compaixão e custava-me muito ver esses desgraçados. Nunca pude olhar a sangue frio para um louco.

Aliás, as caretas ininterruptas e os gestos inquietos do louco que tínhamos acolhido com risos, bem depressa chegavam a aborrecer-nos a todos e, passados dois dias, já tínhamos perdido por completo a paciência. Um desses esteve entre nós três semanas e quase que nos fez fugir dali. Por esse tempo, como se fosse de propósito, levaram para ali um louco que me causou uma impressão muito especial. Aconteceu isso no terceiro ano da minha estada no presídio. No primeiro ano, ou, para melhor dizer, nos primeiros meses da minha vida no presídio, eu costumava sair, na primavera, com um turno para o trabalho, a duas verstas dali, para uma olaria onde havia também oleiros, para ir trabalhar como ajudante de pedreiro. Era preciso reparar os fornos para os próximos trabalhos de olaria, no verão. Nessa manhã, na olaria, M...tski e B*** apresentaram-me ao suboficial Ostrójski, que vivia ali como inspetor. Era um polaco de uns sessenta anos, alto, débil, muito educado e com uma aparência imponente. Havia pouco tempo que fazia serviço na Sibéria, e embora fosse de origem plebeia e tivesse sido soldado, M...tski e B*** gostavam dele e respeitavam-no. Andava sempre lendo uma Bíblia católica. Eu falei com ele e ele me tratou muito afetuosamente, com muito tato; contou-me coisas muito interessantes e olhou-me com muita bondade e nobreza. A partir dessa data, não tornei a vê-lo durante dois anos; tinha apenas ouvido dizer que não sei por que motivo, se encontrava sujeito a uma sindicância, quando, de repente, o introduziram na nossa sala, como louco. Entrou a guinchar, a rir às gargalhadas e, com os gestos mais vulgares e próprios do mujique de Kamarinsk,[35] pôs-se a dançar na sala. Os presos estavam entusiasmados, mas eu tinha uma pena... Passados três dias já não sabíamos o que havíamos de fazer à vida. Brigava, punha tudo num alvoroço, guinchava, cantava até durante a noite, fazia a cada momento coisas tão repugnantes que todos nós ficávamos simplesmente agoniados. Não tinha medo de ninguém. Puseram-lhe uma camisa-de-força, mas, com isso, ainda foi pior para nós, embora sem a camisa pusesse tudo em desordem e ralhasse quase com todos. Durante essas três semanas, às vezes era toda a sala, a uma só voz, pediu-se ao médico-chefe que levassem aquele desordeiro dali para outra sala. E aí, passados dois dias, pediram também a sua transferência para outra. E quando uma vez nos levaram dois loucos, desassossegados e rixentos, colocavam-nos alternadamente numa e noutra sala, trocando os dementes. Mas isso ainda era pior. Só descansamos quando os levaram dali não sei para onde...

Lembro-me também de um louco extraordinário. Trouxeram-nos um dia, no verão, um condenado, sadio mas de figura muito desajeitada, de uns quarenta e cinco anos, com uma cara desfigurada pela varíola, de olhinhos vivos e inflamados e com um aspecto muito severo e sombrio. Colocaram-no junto de mim. Parecia um homem muito pacífico, não falava com ninguém e parecia estar sempre meditando. Já começara a escurecer; de repente, ele me encarou. Sem mais que nem porque, sem quaisquer preâmbulos, mas com o ar de quem deseja comunicar-me um grande segredo, começou a contar-me que, dali a uns dias, iam aplicar-lhe dois mil açoites, mas que por agora não podiam fazê-lo, pois a filha do Coronel G*** estava loucamente apaixonada por ele. Eu olhei para ele, duvidoso, e respondi-lhe que, nesse caso, me parecia que a filha do coronel não poderia fazer nada. Mas eu não sabia nada; é que o tinham levado ali, não como louco, mas como doente comum. Perguntei-lhe que doença era a sua. Respondeu-me que não sabia e que o tinham levado ali por qualquer coisa, mas que ele estava perfeitamente bem de saúde e que a filha do coronel o amava com paixão; que ela o tinha visto uma vez, havia duas semanas, quando passara pelo corpo da guarda, e ele também a vira nessa ocasião por um postigo gradeado. Assim que ela o viu apaixonou-se imediatamente. E, desde então, já por três vezes tinha ido ao corpo da guarda, sempre com vários pretextos: da primeira fora com o pai visitar o irmão, que nesse dia estava como oficial de serviço; na seguinte, em companhia de sua mãe, entregar uma esmola e quando passava em frente dele disse-lhe em voz baixa que o amava e que havia de fazer com

---

35 Dostoiévski já se referiu à dança popular *kamárinskaia* em *A granja de Stiepántchikovo*.

que o pusessem em liberdade. Era estranha a minúcia de pormenores com que me contou todo esse absurdo que, naturalmente, nascera todo completo no seu cérebro doente e alterado. Tinha uma fé cega em que escaparia ao castigo. Falava muito tranquila e convictamente do apaixonado amor que por ele tinha essa menina e, apesar do absurdo de toda essa história, tornava-se estranho ouvir uma narrativa tão fabulosa acerca de uma moça apaixonada por um homem que andava já perto dos cinquenta anos, e com uma cara tão inexpressiva, tétrica e desfigurada. Era surpreendente o que o terror do castigo pudera provocar naquele espírito apoucado. De fato, talvez tivesse visto alguém pelo postigo e a loucura, que se apoderava já dele por causa do terror, agravando-se de hora para hora, encontrou depressa a sua liberdade, a sua forma. Esse pobre soldado, no qual talvez as mulheres não tivessem reparado nem uma só vez, em toda a sua vida, forjou de repente todo esse romance, agarrando-se instintivamente àquilo que podia, nem que fosse uma palhinha. Escutei-o em silêncio e falei depois acerca dele com os outros presos. Mas quando os outros começaram a interrogá-lo curiosos, guardou um silêncio prudente. No dia seguinte o médico fez-lhe muitas perguntas e disse-lhe depois que ele não estava doente, conforme se deduzia do exame, e deu-lhe alta. Só soubemos que o médico tinha escrito *sanat* na sua papeleta quando já tinha saído, e por isso não pudemos falar-lhe do caso. Mas nenhum de nós, então, suspeitava do mais importante. No entanto tudo se reduzia a um erro dos superiores, que o tinham enviado para a nossa sala sem reparar no motivo. Assim se produziu esse descuido. Mas é possível que os que o enviaram suspeitassem de alguma coisa mas não estivessem completamente convencidos da sua loucura e, influenciados por vagos rumores, o tivessem mandado para ali para observação. Fosse como fosse, o desgraçado, passado dias, foi levado ao suplício. Segundo parece o inesperado acontecimento causou-lhe uma impressão profunda; não acreditava que pudessem castigá-lo, e quando o levaram perante as filas, começou a gritar: "Sentinela!". Dessa vez puseram-no no hospital, não na nossa sala, onde havia cama livre, mas noutra. Mas eu perguntei por ele e pude averiguar que, durante os oito dias que ali esteve, não disse sequer uma palavra a ninguém e mostrou-se desassossegado e muito triste... Depois, quando as costas lhe cicatrizaram, levaram-no não sei para onde. Eu, pelo menos, nunca mais voltei a ter notícias dele.

No que se refere a tratamentos e remédios, tanto quanto pude observar, os doentes sem gravidade quase não cumpriam as prescrições do médico e não tomavam os remédios; mas os doentes graves e, de maneira geral, os verdadeiros doentes, gostavam muito de tratar-se, tomavam conscienciosamente as poções e os papelinhos, embora os que mais lhe agradassem fossem os remédios externos. Sanguessugas, cataplasmas e sangrias, tão do agrado também e tão merecedoras de crédito por parte do nosso povo, aceitavam-nas os presos doentes de muito boa vontade e até com prazer.

Havia uma circunstância estranha que muito me chocava. Aqueles mesmos homens que eram tão corajosos quando tinham de suportar as dores torturantes dos paus e das vergastas, costumavam queixar-se por causa de uma simples ventosa. Seria por acaso que se tivessem já tornado muito melindrosos ou que fingiam aqueles melindres? Não tenho explicação para isto. De fato, as nossas ventosas eram de um gênero especial. O pequeno aparelho de picar a pele tinha-o perdido o *feldscher*, ou tinha-o estragado, se é que não se estragara por si, de maneira que agora era preciso abrir na pele os pontos indispensáveis com a lanceta. Para cada ventosa faziam perto de umas doze incisões... O aparelho não provocava dor. Os vinte estiletes atuam de uma só vez ao mesmo tempo e a dor é quase imperceptível. Mas as punções com a lanceta são outra coisa. A lanceta pica, relativamente, com muita lentidão; sente-se a dor; e como, por exemplo, para duas ventosas é preciso fazer umas vinte punções, não há outro remédio senão suportá-las. Eu experimentei isto, mas, embora se sentisse dor e mal-estar, não eram de tal natureza que não se pudesse resistir-lhes sem queixumes. Chegava a ser ridículo, às vezes, olhar para um homenzarrão forte e saudável e vê-lo fazer trejeitos e queixar-se. Geralmente isso fazia o mesmo efeito de quando um homem forte e calmo, pronto para qualquer outra coisa séria, acaba por ser atacado por neurastenia e se torna voluntarioso para com os seus, por permanecer muito tempo sem fazer nada; não come o que lhe apresentam, reclama, insulta; acha tudo mau, tudo o enjoa, todos o tratam mal, todos vivem para atormentá-lo; em suma: vira mau, de gordo, como diz o povo desses senhorinhos que, aliás, abundam também entre o povo; e até não eram raros no nosso presídio, devido à convivência geral. Costumava acontecer na minha sala que começassem a ridicularizar alguns desses melindrosos ou simplesmente a injuriá-los; e esse, então, calava-se, como se não esperasse senão isso para se calar. Ustiântsev gostava muito disso e não perdia nunca ocasião de insultar os piegas. Embora, de maneira geral, não perdesse nunca ocasião de insultar fosse quem fosse. Era este o seu prazer, motivado, naturalmente, pela sua doença, e em parte também pela sua estupidez. Costumava começar por se pôr a olhar muito séria e atentamente, e depois, com voz tranquila, cheia de convicção, punha-se a repreender o interessado. Havia sempre de intrometer-se em tudo; parecia que tinha sido incumbido de velar pela ordem entre nós ou pela moral em geral.

– Mete-se em tudo – costumavam dizer os presos, sorrindo. Mas tratavam-no com delicadeza, evitavam rixar com ele, e só de vez em quando se excediam.

– És um caluniador! Nem em três carradas cabem as tuas mentiras.

– A quem é que eu calunio? Diante de um burro, ninguém tira o chapéu, isso já se sabe. Por que grita ele dessa maneira, por causa da lanceta? Aguenta!

– Mas, a ti, que te interessa?

– Nada, meus amigos – interrompia um dos nossos presos – as ventosas não valem nada, eu já as experimentei, mas não há dor pior do que quando lhe puxam muito a orelha.

Todos se puseram a rir.

– Mas, a tua, puxaram?

– Julgas que não? Claro que sim, que puxaram.

– Por isso tu tens as orelhas tão grandes e tão espetadas.

Esse presidiário, Chápkin, tinha de fato umas orelhas muito compridas, espetadas de ambos os lados. Era um vagabundo, ainda novo, manhoso e pacífico, que se exprimia sempre com um certo humorismo fingido e grave, o que comunicava certa comicidade a algumas das suas histórias.

– Como havia eu de pensar que te puxaram as orelhas? Como podia eu pensar isso de ti, que és tão esperto? – insistia de novo Ustiântsev, encarando Chápkin, embora, aliás, isso não se dirigisse a ele sozinho mas sim a todos em geral; mas Chápkin nem sequer olhava para ele.

– E as tuas, quem puxou? – perguntou-lhe outro.

— Quem? Já toda a gente sabe muito bem que foi o carrasco. Isso, meus amigos, foi por causa da vagabundagem. Chegamos uma vez a K***, éramos dois e mais outro, todos vagabundos. Durante o caminho tínhamos enchido um pouco a bolsa em Tolminó, uma aldeia que se chama assim. Bem. Entramos e olhamos; as coisas não estavam mal. No campo há quatro liberdades, na cidade, nenhuma, isso já se sabe. Pois bem: a primeira coisa que fizemos foi ir para a pousada. Olhamos. Aproxima-se um, pelo visto enegrecido pelo sol, com os cotovelos rotos, vestido à alemã. Começamos a falar...

— Os senhores – diz-nos ele – deem-me licença que lhes pergunte: trazem documentação?

— Não – respondo-lhe eu.

— Nós também não. E comigo vêm dois amigos – disse – também da casa do general Kukúchkin,[36] somos servos. Por isso tomo a liberdade de perguntar-lhe se não poderia convidar-nos. Se poderia oferecer-nos alguma bebida...

— Com muito gosto – respondemos-lhe. – Pois bem, bebemos. E entretanto começamos a tratar de um assunto da nossa "competência". A casa ficava no extremo do caminho e nela vivia um burguês opulento, e decidimos visitá-la de noite. E nessa mesma noite todos caímos ali na armadilha. Apanharam-nos e fomos levados à presença do juiz. "Eu próprio – disse – os interrogo." Apareceu com o seu cachimbo, seguido de um criado com uma chávena de chá; era um tipo gordo, de suíças. Sentou. Entretanto tinham trazido para ali outros três indivíduos, também vagabundos. O vagabundo é um homem com graça, meus amigos; não se lembra de nada, absolutamente; ainda que lhes deem uma bordoada na cabeça, esquecem-se de tudo, não sabe nada. O juiz me encarou:

— Quem és tu? – e parecia estar gritando dentro de um túnel. Bem; eu, como é sabido, disse o costume:

— Não me lembro de nada, Vossa Senhoria; esqueci-me de tudo.

— Espera, espera, que eu já te digo, a tua cara não me é desconhecida – e olhava para mim com uns olhos enormes, Mas eu nunca o vira até então. Voltou-se para o outro:

— Quem és tu?

— "Fisga-te", senhor.

— Teu nome é Fisga-te?

— Sim, senhor.

— Bem, está bem. És Fisga-te; e tu? – perguntou ao terceiro, já se sabe.

— Chamo-me "Eu vou atrás dele".

— Chamas-te assim, vadio?

— É assim que me chamam as pessoas boas. Há muita gente boa no mundo, senhor, isso já se sabe.

— E quem são essas pessoas boas?

— Estou um pouco esquecido, senhor; queira perdoar-me, por caridade.

— Esqueces-te completamente?

— Completamente, senhor.

— Mas, tu, com certeza que também deves ter tido pai e mãe... não te lembras deles?

---

[36] Ou seja, do bosque, onde canta o cuco. Quer dizer que êles também são vagabundos. F. M. DOSTOIÉVSKI.

– Com certeza que tive, senhor; mas o certo é que também não me lembro deles; pode ser que os tenha tido, senhor.
– Mas onde tens vivido até agora?
– No bosque, senhor.
– Sempre no bosque?
– Sempre no bosque, senhor.
– E no inverno?
– Ao inverno não cheguei a vê-lo, senhor.
– Bem; e tu, como te chamas?
– "Machado", senhor.
– E tu?
– "Come e não bocejes", senhor.
– E tu?
– "Anda com tento", senhor.
– E não se lembram de nada?
– De nada, senhor.
Levanta, sorri e eles olham para ele, rindo. Bem; mas, às vezes dão-te um soco nos dentes quando acham o riso descabido. Mas todos estes tipos são gordos e bem nutridos...
– Levem-nos para a prisão – disse. – Eu vou com eles; mas, eh! tu, espera aí... quero dizer-te uma coisa... Vem cá, senta!
Olho: uma mesa, papel e pena. Penso: "Que andará ele maquinando?".
– Senta aí – diz – à mesa, pega na pena e escreve – e agarrou-me pela orelha e começou a puxar. Eu olho para ele como o diabo olha para o pope.
– Não sei escrever, senhor – digo eu.
– Escreve!
– Tenha piedade, senhoria.
– Escreve como souberes, mas escreve! – e continua puxando a minha orelha e a torcê-la! Bem, meus amigos, só lhes digo que preferia ter levado trezentas pauladas do que ouvir aqueles gritos de "Escreve e nem mais um pio!".
– Mas ele estava bêbado ou que tinha ele?
– Não, não estava bêbado. E que em T***, um escriturário roubara a caixa e fugira com ela, e o homem também tinha as orelhas como abanos. Bem, e tinham-no anunciado por todos os lados. Eu, pelos sinais, me parecia com ele, e foi por isso que, assim que me viu, começou a embirrar comigo; queria ver se eu sabia escrever e como era a minha letra!
– Mas que tipo! E doía?
– Ai não, que não doía!
Houve uma gargalhada geral.
– Bem, e escreveste?
– Que havia eu de escrever? Mas ele me pegou na mão e tirou-me a pena; escreveu num papel e depois parou. Deu-me dez bofetões e depois, é claro, largou-me, isto é, mandou-me para o presídio.
– Mas tu sabias escrever?
– Dantes, sabia; mas agora, desde que se escreve com estas penas, já me esqueci...
Eis aqui com que histórias, ou melhor, com que tagarelices nós passávamos

às vezes o nosso aborrecido tempo. Senhor, que aborrecimento esse! Dias longos, opressivos, todos iguais, sem a mais leve mudança. Ainda se ao menos tivéssemos um livro! E dizer que eu, sobretudo a princípio, amiudava as minhas visitas ao hospital, umas vezes como doente e outras para descansar; o que interessava era sair do presídio. Porque este era horrível, muito mais horrível do que o hospital, incomparavelmente pior. Maldade, hostilidade, inveja, ataques contínuos contra nós, os aristocratas; caras sombrias, mal-humoradas. Aqui, no hospital, vivíamos todos num plano de maior igualdade, mais amigavelmente. O momento mais triste do dia era à tarde, quando acendiam as luzes e se fazia noite. Deitávamo-nos cedo. Uma lamparina fosca brilhava ao longe, junto da porta, como um pontinho luminoso; mas o fundo da sala ficava na escuridão. O ambiente era pesado e fedorento. Há algum que não pode dormir, endireita-se e fica sentado hora e meia na cama, inclinando a cabeça com o gorro de dormir, como se meditasse. Uma pessoa fica olhando para ele uma hora, esforçando-se por adivinhar em que estará ele pensando, com o fim de matar também o tempo de qualquer maneira. E então põe-se a sonhar, a recordar o passado, e surgem quadros amplos e brilhantes, evocados pela fantasia; e recordam-se pormenores que, noutro tempo, não teríamos recordado nem nos teriam causado tanta impressão como agora. E depois começa-se a pensar no futuro: "Como se sairá do presídio? Para onde ir, depois? Quando será isso? Ao sair, vai se encontrar alguém de família?". Uma pessoa pensa e repensa e a esperança nasce na sua alma. Mas outras vezes põe-se simplesmente a contar: "Um, dois, três", etc., com a única intenção de ver se assim adormece. Eu, às vezes, contava até três mil e não adormecia. Mas eis que alguém se volta para o outro lado e a cama range. Ustiântsev tosse, com a sua tosse cheia de expectoração, de tísico; depois solta um débil gemido e diz sempre: "Senhor, pequei!". E é terrível ouvir essa voz doente, enfraquecida e surda, no meio do silêncio absoluto. Mas eis que em qualquer parte, num canto, há dois que não dormem e falam de cama para cama. Um fala da sua vida, de algo longínquo, esquecido, vago, de filhos, de uma mulher, da antiga ordem das coisas. E sente-se que tudo isso de que fala jamais voltará para ele; mas ele, o narrador... é como um membro decepado; o outro escuta. Ouve-se apenas um fraco e significativo barulhinho, como de água que corresse ao longe... Lembro-me que, uma vez, numa longa noite de inverno me aconteceu ouvir uma certa história. Pareceu-me então como um sonho febril, como se eu tivesse estado com febre e delirante, e tivesse sonhado tudo isso no ardor da febre, ensandecido...

Capítulo XV / O marido da Akulhka (conto)

Uma noite, era já tarde, meia-noite. Eu já adormecera, mas de repente, despertei. A turva, sumida luzinha da longínqua lamparina, mal alumiava a sala... Quase todos dormiam. Até Ustiântsev dormia também e podia ouvir-se no meio do silêncio a dificuldade com que ele respirava e como a garganta lhe estertorava de mucos a cada aspiração. De repente ouviram-se ao longe, nos corredores, os passos pesados da sentinela que se aproximava para a rendição. Ouviu-se o bater duro duma culatra sobre o chão. A enfermaria abriu-se; o cabo entrou com cautela e contou os doentes. Passado um minuto tornaram a fechar a sala, uma nova sentinela ficou ali postada, a outra afastou-se e de novo voltou o silêncio de antes. Foi então que reparei que, perto de mim, à esquerda, havia dois que não dormiam e pareciam cochichar entre si. Isso costumava acontecer nas enfermarias; estavam às vezes dias e meses inteiros deitados um junto do outro, sem dizerem uma palavra, e de repente, numa hora avançada da noite, começava um a falar e a contar todo o seu passado ao vizinho.

Aqueles, pelo visto, havia já algum tempo que falavam. A princípio não reparei nisso e também não podia ouvir bem o que diziam; mas pouco a pouco fui-me acostumando e comecei a compreender tudo. Não tinha sono. Que fazer senão escutar? Um deles falava com entusiasmo, meio erguido na cama, baixando a voz e estendendo o pescoço na direção do camarada. Estava visivelmente exaltado, excitado; percebia-se que tinha uma grande vontade de contar. O seu ouvinte estava sentado na cama, sério e com uma indiferença absoluta, esticando os pés, e de vez em quando murmurava qualquer coisa à guisa de resposta ou em sinal de atenção para com o amigo, mas como se o fizesse apenas por dever e não por amizade, e enchia a cada momento o nariz de tabaco, que tirava de uma tabaqueira de osso. Era um soldado da companhia disciplinar, Tchevierin, um homem de uns cinquenta anos, terrível pedante, calculista frio, um imbecil muito soberbo de si próprio. O narrador, Chichkov, era um homem ainda novo, de menos de trinta anos; era um preso civil, que trabalhava na alfaiataria. Até então eu mal tinha reparado nele; e depois também pouco me preocupei com ele, durante todo o tempo da minha vida de presidiário. Era um homem vazio e de poucas luzes. Às vezes ficava calado, punha-se tristonho, arredio, e durante um mês não falava. Mas outras vezes, de repente, metia-se naquilo que não lhe dizia respeito, começava a contar mexericos, exaltava-se por qualquer insignificância, andava de alojamento em alojamento, levava notícias, propalava calúnias, perdia a cabeça. Quando lhe batiam, tornava a calar-se. Era um indivíduo covarde e digno de dó. Todos o tratavam com certo desprezo. Era baixo, fracote, tinha uns olhos inquietos e que pareciam às vezes meditar profundamente. Quando lhe acontecia contar qualquer coisa, começava com muito entusiasmo, até gesticulava, e de repente interrompia-se ou mudava para outra coisa, distraindo-se com novos pormenores, até se esquecer por onde começara. Brigava com frequência e quando se desentendia com alguém punha-se sem falta a dirigir-lhe censuras, a jogar-lhe na cara qualquer falta que tivesse cometido, falava com muita veemência e a dois dedos do pranto... Mas não tocava mal balalaica e gostava de tocá-la, e nos dias de festa também dançava, e dançava bem, quando lhe pediam... Era fácil conseguir que fizesse uma coisa... Não que fosse complacente de seu natural, mas gostava de cultivar a amizade e de agradar aos companheiros.

Durante muito tempo não consegui perceber de que falava. Pareceu-me também, a princípio, que se afastava a todos os momentos do tema e se demorava com coisas secundárias. Pode ser também que reparasse em Tchevierin, que não seguia com interesse o seu relato; parecia querer convencer-se a si próprio de que o seu ouvinte era... todo ouvidos, e talvez lhe tivesse custado muito ter de convencer-se do contrário.

—... E quando ia ao mercado – continuou – todos lhe faziam reverências e prestavam homenagem; em suma... riquíssimo.

— Tinha então um negócio?

— Sim, era comerciante. Havia muita pobreza entre a gente humilde. Uma autêntica miséria. As mulheres no rio, lá em cima, tiravam a água para regar as suas terras semeadas e, no outono, nem sequer tinham couves para a sopa, nada. Bom. Pois ele tinha um bom pedaço de terreno, mandava lavrar a terra por camponeses de aluguel, mantinha três, e tinha, além disso, uma grande colmeia; negociava mel e também gado e é escusado dizer que gozava de grande consideração no nosso meio. Era já bastante velho, com uns setenta anos; tinha já os ossos duros, os cabelos brancos e era gordo. Quando entrava com a sua pele de raposa numa loja, todos lhe faziam muitas honras: "Saúde, *papacha* Ankúdi Trofímitch!". "Saúde a ti também – dizia ele!" Como vais ver não desprezava ninguém. "Longa vida tenha Ankúdi Trofímitch!" "Como vão as tuas coisas?", perguntava ele. "As nossas coisas vão como nozes brancas.[37] E as suas *papacha*?"

"Vamos andando – dizia – por nossos pecados, comendo o pão que o diabo amassou." "Que viva muitos anos, Ankúdi Trofímitch!" Não desprezava ninguém, e falava de tal maneira que ... cada palavra sua valia materialmente um rublo. Era muito lido, sabia ler e escrever; mas só lia as Escrituras. Sentava a velha na sua frente. "Bem, escuta-me mulher, vê se me compreendes!" E começava a explicar-lhe. Mas a velha não era nada velha; casara-se com ela em segundas núpcias, por causa dos filhos, já se vê, pois da primeira não teve nenhum. Bom; pois da segunda, Maria Stiepânova, tinha dois filhinhos ainda pequenos; o mais novo, Vássia, nascera quando ele já tinha setenta anos e quando Akulhka, a filha mais velha, teria já dezoito.

– E essa é que era a tua mulher?

– Espera, que em primeiro lugar tenho de falar de Filhka Morózov. "Paga-me – disse Filhka a Ankúdi – dá-me os quatrocentos, senão não trabalho para ti. Não quero mais contratos contigo, e à tua Akulhka – disse – meu amigo, não a quero. Eu agora – disse – vou começar a viver. Os meus pais – disse – morreram, por isso eu gasto o dinheiro e depois assento praça e, passados dez anos, volto feito marechal." Ankúdi então pagou-lhe, para saldar as contas... Porque o seu pai e o velho tinham negociado com o mesmo capital. "És um perdido", disse. E o outro respondeu-lhe: "Bem, perdido ou não, isso é comigo. Tu – disse – queres fazer economias com dois *grochi*, guardas todo o lixo porque pode servir para as papas." Eu, que diabo! sentia ganas de cuspir-lhe, com isto tudo. "Eu – disse ele – tenho caráter. Mas não carrego com a tua Akulhka; eu – disse ele – mesmo sem isso já dormi com ela..." "O quê?! – disse Ankúdi. – Atreves-te a ofender um pai honrado e uma filha honesta? Quando é que tu dormiste com ela, tu, aborto duma serpente, tu imprestável!" e todo ele tremia. Foi o próprio Filhka que me contou. "Isso não é comigo – disse – mas hei de fazer com que a sua Akulhka não vá agora atrás de nenhum, nem nenhum a queira para mulher, e Mikita Grigóritch já não a leva porque está desonrada. Eu já durmo com ela desde o outono. Mas agora não o faria nem por cem caranguejos. Experimente dar-me cem caranguejos... vai ver como não cedo." O rapaz começou a falar dela! De tal maneira que os boatos chegavam até à cidade. Reuniu os companheiros e uma boa maquia; andou três meses na pândega e gastou tudo. Ele costumava dizer: "Quando o dinheiro me tiver acabado todo, venderei a casa, venderei tudo e depois, ou assento praça ou me transformo em vagabundo." Andava bêbado desde a manhã até à noite, e com mulheres aos pares. E as moças gostavam tanto dele que era um horror. Tocava muito bem cítara.

---

37   Provérbio que denota a impossibilidade.

– Quer dizer que, antes disso, já andava metido com Akulhka?

– Espera. Nessa altura também morrera o meu pai, e a minha mãe fazia pães de especiaria, trabalhava para Ankúdi e era disso que vivíamos. Vivíamos mal. Bem; também tínhamos um pedacinho de terra atrás do bosque e semeávamos o nosso trigo; mas depois de o pai ter morrido tudo era pouco, porque eu também não ia lá muito bem, meu amigo. Tirava o dinheiro à mãe, à custa de pancada...

– Lá isso é que não estava certo. É um grande pecado.

– É que estava sempre bêbado, desde a manhã até à noite. A nossa casinha continuava ainda de pé; embora pobre, era nossa; mas não havia nela nada que roer. Vivíamos em jejum semanas inteiras, roíamos trapos. A mãe estava sempre ralhando comigo, ralhando comigo; e eu... eu, meu amigo, por esse tempo, não me separava um momento de Filhka Morózov. Desde que amanhecia até que anoitecia, sempre com ele. "Toca guitarra e dança – dizia ele – que eu ficarei dormindo e vou te dar dinheiro, porque sou rico." As coisas que ele fazia! Só não roubava: "Eu – dizia – não sou ladrão, sou um homem honrado. Vai – dizia – e besunta de pez[38] a porta de Akulhka, pois não quero que ela se case com Mikita Grigóritch. Para mim, isto é o principal", disse ele. O velho, já antes, queria dar a moça a Mikita Grigóritch. Mikita também era velho e viúvo, usava óculos, era negociante. Quando soube que corriam boatos acerca de Akulhka, voltou com a palavra atrás: "Para mim, – disse ele – Ankúdi Trofímitch, seria uma grande desonra, e também já sou velho para me casar." Bem; então nós fomos e untamos de pez a porta de Akulhka. E lá em casa bateram-lhe a valer... Maria Stiepânova gritava: "Não sobreviverei a isto!". E o velho: "Noutros tempos, no tempo dos veneráveis patriarcas – dizia ele – haviam de atirá-la à fogueira; mas agora reinam no mundo a obscuridade e a corrupção". Em toda a rua se ouviam os choros de Akulhka; não paravam de bater-lhe desde manhã. E Filhka gritava em pleno mercado: "É a famosa Akulhka – dizia – a moça, meus amigos. Que *toilettes*, para receber os amantes, ai não! Eu – dizia – já lhes escarrei isto na cara, para que se lembrem". Por essa altura encontrei-me uma vez com Akulhka, que ia buscar água e gritei-lhe: "Bom dia, Akulina Kundímovna! Como estás? Podes dizer-nos como te governas?". Foi só isto o que eu lhe disse; ela se voltou para olhar-me com uns olhos enormes; mas estava muito fraquinha. Quando ela se voltou para olhar para mim, a mãe, pensando que ela me sorria, gritou da porta: "Por que mostras os dentes, desavergonhada?". E nesse dia tornaram a castigá-la. Bateram-lhe durante uma hora. "Mato-a – dizia – porque já não é minha filha."

– Quer dizer que era uma rameira?

– Escuta, *diáduchka*. Andava eu assim constantemente bêbado, na companhia de Filhka, quando um dia, em que eu estava na cama, a mãe se aproxima de mim. "Com que então estás deitado, velhaco, crápulha, canalha!" E pôs-se a gritar comigo. "Casa-te, – disse ela – casa-te com Akulhka. Agora eles consentirão com gosto, com trezentos rublos de dote." E eu lhe disse: "É uma pena – disse – agora já está desonrada para todos". "Mas tu, imbecil, – disse ela – não vês que, com a coroa,[39] tudo se arranja? Para ti é melhor casares com uma que possa sentir-se culpada toda a sua vida. Mas nós ficaremos donos do dinheiro; eu já falei com Maria Stiepânova – disse

---

38 Besuntar de pez a porta da casa onde vive uma moça indica que ela perdeu a virgindade.
39 A coroa nupcial que era costume pôr nas noivas, no ato do casamento.

ela; vinte rublos de prata na mão e caso." E olha, quer acredites quer não, até o dia do casamento andei sempre bêbado. Mas eis que Filhka Morózov vem e me ameaça. "Hei de quebrar-te as costelas, a ti, marido de Akulina – disse ele – e hei de ir dormir com a tua mulher todas as noites." E eu lhe disse: "Mentes, focinho de cão!". Bem; e ele pôs-se a insultar-me pela rua. Eu corri para minha casa: "Não me casarei – disse eu – se não me entregarem agora mesmo cinquenta rublos de prata".

– E entregaram?

– A mim? E por que não? Nós não estávamos desonrados. O meu pai só no fim perdera tudo num fogo; mas antes tínhamos sido mais ricos do que eles. Ankúdi vai e diz: "Vocês estão na miséria". E eu respondo-lhe: "Ainda não chegou o pez com que me untaram a porta". E ele tornou-me: "Vamos ver: estás pensando em ficar importante à nossa custa? Demonstra que ela está desonrada; nem todas as bocas se tapam com um lenço. Tão verdade como Deus existir – disse – é estar aqui esta porta; não te cases com ela. Agora, quanto ao dinheiro que te dei, hás de devolver". Então, eu rompi completamente as relações com Filhka; mandei-lhe dizer por Mítri Bíkov que eu agora havia de difamá-lo por toda parte, e, meu amigo, andei bêbado até ao dia do casamento. Só acordei para o casamento. Quando voltei para casa, depois da boda, sentamos e Mitrofan Stiepânitch foi e disse: "Embora não seja honroso, é negócio firmado e acabado". O velho, Ankúdi, também estava bêbado e choramingava, sentado... e as lágrimas corriam-lhe pela barba. Bem, eu, meu amigo, então fui e vê o que eu fiz: tirei do bolso um chicote que tinha feito antes do casamento e que pensara experimentar no corpo de Akulhka para que ficasse sabendo, que diabo! do que é apanhar um marido com um engano desonroso e para que as pessoas ficassem sabendo que eu não era nenhum palerma ao casar-me...

– Muito bem! Era para que ela lhe fosse tomando o gosto...

– Não, homem, espera e escuta. Na nossa terra, depois do casamento, os noivos vão imediatamente para o quarto, enquanto os outros bebem. Por isso nos deixaram sós, a mim e a Akulhka. Ela estava branca, parecia que não tinha nem uma gota de sangue. Tinha medo, é claro. Também tinha os cabelos brancos como o linho. Os olhos, dilatados. E estava muito calada, sem dizer uma palavra, perfeitamente muda, naquela casa. Mas que pensas tu, meu amigo? Eu vou e pego no chicote e ponho-o em cima da cama; mas ela, meu amigo, estava inocente.

– Que dizes?

– Absolutamente, como uma moça honesta, de boa família. Por que tinha ela sofrido todos aqueles suplícios? Por que a tinha Filhka Morózov difamado perante toda a gente?

– Realmente...

– Então eu me pus de joelhos a seus pés, em frente da cama, de mãos juntas: "*Mátuchka* – disse – Akulina Kundímovna, perdoa-me; que imbecil eu fui em ter acreditado. Perdoa-me, – disse – que sou um canalha!". Ela sentou diante de mim, na cama; olhou-me, atirou-me os braços ao pescoço, sorriu, chorando ao mesmo tempo; chorava e ria... Eu então fui ter com os outros e disse: "Bem – disse – vou ter agora mesmo com Filhka Morózov e ele não viverá nem mais uma hora!". Os velhos não sabiam como haviam de falar-lhe; a mãe atirou-se aos pés dela, soluçando. E quando, no primeiro domingo, entrei na igreja, levava um gorro de pele de cordeiro, muito bonito; um caftã de pano fino, calções largos e preguedos, e ela ostentava uma pele de lebre, nova, e uma touca de seda... Fazíamos um lindo par! As pessoas olhavam para nós com gosto; eu não fazia má figura; de Akulínuchka apenas se podia dizer que valia por dez...

— Bem, está bem.

— Escuta. Depois do casamento, logo no outro dia, embora bêbado, eu deixei os convidados; livrei-me de todos e escapei-me. "Tragam-me aqui – disse eu – esse molenga de Filhka Morózov... Que apareça, esse velhaco! Hei de dizê-lo bem alto no mercado!" Bem; eu estava bêbado; por isso, foi já junto de Vlássov que três homens me agarraram, à força, e me obrigaram a voltar para casa. Mas na cidade fizeram-se comentários. As mulheres falavam no mercado umas com as outras e diziam: "Queres saber? Akulhka estava honrada". Mas passado pouco tempo depois disso, Filhka disse-me em público: "Vende-me a tua mulher... para teres de beber. Faz como Sachka, o militar – disse ele – que se casou por isso; não dormiu com a mulher e andou três anos bêbado". Então eu lhe disse: "És um canalha!". "E tu – disse ele – um burro. Casaram-te quando estavas bêbado. Como podes tu saber alguma coisa?" Eu vou para casa e digo: "Vocês – disse eu – casaram-me quando eu estava bêbado". A mãe, então, veio ter comigo: "A ti – disse eu – *mátuchka,* taparam-te as orelhas com ouro. Traz cá Akulhka!". Bem; e comecei a bater-lhe. Bati e tornei a bater, durante duas horas, até que já não podia ficar de pé; esteve três semanas sem poder levantar da cama.

— Não há dúvida – observou fleumaticamente Tchevierin – se não lhe bates, então... Se calhar, apanhaste-a com algum amante?

— Não, apanhar, não apanhei – disse Chichkov depois de um silêncio e como se fizesse um esforço. – Mas é que eu estava ressentido; toda a gente me ofendia e a alma de tudo isso era Filhka. "Tu – dizia – tens uma mulher só para vista, para que a gente olhe para ela." Uma vez em que dava uma grande festa, convidou-me. "A tua mulher – disse ele – tem uma alma doce, boa, é linda e amável, é boa para todos e agora todos a invejam. Mas já te esqueceste, rapaz, de que tu próprio untaste com pez a sua porta?" Eu estava ali, sentado, bêbado; mas ele foi, agarrou-me logo pelos cabelos e sacudiu-me. "Dança – disse – marido de Akulhka, enquanto eu te seguro pelos cabelos. Dança e diverte-me!" "És um canalha!", gritei. E ele me disse: "Vou atrás de ti e hei de matar Akulhka, a tua mulher, diante de ti, hei de matá-la à paulada, quando me apetecer." Quer acredites, quer não, depois disto, eu, durante um mês, não me atrevi a pôr os pés fora de casa. "Há de chegar – pensava eu – e há de desonrar-me." Olha: também por causa disto lhe batia a ela.

— Para que bater-lhe? As mãos podem atar-se, a língua não. Bater muito não dá resultado. Castiga, ensina, e depois afaga-a. Com as mulheres, deve ser assim.

Chichkov permaneceu silencioso um momento.

— Vergonha – recomeçou – foi ter entrado em casa esse costume; havia muitos dias que eu não parava de bater-lhe, desde manhã até à noite; ela não podia levantar, andava doente. Mas se não lhe batia não ficava satisfeito. Ela costumava ficar sentada: caladinha, olhava pela janela, chorava... Estava sempre chorando. Fazia pena vê-la; mas eu continuava sempre a bater-lhe. A minha mãe, às vezes, ralhava-me: "Malandro, raça de presidiário, é que tu és!". "Hei de matá-la – gritava eu – e ninguém poderá dizer-me nada, porque me ludibriaram quando me casaram!" A princípio, o velho Ankúdi entrava, aproximava-se de mim. "Tu – dizia ele – julgas-

-te uma pessoa importante, mas eu hei de fazer-te entrar na linha." Mas depois não nos ligou mais importância. Quanto a Maria Stiepânova, estava muito tranquila. Uma vez apareceu e implorou-me com lágrimas: "Venho pedir-te um favor, Ivan Siemiônitch; e não é grande. A ansiedade com que o peço é que é grande. Deixa-nos tranquilos, *bátiuchka* – e fez-me uma reverência. – Abranda, perdoa-lhe! A nossa filha foi vítima de uma calúnia, tu bem sabes que ela estava honrada...". Fez-me uma reverência até aos pés, chorando. Mas eu me encolerizei: "A ela, agora, nem ouvi-la quero! Hei de proceder como me apetecer, pois não posso dominar-me. E Filhka Morózov – disse – é meu camarada e o meu melhor amigo...".

– Queres dizer com isso que tornaram a difamá-la, juntos?

– Qual! Ninguém lhe pôde pôr a vista em cima. Tinha desaparecido. Gastara tudo quanto possuía e vendeu-se como substituto a um burguês para servir na milícia em vez do filho do velho. Entre nós, quando alguém se vende como substituto, até o próprio dia em que o levam, todos os da casa têm de prostrar-se diante dele, e ele manda em todos como um verdadeiro senhor. Recebe uma quantia antecipada do dinheiro da venda; e além disso vive em casa do recruta durante meio ano, e, a maneira como se porta, aí, para com todos! Só respeita os ícones! "Eu, caramba, vou ser soldado por causa do teu filho; quer dizer que sou o vosso benfeitor, que vocês ficam todos obrigados a me tratarem com respeito, senão dou o dito por não dito." Deste modo, Filhka vivia à grande em casa do burguês; dormia com a filha dele; depois do almoço, diariamente, puxava-lhe as barbas – enfim fazia tudo que lhe apetecia. Exigia todos os dias um banho e que os vapores do mesmo fossem aumentados com os do vinho; que fosse carregado para lá nos braços das mulheres. Ao voltar dos passeios, para casa, postava-se no meio da rua, gritando: "Não quero entrar pela porta, deitem abaixo a paliçada". De maneira que, ao lado da porta, tinham de abrir uma passagem na cerca para ele passar. Até que finalmente tudo isso acabou quando o levaram para o serviço. Muita gente o acompanhou pela rua: levavam Filhka Morózov para o serviço militar! Ele fazia cumprimentos para a direita e para a esquerda. Mas Akulhka voltava da horta nessa ocasião. "Para – gritou-lhe ele, saltando da *tieliega* e dirigindo-se a ela; fez-lhe uma reverência até ao chão: – Minha vida, – disse – luz da minha vida! Há dois anos que te amo, mas agora me levam com música para a vida militar. Perdoa-me, – disse ele – filha honrada de pai honrado, porque eu fui um canalha para ti e procedi mal contigo em tudo." E fez-lhe outra vez uma reverência até o chão. Akulhka, a princípio, parou, morta de medo; mas depois fez-lhe um cumprimento e disse-lhe: "Perdoa-me tu também a mim, rapaz, que eu não tenho nenhuma razão de queixa contra ti". Eu fui atrás dela para a isbá. "Que disseste tu, cadela?" Mas ela, quer acredites, quer não naquilo que te digo, ficou-se a olhar para mim. "Agora – disse ela – amo-o mais do que a ninguém neste mundo."

– É para que vejas!

– Eu, em todo aquele santo dia não lhe dirigi uma palavra... Só ao anoitecer é que lhe disse: "Akulhka, agora vou-te matar". Nessa noite não dormi; saí e bebi um pouco de *kvas* e depois começava já a amanhecer. Regressei a casa. "Akulhka – disse eu – levanta-te para irmos para o campo." Eu, já antes lhe falara disso, e a minha madrasta sabia que havíamos de ir até lá. "Temos de trabalhar, – disse eu – há já três dias, segundo ouvi dizer, que o empregado não faz nada." Atrelo a *tieliega* em silêncio. A saída da nossa aldeia há um faial que tem umas quinze verstas de comprido, e depois desse faial é que ficava o nosso campo. Tínhamos nós andado umas três verstas pelo faial, quando eu parei o cavalo. "Desce, Akulina – disse eu – chegou a tua última hora." Ela olha para mim, assustada. Fica diante de mim, calada. "Fizeste-me perder a paciência – disse eu. – Encomenda a tua alma a Deus!" Depois fui e agarrei-a pelos cabelos. Tinha umas tranças muito grossas e compridas. Atei-as ao meu braço; atirei-a ao chão, por detrás, segurando-a entre os joelhos; peguei na navalha, abri-a por detrás da cabeça dela e cortei-lhe a garganta... Ela começou a gritar e a jorrar sangue; retirei a navalha, cinjo-a com os dois braços pela frente, deito-a no chão, abraço-me a ela e ponho-me a gritar em cima, a gritar, a gritar... ela tremia toda, escorregava-me das mãos e o sangue salpicava-me ... sangue na cara e nas mãos, em borbotões, em borbotões. Larguei-a; senti medo, deixei o cavalo ali quieto e deitei a correr, a correr, e entrei em casa pela porta dos fundos, onde ficava a casa de banho. A nossa banheira era muito velha é estava quase inutilizável; acocorei-me debaixo dela e ali estive. Fiquei ali até à noite.

– Akulhka?

– Queres saber? Levantou também, depois de mim, e saiu correndo para casa. Encontraram-na depois a cem passos daquele lugar.

– Não a degolaste, naturalmente.

– Sim... – Chichkov fez uma pausa.

– Há uma veia – observou Tchevierin – que se não se apanha da primeira vez, as pessoas podem continuar vivendo e, por muito sangue que vertam, não morrem.

– Mas ela morreu. Encontraram-na morta ao anoitecer. A notícia espalhou-se, começaram a procurar-me e encontraram-me na banheira. E há já quatro anos que vivo aqui, sabes? – acrescentou ele depois de um silêncio.

– Hum! Essa é que é a verdade: se não bates, não consegues nada – observou Tchevierin, fria e calmamente e, tornando a puxar da tabaqueira, pôs-se a sorver tabaco devagarinho e com deleite. – E por outro lado, rapaz – continuou – também te portaste como um tolo. Eu, uma vez, também fui encontrar a minha mulher com um amante. Levei-a para a cavalariça, dei duas voltas à rédea do cavalo. "A quem – disse eu – a quem é que juraste fidelidade?" "A quem juraste?" E comecei a dar-lhe com as rédeas. Bati-lhe durante meia hora, até que ela me gritou: "Os pés te lavarei e a água beberei!". Chamava-se Avdótia.

Capítulo XVI / Tempo de verão

Tínhamos chegado aos princípios de abril e aproximava-se a Semana Santa. Os trabalhos de verão começavam, pouco a pouco. O sol cada dia se ia tornando mais quente e mais brilhante; o ar cheirava à primavera e provocava um efeito perturbador no organismo. Os dias bonitos perturbam até os homens que arrastam cadeias e infundem-lhes desejos, anelos, nostalgias. Parece que anseia pela liberdade com mais força sob os feixes ardentes da luz solar do que nos infelizes dias de inverno ou de outono, e isto observa-se em todos os presos. Parecia que ficavam alegres nos dias luminosos, mas, ao mesmo tempo, manifestavam uma certa impaciência e irritabilidade. Eu reparava que, na primavera, as desavenças se tornavam mais frequentes entre nós. Ouviam-se ruídos mais a miúdo, gritos, vozes, e surgiam complicações; mas, ao mesmo tempo, sucedia que, de súbito, se notava em qualquer parte, no trabalho, algum olhar teimoso e meditabundo, dirigido para a distância azulínea, para algum lugar do outro lado do Irtich, onde se estendia, como um pano, a livre estepe quirguiz, por um espaço de mil e quinhentas verstas; ouvia-se um ou outro suspiro fundo, a plenos pulmões, como se criassem assim a ilusão de aspirarem todo aquele ar longínquo e livre, aliviando dessa maneira a sua alma oprimida e encadeada: "Ah!", exclama por fim um preso, como se sacudisse os sonhos e as reflexões e, de repente, com um gesto impaciente e azedo, pega na enxada ou nas telhas que é preciso mudar de um lugar para outro. Um momento depois esqueceu já a sua inesperada comoção e começa a rir ou a altercar, segundo o seu temperamento; mas, de súbito, com uma veemência desacostumada, que não corresponde à necessidade, aplica-se ao trabalho, se é que lhe deram algum, e começa a trabalhar, a trabalhar, com todas as energias, como se quisesse afugentar de si, com o trabalho intenso, algo que o oprime e angustia interiormente. É tudo gente forte, na sua maioria na flor da idade e do vigor... Como as cadeias se tornam pesadas, neste tempo! Não estou poetizando, ao escrever isto, e estou certo da verdade da minha observação. Além de que, no ar morno, debaixo do sol radioso, quando se sente e se treme de comoção, com toda a alma, com todo o ser, perante a Natureza que ressuscita à nossa volta com uma força irreprimível, é que se torna mais duro permanecer fechado no alojamento, sob vigilância e sujeito à vontade alheia; além de que neste tempo primaveril, com a primeira calhandra, começa na Sibéria e em toda a Rússia a vagabundagem; os homens fogem dos presídios e vão refugiar-se nos bosques. Depois do ambiente sufocante, dos castigos, das cadeias e dos açoites, vagabundeiam em plena liberdade por onde lhes apetece, por onde melhor lhes parece; bebem e comem o que lhes vem à mão, o que Deus lhes dá e, quando chega a noite, descansam placidamente em qualquer lugar, no bosque ou até sobre a terra, sem grandes preocupações, sem as nostalgias do preso, como os pássaros da selva, depois de darem boa noite às estrelas do céu, debaixo do olhar de Deus. Às vezes torna-se também custoso "estar ao serviço do general Kukúchkin". Às vezes não conseguem um pouco de pão durante vinte e quatro horas; é preciso esconder-se de toda a gente; acontece verem-se na contingência de assaltar ou saquear, e às vezes até de matar. "O colono é como uma criança, tudo quanto vê, apanha", dizem na Sibéria a respeito dos colonos. Mas este provérbio pode aplicar-se integralmente, e até com algum acrescentamento, ao vagabundo. É raro que o vagabundo não seja bandido, e quase sempre é ladrão, é claro, mais por necessidade do que por vocação. Há vagabundos empedernidos. Alguns fogem, depois de cumprida a pena, quando estão já na colônia. Pode-se dizer que se encontram enraizados com gosto na colônia. Mas não: há qualquer coisa ao longe, que os atrai e os seduz. A vida nos bosques, vida pobre e horrível, mas livre e aventurosa, tem algo de fascinante, não sei que estranho prestígio para quem uma vez a experimentou. E vejam quem são os que fogem: um homem bastante discreto e sensato, que prometia lá se tornar um bom vizinho sedentário e um ativo colono; outro, que se casou, teve filhos, viveu cinco anos seguidos num mesmo lugar e, de repente, numa linda manhã, foi-se, não se sabe para onde, deixando atônitos toda a família, os filhos, e toda a comuna a que estava adstrito. Uma vez, no presídio, apontaram-me um desses fugitivos. Não cometera nenhum crime especial; pelo menos não se contava dele nada do gênero; diziam apenas que fugia, que toda a sua vida fora um vagabundo. Vivera no sul da Rússia, na fronteira do Danúbio e na estepe quirguiz, na Sibéria oriental, no Cáucaso... percorrera tudo. Quem sabe se, noutras circunstâncias, não teria sido um Robinson Crusoé, com a sua paixão ambulatória! Aliás, tudo isto me foi contado por outros; ele, no presídio, quase não falava, dizia apenas as palavras indispensáveis. Era um homem pequenino, de uns cinquenta anos, muito pacato, com uma cara absolutamente plácida e até estúpida, plácida até à idiotia. No verão gostava de sentar ao sol e era então infalível que se punha a trautear alguma canção, mas tão baixinho que, a cinco passos de distância, não se a ouvia. O seu rosto parecia de pau; comia pouco, no máximo um naco de pão duro; nunca comprava uma torta nem um gole de aguardente. Duvido que tivesse dinheiro e até que soubesse contar. Conduzia-se muito calmamente com toda a gente. Dava de comer, à mão, aos cães do presídio e, no entanto, entre os presos mais ninguém dava de comer aos cães do presídio. Os russos não gostam de dar de comer aos cães. Diziam que era casado, e até por duas vezes; e acrescentavam que também tinha filhos, em qualquer lado... Ignoro completamente o motivo por que veio parar ao presídio. Os presos estavam sempre à espera que ele fugisse dali, mas, ou não lhe chegara ainda a ocasião, ou já passaram muitos anos sobre ele; o certo é que continuou ali, numa atitude contemplativa, diante daquele estranho ambiente que o rodeava. Aliás, era impossível supor qualquer coisa; embora pudéssemos perguntar, aparentemente, por qual vantagem havia ele de fugir? Apesar de tudo, no fundo, a vida selvática, vagabunda, era um paraíso comparada com a do presídio. Isto compreende-se e não é possível estabelecer comparação. Embora sofra muito, ao fim de tudo é uma vida de liberdade.

É este o motivo por que todos os presos na Rússia, estejam onde estiverem, ficam alvoroçados na primavera com os primeiros raios refulgentes do sol primaveril, embora nem de longe tenham a intenção de fugir. Pode afirmar-se categoricamente que, de entre cem, só um se decide a isso, por causa das dificuldades e da responsabilidade; mas em compensação, os noventa e nove restantes sonham com a maneira como poderiam fugir e onde poderiam acolher-se, e alivia-lhes a alma, só o desejo, só a ideia de tal possibilidade. Há alguns que ao menos recordam a vez em que fugiram... Por agora, falo apenas dos condenados. Mas, naturalmente, os que mais frequentemente e em maior proporção se decidem à fuga são os que estão pendentes de castigo. Os condenados já a um determinado número de anos só fogem por acaso, no princípio da sua clausura. Quando têm já dois ou três anos de presídio, o preso começa a avaliar esses anos e, pouco a pouco, vai-se conformando e prefere cumprir o prazo legal dos seus trabalhos e instalar-se depois na colónia, a afrontar os perigos e a perdição no caso de fiasco. E o fiasco é possível. Talvez apenas um entre dez consiga "mudar de sorte". De entre os condenados, os que se decidem também à fuga com mais frequência são os condenados a um número de anos muito grande. Quinze ou doze anos parecem intermináveis, e os condenados a essa pena propendem sempre a sonhar com uma mudança de sorte, embora tenham cumprido já dez anos de presídio. E, por último, também os marcados costumam decidir-se a correr o risco da fuga. "Mudar de sorte" é uma expressão técnica. É assim que responde às perguntas o preso que falha na sua fuga, que ele não tinha outro remédio senão tentar mudar de sorte. Esta expressão, um pouco literária, é com efeito a que empregam nesse ato. Nenhum fugitivo aspira a libertar-se por completo – sabe bem que isso é quase impossível – mas sim que o enviem para outra prisão, ou o destinem às colônias, ou o tornem a julgar outra vez por outro crime – pelo de vagabundagem – em resumo, que o mandem para onde quiserem, contanto que não seja para o velho lugar de que já está farto, o antigo presídio. Todos estes fugitivos, se não acham no decurso do ano nenhum lugar onde passar o inverno, se, por exemplo, não encontram nenhum protetor de fugitivos, que faça negócio com eles; se, finalmente, não podem às vezes conseguir um passaporte, mediante um homicídio, com que obter livre trânsito por todos os lados, todos eles, no outono, se é que não foram já antes apanhados, vêm apresentar-se eles próprios, em grupos compactos, na cidade e no presídio, na qualidade de vagabundos, e resignam-se a passar o inverno nos presídios, claro que não sem esperança de tornarem a fugir, assim que de novo chegar o bom tempo.

    A primavera exercia também em mim a sua influência. Lembro-me da ansiedade com que às vezes me punha a olhar por cima da paliçada e ali ficava muito tempo, com a testa apoiada a um poste e, teimosa e insaciavelmente, contemplava a erva verdejante no bastião do forte, e como cada vez azulejava mais intensamente o céu remoto. A minha inquietação e a minha tristeza cresciam de dia para dia e o presídio ia ficando para mim cada vez mais insuportável. A hostilidade que eu tinha constantemente de suportar, por ser nobre, nos primeiros anos da minha vida presidiária, ficava também insuportável, envenenava a minha existência. Nesses primeiros anos, embora não estivesse doente, metia-me numa cama do hospital só para não estar no presídio, para me ver livre daquela hostilidade geral, que não se aplacava com coisa nenhuma. "Foram vocês, seus narizes de ferro,[40] que nos atiraram para a morte!", diziam-nos os presos. E como eu invejava às vezes a gente de baixa condição que entrava para o presídio! Esses encontravam imediatamente companheiros. E a primavera, sinal de libertação, a alegria geral da Natureza, produzia também em mim um efeito um pouco triste e excitante. No fim da Quaresma, se não incorro em erro, na sexta semana, levaram-me a comungar. Já desde a primeira semana que no presídio todos tinham repartido o velho suboficial por sete turnos, relativamente ao número das semanas da Quaresma, para a comunhão. Em cada turno entraram assim treze homens. A comunhão foi para mim um encantamento. Os comungantes eram dispensados do trabalho. Íamos à igreja, a qual ficava a pouca distância do presídio, duas ou três vezes por dia. Havia já muito tempo que eu não visitava uma igreja. A missa, que me era tão familiar, desde a minha já recuada infância, na casa paterna; as preces solenes, as reverências até ao chão, tudo isso fazia despertar na minha alma o longínquo, remotíssimo passado; invocava impressões desses anos infantis e lembro-me de que me era muito agradável quando, pela manhã, as sentinelas, de arma carregada no braço, nos conduziam, por sobre a terra coberta de geada, à casa de Deus. Aliás a sentinela não entrava no templo. Na igreja ficávamos em grupo cerrado, no último lugar, junto da porta, de maneira que, quando muito, apenas ouvíamos a voz de baixo do diácono e, de quando em quando, conseguíamos vislumbrar, por entre as fileiras de gente, a sotaina negra e a cabeleira branca do sacerdote. Lembrava-me de como, quando era ainda criança, costumava contemplar na igreja as pessoas do povo, que se apinha-

---

40 Expressão, cujo verdadeiro sentido é intraduzível.

va densa e reverentemente à entrada, se afastava ao ver umas grossas dragonas, ou um senhor gordo, ou uma ataviada embora devotíssima dama, que com certeza iam colocar-se nos primeiros lugares, prontos a ralharem com quem os disputasse. Ali, junto da porta, parecia-me então que não rezavam como nós, mas que oravam plácida, devota e humildemente, e com uma espécie de reconhecimento perfeito da sua humildade.

Agora, cabia também a mim ficar nesse lugar, e nem sequer nele, verdadeiramente: estávamos com ferros e estigmatizados; todos se afastavam de nós e parecia até que lhes metíamos medo; davam-nos sempre esmola. E lembro-me de que para mim isso era agradável, que trazia um certo sentimento requintado, especial, aquela estranha complacência. "Assim seja!", pensava eu. Os presos rezavam com muito fervor e todos eles iam sempre à igreja munidos do seu humilde copeque para uma vela ou para o deitarem na caixa das esmolas. "Eu também sou uma pessoa – deviam pensar, talvez, quando a davam. – Perante Deus todos somos iguais..." Tomávamos a comunhão depois do serviço religioso da manhã. Quando o sacerdote, com o cálix nas mãos, recitava a fórmula costumada: "Tomai-me, a mim, pelo mau ladrão", quase todos se prosternavam até ao chão, fazendo retinir as cadeias, concentrando toda a sua atenção nessas palavras.

Mas eis que chegou também a Semana Santa da Páscoa. Os superiores enviaram a cada um de nós um ovo e um pedaço de pão candial. Da cidade chegavam também donativos para o presídio. De outra vez era a visita do cura, com a cruz; de outra a dos superiores; de outra as bebedeiras e as rixas. Tudo precisamente igual, ponto por ponto, ao que se passava pelo Natal, apenas com esta diferença: que agora já nos podíamos divertir no pátio do presídio e aquecermo-nos ao solzinho. Tudo estava mais alegre, mais livre do que no inverno, mas, ao mesmo tempo, também mais triste. O longo, interminável dia de verão, tornava-se sobretudo insuportável nos dias festivos. Nos dias úteis, ao menos, parecia mais curto, devido ao trabalho.

Efetivamente, os trabalhos de verão pareciam muito mais difíceis do que os de inverno. Geralmente ocupavam-nos nas construções militares. Os presos construíam, cavavam a terra, colocavam tijolos; outros eram encarregados da parte de serralharia, de carpintaria ou de pintura, nas obras de reparação dos edifícios oficiais. Outros iam para a oficina a fabricar tijolos. Era este último trabalho aquele que, entre nós, se considerava mais pesado. A olaria ficava a três ou quatro verstas de distância do forte. Todos os dias do ano, às seis da manhã, saía um grupo de homens que ia fabricar tijolos. Para este trabalho eram destinados os trabalhadores negros, isto é, os que não tinham ofício e não pertenciam a nenhuma oficina. Levavam consigo o pão, pois, devido à lonjura da oficina, tornava-se fatigante voltar a casa para comer, o que pressupunha andar oito verstas mais; por isso jantavam já à noite, de regresso ao presídio. Marcavam-lhes a tarefa todos os dias e de tal maneira que os presos mal poderiam ter tempo de realizá-la durante todo o dia. Em primeiro lugar era preciso cavar a terra e extrair barro para formar uma massa e, finalmente, fazer com essa massa um considerável número de tijolos: duzentos, se não eram duzentos e cinquenta. Eu fui apenas por duas vezes à olaria. Os oleiros regressavam já de noite, esgotados, extenuados, e passavam todo o verão atirando à cara dos demais que eram eles que faziam o trabalho mais difícil. Segundo parece, era esta a sua consolação. Apesar de tudo, alguns iam para lá com certo prazer; em primeiro lugar, o trabalho era feito para além da cidade, num espaço aberto, livre, nas margens do Irtich. Fosse como fosse, viam à sua volta qualquer coisa de mais agradável, isto é, não viam o forte nem a terra desnuda. Podiam também fumar livremente e até se deitarem uma meia horinha com a maior à-vontade. Eu, já antes, tinha ido à oficina, ou para o calcário, e, finalmente, empregaram-me nas obras como transportador de telhas. Neste último caso sucedeu-me uma vez acarretar tijolos da margem do Irtich para um quartel em construção, a umas setenta *sajénhi* de distância, passando pelo bastião do forte e, nessa ocasião, esse trabalho prolongou-se durante dois meses consecutivos. Esse trabalho também me agradava, embora a corda com que se carregavam os tijolos, de um dedo de grossura, me ferisse constantemente os ombros. Mas a mim agradava-me ver que, devido a esse trabalho, ia conseguindo maior vigor. A princípio só podia carregar oito tijolos, no máximo, e cada um deles pesava doze libras. Mas depois cheguei até aos doze e aos quinze tijolos, o que me deu uma grande alegria. No presídio, a força física é tão necessária como a moral, para suportar todos os males materiais dessa malfadada vida.

E eu queria viver ainda, depois de sair do presídio...

E, além disso, gostava de acarretar tijolos, não só porque com esse trabalho se robustecia o corpo, como também por ele se realizar nas margens do Irtich. Falo com tanta frequência dessa margem porque era somente nela que se podia ver a terra, os horizontes límpidos e claros, a estepe livre e despovoada, que me provocava uma estranha impressão de solidão. Só nessas margens o forte desaparecia dos nossos olhos, deixávamos de vê-lo. Todos os outros locais do nosso trabalho ficavam junto do forte ou nas imediações. Desde os primeiros dias que eu criei aversão por esse forte e especialmente por outro edifício. A residência do nosso major de presídio parecia-me um lugar maldito, repugnante, e era sempre com ódio que eu olhava, quando passava em frente dela. Na margem do rio uma pessoa podia esquecer-se, olhar para o imenso deserto, para a liberdade. Ali tudo me era agradável, o sol radioso, ardente, no céu azul e límpido, a longínqua canção dos quirguizos, trazida até ali, da outra margem, pelo vento. Quando se olhava muito tempo acabava-se por se distinguir uma mísera e enegrecida tenda de nómadas; descobre-se uma pequena lareira, junto da tenda: é uma quirguiz que por ali trabalha com as suas duas ovelhas. Tudo isso é pobre e selvagem, mas é livre. Descobre-se algum pássaro no ar azul, transparente, e durante muito tempo segue-se firmemente o seu voo: adeja sobre a água, mas desaparece já num golpe forte das asas e, finalmente, se reduz a um ponto que mal se distingue... Até a pobre, humilde florinha do campo que eu encontrava na primavera, precoce, nas fendas das pedras da margem ribeirinha, atraía doentiamente a minha atenção. A tristeza de todo aquele primeiro ano de presídio era insuportável e produzia em mim um efeito enervante, amargo. Nesse primeiro ano, devido a esse sofrimento, não reparava muito no que se passava à minha volta. Fechava os olhos e não queria ver. Não distinguia, de entre os maldosos e invejosos companheiros do presídio, os que eram bons, os que eram capazes de pensar e de sentir, apesar da repugnante carapaça que lhes ocultava o interior. Entre as palavras agressivas, não reparava às vezes na palavra amiga e afetuosa, que se tornava tanto mais apreciada quanto era proferida sem interesse algum e muitas vezes do fundo da alma daqueles que talvez tivessem sofrido e padecido mais do que eu. Mas para que demorar-me mais sobre isto? Eu me sentia muito contente quando vinha muito cansado, ao regressar a casa. "Talvez assim consiga dormir!" Porque isso de dormir era para nós, no verão, um tormento talvez ainda pior do que no inverno. As noites eram às vezes verdadeiramente boas. O sol, que durante todo o dia não se afastava do pátio do presídio, acabava finalmente por desaparecer. Caía o relento e depois vinha a noite quase fria (falando relativamente) da estepe. Entretanto vinham fechar os presos que saíam em magotes para o pátio. A maior parte, para dizer a verdade, dirigia-se para a cozinha. Aí sempre se levanta alguma questão palpitante para o presídio, fala-se disto e daquilo, propalam-se boatos, muitas vezes absurdos, mas que conseguem uma extraordinária atenção da parte daqueles desterrados do mundo dos vivos. Por exemplo, espalhou-se uma vez a notícia de que o nosso major de presídio ia ser reformado. Os presos são crédulos como crianças; eles próprios sabem que a notícia é um boato, que foi espalhada por um indivíduo muito manhoso e estúpido – o preso Kvássov, no qual já há muito tempo decidiram não acreditar e que não diz nada mais senão mentiras – mas no entanto afazem-se à notícia, opinam, alegram-se, consolam-se e acabam por ficar zangados consigo próprios por terem acreditado nas palavras de Kvássov.

– Quem é que lhe vai dar a reforma? – pergunta um. – Quem está bem, deixa-se estar!

– Acima dele também há chefes! – exclama outro, um rapaz enérgico e esperto, que tinha visto mundo, mas amigo de discutir como não havia outro.

– Os corvos não tiram os olhos uns aos outros! – observou um terceiro, como mal-humorado consigo próprio, um homem já de cabelos brancos, que sorvia à parte, num canto, a sua sopa de couves.

– E esses chefes vêm perguntar-me se o destituem ou não? – perguntou placidamente um quarto, tangendo levemente a sua balalaica.

– E por que não? – respondeu o segundo com veemência. – Isto é, se todos lhe pedíssemos e depois abríssemos a boca quando começassem a perguntar... Mas aqui, o que todos fazem é gritar e, quando chega o momento de entrar em ação ninguém se mexe!

– Mas que julgas tu? – interveio o da balalaica. – Nós estamos num presídio.

– Mas há pouco – continuou o questionador, sem escutar os outros e arrebatadamente – ficou um bocado de farinha. Recolheram o que restava e foram vendê-lo. Não; ele não soube; o alcoviteiro foi-lhe com o conto e retiraram a farinha: é a isso que chamam economia. Isto é justo?

– Mas a quem é que tu te queres queixar?

– A quem? Ao inspetor, que está para chegar.

– Qual inspetor?

– É verdade, *brat*, que vai chegar um inspetor? – disse um rapaz novo, espevitadinho, que sabia ler e escrever, fora amanuense e lera *A duquesa de Lavallière*. Estava sempre jovial e tinha atitudes de bobo; mas respeitavam-no pela sua instrução e pelo seu verniz de cultura. Sem dar atenção à curiosidade geral, excitado com a notícia da vinda próxima dum inspetor, dirigiu-se diretamente à cozinheira, isto é, ao cozinheiro, e perguntou-lhe se tinha fígado. Os nossos cozinheiros começavam a negociar coisas deste gênero. Compravam, por exemplo, à sua custa, um grande pedaço de fígado, assavam-no e vendiam-no em pedaços aos presos.

— Um *groch* ou dois? – perguntou o cozinheiro.

— Dois, do assado. Mas do bom! – respondeu o preso. – Meus amigos, vai chegar um general[41] de Petersburgo para inspecionar toda a Sibéria. É a pura verdade. Disseram-no em casa do comandante.

A notícia produziu uma comoção desusada. As perguntas duraram um quarto de hora: quem era, concretamente, que general, de que categoria e se era mais antigo que os generais da região. Os presos gostam terrivelmente de falar dos graus, dos chefes, de quem é mais antigo, de quem é que manda mais, e ralham e insultam-se por causa dos generais e pouco falta para se baterem. Pensam que isso lhes traz alguma utilidade? De fato assim é: do conhecimento minucioso dos generais, dos chefes, deduzem outros o seu grau de cultura e de inteligência, assim como a posição anterior à sua entrada no presídio que o homem ocupa na sociedade. Em geral, a conversa acerca do alto comando considera-se a mais distinta e principal do presídio.

— Quer dizer, meus amigos, que depois de amanhã o temos aqui e destituirá o major – observou Kvássov, um homenzinho baixinho, coradinho, fogoso, muitíssimamente estúpido. Foi o primeiro que levou a notícia do major.

— Agora é que ele vai apanhar como nunca apanhou! – exclamou o preso severo e de cabelos brancos, que já sorvera a sua sopa de couves.

— Ai, não! Pode muito bem ser! – disse outro. – Não roubou pouco dinheiro aqui! Antes de ter sido nomeado para o presídio, comandava um batalhão. Não há muito que queria casar com a filha do protopope.

— Sim, mas não chegou a casar; apontaram-lhe o caminho da porta por ser pobre, já se vê. E que noivo! Quando se levantava da mesa levava tudo nos bolsos. Antes da Páscoa perdera tudo jogando baralho. Foi Fiedka quem o disse.

— Sim, não é dissipador, mas o dinheiro não lhe fica muito tempo nas mãos.

— Ah, meus amigos, eu também estive para casar! Casar, para um pobre, é uma coisa má; quando uma pessoa casa as noites tornam-se curtas – observou Skurátov, intrometendo-se na conversa.

— O quê?! Estávamos precisamente falando de ti – observou o rapaz espirituoso, da classe dos escriturários. – Mas a ti, Kvássov, sempre te direi que és um grande burro. Achas, porventura, que o major poderá molhar as mãos a um general da sua categoria, que se dará ao trabalho de vir de Petersburgo para inspecionar os atos do major? Que idiota és tu, rapaz!

— E então? Lá porque é general não é capaz de aceitar dinheiro? – observou com cepticismo alguém do grupo.

— É claro que não aceita, mas, se o aceitar, também há de ser, dinheiro grosso...

— Ah, isso, já se vê, de acordo com a sua categoria.

— Os generais costumam aceitar sempre dinheiro – observou Kvássov resolutamente.

— Sim? E foste tu que lhes deste? – exclamou Baklúkhin com desprezo, de repente, ao entrar. – Parece que nunca viste um general na tua vida!

— Ai, não, nunca vi.

— Mentes.

— Quem mente és tu.

---

41 Na Rússia do séc. XIX existia também a categoria de general no funcionalismo civil e correspondia a de conselheiro privado.

— Meus caros, se ele já tivesse visto algum, ia logo participar a todos que conhecia um general. Vamos, fala, que eu conheço os generais todos.

— Eu vi o general Siebert — respondeu um pouco categoricamente Kvássov.

— Siebert? Esse general não existe. Pode ser que quem te marcou as costas fosse algum Siebert que não passasse de coronel, e a ti, com o medo que tinhas, até te pareceu que era general.

— Nada disso, escutem — gritou Skurátov. — Eu sou um homem casado. De fato, havia um general desse nome em Moscou, o general Siebert, alemão, mas nascido na Rússia. Confessava-se todos os anos em casa do pope russo, acerca dos seus amores e meus amigos, bebia sempre água como um pato. Sorvia todos os dias quarenta copos d'água do rio moscovita. Diziam que isso curava não sei que doença. Foi o próprio ajudante dele que me disse.

— Talvez tivesse vermes nas tripas... — observou o preso da balalaica.

— Bem, já chega! Isso não é caso para brincadeiras e eles... Quem é esse inspetor, meus amigos? — inquiriu um preso, preocupado, que estava sempre desassossegado, Martínov, um velho da seção militar, que fora hussardo.

— As pessoas sempre mentem muito — observou um dos cépticos. — Onde iriam buscar essa notícia e para que dizem tanta trapalhada? Tudo isso são boatos.

— Qual boato! — observou dogmaticamente Kulíkov, que permanecera até então altivamente silencioso. Era um indivíduo sisudo, já na casa dos cinquenta, com uma cara muitíssimo bem feita e com modos de uma sobranceria depreciativa. E ele sabia isto e disto se ufanava. Tinha sangue cigano, era veterinário, ganhava dinheiro na cidade, tratando cavalos; mas entre nós, no presídio, negociava aguardente. Era um homem esperto, com muita experiência da vida. Poupava as palavras como se poupasse os rublos.

— Depois de amanhã, meus caros! — continuou tranquilamente. — Ouvi dizer a semana passada; vem um general, da alta categora, para inspecionar toda a Sibéria. Já se sabe o que vai acontecer: molham-lhe as mãos; mas o nosso Oito Olhos, não. Este não se atreverá a olhá-lo de frente. Há generais e generais, meus amigos. Existem de todas as espécies. Mas sempre vos digo que ao nosso major, em todo caso, hão de deixá-lo no seu posto atual. Isso é que é certo. Nós não temos voto na matéria e os chefes não vão denunciar-se uns aos outros. O inspetor dá uma olhadela a todo o presídio; depois vai embora e diz que está tudo muito bem...

— Bem, bem, meus amigos, mas o major tem medo; desde manhã que ele está bêbado. E à noite chega o outro furgão. Foi Fiedka quem o disse.

— Ao cão prêto ninguém o torna branco. Seria esta a primeira vez que ele se embebeda?!

— Não, por que havia eu de dizer isso se o general não viesse para fazer nada? Não, já lhe suportaram bastantes imbecilidades! — começaram a dizer os presos, excitados.

A notícia referente ao inspetor espalhou-se num momento por todo o presídio. Os presos encontravam-se no pátio e comunicavam uns aos outros a notícia. Alguns ficavam intencionalmente calados conservando o sangue-frio, e assim era evidente que desejavam se fazer de pessoas importantes. Outros, pelo contrário, permaneciam indiferentes.

Nos degrauzinhos que levavam aos alojamentos, havia também presos com as suas balalaicas. Uns continuavam falando. Outros entoavam canções; mas, em geral, todos nessa noite se mostravam muito excitados.

Às dez vieram contar-nos a todos, fecharam-nos nos alojamentos e fecharam-nos para toda a noite. As noites eram breves; faziam-nos levantar às cinco da manhã, mas nunca nos deitávamos antes das onze. Até então havia sempre movimento, conversas e, às vezes, como no inverno, havia também *maidani*. À noite fazia um calor horrível e o ar tornava-se horrivelmente sufocante. Embora o frio entrasse de noite pela janela aberta, os presos toda a noite se reviravam nas suas esteiras, cheios de febre. As pulgas eram aos milhares. Também as tínhamos no inverno; mas assim que a primavera começava, multiplicavam-se em tal quantidade que eu, quando ouvia falar disso, e ainda não tinha tido experiência de tal, nem queria acreditar. E quanto mais avançava o verão mais malignas se tornavam. Para dizer a verdade, é possível nos acostumarmos às pulgas; eu próprio pude comprová-lo; mas no entanto é custoso. São a tal ponto nocivas que uma pessoa acaba por deitar-se quase com febre e delirar. Quando por fim, chegada já a manhã, nos vamos quedar amodorrados, também as pulgas se aquietam sob a ação da frescura matinal e parece que vamos de fato adormecer... eis que ressoa de repente o implacável repicar do tambor às portas do presídio e começa a alvorada. Embrulhamo-nos na samarra e escutamos com uma maldição as pancadas fortes e precisas, contamo-las e, entretanto, por entre os sonhos vem-nos à ideia de que amanhã será também assim, e depois de amanhã e ainda durante uns poucos de anos, até que chegue a liberdade. "Mas isso virá a suceder algum dia? – pensamos. – Onde está essa liberdade?" Até lá será preciso levantarmos; começam os apertões do costume, as lavadelas... Os presos se vestem e se encaminham para o trabalho. Em última análise, poderão dormir meia horinha ao meio-dia.

Era com razão que falavam do inspetor. Os boatos cada vez se confirmavam mais e, por fim, todos ficaram sabendo de fonte limpa que ia sair de Petersburgo um general muito importante para inspecionar toda a Sibéria, que vinha já a caminho, que já estava em Tobolsk. Todos os dias chegavam novos boatos ao presídio. Até da cidade chegavam notícias; ouvia-se dizer que todos o temiam, e afadigavam-se para pôr tudo em ordem. Acrescentavam que os altos comandos preparavam já recepções, bailes, festas.

Os presos foram mandados em grupos compactos para nivelar as ruas até o forte; tirar montões de terra do meio delas, em suma, queriam arrumar tudo aquilo que era preciso mostrar à personagem. Os nossos compreendiam perfeitamente de que se tratava e cada vez discutiam entre si com mais calor e animação. A sua fantasia alcançava proporções colossais. Chegaram até a planear um motim para quando o general viesse perguntar-lhes se estavam contentes. Mas, entretanto, discutiam e ralhavam uns com os outros. O major do presídio estava comovido. Aparecia com mais frequência pelo presídio, gritava mais do que nunca e mais do que nunca acometia os presos e os mandava ao corpo da guarda e velava com energia pelo asseio e pelas boas maneiras. Por esse tempo, como se fosse de propósito, sucedeu no presídio um importante desacato que, aliás, não provocou nele impressão alguma, contra tudo quanto era de esperar e, pelo contrário, lhe causou satisfação: um preso, numa briga, feriu outro com uma sovela, quase debaixo do coração.

O preso que praticou o crime chamava-se Lômov; o que recebeu a ferida era conhecido entre nós por Gavrilka; era um dos inveterados vagabundos. Não me lembro se teria outro nome; entre nós chamavam-lhe sempre Gavrilka.

Os Lômovi tinham sido camponeses abastados em T***, no distrito de K***. Todos os Lômovi viviam em família: o velho pai, três filhos e um tio. Eram lavradores ricaços. Diziam por todo esse distrito que tinham uns trezentos mil rublos de papel, como capital. Eram lavradores, curtiam peles e negociavam; mas a sua maior ocupação era a agiotagem, a proteção de vagabundos e a ocultação de objetos roubados e outras atividades do gênero. Metade dos camponeses do distrito estavam endividados com eles e eram seus servidores. Tinham fama de camponeses habilidosos e astutos; e acabaram por ficar ufanos, sobretudo quando uma personagem importante que viajava por aquela região parou na cidade, travou conhecimento com o velho e ficou seduzida com a sua perspicácia e com o seu tato. De repente imaginaram que, para eles, não havia leis, e começaram a aventurar-se cada vez mais em negócios ilegais. Todos estavam contra eles e desejavam vê-los por terra; mas eles cada vez se tornavam mais atrevidos. Não ligavam a mínima importância ao juiz do distrito, aos funcionários. Até que acabaram por cair e perderem-se, mas não por nada mau, nem pelos seus crimes ocultos, apenas por qualquer coisa de que estavam inocentes. Possuíam uma grande propriedade a dez verstas da cidade, na parte siberiana. Aí viviam seis criados de lavoura, quirguizos, havia muito tempo, uma vez em cada outono. Um dia de manhã todos esses ganhões quirguizos apareceram degolados. Instauraram-se diligências que se prolongaram por muito tempo. Devido a esse acontecimento vieram a descobrir-se muitas outras coisas feias. Os Lômovi foram acusados do assassinato dos criados. Eles próprios diziam isso e todos no presídio o sabiam; suspeitaram deles porque estavam devendo muito para os seus trabalhadores e, apesar da sua elevada posição, eram avaros e mesquinhos, de maneira que teriam assassinado os quirguizos para não lhes pagar o que deviam. Todo o dinheiro se lhes foi nas diligências e no julgamento. O velho morreu. Os filhos foram deportados. Um dos filhos e o tio foram parar no nosso presídio, condenados a doze anos. Mas, por quê? Estavam totalmente inocentes da morte dos quirguizos. E eis senão quando no mesmo presídio apareceu depois Gavrilka, conhecido patife e vagabundo; um tipo alegre e muito vivo, o qual se declarou autor daquela proeza. Aliás, não sei se seria ele próprio quem o teria confessado assim; mas todo o presídio estava convencido de que os quirguizos tinham perecido às suas mãos. Gavrilka tinha tido negócios de vagabundagem com os Lômovi. Deu entrada no presídio para cumprir uma breve pena como desertor do Exército e vagabundo.

Degolara os quirguizos juntamente com outros três vagabundos; pensavam levar boa vida na propriedade e roubar muito naquelas terras.

Os Lômovi não tinham simpatias entre nós, não sei por que. Um deles, o sobrinho, era um rapaz novo, esperto e de bom caráter; mas o tio, o que feriu Gavrilka com a sovela, era um rústico grosseiro e estúpido. Antes disso já brigara com muitos outros, que já lhe tinham batido. De Gavrilka todos gostavam, pelo seu temperamento jovial e despreocupado. Embora os Lômovi soubessem que ele era culpado e o olhassem como tal, não chegaram a brigar com ele; aliás nunca procuravam conviver com ele; quanto a ele, não lhes ligava a menor importância. Mas, de repente, surgiu a briga entre ele e o Lômov tio, por causa da fêmea mais repugnante que possa imaginar-se. Gavrilka começou a gabar-se de ter conseguido os seus favores; o camponês sentiu-se ciumento e num belo dia feriu-o com a sovela.

Os Lômovi, apesar de terem perdido o seu capital quando do processo, viviam no presídio como ricaços. Era visível que tinham dinheiro. Tinham um samovar, tomavam chá. O nosso major sabia isto e tinha um ódio enorme aos Lômovi. Todos percebiam que era duro para com eles e, de maneira geral, trazia-os sempre debaixo dos olhos. Os Lômovi explicavam isto dizendo que o major queria que lhe molhassem as mãos, mas que deles não levaria nada.

Não há dúvida de que se Lômov tivesse enterrado um pouco mais a sovela, teria morto Gavrilka. Mas o golpe não passou de um simples arranhão. Deram parte ao major. Lembro-me da pressa com que ele chegou, deitando os bofes pela boca, e como era visível o seu ar complacente. Dirigiu-se com uma amabilidade espantosa a Gravilka.

– Vamos, meu amigo, podes ir andando ao hospital ou não? Não, o melhor é selarem um cavalo para ele. Vamos, preparem imediatamente um cavalo! – gritou para o suboficial, com empenho.

– Mas, excelência, se eu não sinto nada! Foi só um arranhãozinho muito leve, excelência!

– Tu não sabes, tu não sabes, meu filho; porque já vês... o lugar é delicado; tudo depende do lugar; o bandido feriu-te debaixo do coração. Quanto a ti, a ti... – resmungou, encarando Lômov. – Bem, agora estás nas minhas mãos! Para o corpo da guarda!

E, de fato, vingou-se. Lômov foi julgado e, embora a ferida parecesse um leve arranhão, era evidente que fora feita intencionalmente. O réu viu a duração da pena aumentada e aplicaram-lhe mil açoites. O major estava contentíssimo...

Finalmente chegou o inspetor.

Veio visitar-nos ao presídio no segundo dia da sua estada na cidade. Era dia de festa. Alguns dias antes já tudo ali estava limpo e em ordem. Os presos, todos barbeados; os seus trajes, brancos, limpos. No verão, conforme o regulamento, todos usavam pelicos e calças brancas. E traziam nas costas um círculo negro de duas *viérchki* de diâmetro. Ensinaram durante uma hora inteira aos presos a maneira como deviam responder se aquela elevada personalidade lhes dirigisse a palavra. Fez-se até um ensaio. O major andava para um lado e para o outro, como se lhe faltasse o ar. Uma hora antes da chegada do general, já todos estavam nos seus lugares, como estátuas, com as mãos rígidas nas costuras das calças. Finalmente, à uma da tarde chegou o general. Era um general muito importante, tão importante que, segundo parece, todos os corações burocráticos da Sibéria ocidental deviam ter sentido um sobressalto com a sua chegada. Entrou severo e altivo; vinha acompanhado por um grande séquito das autoridades locais, que lhe faziam escolta; vários generais e coronéis; entre eles um cavaleiro vestido à paisana, alto e garboso, de fraque e sapatos, que também tinha vindo de Petersburgo e que conduzia com extraordinária desenvoltura e à vontade. O general voltava-se para ele a todos os momentos, com muita deferência. Isto interessou extraordinariamente os presos. Um paisano recebendo tantas honras, e da parte dum general como aquele! Depois souberam o seu nome e quem era; mas fizeram-se muitos comentários. O nosso major, que ostentava as suas condecorações no seu uniforme cor de laranja, com os olhos injetados de sangue e a sua cara cor de framboesa, borbulhenta, parecia não ter provocado no general uma impressão particularmente agradável. Como sinal de respeito especial pelo alto visitante, não pusera os óculos. Mantinha-se de pé, à distância, como suspenso por um fio, e aguardava febrilmente o instante em que precisassem dele para alguma coisa, com o fim de, voando, satisfazer os desejos de sua excelência. Mas não precisavam dele para nada. O general percorreu os alojamentos em silêncio, inspecionou também as cozinhas e, segundo parece, provou a sopa de couves. Fui-lhe apresentado: "Fulano de tal e tal... vamos... da classe nobre".

– Ah! – respondeu o general. – E como se porta ele agora?

– Até aqui, satisfatoriamente, excelência – responderam-lhe. O general meneou a cabeça e dois minutos depois saía do presídio. Não há dúvida de que os presos estavam completamente desconcertados e deslumbrados, mas, entretanto, com uma certa desilusão. É claro que nem valia a pena pensar que o major lhe tivesse feito reclamações. E o major estava já previamente convencido disto.

Capítulo XVII / Os animais do presídio

A compra de Gniedkó[42], realizada rapidamente no presídio, preocupou e distraiu de modo muito mais agradável os presos do que o elevado visitante. No presídio empregavam um cavalo para o transporte de água, a extração do lixo e outras coisas. Designavam um preso para conduzi-lo, o qual saía com ele, escoltado por uma sentinela, está claro. Havia muito trabalho para o nosso cavalo, tanto de manhã como à tarde. Havia já muito tempo que Gniedkó trabalhava no presídio. Era um bom cavalo, mas já estava cansado. Numa linda tarde, pouco depois do São Pedro, Gniedkó, depois de ter trazido a provisão de água para a tarde, deu uma queda e morreu dentro de poucos minutos. Todos tiveram pena dele; fizeram um círculo à sua volta; falaram, discutiram. Os nossos ex-tratadores de cavalos, os ciganos, os veterinários, etc. demonstraram nesta ocasião uma grande competência em assuntos de cavalos e até se insultaram uns aos outros; mas ninguém conseguiu ressuscitar Gniedkó. Jazia morto, de ventre inchado, no qual todos se sentiam na obrigação de porem o dedo; deram do acontecido parte ao major, e este decidiu que comprassem imediatamente outro cavalo. No próprio dia de São Pedro, de manhã, depois da missa, quando estávamos todos reunidos, começaram a entrar os negociantes de cavalos. Inútil será dizer que quem ficou encarregado de negociar a compra foram os próprios presos. Entre nós havia verdadeiros conhecedores e seria difícil enganar duzentos e cinco homens, cuja ocupação anterior tinha sido essa. Apresentaram-se quirguizos, marchantes, ciganos, camponeses. Os presos, impacientes, aguardavam o aparecimento de cada novo cavalo. Estavam alegres como crianças. O que mais os lisonjeava era o fato de se comprar um cavalo, tal como se fossem homens livres e houvessem de tirar o dinheiro do seu bolso, como se tivessem pleno direito de efetuar uma compra. Já tinham sido apresentados três cavalos e tinham-nos rejeitado; o negócio só ficou concluído com o quarto. Quando entravam, os negociantes olhavam à sua volta com certo receio e temor, e um tanto assombrados e, de quando em quando, fixavam-na nas sentinelas que os tinham introduzido. Infundia-lhes um certo respeito aquele grupo de duzentos

---

[42] Diminutivo de *gniedói*, baio.

homens daquela espécie, de cabeças rapadas, rostos marcados, com cadeias, em sua casa, num esconderijo como o presídio, cujos umbrais ninguém atravessava. Os nossos punham em ação todos os seus conhecimentos, ao observarem cada novo cavalo que lhes apresentavam. Olhavam-no por todos os lados, sem deixarem um só pormenor por observar, com tal diligência, com uns ares tão sérios e entusiásticos que até parecia que se tratava de algum benefício para o presídio. Os circassianos montavam nas cavalgaduras durante algum tempo; os seus olhos chispavam fogo e falavam com veemência na sua linguagem incompreensível, mostrando os dentes brancos e as caras amareladas e de grande nariz. Alguns dos russos seguiam as suas palavras com tanta atenção que parecia que os olhos lhes queriam saltar das órbitas. Não compreendiam nem uma palavra; mas queriam adivinhar-lhes, pela expressão da cara, o que eles resolveriam, se lhes agradava ou não o cavalo. Ao observador imparcial teria parecido estranha uma atenção tão absorvente. Por que havia um preso de interessar-se, e sobretudo um preso como aquele, amável, apático, que mal ousava levantar a voz diante dos outros presos? Parecia prestes a comprar um cavalo para si, e que de fato não lhe podia ser indiferente qual deles se comprasse. Além do quirguizos distinguiam-se também os ciganos e os antigos negociantes de cavalgaduras; a esses pertenciam o primeiro lugar e a primeira palavra. E eis senão quando se deu uma espécie de torneio nobre entre dois... presos. Kulikov, o cigano, antigo ladrão de cavalos e negociante deles, e um veterinário autodidata, um astuto camponês siberiano, recém-entrado no presídio, que já conseguira tirar a Kulikov toda a sua clientela da cidade. Acontecia que os nossos veterinários do presídio eram muito estimados na cidade, e não só os camponeses ou comerciantes, mas até os mais altos funcionários, se dirigiam ao presídio quando os animais lhes adoeciam, apesar de haver na cidade alguns veterinários de verdade. Até à chegada de Iólkin, o rústico siberiano, Kulikov não tivera rival, possuía uma grande clientela e, naturalmente, recebia dinheiro como recompensa. Era bajulador e palrador, sabia muito menos do que aparentava. Graças aos seus ganhos era um verdadeiro aristocrata no presídio. Pelas suas manhas, pela sua inteligência, sagacidade e decisão, havia já muito tempo que conseguira o respeito involuntário de todos os presos. Entre nós, escutavam-no e obedeciam-lhe. Falava pouco, regateava as palavras e só nas ocasiões mais importantes. Era um grande velhaco, mas possuía autêntica energia, que não era fingida. Era já entrado em anos mas muito garboso, muito esperto. Com os nobres portava-se com uma cortesia refinada, mas ao mesmo tempo com extraordinária dignidade. Penso que se o tivessem vestido bem e o tivessem apresentado como um conde qualquer em algum círculo da capital, seria capaz de comportar-se como num meio seu, teria desempenhado perfeitamente o seu papel, exprimindo-se de maneira distinta, falando com ponderação e talvez que durante toda a noite ninguém suspeitasse que ele não era um conde mas um vagabundo. Falo seriamente, pois tal era o seu desembaraço e a sua habilidade na maneira de conduzir-se. Tinha, além disso, uns modos distintos e elegantes. Devia ter visto muita coisa em toda a vida. Mas o seu passado estava envolto em mistério. Vivia entre nós, na seção especial. Mas quando chegou Iólkin, camponês, e dos mais astutos, cinquentão, velho crente, a fama de Kulikov diminuiu. Em dois meses roubou-lhe quase toda a clientela da cidade. Curava com toda a facilidade cavalos que Kulikov perdera a esperança de curar havia muito tempo. E curava também aqueles de que os médicos veterinários tinham desistido. Esse camponês dera entrada no presídio juntamente com outros, envolvido num crime de falsificação de moeda. Ter-se metido, na sua idade, num assunto de tal natureza! Foi ele próprio quem nos contou que por cada três moedas de ouro verdadeiras davam eles só uma falsa. Kulikov sofreu um pouco porque os seus êxitos veterinários tivessem decaído e a sua fama entre os presos também descido. Tinha uma amante nos arredores, usava blusa preguada, ostentava anel de prata e um brinco também de prata, e sapatos próprios, com enfeites coloridos, mas, de repente, devido à diminuição dos rendimentos, viu-se na necessidade de se meter a taberneiro. Por isso esperavam que, na compra do novo Gniedkó, os dois inimigos haviam de armar grossa briga. Esperavam isso com curiosidade. Cada um deles tinha o seu partido. Os partidários de cada grupo começavam já a se acalorar e, pouco a pouco, iam-se começando a cobrir de insultos. O próprio Iólkin tinha contraído já a sua cara astuta num sorriso extremamente sarcástico. Mas tal não se deu; Kulikov nem sequer tentou insultar; mas, sem se valer de insultos, portou-se de maneira magistral. Pôs-se a escutar tranquilamente e até com certo respeito as opiniões críticas do rival; mas, assim que o apanhou em erro, imediatamente, num tom de voz resoluto, mas delicado, fez-lhe notar que estava enganado e, antes que Iólkin tivesse tido tempo de refletir e desdizer-se, demonstrou-lhe que estava enganado nisto e naquilo. Em resumo: Iólkin ficou derrotado, de maneira inesperada e hábil, e embora, em última análise, tivesse tido a última palavra, o partido de Kulikov deu-se por satisfeito.

– Não, meus caros, não é assim tão fácil como isso derrotá-lo; ele sabe defender-se; não há quem o embrulhe – diziam uns.

– Iólkin sabe mais! – observavam outros; mas observavam com uma certa transigência. Ambos os partidos adotaram imediatamente um tom conciliador.

– Não sabe nada, o que sucede é que tem a mão leve. Mas não vale a pena estarmos discutindo por causa de uns cavalos e de Kulikov!

– Não discutam, rapazes!

– Não briguem...

Até que finalmente escolheram e compraram o novo Gniedkó. Era um ótimo cavalinho; bonito, forte e com uma estampa muitíssimo agradável. E, sob outros aspectos, parecia também impecável. Começaram a discutir o preço: pediam por ele trinta rublos; os nossos ofereciam vinte e cinco. Regateavam com ardor e demoradamente; cediam e transigiam. Até que finalmente isso acabou por parecer-lhes ridículo a eles próprios.

– Mas és tu que tens de pagar de teu bolso, meu amigo? – diziam uns. – Para que regatear?

– Tens pena da caixa? – exclamavam outros.

– Meus caros, é que todo este dinheiro é da comunidade!

– Da comunidade! Não, meus amigos; os malandros não precisam de ser semeados, nascem por si...

O contrato acabou finalmente fechado por vinte e cinco rublos. Participaram ao major e a compra deu-se por concluída. Escusado será dizer que, a seguir, trouxeram pão e sal, e Gniedkó foi introduzido com todas as honras no presídio. E não houve preso que não lhe desse nessa ocasião uma palmadinha no pescoço ou não lhe acariciasse o focinho. Gniedkó foi ajaezado nesse mesmo dia para transportar água e todos olhavam com curiosidade para verem como Gniedkó transportaria o seu barril. O nosso aguadeiro, Roman, olhava para o nosso cavalinho com uma extraordinária satisfação. Era um camponês cinquentão, taciturno e de compleição fortíssima. De maneira geral todos os cocheiros russos são de compleição forte e também tristonhos, como se de fato fosse verdade que o trato constante com cavalos imprimisse ao homem uma robustez e gravidade especiais. Roman era amável, afetuoso para com todos, inimigo do palavreado; tirava o seu tabaco de um cornicho e desde tempos imemoriais que sempre estivera encarregado dos cavalos do presídio. O que acabara de adquirir-se era o terceiro. Entre nós todos estavam convencidos de que a cor baia dizia bem com o presídio, que assim ficava sendo da casa. Roman afirmava o mesmo. Um cavalo branco, por exemplo, por nada deste mundo o teriam comprado. As funções de aguadeiro correspondiam desde sempre a Roman, como em virtude de algum direito, e entre nós nunca ninguém pensou em disputar-lhe o cargo. Quando o anterior Gniedkó morreu, ninguém se lembrou, nem sequer o major, de atribuir-lhe a menor culpa; isso fora simplesmente a vontade de Deus e Roman era um bom cocheiro. Gniedkó tornou-se bem depressa o favorito do presídio. Os presos, embora fossem gente rude, costumavam acariciá-lo com frequência. Quando voltava do rio, Roman costumava fechar as portas que lhe abria o suboficial; mas Gniedkó, quando entrava no presídio, parava com o seu barril e ficava à espera dele, olhando-o de soslaio.

– Entra tu sozinho! – gritava-lhe Roman, e Gniedkó dirigia-se imediatamente à cozinha, parava à porta, esperava os cozinheiros e os presos com baldes para recolherem a água.

– Sempre és muito esperto, Gniedkó! – gritavam-lhe. – Vem sozinho! Obedece!

– Lá isso é verdade, é um animal e compreende.

– Bravo, Gniedkó!

Gniedkó mexia a cabeça e resfolegava, como se de fato compreendesse e ficava ufano com aqueles elogios. E era infalível haver sempre quem lhe levasse pão e sal. Gniedkó comia e tornava a mexer a cabeça, como se dissesse: "Eu te conheço! Eu te conheço! Eu sou um bom cavalinho e tu és um homem bondoso!".

Eu também gostava de levar pão a Gniedkó. Era um prazer olhar o seu focinho, tão bonito, e sentir nas palmas das nossas mãos os seus beiços suaves e tépidos, quando recolhia com cuidado aquilo que lhe oferecíamos.

De maneira geral os nossos presos teriam podido afeiçoar-se pelos animais e, se lhes fosse permitido, teriam introduzido com gosto no presídio uma multidão de animais e de pássaros domésticos. E que coisa melhor para abrandar, enobrecer o severo e fero caráter dos presos do que essa ocupação, por exemplo? Mas tal não lhes era permitido. Nem o nosso regulamento nem o lugar o consentiam.

No entanto, durante o tempo em que aí estive, sempre houve no presídio alguns animais. Além de Gniedkó, tínhamos conosco cães, gansos, um cabrito, Vasska, e também uma águia viveu ali durante uma temporada.

Como disse já, vivia entre nós, na qualidade de cão privativo do presídio, Chárik, cão inteligente e meigo, com o qual mantive uma constante amizade. Mas como o nosso povo, de maneira geral, considera o cão um animal imundo, no qual nem sequer se deve fixar a atenção, quase ninguém entre nós reparava em Chárik. Ninguém tratava dele, dormia no pátio, comia das sobras da cozinha, e não mostrava um especial interesse por ninguém, embora conhecesse todos os do presídio e os considerasse seus donos. Quando os presos voltavam do trabalho, logo ele, assim que se ouvia o grito, diante do corpo da guarda: "Cabo da guarda!", corria para a porta e, saltando com ternura ao encontro de cada grupo, mexia a cauda e olhava amigavelmente nos olhos cada um dos que iam entrando, esperando deles alguma carícia. Mas durante muitos anos não pegou a conseguir carícia alguma de alguém, a não ser de mim. E por isso gostava mais de mim do que de ninguém. Não me lembro como é que apareceu depois no presídio outro cão, Bielka. O terceiro, Kulhtiapka, fui eu próprio quem o trouxe, quando ele ainda era um cachorrinho, uma vez, quando voltava do trabalho. Bielka era um animalzinho estranho, um ser estranho. Alguém devia ter-lhe passado por cima com uma *taieliega*, porque tinha a espinha partida ao meio, de maneira que, quando corria, visto de longe, parecia que eram dois animais brancos que corriam, que teriam nascido pegados um ao outro. Além disso era sarnoso; os olhos supuravam-lhe; tinha a cauda completamente pelada e continuamente encolhida. Maltratado pela sorte, pelo visto decidira resignar-se. Nunca ladrava a ninguém, nem rosnava, como se não se atrevesse. Vivia quase só de pão, atrás dos alojamentos; quando via algum dos nossos, punha-se imediatamente, a alguns passos de distância, de barriga para cima, em sinal de submissão: "Vamos, faz de mim o que quiseres, que eu, como vês, não te oporei resistência alguma". E todos os presos, perante os quais se estendia desse modo, lhe davam com a ponta do pé, como se considerassem esse procedimento um dever obrigatório: "Desaparece, estupor!", costumavam dizer os presos. Mas Bielka nem sequer se atrevia a queixar-se e, quando a dor era forte demais, então gemia com a boca fechada e como para dentro. Também se punha da mesma maneira diante de Chárik e de todos os outros cães, quando corria pelo presídio. Costumava estender-se de barriga para cima e ficar assim, muito sossegado, quando algum canzarrão se dirigia para ele, de orelhas caídas, rosnando e ladrando. Mas os cães gostam da submissão e do respeito dos seus semelhantes. O cão furioso amansava-se imediatamente; quedava-se, parado, como refletindo, diante do outro cão, estendido diante dele com as patas para cima, dócil, e depois punha-se, com grande curiosidade, a farejar-lhe todas as partes do corpo. Que pensaria Bielka durante todo este tempo, todo trêmulo? "E se este bandido me morde agora!", era provável que lhe ocorresse. Mas depois de farejá-lo atentamente, o canzarrão acabava por deixá-lo em paz, por não lhe encontrar nada de particularmente curioso. A seguir, Bielka levantava-se e punha-se a correr, coxeando, atrás de uma longa fila de cães que seguiam algum cãozinho metido. E embora ele soubesse que, provavelmente, nunca poderia manter amizade com um cãozinho assim, apesar de tudo, acompanhá-lo, de longe, ao menos... sempre era uma consolação para ele, no meio da sua desdita. Pelo visto, já deixara de pensar na felicidade. Perdido o futuro, vivia apenas de pão e reconhecia plenamente a sua situação. Uma vez experimentei acariciá-lo; isso foi para ele qualquer coisa de tão novo e inesperado que, de repente, foi e estendeu-se a todo o comprimento no chão, sobre as quatro patas, todo a tremer, e começou a gemer com força, de tão comovido. Eu o acariciava muitas vezes, por dó. Em compensação, ele não podia conter um gemido cada vez que me via. Assim que me via ao longe começava a uivar de maneira doentia e lamentosa. O caso acabou desta maneira: fora do presídio, no bastião, os outros cães acabaram por dar cabo dele.

Kulhtiapka era completamente diferente. Não sei por que o teria levado eu, ainda em pequenino, para o presídio. Agradava-me dar-lhe de comer e vê-lo crescer. Chárik tomou imediatamente Kulhtiapka sob sua proteção e dormia com ele. Quando Kulhtiapka era já mais crescidinho, consentia que lhe mordesse as orelhas, lhe puxasse o pelo e brincasse com ele, como costumam brincar os cães já grandes com os cachorrinhos. Era estranho que Kulhtiapka se desenvolvesse pouco em altura e somente crescesse em comprimento e profundidade. Tinha um pelo lanudo, cor de rato claro; uma das orelhas crescera-lhe para baixo e a outra para cima. De gênio era vivo e fogoso, como todos os cachorrinhos, os quais costumam, com a alegria de ver o dono, arquejar, chiar, subir-lhe pelo corpo, lambiscar-lhe a cara, sem se preocupar em reprimir perante ele todos os outros sentimentos. "Contanto que vejam o meu entusiasmo, pouco importa a compostura!" Onde quer que eu estivesse, assim que gritava: "Kulhtiapka!" logo ele surgia de algum canto, correndo, como se saisse de debaixo da terra, e voava para mim com um entusiasmo ansioso, como uma bala, caindo muitas vezes no caminho. Eu tinha uma enorme amizade por esse aborto. Parecia que o destino só havia de proporcionar-lhe satisfações e alegrias na vida. Mas um belo dia o preso Nieustroiev, que se ocupava em coser sapatos de senhora e em curtir peles, fixou nele uma atenção especial. Houve qualquer coisa que, de súbito, o impressionou. Chamou Kulhtiapka para o seu lado, acariciou-lhe o lombo e, carinhosamente, estendeu-o no chão, de barriga para cima. Kulhtiapka, sem receio nenhum, gemia de gozo. Mas na manhã seguinte desaparecera. Procurei-o durante muito tempo, levara sumiço e só passadas duas semanas tudo se esclarecereu. A pele de Kulhtiapka agradara muito a Nieustroiev, que lha arrancou, a curtiu e a pôs nuns sapatos de veludo, de abafo, que lhe encomendara a mulher do auditor. Ele próprio me mostrou os sapatos quando já estavam prontos. A pele ficava neles admiravelmente. Pobre Kulhtiapka!

No presídio, muitos se dedicavam ao curtimento de peles, e quando apareciam cães de pele bonita, o que acontecia bastante, desapareciam num abrir e fechar de olhos. Alguns roubavam-nos, mas outros compravam-nos. Lembro-me de que uma vez encontrei dois presos atrás dos alojamentos. Tomavam resoluções e conferenciavam. Um deles segurava, por uma corda, um grande e esplêndido cão, o qual parecia de raça. Algum criado despedido o teria roubado à sua senhora e o teria vendido aos nossos sapateiros por trinta copeques de prata. Os presos pensavam afogá-lo. O que podiam fazer com a maior facilidade; depois arrancavam-lhe a pele e, quanto ao cadáver, arrojavam-no a um grande e fundo fosso de esgoto que havia no canto mais recuado do presídio e que, no verão, com o calor, fedia horrorosamente. Só de longe em longe o limpavam. O pobre cão parecia compreender a sorte que o esperava. Interrogativo e inquieto, olhava alternadamente para nós três e, de quando em quando, ousava mexer um pouco a cauda basta, como se estivesse desejoso de abrandar-nos com esse sinal da sua confiança em nós. Eu me apressei a retirar-me, e eles, naturalmente, despacharam o caso com toda a tranquilidade.

Também aos gansos sucedera virem a encontrar-se entre nós, por casualidade. Ignoro quem os teria levado para ali ou a quem pertencessem, mas durante algum tempo divertiram grandemente os condenados e até chegaram a ser conhecidos na cidade. Haviam-se criado no presídio e mantinham-se na cozinha. Quando cresceram, acostumaram-se a sair todos em grupo, juntamente com os presos, para o trabalho. Assim que se ouvia o tambor e o presídio se punha em movimento para sair, logo os nossos gansos começavam a lançar grasnidos e a correr para nós, agitando as asas e, um atrás do outro, atravessavam a porta altíssima e dirigiam-se invariavelmente para o lado direito, onde se alinhavam, aguardando o fim da divisão dos grupos. Costumavam incorporar-se ao turno mais numeroso e, durante o trabalho, ficavam em qualquer lugar próximo. Quando o grupo se punha de novo em movimento para regressar ao presídio, também eles se levantavam. No forte correu o boato de que os gansos iam com os presos para o trabalho. "Olha, lá vão os presos com os seus gansos!", costumavam dizer os que os encontravam no caminho. "Olhem para os gansos! Como é que vocês os ensinaram assim?", acrescentavam outros, dando-lhes uma esmola. Mas a despeito de toda essa simpatia, mataram-nos para fazerem um festim depois da Quaresma.

Em compensação, por nada deste mundo teriam matado o nosso cabrito Vasska, se não se tivesse dado uma circunstância especial. Também não sei como é que o arranjaram nem quem o levou ali, mas o certo é que um dia apareceu no presídio um cabritinho branco, muito bonito. Passados poucos dias já todos nós lhe tínhamos tomado amizade e proporcionava-nos distração geral e até alegria. Encontraram também uma razão para mantê-lo: a de que era preciso manter no presídio, além do cavalo, um cabrito também. No entanto não vivia junto do cavalo, mas sim na cozinha, a princípio, e depois andava por todo o presídio. Era um animalzinho extremamente gracioso e muito simpático. Aproximava-se quando o chamavam, saltava para cima dos bancos, das mesas, arremetia contra os presos, estava sempre contente e brincalhão. Uma vez, quando já lhe tinham nascido os cornichos, uma noite, o legiano Babai, que estava sentado na escadinha do alojamento, juntamente com outros presos, lembrou-se de pôr-se a brincar com Vasska. Havia já muito tempo que davam marradinhas com a testa – o que constituía o divertimento favorito dos presos com o cabritinho – quando de repente Vasska se encarrapitou no degrau mais alto da escadinha e, mal Babai se pusera de lado, quando o animal se levantou num ápice, sobre as patas traseiras, encolheu as outras e deu ao legiano, com todas as suas forças, uma marrada pelas costas que o fez rolar de cabeça para baixo pela escada, entre o entusiasmo de todos os presentes e do seu em primeiro lugar. Enfim, todos tinham uma grande amizade por Vasska. Depois começou a tornar-se maior e após uma prolixa e séria discussão, concordaram em fazer-lhe, e fizeram-lhe, uma certa operação, na qual os nossos veterinários eram mestres consumados: "Assim já não cheirará a macho", diziam os presos. Depois disso, Vasska começou a engordar terrivelmente. Alimentavam-no como se quisessem cevá-lo. Finalmente tornou-se um bode esplêndido com uns cornos muito compridos e de extraordinária grossura. Também se acostumou a sair conosco para o trabalho, para distração dos presos e das pessoas que se encontravam pelos campos. Todos conheciam Vasska, o cabrito do presídio. As vezes, quando trabalhavam na ribeira, por exemplo, os presos costumavam cortar os ramos flexíveis dos juncos, procuravam algumas folhas, arrancavam flores junto do muro e coroavam Vasska com tudo isso; atavam-lhe juncos e flores nos cornos e envolviam-lhe todo o corpo em grinaldas. Vasska regressava ao presídio enfeitado e ataviado, e os presos iam atrás dele, e pareciam sentir-se muito importantes perante os transeuntes. A tal ponto chegou essa afeição pelo cabrito que ocorreu a alguns uma ideia absolutamente pueril: "Por que não se hão de dourar os cornos de Vasska?" Simplesmente não chegaram a fazê-lo, tudo ficou em palavras. Aliás, lembro-me de que perguntei a Akim Akímitch, o melhor dourador do nosso presídio, depois de Issai Fomitch, se de fato seria possível dourar os cornos do cabrito. Ele começou por olhá-lo com muita atenção, depois refletiu com muita seriedade e acabou por dizer que era possível, "mas que isso seria de pouca duração e, além disso, perfeitamente inútil".

E com isto se acabou a história. Vasska teria vivido longo tempo no presídio e teria talvez morrido de asma, mas uma vez ao voltar do trabalho à frente dos presos, enfeitado e embonecado, encontrou o major que ia no seu *drójki*: "Alto! – gritou – que cabrito é esse?". E explicaram-lhe. "O que, um cabrito no presídio, e sem minha autorização? Suboficial!" O suboficial apresentou-se e recebeu imediatamente ordem de abater o animalzinho. Que lhe arrancassem o velo, que o vendessem à loja, e que o dinheiro da venda fosse acrescido à quantia que a administração destinava aos presos, e que a carne fosse dada a estes, com a sopa de couves. Fizeram-se comentários no presídio; tiveram muita pena, mas não se atreveram a desobedecer. Mataram Vasska junto do fosso dos esgotos. A carne foi toda comprada por um dos presos, que abonou um rublo e meio de prata ao presídio. Com esse dinheiro compraram tortas, mas o que comprara Vasska tornou a vendê-lo para ser assado. E, de fato, a carne era extraordinariamente saborosa.

Também viveu algum tempo conosco no presídio uma águia da espécie das estepes, que não são muito grandes. Houve alguém que a levou para o presídio, ferida e maltratada. Todos acudiram a vê-la; não podia voar; a asa direita derrubada e uma pata deslocada. Lembro-me da ansiedade com que olhava à sua volta, contemplando o grupo curioso, e de como abria o bico curvo, pronta a vender cara a vida. Assim que acabaram de olhá-la à sua vontade e começaram a dispersar, a águia, coxeando, sustendo-se em uma só pata e agitanto a asa sã, foi esconder-se no extremo mais afastado do presídio, onde se encolheu num canto, contra a paliçada. Ali viveu três meses e durante todo aquele tempo nem uma vez sequer se moveu no seu canto. A princípio iam ali muitas vezes para a verem, atiçando o cão contra ela. Chárik lançava-se sobre ela com muito ímpeto, mas era evidente que não se atrevia a aproximar-se muito, o que divertia grandemente os presos. "Isto é que é uma fera! – diziam. – Não se rende!" Depois Chárik começou a magoá-la seriamente; perdeu-lhe o medo e quando o açulavam apressava-se a agarrá-la pela asa doente. A águia defendia-se com todas as suas forças, com as garras e com o bico, orgulhosa e arrogante como um monarca ferido e, agachando-se no seu canto, contemplava os curiosos que vinham para vê-la. Finalmente, todos se fartaram dela, todos a deixaram em paz e a esqueceram e, no entanto, todos os dias podia ver-se junto dela um pedaço de carne fresca e uma caçarola quebrada com água. Alguém devia cuidar dela. A princípio ela se negava a comer e assim esteve vários dias; até que por fim começou a comer, mas não à mão nem diante das pessoas. Eu pude vê-la uma vez, de longe. Não vendo ninguém e pensando que estava só, resolvia-se às vezes a afastar-se um bocadinho do seu canto e coxeava ao longo da paliçada, uns doze passos além do seu lugar; depois recuava e tornava a sair, como se estivesse fazendo exercício. Quando me via, voltava a correr imediatamente para o seu canto, com todas as forças, dando saltos e deitando a cabeça para trás, abrindo o bico, as penas eriçadas, pronta para o combate. Não conseguia amansá-la com carícias nenhumas;

arranhava e bicava; não aceitava a carne da minha mão, e durante todo o tempo que me via não fazia senão olhar para mim de alto a baixo, nos olhos, com os seus, penetrantes e hostis. Aguardava a morte sozinha, não tinha confiança em ninguém nem se amansava com coisa alguma. Até que finalmente os presos se lembraram dela e, embora nenhum a tivesse procurado nem recordado nesses dois meses, de repente todos se encheram de piedade por ela. Discutiram sobre a necessidade de expulsarem a águia.

– Que rebente, mas não no presídio – diziam uns.

– É um pássaro livre; arisco; não se acostumará no presídio – disseram outros.

– Sinal de que não é como nós – acrescentou um outro.

– Olha que coisa! É uma ave e nós somos homens.

– A águia meus amigos, é o czar das selvas... – começou a dizer Skurátov; mas desta vez não lhe deram ouvidos.

Certo dia, depois do rancho, quando soou o tambor chamando para o trabalho, pegaram na águia, fechando-lhe o bico com a mão, porque se tinha posto a debater-se, furiosa, e levaram-na do presídio. Foram até ao bastião. Doze homens, que pertenciam àquele turno, queriam ver até onde subia a águia. Coisa curiosa: todos estavam tão contentes como se também eles, em parte, fossem recuperar a liberdade.

– Anda, palerma, faz-lhe bem, que ela não sabe senão arranhar! – dizia aquele que segurava, olhando a ave quase com amor.

– Larga-a, Mikita!

– A ela, quer dizer, ao diabo, não o guardes em nenhum cofre. Dá-lhe a liberdade, a liberdade toda, verdadeira.

Largaram a águia do muro, sobre a estepe. O outono ia já avançado e estava um dia frio e nublado. O vento zumbia sobre a estepe desnuda e sibilava na erva seca, amarela e densa. A águia atirou-se a direito, agitando a asa sã e como se tivesse pressa de pôr-se longe do alcance dos nossos olhos. Os presos seguiam-na, curiosos, enquanto a sua cabeça brilhava acima da erva.

– Olhem para ela! – exclamou um pensativo.

– Nem sequer se volta para olhar para nós! – acrescentou outro. – Nem uma só vez sequer se voltou para olhar-nos; meus amigos, voa que voa!

– Ai, tu pensavas que ela viria agradecer-nos? – observou um terceiro.

– Cheirou-lhe a liberdade...

– Sim; a liberdade...

– Já não se vê, meus amigos...

– Por que estão assim parados? Marche! – gritaram as sentinelas, e todos, em silêncio, correram para o trabalho.

Capítulo XVIII / A reclamação

Ao começar este capítulo, o editor das *Memórias* do falecido Alieksandr Pietróvitch Goriântchikov considera-se obrigado, a fazer aos leitores a seguinte advertência:

No primeiro capítulo de *Memórias da casa dos mortos*, disseram-se algumas palavras a respeito de um parricida de família nobre. Citou-se, entre outros, como exemplo da insensibilidade com que às vezes os presos falam dos crimes por eles cometidos. Disse-se também que o parricida não confessou o crime, no julgamento, mas atendendo a certos relatos de pessoas que conheciam o caso em todos os seus pormenores, os fatos tornavam-se claros a tal ponto que era impossível não acreditar na sua culpabilidade. Essas pessoas contaram ao autor das *Memórias* que o criminoso tinha uma conduta absolutamente licenciosa, que estava cheio de dívidas e que assassinara o pai com ânsia de herdar. Aliás, toda a cidade em que antes vivera o parricida contava esta história nos mesmos termos. O editor das *Memórias* possui referências bastante fidedignas deste último fato. Finalmente, diz-se nas *Memórias* que o parricida mostrava no presídio a melhor e mais alegre disposição de espírito; que era um tipo desnorteado, sem ponderação alguma, embora não completamente estúpido, e que o autor das *Memórias* nunca lhe notou nenhuma crueldade especial. Ao que se acrescentavam ainda estas palavras: "É claro que eu não acreditava nesse crime."

Há pouco, o editor de *Memórias da casa dos mortos* recebeu da Sibéria a notícia de que o suposto criminoso estava de fato inocente e sofrera injustamente dez anos de trabalhos forçados; e que a sua inocência fora proclamada pelos juízes de modo oficial. Que os verdadeiros culpados tinham sido encontrados, os quais estavam já convictos e confessos, e que o infeliz já tinha sido posto em liberdade.

O editor não pode de maneira nenhuma duvidar da veracidade desta notícia.

Não é preciso acrescentar mais nada. Não é preciso falar mais nem demorarmo-nos acerca da profundidade trágica deste fato; do malogro duma vida ainda jovem, sob o peso de tão terrível acusação. O fato é demasiado compreensível, impressionante de per si.

Nós pensamos também que se tal fato era passível, esta mesma possibilidade acrescenta ainda uma característica nova e luminosa às características de perfeição do quadro da Casa dos Mortos.

E agora continuemos.

*

Já havia eu dito que enfim acabei por me conformar com a minha situação no presídio. Mas este enfim operou-se de modo muito lento e doloroso, aos poucos. Na realidade foi-me necessário um ano para isso, e esse ano foi o mais difícil da minha vida. E por isso tudo me ficou gravado profundamente na memória. Parece-me que recordo cada hora desse ano até nos seus mínimos pormenores. Disse ainda que os outros presos também não podiam acostumar-se a essa vida. Lembro-me de que, nesse primeiro ano, costumava perguntar: "Que se passará com eles? Poderão estar tranquilos?" E estas perguntas preocupavam-me muito. Já antes recordei que todos os presos viviam ali, não como em sua casa, mas como numa estalagem de mudas, um bivaque, numa etapa. Até os indivíduos deportados para toda a vida andavam inquietos e nostálgicos, e sem exceção, todos eles sonhavam com algo impossível. Essa perene inquietude, que transparecia, mesmo através do silêncio, essa estranha amargura ou excitação, que às vezes costumava involuntariamente acusar-se em esperanças tão mal fundadas, que pareciam estar delirando e que impressionavam sobretudo por se manifestar muitas vezes em indivíduos de aparência muito realista, tudo isso imprimia um aspecto e caráter singulares àquele lugar, a um ponto tal que talvez esses aspectos constituíssem o mais característico da sua peculiaridade. Parecia sentir-se, quase ao primeiro olhar, que aquilo não existia fora do presídio. Ali todos eram uns sonhadores. E isto era evidente. Sentia-se isto de forma doentia, sobretudo porque o sonho comunicava à maioria dos do presídio um aspecto áspero e severo, um certo aspecto doentio. A imensa maioria era taciturna e má até ao rancor, e não gostava de mostrar as suas esperanças. A simplicidade, a sinceridade, eram objeto de desprezo. Quanto mais arrojadas eram as esperanças e mais o próprio sonhador se dava conta do seu atrevimento, tanto mais teimosa e pudicamente se escondia dentro de si, mas afugentá-las, isso é que não podia. Quem sabe quantos não se envergonhariam delas perante si próprios. Há no caráter russo tanto sentido da realidade e tal curteza de vistas, tanta zombaria interior, a começar pela própria pessoa. Talvez essa grande irritabilidade nesses indivíduos, nas suas mútuas relações cotidianas, tantas discussões e troças entre eles, fossem devidas a esse constante, dissimulado descontentamento de si próprio. E se, por exemplo, surgia de repente algum mais ingênuo ou sensível, que deixasse transparecer por acaso o que todos escondiam nas suas almas, que se abandonasse aos sonhos e ilusões, imediatamente o corrigiam e troçavam dele; mas eu tenho a impressão de que os admoestadores mais exaltados eram precisamente os mesmos que, provavelmente, iam mais longe nos seus sonhos e ilusões. E a esses ingênuos simplórios, como já disse, olhavam-nos, de uma maneira geral como imbecis, e tratavam-nos com desprezo. Eram todos a tal ponto tão arredios e fátuos, que desprezavam as pessoas simples e despidas de amor-próprio. Além desses faladores, crédulos e ingênuos, todos os outros, isto é, os taciturnos, se dividiam categoricamente em bons e maus, severos e amáveis. Os severos e os maus eram sem possível dúvida mais numerosos; embora entre eles houvesse também faladores que o eram por natureza, eram todos, sem exceção, hipocondríacos, inquietos e rancorosos. Intrometiam-se em todos os assuntos alheios, embora não mostrassem o seu próprio íntimo a ninguém, os seus problemas particulares. Era essa a regra, coisa que não se admitia. Os bons – um número muito reduzido – eram pacíficos, ocultavam em silêncio as suas esperanças, e desnecessário será dizer que, mais do que os ásperos, eram propensos a alimentar ilusões e a acreditar nelas. Aliás parecia-me também que existiam igualmente no presídio um grupo de indivíduos completamente desesperados. A estes pertencia, por exemplo, aquele ancião, velho crente de Staradúvobo; mas, em todo caso, eram em pequeno número. Esse tal velho mostrava-se tranquilo na aparência (já falei dele) mas, por certos indícios, penso que o seu estado dalma era espantoso. Aliás, tinha a sua salvação, o seu refúgio: a oração e ideia de sofrimento. Aquele louco, leitor da Bíblia, a que já me referi, e que atirou aquele tijolo ao major, seria provavelmente do número dos desesperados, daqueles que já tinham perdido até a última esperança. E como viver sem ilusões é impossível, procurou um refúgio no sofrimento voluntário, quase artificial. Declarou que agredira o major sem má intenção, mas simplesmente para atrair o suplício. E quem sabe que processo psicológico se operaria então na sua alma! Sem um objetivo pelo qual tenha de esforçar-se nenhum homem pode viver. Quando perdeu a sua finalidade e a sua ilusão, o homem transformou-se muitas vezes, com o aborrecimento, num monstro. O fim para todos nós era a liberdade e a saída do presídio.

Estou a esforçar-me por classificar em categorias todos os do nosso presídio; mas isso será possível? A realidade é infinitamente diferente, comparada com todos, inclusive com os mais refinados produtos do pensamento abstrato, e não suporta distinções vívidas e acusadas. A realidade tende para os casos particulares. Existia vida individual entre nós, embora de uma maneira especial, e não uma vida pública, mas uma vida interior, própria de cada um.

Mas, como disse já noutro lado, eu não podia saber nem compreender a profundidade interior dessa vida, nos meus primeiros tempos de presídio, e por isso todas as manifestações exteriores dessa vida me mortificavam então com uma constante tristeza. Às vezes, invejava simplesmente aqueles que sofriam o mesmo que eu. Até os invejava e deitava as culpas sobre a sorte. Invejava-os porque eles, apesar de tudo, compreendiam-se mutuamente entre si, com os companheiros, embora, na realidade, tanto a eles como a mim nos repugnasse aquela camaradagem debaixo do chicote e dos açoites, aquela comunidade forçada, e procurassem evitar os demais, retirar-se para um lado, para qualquer parte. Torno a repetir que essa inveja, que se apoderava de mim em momentos de mau humor, tinha os seus fundamentos lícitos. No fundo, não têm absoluta razão aqueles que dizem que, para o nobre, para o culto, o presídio e os trabalhos forçados são tão duros como para qualquer labrego. Conheço essa tese, ouvi-a defender nos últimos tempos, tenho lido algo acerca dela. A base dessa ideia é verdadeira, humana. Todos são pessoas, todos homens. Mas é uma ideia demasiado abstrata. Não leva em conta muitas condições práticas, que não podem compreender-se de outro modo senão na própria realidade. Falo assim, não porque o nobre e o ilustrado sintam de um modo mais requintado e doloroso, porque estejam mais desenvolvidos. É difícil avaliar numa escala a alma e o seu desenvolvimento. Nem a própria cultura pode servir de medida neste caso. Eu sou o primeiro a afirmar que no homem mais inculto, no meio mais baixo, entre estes homens que sofrem, se encontram aspectos da mais refinada evolução espiritual. Acontecia às vezes no presídio que uma pessoa conhecesse um homem durante alguns anos e pensasse que ele era uma fera, e não um homem, e que o desprezasse. E, de repente, chegava casualmente um instante em que a sua alma descobria num ímpeto involuntário o seu interior, e se via nele tal riqueza, tal sentimento e coração, tão clara compreensão da dor própria e alheia, que era como se vos abrissem os olhos, e no primeiro instante nem se queria acreditar naquilo que se via e ouvia. Sucedia também o contrário; a cultura estava às vezes unida a tal barbárie, a tal cinismo, que nos chegávamos a sentir magoados, e, por melhores e prudentes que fôssemos, não encontrávamos no nosso coração desculpa nem justificação alguma.

Não digo tão pouco nada da mudança de costumes, da maneira de viver, de comer, etc., que para o homem da camada elevada da sociedade é, sem dúvida, mais duro do que para o labrego, o qual de quando em quando sofre fome em liberdade e, no presídio, pelo menos pode comer até fartar-se. Não discutirei acerca disto. Concedamos que, para um homem, até para um homem de pouca vontade, tudo isto é uma ninharia comparado com as demais incomodidades, embora, na realidade, a mudança de costumes não seja coisa de pouca monta, tal como a última. Mas há um incômodo perante o qual tudo mais empalidece, a tal ponto que não se repara, nem na falta de asseio que nos rodeia, nem na escassa e suja comida. O sibarita mais requintado, o mais metido pedante, desde que tenha trabalhado durante o dia com o suor do seu rosto, como nunca trabalhou quando era livre, comerá nem que seja pão negro e sopa de couves com baratas. A isso tem de acostumar-se, como diz uma canção humorística do presídio, falando de um antigo metido que foi parar àquele presídio:

> Deem-me couves com água
> Que me empanturro com elas

    Não; mais importante do que tudo isso é que, qualquer dos que hão de começar a acostumar-se ao presídio, passadas duas horas de aí estar, considera-se já como todos os outros, considera-se em sua casa, como proletário, com os mesmos direitos que todos à comunidade presidial. Todos o compreendem e ele compreende a todos, conhece todos, todos o consideram como seu. Mas tal não sucede com os bem nascidos, com os nobres. Por mais digno, bom e inteligente que seja, durante anos inteiros hão de olhá-lo com maus olhos e vão desprezá-lo com todo o seu ser; não o compreenderão e, o que é mais importante, não terão confiança nele. Não é amigo nem companheiro, e ainda que consiga, finalmente, ao fim de alguns anos, que não o ofendam, apesar de tudo nunca será dos seus e terá eternamente, dolorosamente, de reconhecer o seu afastamento, a sua solidão. Este ostracismo opera-se às vezes sem má intenção da parte dos presos e como de maneira inconsciente. Não é dos seus e basta. Nada tão espantoso como viver fora do seu meio. O camponês que foi trazido de Taganrog para o posto de Pietropávlosk encontra imediatamente ali algum camponês russo; imediatamente fala e desabafa com ele e, passadas duas horas, já convivem amistosamente os dois, na mesma choça ou na cabana. Não se dá o mesmo com os bem nascidos. Estão separados do povo baixo por um abismo profundíssimo e só se repara nisto plenamente, quando o bem nascido, de repente, por forças das circunstâncias exteriores, se vê efetivamente despojado dos seus anteriores direitos e fica também convertido em povo. Nem que durante toda a vida se contacte com o povo, nem que durante uns quarenta anos seguidos esteja ao seu lado, no serviço, por exemplo, em termos burocráticos ou, simplesmente, afetuosos, com ares de protetor e um certo pensamento paternal, nunca conhecereis a realidade. Tudo será unicamente uma ilusão de ótica e nada mais. Eu sei que todos, absolutamente todos, quando lerem esta minha observação hão de dizer que eu exagero. Mas estou convencido de que esta é a verdade. E cheguei a esta convicção, não livrescamente ou especulativamente, mas pela realidade; tive tempo de sobra de comprovar as minhas convicções. Talvez um dia todos reconheçam até que ponto isto é verdade...

    Os acontecimentos, como de propósito, desde o primeiro momento vieram confirmar as minhas observações e que atuaram sobre mim nervosa e morbidamente. Nesse primeiro ano andava para trás e para diante no presídio quase só, sozinho. Já disse que me encontrava numa disposição de espírito tal que nem sequer podia apreciar e distinguir aqueles presos que poderiam ser capazes de tomar depois amizade por mim, embora nunca chegassem a tratar-me de igual para igual. Eram companheiros meus, nobres, mas nunca durante esse tempo tal camaradagem me serviu de alívio. De boa vontade não teria olhado para ninguém e, no entanto, não podia fugir. Eis aqui, por exemplo, uma daquelas ocasiões que pela primeira vez me fizeram compreender o meu isolamento e a minha situação especial no presídio. Uma vez, durante esse mesmo ano, já no mês de agosto, num dia de trabalho, claro e quente, à uma da tarde, quando, como de costume, todos descansavam um pouco depois de comer, todo o presídio se pôs de repente em movimento como um só homem, e começou a dirigir-se para a porta. Eu não sabia de nada até àquele momento. Nesse tempo costumava às vezes absorver-me numa meditação tão profunda que mal dava conta do que acontecia à minha volta. E, no entanto, havia já três dias que lavrava uma surda efervescência no presídio. Pode ser que aquela efervescência tivesse começado muito antes do que pensei depois, recordando involuntariamente algumas conversas de presos e, ao mesmo tempo, o seu mau humor exacerbado, a insociabilidade e a disposição de espírito particularmente agressiva que se notava entre eles nos últimos tempos. Eu atribuía isso ao trabalho pesado, aos aborrecidos longos dias estivais, aos involuntários sonhos de liberdade nos bosques e à brevidade das noites em que era difícil conciliar o sono. Podia ter acontecido que tudo isso, junto, produzisse agora o seu efeito, numa explosão mas o pretexto desse arrebatamento era... a comida. Já durante alguns dias se tinham queixado ostensivamente e mostrado a sua indignação nos alojamentos, especialmente quando se reuniam na cozinha, às horas do almoço e do jantar; deram a entender a sua insatisfação aos cozinheiros e procuraram até substituir um deles, embora em seguida tivessem expulsado o novo é reintegrado provisoriamente o antigo. Em resumo; todos se achavam numa grande inquietação.

– O trabalho é duro e a comida, uma porcaria – resmungou um na cozinha.

– Pois senão te agrada pede *blanc manger* para ti – observou outro.

– Eu gosto imenso de couves com sebo, meus amigos – encareceu um terceiro. – Estão bem saborosas.

– E mesmo que te deem sempre couves com sebo, sabem-te bem?

– Não há dúvida de que agora é tempo de carne – disse um quarto. – Nós na olaria, trabuca, que trabuca, e depois da comida temos um apetite devorador. Mas pode-se chamar comida a este sebo?

– E quando não há sebo há fressura. Sebo e fressura é tudo o mesmo. Que comida! Tenho razão ou não tenho?

– Sim, a comida não presta.

– Pode ser que esteja enchendo os bolsos.

– Isso não é da tua conta.

– Então é da conta de quem? As minhas tripas são minhas. Mas se nos juntássemos todos para fazermos uma reclamação haviam de atender-nos.

– Uma reclamação?

– Sim.

– Parece que ainda não te surraram bastante por causa das reclamações! Cala-te!

– Tens razão – acrescenta, resmungando, outro que até então estivera calado. – Depressa e bem, há pouco quem. Que irás tu dizer, tu, cabeça de alho chocho? Diz lá, então...

– Pois bem, hei de dizê-lo. Se formos todos juntos, falarei com todos. Quero dizer: a miséria. Entre nós há quem coma do que é seu e quem não tenha mais do que o rancho.

— Olha que invejoso! Parece que lhe faz mal aos olhos o bem alheio.
— Não abras a boca para a talhada alheia, mas mexe as mandíbulas e procura a tua.
— Procurá-la! Bem poderíamos ficar aqui discutindo até as galinhas terem dentes. Isso quer dizer que tu és rico e podes ficar de braços cruzados...
— Rico como Ierochka, que tinha um cão e um gato.
— Mas, vamos lá ver, meus amigos por que não havíamos nós de reclamar? Esfolam-nos vivos. Por que não reclamar?
— Por quê? Parece que, para ti, é preciso mastigar a comida, antes de a levares à boca; estás acostumado a comer coisas já mastigadas. Pois porque estamos num presídio, aí tens o porquê.
— O resultado de tudo isto é a gente viver em rixas, meu Deus, enquanto o *voievoda* vai engordando.
— Lá isso é. Quem engorda é Oito Olhos. Acaba de comprar uma parelha de cavalinhos.
— Bom. E ele também, diga-se a verdade, não gosta nada de beber...
— Há pouco estava jogando baralho com o veterinário.
— Passaram toda a noite jogando. O nosso, às duas horas, já tinha perdido tudo. Foi Fiedka quem me disse.
— E por isso nos põem a couves.
— Ah, os imbecis! Se vocês não estivessem aí quietinhos, o caso mudava de figura.
— Lá isso é, devíamos ir todos juntos e ver que desculpa é que ele nos dava. Era isso o que devíamos fazer.
— Desculpa? Ele te dava a desculpa...
— E, além disso, instauravam-te um processo...

Em resumo: andavam todos revoltados. De fato, por esse tempo, a comida do presídio era péssima. E a isto juntava-se tudo mais. Mas o mais importante era a disposição geral de espírito, melancólica, o eterno suplício recalcado. O presidiário é rebelde e turbulento por natureza, mas raramente se sublevam todos ou uma grande parte. E o motivo não é outro senão a eterna discordância. Cada um deles sentia isto e era essa a razão de que houvesse entre nós mais palavras do que obras. No entanto, dessa vez a agitação não foi em vão. Começaram a reunir-se em grupos, discutiam nos alojamentos, insultavam, recordavam com rancor todas as proezas do nosso major, não perdoavam o mais pequeno pormenor. Alguns pareciam particularmente furiosos. Em todos estes casos surgem sempre agitadores, açuladores Os instigadores, nestes casos, quer dizer, em casos de levante, costumam ser indivíduos notáveis, não só no presídio como em todas as sociedades. Este tipo especial é semelhante em todas as partes. É uma gente fogosa, sedenta de justiça, da maneira mais ingênua e honesta, convencida da sua possibilidade infalível, absoluta, e mais, imediata. Estes indivíduos não são mais tolos do que os outros, muitos até são inteligentes, mas o que sucede simplesmente é que são demasiado impetuosos para serem cautos e calculistas. Em todos estes lances, quando há indivíduos que sabem conduzir habilmente as massas e levar uma empresa por diante, representam um uma espécie de chefes e autênticos guias, tipo extremamente raro entre nós. Mas esses de que falo agora, agitadores e instigadores do motim, pagam quase sempre pelo seu atrevimento e vão depois encher as prisões. Desempenham um papel, com essa sua impetuosidade, e nisso está a razão da sua influência sobre as massas. Acabam por caminhar todos atrás deles, muito contentes. O seu ardor e a sua honesta indignação atuam sobre a massa, e por fim, até os mais indecisos juntam-se a eles. A sua fé ingênua no êxito contagia inclusive os cépticos mais empedernidos, se bem que essa fé tenha às vezes uma base tão frágil, tão pueril, que nos admiramos de que haja quem os siga. Mas o importante é que eles vão à testa do caso e vão sem medo de nada. À semelhança dos touros investem de frente com os cornos, às vezes sem estarem informados do caso, sem cautela, sem esse jesuitismo prático com que frequentemente os homens mais vis levam por diante as suas empresas, alcançando os seus objetivos e saindo livres de culpas e de penas. Mas os outros acabam infalivelmente por quebrar a cabeça. Na vida corrente são gente biliosa, mal-humorada, irritada e intolerante. O mais frequente é serem de vistas curtas, o que, por outro lado, constitui a sua força. O mais triste de tudo é que, em vez de irem diretos ao fim, desviam-se com frequência; em vez de atacarem o principal, detêm-se com ninharias.. É isto o que os perde. Mas as massas compreendem-nos: nisto radica a sua força... Aliás, é preciso dizer ainda duas palavras acerca disto: que significa um levante?

No nosso presídio havia alguns homens que tinham ido lá parar por causa de um levante. Eram os mais revoltados. Principalmente um, Martínov, que servira nos hussardos, homem fogoso, inquieto e desconfiado, embora reto e honesto. O outro era Vassíli Antônov, homem que se irritava, por assim dizer, a sangue-frio; tinha um olhar receoso, um sorriso altivo e sarcástico, e era muito inteligente e também honesto e reto. Mas é impossível enumerá-los a todos; havia muitos. Entre outros, Pietrov, andava sempre de um lado para o outro, escutava o que diziam em todos os grupos, falava pouco; mas era visível que estava agitado, e foi o primeiro a sair dos alojamentos quando começaram formar.

O suboficial do presídio, o qual fazia perante nós as vezes de primeiro sargento, saiu imediatamente, assustado. Depois de terem formado, os presos pediram-lhe com toda a delicadeza que informasse o major de que os presos do presídio desejavam falar com ele e pedir-lhe concretamente contas acerca de alguns pontos. Depois do suboficial, chegaram todos os inválidos e formaram-se noutro lado, em frente dos presos. A incumbência dada ao suboficial era extraordinária e este ficou, verdadeiramente espantado. Nem sequer se atreveu a dar imediatamente parte ao major. Em primeiro lugar, se o presídio estava já sublevado, podia ainda acontecer algo de pior. Todos os nossos chefes eram extremamente tímidos em tudo quanto respeitava ao presídio. E, além disso, embora nada acontecesse, embora imediatamente todos caíssem em si e se dispersassem; ainda assim o suboficial teria de ir dar parte do acontecimento ao superior. Pálido e trêmulo de medo, dirigiu-se para o major a toda a pressa, sem pretender sequer interrogar ou admoestar os presos. Via que não era agora oportunidade de falar-lhes.

Completamente ignorante de tudo, também eu saí e meti-me na forma. Os pormenores do caso só os conheci depois. Por então supunha que iam fazer alguma contagem; mas como não vi as sentinelas que assistiam às contagens, fiquei admirado e comecei a olhar à minha volta. Os rostos denotavam agitação e irascibilidade. Alguns estavam pálidos. De maneira geral, todos se mostravam preocupados e taciturnos, na expectativa do que teriam dito ao major. Vi que muitos me olhavam e mostravam um grande espanto, embora voltassem a cara, depois, em silêncio, para o outro lado. Era evidente que lhes parecia estranho que eu tivesse formado juntamente com eles. Pelo visto não queriam acreditar que eu me associasse também ao levante. Mas depois, quase todos os que se achavam à minha volta começaram outra vez a olhar para mim. Todos me olhavam interrogativamente.

– Por que estás tu aqui? – perguntou-me com voz rude e forte Vassíli Antônov, que estava um pouco mais afastado de mim que os outros e que até então sempre me tratara por senhor, com delicadeza.

Olhei-o, perplexo, fazendo no entanto o possível por compreender o que significava tudo aquilo e adivinhando que se tratava de qualquer coisa de extraordinário.

– Por que estás tu aqui? Vai para o alojamento – disse um rapaz novo, da seção militar, bondoso e amável, com o qual, até então, quase não tinha convivido. – Não tens nada a fazer aqui.

– Como vi a forma – respondi-lhe – pensei que nos iam passar revista.

– E então apresentou-se! – exclamou um.

– Nariz de ferro! – largou outro.

– Papa-moscas! – exclamou um terceiro com um enorme desprezo.

Este novo remoque suscitou uma gargalhada geral.

– Por favor, vá para a cozinha – acrescentou outro.

– Esses, em todos os lugares estão como no paraíso. Aqui é o presídio, mas eles comem tortas e até compram ganso. Tu comes por tua conta. Por que vieste meter-te aqui?

– O teu lugar não é aqui – disse Kulikov, aproximando-se amigavelmente; pegou-me depois pela mão e tirou-me da forma.

Estava também pálido, os olhos escuros cintilavam-lhe e mordia o lábio inferior. Não esperava pelo major com sangue frio. Verdadeiramente, a mim agradava-me muito olhar para Kulikov em todas essas ocasiões, isto é, em todos os transes em que tinha de manifestar-se.

Era terrivelmente ator mas sabia fazer isso. Tenho a impressão de que teria ido para o suplício com certo *chic*, com elegância. Agora, quando todos me tratavam por "tu" e me insultavam, extremava-se ele, visivelmente, na sua cortesia para comigo e, ao mesmo tempo, as suas palavras eram um pouco especiais, com seus laivos até de altivez, e não suportavam réplicas.

– Nós estamos aqui por causa de um assunto nosso, Alieksandr Pietróvitch, mas você, aqui, nada tem a fazer. Vá para onde quiser. Espere... Olhe, todos os seus estão na cozinha. Vá para lá.

Pela janela aberta da cozinha vi efetivamente os nossos polacos. Aliás, parecia-me que aí havia ainda muita gente além deles. Desconcertado, encaminhei-me para a cozinha. Risadas, insultos e estalos de língua (era isto que, no presídio, substituía o assobio) perseguiram-me.

– Não lhe agrada! Tiu-tiu-tiu! Apanhem-no!

Nunca até então sofrera tais ofensas no presídio e dessa vez custou-me muito. Mas compreendia o instante em que nos encontrávamos. No vestíbulo da cozinha veio ao meu encontro T... ski dos nobres, um rapaz firme e generoso, sem grande cultura, e que tinha uma grande amizade por B***. Todos os outros presidiários o distinguiam, e também, em parte, lhe dedicavam amizade. Era valente, viril e forte, e tudo isso se via em cada um dos seus gestos.

— Que faz o senhor, Goriântchikov? – gritou-me. – Venha cá!

— Mas que se passa?

— Forjaram um motim, sabe? Com certeza que não conseguirão nada; quem é que faz caso de uns presidiários? Hão de procurar os instigadores e, se nós nos metemos nisso, seremos os primeiros a ser culpados de rebeldia. Não se esqueça do motivo por que estamos aqui. Eles serão açoitados, mas depois os deixam em paz; mas contra nós abrirão um processo. O major odeia-nos mais do que a todos e ficaria contente se pudesse tramar a nossa perdição. Iríamos levar a culpa de tudo.

— E os presidiários iam nos deixar numa linda encrenca... – acrescentou M... tski entrando na cozinha:

— É escusado, não teriam dó de nós – encareceu T... tski.

Na cozinha estava muita gente, além dos nobres; trinta homens ao todo. Todos eles se tinham retirado para ali por não quererem associar-se ao motim: uns, por medo, outros pela convicção firme da absoluta inutilidade de todo protesto. Também se encontrava aí Akim Akímitch, inimigo inato e verdadeiro de todos os alvoroços, que alteravam o curso regular do serviço e da moral. Aguardava em silêncio e muito tranquilo o fim do episódio, sem excitar-se absolutamente nada, e, pelo contrário, estava completamente convencido do triunfo infalível da ordem e da vontade dos superiores. Também aí estava Issai Fomitch, tomado de extraordinária aflição, de nariz caído, escutando ávida e angustiosamente tudo quanto se dizia. Estava extraordinariamente desassossegado. Estavam também todos os polacos presidiários da classe baixa, que faziam causa comum com os nobres. Havia alguns indivíduos tímidos, russos, gente sempre tímida e apreensiva. Não se tinham atrevido a juntar-se aos demais e esperavam com tristeza em que acabaria a coisa. Finalmente, havia também alguns presos sempre severos e graves, gente corajosa. Estavam firme e profundamente convencidos de que tudo aquilo era um absurdo e que dali só sairia algo de mau. Mas, no entanto, parecia-me que eles se sentiam um pouco inseguros e que não tinham o aspecto de possuírem uma convicção absoluta. Embora compreendessem que tinham toda a razão pelo que respeitava à reclamação e que esperariam as consequências, não se consideravam como dissidentes, desertores da comunidade, que entregavam os seus companheiros à mercê do major do presídio. Andava por ali também Iólkin, aquele esperto camponês siberiano, condenado ao presídio por falsificação de moeda, e que tinha roubado a clientela de veterinário a Kulikov. O ancião dos velhos crentes de Staradúbovo também estava ali. Todos os cozinheiros, desde o primeiro até ao último, permaneciam na cozinha, provavelmente convencidos de que faziam parte da administração e, por conseguinte, não estava certo que se pusessem contra ela.

— No entanto – comecei eu, dirigindo-me resolutamente a M*** – tirando estes, quase todos os outros foram para a forma.

— Bom. E nós, quê? – resmungou B***.

— Nós, se nos agregássemos, ficaríamos comprometidos cem vezes mais do que eles e, para quê? *Je hais ces brigands.*[43] Mas passa-lhes pela cabeça que eles se vão sair bem da reclamação? Que gosto, meter-se numa empresa tão estúpida!

---

43 Odeio êstes brigões.

— Isto não dá nada. – encareceu outro dos presos, um velho teimoso e azedo.

Almázov, que também estava ali, apressou-se a responder-lhe:

— A não ser que lhes deem umas quinhentas vergastadas, nada de bom sairá daqui.

— Aí está o major! – gritou não sei quem, e todos, avidamente, espreitaram pela janela.

O major chegava correndo, furioso, alterado, purpúreo, de dentes cerrados. Em silêncio, mas com decisão, aproximou-se da parte dianteira da forma. Nesses lances era verdadeiramente ousado e não perdia a presença de espírito. Aliás, estava quase sempre embriagado. Até o seu gorro gorduroso, com a banda cor-de-laranja, e as suas sujas jarreteiras de prata tinham naquele momento algo de terrível. Atrás dele vinha o escriturário Diátlov, personagem de grande importância no nosso presídio, e que tinha até influência sobre o major: um homenzinho, pequeno, esperto, muito contente de si próprio e que não era mau. Os presos estavam contentes com ele. Atrás dele vinha o nosso suboficial, que pelo visto já devia ter ouvido a mais feroz reprimenda e ainda se esperava outra dez vezes pior. Os presos que, segundo parece, estavam de cabeça descoberta já desde o momento em que tinham mandado chamar o major, endireitaram-se e perfilaram-se; deram um passo em frente e depois ficaram firmes no seu lugar, esperando a primeira palavra, o primeiro grito do alto chefe.

Não se fez esperar: à segunda palavra o major rugiu a plenos pulmões, até com uma espécie de gemido, desta vez: estava furioso. Da nossa janela nós pudemos ver como corria pela dianteira da forma, como arremetia contra um ou outro e o interrogava. Mas não podíamos ouvir as suas perguntas, nem as respostas dos presos. Apenas o ouvíamos gritar, guinchando:

— Rebeldes! Vergastas! Instigadores! Tu, instigador! Tu, instigador – dizia para algum.

A resposta não se ouviu. Mas, passado um minuto, vimos como se destacava um preso e se dirigia para o corpo da guarda. Um minuto depois seguia-se um segundo, e depois um terceiro.

— Todos castigados! Eu vos direi! Quem é que está aí, na cozinha? – guinchou, quando nos viu pela janela aberta. – Aqui, todos! Enxotem-nos imediatamente para aqui!

O escriturário Diátlov dirigiu-se a nós, para a cozinha. Na cozinha disseram-lhe que estes não tinham aderido ao motim. Retirou-se imediatamente e foi comunicá-lo ao major.

— Ah, não aderiram! – exclamou ele, dois tons mais abaixo, visivelmente satisfeito. – Tanto faz. Todos para aqui!

Saímos. Eu senti que tínhamos vergonha de sair daquela maneira. E saímos todos de cabeça baixa.

— Ah, Prokófievitch! Iólkin também! E, tu, Almázov... Ponham-se aqui, à parte, ponham-se aqui, façam um grupo – disse-nos o major um tanto precipitadamente, mas com voz mais suave, olhando-nos afetuosamente. – M... ki, tu também aqui... Bem, toma nota, Diátlov. Toma nota já de todos: os contentes para um lado, os descontentes para outro. De todos, desde o primeiro até o último. E depois leva-me a relação. Hei de instaurar um processo a todos! Eu vos direi, tratantes!

Aquilo da relação produziu o seu efeito.

– Nós, contentes! – exclamou de repente uma voz rouca no grupo dos sublevados, mas não com muita decisão.

– Ah, contentes! Quem é que está contente? Quem é que está contente? Que se mostre!

– Contentes, contentes! – acrescentaram várias vozes.

– Contentes! Isso quer dizer que foram instigados. Isso quer dizer que há instigadores, rebeldes. Pois pior para eles!

– Senhor, que é isto? – gritou uma voz de entre o grupo.

– Quem, quem é que deu esse grito? – enfureceu-se o major dirigindo-se para o lado onde tinha soado a voz. – Foste tu que gritaste, Rastorguéiev? Para o corpo da guarda!

Rastorguéiev, um rapaz gordo e alto, destacou-se do grupo e encaminhou-se imediatamente para o corpo da guarda. Não fora ele quem gritara; mas, como o tinham nomeado, absteve-se de protestar.

– Revoltaste-te por causa do rancho! – gritou-lhe o major. – Pois deixa estar, meu gordo, que durante três dias não... Eu vos direi! Vamos lá ver, os que estão contentes que avancem!

– Contentes, excelência! – clamaram sombriamente umas dez vozes. Os outros, teimosos, calavam-se. Mas isso era o suficiente para o major. Pelo visto era-lhe urgente terminar satisfatoriamente o assunto, quanto antes, e fosse como fosse, chegar a um acordo.

Assistiu ao desfile. Os presos, silenciosos e tristes, encaminharam-se para o trabalho, pelo menos satisfeitos por saírem de debaixo das suas vistas. Mas assim que acabou o desfile o major dirigiu-se imediatamente para o corpo da guarda e despachou os instigadores, afinal, sem muita severidade. Também tinha pressa. Um deles, segundo contaram depois, pediu-lhe perdão e ele perdoou-lhe imediatamente. Era evidente que o major não se sentia muito seguro e até talvez tivesse medo. Um motim, apesar de tudo, é uma coisa séria; e embora a queixa dos presos, na realidade, não pudesse chamar-se motim, porque não a apresentaram ao chefe mais elevado, mas sim ao próprio major, no entanto não era nada de bom e era desagradável. O mais aborrecido era que se tivessem sublevado todos ao mesmo tempo. Era preciso abafar o caso fosse como fosse. Não tardaram a soltar os instigadores. No dia seguinte a comida melhorou, embora não por muito tempo. Nos primeiros dias o major visitou o presídio com mais frequência e achou que se praticavam irregularidades. O nosso suboficial andava preocupado e perplexo, como se não pudesse voltar a si do seu assombro. Quanto aos presos, durante muito tempo não puderam libertar-se completamente da sua inquietação, simplesmente, agora, não andavam agitados, como antes, mas sim silenciosos, um tanto perturbados e meditabundos. Alguns até baixavam a cabeça. Outros resmungavam, embora mal tocassem no assunto. Muitos troçavam em voz alta e raivosa, de si próprios, como se quisessem assim impor-se um castigo por causa do motim.

– Aí o tens, meu caro! Apanha-o, morde-o! – dizia um.

– Por causa disso de que estás dando risada é que tens de trabalhar! – acrescentou outro.

– Sim; mas quem é que vai meter-se na boca do lobo? – observava um terceiro.

– Sem o garrote não eras capaz de fazer falar o nosso amigo, isso já se sabe. Ainda bem que nos açoitou a todos!

– Olha, pensa mais e fala menos, que tudo correrá melhor! – observou, alguém com raiva.

– Ai, tu queres ensinar-nos? Então és o nosso mestre-escola...

– Ensino o que ensino.

– Mas quem és tu?

– Por agora, até esta data, tenho sido um homem, e tu, quem és?

– Um bandalho, é o que tu és!

– Bem, bem, já chega! Para que havemos de brigar? – gritaram aos contendentes, de todos os lados.

Nessa noite, isto é, no próprio dia do motim, quando voltei do trabalho encontrei-me com Pietrov atrás dos alojamentos. Andava à minha procura. Aproximando-se de mim, murmurou ao meu ouvido qualquer coisa no gênero de duas, três exclamações vagas; mas em seguida calou-se, ficou abstrato e pôs-se a caminhar maquinalmente ao meu lado. Tudo isso me impressionou bastante e pareceu-me que Pietrov podia dar-me algumas explicações.

– Diga-me, Pietrov – perguntei-lhe – os seus não estão aborrecidos conosco?

– Quem é, que havia de estar aborrecido? – perguntou ele, como se despertasse.

– Os presos, conosco... com os nobres.

– E por que haviam de estar aborrecidos?

– Ó homem, por não termos aderido ao motim.

– Mas por que haviam os senhores de aderir ao motim? – interrogou-me, como se se esforçasse por compreender-me. – Os senhores comem por sua conta.

– Ah, meu Deus! Mas, dentre vocês, também alguns comem por sua conta e no entanto aderiram ao motim. E nós devíamos tê-lo feito também por ... camaradagem.

– Mas... mas em que somos camaradas, nós e os outros? – inquiriu, atônito.

Eu me apressei a olhar para ele; era evidente que não me compreendia, que não compreendia o que eu pensava. Eu, em compensação; compreendia-o perfeitamente naquele momento. Pela primeira vez um pensamento que até então vagamente penetrara na minha imaginação, e não me deixava em paz, ficou definitivamente claro e, de repente, compreendi aquilo que até então só mal adivinhara. Compreendi que eu nunca seria ali considerado como um companheiro, que seria um preso à parte, embora estivesse ali pelos séculos dos séculos e ainda que pertencesse à seção especial. Mas ficou-me particularmente gravado na memória o gesto de Pietrov naquele instante. Na sua pergunta "Em que somos camaradas, nós e os senhores?" vibrava tão sincera ingenuidade, tão cândido assombro... Pensei... "Não haverá nestas palavras algo de ironia, de má intenção, de troça?" Mas não havia nada disso: havia simplesmente que não éramos companheiros e nada mais. Tu, vais pelo teu caminho e nós pelo nosso; tu tens as tuas coisas e nós as nossas.

E, de fato, eu costumava pensar que, depois do levante, eles acabariam simplesmente por dar cabo de nós e não nos deixariam com vida. Pois não se deu nada disso; nem a mais leve censura nem o mais simples tom de queixa chegamos a ouvir, tampouco juntaram nenhuma malignidade especial à do costume. Simplesmente riram de nós, na ocasião, e nada mais. No fim de tudo também não se aborreceram de maneira nenhuma com aqueles que não quiseram aderir ao levante e ficaram na cozinha, nem tampouco com os que se apresentaram a dizer que estavam contentes. Também não compreendia nada disto. Sobretudo este último fato, não podia compreender.

Capítulo XIX / Companheiros

A mim, sem dúvida que me atraíam mais os meus; isto é, os nobres sobretudo nos primeiros tempos. Mas dos três ex-nobres russos que havia no presídio (Akim Akímitch, o alcoviteiro A...v e aquele que era tido por parricida), eu só convivia e falava com Akim Akímitch. Confesso que me aproximava de Akim Akímitch com desespero, em instantes do maior acabrunhamento, e quando já não tinha ninguém a quem dirigir-me senão a ele. No capítulo anterior tentei classificar todos esses indivíduos em categorias; mas, agora que acabo de recordar Akim Akímitch, penso que se pode acrescentar ainda outra categoria. E era ele só que cabia nessa categoria de presos. Refiro-me à... categoria de presos perfeitamente indiferentes. Perfeitamente indiferentes, isto é, daqueles para os quais tanto lhes faria viver em liberdade como no presídio, não os havia entre nós, é claro, nem poderia haver; mas Akim Akímitch parecia constituir uma exceção.

Adaptara-se ao presídio como se tivesse de passar toda a vida nele; mantinha tudo ordenado à sua volta, a começar pelo colchão, pela almofada, pelos seus utensílios de cozinha, como para muito tempo. Mal se notavam nele sinais de bivaque, de provisoriedade. Ainda lhe restavam muitos anos para viver no presídio; e quase nunca pensava na sua saída dali. Mas se estava resignado com a realidade, é claro que não o estava de coração, mas talvez só por disciplina, o que, afinal, vinha a ser a mesmo para ele. Era um homem bom e ajudou-me muito no princípio, com os seus conselhos e com alguns pequenos serviços; mas às vezes, sem querer o confesso, inspirava-me, particularmente nos primeiros tempos, uma vaga, desmedida tristeza, que vinha agravar bastante a minha melancólica disposição de espírito. Mas era esta tristeza que me impelia a falar dele. Uma pessoa, às vezes, sente-se ávida de uma palavra viva, seja qual for, afetuosa, impaciente, maldosa; ao menos poderíamos nos queixar juntos da sorte; mas ele se calava, pegava nas suas lanternas e punha-se a falar de que ano tantos tiveram uma revista, e de quem era o chefe da divisão, qual era o seu nome e sobrenome e de se ficara satisfeito ou não com a tal revista, e de como tinham sido bem dados os tiros em sinal de encontro, etc. E tudo isso com uma vozinha tão uniforme, tão monótona que parecia de gotejar da água. Poderia dizer-se que ele não se entusiasmava, absolutamente nada, quando me contava que, por felicidade sua, não sei em que assunto, no Cáucaso, o julgaram digno de receber a condecoração da Ordem de Santa Anna. A sua voz revestia-se nesse momento apenas de uma gravidade e solidez extraordinárias; descia de um tom até chegar ao do mistério, quando pronunciava as palavras Santa Anna e permanecia depois particularmente silencioso e sério durante três minutos. Nesse primeiro ano eu tinha tido já instantes absurdos nos quais, sem saber por que (e sempre de repente), começava a sentir ódio contra Akim Akímitch, e, em silêncio, amaldiçoava a minha sorte por me ter cabido um lugar ao seu lado, nas esteiras, cabeça com cabeça. Quase sempre, passada uma hora sobre esse sentimento, já eu me recriminava por causa daquilo. Mas isso foi somente no primeiro ano; depois reconciliei-me mentalmente, de uma forma completa, com Akim Akímitch, e fiquei aborrecido das minhas tolices anteriores. Lembro-me de que, exteriormente, nunca rimos juntos.

Além desses três russos, no meu tempo havia também entre nós outros oito. Convivia com alguns deles e até com prazer; mas não da mesma maneira com todos. Os melhores deles eram doentios, exclusivos e rabugentos no mais alto grau. Com dois deles vim depois a cortar relações muito simplesmente. Cultos, só eram três: B...ski e o velho Ch...ski, o qual tinha sido antes, não sei onde, professor de matemática... um bom velhote, muito extravagante e apesar da sua cultura, de vistas curtas. M...ski e B...ski eram completamente diferentes. Com M...ski entendi-me sempre muito bem, desde o primeiro momento; nunca me zanguei com ele respeitava-o; mas, tomar-lhe amizade, tomar intimidade com ele, nunca me foi possível. Era profundamente desconfiado e maldoso, embora soubesse admiravelmente dominar-se. Mas embora isto seja um grande dom eu não simpatizava com ele; pressentia que jamais ele abriria o seu coração a alguém. Aliás, pode ser que eu estivesse enganado. Era um temperamento enérgico e de uma natureza nobilíssima. A sua habilidade e cautela extraordinárias, e até jesuíticas, no trato com as pessoas, revelava o seu recôndito, profundo cepticismo. E, no entanto, era uma alma que sofria precisamente por causa dessa duplicidade: cepticismo e fé profunda, inquebrantável, em algumas das suas convicções e esperanças particulares. Mas, apesar de toda a sua habilidade mundana, era inimigo irreconciliável de B*** e do amigo deste, T***. B...ski era um ser doentio, um tanto propenso à tuberculose, excitável e nervoso, mas no fundo extremamente bondoso e até de alma generosa. A sua irritabilidade raiava às vezes por uma impaciência e volubilidade estranhas. Eu não pude suportar esse caráter e depois rompi todo o convívio com B***; mas, apesar disso, nunca deixei de estimá-lo; ao passo que com M***, não cheguei a discutir e, no entanto, nunca pude ganhar-lhe amizade. Passado pouco tempo de rompimento com B*** sucedeu que tive também de romper com T***, aquele mesmo rapaz do qual falei no capítulo anterior, ao descrever o nosso motim. Isso custou-me muito. Apesar de não ser um homem culto, T...ski era bom, enérgico, honesto, enfim. O caso resume-se a que ele gostava e respeitava tanto B...ski, e estava a tal ponto dominado por ele, que todos aqueles que disputavam com B...ski, considerava-os logo também seus inimigos. Segundo parece, mais tarde veio a zangar-se, igualmente com M*** por causa de B...ski, embora se tivesse mantido firme por muito tempo. Aliás, todos eles estavam moralmente doentes, eram irritáveis e receosos. O que é compreensível; aquilo para eles era duro, muitíssimo mais duro do que para os outros. Estavam longe da sua pátria. Alguns tinham sido deportados por muito tempo, por dez, por doze anos; mas o mais importante era que olhavam com profundo desprezo todos os que os rodeavam; viam somente nos presos a parte bestial e não podiam nem queriam ver neles nem um só traço bom, nada de humano, o que é também muito compreensível. Foi o destino, a força das circunstâncias que os levaram a essa infeliz opinião. Era evidente que a tristeza os oprimia no presídio. Mostravam-se afetuosos para com os quirguizos, para com os tártaros, para com Issai Fomitch; mas, em compensação, evitavam o convívio com os outros presos. Só o velho crente de Staradúbovo lhes merecia pleno respeito. Por outro lado é interessante que nenhum dos presos, durante todo o tempo que eu permaneci no presídio, os increpasse pela sua origem, ou pela sua religião, ou pela sua maneira de pensar, como costuma fazer a gente de baixa condição no convívio com os estrangeiros, sobretudo com os alemães, embora raramente. No fim de contas, o que fazem com os alemães é rir deles; o alemão constitui qualquer coisa de profundamente cômico para a gente do povo. Com os nossos, os presidiários conduziam-se até respeitosamente, muito mais do que conosco, os russos, e nunca se metiam com eles. Mas eles, pelo visto, não queriam reparar nisso e tomá-lo em consideração. Falei de T...ski. Era aquele que, quando os mudaram do seu primeiro lugar de deportação para o nosso forte, levou B...ski às costas durante todo o caminho, quando este, de saúde delicada e constituição fraca, se rendeu à fadiga, quase a meio da jornada. Antes, tinham sido deportados para I... gorsk. Diziam eles que aí tudo lhes tinha corrido muito bem; isto é, muito melhor do que no nosso forte. Mas aconteceu que lhes encontraram certa correspondência, no fundo completamente inocente, para outros deportados de outra povoação, e por isso foram os dois transferidos para o nosso forte; mais ao alcance das vistas do nosso comando superior. O seu terceiro camarada era Tch...ki. Até à sua chegada, M... ki era o único no presídio. Como ele se aborrecia no primeiro ano da sua deportação!

Tch...ski era o tal velho que estava sempre rezando a Deus, e do qual já falei. Todos os nossos presos políticos eram gente nova, alguns até muito novos; Tch...ski era o único que passava dos cinquenta. Não há dúvida de que era um homem honesto, mas um tanto extravagante. Os seus companheiros B....ski e T...ski não gostavam muito dele, e nem sequer lhe falavam, do que se justificavam dizendo que ele era teimoso e disparatado. Não sei até que ponto teriam razão. No presídio, como em todos os lugares semelhantes onde os indivíduos se unem em grupos, não por gosto, mas à força, parece-me que se pode brigar e ganhar-lhes ódio mais depressa do que na vida livre. Muitas circunstâncias contribuem para isso. Aliás, Tch...ski era de fato um homem muito tolo, e talvez até antipático. Todos os seus outros companheiros andavam também um pouco afastados dele. Eu, embora nunca tivéssemos chegado a brigar, também não convivia muito com ele. Parece que conhecia aquilo que estudava, a matemática. Lembro-me de que se esforçou por explicar-me, no seu meio russo, não sei que sistema astronômico especial, da sua invenção. Disseram-me que publicara isso, não sei quando, mas que fizera sorrir o mundo científico. Tenho a impressão de que ele não estava completamente bom do juízo. Passava todo o dia rezando, de joelhos, e com isso conseguia o respeito de todo o presídio, que lhe foi muito útil até ao último dia da sua vida. Morreu no hospital, à minha vista, em consequência de uma doença dolorosa. Aliás, o respeito dos presidiários já o tinha ganho desde a sua primeira entrada no presídio, depois do episódio com o nosso major. Durante o trajeto de I...gorsk para o nosso forte, não os tinham rapado e a barba tinha-lhes crescido, de maneira que, quando se apresentaram pela primeira vez ao nosso major, este ficou furioso perante tal infração da disciplina, da qual, afinal, não tinham culpa.

– Mas que cara que trazem! – resmungou. – Parecem uns vagabundos, uns bandidos!

Tch...ski, que nessa altura não compreendia bem o russo e julgou que lhes perguntavam se eram vagabundos ou bandidos, respondera:

– Nós não somos vagabundos mas sim presos políticos.

– O quê? Estás a fazer-te insolente? A fazer-te insolente? – vociferou o major. – Pois, então, para o corpo da guarda! Cem açoites, agora mesmo, neste mesmo momento!

O velho foi castigado. Estendeu-se, sem protestar, debaixo dos arrochos; mordeu as mãos e suportou o castigo sem um grito ou um queixume. Por essa altura, B...ski e T...ski já estavam no presídio, onde M...ski os esperava à porta, e correu a lançar-se nos seus braços, apesar de nunca os ter visto até então. Impressionados pela chegada do major, contaram-lhe o episódio de Tch...ski. Lembro-me de que M...ski me falou disso: "Eu estava fora de mim – dizia. – Não sabia o que fazia e tremia como se estivesse com febre. Esperei Tch...ski junto da porta. Devia vir diretamente do corpo da guarda, onde fora castigado. De repente, a porta, abriu-se: Tch...ski, sem olhar para ninguém, de rosto pálido e lábios lívidos e trementes, passou por entre os presos que se tinham apinhado no pátio e já estavam a par de que tinham castigado um nobre;[44] entrou no alojamento, dirigiu-se para o seu lugar e, sem dizer, uma palavra, começou a rezar a Deus". Os presos estavam espantados e até comovidos. "Quando eu vi aquele velho – dizia M...ski, de cabelos brancos, que deixara a mulher e o filho na terra, quando eu o vi de joelhos, suplicando e rezando agora, ignominiosamente... fui para trás dos alojamentos e durante duas horas fiquei como que alheado, não podia sair do meu espanto..." A partir daí os presos passaram a respeitar muito Tch...ski e eram muito atenciosos para com ele. Tinha-lhes agradado sobretudo o fato de ele não ter dado um só grito debaixo dos açoites.

No entanto é preciso dizer toda a verdade; não se pode julgar com justeza acerca da conduta seguida pelo comando na Sibéria, para com os deportados da nobreza, fossem eles o que fossem, russos ou polacos. Esse exemplo demonstra unicamente que é possível encontrar-se um homem infame e, não há dúvida de que esse homem infame poderá ser qualquer autoridade, e então, a sorte do deportado, se por acaso esse homem infame não sente por ele uma estima particular, por força que há de ser horrível. Mas é impossível não reconhecer que os chefes supremos da Sibéria, dos quais depende o tipo de conduta de todos os outros chefes para com os deportados nobres, são muito diferentes, e aproveitam até em alguns casos a oportunidade para tratá-los com mais brandura do que às pessoas do povo. As causas disto são claras; em primeiro lugar, esses altos chefes são também nobres, eles próprios e, além disso, já tem acontecido que alguns nobres não se conformaram a estender-se debaixo das vergastas e se atiraram ao executor, e que daí resultaram horrores; e, finalmente, há trinta e cinco anos apareceu de repente na Sibéria um grande grupo de deportados nobres,[45] e estes deportados, no decurso de trinta anos, souberam instalar-se e radicar-se em toda a Sibéria, e por isso o comando, devido a um velho hábito já inveterado, involuntariamente, olhava no meu tempo os delinquentes nobres dessa categoria com olhos muito diferentes daqueles com que olhava para os outros deportados. Depois do alto comando, também os chefes inferiores se habituaram da mesma maneira, aceitando-a e acatando-a. Aliás, alguns desses chefes subalternos tinham umas ideias estúpidas, criticavam as disposições dos superiores e, com muita, com muitíssima frequência se teriam sentido bem satisfeitos se os deixassem proceder à sua vontade. Simplesmente não lhes permitiam. Tenho motivos fortes para pensar assim e eis aqui a razão: a segunda categoria de presidiários, à qual eu pertencia, e que se compunha de presos do forte, sob coman-

---

[44] Os nobres, condenados a trabalhos forçados, perdiam os seus privilégios e somente por uma graça do imperador podiam ser reintegrados nos seus direitos.

[45] Os dezembristas, revoltosos de dezembro de 1825, contra a autocracia russa.

do militar, era incomparavelmente mais dura que as outras duas, isto é, do que a terceira (fabril) e do que a primeira (mineira). Era mais dura, não só, para os nobres, mas também para todos os outros presos, precisamente porque o chefe e a estrutura dessa categoria eram inteiramente militares; completamente militar, muito semelhante às companhias correcionais da Rússia. Comando militar severo, regime mais apertado, sempre com as cadeias, sempre com sentinelas à vista, sempre debaixo de ferrolho; não havia tanto rigor nas duas primeiras categorias. Pelo menos era isso o que diziam todos os nossos presos, e havia entre eles alguns que conheciam bem o caso. Todos passariam com alegria para a primeira categoria, que a lei considerava a mais dura, e até muitas vezes sonhavam com isso. Das companhias correcionais da Rússia, todos os nossos que lá estiveram falavam delas com horror e afirmavam que não havia em toda a Rússia lugar mais duro do que as companhias correcionais dos fortes, e que a Sibéria era um paraíso comparada com a vida que nelas se levava. Por conseguinte, se com um regime tão severo como o do nosso presídio, com um comando militar sob as vistas do próprio general governador, e, finalmente, perante tais casos (que às vezes se davam), de haver alguns indivíduos subalternos, mas serviçais, que por ódio ou pelo desejo de igualdade no serviço, estavam prontos a denunciar quem tivesse qualquer benevolência com algum preso dessa categoria... se, em tal lugar, dizia eu, os presos nobres eram olhados com uns olhos um pouco diferentes daqueles com que eram vistos os outros presos, tanto mais benevolamente haviam de olhá-los na primeira e terceira categorias. Assim; pois, parece-me que no lugar em que eu estava podia, a este respeito, avaliar de toda a Sibéria. Todos os rumores e boatos que chegaram até mim, a respeito do caso, de deportados das primeira e terceira categorias, confirmavam a minha dedução. No fundo, os chefes do presídio olhavam-nos a todos nós, os nobres, com muito mais atenção e cuidado. Tolerância conosco, a respeito do trabalho e da maneira de viver, não havia nenhuma; os mesmos trabalhos, as mesmas cadeias, os mesmos ferrolhos, enfim, tudo igual ao tratamento que tinham os outros presos. Era mesmo impossível aliviarem-nos. Sei que nessa cidade, num passado ainda próximo, tinha havido tantos delatores, tantas intrigas, tantos que se atiravam mutuamente veneno, que o comando, naturalmente, temia as denúncias. E que denúncia poderia ter existido mais terrível, nesse tempo, que a de que se tinham condescendências com os presos da referida categoria! De fato, todos tinham medo, e nós vivíamos nas mesmas condições que os outros presos, embora os castigos corporais constituíssem, relativamente, uma exceção. Para dizer a verdade, seria com muito gosto que nos teriam açoitado se tivéssemos incorrido em qualquer falta. Assim o exigiam o dever do serviço e a igualdade... perante os castigos corporais. Mas, açoitarem-nos, à toa, levianamente, não nos açoitavam; em compensação, os presos do povo eram objeto de um tratamento precipitado, nesse sentido, especialmente da parte de alguns chefes subalternos, habituados a porem e disporem de tudo à sua vontade. Fomos informados de que o comandante, ao saber do episódio do velho Tch...ski, mostrou claramente o seu desgosto perante o major e admoestou-o para que, daí por diante, procurasse refrear a mão. Foi o que todos me contaram. Também sabiam entre nós que o próprio governador-geral, que tinha confiança no nosso major e em parte lhe tinha também amizade, por ser homem de algumas aptidões, quando soube dessa história também o admoestou. E o nosso major não se esqueceu dessas admoestações. Assim, por exemplo, de boa vontade teria procedido contra M***, ao qual não podia ver por causa das calúnias de A...v; mas nunca pôde mandar açoitá-lo, por mais pretextos que inventasse, por mais que o perseguisse e espionasse. A história de Tch...ski espalhou-se rapidamente por toda a cidade e a opinião geral era hostil ao major; muitos o censuravam e alguns até tinham manifestações hostis. Lembro-me agora também do meu primeiro encontro com o major. A nós, isto é, a mim e a outro deportados nobres, em cuja companhia entrei no presídio, já em Tobolsk nos tinham inspirado medo as histórias referentes ao caráter azedo daquele homem. Uns deportados nobres que ali residiam, depois de terem cumprido já os seus vinte e cinco anos de deportação, acolheram-nos com profunda simpatia e conviveram conosco todo tempo que permanecemos na estação de transportes; puseram-nos de sobreaviso contra o nosso futuro chefe e prometeram-nos fazer todo o possível, por meio dos seus conhecimentos, para nos defender da sua perseguição. De fato, três filhas do general-governador, que acabavam de chegar da Rússia e se hospedaram em casa de seu pai, receberam uma carta deles, e pelo sim pelo não foram falar com ele, a nosso favor. Mas que podia ele fazer? Limitou-se a dizer ao major que fosse um pouco mais comedido. Às três da tarde, nós, isto é, eu e o meu companheiro, chegamos àquela cidade e as sentinelas levaram-nos diretamente à presença do nosso senhor. Ficamos à espera dele no vestíbulo. Entretanto mandaram também chamar o suboficial. Mal este apareceu, surgiu também o major. A sua cara corada, borbulhenta e maldosa provocou-nos uma impressão extremamente desagradável; era como se uma aranha furiosa se lançasse, rápida, sobre uma pobre mosca que tivesse caído na sua teia:

– Como te chamas? – perguntou ao meu companheiro. Falava depressa, de maneira cortante, entrecortada e, pelo visto, queria se impor.

– Fulano de tal.

– E tu? – prosseguiu, encarando-me e fixando-me com os óculos. – Suboficial! Levem-nos imediatamente para o alojamento, que lhes rapem meia cabeça no corpo da guarda e ponham-lhes as cadeias, já amanhã. Que capotes são esses? – perguntou, de repente; reparando nos capotes pardos com rodelas amarelas nas costas, que nos tinham entregue em Tobolsk, e com os quais nos tínhamos apresentado perante os seus olhos perspicazes. – É uma nova moda! Com certeza que é uma nova moda.... mas só em projeto... de Petersburgo... – disse, sacudindo-nos, alternadamente. – Não trazem nada consigo? – inquiriu de repente, dirigindo-se ao guarda que nos tinha conduzido.

– Um traje privativo, excelência – respondeu o guarda, que se perfilou imediatamente, com um pequeno tremor. Todos o conheciam; todos tinham ouvido falar dele; a todos inspirava receio.

– Tirem-lhes tudo. Deixem-lhes só uma muda de roupa branca, mas branca; se trouxerem de cor, recolham-na. Tudo o mais será vendido em hasta pública. O dinheiro, para a caixa. Os presos não possuem nada próprio – continuou, olhando-nos com severidade. – Vamos a ver se se portam bem! Que eu não chegue a saber! Senão... cas-ti-go cor-po-ral! Pela falta mais insignificante... chi...ba...tas...!

Toda essa noite estive quase doente; por causa desse acolhimento, devido à falta de hábito Além disso essa impressão agravava-se com tudo quanto via no presídio; mas já falei da minha entrada no presídio.

Dizia eu há pouco que não se atreviam a ter condescendência alguma nem tolerância para conosco no trabalho, perante os outros presos. No entanto, uma vez experimentaram tê-la; durante três meses completos, eu e B...ski íamos para a secretaria dos Engenheiros, na qualidade de escriturários. Mas isto fazia-se às escondidas e foi coisa do chefe de Engenheiros. Isto é, todos aqueles que deviam saber, sabiam, simplesmente, fingiam ignorar. Isso aconteceu durante o tempo do comandante G...kov. O tenente-coronel G...kov parecia um anjo descido dos céus; mas esteve por pouco tempo se bem me lembro, não esteve entre nós mais de meio ano, pode até ser que menos – e voltou para a Rússia deixando uma extraordinária impressão em todos os presos. Idolatravam-no, se se pode empregar aqui essa expressão. Não sei o que ele fazia, mas os conquistava logo à primeira vez. "Um pai, um verdadeiro pai!", diziam constantemente os presos durante o tempo que ele dirigiu a seção de Engenharia. Segundo parece, era grande boêmio. De mediana estatura, com um olhar penetrante, cheio de firmeza. Mas ao mesmo tempo era carinhoso com os presos, quase brando e, de fato, gostava literalmente deles como um pai. Por que amaria ele tanto os presos? Não sei dizer; mas o certo é que não havia um preso a que ele não dissesse uma palavra afetuosa, jovial, e com o qual não se risse e gracejasse, e sobretudo, não havia nisto uma ponta de superioridade, nada que revelasse desigualdade ou pura condescendência de superior. Era o nosso companheiro, o nosso homem; e no mais alto grau. Mas apesar de toda essa sua instintiva democracia, nem uma só vez os presos tiveram a menor falta de respeito ou a menor familiaridade, para com ele. Pelo contrário. Simplesmente, a cara dos presos iluminava-se cada vez que o encontravam e, tirando o gorro, quedavam-se a olhá-lo, sorrindo, quando o viam chegar. E se parava a falar com eles, era como se ele lhes oferecesse um presente. Há indivíduos assim, populares. Olhava como uma criança, andava direito, à vontade: "Uma águia!", costumavam dizer os presos falando dele. Não há dúvida de que não podia aliviar a sua sorte, não há dúvida que não podia; regia apenas os trabalhos de engenharia, os quais, até noutros comandos, se ajustavam a um regime legal perpétuo, estabelecido de uma vez para sempre. Talvez que só ao encontrar por casualidade um grupo trabalhando e ao ver que a tarefa já estava feita, costumasse perdoar o resto do tempo e mandasse os homens para casa antes do toque do tambor. Mas gostava da confiança dos presos, da ausência de exigências mesquinhas e de minudências incomodativas, da ausência absoluta de algumas formas ofensivas no trato com os superiores. Se ele tivesse perdido mil rublos... penso que o maior ladrão de entre os nossos, se os tivesse encontrado, os teria restituído. Sim, estou convencido de que faria isso. Com que profunda comoção souberam os presos que o seu comandante-águia estava mortalmente zangado com o nosso major! Isso deu-se no primeiro mês em que ele esteve ali. O nosso major tinha sido seu companheiro de armas, não sei quando. Depois encontraram-se como amigos, após uma longa separação, e andaram os dois na boêmia. Mas, de repente, cortaram relações. Brigaram e G...kov tornou-se o seu mortal inimigo. Soube-se também que se tinham batido, nessa ocasião, o que podia acontecer com o nosso major, que se azedava com muita frequência. Quando os presos souberam isso, a sua alegria não teve limites: "Como é que o Oito Olhos podia viver em paz, com ele! É uma águia, ao passo que o nosso..." e, de maneira geral, acrescentavam expressões impróprias para serem escritas. Demonstravam o maior interesse em saber qual dos dois é que sovara o outro. Se os boatos acerca da sua briga tivessem saído falsos (o que poderia muito bem ter acontecido), os nossos presos teriam sentido um grande desgosto. "Não, é verdade que o comandante é que levou a melhor – diziam – é pequeno, mas esperto e olha: obrigou-o a meter-se debaixo da cama." Mas passado pouco tempo G...kov partiu, e os presos ficaram consternados. Os nossos comandantes de Engenharia eram muito bons, mas, enquanto eu estive no presídio, mudaram-nos por três ou quatro vezes. "Mas, todos juntos, não valiam o outro! – diziam os presos. – É uma águia, uma águia e um protetor!" O tal G...kov gostava de todos os nobres e por fim mandou-nos algumas vezes, a mim e a B***, para as secretarias. Mas quando ele partiu, isso ficou mais bem regularizado. Havia um dos engenheiros que mostrava muita simpatia por nós. Íamos para lá, copiávamos documentos e começávamos a melhorar a letra, quando, inesperadamente, se recebeu ordem do alto-comando para sermos imediatamente reintegrados nos nossos trabalhos anteriores: alguém lhes levara a notícia. Aliás, não ficamos muito desgostosos com isso: a secretaria começava já a fartar-nos. Depois, durante dois anos quase seguidos, fui sempre com B...ski para os mesmos trabalhos, geralmente para a oficina. Conversava com ele; falava-lhe das minhas esperanças e convicções. Era um bom homem; mas as suas ideias eram às vezes muito estranhas e pessoais. Observam-se frequentemente, em certo gênero de indivíduos, ideias completamente paradoxais. Mas sofreram tanto por causa delas, pagaram-nas tão caro, que se lhes torna doloroso desprenderem-se delas e quase impossível. B...ski ficava sentido com qualquer objeção e refutava-a com violência. Aliás, pode ser que, em muitas coisas, tivesse mais razão do que eu, não sei; mas finalmente deixamos de nos dar, o que muito me custou: tínhamos convivido muito um com o outro.

Entretanto, com o tempo, M...ski foi-se tornando cada vez mais triste e sombrio. Apoderou-se dele um grande pesar. Dantes, nos meus primeiros tempos de presídio, era mais expansivo, desabafava a sua alma mais a miúdo e mais completamente. Havia já três anos que ele estava no presídio quando eu para lá entrei. A princípio interessava-se muito pelo que tinha acontecido no mundo, e do que não fazia a menor ideia, visto estar assim, no presídio; interrogava-me, escutava-me e comovia-se. Mas, com os anos, começou a fechar-se consigo, a esconder tudo no fundo do seu coração. As brasas cobriam-se de cinza. O seu mau humor aumentava de dia para dia. *Je hais ces brigands*, repetia-me com frequência, olhando os presos com cara de poucos amigos, os quais eu tinha tido oportunidade de conhecer mais de perto, mas sem que as minhas observações a favor deles o impressionassem. Não compreendia o que eu lhe dizia; aliás, às vezes concordava, distraidamente; mas no dia seguinte punha-se outra vez a repetir: *Je hais ces brigands*. De fato, costumávamos falar francês, e por causa disso, um capataz, um soldado de Engenharia, Dranítchnikov, não sei por que, deu em chamar-nos "enfermeiros". M...ski só se animava quando se recordava da mãe. "É velha, – dizia-me – gosta mais de mim do que de tudo no mundo; mas eu, aqui, não sei se ela ainda está viva ou se já morreu; já tinha sido bastante para a fazer sofrer saber que eu tinha sido condenado às chibatadas... M...ski não era nobre e, antes da deportação, sofrera um castigo corporal. Quando se lembrava disso, cerrava os dentes e fazia por olhar de revés. Nos últimos tempos deu em andar cada vez mais sozinho. Uma vez, de manhã, ao meio-dia, foi chamado ao escritório do comandante. Este o recebeu com um sorriso alegre:

– Muito bem,: M...ski, vamos lá ver: com que sonhou esta noite?

– Eu dei um pulo – contava M...ski, quando voltou para, junto de nós. – Foi como se o coração me quisesse saltar do peito.

– Sonhei que tinha recebido carta da minha mãe – respondeu.

– Trata-se de qualquer coisa de melhor, de melhor – exclamou o comandante. – Estás livre! A tua mãe pediu... e a sua súplica foi atendida. Aqui tens a sua carta e a ordem que te diz respeito. Agora mesmo sairás do presídio.

Voltou para junto de nós, pálido, ainda mal refeito da comoção. Nós felicitamo-lo. Fazia-nos dó, com as suas mãos trementes, frias. Muitos presos o felicitaram também e congratularam-se pela sua boa sorte.

Foi para a colônia e ficou na nossa cidade, onde lhe deram bem depressa um lugar. A princípio visitava-nos frequentemente, no presídio, e quando podia comunicava-nos várias novidades. Interessavam-no sobretudo as de natureza política.

Dos outros quatro, isto é, sem contar com M...ski; B...ski e Tch...ski, dois eram ainda muito novos, condenados a penas breves; eram pouco instruídos, mas honestos, simples, francos. O terceiro, A...tchukóvski, era demasiado insignificante, a sua pessoa não oferecia nada de particular; mas o quarto, B...m, homem já avançado na idade, fazia-nos a todos uma péssima impressão Não sei como veio parar a essa categoria de presos e ele mesmo o negava. Tinha uma alma grosseira, ruim, com costumes e regras de merceeiro enriquecido à força de poupança. Não tinha a mínima instrução e não se interessava por coisa alguma, a não ser pelo seu ofício. Era pintor de paredes, mas pintor de grande talento. Não tardou que os chefes soubessem da sua habilidade e toda a cidade começou também a chamá-lo para pintar paredes e tetos. Em dois anos pintou quase todos os lugares oficiais. Os donos de prédios pagavam-lhe o seu trabalho e por isso vivia sem dificuldades. Mas o melhor de tudo era que mandavam outros presos para trabalhar com ele. Daqueles que o acompanhavam constantemente, dois aprenderam o seu ofício, e um deles, T..tchévski, acabou por pintar quase tão bem como ele. O nosso major da praça, que vivia também numa residência oficial, por sua vez requisitou B...m e mandou-lhe pintar todos os tetos e paredes. E dizem que, dessa vez, B...m se esmerou muito, que nem em casa do general-governador pintara assim. A casa era de madeira, de um só andar, bastante estragada e suja por fora; mas, por dentro, ficou pintada como um palácio, e o major estava entusiasmado. Esfregava as mãos e dizia que, agora, não tinha outro remédio senão casar: "Com uma casa destas, uma pessoa não tem outro remédio senão casar", exclamava, muito sério. Cada vez estava mais satisfeito com B...m e com os que o tinham ajudado no seu trabalho. Esse trabalho durou um mês, ao todo. Durante esse mês o major mudou completamente de opinião a respeito de todos nós e começou a abrir-se com eles. Chegou ao extremo de, uma vez, chamar Tch...ski a sua casa...

– Tch...ski – disse – eu te ofendi. Mandei-te açoitar sem razão, bem sei. Estou arrependido. Compreendes? Eu, eu estou arrependido!

Tch...ski respondeu-lhe que não compreendia.

– Não compreendes que eu, eu, o teu superior, te mandei chamar para pedir-te perdão? Não compreendes isto? Quem és tu, comparado comigo? Um verme!

Menos do que um verme: um preso. Ao passo que eu sou major pela graça de Deus.[46] Major! Não compreendes isto?

Tch...ski respondeu que compreendia.

– Bem, pois agora me reconcilio contigo. Mas compreendes isto, compreendes bem, em todo o seu alcance? Serás capaz de compreender e de o sentir? Pensa somente que eu, eu, sou major; e tu... etc.

Foi o próprio Tch...ski quem me contou esta cena. Havia pois, também, naquele homem bêbado, absurdo e anormal, um sentimento humano. Levando em conta suas ideias e a sua educação semelhante conduta podia quase considerar-se generosa. Aliás, pode ser que o fato de estar bêbado contribuísse muito para isso.

Os seus sonhos não chegaram a realizar-se: não casou, apesar de estar absolutamente decidido a fazê-lo, quando acabassem de aformosear-lhe a propriedade. Em vez disso teve de comparecer perante os juízes, os quais o intimaram a pedir a reforma. Todos os seus pecados antigos vieram à luz nessa ocasião. Parece que, antes, tinha sido chefe da Polícia naquela cidade... Esse golpe caiu sobre ele inesperadamente. Essa notícia causou uma alegria imensa no presídio. Foi um dia de festa, uma vitória. Diziam que o major resmungava como uma velha e que chorava. Mas isso de nada serviu. Passou à categoria de aposentado, vendeu a sua parelha de cavalos cinzentos, depois todos os seus bens e ficou na miséria. Nós o encontramos depois à paisana, com um sobretudo rasgado e um gorro com uma borla. Olhou os presos com ódio. Mas todo seu poder desaparecera, agora que já não tinha farda. Com o uniforme era um flagelo, um deus. Com aquele sobretudo, ficava reduzido, de repente, a um zero absoluto, e parecia um criado. É extraordinário o que o uniforme representa para esses tipos.

Capítulo XX / A evasão

Pouco tempo depois da destituição do nosso major, deu-se uma mudança radical no nosso presídio. Suprimiram os trabalhos forçados e, em vez disso, criaram uma companhia disciplinar sujeita a direito de guerra, segundo o modelo das companhias disciplinares russas. O que significava que deixaria de haver no nosso presídio deportados e condenados às galeras, de segunda categoria. Por esse tempo começou a ter unicamente presos sujeitos a foro de guerra, isto é, indivíduos que não perdiam os seus direitos civis; soldados como todos os outros, simplesmente, castigados, condenados a penas leves (até seis anos, no máximo), e que à sua saída voltavam outra vez para o seu batalhão, como antes. Aliás, os que voltavam para o presídio, por um segundo delito, eram castigados, como antes, a doze anos. Mas já antes desta inovação havia seções de presos de direito de guerra, mas que viviam juntamente conosco só por não haver outro lugar onde colocá-los. Agora todo o presídio se transformou numa seção dependente do direito de guerra. Será inútil dizer que os anteriores forçados, verdadeiros forçados civis, privados de todos os seus direitos, marcados e com meia cabeça rapada, continuaram no presídio até cumprirem completamente a sua pena; novos,

---

46 Expressão usada no meu tempo, não só pelo major, mas também por muitos maus chefes, sobretudo originários das categorias inferiores. F. M. Dostoiévski.

não entraram, e aqueles aos quais faltava já pouco acabaram de cumprir e saíram, de maneira que, passados dez anos, não podia restar já no nosso presídio nem um só forçado. A seção especial continuou também no presídio, para ela ainda mandavam de quando em quando réus graves do direito de guerra, até que se inauguraram na Sibéria os trabalhos forçados mais duros. De maneira que, para nós, na realidade a vida continuou como antes: a mesma comida, os mesmos trabalhos e quase o mesmo regime, a não ser terem mudado os chefes. Nomearam um *stabsoffizer*, um chefe de companhia, e além destes, quatro tenentes encarregados, por turno, do serviço de guarda no presídio. Suprimiram também os inválidos, em cujo lugar puseram doze suboficiais e um vigilante. Dividiram-nos em seções de dez homens cada uma, para as quais nomearam outros tantos cabos, de entre os presos, claro que só nominalmente e escusado será dizer que Akim Akímitch foi imediatamente nomeado cabo. Toda esta nova organização e todo o presídio, com todos os seus funcionários e presos, ficaram sujeitos como dantes, à jurisdição do comandante, como chefe superior. Foi isto o que aconteceu. É claro que os presos, a princípio, ficaram bastante revoltados: comentavam, faziam prognósticos e perguntavam pormenores acerca dos novos chefes, mas quando viram que, na realidade, tudo continuava na mesma, acalmaram-se imediatamente, e a nossa vida foi decorrendo como antes. O principal era que todos se viam livres do antigo major; parecia que todos respiravam e erguiam a cabeça. Desaparecido esse espantalho, todos sabiam agora que, em caso de necessidade, podiam dirigir-se ao chefe que, quando muito por engano, poderia castigar um justo por um pecador. Também continuava a vender-se aguardente, tal como antes e nas mesmas condições, apesar de os antigos inválidos terem sido substituídos por suboficiais, os quais eram, na sua maioria, homens morigerados e inteligentes, que compreendiam a sua situação. Aliás, alguns deles mostraram a princípio tendência para se fazerem fanfarrões e, sem dúvida por inexperiência, acharam que podiam tratar os presos da mesma maneira que os soldados.

Mas até estes não tardaram a compreender a sua missão. Outros, que tardaram mais a compreendê-la, foram na verdade os presos que os ensinaram. Houve lições bastante duras. Por exemplo, agarravam um suboficial, embebedavam-no, e depois demonstravam-lhe, de uma maneira especial, naturalmente, que tinha bebido juntamente com eles, e que, portanto... Tudo isso acabou em os suboficiais verem, impávidos, ou melhor, esforçarem-se para não verem como eram introduzidas as vasilhas e vendida a aguardente. E mais: passaram a ir ao mercado, como os antigos inválidos e traziam tortas, carne de vaca e outras coisas mais, para os presos; isto é, tudo aquilo que podiam, sem responsabilidade maior. Por que introduziram essas inovações, por que estabeleceram a companhia correcional, isso é coisa que ainda hoje ignoro. Isto se deu já nos meus últimos anos de presídio. Mas ainda tive de viver durante dois anos sujeito ao novo regime.

Descrever toda essa vida, todos os meus anos de presídio? Isso não. Se fosse escrever, pela sua ordem, consecutivamente, tudo o que aí aconteceu e tudo o que vi e experimentei nesses anos, naturalmente necessitaria escrever ainda um triplo ou um quádruplo número dos capítulos que já tenho escritos. Mas tal descrição acabaria finalmente por se tornar monótona, mesmo sem eu o querer. Esses capítulos seriam todos do mesmo gênero e, sobretudo, o leitor já pode, pela leitura dos capítulos antecedentes, fazer uma ideia um tanto aproximada da vida presidiária na segunda categoria. O que eu queria era mostrar-vos o nosso presídio e tudo quanto aí passei durante esses anos, por meio de um quadro compreensível e claro. Não sei se consegui esse objetivo. Em parte, não compete a mim apreciá-lo. Mas estou convencido de que posso acabar aqui. Além do que, às vezes, com estas recordações, me sinto triste. E, aliás, poderia eu também recordar-me de tudo pela sua ordem? Os últimos tempos parecem ter-se apagado da minha memória. Estou convencido de que esqueci completamente muitas circunstâncias. Lembro, por exemplo, de que todos esses anos, no fundo tão semelhantes, desfilaram uns atrás dos outros, tediosos, longos, tão monótonos como a água que, depois de uma chuvarada, continua a escorrer gota a gota sobre um teto. Lembro que só uma apaixonada ânsia de ressurreição, de renovação, de uma nova vida, me fortaleceu na esperança e na ilusão. E, finalmente, fiz-me forte; esperava e contava os dias; e, apesar de ainda me faltarem mil, contava-os com prazer um a um; via chegar o fim de um dia e, quando chegava o seguinte, ficava contente por já não me faltarem mil dias, mas apenas novecentos e noventa e nove. Lembro que, apesar das centenas de companheiros, me encontrava numa horrível solidão, e acabei, finalmente, por adaptar-me a essa solidão. Moralmente solitário, passava revista a toda a minha vida passada; apercebia-me dos mais insignificantes pormenores de tudo; apreciava o meu passado, julgava-me a mim mesmo de maneira implacável e severa e havia até instantes em que dava graças ao destino por me ter deparado aquela solidão sem a qual não me teria sido possível julgar-me a mim próprio, nem sequer chegar àquele severo exame da minha vida pretérita. E que esperanças não enchiam então o meu coração! Eu pensava, decidia, jurava a mim próprio que daí por diante não se repetiriam na minha vida futura aqueles erros nem aquelas faltas em que dantes incorrera. Traçava um programa para todo o futuro e propunha-me firmemente cumpri-lo. Aguardava, chamava, impaciente, pela liberdade; sentia a ansiedade de pôr-me outra vez à prova, numa nova luta. Às vezes assaltava-me uma impaciência convulsiva... Mas custa-me agora evocar a recordação do meu estado de alma de então. Mas não há dúvida... tudo isto, só a mim interessa... Mas se escrevi tudo isto, que a mim se refere, é porque creio que todos me hão de compreender, que cada um o há de experimentar, se vier um dia dar a um presídio, na flor da idade e das suas energias.

Mas para que falar mais disso? O melhor é contar ainda mais qualquer coisa, para não terminar estes apontamentos de maneira demasiado repentina.

Lembro-me de que talvez haja quem pergunte se não seria possível fugir do presídio e se não fugiu algum preso durante todos esses anos. Disse que o preso que tinha já dois ou três anos de presídio, começava a deitar contas àqueles anos e, involuntariamente, concluía que era preferível cumprir os que faltavam, sem preocupações nem inquietações e, finalmente, estabelecer-se como colono. Mas essa ideia só nascia na cabeça dos presos condenados a penas leves. Mas os condenados a muitos anos estavam dispostos ao risco. No entanto, isso não se dava todos os dias. Não sei se teriam medo, se contariam especialmente com o caráter rígido, marcial, da vigilância, a posição da nossa cidade, que sob muitos aspectos o dificultava (estépico, aberta). Seria difícil dizê-lo. Penso que todas estas causas tinham sua influência De fato, fugir dali era difícil. E, no entanto, enquanto estive ali, deu-se um caso desses; houve dois que tomaram essa decisão, e dois dos mais graves criminosos...

Na altura da destituição do nosso major.... A...v (aquele que fazia de espião do presídio) viu-se completamente só, sem proteção. Era um indivíduo ainda novo, mas o seu caráter tinha-se fortalecido e tornou-se mais resoluto com os anos. Era, de maneira geral, um rapaz esperto, decidido e também muito inteligente. Embora continuasse espiando e imaginando vários ardis para ver se o punham em liberdade, para ver se não se deixava apanhar tão tola e impensadamente como antes, de tal maneira que teve de pagar a sua inépcia com a deportação. Também se dedicara um pouco, ali, à falsificação de passaportes, embora não possa afirmar isto com certeza absoluta. Isso foi o que me disseram os outros presos. Diziam que já trabalhava nisso quando entrava na cozinha do major da praça e, naturalmente, arranjava assim bons rendimentos. Em resumo: segundo parece, era capaz de decidir-se a tudo; contanto que mudasse de sorte. Eu tive oportunidade, casualmente, de conhecer até certo ponto a sua alma; o seu cinismo atingia uma insolência que revoltava e provocava uma repugnância invencível. Creio que, se a aguardente fosse coisa do seu agrado e não tivesse outro meio de obtê-la senão matando alguém, com certeza o teria feito, desde que pudesse manter-se secreto, sem que ninguém soubesse. Tinha aprendido a fazer os seus cálculos no presídio. Foi assim que esse homem veio a fixar a sua atenção no preso da seção especial, Kulikov.

Já falei de Kulikov. Já não era novo, mas era apaixonado, inquieto, forte, com muitas e diversas aptidões. Era enérgico e tinha gosto em viver; indivíduos destes, até na extrema velhice, desejam viver. E se eu me admirava por que entre nós não se registavam evasões, a pessoa em quem viria a pensar em primeiro lugar seria Kulikov. Mas Kulikov acabou por decidir-se. Quem, entre os dois, teria mais influência sobre o outro: A...v sobre Kulikov ou Kulikov sobre A...v? Não sei, mas ambos eram dignos um do outro, e muito indicados para uma empresa dessa natureza. Tinham-se feito amigos. Tenho a impressão de que Kulikov contava com o fato de A...v ser nobre e pertencer à boa sociedade, o que prometia uma certa mudança nas futuras peripécias quando chegassem à Rússia. Sabe-se lá o que eles falariam e as ilusões que tinham; mas as suas ilusões deviam sair da rotina costumada da vagabundagem siberiana. Kulikov era histrião por natureza: podia desempenhar muitos e vários papéis da vida; podia prometer-se muito, sobretudo quanto a variedade. Tais indivíduos não podiam viver no presídio. E combinaram fugir.

Mas evadir-se sem sentinela de escolta era impossível. Portanto, era preciso convencer uma sentinela. Num dos batalhões que guarneciam o forte, fazia serviço um polaco, homem enérgico e talvez digno de melhor sorte, já entrado em anos, valente, sério. Ainda novo, fugiu assim que entrou para o serviço, na Sibéria, levado por uma funda nostalgia da pátria. Foi apanhado, castigado e mantiveram-no dois anos nas companhias disciplinares. Quando foi reintegrado nas fileiras, reconsiderou e começou a servir conscienciosamente com todas as suas forças. Fizeram-no cabo para distingui-lo. Era homem amigo de honrarias, que se conhecia a si mesmo e sabia o que valia; olhava e falava como quem sabe o que vale. Via-o a miúdo, e falei muitas vezes com ele. Encontrei-o algumas vezes nesses anos, entre as nossas sentinelas. Os polacos também me falaram dele algumas vezes. Disseram-me que a sua antiga nostalgia se transformara em ódio encoberto, surdo, contínuo. Que esse homem era capaz de tudo e Kulikov não se enganava quando o escolheu por companheiro. Chamava-se Koller. Chegaram a acordo e marcaram um dia. Era no mês de junho, nos dias de calor. O clima, nessa cidade, é bastante igual; no verão faz um tempo sempre quente, e isto favorecia a vagabundagem. É claro que nunca podiam ir a nenhum lado fora do forte: a cidade era aberta por todos os lados e, à sua volta, não havia bosques, numa grande extensão. Era preciso vestir-se com o traje regional, e depois, desaparecer no subúrbio, sem ser visto, onde, havia já algum tempo, Kulikov tinha um refúgio. Não sei se se trataria daquela amante dos presos que vivia nos arrabaldes e que guardaria absoluto segredo. É lógico pensar que o tinham, embora, no fundo, nunca se tivesse chegado a descobrir. Nesse ano, num canto dos arrabaldes, tinha começado as suas atividades havia pouco uma bonita moça, chamada Vanhkg, que fazia nascer grandes ilusões e, em parte, as converteu logo em realidade. Também lhe chamavam A Chama. Segundo parece; teve sua parte na empresa: Kulikov gastou o seu dinheiro com ela durante um ano inteiro. Os nossos rapazes, saíram de manhã para a contagem, e arranjaram-se de maneira que os enviaram, juntamente com o preso Chílkin, forneiro e gesseiro, para trabalhar num quartel vazio, cujos soldados estavam num acampamento, havia já algum tempo... A...v, em companhia de Kulikov, foram até lá com ele, na qualidade de trabalhadores. Koller encarregou-se de escoltá-los; mas, como eram necessárias duas sentinelas para os três, Koller, como mais antigo no serviço, e como cabo, escolheu de boa vontade um soldadinho novo, com o pretexto de ensiná-lo e de treiná-lo no trabalho de sentinela. Pelo visto, os nossos fugitivos deviam ter já uma grande influência sobre Koller, visto terem conseguido convencê-lo depois de tantos anos de serviço e de tão boa conduta nos últimos desses anos, e além disso sendo como era um homem inteligente, enérgico e calculista, a decidir-se a segui-los.

 Entraram no quartel. Eram seis da manhã. Não havia mais ninguém ali senão eles. Depois de terem trabalhado durante uma hora Kulikov e A...v disseram a Chílkin que iam à oficina; primeiro para falar não sei com quem e depois para trazer umas ferramentas de que precisavam. Era preciso ter cuidado com Chílkin, isto é, proceder com a maior naturalidade possível. Era moscovita, forneiro de profissão, da classe média de Moscou, esperto, astuto, inteligente, pouco falador. Aparentemente era um rapaz fraco, débil. Tinha nascido para usar toda a sua vida colete e americana, à moda moscovita; mas o destino dispôs as coisas de outra maneira e, depois de muitas andanças, acabou por vir parar para sempre ao presídio, à seção especial, isto é, à categoria dos mais ferozes criminosos militares. Até que ponto teria merecido este fim, não sei; mas nunca se lhe notava nenhum desgosto especial; portava-se pacificamente e de maneira regular, embora às vezes se embebedasse terrivelmente; mas até nessas circunstâncias se portava bem. É natural que não estivesse metido na combinação; mas tinha bons olhos. Concluiu-se que Kulikov devia ter-lhe dado a entender com um piscar de olhos que iam em busca de aguardente, que tinham escondido na oficina na tarde anterior. Isso comoveu Chílkin; deixou-os sair sem a menor suspeita e ficou só com o recruta, enquanto Kulikov, A...v e Koller se dirigiam aos arrabaldes.

 Passou-se meia hora; os ausentes não voltavam e, de repente, Chílkin ficou perplexo, pôs-se a pensar. Começou a recordar: Kulikov tinha, naquele dia, qualquer coisa de estranho; A...v por duas vezes se pôs a cochichar com ele; pelo menos por duas vezes Kulikov fez-lhe sinais que não lhe escaparam. Lembrava-se de tudo, agora.

Também notara qualquer coisa em Koller, pelo menos, quando foi com eles, começou a dar instruções ao recruta sobre a maneira como devia se conduzir na sua ausência, o que lhe pareceu um pouco estranho, pelo menos da parte de Koller. Em resumo: quanto mais aprofundava as suas recordações, tanto mais cresciam as suspeitas de Chílkin. Entretanto o tempo ia passando, eles não voltavam e a sua inquietação aumentava até limites extremos. Compreendia muito bem quanto se arriscava naquele assunto; podia atrair as suspeitas dos superiores. Podiam pensar que deixara sair os seus companheiros, por estar a par de tudo, em virtude de combinação recíproca; e se tardasse a dar parte do desaparecimento de Kulikóv e de A...v, essas suspeitas adquiriam maior probabilidade de verossimilhança. Não havia tempo a perder. De repente, lembrou-se que, durante os últimos tempos, Kulikov e A...v tinham convivido muito; falavam frequentemente entre si, iam muitas vezes para trás dos alojamentos, longe de todos os olhares. Lembrou-se também do que já algumas vezes pensara acerca deles... Olhou com curiosidade para a sentinela, que bocejava, apoiada à espingarda e esgaravatava inocentemente o nariz com o dedo; de maneira que Chílkin não se dignou comunicar-lhe o seu pensamento e limitou-se a dizer-lhe que o seguiria até à oficina de engenharia. Era preciso perguntar na oficina se porventura não teriam estado ali. Mas ninguém os vira ali. Todas as dúvidas de Chílkin desapareceram. "Se tivessem ido beber para os arrabaldes, o que Kulikov fazia várias vezes – pensou Chílkin – não teriam saído daquela maneira. Teriam avisado, pois, para isso, não valia a pena estar com segredos." Chílkin deixou o trabalho e, sem voltar ao quartel, dirigiu-se para o presídio.

Era já perto das nove horas quando se apresentou ao *feldwebel* e lhe explicou o que se passava. O *feldwebel* ficou de sobrolho carregado e, a princípio, não queria acreditar. É claro que Chílkin falou naquilo apenas como um receio, uma suspeita. O *feldwebel* chamou imediatamente o major. Este chamou imediatamente o comandante. Passado um quarto de hora já tinham sido tomadas todas as medidas necessárias para essa circunstância. Deram parte ao general-governador. Os presos eram delinquentes graves e, por causa deles, podia haver séria admoestação de Petersburgo. Devidamente ou não, A...v fora incluído entre os presos políticos; Kulikov pertencia à seção especial: isto é, ao número dos mais graves criminosos e, além disso, de direito de guerra. Até então ainda não havia exemplo de se ter evadido alguém da seção especial. Recordavam-se, efetivamente, que, por determinação do regulamento, cada preso da seção especial era enviado para o trabalho com duas sentinelas, ou pelo menos, com uma. Não se tinha observado essa regra. De maneira que o caso estava feio. Enviaram-se cavaleiros em direção a todas as aldeias, a todas as localidades circunvizinhas, para participar a evasão e deixar aí os sinais dos fugitivos. Enviaram-se cossacos em sua perseguição; escreveram-se ofícios para os distritos e governos vizinhos. Em suma: ficaram muito sobressaltados.

Entretanto, começava entre nós, no presídio, uma agitação de outra natureza. À medida que regressavam do trabalho, os presos iam-se pondo a par do sucedido. A notícia já se tinha espalhado entre todos, e todos a recebiam com uma alegria incomum, secreta. A todos parecia palpitar-lhes o coração... Além de que esse incidente vinha alterar a monotonia da vida no presídio, uma evasão do formigueiro e uma evasão como aquela revolvia as almas de todos e agitava nelas desejos não completamente esquecidos; a possibilidade de mudar de sorte tornava a fazer palpitar todos os corações... "Vejam como eles fugiram! E por que não?" E, perante esse pensamento todos se animavam e olhavam com olhos interrogativos para os outros. Pelo menos, todos repentinamente se puseram orgulhosos e começaram a olhar com altivez para o suboficial. As autoridades compareceram imediatamente ao presídio. O comandante veio também. Os presos sentiam-se corajosos e olhavam ousadamente, até com certo desprezo e com certa rígida, tácita solidariedade: "Nós cá, caramba, sabemos fazer as coisas." Escusado será dizer que já tinham contado com a visita geral das autoridades do presídio. Contavam também que infalivelmente haveria investigações e já tinham escondido tudo. Sabiam que as autoridades, nestes casos, eram muitíssimo expeditas. Foi o que aconteceu então: houve um rebuliço enorme; revolveram tudo, revistaram tudo... e, é claro, não encontraram nada. Os presos foram para o trabalho da tarde com uma forte escolta. À noite, as sentinelas inspecionaram demoradamente o presídio, contaram os presos uma vez mais do que o costume, e enganaram-se duas vezes mais que do costume. Depois fizeram uma terceira contagem, de alojamento em alojamento... Em suma: houve uma grande comoção.

Mas os presos não perguntavam a razão daquilo. Mostravam-se todos muito altivos e, como costumava acontecer sempre em tais ocasiões, durante toda essa noite conduziram-se com extraordinário aprumo: "Não, é escusado brincarem conosco". Por seu lado, o chefe pensava: "Não haverá cúmplices dos fugitivos no presídio?". E mandava investigar, escutar o que os presos diziam. Mas estes se limitavam a sorrir: "Não é assunto para participar aos outros. Isso se faz com muita reserva e muita cautela, e só assim. Então Kulikov e A...v não são homens capazes de fazerem as coisas sem deixarem rastro? Fizeram magistralmente, de bico calado. São tipos capazes de passarem por uma chaminé de bronze, de se esgueirarem por uma porta fechada". Em resumo: a fama de Kulikov e de A...v crescia a olhos vistos; todos se sentiam ufanos por eles. Sentiam que a sua façanha alcançaria a mais remota posteridade dos presidiários, que havia de sobreviver ao próprio presídio.

– São mestres! – diziam uns.

– Se calhar pensavam que não havia aqui quem fosse capaz de fugir! Ai, não, que não havia! – acrescentavam outros.

– Fugiram! – exclamava um terceiro olhando com uns ares de domínio à sua volta. – Houve quem fugisse! Que dizes a isto, *bratiets?*

Noutra ocasião, o preso ao qual fossem dirigidas essas palavras, teria infalivelmente respondido com altivez e sairia em defesa da sua honra. Mas agora contentou-se em resmungar: "Eu bem dizia que, de fato, nem todos são como Kulikov e A...v".

– E afinal, meus amigos, verdadeiramente, por que estamos nós aqui? – atalhava um quarto que até aí tinha estado calado, sentado modestamente ao pé da janela da cozinha, falando como se cantasse, impulsionado por um sentimento deprimente e ao mesmo tempo com um prazer secreto e segurando a face com a mão. – Por que estamos nós aqui? Não vivemos... como pessoas, morremos.... e não somos cadáveres. Ah!

– Vê se descalças esse par de botas... Para que é esse ah?

– Aí está Kulikov... – gritou um dos entusiastas, um criançola, de boca rubicunda.

– Kulikov! – acrescentou imediatamente outro, voltando-se para olhar com desprezo para o criançola – Kulikov!

O que queria dizer: "Mas por acaso abundam aqui os Kulikov?"

– Bom; e A...v, meus amigos, é esperto, caramba, é esperto! Toma! Esse é um finório! É capaz de engrolar Kulikov e de lhe fazer ver estrelas ao meio-dia!

– Vai saber onde eles já vão, meus amigos!

E surgiram imediatamente discussões sobre a distância a que eles já iriam. E por que lado teriam saído? Por onde lhes seria mais fácil terem saído? E qual seria a aldeia mais próxima? Intervieram na discussão indivíduos que conheciam aqueles arredores. Escutaram-nos com curiosidade. Falavam dos habitantes das aldeias próximas e diziam que não eram gente de confiança. Nas imediações da cidade, a pessoa era interesseira; não davam auxílio aos presos, apanhavam-nos e entregavam-nos.

– O camponês destas terras não se presta a nada. É camponês e basta!

– É um camponês que não sabe o que quer!

– O siberiano é matreiro. Quem lhe cair nas mãos é degolado.

– Então os nossos...

– Tudo se reduz a saber quem pode mais. E os nossos não são qualquer coisa.

– Pois se não morrermos, havemos de chegar a saber. E tu, que dizes? Achas que os apanham?

– Eu penso que, vivos, não os apanham! – juntou um dos entusiasmados, dando uma punhada na cabeça.

– Hum! Bem. Tudo depende da casualidade.

– Pois eu lhes vou dizer o que penso, meus amigos – exclamou Skurátov. – Se eu tornasse a ser vagabundo, não me apanhavam!

– A ti!

Começaram a rir, enquanto alguns fingiam que nem sequer queriam ouvir aquilo. Mas Skurátov estava impetuoso.

– Não me apanhavam vivo! – acrescentou com energia. – Eu, meus amigos, já o tenho pensado muitas vezes e fico admirado comigo mesmo; asseguro-vos que me meteria em qualquer canto e que não me apanhavam.

– Acabavas por ficar cheio de fome e tinhas de ir pedir um pedaço de pão a um camponês.

Gargalhada geral.

– Qual pedaço de pão!

– Para que estás dando tanto à língua? És tão esperto que até vingaste a morte da vaca matando o teu tio Vássia, e por isso é que estás aqui.[47]

As gargalhadas arrefeceram. Os sérios olhavam com grande aborrecimento.

– Mentes! – gritava Skurátov. – Mikita mente nisso que diz de mim, e não só de mim, mas também do meu tio; mas é verdade que me complicaram a vida. Eu sou moscovita e desde pequeno que estou acostumado à vagabundagem. Quando eu andava aprendendo a ler e a escrever com o nosso subdiácono, em pequeno, costumavam puxar-me as orelhas: "Diz lá: 'Senhor, tem piedade de nós, pela grandeza da tua misericórdia' etc. Mas eu ia e — dizia: 'Leva-me à Polícia, Senhor, pela grandeza da tua misericórdia' etc.". Aí têm como eu era em pequeno!

---

[47] Tinham morto um homem ou uma mulher, na crença de que êstes tinham infectado o ar, provocando a morte do gado. No presídio havia mais de um condenado deste gênero. F. M. Dostoiévski.

Tornaram a ouvir-se risos. Mas que mais queria Skurátov? Não tardaram em deixá-lo, para voltarem às suas conversas sérias. Os velhos entendidos em evasões deram a sua opinião. Os mais novos e modestos contentavam-se com olhá-los e estender os pescoços para escutar. Tinha-se reunido uma grande multidão na cozinha, embora, é claro, não estivessem ali os suboficiais. Na sua presença, não se teriam posto a falar. Entre os que davam mostras de maior complacência, chamou-me a atenção um tártaro, Mámetka, de alta estatura, de rosto cheio, com uma figura muito cômica. Falava muito mal o russo e não percebia quase nada do que os outros diziam; mas estava ali, e escutava, escutava com prazer.

– Então, Mámetka, *yákchi?*[48] – perguntou-lhe Skurátov, para dizer alguma coisa, já que todos o repeliam.

– *Yákchi!* Oh, *yákchi!* – exclamou Mámetka, todo animado, fazendo uma careta a Skurátov com a sua cara grotesca – *Yákchi!*

– Não os apanharam, *yok?*[49]

– *Yok! Yok!* – e Mámetka tornou a menear a cabeça e, desta vez, até mexeu as mãos.

– Quer dizer que um mente e o outro não desmente, não é verdade?

– Isso, isso, *yákchi!* – acrescentou Mámetka movendo a cabeça.

– Bem, então, *yákchi!*

E Skurátov, depois de ter dado um piparote no gorro de Mámetka e o puxar para cima dos olhos, saiu da cozinha na melhor das disposições, deixando o tártaro um pouco perplexo.

O regime de severidade no presídio e as enérgicas patrulhas e pesquisas prolongaram-se por uma semana inteira, no presídio e nos arredores. Não sei como seria; mas os presos recebiam todas as notícias referentes às atividades das autoridades fora do presídio, imediatamente e com exatidão. Nos primeiros dias, todas as notícias referentes aos fugitivos eram favoráveis: nem boatos, nem sinais; tinham simplesmente desaparecido. Os presos limitavam-se a sorrir. Cessou toda a inquietação a respeito da sorte dos fugitivos.

– Não encontram nada, não apanham nenhum – diziam com satisfação.

– Levaram sumiço!

– Adeus, espera lá que eu vou ali e já venho!

Os presos sabiam que os camponeses de todos aqueles arredores se tinham posto em movimento e inspecionavam todos os lugares suspeitos, todos os bosques, todos os barrancos.

– É extraordinário – diziam os presos, troçando. – Com certeza que têm alguém que os esconde em sua casa.

– Deve ser isso – diziam outros. – São espertos, prepararam tudo com antecedência.

Iam ainda mais longe nas suas suposições; começaram a dizer que os fugitivos ainda deviam estar nos arredores, escondidos em alguma gruta e aí continuariam até que passasse a agitação e o cabelo lhes crescesse. Estariam aí meio ano, um ano, e depois partiriam...

---

48 Está bem, em tártaro.
49 Não, em tártaro.

Resumindo: estavam todos numa disposição de espírito um pouco romântica. Mas, de repente, passados oito dias sobre a evasão, correu o boato de que tinham encontrado uma pista. Escusado será dizer que o absurdo boato foi imediatamente repudiado com desprezo. Mas ainda nessa noite o boato foi confirmado. Os presos, a princípio, não queriam acreditar. Mas no outro dia de manhã começaram a dizer na cidade que os tinham apanhado, que iam trazê-los. Depois do rancho, souberam também outros pormenores: tinham sido detidos a setenta verstas dali, não sei em que aldeia. Até que, finalmente, se receberam notícias mais concretas. *O feldwebel*, depois de se ter avistado com o major, anunciou definitivamente que nessa mesma noite os trariam diretamente para o corpo da guarda, à entrada do presídio. Não era possível duvidar. É difícil descrever a impressão que a notícia causou nos presos. A princípio pareceu que todos ficavam aborrecidos; depois ficaram consternados. Depois deram mostras de levarem o caso à conta de brincadeira. A princípio alguns, quase todos, exceto uns tantos indivíduos sérios e moderados, que pensavam por sua própria cabeça e que não era possível demover com brincadeiras, puseram-se a sorrir, mas então já não à custa dos perseguidores mas sim dos detidos. Olhavam com desprezo para os aturdidos e ficavam calados.

Em resumo: na mesma medida em que antes enalteceram Kulikov e A...v, agora os rebaixavam e até com prazer. Parecia que eles os tinham ofendido a todos em qualquer coisa. Diziam, com um ar depreciativo, que eram muito comilões, que não eram capazes de suportar a fome e que tinham ido à aldeia pedir pão aos camponeses. O que, para um vagabundo, representava o extremo da vileza. Mas esses ditos e contos não eram verdadeiros. Tinham ido seguindo o rasto dos fugitivos; internaram-se no bosque e rodearam este por todos os lados com gente. E quando viram que não lhes restava lá possibilidade de salvação, entregaram-se. Não tinham mais nada a fazer.

Mas quando de fato os trouxeram à noite, atados de pés e mãos, com guardas, todo o presídio se empilhou de encontro à paliçada para ver o que fariam com eles. É claro que não viram nada, a não ser as carruagens do major e do comandante, junto ao corpo da guarda. Os fugitivos foram encerrados num calabouço, postos com ferros, e no dia seguinte compareceram perante os juízes.

As troças e desprezos dos presos cessaram então. Abandonaram a sua atitude anterior. Tomaram conhecimento do lance com mais pormenores, souberam que os fugitivos não puderam fazer outra coisa senão renderem-se, e puseram-se todos a seguir com paixão o desenlace do julgamento.

– Vão dar-lhes mil – diziam uns.

– Qual mil? – diziam outros. – Matam-nos com os paus! A A...v, pode ser que ainda lhe deem mil, mas ao outro matam-no, meu amigo, porque é da seção especial.

No entanto não acertaram. A A...v deram-lhe ao todo quinhentos: levaram em conta a sua anterior conduta satisfatória e ser essa a sua primeira falta. A Kulikov deram-lhe, segundo parece, mil e quinhentos. Castigaram-no com bastante brandura. Eles, como pessoas experimentadas, não se contradisseram nem num único ponto, perante os juízes; declararam claramente terem fugido diretamente do forte, sem saberem para onde. De todos, o que mais compaixão me inspirava era Koller; este perdia tudo, as suas últimas esperanças; recebeu mais do que os outros, dois mil, e encerraram-no, mas não no nosso presídio. A...v foi castigado com brandura, com

delicadeza, para o que contribuíram os médicos. Mas ele mostrou coragem e disse em voz alta, no hospital, que agora que já tinha recebido o batismo, estava disposto a tudo e não havia de demorar-se ali. Kulikov portou-se como sempre; de uma maneira séria, digna, e quando voltou do castigo para o presídio, parecia que nunca saíra dele. Mas os presos não o viam com os mesmos olhos; apesar de Kulikov saber dominar-se sempre e em todos os lugares, os presos, no fundo da sua alma, pareciam ter-lhe perdido o respeito, pois começaram a tratá-lo com mais familiaridade. Numa palavra: com a evasão, a fama de Kulikov declinou muito. Eis o que vale o êxito entre os mortais...

Capítulo XXI / Saída do presídio

Tudo isso aconteceu já no último ano da minha condenação. Esse último ano tenho-o quase tão bem gravado na memória como o primeiro e, sobretudo, os meus últimos tempos no presídio. Mas para que demorar-me com pormenores? Recordarei unicamente que, nesse ano, apesar de toda a minha impaciência para acabar a minha pena o mais depressa possível minha vida se tornou muito mais leve do que em todos os anteriores anos de deportação. Em primeiro lugar tinha eu já muitos amigos entre os presos e conhecidos firmemente convictos de que eu era uma boa pessoa. Muitos deles me eram dedicados e me queriam sinceramente. A ordenança Baklúskin quase chorou quando teve de escoltar-me, a mim e a um companheiro meu fora do presídio e, durante o mês que depois vivi já livre, na cidade, num edifício da administração, quase todos os dias me vinha visitar, só pelo gosto de me ver. Havia no entanto indivíduos arredios e hostis até o fim, aos quais parecia que lhes custava falar comigo. Sabe-se lá por que. Podia-se dizer que, entre nós, havia um muro de permeio.

Nos últimos tempos eu tinha mais oportunidades do que durante toda a época da minha condenação. Encontrei nessa cidade, entre os militares da guarnição, conhecidos e até antigos companheiros de estudos. Reatei o convívio com eles. Por seu intermédio consegui arranjar mais dinheiro, escrever à minha família e obter também livros. Havia já alguns anos que eu não lia um livro e me parece difícil descrever a estranha e ao mesmo tempo profunda impressão que me produziu o primeiro que li no presídio. Lembro-me de que me pus a lê-lo à tarde, quando fecharam o alojamento, e que fiquei a lê-lo toda a noite até ao amanhecer. Era um número de uma revista. Era como se até mim chegassem notícias de outro mundo; a minha vida anterior surgiu perante mim clara e luminosa, e esforçava-me por adivinhar à medida que ia lendo. Estaria eu muito afastado dessa vida? Tinham-se passado muitas coisas na minha ausência? Que seria que agora os agitava, que questões os preocupavam? Meditava sobre cada palavra, lia nas entrelinhas, esforçava-me por encontrar-lhes um pensamento secreto, alusões ao passado; esquadrinhava os vestígios daquilo que dantes, no meu tempo, comovia as pessoas. E que pena sentia eu então ao reconhecer que era como uma peça desirmanada! Era preciso acostumar-me às coisas novas, travar conhecimento com a nova geração. Li particularmente um artigo em cujo pé vinha o nome dum escritor conhecido, que dantes me fora muito dedicado. Mas surgiam já também nomes novos, manifestavam-se novas personalidades; e eu me apressava a conhecê-los ansiosamente, e lamentava ter tão poucos livros e que fosse tão difícil arranjá-los. Dantes, quando estava ainda no presídio o anterior major da caserna, teria sido muito perigoso introduzir livros no presídio. Em caso de investigação haviam infalivelmente de perguntar: "Donde vieram esses livros? Quem os arranjou? Então tens relações!". E que poderia eu responder a tais perguntas? E por isso, vivendo sem livros, eu, sem querer, afundava-me em mim próprio, fazia perguntas a mim mesmo, esforçava-me por responder-lhes, torturava a imaginação. Mas, como explicar tudo isso! Entrei no presídio no inverno e sucedeu-me também ser liberto no inverno, no mesmo dia do mês em que entrara. Com que impaciência eu aguardava o inverno, com que prazer via o fim do ano, quando na aldeia começam a amarelar as folhas das árvores e a erva se esgota na estepe! E o verão já se foi embora e uiva o vento do outono; caiu o primeiro nevão. Chegou, enfim, esse inverno tão desejado! O meu coração começa muitas vezes a palpitar surda e fortemente, com o grande pressentimento da liberdade. Mas, coisa estranha: quanto mais o tempo ia passando e mais se aproximava o fim da minha condenação, maior era a paciência que se apoderava de mim. Já quase nos últimos dias, até me admirava e dirigia censuras a mim mesmo; tinha-me tornado perfeitamente frio e indiferente. Quando se encontravam no pátio, nas horas de recreio, muitos presos me felicitavam:

– Viva! Com que então vai sair, vai ser posto em liberdade, em breve, em breve, *bátiuchka* Alieksandr Pietróvitch! Vai deixar sozinhos estes pobres diabos!

– E você, Martínov, não acaba também em breve? – respondia-lhe.

– Eu? Sim, sim! Ainda me faltam sete anos!

E suspirava, ficava ali especado, olhando abstratamente, como se escutasse o futuro... Sim; muitos felicitavam-me sincera e alegremente. Parecia-me que todos começavam a tornar-se mais afetuosos. Era evidente que se tinham reconciliado comigo. K...tchinski, um polaco nobre, um jovem amável, gostava muito, tal como eu, de vir para o pátio nas horas livres. Pensava que o ar livre e o exercício lhe convinham para conservar a saúde e resistir ao mal causado pelas abafadiças noites do alojamento. "Eu aguardo a sua saída com impaciência – dizia-me, sorrindo, quando se encontrou uma vez comigo, durante os seus passeios. – O senhor sairá, e então eu ficarei sabendo que me falta um ano para cumprir."

Farei notar aqui, de passagem, que, devido ao muito sonhar e à longa privação da liberdade, esta nos parecia no presídio algo de mais livre que a verdadeira liberdade; isto é, que aquela que verdadeiramente existe na realidade. Os presos encareciam o conceito da liberdade positiva, e isto é muito natural, muito próprio do preso. Qualquer desastrado impedido dum oficial nos parecia quase um rei, em comparação com os presos, simplesmente por andar com a cabeça rapada, sem ferros e sem sentinela.

Na véspera do último dia, ao escurecer, dei a volta, pela última vez a toda a paliçada do presídio. Quantos milhares de vezes teria eu dado volta a essa paliçada em todos aqueles anos! Como eu me aborreci, atrás dos alojamentos, no primeiro ano da minha prisão, só, triste, aniquilado. Lembro-me de que, então, contava os milhares de dias que me restavam. Senhor, há quanto tempo isso foi já! Aqui, neste canto, viveu cativa a nossa águia e era aqui também que eu costumava encontrar-me com Pietrov, que, agora, também não se afasta de mim. Aproxima-se e, como se adivinhasse o meu pensamento, põe-se a caminhar em silêncio ao meu lado e parece admirar-se de algo no seu íntimo. Despeço-me em pensamento destas tábuas denegridas dos nossos alojamentos. Que impressão tão hostil me faziam elas então, nos primeiros

MEMÓRIAS DA CASA DOS MORTOS

tempos! Não há dúvida de que devem estar agora mais velhas do que antes, mas eu não o noto. Quanta juventude não se sepultou inutilmente atrás destas paredes, quantas grandes energias não se perderam aqui sem proveito! E, para dizer tudo: essa gente era uma gente extraordinária. Pode ser que fosse a mais dotada, a mais forte de todo o nosso povo. Mas foi debalde que sucumbiram energias poderosas, sucumbiram de uma maneira anormal, ilegal, irreparável. E quem tem a culpa disso?

— Sim, é esse o ponto, de quem é a culpa?

No dia seguinte, de manhã, antes da saída para o trabalho, quando mal começara a clarear, fui percorrendo todos os alojamentos para despedir-me de todos os presos. Alguns estenderam-me afetuosamente as suas mãos calejadas e fortes. Alguns as davam como a um companheiro, mas eram poucos. Outros compreendiam muito bem que daí a um momento eu iria transformar-me num homem diferente deles. Sabiam que eu tinha amizades na cidade, que me dirigiria imediatamente ali, aos senhores, e que trataria com eles de igual para igual. Compreendiam-no e despediam-se afetuosamente, mas não como de um companheiro e antes como de um senhor. Outros voltavam-me as costas e respondiam por entre dentes à minha despedida. Alguns até me olhavam com certo ódio.

Ouviu-se o tambor e todos se dirigiram para o trabalho; só eu fiquei ali. Nessa manhã Suchílov levantou mais cedo do que todos e pôs-se a movimentar com todas as suas energias para preparar-me o chá. Pobre Suchílov! Chorou quando eu lhe ofereci os meus objetos do presídio, algumas camisas, as palmilhas para usar debaixo das cadeias: e algum dinheiro! "Eu não preciso nada disto, eu não quero nada!", dizia, esforçando-se por dominar os lábios trêmulos... "Como hei de eu suportar a sua ausência, Alieksandr Pietróvitch? Sem você, quem me resta agora aqui?" Despedi-me também pela última vez de Akim Akímitch.

— Em breve chegará a tua vez! — disse-lhe eu.

— Ainda me falta muito tempo — resmungou, apertando a minha mão.

Lancei-me contra o seu peito e abraçamo-nos.

Dez minutos depois da saída dos presos saímos também para nunca mais voltar, eu e o meu companheiro, aquele com quem entrara. Era necessário irmos imediatamente ao ferreiro para que nos tirasse os ferros. E a sentinela, de arma no braço, já não nos escoltava; era um suboficial que nos acompanhava. Foram os nossos próprios presos que nos tiraram os ferros na oficina de engenharia. Esperei que desferrassem o meu companheiro e depois aproximei-me da bigorna. Os ferreiros puseram-me de costas, levantaram-me o pé por detrás, apoiaram-no na bigorna... absorviam-se no trabalho, desejavam fazê-lo com a maior perícia, o melhor possível.

— Os rebites, os rebites para cima, pouco a pouco! — mandou o mestre. — Segurem-no bem... Agora deem com o martelo...

As cadeias caíram. Eu as apanhei... Queria tê-las nas minhas mãos, olhá-las pela última vez. Admirava-me agora que ainda há um instante as trouxesse nos pés.

— Bom, vão com Deus! Com Deus! — diziam-me os presos com vozes roucas, entrecortadas, mas nas quais me parecia vibrar agora um pouco de alegria.

Sim, com Deus! Liberdade, vida nova; ressurreição de entre os mortos! Que momento glorioso!

Uma história aborrecida

Uma história aborrecida
(1862)

Esta aborrecida história remonta àqueles tempos em que a nossa amada pátria acabava de renascer para uma nova vida e em que todos os seus bons filhos se esforçavam por alcançar novas finalidades, com um poder irresistível e uma comovedora ingenuidade. Numa clara e fria noite de inverno – devia ser meia-noite – numa sala ricamente mobiliada, cômoda, com chaminé, sala que pertencia a uma casa de dois andares do Lado Petersburguês, estavam sentados três respeitáveis senhores discutindo com muita gravidade e reflexão sobre um tema de extraordinária importância. Os três tinham já alcançado o título de Excelência. Estavam sentados à volta de uma mesinha redonda, em grandes e fofas poltronas, e enquanto conversavam, tomavam um golinho das taças de champanhe. A garrafa achava-se em frente deles, em cima da mesa, sobre uma bacia de prata. O dono da casa, Stiepan Nikifórovitch Nikíforov, de setenta e cinco anos, convidara os amigos para festejar a recente aquisição da sua casa e, ao mesmo tempo, o seu aniversário. De maneira geral, não costumava celebrar outras festas. Em última análise, a festa que dava hoje, não era pomposa; como dissemos, os convidados eram ambos antigos companheiros do anfitrião: o conselheiro efetivo de Estado, Siemion Ivânovitch Chipulenko e Ivan Ilhitch Pralínski, também conselheiro efetivo de Estado. Tinham chegado os dois às nove, para tomar chá; agora bebiam champanhe e sabiam muito bem que, ao bater meia-noite e meia, deviam despedir-se. O dono da casa apreciava a ordem. Digamos de passagem duas palavras a seu respeito: iniciara a sua carreira como empregado modesto e despreocupado, desempenhara-a tranquilamente durante quarenta e cinco anos, compreendia com perfeição aquilo a que devia aspirar, não podia convencer-se a apanhar as estrelas do céu com as mãos, embora ostentasse já duas no peito, e não lhe agradava de maneira nenhuma, em nenhuma ocasião, por importante que fosse, manifestar a sua opinião pessoal. Era um homem honesto, isto é, não tivera nenhuma oportunidade na vida de fazer nada particularmente desonroso; permanecia solteiro, pois era egoísta; não tinha nada de tolo, mas, como dissemos, não podia suportar lhe iluminassem a inteligência; desagradavam-lhe sobretudo a desordem e o entusiasmo, que no seu conceito representavam a desordem moral, e sumia-se, no ocaso da vida, numa certa comodidade regalada e numa solidão sistemática. Ainda que de vez em quando visitasse pessoas de elevada posição social, desde a juventude não gostava receber visitas, e contentava-se nos últimos tempos, quando não tinha de fazer para isso grandes esforços da paciência, com a companhia do seu relógio sobre a chaminé, cujo tique-taque teimoso se ouvia ininterruptamente durante toda a santa noite, debaixo da redoma de cristal. Tinha boa apresentação; sempre barbeado, parecia um pouco mais novo do que era, estava bem conservado, desde os pés até a cabeça, um verdadeiro *gentleman*. Já não precisava trabalhar; ainda conservava um cargo, mas as suas obrigações limitavam-se a presidir a reuniões e a fazer assinaturas. Enfim, todos o consideravam uma excelente pessoa. Uma só paixão tivera este homem, ou, para melhor dizer, um só desejo veemente: possuir casa própria e, é claro, uma casa senhorial, e não uma casa num andar de aluguel. Conseguiu satisfazer esse seu único capricho: encontrou uma casa no Lado Petersburguês que, embora um pouco afastada do centro, possuía em compensação um aspecto distinto e tinha também um jardim... e o nosso homem decidiu-se e comprou-a. Sim, o novo proprietário da chácara considerava até uma vantagem o fato de a casa estar um pouco afastada; não gostava de receber visitas e para ir visitar os outros e assistir a recepções contava com uma bela carruagem cor de chocolate escuro, com o seu cocheiro Mikhail e com cavalinhos fortes e bonitos. Adquirira tudo isto com o fruto de quarenta e quatro anos de severas economias. Sentia-se assim contente com o que possuía. Era este também o motivo por que, ao instalar-se na sua nova casa, Stiepan Nikifórovitch chegava ao extremo de convidar amigos e de querer celebrar o seu aniversário, este dia que, noutros tempos, até dos seus amigos mais íntimos se esforçava por esconder. Havia além disso outra razão particular para este convite. É que ele ocupava na casa apenas o segundo andar, e resolvera alugar o outro, construído segundo o mesmo plano que o primeiro. Ora bem: Stiepan Nikifórovitch Nikíforov esperava conquistar as boas graças de Siemion Ivânovitch Chipulenko para que lhe alugasse o referido andar inferior, e com esse fim fez recair nessa noite a conversa, por duas vezes, sobre esse tema, mas sem conseguir o objetivo desejado, pois Siemion Ivânovitch Chipulenko reservou tenazmente os seus planos em relação a uma possível mudança de domicílio. O tal Chipulenko, que havia muito tempo vinha abrindo penosamente o seu caminho, era casado e muito agarrado ao lar, um déspota em casa e um funcionário escrupuloso na repartição. Também sabia até onde podia chegar, e muito melhor até onde não podia. Entretanto ocupava um bom cargo e ocupava-o com grande convicção. É claro que não via com bons olhos as novas reformas, mas também não se irritava demasiado por causa disso: era, como dissemos, um homem muito consciente, e não escutava sem um risinho trocista os arrazoados de Ivan Pralínski, que nunca se cansava de dissertar sobre os novos temas. Os três amigos tinham bebido mais do que o costume, de tal maneira que o dono da casa se deixou arrastar até uma pequena discussão com o Senhor Pralínski acerca das novas reformas. Mas já é tempo que eu diga alguma coisa sobre Sua Excelência, o Senhor Pralínski, tanto mais que é ele o protagonista desta história.

    Havia apenas quatro meses o conselheiro de Estado efetivo, Ivan Ilhitch Pralínski, ostentava o seu belo título de Excelência, ou, por outras palavras, era uma Excelência muito nova. Em idade também muito novo, pois teria quarenta e três anos no máximo, embora pelo seu aspecto – e bem o desejava – parecesse muito mais novo. Era um homem interessante, alto, elegante, mas sem dar nas vistas, sempre vestido com distinção, e sabia admiravelmente usar as suas condecorações; desde pequeno aprendera a adotar costumes distintos, e sonhava, se bem que ainda fosse solteiro, em casar com uma noiva rica e, por que não dizê-lo, aristocrática. É certo que sonhava também com muitas outras coisas, embora não fosse tolo nenhum. Às vezes tornava-se muito falador e então tinha tendência a adotar atitudes parlamentárias. Era de boas famílias; o pai fora general do Exército e habituara-se desde pequeno a andar vestido de veludo e de batista; além disso, educara-se num colégio aristocrático e, embora não tivesse saído dele com grandes conhecimentos, parecia ter conseguido um grande êxito no seu emprego, pois não demorara a conseguir esse título de Excelência. Os chefes consideravam-no de muita capacidade e depositavam-lhe grandes esperanças. Mas o Senhor Nikíforov, sob cujas ordens trabalhara até obter o referido título, não o considerava de maneira nenhuma extraordinário, nem tinha sobre ele nenhuma esperança especial. Ao Senhor Nikíforov agradava que o Senhor Pralínski fosse de boa família e possuísse rendimentos seguros, isto é, uma grande casa com o seu administrador e tudo mais, não tivesse parentesco com gente baixa e, por fim, que tivesse boa apresentação. Mas isto não o impedia de o censurar pelas costas, atribuindo-lhe falta de penetração e grande leviandade. Ao próprio Pralínski parecia algumas vezes possuir demasiado amor-próprio e, neste ponto, era muito exigente. Havia ocasiões em que sentia verdadeiros ataques de consciência e até arrependimento de muitas coisas. Então confessava a si próprio, com uma secreta amargura, que não era de maneira nenhuma a importante personagem que julgava ser. Nesses momentos chegava a ficar melancólico; no entanto, é verdade que isso só lhe acontecia quando sofria as dores provocadas pelas hemorroidas, ocasiões em que dizia que a sua vida era *une existence manquée*,[1] e punha até em dúvida as suas aptidões parlamentárias chamava-se a si próprio um charlatão, um *phraseur* e, embora tudo isto fosse certamente uma atitude sua muito honesta, não o impedia de, passada meia hora, levantar a cabeça e afirmar a si próprio com a maior insistência e aprumo que daí por diante havia de arranjar as coisas para se elevar e não ser apenas um alto dignitário, ser também um estadista de primeira grandeza, ao qual a Rússia nunca mais pudesse esquecer. Sim, o nosso homem ia tão longe que se via já fundido em bronze ou esculpido em mármore, no centro duma Praça Pralínski. Donde se conclui que se esforçava por algo de grande, embora ocultasse profunda e esforçadamente no mais íntimo do seu coração esses sonhos e ilusões. Enfim, era uma boa criatura, e até um poeta, no fundo da sua alma. Nos últimos anos, esses momentos de mórbido desespero apossavam-se cada vez mais dele. Tornou-se particularmente irritável e receoso, e acabou finalmente por se sentir sempre inclinado a tomar qualquer contradição por uma ofensa pessoal. Mas eis que, de repente, começou a dar sinais de vida a Rússia liberal, o que tornou a infundir grandes esperanças no nosso homem. E o título de Excelência veio também contribuir para isso; respirou fundo. Começou, de repente, a falar muito e bem, constantemente, é claro, acerca dos novíssimos temas que assimilara com extraordinária rapidez e entusiasmo. Procurava ocasiões para falar, visitava pessoas famosas, e não tardou a arranjar reputação de liberal fanático, o que o lisonjeava extraordinariamente. Nessa noite sentiu-se com uma veia especial, depois de ter esgotado a quarta taça. Esforçou-se, de chôfre, por converter o dono da casa às suas ideias. Havia muito não o via, sempre alimentara grande estima por ele e noutros tempos seguira sempre os seus conselhos. Mas agora, de repente, reparava que era um conservador convicto, e começou a atacá-lo com um afinco desacostumado. Nikíforov quase não se dignava responder-lhe, limitando-se a ouvi-lo com um sorriso trocista, apesar de o tema o interessar. Pralínski, pelo contrário, entusiasmava-se cada vez mais, e no ardor da discussão levava a taça aos lábios com maior frequência do que convinha. O anfitrião apressava-se constantemente em pegar-lhe na taça para enchê-la, o que, uma vez, o Senhor Pralínski, não sabemos por que motivo, chegou a achar descortesia, tanto mais que Siemion Ivânovitch Chipulenko, pelo

---

[1] Uma existência falhada.

qual sentia um desprezo especial, e ao qual temia, além disso, pelo seu cinismo e o seu mau gênio, guardava junto dele um silêncio muito suspeito e ao mesmo tempo sorria com mais frequência do que seria preciso. "Creio que me considera um garoto estouvado", pensou durante um segundo.

– Não – continuou depois ainda com mais aprumo – não, já é tempo! Deixamo-nos atrasar muito e, a meu ver, a humanidade é a primeira condição; humanidade na maneira de tratar os subordinados, pois é preciso não esquecer que também são homens! A salvação universal está na humanidade, assim tudo caminhará para a justiça...

– Hi, hi, hi! – soou na direção do Senhor Chipulenko.

– Bem; mas, meu amigo, por que esta estopada? – perguntou finalmente o dono da casa com um sorriso. – Devo confessar-lhe, Ivan Ilhitch, que até agora ainda não consegui compreender bem o que o senhor queria dizer. O senhor não fala senão na humanidade. Quer referir-se ao conjunto dos homens, não é verdade?

– Sim, pelo meu lado, pode o senhor chamar-lhe hombridade... Eu...

– Dê-me licença! É que, a meu ver, humanidade e hombridade são coisas diferentes. Quanto à hombridade, não há dúvidas. Mas as reformas não se limitam só à moral. Temos agora o problema do campesinato, o da servidão, as novas leis, os impostos, as questões morais, e... e... a história da boa semente e, estes problemas, cada um de per si e todos juntos, podem provocar de repente graves comoções, digamos assim. Estes são os nossos problemas, mas, quanto à humanidade, não temos nada a dizer...

– É que o caso é um pouco mais complicado – opinou secamente o Senhor Chipulenko.

– Compreendo muito bem, e dê-me licença, Senhor Siemion Ivânovitch, que lhe faça notar que não o julgo de maneira nenhuma dentro da profundidade de concepção deste assunto – observou, excitado e com demasiada secura, o Senhor Pralínski – mas, por agora, permita-me o senhor também, Stiepan Nikifórovitch, que lhe diga que nem de longe me compreendeu...

– É verdade.

– Por agora, sou a favor da ideia de que eu também verifico que em todos os lados a humanidade, e sobretudo a humanidade com os subordinados, desde o empregado ao escritor, desde o escritor ao porteiro, e desde o porteiro ao camponês... que a humanidade, repito, pode servir, por assim dizer, de pedra de toque das reformas que se aproximam e, sobretudo, da renovação das coisas. Por quê? Pois lhe digo já. Formulemos um silogismo; eu sou humano, portanto sou amado. Se me amam, é porque têm confiança em mim. Se têm confiança em mim, acreditam em mim; se creem em mim, também me amam; isto é, não direi unicamente que, se acreditam em mim, também acreditarão na reforma, e é aqui que reside o âmago da questão: hão de todos abraçar-se moralmente e a coisa vai se realizar de um modo amigável e a fundo. De que ri, Senhor Chipulenko? Não será capaz de compreender isto?

O dono da casa arqueou as sobrancelhas; parecia surpreendido.

– Tenho a impressão de que bebi demais – declarou o Senhor Chipulenko, com uma ironia mordaz – e tenho o juízo um pouco emperrado. Receio que se tenha relaxado um pouco a tensão do meu cérebro.

Pralínski sentiu uma punhalada no coração.

— Não o suportaremos – disse o dono da casa, de repente, depois de uns momentos de reflexão.

— Como?! Que quer dizer com isso de... não o suportaremos? – perguntou o Senhor Pralínski, admirado perante a súbita e lacónica observação do dono da casa.

— Isso mesmo. Que não poderemos suportá-lo, muito simplesmente – ao que parece não queria demorar-se com mais explicações.

— Não compreende, por acaso, o que digo quando me refiro ao vinho novo e às pipas novas? – perguntou ironicamente Pralínski. – Pois eu lhe afianço.

Nesse instante o relógio deu meia-noite e meia.

— O que é certo é que sentamos aqui e daqui não nos mexemos nem saímos – disse, levantando-se lentamente, o Senhor Chipulenko. O Senhor Pralínski, no entanto, adiantou-se, levantando-se elasticamente da sua cadeira baixa e tirando de cima da chaminé o seu gorro de zibelina. Parecia ressentido.

— E como se dá com o seu quarto, Siemion Ivânovitch? – perguntou uma vez mais o dono da casa, enquanto acompanhava os visitantes até à porta.

— Com a casa? Hei de ver isso, hei de ver isso.

— Em todo caso não demore a avisar-me...

— Sempre falando de negócios, não? – perguntou amavelmente o Senhor Pralínski. A sua voz tornou a ser muito conciliadora. Esperava por uma resposta enquanto brincava com o gorro. Parecia-lhe que não tinham para com ele as devidas atenções.

O dono da casa tornou a arquear as sobrancelhas e calou-se, dando assim a entender que não queria reter os convidados. A seguir o Senhor Chipulenko despediu-se dele.

"Ah... bem... como quiserem... se é que não sabem o que é a .delicadeza", pensou para si o Senhor Pralínski e estendeu a mão, com a maior desenvoltura, ao dono da casa.

No vestíbulo, o Senhor Pralínski embrulhou-se na sua pele leve e cara, esforçando-se, por qualquer motivo, para não reparar na do Senhor Chipulenko, que estava já muito gasta.

— O nosso velhote parece ter ficado aborrecido por alguma coisa – disse o Senhor Pralínski ao Senhor Chipulenko, enquanto desciam a escada.

— Quê? Não me parece! – opinou o outro, tranquila e friamente.

"É de vistas curtas!", pensou o Senhor Pralínski a respeito do seu companheiro.

Saíram para a rua. O trenó do Senhor Chipulenko aproximou-se. O seu rosto não estava precisamente prazenteiro.

— Ó diabo! Onde se teria metido Trifon com o meu trenó? – exclamou o senhor Pralínski com impaciência, sem conseguir distinguir o seu carro.

Nem aquém, nem além... se via o trenó. O porteiro do prédio também não soube dar-lhe qualquer informação. Então perguntou a Varlam, o cocheiro de Chipulenko, o qual lhe participou que o seu colega esperara também todo o tempo, mas agora ali não estava, como ele próprio podia ver.

— Que aborrecimento! – opinou o Senhor Chipulenko. O senhor quer... que eu o leve a casa?

— Que gentalha! – exclamou furioso o Senhor Pralínski. – O malandro pedira-me licença para ir ao Lado Petersburguês assistir a um casamento, pois, segundo parece, tem uma parenta que se casava agora... O diabo a leve! E eu proibi-lhe severamente que se afastasse daqui. Aposto como foi para o casamento!

– Sim – observou Varlam – deve ter ido ao casório, mas tinha a intenção de voltar logo depois e de estar aqui à hora devida.

– Claro! Bem me queria parecer! Mas há de pagar por isso.

– Dê-lhe o senhor um par de bofetadas, como merece, e vai ver como ele se emenda e se torna mais obediente – disse Chipulenko, que fechava a capota do trenó.

– Fique descansado, Siemion Ivânovitch!

– Mas então não quer? Levava-o a casa com muito gosto.

– Não, obrigado! Boa viagem!

Chipulenko afastou-se do seu trenó, mas Pralinski foi a pé, excitado, dirigindo-se desde aquele arrabalde deserto para o centro da povoação, passando pelas pontes e tábuas.

"Deixa estar que me hás de pagar! Pois agora vou a pé para ele ficar assustado! Quando voltar há de ficar logo sabendo que o seu senhor veio a pé. Já se viu maior malandro!"

Nunca o Senhor Pralínski lançara tais maldições, no seu íntimo. Estava muito excitado e além disso tinha a cabeça um pouco estonteada. Não era bebedor, e os cinco ou seis copos de champanhe exerceram rapidamente o seu efeito sobre ele. Fazia uma noite maravilhosa, fria, clara, e de uma incomum serenidade no ar. O céu estava limpo e cravejado de estrelas. A lua cheia derramava sobre a terra torrentes de luz suave, prateada. Estava tão bonita a noite que Pralínski, passado pouco tempo, esquecera todo o aborrecimento. De repente sentiu-se admiravelmente bem disposto. É coisa sabida que os homens que beberam um pouco a mais, mudam de impressões e sentimentos com grande facilidade. Subitamente o nosso homem até as insignificantes casinhas de madeira da rua deserta achou muito agradáveis.

"Ainda bem que vim a pé – pensou consigo – será uma lição para Trifon e, para mim, um prazer. Na verdade devíamos andar mais a pé... Já encontrarei um trenó no Bolchói Próspekt. Que noite esplêndida! Que casinhas! Naturalmente quem mora nelas é gente da classe média, empregados... comerciantes, talvez... Esse Stiepan Nikifórovitch! Como são reacionários, com esses gorros de dormir! *Oui*, gorros de dormir, *c'est le mot*[2]. Aliás é um tipo esperto; tem aquilo que se chama *bon sens*, essa excessiva e prática compreensão das coisas. E, além disso, já são velhos, velhos! Esse... ah, como se chama esse tipo... Bem, apesar de tudo não... Não o suportarão! Que quereria ele dizer com isso? Quando dizia isto parecia afundar-se em pensamentos. E, aliás, não percebeu patavina do que eu queria dizer. Não compreender uma coisa dessas! Não compreender isso é mais fácil do que compreender! O que importa é eu estar convencido, mas convencido a fundo! Humanidade... dignidade... Reintegrar os homens em si próprios... Despertar-lhes o sentimento da dignidade própria, e depois... meter mãos à obra com o material novo. Nada mais claro! Sim, sim! Com sua licença, Excelência; formulemos um silogismo: suponhamos um empregado, um pobre empregado, um homem de baixa condição, tímido. Bem, vamos ver. Quem és tu? Responde: empregado. Continuemos: empregado de que classe? Resposta: desta e daquela. És servidor do Estado? Sim, senhor. Queres ser feliz? Com

---

2 Sim... é isso, é o termo justo.

certeza. Que precisas para isso? Disto e mais daquilo. Por quê? Por isto. E pronto; o indivíduo compreendeu-me logo, temos o homem na mão, isto é, lisonjeamo-lo, o indivíduo pertence-me e eu faço dele o que quiser, isto é, tendo sempre em vista o melhor para ele. Que tipo vulgar é esse Chipulenko! E que maneira de falar grosseira ele tem! "Dá lhe duas bofetadas!", foi assim mesmo que ele disse. Não, meu caro, isso fica para ti, se te agrada, mas eu não o farei; eu saberei educar o meu Trifon só com uma palavra; uma breve censura... será suficiente para ele compreender. Quanto ao que diz respeito aos castigos corporais, hum! é uma questão a resolver... Não seria melhor eu fazer agora, de passagem, uma visita a Iemieriénti! Caramba! Malditos pontões! – exclamou de repente, furioso, pois não reparara no lugar onde punha os pés e deu um tropeção. – E quer isto ser uma grande capital! Oh! Que civilização! Até uma pessoa pode quebrar a cabeça! Hum! Não posso suportar esse Chipulenko! É um tipo antipático. Riu de mim por eu ter dito que nos devíamos abraçar moralmente. Bem, e ainda que fosse assim, a ti que te importa? Não te assustes, que não vou abraçar-te a ti; preferia abraçar um camponês ... Se neste momento encontrasse aqui um camponês, dirigia-lhe a palavra. Se bem que estou um pouco "tocado" e talvez não me exprimisse bem. Hum! Não tornarei a beber. Uma pessoa arrepende-se sempre no dia seguinte daquilo que disse à noite. Mas qual! Se eu caminho tão direitinho... Mas esses tipos, só Deus sabe, são todos uns velhacos!"

Tais eram os incoerentes pensamentos que atravessavam a mente do Senhor Pralínski, enquanto se dirigia pelos pontões para casa. O arzinho fresco da noite fez-lhe bem, despertou-o, como costuma dizer-se. Mas passados cinco minutos, num momento de descuido, ia outra vez caindo. De súbito ouviu música a poucos metros do Bolchói Próspekt. Olhou à volta. Numa velha casa de madeira, de um só andar, mas ampla, que se erguia, solitária, no outro passeio, parecia celebrar-se uma festa; um violino, um rabecão e uma flauta esforçavam-se o mais possível por oferecer uma *quadrille* a pessoas que se entregavam à dança. Junto das janelas tinham-se reunido alguns espectadores, mulheres, na maioria, com capas e grandes mantilhas, que se esforçavam por ver qualquer coisa da festa por entre as frinchas das tábuas. Do outro passeio podiam ouvir-se os passos dos que dançavam. Pralínski viu ali perto um guarda noturno e dirigiu-se a ele.

– De quem é aquela casa, meu amigo? – perguntou-lhe rapidamente, baixando um pouco a gola da pele cara, o suficiente apenas para que o guarda noturno pudesse ver-lhe as condecorações.

– Do funcionário Pseldónimov, o registrador – respondeu o guarda, que reparara logo nas condecorações e adotara uma atitude rígida.

– Pseldónimov! Hum! Pseldónimov! E por que dão aquela festa? Casou, não?

– Sim, Excelência, casou hoje com a filha dum conselheiro titular. Mlekopitáiev, conselheiro titular... que foi funcionário do Estado. Esta casa agora é do genro.

– De maneira que agora é propriedade de Pseldónimov e não de Mlekopitáiev?

– Assim é, Excelência. Dantes era de Mlekopitáiev, mas agora é de Pseldónimov.

– Hum! Gostei de saber, porque eu sou o chefe dele.

– Às suas ordens, Excelência.

O guarda noturno tomou uma atitude ainda mais rígida; mas o Senhor Pralínski pareceu refletir. Parado, reconsiderava...

Sim, de fato, o tal Pseldónimov prestava serviço na sua repartição; disso não tinha dúvida. Era um modesto empregado, que recebia os seus dez rublos por mês. Como havia pouco tempo que o Senhor Pralínski estava à frente da repartição, não se lembrava bem de todos os seus subordinados; de Pseldónimov lembrava-se bem, mais não fosse por causa do nome. Desde o primeiro dia impressionara-o e por esse motivo reparara atentamente no seu dono. Evocava a imagem dum homem muito novo, com um nariz comprido e curvo, de cabelo louro, em madeixas, de uma magreza doentia, e que usava uma casaca incrível e umas calças ainda mais incríveis. Lembrava-se também de que, ao contemplar pela primeira vez a sua figura, lhe viera à ideia dar dez rublos a esse indivíduo, como gratificação da Páscoa, para que tratasse um pouco da sua indumentária. Mas como a cara do pobre homem era extremamente insignificante e tinha um olhar muito antipático, pouco a pouco esse bom pensamento foi-se extinguindo por si próprio e acabou por não dar gratificação alguma a Pseldónimov. Todas estas circunstâncias vieram aumentar o espanto de Pralínski, quando o tal Pseldónimov, uma semana antes, lhe fora pedir licença para casar. Pralínski lembrava-se que, então, não tivera tempo de informar-se mais pormenorizadamente, e que não tardara a esquecer a história do casório. Mas, apesar disso, não ignorava que Pseldónimov recebia, juntamente com a noiva, uma casa de madeira de um só andar e quatrocentos rublos. Este pormenor impressionara-o um pouco. Lembrou-se também de que fizera um trocadilho com Pseldonimov e com Mlekopitáiev. Lembrava-se muito bem de tudo isto.

O Senhor Pralínski refletia, afundava-se cada vez mais nos pensamentos. Já se sabe que, às vezes, pode atravessar-nos a mente toda uma série de considerações e de juízos, no intervalo de um segundo, por exemplo, sob a forma de sentimentos, que não são muito fáceis de explicar por palavras. Por isso não tentarei reproduzir todos esses sentimentos do nosso herói, e darei apenas a parte mais importante dos mesmos, o melhor que possa; isto é, só o mais necessário e o mais provável, pois muitas das nossas sensações, traduzidas em linguagem humana, seriam absolutamente inverossímeis. É este também o motivo por que ninguém as percebe, embora todos as sintam. É claro que as sensações e sentimentos de Pralínski eram um pouco incoerentes, mas nós já sabemos a causa disso.

"Estou aqui tagarelando – pensou – mas quanto a ações, nada. Aqui temos o exemplo de Pseldónimov; hoje devia ter voltado da igreja animado, cheio de ilusões, contente... E o dia de hoje é um dos mais felizes da sua existência... Agora deve estar atendendo os seus convidados, em honra dos quais dá a festa... É modesto e pobre, no entanto é franco, alegre, sincero... Se ele soubesse que eu, neste momento, o seu chefe supremo, Sua Excelência, Pralínski, está aqui, ao pé da sua casa e ouve a música que tocam na sua boda ... Sim, efetivamente, que aconteceria? Que faria ele se eu agora me decidisse simplesmente a entrar em sua casa? Hum! Naturalmente, a princípio havia de ficar mudo de espanto; eu ia estragar-lhe a festa, deitaria tudo a perder... Sim, seria esse o efeito que produziria a presença de qualquer outro chefe, mas não a minha... Qualquer outro seria importuno, menos eu... Sim, sim, meu querido Nikíforov. Dantes, o senhor não podia compreender-me, mas agora aqui tem um exemplo, que parece arranjado de propósito.

"Hum! Sim! Todos falamos muito de humanidade, mas de heroísmo, de ações heroicas, disso somos totalmente incapazes.

"Que vem a ser heroísmo? Bem, julguem os senhores por si próprios; no atual regime social está certo que eu, à meia-noite, me apresente em casa do meu registrador, que recebe apenas dez rublos por mês? Isso é uma loucura, representa a subversão de todas as ideias, isso é o último dia de Pompeia, um disparate. Ninguém compreenderia uma coisa dessas. Ele bem dizia: não poderemos suportar. Bem, mas esse plural refere-se aos senhores, não a mim; os senhores são seres paralisados, estagnados, mas eu posso suportar! Eu transformarei o último dia de Pompeia no dia mais feliz do meu subordinado, e este passo inaudito vai se converter num ato normal, patriarcal, elevado e moral. Como? Já vão ver. Atenção... bem, suponhamos que... eu apareço ali. A princípio ficam admirados, assustados, suspendem o baile, põem-se a olhar para todos os lados, sobressaltados, e recuam diante de mim. Ótimo; mas eu adianto-me, dirijo-me ao assustado Pseldónimov e digo-lhe, com o mais amável dos sorrisos: 'Pois estive esta noite em casa de Sua Excelência, o Senhor Nikíforov, aqui perto...'. E depois conto-lhe, em tom de zombaria, a história do episódio que me aconteceu com Trifon, e em seguida explico-lhe como resolvi fazer o trajeto a pé... Quando de repente ouvi música, perguntei ao guarda noturno e soube por ele que o senhor, meu amigo, casara hoje. E que, então, dissera para comigo: 'Ó homem, deves ir até lá, deves ver por ti mesmo como os teus subordinados se divertem e... se casam. Espero que o senhor não me expulsará!'. Ah, ah! Expulsar-me, um subordinado! Calculo que deve perder a cabeça, começará a revolver todas as cadeiras para oferecer-me um lugar, tremerá de gozo e continuará sempre no maior assombro... Bem, pode haver qualquer coisa mais simples e mais distinta do que realizar um ato desses? Se me perguntas por que é que eu entrei... Ah! Isso é outra questão! Isso é o aspecto moral do caso... Hum! Em que estava eu pensando? Ah, sim!

"Hão de, com certeza, apressar-se a mostrar-me ao hóspede mais distinto, algum conselheiro titular ou algum parente, algum capitão reformado com o nariz vermelho como um pimentão... Gógol descreveu admiravelmente esses tipos. Bem, naturalmente hão de apresentar-me também a noiva e eu serei pródigo nos meus elogios, e distrairei os convidados, peço-lhes que não se incomodem por minha causa e que recomecem o baile; vou me permitir algumas graças, enfim, serei encantadoramente amável para com todos. Sou sempre encantadoramente amável quando estou satisfeito comigo próprio. Hum! Sim, é isso, estou um pouco 'tocado' mas... Será desnecessário dizer que, como *gentleman* que sou, vou tratá-los a todos de igual para igual e não lhes exigirei absolutamente nada... Mas, moralmente, moralmente... isso é outra coisa; eles hão de compreender e saberão avaliar... A minha ação há de despertar nele sentimentos nobres... Estarei lá uma meia hora... Por mim, estaria até uma hora. Até uns momentos antes da ceia; é claro que hão de fazer todo o possível por me reter, vão me pedir muitas vezes que fique a fazer-lhes companhia; mas eu apenas levantarei a minha taça, a fazer um brinde e agradecer-lhes a ceia, que não posso aceitar. Vou dizer, muito simplesmente, que tenho um trabalho urgente. Estas palavras serão suficientes; depressa todos ficarão muito sérios e respeitosos. E ao mesmo tempo darei a entender assim, da maneira mais delicada, que eu e eles... somos duas coisas totalmente diferentes, como o dia da noite. Isto é o que eu penso, mas não direi, por... embora, apesar de tudo se deva... em sentido moral é até imprescindivelmente necessário, por mais objeções que possam formular-se.

Aliás, posso começar logo a rir, posso até rir às gargalhadas, com o que todos recuperarão o à vontade... Direi também umas gracinhas à gente nova. Hum! Poderia até insinuar que dentro de um determinado número de meses voltaria ali como padrinho, ah! ah! O casal, então, havia de fazer resolutamente todo o possível para trazer ao mundo um Pseldónimuchka dentro do prazo marcado. Essa gente multiplica-se como os cogumelos. Bom, naturalmente, todos rirão; a noiva há de ficar corada como uma romã, e, eu, então, dou-lhe um terno beijo na fronte e a minha bênção... e amanhã, na repartição saberão todos do meu heroísmo. No dia seguinte voltarei a recuperar a minha severidade, o meu espírito exigente, o meu autoritarismo implacável; no entanto saberão quem eu sou. Conhecerão o meu fundo, a minha verdadeira natureza íntima. Dirão... 'Como chefe, é severo, mas como homem é... um anjo!' E, nesse caso terei vencido; com uma simples ação que nada tem de especial, terei ganho o coração de todos; ficarão dedicados; eu serei o seu pai e eles os meus filhinhos... Bem, Excelência Stiepan Nikifórovitch, experimente o senhor fazer uma coisa parecida, pelo menos uma vez...

"E já se sabe que Pseldónimov não deixará de contar aos filhos e aos netos como Sua Excelência assistiu em pessoa ao seu casamento. E os netos vão contar também aos bisnetos, à maneira de uma sacrossanta tradição familiar, como o dignitário, o grande estadista que eu devo vir a ser, se dignou, noutro tempo, honrar com a sua presença, etc., etc. Isto equivaleria verdadeiramente a levantar um decaído moral, reintegrá-lo, por assim dizer, em si próprio... Razão para eu repetir o mesmo umas cinco vezes, ficaria popular sem... Teria um lugarzinho em todos os corações e vai saber o que para mim pode resultar de tudo isso, para o futuro, o que pode vir dessa popularidade..."

Era isto, pouco mais ou menos, que o Senhor Pralínski pensava. (Que não pensa um homem, às vezes, sobretudo quando se encontra num estado de espírito um pouco estranho!) Todos esses pensamentos atravessaram a sua mente, talvez no espaço de um escasso meio minuto, e naturalmente teria ficado satisfeito com aquelas fantasias e a imaginada confusão de Nikíforov, e teria ido deitar tranquilamente em casa... se estivesse no seu estado normal. Mas quis a sua desventura que nesse momento se encontrasse num estado de espírito um tanto estranho.

Como de propósito, viu de repente na sua frente, naquele momento decisivo, os rostos satisfeitos de Nikíforov e de Chipulenko.

– Isso não suportaremos! – repetia Stiepan Nikifórovitch com um sorriso altivo.

– Ah, ah, ah! – apoiava-o Siemion Ivânitch, com o seu risinho horrível.

– Ah, sim? Pois vão ver. Vou demonstrar-vos imediatamente como eu suporto – disse resolutamente o Senhor Pralínski, e até confundiu um pouco os seus raciocínios.

Deixou os pontões e, com um passo firme, atravessou a rua em direção à casa do seu subordinado, o registrador Pseldónimov.

A sua estrela guiava-o. Atravessou alegremente o portal e deu um pontapé, com desprezo, num cãozinho lanudo que se atirou às suas pernas, mais por cumprir o seu dever do que por outra coisa. Continuou caminhando, muito contente, pelas tábuas que conduziam à porta do andar, avançou, sempre de bom humor, subiu os três degraus de madeira que formavam uma espécie de guarita por debaixo de um pórtico e entrou depois num aposento lamentavelmente pequeno. É verdade que, aí, num canto, ardia uma espécie de luz ou lanterna colorida, mas isso não impediu que o Senhor Pralínski, que estava de galochas, tropeçasse com o pé esquerdo numa bacia de geleia que tinham posto ali para esfriar. Preocupado, o Senhor Pralínski agachou-se para olhar o soalho branco e reparou com espanto no que acontecera. Ao mesmo tempo observou também que ali ao lado havia dois cestos com coisas de comer e duas formas de bolos, provavelmente de *blanc manger*. O fato de ter pisado a geleia desconcertou-o um pouco e durante um segundo deteve-se a reconsiderar se não faria melhor em retirar-se de mansinho e sair daquela casa. Mas repudiou essa ideia como uma covardia. Disse para si próprio que ninguém ainda o vira e que, portanto, ninguém iria atribuir-lhe o percalço. Limpou rapidamente as galochas a fim de esconder todas as provas; tateou a porta forrada de felpa, procurando a tranqueta. Abriu-a e entrou num pequeno vestíbulo. Uma metade deste estava ocupada por capas, peliças, sobretudos, mantéus, regalos de peles e galochas, tudo numa desordem; na outra estavam instalados os músicos; dois violinos, uma flauta e um rabecão, ao todo quatro indivíduos. Estavam sentados à volta de uma pequena mesa de madeira sem polimento, sobre a qual ardia uma vela de sebo, e tocavam aquilo que pareceu ao recém-chegado a última da *quadrille*. Pela porta aberta podiam ver-se os dançarinos na sala, revoluteando por entre nuvens de pó, fumo e emanações. Reinava ali um alegre à-vontade. Ouviam-se risos, gritos e guinchos femininos. Os homens batiam com os pés no chão como um esquadrão de cavalaria, e acima daquela barafunda sobressaía-se a voz do mestre-sala, que, segundo parecia, era um indivíduo simples, com a casaca abotoada: *avancez, messieurs, chaîne de dames, balancez!*[3], etc., etc. O Senhor Pralínski, um pouco animado, tirou a pele dos ombros, descalçou apressadamente as galochas e, de gorro na mão, entrou na sala. Diga-se de passagem que já perdera a capacidade de reflexão.

No primeiro momento não reparou em ninguém; todos dançavam a *quadrille* que estava por terminar, no estilo de valsa ou num violento *galop*. Pralínski estava de pé, aturdido, e não podia distinguir nada no meio daquela confusão. Vestidos claros de mulheres, fraques e casacas, homens de cigarro entre os dentes, volteavam diante dos seus olhos e, de entre eles, esgueirou-se apressadamente uma senhora, batendo-lhe no nariz com a ponta da sua comprida faixa esvoaçante, de um azul claro. Ficou entusiasmado quando um estudante lhe deu um forte encontrão. Depois começou a andar à volta dele um oficial que era mais comprido do que uma versta. Alguém gritou com uma voz estentória, no meio da algazarra geral:

– E... e eh, Pseldónimuchka!

Pareceu ao Senhor Pralínski que as solas das suas botas se lhe pegavam ao chão, que estava encerado ou parafinado. Nessa sala que, aliás, nada tinha de pequena, dançavam umas trinta pessoas.

Passado um minuto, a *quadrille* terminou, e quase no mesmo instante aconteceu precisamente aquilo que o Senhor Pralínski imaginara, quando caminhava sobre as pontes. Entre os convidados, que não tinham tomado fôlego nem enxugado o suor do rosto, produziu-se de súbito um rebuliço inesperado. Todos os olhos,

---

3 Avançai, meus senhores, corrente de damas, balançai!

todos os rostos se voltavam para olhar o novo hóspede, com mostras de sobressalto. E ao mesmo tempo iniciou-se uma retirada geral, todos se puseram a andar para trás, como caranguejos. Aqueles que ainda o não tinham visto, os outros puxavam-lhes pela roupa, para preveni-los. O Senhor Pralínski continuava de pé, diante da porta, e não se atrevia a adiantar um passo. Entre ele e os convidados ia ficando um espaço cada vez maior, até que, por fim, metade da sala acabou por ficar vazia, apenas com os montes de cigarros e os cartuchos de doces que enfeitavam o chão, pacificamente. Nesse instante, de entre a massa compacta das pessoas adiantou-se timidamente um jovem que trazia um casaco de passeio e que avançou pelo espaço vazio; tinha o cabelo louro, em madeixas, e o nariz curvo. Aproximou-se com hesitação; fez duas reverências seguidas e depois ficou olhando para o intruso, tal como um cachorrinho se aproxima do dono, arrastando-se, de cauda entre as pernas, para receber o castigo merecido.

– Boa tarde, Pseldónimov, não me conhece? – disse o Senhor Pralínski.

E, no mesmo momento percebeu que dissera aquilo desajeitadamente e que talvez estivesse fazendo uma tolice.

– Sua... Ex...celência – murmurou Pseldónimov.

– Sim; eu, Sua Excelência... sou o próprio, meu amigo, que vim à sua casa por casualidade, como devem calcular...

Pseldónimov não podia imaginar nada. Estava estupefato, com os olhos desmesuradamente abertos, diante do seu chefe, e no seu pálido rosto apenas se refletia o desgosto da incompreensão total.

– Suponho que não vai expulsar-me... Quer agrade quer não, é sempre preciso receber um hóspede – continuou Pralínski, enquanto voltava a ter a impressão de que estava comovido até uma fraqueza indecorosa, de que queria rir e não podia, e cada vez se tornava mais impossível a sua intenção de contar em tom humorístico o que lhe acontecera com o cocheiro.

Pseldónimov continuava rígido de assombro, sem se mexer, devorando-o com os olhos estupidificados. Pralínski estremeceu e disse: "Daqui a pouco acontece qualquer coisa extraordinária".

Pseldónimov tornou a si.

– Excelência, por favor, tenha a bondade! – balbuciou, por entre novas reverências.

– Contanto que não venha incomodá-los... pois, nesse caso, posso me retirar imediatamente, é claro – disse quase mecanicamente e na comissura direita da boca tremeu-lhe um nervinho.

Pseldónimov recuperara já o juízo.

– Excelência, conceda-me a... honra – balbuciou por entre novas reverências – de tomar assento.

E, mais recomposto da sua primeira comoção, apontou de repente com as duas mãos o sofá que, sem ter nenhuma mesa próximo, estava encostado à parede, para que não estorvasse os pares de bailarinos.

O Senhor Pralínski respirou fundo e deixou-se cair no sofá, esgotado. Imediatamente um dos presentes se apressou a pôr de novo no lugar a mesa encostada à parede. Pralínski lançou uma breve vista de olhos à sua volta e observou que, exceto ele, ninguém estava sentado na sala; até as senhoras se achavam de pé. Isso era um mau sinal. Não era ocasião para animar a assistência. Os convidados continuavam de pé, tímidos, apertados uns contra os outros, e à frente deles continuava Pseldónimov, curvado como um gancho, sem conseguir compreender o que sucedia e sem vontade de sorrir. Era simplesmente vergonhoso, ou, por outras palavras: nesse momento o nosso herói sofria tanto, que aquele seu gesto digno de Harum Al-Raxid[4] podia considerar-se verdadeiramente como uma ação heroica. De repente apareceu ao lado de Pseldónimov uma figura que fez também a Pralínski duas reverências, uma a seguir à outra. Pralínski reconheceu naquele homem, com uma alegria indescritível e até para sua felicidade, o jovem secretário da sua repartição, Akim Pietróvitch Zúbikov, ao qual não conhecia nesse aspecto das relações sociais, mas apenas como empregado discreto e laborioso. Ficou imediatamente contentíssimo e estendeu a mão bem aberta a Zúbikov. Zúbikov apertou-a discretamente, com o maior respeito. Sua Excelência triunfava; estava tudo salvo.

 De fato, agora, Pseldónimov já não era a segunda mas a terceira pessoa. Pralínski podia entabular conversa discretamente com Zúbikov, tratá-lo, em caso de necessidade, como a um amigo, inclusive como a um amigo íntimo, enquanto Pseldónimov podia calar-se ou tremer conforme lhe apetecesse. A honra estava salva. Mas Pralínski sentia absolutamente necessário relatar o caso do cocheiro; via que todos esperavam alguma coisa, que todos os criados da casa assomavam às portas e que já se apinhavam quase uns sobre os outros para o verem e ouvirem melhor. A única coisa desagradável era que o estúpido do secretário não se resolvesse a sentar.

 – Mas sente – disse o Senhor Pralínski, e apontou-lhe um pouco desajeitadamente um lugar junto de si, no sofá.

 – Eu... eu... eu... eu... não me demoro muito aqui – balbuciou Akim Pietróvitch Zúbikov, confuso.

 E sentou resolutamente numa cadeira que Pseldónimov lhe pôs ao alcance, o qual, por seu lado, não se atrevia a sentar.

 – Imaginem os senhores o que acaba de acontecer-me – começou o Senhor Pralínski, a voz ainda pouco firme, mas sempre amável, dirigindo-se exclusivamente a Akim Pietróvitch.

 Espaçava o mais possível as palavras, acentuava lentamente as sílabas e transformava os "ais" em "eis", enfim, sentia e compreendia que não se exprimia com naturalidade; mas não podia conter-se. E reconhecia e compreendia, sobretudo naquele instante, muitas coisas que o faziam sofrer duplamente.

 – Ora imagine: venho de casa de Stiepan Nikifórovitch, o conselheiro secreto, do qual, naturalmente, já tem ouvido falar...

 Zúbikov inclinou respeitosamente todo o busto, como se quisesse dizer: "Com certeza, Excelência!".

 – É agora seu vizinho – continuou Pralínski.

 E voltou-se para Pseldónimov, mas desviando em seguida o olhar, pois apenas conseguira ver nos olhos de Pseldónimov como tudo aquilo lhe era indiferente.

 – A aspiração de toda a sua vida era comprar casa... Pois bem, agora, felizmente, já a comprou. Uma casinha muito bonita... sim... e lembre-se também que é o seu

---

4 Califa abássida. Cruel para com os seus inimigos, mas generoso, instruído e eloquente. Velou sempre pelo bem de seu povo (765-809). Em *As mil e uma noites* é o protótipo do príncipe justo e sábio. Traduz-se por Aarão, o Justo.

aniversário, o que desta vez não nos ocultou, como costuma fazer, tal a sua alegria pela aquisição da chácara. Bem; pois como ia dizendo, foi por causa disso que nos convidou, a Siemion Ivânovitch, e a mim. A Siemion Ivânovitch já o senhor conhece: é Chipulenko.

Zúbikov tornou a fazer outra reverência respeitosa com todo o busto e, para dizer a verdade, a fez com muito exagero. O Senhor Pralínski ficou um pouco mais tranquilo, pois já receava que o seu subordinado, o secretário, pudesse adivinhar que era ele o único ponto de salvação de Sua Excelência. Isso seria lamentável.

– Bem; pois estávamos nós ali sentados, bebendo champanhe e falando de assuntos governamentais... disto e daquilo... de diversos problemas... até que acabamos por entrar numa discussão. Ah, ah!

Zúbikov fez uma expressão do maior respeito.

– Mas não é disso que se trata agora. Despedi-me dele, finalmente, pois os senhores sabem que Stiepan Nikifórovitch é um homem muito morigerado e à meia-noite e meia em ponto mete-se logo na cama... Bem, é preciso ver que o homem já é velhote. Saio de casa... e do meu cocheiro, Trifon, nem a sombra. Ando daqui para ali, faço perguntas e vim a saber que ele, pensando que eu podia demorar-me mais em casa do conselheiro, resolve ir até ao copo-d'água de casamento de uma parenta, ou duma irmã... que mora não sei onde, no Lado Petersburguês; claro, escusado será dizer que levou também o trenó.

Sua Excelência tornou a olhar cautelosamente para Pseldónimov, o que deu ocasião a que este fizesse outra reverência; mas não de maneira como sua Excelência a desejava, porque pensou para consigo:

"Este tipo não tem coração!"

– Oh, será possível? – exclamou Akim Pietróvitch Zúbikov, profundamente comovido.

Um estremecimento de assombro se produziu na massa compacta dos outros convidados.

– Não é verdade? Pois ponha-se no meu lugar...

O Senhor Pralínski passeou o seu olhar interrogativo por todos os presentes.

– É claro, como não me restava outro recurso, optei por vir a pé. Quando chegasse ao Bolchói Próspekt, encontraria ali, certamente, um trenó... He, he!

– Hi, hi, hi! – repetiu Zúbikov, como num eco, consciente do seu dever.

E outra vez correu um murmúrio por entre a assistência apinhada. Nesse instante saltou, com um estalido agudo, o vidro do candeeiro. Imediatamente alguém se aproximou para ver o que sucedera e se havia maneira de remediar o percalço. Pseldónimov estremeceu e lançou um olhar severo para a chaminé do candeeiro; mas Sua Excelência não reparou no incidente e assim todos ficaram logo tranquilos.

– De maneira que vim a pé... Está uma noite admirável, sem vento. Mas, eis que de repente ouço música de dança. Informo-me pelo guarda noturno e este comunica-me que Pseldónimov celebra o seu casamento. Meu amigo, a sua festa ouve-se em todo Petersburgo! Ah, ah, ah!

– Hi, hi, hi! Lá isso é verdade – opinou também Zúbikov.

Os convidados cochichavam e começavam também a agitar-se: a única coisa aborrecida era aquele estúpido de Pseldónimov não sorrir sequer perante aquela graça e, em vez disso, voltava às já sabidas reverências... que faziam com que parecesse um boneco de pau. "Este indivíduo parece autênticamente parvo – pensou, com admiração, Sua Excelência. – Se este idiota risse um pouco, estava o caso resolvido." O coração palpitava-lhe de impaciência.

– Alto! – disse para comigo. – Por que não fazes uma visita ao teu subordinado? Quer lhe agrade, quer não, com certeza não vai pôr-me na rua... Por isso, desculpe-me, meu amigo. É claro que se os vim aborrecer, vou-me embora o mais cedo possível e em boa paz... Verdadeiramente, eu vim só...

Mas, pouco a pouco, começara a notar-se um certo movimento entre os indivíduos. Zúbikov sorria como se quisesse dizer: "Por amor de Deus, como é que Vossa Excelência podia incomodar!". E os outros convidados davam também já indícios de maior confiança. As senhoras haviam-se sentado quase todas, o que era na verdade, um bom sinal. As mais ousadas até se abanavam com os lenços. Uma delas, que trazia um vestido de veludo já gasto, pronunciou deliberadamente algumas palavras em voz alta. O oficial a quem eram dirigidas ia também para responder-lhe em voz alta, mas como eram eles dois os únicos corajosos, não chegaram a realizar o seu propósito. Os cavalheiros, na maioria funcionários do Estado, mais dois ou três estudantes, trocavam olhares entre si, como se pretendessem animar-se mutuamente para fazer qualquer coisa, embora limitando-se, por então, a desentorpecer ou mudar o pé em que se apoiavam, como se quisessem movimentar-se um pouco. No fundo, ninguém estava intimidado; havia apenas um pouco de desconfiança e, falando com propriedade, todos lançavam olhares hostis àquele infeliz que viera estragar-lhes a festa. O oficial, que acabou por se envergonhar da sua pusilanimidade, fez das tripas coração e aproximou-se um pouco da mesa.

– Ah, meu amigo! Dê-me licença, era capaz de ter a bondade de dizer-me o seu nome e patronímico? – perguntou Pralínski, dirigindo-se a Pseldónimov.

– Porfíri Pietrov, Excelência – respondeu imediatamente, como se se tratasse de uma questão de serviço.

– Pois bem, Porfíri Pietrov, por que não me apresenta sua esposa? Leve-me até junto dela... mas eu...

E mostrou a intenção de levantar logo do sofá. Assim que reparou nisso, Pseldónimov lançou-se como uma bomba para o quarto contíguo. A noiva estava junto da porta; e quando percebeu que falavam dela, escondeu-se. Mas isso de nada lhe valeu e, um minuto depois, Pseldónimov aparece na sala trazendo-a pela mão. Imediatamente todos se afastaram para lhes dar passagem. Sua Excelência ficou em pé solenemente e, dirigindo-se com um amável sorriso à recém-casada, disse:

– Tenho um prazer especial em conhecê-la – fez uma reverência elegantíssima e acrescentou – sobretudo tratando-se de um dia como o de hoje, etc., etc.

Sorriu, zombeteiro. As senhoras mostravam uma agradável animação.

– *Charmant* – disse quase em voz alta a dama de vestido de veludo, que parecia ter sido comprado em quarta mão.

A recém-casada era digna do marido. Era uma jovem pequenina e débil, de uns dezesseis anos, rostinho pálido, no qual se destacava um narizinho pontiagudo. Os seus olhinhos fitavam, sem indícios de perturbação e, pelo contrário, com grande fixidez e até com certa hostilidade, o superior amável. Ostentava um vestido de noiva, de musselina branca, sobre um fundo cor-de-rosa. Tinha um pescoço extremamente fino e o corpo parecia o de um frango. Não conseguiu encontrar nada para responder às amabilidades de Sua Excelência.

– Não posso deixar de felicitá-lo pelo seu bom gosto – disse Pralínski a meia-voz, ao seu subordinado, mas bastante alto para que a moça pudesse ouvi-lo.

Pseldónimov respondeu àqueles cumprimentos apenas com o silêncio, de tal maneira que, dessa vez, se esqueceu de fazer a reverência, nem sequer se mexeu. Pareceu de repente ao Senhor Pralínski que dos seus olhos saía algo frio, para não dizer hostil. E, no entanto, empenhou-se em provocar o desejado estado de espírito. Para isso entrara.

"Um lindo par! – pensou consigo. – Embora, no fim de contas..."

E voltando-se outra vez para a recém-casada, sentada junto dele no sofá, pôs-se a falar-lhe, sem conseguir tirar dela outra coisa senão "sim" ou "não" e às vezes nem isso.

"Se ao menos se perturbasse – pensou, furioso. – Nesse caso poderia gracejar com ela. Mas, assim, isto é um beco sem saída."

Zúbikov também estava calado e, embora o fizesse por necessidade, de toda a maneira era imperdoável.

– Mas, minhas senhoras e meus senhores! Teria eu vindo estragar-lhes a festa? – disse, dirigindo-se a todos os convidados. Sentia agora que até as mãos lhe secavam.

– Oh, não, Excelência! Vamos recomeçar imediatamente o baile, por agora estamos descansando um pouco – respondeu-lhe o tal oficial esgalgado, no qual a recém-casada pousava os olhos com agrado; ainda não era velho e trazia uma farda de qualquer regimento. Pseldónimov continuava impassível e parecia que o nariz recurvo se lhe tornava cada vez mais comprido. Estava ali de pé, escutando tudo, como um criado, com peles e capas no braço, escuta o que lhe dizem os senhores quando vão sair. Foi esta a imagem que veio à ideia do Senhor Pralínski ao contemplar insistentemente o seu subordinado. Sim, o nosso herói sentia-se muito à vontade, sentia que perdia terreno, sentia que se metera numa meada de que já não conseguia desvencilhar-se.

Entretanto os convidados apinhavam-se na rua, junto da porta, com o fim, segundo parecia, de dar passagem a alguém; e, de fato, apareceu depois uma senhora de idade, de mediana estatura, bastante forte, vestida com simplicidade, com um lenço atado debaixo do queixo, e com o qual cobria também os ombros, mas que não parecia estar acostumada a usar a coifa com que adornava a cabeça. Segurava nas mãos uma bandeja redonda, na qual se viam uma garrafa de champanhe cheia, mas já desarrolhada, e duas taças, duas apenas. Parece que haviam comprado a garrafa apenas para duas pessoas.

A velha aproximou-se do conselheiro.

– Tenha a bondade, Excelência – disse, depois de uma saudação e de uma reverência. – Já que teve a amabilidade de assistir pessoalmente à boda de meu filho, também lhe agradeceríamos se tivesse a gentileza de brindar pelos noivos, aceitando uma taça de champanhe. Não nos negue isso, dê-nos essa honra.

Esta velha pareceu ao Senhor Pralínski um anjo salvador.

Não era ainda verdadeiramente uma velha, pois não teria mais de uns quarenta e cinco a quarenta e seis anos, mas mostrava um rosto tão bonacheirão, tão fresco, tão redondo e franco, tão russo, enfim; sorria com tanto gosto e cumprimentara-o com tanta simplicidade que o Senhor Pralínski tornou a sentir coragem.

— De maneira que a senhora... é a mãe? — perguntou, levantando.

— Sim, Excelência, é a minha mãe — confirmou Pseldónimov, esticando ainda mais o pescoço comprido e alongando também ainda mais o nariz recurvo.

— Ah, felicito-o muito, muito!

— Pois dê-nos essa honra, Excelência.

— Com o maior prazer, minha senhora.

A mulher colocou a bandeja sobre a mesa e Pseldónimov apressou-se a deitar o vinho. O Senhor Pralínski pegou na taça.

— Regozijo-me muito, regozijo-me de maneira especial pela oportunidade — começou — que tenho, nesta ocasião... Enfim, de poder, como chefe, demonstrar a minha benevolência... Que seja muito feliz, minha senhora — disse, dirigindo-se à noiva — e o senhor também, meu caro Porfíri. Desejo a ambos uma longa e completa felicidade.

Levantou a taça e esvaziou-a de um trago, com um profundo sentimento. Era a sétima que bebia naquela noite. Pseldónimov olhava para ele, sério e aborrecido, e Sua Excelência sentiu que ele começava a não gostar da sua presença.

— E o senhor também, Akim Pietróvitch, faça o favor de beber também à saúde dos noivos — disse a velha encarando o secretário. — O senhor é o seu chefe, proteja o meu filho, é uma mãe que pede. E também não se esqueça de nós, meu amigo; já sabemos como é bondoso, Akim Pietróvitch.

"Como são encantadoras estas velhotas russas! — pensou consigo o Senhor Pralínski. — Deu uma grande alegria a todos... Hum! Eu sempre disse que tudo quanto é popular me encanta..."

Naquele instante pousaram outra bandeja em cima da mesa; foi colocada por uma criada que trazia um vestido de indiana, ainda cheio de goma, com um folho de crinolina, mas que mal podia segurá-la... pois sobre ela via-se um sem-número de bandejas, pratos e cestinhos com maçãs, doces, marmelada, tortas, nozes, etc. Essa bandeja estivera até essa altura num quarto contíguo, à disposição dos convidados, sobretudo das senhoras. Mas agora vinham apresentá-la ao convidado de honra.

— Não nos envergonhe, Excelência, é tudo o que podemos oferecer-lhe! Contentamo-nos com o que temos — tornou a velha a dizer-lhe.

— Mas, pelo amor de Deus! — exclamou o Senhor Pralínski.

E tirou uma noz da bandeja, com evidente prazer, a qual partiu entre os dedos. Estava decidido a ser popular até ao fim.

De repente, a noiva soltou uma gargalhada, ao seu lado.

— Que aconteceu? — interrogou o Senhor Pralínski, sorrindo, muito contente, devido àquele insuspeitado sinal de vida.

— Hi, hi! Foi Ivan Kasténkinitch, que tornou a dizer-me gracinhas — respondeu-lhe a moça, de olhos baixos.

O Senhor Pralínski reparou, de fato, num rapaz bem apessoado, louro, sentado numa cadeira, junto do sofá, meio escondido por detrás do espaldar e da jovem esposa de Pseldónimov, à qual dizia qualquer coisa em voz baixa. Depois, o rapazote levantou. Parecia muito tímido e mal saído da adolescência.

– Só lhe disse uma coisa do livro dos sonhos, Excelência – declarou, como a desculpar-se.

– Que livro de sonhos é esse? – perguntou o Senhor Pralínski, inclinando-se.

– Um novo que saiu agora, muito bem escrito. Eu estava dizendo-lhe que, se uma pessoa vê em sonhos o Senhor Panáiev, é sinal de que o café se lhe vai entornar sobre a camisa.

"Que bela ingenuidade!", pensou consigo o Senhor Pralínski, furioso.

De fato, o rapazinho ficara muito corado ao dar aquela explicação; mas, ao mesmo tempo, mostrava-se inacreditavelmente vaidoso da sua inteligência.

– Sim, é verdade, já ouvi falar desse livrinho – declarou Sua Excelência.

– E o mais engraçado é que – disse de repente uma voz diferente, mesmo por cima do Senhor Pralínski – vão publicar um novo dicionário, e dizem que o Senhor Kroievski se encarregará de escrever nele artigos polêmicos.

Quem dizia isso era outro jovem, que não mostrava a menor perturbação, pelo contrário, exibia certo aprumo e desenvoltura. Trazia luvas e colete brancos e não largava o chapéu das mãos. Não dançava mas marcava o compasso, e olhava os outros convidados por cima do ombro, pois era já colaborador de um jornal satírico – *O Cogumelo* – e assistia à festa como convidado de honra. Ingerira bastante vodca e, por causa disso, fazia frequentes visitas a uma sala de arrumações, cujo caminho nenhum dos demais convidados ignorava. Sua Excelência não lhe achou muita graça.

– E isso é tão cômico – interrompeu-o de repente, muito alegre, o jovenzinho louro que exibia a camisa, e que olhava com olhos de raiva para o colaborador – tão terrivelmente cômico, porque o editor procede como se o Senhor Kroievski não estivesse muito a par da ortografia e acreditasse de fato que, em vez de polêmico, se deve escrever "palérmico"...

O pobre rapaz quase nem pôde acabar de comunicar todo o seu pensamento. Verificou, pelos olhares dos seus ouvintes, que contava uma história sovada, pois Sua Excelência parecia também confuso, e isso, naturalmente, só podia derivar do fato de ele conhecer também já há muito tempo a historieta. O moço sofreu uma vergonha terrível; desapareceu, como pôde, na primeira oportunidade, e ficou toda a noite muito melancólico. Então o colaborador de *O Cogumelo* aproximou-se mais de Sua Excelência e parecia disposto a sentar junto dele. Mas uma aproximação tão amável afigurou-se um pouco incomodativa ao Senhor Pralínski.

– Ah! Queria dizer-lhe uma coisa, Porfíri Pietrov – começou, dirigindo-se de repente àquele só para dizer qualquer coisa. – Há algum tempo queria lhe perguntar... por que se chama Pseldónimov e não Pseudónimov? Pois o que é certo e que o seu nome soa como Pseudónimov.

– Sinto muito não poder explicá-lo, Excelência – respondeu o aludido.

– Pode ser que tenham trocado o nome noutro tempo, talvez quando o seu pai entrou para o serviço, ao escrevê-lo nos papéis – observou Akim Pietróvitch Zúbikov. – Às vezes, isso acontece.

– Com cer... te... za – disse Sua Excelência apanhando aquela ideia no ar. – Com certeza. E se não, veja: Pseudónimov poderia derivar-se do termo literário "pseudônimo". Mas Pseldónimov, que significa? Absolutamente nada.

— É um disparate – acrescentou inesperadamente Zúbikov. – Que quer dizer com isso de disparate?

— O povo, aqui, na Rússia, costuma trocar as letras por pura estupidez, e, sobretudo, pronuncia as palavras estrangeiras à sua maneira. Assim, por exemplo, diz "neválido", quando deveria dizer inválido.

— Ah, sim, "neválido"! He, he, he!

— Também costuma ouvir-se muitas vezes "múmero", Excelência – acrescentou o oficial esgalgado, que havia já algum tempo estava ansioso por meter-se também na conversa e evidenciar-se.

— "Múmero"?

— Sim, em vez de número, Excelência.

— Ah, sim, "múmero", em vez de número... é verdade... He, he, he! – Sua Excelência viu-se obrigado a aplaudir o oficial, que ficou muito ufano.

— E o povo também diz "dispois" – disse, imiscuindo-se na conversa o colaborador de *O Cogumelo*.

Mas Sua Excelência fez que não ouviu a observação. Não podia rir-se de todas as graças.

— "Dispois", em vez de depois – repetiu o colaborador, visivelmente magoado.

Sua Excelência lançou-lhe um olhar severo.

— Por que te metes na conversa? – disse-lhe Pseldónimov em voz baixa.

— Então eu não posso falar? – respondeu-lhe o outro também em voz baixa.

Mas não insistiu e saiu da sala com um íntimo mau humor. Dirigiu-se outra vez para o quarto das arrumações no qual tinham posto para que os cavalheiros se refrescassem, uma mesinha coberta com um pano feito em Iaroslav, e sobre a qual se viam duas qualidades de aguardente[5], arenques, pãezinhos com caviar e, além disso, uma garrafa de Xerez muito forte, procedente de uma taberna russa. Encolerizado, encheu um pequeno copo, e, de repente, como um pé-de-vento, entrou nesse quarto o estudante de medicina, que se apoderou da garrafa e encheu outro copo.

— O baile vai recomeçar – disse o tal estudante, que era o melhor dançarino do copo-d'água de Pseldónimov. – Vem ver: vou dançar uma sozinho, sobre as mãos, de pernas para o ar, e depois de comer atiro-me a um peixão. Isto fica muito bem num copo-d'água; uma brincadeira amável para o nosso bom amigo Pseldónimov... Famosa mulher, essa Kleópatra Siemiônovna. Com ela, uma pessoa pode atrever-se a tudo.

— É um reacionário – disse em tom lúgubre o colaborador.

— A quem te referes?

— Ora, a esse figurão, ao qual fazem tantos salamaleques. Um reacionário da gema, acredita naquilo que eu te digo.

— Ah, sim! – exclamou o estudante com indiferença.

E saiu do quarto como um pé-de-vento, pois começavam já a ouvir-se os primeiros compassos da quadrilha.

O colaborador, assim que ficou só encheu outro copo ainda maior, para ver se se animava um pouco. Pegou depois num *sandwich* de caviar... e nunca o conselhei-

---

5 Havia diversas variedades de vodca ou aguardente: desde a vodca branca corrente até a vodca com pimenta, e outras, perfumadas com várias ervas.

ro secreto Pralínski teve inimigo mais terrível e implacável do que o colaborador de *O Cogumelo*, que ele desprezara, sobretudo depois que este acabou de embutir o segundo copo de aguardente. Simplesmente, oh, que dor! o Senhor Pralínski nem sequer suspeitava disso. Como ignorava também outra circunstância importante, mas que havia de exercer um influxo pernicioso nas relações ulteriores dos convidados com Sua Excelência. A coisa resumia-se a que a explicação que este dera, da razão por que fizera aquela visita ao seu subordinado, não satisfizera ninguém, e os convidados continuavam receosos ou, pelo menos, sentiam certa inquietação. Mas, de repente, como por artes mágicas, todos mudaram de disposição. Recuperaram a tranquilidade e puseram-se outra vez a dançar, e a rir, e a falar em voz alta, tal como se o inesperado visitante não tivesse estado ali. A causa dessa mudança era o boato que se espalhara de que o tal hóspede não tinha nada de pacato. E embora este boato parecesse a mais espantosa calúnia, foi pouco a pouco achando crédito entre os convidados, e todos acabaram por aceitá-lo como uma verdade incontestável. E daí todos prescindiam já de cortesias. Nesse momento principiou a última *quadrille*, anterior à ceia.

Precisamente quando o Senhor Pralínski se dispunha a dirigir a palavra à noiva, surgiu de imprevisto o oficial esgalgado e, sem mais aquelas, sentou a moça em cima dum joelho. Ela levantou logo e afastou-se com ele, muito contente, para ir colocar-se na fila. O oficial não fizera esforços para levá-la, nem ela tampouco dirigiu um olhar a Sua Excelência, como se se sentisse satisfeita por deixar aquele lugar.

"No fim de contas, está no seu direito – pensou o Senhor Pralínski. – Mas, que maneira de conduzir-se! Hum!"

– Meu caro Porfíri Pietrov – disse, encarando Pseldónimov – pode ser que tenha alguma coisa a tratar... isto é... quero dizer que... não faça cerimônia por minha causa.

"De fato, parece que o pobre rapaz se impôs a si próprio a obrigação de me atender", pensou consigo.

O tal Pseldónimov, que, com o pescoço comprido e o nariz recurvo, estava ali parado junto dele e não o perdia de vista um momento, já se lhe tornara insuportável. Enfim, nada daquilo era, nem de longe, como o Senhor Pralínski imaginara, embora se esforçasse ainda por não reconhecer esta verdade.

A *quadrille* principiou.

– Vossa Excelência me dá licença? – perguntou respeitosamente Akim Pietróvitch, que, cambaleando, segurava na mão a garrafa do champanhe e se dispunha desajeitadamente a encher uma taça para Sua Excelência.

– Eu... verdadeiramente, não sei se...

Mas Zúbikov enchia-lhe já a taça com semblante de alegria duvidosa. Depois de lhe ter enchido a taça até aos bordos, decidiu-se a encher-lhe outra; mas fez isso como se tivesse remorsos, perturbado e sem habilidade, só com a diferença de que deixou na sua uns centímetros por encher, pensando ser uma delicadeza. Junto do seu chefe sentia-se como uma parturiente à qual tivesse chegado a hora. Sobre que havia de falar? Não havia outro remédio senão falar de qualquer coisa, já que tinha a honra de estar sentado junto de Sua Excelência; era absolutamente necessário entretê-lo. Para isso, a salvação estava no champanhe. Com certeza devia agradar a Sua Excelência que ele lhe enchesse as taças, não precisamente pelo champanhe, pois estava morno e era, além disso, de péssima qualidade; mas, de certa maneira, ia ser moralmente agradável para ele.

"Naturalmente, o pobre rapaz de boa vontade beberia – pensou o Senhor Pralínski – e não se atreve. Mas eu não vou privá-lo desse gosto. Até seria ridículo que tivéssemos a garrafa intacta, aí, na nossa frente."

Bebeu um gole, pois achou preferível isso a estar ali sentado.

– Eu vim unicamente – insistiu, na sua maneira distinta – vim unicamente, como já disse, por casualidade, mas pode ser que alguém pense... que eu... que não está certo... como costuma dizer-se que eu... tenha aparecido numa reunião como esta.

Zúbikov estava calado e com tímida curiosidade.

– Mas espero que pelo menos o senhor há de compreender o motivo por que vim... He, he!

Zúbikov quis sorrir também respeitosamente; mas depois, de repente, conteve-se, e o Senhor Pralínski também dessa vez não chegou a ouvir nenhuma palavra animadora.

– Vim para dar animação, como diz aquele, a esta reunião... e ao mesmo tempo para mostrar que existe uma finalidade moral – prosseguiu Pralínski.

Mas a impassibilidade do seu ouvinte irritou-o, de repente, e então também ele se calou.

O pobre Zúbikov não se atrevia sequer a olhá-lo, como se a sua consciência o censurasse, sabe Deus por que culpas. Sua Excelência, um tanto confuso, pegou na taça e esgotou-a de um sorvo; Zúbikov, como se se agarrasse ao seu último recurso, tornou a pegar na garrafa, enchendo-lhe outra taça.

"De fato, não és muito falador"; pensou Pralínski consigo. E olhou brandamente para o pobre Zúbikov, que, quando sentiu fixo sobre ele o olhar do seu chefe superior, decidiu-se definitivamente a não erguer mais o seu. E assim ficaram sentados, em silêncio, um em frente do outro... um momento, que foi terrível para Zúbikov.

Esse Zúbikov pertencia a uma classe de empregados que vai rareando. Educado no respeito e na obediência, era, por um lado, pacífico como uma galinha, e por outro, bondoso e até de nobres sentimentos. Era russo, petersburguês, isto é, de pais e avós petersburgueses, que se tinham criado, vivido e morrido na capital, sem dela terem saído nem uma só vez na vida. É um tipo especial de russo. Não faz a mínima ideia do que é a Rússia, coisa que, por outro lado, não o preocupa absolutamente. Concentra todo o seu interesse em Petersburgo e principalmente nos assuntos das suas repartições burocráticas. Todas as suas preocupações se reduzem à quotização do copeque, à loja de víveres da esquina e ao seu ordenado mensal. Não conhece nenhum costume russo, nenhuma canção russa, a não ser a da "braseira", e isso apenas porque os realejos a popularizaram. Aliás, há dois gêneros de indícios que permitem distinguir, sem risco de equívoco, o russo petersburguês, do verdadeiro russo. Em primeiro lugar, todos os russos petersburgueses, sem exceção, dizem *Notícias Acadêmicas* em vez de *Notícias Petersburguesas,* que é como na realidade se chama o jornal. E em segundo lugar, o russo petersburguês, para dizer desjejum, nunca emprega a palavra russa *závtrak,* mas diz sempre *frühstück,* reforçando a primeira sílaba de maneira especial. Por estes dois costumes tão arraigados podem distinguir-se infalivelmente estas duas categorias de russos.

Akim Pietróvitch Zúbikov pertencia pois a essa aprazível raça de burocratas que nos últimos trinta e cinco anos chegaram a constituir um tipo.

Aliás, não tinha nada de tolo. Se Sua Excelência lhe tivesse perguntado por outras coisas, por coisas relacionadas com a sua profissão, teria respondido, imediatamente, e então, com certeza, que a sua conversa não seria destituída de interesse. Mas que havia ele de responder, como seu subordinado, às perguntas que lhe fazia agora Sua Excelência? Isso seria simplesmente uma incorreção. E no entanto era capaz de dar qualquer coisa por conhecer mais a fundo as verdadeiras intenções do chefe...

Entretanto, o Senhor Pralínski afundava-se cada vez mais numa meditação muda. Ia cada vez tornando mais frequentes os sorvos do champanhe. E o seu vizinho aproveitava sempre a ocasião para encher-lhe a taça até à borda. Nenhum dos dois falava. De súbito Sua Excelência reparou que falavam ali, diante dele, e não tardou em interessar-se pelo espetáculo. Mas houve qualquer coisa que despertou especialmente a sua atenção e o deixou bastante perplexo.

Os convidados estavam um bocadinho... estavam demasiado alegres. Dançavam para se divertirem e também para se desentorpecerem. Os bons dançarinos, eram poucos, mas os maus davam tais voltas e pateavam no chão de tal maneira que também se podiam tomar por dançarinos consumados. Mas entre todos sobressaía o oficialeco de há pouco, ao qual agradavam especialmente os passos em que ficava isolado, como se não tivesse par, e podia até certo ponto dançar sozinho. Então, isto é, quando ficava sozinho, curvava-se e retorcia-se de modo realmente extraordinário, do seguinte modo: gordo e altíssimo como era, curvava-se de repente para um lado, de maneira que parecia que se partia em dois e estava para tombar imediatamente; mas, no segundo passo, torna a endireitar-se em toda a sua altura, e ao terceiro tornava a recurvar-se da mesma forma que a primeira vez, mas do outro lado. Enquanto fazia tudo isto mantinha uma expressão imperturbável e dançava, visivelmente convencido de que todos o admiravam. Outro cavalheirote, que também fazia visitas frequentes ao quarto das arrumações, ficou adormecido à segundo volta, junto do seu par; de maneira que esta se viu obrigada a continuar dançando sozinha. Um jovem encarregado de registros, que durante toda a noite dançara com um só par, aquela mesma senhora que batera com a ponta da sua faixa no nariz de Sua Excelência, descobrira qualquer coisa de original; ficava sempre um pouco atrasado em relação ao seu par, e podia assim, a cada volta, segurar-lhe a ponta da referida faixa e depor nela, precipitadamente, uma dezena de beijos.

Mas a senhora continuava a bambolear-se diante dele na sua dança, como se fosse um cisne e não se apercebesse dos tais beijos. O estudante de medicina dançou sozinho sobre as palmas das mãos, e teve um êxito inacreditável; o entusiasmo que punha nisso era na verdade comovedor. Em resumo: todos se conduziam ali conforme muito bem lhes aprazia. O Senhor Pralínski, no qual a bebida começava a provocar os efeitos, foi condescendente até ao ponto de sorrir; mas, pouco a pouco, na sua alma foi entrando uma profunda decepção. Oh, sim! Ele era partidário de que as pessoas se conduzissem de maneira natural e sem afetação. Como desejara isso quando, ao entrar naquela casa, os convidados recuaram com timidez! Mas, em compensação, agora, passavam das marcas! Por exemplo: aquela senhora de vestido de veludo coçado prendera de tal maneira com alfinetes a aba da saia, que até parecia que trazia calças de homem. Essa senhora era a tal Kleópatra Siemiônovna, com a qual, segundo dissera o estudante de medicina, podia uma pessoa atrever-se a tudo. Do tal estudante podia dizer-se simplesmente que era um segundo Fokim[6]. Mas como se operara aquela brusca mudança? Havia pouco mais de um segundo, todos pareciam encolhidos diante do novo convidado, e eis que, de repente, se mostravam tão ousados. A coisa, no fundo, podia não ter nada de especial; mas o certo é que, apesar de tudo, parecia indicar qualquer coisa. Parecia, de fato, que todos se tinham esquecido de que Sua Excelência estava ali. É claro que Sua Excelência era o primeiro a regozijar-se com isso e até levou a sua condescendência ao ponto de bater palmas. Zúbikov sorriu também com grande solicitude; não o fez por obrigação, mas sim com visível prazer... sem pensar que Sua Excelência tinha já outro vermezinho a roer-lhe o coração.

– Dança... admiravelmente! – disse Sua Excelência quando o estudante, na última volta, passou no seu lado.

O estudante voltou-se pressurosamente para ele, fez uma careta inverossímil, aproximou o rosto do dele a uma distância grosseiramente próxima, e... de repente, pôs-se a imitar o cantar do galo, a plenos pulmões. Aquilo era demais! Sua Excelência ficou em pé. Uma verdadeira salva de gargalhadas atroou a sala, pois a careta do estudante fora tão inesperada e o velhaco imitara o galo com tanta perfeição, que as risadas eram perfeitamente justificadas. Sua Excelência continuava de pé, meio aturdido, quando de repente apareceu Pseldónimov e, com muitas reverências, o convidou a passar à sala de jantar para a ceia. A mãe do rapaz chegou também em seguida.

– *Bátiuchka*[7], Excelência – disse. – Dê-nos a honra... Não desdenhe da nossa modesta casa!

– Eu... eu não sei, verdadeiramente – balbuciou Sua Excelência. – Eu não tinha a intenção... Verdadeiramente, há já um momento... que pensava...

Para dizer a verdade tinha ainda o gorro de zibelina na mão. Sim, precisamente naquele momento, dava a si próprio a palavra de honra de despedir-se imediatamente, de não ficar para cear, e... naturalmente, acabou por ficar. Passado um minuto dirigia-se já para a sala de jantar, à frente do grupo. Atrás dele seguiam Pseldónimov e sua mãe, para mostrar-lhe o caminho. Deram-lhe o lugar de honra e tornaram a pôr-lhe uma garrafa de champanhe junto do prato. Primeiro vieram os aperitivos, arenque e aguardente. O Senhor Pralínski, sem se aperceber bem do que fazia, estendeu a mão para o frasco da aguardente e encheu um copo até aos bordos. Parecia-lhe resvalar pela encosta duma montanha, julgava rebolar e sentia a necessidade de agarrar-se a qualquer coisa, simplesmente não atinava com essa coisa.

A sua situação tornou-se verdadeiramente estranha. Sentia a ironia do destino. Só Deus sabia o que lhe acontecera no breve espaço duma hora. Quando entrara naquela casa levava os braços abertos para abraçar contra o seu coração toda a

---

[6] Célebre palhaço e acrobata russo.

[7] Sinônimo arcaico de pope. Utilizado também, na linguagem do povo, como sinônimo de papai, aplicado ao próprio pai ou a pessoas de respeito, às quais quer se tratar com consideração e afeto ao mesmo tempo. Pope é pejorativo e ninguém se dirige diretamente ao padre chamando-o de pope. Também exclamação: *Bátiuchka!* Meu pai! Meu Deus!

humanidade e todos os seus subordinados; e, passada uma escassa hora, não tinha outro remédio senão reconhecer com pesar que odiava aquele antipático Pseldónimov e a consorte, e de boa vontade mandaria essa festa para o diabo. E, para cúmulo da infelicidade, ninguém lhe ocultava, pois o diziam claramente as caras e os olhos, que também ali todos o odiavam, coisa que lhe dava sobretudo a entender o olhar hostil do seu subordinado.

É claro que, quando se sentou à mesa, o Senhor Pralínski antes seria capaz de deixar cortar a mão direita do que confessar a si próprio toda a verdade. O momento em que tal coisa teria sido possível, ainda não chegara e, por agora, havia uma certa hesitação. Mas o coração, oh, esse, sim, doía-lhe, de verdade! O coração ansiava pela liberdade, por ar, por descanso! Como era bondoso, afinal, esse Ivan Ilhitch Pralínski!

No entanto sabia que devia retirar-se (havia já bastante tempo sabia), e não só retirar-se simplesmente, mas escapar-se; que todos os seus planos tinham falhado completamente; que aquilo nem de longe se parecia com o que ele sonhara quando vinha ainda nas pontes.

"Mas por que teria eu vindo? É claro que não fora para comer e beber!", disse, enquanto engolia o seu arenque. Chegou a ficar cheio de pessimismo profundo e a reconhecer que até ele próprio se tornava ridículo, de vez em quando, no seu papel de herói. Sim, chegou ao extremo de compreender a razão por que estava ali.

"Mas como havia eu de sair antes?" Sair daquela maneira, sem ter dado qualquer remate à coisa, era impossível. Que teriam dito? Que ia cozê-la nalgum lugar. E seria o mesmo que diriam se eu saísse agora, sem mais nem menos. Que diriam amanhã, pois é certo que ficariam sabendo, Stiepan Nikifórovitch e Siemion Ivânovitch? E que diriam também na repartição? E em casa de Schembel? E na de Chúbin? Não, eu tenho de retirar-me de maneira que todos compreendam bem o motivo por que vim, é preciso que eu lhes explique o fim moral da minha visita – e, no entanto, aguardava em vão esse momento patético – nem sequer repararam na minha pessoa – continuou pensando. – De que estarão rindo? Estão tão alegres como se tivessem perdido todo o sentimento de... Sim, é isso, há tempos o disse: a nova geração não vale um pataco, é insensível. Devo ficar, custe o que custar. É absolutamente necessário! Até agora andaram embebidos na dança, mas agora estão todos reunidos à mesa... Pois bem, vou lhes falar do problema da atualidade... Isso mesmo, das reformas, da grandeza da Rússia... Oh, sim, vou arrebatá-los de entusiasmo! Isso mesmo... e talvez assim não tenha perdido o meu tempo... Pode ser que aconteça sempre isto na realidade... Mas por onde hei de eu começar para cativar a sua atenção logo de início? Ah, é preciso imaginar algum truque... Verdadeiramente, não sei... Além disso, que será que eles desejam, que lhes interessa? Lá estão outra vez na risota. Estarão zombando de mim? Meu Deus! Mas que vou eu... Por que teria eu vindo? Por que não me vou embora? Afinal, de que ando eu à procura?" E, de repente, enquanto pensava estas coisas, uma grande vergonha o assaltou, uma vergonha insuportável que parecia destruir-lhe o coração.

Não havia nada a fazer contra aquilo: era, simplesmente, a fatalidade.

Passados exatamente dois minutos, sentado à mesa, ocorreu-lhe uma ideia terrível que fez com que lhe corresse um suor frio pela testa. Reparou, de repente, que estava terrivelmente embriagado, isto é, não como antes, mas real e absolutamente embriagado, devido à aguardente que ingerira, depois de tanto champanhe, a qual produzira imediatamente os seus efeitos. Sentia perfeitamente que as suas forças o abandonavam. Mas nem por isso perdeu a coragem e, pelo contrário, pareceu-lhe que ainda ganhara mais; mas a sua consciência não descansava um momento e gritava-lhe incessantemente ao ouvido esquerdo: "Isto não está certo, isto não está certo, é até absolutamente indecoroso". É claro que os seus pensamentos de bêbado não paravam num só ponto; de repente deu-se nele, e ele apercebeu-se disso, um desdobramento do seu eu. O seu primeiro eu tinha coragem, estava ansioso por dar batalha ao inimigo e vencer, e possuía a convicção desesperada de que ainda conseguiria o seu objetivo. Mas o seu segundo eu sentia uma dorzinha surda e dilacerante na cabeça: "Que dirão? Como acabará isto? E amanhã, amanhã, amanhã?".

A princípio sentia apenas de maneira vaga que tinha inimigos entre os presentes. "Mas isso deve ser por estar bêbado", pensou assaltado por dúvidas dolorosas. Mas a sua dor foi enorme quando se apercebeu, por certos indícios infalíveis, que verdadeiramente tinha inimigos naquela mesa.

"Mas por que, por que será?" – perguntou a si próprio.

Estavam ali sentados todos os convidados, uns trinta, ao todo; mas alguns deles estavam já completamente embriagados. E os outros conduziam-se de maneira tão estranha, com um à-vontade tão malicioso, que gritavam, falando em voz alta todos ao mesmo tempo, faziam brindes prematuros e atiravam migalhinhas de pão às senhoras que tinham em frente. Um cavalheiro, de traje sebento, quando ia sentar à mesa rolou para debaixo dela e ali ficou tranquilamente, talvez até o outro dia. Outro indivíduo empenhou-se em subir para cima da mesa para fazer um brinde, e foi o oficial quem, puxando-o pelas abas da casaca, conseguiu dissuadi-lo do seu prematuro e entusiástico propósito. A ceia, no que se refere à qualidade, foi bastante desigual, apesar de a família ter solicitado os conselhos e ajuda de certo cozinheiro, impedido dum general. O cardápio compunha-se de língua de forno com batatas, carne com ervilhas verdes e, para remate, um ganso, e no fim, *blanc manger*. De bebidas, cerveja, aguardente e xerez. As garrafas de champanhe tinham sido postas ao alcance de Sua Excelência, o que o obrigava a servir-se e a servir também Zúbikov, já que este não se atrevia a tomar iniciativa alguma, à mesa. Para o momento de brindar pela felicidade dos noivos tinham reservado um vinho tinto. A mesa compunha-se de várias mesas encostadas umas às outras, entre as quais se contava uma de jogo, todas cobertas com várias toalhas, entre as quais se distinguia uma muito florida, de Iaroslav. Os convidados estavam distribuídos ao acaso. A mãe de Pseldónimov não quisera sentar à mesa, a pretexto de que tinha que fazer na cozinha. No seu lugar sentou outra mulher, que até então não aparecera, uma criatura feia, com um vestido de seda vermelha, de faces rechonchudas e um penteado descomunal. Era a mãe da noiva. Tinha-se finalmente dignado aparecer à mesa; até então não houvera quem conseguisse fazê-la sair do quarto das arrumações e tudo isso apenas por causa do ódio imenso que nutria à mãe do noivo; ainda tornarei a insistir sobre este ponto. Esta senhora tratou Sua Excelência desdenhosamente, até trocistamente, e, parece, não desejava que ele lhe fosse apresentado, coisa que soou bastante suspeita ao Senhor Pralínski. Aliás havia ali outras coisas que também lhe pareciam, e que lhe inspiravam certo receio. Parecia-lhe até que todos se tinham unido contra ele e teve oportunidade de convencer-se disso melhor durante a ceia. Mas o que se lhe tornou mais antipático foi certo indivíduo que usava uma barbicha curta – talvez algum artista boêmio – que olhou descaradamente muitas vezes para Sua Excelência, voltando-se depois para o seu vizinho para dizer-lhe qualquer coisa engraçada ao ouvido. Havia também um jovenzinho, demasiadamente bêbado, mas que, a avaliar por certos indícios, parecia sentir por ele a menor simpatia. O mesmo poderia dizer-se do estudante de Medicina. E também era preciso não esquecer o oficial, se bem que aquele que mais franca antipatia lhe mostrava era o colaborador de *O Cogumelo*. Estava muito refestelado na sua cadeira, lançava um olhar cheio de desdém e ria-se sem cerimônia e descaradamente. E como, de repente, veio cair certeiramente junto do seu prato uma bolinha de pão, Sua Excelência ficou plenamente convencido e até era capaz de apostar em como o atirador daquele projétil não fora outro senão o malvado colaborador.

É claro que tudo isto teve má influência sobre ele.

Houve também outra observação que veio a fazer e que lhe foi particularmente aborrecida. Porque o Senhor Pralínski estava convencido de que iria lutar com algumas dificuldades para dirigir a palavra à assistência, pois, embora tivesse muitas coisas para dizer, não tinha a língua muito expedita, ia perdendo pouco a pouco o poder dialético do seu pensamento e, de súbito, punha-se a rir sem motivo. Mas esta preocupação não tardou a desaparecer com outra taça de champanhe, que enchera antes e não quisera tomar, e que agora, de repente, bebera por distração. Sentia vontade de chorar. Apercebia-se que se ia apoderando dele uma sentimentalidade estranha, que se enchia outra vez de ternura para com todos, pelo próprio Pseldónimov e até pelo próprio colaborador de *O Cogumelo*. Sentia vontade de atirar-se-lhes ao pescoço, de fazer as pazes com eles, de esquecer tudo. Sim, queria até contar-lhes tudo, tudo, isto é: como ele era bondoso, as belas qualidades que possuía, como havia de tornar-se útil à pátria, como sabia entreter as senhoras e, sobretudo, como era progressista, humano, e como estava sempre disposto a humilhar-se perante todos, até perante os mais humildes; até se sentia pronto a contar-lhes com toda a franqueza todas as razões que o levaram a aparecer ali, sem que ninguém o convidasse, no casamento de Pseldónimov, a beber duas garrafinhas de champanhe e a felicitá-lo pessoalmente.

"A verdade, a verdade sagrada e a sinceridade acima de tudo! É isto mesmo: conquistarei todas as simpatias com a sinceridade. Acreditarão imediatamente no que eu lhes disser, bem sei. Agora ainda não me veem com bons olhos, mas, quando eu lhes falar com toda a franqueza, serão todos a meu favor. Hão de encher as suas taças e brindar em minha honra. O oficial há de quebrar a taça contra a sua espora. Até pode ser que gritem: "Hurra!" Por mim; podem fazê-lo. Não me oporei a que me ergam aos ombros: acharei até isso muito bem. Beijarei a noiva na fronte: é uma coisa muito apropriada. Este Zúbikov também é um bom rapaz. E, com o tempo, Zúbikov vai se emendar também. Afinal, o que lhe falta é apenas isso que chamam verniz social... E embora todos os rapazes hoje em dia careçam de uma certa distinção de maneiras, bem... não tardarei a falar do significado atual da Rússia entre as outras nações. Também tocarei no problema dos camponeses, sim, e... hão de ficar todos malucos comigo e me carregar daqui em triunfo..."

É claro que essas ideias eram muito agradáveis; o pior foi que, no meio delas, o nosso homem descobriu de repente, em si próprio, outra qualidade nova: a de que cuspia, sem dar por isso. Pelo menos reparou que, quando falava, a saliva lhe saía da boca contra sua vontade. Notou-o pela primeira vez quando falava com Zúbikov, ao qual salpicara de súbito toda a face com saliva, a qual, o pobre rapaz, por respeito, não se atrevera a limpar, mas, assim que viu isso, ele, Sua Excelência, pegou num guardanapo e ele mesmo limpou. Mas naquele momento isso pareceu-lhe tão impróprio, tão oposto à sã razão, que ficou calado e completamente espantado. Zúbikov parecia pregado à cadeira. De súbito, o Senhor Pralínski deu conta de que já há mais de um quarto de hora que falava de um tema interessantíssimo e que, se bem que o escutasse atentamente, o tal – Zúbikov – parecia um pouco inquieto, como se receasse qualquer coisa dele. Pseldónimov, que estava sentado numa cadeira logo atrás, estendia também para ele o seu comprido pescoço e ouvia-o com uma desagradável expressão. É que parecia mesmo que o seu encarregado de registros se julgava obrigado a preocupar-se com ele. Com os olhos, passou revista a todos os comensais, e notou que alguns o olhavam e se riam. E o mais estranho era que, a ele, isso não lhe importava, de maneira nenhuma; bebeu outro gole da taça e levantou, muito decidido, para falar:

– Já disse – começou com a voz mais forte que podia – minhas senhoras e meus senhores, já disse antes e agora mesmo também estava dizendo a Akim Pietróvitch, que a Rússia... isso mesmo, a Rússia enfim, irão já compreender o que eu quero dizer.. que a Rússia atravessa agora... eu, pelo menos, estou firmemente convencido disso... pela época da hu... hu... manidade...

– Hu... hu... manidade! – gritaram do outro lado da mesa. – Huhuhuhun!

– Tututun!

Sua Excelência calou-se. Pseldónimov levantou e lançou um olhar severo por cima dos comensais, tentando adivinhar quem é que gritara. Zúbikov, inquieto, moveu também um pouco a cabeça como se admoestasse os convivas. Sua Excelência reparou no fato, porém, manteve a serenidade.

– Humanidade! – continuou, firme. – E não há muito tempo, não há muito, precisamente, dizia eu a Stiepan Nikifórovitch... sim, senhor... que a renovação, como costuma dizer-se, da...

– Excelência! – ouviu-se, com toda a clareza, na outra ponta da mesa.

– Que deseja? – perguntou o orador interrompido, esforçando-se por descobrir o engraçado.

– Nada, Excelência, pensava simplesmente que devia retirar-se – tornou a dizer a mesma voz.

O Senhor Pralínski ficou levemente zangado, não muito.

– A renovação, como costuma dizer-se, dessa mesma...

– Excelência! – tornou a gritar a voz de há pouco.

– Que deseja?

– Que se vá embora!

Neste momento o Senhor Pralínski não pôde conter-se. Ficou calado e voltou-se para olhar com uma cara severa o seu perturbador e ofensor. Era um rapaz, estudante do liceu, que bebera demasiado e cujo estado de embriaguez suscitava sérios receios. Já partira uma chávena e dois pratos, alegando que isso era infalível num casamento. Quando Sua Excelência o encarou, o oficial estava a ralhar com ele.

— Mas que tens tu, rapaz? Previno-te de que, se não te calas, te ponho no olho da rua!

— Eu não quero saber do senhor para nada, Excelência! Saia daqui! – gritou o alegre estudante, apoiando-se na cadeira com a maior tranquilidade. – Deixe-nos! Eu ouvi o que disse e achei muito bem. Colossal, colossal!

— Coitado do pobre rapaz, está embriagado! – murmurou Pseldónimov ao ouvido do seu chefe.

— Bem se vê, mas...

— Acabo de contar-lhe uma história, Excelência – começou o oficial – a propósito de um tenente do nosso regimento que dizia as mesmas coisas ao seu capitão, e o rapaz quis imitar o tenente da minha história, o qual comentava sempre tudo quanto o capitão dizia, da mesma maneira: "Colossal, colossal!". Por isso há dez anos foi expulso do Exército.

— Que tenente era esse?

— Um tenente do nosso regimento, Excelência. Estava simplesmente embriagado com o co...lossal. A princípio impuseram-lhe uma detenção na sua própria casa; a seguir veio a repreensão, e depois o calabouço... O coronel falou-lhe como um pai, mas ele retrucou-lhe com o seu eterno bordão: "Co...lossal, co...lossal!". E, coisa estranha: era na verdade um bom oficial. Ultimamente obrigaram-no a comparecer perante um conselho de guerra; mas aí veio a averiguar-se que não estava em seu verdadeiro juízo...

— Isto é, que era como uma criança da escola. Com estes não é preciso empregar tanta severidade... e eu, por meu lado, estou disposto a perdoar... o que os médicos confirmaram depois.

— Mas... estava vivo? Então como é que o puderam dissecar?

Ouviram-se muitas gargalhadas. Até então os convidados não se tinham permitido nada de semelhante. Sua Excelência ficou furioso.

— Meus senhores! Minhas senhoras e meus senhores! – exclamou. – Eu sei muito bem que não se pode praticar a dissecação numa pessoa viva. Suponhamos, por exemplo, que, no seu delírio, já não estava vivo... isto é, que já tinha morrido... bem, eu quero dizer unicamente... que os senhores não simpatizam comigo, ao passo que eu gosto de todos... isto é... até de ti... Por... Porfíri... Eu me rebaixo a falar assim...

Mas nesse momento a saliva tornou a saltar-lhe dos lábios e foi cair sobre a toalha, precisamente no lugar mais visível. Pseldónimov apressou-se a limpá-la. Este último contratempo acabou por aniquilar Sua Excelência.

— Não, isto é demais! – exclamou, desesperado.

— É um garoto que bebeu demasiado, Excelência – tornou Pseldónimov a murmurar-lhe ao ouvido.

— Porfíri! Vejo que todos os senhores... todos... todos, isto é, digo que espero, isto é, conjuro-lhes a todos para que digam por que me rebaixei eu.

Sua Excelência estava quase chorando.

— Porfíri, estou falando contigo; diz-me, meu filho: por que vim eu ao teu casamento? Pois se vim, foi para alguma coisa. Eu queria levantar moralmente... queria que todos vissem... É a todos os senhores que me dirijo, honrados convivas. Desci muito a seus olhos ou não desci?

Silêncio sepulcral. Era uma desgraça que, à sua pergunta categórica, apenas respondesse aquele silêncio unânime. "Por que havia de custar-lhes gritar hurra?", pensou Sua Excelência. Mas os convidados limitavam-se a trocar olhares significativos em silêncio. Zúbikov estava mais morto que vivo e agarrava-se convulsivamente à sua cadeira; Pseldónimov, mudo de espanto, a si próprio fazia esta pergunta: "Que irá ser de mim amanhã?".

De repente, o colaborador de O Cogumelo, algum tempo embriagado, mas que conservara até aí um silêncio sombrio, encarou diretamente Sua Excelência e, em nome de todos os presentes, disse:

– Sim! – exclamou com voz forte e de olhos brilhantes. – Sim! O senhor rebaixou-se. É um reacionário!

– Rapaz, veja bem o que está dizendo. Veja com quem é que está falando – replicou com veemência o Senhor Pralínski e deu outra vez um pulo.

– Estou falando com o senhor e, além disso, não sou nenhum rapaz. O senhor veio aqui por vaidade, para se tornar popular.

– Pseldónimov, que significa isto? – gritou Sua Excelência fora de si.

Pseldónimov levantou de um salto, com um tal susto que, a princípio, ficou parado e hirto, sem saber o que fazer. Os convidados ficaram como que pregados de espanto nos seus lugares. O artista boêmio e o rapaz da escola bateram palmas e gritaram: "Bravo, rapaz!".

Mas o colaborador continuava vociferando com um ímpeto irreprimível:

– Sim, o senhor veio para dar uma prova da sua humanidade. O senhor estragou-nos a festa toda. O senhor encharcou-se de champanhe, sem levar em conta que o champanhe é demasiado caro para um modesto empregado, que apenas ganha dez rublos por mês, e calculo que o senhor deve ser desses chefes que se atiram às mulheres dos seus subordinados, quando são novas. Sim, e até estou convencido de que o senhor é uma pessoa que gosta que lhe molhem as mãos... Ah, ah, ah!

– Pseldónimov, Pseldónimov! – exclamou Sua Excelência e, no seu desespero, estendeu os braços para ele. Era como se cada palavra do colaborador se lhe espetasse no coração como um punhal.

– Não se preocupe, Excelência, que é já – disse Pseldónimov energicamente e, refeito do seu espanto, dirigiu-se ao colaborador e agarrando-o pelo pescoço, tratou de expulsá-lo.

Ninguém seria capaz de pensar que aquele enfermiço do Pseldónimov fosse capaz de despender tamanha força física. É que o colaborador estava caindo de bêbado e Pseldónimov não provara uma gota. Por isso deu-lhe alguns socos nas costas e depois expulsou-o, fechando a porta em seguida.

– Vocês são todos da mesma panelinha! – gritou o colaborador à porta. – Vão ver como amanhã os ponho n'*O Cogumelo*!

Todos deram um pulo nos seus lugares, sobressaltados pela ameaça.

– Excelência, Excelência! – exclamou Pseldónimov, sua mãe, e alguns convidados que se apinharam à volta do convidado de honra. – Excelência! Tranquilize-se!

– Não, não! – exclamou Sua Excelência. – Estou aniquilado! Eu queria dar-lhes a minha bênção! Era isso! E é esta a paga que me dão!

Deixou-se cair meio desfalecido, pôs os braços sobre a mesa e afundou a cabeça entre eles... isto é, pousou-a precisamente sobre o prato de *blanc manger* que lhe tinham servido. Creio desnecessário descrever a agitação geral que se produziu. Passado um minuto, tornou a levantar, com a intenção de ir embora; mas cambaleou, tropeçou num pé da cadeira e rolou pelo chão a todo o comprimento.

Isto costuma acontecer aos indivíduos não habituados a beber, quando por acaso se embriagam. Conservam a lucidez até ao último momento, sem que lhes escape seja o que for; mas depois caem de repente como feridos por um raio. Sua Excelência jazia no chão, de sentidos completamente perdidos. Pseldónimov levou as mãos à cabeça e ficou rígido, nessa atitude. Os convidados apressaram-se a partir para casa, comentando o acontecimento. Eram cerca de três horas da manhã.

O pior de tudo era a situação ser mais comprometedora do que Pseldónimov poderia ter pensado, e isto para não falar de quanto era aborrecido um incidente como este numa noite de núpcias.

Até há um mês vivera na mais desolada miséria. Era originário da província, onde seu pai fora empregado. Cinco meses antes do casamento, depois de passar um ano sem fazer outra coisa senão passear a sua fome por Petersburgo, encontrara finalmente aquele emprego de dez rublos mensais. Isso teria sido a sua ressurreição física e espiritual, se, passado pouco tempo, não tivesse voltado a agravar a sua situação. Em todo o mundo havia apenas dois Pseldónimov, ele e sua mãe, que, por ocasião da morte do marido, deixara a província. Mãe e filho não tinham o mínimo amparo nem abrigo, chegaram quase a morrer de frio, e raramente se alimentavam. Havia dias em que Pseldónimov ia pessoalmente ao Fontanka com o cântaro para acalmar a sede na água turva do rio. Quando se empregou, o rapaz alugou um quartinho para ele e para a mãe. Ela trabalhava como lavadeira e tinha de economizar três ou quatro meses para comprar um par de botas ou um casaco. E quantos vexames não teve de suportar na repartição! Os chefes perguntavam-lhe se nunca tomara banho na sua vida. E puseram-se a dizer que a gola do seu uniforme era um ninho de percevejos. Mas Pseldónimov era de caráter íntegro, pacífico e tranquilo; não tinha imaginação e falava pouquíssimo. Daí ser impossível penetrarem-lhe os pensamentos e saber se elaborava planos e sistemas ou andava preocupado com outras coisas. Mas, em compensação, estabelecera instintivamente o firme propósito de fazer o possível por sair daquela má situação. Possuía uma autêntica teimosia de formiga; é sabido que, se se destrói o formigueiro destes insetos, constroem logo outro e assim sucessivamente, sem nunca se cansarem; Pseldónimov tinha um caráter construtivo e doméstico. Era possível ler no rosto dele que havia de construir o seu ninho e até de armazenar as suas provisões. A mãe era a única criatura que amava neste mundo, e amava-a com uma ternura infinita. Ela era também uma mulher de caráter, trabalhadora infatigável e de grande bondade. E assim continuaria a lutar pela vida no seu abrigo, durante cinco ou seis anos mais, se o jovem Pseldónimov não tivesse vindo a conhecer o conselheiro titular jubilado, Mlekopitáiev, que também vivera algum tempo na província e havia pouco viera para Petersburgo com a família. O velho conhecia Pseldónimov e até tivera outrora motivos de gratidão para com seu pai. Desfrutava agora duma posição desafogada, embora na realidade ninguém soubesse a quanto se elevavam seus cabedais, nem a mulher, nem a filha, nem os parentes mais chegados. O homem tinha duas filhas, e como era um beberrão, um déspota em casa, e além disso estava doente, veio-lhe de repente a ideia de casar Pseldónimov com uma das filhas. "Eu sei quem ele é; o pai era um bom homem e ele deve sair ao pai." E quando se metia uma coisa na cabeça de Mlekopitáiev tinha de ser: dito e feito. Era uma criatura estranha, esse tal Mlekopitáiev. Passava a maior parte do tempo na poltrona, pois, por causa de uma doença, não podia servir-se de uma das pernas, o que entretanto não o impedia de apanhar umas boas bebedeiras de aguardente. Passava o dia todo bebendo... e insultando os outros. Como era de mau gênio, precisava de ter sempre alguém a quem atormentar. Para esse fim recolhera em sua casa algumas parentas afastadas, mais a irmã, também achacada e de mau caráter, duas irmãs da mulher, que não ficavam atrás da sua, e uma velha tia que, não se sabe devido a que acidente, sofrera a desgraça de partir uma costela. Tinha também em sua casa uma alemã russificada, à qual dava abrigo gratuito, porque a alemã tinha muito jeito para lhe contar umas histórias muito bonitas das *Mil e uma noites*. Resumia todo o seu poder em insultar a todo o instante, e por qualquer coisa, as suas desgraçadas pupilas, que não pagavam, e também a mulher – uma pobre criatura que já tinha vindo a este mundo cheia de dor de dentes – sem que nenhuma delas se atrevesse a replicar. Incitava-as também umas contra as outras, dizia-lhes mexericos, e refocilava de prazer quando as pobres mulheres puxavam o cabelo umas às outras. Também ficou contentíssimo quando a irmã mais velha, que tinha sido casada durante dez anos com um pobre oficial do Exército, e agora, viúva, se encontrava na miséria com os três filhos, fora viver com ele. Não podia suportar os garotos; mas como essa invasão aumentava o material para as suas experiências diárias, apesar de tudo o velho sentia-se satisfeitíssimo. Aquela coleção de mulheres e de crianças enfermiças, instaladas com o seu verdugo numa acanhada casa do Lado Peterburguês, não podia comer até saciar a fome, pois o velho era um avarento e gastava o dinheiro aos pouquinhos, embora nunca faltasse com ele para a sua aguardente, nem também para dormir à vontade, pois padecia de insônias e queria que o entretivessem e distraíssem. Enfim, ali, todos amaldiçoavam a sua sorte. E, de repente, o velhote lembrara-se de Pseldónimov. Chamaram-lhe a atenção o seu comprido nariz e a expressão submissa do rosto. A filha mais nova, enfermiça e insignificante, acabara precisamente de completar dezesseis anos.

Embora noutro tempo tivesse frequentado uma espécie de colégio alemão, não passara da cartilha e dos risquinhos que as crianças fazem para aprender a escrever. Crescera sempre fraca e escrofulosa, sob a autoridade dum pai beberrão, numa Babel de comadrios caseiros, espionagens e calúnias. Amigas, nunca as tivera. Era de uma estupidez absoluta. Mas havia bastante tempo desejava casar. Nunca dizia uma palavra na presença de homens estranhos; mas em casa era má e linguaruda como uma viborazinha. Gostava sobretudo de bater e maltratar os primos, de denunciá-los quando roubavam pão ou açúcar, e por isso andavam sempre brigando, ela e a irmã. Foi o próprio velho quem ofereceu a Pseldónimov a mão da filha, Apesar de sentir muito a falta duma mulher, no entanto o rapaz pediu tempo para pensar. Mãe e filho deliberaram entre si durante muito tempo sobre o que haviam de fazer. Mas a casa do velho estava registrada em nome da noiva e, embora não passasse de uma humilde vivenda de um só andar, não deixava, entretanto, de ter o seu valor. Além disso o velho dotava-a com quatrocentos rublos, mas com a condição de não os gastarem. "Meto esse homem em casa – gritava o velho na bebedeira – em primeiro lugar porque vocês são todas mulheres, e tanto mulherio incomoda-me. E, além disso quero que Pseldónimov obedeça também às minhas ordens, pois sou o seu benfeitor. E, em segundo lugar, trago-o para casa porque nenhuma de vocês o suporta e quero que se vejam obrigadas a tolerá-lo. Por isso meto-o em casa para que o tenham mesmo diante do nariz. Eu faço sempre o que digo. E tu, Pseldónimov, não sejas tolo e faz o que te digo; quando fores marido dela, vê se te fazes teso, pois ela já nasceu com o diabo metido no corpo. Põe-as todas daqui para fora!"

Pseldónimov calava-se; tomara a sua resolução. Desde o próprio dia do casamento, tanto ele como a mãe foram viver em casa do sogro, o qual lhes ofereceu casa de banho, roupa e, ainda por cima, algum dinheiro.

Talvez os animasse desta maneira para contrariar toda a família, que não os podia ver. A mãe de Pseldónimov chegou até a agradar-lhe bastante e absteve-se de grosserias para com ela. Aliás, não tardou a ordenar ao genro que lhe dançasse o *kasatchok*. "Bem, só queria ver se sabias conduzir-te para comigo como deve ser", disse-lhe, quando estava farto de vê-lo dançar. Para o casamento deu todo o dinheiro necessário e convidou até os parentes e amigos. Pseldónimov, por seu lado, convidou o colaborador de *O Cogumelo* e Akim Pietróvitch Zúbikov, como convidado de honra. Pseldónimov sabia perfeitamente que a mulher lhe tinha aversão e que, por seu gosto, não teria casado com ele, mas com o oficial esgalgado. Mas fingia não perceber, conforme combinara com a mãe. O velho, durante todo o dia do casamento, e até à noite, insultara a todos e bebera. Em atenção para com a festa, toda a família se retirara para as dependências internas, quentes e apertadas, onde se asfixiava. As dependências externas, pelo contrário, tinham-nas destinado para o baile e para a ceia. Finalmente, depois de o velho ter adormecido, completamente embriagado, perto das onze da noite, a mãe da noiva começou a trocar o seu ódio em bondade e a tomar parte na festa. O que deitou tudo a perder foi o aparecimento de Sua Excelência.

A senhora de Mlekopitáiev ficou transtornada, sentiu-se ofendida e achou muito mal que a não tivessem avisado da presença de Sua Excelência. Afirmaram-lhe que este aparecera ali por acaso, sem que ninguém o convidasse; mas a pobre criatura era tão estúpida que não queria acreditar.

Foi preciso arranjar champanhe. A mãe de Pseldónimov ainda tinha um rublo de prata, mas a este não restava nem um copeque. Por isso foi preciso pedir dinheiro ao velho Mlekopitáiev, a fim de comprarem primeiro uma garrafa e depois a outra. Fizeram-lhe ver o futuro, a carreira que o genro podia fazer com tais relações; por fim abrandou e deu o dinheiro, mas Pseldónimov teve de esgotar um cálice bem amargo, a tal ponto que foi para o quarto, onde o esperava o leito nupcial, pôs-se a puxar os cabelos com ambas as mãos, enterrou a cara nos lindos almofadões, destinados apenas a deleites paradisíacos; e todo o corpo lhe tremia de cólera impotente. Sim, Sua Excelência não podia supor o que tinham custado aquelas duas garrafas de champanhe que bebeu naquela noite, e como foi grande o desgosto de Pseldónimov, o seu pesar, o seu desespero perante aquele fim das suas relações com Sua Excelência! Tornou a apoderar-se dele a maior inquietação e toda a noite teve de sofrer os choros da sua caprichosa consorte e as censuras das suas estúpidas parentes. Tinha uma terrível dor de cabeça e via tudo negro. Mas ao mesmo tempo era preciso acudir a Sua Excelência, chamar um médico às três da madrugada e buscar uma carruagem fechada, pois não estava certo conduzir uma personagem daquela categoria, e em semelhante estado, num trenó descoberto e humilde. E onde arranjar o dinheiro para a carruagem? A senhora Mlekopitáiev, que estava furiosa porque o general não lhe dirigira a palavra nem reparara nela à mesa, declarou simplesmente que não possuía um copeque. Talvez dissesse a verdade. Mas onde encontrar o dinheiro necessário? Que fazer num aperto daqueles? Sim, havia razão de sobra para puxar os cabelos.

Em primeiro lugar levantaram Sua Excelência do chão e acomodaram-no num pequeno sofá que havia na sala de jantar, e enquanto arrumavam o quarto e o desempediam, Pseldónimov ia e vinha por toda a casa, em busca de dinheiro. Foi pedi-lo primeiro à criada, mas ninguém tinha um copeque. Atreveu-se até a pedir dinheiro emprestado a Akim Pietróvitch, que ainda não se retirara, mas este, apesar de ser um bom rapaz, ficava tão alterado e assustado quando se encontrava sem dinheiro, que teve esta saída inverossímil:

– Para a outra vez terei muito gosto – murmurou – em servi-lo, mas agora... verdadeiramente, desculpe-me... não me é possível...

Pegou o gorro e saiu dali correndo. Finalmente ficou só na casa aquele rapaz que falara no *Livro dos sonhos*, o qual tomava cordialmente parte na desventura de Pseldónimov. Concordaram os três ir procurar, não um médico, mas uma carruagem, para levar o doente a casa, e aplicarem-lhe antes remédios caseiros, como esfregar-lhe as fontes e a cabeça com água fria, pôr-lhe compressas de gelo e outras coisas assim. De tudo isso encarregou-se a mãe de Pseldónimov enquanto este corria em busca duma carruagem. Mas como nessa época não era possível encontrar nem mesmo um mau trenó, no Lado Petersburguês, o rapaz teve de deslocar-se até um ponto distante, de *drójki* e, aí, acordar um cocheiro. Meteram-se logo numa prolixa discussão sobre se estava certo ou não pagar a essa hora uma carruagem coberta por cinco rublos, mas, finalmente, combinaram por três rublos.

Quando o rapazinho apareceu às quatro da manhã com a carruagem, em casa de Pseldónimov, haviam mudado de pensar. É que o Senhor Pralínski, que continuava sem voltar a si, estava tão gravemente doente, lançava tais gemidos e suspiros, e revolvia-se tanto para um lado e para outro, que parecia simplesmente impossível e demasiado arriscado conduzi-lo nesse estado a casa.

– Que fazer? – exclamou Pseldónimov, que continuava meio tonto.

Que fazer? Punha-se agora um novo problema: se o deixavam ficar lá em casa, onde, em que cama deitá-lo? Havia apenas duas: uma grande, de casal, na qual dormiam o velho Mlekopitáiev e a mulher, e a outra, também de casal, recém-comprada, para os noivos. Todos os demais moradores, ou para melhor dizer, moradoras da casa, dormiam no chão em colchões estragados e mal-cheirosos, impróprios para o caso, e, além disso, ocupados. Onde colocar o doente? Um colchão de penas talvez se lhe pudesse arranjar, se o tirassem a alguma das que dormiam, mas onde e em cima de que haviam de colocá-lo? Naturalmente na sala, por ser o compartimento mais isolado da casa, mais afastado do centro da família e com uma saída própria. Mas onde colocar o colchão? Em cima de algumas cadeiras? Um rapaz da escola sabia, quando voltava a casa aos domingos à tarde, armar uma cama em cima de cadeiras... mas empregar esse recurso com uma pessoa tão importante, seria simplesmente uma falta de respeito inaudita. Que diria na manhã seguinte, quando viesse a saber que passara a noite em cima dumas cadeiras? Pseldónimov nem queria ouvir falar nisso. Havia só um recurso: deitá-lo na cama dos noivos.

Essa cama, conforme dissemos, fora instalada num espaço reduzido, perto da sala de jantar. Tinha um colchão novinho, lençóis limpos, quatro travesseiros de pano fino de algodão cor-de-rosa, com fronhas brancas de musselina guarnecidas de renda. A manta de cetim rosa tinha um bordado. De uma argola dourada pendiam, de cima até abaixo, uns adornos de musselina. Enfim, não lhe faltava nenhum requisito, e os convidados, que tinham quase todos passado revista à alcova dos noivos, ficaram encantados com a cama. E, durante a noite, a noiva, apesar da antipatia que Pseldónimov lhe inspirava, aí entrara várias vezes para recrear a vista. Já podem imaginar o seu aborrecimento, a sua raiva, ao saber que queriam deitar na sua cama de noiva aquele tipo que parecia atacado de colerina. A mãe desta entrou também ali e fartou-se de dirigir-lhe insultos, ameaçando contar tudo ao marido no dia seguinte; mas Pseldónimov manteve-se firme perante as duas mulheres e levou a melhor; deitaram Sua Excelência na cama e para a mulher arranjaram uma cama sobre umas cadeiras, na sala de jantar. A mulher chorava como uma Madalena; de boa vontade teria começado a bater em todos, mas não se atreveu a opor-se, pois sabia que o seu *bátiuchka* possuía umas muletas que ela conhecia bem, e sabia igualmente que no dia seguinte lhe iriam contar a história. Para a contentarem deixaram-lhe a manta cor-de-rosa e os travesseiros com fronhas de musselina. Naquele mesmo instante chegou o rapaz com a carruagem, e quando soube que esta já não era precisa, sentiu um susto terrível. Devia pagá-la e o infeliz nunca vira dez copeques juntos na mão. Pseldónimov declarou-se francamente em falência. Procuraram convencer o cocheiro, mas este não queria deixar-se convencer e pôs-se a vociferar e a dizer impropérios. Não sei como a coisa acabou. Calculo que o rapaz teria ficado como prisioneiro do cocheiro e se faria conduzir ao bairro de Piéski, onde tinha um amigo estudante que dormia em casa duns companheiros, ao qual despertara para o assediar. Eram cinco da manhã quando a noiva ficou sozinha e pôde fechar-se no quarto. A mãe de Pseldónimov ficou vigiando o doente. Embrulhou-se numa pele e estendeu-se no tapete, aos pés da cama, mas não conseguiu adormecer, pois devia constantemente levantar. Sua Excelência sofria de uma cólica atroz. Foi a pobre mulher, de coração generoso, quem o despiu e atendeu, como se fosse seu filho, e passou o resto da noite a entrar e a sair com a bacia. Mas ainda faltava muito para que acabassem as dolorosas surpresas daquela noite.

Ainda não haviam passado cinco minutos, depois que os noivos estavam sozinhos, quando se ouviu de repente um alvoroço tremendo, que não eram gritos de alegria mas o fragor de uma inflamada discussão. Atrás dos gritos vieram outros barulhos, como de cadeiras que rolassem pelo chão, e no mesmo instante irrompeu pelo quarto às escuras um regimento completo de assustadas e chorosas mulheres, todas em camisola e com o ar mais pitoresco. Eram as tais mulheres, a mãe da noiva, a irmã mais velha desta, que acabava de deixar naquele momento os três filhos doentes; as três velhotas, entre elas a da costela partida, e a criada também, mais a alemã que sabia contar lindas histórias e que trouxera consigo a única coisa de bom que possuía neste mundo, ou seja, o seu colchão – o melhor de todos que havia na casa – para oferecê-lo aos recém-casados. Havia mais de um quarto de hora todas aquelas respeitáveis senhoras se achavam ali, para onde se esgueiraram na ponta dos pés, farejando junto da porta, acicatadas por uma curiosidade inexplicável. Depois trouxeram luz e apresentou-se aos olhos de todos um espetáculo completamente inesperado. As cadeiras sobre as quais descansava o largo colchão, unicamente nos bordos, não puderam suportar o peso daqueles dois corpos, vieram abaixo, e o colchão caíra também no chão.

A noiva chorava de indignação e, dessa vez, tinha motivos de sobejo para isso. O pobre Pseldónimov moralmente abatido e com todo o aspecto dum malfeitor... estava ali exposto à curiosidade pública. Nem podia defender-se. Por todos os lados se ouviam guinchos e gritos. Perante esta confusão, a mãe de Pseldónimov levantou e acudiu também, mas foi a mãe da noiva quem deu ordens. Fez acabrunhar Pseldónimov com estranhas e injustas recriminações, dizendo-lhe: "És um palhaço! Para que provocaste este escândalo?", e outras coisas assim, depois do que pegou na filha por um braço e levou-a dali, após ter justificado perante o aterrorizado marido a sua conduta. As outras mulheres seguiram-na, movendo a cabeça e gemendo. A mãe de Pseldónimov foi a única que não desamparou o filho e fez o possível por consolá-lo. Mas ele expulsou-a.

Não tinha vontade de ser consolado. Sentou no sofá, tal como estava, em camisa e descalço, e afundou-se em meditações. Os pensamentos chocavam-se e confundiam-se na sua cabeça. Contemplava de uma maneira completamente maquinal o quarto em que duas horas antes andavam às voltas os bailarinos e onde se aspirava no ar o fumo dos cigarros. No chão se viam pontas de cigarros e pedaços de papéis de doces. O leito nupcial desmanchado e aquelas cadeiras derrubadas eram testemunhos de como fora efêmera a sua melhor e mais sincera ilusão. O rapaz permaneceu assim exatamente uma hora. Estranhas perguntas cruzavam-lhe o cérebro: "Que o esperava, agora, no emprego?". Ia ficando doloroso pensar que deixaria o seu destino, porque, depois de tudo o que acontecera naquela noite, não podia continuar no emprego. Pensava também em Mlekopitáiev, que talvez o fizesse dançar o *kasatchok* no dia seguinte, para pôr à prova a sua docilidade. Dera-lhe cinquenta rublos para os gastos da boda, que já se haviam acabado até ao último copeque; mas o velho nem de longe pensava em entregar-lhe os quatrocentos rublos do dote. E também não tinha nas suas mãos a escritura de doação da casa. O rapaz pensava também na mulher, que o abandonara no momento mais crítico da sua existência, no militar esgalgado que se atirara aos pés dela, e no diabo que a sua consorte possuía no corpo, conforme o avisara o pai dela... É certo que ele se sentia com coragem para suportar tudo, mas a sorte fazia-lhe tais surpresas que não é de admirar duvidasse o infeliz das suas forças. Assim se passou essa infausta noite para Pseldónimov, num autêntico sobressalto. Entretanto a lamparina de azeite projetava a sua luz tremente sobre o perfil do rapaz, reproduzindo na parede a sua silhueta em gigantescas dimensões, o pescoço comprido, o nariz curvo e as madeixas do cabelo, uma no alto da cabeça e outra à frente. Por fim começou a sentir frio aos primeiros alvores do novo dia e estendeu-se no colchão sem apagar a luz, sem arranjar as roupas e sem pôr um travesseiro debaixo da cabeça. Caiu num sono de chumbo, como só costumam ter os condenados à morte na véspera da execução.

E, por outro lado... com que poderia comparar-se aquela tempestuosa noite que o Senhor Pralínski passava no leito nupcial do desventurado Pseldónimov? As dores de cabeça, o mal-estar com todas as suas consequências não o deixavam repousar nem um momento. Era uma tortura infernal! Quando, por um instante, a sua consciência emergia, iluminava tais abismos de desgostos, visões tão turvas e repulsivas, que mais valia não estar no seu juízo. E via tudo às voltas. Reconhecia, por exemplo, a mãe de Pseldónimov, ouvia as suas exortações consoladoras, todas neste tom: "Tenha paciência, meu pombinho, não desespere, *bátiuchka*, que uma pessoa se acostuma a tudo", a reconhecia e a ouvia, mas não podia dar a si mesmo uma explicação lógica da sua presença. Assaltavam-no visões aborrecidas; aparecia-lhe a todos os momentos o fantasma de Siemion Ivânovitch Chipulenko; mas quando procurava fixá-lo bem, via que não se tratava de Siemion Ivânovitch Chipulenko, mas sim do nariz de Pseldónimov. Também lhe apareciam as figuras do artista boêmio, do militar e da velha das bochechas rechonchudas. Mas o que mais o aborrecia era o aro dourado que pendia sobre a sua cabeça, ao qual estava preso o cortinado. Via com toda a clareza o famoso aro à luz turva da lamparina, que só fracamente iluminava o aposento, e torturava o juízo pensando: "Para que diabo servirá esse arozinho; por que o teriam posto ali e para que fim?". Até chegou a perguntar isto à velha que o velava, simplesmente não conseguia exprimir-se bem, pois, por mais que fizesse por explicar-se, ela não o compreendia. Quando começou a amanhecer, a sua indisposição passou e afundou-se num sono pesado e letárgico. Ficou assim dormindo uma hora e, quando tornou a acordar, sentiu-se completamente desanuviado, mas com uma dor de cabeça insuportável e com a língua transformada num pedaço de trapo, e com um gosto absolutamente repulsivo. Endireitou-se um pouco, olhou à sua volta e pôs-se a refletir. A luz pálida da manhã filtrava-se como um raiozinho claro pelas frinchas das tabuinhas das janelas e ia projetar-se, tremendo, sobre a parede. Deviam ser aproximadamente sete horas da manhã. Quando de repente se recordou de todos os acontecimentos da noite anterior, ao precisar todos os pormenores da ceia, o seu malogrado intento de sedução dos espíritos, o seu discurso à mesa, e compreender com a mais espantosa clareza todas as consequências que dali poderiam derivar para ele, e conjeturar o que pensariam, ao olhar à sua volta e perceber o triste e repugnante estado em que pusera o leito nupcial, tão aprazível, do seu subordinado... oh! então acometeu-o uma vergonha, um tal aborrecimento, que cobriu o rosto com as duas mãos e, desesperado, enterrou-o nas almofadas. Mas tornou logo a endireitar-se, levantou de um salto; pegou nas roupas ali, junto da cama, escovadas e limpas, postas sobre o espaldar duma cadeira, e vestiu-as rapidamente, como se quisesse fugir de alguém. Ali mesmo, noutra cadeira, tinha o casaco de peles, o gorro, e sobre este as luvas amarelas. Dispunha-se a esgueirar-se sem dar nas vistas, quando de súbito a porta se abriu e apareceu a mãe de Pseldónimov com uma bacia e uma toalha limpa ao ombro. Pôs ali a bacia e, com a maior tranquilidade e absoluta ausência de afetação, disse-lhe que ele precisava lavar-se.

— Mas que é isso, *bátiuchka*? Lave-se, assim não está certo; o que deve fazer em primeiro lugar é lavar-se...

E naquele momento sentiu que, se havia no mundo uma criatura perante a qual não devia envergonhar-se nem temer, era aquela mulher. E o nosso homem lavou-se. Muito tempo depois, nos momentos graves da vida, Sua Excelência havia de recordar aquele episódio da bacia de barro com água fria, na qual flutuavam ainda algumas películas de gelo, e o pedaço de sabão embrulhado em papel cor-de-rosa, com letras em relevo, que custava quinze copeques, se destinava à noiva e serviria para ele, assim como recordaria também a velha com a toalha sobre o ombro esquerdo. A água fria acabou de despertá-lo; enxugou-se logo e, sem dizer palavra, sem agradecer sequer à sua irmã de caridade, pegou o gorro, colocou sobre os ombros o sobretudo de peles que ela lhe estendeu, atravessou o corredor, depois a cozinha, onde o gato se espreguiçava, miando, e a criada seguiu-o com olhos curiosos, saiu para a rua, onde tomou o primeiro trenó que encontrou. Fazia uma manhã fria e enevoada, uma névoa amarela envolvia tudo. O Senhor Pralínski levantou a gola do sobretudo. Parecia-lhe que todos o olhavam, que todos o conheciam e sabiam da linda noite que passara.

Durante oito dias deixou-se ficar em casa, sem sair à rua, nem para ir ao escritório. Estava doente... porém mais moral do que fisicamente. Esses oito dias passou-os como num inferno, e é de calcular que lhe deverão ser levados em conta, quando for para o outro mundo. Havia momentos em que sentia vontade de fazer-se frade. A sua imaginação trabalhava de maneira extraordinária dentro dessa ideia. Via-se na cela solitária, ouvia cânticos subterrâneos, via sepulcros abertos, prados, campinas verdes. Quando tornava a si, dava logo conta de que isso de fazer-se frade seria o disparate mais tremendo que poderia cometer, e então sentia vergonha desses devaneios. Acometiam-no também ataques, provindos da sua presumível *existence manquée*. Depois tornava a sentir a alma abrasada de vergonha, devorando e consumindo tudo consigo próprio. Tremia só de imaginar certas coisas: que diriam dele, que pensariam dele, como iria atrever-se a aparecer na repartição, que boatos não o seguiriam por onde passasse, durante um ano, dez, toda a vida. Aquela história havia até de passar à posteridade! Caía às vezes em tal estado depressivo que sentia o impulso de ir ver Siemion Ivânovitch Chipulenko e pedir o seu perdão e a sua amizade. Não procurava defender-se, rendia-se à evidência.

Pensava também em pedir a reforma e consagrar-se na solidão à felicidade dos mortais. Fosse como fosse, era absolutamente necessário romper com todas as amizades e fazer esquecer toda a recordação da sua pessoa. Tudo isto lhe pareceu depois um disparate, e tudo poderia arranjar-se, se empregasse daí em diante maior severidade de trato com os subordinados. Este pensamento deu-lhe coragem e tornou a criar esperança. Finalmente, decorridos dez dias de inquietação e de angústias, tornou-se para ele insuportável permanecer naquela incerteza, e *une beau matin*[8] resolveu apresentar-se na repartição.

Durante aquela crise de desespero imaginara, pelo menos mil vezes, como seria a sua entrada na repartição. Pensava com espanto que havia de chegar aos seus ouvidos algum boato equívoco, que havia de ver caras enigmáticas e sorrisos ambíguos. Grande foi o seu assombro quando verificou que a realidade não correspondia de maneira nenhuma à sua expectativa. Receberam-no com todo o respeito; saudaram-no como deviam e mostravam-se todos sérios e atarefados. Levava o coração num alvoroço quando entrou no gabinete.

Pôs-se imediatamente a trabalhar, escutou atentamente todas as referências e informações e ditou as suas ordens. Parecia-lhe que nunca trabalhara tão bem

---

8 Uma bela manhã.

nem tão rapidamente como nessa manhã. Observava a alegria geral e o modo respeitoso como todos o tratavam. Nem o mais desconfiado teria motivo para receio. Portanto, as coisas iam às mil maravilhas.

Por último, apareceu Akim Pietróvitch Zúbikov, trazendo expediente. Quando o viu, o Senhor Pralínski sentiu uma punhalada no coração; mas foi coisa de momento. Pôs-se logo a atender Akim Pietróvitch, dizendo-lhe e explicando-lhe ter muito que fazer. Só notava que evitava olhá-lo de frente, se não era antes Akim Pietróvitch quem evitava olhar para ele. E assim que deu o despacho, Akim Pietróvitch deteve-se um momento para recolher os seus papéis e disse-lhe:

– Há aqui também uma petição – começou, com toda a secura possível – do empregado Pseldónimov, que pede para ser transferido para outra repartição... Sua Excelência Siemion Ivânovitch Chipulenko prometeu colocá-lo na sua. E o solicitante pede a Vossa Excelência tenha a bondade de recomendá-lo.

– Bem, será transferido – disse Sua Excelência, e sentiu que lhe saía um peso de cima.

Levantou os olhos e, naquele momento, seus olhos encontraram-se com os de Akim Pietróvitch.

– Pois, por meu lado ... não há inconveniente – respondeu. Akim Pietróvitch parecia ter pressa de desaparecer dali. Mas, de repente, Sua Excelência, num ímpeto de nobreza... resolveu ser franco para com ele. Um certo entusiasmo voltou a apoderar-se dele.

– O senhor vá ter com ele – começou, fixando em Akim Pietróvitch um olhar claro e significativo – e diga-lhe que eu não tenho nada contra ele, absolutamente nada! E que, pelo contrário, estou disposto a esquecer todo o passado, todo, todo!

Mas, de repente, Sua Excelência ficou cheio de assombro ao reparar na estranha maneira de conduzir-se de Akim Pietróvitch, que, de homem discreto, se transformara num imbecil. Em vez de escutar atentamente o que Sua Excelência lhe dizia, pôs-se muito encarnado, inclinou-se rapidamente, numa breve reverência, e encaminhou-se angustiosamente para a porta. Todo o seu aspecto mostrava que teria dado qualquer coisa para que a terra o engolisse naquele momento ou, para melhor dizer, se ver depressa sentado outra vez à secretária. O Senhor Pralínski, que ficara sozinho, levantou da cadeira, perplexo. Olhou-se ao espelho, mas fez isso maquinalmente.

"Qual! Severidade, severidade, severidade!", murmurou inconscientemente para si próprio e, de repente, seu rosto afogueou-se. Sentiu uma vergonha tal, como nunca chegara a sentir, nem nos momentos mais horríveis da sua doença de oito dias.

"Não suportaríamos!", disse consigo, e tornou a cair sobre uma poltrona.

Notas de inverno sobre impressões de verão

Notas de inverno sobre impressões de verão (1862-1863)

Capítulo primeiro / À maneira de prólogo

Há já alguns meses que os senhores, meus amigos, me pediram que lhes descrevesse o mais depressa possível as minhas impressões sobre o estrangeiro, sem suspeitarem que, com tal pedido, me punham simplesmente em apuros. Que irei eu dizer-lhes? Que vou contar-lhes de novo, que não seja conhecido e não tenha ainda sido contado? Quem é que, aqui na Rússia (mais não seja pela leitura dos periódicos), não conhece a Europa duas vezes melhor que o seu país? "Duas vezes" disse eu apenas por respeito, pois, de contrário, diria dez vezes mais. Depois, à parte essas reflexões gerais, os senhores sabem também que eu não tenho nada de especial para contar e muito menos ainda que descrever ordenadamente, já que vi tudo sem ordem nenhuma e, se alguma coisa vi, não consegui obter dela informação suficiente. Estive em Berlim, em Dresden, em Wiesbaden, em Baden-Baden, em Colônia, em Paris, em Londres, em Lucerna, em Genebra, em Gênova, em Florença, em Milão, em Veneza; e em alguns destes lugares estive por duas vezes e percorri-os todos apenas em dois meses e meio! Será possível ficar conhecendo bem qualquer coisa, quando se percorre semelhante itinerário em dois meses e meio? Os senhores devem calcular evidentemente que antes de sair de Petersburgo traçara o meu plano de viagem. Nunca estivera no estrangeiro; sentia o desejo de ir até lá desde a minha mais tenra infância, desde aqueles tempos em que, boquiaberto e trêmulo de entusiasmo e de horror durante as longas noites de inverno, por ainda não saber ler, ouvia os meus pais, que caíam de sono, lerem em voz alta romances de *Monsieur* Racliffe, que eram depois os causadores dos meus pesadelos febris. Até que pude finalmente partir para o estrangeiro, já quarentão e, é claro, não só queria ver o melhor possível e em pouco tempo, como queria também ver tudo, tudo sem falta, apesar da brevidade do prazo. Além disso, não estava em condições de escolher serenamente os lugares. Senhores, o que eu esperava dessa viagem! "Não hei de reparar nos pormenores mas, em compensação – dizia comigo – hei de ver tudo, irei a todas as partes; e, de tudo quanto vir, há de ficar-me uma impressão de conjunto, um panorama geral. Toda essa estrada de monstros sagrados se me representava de um golpe de vista, como num volteio de pássaro, como a terra olhada de uma montanha, em perspectiva. Numa palavra: receberei uma nova, extraordinária, vigorosa impressão." Pois vamos ver: que é que, agora, ao evocar as minhas peregrinações estivais, me custa mais? Pois não é o fato de não ter olhado minuciosamente para nada, mas o ter estado em tantos lugares e não ter estado em Roma. E em Roma poderia ter visto o Papa... Em resumo: acabou por assaltar-me uma sede insaciável de algo novo, de mudar de lugares, de impressões gerais, sintéticas, panorâmicas. Querem acreditar que isto é afinal o que, depois de tais confissões, podem esperar de mim? Que hei de eu contar-lhes? Panoramas, perspectivas? Qualquer coisa *à vol d'oiseau*[1]. Mas pode acontecer que sejam os senhores os primeiros a dizer-me que voo demasiado alto. Aliás, tenho-me por homem de consciência e não queria mentir, nem mesmo na qualidade de viajante. Porque se me ponho a imaginar e a descrever, ainda que seja um panorama, não terei outro remédio senão mentir, e isto não pela psicologia própria do viajante, mas porque em tais circunstâncias é indispensável. Avaliem por si mesmos: Berlim, por exemplo, provocou-me a mais desagradável das impressões, de maneira que não fiquei nessa cidade senão um dia. E agora vejo que sou culpado para com Berlim, que não me atrevo a afirmar rotundamente que me produzisse uma impressão desagradável. Sim, pelo menos foi uma impressão agridoce, e não simplesmente azeda. E a que se deveria esse erro pernicioso de minha parte? Com certeza ao fato de eu, homem doente, que padece do fígado, ter de passar dois dias no trem, com chuva e névoa, até chegar a Berlim e, uma vez aí, sem ter dormido, pálido, esgotado, desfeito, ao primeiro olhar reparei que Berlim tinha umas semelhanças inverossímeis com Petersburgo. As mesmas ruas traçadas à régua, os mesmos cheiros, os mesmos... (mas não vou enumerar tudo). "Meu Deus! – pensava eu comigo – valia a pena ter passado dois dias no trem para ver o mesmo que deixei?" Nem achei graça às tílias, apesar de os berlinenses serem capazes, por elas, de sacrificarem o que mais estimam, até a sua Constituição; e que há de mais apreciado para um berlinense do que a sua Constituição? Além de que, todos os berlinenses, desde o primeiro ao último, têm uma tal cara de alemães, que eu, sem olhar sequer para os frescos de Kaulbach[2] (oh, horror!), parti logo para Dresden, levando no meu espírito a convicção profunda de que precisamos nos acostumar aos alemães e que todo aquele que não está habituado a vê-los só muito dificilmente pode suportá-los em grandes multidões. Mas, em Dresden, também caí em culpa para com os alemães; pareceu-me de repente, quando me vi na rua, que não havia tipos mais antipáticos que os das mulheres de Dresden, e que o próprio cantor do amor, Vsiévolod Kriestóvski, o mais convicto e jovial dos poetas russos, teria perdido aí o tino e duvidado da sua vocação.

    Passadas duas horas, a mim próprio explicava tudo: de regresso ao meu quarto de hotel, quando observei a língua ao espelho, fiquei convencido de que o meu juízo acerca das senhoras de Dresden se assemelhava muito a uma negra calúnia. Tinha a língua amarelada, com mau aspecto... "Será que o homem, esse rei da Natureza, esteja absolutamente dependente do seu fígado – pensei – que crueldade!" Com esses pensamentos consoladores dirigi-me a Colônia. Confesso que tinha uma grande esperança na catedral! Imaginara-a com verdadeira unção na minha juventude, quando estudava arquitetura. Na minha volta a Colônia, um mês depois, quando de regresso de Paris, contemplei pela segunda vez a catedral e senti impulsos de lançar-me de joelhos no chão e de pedir-lhe perdão, por não ter percebido, da primeira vez, a sua beleza, tal como Karamzin[3], quando se ajoelhou com a mesma

---

[1] A voo de pássaro, rapidamente, por alto.

[2] Wilhelm von Kaulbach (1805-1874). Pintor alemão que se notabilizou por grandes pinturas murais usando a técnica do afresco ou fresco.

[3] Refere-se às *Cartas de um viajante russo*, de Nikolai Karamzin (1766-1826), o historiador, em que descreve as suas impressões da Europa. Foram publicadas em 1791.

intenção perante as cataratas do Reno. Mas, seja como for, da primeira vez a catedral não me agradou absolutamente, pareceu-me uma renda, uma renda e nada mais, um objeto elegante no estilo de um peso de papéis em cima de uma mesa, de setenta *sajénhi* de altura. "Pouca grandeza", resumi, tal como outrora os nossos antepassados disseram a respeito de Púchkin.

Penso que influíram nesse meu primeiro juízo duas circunstâncias, e, entre elas, a primeira é a água-de-Colônia. Jean Maria Farina está ali mesmo, ao pé da catedral e, seja qual for o hotel em que os senhores se alojem, seja qual for o seu estado de espírito e por mais que o ocultem dos seus inimigos, e em especial de Jean Maria Farina, os seus agentes hão de dar infalivelmente com os senhores, e então: *Eau de Cologne ou la vie!*[4]; uma das duas coisas, não há mais por onde escolher. Não posso dizer com toda a certeza se é esse precisamente o grito que lançam: *Eau de Cologne ou la vie!*; mas olhem que pode ser. Lembro-me de que, então, me pareceu ouvi-lo. O segundo pormenor que me pôs de mau humor, fazendo-me incorrer em injustiça, foi a nova ponte de Colônia. Não há dúvida de que a ponte é magnífica e de que a cidade está justamente orgulhosa dela, mas parecia-me demasiado orgulhosa. E, é claro, fiquei logo indignado. Quando me cobrou os *grochi* do costume para poder passar aquela maravilhosa ponte, o cobrador desse razoável imposto não devia ter feito aquela cara de quem cobrava uma multa por alguma falta que eu, inocentemente, tivesse cometido. Não sei, mas me pareceu que esse alemão foi insolente. "Com certeza adivinhou que eu sou estrangeiro, e russo, ainda por cima", pensei. Pelo menos parecia dizer-me com os olhos: "Vai vendo como é a nossa ponte, miserável russo... Não tens outro remédio senão reconhecer que és um verme, comparado com a nossa ponte e com qualquer alemão, pois na tua terra não há uma ponte como esta." Hão de concordar que isso era vexatório. Claro que esse tal alemão não me disse nada disso, e é até possível que nem sequer o tivesse pensado, mas é a mesma coisa: eu tinha a tal ponto certeza de que ele desejava dizer-me isso, que fiquei furioso cá por dentro. "Vai para o diabo! – pensei. – Também nós inventamos o samovar... Temos jornais... Fazemos coisas oficiais... Temos..." até que me aborreci e, comprando um frasco de Colônia (que já não podia evitar), tomei imediatamente o trem para Paris, esperando que os franceses fossem muito mais simpáticos e finos. Agora já podem ver: se me tivesse dominado e ficado em Berlim, não um dia, mas uma semana; outro tanto em Dresden, e em Colônia pelo menos uns dois ou três dias, à segunda ou à terceira vez teria olhado para essas coisas com outros olhos e teria feito delas uma ideia melhor.

Até a luz do sol, a simples luz do sol, teve aí a sua influência: se tivesse brilhado sobre a catedral, como brilhava da segunda vez que estive em Colônia, certamente o edifício apareceria debaixo da sua luz verdadeira e não como naquela sombria e até chuvosa manhã, capaz de despertar em mim um arrebatamento de dolorido patriotismo. Entretanto, não deve deduzir-se disto que o patriotismo é fruto do mau tempo.

A propósito, escutem uma coisa, meus amigos: é impossível ver-se tudo em dois meses e meio e não posso oferecer-lhes testemunhos muito exatos, hei de mentir algumas vezes sem querer, por isso...

---

4 Água-de-Colônia ou a vida!

Mas neste ponto já sei que me interrompem e que dizem que, por esta vez, não precisam de referências exatas, que, se necessitarem delas, vão encontrá-las no *Guia de Richard* e que, pelo contrário, seria bom que os viajantes não tivessem tanto respeito pela verdade absoluta (para chegar à qual não costumam ter forças), pela sinceridade, não temessem esconder algumas das suas impressões ou aventurazinhas pessoais, por pouco gloriosas que fossem, e não se justificassem com autoridades célebres para provar as suas partes vantajosas.

Numa palavra: o que os senhores querem são as minhas observações pessoais, mas sinceras.

"Ah! – exclamo eu. – Então o que desejam é uma simples conversa, esboços breves, impressões pessoais colhidas rapidamente!" Pois bem, estou de acordo, e vou já fazer-lhes a vontade com os meus apontamentos. Vou me esforçar tanto quanto possível por ser ingênuo. Só lhes peço tenham presente que muitas das coisas que lhes vou contar podem estar sujeitas a erros. Embora, naturalmente, nem todas sejam incorreções. Pois é impossível quanto a fatos tais como o de *Notre Dame* estar em Paris, bem como o *Bal Maville*. Sobretudo o último fato está tão averiguado por quantos russos escrevem em Paris, que não há maneira de pôr isso em dúvida. E é possível que eu também não erre nisso; embora, quanto ao mais, não responda, falando verdadeiramente, por que assim seja. Porque dizem que estar em Roma e não ver a Catedral de São Pedro é impossível. Pois bem: eu estive em Londres e não vi a Catedral de São Paulo. Sério que não vi. É certo que entre São Pedro e São Paulo há certa diferença, mas, apesar de tudo, isso não fica bem numa pessoa que viaja. Aí têm a minha primeira aventura, que não redunda certamente a favor da minha glória (quero dizer, vi a catedral de longe, a umas duzentas *sajénhi* de distância, e, além disso, dirigia-me apressadamente para Ponteville, pelo que fiz um gesto com a mão e passei de largo). Mas, vamos ao caso, ao caso! E querem saber uma coisa? É que não estive em todos os lados, e também não vi tudo só com olhos de pássaro (ver com olhos de pássaro, não quer dizer ver de cima; conforme sabem trata-se de um termo arquitetônico). Passei em Paris um mês inteiro, menos oito dias, em que estive em Londres. Pois bem, vou descrever-lhes qualquer coisa acerca de Paris, porque vale mais a pena ver esta cidade do que a Catedral de São Paulo ou os senhores de Dresden. E já comecei de novo!

Capítulo II / No trem

"O francês não tem juízo e, se o tivesse, consideraria isso a sua maior desgraça." Esta frase foi escrita no século passado por Fonvízin[5], e, meu Deus, com que alegria não devia ele tê-la escrito! Era capaz de apostar em como o coração lhe estremeceu de alegria quando o fez. E quem sabe: pode ser que todos nós, três ou quatro gerações depois de Fonvízin, a leiamos com certo deleite. Todas as frases deste gênero, formuladas por estrangeiros, ainda que as encontremos agora, encerram para nós algo de indiscutivelmente grato. Claro que só no mais profundo segredo, às vezes

---

[5] Diênis Ivânovitch Fonvízin (1744-1792), escritor e dramaturgo contemporâneo de Catarina II, autor, entre outras obras, de *Cartas de França*.

até escondido de nós mesmos. Transparece nisto uma espécie de vingança por algo já pretérito e que não estava certo. Não será decente este pensamento mas tenho a certeza de que existe em quase todos nós. Naturalmente sentimo-nos magoados quando suspeitam isso de nós, no que não fingimos; no entanto eu creio que o próprio Bielínski era um eslavófilo às escondidas, neste sentido. Lembro-me da unção, quase estranha, quando o conheci, há cinquenta anos, com que todo aquele círculo se inclinava perante o Ocidente, isto é, sobretudo perante a França. A França estava então na moda, por volta do ano quarenta e seis. E não era o caso, por exemplo, que inspirassem adoração esses nomes de George Sand, Prudhomme, etc.; ou que inspirassem respeito esses outros de Louis Blanc, Ledru-Rollin, etc. Não, simplesmente, um nomezinho qualquer, insignificante, que não valia nada quando meditávamos um pouco sobre ele, era tido em alto apreço. E de todos eles se esperava qualquer coisa de grande no que respeita a serviços positivos prestados à Humanidade. Alguns desses nomes eram pronunciados num murmúrio de especial devoção. E então? Nunca na minha vida encontrei um homem tão estranhamente russo, que esse tal Bielínski[6] pode ser comparado com ele quanto a criticar com ousadia, e às vezes, cegamente, muitas das nossas coisas, e desprezar na aparência tudo quanto é russo.

Mas não é sem motivo que me lembro agora disto. Quem sabe se a frase de Fonvízin não pareceria às vezes, em segredo, muito escandalosa a Bielínski. Há momentos em que até a tutela mais discreta e mesmo legal nos repugna. Oh, pelo amor de Deus não acreditem que amar a pátria signifique insultar o estrangeiro, nem que eu pense tal coisa. De maneira nenhuma penso assim, até pelo contrário... A única coisa que me custa é não dispor de tempo para explicar-me agora com mais clareza.

E, a propósito, não pensem que em vez de falar de Paris vá eu pôr-me a dissertar sobre a literatura russa! Ou que vou alinhavar um artigo de crítica! De maneira nenhuma; disse isso por dizer.

Verifico, pelo meu livrinho de apontamentos, que vou agora no trem e que estou amanhã em Eydtkuhnen, quero dizer, na minha primeira impressão do estrangeiro, e então o meu coração sobressalta-se. O caso não é para menos! Vou ver a Europa pela primeira vez, eu que, durante quarenta anos, sonhei com ela em vão, eu que desde os dezesseis, e com toda a seriedade, como o Bielopiátkin de Niekrássov, "ansiava correr até à Suíça!" mas não corria, e eis que finalmente vou a caminho dessa região das maravilhas sagradas, ao lugar de tantos e de tantos expectativas para mim, de fé tão convicta. "Senhor, mas que somos nós, os russos?", pensava comigo, às vezes, naqueles momentos, no trem. De fato: "Seremos nós verdadeiramente russos? Por que será que a Europa faz de todos nós, sem exceção, essa ideia fabulosa, fantástica?" Quero dizer, não me refiro agora a esses russos que ficam por lá, a esses russos simples, que perfazem um total de cinquenta milhões, e aos quais nós, uns cem mil homens, consideramos até ao presente como um zero, e dos quais zombam os nossos profundos jornais satíricos, só porque não fazem a barba. Não; agora falo do nosso grupo de privilegiados e diplomados. Porque tudo, pelo menos quase tudo quanto possuímos, no que respeita a desenvolvimento espiritual, a ciências, artes, cidadania, humanismo, tudo vem daí, dessa região de monstros sagrados.

---

6   Vissarion Bielínski (1811-1848). Dândi e filósofo da História, contrário aos eslavófilos, que nas suas *Lettres sur la philosophie de l'Histoire*, dirigidas a uma dama (1836), negava aos russos o dom criador.

Porque toda a nossa vida, desde a nossa própria tenra infância, se ajustou ao padrão europeu. Por acaso algum de nós pode resistir a esse influxo, a essa pressão? Como é que não nos tornamos ainda definitivamente europeus? Como é que não nos tornamos... Nisto creio eu que todos hão de concordar comigo; uns com alegria, outros, provavelmente, com indignação, por não nos termos desenvolvido até ao ponto de nos termos tornado europeus. Mas isso já é outra coisa. Eu me refiro apenas ao fato de não nos termos convertido em europeus, apesar de influências tão irresistíveis, e digo que a mim próprio não consigo explicá-lo, porque não foram as nossas mães nem as nossas amas quem disso nos impediu. Mas é triste e cômico ao mesmo tempo pensar que, se Arina Rodiónova não tivesse sido a ama de leite de Púchkin, nós não teríamos um Púchkin. Que tolice! Não veem que isto é um disparate? Mas se de fato ela não o tivesse sido? Porque agora mandam muitas crianças russas a educar na França; e que aconteceria se mandassem para lá outro Púchkin e lá não existisse nenhuma Arina Rodiónova, nem quem lhe falasse russo desde o berço? E se Púchkin não fosse russo? Ele, que era um fidalgo, adivinhou Pugatchov, e penetrou na alma pugatchovesca numa época em que ainda ninguém nela penetrara. Apesar de ser um aristocrata, trazia Biélkin no fundo do seu coração. Com uma energia admirável afastou-se do seu meio e caracterizou-se definitivamente com os traços da alma nativa no seu Oniéguin. Pois foi um profeta e um precursor. Existe porventura alguma combinação química da alma humana com a terra nativa, que não seja possível dissolver e, depois de dissolvida, que não possa tornar a reconstruir-se? Porque a eslavofilia não nos caiu do céu, e embora se tenha formulado depois uma fantasia moscovita, a base dessa fantasia é mais ampla que a fórmula moscovita; e é provável que tenha raízes mais profundas em muitos corações, do que à primeira vista parece. E até é possível que os moscovitas conservem algo de mais profundo do que a sua fórmula. É difícil observá-lo à primeira vista. Há ideias vivas, fortes, que nem em três gerações chegam a dilucidar-se completamente, de tal maneira que, no fim, aparecem como qualquer coisa de completamente diferente daquilo que eram no princípio... Pois bem: todos estes pensamentos ociosos me assaltavam involuntariamente nas vésperas de ver a Europa, no vagão do trem, em parte por ir aborrecido e não ter nada que fazer. Porque é preciso sermos sinceros! Até agora, entre nós, apenas se ocuparam dessas coisas os que não têm nada que fazer. Ai como é aborrecido ir sentado no trem, de mãos cruzadas! É tão aborrecido como estar na Rússia sem fazer nada. Embora uma pessoa esteja a ser comodamente conduzida e os outros se preocupem com ela, e às vezes até a embalem de tal maneira que não se pode exigir mais, apesar de tudo uma pessoa sente-se triste, tristeza precisamente por não se fazer nada, por nos mimarem demasiado e ficarmos ali sentadinhos, vendo até onde é que nos levam. É verdade que, às vezes, uma pessoa sente vontade de se atirar do trem e pôr-se a correr ao lado da máquina, a seus pés. Seria muito mais desagradável, ficaria cansada por falta de hábito e, além disso, não seria preciso! Tudo isso está muito bem, mas em compensação haveria a caminhada a pé, seria pelo menos uma ocupação, e se sucedesse que os vagões virassem de rodas para o ar, também já não ficaria assim, sentadinha, de mãos desocupadas, pois pagaria com o próprio corpo a culpa alheia...

    Sabe Deus os pensamentos que a ociosidade traz!

    Mas eis que já anoiteceu. Começam a acender as luzes nos vagões. À minha frente vai um casal de proprietários de certa idade, boa gente, ao que parece. Vão à exposição de Londres, onde pensam demorar-se apenas uns dias; a família ficou em casa. À minha direita vai um russo que viveu dez anos consecutivos em Londres, empregado num Banco; vem agora de tratar de uns assuntos em Petersburgo, onde se demorou apenas duas semanas, e, segundo parece, perdeu toda a noção de nostalgia da terra natal. À minha esquerda senta-se um inglês, limpo, sanguíneo, ruivo, penteado à inglesa e afetando seriedade. Durante todo o trajeto não trocou conosco a menor palavra, em nenhuma língua; passou todo o dia lendo não sei que livrinho, com essa letra tão miúda que só os ingleses conseguem ler, e até elogiar, pela sua comodidade, e que, quando bateram dez da noite, tirou as botas e calçou as pantufas. É provável que tivesse feito assim toda a sua vida e não quisesse alterar os seus hábitos, mesmo no trem. Não tardou que todos adormecessem; os apitos e a zoada de vaivém das rodas da máquina provocavam um sono invencível. Eu ia sentado e não sei como é que me veio à ideia essa frase de "não tem mentalidade francesa", e como principiei este capítulo. Já conhecem que eu não sei qual o impulso que me leva a contar-lhes, enquanto não chegamos a Paris, os meus pensamentos do trem, acerca do humanismo pois já que eu tanto me aborreci, não vão também os senhores aborrecer-se. Além disso é preciso avisar os outros leitores, e por isso reúno todos estes pensamentos num capítulo especial, que intitulo de supérfluo. Por isso, os senhores se aborrecerão ao lê-lo, ao passo que os outros podem passar-lhe à frente, já que é supérfluo. É preciso tratar o leitor com atenção e consciência, ao passo que, com os amigos, se pode usar de maior franqueza. Por isso ...

Capítulo III / E perfeitamente supérfluo

Aliás não foram pensamentos, mas sim qualquer coisa como visões, imagens arbitrárias e sonhos acerca disto e daquilo. Em primeiro lugar empreendi uma excursão aos tempos antigos e pensei, antes de mais, sobre o homem que descobriu o mencionado aforismo referente à mentalidade francesa, ruminando isto e aquilo a respeito do já citado aforismo. Esse homem, no seu tempo, foi um grande liberal. Mas embora tivesse andado toda a vida metido numa casaca francesa, empoasse o cabelo e trouxesse um espadim pendente da cinta, como sinal da sua cavalheiresca ascendência (como não havia igual entre nós) e para defender a sua honra pessoal nos corredores da casa de Potémkin, assim que meteu o nariz na fronteira pôs-se a lançar sobre Paris todos os textos bíblicos e decidiu que não tinha mentalidade francesa e que, se a tivesse, consideraria isso como a sua maior desgraça. A propósito: não vão os senhores pensar que eu digo isso do espadim e da casaca de veludo em tom de censura para Fonvízin. Não se trata disso! O homem não havia de vestir gabões rústicos, sobretudo numa época como a de hoje, em que ainda há senhores que para serem russos e se igualarem ao povo, embora não ponham os tais gabões, inventaram para seu uso particular um traje de baile quase igual àquele com que costuma aparecer em cena, nas óperas populares russas, o Usládi, apaixonado pela sua Liudmila, que ostenta no cabelo um diadema. Não, pelo menos a casaca francesa estava mais próxima da compreensão do povo: "É um senhor, que diabo!, e não está certo que um senhor use capote". Contaram-me há pouco que não sei qual proprietário contemporâneo vestiu também um traje russo e começou a andar com ele, para se tornar igual ao povo; e que os camponeses, quando o viam, diziam uns para os outros: "Para que andará ele entre nós vestido desse modo?". De maneira que o tal proprietário não conseguiu igualar-se ao povo.

– Não, já eu – dizia-me outro cavalheiro – já eu não cedo absolutamente em nada. É de propósito que eu faço a barba e, se preciso for, sairei para a rua de fraque. Procedo assim como digo, mas hei de fazer cara de poucos amigos. Serei avarento, tacanho e cominheiro; serei até avarento e mesquinho, se for necessário. Assim, vão me respeitar muito mais. Porque, a princípio, o mais importante para se conseguir um verdadeiro respeito é isso.

"Ó diabo! – pensei eu. – Qualquer pessoa podia pensar que vai arremeter contra estranhos. Trata-se de um conselho de guerra e nada mais."

– Ora veja – diz-me um terceiro, por sinal um senhor muito simpático. – Suponhamos que eu escrevo um artiguelho em qualquer jornal e que os tribunais me condenam a ser açoitado. Que aconteceria?

"Oxalá isso acontecesse! – foi o que tive vontade de dizer-lhe, embora, por medo, não tivesse dito. – Por que será que eu tive sempre medo, e hoje ainda tenho, de exprimir alguns dos meus pensamentos? Oxalá fosse assim... – pensei comigo. – E então, se o açoitassem? Os professores de Estética chamam a esse gênero de incidentes o trágico da vida, e nada mais. Será que, só por isso, teríamos de levar uma vida retraída, longe de todos? Não, se conviver com os outros, serei como eles, e se tiver de ser um misantropo, serei de verdade. Noutros lugares também não suportaria isso, sobretudo tendo mulher e filhos ainda indefesos."

– Mas, por favor, por que vamos envolver a mulher e os filhos? – exclamou o meu contendor. – Se o juiz de paz o condena despropositadamente por causa de uma vaquinha qualquer que se meteu pelo campo alheio, o senhor dá logo a isso as proporções de um assunto público.

– Sim, não há dúvida de que o juiz é cômodo e o assunto ridículo, e tão sujo que até repugna tocarmos nele. Nem sequer é decente falar acerca disso. Vão pentear macacos, que todos sejam açoitados, contanto que não me chateiem, a mim. No entanto veja o que eu responderia à sentença do juiz: "Nem um só açoite cairia sobre as minhas costas, se fosse possível eu me entenderia com ele no que toca à referida sentença. Aplique-se-lhe uma multa, visto que fez uma coisa que não está certa, mas não o açoitemos. Para o próximo é melhor não ser açoitado", decidiria o juiz falando à maneira dum *stáriets* de um dos cantões rurais de Chtchedrin.

– Que obscurantismo! – exclamará alguém ao ler isto. – Defender os açoites! (Por certo alguém concluirá daqui que eu sou partidário dos açoites.)

– Mas, por favor, que diz o senhor? – atalhará outro. – Ia começar a falar-nos de Paris e vem-nos com os açoites. Onde é que ia?

– E, além do mais – acrescentará um terceiro – o senhor disse que lhe contaram tudo isso há pouco tempo, e o senhor já fez essa viagem de verão. Como é que podia pensar tudo isso no trem?

– Pois é precisamente aí que está o *mistério* – respondo eu. – Mas, peço licença, isto são notas de inverno sobre impressões de verão, e por isso ao estival juntou-se o invernal. Além do que, enquanto me dirigia para Eydtkuhnen, lembro-me de que ia pensando em muitas coisas que deixava na pátria para ir ver a Europa, e tenho bem presente na memória que alguns desses desvarios eram por causa disso. Meditava precisamente sobre este tema: de que maneira é que a Europa influíra sobre nós nas várias épocas e nos tinha constantemente visitado com a sua civilização, até que ponto nós nos tínhamos civilizado, e até que ponto também, até agora, nos tínhamos tornado incivis. Vejo agora que tudo isso era supérfluo. Já os avisei de que todo este capítulo era supérfluo. Mas, afinal, onde é que tínhamos ficado? Ah, sim, na casaca francesa! Foi por aí que comecei!

Pois bem: uma dessas casacas francesas[7] escreveu então *Le brigadier*. *Le brigadier* era nesse tempo uma coisa admirável e provocou um efeito extraordinário. "Morre, Dienis, pois já não escreves nada melhor", dizia o próprio Potémkin. Ficavam todos alvoroçados. "Será que, então, as pessoas também já se aborrecem e apelam para o socorro do próximo?" – dizia eu prosseguindo nas minhas arbitrárias meditações. – Não me refiro somente aos auxílios franceses de outrora, mas quero acrescentar, além disso, que somos um povo muitíssimo ingênuo e que isso se deve à nossa bonacheirice. Assim, por exemplo, estamos muito quietinhos sem fazer nada e, de repente, parece-nos que alguém disse ou fez qualquer coisa, que exalamos um cheiro especial, que encontramos uma ocupação, e em seguida ficamos todos alvoroçados e com a convicção de que vamos imediatamente meter mãos à obra. Voa uma mosca e pensamos que foi um elefante que passou. Inexperiência juvenil e, além disso, fome de qualquer coisa. Foi o que começou aqui antes já de *Le brigadier*, embora em proporções ainda microscópicas... e assim continua hoje, sem de maneira nenhuma ter mudado; encontramos uma ocupação e ficamos radiantes. Ficar alvoroçado e louco de entusiasmo... aqui, é a primeira coisa; e cada um segue o seu caminho, de nariz arrebitado. Não perdemos tempo olhando para trás. No que respeita ao socorro alheio, na época fonvizinesca quase ninguém tinha dúvidas, entre a massa, de que fosse a ajuda mais santa, mais europeia, a tutela mais simpática. Aliás, agora também são bem poucos os que põem isso em dúvida. Toda a nossa pandilha progressista acredita no auxílio alheio com furor. Mas então, oh! então... foi esse um tempo de crença tão firme em todo gênero de auxílio, que nós ficamos espantados só de pensar como é que chegamos a fazer mover montanhas e como é que todas as nossas vulgares colinas, as lombas de Pargalovo[8] ou os cocurutos das montanhas baldaicas ainda estão onde estavam. É verdade que um dos poetas daquele tempo, falando de um herói, disse que

>só com um pontapé fazia tremer os cerros

e que

>com um soco apenas atirava as torres pelos ares

Mas, segundo parece, isso não passava de metáforas. A propósito, senhores, porque eu, agora, falo somente de literatura e precisamente de literatura refinada. Quero seguir através dela a gradual e benéfica influência da Europa na nossa

---
7 Fonvízin.
8 Lugar de veraneio, sobre uns pequenos montes, nos arredores de Petersburgo.

pátria. Quer dizer: é impossível imaginar que livros se editavam e liam então (isto é, até *Le brigadier* e no seu tempo) sem sentir certa altivez e alvoroço. Temos agora um escritor notabilíssimo, ornamento do nosso século, um tal Kuzmá Prutkov. O seu único defeito é a sua inconcebível modéstia; basta dizer que ainda não publicou as suas *Obras completas*! Pois bem, uma vez publicou por graça, no *Contemporâneo*, há muito tempo, *Memórias do meu avô*. Imaginem o que poderia escrever esse corpulento avô, septuagenário, farto de correr mundo, que estivera na corte e na batalha de Ochakov, e voltou daí para a sua terrinha, carregado de recordações. Com certeza devia ser interessante escrever tudo isto. Quantas coisas não devia ter visto esse homem! Pois bem: o livro resume integralmente anedotas deste gênero:

Réplica aguda do Senhor de Montbazon: Uma vez, uma moça nova e graciosa disparou ao Senhor de Montbazon esta pergunta à queima-roupa e diante do rei: "Cavalheiro, qual dos dois é que está ligado ao outro, é o cão à cauda, ou a cauda ao cão?". Ao que o cavalheiro, que era muito pronto nas respostas, lhe respondeu com voz firme, sem ter ficado absolutamente desconcertado: "Minha menina, tanto faz segurar o cão pela cauda como pela cabeça". Esta resposta agradou muito ao monarca, que recompensou o dito senhor.

Hão de pensar que tudo isto é história, que nunca se passou nada de semelhante. Mas afianço-lhes que eu próprio, na minha infância, quando tinha dez anos, li um livrinho dos tempos de Ekatierina, no qual encontrei a seguinte anedota:

Resposta aguda do Senhor de Rohan: Já se sabe que o Senhor de Rohan tinha muito mau hálito. De uma vez em que fazia parte do séquito de Condé, este disse-lhe: "Afaste-se um pouco, Senhor de Rohan, que cheira muito mal". Ao que o cavalheiro respondeu imediatamente: "Não sou eu, Sereníssimo Príncipe, mas vós, que acabais de levantar da cama".

Quer dizer, imaginai somente esse proprietário, ex-militar, provavelmente coxo, dono de cem servos, com filhos, que ia todos os sábados aos banhos de vapor, que bebia até desmaiar; e eis que, de óculos encavalitados com muita gravidade, lê semelhantes anedotas e crê que tudo é substancial, isto é, pura obrigação do serviço. Que fé ingênua havia então na veracidade e indispensabilidade de semelhantes notícias europeias. É do conhecimento geral que o Senhor de Rohan tinha muito mau hálito...

Já que isso é do conhecimento geral, que tipos do distrito de Tambóvskaia é que o saberão? E, além disso, quem é que se preocupa com isso? Mas estas perguntas de livre-pensador não invalidam as coisas. Imagina ele, muito ingenuamente, que aquela seleção de *Respostas agudas* é conhecida na corte e isso lhe é suficiente. Sim, não há dúvida de que então a Europa nos perturbava com facilidade, fisicamente, é claro. Pois, moralmente, não se saía tão bem. As pessoas calçavam meias de seda, usavam peruca, cingiam o espadim... Pronto, eram europeus.

E nada disto incomodava, até agradava. Mas no fundo, uma pessoa continuava a mesma; é por isso que, não falando agora em Rohan (do qual, aliás, apenas sabia que cheirava mal da boca), tirando os óculos, ia visitar os parentes e tratava patriarcalmente a família; patriarcalmente fustigava o pangaré do modesto vizinho, se ele dava um tropeção, e rojava-se não menos patriarcalmente perante os poderosos. Mas esse tipo era ainda mais compreensível para os camponeses; não os desprezava tanto, não os açoitava tanto, porém, informado das suas necessidades, era mais familiar para com eles, menos rigoroso. E se é certo que se faziam importantes perante ele, como não havia de ser assim, se era um senhor? Noutra circunstância não o seria. Embora o açoitassem até matá-lo, o povo, apesar de tudo, queria mais a esses senhores que aos do presente, porque eram mais seus. Em resumo: todos esses senhores eram gente simples, não iam até ao extremo; ralhavam, batiam, roubavam, dobravam o espinhaço com unção e viviam plácida e refesteladamente até ao fim dos seus dias numa depravação, de consciência tranquila, infantil. Mas tenho a impressão de que todos esses nossos avoengos não eram assim tão cândidos, como não o eram De Rohan e Montbazon.

É até possível que fossem uns espertalhões e estivessem muito acima de todas as influências europeias da época. Toda essa fantochada, toda essa mascarada, todas essas casacas francesas, esses regalos, essas gordas e desajeitadas barrigas da perna calçadas com meias de seda; esses soldadinhos de então, com perucas e calças à alemã, todos esses tipos se me afiguravam terrivelmente espertos, um arremedo servil e próprio de lacaios, a tal ponto que por mais de uma vez o povo reparou nisso e assim o considerou. É certo que se podia ser burlão, matreiro e brigadeiro, e ao mesmo tempo ultraingênuo e estar pateticamente convencido de que o Senhor de Rohan é o mais sutil gracioso. Mas isso não era impedimento para nada; os nossos Potémkini e seus congêneres, quase fustigavam o pangaré dos nossos Rohanes: os Montbazones metiam-se com todos; aos que traziam as mãos encafuadas em regalos e as barrigas das pernas calçadas com meias de seda, faziam-lhes salamaleques e reverências, e os marqueses, na corte, faziam reverências dobrando graciosamente o espinhaço.

Em resumo: toda essa desgraçada Europa era então respeitada entre nós, ao desafio, a começar por Petersburgo, a cidade mais fantástica, a de mais extraordinária história, de quantas existem no mapa.

Ora muito bem; agora já não é assim e Petersburgo conquistou o seu lugar. Tornamo-nos completamente europeus. Agora até o próprio Gvósdikov[9], quando vai cravar o próximo, procura guardar certo decoro como um burguês francês, e vai até um pouco mais longe: como um cidadão dos jovens Estados Unidos da América do Norte, começa a defender com textos a indispensabilidade do tráfico de negros. Aliás, essa defesa por meio de textos, que se faz nos Estados Unidos, começa a introduzir-se com grande intensidade na Europa. "Pois hei de ir até lá para ver tudo com os meus próprios olhos! – pensei. – Nunca os livros te ensinarão tanto como aquilo que vires com os teus próprios olhos." E, a propósito, a respeito de Gvósdikov: por que será que Fonvízin não põe na boca de Sófia, que representa o nobre e humano progresso europeu na sua comédia *O brigadeiro*, uma das frases mais notáveis da mesma, mas sim na da estúpida mulher daquele, que nos pinta tão estúpida, que não só não é uma simples estúpida, mas uma estúpida reacionária, que procura fazer-se valer por todos os modos e que, quando fala, nem parece que é ela quem fala, mas alguém que está por detrás dela? E quando chega o momento de dizer a verdade, também não é Sófia quem a diz, mas a brigadeira. E o que é estranho é que não só a pinta como uma rematada estúpida, mas também

---

9 *Gvosd* significa cravo, prego.

como péssima e, no entanto, como se receasse e até artisticamente considerasse impossível que semelhante frase saísse dos lábios da educadíssima Sófia, e supusesse mais natural que a dissesse uma simples mulher estúpida. Eis aqui um passo que convém recordar. É muito curioso, precisamente por ter sido descrito sem nenhuma intenção nem malícia, ingenuamente, e até como por casualidade. Diz a brigadeira para Sófia:

> BRIGADEIRA. Havia no nosso regimento um capitão, na primeira companhia, que se chamava Gvósdikov; era casado com uma mulher muito teimosa... teimosa e jovem. De maneira que, quando ele se aborrecia por qualquer coisa, geralmente embebedava-se e, meu Deus, batia-lhe a valer! De tal maneira que fazia pena e até dava vontade de chorar olhar para ela.
>
> SÓFIA. Senhora, peço-lhe que não continue falando de coisas que ofendem à Humanidade.
>
> BRIGADEIRA. Mas, *Mátuchka*,[10] se tu nem ouvir queres, como poderia suportá-lo a mulher do capitão?!

É assim que a educadíssima Sófia, com todo o seu sentimentalismo, fica reduzida ao silêncio por uma simples mulher. É uma resposta assombrosa em Fonvízin, e não tem nada de oportuno, humano e... imprevisto. E quantos progressistas não há assim entre os nossos mais avançados apóstolos, que ficam contentes com o seu sentimentalismo e acham tudo bem? E o mais interessante é que Gvósdikov continua batendo na sua *kapitanchka*, e pode ser até que com mais comodidade do que outrora. De fato assim é. Dizem que, dantes, isto se levava mais a peito. "Quem te bate, é porque te ama." Segundo dizem, eram as próprias mulheres que levavam a mal que os maridos não lhes batessem: não bate, portanto não ama. Era qualquer coisa de primitivo, elementar, inato. Mas agora, com a cultura, isso desapareceu. Agora, Gvósdikov continuará batendo apenas por princípio e além disso porque é também um imbecil; isto é, um ultrapassado, que não conhece os novos costumes. Segundo os novos usos, é preferível arranjar as coisas sem fazer justiça por suas mãos. Se me demoro tanto sobre o caso de Gvósdikov, é porque a seu respeito se escreveram entre nós palavras sumamente estúpidas e desumanas. E continuam a escrever-se, de tal maneira que o público já está enjoado. Gvósdikov tem tal vida, apesar de todos esses artigos, que é quase imortal. Tal qual: está vivo e goza de perfeita saúde, e está bêbado e empanturrado. Agora está impossibilitado, como o Capitão Kopiéikin, em certo sentido, perdeu sangue. A mulher, há muito tempo não é nenhuma beldade, como dantes. Envelheceu, e o rosto, vincado pelas rugas e pelos sofrimentos, ficou macilento e amarelado. Mas quando o marido e capitão jazia no leito, doente, tolhido, não se afastava da sua cabeceira, passava as noites em claro junto dele, consolava-o, vertia lágrimas ardentes pelo seu querido e bom maridinho, chamava-lhe seu rico falcãozinho, enaltecia as suas proezas marciais. Deve ser verdade que isto, por um lado, faz pena. Mas, por outro, viva a mulher russa!, pois não há nada melhor no nosso mundo russo do que esse seu amor, dotado de infinita capacidade de perdão. Porque é assim, não é verdade? Tanto mais que Gvósdikov, agora, que já não bebe, não bate na mulher; isto é, só de longe em longe, guarda as

---

10 A mulher do pope: termo arcaico, utilizado também pelo povo ao se dirigir à mãe, ou a pessoas respeitosas às quais quer se tratar com consideração e afeto ao mesmo tempo.

conveniências e às vezes até lhe diz ternuras. Pois, ao envelhecer, compreendeu que não pode passar sem ela; é calculista, é um burguês, e se apesar de tudo continua ainda batendo-lhe, deve ser só quando se embebeda, por força do antigo hábito, quando está aborrecido. Pois bem: digam o que quiserem, mas isto é um progresso, isto consola. E é tão agradável sermos consolados...

Assim é, de fato; agora nós temo-nos consolado muito bem, consolamo-nos sozinhos. É verdade que nem tudo à nossa volta são rosas; mas, em compensação, somos tão belos, tão civilizados, tão europeus, que chamamos a atenção de quem nos vê. Agora, já o povo nos toma por estrangeiros, não compreende as nossas palavras, nenhum livro, nenhuma ideia nossa... e isso, digam o que disserem, representa um progresso. Agora desprezamos profundamente o povo e os princípios populares, até ao ponto de tratá-lo com certa nova severidade que não existia nem nos tempos dos nossos Montbazones e Rohanes; e isto, digam o que disserem, é um progresso. Mas, em compensação, como estamos já convencidos da nossa missão civilizadora, com que arrogância resolvemos as questões! E que questões: não há terra-mãe, não há povo; a nacionalidade... é o costumado sistema de contribuições – tábua rasa – o invólucro do qual pode extrair-se depois o verdadeiro homem, o homem universal, o homúnculo; basta assimilar os frutos da civilização europeia e ler dois ou três livrinhos. Mas, em troca, como estamos tranquilos, esplendidamente tranquilos, agora que não duvidamos de nada, que tudo resolvemos e aceitamos! Com que tranquila satisfação fustigamos, por exemplo, a Turguéniev, por ter o descaramento de não se tranquilizar, juntamente conosco e não se dar por satisfeito com as nossas grandes personalidades, negar-se a reconhecê-las como o seu ideal, e a procurar algo de melhor do que nós. Melhor do que nós, santo Deus! Mas há alguma coisa debaixo do céu que nos seja superior em beleza e inocência? E ele, que se contentou com Bassárov, com o inquieto e melancólico Bassárov (indício de grande coração), apesar de todo o seu niilismo. Censuravam-no também por causa de Kukúchkin, por causa desse insignificante progressista que avaliou Turguéniev na nossa realidade russa, como mostra, acrescentando além disso que era oposto à emancipação da mulher. E isto é um progresso, digam o que disserem. Agora, nós temos tanta estúpida soberba, tanta civilização neste nosso povo, que até dá gosto: as mãos na cintura, o olhar fero, olhamos... olhamos e cuspimos: "Que podes tu ensinar-nos, mujique, quando toda a nacionalidade, todo o povo é, no fundo, apenas reacionarismo, cobrança de impostos e nada mais?". Não se agarrem aos preconceitos, por favor! Ah, meu Deus! Agora, a propósito... Senhores, suponhamos por um momento que a minha viagem acabou e que me encontro de regresso, na Rússia. Peço licença para lhes contar uma anedota. Uma vez, este outono, comprei um jornal progressista. Leio: notícias de Moscou: título: "Mais vestígios de barbárie" (ou qualquer coisa parecida, qualquer coisa de muito forte. Tenho pena de não ter neste momento o jornal debaixo dos meus olhos). Começava logo a seguir a contar uma anedota, de como uma vez, este outono, em Moscou, passava uma manhã pelas ruas num *drójki*, dentro do qual ia uma *svakha*[11] embriagada, muito ataviada e cantarolando. O cocheiro levava também muitos adornos e também cantarolava. O cavalo ia igualmente muito enfeitado. O que não sei é se iria também embriagado. Provavelmente ia. A mulher trazia um

---

[11] Casamenteira.

embrulho nas mãos, o qual devia ter trazido de casa de uns recém-casados, que pareciam ter passado uma bela noite. Esse tal embrulho continha, naturalmente, certa peça de vestuário muito leve, que segundo o costume do povo, deve ser mostrada no dia seguinte ao do casamento, aos pais da noiva. As pessoas, quando viam a *svakha* punham-se a rir: era uma coisa engraçada. O jornal contava com indignação, com fúria, com desprezo, aquela inaudita demonstração de barbárie "que perdura ainda nos nossos dias, apesar de todos os triunfos da civilização". Senhores, confesso-lhes que soltei uma horrível gargalhada. Oh! não vão pensar que eu defendo canibalismos primitivos como esse da camisa, dos véus, etc. Isso é repugnante, é vergonhoso, é selvagem, coisa própria de eslavófilos, bem sei, de acordo, apesar de que tudo isso se faz sem má intenção, apenas com o fim de festejar a boda, ingenuamente, por desconhecimento de algo melhor, mais elevado, europeu. Não, estava rindo de outra coisa. É que me lembrei de repente das nossas damas e das nossas lojas de modas. É verdade que as senhoras civilizadas já não enviam a camisa a seus pais; mas quando se apresenta, por exemplo, a ocasião de encomendarem um vestido em casa da modista, com que tato, com que cuidado e conhecimento de causa sabem colocar almofadinhas em determinados lugares do seu sedutor traje europeu! Para que são as almofadinhas? Por causa da elegância, da estética, *pour paraître*...[12] E isso ainda não é tudo, pois as suas filhas, as suas inocentes filhas de dezessete anos, mal saem dos internatos já conhecem as almofadinhas, já estão informadas de tudo; para que servem, como e onde se devem colocar e por que, isto é, qual o fim com que se empregam... "Mas então vamos ver – disse eu comigo, rindo – todas essas preocupações e cuidados, todos esses desvelos conscientes a propósito do emprego das almofadinhas... serão mais honrosos, morais, pudicos, do que esse outro da infeliz camisa, oferecida com cândida inocência aos pais da noiva, com essa confiança que dá o acreditar que é preciso proceder assim, que isso é moral?"

Pelo amor de Deus, não vão pensar agora, meus amigos, que eu acabo por dizer que a civilização... não é o progresso, mas que, pelo contrário, na Europa, nos últimos tempos, sempre prevaleceram sobre todo o progresso o chicote e a prisão! Não pensem que vou pôr-me a demonstrar que aqui os bárbaros confundem a civilização com as leis da evolução verdadeira e normal, e a provar que a civilização há já muito tempo que está condenada no próprio Ocidente, e não tem mais defensores que os proprietários (embora aí todos sejam proprietários e queiram sê-lo), interessados em salvar o seu dinheiro. Não pensem que vou pôr-me a demonstrar que a alma do homem não é uma tábua rasa, nem uma insignificância, da qual pode extrair-se o homem universal; que antes de mais nada é necessária a Natureza, depois a Ciência, depois a vida independente, popular, ampla, e a confiança nas próprias forças nacionais. Não pensem que eu vá dizer-lhes que os nossos progressistas (embora nem todos) não são de maneira alguma partidários das almofadinhas, que condenam com menos energia do que as tais camisas. Não; eu quero apenas dizer uma coisa: no referido artigo não só condenavam e anatematizavam o costume das tais camisas, como chegavam a dizer que esse costume era um resto de barbárie, e não só diziam isso, como pareciam denunciar uma barbárie popular, nacional, primitiva, em contraste com a civilização europeia da nossa sociedade distinta, eleva-

---

12 Para aparentar.

da. O articulista fanfarronava, parecia não querer dar mostras de saber que é possível que os mesmos denunciadores sofressem de algo pior e mais condenável, de que não fazemos outra coisa senão substituir uns preconceitos e ruindades por outros ainda maiores. Parecia prescindir dos nossos preconceitos e ruindades particulares. Mas para que isso de colocar-se acima do povo com tamanha altivez, pôr as mãos na cintura e cuspir para o lado? É ridícula, ridícula até ao riso, essa crença na impecabilidade e no direito de tal denúncia. Essa crença representa simplesmente o desejo de elevar-se acima do povo, se é que não representa um premeditado, servil acatamento das formas europeias de civilização, o que é ainda mais ridículo. Pois que fatos semelhantes encontram-se aos milhares todos os dias. Desculpem a anedota.

E, aliás, caí em pecado. Sim, pequei! Sim, porque passei demasiado rapidamente dos avós para os netos. Era necessário ter aberto um parêntese. Lembrem-se de Tchátski. Esse não é um avô ingenuamente matreiro, nem um neto satisfeito de si próprio, que põe os pés à parede e resolve tudo de uma assentada. Tchátski é um tipo perfeitamente pessoal da nossa Europa russa, um tipo simpático, exaltado, paciente, provocante para com a Rússia e para com a gleba, e que, no entanto, volta para a Europa quando é preciso procurar "um refúgio para o sentimento ofendido".

Em resumo: um tipo completamente inútil, agora, mas que outrora foi utilíssimo. É um recitador de frases, um falador, um charlatão amigável que sofre conscientemente da sua inutilidade. Agora transformou-se na nova geração, e nós acreditamos nas energias infantis, acreditamos que há de voltar a manifestar-se bem depressa, mas já sem esse histerismo do baile de Famússov, e antes de maneira triunfante, orgulhoso, poderoso, modesto e amorável. Além disso reconhece que o refúgio para o sentimento ofendido não se encontra na Europa, mas que talvez o tenha ao alcance das mãos, e sabe o que há de fazer e põe-se a trabalhar. E querem saber uma coisa? É que eu estou convencido de que nem tudo aqui se reduz à civilização grosseira e à extravagância europeia; tenho a convicção de que foi já criado o novo homem. Mas isto ficará para depois.

Queria dizer ainda duas palavras sobre Tchátski. Há só uma coisa que não compreendo, porque Tchátski era um homem muito inteligente. Como é que esse homem inteligente não encontrou com que ocupar-se? Porque nenhum deles encontrou ocupação, não a encontraram durante três gerações seguidas. Isto é opor fatos a fatos, e que, aparentemente, poderiam não significar nada; mas é preciso fazer a pergunta, pelo menos por curiosidade. Pois eu não consigo explicar a mim próprio como é que um homem inteligente, seja como for e em que circunstâncias, não consiga encontrar ocupação. Isso – diz-se – é um assunto discutível; mas, no fundo do meu coração, não acredito nisso de maneira nenhuma. Porque a inteligência deve servir para se alcançar o que se deseja. Se não se pode andar uma versta, andam-se só cem passos, sempre para a frente, cada vez mais próximo da meta, se ela existe. E se alguém quiser a todo custo chegar de uma só arrancada até o fim, isso, a meu ver, não demonstra inteligência. Isso chama-se também efeminação. Não gostamos de esforços, não estamos acostumados a dar um só passo, e é preciso chegar de uma só vez ao fim ou então parar a meio caminho. Pois bem: isso é efeminação. Mas Tchátski fez muito bem em escapulir-se então para além da fronteira; se se tivesse enganado um pouco no rumo, teria se encaminhado para o Oriente e não para o Ocidente. Aqui, morrem pelo Ocidente, esfalfam-se por causa dele, e em caso extremo, todos vão para lá. Pois bem, para lá também eu vou. *Mais moi c'est autre chose*.[13] Eu os vi lá a todos, isto é, a muitíssimos, tantos que não os poderia contar, e todos andavam em busca de um refúgio para o seu ulcerado coração. Pelo menos andavam à procura de qualquer coisa. A geração dos Tchátski de um e outro sexo, depois do baile de Famússov, e, em geral, exatamente após ter terminado o baile, multiplicavam-se lá como as areias do mar, e não somente os dessa geração, porque todos iam até lá. Quantos Repetílovi, quantos Skalossúbovi, aos quais tinham mandado para as águas pela sua inutilidade, não pululavam por ali! Natália Dimítrievna e consorte não faltavam. Também a Condessa Khliestova vai até lá tomar as suas águas todos os anos. Todos esses senhores estavam fartos de Moscou. Só Moltchálin é que não estava: pensou melhor e ficou em casa. Por assim dizer, consagrou-se à pátria, ao torrão natal... Agora ninguém poderá pôr-lhe a vista em cima; não recebe Famússov em sua casa, nem sequer no vestíbulo: são vizinhos no campo; na cidade não se cumprimentam. Têm negócios, arranjaram que fazer. Mora em Petersburgo, e... e tem tido sorte. Conhece a Rússia e a Rússia conhece a ele. Sim, conhece-o muito bem, e durante muito tempo não há de esquecê-lo. Nem sequer é taciturno, mas antes, fala pelos cotovelos. E até se vê com livros nas mãos... Mas para que falar tanto dele! Eu me estava referindo a todos eles e dizia que procuram um refúgio acolhedor em toda a Europa, e pensava que, verdadeiramente, ali estão melhor. E, no entanto, que pena eu tenho deles! Pobrezinhos! Que inquietação constante a sua, que doentia, melancólica mobilidade! Todos eles andam armados dos seus guias e percorrem as cidades, ansiosos por contemplarem coisas raras, mas na verdade parece que o fizeram por obrigação, como se continuassem a servir a sua pátria: não passam por alto nem um palácio com três varandas, como indica o guia, nem uma Câmara Municipal, ainda que seja idêntica ao mais vulgar edifício moscovita ou petersburguês; contemplam a vaca de Rubens e julgam que são *As três graças*, porque assim manda o guia que se creia; vão ver a *Madonna* da Sixtina e ficam parados diante dela numa expectativa estúpida: ali sucede qualquer coisa que brota do solo e os submerge numa tristeza e num cansaço sem objetivo. E saem dali assombrados porque não tenha acontecido nada. A sua curiosidade não é como a curiosidade presumida e maquinal dos turistas ingleses de um e outro sexo, que olham mais para o guia do que para a coisa admirável: não esperam nada de novo nem de assombroso e limitam-se a verificar se está ou não indicado no guia e quantas onças ou libras pesa o objeto. Não, a nossa curiosidade é algo de selvagem, de nervoso, de ansioso, e convencida de antemão de que nunca acontece nada, naturalmente, até à primeira mosca; porque se voa uma mosca... isso significa que temos de voltar para trás... Falo aqui apenas das pessoas inteligentes. Com as outras não é preciso preocuparmo-nos: Deus olha sempre por elas. Nem também daqueles indivíduos que se enraizaram lá definitivamente, no estrangeiro, esqueceram a sua língua e começam a escutar os padres católicos. Embora, no fim de contas, de toda essa gente somente se possa dizer uma coisa: assim que um de nós aparece em Eydtkuhnen, encontra imediatamente algum parecido com esses pobres cães que andam à procura do seu perdido dono. Mas, imaginam talvez os senhores que eu escrevo por troça, que deito as culpas a alguém, "porque nestes tempos", etc., etc., e

---

13   Mas, comigo, o caso é diferente.

"eles, no estrangeiro", etc., etc.! Aqui põe-se a questão agrária, e ela, no estrangeiro, etc., etc. Oh, nada disso, nada disso! Além do mais, quem sou eu para poder culpar alguém? E por que haviam eles de estar aqui, se não há nada que fazer e, se há, se faz sem eles? "Estão ocupados todos os lugares"; "não há vagas em perspectiva". "Que vontade de meter o nariz onde ninguém o chama!" Aqui têm a desculpa, breve, por certo. A tal desculpa, não a sabemos de memória. Mas que é isto? Onde é que eu vou parar? Como é que consegui ver os russos no estrangeiro? Porque eu não ia senão a Eydtkuhnen... Mas é que passaram. É verdade que Berlim, Dresden, Colônia, todas passaram. Eu ia no trem, de verdade; mas já não tinha à minha frente Eydtkuhnen, mas sim Arkelin, e entrava na França, Paris, Paris! Era de Paris que eu queria falar, porém me esquecera. Já falei bastante acerca da nossa Europa russa, coisa desculpável quando nos encontramos como hóspedes na Europa europeia. E, além disso, que importa? Já pedi perdão. Porque este era um capítulo supérfluo.

Capítulo iv / E não supérfluo para os cavalheiros

Solução definitiva do problema de se "o francês tem ou não juízo"

Mas não; apesar de tudo, eu perguntava a mim próprio por que será que o francês não tem juízo, quando me pus a olhar para quatro novos passageiros que acabavam de entrar no trem. Eram os primeiros franceses que apareciam na minha frente, na sua terra natal, sem contar com os empregados da Alfândega de onde vínhamos. Esses tais empregados de Arkelin eram muito delicados, resolviam rapidamente todos os casos, e eu subi para o trem; muito satisfeito com os meus primeiros passos na França. Até Arkelin, de quatro lugares que havia no nosso compartimento, só dois é que iam ocupados: o meu e o de um suíço, homem simples e modesto, de meia idade: um vizinho de viagem muitíssimo simpático, com o qual conversei ininterruptamente durante duas horas. Agora éramos seis e eu vi com espanto que o meu suíço se tornou extraordinariamente taciturno diante dos nossos quatro companheiros de viagem. Tentei restabelecer com ele o interrompido colóquio; mas ele procurou cortá-lo, respondendo-me com evasivas, secamente, quase de má vontade; aproximou-se da janela e pôs-se a olhar para a paisagem, e um minuto depois puxou do seu guia alemão e afundou-se por completo na sua leitura. Deixei-o imediatamente em paz e pus-me a contemplar os nossos companheiros de viagem. Eram umas pessoas estranhas. Iam à vontade e não tinham aspecto de viajantes. Nem a roupa era de viagem.

Traziam sobretudos leves, terrivelmente rotos e gastos, apenas um pouco melhores do que aqueles que usam na Rússia os impedidos ou os criados da classe média camponesa. A roupa interior também era suja; dava para ver as gravatas de cores gritantes, também muito sujas. Um deles levava sobre o colo os restos de um cesto, desses que ficam sempre com uma camada de sebo ao fim de quinze anos de contacto com o colo do seu dono. Este mesmo dono ostentava também nas mangas da camisa uns botões de brilhantes falsos, do tamanho de nozes. Aliás, ostentava-os com um certo *chic*, até com altivez. Pareciam todos os quatro da mesma idade, à volta dos trinta e cinco e, embora não tivessem a mesma cara, eram muito parecidos. Tinham os rostos murchos, com umas barbichas à francesa, todas também muito parecidas. Era evidente que se tratava de indivíduos que deviam ter passado por muitas peripécias e adotado para sempre uma expressão de rosto senão azeda pelo menos de grande preocupação. Parecia também que eram todos amigos, embora não me lembre de que tivessem trocado qualquer palavra. Não queriam olhar para nós, isto é, para o suíço e para um empregado, e, assobiando sem cerimônia, mudando de posição igualmente sem cerimônia, mantinham a vista fixa, com indiferença, mas com teimosia, num ângulo da carruagem. Acendi um cigarro e, muito aborrecido, pus-me a observá-los. De fato, pela minha ideia passou esta pergunta: "Que espécie de gente será esta? Trabalhadores não são; burgueses não são. Serão talvez militares reformados, algo *à la demisolde*[14] ou qualquer coisa parecida? Passados dez minutos, assim que chegamos à próxima estação, os quatro, um atrás do outro, saltaram imediatamente da composição, fecharam a porta com estrondo e nós respiramos. Nessa linha não demoram quase nada nas estações: dois minutos, três no máximo, e logo o trem se põe de novo em marcha. Andam otimamente, isto é, muito depressa.

Assim que ficamos sós, o suíço fechou o seu guia, colocou-o de lado e olhou para mim com um ar satisfeito, visivelmente desejoso de reatar o diálogo.

— Esses senhores estiveram aqui pouco tempo — comecei eu olhando-o com curiosidade.

— Foi só de uma estação até à outra.

— Conhece-os, o senhor?

— Se os conheço? Mas são polícias!

— O quê? Polícias? — interroguei, estupefato.

— Pois claro! Eu já tinha percebido que o senhor não tinha adivinhado.

— E também são... espiões? — e não queria acreditar.

— Claro que são! Vieram para aqui por nossa causa.

— Tem a certeza?

— Sem dúvida! Já fiz várias vezes este mesmo trajeto. Os da Alfândega, que tinham lido os nossos passaportes, falaram-lhes de nós e deram-lhes os nossos nomes e outros sinais. E eles subiram para o trem para nos acompanhar.

— Mas para que acompanharem-nos, se já nos tinham visto? Por que não disse o senhor que já lhes tinham falado de nós nessa estação?

— Sim, e deram-lhes os nossos nomes. Mas isso ainda não é tudo. Agora já nos conhecem como às suas mãos: cara, roupa, mala de viagem; numa palavra: sabem tudo. Repararam nos seus botões de punho. O senhor puxou de um cigarro; pois tomaram nota do cigarro. Agora estão informados de todos os pormenores; de todas as minúcias: isto é, de todas as particularidades. Pode o senhor perder se em Paris, mudar de nome (isto, se o senhor é pessoa suspeita). Pois bem: esses pequenos pormenores podem servir para encontrá-lo. Acabam de telegrafar tudo isso, desta mesma estação, para Paris. Aqui hão de estar alguns à sua espera, como por acaso. Sem falar em que também os donos dos hotéis têm a obrigação de dar parte de todos os pormenores dos estrangeiros, mesmo dos mais insignificantes.

---

14 A meia-paga.

– Mas para que se juntaram tantos, isto é, quatro? – continuei a perguntar-lhe, um pouco preocupado.

– Oh! Há muitos aqui. Desta vez passam por aqui poucos estrangeiros, porque, senão, não caberiam nos vagões.

– Mas ouça uma coisa: esses tipos nem sequer repararam em nós, olhavam para as janelas.

– Oh! Esteja descansado que repararam em tudo... Foi por nossa causa que subiram.

"Ora, ora! – pensei eu – este também não tem mentalidade francesa! – e (com vergonha o confesso) olhei de soslaio para o suíço, com uma certa desconfiança. – E tu, meu amigo, não serás desses também, e finges que não? – foi a ideia que me atravessou a mente, ainda que apenas por um instante, garanto-lhes. – Estúpido, mas que queres tu saber? Se te lembravas involuntariamente..."

O suíço não me enganou. No hotel onde me alojei tomaram imediatamente nota dos meus sinais pessoais e os comunicaram para onde deviam. Pode concluir-se, da atenção e seriedade com que olham para nós, enquanto anotam os nossos sinais, que também observam escrupulosamente o hotel e estão a par de tudo quanto fazem, de todos os seus passos. Embora, no fim de contas, não me tivessem incomodado muito no hotel e tomaram nota do meu endereço em silêncio, exceto quanto às perguntas taxativas e a que é preciso responder: quem, como, donde, com que fim etc. Mas no segundo hotel em que estive, por não haver quarto disponível no anterior, Hotel Coquillière, depois de uma ausência de oito dias que passei em Londres, já me trataram com mais franqueza. Esse segundo, o Hotel dos Imperadores, parecia um tanto patriarcal em todos os sentidos. Os donos, um casal já de idade, eram muito bons e de uma delicadeza pouco frequente e muito amáveis com os seus fregueses. No próprio dia da minha instalação, a dona apanhou-me no vestíbulo, convidou-me a passar a uma sala onde estava o *comptoir*. Também estava aí o marido; mas, segundo as aparências, quem mandava em tudo, ali, era a dona.

– Queira desculpar. Precisamos do seu endereço.

– Mas já o dei! Não lhes deixei o meu passaporte?

– Sim, mas... *votre état?*[15]

Isso de *votre état* é uma coisa muito desconcertante, que nunca me agradou.

– Mas... que hei de responder? Viajante... é demasiado abstracto. *Homme de lettres* não inspirará nenhum respeito.

– É melhor pôr proprietário, não lhe parece? – perguntou-me a dona do hotel.

– É melhor.

– Oh, com certeza, é o melhor! – concordou o marido. E foi isso o que escreveram.

– Muito bem, e agora, o motivo da sua viagem a Paris?

– Sou um viajante, de passagem.

– Hum! Isso mesmo: *pour voir Paris*. Dê-me licença, *msié*, que idade tem?

– A minha idade?

– A sua idade exata.

– Pois bem: meia idade.

---

15 O seu estado civil, a sua profissão?

– Está bem, *msié*... Mas é preciso indicá-la com mais precisão, isto é – continuou dizendo com certa perplexidade e consultando o marido com o olhar.

– Quero dizer, quantos anos tem – disse o marido calculando a minha idade à simples vista.

– Mas para que é preciso saber isso? – perguntei.

– Oh, é in...dis...pen...sá...vel! – respondeu a dona da casa, repisando amavelmente a palavra indispensável e anotando ao mesmo tempo a minha idade no livro. – Agora, *msié*, o seu cabelo? Louro, hum... De cor muito clara... crespo...

Tomou nota do cabelo.

– Dê-me licença, *msié* – continuou, e, deixando a pena, levantou e aproximou-se de mim com uma cara amabilíssima. – Olhe, é já ali, junto da janela, aí é que eu tenho de ver a cor dos seus olhos. Hum!... Claros.

E consultou outra vez o marido com os olhos. Era evidente que se amavam muito.

– Verdadeiramente, são verdes – observou o marido com um ar especialmente sério, preocupado, até. – *Voilá* – piscou um olho à mulher, apontando qualquer coisa por cima das suas sobrancelhas.

Compreendi imediatamente aquilo a que ele queria referir-se. É que eu tenho uma pequena cicatriz na testa, e o homem não queria que esse pequeno sinal particular passasse despercebido à mulher.

– Agora dê-me licença que lhe pergunte – disse eu à dona do hotel, logo que terminou aquele exame – mas exigem-lhe assim tanta exatidão?

– Oh, *msié*, é in ... dis ... pen ... sá ... vel!

– *Msié!* – confirmou o marido com uma cara especialmente grave.

– Pois no Hotel Coquillière não me fizeram essas perguntas.

– Não é possível – encareceu a mulher com vivacidade. – Podia ter-lhes custado caro. Naturalmente observaram-no sem lhe dizer nada; mas não têm outro remédio senão fazer isto. Nós somos mais francos e simples com os nossos hóspedes: tratamo-los como pessoas de família. Há de ficar contente conosco, vai ver.

– Oh, *msié!* – concordou o marido solenemente, e no seu rosto apareceu até uma expressão de ternura.

Era um casal honestíssimo, amabilíssimo, pelo menos foi o que pude comprovar depois. No entanto, a palavra in... dis... pen... sá... vel não a pronunciava a mulher em tom de desculpa ou atenuante, mas no sentido de ser absolutamente imprescindível e coincidir, ou pouco menos, com as suas convicções pessoais.

– Eia, já estou em Paris!

Capítulo v / Baal

Eia, já estou em Paris! Mas não vão pensar que vou contar-lhes muitas particularidades de Paris. Penso que devem já ter lido tanto a respeito dela, em russo, que já hão de estar fartos. Além de que os senhores também a devem ter visitado e com certeza a observaram melhor do que eu. E, em último lugar, custa-me ter de olhar as coisas, no estrangeiro, seguindo o guia, a regra, por obrigação de viajante, e ver em alguns lugares tais coisas que até dá vergonha dizê-las. Em Paris também passei muitas coisas por alto. Ou, melhor, não quero dizer que as tivesse passado precisamente por alto, mas direi que fiz para mim uma definição de Paris, que lhe apliquei um epíteto, e que é segundo esse epíteto que a considero. Paris é... a cidade mais moral e virtuosa do mundo. Que ordem! Que discrição, que relações sociais bem definidas e exatamente determinadas; como tudo está previsto, que contente e feliz é aí toda a gente, e como todos, finalmente, se esforçam por acreditar, e acreditam de fato, que são felizes, e... com isso se contentam! Tal qual. Será difícil acreditar que se aferram a essa ideia; os senhores gritam que eu exagero, que tudo isso é uma atrabiliária calúnia patriótica, que não é possível que tudo isso seja assim. Mas, meus amigos, eu preveni-os logo, desde o primeiro capítulo destes apontamentos, que seria possível dizer muitas mentiras. Por isso não me incomodem. Os senhores também já sabem que, se eu minto, o faço convencido de não mentir. Mas, em meu entender, isto já é bastante. Por isso deixem-me em paz.

Sim, Paris é uma cidade assombrosa, E que *confort*, quantas comodidades para aqueles que têm direito a elas, e também que ordem, que ordem tranquila! Eu resumo, tudo na ordem. Um pouco mais ainda, e Paris ia se tornar, com o seu milhão e meio de habitantes, uma povoaçãozinha professoral, alemã, petrificada na tranquilidade e na ordem, numa Heidelberg qualquer. É para isso que tende. E por que não poderia ser uma Heidelberg de proporções colossais? E que regulamentação! Compreendam o que eu quero dizer: não é tanto uma regulamentação exterior, que é insignificante (claro que, em comparação), mas uma colossal regulamentação interior, espiritual, saída da alma. Paris encolhe-se com gosto, comprime-se com prazer, apequena-se com unção. Neste sentido, onde fica Londres, por exemplo! Estive em Londres oito dias ao todo e, pelo menos no exterior, que quadros amplos e que planos claros, especiais, sobressaem nas minhas recordações! Tudo ali é enorme e se impõe pela sua originalidade. Cada coisa rude, cada contraste, está lado a lado com a sua antítese e anda de braço dado com ela, contradizendo-se mutuamente e sem poderem excluir-se. Aparentemente tudo isso se aferra teimosamente a si próprio e vive a sua vida, e é evidente que não fazem estorvo umas às outras. E, no entanto, nota-se aí a mesma tenaz, surda e velha pugna, uma guerra de morte de todo o princípio pessoal no Ocidente, com a necessidade indispensável de conviver, de compor um todo, seja como for, e de juntar-se num formigueiro, organizar-se um pouco, sem se comerem uns aos outros... senão, de contrário, voltariam à antropofagia. Neste sentido, por outro lado observa-se ali o mesmo que em Paris, um esforço tão desesperado por aferrar-se ao seu *status quo*, esse desprender-se de todos os desejos e esperanças e amaldiçoar o futuro, no qual nem sequer os líderes do progresso têm fé, e prostrar-se diante de Baal. Mas, por favor, não se deixem seduzir por frases retumbantes; tudo isso só se vê conscientemente no espírito dos progressistas conscientes; mas nota-se de um modo inconsciente, instintivo, na atuação vital de toda a massa. Mas o burguês, por exemplo, em Paris, mostra-se conscientemente muito contente e convencido de que assim deve ser, e até é capaz de açoitá-los se o negarem, e vai açoitá-los, porque até agora tem um certo medo, apesar de todo o seu aprumo. Em Londres, embora se observe o mesmo, no entanto que perspectivas amplas, opressivas! Até exteriormente, que diferença de Paris! Essa cidade, sempre alterada, de dia e de noite, como o mar: os rugidos e os assobios das máquinas, esses trens que correm por cima das casas (e que não tardarão também a correr por debaixo delas); essa ousadia empreendedora; essa aparente desordem, que na realidade é ordem burguesa, no mais alto grau; esse envenenado Tâmisa; esse ambiente saturado de carvão de pedra; esses *squares* e parques magníficos; esses antros terríveis, como o de Whitechapel, com os seus habitantes meio nus, selvagens e famélicos; a City, com os seus milhões e o seu comércio mundial; o Palácio de Cristal; a Exposição Universal... Sim, a Exposição impressiona. Sente-se uma energia terrível, que juntou aí todas essas pessoas inumeráveis, chegadas de todo o mundo, formando um só rebanho; reconhece-se uma ideia gigantesca; sente-se que aí se conseguiu uma vitória, um triunfo. Como que começamos a temer qualquer coisa. Por muito independentes que sejamos, há qualquer coisa que nos parece terrível. "Não será já este o ideal conseguido? – pensamos. – Não será este o *terminus*? Não será este o rebanho único? Não será de fato chegada a hora de aceitar isto como a verdade plena e de nos ajustarmos definitivamente a ela?" Tudo isto é tão solene, triunfal e orgulhoso, que o nosso espírito começa a retrair-se. Olhamos para essas centenas, para esses milhares, para esses milhões de indivíduos que se juntaram aqui, submissos, vindos de todas as partes do mundo... pessoas que chegaram com um único pensamento, que se amontoam, tranquila, teimosa e silenciosamente neste palácio colossal, e sentimos que ali se consumou e definiu algo de definitivo. É um quadro bíblico, qualquer coisa no gênero de Babilônia ou de uma profecia do Apocalipse que se cumprisse à nossa vista. Sentimos que é precisa uma grande dose de negação secular e de isenção para não nos prostrarmos, para não nos rendermos à impressão, adorar o fato e erigir em deus a Baal, isto é, para não tomar pelo próprio ideal aquilo que existe...

"Vamos... isto é um desatino – dirão – um absurdo doentio, nervos, exagero. Ninguém se importará com isso nem o considerará como seu ideal. Além de que a fome e a escravidão são seus irmãos e contribuirão, mais do que nada, para fomentar o espírito de negação e engendrarão o cepticismo. Mas os *dilettante*, enfastiados que passeiam por gosto, podem sem dúvida imaginar visões de Apocalipse e consolar os seus nervos, exagerando e tirando de tudo para se excitarem, fortes sensações..."

"Bem – respondo eu – suponhamos que a decoração me tenha seduzido. Mas se vissem como esse espírito poderoso é orgulhoso da sua vitória e do seu triunfo, iam começar a tremer à vista do seu orgulho, teimosia e cegueira, e tremeriam também por aqueles de quem esse orgulhoso espírito se apodera." Perante coisas tão grandiosas; perante um tão gigantesco orgulho do espírito dominante, à vista da perfeição triunfal da obra desse espírito, também a alma estremece muitas vezes, transida, e curva-se, rende-se, procura a salvação no desenfreamento e na licença e começa a acreditar que isso é que é eficiente. O fato oprime, a massa fatiga e oprime os chineses, e se geral o cepticismo, procura a sua salvação, triste e renegando, em algo de semelhante ao mormonismo. Mas, em Londres, pode convencer-se a massa em tal proporção e com um cenário como nunca verão ao natural, neste mundo. Disseram-me, por exemplo, que nas noites de sábado, meio milhão de trabalhadores, de um e outro sexo: invadem com os seus filhos, como uma grande inundação, toda a cidade, concentrando-se de preferência em alguns bairros, e até às cinco da manhã, passam a noite inteira na paródia, isto é, comendo e bebendo como animais, para toda a semana. Tudo isso é produto das suas economias cotidianas, dinheiro ganho com um rude trabalho e entre maldições. Nos açougues e nas lojas de comestíveis arde o gás com chamas que iluminam a rua. É como se fosse organizado um batuque para esses negros-brancos. As pessoas apinham-se nas tabernas abertas e nas ruas. Aí comem e bebem. As tabernas estão enfeitadas como palácios. Toda a gente se embriaga, mas não tem alegria, está lúgubre, sentem-se pesados, e todos, terrivelmente silenciosos. Esse silêncio suspeito e entristecedor é interrompido somente de quando em quando por insultos e murros sangrentos. Todos se apressam a embebedar-se até perderem os sentidos... As mulheres não largam os maridos e bebem na sua companhia; as crianças correm e traquinam por ali. Uma vez, eram duas horas da noite, sucedeu-me extraviar-me e andei vagando durante muito tempo pelas ruas, no meio de grupos e grupos dessa gente lúgubre, perguntando pelo caminho quase só por sinais, pois não sei uma palavra de inglês. Até que por fim o encontrei; mas a impressão de tudo quanto vi nessa noite ficou a incomodar-me durante três dias.

  O povo é, em toda a parte, povo; mas ali era tudo tão colossal, tão claro, que me parecia sentir aquilo que até então não pudera senão imaginar. Além de que, o que se via ali não era o povo, mas a perda da consciência, sistemática, submissa, provocada. E era de notar, ao ver todos aqueles párias da sociedade, que, por muito tempo ainda, não se cumpririam para ele as profecias, que ainda tardariam muito em dar-lhes palmas e vestes brancas e a chamá-los todos juntos perante o trono do Altíssimo. Até quando, Senhor? E eles sabem isso e, por agora, vingam-se da sociedade com certas seitas de mórmons predicadores errantes. Assombra-nos a estupidez de professar essas seitas, e não adivinhamos que há nisso um desvio das nossas fórmulas sociais, um desvio teimoso, inconsciente; um afastamento instintivo de tudo, na busca da salvação, afastamento de nós com repugnância e com horror. Esses milhões de seres, abandonados e colocados à margem no festim da vida, comprimindo-se e esmagando-se mutuamente na sombra subterrânea em que os deixaram os seus irmãos mais velhos, batem à toa a uma porta qualquer e procuram uma saída para não morrerem asfixiados naquelas trevas. É esse o supremo intento desesperado ao afastarem-se do seu grupo, do seu rebanho, e afastar-se de tudo, até da imagem do homem, e viver à sua maneira e não permanecer conosco...

  Vi em Londres outra multidão parecida com essa, que também não vereis jamais em outro lugar, como ali. Havia também uma decoração à sua maneira. Quem tenha estado em Londres, com certeza que deve ter ido, ainda que apenas por uma noite, ao Hay-Market. É um bairro onde, à noite, em certas ruas se apinham milhares de mulheres públicas. As ruas estão iluminadas por focos de gás, dos quais não fazemos aqui uma ideia. Encontram-se a cada passo magníficos cafés, decorados com espelhos dourados. Há salas de festas, quartos de pouca permanência. É difícil romper aquela multidão. E que multidão tão heterogênea! Veem-se ali velhas e também beldades perante as quais nos quedamos estupefatos. Não há em todo mundo outro tipo de mulher comparável à inglesa. Toda essa gente, densa e compacta, se apinha com dificuldade pelas ruas. Não ocupam os passeios, mas a parte central das ruas. Andam todas à caça de freguês e atiram-se com descarado cinismo à cara do transeunte. Veem-se brilhantes, vestidos suntuosos, e também autênticos farrapos, e criaturas das mais variadas idades, todas misturadas. Por entre essa terrível multidão vagueia também o ébrio vagabundo, acotovelando-se com o nobre opulento.

Ouvem-se insultos, barulho de altercações, apelos, e o discreto, sedutor murmúrio de alguma beleza fatal. E que beleza, às vezes! Caras próprias de um *keepsake*[16]. Lembro-me de que uma vez entrei num cassino. Ouvia-se a música, havia baile, e uma multidão. A decoração era magnífica. Mas o temperamento sombrio não abandona os ingleses, nem sequer no meio da alegria: dançam muito sérios, até severos, marcando apenas o compasso e como por obrigação. Lá em cima, na galeria, descobri uma jovem, e fiquei simplesmente estupefato: nunca na vida vira coisa semelhante, uma beleza tão extraordinária. Estava sentada junto de uma pequena mesa, com um rapaz, um *gentleman* rico mas pouco habituado a frequentar esses cassinos. É possível que a tivesse encontrado, ou, finalmente, que tivessem combinado encontrar-se aqui. Quase não falava com ela, fazia muitas interrupções naquilo que dizia, como se não falasse do que desejava falar. O colóquio interrompia-se a cada passo por um longo silêncio. Ela estava também muito triste. Tinha umas feições delicadas, finas: qualquer coisa de secreto e triste transparecia nos seus belíssimos olhos, um tanto altivos, algo de reflexivo e de triste. Tinha a impressão de que ela devia estar tísica. Devia com certeza estar muito acima de toda aquela caterva de infelizes mulheres, pela sua educação; pois que queria dizer aquele rosto cheio de humanidade? E no entanto bebia *gin*, que lhe pagava o rapaz. Até que por fim este levantou, lhe deu a mão, e despediram-se. Ele saiu do cassino, e ela, com as faces pálidas cobertas de grandes rosetas vermelhas, do álcool, foi misturar-se ao tropel das mulheres ansiosas. Tive ocasião de ver em Hay-Market mulheres que levavam ali as suas filhas jovens.

As garotas de doze anos pegam-nos no braço e pedem-nos que as sigamos. Lembro-me de que, uma vez, vi entre a multidão uma jovem que não devia ter mais de dezesseis anos, toda esfarrapada, suja, descalça, extenuada e ferida; era possível ver-lhe o corpo, que lhe assomava por entre os farrapos, cheio de vergões. Andava como que alheada, sem rumo fixo, aos tombos por entre as pessoas, sabe Deus por que, talvez tivesse fome. E ninguém reparava nela. O que mais me chocou foi a expressão de amargura que mostrava, de desespero sem consolo, de tal maneira que só a visão dessa criatura, transida de desolação e dor tamanhas, era monstruosa e provocava uma dor terrível. Movia para um lado e para outro a cabeça desgrenhada, como se meditasse em qualquer coisa; esfregava as sobrancelhas com as mãozinhas, gesticulava, e depois, de repente, unia-as e apertava-as contra o peito desnudo. Voltei-me e dei-lhe meio xelim. Ela pegou na moeda de prata, ficou a olhar-me no rosto fixamente, timidamente assombrada, e de repente correu com toda a ligeireza das suas pernas, como se tivesse medo que eu fosse tirar-lhe o dinheiro... Em geral, coisas de graça...

E também, uma vez, de noite, no meio dessa multidão de mulheres perdidas e de viciosas, surgiu-me pela frente uma mulher que vinha correndo por entre os grupos. Vestia toda de prêto e trazia um chapéu que lhe ocultava o rosto; mal tive tempo de olhar para ela; lembro-me unicamente dos seus olhos fixos. Disse-me qualquer coisa que não consegui compreender, num péssimo francês; meteu-me um papel na mão e afastou-se rapidamente. Li esse papel junto da janela de um

---

16 Peça que se oferece em amizade, para recordação.

café; era um papel quadrado; num dos lados tinha impresso: *Crois-tu cela?*[17] No outro, também em francês: "Ressuscitarás e viverás", etc., algumas frases conhecidas. Hão de concordar que a coisa era bastante original. Contaram-me depois que se tratava de propaganda católica, que se introduzia por todos os lados, teimosa, incansável. Uma vezes distribuíam esses papelinhos pelas ruas; outras eram livrinhos cujo texto é formado por fragmentos do Evangelho e da Bíblia. Davam-nos de graça, metiam-nos na mão das pessoas. Havia muitos missionários dos dois sexos. Era uma propaganda sutil e premeditada. Havia até um padre católico que visitava os operários pobres. Se ia encontrar aí, por exemplo, um doente estendido sobre o chão, rodeado de criaturas transidas de fome e de frio, e uma mulher famélica, e às vezes embriagada, dava alimentos a todos, roupas, aquecimento, encarregava-se de assistir ao doente, comprava-lhe remédios, transformava a casa por completo e acabava por convertê-los a todos ao catolicismo. Embora às vezes, depois de o doente se ter curado, o expulsassem com brutalidade, por entre insultos e pancada. Mas ele não desanimava e ia com a mesma cantiga para outro lado. De toda a parte o expulsavam, mas às vezes conseguia fazer uma presa. O padre inglês não vai visitar os pobres. Aos pobres nem sequer os deixam entrar nas igrejas, porque não têm para pagar os bancos. As uniões entre a classe operária e, de maneira geral, entre os pobres, costumam ser livres, porque a cerimônia do casamento é uma coisa que sai muito cara. A propósito, muitos desses maridos costumam bater terrivelmente nas mulheres, maltratá-las até deixá-las meio mortas, e quase sempre com as tenazes com que atiçam o fogo da lareira. Essas tenazes parecem já um instrumento consagrado para bater às mulheres. Pelo menos os jornais, sempre que relatam brigas graves entre os cônjuges, surras e crimes, falam sempre nas tenazes. É costume as crianças ainda pequenas irem frequentemente para a rua, perderem-se no meio da multidão e não regressarem mais à casa dos pais.

 Os padres e bispos ingleses, soberbos e ricos, vivem de rendas avultadas e engordam com a consciência perfeitamente tranquila. São muito vaidosos, muito cultos, e acreditam com toda a seriedade e importância na sua dignidade estupidamente moral, no seu direito de pregarem tranquilamente ao próximo, engordar e viver para os ricos. A sua religião é declaradamente uma religião para ricos. Pelo menos... racionalmente e sem enganar ninguém. Para esses professores, convencidos até à soberbia, a religião é uma diversão, à sua maneira: o missionarismo. Revolvem toda a terra, vão ao coração da África para converter um selvagem e deixam no maior esquecimento milhões de selvagens em Londres, porque não têm para lhes pagar. Mas os ingleses ricos e, de maneira geral, todos os bezerros de ouro do país, são extraordinariamente religiosos, sombria, severamente religiosos e à sua maneira. Desde tempo imemorial que os poetas ingleses gostam de celebrar a beleza das residências dos pastores na província, sombreadas por azinheiros e olmos seculares, as suas virtuosas consortes e as suas filhas, de beleza ideal, louras, de olhos azuis.

 Mas quando a noite foge e o dia surge, esse mesmo espírito orgulhoso, insociável, torna a apoderar-se da gigantesca cidade. Não se preocupa com o que possa ter acontecido durante a noite, não se inquieta com o que se desenrola agora à luz do sol. Baal domina e nem sequer reclama respeito, porque sabe que conta com

---

17 Acreditas nisto?

ele. A sua fé em si próprio é infinita; dá as esmolas de praxe, com ar depreciativo e tranquilo, apenas para se libertar disso, e depois já não é possível perturbar mais o seu aprumo. Baal não fecha os olhos, como fazem, em Paris, perante alguns violentos, suspeitosos e alarmantes fenômenos da vida. A pobreza, a dor, os murmúrios e as queixas da massa de maneira nenhuma o intimidam. Permite com desprezo a todos esses suspeitos e malignos fenômenos da vida que convivam com ele, ao seu lado, à luz do dia. Não se esforça covardemente, como o parisiense, para convencer-se, cobrar ânimo e acreditar que tudo está caminhando bem. Não se dá ao trabalho de esconder os pobres em qualquer lugar, como fazem em Paris, para que não perturbem nem inquietem inutilmente os seus sonhos. O parisiense, à semelhança do avestruz, gosta de esconder a cabeça na areia para não ver os caçadores que correm sobre ele. Em Paris... Mas que digo eu! Se eu não estou em Paris! Meu Deus, quando será que eu me torno uma pessoa ordenada!

Capítulo VI / ensaio sobre o burguês

Há um motivo para que tudo aqui se encolha, se aperte e comprima: "Eu não existo, não existo, não existo no mundo... Eu me escondo; passem ao largo, por favor, e não reparem em mim; façam como se não me vissem; passem, passem ao largo!".

– Mas quem é que se encolhe? Quem é que se retrai?

– Ora, o burguês.

– Mas se ele é o rei, se é tudo: o *tiers état, c'est tout*[18] e o senhor diz... que se encolhe!

– Sim, senhor; e por que se esconderá dessa maneira, debaixo do imperador Napoleão? Por que esquecerá o estilo altissonante das câmaras dos deputados, que dantes era tão do seu gosto? Por que não quer recordar-se de nada e faz espaventos quando alguém lhe recorda o passado? Por que deixa transluzir nas suas palavras e nos seus olhos esse medo, quando alguém se atreve a exprimir algum desejo na sua presença? Por que será que, quando ele próprio, imprudentemente, toma coragem e formula algum desejo, imediatamente se assusta e começa a desdizer-se? "Senhor! Mas será possível que eu tenha dito isso?" e ainda muito tempo depois se esforça por compensar esse arrebatamento com a sua submissão e docilidade. Porque olha como se dissesse: "Hoje vendi um bocado na loja e, se Deus quiser, também venderei amanhã e depois de amanhã, e se a misericórdia de Deus permitir... E assim, vamos ver se consigo juntar umas migalhinhas e... *après moi, le déluge?*".[19] Por que recolherá todos os pobres num lugar especial e afirma depois que eles não existem? Por que se contentará com a literatura administrativa? Por que terá empenho em convencer-se de que os seus jornais não se vendem? Por que concordará em gastar tanto dinheiro para manter espias? Por que não se atreverá a abrir a boca a respeito da expedição ao México? Por que será que as mulheres casadas se apresentam com um aspecto tão nobre e endinheirado e as amantes tão decaídas, sem posição nem amparo, empregadas ou artistas, numa autêntica lástima? Por que terá o burguês

---

18 O terceiro estado é tudo.
19 Depois de mim, o dilúvio.

essa ideia de que as esposas são todas forçosamente fiéis, que o *foyer* é uma bênção, que o *pot-au-feu* arde num fogo virtuoso e que o seu penteado é o melhor que pode imaginar-se? Isso do penteado está decididamente resolvido, é coisa assente e, ainda que a todo momento passem pelas avenidas fiacres com as cortinas corridas, ainda que haja refúgios para todo o gênero de necessidades, e ainda que os toucados das esposas costumem ser com muita frequência mais caros do que possa pensar-se, a avaliar pelos rendimentos do marido, é coisa decidida, escrita e selada, da qual nem é preciso mais falar. Mas por que será coisa decidida e bem assente? Pois é por isto: porque se não fizessem assim pensariam que não tinham encontrado o ideal; que Paris ainda não era o paraíso na terra; que ainda podia desejar-se outra coisa e por conseguinte o burguês não estaria satisfeito com essa ordem que defende e quer impor a todo o mundo; que na sociedade há defeitos que convém remediar. Eis aqui o motivo por que o burguês põe tinta nos sapatos rotos, para que isso não se note, enquanto as esposas saboreiam bombons, vestem de uma maneira que as damas russas de Petersburgo as invejam até ao histerismo, mostram as pernas e arregaçam graciosamente as saias nas avenidas. Que mais é preciso para se ser feliz? E é esta a razão por que títulos de romance como, por exemplo, *A mulher, o marido e o amante* não são possíveis nas atuais circunstâncias, porque não há nem pode haver amantes. E embora os haja em Paris em tanta abundância como as areias do mar (e pode ser que ainda haja mais), não os há nem pode haver, porque assim está decidido e convencionado e por todos os lados a virtude resplandece. E assim tem de ser para que a virtude resplandeça por todo o lado. Se observarem o grande edifício do Palais Royal à noite, até às onze, com certeza sentirão desejos de chorar ternamente. Inumeráveis maridos passeiam de braço dado com as suas inumeráveis esposas, enquanto à volta deles correm as filhas, lindíssimas, impecáveis; a fonte murmura e o sussurro monótono do repuxo recorda-nos qualquer coisa de tranquilo, plácido, constante, sempiterno, heidelberguiano. E diz que não é essa a única fonte que em Paris murmura dessa maneira: há muitas fontes, sempre as mesmas, de maneira que o coração alegra-se.

    Paris sente uma ânsia insaciável de virtude. Mas o francês, sério, formalista, costuma ser muito terno de coração, de maneira que não consigo explicar a mim próprio por que tem esse medo, apesar de toda a *gloire militaire* que iluminou a França e que Jacques Bonhomme pagou tão cara. O parisiense sente paixão pelo comércio, mas embora comercie e esfole uma pessoa como a um cabrito, na sua loja, não o esfola, como dantes, para seu próprio lucro, mas por virtude, por alguma necessidade sacratíssima. Acumular um capital e possuir o mais possível constitui o principal código de moral, o catecismo do parisiense. Isso já era assim dantes; mas agora adquiriu, por assim dizer, um aspecto sacratíssimo. Dantes, por pouco que fosse, dava-se algum apreço a outras coisas sem ser o dinheiro, de maneira que um homem pobre, mas dotado de boas qualidades, podia contar com certo respeito; ao passo que agora não. Agora precisa de juntar algum dinheiro e possuir muitas coisas para que o tenham em algum apreço. O parisiense acha que não vale nada quando se sente com os bolsos vazios, e isso de maneira consciente, com toda a convicção. Consentem-se coisas espantosas a uma pessoa, contanto que tenha dinheiro. O pobre Sócrates é apenas um tolo e pernicioso feitor de frases, e apenas é respeitado no teatro, porque o burguês morre por prestar tributo à virtude no teatro. Homem estranho, o tal burguês; proclama em alta voz que o dinheiro é a virtude suprema e um dever do homem, e no entanto desvela-se por afetar o maior decoro. Todos os franceses têm uma aparência assombrosamente nobre. O francês pior, aquele que fosse capaz de vender o pai por uns cobres, dando-lhe ainda alguma sova no próprio momento de vendê-lo, afetaria um aspecto tão imponente, que até ficaríamos na dúvida. Entrem nas lojas para comprar qualquer coisa, e o mais ínfimo dos caixeiros vai aborrecê-los com a sua inexplicável gravidade. São os mesmos caixeiros que servem de modelos para o nosso teatro Mikháilovski. Fica-se esmagado, sentimo-nos simplesmente em culpa para com eles. Entramos ali para gastar dez francos, por exemplo, e no entanto recebem-nos como a Lord Devonshire. Depois sentimos remorsos; desejaríamos apressar-nos a desenganá-los, dizendo-lhes que não se trata de Lord Devonshire, mas de um simples viajante, e que entramos ali com a intenção de gastar apenas dez francos. Mas o tal rapaz, com o ar mais feliz do mundo e a mais inexplicável nobreza, perante a qual sentimos a tentação de reconhecer que somos uns velhacos (tal é a nobreza do seu aspecto!), começa a mostrar-nos artigos no valor de dez mil francos. Num abrir e fechar de olhos revolve toda a loja para nos servir e, o que, pensam que se dá a esse trabalho todo para agradar-lhes; ele, Grandison, Alcibíades, Montmorency, e além disso, para agradar a quem? Aos senhores, que tiveram a audácia, com o seu aspecto medíocre, com todos os seus vícios e defeitos, e com os seus repugnantes dez francos, de ir incomodar esse marquês... e, enquanto pensam isto, involuntariamente, num instante, ali mesmo, junto do balcão, começam os senhores a desprezar-se a si mesmos. Arrependam-se e amaldiçoem o destino por não terem na carteira senão cem francos; e acabem por passá-los à mão dele, pedindo-lhe perdão com o olhar. Mas ele entrega generosamente o artigo no valor de cem francos, perdoa-lhes o transtorno que lhe causaram e apressa-se a deixá-los. Quando chegam a casa, ficam terrivelmente assombrados ao ver que, querendo gastar só dez francos, gastaram cem. Quantas vezes, ao passar pelas avenidas e pela Rua Viviene, onde há tantas lojas de artigos de fantasia, disse para comigo: "Meta aí umas senhoras russas e..."; mas a respeito disso sabem muitas coisas os caixeiros e *stárosti* dos distritos de Orlóvskaia, Tambóvskaia e outros. Os russos gostam muito de dar a entender nas lojas que têm grande abundância de dinheiro. Em compensação, há no mundo gente tão descarada, como, por exemplo, as inglesas, que não só não se preocupam com o fato de fazerem com que algum Adônis ou Guilherme Tell encha para elas o balcão e revolva toda a loja, como até se põem, oh, espanto!, a regatear de maneira horrível para conseguirem dez francos de abatimento. Mas Guilherme Tell, de tolo não tem nada, sabe vingar-se e, por um xale que valha mil e quinhentos, arrancará com manha vinte mil ou mais a *Milady*, de maneira que fique absolutamente satisfeita. Mas, apesar de tudo isso, o burguês é ávido de dignidade. No teatro, é apresentar-lhe sempre personagens desinteressadas. Gustave deve brilhar só pela dignidade, e então o burguês o chorará de enternecimento. E isso de ter cobrado dois mil francos por uma coisa que vale mil e quinhentos é até uma obrigação; fez isso por virtude. Roubar é coisa feia, baixa... leva à prisão; o burguês está disposto a perdoar muitas coisas, mas não perdoa o roubo, ainda que um homem ou os seus filhos estejam morrendo de fome. Mas se esse homem roubar por virtude, então tudo se lhe perdoa; naturalmente quer *faire fortune* e acumular; pois muito bem, cumpre um dever da Natureza e da sociedade. E é por isto que, no

Código, estão muito bem especificadas as diferenças entre o roubo com máu fim, isto é, por um pedaço de pão, e o roubo por uma virtude elevada. Este último está garantido em alto grau, estimulado e organizado com desusada precisão.

E finalmente – insisto – por que será que o burguês parece ter medo e não se sente à-vontade? Quem o examina? Os feitores de frases? Mas se pode mandá-los para o diabo com um simples pontapé? Os argumentos da pura razão? Mas se a razão é inconsistente perante a realidade e, além disso, os próprios intelectuais, os próprios cultos deram agora em demonstrar que não existe esse argumento da razão pura, nem sequer essa tal razão pura, neste mundo; que a lógica abstração não é adequada para a humanidade; que existe a razão de Ivanov, a de Pietrov e a de Gustavov mas não a razão pura; que tudo isso são patranhas do século XVIII, sem fundamento. Quem teme ele? Os operários? Mas se, no fundo, os operários também são proprietários; se todo o seu ideal se resume em acumular o mais possível; se são assim por natureza. A natureza não atua debalde. Tudo isso se vem elaborando ao longo dos séculos. As nacionalidades não mudam facilmente, não se desprendem facilmente dos hábitos seculares, que se tornaram sangue do seu sangue e carne da sua carne. Os camponeses? Mas se o camponês francês é arquiproprietário, um dos proprietários mais estúpidos, isto é, o melhor e mais refinado ideal de proprietário que pode imaginar-se. Os comunistas? Os socialistas, enfim? Mas se o burguês os despreza profundamente! Ainda que, embora os despreze, parece também que os teme! Sim, a esses, teme-os. Mas por que os teme? Não disse o abade Sieyès no seu famoso panfleto que o burguês... é tudo? Que é o *tiers état*? Nada. Que deve ser? Tudo. Pois bem: tudo sucedeu conforme ele disse. De todas as palavras que por esse tempo se disseram, são apenas essas que permanecem válidas; são só elas que sobrevivem.

Mas o burguês, parece que não chega a acreditar nisso, apesar de que tudo quanto se disse depois dessas palavras de Sieyès, se desvaneceu como espuma. De fato, proclamaram a uma só voz: *liberté, égalité, fraternité*. Muito bem. Mas que é a *liberté*? A liberdade. Mas que liberdade? A liberdade única de fazer tudo quanto nos apraz dentro dos limites da lei. Quando é que se pode fazer o que nos apetece? Quando se tem milhões. A liberdade dá-nos um milhão a cada um? Não. E que é um homem que não tem um milhão? O homem que não tem um milhão não é aquele que faz tudo o que lhe agrada, mas sim aquele com o qual se faz tudo o que se quiser. E que mais? Que, além da liberdade, há também a igualdade, e precisamente a igualdade perante a lei. Mas desta igualdade perante a lei só pode dizer-se que, na forma em que hoje se pratica, todo francês pode e tem a obrigação de considerá-la como uma ofensa pessoal que lhe fazem. Que resta, pois, da fórmula famosa? A fraternidade. É este o ponto mais importante e é forçoso reconhecer que constitui, até agora, no Ocidente, o maior obstáculo. O homem do Ocidente fala da fraternidade como o grande móbil que impele a humanidade, e não compreende que não há lugar onde se vá buscar a fraternidade quando ela não existe, na realidade. Que fazer? É preciso forjar a fraternidade, seja como for. Mas verifica-se que é impossível fabricar a fraternidade, pois esta faz-se por si, sozinha, dá-se, encontra-se na Natureza. Mas não se encontra na natureza do francês e, de maneira geral, do homem do Ocidente, e apenas vemos aí o princípio pessoal, privativo, da própria conservação, do próprio conceito e da própria definição do pronome "eu", opondo-se este "eu" a toda a natureza e a todos os outros seres, como um princípio perfeitamente uniforme perante tudo quanto não é ele. Ora muito bem: de semelhante comparação não pode derivar-se a fraternidade. Por quê? Porque dentro da fraternidade, da verdadeira fraternidade, não é a personalidade isolada, não é o "eu" que é chamado a falar do seu direito em relação a todos os demais, mas sim que todos os demais deveriam corresponder voluntariamente a essa exigência do direito pessoal; deveriam reconhecer espontaneamente e sem que ele o pedisse, a esse "eu" isolado, deveriam reconhecê-lo como seu igual, isto é, igual a todos os outros que existem no mundo. Além disso, essa mesma personalidade rebelde e exigente deveria começar por sacrificar todo o seu "eu" à sociedade, e não só não reclamar o seu direito, como, pelo contrário, cedê-lo à sociedade sem condições. Mas a personalidade ocidental não está acostumada a estas coisas; exige em uníssono, reclama o seu direito, quer participar... e a fraternidade não aparece. É claro que pode transformar-se. Mas essa transformação requer milênios para consumar-se, porque essas ideias devem começar por meter-se na massa do sangue, para se converterem finalmente numa realidade. "De maneira que – vão me dizer – é preciso ser impessoal para ser feliz! Mas será por acaso na despersonalização que está a salvação?" Pelo contrário, pelo contrário – respondo – e não só não é preciso deixar de ter personalidade, como é preciso tê-la, e em muito mais alto grau do que hoje pode imaginar o Ocidente. Vejam se me compreendem: a espontânea, consciente e não imposta negação de toda a personalidade em proveito de todos é, a meu ver, o sinal do mais alto desenvolvimento da personalidade, do seu supremo poder, do seu mais perfeito domínio de si próprio, da mais completa liberdade, do seu livre arbítrio. Arriscar voluntariamente a vida pelos outros, crucificar-se, beber a cicuta por todos, só pode fazê-lo quem tem a personalidade bem desenvolvida. Uma personalidade muito desenvolvida, plenamente convencida do seu direito a ser tal personalidade, que não teme já por si própria, não pode fazer outra coisa, isto é, não pode dedicar-se a outra coisa senão a sacrificar-se integralmente pelos outros, para que os outros sejam também personalidades autônomas e felizes. É esta a lei da natureza; é para isso que tende o homem normal. E aqui tropeçamos com um insignificante pauzinho, mas que, como se se atravessasse nos trilhos, acabará por fazer descarrilar a máquina. E não fica bem, nestes casos, ter a intenção de lucro particular. Por exemplo: suponhamos que me sacrifico plenamente por todos; ora bem: é preciso que me sacrifique plena, definitivamente, sem intenção de lucro, e sem pensar que vou sacrificar tudo pela sociedade, que, por sua vez, me dará tudo a mim. É necessário sacrificarmo-nos por completo e até com o desejo de que não nos deem nada em troca, ou nos recompensem de forma alguma. Como fazer isso? Porque isso é o mesmo que não recordar o urso branco. Experimentai impor-vos a vós próprios esta tarefa, não vos lembrardes do urso branco, e vereis depois como o malvado vos acode ao pensamento, a cada instante. Que fazer? Fazer nunca é impossível; mas é preciso procurar que a coisa se faça ela própria, que esteja na natureza, que inconscientemente se infunda na natureza de toda a raça, numa palavra, que seja um princípio fraternal, amoroso, e de... é preciso amar. É preciso caminharmos espontânea, instintivamente para a fraternidade, para a comunidade, para o acordo, ir para ela apesar de todas as dores seculares da nação, apesar de toda a rudeza e ignorância arraigadas na nação, a despeito da servidão secular e das invasões de outros povos; enfim, que a necessidade de uma comunidade fraterna nasça da natureza do homem, que este venha ao mundo já com ela, ou assimile esse hábito no decurso dos séculos. Em que consistiria essa fraternidade se a exprimíssemos numa linguagem racional, consciente? Em que cada personalidade, de per si, sem a menor coação, sem o menor proveito para si própria, dissesse à sociedade:

> Só seremos fortes todos unidos; tomai-me a mim todo, se precisardes de mim; não vos preocupeis comigo, não penseis em mim ao promulgar as vossas leis, que eu vos cedo com todos os meus direitos, e podeis dispor de mim à vossa vontade. Esta é a minha suprema felicidade... sacrificar tudo por vós, para que não padeçais nada de mau. Anulo-me, afundo-me sem a menor discordância, só com o fim de que brilhe a vossa fraternidade...

Mas a fraternidade deveria responder-lhe em troca:

> Tu dás-nos demasiado. Não temos direito a recusá-lo, já que tu mesmo dizes que nisso resumes toda a tua felicidade. Mas que havemos de fazer, se estamos sempre pendentes da tua felicidade? Toma tu também tudo o que nos pertence. Procuraremos constantemente, com todas as nossas forças, que tenhas toda a liberdade pessoal possível, a maior autonomia. De agora em diante não temas nenhum inimigo, nem os homens, nem a natureza. Todos nós olhamos por ti, já que és nosso irmão, e nós somos teus, e nós somos fortes; por isso fica tranquilo e tem coragem, não tenhas medo de nada e confia em nós.

Depois disso, naturalmente, já não haverá nada de repartir, pois tudo se reparte por si. Amai-vos uns aos outros e tudo isso virá por si.

Mas de fato, que desgraça, senhores, que isto seja uma utopia! Tudo assenta no sentimento, na natureza, e não na razão. E isto equivale a anular o intelecto. Que lhes parece? É ou não é uma utopia?

Mas, voltando àquilo em que falava atrás: que vai fazer o socialista se o homem do Ocidente não professa o princípio da fraternidade, e, pelo contrário, o princípio individual, pessoal, incessantemente se especializa e reclama os seus direitos de punhal na mão? O socialista, quando vê que não há fraternidade, põe-se a pregá-la. Quer extrair, fazer a fraternidade da falta de fraternidade. Para fazer um guisado de lebre. Mas aqui falta a lebre, isto é, falta a natureza, a aptidão para a fraternidade, a natureza crente na fraternidade, que espontaneamente tende para ela. O socialista, desesperado, põe-se a definir a fraternidade futura, pesa e mede tudo, seduz com as vantagens, fala, doutrina, deita a conta aos proveitos que a fraternidade traria a cada um, quanto viria cada um a ganhar naquilo que ambiciona, e determina de antemão a quantia dos bens terrenos; quanto merece cada qual e em que medida deve cada um sacrificar a sua personalidade pelo bem comum. Mas que fraternidade é essa em que se especifica por adiantado quanto merece cada qual e quanto é preciso dar-lhe? Além disso, proclamou-se esta fórmula: "Todos por um e um por todos". É claro que, coisa melhor do que esta não se pode imaginar, tanto mais que foi tirada de um livro que todos conhecem. Mas aconteceu que se meteram a pôr a fórmula em prática e, passados seis meses, os irmãos levavam aos tribunais Gabet, o fundador da irmandade. Os fourieristas, segundo dizem, receberam os últimos novecentos mil francos do seu capital e no entanto andavam à procura da maneira de constituir a sua fraternidade. Mas não tiveram êxito. Não há dúvida de que é um grande sonho esse de viver, já não fraternalmente, mas simplesmente sobre uma base razoável, isto é, bem, num regime em que todos velam por cada um e só se lhe exija trabalho e conformidade. Mas aqui surge outra vez o enigma; segundo parece, garantem tudo ao homem, prometem dar-lhe de comer e de beber, e proporcionar-lhe trabalho, e em troca de tudo isso exigem-lhe apenas que ceda um pouquinho da sua liberdade pessoal a favor do bem comum, nada mais que um pouquinho. Pois bem; o homem não quer viver nessas condições, custa-lhe ceder essa partícula da sua liberdade. Afigura-se-lhe que isso é um presídio e que está melhor só porque... desfruta de liberdade plena. E como o ferem na sua liberdade, não lhe dão trabalho, deixam-no morrer de fome e não tem liberdade alguma, parece estranho, apesar de tudo, que prefira a sua liberdade. Naturalmente o socialista cospe para o lado e diz-lhe que é um imbecil, um atrasado, que não adivinha nem compreende o que lhe convém, que uma inútil formiga, uma insignificante formiga é mais inteligente, pois que no formigueiro se está bem, tudo se acha organizado, todos comem até se fartar, todos são felizes, cada qual cumpre a sua missão, enfim, que o homem ainda está muito longe do formigueiro.

Por outras palavras: supondo ainda que o socialismo seja possível, vai ser em algum outro país, não na França.

Mais eis que, no cúmulo do desespero, o socialista grita finalmente: "liberdade, igualdade, fraternidade, ou a morte". Bem; agora, a isso, não há nada que dizer e o burguês canta definitivamente vitória.

Mas se o burguês canta vitória, também, provavelmente, não fica em muito boa situação a fórmula de Sieyès, literalmente e com toda a exatidão. Pois a que propósito vem esse desconcerto, retraimento e receio do burguês? Todos se lhe rendem, perante ele todos parecem sem valor. Dantes, no tempo de Luís Filipe, por exemplo, o burguês não andava tão perplexo e tão temeroso, e também, imperava, então. Mas é que então ainda lutava, pressentia que tinha inimigos, e da última vez lutou com eles nas barricadas de junho. Mas o combate terminou e o burguês viu de repente que era único na terra, que não havia ninguém melhor do que ele, que era o ideal, e que o que agora lhe competia era não se pôr, como antes, a afirmar a todos que era o ideal, e desprezar, simplesmente, a todos com toda a fleuma e altivez, em nome da beleza suprema e de todas as possíveis perfeições humanas. A situação, na verdade, era confusa. Ergueu Napoleão III. Este chegara-lhe como um presente do céu, como a única saída para o aperto em que se encontrava; como a única possibilidade do momento. Desde então o burguês triunfa, paga horrívelmente o seu triunfo e anda sempre temeroso, precisamente porque já alcançou tudo. Quando uma pessoa conseguiu tudo, será muito duro ter de perdê-lo. Donde se conclui, meus amigos, que quem mais teme são os que gozam mais. Não se riam, por favor. Pois que é agora o burguês?

Capítulo VII / Continuação do anterior

E por que há tantos lacaios entre os burgueses, e ainda por cima, de aspecto decente? Peço-lhes que não me deitem culpas, que não se ponham a dizer que eu exagero, que calunio, que é a inveja que fala por minha boca. A quem? Por quê? Disse simplesmente que há muitos lacaios, e assim é. A subserviência cada dia se enraíza mais na natureza do burguês e cada dia vai sendo mais considerada como uma virtude. Assim é e deve ser, se atendermos ao presente estado de coisas. É uma consequência natural. E, sobretudo, sobretudo, a natureza ajuda. Não digo, por exemplo, que o burguês sofra muito de hábitos inatos de delator. A minha opinião sobre este assunto é que o extraordinário desenvolvimento da espionagem na França, e não da simples espionagem, mas de uma espionagem magistral, de uma espionagem de vocação que é quase uma arte e tem os seus processos definidos, deriva aí da subserviência inata. Como não seria Gustave idealmente nobre, se ao menos não tivesse outras coisas, se não oferecesse por dez mil francos a carta da sua amada e não entregasse esta aos marido? Pode ser que eu exagere; mas pode ser também que fale baseando-me em alguns fatos. O francês desvela-se por fazer a corte a toda personagem importante e servir-lhe de lacaio, até sem ganhar nada, sem esperar a menor recompensa, por dever. Lembrai-vos de todos esses caçadores de cargos, nos diferentes governos que nestes últimos tempos se sucederam na França. Lembrai-vos das referências e genuflexões que fingiam e das coisas que declaravam. Lembrai-vos de um dos versos de Barbier a este respeito. Uma vez, num café, peguei num diário de 3 de julho. Olhei-o: carta de Vichy. Em Vichy passava então uma temporada o imperador, com a corte, é claro, e havia cavalgadas, passeios. O correspondente descrevia tudo. Começava assim: "Temos excelentes cavaleiros. Naturalmente já adivinharam qual é o melhor de todos. Sua Majestade passeia a cavalo todos os dias, escoltado pelo seu séquito", etc.

Compreende-se que se entusiasmassem com as brilhantes qualidades do seu imperador. Pode admirar-se a sua inteligência, a sua ponderação, as suas perfeições, etc.: a um homem que se entusiasma dessa maneira não se lhe pode dizer na cara que finge. "Esta é a minha convicção, pronto", vai lhes responder tal qual como lhes respondem alguns dos nossos jornalistas contemporâneos. Vejam se compreendem: está garantido, sabe o que há de responder-lhes para fechar-lhes a boca. A liberdade de consciência e de pensamento é a primeira e principal liberdade do mundo. Mas aqui, neste caso, que posso responder-lhes? Por que motivo nele já não têm em conta as leis da realidade e prescinde de toda a verossimilhança e o faz deliberadamente? Porque ninguém acredita. Com certeza que nem o próprio cavaleiro lê isso e, se o lê, é que esse francês que escreve a *Correspondance*, o tal jornal os seus redatores, são tão estúpidos que não compreendem que o soberano não precisa para nada da fama de primeiro cavaleiro da França, pois já é velho e não aspira a essa glória, e com certeza que não há de acreditar, por muito que lhe jurem, que é o primeiro cavaleiro da França, pois dizem que é um homem muito inteligente. Não; trata-se de outra coisa; seria inverossímil, ridículo; pode ser que o mesmo soberano lesse isso enfastiado e com um riso depreciativo; mas, em troca, verá a submissão cega, verá a genuflexão rendida, servil, estúpida, insincera, mas em suma, genuflexão; e isso é o principal. Agora avaliem: se isto não estivesse no espírito da nação, se uma lisonja tão vil não se considerasse perfeitamente lícita, corrente, perfeitamente dentro da ordem das coisas e até decente... seria possível publicar num jornal parisiense semelhante correspondência? Onde poderei encontrar essas lisonjas impressas senão na França? Falo precisamente da alma da nação; digo que não é apenas só o jornal, mas todos nessa nação são talhados pelo mesmo padrão, tirando dois ou três, não completamente independentes.

Estava eu uma vez sentado a uma *table d'hôte*...[20] Não na França, mas na Itália, e havia aí muitos franceses. Falavam de Garibaldi. Nessa altura todos falavam de Garibaldi. Era umas duas semanas antes de Aspromonte. Como é natural, exprimiam-se em termos ambíguos; alguns permaneciam calados e não queriam exprimir a sua opinião; outros moviam a cabeça. A ideia geral da conversa era a de que Garibaldi se metera numa empresa arriscada, até insensata, embora, naturalmente, formulassem essa opinião com reservas, porque Garibaldi... era um homem tão superior a todos os outros que podia tornar razoável aquilo que para uma mente vulgar era ousado. Pouco a pouco a conversa recaiu sobre a pura personalidade de Garibaldi. Puseram-se a enumerar as suas boas qualidades; os comentários eram muito benévolos para o herói italiano.

– Não, eu, a única coisa que admiro nele – disse de repente um francês de aspecto simpático e sério, de uns trinta anos e ostentando no rosto essa marca de extraordinária gravidade, peculiar a todos os franceses e que toca quase as raias da impertinência – há uma coisa que eu mais admiro nele!

Como era natural, todos se voltaram para ele, por curiosidade. A nova condição descoberta em Garibaldi tinha de ser interessante para todos.

– No ano sessenta, durante algum tempo exerceu em Nápoles um poder ilimitado e sem oposição. Tinha nas suas mãos a soma de vinte milhões, de dinheiro do Estado. Não tinha de dar contas dessa quantia a ninguém. Podia tê-la guardado em parte ou toda, e ninguém lhe diria nada! Pois não fez isso e entregou-a ao Governo, prestando contas até à última moeda. É quase inacreditável.

Até os olhos lhe deitavam fogo quando falou nos vinte milhões de francos.

Sem dúvida que de Garibaldi se pode contar tudo o que se quiser. Mas pôr o nome de Garibaldi em comparação com o dos depredadores da caixa oficial, é coisa que só pode ocorrer a um francês.

E com que ingenuidade, com que boa intenção contou a anedota. É claro que às boas intenções tudo se perdoa, até a perda da faculdade de compreender e a noção da verdadeira honra; mas ao olhar a cara que o francês fazia, sorrindo, ao falar nos vinte milhões, não pude deixar de pensar inopinadamente:

"Vamos lá, meu amigo, que se tu te tivesses visto no lugar de Garibaldi..."

Tornarão a dizer-me que isso não é verdade, que tudo isso são casos particulares, que também se dão entre nós, e que não devo por isso condenar todos os franceses. De fato assim é e não me refiro a todos. Em toda parte há uma nobreza inexplicável e pode ser que entre nós ainda mais do que em parte alguma. Mas, à virtude, à virtude, como é que se chega? Sabem uma coisa? Pode-se inclusive ser um velhaco e não perder a noção da honra; enquanto são muitas as pessoas honradas que perderam o conceito da honra e por isso se arrastam, julgando praticar uma virtude. O primeiro é, naturalmente, mais depravado; o segundo, mais desprezível. Semelhante catequese de virtudes constitui um sintoma espiritual na vida duma nação. Mas enfim, pelo que respeita aos casos particulares, não quero zangar-me com os senhores. Porque uma nação se compõe também de casos particulares, não é verdade?

Vejam o que eu penso: pode ser que eu me engane também disso de que o burguês está apequenado e continua a ter medo de não sei quê. De fato está ape-

---

20   Mesa redonda, num hotel, numa casa onde se foi convidado.

quenado; está e teme; mas, no fim de contas, é feliz. Embora se engane a si próprio, embora assegure a si próprio, a cada momento, que tudo caminha às mil maravilhas, nada disso é obstáculo para que afete uma expressão de confiada presunção. Mais ainda: até por dentro está, às vezes, enfatuado. Como é que tudo isto pode passar-se nele ao mesmo tempo... é, de fato, um enigma; mas é assim. De maneira geral o burguês não é nada tolo, mas é de vistas curtas, e a sua inteligência parece discorrer por saltos. Tem um fornecimento enorme de ideias feitas, como de lenha para o inverno, para, com toda a seriedade, poder jogar com elas durante uns mil anos. Embora, por outro lado, que estou eu aqui falando de mil anos: raras vezes o burguês fala de mil anos, a não ser quando se torna eloquente: *Après moi, le déluge*, é uma expressão muito mais usada e oportuna. E que indiferença por tudo, que leviandade, que interesses tão insignificantes! Assisti em Paris a uma reunião da boa sociedade, numa casa onde, nesses tempos; ia muita gente. Todos pareciam temer qualquer coisa e falavam de algo importante num tom frívolo de interesses gerais. A meu ver não podia haver nisso medo da espionagem, mas, simplesmente, todos se puseram a falar a sério. Além disso havia aí pessoas a quem interessava muito a opinião que eu formasse de Paris e o verificarem até que ponto eu estava assombrado, perturbado, esmagado. O francês pensa que pode perturbar e esmagar moralmente. O que é também um indício engraçado. Lembro-me especialmente de um velhinho muito simpático, muito amável, muito bondoso, que perguntou a minha opinião sobre Paris e que ficou muito aborrecido ao ver que eu não dava mostras de um entusiasmo especial. Até dor se refletiu no seu rosto bondoso: dor, precisamente dor. Oh! Simpático *Monsieur* Le M... re! Ao francês, isto é, ao parisiense (porque na realidade todo francês é parisiense), não há quem o convença de que não é o primeiro homem do globo. Aliás, de todo o globo, tirando Paris, pouco sabe. E também não lhe interessa muito. Isso é uma qualidade nacional e característica. Mas a qualidade mais característica do francês... é a eloquência. A sua paixão pela oratória é insaciável e aumenta com os anos. Gostaria de saber quando é que começou a manifestar-se na França essa paixão pela oratória. É claro que começou principalmente desde Luís XIV. É interessante que na França tudo data realmente de Luís XIV. Mas mais interessante ainda é que também na Europa tudo data de Luís XIV. E donde é que o tirou esse rei... não compreendo! Porque não era especialmente superior a todos os monarcas que o precederam., Talvez fosse por ter sido o primeiro que disse: *L'État... c'est moi*.[21] Esta frase agradou muito, encantou toda a Europa. Penso que só se tornou notável por essa frase. Também aqui se deu rapidamente a conhecer. O soberano mais nacional, no seu tempo, era Luís XIV, plenamente impregnado do espírito francês, de maneira que não consigo explicar como aconteceram na França aquelas coisinhas, refiro-me ao fim do século. Fizeram maroteiras e voltaram ao espírito antigo; mas a eloquência, a eloquência... oh! essa é que é o empecilho do parisiense. Está pronto a esquecer tudo o que lá vai, tudo, tudo; pronto a entabular os mais discretos diálogos e a ser um rapaz dócil e correto; mas a oratória... Isso foi a única coisa que até agora não pôde esquecer. Anseia e suspira pela eloquência; recorda Thiers, Grizot e Odilon Barrot. "Como florescia então a eloquência!", diz, evocando, e fica pensativo. Napoleão III assim o entendeu e decidiu imediatamente que Jacques Bonhomme não devia tornar-se meditabundo e,

---

21 O Estado... sou eu. Famosa frase atribuída a Luís XIV.

pouco a pouco, foi introduzindo a eloquência. Para esse fim há, no Corpo Legislativo, seis deputados liberais inamovíveis, sempre os mesmos, verdadeiros deputados, isto é, desses que ninguém poderia subornar, ainda que o tentasse, é que não passam de seis; seis havia, seis, e seis permanecerão. Não haverá mais, estejam sossegados, nem menos também. E, à primeira vista, é uma medida habilidosa. Mas a coisa é muito mais simples, na realidade, e opera-se com a ajuda do *suffrage universel*. É claro que se tomaram todas as medidas necessárias para que não se excedam muito no uso da palavra. Mas é permitido divagar. Todos os dias, no seu devido tempo, se levantam questões políticas importantíssimas e o parisiense sente uma agradável perturbação. Sabe que vai haver eloquência e fica alvoroçado. É claro que sabe muito bem que não haverá mais do que eloquência, palavras, palavras e palavras, das quais nada sairá, no fim de contas. Mas isso alegra-o muito; muitíssimo. E é o primeiro a achar tudo isso muito bem. Os discursos de alguns desses seis deputados gozam de grande popularidade. E o presidente está sempre disposto a pronunciar um discurso sozinho para advertir o público. Coisa estranha: também ele está convencido de que os seus discursos não darão o menor resultado, de que tudo aquilo é um puro gracejo e nada mais, um jogo inocente, uma mascarada e apesar de tudo isso, fala; há já vários anos seguidos que fala, e fala muito bem, até com grande satisfação. E cai a baba de gozo a todos os deputados que o escutam: "Que bem que fala esse tipo!", e o presidente, a França inteira, todos se babam. Mas eis que o presidente acabou de falar, e logo depois se levanta o preceptor desses rapazes tão bons, tão simpáticos. Declara somente que a obra sobre o tema proposto, "Nascimento do Sol", foi escrita pelo próprio presidente. "Admirávamos o talento do respeitável orador – disse – as suas ideias e a sua irrepreensível conduta, expressa nessas ideias; ficávamos todos deleitados, todos... Mas embora o respeitável membro da Câmara mereça em recompensa um álbum com esta dedicatória: 'Pelos seus bons costumes e os seus êxitos nas ciências', apesar disso meus senhores, o discurso do respeitável presidente, apesar das elevadas expressões que o valorizam, não levará a nada. Espero, meus senhores, que estejam completamente de acordo comigo." Ao chegar aqui volta-se para todos os representantes e o seu olhar severo começa a lançar chispas. Os deputados, os tais que se babavam, batem imediatamente palmas entusiásticas ao preceptor e, no entanto, logo a seguir, dão graças e, comovidos, apertam também as mãos do deputado liberal, pela satisfação que lhes proporcionou, e pedem-lhe que lhes não negue essa satisfação para a próxima vez, com a vênia do presidente. Este acede benevolamente; o autor do "Nascimento do Sol" sai dali muito ufano pelo seu êxito; os deputados dispersam-se, encaminhando-se para suas casas, e à noite, muito contentes, passeiam de braço dado com as respectivas esposas pelo Palais Royal, escutando o murmúrio do repuxo das fontes benéficas, enquanto o presidente, ao participar o ocorrido, a quem de direito, comunica a toda a França que tudo caminha às mil maravilhas.

Aliás, às vezes, quando se iniciam assuntos de grande importância, lançam mão de outro jogo. Convidam para uma das sessões o próprio príncipe Napoleão. Este começa a fazer oposição, com o espanto subsequente de toda aquela rapaziada. Silêncio solene, na sala. O príncipe Napoleão faz alardes de liberalismo, não está de acordo com o Governo; em seu entender é preciso fazer isto e mais aquilo. O príncipe condena o Governo; em resumo: diz o mesmo que poderiam dizer aqueles bons rapazes, se o seu preceptor se ausentasse por um momento da classe. É claro que o símil é pouco apropriado, porque todos esses rapazes são tão bem educados que não se mexeriam ainda que o professor os deixasse sós uma semana inteira. Pois quando o príncipe Napoleão acaba de falar, o preceptor levanta-se e, solenemente, declara que a obra "Nascimento do Sol" foi composta pelo orador, pelo seu próprio punho e com a sua letra. E nós admiramos o talento, as ideias eloquentes e a moral do queridíssimo príncipe. Nós estamos dispostos a dar-lhe um diploma de boa aplicação e adiantamento no estudo, mas... etc.... isto é, exatamente o que disse antes: escusado será dizer que toda a classe aplaude com um entusiasmo quase indigno, levam o príncipe a sua casa, os dignos alunos abandonam a aula como uns bons rapazinhos e, à noite, vão passear com as respectivas esposas no Palais Royal, escutando o murmúrio dos repuxos das fontes plácidas, etc., etc., enfim, observa-se uma ordem admirável.

Uma vez extraviamo-nos na *salle des pas perdus*,[22] e em vez de entrarmos na seção onde se julgam as causas criminais; fomos ter à dos assuntos civis. Um advogado de cabelo crespo, de toga e bigode, pronunciava o seu discurso, prodigalizando pérolas de eloquência. Presidente, juízes, advogados e público estavam possuídos do maior entusiasmo. Reinava no lugar um silêncio religioso; entramos na ponta dos pés. Tratava-se de uma herança; havia uns frades metidos na questão. Estes andavam agora sempre metidos em processos, sobretudo em processos de heranças. Apareciam à luz do dia os pormenores mais escandalosos e feios; mas o público calava-se e não provocava rebuliço, porque os frades gozam atualmente de um poder considerável e o burguês é muito moral. Os padres cada vez se aferram mais à opinião de que ser capitalista é melhor do que todos esses sonhos, etc., e que, açambarcando o dinheiro, se tem poder e já uma pessoa pode rir da eloquência. Só com a eloquência ninguém faz nada. Mas, a meu ver, enganam-se, em última análise. Não há dúvida que está muito certo isso de ser capitalista; mas com a eloquência pode conseguir-se muito de um francês. Os casais, sobretudo, estão hoje mais submetidos aos padres do que outrora. Há a esperança de que o burguês caia também nisto. Neste processo punha-se em evidência que os padres, com um cerco de muitos anos, um cerco astuto, sábio (pois fazem disso uma ciência), se foram apoderando do espírito duma senhora lindíssima e riquíssima, convenceram-na a que fosse viver com eles no convento, e aí assustaram-na até a porem doente de histerismo, devido ao efeito de diversos terrores que lhe incutiram, e tudo isto de maneira calculada, sabiamente graduada. Quando finalmente a reduziram ao estado de enferma, de idiota, comunicaram-lhe que conviver com as pessoas de família era um pecado aos olhos de Deus e, pouco a pouco, foram-na afastando delas por completo. "Nem sequer a sobrinha, essa alminha infantil, esse anjo de quinze anos, se atrevia a entrar na cela da sua tia idolatrada, que por sua vez a amava mais do que tudo no mundo, e que não podia, em virtude dessas aleivosas artimanhas, abraçá-la e beijar a sua fronte virginal, onde reside o anjo branco da inocência..." Enfim: dentro deste gênero tudo lhe corria muitíssimo bem. O próprio advogado que falava estava radiante com a satisfação de falar tão bem e o mesmo sucedia ao presidente e ao público. Os padres perderam o processo unicamente por causa dessa eloquência. Não há dúvida que não deviam ter ficado desanimados. Perdem um e ganham quinze.

---

22 Sala dos passos perdidos.

– Como se chama esse advogado? – perguntei a um estudante que se contava no número dos embevecidos ouvintes. Havia ali muitos estudantes, todos embevecidos. Olhou-me com assombro.

– Jules Favre! – respondeu-me por fim, com uma piedade tão cheia de desprezo, que acabei por ficar envergonhado. Foi assim que, casualmente, acabei por conhecer as flores da eloquência francesa e, por assim dizer, na sua mais pura fonte.

Mas, fontes dessas, existem em toda parte. O burguês está corrompido até à raiz dos cabelos pela eloquência. Uma vez fomos ao *Panthéon* ver os homens ilustres. Não era a hora marcada e cobraram-nos dois francos. Depois, o decrépito e respeitável funcionário inválido pegou nas chaves e levou-nos à cripta. Todavia, durante o caminho falou-nos como um homem, revelando apenas uma certa insegurança na dicção, devida à falta de dentes. Mas ao entrar na cripta, exaltou-se imediatamente, assim que nos mostrou o primeiro sepulcro.

– *Ci-gît Voltaire... Voltaire*[23], esse grande gênio da formosa França. Extirpou preconceitos, acabou com a ignorância, lutou com o anjo das trevas e ergueu bem alto o facho da ilustração. Nas suas tragédias chegou ao sublime, apesar de existir já na França um Corneille.

Era evidente que recitava uma coisa decorada. Alguém lhe teria escrito um dia a lição num papelinho e agora repetia-a toda a vida; o seu semblante de velho bondoso brilhava de satisfação ao declamar as suas frases retumbantes...

– *Ci-gît Jean Jacques Rousseau...* – prosseguiu, aproximando-se de outro sepulcro – *Jean Jacques, l'homme de la nature et de la vérité!*[24]

De repente senti vontade de rir. O estilo ribombante pode ridicularizar tudo. Era evidente que o pobre velho, ao falar de *nature* e de *vérité*, não compreendia de maneira nenhuma o que dizia.

– Coisa estranha! – disse-lhe. – Destes dois homens, um passou toda a vida a chamar embusteiro e mau ao outro, que, por sua vez, o qualificava de imbecil. E agora repousam juntos.

– *Msié, Msié!* – observou o inválido, desejando fazer alguma objeção; mas não disse nada e levou-me ao outro sepulcro.

– *Ci-gît Lannes,* o marechal Lannes – e tornou a exaltar-se – um dos maiores heróis que a França teve, a França, tão rica em heróis. Não só foi um grande marechal, o mais hábil guerreiro, excetuando o imperador, como foi ainda homem de grande cultura. Era amigo...

– Sim, amigo de Napoleão – disse eu desejando cortar o discurso.

– *Msié!* Deixe-me falar – atalhou-me o inválido no tom dum homem ofendido.

– Fale, fale, que eu o escuto!

– E, além disso, homem de grande cultura. Era amigo do grande imperador. Nenhum dos seus marechais, exceto este, teve a sorte de gozar da amizade do grande homem. Ao morrer no campo de batalha, pela sua pátria...

– Sim, uma granada arrancou-lhe as duas pernas.

– *Msié, Msié!* Deixe que eu lhe diga – exclamou o inválido com uma voz quase aborrecida. – Pode ser que o senhor também o saiba... Mas deixe-me ser eu a dizê-lo!

---

23 Aqui jaz Voltaire...
24 Jean Jacques Rousseau (1712-1778), o homem da natureza e da verdade!

NOTAS DE INVERNO SOBRE IMPRESSÕES DE VERÃO

O bom homem empenhava-se em contá-lo ele próprio, apesar de eu o saber de antemão.

– Ao morrer – insistiu – no campo de batalha, pela sua pátria, o imperador, dorido no mais profundo da sua alma e choroso por tamanha perda...

– Foi despedir-se dele – tornei a interrompê-lo e senti logo que procedia mal, até me envergonhei.

– *Msié, Msié!* – disse o velho olhando-me numa censura dolorida e abanando a cabeça branca – *Msié!* Já sei, estou convencido de que o senhor sabe tudo e talvez melhor do que eu. Mas foi o senhor quem me pediu que lhe mostrasse a cripta; por isso me deixe falar. Agora já falta pouco. Então, o imperador, dorido no mais profundo da sua alma e choroso (ai, em vão!) por aquela perda tamanha que sofriam, ele, o Exército e a França inteira, aproximou-se do seu leito de morte e, com o seu derradeiro adeus, suavizou as dores cruéis do que morria à vista do seu chefe. ...*C'est fini, monsieur,* – acrescentou, olhando-me com olhos de censura e seguindo para diante. – Aqui também há outros sepulcros; bem, não tem importância... *quelques sénateurs* – acrescentou com indiferença e negligência, apontando com a cabeça algumas tumbas que havia perto. Gastara toda a sua eloquência com Voltaire, Jean Jacques e o Marechal Lannes. Era, por assim dizer, um exemplo imediato, popular, de amor à oratória. Seria o caso de que todos esses discursos dos oradores da Assembleia Nacional, da Convenção e dos clubes, em que o povo tomava parte quase imediata, e nos quais se criou, apenas tenham deixado no seu espírito uma marca... o amor da eloquência pela eloquência?

Capítulo VIII / "*ma biche*" e "*bibi*"

E as esposas? As esposas pavoneiam-se, já disse. E a propósito, por que digo eu as esposas e não as mulheres casadas? Para empregar um estilo elevado, meus senhores. O burguês, quando fala em estilo elevado, diz sempre: *Mon épouse*. E embora noutras classes sociais digam simplesmente, como em todo lado, *ma femme* (a minha mulher), é melhor atentar no espírito nacional da maioria e no estilo elevado. É mais característico. Aliás, há também outra designação. Quando o burguês faz caretas e trata de enganar a mulher, chama-lhe sempre *ma biche*. E inversamente, a mulher apaixonada, num ímpeto de gracioso humor chama ao seu simpático burguês *bibi*, com o que ele, por seu lado, se torna muito mansinho. *Bibi* e *ma biche* florescem constantemente e agora mais do que nunca. Além de ser uma coisa convencionada (e quase sem discussão) que *bibi* e *ma biche* devem servir nos nossos tempos tão alterados, de modelo de virtudes, boa harmonia e paradisíaco estado social, como censura para os perversos, estúpidos e vagabundos comunistas; à medida que o tempo vai passando, também *bibi* se torna mais agradável nas relações conjugais. Compreende que fale como falar e faça o que fizer, *ma biche* não pode conter-se, que a parisiense nasceu para ter um amante, que é coisa impossível um marido livrar-se dos cornichos, e se cala, naturalmente, enquanto não acumulou ainda bastante capital. Quando ambas as coisas acontecem, *bibi*, de maneira geral, torna-se mais exigente, porque começa a ter maior consideração por si próprio. Bem; começa então também a olhar com outros olhos para Gustave, sobretudo se ele é viúvo e andrajoso. De modo geral, o parisiense com algum dinheiro, quando se casa escolhe uma noiva que tenha bens. Mais ainda: primeiro faz suas contas, e se conclui que se equivalem em dinheiro e prendas, é negócio arrumado. Assim sucede por todos os lados; mas aí, nos assuntos pessoais, impera a lei da igualdade das bolsas. Se, por exemplo, a noiva possui nem que seja um copeque a mais, já não a dão ao pretendente que tem um a menos e procuram um *bibi* mais vantajoso. Aliás, os casamentos por amor vão sendo cada vez mais difíceis e até se consideram indecentes. Esse sensato costume da indispensável igualdade das bolsas e essa união nupcial dos bens de raiz, raras vezes se infringe, e penso que muito menos vezes aí do que em qualquer outro lado. O burguês sabe muito bem aproveitar a posse do dinheiro da mulher a seu favor. E daí resulta que em várias ocasiões não tenha escrúpulos em fazer vista grossa a respeito da conduta da sua *ma biche* e de outras coisas aborrecidas, porque, de contrário, em caso de desavença, pode aparecer a questão do dote. Além de que, se *ma biche* se permite às vezes certas liberdades, o marido diz para consigo: "Assim pede-me menos dinheiro para berloques e berloques". *Ma biche*, então, torna-se muito mais aduladora. E por último, sendo o casamento em grande parte uma união de capitais, não se ligando grande importância à inclinação mútua, o *bibi* não está longe de não ver a sua mulher com bons olhos. Por isso mais vale não se meter na vida da consorte; assim aumenta a concórdia em casa e a simpática música de doces nomes: *bibi* e *ma biche* soam ao desafio. E, por último, para dizer tudo, *bibi* sabe também que, neste caso, conta com garantias. O comissário da Polícia está sempre a seu serviço. E está devido a leis que ele próprio fez. Em caso extremo, se encontra os amantes em *flagrant délit*, pode matar os dois sem ter que dar contas a ninguém. *Ma biche* sabe isso e acha muito bem. A longa tutela fez com que *ma biche* não pense nem sonhe, como acontece em alguns países bárbaros e ridículos, em ir estudar nas universidades nem em fazer parte de clubes ou ser deputada. Prefere ficar no seu atual estado aéreo, canariesco, por assim dizer. Vestem-na, calçam-lhe as luvas, levam-na a passear, dança, come bombons, tratam-na em sociedade como uma rainha, e o marido, aparentemente, ajoelha-se perante ela. Essa forma de relações é de uma elaboração espantosamente eficaz e distinta; em resumo: observam-se as regras cavalheirescas. E que mais se pode desejar? Em hipótese nenhuma lhe tiram Gustave. Também ela não tem necessidade de algum fim virtuoso, elevado, na vida, etc., etc.; na realidade é tão amiga do dinheiro, tão manhosa como o marido. Quando lhe passam os anos canariescos, isto é, quando chega o momento em que já não há maneira de ser tomada por um canário, quando a possibilidade de um novo Gustave se torna um absurdo até para a mais fogosa e ensoberbecida fantasia, então *ma biche* sofre uma transformação rápida e aborrecida. Acabam-se as galas, a coqueteria, o bom humor. Em geral torna-se má, mesquinha. Frequenta a igreja, junta dinheiro em desafio com o marido, e passa a olhar de repente a todos com uma espécie de cinismo; aparecem inesperadamente o cansaço, o aborrecimento, os instintos grosseiros, a falta de finalidade na existência, a linguagem cínica. Algumas tornam-se até desmazeladas. Claro que nem sempre assim é, que também se observam outros fenômenos mais agradáveis e que em todos os lados se passam os mesmos fenômenos sociais, mas... ali tudo isto encontra o seu terreno próprio, torna-se mais original, mais curioso, mais completo; tudo isto é mais nacional. É ali que tem a sua origem o manancial, a fonte dessas fórmulas sociais burguesas que imperam agora em todo o mundo a título de eterna imitação dessa grande nação. Sim, no exterior, *ma biche* é uma rainha. É difícil fazer uma ideia da refinada cortesia, da deferência requintada com que a rodeiam em todos os lados, tanto nos salões como na rua. Essa vassalagem admirável chega às vezes a extremos que uma pessoa honesta não suportaria. O fingimento velhaco ia ofendê-la profundamente. Mas *ma biche* também é uma grande velhaca... e não exige mais do que isso... Aceita essas homenagens e prefere borboletear do que tocar honrada e diretamente no assunto, e, a seu ver, o jogo torna-se melhor e mais importante. Porque o jogo, o enredo... isso é tudo para *ma biche*; nisso é que está o principal. E, em compensação, como se veste, como sai para a rua! *Ma biche* é falsa, afetada, toda artificial; mas tudo isto cativa, sobretudo a esses indivíduos gastos, e em parte corrompidos, que perderam já o gosto da beleza louçã, natural. *Ma biche* está muito mal-educada; tem uma alminha e um coraçãozinho de pássaro; mas, em compensação, é graciosa; em compensação possui instintos secretos, com tais meandros que uma pessoa fica rendida e vai atrás dela como de uma excitante noviça. É até raro que seja interessante. Há qualquer coisa de mau no seu rosto. Mas isso não importa; tem uma cara expressiva, graciosa, e possui em alto grau o segredo de fingir sentimento, naturalidade. Pode ser que o que as seduz não seja o que sabe simular naturalidade, mas o processo por que chegou a isso. Para o parisiense, em geral, tanto lhe faz amor verdadeiro como amor bem fingido. Pode ser até que lhe agrade mais o fingimento. Cada vez se radica mais em Paris a maneira de olhar à mulher oriental. As camélias estão cada vez mais na moda. "Explora-me, tira-me o dinheiro todo, mas engana-me bem, isto é... finge amor por mim": eis aí o que se pede às camélias. Não muito mais do que se pede às esposas; com isso dão-se por satisfeitos os maridos, e por isso consentem a existência de Gustave, em silêncio, condescendentes. Além disso o burguês sabe que, quando ficar velha, *ma biche* abraçará a causa dos seus interesses e vai ajudá-lo de todo o coração a reunir um capital. Já na sua juventude o ajuda eficazmente a isso. Às vezes é ela quem conduz os negócios e engana os clientes; enfim, é a mão direita, a gerente. Como não perdoar-lhe que tenha o seu Gustave? Na rua é uma mulher inviolável. Ninguém a ofende, todos se afastam do seu caminho, como aqui, na Rússia, onde uma mulher nova não pode dar dois passos pela rua sem que os homens a olhem por debaixo do chapéu e a assediem com a pretensão de conquistá-la.

Além disso, apesar da possibilidade de Gustave, a conhecida fórmula habitual de tratamento entre *bibi* e *ma biche* é bastante simpática, e às vezes até ingênua. Em geral os estrangeiros – é evidente – são quase todos incomparavelmente mais ingênuos do que os russos. Seria difícil explicá-lo em pormenor; é preciso que uma pessoa o observe por si própria. O russo é céptico e trocista, dizem de nós os franceses, e assim é. Somos mais cínicos, estimamos menos o que é nosso, chegamos até a não amá-lo; pelo menos não o estimamos muito, sem saber por que, agarramo-nos ao que é europeu, aos interesses universais, não privativos de nação alguma, e assim tratamos a todos com mais frieza, como por obrigação, e, em todo caso, com mais indiferença. Mas estou-me afastando do assunto. *Bibi* às vezes é muito ingênuo. Se passeia, por exemplo, em volta dos pequenos lagos, esforça-se por explicar à sua *ma biche* por que é que os repuxos lançam a água para cima; explica-lhe as leis da Natureza, ufana-se nacionalmente, com ela, da beleza do bosque de Bolonha, das iluminações, do jogo de *les grands eaux*[25] de Versalhes, dos triunfos do imperador Napoleão e da *gloire militaire;* goza com a sua curiosidade e satisfação e considera-se feliz. A *ma biche* mais velhaca serve-se também de análogas ternuras com o marido, isto é, sem fingimento, e trata-o com muito miminho, apesar das suas infidelidades. É claro que não pretendo, como o diabo Asmodeu, levantar os telhados das casas. Limito-me a expor o que foi para mim evidente, o que se me afigurou: *mon mari n'a pas encore vu la mer,* [26] diz-lhes uma *ma biche,* e a sua voz sincera denota um ingênuo pesar. Quer dizer que o marido não foi ainda a Brest ou a Bolonha ver o mar. Convém que se saiba que o burguês tem algumas exigências muito ingênuas e muito sérias, que se converteram noutros tantos costumes gerais da burguesia. O burguês, por exemplo, além da necessidade de acumular e da necessidade da sua eloquência, sente com toda a força outras duas necessidades lícitas, consagradas pelo costume geral e a respeito das quais se conduz muito séria e até pateticamente. A primeira dessas necessidades é... *voir la mer,* ver o mar. O parisiense costuma passar toda a sua vida em Paris, atrás dum balcão, sem ver o mar. Para que precisa ele de ver o mar? Nem ele mesmo sabe; mas deseja-o, anseia por isso; vai adiando todos os anos a viagem para o ano seguinte, porque os negócios o prendem; sofre, e a mulher partilha sinceramente da sua dor. Em geral há nisto muito sentimentalismo, e eu respeito-o. Até que finalmente consegue arranjar tempo e dinheiro: prepara a viagem e dias depois vai ver o mar. Quando volta comunica minuciosamente e com todo o entusiasmo as suas impressões à mulher, aos parentes e amigos, e toda a sua vida há de recordar com prazer que já viu o mar. Outra necessidade lícita e não menos viva do burguês, e especialmente do burguês parisiense, é... *se rouler dans l'herpe.*[27] Para cumprir esse dever manda infalivelmente fazer um gramado diante de casa. Não sei quem é que me contou que em casa dum burguês a grama nunca crescia no lugar destinado para ela. Semeava, regava, arranjava grama trazida de outro lugar: nada se dava nem crescia na areia. Esse lugar ficava diante da casa. Então o homem comprou grama artificial, que foi buscar em Paris; marcou no jardim um círculo para a grama, de uma *sajenh* de diâmetro, e todos os dias, depois do almoço, se punha em cima daquele pedaço de grama para enganar a si próprio, satisfazer o seu legítimo desejo e rolar na grama. Ninguém põe dúvidas sobre a faculdade que o burguês tem de entusiasmar-se nos primeiros momentos da sua condição de proprietário; de maneira que a anedota não tem, moralmente, nada de inverossímil.

Mas digamos duas palavras de Gustave. Gustave é, sem dúvida, o mesmo que o burguês, isto é, lojista, comerciante, empregado, *homme de lettres,* oficial. Gustave não é casado, mas é o mesmo *bibi*. Mas não se trata disso, e sim da maneira como se veste e se atavia agora Gustave, qual é o seu aspecto, qual a sua aparência exterior. O ideal de Gustave muda conforme os tempos e aparece sempre nos teatros com o mesmo aspecto com que se apresenta nos salões. O burguês gosta do *vaudeville*, mas aprecia sobretudo o melodrama. O modesto e jovial *vaudeville* – a única obra de arte que não consegue aclimatar-se em nenhuma outra parte, nem pode viver senão no seu lugar de nascimento, em Paris – o *vaudeville* apesar de agradar ao bur-

---

25 Espécie de festa em alguns lugares vizinhos da capital, como em Versalhes e em Saint-Cloud, que consiste em pôr em ação um grande número de jogos de água.
26 O meu marido ainda não viu o mar.
27 Rolar na grama.

guês, não o satisfaz plenamente. O burguês considera-o uma frivolidade. Precisa de algo elevado; algo de inexplicável nobreza; faz-lhe falta o sentimentalismo; e o melodrama tem tudo isso. O caixeiro não pode viver sem melodrama. O melodrama não morrerá enquanto existir o burguês. É interessante notar como agora até o melodrama muda. Embora continue a ser alegre e atrevidamente gracioso, como outrora, começam a lhe acrescentar outro elemento: a moral da fábula. O burguês aprecia hoje e considera extraordinariamente sagrado e inexplicável extrair de tudo, para ele e para a sua *ma biche*, algum ensinamento. Além de que o burguês, agora, goza de um poder omnímodo; constitui uma força e os autores de *vaudeville* e melodramas são sempre lacaios e adulam sempre a força. Eis aqui por que, presentemente, o burguês triunfa, até quando o representam com traços caricaturais; e no fim acabam sempre por demonstrar-lhe que tudo caminha pelo melhor. Forçoso é pensar que semelhantes demonstrações tranquilizam seriamente o burguês. Todo homem limitado, que não acredita completamente no êxito da sua empresa, sente a dolorosa necessidade de persuadir-se a si próprio, de dar coragem a si próprio, de tranquilizar-se. Começa até a dar crédito às observações benévolas. Pois é o que acontece neste caso. No melodrama apresentam-se lições e gestos elevados. Ali não há nada de humor a não ser o patético triunfo de tudo quanto ama o *bibi*, de tudo quanto ele gosta. Mais do que tudo agrada-lhe a tranquilidade política e o direito de acumular dinheiro com o fim de construir um ninho tranquilo. É com este espírito que se escrevem hoje os melodramas. Dentro deste mesmo espírito se manifesta também agora Gustave. Por meio deste pode comprovar-se sempre, num momento determinado, o que *bibi* considera o ideal do insuperável decoro. Dantes, há já muito tempo, Gustave afetava ares de poeta, de artista, de gênio desconhecido, acabrunhado por perseguições é injustiças. Lutava com denodo e a coisa acabava sempre em que a viscondessa, que sofria em segredo por ele, mas à qual ele, indiferente, desprezava; o casava com a sua afilhada Cécile, que não tinha absolutamente nada, mas que, de repente, se tornava imensamente rica. Gustave, de maneira geral, resistia e repudiava o dinheiro. Mas eis que o seu quadro obtém um triunfo na exposição. Imediatamente se apresentavam na sua água-furtada três ridículos magnatas e ofereciam-lhe cem mil francos pelo futuro painel. Gustave acolhia-os com um sorriso desdenhoso e, com um amargo desespero, dizia-lhes que os mortais são todos uns infames, indignos dos seus pincéis; que não estava disposto a expor a sua arte, a sua arte sagrada, à profanação dos pigmeus que até então não souberam apreciar a sua grandeza. Mas surge na água-furtada a viscondessa e anuncia-lhe que Cécile está morta de amores por ele e que deve aceder a pintar esse quadro. Então Gustave adivinha que a viscondessa, sua antiga inimiga, se atravessou sempre no seu caminho, impedindo que as suas obras fossem admitidas nas exposições, está apaixonada por ele, em segredo; que, se anteriormente o perseguiu, foi por ciúme puro. Como é natural, Gustave repele imediatamente o dinheiro dos três magnatas, insultando-os pela segunda vez, coisa que parece deixá-los muito satisfeitos, e depois corre a ver Cécile, concorda em aceitar o seu milhão, perdoa a viscondessa, que se retira para as suas propriedades e, unido já por legítimo matrimônio, começa a multiplicar-se, usa gorro de algodão *(bonnet de coton)* e passeia à tarde, com a sua *ma biche*, junto das fontes murmurantes, que com o suave murmúrio do seu repuxo lhe recordam, naturalmente, a solidez, a consistência e a tranquilidade da sua felicidade terrestre.

Pode acontecer que Gustave não seja um caixeiro, mas sim um pobre órfão, abandonado pelos pais, mas com uma alma transbordante de nobreza. De repente vê-se que não é nenhum exposto mas o filho legítimo de Rothschild. Entregam-lhe milhões. Mas ele, orgulhoso e com desprezo, rejeita-os. Por quê? Porque assim deve ser, para bem da eloquência. Mas eis que nesse momento crítico aparece *Madame* Beaupré, a esposa do banqueiro, que está apaixonada por ele e cujo marido se encontra ocupado em negócios. Vem dizer-lhe que Cécile morre de amor por ele e que corra a salvá-la. Gustave adivinha que *Madame* Beaupré está apaixonada por ele; despreza os milhões e, cobrindo a todos de horríveis insultos, por não haver em todo o gênero humano ninguém tão nobre como ele, corre em busca de Cécile e casa com ela. A mulher do banqueiro retira-se para as suas propriedades; Beaupré fica muito presumido porque a sua mulher, que estava à beira do abismo, soube conservar-se pura e imaculada, e Gustave torna-se pai de família e, à tardinha, vai passear à volta das fontes benéficas, que, com o murmúrio do repuxo, lhe recordam, etc., etc.

Atualmente é mais frequente que a inexplicável nobreza de alma encarne na figura do oficial, do engenheiro militar, ou algo parecido, embora de preferência na figura do oficial, que deve irremediavelmente ser condecorado com a fitinha da Legião de Honra, ganha com o seu sangue. A propósito, essa fitinha é feroz. O dono está tão orgulhoso dela que é quase impossível falar-lhe, ir com ele de trem, estar ao seu lado no teatro ou encontrá-lo no restaurante. Pouco lhe falta para que cuspa nos outros, trata a todos com maneiras de valentão descarado, resfolga, arqueja, por pura ostentação, e tanto que acabamos por sentir náuseas, revolve-se-nos a bílis e vemo-nos na necessidade de chamar o médico. Mas os franceses são loucos por tudo isso. É de notar igualmente que, agora, no teatro, se dedica também uma atenção especial a *Madame* Beaupré, pelo menos muito mais que antes. Beaupré, é claro, tem um grande pecúlio de dinheiro e possui muitas coisas. É reto, simples, um pouco grotesco por causa dos seus hábitos burgueses e, além disso, por ser casado; mas é bom, honrado, generoso, e mostra uma extraordinária nobreza de alma nesse ato em que padece por causa da suspeita de que a sua *ma biche* lhe é infiel. Embora, no fim de contas, se decida a perdoar-lhe. Mas depois, é claro, descobre-se que ela é pura como uma pomba, que apenas coqueteou com Gustave e lisonjeou, e que ama mais do que nunca a *bibi*, que a deixou abatida com a sua generosidade. É claro que Cécile também não tem nada, agora, mas só no primeiro ato, porque depois torna-se milionária. Gustave é orgulhoso e nobre, como sempre, ainda que um pouco mais fanfarrão, por causa do uniforme militar. O que ele mais ama neste mundo é a sua cruz, ganha com o seu sangue, e *l'épée de mon père*.[28] Fala a todo momento dessa espada de seu pai, venha ou não venha a propósito; uma pessoa nem sequer percebe do que se trata; ele insulta, cospe de esguicho, mas todos se inclinam perante ele e o público chora e aplaude (chora, é assim mesmo). Escusado será dizer que não possui nada de seu; isso é condição *sine qua non*. *Madame* Beaupré, é claro, está apaixonada por ele, e Cécile também; mas ele não adivinha o amor desta última. Cécile geme de amor no decurso dos cinco atos. Finalmente cai neve, ou qualquer coisa. Cécile quer atirar-se pela janela. Mas ouvem-se dois tiros junto desta; todos

---

28 A espada do meu pai.

correm: pálido, com o braço ao pescoço, Gustave irrompe em cena. No seu sobretudo brilha a fitinha ganha com o seu sangue. O caluniador e sedutor de Cécile já teve o seu castigo. Finalmente Gustave apercebe-se de que Cécile o ama e que todas essas intrigas foram urdidas por *Madame* Beaupré. Mas *Madame* Beaupré aparece, pálida, assustada, e Gustave adivinha que ela o ama. E ouve-se outro tiro. É Beaupré que pôs fim à sua vida, num ato de desespero. *Madame* Beaupré lança um grito, corre para a porta; mas nesse momento aparece o próprio Beaupré, trazendo uma raposa morta, ou qualquer coisa assim. A lição está dada; *ma biche* nunca mais a esquecerá. Abraça-se ao seu *bibi*, que lhe perdoa tudo. E, de repente, Cécile torna-se milionária e Gustave torna a rebelar-se. Nega-se a ser seu marido. Torce as mãos, profere horríveis insultos. Não há outro remédio senão Gustave lançar esses insultos horríveis e cuspir sobre os milhões, senão o burguês não lhe perdoaria: nesse caso já não seria de tão inexplicável nobreza e ninguém pense sequer que o burguês se contradiz. Não se preocupem: o feliz par não fica sem o milhão, que é inevitável e aparece no fim como prêmio da virtude. O burguês não muda. Gustave acaba por aceitar o milhão e a Cécile, e depois vem a tal coisa das infalíveis fontezinhas, o gorro de algodão, o repuxo murmurante, etc., etc. E assim temos também muito sentimentalismo e muita nobreza, e Beaupré, triunfante e esmagando todos com as suas virtudes familiares, e sobretudo, sobretudo o milhão, sob a forma de sorte, de lei da natureza, para o qual tudo são honra, o louvor e reverências, etc., etc.; *bibi* e *ma biche* saem do teatro absolutamente satisfeitos, contentes, tranquilos. Gustave acompanha-os e, ao acomodar a mulher alheia no fiacre, beija-lhe a mãozinha às escondidas. Tudo caminha como deve ser.

Memórias do subterrâneo

Memórias do subterrâneo
(1864)

O SUBTERRÂNEO[1]

Capítulo primeiro

Sou um homem doente... Sou mau. Nada tenho de simpático. Penso estar doente do fígado, embora não o perceba nem saiba ao certo onde reside meu mal. Não me trato, nunca me tratei, por muito que considere a medicina e os médicos, pois sou altamente supersticioso, pelo menos o bastante para ter fé na medicina. (Possuo instrução suficiente para não ser supersticioso e, no entanto, sou...) Não, se não me trato é por pura maldade; é assim mesmo. O senhor não compreenderá isto, por acaso? Pois compreendo-o e basta. Não há dúvida de que eu não conseguiria explicar a quem prejudico neste caso, com a minha maldade. Compreendo perfeitamente que, não me tratando, não prejudico a ninguém, nem sequer os médicos; sei melhor do que ninguém que só a mim próprio prejudico. Não importa; se não me trato é por maldade. Tenho o fígado doente? Pois que rebente!

Há muito, uns vinte anos, vou-me arrastando assim, e já tenho quarenta. Noutro tempo pertenci à burocracia, mas já a deixei. Era um empregado muito resmungão e grosseiro, e comprazia-me em ser assim, pois já que não aceitava garrafas de vinho, precisava de outra recompensa. (Esta piada não tem nada de extraordinário, mas não a retiro. Quando a escrevia julgava que havia de parecer muito interessante, mas agora reparo que é apenas uma fanfarronice tola, e por isso não a retiro.) Alguém se aproximava da minha secretária à procura de informes? Mostrava-lhe imediatamente os dentes e experimentava um prazer inefável quando conseguia cansar o visitante, o que era frequente. De maneira geral eram pessoas tímidas; é escusado dizer mais: precisavam de mim. Mas entre esses janotas havia um oficialeco que eu não podia aguentar. Teimava em arrastar a espada com um ruído insuportável. Combati-o durante dezoito meses seguidos, ao fim dos quais acabei por vencê-lo: desistiu de fazer barulho. Mas tudo isso são recordações da minha juventude. Entretanto, quer o senhor saber em que consistia principalmente a minha maldade? Consistia na circunstância especialmente abominável de que, a todos os momentos e especialmente depois de cada ocasião de falta de domínio, eu tinha de confessar a mim próprio, envergonhado, que não só não era tão mau como me

---

[1] O autor destas *Memórias* é, naturalmente, imaginário, como são imaginárias elas próprias. No entanto, indivíduos assim como o autor destas *Memórias*, não só podem existir, como hão de fatalmente existir na nossa sociedade, se levarmos em conta as circunstâncias em que geralmente elas se desenvolvem. Eu quis pôr em relevo, perante o público mais nitidamente do que de costume, um desses caracteres duma época passada, mas recente. Neste fragmento intitulado *O subterrâneo*, a personagem apresenta-se a si mesma, expõe os seus pontos de vista e explica, como pode, as razões pelas quais surge, e não tinha outro remédio senão surgir, no nosso ambiente. No fragmento que se segue aparecem as verdadeiras *Memórias* dêste indivíduo, e nelas conta alguns episódios da sua vida. Fiódor Dostoiévski.

achava, como nem sequer sentia cólera, que a mim mesmo chamava espantalho, apenas como meio de distração. Quando parecia mais furioso, a mínima atenção, uma chávena de chá, bastaria para apaziguar-me. Este pensamento entristecia-me, embora depois durante alguns meses os dentes me rangessem por causa disso e acabasse por não dormir, de tão aborrecido comigo próprio. Eu era assim.

Mas quando há um momento disse que era um mau empregado, estava-me acusando falsamente. Mentia por maldade. Não; distraía-me aborrecendo aquela gente, tanto o oficial como os outros. Na realidade, nunca teria podido ser mau. Descobria constantemente em mim um sem-número de sentimentos contraditórios. Sentia-os ferver em mim, consciente de que sempre tinham bulido no meu íntimo e podiam exteriorizar-se. Mas não o consentia; não os deixava atuar, não queria que saíssem cá para fora. Torturavam-me até à vergonha; se me tivessem feito sofrer de epilepsia, chegava! Sim, tenho a certeza de que chegava! Imaginam talvez que sinto algum arrependimento, que pretendo desculpar-me de alguma coisa? Tenho a certeza de que assim pensam; pois dou-lhes a minha palavra de que rio de tudo isso.

Não só me enganei em tornar-me mau, como também não cheguei a ser nada; nem mau, nem bom, nem infame nem honesto, nem herói nem pigmeu. Agora termino os meus dias no meu canto, com esse maligno e vão consolo de que um homem inteligente não pode conseguir abrir caminho e que só os néscios o conseguem. Sim, meus senhores; o homem do século XIX tem a obrigação moral de ser uma nulidade; pois o homem de têmpera, o homem de ação, de maneira geral é de vistas curtas. Tal é o resultado de uma experiência de quarenta anos. Completei quarenta anos e quarenta anos são uma vida inteira; são a idade em que quase toda a gente se confessa. Viver mais seria indecoroso, desprezível, imoral! Quem é que pode viver mais do que quarenta anos? Responda sincera, honestamente. Eu lhes digo: só os néscios ou os malvados! Vou falar isso na cara de todos os velhos, de todos esses anciãos veneráveis, de todos esses velhotes fragantes, de cabeça de prata. Direi a todos e tenho o direito de dizer, porque hei de viver até os sessenta. Até os setenta! Até os oitenta anos! Esperem! Deixem-me tomar fôlego...

Com certeza julgaram que eu os queria fazer rir mas também nisto se enganaram. Estou longe de ter tão bom humor como pensam, e talvez como achem. A parte tudo mais, se tanto palavreado os aborrece (e calculo que assim é) e me perguntarem o que sou eu, afinal, vou lhes responder que sou empregado de oitava categoria.[2] Se entrei para o funcionalismo foi apenas para ganhar o pão de cada dia e só por causa disso. Por isso, quando o ano passado um parente afastado me deixou seis mil rublos em testamento, apressei-me a pedir aposentadoria e a instalar-me no meu canto. Já antes disso vivia no meu canto; mas agora estou mesmo instalado nele. O meu quarto é feio, desagradável, e no extremo da povoação. A minha criada é daqui, desta terra, idosa, de uma idiotice que toca a perversidade, e exala um odor pouco agradável. Dizem-me que o clima de Petersburgo não me faz bem e que a vida aqui é muito cara para a exiguidade dos meus rendimentos. Sei disso, melhor do que todos esses prudentes conselheiros tão cheios de experiência, melhor do que todos esses sabichões que abanam a cabeça com ares de importância; mas con-

---

2 No quadro da hierarquia burocrática oficial, estabelecido por Pedro I no séc. XVII, isto é, o *tchin*, que contava catorze graus, o oitavo correspondia a assessor de colégio.

tinuo vivendo em Petersburgo e nunca a abandonarei. Não a deixarei porque... oh! é completamente indiferente que a deixe ou não.

E, afinal, para um homem que se preza, qual é o tema de conversa mais agradável?

Resposta: ele próprio.

Bem; pois é de mim mesmo que vou falar.

Capítulo II

Agora, meus senhores, era minha vontade dizer-lhes – quer lhes agrade ou não escutar – gostaria de dizer-lhes por que é que não me converti num pigmeu. Declaro apenas que muitas vezes tive essa vontade. Mas nem sequer mereci isso. Juro-lhes, senhores, que uma consciência demasiado lúcida é uma doença, uma verdadeira doença. Em todo o tempo, para cada indivíduo, bastaria a simples consciência humana, isto é, metade, senão a quarta parte daquela que costuma possuir o homem inteligente do nosso infeliz século e, sobretudo, aquele que tem o grande infortúnio de viver em Petersburgo, a cidade mais absorta, mais meditativa do mundo inteiro. Há cidades meditativas e cidades levianas. Bastaria, por exemplo, possuir exatamente a soma de consciência que têm os homens fora do vulgar e os homens de ação. Apostava alguma coisa em como estão convencidos de que escrevo tudo isto por pura fatuidade, para troçar dos homens de ação, e que estou arrastando também o meu sabre como o tal oficialeco. Mas haverá alguém, meus senhores, que deseje fazer dos seus defeitos um motivo de orgulho e presunção?

Mas que digo eu? Sim, pelo contrário, é esse o caso geral! Aquilo de que mais nos ufanamos é dos nossos defeitos, e talvez mais do que ninguém. Bem! Não discutamos; a minha argumentação é absurda. No entanto conservo a firme convicção de que não só a consciência demasiada constitui uma doença, como de que a consciência, só por si; por pouca que seja, também é uma doença. E afirmo-o! Mas deixemos isto por um momento e digam-me por que é que, quando me sentia mais capaz de compreender as delicadezas de tudo quanto é belo e sublime, como dizia dantes, me sucedia perder toda a consciência e cometer atos reprováveis... Atos que... Atos que todos cometem, não há dúvida... mas que eu cometi precisamente no instante em que mais claramente compreendia que não se devem cometer. Quanto mais eu admirava o belo e o sublime, mais profundamente me enterrava no lamaçal e mais se desenvolvia em mim essa capacidade de me atolar. O pior era que isto não me acontecia por casualidade, mas como se eu tivesse pensado que assim devia ser, absolutamente. Na realidade, isso não era uma falta, nem tampouco uma doença; era o meu estado normal. De maneira que nem sequer sentia o menor desejo de combater esse defeito. Acabei por persuadir-me de que esse era o meu estado normal (e pode ser que assim o acreditasse realmente). Mas antes de chegar a esse ponto, a princípio, quantos sofrimentos não tive de suportar nessa briga! Não acreditava que acontecesse o mesmo aos outros homens, e durante toda a minha vida guardei isto no meu íntimo, como um segredo. Envergonhava-me disso (e talvez continue ainda a envergonhar-me). Chegava a sentir uma espécie de secreto prazer, monstruoso e vil, quando, de regresso ao meu refúgio, em alguma dessas terríveis noites de Petersburgo, confessava a mim próprio brutalmente que também nesse dia cometera uma baixeza e que o que estava feito, feito estava. Interiormente, em segredo, mordia-me a mim próprio, espancava-me, devorava-me, até que aquela amargura acabava por transformar-se numa doçura maldita, sem nobreza e, finalmente, num verdadeiro gozo! Mantenho o que disse, sim, num prazer, num prazer! Se falei de tal coisa é porque tenho interesse absoluto em saber se todos os homens saboreiam voluptuosidades semelhantes. Explico-me: a minha delícia provinha de que conservava uma consciência demasiado lúcida da minha degradação; de que compreendia ter atingido o fundo da infâmia; que aquilo não era nobre, mas não podia ser de outra maneira; que nenhuma porta me restava para sair desse estado e tornar-me outro homem; que, embora tivesse ainda fé e tempo para regenerar-me, com certeza não o teria querido, e, admitindo que o tivesse querido, de nada teria servido; porque, na realidade, não saberia em que sentido operar a minha transformação. O mais importante era que aquilo devia produzir-se segundo as leis normais e fundamentais da consciência hipertrofiada e da inércia, como consequência fatal dessas leis, de onde se vê que uma pessoa não pode transformar-se e nada há a fazer. Assim, pois, segundo essa consciência hipertrofiada, uma pessoa tem razões de sobra para ser um canalha, como se isto pudesse consolar o canalha de sentir-se canalha. Mas façamos uma pausa! Depois de tanto falatório, expliquei eu alguma coisa? Como explicar esse gozo? Mas hei de fazê-lo; hei de conseguir.

Foi com esse fim que peguei na pena!

E, antes de mais, tenho um amor-próprio enorme. Sou impertinente e ressinto-me tão facilmente como um corcunda ou um anão e, no entanto, algumas vezes talvez me tivesse lisonjeado receber uma bofetada. Falo sério. Não há dúvida que devia ter encontrado nisso uma espécie de prazer, a voluptuosidade do desespero. Não há dúvida de que os mais intensos prazeres devemo-los ao desespero, sobretudo se temos a nítida consciência de nos encontrarmos num beco sem saída. É o caso do indivíduo a quem deram uma bofetada: encontra-se abatido perante a ideia daquela humilhação absoluta. O importante é que, por mais que raciocine, é sempre o primeiro culpado; e o que ainda me desespera mais é saber o que sou, não de propósito, mas por lei da natureza. Em primeiro lugar sou culpado porque sou mais inteligente do que todos os que me rodeiam, e às vezes, querem acreditar? tenho-me sentido cheio de, acanhamento. Tenho passado a vida a olhar para os homens de soslaio; nunca os pude olhar de frente. Também sou culpado pelo fato de que, se realmente possuísse alguma generosidade, a ideia de que era inútil me faria ainda sofrer mais. Certamente não saberia o que havia de fazer dela, nem perdoar, visto que, provavelmente, o ofensor me teria batido, obedecendo às leis naturais, para as quais não existe perdão; nem esquecer, porque, embora vítima das leis da Natureza, nem por isso havia de considerar-me menos ofendido. Por fim, se tivesse querido proceder contrariamente à generosidade e vingar-me do meu agressor, para mim isso teria sido completamente impossível, pois é indubitável que, embora o tivesse desejado, não saberia que resolução tomar. E por que não poderia decidir-me? Vou dizê-lo em duas palavras. Mas isto precisa de um capítulo à parte.

Capítulo III

Como se arranjam aqueles que sabem vingar-se, os que sabem defender-se? Quando o desejo de vingança se apodera do seu ser, os demais sentimentos ficam anulados, enquanto esse o absorve por completo. Um tal indivíduo arremete para a frente, em linha reta, contra o seu objetivo, como um touro furioso; só uma parede poderia deter o seu ímpeto. (A propósito disto, reparemos que os homens que saem do vulgar e os homens de ação se detêm sempre, com toda a sinceridade diante de uma parede. Para eles, a parede não é uma desculpa, como é para nós, os que raciocinamos e, por conseguinte, nada fazemos; não lhes serve de pretexto para desfazer o que está feito: pretexto com o qual nos damos por satisfeitos. Não, eles param com toda a sinceridade. A parede tem para eles qualquer coisa de calmante, de decisivo, de derradeiro, talvez algo de místico... Falaremos disso mais diante.) Pois bem, meus senhores: é a esse homem que sai do vulgar que eu considero como autêntico, normal, segundo a nossa terna mãe Natureza indica, ao trazê-lo com agrado a este mundo. Invejo-o a tal ponto que, por esse motivo, chego a segregar vagas de bílis. É estúpido, concordo; mas talvez seja preciso que o homem normal seja estúpido – que sabem os senhores disso? – e que tudo seja assim pelo melhor. Esta hipótese fica ainda mais bem confirmada se em frente do homem normal colocarmos a sua antítese, o homem de consciência hipertrofiada, e que, de certeza, não se originou no seio da Natureza, mas sim em alguma retorta. (Isto é quase misticismo, senhores, mas creio que é a verdade. Muito bem: este homem de retorta esgueira-se suavemente perante a sua antítese, porque na sua consciência hipertrofiada considera-se um rato e não um homem. Um rato de consciência hipertrofiada não deixa de ser um rato, ao passo que o outro é um homem; por conseguinte... etc... O mais grave é que é ele próprio, ele próprio, quem o pergunta; isto é um fato importantíssimo. Deitemos pois um olhar sobre a maneira de conduzir-se o rato. Suponhamos, por exemplo, que está ofendido (está quase sempre) e desejoso de vingar-se. Provavelmente será capaz de acumular mais ódio que o homem da Natureza e da verdade. O anseio torpe e desprezível, de pagar com o mal, vai se agitar nele de maneira mais indigna do que no homem da Natureza e da verdade, porque este, dada a sua estupidez inata, considera a sua vingança simplesmente como uma manifestação da justiça, ao passo que o rato repele semelhante ideia por causa da hipertrofia da sua consciência.

Mas passemos à ação propriamente dita, ao ato de vingança. Além da sua primeira baixeza, o desgraçado do rato teve tempo de sobejo para rodear-se de uma acumulação de outras baixezas sob a forma de interrogações e de dúvidas. Qualquer pergunta traz consigo tantas outras, insolúveis! Por isso se forma à sua volta um infecto lodaçal, um charco funesto, composto pelas suas dúvidas e sobressaltos, e também das cuspiduras atiradas para cima dele pelos homens de ação e que saem fora do vulgar, os quais o rodeiam à maneira de tribunal solene e sarcástico, que às vezes desata a rir às gargalhadas. Não há dúvida de que só lhe resta o recurso de fazer com as patinhas um gesto de desespero e, afetando um sorriso desdenhoso e pouco sincero, meter-se de novo no seu buraco. Aí, debaixo da terra, na sua cova asquerosa e mal-cheirosa, o nosso rato, ultrajado, corrido, ferido, entrega-se então a uma raiva fria, venenosa e, sobretudo, eterna. Durante quarenta anos ficará ruminando a sua afronta nos seus mais ínfimos e vergonhosos pormenores, acrescentando-lhes no entanto circunstâncias particularmente infamantes, da sua colheita, inflamando-se e excitando-se à sua vontade. Vai se envergonhar dos seus desvarios, mas continuará ruminando, apesar disso; uma ou outra vez principiará mentalmente a luta; inventará coisas que não aconteceram, sob o pretexto de que podiam ter acontecido, e não perdoará nada. Pode ser que queira também vingar-se, por pouco que seja, à socapa, ao abrigo da sua toca, incognitamente, sem fé na legitimidade da sua vingança nem no seu triunfo, e convencido de que há de sofrer mil vezes mais com todas as suas hesitações do que aquele de quem se vingue, que talvez nem repare nele. Até ao seu leito de morte o rato há de pensar naquilo com todos os lucros da vingança... Mas é precisamente nesse estado miserável, frio, mesclado de desespero e incredulidade, nesse enterro de si próprio na tristeza, nesse retraimento de quarenta anos debaixo da terra, nesse *in pace* inevitável e equívoco, nessa pútrida fermentação de desejos reprimidos, nessa febre de vacilação, resoluções irrevogáveis e súbitos escrúpulos, é em tudo isso que reside a origem dessa estranha voluptuosidade de que lhes falava. É tão sutil e difícil de compreender esse deleite, que os homens de vistas curtas, ou, simplesmente, de nervos sólidos, não podem entendê-lo. Estou a ouvir-lhes dizer em tom de mofa: "Talvez também não o compreendam aqueles que nunca receberam um bofetão". Maneira delicada de me recordarem que me deram um, e que falo por experiência. Aposto como pensam isso! Mas sosseguem, meus senhores; nunca me deram um sopapo, e digo-lhes por que, embora a sua opinião não me preocupe absolutamente. Só me custa não os ter dado eu em maior quantidade. Mas, por mais interessante que o tema lhes pareça, não direi sobre ele nem mais uma palavra!

    Continuo o meu discurso sobre os indivíduos que têm nervos sólidos e não podem compreender certos refinamentos da voluptuosidade. Esses senhores, que em certos casos mugem como touros, com toda a força das suas goelas, apesar da honra que tal conduta possa trazer-lhes, resignam-se, não obstante, perante o impossível, conforme acabei de dizer. O impossível é como uma muralha de pedras. Que pedras são essas? As leis da Natureza, as induções das ciências naturais, as matemáticas, sem dúvida. Uma vez que, por exemplo, te demonstraram que descendes do macaco, é inútil fazer trejeitos; é preciso aceitar as coisas como são. Uma vez que te demonstraram que, na realidade, um só átomo do teu próprio corpo deve ser para ti mais apreciado do que cem mil semelhantes teus, demonstração que acaba de vez com todas as virtudes e deveres e demais ninharias e superstições, não tens outro remédio senão concordar que dois e dois são quatro, que isto é matemática. Será que terão alguma coisa a objetar contra isto!

    – Dê-nos licença – dirão. – Não há motivo para insurgir-se por dois e dois serem quatro! A Natureza não lhe pede licença, não lhe interessam os seus desejos, nem se detém a averiguar se lhe agradam ou não as suas leis. Deve aceitá-la como é, com todas as suas consequências. É uma parede; portanto... é uma parede... e assim sucessivamente.

    – Mas, meu Deus, que me importam as leis da Natureza, ou as da Aritmética, se essas leis e os seus dois e dois quatro me desagradam por qualquer coisa? É certo que não vou derrubar essa muralha, porque as minhas forças não chegam; mas não hei de resignar-me só porque diante de mim, se levante uma muralha de pedra que as minhas forças não possam derrubar.

Poderia essa muralha ser um calmante? Seria capaz, por pouco que fosse, de sossegar a minha alma, pelo motivo de que dois e dois sejam quatro? Oh, absurdo dos absurdos! Que diferença não vai disso a compreender tudo, a ter consciência de tudo, de todas as muralhas de impossíveis e de pedras, a não resignar-se perante nenhum desses impossíveis, diante de nenhuma dessas muralhas de pedra (se não achais conveniente resignar-vos), e chegar, por meio de raciocínios lógicos e inocercíveis, a conclusões desanimadoras, a esse axioma eterno de que até a propósito da muralha de pedra nos julgamos culpados, por mais que seja evidente que não temos a mínima culpa de nada? Portanto é preciso encolher-se voluptuosamente na inércia, embora rangendo os dentes em silêncio, ao pensarmos que não temos para quem voltar o nosso furor, cujo objeto talvez nunca tenha existido; que em tudo isto é preciso meter de permeio jogos de mão e cartadas ardilosas; que é tudo um autêntico lodaçal, sem que saibamos o que nem quem. Mas que, apesar de todas essas incógnitas e embustes, continuam a sofrer, e quanto mais ignoram, tanto mais sofrem.

Capítulo IV

– Ah, ah, ah! Este há de acabar por encontrar prazer numa dor de dentes.

– E por que não? – responderei – também há prazer numa dor de dentes. Sei por experiência: sofri dores de dentes durante um mês inteiro. Em casos desses, uma pessoa não sofre em silêncio, grita. Mas esses gritos não são sinceros; são queixumes hipócritas e, aqui, tudo se baseia na hipocrisia. É nesses queixumes que reside a voluptuosidade do paciente, e, se não sentisse prazer, não se queixaria. Este exemplo calhou às mil maravilhas, meus senhores, e hei de desenvolvê-lo. Em primeiro lugar, esses queixumes exprimem toda a inutilidade de sua dor, tão humilhante para a sua consciência; toda a força legal da Natureza, da qual podem troçar, mas pela qual sofrem, ao passo que ela não sofre. Começam a adquirir a consciência de que sofrem sem ter um inimigo; que, apesar de todos os Wagenheim possíveis, são escravos dos seus dentes; que, se alguém quisesse, eles deixariam de doer-lhes, mas que se esse alguém não quer, hão de doer-lhes ainda mais três meses, e que se não se resignam e continuam a protestar, não lhes restará outra consolação senão bater em si próprios ou esmurrar a parede com todas as suas forças; e não é preciso dizer mais nada. Pois bem, meu senhor: é nessas ofensas sangrentas; nessas zombarias de não sei quem, que tem a sua origem um prazer que pode atingir o mais alto grau de sensualidade. Peço-lhes, senhores, que prestem atenção aos queixumes dum homem ilustrado da nossa época, aflito com uma dor de dentes. No segundo ou terceiro dia os seus queixumes mudam de natureza, já não se queixa apenas porque lhe doem os dentes – como se queixaria qualquer ignorante mujique – mas como homem que se aproveitou do desenvolvimento intelectual e da civilização da Europa, como homem que já não tem apego ao torrão natal nem às tradições populares, conforme agora se diz. Os seus queixumes tornam-se agressivos, maldosos, e duram dias e noites consecutivos. Ele bem sabe que, com todos esses queixumes, não conseguirá alívio. Sabe melhor que ninguém que em vão se atormenta e atormenta os outros; que o público para o qual representa a sua comédia, e toda a sua família, o escutam com aborrecimento; não acreditam na sinceridade dos seus lamentos e dizem para os seus botões que ele podia fazer menos alarido, sem trinados nem gorjeios, e que se não faz isso é por pura maldade e pelo gosto das palhaçadas. Pois bem: é precisamente nessas confissões que o paciente faz a si próprio e em todas essas indecências que reside a voluptuosidade. "Estou a atormentá-los, a dilacerar-lhes o coração, não deixo ninguém dormir em casa. Não, não hão de dormir; hão de sentir a todos os momentos os efeitos da minha dor de dentes. Perante vocês, eu já não sou o herói que até aqui parecia ser, mas um tipo reles, um palerma. Muito bem! Tenho o maior prazer em me conhecerem. Aborrece-lhes ouvir queixar-me tanto? Pois tanto pior para os senhores, porque vou elevar o diapasão..." Os senhores ainda não compreendem? Não; pois, pelo visto, é preciso ser muito evoluído e muito consciente para surpreender todas as sutilezas desta voluptuosidade. Dão risada? Ainda bem, meus senhores. É verdade que as minhas graças são de bastante mau gosto, traiçoeiras, enredadas, sem vivacidade. Isto se deve à falta de respeito que eu tenho por mim próprio. Mas digam-me: que homem, na posse plena da sua consciência, poderia respeitar-se?

Capítulo V

Respeitar-se! Mas poderá respeitar-se a si mesmo aquele que está decidido a encontrar prazer no sentimento da sua própria abjeção? Não digo isto cedendo à influência de um covarde arrependimento. De maneira geral jamais gostei de balbuciar: "Perdoa-me, *bátiuchka,* que eu não repito!". E não que fosse incapaz de pronunciar essas palavras; pelo contrário, talvez fosse muito capaz de dizê-las. Noutro tempo comprazia-me em pedir perdão, precisamente quando nada praticara que o justificasse, e era essa a minha maior vileza. Enternecia-me, arrependia-me, vertia lágrimas, e com certeza me enganava a mim mesmo, por muito que não me entregasse a simulação; não seria capaz de dizer até que ponto o meu sentir me obrigava a isso. Não poderia deitar a culpa disso às leis da Natureza, apesar de tais leis me terem feito mais mal do que tudo mais. Custa-me agora pensar nisso e dantes não me custava menos. Mas, passado um minuto, pouco mais ou menos, eu mesmo reparava, com a consequente raiva, que todos esses arrependimentos e ternuras e juramentos de emenda não passavam de embustes, patranhas tão habilidosas como vis. Mas hão de perguntar-me por que me torturava eu até esse ponto, por que me dava a tantos requintes. Meu Deus, é que me aborrecia por não ter nada que fazer e entregava-me a essas tretas para distrair o meu tédio! Exatamente. Observem-se, meus senhores, o melhor que puderem: verão que é assim. Eu imaginava aventuras, uma vida para viver de qualquer maneira.. Quantas vezes não me teria lembrado mostrar-me ressentido sem razão, só por gosto? Eu bem sabia que não tinha motivo para aborrecer-me; mas conduzia-me como se o tivesse e acabava por considerar-me ofendido a sério. Toda a minha vida tive inclinação para estas baralhadas, até que, por fim, já não me dominava. Outras ocasiões sentia desejo de apaixonar-me; aconteceu-me isto por duas vezes. E não sofri pouco, acreditem. No fundo do meu coração, não acreditava em tais sofrimentos, ria deles; no entanto sofria de verdade, sentia-me ciumento, perdia a cabeça... E tudo isso por aborrecimento, senhores, por puro aborrecimento.

A inação custava-me tanto! Porque o fruto imediato e lógico da consciência é a inação, a inércia consciente. Já disse e repito que as pessoas que saem do vulgar e todos os homens de ação são precisamente assim porque são estúpidos e de vistas curtas. Como explicar isso? Da seguinte maneira: por causa de sua mediania, tomam as causas segundas, as mais imediatas, por causas primeiras, e sem demora e sem dificuldade alguma convencem-se de que encontraram um fundamento imutável para a sua atividade, tranquilizam-se, e isso é o mais importante. Porque para poder atuar é preciso, antes de mais, estar completamente tranquilo, não ter a menor dúvida. Mas como podia eu chegar a tranquilizar-me? Onde encontraria princípios fundamentais, bases em que fixar-me? Onde iria buscá-las? Detenho-me a refletir: tal causa, que me parece primeira, conduz-me a outra, também anterior, e assim sucessivamente, até o infinito. Nisto consiste a consciência e a reflexão. Portanto, são assim mesmo, leis da Natureza. Qual é o resultado? Idêntico. Lembrem-se do que lhes disse a propósito da vingança e sobre o que, certamente, não meditaram. Disse-lhes que o homem se vinga porque acredita que a sua vingança é justiça; encontrou, pois, a razão fundamental, que é a justiça, e assim fica em paz; de maneira que se vinga com toda a calma e satisfação, persuadido de realizar um ato honesto e justo. Mas eu não vejo nisso justiça nem virtude e, por conseguinte, se me vingo, deve ser por maldade pura. É certo que a maldade pode dominar todos os meus demais sentimentos e fazer calar todos os meus escrúpulos, erigindo-se, assim, em razão fundamental, precisamente por não ser apenas uma razão. Mas que fazer, se nem sequer possuo essa maldade? (Lembrem-se que foi por aí que comecei). Sob a influência dessas malvadas leis da consciência, a minha maldade vai se decompor quimicamente. À parte isto, com a reflexão desaparece o motivo, confundem-se as razões, não há processo de atinar com o culpado, a ofensa deixa de ser para converter-se em fatalidade, em qualquer coisa como uma dor de dentes, da qual ninguém tem culpa e, por conseguinte, só nos fica este último recurso: arremeter contra a parede. Por isso pomos de lado a vingança por não termos podido inventar para ela uma razão de peso. Mas suponhamos que, sob o império da paixão, sem nos determos a refletir, sem nos munirmos previamente de uma causa, nos atiramos à vingança, dizendo a nós próprios que pouco importa sintamos ódio ou amor, contanto que não permaneçamos inativos; passados dois dias, quando muito, teríamos desprezado a nós próprios por nos termos enganado com conhecimento de causa. E, quanto a resultados, obterão sempre os mesmos: bolas de sabão e a inércia. Oh, meus senhores, talvez eu me julgue inteligente por isso, porque em toda a minha vida nunca pude começar nem levar nada a cabo! Admitamos que sou apenas um charlatão inofensivo, mas fastidioso, como todos o somos. Mas que fazer, se o único e exato destino do homem inteligente é o de dar à língua, *id est*, perder propositadamente o tempo com ninharias?

Capítulo VI

Oh, se ao menos tivesse permanecido ocioso por vadiagem! Meu Deus! Como não me teria respeitado, então, a mim próprio? Teria me respeitado em virtude de ser possuidor da faculdade da preguiça; ao menos teria possuído uma faculdade discutível. A quem perguntasse por mim: "Quem é esse?", poderiam responder-lhe:

"Um vadio". Ah, como seria lisonjeador ouvir dizer que diziam uma coisa dessas de uma pessoa! Pensar que é um ser absolutamente definido, do qual pode dizer-se alguma coisa! Vadio é uma profissão e um destino: é uma carreira, meu senhor. Não leve isto para a brincadeira: é assim, como lhe digo. Eu teria sido sócio fundador da mais importante das nossas sociedades de recreio, e todos os meus trabalhos se reduziriam a respeitar-me a mim mesmo continuamente. Conheci um senhor que passou a vida a ufanar-se de conhecer muito bem os quadros de Laffite; considerava isso como uma condição apreciável e nunca duvidou de si próprio. Morreu com uma consciência triunfante, mais do que tranquila, e tinha razões de sobra... Então eu teria tido urna carreira; teria sido um vadio e um preguiçoso, não como outro qualquer, mas ligado por relações de simpatia com tudo quanto há de belo e sublime. Isso não seria do agrado dos senhores? Pensei-o muitas vezes. Que diferentes não me pareceriam esses termos belo e sublime, que tanto me pesam sobre a carcaça aos quarenta anos! Teria imediatamente encontrado um campo de ação: beber à saúde de tudo quanto é belo e sublime. Nunca teria faltado na minha taça um sorvo para esgotar em honra de algo de belo e sublime. De todos os objetos do Universo teria eu feito algo belo e sublime; teria encontrado esses atributos nas coisas mais rasteiras, vis e infames. A todos os momentos teria soltado lágrimas tão grossas como uma esponja ensopada. Por exemplo: suponhamos que o artista Gay pintasse um quadro; me verias beber imediatamente à saúde do pintor Gay, porque eu aprecio tudo o que é belo e sublime, e logo eu beberia à saúde do autor de *Ao gosto de cada um,* porque eu gosto de tudo quanto é belo e sublime... Exigiria que me respeitassem por isso e perseguiria encarniçadamente a quem quer que me tivesse regateado o respeito. Envelheceria sossegadamente e chegaria triunfantemente ao termo dos meus dias. O que seria encantador, absolutamente lisonjeiro! E criaria barriga e papada de três dobras, e um nariz tão batatudo, que todos, ao me verem, diriam: "Eis uma criatura real". Qualquer coisa de absolutamente positivo. Como quiserem, mas é bem agradável ouvir dizer coisas destas a seu respeito, no nosso século tão profundamente negativo.

Capítulo VII

Mas tudo isso são ilusões douradas. Oh, digam-me quem foi o primeiro que anunciou, o primeiro a proclamar que o homem só comete baixezas porque não compreende os seus verdadeiros interesses, e que se o instruíssem sobre este ponto, se lhe abrissem os olhos sobre o seu verdadeiro interesse, sobre o seu interesse normal, logo se tornaria bom e generoso! E isto pela simples razão de que, sendo inteligente, se conseguisse conhecer o que é vantajoso, só encontraria o bem; e como o homem não pode atuar contra o seu interesse, com conhecimento de causa, havia portanto de conduzir-se necessariamente bem. Oh! Criança inocente e pura! Mas quando se deu através dos séculos, pela primeira vez, o caso de que o homem atuasse somente consultando o seu interesse? Não tem valor nenhum os milhões de fatos que testemunham que os homens informados, isto é, conhecedores dos verdadeiros interesses, os desdenham e se atiram à aventura por outros caminhos onde, sem que ninguém os obrigue, se expõem a riscos e a perigos, como se quisessem deliberadamente desviar-se do bom caminho para abraçar de propósito outro mais difícil e absurdo, que hão de procurar às cegas? É assim evidente que essa teimosia e independência de ação lhes são mais agradáveis do que todas as vantagens. Mas que querem dizer essas vantagens? São capazes de definir exatamente a que se resume a vantagem para o homem? E se, no entanto, pudesse acontecer alguma vez que a vantagem para o homem consistisse, e não só consistisse como tivesse que consistir na circunstância de ter de desejar-se o que é prejudicial e não o que é vantajoso? Se assim fosse, se pudesse dar-se um caso semelhante, a regra dos senhores ficaria anulada. Admitem os senhores a possibilidade de casos semelhantes? Estão a rir? Riam como quiserem, meus senhores, mas respondam: os interesses do homem estão perfeitamente definidos? Não há, entre esses interesses, alguns que não foram incluídos nem nunca poderão ser em nenhuma classificação? Pelo que sei, os senhores traçaram a sua lista dos interesses humanos relativamente a uma média tirada das estatísticas, das fórmulas científicas e econômicas. São eles o bem-estar, a riqueza, a liberdade, o descanso, etc., etc. De maneira que o homem que voluntária e abertamente se levantasse contra esse balanço seria, segundo o parecer dos senhores, e até segundo o meu, um obscurantista e um tolo, não é verdade? Mas vejam esta coisa importante: a que se deve o fato de que todos esses estadistas, sábios e filantropos, ao enumerarem os interesses do homem se tenham esquecido sistematicamente de mencionar um deles? A este não ligaram importância nenhuma, no ponto de vista da necessidade, e dizem que dele depende todo o cálculo. Não terá importância nenhuma incluírem na lista esta vantagem. Mas o mau é este famigerado interesse não poder ser incluído em nenhuma classificação nem inventário. Por exemplo: tenho um amigo... (eh, cavalheiros, mas se ele também é vosso amigo! E, no fim de contas, de quem é que ele não é?). Quando se dispõe a realizar um ato qualquer, o meu amigo vai lhes explicar claramente, sem esquecer uma palavra, que se propõe atuar segundo as leis da razão e da verdade. Depois lhes falará, com ardente comoção, dos interesses verdadeiros, normais, do homem; dirá obscenidades contra esses idiotas, curtos de vistas, que não compreendem o seu proveito nem o verdadeiro sentido da virtude... Um quarto de hora depois, nem mais nem menos, sem que se interponha qualquer motivo novo, sem algum móvel interior mais poderoso que os seus interesses, imaginará algo diferente, isto é, procederá abertamente contra tudo quanto dissera, contra as leis da razão, contra o seu próprio proveito; enfim, contra todo o senso comum... Previno-lhes que o meu amigo é uma personagem coletiva e, portanto, muito difícil é jogar todas as culpas para cima dele... Eis aí, meus senhores: será verdade que não há nada mais parecido, aos olhos do homem, que os seus interesses mais imediatos? Ou, então, para falar com lógica: não existirá certo interesse, mais importante que os outros, um desses interesses a que ninguém liga importância, conforme disse, e pelos quais, no entanto, o homem é capaz de arremeter, se preciso for, contra a razão, a honra, o sossego, o bem-estar; numa palavra, contra tudo quanto de mais belo e útil existe, contanto que alcance essa vantagem primordial, a mais importante e apreciada de todas, a seus olhos?

– Seja como for, sempre é uma vantagem – hão de dizer-me.

Permitam que me explique, meus senhores, pois não se trata aqui de fazer jogo de palavras. Fiquem sabendo que essa vantagem apresenta precisamente a particularidade de pôr de lado todas as classificações e desarticular todos os sistemas imaginados pelos amigos do gênero humano para lhe conseguir a felicidade. Em suma, é muito incômoda. Mas antes de dizer-lhes o seu nome, faço empenho em comprometer-me, declarando com todo o descaramento que todos esses admiráveis sistemas e teorias que pretendem explicar à Humanidade quais são os seus interesses normais, para que, invencivelmente, impelida a continuar na sua ilusão, se torne imediatamente generosa e boa, não passam para mim, até agora, de meros sofismas. Porque sustentar a teoria da renovação do gênero humano pela contemplação dos seus verdadeiros interesses é para mim quase o mesmo que afirmar, por exemplo, com Buckle,[3] que a civilização suaviza o caráter do homem, fazendo-o, portanto, menos sanguinário e dado à guerra. É isto, a meu ver, o que se depreende dos seus raciocínios. Mas de tal maneira o homem se apega aos seus sistemas e à sua dedução abstrata, que seria capaz de alterar a verdade com conhecimento de causa, de fingir-se surdo e cego só com o fim de não invalidar a sua teoria. É isto que me leva a pôr em relevo este exemplo tão importante. Basta dar uma olhadela à sua volta; o sangue corre a jorros; tão alegremente como se fosse champanhe. Aí têm Napoleão, o Grande, e o dos nossos dias.[4] Aí temos a América do Norte... uma eterna aliança. E têm, finalmente, essa farsa[5] de Schleswig-Holstein... São capazes de dizer-me o que é que a civilização tornou mais brando entre nós? A civilização limita-se a desenvolver no homem a variedade das sensações... e nada mais. Quem sabe se esse gosto pelas sensações variadas não fará com que o homem encontre prazer na efusão de sangue? Aliás, isso já lhe aconteceu. Já repararam que a maior parte dos seres sanguinários, verdadeiramente refinados, foram quase sempre personagens ultracivilizadas, aos calcanhares dos quais não chegariam os Átilas e os Stienhka Razini juntos? Se não parecem tão notáveis é precisamente porque o seu tipo é mais comum; são tão vulgares que já não chamam a atenção. Se a civilização não tornou o homem mais sanguinário, este, debaixo da sua influência, tornou-se mais ignominiosamente cruel do que antes. Antigamente julgava justo derramar o sangue, e exterminava com a consciência tranquila todos quanto julgava necessário suprimir. Hoje consideramos o fato de derramar o sangue como uma infâmia; mas cometemo-lo de bom grado e até com mais frequência do que noutro tempo. Digam-me o que é preferível! Falei pelos senhores mesmos. Conta-se que Cleópatra – desculpem-me este exemplo tirado da história romana – costumava cravar os seus alfinetes de ouro no peito das escravas que a serviam, e que os seus gritos e contorções lhe provocavam um vivo prazer. Vão me dizer que isso se passava num tempo relativamente bárbaro, que os nossos ainda o são (relativamente também), e que ainda há quem proceda como Cleópatra; que, se é certo que o homem tem hoje mais discernimento do que nos tempos de barbárie, ainda está muito longe de ter aprendido a proceder como mandam a razão e a ciência. Quando tiver alcançado esse grau de desenvolvimento, deixará de incorrer em erros voluntários, e por muito que lhe custe, por assim dizer, não poderá separar a sua vontade dos seus interesses normais. Acres-

---

[3] Henry Thomas Buckle (1826-1863), historiador inglês, autor da *História da civilização na Inglaterra*.
[4] Napoleão III, apodado *o Pequeno* por Vítor Hugo.
[5] Alusão à partilha que a Rússia e a Áustria, em conjunto, fizeram sobre a Dinamarca, arrebatando-lhe, em 1864, o Schleswig, que depois, incorporado ao Holstein, integrou (1866) o Império Germânico.

centam os senhores que a própria ciência instruirá o homem (embora isto se me afigure uma redundância) ; que ele, na realidade, não tem vontade nem caprichos, nem nunca os teve, pois não é mais do que uma espécie de teclado de piano, e que, antes de mais, o mundo se rege pelas leis da Natureza, de maneira que, faça o que fizer, não é um produto da sua vontade, mas das leis naturais. Donde se conclui que o homem não tem outra coisa a fazer senão descobrir as leis da Natureza, e que, quando for responsável dos seus atos, a vida há de tornar-se para ele muito fácil. Todos os atos humanos hão de deduzir-se então matematicamente dessas leis por meio de uma espécie de tábua de logaritmos até cem mil, catalogada num almanaque, ou, melhor ainda, vão se publicar obras bem planejadas, no estilo das enciclopédias atuais, e nas quais tudo estará previsto, calculado e determinado, e já não haverá no mundo mais acasos e aventuras.

– Então – continuarão a dizer – as condições econômicas tomarão um novo aspecto. Como tudo será calculado com exatidão matemática, bastará um momento para resolver todas as questões, pois já terão recebido todas as soluções de que sejam susceptíveis. Então construiremos um palácio de cristal. Então... veremos finalmente o pássaro de fogo[6] então...

É certo – e agora sou eu quem fala – que é impossível responder de maneira categórica, que, então, não irá matar-nos o tédio, pois em que ocupar-se, se tudo está previsto na lista? Mas em compensação reinará o senso comum. É certo que o tédio excita a imaginação, pois era por aborrecimento que Cleópatra espetava os seus alfinetes no peito das suas escravas; mas isso não teria importância. O mal está em que talvez os homens considerassem como uma felicidade voltar à época desses passatempos. Porque o homem é estúpido, espantosamente estúpido, ou, para melhor dizer, não é completamente estúpido; mas é tão ingrato que não tem comparação em toda a criação. Por isso, de maneira nenhuma estranharia se visse surgir de repente no seio dessa nacionalidade futura algum tipo de aspecto vulgar, ou até espirituoso, que, no alto das suas tamancas, nos dissesse: "Bem, meus senhores: não acham que devemos dar um bom pontapé na razão, só com o fim de mandar os logaritmos para o diabo e poder viver à nossa estúpida vontade?". Mas isso ainda seria pouco; o mal é que encontraria logo partidários, tal é a natureza humana. E tudo isso por uma causa tão insignificante, que nem sequer se deveria mencionar, e é que em todos os tempos e lugares nunca houve em todo o mundo um homem que não quisesse conduzir-se segundo a sua vontade e não em obediência aos ditames da razão e do seu interesse. Na verdade, pode uma pessoa querer conduzir-se contra o seu proveito, e acontece até que tal coisa seja absolutamente necessária (essa é a minha opinião). O nosso próprio desejo, voluntário e livre; o nosso próprio capricho, ainda mais irrefletido; a fantasia desenfreada até raiar na extravagância: eis em que consiste a vantagem, grosso modo, o interesse mais importante, que não se inclui em nenhuma classificação e que manda passear todos os sistemas e teorias. Como puderam imaginar todos esses sábios que o homem precisa de uma vontade normal virtuosa? Onde foram buscar essa ideia de que o homem precisa de desejar de maneira sensata e proveitosa? O homem só precisa de uma coisa: querer

---

6 Literalmente, "até nos virá, voando, o pássaro Kagan". Citação tirada do romance *O que fazer*, de Tchiernichiévski, no qual se alude às palavras de Santo Hilarião, que assim denomina – de Príncipe, Senhor, Imperador – o pássaro utópico, termo mais tarde adotado pela língua turca: *kahan, kan, cã*.

com independência, custe o que custar essa independência e quaisquer que sejam as consequências que dela derivem. Mas, no final de contas, só o diabo deve saber o que o homem deseja...

Capítulo VIII

– Ah, ah, ah! – interrompem-me os senhores, rindo às gargalhadas. – Mas se na realidade o desejo não existe. A ciência conseguiu estudar o homem tanto a fundo que agora sabemos que a vontade e aquilo que convencionamos chamar livre arbítrio não são senão...

– Perdão, meus senhores, é precisamente por aí que eu queria começar. E confesso-lhes que tive um pouquinho de medo. Ia dizer que a vontade só Deus sabe de que depende, e que talvez seja melhor assim; mas lembrei-me a tempo da ciência e contive-me. Foi nesse momento que os senhores me interromperam. Porque, de fato, se verdadeiramente se chegasse a descobrir a fórmula de todos os nossos desejos e caprichos, explicando, além disso, as suas causas, as leis que as regem, a forma em que se desenvolvem, fins para que propendem, em tal ou tal caso, e assim sucessivamente, até achar uma verdadeira fórmula matemática, então, sim, podia acontecer que o homem deixasse de ter vontade, e é até certo que isso acontecesse. Que prazer haveria em querer por ordem alheia? E, além disso, por que haveria o homem de transformar-se em trombeta de órgão ou alguma coisa do gênero? Pois que seria senão isso, o homem sem desejos, sem vontade nem aspirações? Que pensam os senhores? Calculemos as probabilidades: é ou não possível semelhante coisa?

– Hum! – hão de murmurar. – Os nossos desejos, geralmente, costumam ser errôneos, em consequência da ideia errônea que formamos dos nossos interesses. Por isto nos lembramos de desejar coisas absurdas, porque, levando em conta a nossa necessidade, vemos nesse absurdo o caminho mais fácil para alcançar uma dessas vantagens que nos propusemos como fim. Pois bem: quando tudo estiver explicado e calculado no papel (o que é muito possível, pois é abominável e insensato acreditar previamente que o homem não conhecerá nunca certas leis da Natureza), então, certamente, não se produziria o que chamamos vontade. Se alguma vez, porventura, a vontade se pusesse em contacto com a razão, nesse caso raciocinaríamos, mas não quereríamos, porque, conservando a razão, é impossível desejar coisas absurdas, atropelar os direitos da razão com conhecimento de causa, desejar o mal para si próprio. Mas, apesar de que todos os desejos e raciocínios podem realmente calcular-se, porque um dia hão de descobrir-se as leis daquilo que chamamos o nosso livre arbítrio, podemos, sem querer fazer graça, imaginar qualquer coisa parecida com uma lista na qual nos será dado escolher. Assim, por exemplo, se se pudesse calcular e provar que, se eu prego uma peça em alguém é porque devia pregá-la, e pregá-la irrevogavelmente de certa maneira, que soma de liberdade me restaria, sobretudo supondo que se trata de um homem culto e que tivesse seguido qualquer curso de estudos. Mas então estaria habilitado a trazer-me uma norma de vida com trinta anos de antecipação. Numa palavra: supondo que todas as coisas se arranjam dessa maneira, não teremos nada a fazer; será forçoso compreendermos, quer queiramos quer não. De maneira geral devemos repetir, sem nos cansarmos, que em certos momentos e em certas circunstâncias a Natureza não nos pede licença; que é preciso aceitá-la tal como é e não como a nossa fantasia a imagina; e se realmente queremos acostumar-nos à lista e ao almanaque... e ao alambique, não temos outro remédio senão aceitar também o alambique. Do contrário, prescindirá também de nós...

– Sim, senhor, é aqui, que, conforme penso, se encontra a dificuldade. Desculpem-me, meus senhores; divaguei de tal maneira que me pus a filosofar; mas pensem no que representam quarenta anos de subterrâneo. Deixem-me ter um pouco de fantasia. Vejam: a razão, meus senhores, é uma excelente coisa, é verdade; mas a razão não é mais do que a razão, e só satisfaz a capacidade humana de raciocinar, ao passo que a vontade é a manifestação da vida total; isto é, de toda a vida humana, inclusive da razão e de todos os escrúpulos possíveis. E se a nossa vida não se revela às vezes muito nesta manifestação, apesar de tudo é a vida, e não unicamente a extração da raiz quadrada. Porque eu, por exemplo, quero viver de uma maneira completamente natural para satisfazer a minha capacidade de viver e não a minha faculdade de raciocínio, que representa aproximadamente a vigésima parte da minha capacidade de viver. Que sabe a razão a respeito disso? A razão só sabe aquilo que teve tempo de saber (pode ser que haja algumas coisas que ela nunca venha a saber; não é muito consolador dizer isto, mas por que não reconhecê-lo?), ao passo que a natureza humana atua em massa com tudo quanto nela se contém, e quer se engane ou acerte, vive. Desconfio, meus senhores, que me estão ouvindo com piedade. Que me repetem que um homem instruído e inteligente, um homem, numa palavra, como deverá ser o do futuro, não poderá conscientemente desejar nada que seja contrário aos seus interesses e que isto é assim, de maneira matemática. Partilho absolutamente da opinião dos senhores, aceito que é matemático. Mas repito-lhes pela centésima vez que há um caso, um só, em que o homem pode desejar algo de nocivo, insensato e louco. E isso acontece quando ele quer ter o direito de desejar tudo quanto há de mais absurdo e emancipar-se do dever de desejar apenas o que é digno. Porque essa inépcia, essa coisa absurda é sem dúvida o meu capricho. E no entanto, que poderia haver de mais proveitoso para nós do que ele, sobretudo em certos casos? Num ponto de vista particular, essa coisa absurda pode ser mais interessante que todas as conveniências, até no caso em que realmente nos prejudicasse e estivesse em conflito com as sãs conclusões da nossa razão, porque, em última análise, contém para nós aquilo que mais apreciamos e valorizamos: a nossa personalidade e a nossa individualidade. Alguns afirmam que, de fato, é isto o que o homem mais aprecia; a vontade, se quisermos, pode conciliar-se com a razão. E desde que não se abuse dela, que se use com medida, a vontade é útil e às vezes louvável. Mas o mais frequente costuma ser que a vontade se encontre em completo e teimoso desacordo com a razão e ... e ... e sabem que isto é útil e até muito digno de louvor? Suponhamos, meus senhores, que o homem não é um tolo. (De fato, não estaria bem que o tachássemos de estupidez, ainda que fosse só pela simples razão de que, se ele é tolo, a quem havemos de chamar inteligente?) Mas se não é imbecil, é monstruosamente ingrato! É um fenômeno de ingratidão. E penso até que a melhor definição que poderia dar-se do homem seria esta: bípede e ingrato. Mas isto ainda não é tudo. Este ainda não é o seu maior defeito. O seu defeito maior é a sua constante imoralidade repetida desde os tempos do dilúvio até o período do Schleswig-Holstein da nossa história. A imoralidade e, por conseguinte, a impudência, pois desde o princípio do mundo se sabe que a impudência é filha da imoralidade. E senão, não têm mais a fazer do que deitar uma olhadela para a história do gênero humano; muito bem: que lhes parece? É majestosa? Suponhamos que o seja; que o Colosso de Rodes, por si só valha qualquer coisa. O Senhor Annaiévski afirma com boas razões que alguns dizem ser obra do homem, outros afirmam que é da Natureza. É obscuro? Suponhamos que seja. Deve ser muito difícil distinguir em todos os séculos e povos os uniformes de gala militares e os trajes dos paisanos! Isto é, na verdade, muito complexo, mas o mesmo aconteceria com os trajes vulgares: nem um só historiador seria capaz. É monótono? Pois bem, é monótono; os homens não têm feito outra coisa durante toda a vida, senão guerrearem-se uns aos outros, guerrear e tornar a guerrear, tanto outrora como agora; temos de concordar que isto se torna demasiado monótono. Em suma: que sobre a história universal pode dizer-se tudo quanto se quiser, tudo quanto uma imaginação desenfreada possa inventar. Há só uma coisa que não se pode dizer dela: que é prudente. À primeira palavra a voz logo vos fugirá. Vemos constantemente na vida criaturas cheias de moralidade e de discrição, sábios e filantropos que têm como finalidade da sua vida serem mais morais e prudentes ainda. Poderíamos dizer que aspiram a servir de exemplos para o próximo, para demonstrar-lhe que, efetivamente, é possível viver em obediência à moral e aos ditames da prudência. Que dizer a isto? Mas é fato comprovado que muitos dos tais filantropos, tarde ou cedo, acabam por trair as suas ideias e ensejam anedotas que são muitas vezes o cúmulo da indecência. E agora pergunto-lhes: que pode esperar-se do homem, de um ser dotado de tão estranhas qualidades? Cumulem-no de benesses, abarrotem-no de aventuras, proporcionem-lhe uma satisfação econômica tal que não tenha mais nada a fazer senão dormir, comer melaço e procurar que a história universal não se interrompa; pois até assim, por ingratidão, por maldade, o homem há de cometer infâmias. Atirará fora o seu melaço e desejará propositadamente absurdos capazes de levá-lo à perdição, coisas insensatas e inúteis, só para acrescentar a essa prudência positiva um elemento destruidor fantástico. O homem deseja a todo custo conservar os seus quiméricos sonhos, a sua rasteira sandice, só com o fim de afirmar a si próprio (como se fosse muito necessário) que os homens são homens e não pianos, que obedecem às leis da Natureza. Mais: ainda no caso de que efetivamente fosse apenas um piano, se lhe demonstrassem isso por meio das ciências naturais e matemáticas, nem assim voltaria a si, e, pelo contrário, faria qualquer coisa propositadamente, apenas por ingratidão; para falar com propriedade, pode sair-se com uma das suas. No caso de não poder proceder assim, imaginaria a destruição e o caos e toda a casta de pragas. Encheria o mundo de maldições! e como só o homem tem a faculdade de amaldiçoar (é privilégio seu, que o distingue principalmente dos outros animais), conseguiria tudo com essas maldições; quer dizer, ficaria convencido de que é homem e não piano. Se dizem que tudo isso pode prever-se por meio da lista: o caos, o transtorno e a maldição, que a mera possibilidade de um cálculo prévio pode abranger tudo isso, e que a razão acabará por prevalecer, então o homem ficará louco de propósito para não ter razão e atuar em obediência ao seu capricho. Assim o creio e o afirmo, porque toda a ocupação humana consiste precisamente em o homem provar a cada instante a si próprio que é homem e não piano! Depois disto, será possível não pecar, não se gabar de que não existe nada e de que a vontade depende, até agora, não se sabe de quê?

Hão de gritar-me (se ainda se dignam responder-me) que ninguém fala em privar-me da minha liberdade, que se aspira somente a organizar a vida do homem, de maneira que a própria vontade, a minha vontade própria, esteja de acordo com os meus interesses normais, com as leis da Natureza e com a aritmética. Mas não quererão dizer-me, meus senhores, que vontade será a minha quando o mundo for regido pela tal lista e pela aritmética, quando todos pensem unicamente que dois e dois são quatro?

Dois e dois são quatro, até contra a minha vontade. E isso há de ser a minha vontade.

Capítulo IX

Já sei que gracejo, meus senhores, e até compreendo que não o faço nada bem; aliás, não se trata unicamente de simples brincadeiras. Pode ser que, sem perder o bom humor, esteja a ranger os dentes. Senhores, estes problemas afligem-me: resolvam-nos. Os senhores, por exemplo, querem tirar a um homem os seus antigos costumes e corrigir a sua vontade, conforme o que manda a ciência e o senso comum. Mas como sabem que não só é possível, mas necessário, transformar esse homem? Donde concluem que os desejos humanos devem ser corrigidos? Enfim, como sabem se semelhante correção virá a ser proveitosa ao homem? E, para dizer tudo, por que estão convencidos de que há de ser sempre proveitoso para o homem não ir contra o interesse normal, positivo, garantido pelos argumentos da razão e da aritmética, e que isto há de ser uma lei para a humanidade? Mas isso não é mais do que uma suposição dos senhores. Admitamos que seja uma lei da lógica: também o há de ser para a humanidade. Julgam, porventura, meus senhores, que estou dizendo desatinos? Peço licença para me justificar. Concordo que o homem é um animal, geralmente criador, que tem a obrigação de perseguir um objetivo com plena consciência e fazer trabalho de engenheiro; quer dizer, a abrir caminho eternamente e sem cessar, seja em que direção for. Mas pode suceder que às vezes sinta o capricho de desviar-se, precisamente por ter a obrigação de abrir um caminho; e também porque, por muito tolo que de maneira geral seja o homem de ação que sai do vulgar, acontece-lhe às vezes pensar que todo o caminho leva sempre a alguma parte; que o principal não é saber o seu paradeiro, mas apenas deixá-lo seguir para diante; e não poderá dar-se o caso de que o rapazinho digno abandone a profissão de engenheiro e se entregue à preguiça perniciosa, que é, conforme todos sabemos, a mãe de todos os vícios? Que o homem tem tendência para construir e traçar caminhos, é indiscutível. Mas por que se fina também até à loucura pela destruição e pelo caos?

Respondam-me... A propósito disto, sinto a tentação de dizer duas palavras! Se o homem se fina pela destruição e pelo caos (e é indiscutível que em muitos casos assim é), não será talvez porque sinta um terror instintivo ao chegar ao fim da obra sem acabar o edifício? Não poderá suceder que goste só de ver o edifício de longe e não de perto; que apenas lhe agrade construí-lo, mas não habitá-lo, preferindo cedê-lo aos animais domésticos, como as formigas, os carneiros, etc.? As formigas têm um gosto completamente diferente. Têm um edifício do mesmo gênero, que é indestrutível: o formigueiro.

As respeitáveis formigas começaram pelo formigueiro e hão de acabar por ele, o que é prova da sua constância e respeitabilidade. Mas o homem é um ser volúvel, inconsequente, e talvez, como o jogador de xadrez, apenas tenha prazer nos meios e não nos fins em si mesmos: quem sabe (ninguém poderia demonstrar o contrário) se o fim para que a humanidade propende consistirá apenas nesse incessante esforço para chegar; por outras palavras, na vida em si própria e não no fim, que certamente não é mais do que dois e dois são quatro, quer dizer, uma fórmula? Mas dois e dois são quatro não é a vida, meus senhores, mas o começo da morte. Pelo menos sempre inspirou horror ao homem, a começar por mim, a tese de que dois e dois são quatro. Admitamos que o homem não faça outra coisa senão procurar esses dois e dois, quatro; que atravesse os mares e arrisque a sua vida nessa pesquisa; quanto ao que se refere a encontrar, encontrar deveras, isso inspira-lhe horror, verdadeiro horror. Compreende que, assim que o tenha encontrado, já não terá mais nada a procurar. Os operários, quando terminam o seu trabalho, recebem pelo menos a sua paga e vão gastá-la para a taberna. Pois bem: desta maneira tereis ocupação para oito dias. Mas para onde há de ir o homem? Pelo menos se nota nele sempre qualquer coisa de estranho no momento de conseguir o seu propósito. Agrada-lhe o medo de alcançá-lo; mas não se convence a alcançá-lo completamente. É certo que isto é ridículo. O homem é um ser muito estranho. É evidente que em tudo isto há algum trocadilho. Mas dois e dois, quatro, é uma coisa muito desagradável. Dois e dois, quatro! Para mim, meu caro senhor, isso é uma impertinência. O dois e dois, quatro, faz-me lembrar um fanfarrão que se atravessasse no nosso caminho e, cheio de arrogância, nos cuspisse em cima. Reconheço que dois e dois são quatro é uma coisa excelente, mas daí a pô-lo nos cornos da lua... não será muito melhor dois e dois serem cinco?

Portanto, por que estão convencidos, com tanta dignidade e solenidade, de que o homem só precisa do que é normal e positivo, de que somente a prosperidade é proveitosa para o homem? Não poderia dar-se o caso de que a razão induzisse em erro ao fazermos a valorização dos proveitos? Não poderia suceder que a prosperidade se tornasse antipática para o homem? Não poderia acontecer que preferisse o sofrimento e também que este resultasse tão proveitoso como a prosperidade? Que o homem ama com paixão o sofrimento é um fato comprovado. Aqui é inútil recorrer à história universal. Interroguem-se a si mesmos para saber se são homens e têm vivido, por pouco que seja. Quanto a mim, penso que é até vergonhoso amar unicamente o bem-estar. Quer seja bem feito ou mal feito, o certo é que às vezes é muito agradável quebrar qualquer coisa. Não pretendo erigir-me em campeão absoluto do sofrimento, mas também não quero ser o do bem-estar. É o meu capricho e esforço-me para que ele me seja assegurado, se for preciso. Já sei que, certamente, o sofrimento não é admitido no *vaudeville*. Num palácio de cristal é inadmissível: o sofrimento é uma dúvida, uma negação, e quem poderia alimentar dúvidas num palácio de cristal? No entanto tenho a certeza de que o homem não deixaria nunca de amar o verdadeiro sofrimento, a destruição e o caos. O sofrimento é a causa única da consciência. Embora a princípio lhes tenha dito que, para mim, a consciência constitui a maior desventura do homem, sei, no entanto, que o homem lhe tem apego e que não a trocaria por nenhuma satisfação. A consciência, com certeza, é infinitamente superior ao fato de dois e dois serem quatro. Depois de dois e dois quatro, não há mais nada, não só para fazer, mas para aprender. Resta-nos apenas aprisionar os nossos cinco sentidos e abismarmo-nos na contemplação. Pois bem: obtém-se o mesmo resultado com a consciência; isto é, também não há nada para fazer, a não ser o podermos flagelar-nos às vezes a nós mesmos, e isto sempre reanima. Por muito retrógrado que isto seja, sempre é melhor do que nada.

Capítulo X

Acreditam no palácio de cristal eterno, indestrutível, isto é, nesse lugar no qual não se pode pôr a língua de fora nem fazer a mínima careta às escondidas?

Pelo que me diz respeito, esse edifício inspira-me um certo pânico, precisamente por ser de cristal e indestrutível, e por não se poder pôr a língua de fora nem sequer às escondidas.

Ora vejam: suponhamos, em vez do palácio, um galinheiro, e suponhamos também que chove; seria muito provável que me refugiasse nesse galinheiro para não me molhar, mas nunca o tomaria por um palácio, para mostrar-me agradecido por ter me resguardado da chuva. Dão risada. Respondem-me até que, num caso destes, tanto faz um galinheiro como um palácio. "Sim – respondo eu – se vivêssemos somente para não nos molharmos."

Mas que fazer se se me enfiou na cabeça que vivemos só para isso, e que, se temos de viver, devemos viver num palácio? É esse o meu desejo; a minha vontade. Só me hão de tirá-lo quando mudarem a minha vontade. Pois bem: façam isso, seduzam-me com outra coisa, deem-me outro ideal. Mas, entretanto, não achem que vou confundir um galinheiro com um palácio. Admitamos que o palácio de cristal seja apenas uma graçola, que não deve existir, segundo as leis da Natureza, que eu o tenha inventado unicamente pela minha própria estupidez, por causa de algum arcaico costume irracional da nossa espécie. Mas que me importa que não deva existir? Não é o mesmo que existir, desde o momento que exista no meu desejo, ou melhor, que exista enquanto existirem os meus desejos? Continuam a rir? Pois riam à vontade. Suportarei todas as troças, e nem por isso direi que estou farto, quando ainda sentir fome. Eu sei que nenhum meio termo poderia satisfazer-me, nenhum zero constante, periódico até ao infinito, unicamente pelo fato de existir, segundo as leis da Natureza, e existir realmente. Considerarei como o máximo dos meus desejos uma casa magnífica, com quartos para inquilinos pobres e contrato por mil anos e, para melhor identificação, com a placa do dentista Wagenheim na porta. Aniquilem os meus desejos, suprimam a minha ideia, mostrem-me algo de melhor, que os seguirei. Talvez me respondam que não querem meter-se nisso; mas, neste caso, poderei responder-lhes da mesma forma. Estamos discutindo com toda a seriedade; se não querem honrar-me com a sua atenção, também não a mendigarei. Tenho o meu subterrâneo.

Mas enquanto eu viver e tiver vontade, cego seja eu se carregar uma só pedra para uma casa dessas! Não liguem importância ao fato de há um momento eu ter repudiado o edifício de cristal unicamente porque não se podia ali pôr a língua de fora. Talvez a única coisa que me incomode seja o fato de entre todos os seus edifícios não haver um só no qual se possa pôr a língua de fora. Pelo contrário, eu consentiria sem inconveniente, por gratidão, que me cortassem a língua, contanto que as coisas se arranjassem de maneira que eu nunca sentisse tentação de deitá-la de fora. Que pode importar-me que as coisas não possam arranjar-se assim e tenhamos de contentar-nos com as moradias atuais? Por que tenho eu estes desejos? Será unicamente para chegar à conclusão de que todo o meu ser é uma ilusão? Será essa a finalidade? Não creio.

E, no entanto, fiquem sabendo: tenho a certeza de que é preciso segurar pela trela o nosso irmão do subterrâneo. Pois ainda que seja capaz de passar quarenta anos no seu esconderijo, assim que finalmente sai, logo se escapa e se põe a falar, a falar, e não consegue fazer parar a língua.

Capítulo XI

Enfim, meus senhores: mais valia não fazer nada. Uma inércia razoável é preferível! Pois bem, se é assim, viva o subterrâneo! Já disse que invejo o homem normal até à última gota da minha bílis; mas, nas condições em que o vejo, não quero ser como ele, por muito que não possa deixar de continuar a invejá-lo. Não, não; o subterrâneo é preferível, apesar de tudo. Aí, ao menos seria possível... Mas também nisto minto! Minto porque sei muito bem, como sei que dois e dois são quatro, que o subterrâneo não é melhor, mas sim qualquer coisa de diferente, completamente diferente, que desejo ansiosamente e não encontro. O subterrâneo que vá para o diabo!

Eis aqui o que ainda seria melhor: que eu acreditasse qualquer coisa de tudo quanto acabo de escrever. Juro-lhes, meus senhores, que não acredito nem uma só palavra, nem uma só, de tudo quanto tenho escrito. Ou então, pode ser que acredite nisso, mas, ao mesmo tempo, não sei por que, presumo e suponho que estou mentindo como um embusteiro!

– Então, para que escrever tudo isto? – vão me dizer. – Mas, e se eu os tivesse fechados quarenta anos sem fazer nada e, ao fim desse tempo, fosse buscá-los ao subterrâneo para saber o que fora feito dos senhores? Pode deixar-se um homem sozinho, durante quarenta anos, sem nenhuma ocupação? "Isso não é vergonhoso nem humilhante! – dirão, talvez, abanando a cabeça depreciativamente. – Este tem fome de viver e resolve as questões vitais com um palavreado lógico. Que aborrecidas e impertinentes são as suas palavras e, ao mesmo tempo, que medo tem! Diz tolices e fica tão à-vontade! Diz impertinências e logo a seguir assusta-se e pretende desculpar-se. Afirma não temer nada e ao mesmo tempo procura o nosso aplauso. Diz que range os dentes e entretanto vai dizendo gracinhas para nos fazer rir. Os seus jogos de palavras não são nada habilidosos; e, no entanto, está sem dúvida muito satisfeito do seu mérito literário. Talvez seja verdade que tenha sofrido deveras; mas não respeita de maneira nenhuma os seus sofrimentos. Talvez seja verídico, mas não tem vergonha. Tira à vergonha pública as suas verdades, por mesquinhez, põe-nas no pelourinho, exibe-as no mercado... Quer verdadeiramente dizer qualquer coisa, mas oculta a sua última palavra por medo, porque não tem coragem para pronunciá-la: mostra apenas um descaramento covarde. Gaba-se de ser consciente e não faz outra coisa senão titubear, porque, ainda que a sua inteligência lute, a maldade já lhe empanou o coração: e sem coração puro não pode haver consciência regular e completa. E o espavento que faz! A importância que toma! Mentira, mentira e mentira!

É claro que sou eu quem inventa agora as palavras dos senhores. Isto deriva também do meu esconderijo. Estive ouvindo as suas palavras durante quarenta anos através da frincha do sobrado. Tenho-as ruminado muito: não fiz outra coisa. Não tem nada de estranho que me tenham ficado gravadas na memória e tomado forma literária.

Mas serão verdadeiramente tão crédulos, que imaginem que vou imprimir tudo isto e que os deixarei ler? E, além disso, eis aqui um problema para mim: por que, de fato, os chamei senhores, por que os encarei como se fossem leitores de verdade? Não se devem imprimir nem publicar confissões como as que comecei a fazer. Pelo menos a mim falta coragem para isso, e não julgo necessário tê-la. Eis aqui do que se trata:

Nas recordações de cada homem há coisas que este não descobre a ninguém, a não ser aos seus amigos. Há outras também que nem aos seus amigos descobre, e apenas a si próprio as confessa, e isto ainda em segredo. Mas há finalmente outras que o homem receia confessar a si próprio, e todo homem guarda na sua alma uma pilha destas coisas, sempre que seja como deve ser. E quanto mais é, mais coisas dessas guarda. Pelo que me diz respeito, há pouquíssimo tempo me decidi a recordar algumas das minhas aventuras antigas e sempre o evitei até com certa inquietação. Mas, agora, que não somente as recordo, como me resolvo a escrevê-las, agora, precisamente, quero provar se não será possível sermos sinceros conosco mesmos e não recear a verdade. Uma observação, a propósito: Heine pretende que as autobiografias exatas são quase impossíveis e que o homem mente sempre quando se trata dele mesmo. Segundo Heine, Rousseau, por exemplo, mentiu nas suas *Confissões*, e até fez isso de propósito, por vaidade. Tenho certeza de que Heine acertou; compreendo que só por vaidade uma pessoa pode acusar-se de pecador, assim como imagino qual é a natureza de tal vaidade. Mas Heine pensava isso de um homem que se confessava perante o público. Eu escrevo só para mim e declaro de uma vez para sempre que, se escrevo como se tivesse leitores na minha frente, o faço apenas porque assim escrevo com mais à-vontade. Tudo isso é apenas uma maneira de me exprimir e nada mais. Quanto aos leitores, nunca os terei, já o disse.

Não quero que nada possa coibir-me na redação das minhas memórias. Não quero adaptar-me a nenhum plano nem sistema. Escreverei à medida que me for lembrando...

Mas isto que acabo de dizer podia dar ocasião a esta pergunta: "Se não conta verdadeiramente com leitores, por que combina consigo próprio, e até por escrito, condições como essas de que não seguirá um plano nem um sistema, que escreverá à medida que for recordando, etc., etc.? Por que dá explicações, por que se desculpa?".

Ah! Vou responder-lhes.

Nisso resume-se toda uma psicologia. É possível que eu seja muito simplesmente um covarde. Também podia acontecer que eu criasse a ideia de me ver perante um público, com o objetivo de conduzir-me mais decentemente enquanto escrevo. Poderia aduzir mil razões para explicar a minha conduta.

Mas há ainda outro ponto: por que e a propósito de que resolvi escrever? Se não fosse por contar com o público, não poderia recordar tudo mentalmente, sem passá-lo para o papel?

Sim, mas no papel torna-se mais solene. Há nisto qualquer coisa que intimida; somos mais severos conosco próprios, polimos as frases. Além disso, talvez, escrevendo, consiga algum alívio. Hoje, por exemplo, pesa-me especialmente uma antiga recordação. Veio-me à memória nestes dias anteriores, e desde então perdura em mim como um motivo musical que não quer largar-me. E, no entanto, preciso afugentá-lo. Recordações como esta tenho-as às centenas. Mas às vezes, destas centenas há alguma que se impõe e, não sei por que, tenho a impressão que, escrevendo, me verei livre dela. Por que não tentar a prova?

Enfim, aborreço-me, nunca faço nada. E escrever é afinal um trabalho como outro qualquer. Dizem que o trabalho torna o homem honesto e bom. Pois bem: corramos o risco!

Hoje cai neve, uma neve derretida, amarelada e suja. Ontem também nevou, e foi o mesmo nestes dias passados. Parece-me que foi a neve derretida que me trouxe à memória essa anedota que não posso afastar da minha imaginação. Bem, pois façamos um conto.

A PROPÓSITO DA NEVE DERRETIDA

Quando o ardor das minhas palavras persuasivas
Retirou das trevas do erro
A tua alma degradada,
E que, cheia de uma dor atroz,
Tu, retorcendo as mãos,
Amaldiçoaste o vício que te arrastou;
Quando, castigando a consciência,
Atormentada pela recordação,
Me contaste a história toda
Daquilo que houve antes de mim,
E, de repente, ocultando o rosto entre as mãos,
Cheia de vergonha e de horror,
Te desfizeste em lágrimas, Desolada, convulsa...
(De uma poesia de Niekrássov)

Capítulo primeiro

Por esse tempo eu devia ter no máximo vinte e quatro anos. Levava uma vida sombria, desordenada até à misantropia. Não me dava com ninguém, evitava as conversas, e cada vez me refugiava mais e mais na minha toca. Na repartição do Ministério procurava não ver ninguém, e percebia claramente que os meus companheiros, não somente me olhavam como um bicho raro, como até com aversão. Eu dizia para comigo: "Por que me olharão apenas a mim com maus olhos?" Um dos meus companheiros da repartição tinha uma cara repugnante, picada de bexigas, e, ainda por cima, com ares de fanfarrão. Penso que não seria capaz de olhar para ninguém se o céu me tivesse dado semelhante cara. Outro trazia um uniforme tão usado que cheirava mal. No entanto, nenhum dos dois se sentia diminuído por isso: nem pela roupa, nem pela cara, nem moralmente nem de qualquer outra maneira. Nem um nem outro imaginava que pudessem olhá-los com asco. E, supondo que o imaginassem, isso pouco lhes teria importado, contanto que não se tratasse de alguém da Administração. Agora compreendo perfeitamente que, por causa da minha vaidade sem limites, me tornava muito exigente para comigo próprio, me olhava frequentemente com um descontentamento raivoso, até com repugnância, e, em pensamento, atribuía aos outros esta maneira de me encarar. Eu, por exemplo, não podia suportar a minha cara; achava-a abominável e notava até nela certa expressão de covardia; e, por causa disso, cada vez que me dirigia à repartição aguçava todas as faculdades para adotar as maneiras mais independentes, a fim de que não suspeitassem em mim nenhuma baixeza e para que o meu rosto exprimisse a maior nobreza possível. "Não importa que seja feio – pensava eu – contanto que, em compensação, o meu rosto respire generosidade, seja expressivo e pareça muitíssimo inteligente." Mas eu estava absoluta e dolorosamente convencido de que o meu rosto não podia exprimir tanta perfeição. E o mais terrível é que o achava positivamente estúpido. No entanto, bastava que parecesse inteligente para eu me ter dado por muito satisfeito. Contanto que parecesse inteligente estava até resignado com a ideia de que o meu rosto demonstrasse vileza.

 Desnecessário será dizer que aborrecia todos os meus companheiros da repartição, desde o primeiro até o último, e que os desprezava a todos, embora ao mesmo tempo me parecesse que lhes tinha medo. Às vezes achava-os superiores a mim. Ocorria-me isso de repente. Ora os desprezava, ora os julgava superiores a mim. Um homem honrado e inteligente não poderia ser vaidoso sem ser muito exigente para consigo próprio e sem se desprezar em certos momentos, até ao rancor. Mas, quer o achasse inferior aos demais, ou que o desprezasse, quase sempre baixava os olhos perante algum que acabasse de chegar. E até fazia experiências com ele: seria capaz de suportar o olhar de tal indivíduo? E era sempre eu quem baixava primeiro os olhos. Isto excitava-me até a loucura. Sentia um medo doentio de parecer ridículo e adorava servilmente a rotina naquilo que se referia às aparências. Seguia zelosamente os caminhos já trilhados e assustava-me com todo o meu coração de todas as excentricidades que pudesse ter. Mas teria podido livrar-me delas? Eu me desenvolvera de maneira doentia, como cumpre a um homem do nosso tempo. Os outros eram todos uns tolos e assemelhavam-se entre si como os carneiros dum rebanho. É muito possível que eu fosse o único da repartição que me considerasse pusilânime e servil, precisamente porque era instruído. Mas não se tratava só de uma ilusão da minha parte, porque, de fato, eu era covarde e subserviente. Declaro-o sem falsa vergonha. Todo homem do nosso tempo, que é como deve ser, é e tem de ser covarde e subserviente. É esse o seu estado normal. Estou profundamente convencido disso. Nasceu e está preparado para isso. E não só na nossa época, devido às circunstâncias acidentais, como, em geral, em todos os tempos, o homem como deve ser tem de ser covarde e subserviente. Se porventura algum deles pode alguma vez jactar-se de valentão, que não vá por causa disso consolar-se nem dançar de alvoroço, pois em breve lhe sucederá ceder noutra ocasião. E eis aí a única e eterna saída. Só os burros e os seus semelhantes podem jactar-se de valentia; e, ainda assim, só até certo ponto. E não vale a pena reparar nisso, pois não significa absolutamente nada.

    Além disso havia outra circunstância que me afligia: nenhum deles era parecido comigo e eu não me parecia com nenhum: "Eu sou um só e eles são todos", reconsiderava, e ficava pensativo.

    Tudo isto demonstra que, nesse tempo, eu era ainda um rapaz. Aconteciam coisas contraditórias. Como a repartição acabava por repugnar-me, não eram poucas as vezes que voltava doente do trabalho. Mas, de repente, sem qualquer motivo, começava em mim uma fase de cepticismo e de indiferença (tudo o que me dizia respeito era assim, por fases) e depois punha-me a troçar da minha intolerância e repulsão e a recriminar-me pelo meu romantismo. Tão depressa me dava para não falar com ninguém, como me punha não só a falar como até a gracejar amistosamente com todos. O meu aborrecimento desaparecia de repente e sem motivo. Quem sabe se nunca o cheguei a sentir, mas o aparentava, sob a influência das minhas leituras? Até agora não consegui resolver este ponto. Uma vez cheguei a travar amizade com eles, a visitá-los, a fazer partidas, a beber aguardente e a falar de promoções. Mas consintam que faça aqui uma digressão.

    Entre nós, russos, de maneira geral nunca houve romantismos idiotas, no género dos alemães, e, sobretudo, desses franceses que sonham com as estrelas e nos quais só isso causa impressão. Ainda que a terra se abra debaixo dos seus pés, ou a França inteira sucumba nas barricadas, eles não saem da sua posição, não mudam por pudor e continuam a cantar às estrelas, por assim dizer, até ao fim da sua vida, porque são uns tolos. Mas entre nós, na terra russa, não há tantos. Isto é um fato visível. É até o que nos diferencia dos povos estrangeiros. Por conseguinte, entre nós não existem, no estado de pureza, homens desses que sonham com os astros. Foram os nossos espíritos positivos, os publicistas e críticos de outrora, que descobriram os Kostanjógli e os tios Piótri Ivânovitchi,[7] e os tomaram tolamente pelo nosso ideal, os que inventaram a lenda dos nossos românticos, equiparando-os aos que na Alemanha e na França sonham com as estrelas. Pelo contrário, as qualidades dos nossos românticos são completamente diferentes das que são apreciadas nos europeus que sonham com as estrelas, e não poderiam adaptar-se a nenhum padrão europeu. (Peço-lhes licença para me servir desta palavra "romântico"; é velha, respeitável, tem direito a toda a nossa consideração e todos a conhecem). As qualidades dos nossos românticos são compreender tudo, ver tudo, e, às vezes, com muito maior clareza que os nossos espíritos positivos; não se adaptarem a nada nem tampouco desprezarem nada; ordenar tudo, procedendo em tudo com muito tino; nunca perder de vista o fim prático e útil, obter uma pensão ou alguma condecoração oficial e conseguir que a Academia lhes pague a casa); perseguir esse objetivo por entre todos os entusiasmos e todos os tomos de poesias líricas, e ao mesmo tempo conservar intacto no seu íntimo, até o túmulo, o seu ideal do belo e do sublime, e embrulhar-se ao mesmo tempo entre algodões, como uma preciosidade qualquer, embora não seja senão por atenção para com o belo e o sublime. Os nossos românticos gabam-se de terem as vistas largas, mas são uns trampolineiros

---

[7] Personagem das obras de Gógol.

completos. Afirmo... sei disso por experiência. Mas, contanto que o romântico seja inteligente. Que digo eu! O romântico é sempre inteligente; quis apenas fazer notar que se às vezes nos aconteceu ter românticos tolos; não devemos fazer caso disso, pois foi unicamente porque, no apogeu da sua força, se transformaram em alemães. Para conservar melhor o seu valor foram estabelecer-se longe, em qualquer lugar, sobretudo em Weimar ou na Floresta Negra. Eu, por exemplo, desprezava sinceramente a Administração e só não cuspia sobre ela por pura necessidade, porque lhe pertencia e recebia dela um ordenado. O nosso romântico preferia perder o juízo (o que, no entanto, raras vezes acontece), a não ser que não tivesse em vista outra carreira ou que não o corressem daí a pontapés. Pode acontecer que o encerrem num manicômio, como rei de Espanha, mas apenas se fica furioso. Entre nós só os de pouco entendimento e os efeminados perdem o juízo. Mas um bando de românticos consegue logo a promoção. Que diversidade admirável! E que faculdade de impressões variadas! Isto, por essa época, consolava-me e continua ainda a consolar-me. Por isso temos tantos espíritos profundos, que nunca perdem o seu ideal, por muito baixo que caiam. É certo que não fazem nada por ele, que são uns vilões e malandros declarados; mas adoram o seu ideal até às lágrimas e, no fundo do seu coração, continuam a ser extraordinariamente honestos. Sim, senhor; o velhaco mais consumado pode ser completa e até superiormente boa pessoa no fundo da sua alma, sem que por isso deixe de ser um velhaco. Repito que é coisa muito vulgar que os nossos românticos se tornem uns vadios em matéria de negócios (emprego a palavra vadios por amizade), que, de repente, deem mostras de tais conhecimentos e de tal olfato, que o público e a Administração não tenham outro remédio senão dar estalos com a língua, de assombrados.

Apresentam tal variedade, que fazem pasmar, e só Deus sabe até que ponto podem expandir-se em circunstâncias ulteriores, do que são capazes e do que prometem para o porvir. Mas no fundo, meus senhores, não são de boa raça. Não lhes digo isto por patriotismo ridículo ou trivial! No entanto, tenho a certeza de que ainda julgam que eu gracejo. Mas não poderia acontecer o contrário, isto é, que julgassem que eu falo a sério? Em todo caso, meus senhores, considero as duas opiniões com uma honra e uma mercê particulares. Perdoem-me esta digressão.

Os meus períodos de amizade para com os meus companheiros não eram duradouros, pois, por causa de minha juventude e falta de experiência, deixava de cumprimentá-los, e tudo se acabava. Aliás, isso só me aconteceu uma vez. Geralmente estava quase sempre só.

Quando me recolhia no meu cubículo, o que mais fazia era ler. Desejava que as impressões exteriores sufocassem tudo quanto se agitava em mim, e das impressões exteriores só podia permitir-me a leitura. Escusado será dizer que a leitura me era muito proveitosa, me comovia, me deliciava e atormentava. Mas em certos momentos produzia-me um tédio horrível. Às vezes sentia desejos de movimentar-me, apesar de tudo, e afundava-me verdadeiramente mais numa libertinagem vil e subterrânea do que no vício. As paixões, em mim, eram vivas e ardentes, devido à minha excitação doentia e constante. Tinha crises nervosas, com choros e convulsões. A não ser a leitura, não tinha outra fuga. Quero dizer, de tudo quanto me rodeava, não havia nada que merecesse a minha estima nem me atraísse. Além disso, o tédio apoderara-se de mim; sentia uma necessidade nervosa de contradições e contrastes, e atirava-me de cabeça na má vida. Não julguem que digo tudo isto para justificar-me... Não, não é assim... Mas eu estou mentindo! Queria precisamente justificar-me. Faço esta observação, meus senhores, só para mim. Não quero mentir, prometi-o.

Entregava-me à libertinagem, sozinho, de noite, às escondidas, vilmente, com um temor e uma vergonha que nem nos instantes de maior degradação me abandonavam e que me envenenavam esses momentos. Trazia na minha alma o pesadelo do meu esconderijo. Tinha um medo espantoso de que me vissem, de que me encontrassem por acaso e me conhecessem. E, no entanto, frequentava paragens bem sombrias.

Uma vez, ao passar de noite junto de uma pequena taberna, pude ver, através dos vidros, uns jogadores de bilhar que sacudiam o pó da roupa com os tacos e acabaram por atirar uma pessoa pela janela. Noutra ocasião, aquilo teria me impressionado, mas acabei por sentir inveja do homem que fora atirado pela janela, e a tal ponto que puxei a porta da taberna e entrei na sala de bilhar: "Pode ser – disse para comigo – que também me atirem pela janela".

Não estava embriagado; mas quem é que pode dizer em que crise nervosa o aborrecimento não será capaz de lançar-nos? No entanto, não me aconteceu nada! Na realidade eu não tinha coragem para saltar pela janela e saí dali sem me ter encontrado com ninguém.

Assim que dei os primeiros passos dentro da taberna, um oficial chamou-me logo à razão.

Eu estava de pé, junto da mesa de bilhar e, involuntariamente, estorvava-lhe o andar. O oficial agarrou-me pelos ombros e, sem dizer uma palavra, sem dar-me o menor aviso nem explicação nenhuma, empurrou-me e caminhou para a frente, como se não me tivesse visto. Eu poderia ter perdoado até que ele me tivesse batido; mas não que me tivesse empurrado do lugar em que estava, sem ter sequer reparado em mim.

Ah, meu Deus, quanto eu teria dado por uma autêntica rixa, mais normal e decorosa, mais literária, por assim dizer! Tinha-se portado para comigo como uma mosca. O oficial era muito forte; eu, baixinho e fraco. Além disso era eu o ofendido; não devia ter feito outra coisa senão protestar e, não há dúvida de que ele me atiraria pela janela. Mas meditei bem e preferi retirar-me, muito enfurecido.

Sai da taberna muito comovido e revoltado, voltei para casa e no dia seguinte afundei-me outra vez na minha mesquinha libertinagem, mais tímida, triste e humildemente do que antes. No entanto não vão pensar que eu senti medo do oficial por covardia. Nunca, apesar do meu medo constante, nunca fui covarde, no fundo da minha alma. Mas não riam; isto precisa de uma explicação. Eu tenho explicação para tudo, fiquem sabendo.

Oh, se aquele oficial fosse um desses que estão dispostos a aceitar um desafio! Mas não! Mas não! Era precisamente um desses cavalheirotes (ai! há muito desapareceram), que preferem lançar mão dos tacos do bilhar, ou, como o tenente Pirogov, de Gógol, proceder administrativamente. Mas não aceitavam desafios e consideravam vergonhoso baterem-se conosco, os civis. De maneira geral consideravam o duelo uma coisa insensata, libertina, francesa, o que não era impedimento para que lhes agradasse insultar as pessoas, sobretudo quando tinham uma boa estatura.

Tive medo, não por covardia, mas por excesso de amor-próprio. Tive medo, não da sua corpulência, nem de que me batesse e me fizesse saltar pela janela: tinha coragem física de sobra; mas faltava-me a coragem moral. Tinha medo de que nenhum dos presentes, a começar pelo militar e a acabar pelo último empregadeco corrompido e sardento, me compreendesse, e todos fizessem troça de mim quando eu me pusesse a protestar, empregando uma linguagem literária. Porque entre nós não é possível falar de pontos de honra (isto é, não de honra, mas de pontos de honra), senão com uma linguagem literária. A linguagem vulgar não serve para se falar nos pontos de honra. Estou firmemente convencido (tenho o fartum da atualidade, apesar de todos os romantismos) de que todos se teriam posto a rir. Quanto ao oficial, teria muito simplesmente posto as mãos em cima de mim, sem fazer grande estrago. Empurrando-me às joelhadas, teria me obrigado a dar uma volta completa à mesa de bilhar, depois teria me perdoado e, finalmente, atirado pela janela afora. Claro que, com um homem da minha têmpera, esta lamentável história não poderia ter acabado assim. Depois desse episódio, tornei a encontrar-me muitas vezes na rua com o tal oficialeco. Não me esquecera da sua cara. Não sei se ele se lembraria de mim. Creio que não. Tenho certos indícios que me autorizam a pensar assim. Quanto a mim, olhava-o sempre com raiva e ódio, e isto durante muitos anos. A minha cólera fortalecia-se e aumentava de ano para ano. A princípio, muito discretamente, fiz o possível por informar-me da vida e atos portentosos do referido oficial. Isso não era nada simples, pois eu não me dava com ninguém. Mas um dia em que eu o seguia a certa distância, como se ele me puxasse por uma coleira, sucedeu que alguém o chamou pelo seu nome e fiquei assim sabendo como se chamava. De outra vez segui-o até casa e gratifiquei com dez copeques o porteiro para que me dissesse em que andar ele vivia e se era só ou tinha família, etc., enfim, tudo o que podia saber pelo porteiro. Uma manhã, embora eu nunca tivesse escrito, aconteceu-me redigir um conto no qual caricaturava o aborrecido oficial. E escrevi a historiazinha com grande prazer. Servia-me da sátira e até da calúnia. Mudei o nome ao meu protagonista, de maneira que todos pudessem reconhecê-lo imediatamente; em seguida, depois de ter pensado muito, corrigi aquilo e enviei a minha narrativa para os *Anais da Pátria*. Mas, nesse tempo, as sátiras não estavam na moda e o meu conto não chegou a aparecer à luz do dia. Isso produziu-me uma viva contrariedade. Havia momentos em que a cólera me asfixiava. Até que por fim me resolvi a provocar o meu adversário. Escrevi-lhe uma carta amena, afetuosa, pedindo-lhe me apresentasse as suas desculpas e, para o caso de uma negativa, dirigia-lhe alusões muito concretas acerca de um duelo. Essa carta ia redigida em tais termos que, se o oficial tivesse compreendido alguma coisa do belo, e do sublime, certamente se teria apressado a vir a minha casa para atirar-me os braços ao pescoço e oferecer-me a sua amizade. Que belo teria sido esse gesto! Como nos teríamos compreendido bem! Ele teria me amparado com a sua corpulência, e eu, por minha vez, o teria dignificado também com a minha inteligência e também... com as minhas ideias. E quem sabe o que poderia ter saído daí! Imaginem que o tal insulto acontecera havia dez anos. E que o meu desafio constituía um anacronismo monstruoso, apesar da habilidade da minha carta, que explicava e apagava esse anacronismo. Mas, graças a Deus (apesar de tudo agradeço a Deus com lágrimas de gratidão) não cheguei a enviar-lhe a carta. Até sinto a pele arrepiada quando penso no que poderia ter acontecido, se chegasse a enviar-lhe. E, de repente... de repente vinguei-me da maneira mais simples e genial. Uma ideia luminosa atravessou subitamente o meu cérebro. De vez em quando eu costumava ir até à Niévski, nos dias de festa, aí pelas quatro horas, e dava umas voltas pelo passeio do lado sul. Quer dizer, eu não pensava em passear e sentia inumeráveis torturas e humilhações e aumentava a minha bílis. Mas é provável que eu precisasse disso. Deslizava como uma enguia, com a maior deselegância, por entre os transeuntes, cedendo-lhes o passeio, quer aos generais, oficiais, guardas-montados ou hussardos, quer às senhoras. Nesses momentos sentia dores convulsivas no coração e um ardor insuportável nas costas, ao imaginar o deplorável estado do meu vestuário, o deplorável estado e insignificância da minha pessoa, que deslizava. Isso era um verdadeiro suplício, uma insuportável e constante humilhação mental, que logo se transformava na sensação aguda e direta de não ser mais do que um moscardo entre toda aquela gente, um desprezível moscardo inútil – mais inteligente, progressivo e generoso, nem será preciso dizê-lo – mas um moscardo que cedia a passagem a todos e ao qual todos ofendiam e humilhavam. Por que me submetia a essa tortura, por que ia à Niévski? Não sei. Mas, assim que tinha uma oportunidade, ia logo para lá.

    Começava já a sentir os acessos de voluptuosidade de que falei no primeiro capítulo. Mas depois do episódio com o oficial, a Niévski ainda mais me atraía. Costumava encontrá-lo ali, e observava-o de soslaio. Nos dias festivos aparecia quase sempre. Também ele cedia o passeio aos generais e personagens de importância e deslizava por entre eles como uma enguia; mas, quando se tratava de pessoas da minha laia e até um pouco mais elevadas, pisava-nos sem cerimônia; passava por cima de nós, sem se incomodar, como se à sua frente houvesse apenas o vazio, e não havia nada que o fizesse andar. Eu ficava louco de cólera quando o via e... sempre furioso por dentro, acabava por ceder-lhe o passo. Sofria atrozmente por não poder ser seu igual, nem sequer na rua. "Por que hás de ser sempre tu o primeiro a afastares-te? – perguntava eu a mim mesmo, tomado de um ataque de cólera que, na melhor das hipóteses, me fazia ficar acordado até às duas da manhã. – Por que hás de ser tu a afastares-te e não ele? Não há lei nenhuma que te obrigue a isso. Onde é que isso está escrito? O que está bem é ser cada um, pelo seu lado, dando um jeito, como fazem as pessoas finas quando se encontram; que ele ceda metade e tu faças outro tanto, e ambos passem adiante, mostrando uma deferência recíproca." Mas isso não sucedia e havia de ser sempre eu quem lhe cedesse o passeio; e ele nem sequer reparava. E eis que, de repente, uma ideia assombrosa me veio ao pensamento: "E se eu desse de cara com ele, e não me afastasse? E se o fizesse propositadamente, ainda que, para isso, tivesse de sacudi-lo? Que aconteceria?". Essa ideia temerária foi-se apoderando de mim pouco a pouco, até ao ponto de não me deixar nem um momento de descanso. Meditava continuamente nela com angústia, e ia propositadamente mais a miúdo à Niévski para imaginar mais perfeitamente como é que havia de proceder no momento oportuno. E não cabia em mim de contente. Esse projeto me parecia cada vez mais possível e provável. "Empurrá-lo – dizia para comigo mesmo – isso não; trata-se antes, muito simplesmente, de não me desviar para dar-lhe passagem, esbarrar com ele, não muito violentamente, mas de maneira que nos toquemos ombro com ombro, sem ultrapassar as conveniências, de maneira que não o empurre mais do que ele me empurre a mim." Só pensar isso me enternecia de prazer. Até que por fim a minha resolução se tornou definitiva. Mas os preparativos levaram-me muito tempo. Antes de mais, precisava de ir o mais bem vestido possível para realizar o meu intento, tinha de embelezar-me. Seja como for, quando se tem de fazer qualquer coisa em público (e tem de ser um público escolhido, pode acontecer que se encontrem presentes a condessa e o príncipe D*** e toda a alta roda da literatura) é de rigor ir bem vestido. Isto intimida e coloca-nos num pé de igualdade com as altas esferas. Para este fim pedi um adiantamento sobre o ordenado e comprei um par de luvas pretas e um chapéu decentezinho. As luvas pretas pareceram-me mais sérias e de melhor gosto do que umas luvas amarelo-limão que a princípio tinham atraído a minha atenção. "Essa cor é muito gritante; parece que aquele que a usa tem vontade de exibir-se." Por isso renunciei às luvas amarelas. Havia muito tempo que eu arranjara uma camisa branca, com botões brancos, de osso. Mas o que me amedrontou foi a capa. Não que fosse má, pois agasalhava bastante, mas tinha o forro acolchoado e a gola de gato bravo, o que era o cúmulo da ordinarice. Era absolutamente necessário pôr-lhe outra gola, e que esta fosse de castor, como a que usam os militares. Percorri todas as lojas do Gostíni Dvor e, depois de muito procurar, encontrei enfim um castor alemão muito baratinho. O castor alemão estraga-se num instante e fica com um aspecto miserável; mas, a princípio, quando está novinho, é muito elegante. E era apenas para usar uma vez. Perguntei o preço. Pareceu-me muito caro. Depois de muito pensar, decidi-me a vender a minha gola de gato. A quantia que me faltava, e que ainda era apreciável, resolvi pedi-la emprestada a Anton Antônitch Siétotchkin, o chefe da minha seção, pessoa amável, embora séria e positiva, que não costumava emprestar a ninguém, mas que foi um pouco mais compassivo para comigo, em virtude da alta personalidade que me recomendara para aquele emprego. Eu sofria terrivelmente. Parecia-me vergonhoso pedir dinheiro a Anton Antônitch. Durante duas ou três noites não consegui conciliar o sono; de maneira geral, dormia então muito pouco; tinha febre; o meu coração se apertava inquieto, quando não se punha a dar saltos e mais saltos... Anton Antônitch, primeiro pareceu ficar assombrado, depois franziu o sobrolho, a seguir meditou um instante e, por fim, deu-me o dinheiro, em troca do qual assinei um recibo pelo qual ele ficava autorizado a receber a quantia emprestada, descontando-a no meu ordenado, ao fim de quinze dias. E foi assim que consegui arranjar tudo como devia ser... substituí a mísera pele de gato pelo flamante castor e, pouco a pouco, meti mãos à obra. Teria sido impossível para mim decidir-me da primeira vez, levianamente; era preciso tratar aquele assunto com ponderação e, sobretudo, sem precipitações. Mas, confesso-o, depois de múltiplos ensaios, comecei a desesperar: era impossível esbarrarmos um com o outro! Em vão eu me preparava, fazia projetos; parecia-me que nós iríamos em breve encontrar e, de repente, afastava-me mais uma vez e ele seguia para diante, sem reparar em mim. Eu chegava até ao ponto de rezar, à medida que me ia aproximando dele, para que Deus me desse coragem. Um dia, eu estava quase completamente decidido mas sucedeu que mais uma vez me atrapalhei, porque no último momento, quando me encontrava a apenas dois passos, me faltou a coragem. Ele me deu um encontrão com a maior tranquilidade, e eu me afastei para o lado, de um salto, como uma bala. Nessa noite fiquei doente, tive febre e delirei. Mas, inesperadamente, tudo terminou da melhor maneira possível. Na véspera, à noite, eu resolvera definitivamente não levar a cabo o meu funesto projeto e abandoná-lo completamente e, nessa intenção, fui pela última vez à Niévski, só para ver de que maneira ia renunciar ao meu projeto. De repente, quando me encontrava mesmo a três passos do meu inimigo, decidi-me, de modo absolutamente inesperado: fechei os olhos e... chocamos com força, ombro contra ombro; eu não cedi nem uma polegada, e caminhei para a frente, como se fosse seu igual. Ele nem sequer se voltou; fingiu que não reparou; mas eu tenho a certeza de que reparou. Ainda hoje tenho a certeza! É claro que fui eu quem recebeu o empurrão mais forte; ele era mais possante do que eu. Mas não se trata disso. O importante é ter realizado o meu intento. Ter mantido a minha dignidade. Não cedi nem um passo e fiz publicamente alarde de igualdade social perante ele. Voltei para casa completamente vingado. Não cabia em mim de contente. Ufanava-me do meu triunfo e trauteava pedaços de ópera italiana. Não vou descrever-vos o que se passou comigo durante três dias. Se leram o meu primeiro capítulo, poderão adivinhar facilmente. O famoso militar devia ter sido transferido, pois não tornei a vê-lo, já lá vão catorze anos sobre esse episódio. Que terá sido feito desse grande amigo? A quem dará ele encontrões agora?

Capítulo II

Quando me passavam aquelas crises de libertinagem, acometia-me uma náusea horrível. Arrependia-me e, embora procurasse afugentá-la, sentia uma indizível repugnância. Mas, pouco a pouco, acostumei-me àquilo. Acabava por acostumar-me a tudo, ou melhor, consentia voluntariamente em suportar tudo. Mas ficava-me sempre um recurso, que resolvia tudo às mil maravilhas, e que era o de refugiar-me em tudo quanto há de belo e de sublime; é claro que só na imaginação. Sonhava coisas admiráveis; passava três meses seguidos sonhando, metido no meu tugúrio, e acreditem-me, nesses momentos não me parecia absolutamente nada com o fidalgote que, arrepiado, aconchegava a gola da sua capa de castor alemão. De repente transformava-me num herói. Mas não pensem que me teria agradado receber a visita do meu corpulento militar. Nem sequer podia recordar-me dele naqueles momentos. Seria muito difícil dizer agora em que consistiam os meus devaneios e como podia eu satisfazer-me com eles; mas o certo é que me satisfaziam. Depois das crises de libertinagem vinham afagar-me os mais doces e entusiásticos sonhos. Eram acompanhados de choros e desgostos, de maldições e de arrebatamentos. Às vezes gozava de momentos de tal ventura que nem sequer, juro-lhes, me ocorria o menor sarcasmo. Tinha fé, esperança e amor. De fato, acreditava então de olhos fechados que, em virtude de algum milagre, de alguma circunstância exterior, tudo se prolongaria como por encanto; que, de repente, se abriria a meus olhos um horizonte, de atividade digna, soberba e benéfica e, sobretudo, completamente acessível (não seria capaz de dizer qual, mas sabia que havia de ser completamente acessível) e que tornaria a apresentar-me aos olhos do mundo, coroado de louros, por assim dizer, e montado num cavalo branco. Não podia imaginar a mim próprio desempenhando um papel secundário, e era precisamente por isso que, na realidade, ocupava tranquilamente o último lugar. Ou herói, ou enterrado em lama até ao pescoço; para mim não existiam os meios-termos. E foi essa a causa da minha perdição.

Quando me afundava no atoleiro consolava-me pensando que noutros instantes era um herói; e o herói escondia o atoleiro. Um homem vulgar deve sentir vergonha de manchar-se; mas um herói está demasiado alto para que o lodo o salpique e, por isso, pode sujar-se quanto quiser. Devo fazer notar que essas veleidades do bom e do elevado me assaltavam no decurso das minhas pandegazinhas, e precisamente quando eu me encontrava encharcado de pés e mãos no atoleiro. Assaltavam-me por períodos breves, como se quisessem impor-se à minha memória. Mas o seu aparecimento não detinha a minha libertinagem, antes pelo contrário, reanimava-a, por efeito do contraste, apimentando-a, para a tornar mais agradável. O molho do delicioso manjar compunha-se de contradições e sofrimentos, misturados com uma dolorosa análise interior; e todas essas sensaborias, grandes e pequenas, acrescentavam um condimento e dotavam de certo sentido a minha licenciosidade. No fundo, tudo isto tinha uma certa profundidade. Teria eu podido, ao menos, condescender com uma libertinagem insípida e vil e cobrir-me com toda essa lama? Teria tudo isso para mim uma tal sedução capaz de me fazer sair de casa à noite? Não; eu justificava tudo isso com nobilíssimas desculpas.

Mas quanto amor, meu Deus, quanto amor não senti eu assim nos meus sonhos, naqueles mergulhos em tudo quanto é belo e sublime! É certo que era um amor fantástico, inaplicável a qualquer ato humano; mas a minha alma transbordava dele de tal maneira que, verdadeiramente, eu não sentia a necessidade de dar-lhe aplicação alguma; isso teria sido um luxo inútil. Aliás, tudo acabava às mil maravilhas por causa de um retorno indolente e embriagador à arte, isto é, às formas belas da criação, tomadas dos poetas e romancistas, e acomodadas a todos os serviços e exigências. Eu, por convenção, triunfo sobre todos: todo o gênero humano se afunda no pó e há de reconhecer de boa vontade as minhas perfeições, e eu, em troca, perdoo a todos. Sou um poeta distinto, tenho lugar na Câmara, torno-me afável; consigo juntar muitos milhões e entrego-os imediatamente à humanidade, e confesso publicamente as minhas culpas que, é claro, não são culpas vulgares, e contêm muito de belo e sublime, no estilo de Manfredo. Todos desatam a chorar e me abraçam (se não o fizessem seriam uns imbecis), e atiro-me descalço e morto de fome à prédica de novas ideias e derroto os retrógrados em Austerlitz. Em seguida, as bandas de música tocam uma marcha, proclama-se a anistia e o Papa dá mostras de querer deixar Roma e estabelecer-se no Brasil. Depois organiza-se um baile, para que a ele assista toda a Itália, na Vila Borghese, que fica nas margens do lago de Como, porque o lago de Como vai até Roma nessa ocasião, por causa dessa festividade; depois vem a ceia no campo etc., etc.... Não sabem? Dirão que é tão vulgar como covarde trazer tudo isto à luz, depois de todos os desmaios e choros que lhes tenho confessado. Mas por que não há de isso estar certo? Acham por acaso que tenho vergonha e que tudo isso seja mais estúpido do que qualquer outro episódio da vossa vida, meus senhores? Além de que, podem ter a certeza, havia certas coisas muito bem imaginadas... Nem tudo se passava nas margens do lago de Como. No entanto têm razão: era verdadeiramente vulgar e covarde. E ainda denota maior covardia o ter eu começado a desculpar-me com os senhores. E maior covardia ainda o parar a fazer esta reflexão. Mas chega, senão nunca mais acabava: iríamos de covardia em covardia e a última havia de parecer sempre a mais importante. Eu não era capaz de passar mais de três meses seguidos dando voltas à imaginação e começava depois a sentir o prurido irresistível de lançar-me outra vez no mundo. Lançar-me no mundo significa para mim ir ver o o chefe da minha seção, Anton Antônitch Siétotchkins[8]. Era esse o único e constante conhecimento de toda a minha vida, e agora admiro-me com essa circunstância. Mas só ia visitá-lo quando me apetecia e quando os meus sonhos me exaltavam a um tal grau de felicidade, que se me tornava absolutamente necessário lançar-me sem demora nos braços dos homens e de toda a Humanidade. E para isso é preciso contar pelo menos com uma pessoa certa, com um homem de carne e osso. Aliás, era necessário aparecer em casa de Anton Antônitch numa terça-feira (era o seu dia de recepção, e era preciso, portanto, arranjar as coisas de maneira que o desejo de abraçar a humanidade calhasse numa terça-feira). O tal Anton Antônitch vivia em Piat Uglov[9], num quarto andar de quatro compartimentos, de teto baixo e muito pequenos, que pareciam escurecidos pela fumaça e paupérrimos. Tinha duas filhas, além da irmã, que servia o chá. Uma das moças contava treze anos; a outra, catorze. Tinham ambas o nariz arrebitado, e infundiam-me um acanhamento enorme, porque cochichavam e riam entre si. O dono da casa encontrava-se geralmente no seu gabinete, sentado num canapé, em frente de uma mesa; tinha sempre algum visitante de cabelos brancos, empregado nas nossas ou em outras repartições. Nunca me encontrei ali com mais de duas ou três visitas, sempre as mesmas. Falavam de assuntos públicos, do Senado, dos ordenados e das promoções, de Sua Excelência, da maneira de lhe agradar, etc., etc. Eu tinha a paciência de ficar para ali pasmado, entre aquelas personagens, e de escutá-las, sem conseguir nem me atrever a conversar com eles. Tornava-me estúpido; corriam-me suores pelo corpo, sentia uma espécie de paralisia; mas aquilo era bom e proveitoso. De regresso a casa, adiava sempre para mais tarde a minha ânsia de abraçar a humanidade inteira.

No entanto, eu tinha outro conhecimento, o de Siemiônov, meu antigo condiscípulo. Também contava muitos outros companheiros de colégio em Petersburgo; mas não me dava com eles e deixara de cumprimentá-los quando os encontrava na rua. Seria capaz de pedir a minha transferência para não me encontrar com eles e romper definitivamente com a minha aborrecida infância. Maldita seja a escola e malditos aqueles dias horríveis, próprios de um presídio! Enfim: assim que me vi livre, apressei-me a afastar-me dos meus condiscípulos. Havia apenas dois ou três aos quais ainda falava quando nos encontrávamos. Um deles era o tal Siemiônov, que não sobressaíra no colégio: possuía um caráter agradável e firme, e a isto acrescentava ainda certo espírito de independência e até de honestidade. Passara com ele bons momentos, embora breves. Certamente essas recordações o aborreciam, como se temesse que eu tornasse a adotar com ele os modos de outro tempo. Suspeitava que ele sentia por mim certa repugnância; entretanto, como não tinha a certeza, ia visitá-lo. Mas, uma quinta-feira, sem poder suportar mais o meu isolamento, e sabendo que às quintas-feiras Antônitch não abria a porta a ninguém, lembrei-me de Siemiônov. Enquanto subia as escadas até ao quarto andar, ia pensando comigo que o tal Siemiônov estava farto de mim e ia correr comigo. Mas sucedia sempre que semelhantes considerações me impeliam

---

8 Este nome denota uma reminiscência de *O duplo*. O chefe de seção do Senhor Goliádkin chamava-se também Anton Antônovitch Siétotchkin.
9 As Cinco Esquinas. Pronuncia-se *piátuglov*.

geralmente a comprometer-me ainda mais numa situação equívoca. Entrei. Havia um ano que eu quase não via Siemiônov.

Capítulo III

Encontrei-me em casa de Siemiônov com mais dois antigos condiscípulos meus. Segundo parece, discutiam um assunto importante. Nenhum deles reparou na minha chegada, o que era muito estranho, pois havia anos não me tinham visto. Era evidente que me consideravam como um tipo vulgar. Nem na escola chegaram a tratar-me com esse desdém, apesar de todos antipatizarem comigo. Pensava que agora deviam desprezar-me por causa do fiasco da minha carreira administrativa, e também porque andava mal vestido e pouco limpo, etc., etc., o que, aos seus olhos, era indício da minha incapacidade e insignificância. Mas, no entanto, não me esperava semelhante desaire. O próprio Siemiônov pareceu muito admirado com a minha visita. Mas sempre fizera assim. Tudo isso me encheu de timidez; sentei-me, um tanto coibido, e pus-me a escutar o que diziam.

O tema da sua animada e grave conversa era o banquete de despedida que aqueles rapazes queriam organizar para o dia seguinte, em honra do seu companheiro Zvierkov[10], que era oficial e fora enviado para uma província afastada. Esse tal Zvierkov fora meu condiscípulo. Comecei a sentir por ele um aborrecimento especial, quando passamos para a classe dos mais adiantados. Até então foi um rapazinho travesso e simpático. Estudava muito pouco, e cada vez menos, à medida que se ia tornando mais velho; mas, apesar disso, saiu da escola com muito boa nota, devido aos padrinhos. No último ano que ali passou, recebeu uma herança de duzentas almas, e como todos, ou quase todos, éramos pobres, começou a tomar ares de importância em relação a nós. E apesar das frases retumbantes sobre a honra e o mérito, todos adulavam Zvierkov, salvo raras exceções, e tanto mais quanto mais importante se tornava. E Zvierkov tomava esses ares, não com fins interesseiros, mas por considerar-se um menino mimado pela sorte. Além disso, entre nós era regra considerar Zvierkov como um modelo de elegância e de boas maneiras. Era isto, sobretudo, o que me fazia mais raivoso. Aborrecia o timbre duro da sua voz, que revelava confiança absoluta em si mesmo; a admiração com que recebiam os seus próprios gracejos, que me pareciam terrivelmente estúpidos, apesar da desenvoltura com que os dizia; aborrecia o seu rosto bonito, é verdade, mas pouco inteligente (embora eu a tivesse trocado pela minha, apesar da expressão de inteligência que lhe atribuía) e as suas maneiras desembaraçadas, próprias de um militar de 1840. Ficava fora de mim quando o ouvia falar dos seus futuros triunfos com as mulheres (não se atrevia a meter-se com elas, enquanto não tivesse as dragonas de oficial, que esperava com impaciência) e os seus futuros duelos, que seriam inumeráveis. Lembro-me de que, sempre silencioso, ganhei de repente aversão por Zvierkov num certo dia em que, falando com os seus companheiros, durante as horas de recreio, dos seus futuros prazeres e desabafando com o maior à-vontade, como um cãozinho que se espreguiça ao sol, declarou que não havia de deixar de caçar nenhuma moça da sua aldeia, que exerceria assim o

---

10 É evidente a intenção satírica deste nome, derivado de *zvier* (bicho, fera), e que dá ao patronímico a significação de *filho de animal*.

MEMÓRIAS DO SUBTERRÂNEO

605

direito de senhor e que, se os aldeões se atrevessem a protestar, mandaria chicoteá-los e ia lhes impor tributos dobrados. Os outros aplaudiram as suas palavras; mas eu censurei-as, não por piedade pelas jovens e por seus pais, mas simplesmente por aplaudirem semelhante alimária. Nessa ocasião pude mais que ele; mas Zvierkov, por muito tolo que fosse, era alegre e atrevido, de maneira que não ganhei completamente a partida, pois os brincalhões puseram-se do seu lado. Depois disso, em outras ocasiões, ele se meteu comigo, mas sem maldade, apenas por desejo de gracejar, só para se divertir. Não lhe respondia, para dar-lhe a entender o meu desprezo. Quando terminaram os nossos estudos, fiz uma tentativa de reconciliação comigo mesmo; não resisti muito, porque isso me lisonjeava; mas daí a pouco separamo-nos com a maior naturalidade. Ouvi depois falar dos seus êxitos de militar, da boa vida que levava, da sua soberba. Não me cumprimentava na rua e eu suspeitava que receava comprometer-se ao cumprimentar um ser tão insignificante como eu. Só o vi uma vez no teatro, num camarote, ostentando os seus galões. Fazia a corte às filhas dum velho general e esforçava-se por ser atencioso para com elas. Decaíra muito, em três anos, embora estivesse ainda bastante flexível e guapo, como dantes. Começava a engordar; poderia predizer que, quando tivesse trinta anos, havia de parecer com um boi. Pois era desse Zvierkov que os condiscípulos se queriam despedir com um banquete. Durante esses três anos a que me refiro, nunca se afastaram da sua companhia, apesar de no íntimo se julgarem seus iguais.

Dos convidados de Siemiônov, um era Fierfítchkin, um russo-alemão, baixinho, com cara de macaco; um palerma que metia tudo a ridículo e fora o meu pior inimigo no colégio, covarde, insolente e fanfarrão, briguento, embora no fundo fosse o maior covarde deste mundo. Era um dos admiradores de Zvierkov, a quem adulava por interesse e pedia frequentemente dinheiro. O outro, Trudoliúbov, era um tipo insignificante, militar, grandalhão, de rosto frio; mas era honrado, curvava-se perante o êxito e só sabia falar de promoções e de subidas de posto. Ainda era parente de Zvierkov e, vejam que estupidez, sentia-se importante por causa disso. Não tinha a menor consideração por mim; mas apesar disso ainda era tolerável.

— Bem, se tocam sete rublos a cada um — disse Trudoliúbov — como somos três, juntaremos vinte e um rublos; por esse preço nos poderão dar boa comida. É claro que Zvierkov não pagará.

— Claro, homem, para isso é que ele foi convidado — resolveu Siemiônov.

— Mas querem acreditar — interrompeu Fiefítchkin, com o fervor e o zelo dum lacaio insolente que viesse defender as condecorações do seu amo, o general — querem acreditar que Zvierkov consentirá que lhe paguem a sua parte? Aceitará por delicadeza, mas com certeza há de pagar uma meia dúzia de garrafas de champanhe.

— Ora! Que é para nós meia dúzia de garrafas? — disse Trudoliúbov[11], que só atentara na palavra meia dúzia.

— Bem; portanto, três, quatro, contando com Zvierkov, fazemos um total de vinte e um rublos; no Hotel de Paris, amanhã, às cinco — concluiu definitivamente Siemiônov, que fora encarregado de organizar o banquete.

— Como vinte e um rublos? disse eu com certa veemência, deixando transparecer que estava ressentido. — Se contam comigo, não serão vinte e um rublos, mas vinte e oito.

---

11 O que aprecia o trabalho, isto é, como se disséssemos, o pé-de-boi. Onomástica satírica.

Parecia-me uma coisa muito bonita ser convidado de maneira tão inesperada. Pensava que iria reduzi-los a todos ao silêncio, obrigando-os a olharem-me com respeito.

– Também queres entrar na combinação? – perguntou-me Siemiônov, contrariado, evitando olhar-me no rosto. Conhecia-me a fundo.

E fiquei indignado ao ver que ele me conhecia tão bem.

– Por que não? Parece-me que também sou camarada de vocês e confesso que me ofende um pouco não terem contado comigo.

– Mas onde havíamos de te procurar? – exclamou Fierfítchkin, sem mais cerimônias.

– Tu nunca te deste bem com Zvierkov – acrescentou Trudoliúbov, resmungando.

Mas eu não desistia do meu empenho.

– Parece que ninguém tem o direito de falar disso – respondi com uma voz tremente, como se tivesse acontecido qualquer coisa de extraordinário. – Talvez por isso mesmo, porque dantes não me dava muito bem com ele, quisesse festejá-lo agora.

– Ora, ora! Quem percebe o que queres dizer... com todas essas ideias elevadas! – disse Trudoliúbov, sarcástico.

– Contaremos contigo – falou Siemiônov, dirigindo-se a mim. – Amanhã, às cinco, no Hotel de Paris; vê lá se te enganas.

– E o dinheiro? – insinuou Fierfítchkin a meia voz apontando-me com um gesto de cabeça. Mas não continuou porque o próprio Siemiônov deu mostras de perturbação.

– Não falemos mais nisso – disse Trudoliúbov, levantando-se. – Se tem tanta vontade de assistir, que venha.

– Mas nós temos o nosso grupo de amigos – resmungou Fierfítchkin, aborrecido; pegando o chapéu. – Não se trata de uma reunião oficial.

E saíram. Fierfítchkin nem me cumprimentou quando se retirou, e Trudoliúbov fez-me uma ligeira inclinação, sem olhar para mim. Siemiônov, que ficara só comigo, dava mostras de aborrecimento e perplexidade, e dirigia-me olhares estranhos. Não sentou, nem me convidou a sentar.

– Pois... sim... amanhã. Pagas agora? Digo isto para ter a certeza – murmurou muito envergonhado.

Eu corei; mas, ao mesmo tempo, lembrei-me que havia muito devia quinze rublos a Siemiônov, o que, verdade seja dita, se nunca me saía da memória, o certo é que também não os devolvia.

– Deves compreender, Siemiônov, que, quando vim ver-te, eu não podia saber previamente... e estou muito contrariado por ter deixado ficar em casa...

– Está bem, está bem; isso não tem, importância. Amanhã pagarás, à hora do almoço. Perguntava-te isto só para saber... Peço-te que...

Não disse mais nada e pôs-se a passear pelo quarto com uma cara de palmo e meio. Começou a bater com força com os calcanhares no chão, nas suas idas e vindas.

– Talvez esteja a tomar-te o tempo – disse eu, depois de um silêncio de dois minutos..

— Oh, de maneira nenhuma! – respondeu ele, animando-se de repente. – Isto é, para te dizer a verdade... Olha, tenho de sair por um momento... Vou aqui ao lado – acrescentou no tom de quem quer desculpar-se.

— Ah, meu Deus! Mas por que não me disseste isso logo? – exclamei eu pegando o gorro com grande desembaraço, que só Deus sabe como arranjei.

— Não é longe... fica a dois passos daqui... – repetia Siemiônov, acompanhando-me até à porta com um aspecto de pessoa atarefada, que lhe ficava bem. – Então até amanhã, às cinco em ponto! – gritou-me, já na escada.

Respirou, aliviado, quando se viu livre de mim. Eu, pelo contrário, estava furioso.

"Foi o diabo quem me induziu a dar este passo! – e rangia os dentes, já na rua. – E tudo isto por causa de um animal como Zvierkov! É claro que não irei, nem é preciso dizer, e que não me interessa o que possam falar de mim. Tenho eu, por acaso, alguma obrigação de assistir a esse banquete? Amanhã mesmo escreverei uma carta a Siemiônov dizendo-lhe..."

Mas o que aumentava a minha indignação era a certeza de que assistiria ao banquete, de que iria propositadamente e sem falta, precisamente porque não era delicado nem decente que eu fosse.

Havia até um obstáculo poderoso à minha ida: não tinha dinheiro. Todo o meu capital consistia em nove rublos. Devia dar sete a Apolon, meu criado; era esse o seu ordenado, pois a alimentação corria por sua conta.

Conhecendo o caráter de Apolon, era impossível não lhe dar os sete rublos. Ainda um dia falarei, como deve ser, a respeito desse canalha.

Mas, apesar de tudo, eu sabia muito bem que não chegaria a pagar-lhe e que assistiria ao banquete.

Nessa noite sofri horríveis pesadelos. Não é para estranhar: assaltavam-me as recordações da vida de prisão que levávamos no colégio e não podia afastá-las da minha imaginação. Foram uns parentes afastados, dos quais então estava separado, e dos quais, depois, não tornei a saber, que me meteram naquele colégio, órfão, atordoado pelas suas repreensões, meditabundo, taciturno e arredio. Os condiscípulos acolheram-me com zombarias maldosas e implacáveis, porque não me parecia com eles. Não podia suportar as suas troças; não podia adaptar-me a elas tão facilmente como eles convencionavam-se entre si. Tomei-lhes imediatamente aversão e voltei-lhes as costas, fechando-me num orgulho desmedido, doloroso e tímido. Repugnava-me a sua má educação. Troçavam cinicamente do meu aspecto, da minha falta de graça, apesar de terem todos cara de estúpidos! Naquele colégio, a expressão dos rostos embrutecia-se e transformava-se. Os rapazinhos mais bonitos, passados alguns anos de permanência no colégio, tornavam-se de uma fealdade repulsiva. Aos dezesseis olhava-os com um apreensivo espanto. Já então me admirava da mesquinhez das suas ideias, do vazio das suas ocupações, dos seus jogos e diálogos. Havia tantas coisas indispensáveis que não conseguiam compreender! Por muito elevados e interessantes que fossem certos temas, não lhes interessavam; de maneira que, com grande pesar meu, os considerava inferiores a mim. E não era devido à minha vaidade ressentida, peço-lhes que não me venham com frases feitas e vulgares. Prendia-se ao fato de que só me entretinha a devanear, ao passo que eles compreendiam a realidade da vida. Não compreendiam nada de nada, nenhuma realidade de nenhuma vida, e juro-lhes que era isso o que mais me indignava. E, pelo contrário, aceitavam com uma estupidez fantástica a realidade mais evidente, a que salta aos olhos, e tinham adquirido o costume de não se inclinarem senão perante o êxito. Riam-se de maneira vergonhosa e cruel de qualquer coisa justa que sofresse humilhação e sujeição. Consideravam a posição social como um indício de inteligência e, aos dezesseis anos, discutiam sobre quais eram os maiores postos. Claro que muito disso se devia à estupidez do ambiente geral, aos maus exemplos vistos na infância e na juventude. Eram viciosos até à monstruosidade. É certo que em tudo isso havia muito de ostentação, de cinismo adquirido. Através do vício vislumbrava-se certa juventude e galhardia. Mas nem essa inocência era simpática e manifestava-se através de um grande descaramento. Eu os aborrecia a todos profundamente, embora talvez fosse pior do que eles. Meus condiscípulos pagavam-me na mesma moeda e não me escondiam a sua aversão. Não cobiçava a sua amizade e, pelo contrário, ambicionava que me desprezassem.

Para livrar-me das suas brincadeiras apliquei-me com firmeza ao estudo e cheguei em breve a ser um dos primeiros. Isto os intimidou. Além disso começavam a compreender que eu lia livros que não podiam ler, e compreendia bem certas coisas (alheias ao programa do nosso curso especial) das quais nem sequer faziam uma vaga ideia. Não abdicavam completamente da sua hostilidade nem renunciavam de todo às suas zombarias; mas submetiam-se moralmente, tanto mais quanto a minha aplicação e a minha inteligência assombravam os professores.

No fim, todas as piadas chulas acabaram, mas ficou uma má vontade, e as nossas relações foram sempre frias e tensas. Por último, já não podia suportar aquele estado de coisas. Com o tempo desenvolvera-se em mim uma necessidade de amigos, contacto com as criaturas humanas. Experimentei reatar o meu antigo convívio com alguns, mas essas aproximações forçadas acabavam por si mesmas. Uma vez lembrei-me de arranjar um amigo. Mas eu era já um tirano até às maiores profundidades da minha alma; queria exercer um poder ilimitado sobre o seu espírito, inspirar-lhe desprezo pelo ambiente que o rodeava. Exigi-lhe que rompesse altiva e definitivamente com o seu meio social. A minha amizade apaixonada encheu-o de espanto: por minha causa teve crises de choro e convulsões. Era uma alma simples e franca, entregue completamente às suas afeições. Mas quando ele se me entregou completamente, ganhei-lhe imediatamente aversão e afastei-o de mim, como se me fora necessário apenas para me proporcionar essa vitória, para submetê-lo à minha vontade. Não pude vencer todos da mesma maneira; o meu amigo também não se parecia com mais ninguém, era uma exceção invulgar. A primeira coisa que fiz, assim que saí da escola, foi renunciar à carreira para que me preparava, romper todos os laços, amaldiçoar o passado e lançá-lo no olvido... E, depois disto tudo, como pude eu tomar a resolução de aparecer em casa de Siemiônov?!

No dia seguinte saltei de casa muito cedo, muito comovido, como se tudo tivesse de realizar-se num momento. Tinha a certeza de que nesse dia havia de operar-se, com certeza, uma transformação radical na minha vida. Talvez se devesse à falta de hábito, mas ia imediatamente operar-se uma mudança radical na minha existência. Apesar disto fui à repartição, como de costume, mas saí duas horas mais cedo do que nos outros dias, para preparar-me para o grande acontecimento. "O mais importante – pensava eu – é proceder de maneira que não seja eu o primeiro a chegar, para que não pensem que estou muito satisfeito." Mas coisas importantes como essa existiam aos milhares e eu desmaiava de tanta comoção. Engraxei eu mesmo as botas, pela segunda vez, pois por nada deste mundo Apolon as teria limpo duas vezes no mesmo dia, alegando que isso não estava no nosso contrato. Engraxei-as eu próprio, pegando com muito cuidado nas escovas que estavam no vestíbulo, para que Apolon não desse por isso e não me olhasse depois com desprezo. Passei depois uma atenta revista ao meu vestuário, e achei-o velho, gasto, puído. Tinha-me descuidado muito. O uniforme não estava mau de todo; mas não é decente uma pessoa apresentar-se num jantar de uniforme![12] E, para cúmulo de infelicidade, as calças apresentavam uma enorme mancha amarelada, acima do joelho. Adivinhava que bastava essa mancha para fazer descer de noventa e nove por cento o valor da minha dignidade. Eu percebia que semelhantes pensamentos eram muito maus. "Agora não é ocasião de refletir; o que é preciso é agir", pensei, com desalento. Também percebia que exagerava tudo monstruosamente; mas que fazer? Não tinha domínio sobre mim mesmo e sentia arrepios de febre. No meu desespero, imaginava a frieza e soberba com que iria receber-me aquele tolo do Zvierkov; o desdém idiota com que me olharia o imbecil do Trudoliúbov; como, com que insolência e velhacaria zombaria de mim aquele insignificante Fierfítchkin, para lisonjear Zvierkov; como Siemiônov compreenderia tudo isto perfeitamente e me desprezaria pela baixeza da minha vaidade e covardia; e compreendia sobretudo, com uma angústia natural, que nada disso seria literário; mas sim mesquinho e vulgar. Sem dúvida, o melhor era não ir. Mas, isso, para mim, era o mais difícil; quando uma coisa me atraía, não tinha outro remédio senão atirar-me a ela, de cabeça. Toda a vida repetiria esta lengalenga: "Tiveste medo da realidade! Tiveste medo dela, tiveste medo". Pelo contrário, desejava ansiosamente provar àquela gentalha que não era tão covarde como pensavam. Mais ainda: no acesso mais forte da covardia, eu sonhava com o alcance da vitória, sonhava vencer, despertar-lhes interesse e fazer com que ficassem gostando de mim, ao menos em atenção pelas vistas mais largas e talento inegável. Hão de deixar Zvierkov abandonado num canto e formarem círculo para me ouvirem, a mim. Zvierkov ficará triste e amuado, por causa da sua derrota. Mas depois eu o convidarei para fazermos as pazes e, daí para diante, passaremos a tratar-nos por tu. Mas o que mais me magoava e me parecia mais doloroso era que eu sabia de antemão, com uma certeza absoluta, que não necessitava disso para nada, que não desejava de maneira nenhuma humilhá-los, nem impor-me perante eles, nem causar-lhes boa impressão, e que, por tudo isso, supondo que poderia alcançá-lo, não daria um *groch*. E a vontade que eu tinha que chegasse o dia seguinte! Tomado de um aborrecimento invencível, aproximei-me da janela, abri as reixas e esforcei-me por ver qualquer coisa na meia obscuridade da rua, sobre a qual caía uma neve densa e liquefeita.

Até que finalmente bateram cinco horas no meu desengonçado relógio de parede. Peguei o chapéu e, evitando olhar para Apolon, que desde a manhã estava à espera do seu ordenado – mas por espírito de tola teimosia, não queria ser o primeiro a falar-me no caso – esgueirei-me para a porta aberta, e, alugando uma carruagem de cinquenta copeques, encaminhei-me como um grande senhor para o Hotel de Paris.

---

12 Os empregados civis da Rússia czarista usavam uniforme.

Capítulo IV

Desde a véspera eu sabia que chegaria antes de todos. Mas isso era o menos.

Não só ainda ali não estava qualquer dos comensais, como me deu bastante trabalho encontrar o nosso gabinete. Ainda não tinham posto a mesa. Qual o fim de tudo aquilo? Depois de formular várias perguntas, consegui saber pelos criados que o banquete fora marcado para as seis e não para as cinco. No balcão confirmaram-me esta indicação. Sentia-me envergonhado destas perguntas. Eram apenas cinco e vinte e cinco. Se haviam mudado a hora, deviam ter-me avisado; para isso existia o correio, sem me exporem àquele vexame diante deles e... dos criados. Sentei-me; o criado começou a estender as toalhas; a sua presença aumentava a minha inquietação. Aí pelas seis, além das lâmpadas acesas, trouxeram velas. Mas o criado não se lembrara de as trazer quando cheguei. No gabinete do lado, em duas mesas à parte ceavam dois clientes taciturnos e tristonhos, de aspecto pouco amável. Num dos gabinetes reservados, afastados, fazia muito barulho; até se distinguiam as vozes. Ouvia-se a risota duma caterva de gente; de vez em quando chegavam até aos meus ouvidos interjeições acanalhadas, em francês; havia senhoras. Enfim, aquilo era revoltante. Poucas vezes passara por um momento tão doloroso como aquele; por isso, quando às seis em ponto apareceram os comensais, todos ao mesmo tempo, no primeiro momento, a sua chegada deu-me alegria e olhei-os como os meus libertadores. Até me esqueci de que devia mostrar-me ressentido.

O primeiro a entrar foi Zvierkov, como se fosse o presidente. Tanto ele como os demais mostravam-se risonhos; mas, assim que me viu, Zvierkov recompôs-se, aproximou-se de mim sem pressa, inclinando-se um pouco, como se agradecesse, e estendeu-me a mão amistosamente, embora não muito, com uma amabilidade prudente, de general. Imaginara completamente o contrário, isto é, que se apresentaria com a risota de outrora, as gargalhadas aflautadas e guinchonas, e logo às primeiras palavras começaria a largar ditos e chalaças. Desde o dia anterior estava preparado para esse momento, mas não esperava um acolhimento tão soberbo e altivo. Será que ele se achava infinitamente superior a mim em todos os sentidos? "Se tivesse querido apenas incomodar-me, tomando uns ares importantes, ainda seria tolerável – dizia para comigo – ainda o desculparia." Não se lhe teria realmente metido na cabeça, pelo desejo de vexar-me, a ideia de que era infinitamente superior a mim, e de olhar-me, portanto, com um ar protetor? Fiquei sem respiração, só de pensar nisso.

– Estranhei o seu desejo de tomar parte na nossa reunião – disse-me ele, com a sua fala ciciante e arrastando as palavras, coisa que não fazia dantes. – Poucas vezes nos temos encontrado, afastou-se de nós. E faz mal. Não somos tão maus como imagina. Enfim, seja como for, considero-me muito feliz por poder reatar...

E afastou-se indolentemente, para ir pôr o chapéu no parapeito da janela.

– Teve de esperar muito? – perguntou Trudoliúbov.

– Cheguei às cinco em ponto, como me disseram ontem – respondi, erguendo a voz num tom de aborrecimento que fazia pressentir uma explosão iminente.

– Mas não o avisaram de que tínhamos mudado a hora? – disse Trudoliúbov, encarando Siemiônov.

– Não. Esqueci-me – respondeu este, mas sem dar mostras de pesar ou desculpar-se perante mim, e indo encomendar os aperitivos.

— De maneira que há já uma hora que está aqui! Meu pobre amigo! – exclamou Zvierkov, trocista, pois, sabendo como era o seu caráter, isto devia ser muito engraçado para ele.

Seguindo o seu exemplo, Fierfítchkin mostrou também uma admiração compassiva e vexatória. A minha situação me parecia, sem dúvida, muito ridícula e vergonhosa.

— Mas que graça tem isto? – exclamei, cada vez mais excitado, encarando Fierfítchkin. – A culpa não foi minha, mas dos outros. Não se preocuparam com avisar-me. O que é simplesmente... absurdo.

— E não só é absurdo, como é ainda outra coisa pior – disse Trudoliúbov, resmungando, com a intenção de defender-me. – Está sendo demasiado benevolente. Cometeram uma incorreção com o senhor. É claro que deve ter sido involuntária; pois como pensar que Siemiônov seria capaz de...

— Se tivessem feito isto a mim – observou Fierfítchkin – garanto-lhes que...

— Mas podia muito bem ter pedido alguma coisa para tomar – interrompeu Zvierkov – ter-se posto a cear sem esperar por nós.

— Hão de concordar que eu não precisava de pedir licença a ninguém para fazer isso – respondi com aspereza – se o esperei foi porque...

— Para a mesa! – gritou Siemiônov, que regressava. – Está tudo pronto e responsabilizo-me pelo champanhe: deve estar completamente gelado... Como havia eu de avisar-te, se não sabia a tua morada? – disse, encarando de repente comigo, mas evitando olhar-me nos olhos.

Sem dúvida, qualquer coisa o contrariava. Provavelmente mudara de opinião, desde o dia anterior.

Todos se acomodaram à volta da mesa, que era redonda, e eu fiz o mesmo. À minha esquerda ficou Trudoliúbov, Siemiônov à direita e, à minha frente, Zvierkov, tendo a seu lado Fierfítchkin, que o separava de Trudoliúbov.

— E diga-me: como se sente lá no Ministério? – perguntou-me Zvierkov, com ar benévolo.

Quando viu a minha timidez, chegou a supor que eu precisava que me mostrassem afeto e me animassem. "Quererá ele que eu lhe atire com uma garrafa à cabeça?", pensava eu, furioso. Como não estava habituado, encolerizava-me muito rapidamente.

— Sim, na seção de... – respondi secamente, de olhos fixos sobre o prato.

— E diga-nos: isso dá-lhe muito? Que foi que o obrigou a deixar o seu antigo emprego?

— O que me... obrigou... é que quis deixar o meu antigo emprego – respondi-lhe arrastando as palavras ainda mais do que ele e quase fora de mim, de tão indignado.

Fierfítchkin quase rebentava de riso. Siemiônov dirigia-me olhadelazinhas trocistas. Trudoliúbov esquecia-se de comer e olhava-me com curiosidade.

Zvierkov estremeceu, com um tremorzinho imperceptível. – Bem... E como é que o tratam?

— Como é que me tratam?

— Não... refiro-me ao ordenado.

— Mas está-me fazendo algum exame?

E, no entanto, corando muito, disse-lhe imediatamente o ordenado que recebia. E corei muito.

— É muito pouco – disse Zvierkov com gravidade.

— Lá isso é verdade; assim nem uma pessoa pode dar-se ao luxo de cear num café-restaurante! – acrescentou Trudoliúbov, muito sério.

— Como está mais magro, como tem mudado... desde que... – acrescentou Zvierkov com os seus ares de malícia, com uma piedade insolente, olhando-me de alto a baixo.

— Mas não o assustem tanto! – exclamou Fierfítchkin, rebentando de tanto rir.

— Fique sabendo, cavalheiro, que eu não me assusto assim à toa – disse, finalmente, dando largas à minha cólera. – Está ouvindo? Se ceio aqui, no café-restaurante, é porque tenho dinheiro para pagar e não porque esteja contando com o dos outros, fique sabendo isto, senhor Fierfítchkin.

— Mas haverá aqui alguém que não esteja decidido a pagar a sua ceia? Qualquer pessoa diria que... – exclamou Fierfítchkin fazendo-se vermelho como um tomate e olhando-me com raiva.

— Bem – respondi, compreendendo que fora longe demais. – Acho que devíamos falar de coisas mais inteligentes.

— Parece que quer mostrar-nos a sua inteligência.

— Não se preocupe: aqui seria completamente inútil.

— Mas então, meu caro, por que está aí cacarejando? Teria perdido o juízo lá no Ministério?

— Chega, rapazes, chega! – gritou Zvierkov com voz autoritária.

— Tudo isto é estúpido! – resmungou Siemiônov.

— É verdade; reunimo-nos aqui para nos despedirmos de um bom companheiro, que vai partir em viagem, e você quer ajustar contas conosco! – exclamou Trudoliúbov, encarando-me, furioso. – Já que foi o senhor quem se deu a si próprio por convidado, ao menos não quebre a harmonia geral...

— Basta, basta! – tornou a gritar Zvierkov. – Isto não está certo. O melhor é ouvirem a história de como eu ia casando anteontem...

E começou a expor a história do seu falhado casamento. Mas, na realidade, esse casamento, mesmo falhado, nem sequer existia e não era mais do que um pretexto para mencionar nomes de generais, coronéis e membros da Câmara, entre os quais Zvierkov ficava ainda por cima. Soou uma gargalhada, à maneira de aplauso, Fierfítchkin retorcia-se todo com a graça da narrativa.

Todos se esqueceram de mim e me deixaram abandonado e magoado.

"Meu Deus! Será digna de mim, esta gente? – pensava eu. – Como fui desajeitado com eles! Consenti que Fierfítchkin tomasse demasiadas liberdades. Esses imbecis acham que me deram uma grande honra, concedendo-me lugar à sua mesa e não compreendem que sou eu quem o faz..." "Como está magro! Mas que roupa ele traz!" "Oh, malditas calças! Zvierkov reparou logo na mancha do joelho... Mas, no fim de contas, para que suportar tantos vexames? Se me tivesse levantado da mesa, pegado o chapéu e saído sem me despedir... Fazer-lhes notar assim o meu desprezo! Se quiserem, amanhã bato-me com todos eles. Grandes covardes! Mas por que hei de desprezar os meus sete rublos? Pode ser que julgassem que... O diabo que os carregue! O que interessa menos ainda são os sete rublos. Vou-me embora já..."

Nem preciso dizer que me deixei ficar.

Para amenizar o meu desgosto, entornei grandes copos de xerez e de Chateau-Lafitte. Como não estava acostumado a beber, fiquei logo tonto e, à medida que me ia embriagando, mais furioso. De repente senti o impulso de lançar-lhes os mais tremendos insultos e sair em seguida; aproveitar um momento oportuno e mostrar-me tal qual era, para que pudessem dizer depois: "É ridículo mas é inteligente... e... e...", enfim, que o diabo me leve!

Fulminava-os com os meus olhinhos de bêbado. Eles pareciam ter-se esquecido por completo de mim. Falavam entre si com vivacidade e alegria, isto é, quem falava era Zvierkov. Prestei atenção. Contava como quase conseguira que se lhe declarasse uma altiva dama – não há dúvida que mentia – e que, nesse episódio, fora muito ajudado por um seu amigo íntimo, certo príncipe, o hussardo Nikola, que possuía três mil almas.

– E, no entanto, esse Nikola que possui três mil almas não veio despedir-se dele – disse eu, intrometendo-me na conversa.

Todos se calaram imediatamente.

– O senhor já está bêbado – disse Trudoliúbov, dignando-se finalmente fixar os olhos em mim, que afastou logo depois, com desprezo.

Zvierkov olhava-me com curiosidade, como se eu fosse um inseto. Baixei os olhos; Siemiônov apressou-se a servir o champanhe.

Trudoliúbov levantou a sua taça e todos o imitaram, menos eu.

– À tua saúde e boa viagem! – disse Trudoliúbov, dirigindo-se a Zvierkov. – Pelo passado, meus amigos, e pelo futuro, hurra!

Todos beberam e foram abraçar Zviérkov. Eu não me mexi do meu lugar; tinha a taça cheia até aos bordos.

– Então não quer brindar? – rugiu Trudoliúbov, que perdera a paciência, encarando-me com ar de ameaça.

– Quero brindar eu sozinho; agora é que vou beber, senhor Trudoliúbov!

– Mas que mau gênio! – resmungou Siemiônov.

Endireitei-me no meu lugar e peguei na taça com a mão febril, preparando-me para algo de extraordinário e sem saber o que ia dizer.

– Silêncio! – exclamou Fierfítchkin. – Vai ser um gozo!

Zvierkov esperava, muito gravemente, compreendendo que eu ia atacá-lo.

– Senhor Tenente Zvierkov – comecei eu – fique sabendo que me aborrecem as grandes frases, aqueles que as dizem, e as cinturas muito justas... Este é o primeiro ponto, ao qual vai seguir-se o segundo.

Todos fizeram um gesto.

– Segundo ponto: odeio a libertinagem e os libertinos. Sobretudo estes! Terceiro ponto: gosto da verdade, da sinceridade, da honestidade – continuei dizendo, quase maquinalmente, transido de espanto, sem compreender como podia falar assim. – Sou entusiasta pelas ideias, Senhor Zvierkov; gosto da verdadeira camaradagem, da igualdade completa, não... hum... agrada-me... e, afinal de contas, por que não? E vou beber à sua saúde, Senhor Zvierkov. Seduza as circassianas, dispare com força sobre os inimigos da pátria e... À sua saúde, Zvierkov!

Zvierkov ficou em pé, cumprimentou-me e disse:

– Muito obrigado.

Parecia muito ofendido e até empalidecera.

— Ó diabo! – rugiu Trudoliúbov, descarregando um soco na mesa.

— Não, isso não é nada. Uma bofetada é que ele merece – guinchou Fierfítchkin.

— É preciso pô-lo na rua! – resmungou Siemiônov.

— Nem uma palavra, meus caros, nem um gesto! – disse gravemente Zvierkov, apaziguando a indignação geral. – Agradeço a atitude de todos; mas eu saberei mostrar-lhe o valor que dou às suas palavras.

— Senhor Fierfítchkin, amanhã há de responder-me pelas palavras que acaba de dizer-me – disse eu em voz alta, encarando gravemente Fierfítchkin.

— É um desafio, cavalheiro? Estou às suas ordens – respondeu ele logo.

Sem dúvida parecia ridículo ao lançar aquele repto, e semelhante atitude devia dizer tão mal com a minha figura, que todos, até o próprio Fierfítchkin, rebentavam de riso.

— Eia! Deixemo-lo – disse Trudoliúbov com dignidade. – Está perdido de bêbado!

— Nunca perdoarei a mim próprio tê-lo admitido à nossa mesa – resmungou Siemiônov mais uma vez.

"Chegou o momento de atirar-lhe uma garrafa à cabeça!", pensei eu e, pegando numa garrafa... enchi outra vez o copo.

"Não, prefiro ficar aqui até ao fim – continuei dizendo para os meus botões. – Era o que eles queriam, que eu fosse embora. Pois não hei de ir, absolutamente. Hei de ficar, de propósito, e beberei até não poder mais, para demonstrar-lhes que não lhes dou importância nenhuma. Ficarei aqui e beberei até fartar-me, uma vez que isto é um restaurante e paguei a entrada. Ficarei aqui e beberei o que me apetecer, porque os tenho na conta de imbecis, que nem sequer existem para mim. Ficarei e beberei... e cantarei, se assim entender; sim, cantarei, sim, meus senhores, porque tenho o direito de cantar... É isto mesmo!"

Não cantei. Fazia todo o possível para não olhar ninguém; tomava atitudes independentes – esperava com impaciência que fossem eles os primeiros a interrogarem-me. Mas ai! não me diziam nada. Oh! O que não teria eu dado para que falassem comigo! Como me reconciliaria depressa com eles! Bateram oito e depois nove. Abandonaram a mesa e sentaram junto do canapé, onde Zvierkov se deixara cair, pondo um dos pés sobre a mesinha redonda do candeeiro. Trouxeram vinho. Zvierkov encomendara três garrafas. Talvez não me hajam convidado. Formaram todos um círculo à sua volta e ouviam-no com veneração. Era evidente que o estimavam. "Por que, por quê?", perguntava eu a mim próprio. Às vezes ficavam extasiados na sua embriaguez e trocavam pancadinhas nas costas. Falavam do Cáucaso, do que vem a ser uma verdadeira paixão, dos bons empregos, dos rendimentos do hussardo Potchargóvski, ao qual nenhum conhecia, e regozijavam-se com os seus gordos ordenados, com a beleza e graça extraordinárias da princesa D***, a qual também nunca tinham visto na sua vida, e acabavam dizendo que Shakespeare é imortal.

Eu sorria com desprezo e passeava na outra extremidade da sala, embatendo contra a mesa e a parede, precisamente em frente do divã. Queria demonstrar-lhes de maneira evidente que não precisava deles para nada; e, no entanto, nas minhas idas e vindas procurava fazer barulho, para chamar-lhes a atenção. Mas era tudo inútil; não reparavam em mim nem por um instante. Tive a paciência de ficar assim passeando na frente deles, das oito às onze, sem sair daquele lugar. "Ora esta, ninguém pode proibir-me de passear." O criado, que entrava, olhou-me várias vezes; tantas voltas chegavam a entontecer-me; às vezes parecia-me que delirava. Três vezes me encharquei de suor e outras tantas ele secou no meu corpo, durante essas horas. Às vezes sentia fincar, como uma dor aguda e profunda no coração, a ideia de que, ainda que passassem dez, vinte, quarenta anos, sempre haveria de recordar-me daqueles sujos momentos da minha vida, os mais espantosos e ridículos. Era impossível uma pessoa humilhar-se mais voluntariamente e com menos vergonha; compreendia isso muito bem e, no entanto, continuava passeando da mesa para o fogão.

"Oh, se ao menos fossem capazes de compreender as ideias e sentimentos de que sou capaz! Se soubessem como sou inteligente!", pensava às vezes, olhando mentalmente para o canapé em que estavam sentados os meus inimigos.

Mas aqueles inimigos conduziam-se como se eu não estivesse ali. Uma vez, apenas uma vez se voltaram para mim, e foi quando Zvierkov mencionou Shakespeare e soltei uma gargalhada depreciativa. Ria-me com um riso tão incomodativo e artificial, que se interromperam de comum acordo e se puseram a olhar para mim silenciosa e gravemente, durante dois minutos, a verem-me dar encontrões desde a mesa até ao fogão, fingindo não reparar neles. Mas a coisa não passou daí. Não chegaram a falar-me e, passados dois minutos, tornaram a esquecer-se completamente de que estava ali. Bateu meia-noite.

– Meus caros – disse Zvierkov levantando-se do canapé – vamos até lá.

– Sim, sim! – disseram todos.

Voltei-me subitamente para Zvierkov. Sofrera tanto, sentia-me tão cansado, que estava resolvido até a matar-me, para acabar de vez. Sentia febre; os cabelos, encharcados de suor, tinham se colado à minha testa e às minhas fontes.

– Desculpe, Zvierkov! – disse-lhe eu sem rodeios e em tom resoluto. – E você também, Fierfítchkin, e todos, todos aqueles a quem ofendi.

– Ah, ah! Isso é para evitar o duelo – insinuou venenosamente Fierfítchkin.

Ouvindo estas palavras, sobressaltei-me.

– Não, pode crer que não tenho medo de bater-me, Fierfítchkin. Estou pronto a bater-me com o senhor amanhã mesmo, apesar da nossa reconciliação. E exijo até que seja agora, o que não pode negar-me. Quero demonstrar-lhe que não receio o duelo. Será você o primeiro a disparar e eu atiro para o ar.

– Está de bom humor! – observou Siemiônov.

– Perdeu a cabeça! – respondeu Trudoliúbov.

– Deixe-me passar. Por que me estorva o caminho? Vamos, que deseja? – respondeu Zvierkov com desprezo.

Estavam todos muito corados; os olhos brilhavam-lhes; tinham bebido muito.

– Só quero ser seu amigo, Zvierkov; sei que o ofendi, mas...

– Ofender-me? Você?! A mim?! Fique sabendo, cavalheiro, que nunca nem em ocasião alguma pode ofender-me.

– Bem, chega; vamo-nos! – disse Trudoliúbov. – Vamo-nos!

– A Olímpia é para mim, meus amigos! Combinado? – exclamou Zvierkov.

– Sim, homem, claro, homem! – responderam-lhe todos, rindo.

Eu me sentia vexado. Saíram ruidosamente daquele lugar. Trudoliúbov cantarolava uma estúpida cançoneta. Siemiônov deteve-se um momento para dar gorjeta aos criados. Corri para ele.

— Siemiônov! Dá-me seis rublos! — disse-lhe numa voz resoluta e desesperada. Olhou-me com um assombro enorme e de olhos exorbitados. Estava também perdido de bêbado.

— Vens atrás de nós, até ao lugar para onde vamos?

— Sim!

— Não tenho dinheiro! — disse ele bruscamente.

E depois saiu, sorrindo com desdém. Peguei na minha capa. Aquilo era um pesadelo.

— Siemiônov! Se sabes que eu sei que tens dinheiro, por que negas? Por acaso sou algum parasita? Vê bem o que fazes. Se soubesses, se soubesses para que te peço! Disso depende tudo: o meu futuro, os meus planos...

Siemiônov puxou do dinheiro e quase o atirou.

— Toma, já que tens tão pouca vergonha! — disse num tom implacável, e correu ao encontro dos outros.

Fiquei só, por um momento. Aquela desordem, os restos dos pratos, um copo caído no chão, manchas de vinho, pontas de cigarro, a embriaguez e o delírio que me oprimiam a cabeça, o coração despedaçado e, por fim, o criado, que vira e ouvira tudo e me olhava com curiosidade...

"Então vão até lá! — exclamei. — Pois ou me pedirão de joelhos que seja amigo deles, e beijar-me os pés, ou... hei de fartar-me de dar bofetadas a Zvierkov..."

Capítulo V

"Até que enfim me vou defrontar com a realidade — murmurei, enquanto descia rapidamente a escada. — Isto não é partida de Papa, que deixa Roma pelo Brasil, nem também o baile nas margens do lago de Como."

"Não passas de um covarde — disse vagamente comigo — se tens a coragem de levar o caso em brincadeira!"

"Que me importa! — respondi a mim próprio. — Agora está tudo perdido!"

Já não conseguia vê-los; mas não fazia mal, sabia aonde iam.

Junto da escada da entrada havia um trenó de aluguel; o cocheiro vestia um sobretudo de fazenda salpicado pela neve derretida, que continuava caindo e parecia tépida. Fazia calor e um ar abafado. O pangaré, pardo e peludo, estava também salpicado de branco, e tossia, lembro-me muito bem. Saltei para o trenó. Mal levantara a perna para subir, assaltou-me a recordação de como Siemiônov me atirara os seis rublos, e caí desamparado no trenó; como um peso morto.

"Não! Seria preciso muito para pagar uma coisa destas! — exclamei. — Há de pagar, ainda que isso me custe a vida! Vamos!"

O trenó arrancou. Na minha cabeça zumbia um torvelinho.

"Com certeza não irão rebaixar-se a pedir-me que lhes conceda a minha amizade. Isso é uma ilusão; uma vil e repugnante ilusão, romântica e fantástica, qualquer coisa no gênero do baile no lago de Como. E, além disso, é necessário que eu aplique umas bofetadas em Zvierkov. Tenho de fazer isso! Está resolvido, hei de deixar-lhe a cara marcada."

— Depressa, cocheiro!

O cocheiro brandiu o chicote.

"Assim que chegar, aplico-lhe uma bofetada. Não seria melhor dizer antes algumas palavras à guisa de preâmbulo? Não. Aproximo-me dele e prego-lhe dois estalos, sem palavreado. Devem estar todos reunidos na saleta, e ele ao lado de Olímpia, no canapé – malvada Olímpia! Um dia fez troça da minha cara e não me deu importância. Hei de puxar-lhe os cabelos, e a Zvierkov, as orelhas! Não; o melhor é pegar-lhe numa orelha e puxá-lo assim por toda a sala. Talvez brigue comigo e me expulse. É quase certo. Tanto pior para ele! Sempre fui eu quem deu bofetada, quem teve a iniciativa e, segundo as leis da honra, isso é o principal; ficará para toda a vida com o estigma da infâmia, e não será com pancada que ele há de conseguir lavar-se da afronta da bofetada; será obrigado à bater-se. Terá que se bater em duelo. Que me batam, agora. Que o façam, esses ingratos! O primeiro a chegar-me há de ser Tradoliúbov, porque é uma besta! Fierfítchkin há de acometer-me pelas costas e com certeza vai me puxar o cabelo, não tenho dúvidas. Mas tanto pior para eles; tanto pior! Seja como for, irei até lá! Aqueles cabeças de pirolito acabarão por compreender o alcance de toda esta tragédia! E quando me arrastarem até à porta, hei de dizer-lhes, é claro, que, na realidade, valem menos do que o meu dedo mínimo."

– Depressa, cocheiro, depressa! – gritei para o homem, que deu um pulo e sacudiu o chicote.

Gritara-lhe com o vozeirão dum selvagem.

"Vamos duelar ao amanhecer, está resolvido. Acabou-se a repartição. Mas onde arranjarei as pistolas? Aí é que está. Peço um empréstimo sobre o ordenado e compro-as. E compro também pólvora e balas. Depois é preciso arranjar padrinhos. Como tratar disso tudo antes que amanheça? Onde encontrar os padrinhos? Não conheço ninguém... Que absurdo! – exclamei. E o torvelinho ia aumentando. – Que absurdo! Mas não importa. Se eu pedir, a primeira pessoa que encontrar na rua tem obrigação de servir-me de padrinho, do mesmo modo que todos temos a obrigação de nos atirar à água para salvar o próximo. Neste caso são lícitas as circunstâncias mais extravagantes. Se eu amanhã pedisse ao chefe da seção que me servisse de padrinho, ele não teria outro remédio senão aceder, por sentimentos cavalheirescos, guardando segredo, Anton Antônitch!"

Mas nesse momento comecei a ver claramente a inanidade das minhas suposições e todo o reverso da medalha; e, no entanto...

– Depressa, cocheiro, depressa!

– Ah, senhor! – respondeu ele.

O frio trespassou-me os ossos.

"Não seria melhor... não seria preferível ir já para a cama? Oh, meu Deus! Para que teria eu pedido ontem para assistir a esse malvado banquete? Mas não, não é possível. E aqueles passeiozinhos que dei durante três horas, da mesa para o fogão e do fogão para a mesa? Não, têm de pagar-me esses passeiozinhos. Lavarão com sangue tamanha desonra!"

– Depressa, cocheiro!

"E se me mandam prender? Não, não se atreveriam. Teriam medo do escândalo. Mas se Zvierkov se nega a bater-se, por desprezo? Tenho quase certeza que será assim; mas, neste caso, havia de mostrar-lhe quem sou... Amanhã apareço no pátio da estação de mudas, quando ele estiver para partir; agarro-o pela barriga duma perna e, quando for subir para a carruagem, puxo-o pela capa. Enterro-lhe os dentes na mão e mordo-o. Vejam até onde pode chegar um homem desesperado! E se me bater na cabeça, enquanto os outros acodem por detrás, então, tanto pior para eles! Anunciarei em altos gritos, a todos os que se encontrem no lugar: "Vejam como eu cuspo na cara desse cão que vai seduzir as circassianas!"

Claro que isso seria estragar tudo! A repartição desaparecia da superfície terrestre. Apanhavam-me, julgavam-me, tiravam-me o emprego, metiam-me no calabouço ou mandavam-me desterrado para a Sibéria, onde não teria outro remédio senão ser colono. Mas que importa? Dentro de quinze anos, transformado num mendigo andrajoso, assim que me vir em liberdade, atrás dele. Vou encontrá-lo em qualquer parte, em alguma capital da província. Estará casado e será feliz. Terá uma filha mais velhinha... E vou lhe dizer: "Olha, monstro, olha como tenho as faces chupadas, como estou gasto! Perdi tudo: a carreira, a felicidade, a arte, a ciência e até a mulher que amava; e tudo isso por tua causa. Aqui tens estas pistolas. Vim para te matar com um tiro, e... no entanto, perdoo-te. Vou disparar para o alto e nunca mais ouvirás falar de mim..."

E pus-me a chorar, embora soubesse muito bem que tudo aquilo era tirado do *Sílvio* ou da *Mascarada,* de Liérmontov. E de repente senti uma vergonha enorme, tanta que mandei parar o cocheiro, saí do carro e afundei-me na neve que cobria as ruas. O cocheiro olhava-me, admirado, e suspirava.

Que fazer? Se não fosse lá, tudo ficaria reduzido a uma fanfarronada e eu não podia desprezar aquele assunto, devido às consequências que dele podiam resultar... Meu Deus! Como deixar passar aquilo? Depois de tamanhos insultos!

– Não – exclamei, tornando a subir para o trenó. – Estava escrito, era a fatalidade. Mais depressa, cocheiro, eia!

Era tal a minha impaciência que, para animar o cocheiro, dei-lhe um soco no cachaço.

– Mas que te aconteceu? Por que me bates? – murmurou o cocheiro fustigando o pangaré com tal fúria que o infeliz se pôs a dar coices.

A neve, quase coalhada, caía em flocos; eu nem sequer me abrigava. Não fazia caso de nada, porque estava definitivamente resolvido a dar uma bofetada e pressentia com horror que tinha de ser assim absoluta e imediatamente, e que nenhuma força humana podia impedi-lo.

Os faróis afastados reluziam, tristonhos, na noite nevada, como archotes num enterro. A neve escorria-me por debaixo da capa, salpicava-me a roupa e derretia-se sobre mim: e eu indiferente! Para que, se estava tudo perdido? Até que finalmente chegamos. Desci apressadamente do trenó, subi de um salto as escadas da entrada e bati na porta com mãos e pés. As pernas fraquejavam-me terrivelmente, sobretudo nos joelhos. Abriram imediatamente, como se estivessem à espera da minha chegada.

Siemiônov avisara que talvez ainda aparecesse mais algum. Ali, de fato, era necessário avisar de antemão, tomar precauções, pois se tratava de um desses armazéns de modas, que havia já muito tempo fora mandado fechar pela Polícia. Durante o dia era na, verdade um *atelier;* mas, à noite, indo recomendado por um conhecido da casa, podia-se entrar.

Atravessei rapidamente o *atelier,* que estava às escuras, e encaminhei-me para a saleta, que já conhecia, onde ardia apenas uma vela, e parei, estupefato. Não estava ali ninguém!

– Mas onde estarão eles? – perguntei.

É claro que já tinham tido tempo de sobejo para se separarem...

Na minha frente alguém sorria com expressão idiota: era a dona da casa, que me conhecia um pouco. Passado um momento, a porta abriu-se e entrou outra pessoa.

Eu ia e vinha pela sala, falando só e sem reparar em ninguém. Parecia-me ter escapado de uma morte certa e todo o meu ser estremecia de alvoroço. Porque eu, não tenho a mínima dúvida, teria dado a bofetada... Mas agora não estavam ali e... tudo mudara! Voltei-me. Não podia refletir. Olhei maquinalmente para a moça que entrara. Tinha diante de mim um rosto jovem, fresco, um pouco pálido, de sobrancelhas nítidas e direitas, o olhar suave e como que alheado. Agradou-me imediatamente; ficaria horrorizado se tivesse sorrido. Olhei-a com mais atenção e com certo esforço; ainda não podia concentrar as minhas ideias. Aquele rosto juvenil respirava simplicidade e bondade; mas era tão sério que se tornava estranho. Estou convencido de que ali ninguém a estimava e que nenhum daqueles imbecis teria reparado nela. Não que fosse alguma beleza; mas era alta, forte, bem constituída. Vestia com grande simplicidade. Assaltou-me um mau impulso e dirigi-me para ela.

Por acaso, vi-me ao espelho. Meu rosto, contraído, pareceu-me extremamente repulsivo: pálido, sombrio, mal-encarado, de cabelo revolto.

"Tanto melhor – pensei – fico satisfeitíssimo por parecer-lhe repelente; isso agrada-me..."

Capítulo VI

Não sei onde, atrás de um tabique, um relógio rangeu como se lhe tivessem apertado o pescoço. Depois desse rangido especialmente comprido, ouviu-se de repente um repique claro, sonoro e muito leve... Depois soaram duas badaladas. Tornei a mim, embora não estivesse dormindo, pois achava-me apenas amodorrado.

No quarto pequenino, estreito e de teto baixo, obstruído por um armário enorme e cheio de chapeleiras, trapos e roupas, quase não havia luz. O coto da vela, que se sumia sobre a mesinha, no outro extremo do quarto, lançava de quando em quando um reflexo fugaz. Pouco faltava para que a obscuridade fosse completa.

Tornei depressa a mim e a seguir lembrei-me de tudo sem custo nenhum, como se aquelas recordações estivessem à espreita do meu despertar para me assaltarem.

E até durante o meu estado de sonolência não chegou a desvanecer-se na minha memória uma espécie de pequeno ponto, em redor do qual gravitavam meus sonhos. Mas, coisa estranha! Tudo o que me aconteceu nesse dia me pareceu, quando acordei, algo de muito longínquo, passado há muito tempo.

Sentia a cabeça muito pesada. Qualquer coisa revoluteava à minha volta, indispondo-me e inquietando-me. O tédio e a bílis fervilhavam dentro de mim, procurando uma saída. De repente, reparei que tinha ao meu lado dois olhos muito abertos, que me examinavam com curiosidade. O olhar desses olhos era frio, melancólico, completamente estranho; fazia pena.

Uma ideia triste nasceu no meu cérebro e infundiu em todo o meu ser uma sensação desagradável, semelhante à que sentimos quando entramos num saguão úmido e sombrio. Era quase extraordinário o fato de que aqueles olhos não me tivessem fitado com curiosidade até então. Lembrei-me também de que durante duas horas não trocara palavra com aquela criatura, por não achar necessário e, no entanto, não sei por que me agradara duas horas antes. Via agora claramente como é absurda e repugnante a libertinagem, que começa brutalmente, sem amor nem pudor, por aquilo que deve ser o remate do verdadeiro amor, Olhamo-nos assim durante muito tempo; ela não baixava a vista diante dos meus olhos nem mudava de expressão; de maneira que, por fim, acabei por sentir certo mal-estar.

– Como te chamas? – perguntei-lhe laconicamente para acabar mais depressa.

– Lisa – respondeu ela muito baixinho, mas com pouca amabilidade, e desviando os olhos.

Fiquei calado.

– Faz um tempo tão mau, hoje... a neve... é horrível! – disse, falando quase só para mim, colocando uma mão debaixo da cabeça e olhando para o teto.

Ela não respondeu. Aquilo era para tirar a coragem.

– És daqui? – perguntei-lhe, passado um momento, quase aborrecido, voltando levemente o rosto para ela.

– Não.

– De onde vieste?

– De Riga – respondeu-me de má vontade.

– Alemã?

– Russa.

– Estás aqui há muito tempo?

– Onde?

– Nesta casa.

– Quinze dias.

Falava cada vez com maior laconismo. A vela gastara-se: não lhe podia ver o rosto.

– Tens pais?

– Tenho... não... tenho.

– Onde estão?

– Lá, em Riga.

– Que fazem eles?

– Nada.

– Nada? A que classe social pertencem?

– Burgueses.

– Vivias com eles?

– Sim.

– Que idade tens?

– Vinte.

– Por que os deixaste?

– Porque...

Estas palavras pareciam querer dizer: "Deixe-me em paz, não me importune". Ficamos outra vez calados.

Não sei por que, não conseguia arrancar-me dali. Também já estava aborrecido. Contra minha vontade, as recordações do dia anterior desfilavam perante mim, em desordem. De súbito lembrei-me de uma cena que presenciara de manhã, na rua, quando ia para a repartição.

– Hoje por pouco não deixavam cair um caixão que levavam aos ombros, com o morto dentro... – disse, quase em voz alta, sem nenhuma vontade de conversar.

– Um caixão com um morto?

– Sim, na Sienaia; tiravam-no de um porão. Sim, de um porão... sabes? De uma casa suspeita... Havia tanta sujeira ali à volta... Cascas, imundícies... Cheirava tão mal!

Silêncio.

– Enterram tão mal, agora! – disse eu só para quebrar o silêncio.

– Mas por quê?

– Porque há neve, lama, sujeira...

E bocejei.

– Mas a que propósito vem isso? – disse ela de repente, depois de uma pausa.

– Não, é bem triste... – e tornei a bocejar. – Com certeza os coveiros haviam de praguejar, porque a neve os encharcava. Certamente a cova devia estar cheia de água.

– Mas por que havia de estar cheia de água? – perguntou ela com certa curiosidade, mas ainda mais seca e bruscamente do que antes.

Aquilo começava a excitar-me.

– É assim mesmo; devia haver pelo menos umas seis polegadas de água na cova. No cemitério de Volkovo não se poderia abrir uma só sepultura que não estivesse encharcada.

– Mas por quê?

– Por quê? Porque aquele lugar é pantanoso. O mesmo acontece aqui em toda parte. Deitam-nos mesmo na água. Vi com os meus próprios olhos muitas vezes...

Nunca vira semelhante coisa, e nunca estivera no cemitério de Volkovo; mas ouvira dizer.

– Não te importavas de morrer?

– Mas por que havia de morrer? – respondeu ela, como se se defendesse.

– Alguma vez terás de morrer e morrerás exatamente como essa. Também era da vida... Morreu tísica.

– Se era da vida, devia ter morrido no hospital.

– Devia dinheiro à dona da casa – respondi, entusiasmando-me cada vez mais com a conversa – e, apesar da sua tísica, esteve sempre de serviço até ao fim. À volta, os cocheiros contavam tudo aos soldados, a todos. Havia ali pessoas que a tinham conhecido. Todos se riam. E queriam ir à taberna beber em sua memória.

Também nisto eu mentia. Silêncio, silêncio profundo. A moça não pestanejava.

– Mas será melhor morrer no hospital? Não é a mesma coisa? Por que hei de morrer? – acrescentou ela, enfastiada.

– Agora, ainda não; mas depois?

– Bem, e depois?

– Não? Agora és nova, bonita e tens pretendentes. Mas quando tiveres um ano desta vida, parecerás outra, tão avelhentada ficarás...

– Passado um ano?

– Mesmo que não seja assim, valerás menos do que agora – continuei com maldosa alegria. – Daqui, cairás mais baixo, irás para outra casa. Dentro de um ano cairás noutra, e entretanto terão passado três anos, e ao fim de sete estarás em algum porão da Sienaia. Mas isso ainda não é tudo. O pior é se apanhas alguma doença, a tuberculose, por exemplo... ou outra coisa qualquer. E, nesta vida que levas é muito difícil curar-se de uma doença. E muito fácil apanhá-la. Por isso hás de morrer.

– Pois bem, morrerei – respondeu a infeliz, molestada e resignada.
– É uma pena.
– Por quê?
– Sempre se tem amor à vida.
Outro silêncio.
– Tens algum noivo, não é verdade?
– Que te interessa isso?
– Não é uma pergunta. Isso não me interessa. Mas porque te aborreceste? Com certeza deves ter teus pequenos desgostos. Para mim tanto faz. Mas tenho pena.
– De quem?
– De quem há de ser? De ti.
– Pois não vale a pena... – murmurou muito baixinho, e fez um gesto de indiferença.

Aquilo me aborreceu. E eu a tratá-la com tanto mimo...
– Mas tu, que pensas? Achas que vais por bom caminho?
– Eu não penso nada.
– É precisamente aí que está o mal, em não pensar em nada. Volta a ti, enquanto é tempo. Ainda estás a tempo. És nova e bonita; podia ser que algum homem gostasse de ti, te casasses e fosses feliz...
– Nem todas as que se casam o são – disse com secura, como antes.
– Nem todas, claro que não; mas sempre estão melhor do que tu. Muito melhor. E onde há amizade não é preciso felicidade. A vida é bela até na desgraça; é sempre bom viver, seja como for. Mas aqui não há mais nada senão porcaria. Puf!

E voltei-me para o outro lado, com repugnância; já não raciocinava friamente. Começava a sentir o que dizia e a dar ênfase às minhas palavras. Sentia a ansiedade de expor as minhas ideias secretas, elaboradas no meu esconderijo. Qualquer coisa se fixara no meu íntimo, lembrara-me de uma coisa.

– Não ligues importância ao fato da minha presença aqui; não me tomes para exemplo. Pode ser que eu seja pior do que tu. Além disso vim dar aqui em estado de embriaguez – apressei-me a acrescentar, à guisa de desculpa – e, além disso, homem nunca pode servir de exemplo para a mulher, são coisas diferentes. Posso vir aqui e enlamear-me e degradar-me; mas não sou escravo de ninguém; posso sair como entrei. Sacudo a roupa e sou outro. Mas tu começas por ser uma escrava. Sim, uma escrava! Tu desististe da tua vontade. E se quisesses agora romper as tuas correntes, isso seria impossível; iam apertá-las ainda com mais força. Trazes em cima de ti uma cadeia de maldição. Conheço-a bem. Não te falarei de outra coisa, pois não compreenderias. Dize-me: estás endividada com a patroa? Já estás, não é verdade? – acrescentei, vendo que, apesar do seu mutismo, me dava atenção. – Pois aí tens; é essa a cadeia! Nunca poderás livrar-te dela. É como se tivesses vendido a alma ao diabo... Ao fim de contas, pode ser que seja tão infeliz como tu, vá-se lá saber! e que me rebole na lama só para esquecer. Há quem beba para afastar os seus desgostos;

e eu também vim aqui por causa disso. Mas, dize-me: achas isto direito? Há um momento juntamo-nos... sem dizermos uma palavra, e foi depois que te puseste a olhar para mim, e eu para ti, com os olhos muito abertos. É assim que se deve praticar o amor? Isso é uma monstruosidade e nada mais!

– Pois é – aprovou ela repentinamente.

A vivacidade com que pronunciou aquele "pois é", deixou-me assombrado. Será que o mesmo pensamento se agitara na sua cabeça um momento antes, quando me olhava com curiosidade? Era ela então capaz de pensar em qualquer coisa? Que o diabo me leve, não deixa de ter graça, somos do mesmo gênero – pensei, esfregando as mãos. – Como não triunfar de uma alma tão terna!

Aquele jogo excitava-me.

Ela voltou a cabeça para mim e pareceu-me ver na obscuridade que a segurava com a mão. Talvez continuasse a olhar para mim. Como sentia não lhe ver os olhos! Ouvia-lhe a respiração funda.

– E como vieste parar aqui? – perguntei-lhe com certa autoridade.

– Já te digo...

– Naturalmente não estavas mal em casa dos teus pais. Não sentias frio, gozavas de liberdade, era como um ninho!

– Nem sempre.

"É preciso tocar na corda sensível – pensei. Mas logo a seguir disse comigo: – Ora, com o sentimento não conseguirei tirar nada a limpo!"

Mas aquilo não se deu de um momento para o outro. A moça interessava-me deveras, juro-o. Além disso sentia-me abatido, indisposto de espírito. E, no fim de contas, fazem um lindo par, a velhacaria e o sentimento!

– Claro – respondi-lhe – há de tudo. Certamente alguém te ofendeu, e talvez os outros se tenham portado pior para contigo do que tu para com eles. Não sei nada da tua vida; mas uma jovem como tu não vem para lugares deste gênero só por gosto...

– Mas que moça sou eu? – disse ela em voz baixa, mas não tanto que eu não pudesse ouvi-la.

Ó diabo, estou a lisonjeá-la e isso não está certo! Embora, afinal, sabe-se lá se não estaria!

Ela se calara..

– Vamos ver, Lisa: vou-te falar de mim. Se eu me tivesse criado com a família, não seria o que sou. Penso muitas vezes nisso. Por muito mal que uma pessoa passe em sua casa, os pais sempre são melhores do que os estranhos. Ah, embora só nos mostrem a sua afeição uma vez por ano, sabemos que estamos em casa! Mas eu fui criado fora da família e, provavelmente, foi por isso que me tornei tão... insensível.

Fiquei à espera da sua resposta.

"Talvez não me compreenda – pensei – e, além disso, é engraçado, não estou eu a pregar-lhe moral!?"

– Se eu me tivesse casado e tivesse uma filha, julgo que havia de gostar mais dela do que dos rapazes.

Tornei a começar de um modo indireto, como se não tivesse a intenção de distraí-la. Devo confessar que eu corara.

– Quer saber por quê? – perguntou ela.

Ah, continuava a escutar-me!

– Não sei, Lisa. Mas olha, eu conheci um homem que tinha uma filha; era um homem austero, sério; mas diante da filha punha-se de joelhos, beijava-lhe os pés e as mãos e não se cansava de admirá-la. À noite a filha dançava, e ele ficava cinco horas de pé, no mesmo lugar, sem desviar os olhos dela. Perdeu o juízo. Compreendo-o. A moça, cansada, dormia de um sono só a noite toda. Ele se levantava e beijava-a e abençoava-a, enquanto ela dormia. O velho usava um sobretudo cheio de manchas; era avarento com todos, mas gastava com ela os últimos cobres; andava sempre a dar-lhe presentes magníficos, e a sua satisfação não tinha limites quando os presentes agradavam à filha. Os pais gostam mais das filhas que as mães. Como são felizes em sua casa, algumas moças! Tenho a impressão de que nem consentiria que uma filha minha se casasse.

– Por quê? – perguntou Lisa, sorrindo a custo.

– Porque havia de ter ciúmes, juro. Como consentir que ela beijasse outro homem? Que gostasse mais de um estranho do que de seu pai? Custa-me pensar uma coisa dessas. É claro que tudo isto são tolices; no fim de contas, uma pessoa tem de conformar-se com a realidade. Mas parece-me que até o momento do casamento havia de sofrer terrivelmente; teria afugentado todos os seus pretendentes. No entanto, acabaria consentindo que casasse com quem mais lhe agradasse. Embora aquele de quem uma filha gosta mais, seja sempre o que é menos simpático para o pai. Esta é a verdade. E é daí que se originam muitos desgostos na família.

– Pois há pais que se consideram muito felizes em não casarem as suas filhas como Deus quer, mas em vendê-las – disse ela de repente.

"Ah! Acertei no alvo!"

– Lisa, isso acontece nas famílias onde não há Deus nem amor – respondi com veemência. – Onde não há amor, também não há razão. É verdade que existem famílias destas: mas não quero falar delas. Pelo que me parece, não te deste muito bem com a tua, uma vez que falas assim. Com certeza deves ser muito infeliz... Oh! Tudo isso acontece nas casas pobres...

– E nas ricas também não acontece? As pessoas finas não desprezam a riqueza.

– Hum... De fato! Talvez assim seja. Mas ouve-me, Lisa: o homem gosta de contar seus desgostos e não suas alegrias. Se contasse estas, deixaria de ver que todos têm também seus momentos felizes. Mas se existe abastança na família, Deus ajuda e nunca deixa de aparecer um bom marido que te ame, te dê carinho e não se despegue das tuas saias. Deve ser bom viver numa família assim! Às vezes há desgostos; mas não impedem que uma pessoa seja feliz: onde é que não há desgostos? Pode ser que chegues a casar: vais saber então por ti própria. Imaginemos, por exemplo, os primeiros tempos, depois de uma mulher ter casado com o homem escolhido. Quanta ventura, quanta felicidade se goza de uma só vez! É o que acontece a maior parte das vezes. A princípio acabam sempre bem todos os aborrecimentozinhos com o marido; mas depois surgem motivos de discórdia. Conheci muitas assim, asseguro-te: "Gosto muito de ti, e é por isso mesmo que te aflijo, para que o percebas". Sabias que se pode fazer sofrer alguém precisamente por causa do muito amor que lhe temos? Pois é o que costumam fazer as mulheres. E, no seu íntimo, dizem consigo: "Hei de dar-lhe depois tantas provas de amor, de acarinhá-lo tanto, que não faz mal que agora o faça sofrer". E todos são felizes à sua volta; a vida torna-se tão boa, tão alegre, aprazível e honesta... Também há mulheres muito ciumentas. Conheci uma que não tolerava que o marido saísse. Até de noite lhe seguia os passos para ver se ele não iria meter-se ali, em certa casa, onde tal mulher... Isso não está certo. E ela bem sabe, o coração dá pulos e sofre; mas está apaixonada e faz isso por amor. Oh, e como é bom fazer as pazes depois de uma briga, pedir perdão ou perdoar! Sentem-se ambos tão bem, tão bem, como se acabassem de conhecer-se, como se fossem recém-casados e começassem de novo a gostar um do outro. Ninguém, ninguém deve saber o que se passa entre marido e mulher, quando gostam um do outro. Se entre eles surge alguma zanga, não devem comunicá-la às suas mães para que lhes sirvam de árbitro. São eles os seus próprios juízes. O amor é um mistério divino, e deve esconder-se de todos os olhos, aconteça o que acontecer. Assim, se tornará mais santo e melhor. Marido e mulher vão ter reciprocamente mais respeito, e é no respeito que se fundam muitas coisas. E se já se amavam antes de casar-se, se casaram por amor, por que haveria o amor de acabar? Não haverá maneira de fazê-lo crescer? Pelo contrário, é raro que não se possa aumentá-lo. E, além do mais, se o marido for honesto e bom, por que havia de acabar-se o amor? O amor dos primeiros tempos de casados poderá passar; mas será substituído por outro, que ainda vale mais. Os seus corações estarão unidos, todos os seus interesses serão comuns, não terão reservas um para o outro. Se tiverem filhos, cada instante da sua vida, mesmo o mais aborrecido, hão de achá-lo feliz. Suportarão com alegria todos os trabalhos, e seriam capazes de tirar o pão da boca para o dar aos filhos, sem que por isso diminua o seu entusiasmo. É que, por esse sacrifício, os filhos os hão de amar: porque trabalhas para eles; os meninos vão crescendo, e eles compreendem que lhes servem de exemplo, de sustentáculo; que, ainda que morram, toda a vida hão de ter a marca dos teus sentimentos e maneira de pensar, tal como os transmitiste, e que estão feitos à tua imagem e semelhança. Aí tens um grande dever. Como é que o marido e a mulher não hão de unir-se ainda mais? Dizem que custa criar os filhos. Sim, dizem. Pelo contrário, é uma felicidade! Gostas de crianças, Lisa? Eu as adoro. Qual será o marido cujo coração não se torne favorável à mulher, ao vê-la com um filho nos braços? O menino, roliço e corado, que se espreguiça e gesticula; com as perninhas, os bracinhos cheios de roscas; as unhas dos dedos tão limpas e tão pequeninas, tão pequeninas, que é uma maravilha vê-las, e os seus olhinhos, que parecem compreender tudo. "Mamãe!" E aperta o peito da mãe com a mãozinha, como se brincasse. O pai aproxima-se e, a seguir, largando a mama, vira-se para trás e começa a rir, como se lhe achasse muita graça, e depois torna a mamar. E às vezes mordisca o peito da mãe, quando os dentinhos começam a romper, e olha-a de soslaio com os olhinhos maliciosos: "Olha, que te mordi!". Não é tão bonito ver os três reunidos: o marido, a mulher e o filho? Muitas coisas se podem dar por bem empregadas, em troca desses momentos. Não, Lisa; primeiro é preciso aprender a viver por si, antes de acusar os outros!

"O que é preciso é apresentar-lhe quadros como estes – pensava eu, ainda que falasse o que dizia e, de súbito, corei. – E se ela se põe a rir, que farei eu?" Só de pensar, fiquei furioso. No final do meu discurso entusiasmara-me e esta circunstância aumentava a susceptibilidade do meu amor-próprio. O silêncio prolongou-se. De boa vontade a teria sacudido.

– Como é que o senhor consegue... – começou ela, e de repente interrompeu a frase.

Eu a compreendera; qualquer coisa de novo tremia na sua voz, qualquer coisa que não era brusquidão nem grosseria, mas qualquer coisa de doce e de tímido, de tal maneira que, perante ela, eu próprio me intimidava, como se me julgasse culpado.

– Consegue o quê? – perguntei com terna curiosidade.

– Consegue...

– O quê?

– Consegue... dizer essas coisas tão bem... Parece que está lendo um livro – disse ela, e pareceu-me notar na sua voz certo tom de zombaria. Essa observação não me soou bem. Esperava outra coisa.

Percebi que ela se defendia com esse tom como com uma máscara; é esse o recurso habitual dos que são tímidos e castos de coração, quando alguém tenta brutalmente, e contra sua vontade, penetrar no fundo das suas almas, o recurso daqueles que não se rendem até ao último momento, por altivez, com receio de exprimir o que sentem. A própria timidez, com que ela própria ensaiara várias vezes a zombaria, devia bastar para que eu adivinhasse. Mas não adivinhei nada e um mau sentimento se apoderou de mim. "Vais ver!", disse comigo.

Capítulo VII

– Olha, Lisa, eu só recorro aos livros quando estou aborrecido, entre estranhos. E até noutras ocasiões. Agora tudo desperta no meu coração... É possível, sim, é possível que estejas aqui por gosto? Sim, o costume pode muito. É o diabo, o que o costume pode fazer de uma criatura! Pensas a sério que nunca hás de envelhecer, que ficarás sempre bonita e poderás continuar aqui? Além de que estar aqui é qualquer coisa de vil... Mas escuta o que vou dizer sobre a tua vida atual: agora és nova, bonita, boa, cheia de alma e sentimento; mas, olha, quero que saibas, há um momento, quando acordei, pareceu-me tão ignominioso estar aqui contigo... Só se pode vir a estes lugares, quando se está embriagado! Se vivesses noutro lugar, como vivem as pessoas decentes, talvez te fizesse a corte, talvez me tivesse apaixonado por ti e ia me considerar feliz se chegasse a conseguir, não uma palavra, mas um só olhar dos teus; teria rondado a tua porta, me ajoelharia a teus pés; serias como minha noiva, e isso seria para mim uma grande honra. Não teria pensamentos impuros a teu respeito. Mas, aqui; sei que não preciso de mais nada senão fazer sinal e, quer queiras ou não, terás de seguir-me. Não sou eu que devo ter em conta a tua vontade, mas tu a minha. O último dos criados, que se aluga como jornaleiro, não se aluga por inteiro, e sabe que a sua submissão há de ter fim. Mas tu, quando serás livre? Reconsidera: sabes o que dás aqui? O que submeteste à servidão? É a tua alma, a tua alma, que já não é tua e partilha a escravidão do corpo. Qualquer bêbado faz troça do teu amor! O amor! Mas o amor ainda não é tudo, é um diamante; o amor é o tesouro das moças solteiras. Para merecer esse amor, qualquer homem daria a sua vida e se atiraria contra a morte! E por que preço vendes tu o teu amor? Tu vendes-te toda inteira, e por isso não preciso procurar o teu amor, visto que, sem isso, tudo pode conseguir-se. Não há maior afronta para uma jovem. Compreendes? Olha, tenho ouvido dizer que, para que vocês se distraiam, grandes tolas, lhes consentem ter amantes. Mas fazem isso para enganá-las, para fazerem troça de vocês e para que caiam na rede. Gostará de ti, na realidade, esse apaixonado? Não acredito. Como pode gostar de ti, sabendo que serás chamada de um momento para o outro? E se se conforma com isso, é porque deve ser um grande covarde! E terá respeito por ti? Que tens tu de comum com ele? Faz troça de ti e explora-te: a isso se resume o seu amor. E ainda vai tudo muito bem, se não te bater! Pode ser que também te bata. Mas pergunta ao teu apaixonado, se é que o tens, se casaria contigo. Verás como desata a rir, se não te cuspir na cara e te encher de pancada, apesar de não valer um caracol. E pensar que estragaste a tua vida... por quê? Porque aqui te dão café e comes até te fartares? Mas com que fim te alimentam? Uma jovem que não seja uma alma perdida, não seria capaz de engolir um pedaço de pão, pois compreenderia com que fim lhe dão de comer. Estás endividada aqui, e assim vais continuar, até que os fregueses acabem por se fartar de ti. E não julgues que há de faltar muito tempo; não contes com a tua mocidade. O tempo, aqui, passa muito depressa. Acabarão por te pôr no olho da rua. Não julgues que farão assim, tão simplesmente; primeiro hão de brigar contigo, de recriminar-te, de ralhar, como se não tivesses feito à patroa o dom da tua juventude e da tua saúde, como se não tivesses sacrificado a tua alma por ela, mas como se a tivesses arruinado, roubado. Não esperes ajuda de ninguém; as tuas companheiras vão te cobrir de insultos para adular a patroa, porque, aqui, todos são escravos, perderam a consciência e a piedade. Tornaste-te covarde, e isso é o insulto mais vil, ignominioso e ofensivo que pode dizer-se a uma pessoa. Aqui deixarás, para nunca mais as recuperares, a saúde, a mocidade, a beleza e a esperança e, quando tiveres vinte e dois anos, há de parecer que tens trinta e cinco, e poderás dar-te por muito feliz se não tiveres apanhado alguma doença. Pede a Deus que assim seja. Imaginas talvez que há de ser tudo para ti uma pândega continuada?! Mas se este é o trabalho mais pesado e repugnante que existe! Mais valia uma pessoa morrer afogada em lágrimas. E não te atreverás a dizer uma palavra quando te expulsarem daqui, sairás como um réu. Procurarás abrigo noutro lugar, e depois noutro, até que vais parar à Sienaia. E quando aí chegares, começas a apanhar, é esse o galanteio que usam lá; nenhum freguês te acariciaria sem começar por aplicar-te um sopapo. Não queres acreditar que isto seja tão negro como eu te descrevo? Pois vai lá, e verás com os teus olhos; talvez um dia o saibas por experiência própria. Uma vi eu, certa vez, à porta, no dia de Ano-Novo. Colocaram-na de sentinela, para que passasse frio, porque levantara um pouco a voz, e depois fecharam a porta. Às nove da manhã estava completamente embriagada, desgrenhada, meio nua, moída de pancada. Estava toda empoada e tinha os olhos arroxeados; deitava sangue pelo nariz e pela boca; fora um cocheiro que a pusera assim. Estava sentada no poial de pedra, com um arenque nas mãos; gemia, falava da sua negra sorte e batia com o arenque contra o chão. A sua volta reunira-se um círculo de cocheiros e de soldados bêbados, que zombavam dela. Achas que chegarás ao estado dela? Oxalá assim não fosse. E quem sabe? Talvez há oito ou dez anos, aquela que segurava um arenque, tivesse vindo sabe-se lá de onde, fresca como uma rosa, pura e inocente, ignorante de todo o mal e corando de pudor. Talvez então não fosse menos altiva e delicada do que tu, diferente de todas as outras, com um porte de rainha e sabendo a felicidade que podia oferecer a quem a quisesse e ela também amasse. E, entretanto, vimos como acabou. E se no momento em que batia com o arenque nas pedras sujas, se nesse instante se tivesse recordado dos anos da sua infância, da sua pureza, de quando vivia com os seus pais e ia à escola e o filho do vizinho ia esperá-la no caminho, jurando amá-la toda a vida e dedicar-se a ela, prometendo-lhe fazê-la sua esposa, quando fossem mais velhos. Não, Lisa! O melhor para ti é morreres tísica, num cubículo, num porão como aquele de que te falei. No hospital, dizem? Muito bem... desde que consintam em levar-te até lá; mas se a patroa precisar de ti? A tísica não é uma doença como a peste. O doente conserva a esperança até ao último momento e afirma que se sente bem. Tem ilusões sobre o seu verdadeiro estado.

"Quem lucra com isso é a patroa. Não te aflijas; é a pura verdade; vendeste a tua alma e, além disso, deves dinheiro; por isso não te atreverás a levantar a voz. E quando estiveres na última, vão te abandonar, vão te pôr de lado, porque já não prestas para nada. Vão te censurar até por continuares a ocupar espaço e por não te decidires de vez a morrer. Em vão pedirás de beber; vão te cobrir de insultos; "Mas quando é que tu morres, mula! Não nos deixas com os teus gemidos, até afugentas os fregueses." Não julgues que exagero; já ouvi dizer essas palavras. Hão de deitar-te meio morta, num canto mal-cheiroso do porão úmido e negro. E estendida aí, sozinha, que ideias serão as tuas? Depois de morta, mãos estranhas hão de amortalhar-te às pressas, resmungando, com impaciência. Ninguém te deitará uma bênção, nem terá para ti um suspiro de piedade, e hão de querer ver-se livres de ti o mais depressa possível. Compram um caixão e carregam contigo como carregaram hoje aquela desgraçada, e vão chorar por ti na taberna. Na cova haverá lama, sujeira, neve. É claro que não terão cerimônias para contigo. "Atira-a para o fundo, Ivan; este era o seu destino." E despejam-te. Ora ouve: "Puxa a corda; malandro. Está bem". "Está bem? Mas se está de lado... Afinal é uma criatura humana!" "Pronto, agora está bem; atira-lhe terra por cima." Nem sequer hão de querer questionar muito tempo por tua causa. Cobrem-te às pressas com um barro pegajoso e vão para a taberna... e a tua recordação desaparecerá da face do mundo. As outras têm filhos, pais ou maridos que visitam a sua tumba; mas, para ti, não haverá lágrimas nem suspiros. Ninguém conservará uma recordação de ti, nem ninguém, ninguém, neste mundo te irá ver. O teu nome desaparecerá da face da terra como se nunca tivesse existido nem vindo a este mundo. Lodo e lama! À noite, quando os mortos se levantam das suas sepulturas, poderias com toda a razão bater na tampa do teu caixão e dizer: "ó criaturas, deixem-me viver um pouco no mundo. Vivi sem conhecer a vida, a minha vida não serviu de nada: beberam-na na taberna da Sienaia; deixem-me viver outra vez, ó criaturas!".

Eu estava tão dramático que sentia espasmos na garganta, e... de repente, detive-me, levantei-me assustado e, baixando timidamente a cabeça, pus-me à escuta, enquanto o coração me pulava. Havia motivo para estar comovido.

Havia algum tempo perturbara a sua alma e ferira o seu coração, e quanto mais convencido estava disso, com tanta maior energia procurava alcançar o meu fim. Aquele jogo apaixonava-me; mas não era um simples jogo...

E sabia que falava com dureza e afetação uma linguagem demasiado elevada; enfim, eu não sabia falar de outra maneira senão como nos livros. Isso não me preocupava, sabia, pressentia que, assim, havia de conseguir o efeito desejado. Agora, conseguido o meu objetivo, de repente senti-me assustado. Não; nunca assistira a semelhante desespero. Caíra de bruços e enterrara o rosto na almofada, que tapava com ambas as mãos; o peito arfava-lhe violentamente. Todo o seu corpo tremia, como sacudido por convulsões. Os soluços sufocavam-na, esfaceland0-lhe o peito e a seguir transformavam-se em gritos e bramidos. E então apertava-se ainda mais contra a almofada. Não queria que ninguém neste mundo surpreendesse as suas inquietações e as suas lágrimas. Mordia a almofada, mordia o braço até fazer sangue (conforme vi depois), ou então, enterrando os dedos nas tranças desmanchadas, desfalecida, esgotada de cansaço, reprimindo a respiração e cerrando os dentes. Tentei tranquilizá-la; pedi-lhe que se acalmasse, mas faltou-me coragem para insistir e, de repente, gelado e tremendo, meio morto de espanto, esgueirei-me, tateando, à procura da porta, para afastar-me dali o mais depressa possível. O quarto estava às escuras e, por mais que fizesse, não conseguia dar com a porta. Por fim encontrei uma caixa de fósforos, às apalpadelas, e um candeeiro com uma vela intacta. Assim que o quarto ficou iluminado, Lisa endireitou-se e olhou-me com uns olhos alheados, de rosto contraído e sorrindo com uma expressão de demência. Sentei-me junto dela e peguei-lhe na mão; a moça voltou a si e fez menção de lançar-se nos meus braços; mas não se atreveu e baixou docemente a cabeça.

– Lisa, eu fiz mal... Perdoa-me.

Ia continuar falando; ela me apertou as mãos com tanta força que compreendi não ter dito o que era conveniente, e contive-me.

– Aqui tens o meu endereço, Lisa. Vem visitar-me.

– Irei – murmurou ela, com decisão.

– E agora vou-me embora; adeus... até à vista.

Levantei-me; ela fez o mesmo e, de repente, corou muito e estremeceu, apanhou um lenço de sobre uma cadeira e lançou-o pelos ombros, cobrindo-se com ele até ao pescoço. Tornou a sorrir tristemente e a ruborizar-se, e olhou-me de maneira singular. Aquele olhar fez-me mal, e apressei-me a sair dali.

– Espere – disse-me Lisa no vestíbulo, próximo da porta, e fez-me parar puxando-me pela capa.

Pousou o castiçal e saiu correndo, como se se tivesse lembrado de repente e quisesse mostrar-me qualquer coisa. Quando ia se afastando, ruborizou-se outra vez, os seus olhos brilharam, e um sorriso assomou aos seus lábios. Que seria aquilo? Esperei; um momento depois estava de volta e olhava para mim como se me pedisse perdão. Além disso, já não tinha o mesmo rosto nem os mesmos olhos de há pouco: tristes, receosos e duros. Agora o seu olhar era doce, suplicante e, ao mesmo tempo, confiante, terno e tímido. É assim que olham as crianças que gostam muito de alguém e querem pedir-lhe alguma coisa. Os seus olhos esverdeados, admiráveis, cheios de vida, sabiam exprimir o amor, a tristeza e o tédio.

Sem dar-me qualquer explicação, como se eu fosse um ser superior que não precisasse de explicações para saber tudo, estendeu-me um papel. Seu rosto iluminou-se naquele momento com os fulgores de um triunfo ingênuo, quase pueril. Desdobrei o papel. Era uma carta que lhe dirigia algum estudante de medicina ou de qualquer outra coisa; uma declaração pomposa, em estilo elevado e também muito respeitoso. Não me lembro bem das palavras; mas recordo-me muito bem de que através das frases daquele estilo altissonante transparecia um sentimento verdadeiro que não podia ser fingido.

Quando acabei de ler a carta, vi o seu olhar ardente fixo em mim e repleto de uma curiosidade e impaciência infantil. Não desviava os olhos de mim e esperava ansiosa o que eu dissesse. Em resumo, explicou-me em poucas palavras, alegremente e com certo orgulho, que assistira a um serão "em casa de umas pessoas muito decentes, dum casal com filhos, que não sabiam de nada, absolutamente de nada", porque ela era muito pouco conhecida ali e estava apenas de passagem, por uma temporada... pois ainda não se resolvera a ficar e com certeza se despediria assim que pagasse a sua dívida...

Foi nesse serão que encontrou o estudante da cartinha, que passou a noite falando e dançando com ela, e, como veio a saber depois, já era seu conhecido de Riga, de quando eram pequenos, e brincaram juntos há muito tempo. Também conhecia os pais dele, e ele não sabia nada, absolutamente nada disto, nem sequer o suspeitava. E no dia seguinte, depois do serão – havia três dias – enviou-lhe a carta por meio da amiga que a acompanhara à festa e... assim se acabara a história.

Com certo pudor, baixou os olhos rebrilhantes quando terminou a sua narrativa.

A pobrezinha guardava como um tesouro a carta do estudante, e fora buscar a sua única riqueza para que eu não me fosse embora sem saber que havia no mundo quem a amasse sincera e honestamente e a tratasse com respeito. É claro que aquela carta estava condenada a ficar para sempre sepultada no seu cofre, sem ter consequências. Mas isso ainda é o menos; tenho certeza de que a deve ter conservado como um tesouro, como o seu orgulho e justificação, e de que naquele momento se lembrou da carta e foi buscá-la para ufanar-se ingenuamente perante mim, para elevar-se a meus olhos, para que eu visse e aprovasse. Nada lhe disse, apertei-lhe a mão e sai. Tinha muita vontade de sair dali... Fiz todo o trajeto a pé, apesar de a neve derretida continuar caindo em grandes flocos. Sentia-me abatido, esgotado, estupefato. Mas, apesar da minha estupefação, a verdade brilhava já. Uma verdade odiosa!

Capítulo VIII

No entanto, não consenti assim tão depressa em reconhecer essa verdade. Quando acordei, no outro dia, depois de algumas horas de um sono profundo e pesado, ao recordar os acontecimentos da véspera, fiquei espantado com a minha sentimentalidade para com Lisa e de todos aqueles horrores e compaixões do dia anterior. "Tudo isto acusa uma debilidade nervosa e feminina!" – disse-me. – Mas por que havia eu de lhe ter dado o meu endereço? E se ela viesse? Bem, que venha; não me importo..." Evidentemente, aquilo não era o mais importante: o mais urgente era apressar-me e salvar quanto antes o meu bom nome no conceito de Zvierkov e de Siemiônov. Isso era o principal. Quanto a Lisa, por estar tão preocupado com isto, acabei por esquecê-la.

Era preciso pagar sem demora a Siemiônov a minha dívida da véspera. Apelei para um meio desesperado: pedir emprestados a Anton Antônitch pelo menos uns quinze rublos. Precisamente nessa manhã ele estava de esplêndido humor e me deu assim que pedi. Fiquei tão contento que, ao assinar o recibo, com grande à vontade, participei-lhe, sem dar pelo que dizia, "que no dia anterior fora para a pândega com uns amigos no Hotel de Paris; demos um banquete de despedida a um companheiro, amigo da infância, que é um boêmio, um menino mimado; é claro que é de muito boa família, tem muito dinheiro e uma carreira brilhantíssima; um rapaz de inteligência brilhante, que tem muita sorte com as mulheres; e sabe uma coisa? Bebemos meia dúzia, classe extra" etc., etc. e disse tudo isto com um ar despreocupado e satisfeito.

Assim que voltei para casa, apressei-me a escrever a Siemiônov.

Ainda sinto admiração profunda por mim mesmo ao lembrar do tom franco, jovial e correto com que redigi aquela carta. Confessava os meus erros com toda a simplicidade e nobreza e, sobretudo, sem palavras inúteis, invocando apenas como desculpa, se alguma me era lícito invocar, a minha falta de hábito de beber, e por isso me embriagara ao primeiro trago, que bebi antes que eles tivessem chegado, das cinco para as seis, enquanto os esperava. Apresentava especialmente as minhas desculpas a Siemiônov. Suplicava-lhe que transmitisse as minhas explicações aos outros, sobre tudo a Zvierkov, ao qual julgava ter ofendido, embora não me lembrasse muito bem, e visse tudo como através de um sonho. Acrescentava que o meu desejo teria sido ir visitá-los, pois me doía muito a cabeça e, acima de tudo, sentia-me envergonhado. Fiquei especialmente encantado com a despreocupação; que tocava a leviandade, mas sem afastar-se do decoro, com que a minha pena corria sobre o papel e que, melhor do que toda explicação, havia de dar-lhes a entender que considerava de maneira bastante cavalheiresca todas as tolices do dia anterior; não julguem, meus senhores, que morri por causa disso, como imaginam, naturalmente, e, pelo contrário, encaro-o tranquilamente, como compete a um cavalheiro que se preza. Não devemos recriminar um bom rapaz pelo seu passado.

"Que à vontade de grande senhor! – dizia eu para mim próprio, admirado, relendo a carta. – Tudo isto devo ao fato de ser indulgente e instruído! Outros, no meu lugar, não conseguiriam livrar-se do apuro, e eu consegui imediatamente, e continuarei ainda a fazer das minhas, tudo isto porque sou um homem inteligente e lido. Sim, mas pode ser que tudo o que aconteceu ontem fosse por causa da bebida. He, he! Não, a culpa não é do álcool. Não bebi uma só gota de aguardente enquanto os esperava, das cinco para as seis. O que disse a Siemiônov é mentira; minto indecorosamente e, no entanto, não me sinto envergonhado... E, afinal, vão para o diabo. O principal é sair do aperto!"

Meti a carta no envelope, com seis rublos, selei-a e mandei a Apolon que a levasse ao destino. Quando percebeu que o envelope continha dinheiro, Apolon mostrou-se mais respeitoso e consentiu em levá-la. A tarde, saí para dar uma volta. Tinha a cabeça pesada e sentia-me mais enjoado do que na véspera. Mas, à medida que o sol se ia pondo e o crepúsculo se adensava, as minhas impressões e depois as minhas ideias confundiam-se e embrulhavam-se. Qualquer coisa morria no meu íntimo, no fundo do meu coração e da minha consciência, mas que sem se resignar a morrer, mergulhava numa prostração febril. Caminhava por entre a multidão das ruas mais populosas, cambaleando: a Miechtchánskaia e a Sadóvaia, e o Jardim de Iusúpov. Agradava-me passear por essas ruas ao cair da tarde, quando engrossava a multidão dos transeuntes, comerciantes ou operários que, terminado o trabalho, voltam para casa mostrando um rosto tão preocupado que quase respirava maldade. Agradava-me aquele formigueiro, aquela agitação vulgar da vida cotidiana. Mas, nessa tarde, os encontrões irritavam-me. Não podia dominar-me nem coordenar as ideias. Qualquer coisa se erguia e se agitava continuamente no meu coração, qualquer coisa que me magoava e não queria aquietar-se. Voltei para casa, tomado de um grande mal-estar. Parecia-me que um crime pesava sobre a minha consciência. A ideia de que Lisa pudesse vir atormentava-me sem descanso. O mais estranho era que, de todas as recordações do dia anterior, a sua era a que mais me fazia sofrer. Durante o dia consegui esquecer-me de tudo mais e até excitar-me pela feliz redação da carta a Siemiônov. Mas, assim que pensava em Lisa, acabava-se a minha boa disposição. Talvez sofresse unicamente por causa dela. E se ela chegasse a vir? pensava em cada momento. Muito bem, que venha. Seja! Não será muito bonito que veja como eu vivo! Ontem, com certeza lhe pareci um... herói... e agora... A verdade é que não está certo que me tenha abandonado até esse ponto. Aqui mastiga-se simplesmente a miséria. E pensar que ontem tive coragem de ir jantar fora de casa com esta roupa! E o meu divã, com toda a crina de fora... e o meu roupão, que já não serve! Que farrapos! E ela vai ver tudo isto! E Apolon também! Com certeza esse animal há de aborrecê-la só para mostrar-se insolente comigo. E eu, escusado será dizer, vou me portar tão covardemente como de costume, estarei muito amável com ela, me embrulharei como puder nas abas do meu roupão e me desfarei em sorrisos e mentiras. Oh, que vergonha! E esta não é a maior! Há qualquer coisa mais importante, mais vil e mais covarde! Sim, mais covarde! É o afivelar de novo essa máscara mentirosa e astuta! E, perante essa ideia, corei de vergonha.

– Por que astuta? Por que astuta? Ontem, eu falava com sinceridade. Lembro-me muito bem de que estava possuído de um sentimento verdadeiro. Queria despertar nela sentimentos generosos... Se a fiz chorar foi para seu bem, porque as lágrimas produzem um efeito benéfico...

Mas, apesar de tudo, não consegui tranquilizar-me. Durante toda a noite, depois de soarem as nove, quando, segundo os meus cálculos, Lisa já não podia vir, pareceu-me vê-la entrar, e não consegui afastar a sua recordação de certo momento da noite anterior, que acudia claramente à minha memória. Foi o instante em que acendi um fósforo para iluminar o quarto e vi então o seu rosto pálido, contraído, com olhos de mártir. Que sorriso desolado, triste e forçado assomava nesse instante aos seus lábios! Mal eu sabia então que quinze anos depois ainda a imagem de Lisa havia de surgir na minha memória com o mesmo sorriso desolado, triste e inútil, que apresentava nesse momento.

No dia seguinte tornei a considerar tudo aquilo como um absurdo, como o efeito duma crise nervosa e, sobretudo, como um exagero. A mim próprio confessava aquela corda sensível e, às vezes, ficava admirado. "Exagero sempre – dizia para comigo – e é esse o meu principal defeito." E, no entanto, todas as minhas reflexões terminavam com este estribilho: "Pode ser que Lisa venha", e que eu me sinta tão embaraçado que fique furioso.

– Há de vir. Com certeza virá! – exclamava eu dando grandes passadas pelo quarto. – Se não for hoje, será amanhã; mas virá. Tal é o maldito romantismo dos homens de coração puro. Oh, a mediania espiritual dessas rasteiras almas sentimentais! Enfim: como podia alguém deixar de compreendê-lo? Mas, quando chegava a este ponto, detinha-me, tomado de profunda perturbação.

"E como foram suficientes tão poucas palavras – pensava eu, entretanto – e apenas um idílio (e até um idílio inventado, tirado dos livros, falso) basta para mudar o destino duma vida humana! Eis a virgindade! A novidade do terreno!" Ocorria-me às vezes a ideia de ir a sua casa, de dizer-lhe tudo, e de suplicar-lhe que não viesse ver-me. Só de pensá-lo eu ficava tão indignado, que julgo que teria sido capaz de acabar com aquela malvada Lisa, se a tivesse perto. Ia cobri-la de de insultos, teria cuspido nela, expulsado da minha casa e e podia até ter lhe batido!

No entanto passou um dia e outro, e outro... e ela sem vir; começava a tranquilizar-me, a ganhar coragem e, sobretudo, metia-me na cama depois das nove e punha-me a pensar, às vezes até com certa ternura: "Salvarei Lisa, consentindo-lhe que venha; hei de falar-lhe... de desenvolver a sua inteligência, dar-lhe instrução. E percebo que me ama apaixonadamente. Mas finjo que não reparo nela (embora, não sei por que, talvez o faça unicamente por puro requinte). Finalmente, depois, muito bela e comovida, tremendo e soluçando, lança-se aos meus pés e diz-me que eu sou o seu salvador e a pessoa a quem ela mais ama neste mundo. Finjo que fico muito admirado. "Mas... Lisa – digo-lhe – achas que não reparei no teu amor? Vi tudo, adivinhei tudo, mas não me atrevia a declarar as minhas pretensões ao teu coração, porque tinha ascendente sobre ti e receava que, por gratidão, exercesses violência sobre ti própria para corresponderes ao meu amor, despertando em ti esse sentimento, contra a tua vontade. Não, não queria que assim fosse porque isso é... despotismo. Isso é pouco delicado (em resumo, neste ponto metia-me em sutilezas europeias, à George Sand, extremamente nobres) ... Mas, enfim, és minha, és a minha obra; és pura e bonita e torno-te minha mulher. Entra na minha casa, ousada e livremente, como dona e senhora, entra!"

A seguir começávamos uma vida feliz, fazíamos uma viagem ao estrangeiro, etc. Até que acabava por achar-me tolo a mim próprio, e ria de mim mesmo.

"Com certeza não deixam sair a pobrezinha – pensava. – Não a deixam sair muito, sobretudo de noite (não sei por que, parecia-me que havia de vir quando já tivesse anoitecido e, mais, às sete horas). Ela dizia que não era completamente escrava, que tinha certos direitos; ora, se é assim, por que não vem? Enfim, vá para o diabo; há de vir, certamente virá."

Queria ver se Apolon viria importunar-me naquele momento com alguma grosseria. Aquele Apolon fazia-me perder a paciência. Era a minha perdição, um castigo que a Providência me enviava. Havia muitos anos que andávamos sempre brigando e eu embirrava com ele. Ele me aborrecia! Acho que nunca odiei tanto ninguém como a ele, sobretudo em certos momentos. Era um homem de idade, severo, e que trabalhava no ofício de alfaiate. Não sei por que, desprezava-me completamente e olhava-me por cima do ombro. Aliás, era assim que olhava para todos. Bastava ver aquela cabeça branca, com o cabelo muito assentado, e aquele caracol formado sobre a testa e besuntado de brilhantina; aquela boca chupada, para se perceber que tínhamos na frente um ser que nunca duvidava de si próprio. Era pedante no mais alto grau, até o mais pedante que tenho visto em toda a minha vida, e tinha mais amor-próprio do que o próprio Alexandre Magno.[13] Estava enamorado dos botões da sua indumentária e até das suas unhas – absolutamente enamorado –

---

13 Literalmente: o *Macedônio*.

isso era evidente. Tratava-me com um despotismo absoluto, raramente me dirigia a palavra e se por acaso fixava os olhos em mim, fazia-o com um ar de superioridade e de ironia constante, que me punha fora de mim. Desempenhava as suas funções como se me fizesse um grande favor, embora na realidade me fizesse pouquíssimos serviços, e nem se julgasse obrigado a fazê-los. Não havia dúvidas possíveis: considerava-me o maior imbecil à superfície da terra e, se estava comigo, era apenas para receber todos os meses o ordenado que eu lhe dava. Muitos pecados me serão perdoados por causa dele! Às vezes tinha por ele uma tal aversão, que só de ouvir os seus passos sentia convulsões. O que mais me custava era o seu ceceio.[14] Devia ter com certeza a língua mais comprida do que o normal, a não ser que fosse outra a causa; mas o certo é que ceceava e soprava o ar quando falava; e, segundo me parece, estava muito ufano com o seu defeito, imaginando que, com isso, a sua dignidade aumentava muito. Falava devagarinho, medindo as palavras, pondo as mãos atrás das costas e baixando os olhos. Irritava-me sobretudo quando se punha a ler salmos no seu quartinho, do outro lado do tabique. Sustentei muitas lutas com ele por causa desses salmos. Mas agradava-lhe muito lê-los à noite, com voz doce e monótona, como se cantasse nalgum velório. E o mais curioso é que acabou assim, pois ganha agora a vida recitando responsos pelos defuntos, matando ratazanas e fabricando pomada para calçado.

Mas, por esse tempo não conseguia ver-me livre dele, como se quimicamente unido ao meu ser. Além do mais, por nada deste mundo consentiria em ir-se embora. Eu não podia alugar um quarto a meias; meu caráter precisava de solidão e naquele andarzinho podia afastar-me do mundo, como encaramujado na minha concha; e Apolon, sabe Deus por que, parecia-me parte do quarto, e durante sete anos não pude ver-me livre dele.

Demais era impossível deixar de pagar-lhe o ordenado por mais de dois ou três dias. Armaria tal confusão, que não saberia onde meter-me. Mas eu, nessa altura, estava tão aborrecido com todos que tomei a deliberação de castigar Apolon por qualquer coisa, ao mínimo pretexto, não lhe pagando o ordenado durante quinze dias. Havia muito, aproximadamente uns dois anos, eu pensava agir assim, unicamente para demonstrar-lhe que não devia tomar aqueles ares importantes para comigo, e que, se me apetecesse, podia deixar de pagar-lhe. Resolvi não lhe dizer palavra sobre o assunto e calar intencionalmente, para abater o seu orgulho e obrigá-lo a começar a conversa. Então tirarei da gaveta os sete rublos, ele verá que os tenho de lado, mas não quero, não quero, simplesmente, não me apetece pagar-lhe. Não quero, porque desejo outra coisa, porque a minha vontade de senhor é esta, porque ele não é respeitador e se dá ares de importância; se o pedisse com o devido respeito, talvez eu ficasse mais mole e lhe pagasse. Como não era assim, teria de esperar duas ou três semanas, ou até um mês inteiro. Em vão formava aqueles planos; quem acabou por vencer foi ele. Não fui capaz de resistir quatro dias. O grande matreiro começou a fazer o que costumava em ocasiões semelhantes, pois essa não era a minha primeira tentativa (e, diga-se de passagem, eu conhecia de antemão a sua vil tática). Começava por dirigir-me olhares exces-

---

[14] Perante esta descrição de Apolon, é impossível não nos recordarmos de Vidonliássov, de *A granja de Stiepântchikovo*. Dostoiévski repetia os seus modelos.

sivamente severos, sem tirar de mim os olhos durante uns minutos, sobretudo quando me abria a porta ou ficava a ver-me sair. Se eu me mantinha firme e fingia não reparar naqueles olhares, ele, sem dizer palavra, recorria a novas torturas. Entrava de repente no meu quarto e sem necessidade, muito devagarinho e com toda a fleuma, numa ocasião em que eu estivesse lendo ou passeando; punha a mão atrás das costas, avançava uma perna e dirigia-me um olhar, se não severo, pelo menos de desprezo. Se lhe perguntava o que queria, não respondia e continuava a olhar-me durante alguns segundos e, depois franzindo os lábios de maneira especial e com ar muito significativo, girava sobre os calcanhares e voltava devagarinho para o quarto. Passadas duas horas, tornava a deixar o cubículo e aparecia na minha frente. Completamente furioso, perguntava-lhe o que queria. Com um gesto brusco e altivo, erguia a cabeça e ficava a olhá-lo. Olhávamo-nos assim os dois, às vezes durante dois minutos, até que, por fim, ele saía devagarinho e desaparecia por outras duas horas.

Se aquela artimanha não me afetava, se eu me conservava na minha, ele punha-se de repente a suspirar, sem deixar de me olhar; uns suspiros longos e profundos, como se sondasse com eles a profundidade da minha degradação, e acabava infalivelmente por vencer.

Ficava furioso, gemia de cólera, e não tinha outro remédio senão pagar-lhe.

Dessa vez, assim que começou o manejo dos olhares severos, perdi a paciência e comecei a ralhar com ele, colérico. De fato, estava muito aborrecido.

"Alto!", gritei-lhe, fora de mim, quando, devagarinho e em silêncio, com a mão atrás das costas, deu meia volta para se retirar do quarto.

"Alto aí! Vem cá; vem cá, já te disse!" Devo ter corado de maneira tão invulgar que se voltou e ficou a olhar-me com uns olhos espantados. Apesar de tudo não dizia palavra e a sua fleuma esgotava a minha paciência.

— Como te atreves a entrar no meu quarto sem minha licença e a olhar-me dessa maneira? Responde.

E continuou a olhar-me tranquilamente durante meio minuto, e depois fez menção de retirar-se.

— Alto aí! – gritei, correndo atrás dele. – Não dês mais um passo! Fica aí quieto! E responde-me: que vinhas fazer?

— Vinha ver se o senhor precisava qualquer coisa de mim. É essa a minha obrigação – respondeu, arqueando as sobrancelhas e abanando tranquilamente a cabeça, tudo isso com uma fleuma terrível.

— Não foi isso o que eu te perguntei, algoz da minha tranquilidade! – gritei, tremendo de cólera. – Hei de dizer-te o que vieste fazer aqui, assassino! Vês que não te pago o ordenado e, por orgulho, não queres rebaixar-te a cobrar, e por isso vens castigar-me com as tuas estúpidas olhadelas, torturar-me, e não compreendes, bandido, como tudo isso é uma imbecilidade, uma imbecilidade, uma imbecilidade!

E fez menção de se voltar em silêncio, mas segurei-o pela roupa.

— Espera! – gritei-lhe. – Olha, queres ver onde tenho o dinheiro, queres? – e tirei-o da gaveta. – Aqui estão os sete rublos; mas não vou dar, não darei enquanto não vieres pedir-me perdão com todo respeito e humildade. Ouviste?

— Não pode ser! – respondeu com extraordinário aprumo.

— Mas há de ser! – gritei-lhe. – Palavra de honra que há de ser.

— E também não lhe peço perdão— acrescentou sem ligar importância aos meus gritos – porque foi o senhor quem me chamou assassino, do que eu poderia ir dar parte ao Comissariado.

— Pois vai! Vai dar parte! – rugi. – Anda, vai, vai já! Mas, apesar de tudo, repito-te que és um algoz! Um algoz! Um algoz!

Ele se limitou a olhar para mim, voltou as costas e, sem atender ao que eu dizia, retirou-se com toda a calma para o quarto.

"Por causa de Lisa é que isto aconteceu!", disse para comigo. A seguir, passado um momento, dirigi-me para o quarto de Apolon com um ar grave e majestoso, de coração aos pulos.

— Apolon! – disse-lhe em voz baixa e refreada, mas arquejante. – Vai imediatamente chamar o comissário!

Ele estava sentado à sua mesa, colocara os óculos e remendava uns trapos. Mas, ouvindo a minha ordem, de repente, pôs-se a rir.

— Anda, vai imediatamente! Vai, pois não podes imaginar o que vai acontecer!

— Com certeza não está o senhor em seu perfeito juízo – disse, sem levantar a cabeça, ceceando e continuando a enfiar a agulha. – Onde é que se viu uma pessoa chamar as autoridades contra si própria? Quanto ao medo, esteja descansado, nada acontecerá.

— Vai! – gritei, pegando-lhe por um ombro. Pressentia que seria capaz de lhe bater.

Nem dei por que, naquele momento, a porta do andar se abriu sem ruído. Entrou um vulto humano que parou e ficou olhando para nós, perplexo. Reparei na aparição e, morto de vergonha, corri a esconder-me no quarto. Aí, agarrando o cabelo com as mãos, apoiei a cabeça contra a parede e assim fiquei, sentindo-me desfalecer. Passados dois minutos, senti os passos vagarosos de Apolon.

— Está ali uma pessoa que pergunta pelo senhor – disse, olhando-me de maneira especialmente severa. Depois afastou-se para um lado e deixou entrar Lisa. Não se dispunha a retirar-se e olhava para nós com uma expressão trocista.

— Vai-te! Sai daqui! – ordenei-lhe, fora de mim. Nesse momento meu relógio de parede fez um esforço, ronronou e deu as sete.

Capítulo IX

> "Como dona e senhora
> Em minha casa entra, ousada e livremente?"
> *(Da mesma poesia)*[15]

Estava acabrunhado em frente dela, vexado, morto de vergonha, e parece-me que sorria, esforçando-me por agarrar as pontas do meu roupão esfarrapado... Enfim, tal como eu imaginara havia pouco, num momento de desânimo. Apolon ficou ainda ali um instante e depois foi-se embora. Mas isso não me aliviou grande coisa. O pior é que ela, de repente sentiu-se também intimidada, até um ponto que eu não esperava. Provavelmente seria para me ver.

---
15 Isto é, da autoria do poeta Niekrássov.

— Senta — disse-lhe maquinalmente, puxando uma cadeira para junto da mesa; eu sentei no sofá.

Ela me obedeceu docilmente, sem desviar os olhos dos meus, como se esperasse qualquer coisa de mim. Aquela expressão de esperança ingênua atacou-me os nervos, mas contive-me.

O mais conveniente naquele transe teria sido não reparar em nada, como se fosse tudo muito natural; ela... e eu pressenti vagamente que havia de pagar caro aquele "tudo isso".

— Vens encontrar-me numa situação estranha, Lisa — comecei eu, gaguejando e pensando claramente que assim devia começar. — Não, não, não faças suposições! — exclamei, ao notar que, de repente, ela se ruborizava. — Não me envergonho da minha pobreza. Pelo contrário, até me envaideço. Sou pobre, mas generoso... Pode ser-se pobre e generoso — murmurei. — Não queres um pouco de chá?

— Não — insinuou debilmente. — Espera um momento!

Saí para o corredor e dirigi-me ao quarto de Apolon. Não tinha outro remédio senão dirigir-me a qualquer lado.

— Apolon — disse-lhe ao ouvido, falando-lhe com impaciência febril e metendo-lhe na mão os sete rublos. — Aqui tens o teu ordenado; estás vendo? Pago-te; mas, em troca disto, tens de me salvar: vai imediatamente buscar chá e biscoitos. Se não vais, fazes de mim um desgraçado! Tu não sabes quem é esta mulher! É... Talvez suponhas alguma coisa! Mas não sabes quem ela é!

Apolon, que já se pusera de novo a trabalhar, voltou-se para tomar os óculos, olhou primeiro para os sete rublos, de soslaio, em silêncio e sem largar a agulha. Depois, sem se dignar olhar para mim nem responder-me, tornou a aplicar-se à tarefa de enfiar a agulha. Esperei uns três minutos diante dele de braços cruzados à Napoleão. O suor corria-me pelas fontes. Sentia-o empalidecer. Mas, graças a Deus, teve piedade de mim. Depois de enfiar a agulha, levantou pouco a pouco, afastou a cadeira lentamente, tirou os óculos com toda a fleuma, contou as moedas uma a uma, e por fim perguntou-me, olhando-me por cima do ombro: "É preciso trazer uma medida inteira?". E afastou-se, de mansinho. Quando voltei para junto de Lisa, ocorreu-me este pensamento: "Não seria melhor que eu fugisse agora mesmo, assim como estou, em roupão, desaparecendo daqui?".

Tornei a sentar. Ela olhou para mim com inquietação. Ficamos calados durante alguns minutos.

— Mato-o! — exclamei de repente, descarregando um soco tão forte sobre a mesa, que a tinta saltou do tinteiro.

— Ah! Que lhe aconteceu? — exclamou a moça, tremendo.

— Mato-o! Sim, mato-o! — exclamei outra vez, esmurrando a mesa, fora de mim, e compreendendo perfeitamente, ao mesmo tempo, o ridículo de semelhante cólera. — Não sabes, Lisa, o verdugo que é para mim. É o meu verdugo... Lembrou-se agora de ir buscar os biscoitos.

E, de repente, pus-me a chorar. Era uma crise. E como me envergonhavam aquelas lágrimas! Não podia dominar-me.

Ela se assustou.

— Que tem? Que aconteceu? — exclamou, correndo para junto de mim, solícita.

— Água, dá-me um pouco d'água. Está ali! – murmurei com voz fraca, embora compreendesse perfeitamente que não precisava de água para nada, nem havia motivo para falar com aquela voz apagada, e que representava o que se chama uma comédia, para salvar as aparências, embora a crise fosse verdadeira.

Ela me deu de beber, olhando-me com olhos condoídos. Naquele momento entrou Apolon com o chá. Pareceu-me em seguida que aquele chá vulgar e prosaico se tornava horrivelmente indecoroso e miserável, depois do que acontecera, e o rubor subiu-me ao rosto. Lisa olhava quase espantada para Apolon. O velho saiu sem dignar-se olhar-nos.

— Lisa, tu desprezas-me? – disse-lhe, olhando-a fixamente, tremendo de impaciência por saber o que ela pensava de mim.

Ela se assustou e não conseguiu responder-me.

— Toma o chá! – disse-lhe, colérico.

Sentia raiva contra mim mesmo; sem dúvida, a minha cólera a atingia também. Um ódio terrível ferveu de repente no meu coração; creio que seria capaz de matá-la. Para vingar-me dela fiz mentalmente a jura de não dirigir-lhe a palavra. "Ela é que tem a culpa de tudo", pensei.

Havia cinco minutos não dizíamos palavra um ao outro. O chá estava ali, na mesa; nenhum de nós estendia a mão para o tomar. Eu estava resolvido a não fazê-lo, para que ela se afligisse ainda mais, todas as vezes que o decoro a impedisse de ser a primeira a falar. Olhou para mim várias vezes, titubeando tristemente. Eu conservava um silêncio obstinado. Sem dúvida alguma era a vítima principal, embora reconhecesse a baixeza indigna da minha maldosa estupidez, e ao mesmo tempo não podia emendar-me.

— Quero sair... dali – começou ela, para quebrar o silêncio, de qualquer maneira.

Infeliz! Não era conveniente falar num momento tão estúpido e a um homem tão estúpido como eu. Senti meu coração se apertar de piedade por aquela franqueza tão inútil e extemporânea. Ao mesmo tempo, algo de monstruoso abafou em mim toda a piedade, acirrando-me ainda mais contra ela. O mundo podia acabar-se, tanto me fazia, tanto me fazia! E se passaram assim cinco minutos.

— Vim incomodá-lo? – insinuou ela timidamente, com voz quase imperceptível, e fez menção de levantar.

Assim que observei aquele primeiro indício de dignidade ofendida, pus-me a tremer de cólera e explodi.

— Podes dizer-me; se não te importas, por que vieste? – interroguei-a, arquejando, e sem preocupar-me com a ordem lógica das minhas palavras.

Queria dizer-lhe tudo de uma só vez, e era-me indiferente por onde havia de começar.

— Para que vieste? Responde! Responde! – gritava eu, fora de mim. – Pois vou te dizer, minha amiga, vou dizer por que vieste. Vieste porque eu te disse palavras enternecedoras. Deixaste-te enternecer e agora queres mais frasezinhas dessas. Pois fica sabendo, de uma vez para sempre, que não fiz outra coisa senão troçar de ti. E é o que faço também neste momento! Por que estás tremendo? Sim, trocei de ti! Fora insultado a uma mesa por aqueles que lá estiveram antes de mim. Fui a essa casa, para ver se punha as mãos sobre o militar; não consegui fazer a minha vontade, porque ele saíra. Tinha de vingar-me à custa de alguém, tomar uma desforra fosse com quem fosse. Encontrei-te e descarreguei a minha cólera sobre ti e trocei de ti à grande. Humilharam-me e quis também humilhar alguém; trataram-me como a um farrapo e quis demonstrar o meu valor... Aí tens o que sucedeu! E imaginaste que eu fora lá de propósito para te salvar! Julgaste isso, não é verdade? Julgaste?

Eu sabia que a moça ficaria desorientada e não compreenderia os pormenores. Sabia também que entendia perfeitamente o fundo da questão. E assim aconteceu. Pôs-se extremamente pálida, gaguejou algumas palavras, os seus lábios franziram-se numa careta dolorosa e, como aturdida por uma pancada na cabeça, desfaleceu sobre uma cadeira. E foi nessa atitude que continuou a escutar-me, a boca aberta, os olhos exorbitados e tremendo toda num terror atroz. O cinismo, o cinismo das minhas palavras assustava-a.

– Salvar-te! – continuei, levantando-me do meu lugar e dando grandes passadas pelo quarto. – De quê? Talvez eu seja pior do que tu! Por que não me jogaste isso na cara quando me pus a pregar-te? Para que vieste aqui, afinal? O que eu precisava naquele momento era de demonstrar o meu poder. Uma comédia! Precisava de arrancar-te lágrimas, de humilhar-te, de conseguir que tivesses uma crise de nervos: era disso que eu precisava. Não tive forças para resistir, porque nada valho. Fiquei assustado e, sabe-se lá por que, insensatamente, dei-te o meu endereço. De maneira que, apenas me vi outra vez em casa, mandei-te para o diabo, tão furioso estava por ter-te dado o meu endereço. Odiava-te por te haver mentido. Porque eu preciso de representar comédias, de sonhar acordado; mas, na realidade, sabes tu do que é que eu preciso? Que vás para o diabo; apenas isso. Tenho necessidade de repouso. Daria tudo para não me incomodarem. Que o mundo se acabe e eu fique sem tomar chá? Pois que se acabe o mundo e que o chá não me falte! Sabias isto ou não? Bem; sei que sou vil, covarde, egoísta, um tratante. Há três dias tremia com medo de ver-te entrar por essa porta. E sabes o que mais me preocupava? Era o ter-me apresentado diante de ti como um herói e pensar que havias de ver-me depois com este roupão esfarrapado, pobre e miserável. Acabei de dizer-te que não me envergonhava de ser pobre. Pois bem, é bom que saibas: é a coisa de que mais me envergonho neste mundo; preferia ser ladrão a ser pobre. Porque sou tão vaidoso, que até me parece que estou em carne viva e basta o contacto do ar para me magoar. Ainda não compreendeste que eu nunca poderei perdoar-te o teres-me apanhado com este roupão no momento em que, como um cão, me atirava em perseguição de Apolon? O teu salvador, o teu herói, lançando-se sobre o seu criado, como um cão lazarento, tinhoso, e, para maior irrisão, sem conseguir assustá-lo! Também nunca te perdoarei as minhas lágrimas de há pouco, que não pude esconder na tua presença, como se fosse uma mulherzinha envergonhada! E também não te perdoarei tudo isto que agora te confesso! Sim, tu e só tu, hás de responder por tudo isto: por te ter encontrado ali, por eu ser covarde, por eu ser o mais vil, ridículo, impertinente, néscio e invejoso de todos os vermes deste mundo, que, se não valem mais do que eu, que vão para o diabo que os carregue. Ao menos nunca se inquietam, ao passo que em toda a minha vida tive de suportar bofetadas e piparotes de todos porque é esse o meu destino! Que me importa que me compreendes ou não? E, sobretudo, que tenho eu a ver com que te percas ou não naquela casa? Compreendes como hei de odiar-te daqui por diante, por estares aqui e ouvires o que eu dizia? Pois deves compreender que um homem só desabafa assim uma vez na vida e, para isso, é preciso que esteja doente dos nervos... Que mais queres? Por que, depois de tudo, continuas aí, pasmada? Por que me atormentas? Por que não te vais embora?

MEMÓRIAS DO SUBTERRÂNEO

Quando cheguei a este ponto deu-se um acontecimento estranho. Estava tão acostumado a raciocinar e a dar asas à minha fantasia, segundo o estilo dos livros, e a imaginar tudo de acordo com meus desvarios, que não compreendi logo o que aconteceu. Foi o seguinte: Lisa, ressentida e acabrunhada por minha causa, entendeu, melhor do que eu supunha, o sentido das minhas palavras. De toda essa algaraviada compreendeu o que uma mulher compreende, antes de mais, quando ama sinceramente: que eu era infeliz.

A expressão de medo e de desgosto de sua face foi substituída por um espanto cheio de doçura. Pois quando me chamava a mim próprio vil e covarde e as minhas lágrimas começaram a correr – eu dissera tudo aquilo, chorando – o rosto da moça contraiu-se. Fez menção de levantar, de mandar-me calar. Quando acabei, não foram os meus gritos de "Por que continuas aí, por que não te vais embora?", os que chamaram a sua atenção, mas a dificuldade que tive em pronunciar essas palavras. E, além disso, a pobrezinha sentia-se tão humilhada, considerava-se tão abaixo de mim que não podia aborrecer-se nem dar-se por ofendida! Saltou da sua cadeira impetuosamente e, aproximando-se de mim, embora sempre tímida e inquieta, estendeu-me as mãos. Meu coração enterneceu-se perante aquele gesto. Então ela se encostou ao meu peito, cingiu-me o pescoço com os braços e começou a chorar. Também não pude conter-me e chorei igualmente, como nunca chorara...

– Não me deixam... não posso ser... bom! – disse com dificuldade.

Em seguida estendi-me no sofá, escondendo o rosto, e, durante um quarto de hora não fiz outra coisa senão chorar, tomado de verdadeiro ataque de nervos. Ela se cingiu contra mim, enlaçou-me melhor com os seus braços e parecia desfalecer.

Era necessário pôr fim à minha crise nervosa. E eis que – isto é a pura verdade, por muito ignóbil que pareça – com o rosto colado ao sofá, enterrado no almofadão de couro, comecei a pressentir pouco a pouco, de maneira vaga e involuntária, mas irresistível, que não me atreveria mais a levantar a cabeça e a enfrentar o olhar de Lisa. De que me envergonhava? Não sei; tinha vergonha, e muita. Teria sido porque na minha mente confusa perpassou a ideia de que os papéis foram trocados, de que era ela a heroína, ao passo que eu me transformara numa criatura tão humilhada e ofendida como ela o fora antes daquela noite odiosa? Tudo isto passou pela minha imaginação enquanto estava estendido de bruços sobre o sofá.

Meu Deus? Teria eu inveja?

Não sei. Não consegui elucidá-lo, até hoje. E nessa altura, certamente ainda o compreendia muito menos. Pois a vida não é possível para mim, desde que não possa tiranizar alguém... Mas... com razões nada pode explicar-se e, por isso, é inútil raciocinar.

No entanto consegui dominar-me e levantei a cabeça; era preciso acabar com aquilo... E, fiquem sabendo, até agora estou certo de que, precisamente porque sentia vergonha de olhá-la, outro sentimento se ergueu, de repente, no meu coração: o de dominar e avassalar. Os meus olhos brilharam de paixão e apertei-lhe as mãos com força. Como a odiava e amava, naquele momento! Um sentimento reforçava o outro. Era uma espécie de vergonha... O seu rosto exprimiu primeiramente perplexidade e depois receio. Isso durou apenas um momento, passado o qual se atirou nos meus braços com um amor ardente.

*

Um quarto de hora depois, percorria eu o meu quarto a grandes passadas, com uma impaciência febril, aproximando-me a todos os instantes do biombo para olhar para Lisa, pelas frinchas. Estava sentada no chão, a cabeça reclinada contra a cama, e, provavelmente, chorava. Não dizia palavra e o seu silêncio aborreceu-me. Sabia tudo. Ofendera-a definitivamente, mas... Não vale a pena contá-lo. Adivinhou que o meu apaixonado arrebatamento fora pura vingança, uma humilhação mais para ela, e que à minha indignação de antes, sem motivo, se juntava agora uma birra especial, invejosa... Não me atrevia a afirmar que compreendesse tudo isso claramente; em compensação compreendeu muito bem que eu era um homem vil e incapaz de amá-la. Sei que hão de dizer-me que é impossível existir alguém tão mau e tão tolo como eu; talvez acrescentem ainda ser incrível que eu não a tivesse amado, ou, pelo menos, apreciado o seu amor.

Mas por que inverossímil? Em primeiro lugar, eu já não podia amar, porque, repito-o, amar, para mim, é sinónimo de tiranizar e de dominar moralmente. Nunca, durante toda a minha vida, pude mirar o amor de outra maneira e até cheguei a pensar algumas vezes que o amor consiste no direito livremente reconhecido pela pessoa amada de que a tiranizem. Nos meus delírios de homem subterrâneo imaginava sempre o amor como uma luta; conforme pensava, começava pelo ódio e terminava pela servidão moral e, depois, não conseguia imaginar o que faria da pessoa submetida. Que há de inverossímil em tudo isto, se eu estava moralmente corrompido? A tal ponto perdera o hábito duma vida convivente, que cheguei a recriminar aquela jovem e a ofendê-la por ter vindo escutar palavras enternecedoras, sem perceber que nunca lhe passara pela ideia ir ali para escutar palavras patéticas, mas apenas para amar-me, porque o amor é a ressurreição da mulher, a salvação de todas as suas culpas e a redenção, que não pode encontrar de outra maneira. Por fim acabei por aborrecê-la um pouco menos, enquanto percorria o quarto e espreitava pela frincha do biombo. Era-me insuportável saber que estava ali. Desejava que desaparecesse. Ansiava por repouso, queria a todo custo ficar só no meu cubículo. A vida autêntica acabaria comigo por falta de hábito, e ia ficando difícil respirar.

Decorreram alguns segundos e ela continuava sem levantar, como se afundada no esquecimento. Cometi a indiscrição de bater umas pancadinhas no biombo, a chamá-la... Ela estremeceu, levantou e pôs-se a procurar o chapéu e a peliça... Passados dois minutos, saiu detrás do biombo, devagar, e olhou-me com uns olhos melancólicos. Pus-me a rir, trocista; mas fazia-o forçadamente, por decoro, e evitava o seu olhar.

– Adeus – disse ela encaminhando-se para a porta.

De repente corri atrás dela, peguei-lhe na mão, abri-lha, meti-lhe uma coisa, e tornei a fechar-lha. Depois afastei-me bruscamente e vim refugiar-me no outro extremo do quarto, para não ver, ao menos... Tinha a intenção de mentir, de dizer que fizera aquilo por casualidade, por distração, por estar transtornado, por imbecilidade. Mas não quero mentir e declaro francamente: abri-lhe a mão e pus nela... aquilo, por espírito de maldade. Essa ideia ocorreu-me enquanto eu andava pelo quarto de um lado para o outro, enquanto ela estava atrás do biombo. Eis o que posso dizer com toda a segurança: que cometi aquela crueldade por meu próprio impulso, não há dúvida, não por má índole; unicamente pela minha má cabeça. Era uma crueldade fingida, intelectual, forjada de propósito, à maneira dos livros, de tal maneira que não pude persistir nela um só minuto. Meti-me primeiro num canto, para não ver, e depois, cheio de vergonha e desespero, corri atrás de Lisa. Abri a porta da escada e chamei-a, mas timidamente, a meia voz... Não me respondeu; mas pareceu-me ouvir os seus passos nos últimos degraus.

– Lisa! – gritei com mais força.

O mesmo silêncio de antes. Mas, exatamente nesse momento, tornei a ouvir lá embaixo a porta da rua a abrir-se, com um ranger pesado, e depois a fechar-se com força. O barulho ecoou pela escada.

Partira. Meditabundo, voltei para o meu quarto. Aquilo custou-me muito.

Parei junto da mesa e da cadeira em que estivera sentada, e pus-me a contemplar estupidamente aquele vazio. Passado um minuto senti um sobressalto. Enfim, vi um bilhete azul, muito machucado; era a nota de cinco rublos que, havia um momento, metera na sua mão. Era a mesma nota; não podia ser outra, pois não havia outra na casa. Lisa teve tempo, portanto, de atirá-la sobre a mesa no momento em que eu corria a esconder-me num recanto.

Ora, podia acontecer-me tamanha coisa? Não. Sou tão egoísta, tenho em tão pouco caso os meus semelhantes, que não conseguia imaginar que ela fizera isso. Nem o sofri tampouco. Instantes depois, como um louco, vestia, às pressas, uma roupa qualquer e lançava-me em sua perseguição. Não tivera tempo para se afastar duzentos passos da casa, quando eu desci à rua.

O tempo era bom; a neve caía densa, compacta, quase verticalmente, e cobria a calçada e a rua, deserta, com espesso manto. Não se viam transeuntes, nem se escutava rumor algum. Os revérberos oscilavam tristes e inúteis. Caminhei uns duzentos passos, correndo, até chegar à encruzilhada, e lá parei. Para onde teria ido? Por que corria eu atrás dela? Por quê? Para cair de joelhos ante ela, chorar contrito, beijar seus pés e implorar-lhe o perdão? Isso teria desejado; o peito se me saltava e nunca, nunca poderei recordar com indiferença aquele momento. "Mas, por quê? – pensava eu. – Será que amanhã não a odiaria precisamente por ter-lhe beijado hoje os pés? Poderei eu oferecer-lhe a felicidade? Acaso não tive hoje oportunidade, pela centésima vez, de ver, comprovar o que sou? Será que daqui por diante não a faria de novo sofrer?"

Caminhava sobre a neve, procurando ver através da escura névoa, e refletia:

"Não é melhor, não vale mais – disse a mim mesmo depois, em casa, dando rédea solta a minha fantasia, procurando acalmar as vivas dores do meu coração por meio dos meus desvarios, – não é melhor que carregue para sempre com essa afronta? Porque a afronta é uma purificação: é a consciência mais dolorosa e ardente. Amanhã, teria manchado a sua alma e cansado o seu coração. Mas a afronta nunca mais se apagará da sua memória e, por muito que se envileça e venha a cair, a afronta vai elevá-la e purificá-la... graças ao ódio... Hum! Hum! E talvez também, graças ao perdão... Entretanto, será que isso lhe trará algum alívio?".

Na verdade, neste momento faço uma pergunta ociosa: "Que vale mais: uma felicidade mediana ou dores sublimes? Vejamos: qual é preferível?".

Assim delirava eu nessa noite, no meu quarto, meio morto de sofrimento moral. Nunca sofrera tamanha amargura e desgosto; quando saí para a rua, não sabia perfeitamente que havia de voltar, a meio do caminho?

Nunca mais tornei a ver Lisa nem ouvi falar dela. Acrescentarei no entanto que, durante muito tempo, vivi encantado com a minha frase sobre a utilidade da injúria e do ódio, apesar de me sentir quase doente de tristeza.

E ainda agora, passados tantos anos, tudo isso me parece muito mal, quando o recordo. Conservei uma recordação má de muitas coisas; mas... não faria bem terminando aqui as minhas memórias? Parece-me que fiz mal em pôr-me a escrevê-las. Pelo menos senti muita vergonha ao escrever esta narrativa (não se trata de literatura, é um castigo, uma pena correcional). Porque é pouco interessante, suponho, contar numa comprida história a maneira como falhei na vida, apodrecendo moralmente num subterrâneo, sem ninguém à minha volta, perdendo nele o hábito de tudo quanto é vivo e, ainda por cima, carregado de uma requintada maldade.

É preciso, em todos os romances, apresentar um herói, e aqui se encontram, expressamente reunidos, todos os caracteres dum anti-herói; e, sobretudo, a minha narrativa deve produzir uma impressão desagradável, porque todos, mais ou menos, perdemos o hábito da vida; todos, uns mais, outros menos, coxeamos. Perdemos o hábito da vida a tal ponto que, às vezes, sentimos uma espécie de repugnância pela vida verdadeira, e por isso não nos agrada que nos lembrem dela. Chegamos a considerar a vida viva como uma tarefa, quase como um emprego, e, no nosso íntimo, somos todos de opinião que é melhor viver pela imaginação.

E por que nos afadigamos, por que fazemos loucuras, o que pedimos? Nem nós próprios sabemos. Ainda seria pior se as nossas loucas súplicas fossem atendidas. Ora vejamos: experimentem dar-nos mais independência, por exemplo; deem a alguém liberdade de movimentos, ampliem o círculo da sua atividade; afrouxem a sua tutela e... Mas garanto-lhes: tornaríamos logo a pedir essa tutela.

Sei muito bem que pode acontecer que se encolerizem, que bradem aos Céus e zombem de indignação. "Fala – vão dizer – só em teu nome e por causa dessas misérias do teu subterrâneo; mas não te atrevas a dizer 'todos nós'." Peço desculpa por ter empregado essa frase: "todos nós". Pelo que me respeita, não fiz outra coisa, na minha vida, senão levar até ao último limite aquilo que os senhores, por covardia, não ousariam levar sequer ao meio; e no entanto consideram a sua covardia como prudência e querem consolar-se enganando a si mesmos. Por isso pode ser que eu esteja mais perto da vida do que os senhores. Mas vejam a coisa mais de perto! Não sabemos perfeitamente o que está vivo, em que consiste e como se chama?

Deixem-nos sós, sem livros, e logo nos perderemos e confundiremos, sem saber o que fazer nem que pensar, sem saber o que se deve amar nem o que se deve aborrecer; ignorando igualmente o que merece estima e o que apenas deve inspirar desprezo. Até os próprios semelhantes ficariam insuportáveis para nós; iríamos nos envergonhar do homem autêntico, daquele que tem carne e sangue; consideraríamos esse semelhante como uma desonra. Empenhamo-nos em ser um gênero de homem vulgar que nunca existiu. Nascemos mortos, há muito tempo que nascemos de pais que já não vivem, e isso nos agrada cada vez mais. Tomamos-lhe o gosto. Dentro em pouco desejaremos nascer de uma ideia. Mas chega.

No entanto, as *Memórias* deste ser paradoxal não terminam aqui. Não pôde conter-se e continuou a garatujar. Mas parece-me que podemos pôr-lhe ponto final nesta página.

ROMANCES DA

MATURIDADE

Prólogo aos Romances de Maturidade

Crime e castigo

Prólogo aos Romances da Maturidade

A definição progressiva das personagens

Se bem que a experiência do período siberiano tenha sido capital na vida de Dostoiévski, não podemos pensar, entretanto, que tivesse trazido alguma mudança fundamental ao espírito do homem que ele era, ou à temática do escritor que também era. Houve, é certo, um alargamento do campo de observação, uma oportunidade de aprofundamento da reflexão, mas todo esse enriquecimento espiritual veio inserir-se sobre a totalidade da sua experiência anterior e sobre a problemática que já desde a juventude o preocupava. O Dostoiévski posterior ao presídio não é essencialmente diferente do Dostoiévski anterior ao presídio.

E a maturidade, o que lhe trouxe foi uma maior capacidade de expressão, um maior poder de revelação dos seus extraordinários dotes de inteligência e de sensibilidade estética. Não há nenhum problema fundamental da sua obra da maturidade que não tenha já sido tocado, ou, pelo menos, apontado na obra da juventude, nenhuma personagem que, por assim dizer, não tenha na sua obra da mocidade um antepassado.

Dissemos em outra parte[1] que uma das características principais da obra da mocidade de Dostoiévski é exatamente o ser pré-figuradora da obra da maturidade. A maior parte das obras desta época da sua vida não se diferencia das da juventude por apresentar, neste ou naquele livro, um tema essencialmente diferente, mas porque um mesmo tema, o mesmo problema, é tratado neste ou naquele livro, sob um ou outro ângulo, analisado em função desta ou daquela provável solução. Assim, cada personagem corresponde a um certo tipo e vai surgindo, de livro para livro, numa definição progressiva, até a sua expansão completa. Aparecem, entretanto, tanto na obra da mocidade do escritor como na da maturidade, certas personagens que, relativamente às grandes personagens definidas, podem considerar-se embrionárias ou larvares, ou representantes do seu "duplo".

Em certo sentido, a obra de Dostoiévski é, toda ela, uma obra de transição contínua, de convergência para uma obra cupular perfeita. Desejava o escritor que essa obra fosse um novo grande romance, *A vida de um grande pecador*, de que chegou a deixar-nos o esboço. Mas, afinal, são todos os seus romances, os maiores e os menores, os seus contos e as suas novelas, que em conjunto vêm a formar esse *A Vida de um grande pecador*.

O que distingue a sua obra da maturidade da obra da juventude é, pois, a expressão dos problemas e o desenho das personagens sob uma forma mais opulenta, uma explicitação mais ampla e demorada das suas complexidades e da sua profundidade, uma análise mais exaustiva da sua problemática de sempre. Esta análise é apresentada através da utilização intensiva de uma expressão de forma dialética e argumentadora, revelada sobretudo por meio de diálogo, uma espécie de maiêutica

---

[1] "Prólogo geral às novelas da juventude", no volume I desta edição.

socrática transposta para a criação romanesca. Esta técnica inicia-a Dostoiévski com as *Memórias do subterrâneo*, e nunca mais a deixará; atinge as suas culminâncias nos grandes romances, como *Crime e castigo, Os demônios, Os irmãos Karamázovi*.

Outra característica fundamental que apontamos na obra da juventude de Dostoiévski é a de ser uma transposição autobiográfica.

É já vulgar dizer-se que todas as obras de ficção, em última análise, são autobiográficas, mas é preciso estabelecer uma distinção. Uma obra só deverá verdadeiramente considerar-se autobiográfica se incluir as circunstâncias ou conjuntos factológicos significativos, em que a vida, o destino mesmo do escritor foram postos em jogo. Se um escritor utilizar um fato, uma circunstância, uma personagem qualquer, de que tenha apenas um conhecimento casual, de puro encontro acidental, tal utilização não poderá considerar-se autobiográfica. A obra de Dostoiévski é essencialmente autobiográfica porque nela o escritor incluiu e inseriu como temas, problemas, conflitos, circunstâncias e personagens as suas pessoais circunstâncias de vida e os seus principais problemas e conflitos de toda natureza: psicológicos, éticos, políticos, sociais, religiosos e metafísicos. A sua obra é, no conjunto, uma grande autobiografia, e muitas das personagens são ele mesmo, Dostoiévski.

Claro que se desconhecêssemos a vida do próprio Dostoiévski e tivéssemos de contentar-nos com a análise da obra do escritor, da mesma maneira seríamos levados ao estabelecimento da temática e da genealogia das personagens. Mas a consideração da sua biografia real fornece-nos de per si, imediatamente, a chave da sua mais completa interpretação, e uma avaliação da sua extraordinária técnica de transposição.

A PROBLEMÁTICA

Todos os problemas ético-religiosos e sócio-políticos, exibidos nos seus romances, derivam, como dissemos, da sua psicologia mesma. Os seus complexos e características pessoais, autênticas fontes de inspiração artística, terão sido provavelmente estes:

O complexo de Édipo, que surge sempre unido ao desgosto da sua deficiente *situação pecuniária*: o pai do escritor, como médico de um hospital de pobres, não auferia grandes proventos; entretanto, são sobretudo a sua avareza e o seu temperamento violento e severo que provocam no seu lar um ambiente tétrico, onde os filhos temem os arrebatamentos paternos e a esposa chora, às escondidas, a vida de privações, talvez desnecessárias, e acaba por morrer tuberculosa, com trinta e sete anos. Mais tarde, durante a sua vida de estudante, o jovem Fiódor Mikháilovitch Dostoiévski há de sofrer também privações, vivendo por miseráveis quartos alugados, tentando a fortuna no jogo e sentindo-se, por vezes, inferior perante aqueles que possuem uma posição social mais elevada e dispõem de vastos recursos econômicos.

O pressentimento da vocação. O jovem Dostoiévski sente em si extraordinária potencialidades criadoras, e antevê, em sonhos divinatórios exaltados, a sua realização futura como "grande escritor". A certeza adivinhada das suas capacidades faz com que ele se sinta no mesmo nível dos maiores entre os maiores escritores seus contemporâneos – uma vez que atinja a plenitude da sua realização; porque, afinal, tudo isso pertence ainda ao futuro, é obra a executar e, daí, a sua ansiedade, as suas dúvidas angustiosas, os seus delírios de visionário (veja-se, por exemplo, a novela *A dona da casa)*, a sua aflição por que os outros não o reconheçam imediatamente e lhe neguem o tributo de admiração a que ... virá a ter direito; e, ao mesmo tempo, manifestações alternadas de orgulho e humildade, de ousadia intempestiva e retraimento, de desejo de convívio ou de isolamento, de desfalecimento no trabalho ou de coragem.

A sensualidade. Dostoiévski possuía um temperamento de sensual, mas, como veremos mais adiante, tratava-se sobretudo de uma sensualidade potencial e imaginativa, uma sensualidade de sonhador; e, como a autêntica sensualidade acaba sempre por tender à perversão, em Dostoiévski essa sensualidade tende a revelar-se pelo masoquismo e pelo sadismo. É dentro deste aspecto do seu caráter que devemos estudar aquele seu famoso "complexo de culpa" pelo pecado real ou imaginado de ter violado, um dia, uma mocinha.

A religiosidade. Em toda a sua obra é visível a luta que se travou no seu espírito entre a crença e a desgraça. "Deus torturou-me toda a vida", disse o escritor num dos seus romances.

O COMPLEXO DE ÉDIPO

Foi esse talvez o elemento psíquico que forneceu ao escritor a maior e a mais criadora fonte de inspiração. Dele deriva toda uma constelação, não só de livros como de personagens e de problemas básicos. Há, por assim dizer, ao longo da sua obra, um caminho de progressiva autoconscientização deste complexo. Embora ele esteja patente em quase todos os livros que escreveu, essa linha de autoconscientização é, porém, mais nítida a partir do romance inacabado *Niétotchka Niezvânova*, obra ainda da juventude.[2]

Mas é na sua obra da maturidade que tal complexo atinge também o mais alto grau de acuidade, correspondendo a um mais alto grau de dissecção analítica e de transposição artística, principalmente nos romances *Crime e castigo*, *O adolescente* e *Os irmãos Karamázovi*.

O tema de *Crime e castigo* é este: um estudante pobre estabelece o plano de assassinar uma velha usurária, à qual roubará também; depois, com o produto do roubo, não só preparará o seu futuro como auxiliará a mãe e a irmã, que vivem na miséria, e poderá ainda, ao porvir, ser útil à sociedade, a toda a humanidade. Para poder, em seu íntimo, consumar esse crime, forja uma teoria filosófica que lhe dá precisamente "o direito ao crime". Nessa teoria, tem direito ao crime todo aquele que se sente para além das convenções tradicionalmente estabelecidas acerca das ideias do bem e do mal, todo aquele que é mais forte do que o homem comum e sabe que a prática de mil ações boas pode justificar o cometimento de um crime, que, enfim, o "super-homem" não pode atender aos meios por que se alcançam os fins. E Raskólhnikov assassinou, a golpes de machado, a velha usurária.

---

2 Veja-se o nosso "Prólogo geral às novelas da juventude", no volume I.

Não é difícil de encontrar o fio da transposição. Raskólhnikov, o estudante pobre, "filósofo" e assassino, é o mesmo Dostoiévski, jovem também e em constantes apuros de dinheiro, que trocou uma ocupação certa, na carreira da engenharia militar, pela vida literária; ansioso por poder elevar-se na sociedade, desejoso de poder editar os seus livros à própria custa, sentindo, enfim, quanto o dinheiro é, na sociedade constituída, um elemento de preponderância e valimento; pois se ele dispusesse de dinheiro poderia então entregar-se livre e unicamente à sua vocação, e o seu talento, que ele pressentia poderoso, havia de expandir-se em toda a sua pujança.

A velha e inútil usurária é a transposição literária do avaro pai do romancista. Pelo espírito de Dostoiévski teria passado, algum dia, a sombra negra do desejo de que o pai morresse. E como o homem não peca somente por palavras e obras, mas também por pensamentos, teria sido isto o bastante para que a vastíssima e profundíssima consciência de Dostoiévski se sentisse abalada a partir do momento em que em si mesma descobriu esse pecado.

É, porém, em *Os irmãos Karamázovi* que o tema do parricídio edípico se apresenta sob o aspecto de uma dramatização que poderemos considerar perfeita, genial. Em *Crime e castigo* há um jovem imbuído de uma filosofia, portanto um intelectual que resolve pôr em prática, ou melhor, pôr à prova, uma ideia, uma teoria. E Raskólhnikov chega realmente a pôr em ato o seu projeto: matando a velha usurária, o crime é consumado. Entretanto, na vida real, Dostoiévski não assassinou seu pai; mas talvez o detestasse ou tivesse visto com alívio o seu desaparecimento. Foram circunstâncias exteriores que deram realização àquilo que estaria apenas nos seus desejos íntimos. Haveria assim, neste complexo: o "impulso sensual" da sua personalidade, abrangendo nele todos os apetites de fruição da vida; a "tendência reflexiva, mental", que analisava o problema e o justificava teoricamente, chegando à conclusão de que alguns têm o "direito a tudo", inclusive à eliminação dos inúteis e prejudiciais, dos obstáculos que se lhe atravessam no caminho.

Em *Crime e castigo* a culpa é atribuída e personificada exclusivamente nesta parte raciocinante, ao orgulhoso intelecto do homem. Mas em *Os irmãos Karamázovi* a culpa cabe não só à parte mental, representada por Ivan Karamázov, como à parte dos impulsos sentimentais e sensuais, representada por Dmítri Karamázov e, dentro desta, Dostoiévski distinguiu ainda uma parte de instintos bestiais, representada pelo filho bastardo do velho pai Karamázov, o lacaio Smierdiákov, criatura grosseira, brutal e semi-imbecil.

Todos os irmãos (exceto Aliócha, o mais novo, que está como que acima de todos os Karamázovi, pai e filhos, e representa a parte angélica que existe também na humanidade) desejavam a morte do velho pai. Ivan, o frio pensador, é aquele que a justifica teoricamente, filosoficamente; Mítia, o impulsivo, o sensual e sentimental, é quem a deseja de "alma e coração", com todos os impulsos da sua sensibilidade e da sua sensualidade. Não serão eles quem mancharão de sangue as mãos na morte física do pai, mas são eles os instigadores do bruto, ou melhor, os insinuadores, os provocadores das forças ocultas do destino que impelem estes à consumação real do crime. Não praticaram o ato, mas esse destino, carregado de desígnios escondidos, ao qual Dostoiévski tantas vezes aludia – adivinhando os seus mais íntimos desejos – pôs-lhes ao lado Smierdiákov, o instrumento que deu realidade às suas intenções.

A TÉCNICA DA TRANSPOSIÇÃO

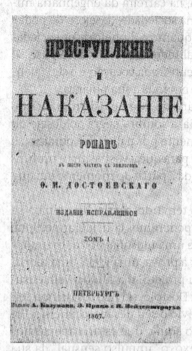

Frontispício da edição de 1867 de *Crime e castigo*.

E, por aqui, podemos já apreciar essa extraordinária técnica dostoievskiana de transposição, que talvez não corresponda tanto à adoção de um método consciente de técnica literária, como ao próprio caminho seguido pelo espírito do homem e do escritor no aprofundamento dos problemas: a repartição dos vários aspectos que os mesmos assumem, conforme os ângulos por que podem ser encarados, por vários destinos destas, isto é, por diretrizes prováveis do devir existencial do homem.

No início da sua carreira tentou Dostoiévski esta repartição, construindo um romance em que uma mesma e só personagem sofria o fenômeno do desdobramento de personalidade: em *O duplo*, que resultou uma obra artificial. Na obra da maturidade, na plena posse das suas faculdades, tal fenômeno não será mais apresentado "como fenômeno", como técnica explicitamente utilizada, mas sim como fundamentação metafísica da constituição da própria natureza humana. Em *Os irmãos Karamázovi*, Ivan, num momento delirante, próximo da loucura, sofre também como que um desdobramento de personalidade, no qual vê o demônio como seu duplo, mas isso aí é já uma liberdade poética, um artifício de estética literária. Os duplos ou triplos, toda a estratificação (como é o caso de *Os irmãos Karamázovi*) da personalidade humana, na obra da maturidade de Dostoiévski, são geralmente figurados em outra personagem, que atua independentemente do seu tipo original, embora dela seja, ou um embrião ou uma larva (o narrador de *Memórias do subterrâneo* pode considerar-se uma larva de Raskólhnikov), uma caricatura ou um aborto, ou ainda, um estágio degradado (Smierdiákov é a caricatura, a encarnação da parte mais baixa que coexiste em seus irmãos), um espelho refletor (Svidrigáilov é um espelho onde se reflete qualquer coisa de Raskólhnikov), ou um prisma refrator (o velho Karamázov, o pai, o genitor, é um prisma através do qual se refrange a luz essencial da natureza humana, nos raios coloridos com diversas tonalidades que são os seus quatro filhos), ou uma idealização simbólica, uma síntese viva, como "O Grande Inquisidor", cúpula de toda a linhagem infernal que, na obra da maturidade, deriva de Raskólhnikov.

Em outra obra da maturidade de Dostoiévski nos surge ainda o seu inspirador complexo de Édipo em *O adolescente*, que foi publicado em 1875, isto é, já depois de *Crime e castigo* e antes de *Os irmãos Karamázovi*, sua última criação.

O tema do adolescente, desenvolvido através de uma análise da psicologia desta idade crítica do homem (como a psicologia da idade madura deu-a o escritor em *O eterno marido*, na personagem de Vielhtcháninov), é o de um jovem que, ao sentir que se vai tornando homem, deseja vir a ser um novo Rostchild. O seu plano é enriquecer para poder prescindir e afastar-se dos outros homens. O que ele desejava, ao querer tornar-se milionário, não era uma vida de gozos físicos e materiais, mas, precisamente, o poder de não ter de se precisar dos outros homens e libertar-se de todas as humilhações e servidões. A sua fortuna havia de vir a ser adquirida pela poupança e amealhamento, isto é, por via ascética, pelo esforço da própria vontade.

Ora, Arkádi Makárovitch, o adolescente, era filho bastardo de um aristocrata, Viersílov, pessoa egoísta, fria e sensual também, com uma vida familiar irregular. Entre este pai e o filho as relações são de amor-ódio. O rapaz sente, simultaneamente atração e repulsa pela personalidade interessante de seu pai, e, para além do seu desejo de enriquecimento, em breve o grande objetivo do adolescente será o de descobrir o enigma do pai, penetrar o segredo da sua natureza e, finalmente, conclui-se que o motor profundo desse desejo de enriquecimento era não só essa ânsia de poder, para libertar-se dos outros homens, como uma espécie de desejo de vingança contra um pai que o desamparara na infância.

Neste ponto do nosso estudo sobre a obra da maturidade de Dostoiévski, podemos também desde já verificar que além daquela aludida técnica de transposição, fazendo encarnar as várias facetas de uma mesma personalidade em outras personagens, criando as suas larvas, os seus duplos ou as suas sínteses, Dostoiévski, como apontamos também anteriormente, não constrói cada um dos seus tipos de uma só vez, numa definição completa e acabada. Há, por assim dizer, em cada tipo modular uma desinvolução, uma expansão que se processa de obra para obra, de tal maneira que poderão traçar-se árvores genealógicas para essas personagens, ou a série das suas homologias.

Nos três romances da maturidade a que já nos referimos, ou seja, *Crime e castigo*, *O adolescente* e *Os irmãos Karamázovi*, Raskólnikov, o protagonista da primeira destas três obras, tem um homólogo, um parente próximo em Arkádi Makárovitch, o adolescente: o objetivo de ambos é tornar-se um super-homem, vencer pela vontade, dominando a sua sentimentalidade. Com a diferença de que o adolescente, antes de pôr a sua teoria em prática resolve entregar-se à tarefa de descobrir o enigma da personalidade de seu pai; há neste romance a transposição de um certo momento na evolução do complexo de Édipo de Dostoiévski: se em *Crime e castigo* transparece o conflito pessoal do autor à volta do seu parricídio intencional, e o que Dostoiévski nele transpôs foi a sua realidade anímica, em *O adolescente* o que ele transpôs foi, de certa maneira, a sua realidade factual: o adolescente, em vez de vir a realizar o seu plano de tornar-se um milionário, à custa da poupança e da especulação no negócio, vem antes a dedicar-se ao estudo da psicologia paterna, o que traduz uma situação concreta da vida real de Dostoiévski: no jovem escritor, o que prevalecerá para além de tudo é a sua vocação, a sua realização como artista, perante a qual cedem todos os seus planos de domínio na sociedade, e um dos temas sobre os quais irá exercitar-se essa vocação artística será, precisamente, a da análise do seu próprio complexo edipiano, e aqui temos o jovem Arkádi, ou seja, o jovem Dostoiévski, entregue à descoberta do enigma paterno.

O outro homólogo de Raskólnikov, num plano talvez mais impressionante é Dmítri Karamázov.

Um romance escreveu também Dostoiévski, já na maturidade, que não tem, entretanto, a categoria de grande obra, onde poderemos encontrar correspondência nos motivos e até nas personagens de *O adolescente:* vem a ser *O jogador.* O protagonista lança-se também sobre a roleta, na ânsia de dominar o destino por um golpe de audácia, da mesma maneira que Raskólhnikov se lançou, de machado em punho, sobre a velha usurária. Mas este jogador é apenas uma redução de Raskólhnikov a uma escala picaresca.

A expansão máxima do tipo raskolhnikoviano realiza-se na pessoa de Piotr Vierkoiénski, personagem de primeiro plano desse outro grande romance da maturidade que é *Os demônios*. Aqui o crime individual de *Crime e castigo* vai tornar-se um caso coletivo, o crime de Raskólhnikov converte-se na revolução social de Vierkoviénski, isto é, no crime multiplicado. Vierkoviénski já não pensa em assassinar uma velha e resolver o caso da sua miséria pessoal, mas aspira a derrotar todo um regime, a roubar a totalidade do poder, atuando por meio de acólitos.

Todas estas personagens convergem finalmente em *Os irmãos Karamázovi*, numa personagem que é a cristalização suprema de todas elas; num plano já da mais alta simbólica artística e filosófica, síntese de tudo quanto estava implícito na complexidade raskolhnikoviana.

Vemos assim que o complexo de Édipo, num espírito genial como o de Dostoiévski, foi um filão de uma riqueza imensa, de onde, pode se dizer, ele extraiu as maiores preciosidades da sua criação artística e da meditação metafísica nela contida.

O problema da culpa

Analisar esse problema, quer a culpa tenha realidade apenas por ser intencional – *Os irmãos Karamázovi,* – quer porque se tenha tornado ato – *Crime e castigo* –, é levantar imediatamente muitos outros problemas humanos.

Toda esta linhagem raskolhnikoviana representa na metafísica do romancista o elemento infernal ou demoníaco, que no campo individual conduz ao pecado, à sensualidade, ao orgulho, à crueldade e ao crime, ao ateísmo, à degradação da pessoa humana, e, na sociedade, às revoluções catastróficas, à aspiração a uma felicidade utópica, afastada do cristianismo e das tradições pátrias.

É no seu romance *Os demônios,* que constitui a sua obra mais diretamente política, que Dostoiévski ensaia mais nitidamente muitas das prováveis soluções ou destinos para os seus problemas, ou saídas para os seus dilemas, nas suas personagens: Stiepan Trofímovitch, Kirílov, Chigáliev, Chátov, Stavróguin e Vierkoviénski. É claro que este romance traduz também a grande agitação pré-revolucionária que se apoderara da Rússia nos últimos tempos do período czarista, com a ação da "Intieligéntsia", isto é, do grupo de intelectuais russos, dos revolucionários de ação e das revoltas de camponeses e proletários. Sobre este fundo real inseriu Dostoiévski, sob o disfarce da ficção, mais uma vez, o discurso dos seus dois grandes problemas: o homem e Deus. Vierkoiénski é o grande chefe revolucionário, o dirigente do grupo de conspiradores, um caráter frio e cínico que, tal como Raskólhnikov, não olha os meios para conseguir os fins; aceita o assassinato de alguns indivíduos, contanto que possa dar realidade à sua obra revolucionária; ele é o executor das teorias de Chigáliev, o intelectual, o teórico, o novo Fourier da revolução que o grupo demoníaco prepara.

Vierkoviénski apoia-se sobre Stavróguin, outro homem-forte, que esvaziara o coração de todo sentimento humano, que abolira no seu pensamento a distinção entre o bem e o mal, o niilista, o cético absoluto.

Chátov, o estudante, revolucionário arrependido, alma bondosa, repleta de sinceridade e generosidade, é um representante do lídimo povo russo, que conserva o mais puro amor do Evangelho; há quem pense ter Dostoiévski desejado encarnar numa figura a idealização para que tendiam muitas das suas concepções a respeito da missão messiânica da Rússia, isto é, figurá-lo como um autêntico Cristo russo.

É nas figuras de Stavróguin, o cético absoluto, o frio sensual, que acaba por se aniquilar a si mesmo, suicidando-se, e na de Chátov, o socialista arrependido, que não crê em Deus, mas crê na Rússia, que Dostoiévski mais transpõe de si próprio.

O ELEMENTO ANGÉLICO

Todas estas figuras demoníacas convergiam, na sua obra, para essa criação suprema que o escritor projetava e à qual aludíamos já, *A vida de um grande pecador*, que não chegou a escrever. Porém, ao lado destes representantes do elemento infernal quis o escritor, dentro do seu dualismo filosófico, criar uma figura que encarnasse o elemento angélico, ou seja, o homem perfeitamente bom. Toda uma plêiade de figuras bondosas pode ver-se em muitos dos seus romances, inclusive nos da mocidade. Entretanto não podemos considerá-las como progenitoras da figura do homem perfeitamente bom; serão seus parentes, mas pertencem antes àquela outra categoria de personagens dostoievskianas a que podemos aplicar a designação, que constitui também o título de uma das suas obras da mocidade, humilhados e ofendidos. Porque o homem perfeitamente bom tem uma dignidade, uma seriedade, uma placidez quase divina, não pode comparar-se às naturezas dramáticas, torturadas, amesquinhadas, de todos esses humilhados e ofendidos. Estas personagens procuram representar figuras existentes no mundo real, integradas na luta pela vida cotidiana, na sociedade tal qual ela é, e são todos esses pobres funcionários, todos os ébrios, tuberculosos, prostitutas, proxenetas, pobres mães sem pão para os filhos, crianças indefesas e maltratadas, inocentes inculpados, mulheres perseguidas pela luxúria dos libidinosos, enfim, toda a escória da sociedade, explorada ou exploradora da miséria e da desgraça. Esses são os humilhados e ofendidos, que não se encontram apenas no romance desse nome, mas em toda a obra de Dostoiévski.

E, dentre estas figuras, a mais interessante não será, talvez, a do velho Ikhmiêniev, do romance com o mesmo nome. A mais impressionante é o anônimo narrador das *Memórias do subterrâneo*, esse homem azedo, amargurado, sarcástico, inteligente mas oprimido por um complexo de inferioridade, masoquista por vingança contra a sociedade absurda e vil que o humilhou e riu dele. E Raskólhnikov, o vultuoso protagonista de *Crime e castigo*, não será, afinal, também um grande humilhado e ofendido? Não nos esqueçamos de que Dostoiévski insiste muitas vezes na perniciosa influência da miséria sobre o caráter neurótico do rapaz, e as suas conversas com Porfíri, o juiz de instrução, demonstram bem todo o ressentimento de que está possuído contra a falsidade da sociedade.

Outra interessante figura de humilhado e ofendido, na obra da maturidade, é Páviel Pávlovitch, o eterno marido, esse ser degradado, esse bêbado envilecido pela descoberta da sua vergonha e que, entretanto, é um homem capaz de sentimentos, que deseja reabilitar-se, um pecador cuja culpa, em última análise, não é sua, mas dos outros. O Marmieládov e a Ekatierina Ivânovna, de *Crime e castigo*, são também humilhados e ofendidos.

O mais longínquo antepassado da figura do homem perfeitamente bom encontra-se imediatamente em *Pobre gente*, e vem a ser Makar Alieksiéievitch, um insignificante escriba da burocracia do Estado, um coração transbordante de pureza e de bondade. Mas é precisamente aquilo que nele há de humilhado e ofendido, de mesquinhez real, que faz com que apenas se possa considerar um esboço dessa figura.

Mais próxima está já a figura do coronel Iegor Ilitch de *A granja de Stiepântchikovo e os seus moradores*, obra também da mocidade do escritor. Era dotado de uma autêntica paciência de santo, de uma pureza de intenções que lhe conferia uma ingenuidade que se torna, por vezes, não só ridícula mas digna de piedade, e que os medíocres e os maldosos podiam tomar por idiotice.

O Razumikhin de *Crime e castigo* é também tão confiado, tão incapaz de suspeitar o mal nos outros que, até o fim, não acredita nem quer acreditar que o seu amigo seja um assassino. Sônia, a moça que se prostituiu para aliviar a fome dos irmãozinhos, é também um ser dotado de uma candura angelical e, para Raskólhnikov, é verdadeiramente um anjo de guarda, que procura comunicar-lhe o sentido do evangelho, guiá-lo no caminho da redenção. Até que, a certa altura, todas estas figuras se condensam numa só, na qual o escritor pretende representar a síntese de todas elas, ou melhor, atingir a realização perfeita desse outro tipo, que é a réplica ao elemento infernal e agente do mal, ou seja, o aludido homem perfeitamente bom, dotado de uma bondade inata, de ingenuidade comovedora, o homem natural, adâmico, não corrompido pela civilização, o homem em puro estado edênico. E é então que nos surge a figura do Príncipe Míchkin, o protagonista do romance a que o seu autor deu precisamente o título de *O idiota*.

O Príncipe Míchkin é puro, procura tornar-se um medianeiro conciliador entre os seus comparsas deste mundo, que, agitados por todas as paixões boas e ruins, se agitam e estorcem freneticamente à sua volta; ele é o homem que não finge, que não disfarça, que não sofisma nem mente, que não tem vaidade, nem orgulho, nem sensualidade, nem inveja, que não cobiça nem se vinga: é inteligente e sereno, mas, por vezes, a sua bondade e a sua pureza são tais que ele se encontra à primeira vista, desarmada contra as más intenções alheias, a hipocrisia, a mediocridade moral e mental, as artimanhas reles dos outros, contra o convencionalismo, a fraude, a intriga e a zombaria.

Mas, no meio de uma sociedade hipócrita e corrompida, como é tomada uma criatura destas? Por um "idiota". Aos humilhados e ofendidos, vulgares, ninguém os toma por idiotas, mas apenas por vítimas, desgraçados, enfim, por uma "pobre gente". Mas a um Coronel Iegor Ilitch ou a um Príncipe Míchkin, que não são propriamente vítimas, mas inocentes, todos os tomam por idiotas. Tal é o Príncipe Míchkin, figura já quase desumana, pura criação ou visionação do espírito de Dostoiévski, símbolo encarnado de uma concepção já de fundo religioso e não social. De tal maneira que, mais tarde, em outra das suas obras da maturidade, essa figura se transforma precisamente em outras, efetivamente já integradas na vida religiosa, como o Bispo Tíkhon de *Os demônios,* aquele que devia aparecer no célebre capítulo suprimido, conhecido pela designação de "A confissão de Stavróguin", ou o *stáriets* Zossim de *Os irmãos Karamázovi.*

Entretanto podemos dizer que Dostoiévski não chegou jamais a criar esta figura de homem perfeitamente bom, em toda a sua plenitude. Para isso precisava ter podido realizar seu projeto *A vida de um grande pecador.* Porque o Príncipe Míchkin, ao lado das suas virtudes, apresenta uma grande deficiência, no ponto de vista estritamente humano: não é uma criatura sã, sofre de epilepsia e, além disso, pressupõe-se que seja também um impotente sexual. Assim, a ausência de sensualidade, nessa criatura, poderá sempre atribuir-se a essa deficiência fisiológica, e a sua castidade pode considerar-se uma virtude gratuita. A figura do idiota, tal como a traçou Dostoiévski no romance do mesmo nome, corresponde a uma fase do seu pensamento em que ele admitiu como característica da bondade perfeita a ausência de sensualidade. Mais tarde, o tema da perfeição da alma, da bondade e da pureza completas, será encarado sob outros aspectos, representado em homens que pecaram mas que souberam dominar e vencer em si a sensualidade e as tentações mundanas, que ascenderam à perfeição, tendo conhecido previamente a luta contra o mal, a progressiva libertação do pecado, a *ascese,* numa palavra. Essas são as figuras evangélicas de Aliócha e do *stáriets* Zossim, de *Os irmãos Karamázovi,* do Bispo Tíkhon, de *Os demônios* e também do vagabundo de *O adolescente* – santos que conquistaram a sua própria santidade pela purificação e pela sabedoria.

Dostoiévski em 1870.

A TRANSPOSIÇÃO AUTOBIOGRÁFICA

Em todas estas obras, porém, o leitor "sabe" que esses santos tiveram primeiramente de subir degrau a degrau o caminho da sua perfeição, que conheceram o mal e o mundo e dele se libertaram, mas, quando eles lhe surgem, estão já no cimo da escadaria, à entrada do Paraíso; o leitor não assistiu à subida penosa, aos desfalecimentos, às caídas e recaídas, aos momentos de desespero ou à tomada de novos haustos de alento... Porque havia de ser em *A vida de um grande pecador* que o romancista nos descreveria toda essa longa e dolorosa jornada. Aí nos seria apresentado, não a santidade inata ou já conquistada, mas o próprio processo da sua conquista, todos os passos do pecador pelas vias sinuosas deste mundo até o momento final em que surgirá já curado de todos os seus vícios, entrando numa aceitação humilde e feliz da vida e reconciliando-se com toda a humanidade.

Apesar de termos concluído já que nas personagens simbolizantes de elemento demoníaco, Dostoiévski representou, em grande parte, a si mesmo – sobretudo nessa sinistra figura de Stavróguin – com todos os seus complexos de culpa e todas as suas tendências, ocultas ou declaradas, reprimidas ou expandidas, para o vício e para o pecado, não podemos também deixar de concluir que o romancista algo de si transpõe igualmente na representação deste outro elemento evangélico. Porque ele, com a sua extraordinária inteligência, que atingia clarividências divinatórias e culminâncias divinas, conhecia-se a si mesmo até as maiores profundidades da sua alma. Ele sabia que, para além da sua sensualidade e da sua vaidade – que era sobretudo consciência do próprio valor, ânsia de encontrar imediata e integral compreensão nos seus contemporâneos, desespero por não poder ser aceito por todos, raiva perante a agressividade dos invejosos e dos medíocres – era um ser transbordante de amor universal, não só pela humanidade, como pelo próximo – ou melhor, que lutava virtuosamente até o sacrifício pelo amor do próximo, de todos o mais difícil, aquele para o qual é verdadeiramente necessário ser herói – um homem que estava, afinal, para além de todas as vaidades, das intrigas, da hipocrisia, que vivia unicamente para a sua vocação artística, para as suas verdades, e era, portanto, um ser bom e puro.

Até esse referido aspecto de indiferença ou de importância sexual do idiota, e depois, a castidade absoluta, nas figuras de Aliócha e dos outros religiosos, corresponde a algo de autêntico na pessoa de Dostoiévski. Porque ele era um sensual em potência, mas não, verdadeiramente, em ato; não só porque deve ter lutado contra as suas tendências para o desregramento, como, em última análise, pertenceria ao tipo de sensual de intelecto; pois, no fundo, ele era um sonhador, e um sonhador, como ele próprio declarou um dia, ainda na mocidade, na sua novela *A dona da casa*, não é um homem, mas uma criatura de sexo neutro, e, por isso, consideramos deturpadoras e falhas de profundidade todas as interpretações da personalidade dostoievskiana que queiram apresentá-lo como impotente, perverso sexual ou misógino. O segredo da sua personalidade, sob esse aspecto, está resumido nessa afirmação sua de que "um sonhador é uma criatura do sexo neutro" – isto é, um homem que permanece um espírito pensante e uma alma sensível, acima de tudo, que, por assim dizer, sofre na realidade um desdobramento: aquele que vive mas que, ao mesmo tempo, se observa a si mesmo como vivente e tem a faculdade de abstrair-se das situações para analisá-las, para integrá-las no seu mais profundo significado existencial e metafísico e, até, para utilizá-las como material artístico ou científico. Pois, arrebatado pela intensidade desse poder de desdobramento sobre a realidade própria e alheia, um homem desses transfigura a todo momento a realidade comesinha, intui a simbólica da existência, penetra-se dela, sobrepõe a todos os momentos de atualidade da vida a embriaguez da sua apreensão do sentido essencial de todos esses momentos e do proceder humano – o seu entusiasmo por registrá-los e explicá-los nos domínios da arte. É isto que faz o sonhador, aquele que parece esquecer-se e abstrair-se da vida concreta para poder atingi-la na sua máxima realidade.

Evidentemente que um homem destes não se deixa afundar inconscientemente na fascinação feminina, em nenhuma fascinação, permanece, para além dos fascínios, um objetivo psicólogo e filósofo.

Bosquejo em borrão duma página de "Os Irmãos Karamázovi".

A FEMINILIDADE TRANSCENDENTE

Um elemento que não podemos deixar de tomar em consideração, nesta obra da maturidade de Dostoiévski, é, precisamente, o seu elenco de personagens femininas. Quer-nos parecer que este aspecto será talvez, nessa obra, o mais difícil de estudar. Porque as suas heroínas principais não podem considerar-se autênticas mulheres, mas criaturas de feminilidade transcendente. É verdade que muitas das suas personagens masculinas não são mais do que a figuração de uma ideia, quase sempre obsessiva, e que, em última análise, é no domínio da mais íntima realidade psicológica e metafísica que elas são verdadeiras. E o mesmo se dirá, portanto, para o elemento feminino. Dostoiévski foi talvez o único escritor no mundo que, ao ocupar-se da mulher, o fez focando-a desse ângulo, isto é, da sua feminilidade essencial e transcendente. Por isso as mulheres das suas obras se nos apresentam, à primeira vista, como criaturas de pouca realidade.

É pelo paradoxo que teremos de tentar definir as personagens femininas dostoievskianas; as mulheres mais verdadeiras, na sua obra, são precisamente as mais fantásticas e, tipos desses, só conseguiu Dostoiévski criá-los, definitivamente, na maturidade. A Várienhka de *Pobre gente* ou a Natacha de *A granja de Stiepântchikovo* são apenas sombras que não chegam a tomar vulto. As figuras femininas da sua obra juvenil, que estão na linha das suas futuras criações são a Natacha da novela *Noites brancas* e a Ekatierina de outra novela, *A dona da casa*, ambas moças românticas, exaltadas, que possuem no mais alto grau aquela fundamental avidez e insaciabilidade de sonho, comoção e aventura, aquela irredutível insaciabilidade de amor, de um autêntico espírito feminino, o que lhes faz não possuir, aparentemente, a mesma relativa segurança e estabilidade do espírito masculino.

Uma outra figura nos surge, ainda na obra da mocidade, prefiguradora de outra grande criação conseguida em *Os demônios*: é aquela Tatiana Ivânovna de *A granja...*, a tresloucada, que tinha "a mania dos namoricos", e que num gesto histérico, atira um dia uma rosa aos pés de um janota... Esta figura é a antepassada de todos os tipos de mulheres histéricas e aloucadas, como a Ekatierina Ivânovna de *Crime e castigo* e a coxa de *Os demônios*.

Quer-nos parecer que este tipo de histérica e de aloucada corresponde a uma apresentação hipostasiada do tipo anterior, a uma sua disjunção visionada no aspecto trágico-ridículo que existe em todos os humanos, processo representativo que, como vimos, constitui o mais alto requinte a que ascendeu a técnica da transposição em Dostoiévski,

O tipo de Natacha de *Noites brancas* e da Ekatierina de *A dona da casa* evolui, dando na maturidade as figuras da Aglaia Ivânovna, de *O idiota*, moça sensível e sincera, que se revolta contra as formas da moral convencional e aspira a viver em verdade os seus impulsos românticos, generosa e absurda, ou da Lisavieta Nikoláievna de *Os demônios*, ou a Kátia de *Os irmãos Karamázovi*.

Criou também Dostoiévski o tipo da cortesã, representado pela Sônia Marmieládov, de *Crime e castigo*, por Nastássia Filípovna, de *O idiota* e pela Grúchenhka, de *Os irmãos Karamázovi*. A primeira, no entanto, é a menos interessante, é talvez uma pura criação literária, ali colocada para o momento exato em que há de ler o evangelho a Raskólhnikov – é o tipo da prostituta-santa, toda pureza, no seu fundo anímico preservado, simplicidade, bondade e humanidade. Nastássia Filípovna e Grúchenhka são figuras mais autênticas, com todo o seu desequilíbrio, as suas contradições, a sua oscilação contínua entre o amor espiritual e o amor sensual, a sua perversidade feminina de seres que apreciam sadicamente o prazer de seduzir e masoquisticamente o gozo de serem seduzidas.

Embora outros nomes sejam apontados como de inspiradoras das figuras femininas de Dostoiévski, tais como os de Anna Korbin-Krukóvskaia, uma das jovens por quem Dostoiévski se "apaixonou" e com quem desejou ter casado, já depois de viúvo da primeira mulher, ou o da atriz Marta Brown, com quem parece ter vivido algum tempo, as grandes inspiradoras das suas figuras femininas, são estas: no ciclo da juventude, foi aquela senhora Panáieva, também ex-atriz, casada com o escritor Panáiev, mulher bela, inteligente e brilhante, que recebia intelectuais, políticos e artistas no seu salão petersburguês, e no qual o jovem Dostoiévski fora introduzido depois do seu êxito com a estreia de *Pobre gente*. É conhecida a paixão que o escritor sentiu por essa mulher, paixão que permaneceu forçadamente platônica, pois ela não lhe correspondeu. Essa paixão foi a inspiradora da maior parte, senão da própria psicologia de muitas heroínas da obra da juventude, pelo menos das circunstâncias episódicas amorosas do enredo fictício.

Mais tarde, as grandes inspiradoras foram a sua primeira esposa, Maria Dmítrievna, e Polina Súslova, aquela moça de dezesseis anos, "livre-pensadora", com pretensões a escritora, de espírito aventureiro, dominador e caprichoso, com quem ele virá a ter uma aventura amorosa, viajando com ela pela Europa. Esta foi a grande aventura romântica de Dostoiévski, que lhe proporcionou o conhecimento de um espírito autenticamente feminino, na sua instabilidade de sentimentos, na sua ansiedade jamais satisfeita. Essa moça é apontada como a inspiradora das figuras de Polina, de *O jogador*, de Nastássia Filípovna, de *O idiota*, de Grúchenhka, de *Os irmãos Karamázovi*, e ainda de Aglaia, também de *O idiota*, de Lisavieta, de *Os demônios*, e da Kátia, também de *Os irmãos Karamázovi*, nas quais o autor representa, ora o lado angélico, ora o lado demoníaco dessa mulher.

Não tem talvez sido apontada com o devido relevo a influência de Maria Dmítrievna, primeira esposa de Dostoiévski, na sua obra. Que ela, com esse seu caráter fantástico, com a sua mania das grandezas, a sua tuberculose, está representada na Ekatierina Ivânovna de *Crime e castigo*, todos são unânimes em afirmá-lo. E também não deve oferecer dúvida que, até já em *A granja de Stiepântchikovo*, a Tatiana fantasista, ingênua, arrebatada, histérica, com a mania das *toilettes* espalhafatosas e apaixonada por um imbeciloide, e a quem querem casar, à força, com o Coronel Iegor Ilitch, é a sua transposição. Na admirável novela *Uma doce criatura*, inserta no seu *Diário de um escritor*, a jovem esposa do usurário suicida-se, e todo esse drama de incompreensão e orgulho, entre os dois esposos, é o drama real do escritor com a primeira mulher.

Parece-nos, entretanto, que é na figura de Maria Timofiéievna, a coxa de *Os demônios*, que Maria Dmítrievna foi visionada já numa atitude metafísica, transformada num autêntico símbolo vivente. Rafael Cansinos Assens, no admirável prólogo que escreveu para o romance *Os demônios*[3], diz-nos que tanto essa figura da coxa, como a de seu irmão, "são idealizações, seres criados com a fantasia e cuja concepção foi auspiciada por um desses grandes criadores de espírito: Shakespeare. Estão envoltos numa atmosfera shakespeariana: Stavróguin é comparado, no romance, com o príncipe Harry; Lieviádkin, com Falstaff; quanto à coxa sonhadora, toda idealidade, toda espírito, foi criada com a bruma de Ofélia".

Pierre Pascal, autor de uma outra introdução ao mesmo romance[4], considera essa personagem de outro ponto de vista: "Há uma personagem mais enigmática [nesse romance, *Os demônios*] que Stavróguin. É a coxa. É um ser bem concreto: irmã do Capitão Liebiádkin, doente, amalucada, e que, no entanto, parece pertencer a um outro mundo. Fala e age como as 'noivas prometidas' dos contos, deita cartas, tem o dom da clarividência, contempla a natureza durante muitas horas. E que significa esta recordação da monja, ao dizer que a mãe de Deus é a Grande Mãe, a terra úmida? E as lágrimas derramadas sobre a terra numa espécie de êxtase? É que a coxa figura a religião popular, segundo a qual existem íntimas analogias entre a fraqueza de espírito e a sabedoria divina, a pureza do coração e a Terra (daí as confissões à Terra), a Terra, mãe dos homens e a mãe de Deus.

"Admitido isto, os comentadores puseram-se a interpretar: a coxa é a Sófia dos teósofos; é 'o eterno feminino'; sob este aspecto é a maternidade ideal a quem não importa que haja ou não tido um filho; é também a Noiva que esperou cinco anos pelo Esposo, mas que vem, finalmente, a compreender que Stavróguin é 'outra pessoa', um impostor; e que morre tragicamente porque é a alma russa vítima dos demônios..."

Vemos assim como esta figura tem dado origem às mais variadas interpretações. Para nós é admissível que nela se veja toda essa simbólica, sabendo que as peronagens dostoievskianas, na sua mais alta expressão, assumem sempre, na verdade, um significado metafísico e uma idealização estética que são um produto da convergência de todos os elementos do pensamento de Dostoiévski: formação lite-

---
3 *Obras completas*, de Dostoiévski, volume III, Aguilar, Madrid.
4 Bibliothèque de La Pléiade, NRF, Paris.

rária, com toda a influência, consciente ou inconsciente, dos símbolos estéticos e filosóficos encontrados em outros autores (Shakespeare, neste caso), consideração das concepções pré-cristãs do povo russo (a coxa, como encarnação de figuras de religião popular) etc.

Nada disto, porém, é suficiente para a total compreensão dessa figura, que é realmente enigmática; mas quer-nos parecer que o seu enigma deverá ser atacado pelo lado psicológico, que o mesmo é dizer autobiográfico, antes de o ser pelo lado metafísico.

Atentemos em que Maria Timofiéievna é coxa, sonhadora, que é uma inadaptada, e, em suma, que faz um casamento absurdo – ela que é toda espiritualidade, intuição e espontaneidade – com Stravóguin, o devasso, o cético, o ateu, cínico e pervertido, e que ela morre, finalmente vítima do complô infernal formado pelos "demônios", a qual pertence Stavróguin.

Quanto a nós, Maria Timofiéievna é a cristalização suprema do caráter e do destino humano que na vida teve a primeira esposa do escritor. A sua natureza de mulher morbidamente fantasista, com os devaneios delirantes, a sua inadaptação à realidade, o seu temperamento arrebatado, tudo isso era de Maria Dmítrievna, e também o foi a sua decepção em casar com Dostoiévski, que não foi para ela, certamente, o noivo sonhado; e ela é coxa, porque o seu caráter, toda a sua personalidade delicada e amiga de altos voos, está em contradição com a mesquinha vida cotidiana, vivida ao lado de um primeiro marido ébrio (o irmão, no romance), que ia decaindo cada vez mais na escala social e a maltratava, forçando-a, a ela, ser nascido para viver em meio de requinte e de elegância, a grosseiros trabalhos domésticos e a privações.

Nós sabemos, pelas cartas do escritor, que esse casamento de Dostoiévski com Maria Dmítrievna foi infeliz. Se a Maria Timofiéievna, de *Os demônios*, morre assassinada, se a jovem esposa do usurário de *Uma doce criatura* se suicida, vítima da incompreensão suprema do marido, tudo isso deve representar o complexo de culpa que Dostoiévski criou no seu espírito, relativamente a esse acontecimento da sua vida. Maria Dmítrievna morreu tuberculosa, mas, para ele, que era um visionário, um captador de verdades últimas, a tuberculose foi o motivo aparente da morte de Maria Dmítrievna; ela se teria antes suicidado por decepção da vida, deixando-se morrer ou finando-se de desgosto por uma vida que sempre lhe negara aquilo com que ela sonhara e que, nem sabia bem o que fosse... ou, mais precisamente, ainda, ela teria sido assassinada por ele, que não a amava o suficiente para a por acima da sua própria inteligência e da sua paixão artística, considerando talvez com um olhar frio os seus transportes patológicos e olhando com ceticismo a pureza da sua instintividade e dos seus femininos dons intuicionistas.

Já que falamos neste complexo de culpa de Dostoiévski – o outro, como vimos, gira à volta do seu sentimento de responsabilidade pelo pecado do desejo, em pensamento, da morte do pai – é agora o momento de tratar de uma outra personagem feminina da obra deste escritor, que muito tem dado que falar aos críticos e aos biógrafos. Queremos nos referir àquela ou àquelas adolescentes, que nos são citadas, uma, em *Crime e castigo*, na descrição dos sonhos delirantes de Svidrigáilov, e a outra na "Confissão de Stavróguin". Ambas foram vítimas de uma afronta, por parte de um homem corrupto, e ambas se suicidaram por vergonha e desespero.

Os comentadores de Dostoiévski, baseados em certas calúnias de Strákhov, o primeiro biógrafo russo do escritor, que espalhou nos meios literários russos, já depois da morte do romancista, o boato de que ele teria um dia violado uma adolescente, nos banhos turcos, de cumplicidade com uma preceptora venal, interpretam esses dois episódios como a transposição literária desse pecado de Dostoiévski.

Nós pensamos que esses episódios, em que entram as adolescentes, são realmente autobiográficos, mas não acreditamos que representem a transposição pura e simples de acontecimentos concretos da vida do escritor. Da mesma maneira que ele não matou realmente seu pai, também não teria violado, na realidade, nenhuma adolescente. Pode ser que a sua sensualidade, juntamente com a sua timidez perante as mulheres adultas, lhe tenham alguma vez dirigido o desejo para um provável ato desses. Mas é preciso não nos deixarmos arrastar pela interpretação fácil das aparências, não nos esquecendo de que a transposição, em Dostoiévski, é sempre extremamente complexa. Quer-nos antes parecer que o tema da violação de uma adolescente por um homem vicioso corresponde, na sua obra, ao seu próprio complexo de culpa relativamente ao destino da primeira esposa e, simultaneamente, ao de Polina Súslova, aquela mocinha de dezesseis anos que se tornou sua amante.

A análise minuciosa de certos pormenores desses dois episódios, comparada com fatos averiguados da sua biografia, bem como a comparação com outros escritos seus, como por exemplo, essa aludida novela, *Uma doce criatura*, poderia levar-nos a uma aceitável fundamentação da nossa hipótese. Há, por exemplo, umas notas que ele escreveu por ocasião da morte da primeira mulher, que começam:[5] "Machka jaz no seu féretro..."; na novela *Uma doce criatura*, há logo no início: "Imaginem um homem cuja mulher, uma suicida que há algumas horas se atirou de uma janela, jaz amortalhada em cima da mesa... Ela está agora na sala de jantar, em cima da mesa... só amanhã é que hão de trazer o caixão, um caixão branco forrado de cinzento-branco de Nápoles..."; a jovem que Svidrigáilov – *Crime e castigo* – visiona nos seus pesadelos, também jazia num caixão forrado de cinzento-branco de Nápoles, em cima de uma mesa. Isto, para dar apenas um exemplo.

Não, Dostoiévski não teria jamais cometido semelhante pecado. Essa adolescente, que um homem perverso manchou na pureza dos seus sonhos, e à qual coibiu(ou supunha ter coibido) na possibilidade de uma realização de vida futura, foi Maria Dmítrievna e também Polina Súslova, a jovem que se lhe entregou.

No sonho de Svidrigáilov, a representação dessa jovem ultrajada sofre também o mesmo processo técnico de desdobramento: é a moça que jaz no seu caixão branco, em trajes da noite que não chegou a ser, e é também aquela garotinha que ele, ainda nesse sonho-pesadelo, encontra escondida num canto do corredor, leva para a sua cama, e a qual lhe sorri com uma estranha expressão de lubricidade provocante, apesar de ter apenas cinco anos de idade. A Matríocha, a adolescente violada, que figura em "A confissão de Stavróguin", apesar da sua pureza e do seu pudor, também chegou, espontaneamente, a ter um gesto amoroso, já de mulher, para com o seu violentador... tal como essa jovem e real Polina, essa moça pujante e ardente, que não se contentou com ser a admiradora literária do escritor, e o seduziu, tornando-se também a amante sensual do homem que ele era. E ele, que, para

---

[5] *Meditação sobre Cristo*, 16 de abril de 1864.

além da sua realidade humana, permanece essencialmente uma criatura de sexo neutro, isto é, um sonhador, que passou pela vida e ao lado da vida, abaixo e acima da vida, depois via tudo em profundidade e em extensão... e era na arte e pela arte que dizia a verdade que tinha visto ou adivinhado.

CRIME E CASTIGO

Crime e castigo
(1866)

Primeira parte

Capítulo primeiro

Nos começos de julho, por um tempo extremamente quente, saía um rapaz de um cubículo alugado, na travessa de S*** e, caminhando devagar, dirigiu-se à ponte de K***.

Discretamente, evitou encontrar-se com a dona da casa na escada. O refúgio em que vivia ficava precisamente debaixo do telhado de uma alta casa de cinco andares e parecia mais um armário do que um quarto. A mulher, que o alugara, com refeição completa, vivia no andar logo abaixo, e por isso, quando o rapaz saía tinha de passar fatalmente diante da porta da cozinha, quase sempre aberta de par em par sobre o patamar. E todas as vezes que procedia assim sentia uma mórbida impressão de covardia, que o envergonhava e fazia franzir o sobrolho. Estava zangado com a dona da casa e tinha medo de encontrá-la.

E isto, não porque fosse covarde ou tímido, pelo contrário; simplesmente, havia algum tempo já que se encontrava num estado de excitação e enervamento parecido com o da hipocondria. Estava a tal ponto apegado ao seu quarto e afastado de todos, que receava encontrar-se com quem quer que fosse e não somente com a dona da casa.

A pobreza deprimia-o; mas havia também já algum tempo que até isso deixara de incomodá-lo. Abandonara por completo os seus trabalhos cotidianos e não queria preocupar-se com eles. Na realidade, não temia a dona da casa, por muito que pudesse tramar contra ele. Agora ter de parar na escada, escutar todas as tolices daquela mulher, estúpida até ao absurdo, e que não lhe interessavam absolutamente nada; todos aqueles disparates a respeito do pagamento, aquelas ameaças e lamentações, e demais, ter de falar, desculpar-se, mentir, não, preferia atirar-se como um gato pelas escadas abaixo e deixar-se cair ao abandono, contanto que não visse ninguém. Além disso, dessa vez, o seu receio de encontrar-se com a sua credora acabou por chocá-lo a ele próprio, assim que se viu na rua:

"Por que, diabo, me preocupo eu desta maneira e sofro todas estas inquietações por causa de uma bagatela? – pensou, sorrindo estranhamente – Hum! Sim, é isso, está tudo ao alcance do homem e tudo lhe vem parar às mãos, simplesmente, o medo... Isto é um axioma... É curioso: de que será que as pessoas têm mais medo? O que mais temem é o primeiro caso, a primeira palavra... Mas parece-me que já estou falando demais. Afinal, não faço mais nada senão falar. Embora também se pudesse dizer que, se falo, é porque não faço nada. A verdade é que durante este último mês deu-me a mania de falar, enquanto me deixo ficar estendido ruminando no meu canto... sobre ninharias. Bem, e afinal, aonde vou eu? Serei capaz disso? Será isso uma coisa séria? Não, de maneira nenhuma. Divirto-me mas é à custa da minha imaginação, é uma brincadeira! É isso mesmo, uma brincadeira!"

Na rua fazia um calor sufocante, ao qual se juntava a aridez, os empurrões, a cal por todos os lados, os andaimes, os tijolos, o pó e esse mau cheiro peculiar do verão, conhecido de todos os petersburgueses que não possuem uma casa de campo. Tudo isso junto provocava uma impressão desagradável nos nervos do rapaz, já bastante excitados. Completavam o tom repugnante e triste colorido do quadro, o cheiro insuportável das tabernas, particularmente numerosas naquele setor da cidade, e os bêbados que se encontravam a cada passo,[1] apesar de ser dia de trabalho. Um sentimento de profundo desgosto se refletiu por um momento nas feições finas do rapaz. Para dizer a verdade, era um bonito rapaz, com uns magníficos olhos escuros, o cabelo castanho, de estatura acima da mediana, magro, de muito boa figura. Mas não tardou que voltasse a mergulhar numa espécie de profundo indiferentismo e, para sermos mais precisos, num completo alheamento de tudo, de tal maneira que caminhava sem fixar a atenção à sua volta e também sem querer fixá-la. Somente uma ou outra vez murmurava qualquer coisa por entre os dentes, obedecendo ao costume de monologar, que há pouco a si próprio confessara. Agora mesmo teve de reconhecer que, às vezes, os seus pensamentos se confundiam e se sentia fraco; e esse era o segundo dia em que não se alimentava.

Ia tão mal vestido, que outra pessoa, ainda que acostumada a essa aparência, não se atreveria a sair à rua, em pleno dia, com aqueles andrajos. Aliás, aquele bairro era de tal natureza que ninguém aí reparava no vestuário. A proximidade do Mercado do Feno, a abundância de estabelecimentos conhecidos, e sobretudo a população, composta de comerciantes que se aglomeram nessas ruas e ruelas centrais de Petersburgo, punham às vezes notas tão desconcertantes no panorama geral que seria estranho admirar-se de um encontro fosse ele qual fosse. Mas era tal o maldoso desprezo que se tinha já acumulado no espírito do rapaz que, apesar de toda a sua delicadeza, às vezes muito juvenil, aquilo que menos o preocupava era o pobre vestuário com que ia pelas ruas. Já o mesmo não sucedia quanto à probabilidade de encontrar-se com algum conhecido ou algum antigo camarada, com os quais, geralmente, não gostava de encontrar-se. Eis que, de repente, um bêbado, que vá lá saber-se por que razão ou motivo ia naquele momento pela rua com uma enorme *tieliega* vazia, puxada por um pangaré, lhe gritou quando passou: "Ó tu, chapelão alemão!", e gritou-lhe isto a plenos pulmões, ao mesmo tempo que apontava para ele com a mão... O rapaz parou e segurou o chapéu, enervado. Era o chapéu alto, redondo, à Zimmermann, mas já usado e surrado, cheio de buracos e amassados, sem abas e descaído para o lado mais deformado. Mas não foi a vergonha, e sim outro sentimento, completamente diferente, parecido com o medo, que se apoderou dele.

"Eu bem sabia! – murmurou desgostoso. – Já tinha pensado nisto! Isto é mesmo desagradável! É para que veja como uma tolice, o mais vulgar pormenor, pode estragar a melhor das intenções! Sim, o chapeuzinho dá na vista... Ridículo, e é por isso que todo o mundo o vê. Com estes farrapos, a única coisa que diz bem é o gorro, mesmo velho, e não este espantalho. Ninguém traz outro semelhante, vê-se à distância de uma versta, fica gravado na memória... Sobretudo o fato de não se esquecer é um argumento comprovativo. E o que é necessário, precisamente, é passar

---

[1] Nesse tempo a embriaguez "era um vício crônico na gente pobre", Henri Troyat.

despercebido... Pormenores, insignificâncias, é isso o principal... Uma ninharia destas pode deitar tudo a perder de uma vez para sempre...

Tinha andado pouco; sabia até a que distância se encontrava de sua casa: oitocentos e trinta passos, precisamente. Quantas vezes os contou, no tempo em que fazia projetos! Nesse tempo não dava grande importância aos seus desvarios, apenas se excitava com eles por causa da sua ousadia quimérica mas sedutora. Mas agora, passado um mês, começava já a olhá-los de outra maneira, e, apesar de tudo, dos seus desanimadores monólogos a respeito da sua inércia e indecisão, ia-se acostumando, quase sem querer, a considerar aquele sonho escandaloso como um empreendimento, embora ele próprio não acreditasse nele. Agora ia ali ensaiando aquele empreendimento e a sua comoção aumentava à medida que ia caminhando.

De coração palpitante e tomado de um tremor nervoso, aproximou-se do imenso edifício que se erguia de um lado sobre o canal, e do outro dava para a rua de... Essa casa compunha-se de pequenos andares, e todos os seus inquilinos pertenciam às classes trabalhadoras: alfaiates, serralheiros, cozinheiros, alguns alemães, mulheres de vida irregular, modestos empregados, etc. Os que entravam e os que saíam encontravam-se nas duas portas e nos dois pátios da casa. Havia três ou quatro porteiros. O rapaz estava muito satisfeito por não se ter encontrado com ninguém, e, logo a seguir, deslizou da porta da direita para a escada, que era escura e estreita, negra, mas ele já conhecia muito bem tudo aquilo e lhe agradava aquela disposição; nessa obscuridade não eram de recear os olhares trocistas. "Se agora tenho tanto medo, como seria, de fato, se eu chegasse a levar a coisa a cabo?" Foi o que pensou involuntariamente quando se viu no quarto andar. Aí encontrou alguns carregadores e soldados que estavam tirando móveis de uma casa. Sabia já que naquele andar vivia uma família alemã, cujo chefe era funcionário. "Pode ser que esse alemão saia agora, e pode ser também que no quarto andar, nesta escada e neste patamar, só fique por algum tempo um andar ocupado, o da velha. Isso é que seria bom... em todo caso..." pensou, e bateu à porta do quarto da velha. A campainha deu um som fraco, como se fosse de lata e não de cobre. Nos modestos quartos de semelhantes casas, quase todas soam assim. Já tinha esquecido o som daquela campainha e, de súbito, aquele som pareceu recordar-lhe qualquer coisa e trazê-la claramente à imaginação... Por isso estremeceu e, dessa vez, sentiu os nervos frouxos. Passado um momento a porta entreabriu-se numa fenda estreita, pela qual a inquilina espreitou o visitante, com modos receosos e deixando ver unicamente os olhos que brilhavam na obscuridade. Mas quando viu tanta gente no patamar, ganhou coragem e acabou de abrir a porta. O rapaz entrou para uma sala escura, dividida em duas por um tabique, do outro lado da qual ficava a cozinha exígua. A velhinha estava na sua frente, olhando-o em silêncio e interrogativamente. Era pequenina e seca, de uns sessenta anos, olhos vivos e maliciosos, com um narizinho afilado e de cabeça descoberta. Os cabelos embranquecidos brilhavam, de besuntados com azeite. Trazia um lenço de flanela no pescoço delgado e comprido, parecido com a pata de uma galinha, e nos ombros, apesar do calor, uma pequena estola de pele, gasta e amarelada. A velhota não fazia mais do que tossir e gemer. Talvez o rapaz tivesse fixado nela um olhar especial, porque nos seus olhos tornou a aparecer a antiga expressão de desconfiança.

— Raskólhnikov[2], estudante; já estive aqui o ano passado – apressou-se a murmurar o rapaz, fazendo uma meia reverência, pois lembrou-se de que era preciso ser mais delicado.

— Já me lembro, *bátiuchka;* lembro-me muito bem de quem se trata – disse a velhota respeitosamente, sem afastar o olhar inquisitorial da cara do rapaz, tal como antes.

— Pois bem; eu vim de novo aqui para tratar de um assunto, coisa de pouca importância – continuou Raskólhnikov um pouco contrariado e admirado da desconfiança da velha.

"Aliás, pode ser que ela seja sempre assim, e que da outra vez eu não tivesse reparado", pensou com uma sensação aborrecida.

A velha permanecia calada, como se reconsiderasse; depois afastou-se para um lado e, apontando a porta do quarto, disse, empurrando o visitante para a frente:

— Entre, *bátiuchka.*

O quarto em que o rapaz entrou, forrado de um papel amarelo, com gerânios e pequenas cortinas de musselina na janela, estava nesse instante iluminado pelo sol poente. "Talvez, depois, também faça sol...", foi a ideia que perpassou rapidamente pela mente de Raskólhnikov, e correu rapidamente os olhos sobre todo o quarto para ficar conhecendo melhor e gravar na memória a sua disposição. Mas nele não havia nada de especial. O mobiliário, muito velho e de madeira amarela, compunha-se tão-só de um divã com grande recosto saliente, de madeira, uma mesa ovalada, colocada em frente do divã, um toucador com o seu espelhinho encostado ao tabique, algumas cadeiras também encostadas às paredes, mais uns tantos quadrinhos sem valor, em molduras amarelas, representando senhoras alemãs com passarinhos nas mãos... e pronto. Num canto, diante de uma pequena imagem, ardia uma candeia. Estava tudo muito limpo; tanto os móveis como o soalho estavam encerados e reluzentes. "À custa do trabalho de Lisavieta", pensou o rapaz. Nem um só grão de pó se encontraria em todo o quarto. "É sempre assim, em casa das viúvas velhas e más", continuou dizendo para si próprio Raskólhnikov, e lançou um olhar de revés à cortina de indiana que escondia a porta dum segundo compartimento, onde ficavam a cama e a cômoda da velha, e para onde não tinha ainda conseguido deitar nem um só olhar. A casa reduzia-se a esses dois quartos.

— Então o que deseja? – disse a velha secamente, entrando no quarto e pespegando-se diante dele, como antes, para olhá-lo diretamente no rosto.

— Trago uma coisa para empenhar! – e puxou de um velho relógio de prata, de algibeira.

Tinha gravada uma esfera na tampa e a corrente era de aço.

— Está bem, mas não se esqueça de que o prazo do outro empréstimo já acabou há três dias.

— Eu lhe pagarei em breve os juros do mês, tenha paciência.

— Ainda que não queira, meu caro senhor, não tenho outro remédio senão ter paciência ou vender aquilo que me entregou.

---

[2] Nome forjado de *raskol*, cisão. É evidente o propósito simbolista do autor. Criando este nome, quer mostrar, através da significação do étimo, o homem cindido, atormentado pela contradição, entre as exigências que ele faz à vida, à humanidade e a si mesmo, e a capacidade para realizá-las. Em *Crime e castigo* este simbolismo não tem sentido religioso, embora os termos *raskol* e *raskólhnik* fossem na época habitualmente aplicados à seita religiosa dos Velhos Crentes, e aos seus adeptos., cindidos da Igreja Ortodoxa e combatidos pelo Poder Central.

– Quanto me dá por isto, Alíona Ivânovna?
– Só me traz ninharias, *bátiuchka*; isso, fique sabendo, não vale nada. Da outra vez dei-lhe dois rublos pelo anel, mas na joalharia há-os novos por rublo e meio.
– Dê-me quatro rublos; hei de resgatá-lo depois, porque era do meu pai. Por estes dias terei dinheiro.
– Rublo e meio, pagando os juros adiantados, e é se quiser!
– Rublo e meio! – exclamou o rapaz.
– Como quiser – e a velhota tornou a entregar-lhe o relógio. O rapaz guardou-o e sentiu tal coragem, que se dispunha já a ir-se embora; simplesmente, em seguida mudou de opinião, lembrando-se de que já não tinha tempo para ir a outro lugar e de que já anteriormente tinha estado noutra parte.
– Dê-mos! – disse com maus modos.

A velhota procurou umas chaves no bolso e depois dirigiu-se para o outro quarto, por detrás da cortina. O rapaz, que ficara só no meio da sala, pôs-se de ouvido à escuta, refletindo. Ouviu a velha abrir a cômoda. "Deve ser no gavetão de cima – pensou. – Costuma trazer as chaves no bolso da direita... todas no mesmo molho, numa argola de aço... E entre elas há uma maior que as outras, com o palhetão denteado, que não é a da cômoda... Isso quer dizer que também deve haver alguma arca ou cofre forte... É curioso. Os cofres fortes têm todos chaves dessas... Mas, enfim, tudo isto... é de somenos importância...
A velhota voltou.
– Aqui tem, *bátiuchka*; como a um rublo correspondem dez copeques por mês, a rublo e meio cabem quinze copeques por mês, que eu recebo adiantados. Aos outros dois rublos, que lhe dei da outra vez, correspondem, em relação a esta conta, vinte copeques, que também recebo já. Ao todo são trinta e cinco. De maneira que o seu relógio fica por um rublo e quinze copeques. Aqui tem.
– O quê? Então agora é só um rublo e quinze copeques?
– É assim mesmo.

O rapaz não estava para questões e aceitou o dinheiro. Olhou para a velha, sem pressa de sair dali, como se quisesse dizer ou fazer alguma coisa e nem ele próprio soubesse o quê...
– Pode ser que eu, Alíona Ivânovna, dentro de uns dias lhe traga outra coisa para empenhar... de prata... boa... uma cigarreira, assim que um meu amigo a devolva – e, como se atrapalhasse, calou-se.
– Está bem, depois falaremos, *bátiuchka*.
– Adeus... Mas a senhora vive sozinha? Não tem uma irmã? – perguntou aparentando despreocupação e dirigindo-se para o vestíbulo.
– Mas que lhe interessa ela, *bátiuchka*?
– Nada de especial. Perguntei por perguntar. A senhora, depois... Adeus, Alíona Ivânovna!

Raskólhnikov afastou-se dali muito perturbado. E a sua perturbação ia aumentando cada vez mais. Quando saiu da escada parou várias vezes, como se estivesse subitamente preocupado por alguma coisa. E, por fim, já na rua, murmurou:
– Oh, meu Deus! Como tudo isto é repugnante! Ah, sim, sim, eu... não; isto é um absurdo, uma estupidez! – acrescentou resolutamente. – E se me acontecesse esse horror? De que porcaria é capaz a minha alma! Isto é que é importante: é sujo, brutal, mau! E eu, durante um mês inteiro...

Mas nem com palavras, nem com exclamações, podia exprimir a sua comoção. Um sentimento de imensa repugnância, que começara a oprimir e a mortificar o seu espírito, desde o momento em que fora ver a velha, tomava agora tais proporções e revelava-se tão claramente que não sabia onde refugiar-se para fugir à sua tristeza. Caminhava pelo passeio como um ébrio, sem reparar nos transeuntes, dando-lhes encontrões e sem saber para onde ia. Quando olhou à sua volta verificou que se encontrava junto de uma casa de bebidas, na qual se entrava descendo uma escadinha que cooduzia a uma adega. Os bebedores assomavam à porta, naquele momento, e saíam para a rua empurrando-se mutuamente e barafustando. Sem se deter a pensar, Raskólhnikov desceu pelas escadas. Até então nunca entrara numa taberna; mas agora tinha a cabeça fora do lugar e, além disso, afligia-o uma sede que o fazia tossir. Tinha vontade de beber aguardente fresca, tanto mais que se sentia esgotado pela sua fraqueza súbita e, enfim, faminto. Sentou num canto escuro e sujo, junto duma mesinha de madeira de tília; pediu aguardente e bebeu com avidez o primeiro copo. Sentiu-se imediatamente aliviado e os pensamentos ficaram mais claros: "Tudo isto é um absurdo – disse, devaneando – e não devo preocupar-me. É uma simples indisposição física! Um golinho de aguardente, um torrãozinho de açúcar... e o ânimo outra vez volta, as ideias se aclaram e as intenções se afirmam. Oh, como tudo isto é opressivo!".

Apesar desta conclusão desesperante sentiu-se alegre como se de repente se tivesse liberto de um peso terrível e, afetuosamente, passou os olhos em redor. Mas até mesmo nesse momento previa já remotamente que toda essa impressionabilidade otimista era também doentia.

Àquela hora havia pouca gente na taberna. Detrás daqueles dois bêbados, com que tropeçara na escada, saiu um grupo completo: cinco homens, com uma mulher e um acordeão.

Assim que eles saíram ficou tudo em silêncio e em sossego. Restou só um bebedor, que não estava ainda completamente bêbado, de aspecto burguês, sentado diante dum copo de cerveja; ficou também o seu gordo companheiro, enorme, de jaqueta comprida e barba grisalha, muito embriagado, meio adormecido, num banco, e que de vez em quando, de repente, como se despertasse, se punha a bater castanholas com os dedos, esticando os braços e erguendo o peito, sem levantar do banco, depois do que cantarolava uma copla, esforçando-se por recordar versinhos como estes:

> Acariciando-a durante todo o ano,
> acarici...ando-a durante todo o ano...

Ou, então, quando tinha um pouco mais de lucidez:

> Quando atravessei a Podiatchiéskaia,
> encontrei a minha amada...

Mas ninguém o acompanhava; o companheiro, silencioso, cada vez que ele parecia despertar mirava-o com olhos hostis e desconfiados. Havia ainda outro tipo, com o aspecto de funcionário aposentado. Estava sentado sozinho, com um copo na frente, e de vez em quando bebia e olhava à volta. Parecia também muito excitado.

Capítulo II

Raskólhnikov não estava acostumado às pessoas e, como dissemos já, evitava todo convívio, sobretudo nos últimos tempos. Mas, agora, qualquer coisa o impelia para as pessoas. Algo de novo se passava nele e, ao mesmo tempo, despertava nele também uma sede de convívio. Estava cansado de todo aquele mês de tristeza solitária e de sombria expectativa, e por isso ansiava por respirar outro ambiente, ainda que só por um momento, fosse qual fosse, e, apesar de toda a sujidade daquele lugar, continuava muito satisfeito na taberna.

O dono do estabelecimento estava noutra dependência, mas aparecia a todo instante na sala principal; para alcançá-la descia uns degraus, o que lhe dava ensejo de mostrar as botas elegantes, muito bem escovadas, debruadas a vermelho. Trazia uma jaqueta, com um colete terrivelmente ensebado, de pano preto, sem gravata, e toda a sua cara parecia besuntada de azeite, tal como um ferrolho. Atrás do balcão encontrava-se um rapaz, de uns catorze anos, e outro rapazinho que servia o que pediam os fregueses. Havia pepinos, biscoitos já enegrecidos e filetes de peixe; tudo isso cheirava muito mal. A atmosfera era tão sufocante que não se podia estar ali, e o ar estava a tal ponto impregnado do cheiro de aguardente que poderia quase dizer-se que, só de respirar aquele ambiente, uma pessoa era capaz de ficar embriagada.

Às vezes dão-se encontros, até com pessoas totalmente desconhecidas, que despertam o nosso interesse logo ao primeiro olhar, assim, de repente, de improviso, antes de se ter trocado uma só palavra. Foi essa a impressão que provocou em Raskólhnikov aquele cliente que estava sentado à parte e que tinha o aspecto dum funcionário aposentado. O rapaz havia de recordar isto depois, algumas vezes, e atribuir-lhe até um pressentimento. Observava de alto abaixo o presumível funcionário, que, por seu lado, também não tirava os olhos dele, e percebia-se claramente que desejava entabular conversa. O funcionário olhava para os outros indivíduos que havia na taberna, sem excluir o dono, com o ar de estar já habituado a eles e cheio de tédio, e ao mesmo tempo, com sua ponta de indolência, como a pessoas de posição e cultura inferiores, com as quais não tinha nada que falar. Era um homem dos seus cinquenta anos, troncudo e de meia estatura, com alguns cabelos no crânio liso, uma cara com pintas amarelas e até esverdeadas, devido à bebida, as maçãs do rosto salientes, acima das quais brilhavam uns olhinhos estreitos como frestas, avermelhados, e que lançavam olhares cheios de vivacidade. Mas havia nele qualquer coisa de estranho: no seu olhar brilhava também uma espécie de solenidade – de fato, não lhe faltavam ideias nem espírito – e, no entanto, ao mesmo tempo deixavam adivinhar algo de loucura. Trazia um velho fraque preto, completamente esfarrapado, apenas com um só botão, que ele metia na casa com o desejo visível de conservar o decoro. Por debaixo do colete de nanquim avultava um peitilho cheio de salpicos e de manchas. Trazia a cara rapada, como os funcionários, mas havia muito que não se barbeava, de maneira que começavam a nascer-lhe nas faces tufos de pelos rebeldes. Os seus gestos demonstravam também, de fato, uma certa gravidade democrática. Mas nesse momento o nosso homem mostrava-se desassossegado, arrepelava os cabelos, e segurava às vezes com tristeza a cabeça entre as mãos, fincando os cotovelos esfarrapados sobre a mesa manchada e gordurenta. Finalmente olhou para a cara de Raskólhnikov e disse com voz firme e rouca:

— Poderia me dar licença, cavalheiro, de me dirigir ao senhor, fazendo-lhe uma pergunta correta? Porque embora o seu aspecto não seja fino, a minha experiência me diz que o senhor é um homem de boa educação e não está habituado a beber. Eu sempre respeitei a educação, quando se reúne a sentimentos generosos, e, além disso, sou conselheiro titular.[3] O meu apelido é Marmieládov[4]... conselheiro titular. Dá licença que lhe pergunte se também é funcionário?

— Não, sou estudante — respondeu o rapaz, um pouco admirado, tanto por aquele tom oratório como pelo fato de se ver interpelado assim, tão abruptamente. No entanto, a ânsia que, havia pouco, sentira de falar com alguém, fosse com quem fosse, assim que lhe dirigiram a primeira palavra tornou a experimentar de súbito o seu habitual sentimento hostil e irritado, perante toda a comunicação com gente estranha que tocasse ou mostrasse o desejo de tocar-lhe na personalidade.

— Estudante ou ex-estudante! — exclamou o funcionário. — Era isso mesmo o que eu pensava! Tenho muita experiência, meu senhor, muita experiência! — e, com um gesto amplo e grave, levou um dedo à testa. — Com certeza havia de ser estudante ou pertencer à classe culta. Mas dê-me licença — levantou do seu lugar, cambaleou, pegou no prato e no copo e foi sentar diante do rapaz, embora um pouco de esguelha. Estava embriagado; mas falava com eloquência e desembaraço, somente de raro se atrapalhava um pouco e fazia uma grande embrulhada. Dirigia-se a Raskólhnikov com ânsia de quem já não fala com ninguém há um mês.

— Meu senhor — começou quase com solenidade — a pobreza não é um pecado, é a verdade. Sei também que a embriaguez não é nenhuma virtude. Mas a miséria, meu senhor, a miséria... essa sim, essa é pecado. Na pobreza ainda se conserva a nobreza dos sentimentos inatos; na miséria não há nem nunca houve nada que os conserve. À um homem na miséria quase que o correm à paulada; afugentam-no à vassourada da companhia dos seus semelhantes, para que a ofensa seja ainda maior, e é justo, porque na miséria sou eu o primeiro que estou disposto a ofender-me a mim próprio. Acabou-se a bebida! Sim, senhor, há já um mês que o senhor Liebiesiátnikov[5] bateu na minha mulher; mas eu não sou a minha mulher! Está percebendo? Dê licença que lhe pergunte, ainda que seja só a título de curiosidade: já lhe aconteceu passar a noite no Nieva, nas barcas do feno?

— Não, ainda não me aconteceu — respondeu Raskólhnikov — Que se passa por aí?

— Não, mas eu, há já cinco noites...

Encheu o copo, bebeu e ficou pensativo. De fato, tanto na roupa como no cabelo, viam-se nele algumas palhinhas de feno. Era muito provável que nem sequer tivesse tirado a roupa do corpo, e que não se tivesse lavado havia já cinco dias. Sobretudo as mãos estavam sujas, gordurentas, avermelhadas, com pintas negras.

Segundo parecia, as suas palavras despertaram a atenção geral, embora não muito viva. Os rapazes, atrás do balcão, puseram-se a rir. Parecia também que o dono

---

3 Um dos graus do *tchin*, isto é, da escala das funções burocráticas do Estado.
4 Personagem confusa, insegura, com qualidades indefinidas e misturadas, segundo o simboliza o seu nome, forjado pelo autor do termo comum *marmielad*. Este revela um caso raro de migração linguística, desde que só em português, dentre as línguas românicas, o fruto marmelo é chamado segundo a sua origem latina, dele se derivando o nome de marmelada, o qual, expressando a mesma classe de doce, feito porém de outros frutos, se incorporou às outras línguas, e também à russa, provavelmente através do francês e do alemão.
5 Criando a personagem e o próprio nome dela, Dostoiévski introduziu um neologismo na língua russa, na qual o novo termo *liebiesiátnitchitsvo* passou a ser usado na acepção de adulação, bajulação, o que caracteriza esta personagem.

descera do quarto de cima só com a ideia de escutar o engraçado, e, sentado a alguma distância, escutava com indolência, mas gravemente. Marmieládov era conhecido ali havia já muito tempo. E a sua inclinação para os discursos oratórios devia ter surgido em consequência daquele hábito de entabular conversas frequentes, na taberna, com os desconhecidos. Para alguns bebedores, esse hábito chega a tornar-se uma necessidade, principalmente para aqueles que são maltratados e corridos da própria casa. Por isso, quando estão em companhia de outros bebedores, esforçam-se por justificar-se e, se for possível, por alcançar também alguma consideração.

– Que espirituoso! – exclamou em voz alta o taberneiro – Mas por que não vais trabalhar, uma vez que és empregado?

– Por que não trabalho? – repetiu Marmieládov, dirigindo-se exclusivamente a Raskólhnikov, como se fosse ele quem o tivesse interpelado. – Por que não trabalho? Mas não me dói a alma ao ver a abjeção em que me arrasto? Quando, há um mês, o senhor Liebiesiátnikov bateu na minha mulher com as suas próprias mãos, e eu estava deitado por causa da bebedeira, não sofri talvez? Dê licença, rapaz: já lhe aconteceu alguma vez... hum! vamos, pedir dinheiro sem esperança?

– Já me aconteceu, sim; mas como é isso de pedir sem esperança?

– Ora, é pedir sabendo antes que nada lhe darão. Vejamos: o senhor, por exemplo, sabe de antemão e com toda a segurança que um certo homem, um cidadão bondosíssimo e prestável, por nada deste mundo lhe dará dinheiro, pois, por que motivo, pergunto eu, havia de dar? Suponhamos também que ele sabe que eu não o devolvo. Por compaixão? Mas o Senhor Liebiesiátnikov, que está a par das novas ideias, explicou-me, não há muito tempo, que a compaixão, nos nossos tempos, é proibida pela ciência, e que é assim que se procede na Inglaterra, onde existe a Economia Política. Por que, pergunto eu, havia de dar dinheiro? Mas acontece que, sabendo previamente que não o dá, apesar disso se põe a caminho e...

– Mas por que vai lá? – acrescentou Raskólhnikov.

– Se uma pessoa não o vai procurar, a quem é que há de acudir? É forçoso que todos os homens vão aonde podem ir. Porque estamos numa época em que é preciso ir a alguma parte. Quando a minha única filha foi matricular-se na Polícia pela primeira vez, fui eu que a acompanhei – acrescentou, entre parênteses, olhando com certa inquietação para o rapaz. – Não, senhor, não! – apressou-se a acrescentar tranquilamente, sem reparar que os rapazes do balcão mal podiam conter o riso, e que o próprio taberneiro sorria também. – Não! Podem balançar a cabeça que fico na mesma, porque já toda a gente o sabe, e tudo quanto é mistério fica às claras, e é com serenidade e não com desprezo que o confesso. Seja! *Ecce homo!* Dê-me, licença, o senhor poderia...? Mas não; devo exprimir-me de maneira mais categórica e terminante: o senhor não poderia, sim, o senhor não seria capaz, olhando-me bem de frente, de dizer-me que eu não sou um porcalhão?

O rapaz não respondeu nada.

– Bem – prosseguiu o orador com aprumo e até com grande dignidade, esperando outra vez que se extinguissem as risadas – bem, admitamos que eu seja um porco e ela uma senhora. Eu tenho figura de animal, ao passo que Ekatierina Ivânovna, a minha mulher... é uma pessoa bem educada, filha dum oficial superior. Admitamos que eu sou um velhaco e ela uma mulher de grande coração e cheia de sentimentos generosos. Mas, no entanto... oh, se ao menos tivesse pena de mim!

Meu senhor, meu senhor, todas as pessoas precisam de ter ao menos um lugar onde sintam pena dela! Mas Ekatierina Ivânovna, apesar de ser uma senhora generosa, não é justa... E, embora eu compreenda que, quando ela se excede comigo, o faz por compaixão (porque, repito-o, e não me envergonho, ela se excede comigo), rapaz – reafirmou, com dignidade dobrada, quando acabaram as risadas – mas, por amor de Deus! Se ela ao menos uma vez... Mas não! Não! Tudo isto são pormenores de que não é preciso falar! Pois já, e não somente uma vez, se cumpriu esse meu desejo, não foi uma vez apenas que tiveram pena de mim; mas... esse é um aspecto do meu caráter. Eu, por mim, sou uma besta!

– O quê?! – observou o taberneiro bocejando.

Marmieládov descarregou um soco pesado sobre a mesa.

– É o que eu sou! O senhor sabe que até as meias dela eu bebi? Não foi os sapatos, o que sempre seria mais lógico, mas as meias. Bebi as suas meias! Também bebi a sua gola de pelo de cabra, apesar de ser propriedade dela, pois já a tinha antes de casada; e moramos num buraco gelado, e ela, este inverno, apanhou uma bronquite e começou a tossir e a cuspir sangue. Temos três filhos pequenos, e Ekatierina Ivânovna trabalha desde manhã até à noite, lava, esfrega e trata das crianças, pois foi costumada à limpeza desde pequena, simplesmente está doente do peito e tem propensão para a tísica, sei muito bem. Mas então eu não tenho sentimentos? E quanto mais bebo, mais sinto as coisas. É por isso que bebo, porque na bebida encontro o sofrimento... Bebo porque quero sofrer em dobro! – e inclinou a cabeça para a mesa, num desespero. – Rapaz – continuou, tornando a erguer-se – leio uma certa tristeza na sua cara. Reparei nisso assim que entrou e foi por isso que lhe dirigi a palavra. Pois ao contar-lhe a história da minha vida, eu não pretendia apresentar-me com um aspecto denegrido perante esses tratantes, que, por outro lado, já a conhecem; o que eu queria era encontrar um homem sensível e culto. Fique o senhor sabendo que a minha mulher foi educada num instituto de nobres de um distrito importante, e quando saiu do pensionato, dançou envolta num xale, na presença do governador e das outras personalidades da localidade, e por isso concederam-lhe uma medalha de ouro e um diploma de louvor. A medalha... bom, a medalha já a vendemos há tempos... Hum! O diploma laudatório ela ainda o guarda na arca e não há muito tempo que o mostrou à dona da casa. E embora ande sempre às turras com a tal dona da casa, agrada-lhe no entanto pavonear-se perante os outros, falando dos dias felizes do passado. Coisa que eu não lhe censuro, não, senhor, não lhe censuro, porque esses últimos dias felizes ficaram-lhe gravados na memória e tudo o mais se evaporou. Sim, sim, é uma mulher voluntariosa, orgulhosa e destemida. É ela mesma quem esfrega os soalhos e come pão negro; mas não consente que lhe faltem ao respeito. Por isso não quis suportar as grosserias do Senhor Liebiesiátnikov, e quando ele lhe bateu, por causa disso, teve de meter-se na cama, não tanto pelas pancadas, como pela ofensa. Já era viúva quando me casei com ela, e tinha três filhos pequeninos. Casou-se com o primeiro marido, um oficial de infantaria, por amor, e fugiu de casa dos pais. O marido gostava muito dela; mas acabou por endoidecer por causa do jogo das cartas, teve de comparecer perante um conselho de guerra, e morreu por causa disso. Por último também tinha dado em bater-lhe; ela não o tolerava, conforme pude comprovar depois por referências e por documentos; mas ainda hoje o recorda com lágrimas nos olhos, e me recrimina, comparando-me com ele, e eu fico satisfeito, alegre, porque com essas censuras, de certo modo ela considera-se feliz... Bem; pois quando ele morreu, a pobrezinha ficou com três criancinhas num distrito afastado e selvagem, onde eu também morava, por esse tempo, e estava numa miséria tão desesperada, que eu, que tenho visto tanta coisa, nem me sinto com forças para descrevê-la. Todos os parentes a tinham desprezado. E no entanto era orgulhosa... E eu, então, meu senhor, eu, então, que também estava viúvo e tinha uma filhinha de catorze anos, da minha primeira mulher, propus-lhe casamento por não poder contemplar semelhante dor. Já pode ver até que ponto chegaria a sua miséria, quando ela, uma mulher culta e educada, e de família distinta, assentiu em casar-se comigo. Mas assentiu! Chorando e gemendo, e torcendo as mãos... mas o certo é que assentiu! Porque não tinha para onde ir. O senhor pode compreender o que significa isso de não ter para onde ir? Não, o senhor não pode compreender... Durante um ano inteiro eu cumpri as minhas obrigações, nobre e honradamente, e não toquei nisto – e bateu com o dedo na garrafa – porque sou um homem de sentimentos. Mas nem assim pude satisfazê-la; fui demitido, não por causa da aguardente, mas por mudança de pessoal, e foi então que me entreguei à bebida... Há já um ano que viemos parar, finalmente, depois de muitos cansaços e de muitas aflições, a esta magnífica capital, ornamentada com tantos monumentos. E aqui encontrei um emprego... Encontrei para tornar a perder. Compreende? Desta vez perdi-o por minha culpa, porque o demônio me tentou... Vivemos agora num canto, em companhia da dona da nossa casa, Amália Fiódorovna Lippewechsel, e como é que nós vivemos e pagamos, não o sei ao certo. Além de nós moram ali também muitas outras pessoas... Aquilo é uma Sodoma caótica... Hum! Sim... E entretanto a minha filha foi crescendo, aquela que tive do primeiro casamento, e tudo o que a minha filhinha teve de suportar da madrasta, durante todo esse tempo, é coisa em que não quero tocar. Pois ainda que Ekatierina Ivânovna seja uma mulher de sentimentos generosos, é pessoa orgulhosa e irritável, e que perde a paciência com facilidade... Lá isso, é! Bem, mas não falemos nisso! Educação, já o senhor pode imaginar que não recebeu nenhuma. Há quatro anos experimentei ensinar-lhe Geografia e História Universal; mas como eu próprio não estava muito forte nisso e não tinha tido bons professores, e, além disso, com aqueles livros... Hum! Bem, agora já não há desses livros; e a educação dela ficou por aí. Ficamos em Ciro, rei dos Persas. Depois, quando era já uma mulherzinha, leu alguns livros de índole romanesca, e há pouco, por intermédio do Senhor Liebiesiátnikov, leu com muito interesse um livro de Fisiologia, de Lewis... conhece? E até nos leu passos dele em voz alta; foi esta toda a sua instrução. Agora, meu senhor, vou fazer-lhe uma pergunta de caráter particular. Acha que uma moça pobre, mas honesta, pode ganhar a vida trabalhando? Se for honesta e não possuir aptidões especiais, nem quinze copeques por dia chegará a ganhar, e isto trabalhando sem parar. Mas o conselheiro de Estado Klopstock – Ivan Ivânovitch, o senhor está ouvindo? – até hoje ainda não lhe pagou pela confecção de meia dúzia de camisas de holanda, e ainda por cima a expulsou de sua casa a pontapés, insultando-a de uma maneira vergonhosa, com o pretexto de que o colarinho duma das camisas não estava na medida e de que a tinha talhado a viés. E, entretanto, as crianças passando fome... E Ekatierina Ivânovna torcia as mãos e dava voltas pela casa, e trazia já umas rosetas encarnadas nas faces: isso é próprio da doença e acontece-lhe constantemente. "Estás lendo? Apre, que comes e bebes conosco, parasita, e não fazes nada!" Mas que podia ela comer e beber, quando havia já três dias que as crianças não viam uma côdea de pão? Eu, nessa ocasião, estava deitado; bem, queria lá saber! Estava curtindo a bebedeira, e então ouvi falar a minha Sônia (ela não é respondona, e tem uma vozinha tão fraca... é bonita, com uma carinha sempre pálida, fraquinha), e diz: "Mas, o que, Ekatierina Ivânovna, é possível que me mande fazer isso?" E, entretanto, Daria Frántsovna, mulher maldosa e bem conhecida da polícia, já por três vezes lhe tinha pregado, por recomendação da dona da casa. "Que tem isso de especial? – responde Ekatierina Ivânovna com uma risadinha. – Para que te reservas? Olhem a prenda!" Mas não lhe deite culpas, não a culpo, meu caro senhor; não a culpo. Se estivesse em seu perfeito juízo não teria dito aquilo, foi levada por sentimentos exaltados, por causa da doença e pelos choros dos filhos esfomeados; lá isso, foi; disse mais para ofender do que por pensar verdadeiramente... Porque Ekatierina Ivânovna tem um tal gênio que, assim que os filhos começam a chorar, ainda que seja de fome, bate-lhes logo. E eu bem vi como Sônietchka levantou, deviam ser sete horas, pôs uma touquinha, o casaco, saiu do quarto e só voltou às nove. Voltou a essa hora, foi ter com Ekatierina Ivânovna e deitou sobre a mesa, na frente dela, trinta rublos de prata. Não disse sequer uma palavra, pegou no nosso grande xale verde, que tem um desenho do jogo das damas (porque temos um xale com esses desenhos, que serve para todos), tapou completamente a cabeça e a cara com ele, estendeu-se na cama de cara voltada para a parede e só os seus ombros estremeciam com arrepios que lhe sacudiam todo o corpo... E eu continuava deitado, tal como antes, muito sossegado... Foi então, rapaz, que vi como Ekatierina Ivânovna, sem dizer uma palavra, se aproximou da caminha de Sonha e passou a noite toda de joelhos a seus pés, e beijava-lhe os pezinhos e não queria levantar, e depois dormiram as duas juntas, abraçadas, as duas... as duas... assim mesmo; e eu... continuava curtindo a bebedeira.

Marmieládov calou-se, como se lhe tivesse faltado a voz. Depois encheu o copo com rapidez, bebeu e limpou a boca.

– Então, meu senhor – continuou, depois de uma pausa – então, devido à delação de pessoas mal intencionadas (e para isso contribuiu principalmente Daria Frántsovna, com o pretexto de que lhe tínhamos faltado ao respeito), então é que a minha filha Sonha Siemiônovna se viu obrigada a matricular-se e, por essa razão, já não pode continuar vivendo conosco. Porque a senhoria, Amália Fiódorovna, não quis tolerar isto (apesar de, antes, se ter servido de Daria Frántsovna), e o Senhor Liebiesiátnikov também. Hum! Repare: foi por causa de Sonha, aquela história que ele teve com Ekatierina Ivânovna. A princípio era ele quem assediava Sônietchka e, então, de repente, encheu-se de melindres. "Como, eu, um homem tão distinto, viver na companhia desta gente?" Mas Ekatierina Ivânovna não soube proceder: quis manter-se na sua... bom... e atazanou-se... Agora Sônietchka só vem ver-nos quando é já escuro, distrai Ekatierina Ivânovna e traz-lhe bastante dinheiro... Mora em casa do alfaiate Kapernaúmov, ao qual alugou um quarto. Kapernaúmov é coxo e gago, e toda a sua numerosa família é também gaga. E a mulher é também gaga... Vivem todos juntos no mesmo quarto; mas Sônia tem um só para ela, separado por um tabique... Hum! Lá isso é verdade... São pessoas muito pobres e todas gagas... sim... Pois bem, na manhã seguinte, assim que me levantei, vesti os meus farrapos, ergui os braços ao Céu e dirigi-me para casa de Sua Excelência, Ivan Afanássievitch. Conhece Sua Excelência, Ivan Afanássievitch? Não? Pois não conhece uma pessoa de bem! É como cera virgem, cera virgem, perante Deus; e essa cera funde-se... Até se desfaz em lágrimas, depois de se ter dignado ouvir tudo. "Bem – disse ele – Marmieládov, já uma vez me causaste uma decepção... Mas tornarei a admitir-te sob minha responsabilidade pessoal – foi assim mesmo que ele disse. – Lembra-te disto, por amor de Deus, e vai-te embora!" Beijei os seus pés, em pensamento, pois na realidade não teria consentido, porque é funcionário de categoria elevada e homem de ideias novas no que respeita a coisas oficiais e a educação: voltei para casa e, quando anunciei que ia ser reintegrado no serviço e receber outra vez ordenado, que rebuliço!

Marmieládov tornou a ficar muito comovido. Nesse momento entrou um bando de homens, embriagados, e à porta ouviu-se o som dum realejo ambulante, de aluguel, e a vozinha infantil, guinchona, dum rapazinho de sete anos, que cantava *A granja*. Estabeleceu-se um rebuliço. O taberneiro e os rapazes receberam os recém-chegados. Sem lhes dar atenção, Marmieládov continuou a sua narrativa. Parecia já completamente embriagado; mas quanto mais bêbado estava, mais tagarela se tornava. As recordações de seu recente triunfo no serviço pareciam reanimá-lo e fizeram até afluir-lhe um certo brilho ao rosto. Raskólhnikov escutava-o com atenção.

– Isto aconteceu haverá umas cinco semanas. Sim... Quando as duas o souberam, Ekatierina Ivânovna e Sônietchka, parecia que lhes tinham aberto o reino de Deus. Dantes era só aquilo de "Está ali caído, como uma besta!". Só insultos. Agora andavam nas pontas dos pés e ralhavam com os petizes: "Siemion Zakháritch chega cansado do trabalho, está descansando. Chiu!". Davam-me café antes de ir para a repartição e aqueciam-me a nata para o pão. Arranjavam nata verdadeira, está ouvindo? E onde teriam elas ido descobrir aquele uniforme decente, que valia onze rublos e cinquenta copeques? Não consigo compreendê-lo! Até botas, gravatas de plastão, de algodão fino, esplêndidas, uniforme: tudo por onze rublos e cinquenta copeques e em ótimo estado! Levanto e no primeiro dia de manhã, para ir para a repartição, e que vejo? Ekatierina Ivânovna tinha-me preparado dois pratos para o desjejum – sopa e carne com rábanos – coisas que, até hoje, ainda não consegui explicar. Vestidos, não tinha nenhum, nenhum mesmo, e, no entanto, parecia que estava para receber visitas: estava muito bem posta, e como se sempre tivesse vestido do bom e do melhor; bem penteada, com uma gola primorosa, mangas compridas, parecia absolutamente outra, e estava rejuvenescida e mais bonita. Foi Sônietchka, a minha querida, quem arranjou o dinheiro. E ela própria me disse: "É melhor eu não vir vê-lo de dia, é preferível vir logo, quando já for escuro, para que ninguém me veja". Está ouvindo, está ouvindo? Eu, depois do almoço, fui dormir, coisa que, noutras circunstâncias, Ekatierina Ivânovna não consentiria, como deve calcular. Havia apenas uma semana que tivera uma zanga terrível com a senhoria, Amália Fiódorovna, mas depois convidou-a para tomar uma xícara de café. Estiveram duas horas juntas conversando em voz baixa: "Sabe? Agora, Siemion Zakháritch está outra vez empregado, ganha um ordenado, e fala com Sua Excelência em pessoa, e Sua Excelência recebe-o e manda os outros esperarem, e vai de braço dado com Siemion Zakháritch à frente de toda a gente, até ao seu gabinete!". Está ouvindo, está ouvindo? "Eu, não há dúvida – disse – Siemion Zakháritch, que me lembro dos seus serviços, e embora sofra dessa triste fraqueza, como o senhor agora me promete emendar-se, e, além disso, como aqui, sem o senhor, as coisas não andam bem (ouça, ouça!), agora – disse – confio na sua palavra de honra." Mas eu digo-lhe a verdade: isso tudo foi ela quem inventou, mas não o fez por falta de juízo, nem somente por gabolice. Não, ela própria acredita nisso tudo e consola-se com a sua imaginação... Meu Deus! E eu não a censuro; não, não a critico! Quando, há seis dias, recebi o meu primeiro ordenado – vinte e três rublos e quarenta copeques – e lho entreguei todo, chamou-me pequenino, "Meu pequenino!". Estávamos os dois sozinhos, compreende? Pois foi assim, como se eu fosse um rapaz jeitoso e um bom maridinho. Bem, depois, ela me deu uma palmadinha na bochecha, dizendo-me "Meu pequenino!".

Marmieládov parou, por momentos, e parecia que ia sorrir; mas, de repente, o queixo começou a tremer-lhe. No entanto dominou-se. Aquele ambiente de taberna, aquele quadro repugnante, cinco noites passadas nas barcas do feno e a garrafa de permeio em tudo isto, aquele amor doentio pela mulher e pela família deixavam admirado o seu ouvinte. Raskólhnikov escutava, era todo ouvidos, mas com uma sensação de mal estar. Estava arrependido de ter-se ido meter ali.

– Meu senhor, meu senhor! – exclamou Marmieládov endireitando-se. – Oh, meu senhor! A si, talvez tudo isto o faça rir, como aos outros, e eu não faço outra coisa senão importuná-lo com a estupidez de todos estes miseráveis pormenores da minha vida doméstica; mas, a mim, não me dão vontade de rir. Porque eu sou capaz de sentir tudo isto... E, durante todo aquele dia paradisíaco da minha existência, e durante toda aquela noite, eu mesmo me entreguei a grandes devaneios; quero dizer que tudo aquilo se ia arranjar, que as crianças teriam roupa, e eu ia proporcionar tranquilidade a ela, e tiraria a minha única filha da desonra e ela retornaria ao seio da família... E muitas outras coisas, muitas outras coisas! Dê licença, senhor... Pois bem, meu senhor... – de súbito, Marmieládov estremeceu, ergueu a cabeça e ficou olhando fixamente para o seu interlocutor. – Pois no dia seguinte, depois de todas essas ilusões (ou seja, precisamente há cinco dias), à noite, eu, com uma artimanha, como um salteador noturno, tirei a chave da cômoda a Ekatierina Ivânovna, apoderei-me do que restava ainda do meu ordenado... não me lembro bem quanto; mas veja isto, veja bem: levei tudo! Cinco dias fora de casa, eles à minha procura, a carreira perdida, e o uniforme em poder dum taberneiro da ponte do Egito, que, em vez dele, me deixou estes farrapos... e acabou-se!

Marmieládov deu a si mesmo um soco na testa, rangeu os dentes, fechou os olhos e fincou com força o cotovelo sobre a mesa. Mas, passado um minuto, transfigurou-se e com certa malícia forçada e um autodomínio fingido, olhou para Raskólhnikov, sorriu e continuou falando:

– E hoje estive em casa de Sônia e fui pedir-lhe dinheiro para beber. Ah, ah, ah!

– E ela deu? – perguntou alguém dos que entravam, e depois desatou a rir às gargalhadas.

– Olhe, esta meia garrafa foi paga com o dinheiro dela – disse Marmieládov encarando Raskólhnikov. – Deu-me trinta copeques, os últimos, tudo quanto tinha, que eu bem vi... Não me disse nada; limitou-se a olhar-me em silêncio... De uma maneira como não se olha na Terra, mas além, no lugar onde têm piedade das pessoas, choram e não insultam. Apesar de que ainda custa mais quando não nos insultam! Trinta copeques, isto mesmo; e a ela, decerto, devem fazer-lhe falta. Não acha, meu caro senhor? Porque veja que ela, agora, tem de andar muito bem arranjada. E essa apresentação custa dinheiro, está percebendo? Compreende? É que ela tem de usar brilhantina; e saias engomadas, botinas elegantes, justinhas, para fazer sobressair o pezinho quando é preciso atravessar uma poça no meio da rua. Compreende o senhor, compreende o que significa esse esmero? Pois bem, eu, como vê, gastei esses trinta copeques na bebida. E continuo bebendo! E já estou bêbado! Mas bem, quem é que se preocupa com um tipo como eu? Diga! O senhor tem pena de mim ou não? Diga lá, senhor, tem pena ou não? Ah, ah, ah!

Quis encher de novo o copo; mas já não havia nem uma gota; a meia garrafa estava vazia.

Ouviram-se risadas e também insultos. Riam e injuriavam, os que tinham ouvido e os que não ouviram, só de olhar a cara do funcionário demitido.

– Ter pena! Por que haviam de ter pena? – exclamou, de repente, Marmieládov, levantando-se de mão estendida, tomado de uma enérgica exaltação, como se estivesse apenas à espera daquelas palavras. – Mas por que hão de ter pena de mim? Digam! É assim mesmo. Não há motivo. O que me devem fazer é cravarem-me numa cruz e não terem pena de mim! Mas crucifiquem-me depois de me julgar, e quando me tiverem crucificado, tenham pena de mim. E então eu próprio irei ter convosco para sofrer o suplício, pois não é de alegria que eu tenho sede, mas de tristeza e de lágrimas! Imaginas tu, taberneiro, que esta meia garrafa me trouxe a felicidade? Sofrimento, o sofrimento é que eu procurava no seu fundo; tristeza e lágrimas, e encontrei-as, realmente; quanto à piedade, há de ter piedade de nós Aquele que de todos se apiedou e tudo compreendeu; Ele, que é o amigo e também é o juiz. Nesse dia Ele há de aparecer e perguntará: "Onde está essa pobre moça que se vendeu por uma madrasta má e tísica e por umas crianças, que lhe não são nada? Onde está essa pobre moça que teve compaixão do pai, bêbado inveterado, sem se assustar com o seu embrutecimento?". E depois dirá: "Anda, vem cá! Eu já te perdoei uma vez. Já te perdoei uma vez. Perdoados te sejam também agora os teus muitos pecados, porque amaste muito". E perdoará à minha Sonha; há de perdoar-lhe, eu sei que há de perdoar-lhe... Foi isto o que senti há pouco no meu coração, quando fui vê-la... E há de julgar a todos e a todos perdoará, tanto aos bons como aos maus, aos prudentes e aos pacíficos... E depois de julgar todos, vai se inclinar também para nós: "Vinde cá – dirá – vós outros, também, vós os bêbados, vinde cá, impudicos; vinde cá, porcalhões!". E nós vamos nos aproximar, sem ter vergonha e vamos parar. E Ele dirá: "Meus filhos! Imagem bestial é a vossa e tendes a sua marca; mas aproximem-se também". E intervêm os castos, e intervêm os prudentes: "Senhor! Mas vais admitir estes também?". E Ele dirá: "Pois eu os admito, ó castos! Aqui os acolho, ó prudentes! Porque nem um só deles se julgou nunca digno de tal mercê...". E vai estender as suas mãos, e nós vamos nos entregar a elas e romperemos em pranto e compreenderemos tudo... Então, havemos de compreender tudo! E todos hão de compreender... E Ekatierina Ivânovna também compreenderá... Senhor, venha a nós o vosso reino...

E deixou-se cair sobre um banco, esgotado e sem forças, sem olhar para ninguém, como que alheado de tudo o que o rodeava e caído num êxtase profundo. As suas palavras causaram uma certa impressão. Houve silêncio durante um minuto; mas não tardou que se ouvissem os mesmos risos e impropérios de há pouco.

– Já disse a sua sentença!

– Mas que série de disparates!

– Funcionariozinho!

E etc, etc.

– Vamo-nos embora daqui – disse Marmieládov de repente, levantando a cabeça e encarando Raskólhnikov – leve-me... a casa de Kossel ao fundo do pátio. É já ali... vamos ter com Ekatierina Ivânovna...

Havia muito que Raskólhnikov ansiava por ir embora; e também já pensara em ajudá-lo. Marmieládov parecia ter mais dificuldade em mexer os pés do que a língua, e apoiava-se com força ao rapaz. Era preciso percorrer um trajeto de duzentos a trezentos passos. O ébrio sentia cada vez mais medo e mal-estar, à medida que se ia aproximando de casa.

– Eu, agora, já não tenho medo de Ekatierina Ivânovna – murmurava, agitado – nem tenho medo que ela me venha puxar os cabelos. Que são os cabelos? É um absurdo, isto dos cabelos! Isto mesmo! Até é melhor que nos puxe, pois, a mim, isso não me assusta... Eu... do que tenho medo, é do seu olhar. Sim, do seu olhar... e também das rosetas que lhe aparecem sobre as faces... E, além disso, tenho medo da sua respiração... Já viste como respiram esses doentes quando estão agitados? Também tenho medo do choro das crianças. Porque se Sônia não se lembrou de alimentá-los, não sei o que terá sido deles. Não sei! Mas, das pancadas, não tenho medo. Fique o senhor sabendo que, a mim, essas pancadas não só não me martirizam, como até costumam dar-me prazer. Não poderia passar sem elas. É o melhor. Que me dê uma boa sova, que descarregue os nervos, é o melhor... Mas já chegamos. É esta a casa de Kossel, um serralheiro, um alemão que enriqueceu... Leva-me.

Entraram no pátio e subiram ao quarto andar. À medida que se subia a escada tornava-se mais escura. Era já perto das onze, e, embora nessa época do ano não haja em Petersburgo noite verdadeira, ali, no alto da escada, estava muito escuro...

A pequena porta, denegrida pelo fumo, que havia ao fim da escada estava aberta. Uma lamparina iluminava um quarto pobríssimo, dos seus dez passos de largura, tão pequeno que se via todo do patamar. Ali tudo era desordem e confusão; viam-se principalmente várias peças de roupa de criança. No canto do fundo, uma cortina cheia de buracos. Atrás dela, estaria oculta a cama, provavelmente. Em todo o quarto havia apenas duas cadeiras e um divã derreado e coberto com um oleado em muito mau estado e, à frente dele, uma mesa de cozinha, de pinho, velha, sem pintura e qualquer cobertura. Na ponta da mesa ardia uma vela de sebo, quase gasta, num castiçal de ferro. Marmieládov tinha um quarto só para si, e que não era um simples canto; mas esse quarto era um corredor. À porta de acesso aos outros quartos ou cubículos em que se dividia o andar de Amália Lippewechsel estava aberta. Ouvia-se barulho, sentia-se ali um grande rebuliço. Riam às gargalhadas. Segundo parecia jogavam baralho e tomavam chá. De quando em quando ouvia-se uma ou outra obscenidade.

Raskólhnikov reconheceu imediatamente Ekatierina Ivânovna. Era uma mulher de aspecto extremamente fraco, fina, bastante alta e bem feita, com um cabelo castanho ainda muito bonito e, de fato, com umas faces muito coradas, como se tivessem duas rosetas vermelhas. Andava de um lado para outro, no quarto, de mãos cruzadas sobre o peito, de lábios franzidos e respirando de uma maneira especial, entrecortada. Os olhos brilhavam-lhe como se tivesse febre; mas o seu olhar era duro e impassível, e os últimos reflexos daquela luz moribunda, que neles se refletiam, davam uma impressão de doença àquele rosto febril de tuberculosa. A

Raskólhnikov pareceu-lhe uma mulher de trinta anos e, de fato, não faziam um par harmonioso, ela e Marmieládov. Não os sentiu entrar, nem reparou neles; parecia absorta, parecia que não via nem ouvia. No quarto havia uma atmosfera sufocante; mas ela não tinha aberto a janela; da escada vinha um odor pestilencial; mas também não fechara a porta que dava para ela. Dos quartos interiores, através das portas abertas, chegava também o fumo dos cigarros, e ela tossia, mas não fechava a porta.

A menina mais pequena, de seis anos, dormia sentada no chão, encolhida e de cabecinha apoiada no divã. Um rapazinho, um pouco mais velho, tremia num canto e chorava. Acabara, por certo, de apanhar uma surra. A menina mais crescida, de uns nove anos, esgalgada e de aspecto débil, com uma camisinha em farrapos e uma capa de tecido aos quadrados sobre os ombros nus, que provavelmente lhe arranjaram quando tinha menos dois anos, pois já nem sequer lhe chegava aos joelhos, estava num canto, junto do irmãozinho, a cujo pescoço se abraçava com a sua mão esguia e fina. Parecia consolá-lo; dizia-lhe qualquer coisa ao ouvido, procurava acalmá-lo por todos os meios para que não tornasse a chorar e, ao mesmo tempo, não desviava da mãe os seus grandes olhos escuros, que pareciam ainda maiores naquela carinha afilada e amedrontada. Sem entrar no quarto, Marmieládov pôs-se de joelhos à porta e empurrou Raskólhnikov para dentro. Quando viu o desconhecido, a mulher ficou especada na sua frente, distraída, mas desperta por um momento da sua meditação e como se perguntasse a si própria: "Que virá ele fazer aqui?". Mas, naturalmente, acabou por dizer consigo própria que iria para qualquer dos outros quartos, visto que ali era um corredor. Depois de ter imaginado isso, e sem dar-lhe atenção, dirigiu-se à porta do patamar sem intenção de abri-la e, de repente, deu um grito ao ver o marido à entrada, de joelhos.

— Ah! — exclamou com espanto. — Já voltaste! Criminoso! Monstro! Onde está o dinheiro? Que tens aí nos bolsos? Mostra! E o teu ordenado? Que fizeste do ordenado? Onde estão as moedas? Fala!

E atirou-se a ele a fim de revistá-lo. Marmieládov ergueu imediatamente os braços com docilidade e humildade, para facilitar a busca, mas, de dinheiro, nem um copeque.

— Onde está o dinheiro? — gritava — ó, meu Deus, gastou tudo na bebida! Doze rublos de prata que eu tinha no baú!

E, de repente, furiosa, agarrou-o pelos cabelos e arrastou-o para dentro. O próprio Marmieládov facilitava o seu esforço, deixando-se levar mansamente, de joelhos.

— Mas, se isto, para mim, é um prazer! Não me magoa, mas sim pra...zer, meu senhor! — exclamava, enquanto o arrastavam pelos cabelos e até o faziam dar uma cabeçada contra o chão.

A garota que dormia acordou e começou a chorar. O rapazinho que estava no canto não pode conter-se e começou a tremer e a gritar, e cingiu-se contra a irmã, apavorado, como se estivesse quase para sofrer um ataque. A irmãzinha mais velha tremia, colada à parede, como a folha duma árvore.

— Foi na bebida! Tudo gasto na bebida! — gritava a pobre mulher, desolada. — E essa roupa também não é a dele! Vão morrer de fome, de fome! — e, torcendo as mãos, apontava para as crianças. — Oh, vida malvada. E o senhor, o senhor não tem vergonha? – disse, de repente, encarando Raskólhnikov. – Na taberna! Ajudava-o a gastar o dinheiro na taberna! Bebia também! Fora daqui!

O rapaz apressou-se a desaparecer, sem dizer uma palavra. Entretanto a porta do fundo tinha-se aberto de par em par e por ela espreitavam alguns curiosos. Assomavam caras cínicas e trocistas, de cigarro ou de cachimbo na boca. Entreviam-se mulheres com roupões desabotoados, com vestidos de verão indecentes, de tão leves, e algumas com cartas na mão. Riram-se com grandes gritos, no momento em que Marmieládov, arrastado pelos cabelos, gritou que, aquilo, para ele, era um prazer. Começaram a meter-se no quarto, até ao instante em que se ouviu finalmente um grito de indignação, lançado pela própria Amália Lippewechsel, que queria restabelecer a ordem em sua casa e, pela centésima vez, meter medo à pobre mulher com a ameaça terrível de que teria de abandonar o quarto no dia seguinte. Quando ia saindo, Raskólhnikov apressou-se a rebuscar nos bolsos e encontrou qualquer coisa: umas moedinhas de cobre que lhe restavam do troco dum rublo que dera para pagar na taberna; e deixou-os na janela, sem que dessem por isso. Depois, já na escada, pensou melhor e sentiu desejo de voltar atrás.

"Mas que tolice eu fiz! – pensou. – Eles tem Sônia e, a mim, esse dinheiro faz-me falta." Mas, depois de considerar que não era possível recuar, além de que, em última análise, não ia retomar aquele dinheiro, deu um soco no vácuo e dirigiu-se para casa. "A Sônia também lhe faz falta para as suas pinturas – continuou, atravessando a rua e sorrindo sarcasticamente. – A apresentação custa dinheiro. Hum! E Sônietchka, coitada, poderia muito bem apanhar hoje uma decepção, porque não deixa de ter também os seus riscos, e a conquista do velo de ouro... não é nada fácil... Pode ser que todos eles se encontrassem amanhã em dificuldades, a não ser que, devido a esse dinheirinho meu... Ah, Sônia! Em que ofício te meteram! Eles se aproveitam. E acabam por habituar-se. Choraram, mas acabarão por acostumar-se. Um patife acostuma-se a tudo." Ficou pensativo.

"Bem; e se eu tivesse dito uma tolice? – exclamou de repente, involuntariamente. – Sim, de fato, se o homem não fosse um velhaco, todos em geral, isto é, toda a gente, isto é, tudo o mais... eram apenas preconceitos, apenas espantalhos para meter medo, não havia limite nenhum e assim é que devia ser..."

Capítulo III

No dia seguinte, já tarde, despertou depois de um sonho agitado, e esse sono não fora suficiente para reparar as suas forças. Acordou mal-humorado, azedo, irritável, mau, e passeou com aversão o olhar pela sua pocilga. Era uma espécie de gaiola de uns seis passos de largura, que apresentava um aspecto repugnante com o seu papel amarelo, cheio de pó, a desprender-se da parede por todos os lados, e com um teto tão baixo que um homem alto mal poderia empertigar-se, pois dava a ideia de que iria bater com a cabeça no teto. O mobiliário harmonizava com o ambiente; compunha-se de três cadeiras velhas, desconjuntadas; num canto, uma mesa pintalgada, sobre a qual se viam alguns cadernos e livros, que só da circunstância de se encontrarem cheios de pó poderia deduzir-se o tempo que havia, ninguém os folheara, e, finalmente, o grande sofá, também desconjuntado, que ocupava uma parede inteira e quase todo o quarto, o qual anteriormente estivera forrado de indiana, mas que agora era um farrapo e servia de cama a Raskólhnikov. Deitava-se muitas vezes em cima dele, tal como estava, sem se despir, cobrindo-se apenas com o seu velho casaco esfiapado, de estudante, e colocando debaixo da cabeça, uma almofada, sob a qual amontoava toda a roupa branca que possuía, limpa ou suja, com o fim de a ter mais alta. À frente do sofá havia uma mesinha.

Teria sido difícil chegar a maior abandono e cair em maior miséria; mas, para Raskólhnikov, na disposição de espírito em que se encontrava, aquilo até lhe era difícil.

Tinha-se retirado resolutamente de todo o convívio, vivia como uma tartaruga na sua concha, e até a cara da criada, que tinha obrigação de servi-lo e de deitar de quando em quando uma vista de olhos pelo seu quarto, lhe provocava mal-estar e convulsões. É o que acontece a alguns maníacos que concentram a sua atenção numa coisa. Havia já duas semanas que a senhoria deixara de fornecer-lhe a comida, e ele não pensara, até então, em ter uma explicação com ela, apesar de se encontrar em jejum. Em parte, Nastássia, cozinheira e criada única da senhoria, sentia-se contente porque aquele hóspede fosse daquela qualidade; tinha também deixado completamente de arranjar-lhe o quarto, e apenas o varria uma vez por semana, quando lhe apetecia. Era ela quem vinha agora despertá-lo.

– Levanta-te! Por que estás dormindo? – gritou-lhe, inclinando-se sobre ele. – Já são dez. Trouxe-te o chá. Queres um pouco de chá? Ou resolveste acabar por aí?

O hóspede abriu os olhos, teve um sobressalto e, por fim, reconheceu Nastássia.

– Esse chá é da senhoria ou não? – perguntou, endireitando-se no divã, devagar, e com cara de doente.

– Claro que é da senhoria!

Colocou na sua frente a chaleira, já bastante usada, com as folhas do chá antigo, e ao seu lado pôs dois torrões de açúcar amarelo.

– Olha, Nastássia, pega nisto, por favor – disse, metendo a mão no bolso (deitava-se assim, vestido) e tirando dela uma mão cheia de cobres – vai comprar-me um pãozinho. Vai também à salsicharia e traz-me um pouco de salsichão do mais barato.

– O pãozinho, trago já. Mas, em vez de salsichão, não queres sopa de couves? Está muito boa, é de ontem à noite. Deixamos para ti, simplesmente chegaste muito tarde. Estava tão boa a sopa!

Quando trouxe a sopa e o rapaz começou a tomá-la, Nastássia sentou a seu lado no divã e pôs-se a falar pelos cotovelos. Era camponesa e muito tagarela...

– Praskóvia Pávlovna diz que vai queixar-se de ti à Polícia – disse.

O rapaz franziu o sobrolho.

– À polícia? Por quê?

– Porque nem lhe pagas, nem te vais embora. Creio que é motivo suficiente.

– Ah, a malvada não está satisfeita! – resmungou o rapaz rangendo os dentes. – Não, isso, a mim, agora, não me calha nada bem... É uma idiota! – acrescentou em voz alta. – Irei hoje procurá-la e falar com ela.

– Ela é uma idiota, isso é, como eu também sou; mas tu, que és tão esperto, por que estás aí deitado e nunca ninguém te põe a vista em cima? Dantes dizias que ias dar aulas a uns rapazinhos; mas, agora, não fazes nada?

– Faço qualquer coisa... – acrescentou Raskólhnikov, secamente e de má vontade.

– Mas que fazes tu?

– Trabalho...

– Em que é que trabalhas?

– Penso em coisas sérias – respondeu o rapaz, depois de uma pausa.

Nastássia, quando o ouviu, torceu-se de riso. Era dessas que ria à toa, e quando achava graça a qualquer coisa desatava num riso surdo, que lhe sacudia e fazia estremecer todo o corpo, até que sentia náuseas e se dominava.

– E isso dá muito dinheiro, não? – conseguiu dizer finalmente.

– Sem sapatos não se pode ir dar aulas aos rapazes. Embora eu cuspa em cima disso...

– Não cuspas em cima dos sapatos.

– Não dão nada por essas aulas. Que se pode fazer com meia dúzia de copeques? – continuou ele de má vontade e como se respondesse aos seus próprios sentimentos.

– Então querias receber um grande pagamento de uma só vez?

Ele olhou para ela de uma maneira estranha.

– Sim, um grande pagamento, de uma só vez – respondeu-lhe com firmeza, depois de uma pausa.

– Mais devagar; até me fazes medo; e já tens um olhar feroz! Bem, vou buscar o pão ou não?

– Como quiseres.

– Ah, já me esquecia... Ontem, depois de teres saído, veio uma carta para ti.

– Uma carta? Para mim? De quem?

– De quem, não sei. Tive de dar três copeques ao carteiro. Vais me devolver?

– Vai buscá-la... por amor de Deus, vai buscá-la! – exclamou Raskólhnikov, muito comovido. – Meu Deus!

Passado um minuto, a carta apareceu. Não se enganara: era da mãe, vinha do distrito de R***. Até empalideceu, quando pegou nela. Havia já muito tempo que não recebia carta; mas agora também lhe doía o coração.

– Nastássia, vai-te embora, pelo amor de Deus! Aqui tens os três copeques; mas, por amor de Deus, vai-te já embora!

A carta tremia nas suas mãos; não queria abri-la; desejava ficar a sós com aquela carta. Assim que Nastássia saiu, levou-a aos lábios e beijou-a; depois ficou ainda durante muito tempo contemplando o endereço no sobrescrito, com aquela letra miúda e um pouco oblíqua que lhe era tão familiar e conhecida: a letra de sua mãe, que dantes, em outros tempos, o ensinara a ler e a escrever. Fazia-se preguiçoso; parecia até que receava qualquer coisa. Até que finalmente abriu o envelope; era uma longa carta, prolixa, abrangia duas folhas de papel, escritas nas duas páginas: duas grandes folhas de papel de carta, garatujadas numa letra compacta.

> Meu querido Rodka, – escrevia a mãe – há já dois meses que não te escrevo uma carta, e por isso tenho sofrido muito e até tenho passado algumas noites em claro, pensando. Mas com certeza que tu não vais culpar-me por esse meu involuntário silêncio. Tu bem sabes como eu te quero; tu és o nosso filho único, para mim, e para Dúnia; tu és tudo para nós, toda a nossa ilusão, toda a nossa esperança. Quanto me custou, quando soube que havia já uns meses que tinhas deixado a Universidade, que não contavas com coisa nenhuma

certa para te sustentares e que as aulas e todos os outros recursos tinham acabado! Que auxílio posso eu prestar-te com a minha pensão de cento e vinte rublos por ano? Os quinze rublos que te enviei há quatro meses, como sabes, pedi-os emprestado ao nosso merceeiro Vassíli Ivânovitch Vakhrúchin, sobre essa pensão. É um bom homem e era amigo do teu pai. Mas, ao reconhecer-lhe o direito de receber a pensão em meu lugar, tive de esperar até pagar a dívida, o que ainda não consegui, de maneira que durante todo este tempo não pude enviar-te nada. Mas agora, louvado seja Deus, parece que já poderei continuar a enviar-te certas quantias, podemos até gabar-nos da sorte, e vou falar-te a propósito disso. Em primeiro lugar, poderás adivinhar, querido Rodka, que a tua irmã, há mês e meio vive comigo e não nos tornaremos mais a separar?

Graças a Deus, que se acaba com este tormento! Mas vou contar tudo por ordem, para que fiques sabendo o que se passou, e que até agora te tínhamos escondido. Quando me escreveste, haverá dois meses, contavas que tinhas ouvido dizer, a não sei quem, que Dúnia devia sofrer muito com os maus tratos que lhe davam em casa do senhor Svidrigáilov e perguntavas-me pormenores acerca disso. Que poderia eu ter-te respondido? Se te dissesse a verdade toda, tu, então, com certeza que deixarias tudo e, ainda que tivesses de vir a pé, aparecerias aqui em casa, porque eu conheço muito bem o teu caráter e os teus sentimentos, pois tu não consentirias que ofendessem uma irmã tua. Eu também estava desesperada, mas que havia de fazer? E, apesar de tudo, nessa altura eu ainda não sabia toda a verdade. O pior era que Dúnietchka, que tinha entrado um ano antes nessa casa como governanta, recebera, adiantadamente, nada mais nada menos do que cem rublos, com a condição de serem descontados depois, todos os meses, no ordenado, de maneira que não podia deixar o lugar sem ter pago primeiro a dívida. Essa quantia (agora já posso explicar-te tudo, querido Rodka) recebeu-a ela sobretudo para enviar-te sessenta rublos de que necessitavas nessa ocasião e que te mandamos o ano passado. Enganamos-te as duas e escrevemos-te dizendo que essa quantia era o dinheiro que Dúnia tinha juntado; mas ela não tinha nada guardado e, agora, digo-te a verdade toda, visto que tudo, inesperadamente, mudou para melhor por vontade de Deus, e para que saibas como Dúnia gosta de ti e como é bondosa. De fato, o senhor Svidrigáilov a princípio tratava-a com muita grosseria e teve para com ela várias desatenções e graças de mau gosto, à mesa... mas não quero entrar em todos esses desagradáveis pormenores, para poupar-te comoções inúteis; pois tudo isso já acabou. Em resumo: que, apesar da nobre e bondosa conduta de Marfa Pietrovna, a esposa do Senhor Svidrigáilov, e de todas as outras pessoas da casa, Dúnietchka teve muito que sofrer, sobretudo quando o Senhor Svidrigáilov se encontrava, conforme os seus velhos hábitos de militar, sob a influência do deus Baco. Mas que se passou, afinal? Imagina que esse maluco, havia algum tempo que já sentia uma paixão por Dúnia, mas escondia-a sob o disfarce da grosseria e do desdém. Pode ser que ele próprio se envergonhasse e horrorizasse ao ver-se tão cheio de ilusões, na sua idade e condição de pai de família, e por isso se vingasse de Dúnia. E também pode ser que, com essa conduta, grosseira e trocista, quisesse apenas disfarçar a verdade perante os outros. Até que finalmente não pode mais dominar-se e passou a fazer propostas claras e diretas a Dúnia. prometendo-lhe várias compensações e, ainda mais, deixar tudo e ir viver com ela noutra terra, ou, em último caso, no estrangeiro. Podes imaginar o que ela teria sofrido! Abandonar imediatamente a colocação não era possível, não só por causa da dívida que ali tinha, como também por consideração para com Marfa Pietrovna, que podia depois criar suspeitas, o que daria origem a desgostos na família. Sim, e para Dúnietchka isso teria sido também uma grande vergonha e as coisas não seriam fáceis de compor. Por tudo isso e ainda por outras razões, não podia Dúnia pensar em abandonar essa casa horrível, senão daí a umas seis semanas. Sabes muito bem como Dúnia é, sabes muito bem como é inteligente e a firmeza de caráter que possui. Dúnietchka é capaz de suportar muitas coisas e de mostrar, até nos piores casos, toda a grandeza de alma necessária para não perder a sua integridade. Apesar de nos correspondermos com muita frequência, nunca me disse uma palavra acerca disso tudo, para não me assustar. A ruptura deu-se inesperadamente. Marfa Pietrovna veio a surpreender o marido no momento em que este assediava Dúnia no jardim e, interpretando tudo ao contrário, deitou-lhe a ela todas as culpas, pensando que fora ela quem dera ocasião àquilo. Deu-se então entre eles uma cena terrível no jardim: Marfa Pietrovna chegou até a bater em Dúnia; não queria ouvir razões, ficou uma hora inteira a barafustar e, finalmente, mandou logo Dúnia ter comigo à cidade, numa simples *tieliega* rústica, na qual meteram as suas coisas: a roupa branca, os vestidos, tudo tal como estava, revolvido e misturado. Mas nesse momento começou a cair uma chuva torrencial e Dúnia teve de percorrer dezessete verstas de uma só vez, numa *tieliega* descoberta, em companhia dum camponês. Diz-me agora o que poderia eu escrever-te na minha carta, em resposta à tua, recebida dois meses antes, de que havia de falar-te. Eu própria estava desesperada; não me atrevia a comunicar-te a verdade, porque te tornaria muito infeliz e ia te deixar num estado de grande excitação e desgosto. E que poderias fazer? Correr para a tua perdição, tanto mais que a própria Dúnietchka se oporia a isso; e encher uma carta com insignificâncias e vulgaridades, quando tinha a alma transbordante de amargura, era-me impossível. Durante um mês inteiro correram ditos e contos pela cidade, a propósito deste incidente; e a coisa chegou a tal ponto que eu nem sequer podia ir à igreja com Dúnia, por causa dos olhares de desprezo e dos murmúrios, pois chegaram até ao atrevimento de fazerem comentários diante de nós, de maneira que pudéssemos ouvi-los. Todas as nossas amizades nos abandonaram. Todas deixaram de nos cumprimentar e vim a saber, de fonte limpa, que os caixeiros e alguns empregados da administração tinham combinado infligir-nos uma terrível afronta, untando de pez a porta da nossa casa,[6] até que a senhoria começou a insistir conosco para que nos mudássemos. A causadora de tudo isto fora Marfa Pietrovna, que conseguira acusar e difamar Dúnia em todas as casas. Conhece toda a gente aqui, na cidade, e, como é muito mexeriqueira e gosta mesmo de ir com ditos e contos de assuntos da família e, sobretudo, de queixar-se do marido, o que não está nada certo, a história espalhou-se em pouco tempo, não só na cidade como em todo o distrito. Eu fiquei doente; mas Dúnietchka é mais forte do que eu, e se visses como suportava tudo e como me consolava e me infundia coragem! É um anjo! Mas, graças a Deus misericordioso, os nossos tormentos não duraram muito; o Senhor Svidrigáilov reconsiderou e arrependeu-se, e, certamente por piedade por Dúnietchka, apresentou a Marfa Pietrovna provas absolutas e concretas, de toda a inocência de Dúnietchka: uma carta que Dúnia se vira obrigada a escrever-lhe e entregar-lhe, antes de Marfa Pietrovna surpreendê-la no jardim, com o fim de repudiar explicações supérfluas e as entrevistas secretas que ele lhe pedia, e que, quando Dúnietchka saíra dali, ficara em poder do Senhor Svidrigáilov. Nessa carta, ela recriminava-o da maneira mais veemente e com a maior indignação, pela vilania da sua conduta para com Marfa Pietrovna, e lembrava-lhe que era casado e pai de família, e, finalmente, como procedia mal em mortificar e tornar infeliz uma moça, já de si tão infeliz e desprotegida. Enfim, querido Rodka, a carta estava escrita em termos tão dignos e dramáticos, que eu chorava ao lê-la, e ainda hoje não consigo lê-la ainda sem chorar. Além disto os criados puseram-se igualmente em defesa de Dúnia, que observaram, e sabiam muito mais do que aquilo que o Senhor Svidrigáilov supunha, como acontece sempre. Isto deixou Marfa Pietrovna muito impressionada, de tal maneira que ficou "outra vez para morrer", como ela própria nos confessou, mas que, em compensação, pudera ver claramente a inocência de Dúnietchka, e no dia seguinte foi direita à igreja pedir de joelhos à Soberana[7] que lhe desse forças para resistir a esta nova prova e cumprir o seu dever. Depois veio diretamente da igreja a nossa casa, sem deter-se em parte alguma, contar-nos tudo, chorou muito e, arrependidíssima, abraçou Dúnia e pediu-lhe que lhe perdoasse. Ainda nessa mesma manhã, sem que ninguém pudesse impedi-la, foi, diretamente da nossa casa, percorreu todas as outras da cidade, e em todos os lugares, com as expressões mais lisonjeiras para Dúnietchka, e desfeita em lágrimas, tornou pública a sua inocência e a nobreza dos seus sentimentos e da sua conduta. E, como se isto ainda fosse pouco, mostrou e leu a todos a carta de Dúnietchka para o Senhor Svidrigáilov, e até deixou tirar uma cópia (o que a meu ver era já demasiado). E assim, durante alguns dias consecutivos andou visitando todas as pessoas da cidade e, como alguns se considerassem arrependidos pela preferência dada a outros, estabeleceu-se um turno, e

---

6 Untar de pez a porta da casa de uma moça significava que esta perdera a virgindade.
7 A Virgem Maria.

toda a gente sabia de antemão que tal dia Marfa Pietrovna estaria em tal lugar para ler a carta, e em cada sessão reuniam-se até os que já a tinham ouvido ler por várias vezes, tanto em sua própria casa como na dos amigos, alternadamente. A meu ver havia nisso muito, muito exagero, mas Marfa Pietrovna é assim. Pelo menos deixou plenamente reabilitado o nome de Dúnietchka, e toda a vergonha do caso veio a recair, como uma mancha inapagável, sobre o marido, visto ser o principal culpado, e por isso eu até sinto pena dele; já se têm portado com demasiada severidade para com esse velho chocho. Começaram imediatamente a convidar Dúnia para dar aulas em algumas casas, mas ela se negou. De maneira geral, todos começaram de repente a tratá-la com muito respeito. Tudo isto contribuiu também, de maneira efetiva, para determinar a inesperada circunstância, devido à qual todo o nosso destino, pode dizer-se, mudou agora.

Fica sabendo, querido Rodka, que Dúnia arranjou um noivo, e que lhe deu já o sim, o que me apresso a comunicar-te. E, embora o caso se tenha tratado sem te termos consultado, espero que não nos censures, nem a mim nem a tua irmã, pois tu próprio podes ver que não podíamos aguardar nem adiar tudo até receber a tua resposta. E tu, de longe, também não podias apreciar as coisas com exatidão. Aqui tens como as coisas se passaram. Ele é o conselheiro da corte, Piotr Pietróvitch Lújin, que deve ser ainda parente afastado de Marfa Pietrovna, a qual teve um grande papel em tudo isto. Começou por fazer-nos saber, por seu intermédio, que tinha muita vontade de conhecer-nos; recebemo-lo conforme mandam as regras da educação; convidamo-lo a tomar café, e no dia seguinte escreveu-nos uma carta na qual nos expunha a sua intenção em termos muito delicados, pedindo-nos uma resposta rápida e decisiva. É um homem prático e cheio de ocupações, que está às vésperas de partir para Petersburgo, e por isso cada minuto lhe é precioso. É claro que nós, a princípio, ficamos muito desorientadas, pois tudo isso fora rápido e inesperado. Ficamos as duas refletindo durante todo esse dia. Trata-se de um homem respeitável – que ocupa uma boa posição, desempenha duas funções ao mesmo tempo e que possui bens. É verdade que tem já quarenta e cinco anos, mas tem boa apresentação e ainda podia agradar às mulheres, e é, além disso, um homem muito sério e distinto; é apenas um pouco carrancudo e orgulhoso. Mas pode ser que tudo isto seja uma primeira impressão. E peço-te, querido Rodka, que, quando te encontrares com ele, em Petersburgo, o que se dará muito em breve, não o julgues levianamente nem apaixonadamente, como costumas fazer com tudo, se à primeira vista houver nele qualquer coisa que não te agrade. Digo isto apenas por cautela, pois estou convencida de que ele há de causar-te boa impressão. Além de que, para conhecer uma pessoa, seja ela quem for, é preciso proceder de maneira prudente e discreta, a fim de não incorrermos, em erros nem em juízos precipitados, que depois custam muito a desfazer e a retificar. Mas Piotr Pietróvitch, pelo menos a avaliar por muitos indícios, é uma pessoa muito digna. Na sua primeira visita mostrou-nos logo que é um homem sensato, apesar de que em muitos pontos partilha, segundo ele próprio disse, "das ideias das nossas novíssimas gerações", e é inimigo de todos os preconceitos. Disse ainda mais coisas, porque parece um pouquinho vaidoso e gosta muito que lhe deem atenção, o que, no fim de contas, não é um defeito. Eu, é claro, não entendi muita coisa, mas Dúnia explicou-me que ele é um homem, embora não muito culto, bastante inteligente, e segundo parece, bondoso. Já conheces o caráter da tua irmã, Rodka. É uma moça firme, discreta, resignada e generosa, embora de coração ardente, conforme já observei várias vezes. Não há dúvida de que, nem pelo lado dela, nem pelo dele, existe amor; mas Dúnia, além de ser uma moça inteligente, é ao mesmo tempo uma criatura digna e há de considerar como seu dever fazer feliz o marido, que, por sua vez, procurará fazer a felicidade da esposa e, em última análise, até agora não temos grandes motivos para duvidar disso, apesar da precipitação, reconheço-o, com que se resolveu este assunto. Além disso é um homem sensato e prudente, e, com certeza, há de compreender que a sua felicidade conjugal será tanto mais segura quanto mais feliz ele tornar Dúnietchka. E, supondo que existisse alguma desigualdade de caracteres, alguns velhos costumes e até algum desacordo nos pensamentos (o que é impossível evitar, até nos casamentos mais felizes), Dúnietchka já me disse, a propósito disso, que confia em si própria; que não me preocupe com isso, e que é capaz de suportar muito, com a condição de que as relações exteriores sejam honestas e justas. O aspecto exterior da criatura engana muito, ao princípio, a mim parecia-me um bocadinho seco; mas isso pode ser devido a ele ser de natureza franca, e com certeza que é. Por exemplo: na sua segunda visita, depois de ter obtido a anuição, disse, em conversa, que antes de conhecer Dúnia já tivera a intenção de casar-se com uma moça honesta, mas sem dote, e que tivesse já também conhecido a pobreza, porque, conforme nos explicou, o marido não deve sentir-se obrigado perante a mulher, e que é muito preferível que a mulher considere o marido como um protetor. Acrescento que ele se exprimiu em termos mais delicados e afetuosos do que estes que emprego aqui, porque me esqueceram as suas próprias palavras e apenas retive a ideia, e, além do mais, isso foi dito por ele sem premeditação, no entusiasmo da conversa, e a prova é que, depois, se esforçou por desculpar-se e suavizar as suas palavras, embora, apesar de tudo, a mim me tenha parecido um pouco brusco, o que comuniquei logo a Dúnia. Mas Dúnia respondeu-me, até com uma ponta de aborrecimento, que "do dizer ao fazer vai uma grande distância", e com certeza que ela deve ter razão. Dúnietchka, antes de decidir passou uma noite inteira em claro e, julgando que eu já estava dormindo, levantou da cama e pôs-se a dar voltas no quarto; e, por fim, ajoelhou-se e pôs-se a rezar com muito fervor diante da imagem, e na manhã seguinte disse-me que estava decidida. Disse-te há pouco que Piotr Pietróvitch está para ir a Petersburgo, de um momento para o outro. Tem aí muitos negócios e pensa abrir um escritório de advogado. Há algum tempo que se ocupa com a direção de diversas demandas e processos, e ainda há alguns dias ganhou uma causa importante. Entre outras coisas, tem de ir agora a Petersburgo, porque tem aí um assunto importante no Senado. Por isso, querido Rodka, também poderá ser-te muito útil em qualquer coisa, e eu, de acordo com Dúnia, resolvi que a partir de hoje mesmo comeces sem falta a tua carreira e consideres a tua felicidade como assegurada com certeza. Oh, se isto se realizasse! Seria de uma conveniência tão grande que não teríamos outro remédio senão considerá-lo como uma mercê que nos faz o Todo-Poderoso. Dúnia não pensa senão nisso. Já nos atrevemos a dizer qualquer coisa sobre isto a Piotr Pietróvitch. Ele se exprimiu com muito tato e disse que sem dúvida, atendendo a que ele não pode passar sem secretário, sempre seria melhor, naturalmente, pagar um ordenado a um parente do que a um estranho, desde que se mostrasse apto para desempenhar o emprego (pois não, que não seria apto!); mas ao mesmo tempo, exprimiu também as suas dúvidas sobre se os teus estudos universitários te deixariam tempo para trabalhar no seu escritório. Dessa vez deixamos a coisa por aí; mas, agora, Dúnia não pensa senão nisso; há alguns dias que ela anda entusiasmada com o projeto de que tu hás de ser depois o camarada e companheiro de Piotr Pietróvitch, nos seus trabalhos de advocacia, tanto mais que tu estudas precisamente na Faculdade de Direito. Eu, Rodka, dou-lhe toda a razão e partilho de todas as suas ilusões e projetos, pois acho-os muito verossímeis; e, apesar da reserva, muito compreensível, que até agora tem guardado Piotr Pietróvitch (pois ainda não te conhece), Dúnia está firmemente convencida de que há de conseguir tudo com a sua boa influência sobre o futuro marido. É claro que evitamos falar a Piotr Pietróvitch nesses novos sonhos para o futuro, e o principal é que venhas a ser seu companheiro. Ele é homem ajuizado, e com certeza que não havia de achar graça a estas coisas, podiam parecer-lhe simples devaneios. Seja como for, nem eu nem Dúnia lhe dissemos ainda uma palavra a respeito da nossa firme esperança de que ele há de ajudar-nos a arranjar-te o dinheiro necessário enquanto estiveres na Universidade; e não lhe dissemos nada, em primeiro lugar porque isso, por si só, seria coisa para conseguir com o tempo, e ele, com certeza que nos vai isso oferecer sem palavras supérfluas (era o que faltava, que ele recusasse isso à Dúnia), tanto mais que tu poderás ser o seu braço direito no escritório e receber esse auxílio, não como uma dádiva, mas como um ordenado ganho por ti. É assim que Dúnia quer preparar as coisas, e eu estou completamente de acordo com ela. Em segundo lugar, também não lhe falamos, porque eu quero que, quando se virem pela primeira vez, se possam tratar de igual para igual. Quando Dúnia lhe falou de ti com entusiasmo, ele respondeu-lhe que a princípio uma pessoa tem de ver a outra de perto para poder apreciá-la, e que, até que te conhecesse, não podia partilhar da opinião de Dúnia a teu respeito. Ouve uma coisa, meu querido Rodka: parece-me, a julgar por certas coisas que imagino (que, aliás, não dizem respeito a Piotr Pietróvitch e são antes umas veleidades pessoais e até talvez próprias da velhice), parece-me, dizia, que talvez eu fizesse melhor em continuar vivendo sozinha, como agora vivo, do que ir viver com eles quando se casarem. Estou absolutamente convencida de que ele será tão grato e delicado que me há de convidar e propor que não me separe da minha filha, e que, se até agora ainda não tocou neste ponto, é porque, como pensa fazê-lo, nem vê necessidade de falar nisso. Já por mais de uma vez tenho observado que os genros não sentem grande simpatia pelas sogras, e eu não quero, de maneira nenhuma, ser pesada para ninguém, como também quero viver à minha vontade enquanto contar com um pedaço de pão e com filhos como tu e Dúnietchka. Se for possível, irei viver próximo dos dois, porque, Rodka, deixei o melhor de tudo para o fim da carta: fica sabendo, meu querido, que talvez muito em breve tornemos a reunirmo-nos todos outra vez e a abraçar-nos, depois de uma separação de quase três anos. Já está firmemente resolvido que eu e Dúnia iremos a Petersburgo, embora não saiba ainda ao certo a data certa, mas, seja como for, muito em breve, muito em breve, talvez daqui a uma semana. Tudo depende do que Piotr Pietróvitch resolva; assim que tenha os seus assuntos arrumados em Petersburgo, nos mandará decidir. Por certos motivos ele deseja acelerar o mais possível a cerimônia do casamento e quer que este se realize ainda este mês, se for possível, e se não puder ser assim tão rapidamente, que seja logo a seguir à Assunção. Oh, como serei feliz quando puder apertar-te contra o meu peito! Dúnia está comovida de alegria com a ideia de te ver, e uma vez disse por graça que, só por isso, valia a pena casar-se com Piotr Pietróvitch. Meu anjo! Agora, ela não te escreve, mas encarrega-me de te dizer que tem muita necessidade de falar contigo, mesmo muita; tanta que, agora, nem consegue pegar na pena, porque em poucas linhas não se consegue dizer nada e só conseguimos ficar excitados; encarrega-me também de enviar-te da sua parte um abraço muito apertado e muitos beijos. Mas, apesar de que é possível que nos vejamos daqui a uns dias, vou te mandar dinheiro, o mais que puder. Agora que todos estão já informados de que Dúnia vai casar com Piotr Pietróvitch, o meu crédito aumentou de repente, e eu sei com certeza que Afanássi Ivânovitch me vai dar certas quantias por conta da pensão, até setenta e cinco rublos, de maneira que poderei enviar-te uns vinte e cinco, ou até trinta. Mandaria mais, mas tenho medo das despesas da viagem, e, embora Piotr Pietróvitch seja tão bom que se tenha oferecido para custear todas essas despesas, encarregando-se de enviar as nossas coisas por sua conta, mais a arca grande (pois tem ali alguns amigos), de toda a maneira é preciso contar com a chegada a Petersburgo, onde só é possível conseguir alguma coisa a poder de dinheiro. Eu, além disso, tratei de tudo pormenorizadamente com Dúnietchka, e vemos que a viagem nos vai sair cara. Daqui até à estação da estrada de ferro, são apenas noventa verstas, mas nós, como se fosse por acaso, já nos pusemos em comunicação com um camponês nosso conhecido, que é cocheiro; uma vez aí, eu e Dúnietchka, vamos nos acomodar muito bem numa carruagem de terceira. Por isso é provável que, em vez de vinte e cinco, possa enviar-te trinta rublos. Mas já chega; escrevi duas folhas e já não tenho mais espaço: toda a nossa história, e quantos acontecimentos não pus eu aqui! Mas agora, meu muito querido Rodka, abraço-te até ao nosso próximo encontro e envio-te a minha bênção de mãe. Ama Dúnia, a tua irmã, Rodka; gosta dela, tanto como ela gosta de ti, e fica sabendo que ela gosta muitíssimo mais de ti do que de si mesma. Ela é um anjo; e tu, Rodka, tu, para nós, és tudo... Toda a nossa ilusão, toda a nossa esperança. Contanto que sejas feliz também nós o seremos. Ainda continuas a pedir a Deus, Rodka, como dantes, e tens fé na bondade do Criador e nosso Protetor? No íntimo tenho medo de que te tenhas contagiado dessa incredulidade que está agora na moda. Se assim fosse, eu pediria por ti. Lembro-me, meu filho, como desde criança, ainda em vida de teu pai, balbuciavas as tuas orações sentado nos seus joelhos, e como todos ríamos felizes, então! Adeus, ou melhor... até à vista! Um abraço apertado, muito apertado, e muitos beijos; tua até à morte,

Pulkhiéria Raskólhnikova.

Durante quase todo o tempo que Raskólhnikov demorou a ler a carta, logo desde o princípio teve o rosto arrasado de lágrimas; mas quando acabou estava pálido, agitado por um tremor nervoso, e um sorriso pesado, irônico, mau, lhe assomava aos lábios. Reclinou a cabeça sobre a leve e suja almofada, e ficou pensativo, meditando durante muito tempo. O coração batia-lhe com força e tinha os pensamentos muito agitados. Finalmente sentiu que sufocava naquele quarto amarelo, que parecia um armário ou um baú. A sua vista e o seu pensamento ansiavam por espaço. Pegou o chapéu e saiu, mas desta vez sem o receio de encontrar-se com ninguém na escada; esquecera-se disso. Caminhou em direção a Vassílievski Óstrov, pelo *próspekt,* como se o levasse aí algum assunto urgente; mas, conforme era seu hábito, caminhava sem reparar no caminho, falando umas vezes em voz baixa outras em voz alta, o que causava grande admiração nos transeuntes. Alguns pensavam que ia embriagado.

Capítulo IV

A carta da mãe tinha-o mortificado. Mas pelo que respeita ao principal, ao ponto mais importante, nem por um minuto teve dúvida alguma, nem sequer enquanto lia a carta. O assunto capital já ele o tinha resolvido na sua mente, e resolvido de um modo definitivo. "Enquanto eu for vivo, esse casamento não se há de realizar, e esse tal Senhor Lújin[8] que vá para o diabo! Porque o caso não oferece dúvidas – murmurava para consigo, sorrindo e festejando de antemão, com altivez, o êxito da sua resolução. – Não, *mamacha,* não, Dúnia, a mim, não me enganam as duas! E, além disso, são culpadas por não pedirem o meu conselho e decidirem o caso sem mim! Não faltava mais nada! Elas imaginam que já não é possível desmanchar o arranjinho; mas vão ver se é possível ou não! O argumento é forte: é um homem ativo, apre!, esse Piotr Pietróvitch, tão ativo que não pode casar-se senão pelo trem, para não dizer a vapor. Não, Dúnietchka, eu vejo isso tudo e bem percebo por que é que tens de falar 'muito' comigo; também sei aquilo em que estiveste meditando toda essa noite, passeando pelo quarto, e o que pediste à Nossa Senhora de Kazan, que a mamãe tem no quarto. Mas a subida do Calvário custa. Hum! Definitivamente decidida... estás muito satisfeita porque vais casar, Avdótia Românovna, com um homem ativo e prudente, que possui bens (que já possui bens, o que é mais sério e importante), que desempenha duas funções e partilha as convicções das nossas novíssimas gerações (conforme a mamãe escreve) e, segundo parece, é boa pessoa, como a mesma Dúnia pensa. Este 'segundo parece' é o melhor de tudo! E essa Dúnietchka vai casar por esse 'segundo parece'! Magnífico! Magnífico!

"Mas, no entanto, é curioso, por que me escreverá *mamacha* falando-me das 'nossas novíssimas gerações'? Será simplesmente para indicar-me uma característica desse homem ou com alguma outra intenção, a de tornar-me simpático esse Senhor Lújin? Oh, que espertalhonas! Também seria curioso explicar outro pormenor: até que ponto terão as duas sido sinceras entre si, nesse dia e nessa noite a que alude, e ainda depois. Teriam verdadeiramente chegado a dizer palavras ou teriam se compreendido as duas nesse dia e nessa noite, unicamente pelo coração e pelo pensamento, de maneira que não chegaram a dizer nada por considerar desneces-

---

[8] Literalmente, empoçado. De *luja,* poça d'água.

sário? Provavelmente terá sido assim, em parte; da carta deduz-se que ele parece à *mamacha*, um pouco brusco e a ingênua da *mamacha* deve ter insinuado a Dúnia as suas observações. A outra, naturalmente, não gostaria de ouvir isso, e respondeu com aborrecimento. Não faltava mais nada! Quem não ficaria aborrecido quando o assunto se compreende sem precisar de perguntas ingênuas e quando já está resolvido, de maneira que já não há nada a acrescentar! E ela a dizer-me: 'Ama Dúnia, Rodka, porque ela te quer mais do que a si própria'. Não se dará o caso de que sinta secretos remorsos de consciência por ter obrigado a filha a sacrificar-se? 'Tu és a nossa esperança, tu és tudo para nós!' Oh, *mamacha*!"

A cólera apoderava-se dele cada vez com mais intensidade e, se tivesse encontrado o Senhor Lújin naquele momento, poderia tê-lo assassinado.

"Hum! Lá isso é verdade – continuou, seguindo o turbilhão das ideias que se agitavam no seu pensamento – lá isso é verdade, que é preciso 'proceder gradualmente e com tato, para se conhecer uma pessoa'; mas o Senhor Lújin não pode ser mais claro! O mais importante é que é um 'homem prático' e, 'segundo parece', boa pessoa; não dá vontade de rir isso dele se ter comprometido a encarregar-se das despesas da bagagem e da arca grande? Um homem assim, não é bondoso? E as duas, a noiva e a mãe, contrataram um camponês e farão um trajeto numa *tieliega* coberta com um toldo (eu já viajei assim). Não! São apenas noventa verstas, e depois 'vamos nos acomodar ali as duas muito bem, numa carruagem de terceira'; mil verstas. Está muito bem; talha-se a capa conforme o pano; que diz a isto, Senhor Lújin? Olhe que se trata da sua noiva... E o Senhor não sabia que a mãe teve de pedir um adiantamento sobre a sua pensão, para essa viagem? Não há dúvida de que o senhor tem uma maneira de pensar de comerciante; o senhor considera isto como uma empresa em que há duas partes que devem participar nos lucros nas mesmas proporções, e portanto, também nos gastos; o pão e o sal juntos, mas o tabaco à parte, conforme diz o provérbio. Simplesmente, o homem prático, enganou-nos um pouquinho. O envio da bagagem custará menos e até é possível que o consiga grátis. Será o caso de que nenhuma das duas veja isto, ou não quererão ver? O certo é que estão contentes! E pensam que o melhor ainda está para vir! Aqui é que está o essencial, que não é a avareza, nem a tacanhez, o caráter de tudo isto! Será esse o tom que ele há de empregar depois do casamento, é de prever desde já... E, afinal, por que se propõe *mamacha* fazer essas loucuras? Com que então vai apresentar-se em Petersburgo? Com três rublos de prata ou duas 'notinhas', como diz essa velhinha? Hum! E com que pensará então viver em Petersburgo? Porque ela, por certos motivos, já deve ter compreendido que não lhe será possível viver com Dúnia, depois do casamento, nem sequer no princípio. Esse tipo tão simpático, com certeza que se deixou descair com alguma, que deve ter dado a entender quem é, embora *mamacha* tape os olhos com as duas mãos quando diz: 'Nem também consentiria eu!'. Que pensará ela fazer depois, em que confia contando unicamente com cento e vinte rublos de pensão e endividada para com Afanássi Ivânovitch? Passará os invernos fazendo toucas e mitenes, fatigando os seus velhos olhos. Mas penso que, fazendo tricô, apenas acrescentará vinte rublos por ano aos outros cento e vinte. Isso quer dizer que confia nos sentimentos de gratidão do Senhor Lújin. 'Ele próprio há de propor-me, teimará comigo.' Pois sim, pois sim! É o que acontece sempre a essas boas almas românticas. Vestem as pessoas com penas de pavão real, até ao último instante contam com o bem e não com o mal, ainda que imaginem o reverso da medalha, por nada deste mundo dizem de antemão a palavra justa; só o terem de pensar nisso lhes custa; diante da verdade tapam os olhos com as mãos, até que o homem que imaginaram aparece e é ele próprio quem lhes abre os olhos. Mas seria curioso saber se esse Senhor Lújin tem alguma condecoração; apostava qualquer coisa em como usa a Santa Anna na lapela e a usa para ir jantar com personagens oficiais ou com comerciantes. Com certeza que a vai usar também no dia do seu casamento. Mas enfim, que vá para o diabo que o carregue! Quanto a *mamacha*, Deus tenha dó dela; no fim de contas ela é assim; mas Dúnia? Dúnietchka, minha cara, eu bem te entendo! Eu já tinha vinte anos da última vez que nos vimos, já compreendia o teu caráter. *Mamacha* diz-me na carta que 'Dúnietchka é capaz de suportar muito'. Isso já eu sabia. Isso já eu sabia há meio ano apenas, pensara nisso, precisamente nisso, em que Dúnietchka tem muita resignação. Uma vez que pode suportar o Senhor Svidrigáilov com todas as suas consequências, é porque, de fato, tem muita resignação. Mas agora ela e *mamacha* imaginam que vai poder suportar também o Senhor Lújin, que disserta teoricamente acerca das excelências das mulheres apanhadas nas malhas da pobreza e que ficam sujeitas aos seus beneméritos maridos, e perora assim, logo no primeiro encontro. Bem, suponhamos que ele se descuidara e declarou qualquer coisa, apesar de ser um homem prudente (tanto, que até pode suceder que não tenha dito nada; embora tivesse o propósito de explicar-se depois); mas, e Dúnia, e Dúnia? Ela bem vê como ele é, e vai viver com um homem assim! Não tem mais para comer do que pão negro amolecido em água, mas não é capaz de vender a sua alma[9] nem de trocar a sua liberdade moral pela comodidade; nem por todo o Schleswig-Holstein a trocaria; mas, para o Senhor Lújin, já não é a mesma coisa. Não, Dúnia não é dessa categoria, eu bem sei, e... não há dúvida que não deve ter mudado durante este tempo! Que digo eu? Bem custosos de suportar seriam os Svidrigáilovi! Duro seria ter de passar a vida inteira, por duzentos rublos, como preceptora, pelas províncias; no entanto eu sei que mais depressa a minha irmã se sujeitaria à vida escrava numa plantação, ou como uma pobre leitora em casa dum alemão do Báltico, do que envilecer a sua alma e o seu sentido moral numa união com um homem ao qual não respeitasse e com o qual nada tivesse de comum... para sempre e só por interesse pessoal! E ainda que o Senhor Lújin fosse feito de ouro puro ou talhado em diamante, também ela nunca consentiria em ser a concubina legal do Senhor Lújin! Então por que consente agora? Onde está o enigma? A coisa é clara: pela sua pessoa, para sua comodidade, nem sequer para salvar-se da morte, não se venderia ela; mas, em compensação, por outrem, sim, vende-se! Vende-se por um ser ao qual ama e respeita! Aí está a explicação de tudo: vende-se pelo irmão e pela mãe! Venderá tudo por ela! Oh, sim, quando é preciso, afogamos até o nosso senso moral, a liberdade, a tranquilidade, a consciência até, tudo, tudo, vendemos tudo por qualquer preço! Adeus vida! Contanto que os nossos entes queridos sejam felizes! Mais ainda: pensamos com a nossa casuística particular, fazemos como os jesuítas, e, de momento, tranquilizamo-nos... convencemos a nós mesmos de que tem de ser assim, irrevogavelmente, pois é para um fim nobre. Somos assim e a coisa é

---

9 Quer dizer, ficar servo, trocar a ociosidade e a liberdade pela segurança e o trabalho. Na antiga Rússia era expressão comum esta de "almas" para designar os servos. A riqueza dos grandes latifundiários frequentemente era calculada pelo número de "almas" que eles possuíam.

clara como o dia. Evidentemente que se trata de Rodion Românovitch, dele e só dele.

"'Bem, assim, dessa maneira, poderei traçar a sua felicidade, pagar-lhe a Universidade, torná-lo depois ajudante de notário, resolver todo o seu futuro; e até é muito possível que, com o tempo, venha a tornar-se rico, honrado e respeitado, e que venha até a tornar-se um homem célebre!' E a mãe? Para ela tudo se reduz ao seu Rodka, ao seu admirável Rodka, ao primogênito! Por um tal primogênito, como não sacrificar até uma filha sua? Oh, doces e injustos corações! Mas quê? Chegaríamos, inclusive, a resignarmo-nos com o destino de Sônietchka! Sônietchka! Sônietchka! Eterna Sônietchka Marmieládova, enquanto o mundo existir! Já mediram ambas, bem, a extensão do sacrifício? E Dúnia terá forças? Será útil? Razoável? Sabes tu, Dúnietchka, que a sorte de Sônietchka com o Senhor Lújin não é muito pior do que a tua? 'Amor, ali, não pode haver', escreve *mamacha*. E se não fosse só amor e respeito que não pudesse haver mas, em compensação, houvesse aversão, desprezo, repugnância... E então? Mas o casar-se assim, vem a ser o mesmo que manter a apresentação. É assim ou não é? Compreendem, compreendem o que quer dizer essa apresentação? Compreendem que a apresentação *lújinesca* é absolutamente equivalente à apresentação de Sônietchka, e pode até ser que pior e mais vil, porque vós outras, as Dúnietchkas, pensam, no fim de contas, numa comodidade supérflua, ao passo que no caso dessa outra tratava-se pura e simplesmente de um momento em que se podia morrer de fome? É caro, sai cara essa apresentação, Dúnietchka! E se depois te faltam as forças e te arrependes? Quantas afrontas, desgostos, maldições e lágrimas às escondidas de todos, porque, enfim, tu não és uma Marfa Pietrovna! E o que será da mãe, depois? Nesta altura já ela está inquieta e sofre. Que será então, quando vir as coisas como elas são? E eu? Sim, o que pensam de mim as duas? Não quero o vosso sacrifício, Dúnietchka; não quero, *mamacha*... E isso não há de realizar-se enquanto eu viver, não e não! Não o consentirei!"

De repente caiu em si e deteve-se.

"Mas como evitar? Que farás tu para que não se realize? Proibi-lo? Com que direito? Que podes tu prometer-lhes, por tua vez, para teres algum direito? Consagrar-lhes todo o teu destino, todo o teu futuro, quando tiveres terminado os teus estudos e conseguido um emprego? Nós bem sabemos o que isso é: castelos em Espanha. Mas agora? Agora é que era preciso fazer qualquer coisa, compreendes? Mas que fazes tu agora? Explorá-las também. Esse dinheiro tem de consegui-lo elas por conta da pensão de cem rublos e do crédito que representa a amizade dos Svidrigáilovi e dos Vakráchini. Como as defenderás tu, futuro milionário, Zeus,[10] que dispões da sua sorte? Daqui a dez anos? Mas, dentro de dez anos, a tua mãe poderia estar cega de fazer tanto tricô, e de tanto chorar, e de passar tanta fome. E a tua irmã? Vamos, é preciso pensar o que poderá ser da tua irmã daqui a dez anos ou durante estes dez anos! Não és capaz de adivinhar?"

Afligia-se e irritava-se assim com estas perguntas, experimentando também um certo prazer. Aliás, essas perguntas não eram de maneira nenhuma novas, nem repentinas, eram já velhas, dolorosas, antigas. Havia já algum tempo que lhe vinham ferindo e corroendo o coração. Muito; havia já muito tempo que se enraizara e crescera nele toda essa tristeza atual; nos últimos tempos se acumularam e

---

10 Nome grego de Júpiter.

reconcentraram, assumindo a forma de uma horrível, bárbara e fantástica interrogação que lhe torturava o coração e a alma, reclamando uma resposta urgente. Agora, aquela carta da mãe viera também feri-lo como um raio. Era evidente que, agora, não se tratava de ficar triste, de sofrer passivamente, fazendo apenas apreciações acerca da insolubilidade daqueles problemas, mas de fazer impreterivelmente qualquer coisa, imediatamente, o mais depressa possível. Fosse o que fosse, era preciso tomar uma decisão, ou...

"Ou renunciar completamente à vida! – exclamou de repente com raiva. – Aceitar o destino docilmente tal como é de uma vez para sempre, e abafar tudo no seu íntimo, renunciando a todo o direito à ação, a viver e a amar!

"Compreende, meu senhor, o senhor compreende o que quer dizer isso de não ter para onde ir? – de repente veio-lhe à memória a pergunta que Marmieládov lhe dirigira na noite anterior. – Porque todo homem precisa de ter algum lugar aonde ir!"

De repente, estremeceu; um pensamento, o mesmo da noite anterior, tornou a atravessar a sua imaginação. Mas não estremecera pelo fato de lhe ter ocorrido aquela ideia. Porque sabia, pressentia que ela havia de lhe ocorrer sem falta, e estava à espera dela; demais essa ideia não datava da noite anterior. Mas havia esta diferença: é que um mês atrás, e até essa noite, era apenas um desvario, ao passo que agora... agora surgia, não como um desvario, mas com uma aparência nova, de certo modo ameaçador e absolutamente desconhecido, e ele próprio o reconhecia... O sangue subiu-lhe à cabeça e seus olhos ficaram nublados.

Apressou-se a olhar à sua volta, nem sabia bem à procura de que. Queria sentar e procurava um banco; por isso encaminhou-se para a avenida de K***. Via-se um banco ao longe, a uns cem passos. Dirigiu-se para ele com a máxima rapidez; mas, no caminho, sucedeu-lhe uma pequena aventura, que durante uns momentos atraiu toda a sua atenção.

Depois que dera pelo banco, observou à frente dele, a uns vinte passos, uma mulher que passava, à qual, a princípio, não deu a mínima atenção, como não dava a nenhuma das coisas que lhe passavam pela frente. Quantas vezes não lhe acontecera ir, por exemplo, para casa, e não se lembrar de maneira nenhuma do caminho que seguira para chegar até lá e pelo qual estava já acostumado a passar! Mas aquela mulher que passava tinha qualquer coisa de estranho, saltava logo à vista, que, pouco a pouco, lhe foi prendendo a atenção... A princípio, contra sua vontade e quase com aborrecimento, e depois, cada vez com mais força. De súbito, sentiu o desejo de averiguar concretamente o que teria aquela mulher de estranho. Em primeiro lugar devia ser muito nova; ia sem chapéu, com aquele calor, sem sombrinha e sem luvas, e movia os braços de maneira um pouco grotesca. Trazia um vestidinho de seda, leve; mas era um pouco estranho, o seu vestido, com os botões mal fechados, e atrás, na cintura, no lugar onde começa a saia, via-se um rasgão; uma tira arrancada pendia, oscilando. À volta do pescoço nu levava um pequeno lenço que lhe saía de um lado. A mulher não caminhava com firmeza, curvada e cambaleando para um e outro lado. Até que por fim aquela visão acabou por atrair completamente toda a atenção de Raskólhnikov. Cruzara com a moça junto do banco; mas, quando chegou junto deste, ela se deixou cair numa extremidade, apoiou a cabeça no espaldar e fechou os olhos, dominada por um cansaço visível. Percebeu, logo depois de olhá-la, que estava completamente embriagada. Era estranho e monstruoso contemplar aquele espetáculo. Pensou até se aquilo não seria uma ilusão. Tinha na sua frente uma pequena pessoa, extraordinariamente jovem, de uns dezessete anos, até talvez de quinze... pequenina, de cabelo louro, mas toda afogueada e como que inchada. Segundo parecia, a moça não devia ter a cabeça muito firme; cruzara as pernas, mostrando-as mais do que convinha, e, avaliando por todos os indícios, nem devia perceber que se encontrava em plena rua.

Raskólhnikov não sentou, mas também não decidiu retirar-se; ficou de pé, na frente dela, atônito. Aquela avenida estava sempre deserta, e às duas da tarde e com aquele calor, também não passava por ali quase ninguém. E, no entanto, a um lado, a uns quinze passos, no extremo da avenida, tinha parado um homem, o qual, via-se bem, mostrava a intenção de aproximar-se da moça, sabe-se lá com que fins. Provavelmente também ele a teria visto, de longe, e a seguira, simplesmente Raskólhnikov atravessou-se no caminho. Lançava-lhe olhares de raiva, esforçando-se no entanto por não chamar-lhe a atenção, e aguardava impacientemente a sua vez, quando aquele incômodo intruso se retirasse. A coisa era compreensível. Aquele cavalheiro devia ter uns trinta anos, era forte, gordo, com uma cara saudável, os lábios rosados, de bigode, e vestia com elegância. Raskólhnikov sentia uma indignação enorme; de repente veio-lhe um ímpeto tremendo de ofender de qualquer maneira aquele tipo gordo. Afastou-se da moça num abrir e fechar de olhos e dirigiu-se para ele.

– Mas... o senhor é Svidrigáilov? Que procura neste lugar? – exclamou, fechando as mãos e rindo-se com os lábios franzidos pela cólera.

– Que quer dizer isso? – perguntou-lhe seriamente o interpelado, arqueando as sobrancelhas e olhando-o com altivez.

– Que saia daqui já, é o que quer dizer.

– Como te atreves, canalha?

E brandiu a bengala. Raskólhnikov atirou-se contra ele com os punhos erguidos, sem dar-se tempo para pensar que aquele homem forte podia muito bem fazer-lhe frente, a ele, ou a outro qualquer. Mas nesse momento sentiu que o seguravam por detrás com força; um guarda tinha-se interposto.

– Basta, *súdar*,[11] não se atreva a lutar num lugar público. Que lhe aconteceu? Como se chama? – perguntou, dirigindo-se com ar severo a Raskólhnikov e reparando no seu traje em farrapos.

Raskólhnikov olhou para ele com atenção. Tinha uma honesta cara de soldado, com bigodes e costeletas grisalhas, e um olhar inteligente.

– Preciso do senhor – disse, pegando-lhe por uma mão. – Eu sou o estudante Raskólhnikov... o que o senhor pode ficar também sabendo – mas venha comigo que eu lhe mostrarei uma coisa...

E, puxando o guarda pela mão, levou-o até ao banco.

– Aqui a tem, completamente embriagada; apareceu há pouco nesta avenida. Quem sabe de onde ela vem ou quem será? Mas não parece uma profissional. O mais provável é que a obrigaram a beber, em qualquer parte, e abusaram dela... pela primeira vez... compreende? E que depois a tivessem posto na rua. Repare como tem o vestido rasgado, repare como está vestida; deve ter sido vestida à

---

11 Senhor. Termo arcaico, já de pouco uso na época de Dostoiévski, aqui utilizado com intenção irônica. O vocábulo corriqueiro que corresponde a senhor é *gospodin*.

força, não foi ela quem se vestiu, mas sim mãos de homem, inábeis. É evidente. E agora repare para aquele, para esse janota, com quem eu me preparava para brigar há pouco; não o conheço, vi-o agora pela primeira vez; mas ele, durante a caminhada, reparou na ébria, desorientada, e agora estava com grande vontade de aproximar-se dela e de – no estado em que está – levá-la sabe-se lá para onde... Deve ser isto, acredite que não estou a enganá-lo. Eu bem vi como ele a observou e vinha atrás dela, simplesmente, eu me atravessei no seu caminho, mas ele estava à espera que eu me fosse embora. Tinha-se afastado um pouco e fingia que enrolava um cigarro... Como livrar esta infeliz das mãos dele? Como poderemos levá-la a casa? Que lhe parece?

O guarda compreendeu tudo num instante e reconsiderou. Quanto ao caso do senhor gordo, não havia dúvida de que era aceitável; restava a mulher. O polícia inclinou-se para ela, a examiná-la mais de perto, e no seu rosto reflectiu-se uma sincera piedade.

– Ah, que pena! – exclamou, abanando a cabeça. – Ainda é uma criança. Enganaram-na com certeza. Ouça, menina... – começou, sacudindo-a – pode fazer o favor de dizer-nos onde mora? – A moça abriu os olhos cansados e enevoados e ficou olhando estupidamente para os que a interrogavam, enquanto agitava as mãos.

– Ouça – exclamou Raskólhnikov – aqui tem – meteu a mão no bolso e tirou vinte copeques, o que achou. – Tome, chame uma carruagem e leve-a a casa. Mas precisamos de saber onde ela mora!

– *Báritchnia, báritchnia!*[12] – insistiu novamente o guarda, pegando no dinheiro. – Vou buscar uma carruagem e eu próprio a levarei a sua casa. Onde mora? Ah! Pode fazer o favor de dizer-nos onde mora?

– Deixem-me em paz... Que importunos! – resmungou a moça, tornando a agitar as mãos.

– Ah! Ah! Isso não está certo! Isso é uma vergonha, *báritchnia*, uma vergonha! – e tornou a abanar a cabeça, envergonhado, condoído e apiedado. – Vê? Isto é que é o mais difícil! – acrescentou, dirigindo-se a Raskólhnikov, e tornou a olhar para ele dos pés à cabeça. Era evidente que lhe parecia um pouco estranho: ter dinheiro e estar tão esfarrapado.

– E encontrou-a longe daqui? – perguntou-lhe.

– Já lhe disse: à minha frente, na avenida, cambaleando. Quando chegou ao banco, deixou-se cair.

– Ah, que vergonha se vê hoje no mundo! Senhor! Que desavergonhada, e mais, que bêbada! E com a roupa feita em farrapos... Ah, e que processo há hoje na libertinagem! E até pode ser que pertença a uma boa família decaída... Agora há moças assim... Mas é que parece uma menina fina – e tornou a inclinar-se para ela. Talvez ele tivesse alguma filha da mesma idade – literalmente, uma menina, e delicada – com modos de pessoa bem educada e atenta a todos os caprichos da moda...

– O principal – apressou-se a dizer Raskólhnikov – é que esse tratante não a leve! Também poderia abusar dela! Bem sabemos o que ele queria; olhe que não sai dali, o patife!

---

12 Senhorita. Termo arcaico, da mesma raiz de *bárín, bárinha*; senhor, senhora.

Raskólhnikov falava alto e apontava-o diretamente com a mão. Ele o ouviu e deu mostras de ficar outra vez encolerizado; mas ponderou o caso e limitou-se a lançar-lhe um olhar de desprezo. Depois do que se afastou outros dez passos e tornou a parar.

– Impedir que a leve é possível – respondeu o guarda, depois de ter pensado. – Se ao menos dissesse onde mora... Menina, menina! – e tornou a inclinar-se.

Então, ela abriu os olhos de repente, olhou-o atentamente, como se começasse a compreender alguma coisa; levantou do banco e dirigiu-se outra vez para o mesmo lado donde tinha vindo.

– Oh, que desavergonhados! – exclamou, agitando ainda os braços. Caminhava com ligeireza, mas, como antes, cambaleando um pouco. O *dandy* começou a andar atrás dela, mas pelo outro passeio, sem perdê-la de vista.

– Não se incomode, que não a abandonaremos – disse resolutamente o guarda dos bigodes, e saiu caminhando atrás dela. – Ah, até onde chega hoje a libertinagem! – repetiu suspirando.

Naquele mesmo momento Raskólhnikov sentiu qualquer coisa, como se alguém o tivesse picado; num abrir e fechar de olhos deu-se nele uma transformação completa.

– Ouça, eh! – gritou atrás do polícia dos bigodes. Este estacou, virando-se.

– Pare! Mas que tem? Deixe-a! Que se divirta com ela! – e apontava para o janota. – Que lhe importa isso?

O guarda não o compreendia e olhou-o com uns olhos espantados. Raskólhnikov sorriu.

– Ah! – exclamou o guarda agitando as mãos, e continuou no rastro do janota e da moça, tomando provavelmente Raskólhnikov por louco ou por algo pior.

"Os meus vinte copeques voaram – resmungou Raskólhnikov, que ficara sozinho. – Bem, agora vai também extorquir dinheiro ao outro, ele deixa a mulher e acabou-se... Mas para que me meto eu a ajudar os outros? A mim, quem é que me ajuda? Tenho eu o direito de ajudar alguém? Que se comam vivos uns aos outros... Quero lá saber! Como me atrevi eu a dar-lhe esses vinte copeques? Porventura eram meus?"

Apesar dessas palavras estranhas, o certo é que sentia pena. Tornou a sentar no banco abandonado. Os seus pensamentos divagavam... E nesse momento era-lhe também muito doloroso pensar fosse no que fosse. Gostaria de esquecer tudo, adormecer e tornar depois a começar outra vez...

"Pobre moça! – disse, pousando o olhar na extremidade livre do banco. – Há de voltar a si e chorar, e depois a mãe ficará sabendo de tudo... A princípio há de bater-lhe com a mão; depois vai açoitá-la com o chicote, de maneira cruel e humilhante e acabará por expulsá-la... E se não a expulsa de casa, de qualquer maneira uma Daria Frántsovna qualquer não deixará de farejar a presa, e a pobre moça começará a andar aos tombos. Depois segue-se o hospital (é o que acontece sempre àquelas que viveram honestamente em casa de suas mães, até ao dia em que se escaparam pela calada), e depois irão outra vez para lá... e outra vez para o hospital... a aguardente... a taberna... e outra vez o hospital; passados dois ou três anos estará doente, e com dezoito ou dezenove de idade, será tudo o mais... Não as conheci eu assim, por acaso? Mas que me importavam elas? Apesar de que sempre me importavam... Ufa! Dizem que tem de ser assim. Segundo dizem, tem de haver todos os anos uma certa porcentagem delas... Diabo! Tem de haver para que as outras possam ostentar louçania e não as incomodem. Porcentagem! Realmente são famosas as palavras que essa gente emprega: são tranquilizadoras, científicas. Está dito: tem de haver essa porcentagem e é inútil falar mais nisso. Se em vez dessas, empregassem outras palavras... pode ser que fossem inquietantes... E se Dúnietchka vem a cair também dentro dessa porcentagem... Se não dentro desta, na outra... Mas onde ia eu? Coisa estranha. Se saí foi para alguma coisa. Assim que li a carta saí... Era a Vassílievski Ôstrov, a casa de Razumíkhin, que eu ia agora... já me lembro. Mas, afinal, que ia eu lá fazer? E por que me ocorreria precisamente agora a ideia de ir ver Razumíkhin?[13] É curioso."

Ficou admirado consigo próprio. Razumíkhin era um dos seus antigos camaradas da Universidade. Era curioso que Raskólhnikov, quando andava na Universidade, quase não tinha aí nenhum amigo; afastava-se de todos, não se dava com ninguém e não lhe agradava que eles o visitassem. Aliás, não tardou também que eles lhe voltassem as costas. Não tomava parte em coisa nenhuma, nem nas reuniões gerais, nem nas discussões, nem nos recreios. Estudava com afinco, sem ter pena de si mesmo, e por isto o respeitavam, mas não lhe tinham amizade. Era muito pobre, extremamente orgulhoso e nada comunicativo; parecia que escondia qualquer mistério. Na verdade, parecia que encarava alguns dos seus condiscípulos como se fossem crianças, por sobre o ombro, como se estivesse muito acima de todos eles, tanto pela inteligência como pelo saber e pelas ideias, e considerasse as suas convicções e interesses como algo de inferior.

Mas dava-se com Razumíkhin, fosse lá pelo que fosse; isto é, não lhe tinha amizade, mas, ao menos, sentia-se mais franco e comunicativo para com ele. Aliás, com Razumíkhin teria sido também difícil conduzir-se de outra maneira. Era extraordinariamente jovial e expansivo, bom e ingênuo. Embora escondesse profundidade e dignidade, por debaixo dessa simplicidade. Era assim que o julgavam os melhores dos seus companheiros e todos gostavam dele. Era muito esperto, embora às vezes o tomassem por ingênuo. O seu aspecto exterior era impressionante: alto, seco, sempre mal barbeado, de cabelo preto. Às vezes mostrava-se um pouco irrequieto e fazia alarde da sua força. Uma noite, em que saíra com os seus camaradas, deitou por terra um guarda de seis pés de estatura. Era capaz de beber sem conta nem medida; mas também era capaz de deixar absolutamente de beber; às vezes permitia-se também graças pesadas; mas era igualmente capaz de abster-se de dizê-las. Razumíkhin era também notável pela circunstância de não desanimar por nenhum fiasco, nem preocupar-se em nenhum transe difícil. Era capaz de viver num patamar de escada, aguentar todas as angústias da fome e o frio mais excessivo. Extremamente pobre, mantinha-se sozinho, fazendo alguns trabalhos que lhe davam dinheiro. Conhecia uma infinidade de expedientes aos quais se pode recorrer sempre, claro que pelo trabalho. Mas houve um inverno inteiro, durante o qual nem uma só vez acendeu o fogo, e afirmava que o tinha passado muito bem, porque com o frio se dorme melhor. Na presente época vira-se obrigado também a deixar a Universidade, mas não por muito tempo; e esforçava-

---

13 Literalmente: ajuizado, sensato. De *razum*, inteligência, juízo, bom senso.

-se o mais possível por melhorar a sua situação, a fim de poder recomeçar os seus estudos. Havia já quatro meses que Raskólhnikov não o visitava, e Razumíkhin, por seu lado, ignorava onde ele morava. Uma vez, havia dois meses, encontraram-se na rua, mas Raskólhnikov voltara-lhe as costas e passou para o outro passeio para que não o visse. E Razumíkhin, embora o tivesse visto muito bem, passou de largo, para não incomodar o amigo.

Capítulo V

"De fato, eu, ainda não há muito tempo, pensava pedir trabalho a Razumíkhin; que me arranjasse aulas ou qualquer outra coisa – dizia Raskólhnikov para si próprio – mas agora, em que pode ele ajudar-me? Suponhamos que me arranja aulas, suponhamos até que me dá o seu último copeque, se é que tem algum, para que eu possa comprar umas botas e procurar trabalho, a fim de apresentar-me decentemente nas aulas. Hum! Bem... e então? Mas que vou eu fazer com umas *piatáki*? Será isso, por acaso, o que eu preciso agora? Verdadeiramente é ridículo isso de ir visitar Razumíkhin."

Aquela pergunta, acerca do motivo por que iria agora ver Razumíkhin, irritou-o muito mais do que ele próprio pensava; farejava com inquietação algum pensamento mau, naquilo que, no fundo, era uma coisa vulgaríssima.

"Tinha de concordar que eu quisera remediar tudo apelando unicamente para Razumíkhin, e encontrar em Razumíkhin toda a solução", disse para si mesmo, admirado.

Pensava e esfregava a testa e, coisa estranha, inesperadamente, de repente e quase como se fosse espontaneamente, depois de longa deliberação, uma ideia estranhíssima lhe atravessou a mente.

"Hum! Irei visitar Razumíkhin – murmurou de repente, perfeitamente tranquilo, como se tivesse adotado uma resolução definitiva. – Irei encontrar Razumíkhin; irei, está decidido... mas hoje, não; irei vê-lo noutro dia, depois *disso*, quando tudo for já um fato consumado e tudo tiver tomado um novo rumo..."

E, de repente, voltou a si.

"Depois disso! – exclamou, levantando-se do banco, sobressaltado. Mas *isso* chegará a dar-se, por acaso? Chegará realmente a acontecer?"

Deixou o banco e pôs-se a caminhar, quase correndo; teria querido voltar atrás, para sua casa; mas isso de voltar a sua casa pareceu-lhe de súbito terrivelmente aborrecido; ali, no seu canto, naquele horrível buraco, é que ele meditara durante mais de um mês; por isso pôs-se a andar ao Deus dará.

Um calafrio nervoso lhe percorreu o corpo, que parecia febril; sentia também frio; com o calor que fazia, tiritava. Como se fosse forçadamente, quase sem se aperceber disso, como se cedesse a alguma urgente necessidade íntima, começou a olhar para todos os objetos que encontrava no caminho, como se procurasse à força uma distração; mas não conseguia completamente e afundava-se em meditações. Quando, estremecendo, tornava a levantar a cabeça e a correr os olhos à sua volta, esquecia imediatamente o que pensara, havia um momento, e até por onde caminhava. Atravessou assim todo o Vassílievski Óstrov, foi ter ao Pequeno Nieva, atravessou a ponte e voltou a Óstrov. A princípio, aquela verdura e aquela frescura deleitaram os seus olhos cansados, acostumados ao pó da cidade, com o seu gesso e as suas casas enormes, tenebrosas e opressivas. Ali não havia nem angústia, nem mau cheiro, nem tabernas. Mas não tardou que também aquelas novas e agradáveis sensações se tornassem doentias e irritantes. Às vezes parava perto de alguma casa de campo afundada entre a verdura; olhava para o jardim, contemplava os donos nos terraços e varandas, as mulheres ataviadas e as crianças que brincavam no jardinzinho. Fixava sobretudo a sua atenção nas flores: era sempre para elas que mais olhava. Encontrava também pequenas carruagens elegantes, cavaleiros e amazonas; seguia-os curiosamente com o olhar e esquecia-se deles antes que tivessem desaparecido da sua vista. Uma vez parou e contou o dinheiro que levava consigo: cerca de trinta copeques. "Vinte que dei ao guarda, três a Nastássia, pela carta... Além disso, ontem, dei quarenta e sete ou cinquenta a Marmieládov", pensou, enquanto, sem saber por que, tornava a contar o seu dinheiro; mas não tardou a esquecer-se do motivo por que o tinha tirado do bolso. Só tornou a aperceber-se quando passou em frente duma casa de pasto, uma espécie de taberna, e sentiu apetite. Quando entrou na casa bebeu um copo de aguardente e meteu na boca um pastel recheado com qualquer coisa. Acabou de comê-lo adiante. Havia muito tempo que não provava aguardente, e por isso fez-lhe imediatamente efeito, apesar de ter bebido apenas um copo. De repente sentiu o peso nos pés e também uma grande vontade de dormir. Pôs-se a andar em direção a casa. Mas quando ia já em Pietróvski Óstrov deteve-se, tomado de uma inércia imensa; afastou-se do caminho, meteu-se por entre os maciços de verdura, deixou-se cair sobre a erva e logo adormeceu profundamente.

Num estado doentio os sonhos costumam distinguir-se pelo seu extraordinário colorido e clareza, e pela estranha semelhança com a realidade. Apresentam-nos às vezes um quadro maravilhoso; e o cenário e todo o processo de representação são ao mesmo tempo tão verossímeis e com uns pormenores tão exatos e inesperados, mas em tão artística harmonia com a totalidade do quadro, que seria em vão que o próprio sonhador tentaria evocá-los, depois de desperto, ainda que fosse um artista como Púchkin ou Turguéniev. Esses sonhos, sonhos doentios, ficam sempre gravados na memória por muito tempo e produzem uma forte impressão no organismo alterado e enfraquecido do homem.

Foi um sonho estranho o que teve Raskólhnikov. Sonhou com a sua passada infância, na aldeia. Tinha sete anos e passeava, num dia festivo, ao cair da tarde, com seu pai, para além da aldeia. O céu estava cinzento, o dia sufocante, e o lugar era exatamente o mesmo cuja visão guardava na sua memória; ainda mais: na sua memória via-o ainda mais apagado do que agora, no sonho. A cidade mostra-se aberta como a palma duma mão; em toda aquela periferia, um salgueiro branco; além, muito longe, quase no extremo do horizonte, negreja o bosque. A alguns passos de distância da última horta da aldeia, há uma taberna, uma grande taberna, pela qual sempre sentira antipatia, e até medo, quando passava em frente dela com seu pai. Havia sempre ali muita gente; vociferavam, riam, diziam impropérios com grande alvoroço, bebiam tão excessiva e imoderadamente e havia nela rixas com tanta frequência! À volta da taberna viam-se sempre uns tipos completamente embriagados e ferozes, que andavam aos tropeções... Quando se encontrava com eles apertava-se com força contra o pai e todo ele tremia. Próximo da taberna passava a estrada, que verdadeiramente não era mais do que um atalho, sempre empoeirada, com um pó muito negro. A estrada faz uma curva ao longe, e a trezentos passos rodeia o cemitério da aldeia pela direita. A meio do campo-santo ergue-se uma igreja com a cúpula verde, na qual entrava duas vezes por ano com seu pai e sua mãe, para ouvir missa, quando faziam o ofício de réquiem pela avó, que falecera havia pouco tempo, e a qual não chegara a conhecer. Nesses casos levavam sempre consigo um pastel sobre um prato branco, em cima dum guardanapo, e o pastel era de açúcar, arroz e passas, colocadas em forma de cruz. Gostava daquela igreja e das suas velhas imagens, quase todas sem moldura, e do velho sacerdote de cabeça sempre a tremer. Junto do túmulo da avó, sobre a qual se estendia uma lousa, estava a pequena sepultura do irmão mais novo, que morrera com seis meses, e o qual também não chegara a conhecer, e de quem não podia recordar-se; mas disseram-lhe que tinha um irmãozinho, e ele, sempre que visitava o cemitério, persignava-se religiosa e respeitosamente diante da sepultura, fazia uma reverência e depunha sobre ele um beijo. Agora sonhava que ia com seu pai pela aldeia, pelo caminho do cemitério, e passava diante da taberna; ia pela mão do pai, e, cheio de medo, olhava para a taberna. Uma circunstância especial distraiu a sua atenção: parecia que dessa vez se celebrava ali alguma paródia: havia ali uma multidão de burgueses endomingados, de mulheres com os seus maridos e um grupo de pessoas. Estão todos embriagados, entoam canções, e junto da porta da taberna há uma *tieliega*, mas uma *tieliega* estranha. É uma dessas grandes às quais costumam jungir-se grandes cavalos de carga, e que se empregam para o transporte de mercadorias e tonéis de vinho. Agradava-lhe sempre contemplar aqueles grandes cavalos de carga, de longas crinas e grossas patas, que caminham tranquilamente, com um passo manso, e que conduzem uma autêntica montanha sem mostrar o menor cansaço, como se a carga, em vez de esgotá-los, os aliviasse. Mas agora, coisa estranha, àquela *tieliega* enorme estava atrelado um mísero sendeiro, esquálido, pequeno, desses que os camponeses empregam; um desses pangarés aos quais – ele tinha visto com frequência – carregam às vezes com grandes fardos de lenha ou feno, e quando o carro se atola, na lama ou nos sulcos, os camponeses batem-lhes com muita força, muita força, com os chicotes, às vezes até no próprio focinho ou nos olhos, isso fazia-lhe uma pena imensa, tão grande que quase vinham-lhe lágrimas aos olhos, e a mãe vinha então arrancá-lo da janela. Mas eis que, de repente, se travou uma grande escaramuça: da taberna saiu, gritando, cantando e com balalaicas, um bando de camponeses embriagados, embriagadíssimos, com blusas vermelhas e azuis, e a jaqueta sobre o ombro.

– Subam, subam! – grita um deles, ainda novo, com um grosso capote e uma caraça gorda, vermelha como um tomate. – Levo-os a todos! Subam!

Mas a seguir ouvem-se vozes e exclamações:

– Com esse sendeiro é que ele nos vai levar!

– Mas tu, Mikolka, estarás em teu perfeito juízo? Atrelar uma égua tão ordinária a uma *tieliega* destas!

– E esse espantalho já deve ter os seus vinte anos bem puxados, meus amigos!

– Subam, que os levo a todos! – tornou Mikolka gritando, e o cocheiro, que foi o primeiro a subir, tomou as rédeas na mão e ergueu-se em toda a sua estatura. – O nosso cavalo baio levou-o Matviéi – gritou, já na *tieliega*, – e esta eguazinha, meus amigos, só serve para me fazer sofrer; mais valia matá-la, pois nem vale aquilo que come. Mas já disse: subam, que eu já a faço andar! E há de ir depressa! – E, brandindo o chicote, dispôs-se a açoitar o pobre animal com prazer.

– Subamos então, vamos! – riam os do grupo. – Já sabem que há de correr a galope!

– Sim, deve haver pelo menos dez anos que não dá uma corridinha.

– Vai dá-la agora.

– Não tenham pena dela, meus amigos; cada um pegue no seu chicote: preparem-se!

– Bom, então arreiem-lhe!

Todos sobem para a *tieliega* de Mikolka com risos e gracejos. Subiram seis homens e ainda havia lugar para mais. Levavam com eles uma mulher gorda e pintada. Vestia uma camisola de indiana vermelha, com um toucado de contas de vidro, botas pesadas nos pés, e descascava nozes e ria. À sua volta todos riam também, e, de fato, o caso não era para menos. Pensar que aquele pobre animal ia puxar a galope um carro tão pesado! Depois, dois dos moços que iam na *tieliega* brandiram os chicotes para ajudarem Mikolka. Ouve-se um eia!, a eguazinha puxa com todas as suas forças, mas não vai a galope; mal consegue mover-se a passo, limitando-se a agitar as patas, arranhar o solo e dobrar-se sob os golpes dos três chicotes, que caem sobre ela como uma saraivada. Os risos redobram na *tieliega* e fora dela; mas Mikolka enfurece-se e com violência descarrega golpes terríveis sobre a pobre égua, como se acreditasse verdadeiramente que poderá ir a galope.

– Deixem-me subir a mim também, meus amigos! – grita entre a multidão um rapaz ao qual o espetáculo fez inveja.

– Sobe! Que subam todos! – grita Mikolka. – Levo-os a todos! Vou arrear-lhe!

Bate e torna a bater, e já não sabe com que há de fustigar o animal.

– *Bátiuchka, bátiuchka!* – grita ele para o pai. – *Bátiuchka,* que está ele fazendo? Matam a pobre égua, *bátiuchka!*

– Vamos, vamos! – diz o pai. – Estão bêbados, não sabem o que fazem. Imbecis! Vamo-nos embora, não fiques aí olhando! – E procura afastá-lo dali; mas ele solta-se da sua mão e, sem perceber o que faz, encaminha-se para o animal. Este já não pode mais; arqueja, para, torna a puxar e está prestes a cair.

– Arreiem-lhe até que rebente! – grita Mikolka – Já lhe falta pouco. Espera!

– Mas tu és cristão ou não és, meu bruto? – grita um velho, dentre o grupo.

– Onde é que se viu isso, um animalejo como esse puxar um carro desse tamanho? – acrescenta outro.

– Estás matando-a! – grita um terceiro.

– Não te incomodes. É minha! Posso fazer dela o que quiser. Subam! Subam todos! Hei de fazer com que parta a galope!

De repente ouve-se uma gargalhada geral que abafa a voz de Mikolka: a pobre égua, sem suportar mais as brutais chicotadas, e embora sem forças, pôs-se a dar coices para o ar. Até os mais velhos não se puderam conter e começaram a rir. De fato, aquela égua, imprestável para qualquer serviço, ainda por cima se punha a dar coices!

Outros rapazes do grupo brandiram também os chicotes e dirigiram-se para o animal para lhe fustigarem as ilhargas. Correu cada um de seu lado.

– No focinho, nos olhos, deem-lhe nos olhos! – grita Mikolka.

– Uma canção, meus amigos! – gritou um dos da *tieliega*, e imediatamente todos lhe fizeram coro. Ouviu-se uma canção indecente, repicou um tambor e todos acompanharam o estribilho com assobios. A mulher descascava nozes e ria.

Ele se dirigiu, correndo, para o animal, avançou e pode ver como batiam nos olhos do cavalo, nos próprios olhos! Pôs-se a chorar. Sentiu o coração oprimido e as lágrimas saltaram-lhe. Uma das chicotadas roçou-lhe pela cara, mas ele nem a sentiu; erguia as mãos, gritava, voltava-se para o velho de cabelo e barba brancos, que abanava a cabeça, condenando tudo aquilo. Uma mulher pegou-lhe por uma mão e quis levá-lo; mas ele escapou-se e correu de novo para junto do animalzinho, que estava já nas últimas, mas recomeçara mais uma vez a escoicear para o ar.

– Ah, diabo! – gritava Mikolka furioso. Larga o chicote, torna a agachar-se e tira do fundo da *tieliega* um pau grosso e comprido, segura-o pela ponta com as duas mãos e, com todas as suas forças, descarrega-o sobre a égua.

– Vai matá-la! – gritam à sua volta.

– Assim, acaba matando-a!

– É minha! – gritou Mikolka e, erguendo todo o braço, descarregou uma paulada sobre a égua.

– Dá-lhe, dá-lhe! Por que te deténs? – grita uma voz no meio daquela gente.

Mas Mikolka arvorou outra vez o cajado e, com todas as suas forças, deu outro golpe no costado do infeliz animal, que se inclina todo para os quartos traseiros; mas dá um safanão e puxa, puxa, com as suas últimas forças, por todos os lados, para arrastar o carro; mas por todos os lados o atacam seis chicotes, e novamente o pau se ergue e cai pela terceira vez, e depois pela quarta, calculadamente, com toda a força do braço que o brande. Mikolka está furioso por não vê-la sucumbir de um só golpe.

– É dura! – gritam à sua volta.

– Vai cair já, sem falta, meus amigos; chegou a sua hora! – exclamou um entusiasta no meio do grupo.

– Com o machado, diabo! Acabemos com ela de uma vez! – gritou um terceiro.

– Vai... para o diabo que te carregue! Afastem-se! – gritava Mikolka, furioso; larga o pau, torna a agachar-se na *tieliega*, e tira uma alavanca de ferro. – Cuidado! – grita, e, com todas as suas forças, deita outra pancada na sua pobre égua.

O golpe foi certeiro; o animalzinho cambaleia, recua, esforça-se ainda por puxar, mas a alavanca torna a cair sobre o seu dorso, e tomba então finalmente por terra, como se lhe tivessem desconjuntado as quatro extremidades de uma só vez.

– Até que enfim! – exclamou Mikolka, e, fora de si, salta da *tieliega*.

Alguns rapazes, vermelhuscos e também embriagados, pegam no que encontram à mão: chicotes, paus, na tranca, e lançam-se sobre o animal moribundo. Mikolka está de pé ao seu lado e é já em vão que lhe bate com a alavanca no costado.

O pobre animal estende o focinho, respira com dificuldade, e morre.

– Rebentou! – gritam no grupo.

– Por que ela não saiu correndo a galope?

– Era minha! – grita Mikolka com o pau na mão e os olhos injetados de sangue. Parece pesaroso por não poder continuar batendo em alguém.

– Sim, mas tu não és cristão – gritam já, no meio do grupo, muitas vozes.

Mas o rapazinho, lívido, parece tresloucado. Lançando um grito, abre caminho por entre a gente, até à égua, pega-lhe no focinho morto, ensanguentado, e beija-o nos olhos e nos lábios... Depois, de repente, dá um salto e, arrebatado de furor, lança-se com os pequenos punhos cerrados contra Mikolka. Nesse momento, o pai, que havia já algum tempo o procurava, encontra-o finalmente, e tira-o do grupo.

– Vamos, vamos! – diz-lhe – Vamos para casa!

– *Bátiuchka,* por que é que eles mataram o cavalinho? – soluça, e as palavras saem do seu peito opresso, transformadas em gritos.

– Estão embriagados, não sabem o que fazem; isso não nos interessa. Vamo-nos! – diz-lhe o pai; mas sente o peito oprimido. Esforça-se por ganhar coragem, dá um grito e desperta.

Acordou banhado em suor, com os cabelos encharcados, arquejando, e endireitou-se na grama, horrorizado.

– Louvado seja Deus, foi apenas um sonho! – exclamou, sentando-se ao pé duma árvore e lançando um profundo suspiro. – Mas que é isto? Estarei com febre? Que sonho tão terrível!

Parecia-lhe que tinha o corpo todo moído, a alma cheia de dor e negrura. Apoiou os cotovelos sobre os joelhos e segurou a cabeça com ambas as mãos.

– Meu Deus! – exclamou – E se... e se eu pego de fato no machado, abro-lhe a cabeça e faço saltar os miolos... escorregarei no sangue quente e viscoso; quebrarei a fechadura, roubarei e começo a tremer, escondo-me, todo manchado de sangue... com o machado... Meu Deus, será possível...?

Tremia como a folha duma árvore, quando dizia isto.

"Mas que me aconteceu? – continuou a dizer, deixando-se cair outra vez e como se estivesse possuído de um assombro profundo. – Eu bem sabia que não seria capaz de... Portanto, por que me tenho eu atormentado até agora? Ontem, ontem, quando fui fazer aquela... *experiência...* compreendi perfeitamente que não seria capaz... Mas por que é isto agora? Por que estivera na dúvida até aqui? Ontem, quando descia a escada, eu próprio dizia que isto era vil, bárbaro, reles, reles... Porque, quando penso nisto, em pleno dia, fico revoltado e *assombrado...* Não, não sou capaz, não sou capaz! Suponhamos, suponhamos mesmo que não haja dúvida alguma em todos estes cálculos, que tudo isto se resolva este mês e se torne claro como o dia, preciso como a aritmética. Meu Deus, pois nem ainda assim me decidiria! Não sirvo para isto, não sirvo! Mas por que é que então, até agora?..."

Levantou, olhou com espanto à sua volta, como se se admirasse de estar ali, e encaminhou-se para a ponte de T***. Estava pálido, ardiam-lhe os olhos, o cansaço tomara-lhe todos os membros. Mas, de repente, começou a respirar mais facilmente: sentia que já tinha afugentado de si todo aquele tempo horrível, que havia tanto o acabrunhava, e que a sua alma se sentiu leve e satisfeita. "Senhor – implorava – mostra-me o meu caminho e eu me libertarei desses malditos... desvarios."

Quando atravessou a ponte, contemplou o Nieva com um olhar suave, e o radioso poente do sol belo e brilhante. Apesar da sua fraqueza, nem sequer sentia cansaço. Parecia-lhe que o tumor que trazia no coração, que andara a amadurecer durante um mês, lhe rebentara de repente. Liberdade, liberdade! Agora estava livre daquele feitiço, daquele sortilégio, daquela sugestão!

Mais tarde, ao recordar aquele tempo e tudo o que lhe aconteceu durante esses dias, detalhe por detalhe, ponto por ponto, traço por traço, havia sempre uma circunstância que o comovia supersticiosamente, embora, na realidade, não tivesse nada de extraordinário, mas que lhe surgia sempre como uma prefiguração do seu destino.

Era esta: nunca pôde compreender nem explicar a si próprio por que é que, esgotado, magoado, quando lhe teria convindo mais voltar a sua casa pelo caminho mais breve e direto, o fez pelo Mercado do Feno, pelo qual tinha de andar mais. A volta não era grande, mas completamente desnecessária. Não havia dúvida de que isso de regressar a casa, sem se aperceber das ruas que percorria, lhe acontecera já muitas vezes. Mas por que – perguntava ele sempre – por que é que aquele encontro tão importante e decisivo para ele, e, ao mesmo tempo, altamente fortuito, no Feno (onde não tinha motivo nenhum para ir), se deu então e àquela hora, precisamente nesse momento da sua vida, exatamente naquela disposição de espírito e naquelas circunstâncias, nas quais somente o referido fato podia produzir o efeito mais decisivo e definitivo sobre o seu destino? Parecia mesmo que estivera à sua espera!

Seriam quase dez horas quando se dirigiu para o Feno. Todos os comerciantes de barracas, os vendedores ambulantes, armazéns e lojas, ou encerraram os seus estabelecimentos, ou recolhiam e juntavam as suas mercadorias e regressavam às suas casas, bem como os seus fregueses. Em volta das tabernas subterrâneas, nos pátios sujos e hediondos das casas de Mercado do Feno, e sobretudo nas tabernas, apinhava-se grande número de mendigos esfarrapados, de todo o gênero. A Raskólhnikov agradavam-lhe, sobremodo, aqueles lugares, assim como as ruelas adjacentes, quando vagueava sem rumo pela cidade. Aí, os seus farrapos não atraíam sobre si a altiva atenção de ninguém, e era possível deambular com a cara que quisesse, sem provocar escândalo. Na própria travessa de K***, num canto, um comerciante e a mulher vendiam vários artigos em duas mesas: pano, galões, lencinhos de algodão, etc. Também eles voltavam já para casa; mas tinham parado para falar com uma amiga que passava. A tal amiga era Lisavieta Ivânovna, ou simplesmente Lisavieta, como toda a gente a chamava, a irmã mais nova da própria velha, Alíona Ivânovna, a usurária em cuja casa Raskólhnikov estivera na noite anterior, com o fim de deixar-lhe empenhado um relógio e fazer a sua "experiência"... Havia já algum tempo que ele sabia tudo quanto dizia respeito à tal Lisavieta, e ela também o conhecia um pouco. Era uma solteirona alta, desgraciosa, tímida e bonacheirona, quase idiota, de uns trinta e cinco anos, que vivia numa autêntica escravidão em casa da irmã, trabalhando ali dia e noite, tremendo na sua presença e até apanhando dela. Naquele momento estava com um pacote na mão, pensativa, em frente do mercador e da mulher, escutando-os atentamente. Aqueles contavam-lhe qualquer coisa com entusiasmo. Quando Raskólhnikov a viu, de repente, uma sensação estranha, parecida com o mais profundo assombro, se apoderou dele, apesar de aquele encontro não ter nada de espantoso.

– A senhora, a senhora, Lisavieta Ivânovna, tem de decidir pessoalmente – disse o comerciante em voz alta. – Venha amanhã às sete. Eles também estarão.

– Amanhã? – exclamou Lisavieta perplexa e repisando as palavras, como se não quisesse decidir.

– Mas que medo a senhora tem de Alíona Ivânovna! – guinchou a mulher do comerciante. – Parece uma menina. Porque, afinal, ela não é sua irmã, parece uma madrasta, tal é a maneira como a trata. Mas, desta vez, não precisa de dizer nada a Alíona Ivânovna... – acrescentou o marido. – É o conselho que lhe dou: venha ver-nos sem lhe pedir licença. É assunto de interesse. Depois, até a sua irmã há de compreender.

— Então venho...

— Às oito da tarde, amanhã. Eles também estarão aqui. Poderá decidir pessoalmente.

— E teremos o samovar preparado — acrescentou a mulher.

— Bem, virei — disse Lisavieta, ainda pensativa e, lentamente, começou a afastar-se dali.

Raskólhnikov já se tinha retirado e não escutou mais. Caminhava devagar, sem chamar a atenção, esforçando-se por não perder uma palavra. O seu primeiro assombro, pouco a pouco foi-se transformando em espanto, e um calafrio lhe percorreu a espinha. De repente, adquirira uma informação certa; de um modo súbito e totalmente inesperado, soubera que no dia seguinte, às oito em ponto da tarde, a irmã da velha, e única pessoa que vivia com ela, não devia estar em casa e, portanto, às oito em ponto da noite a velha ficaria em casa sozinha.

Dali a sua casa havia alguns passos de distância. Entrou nela tal como um condenado à pena de morte. Não pensava em nada e tinha perdido completamente toda a faculdade de raciocínio; mas, repentinamente, com todo o seu ser, sentiu que não tinha já liberdade de reflexão, nem vontade, e que, de súbito, tudo se resolvera definitivamente.

Não havia dúvida de que, se durante anos inteiros estivera à espera dum encontro parecido, ainda que em tudo tivesse pensado, seria impossível contar confiadamente com um passo tão importante para o êxito da ideia como aquele que acabava agora mesmo de acontecer. Em todo o caso, teria sido difícil para ele conhecer de véspera, e com tanta segurança, com absoluta exatidão e sem o menor risco, sem necessidade de perguntas e investigações perigosas de gênero algum, que no dia seguinte a tal hora a velha que se dispunha a assassinar devia encontrar-se em sua casa completamente sozinha.

Capítulo VI

Pouco depois, Raskólhnikov pôde saber, pouco mais ou menos, o motivo que o comerciante e a mulher tinham para convidar Lisavieta a ir a sua casa. Tratava-se de uma coisa vulgar e que, em si, não tinha nada de particular. Uma família de fora da cidade e que empobrecera, vendia várias coisas, vestidos, etc., etc.; tudo de mulher. Como não era vantajoso vendê-las no brechó, procuravam um freguês, e Lisavieta dedicava-se a isto; era alcoviteira, ocupava-se de informações particulares, e tinha uma grande clientela, pois era muito honesta e dizia sempre o último preço: "É tanto", e assim era. Costumava falar pouco, e, como dissemos, era, além disso, tão tímida e pacífica...

Mas, nos últimos tempos, Raskólhnikov tornara-se supersticioso. Muito tempo depois disto ainda lhe ficaram marcas desta superstição, marcas quase indeléveis. E em todo este caso propendeu sempre depois a ver algo de estranho, de misterioso, algo de semelhante à presença de certas influências e coincidências particulares. Nesse mesmo inverno aconteceu que um estudante seu amigo, Pokóriev, que partia para Khárkov, lhe deu durante uma conversa o endereço da velha Alíona Ivânovna, para o caso de ele alguma vez necessitar de empenhar alguma coisa. Durante muito tempo nunca a procurou, porque tinha alunos e, fosse como fosse, sempre ia arranjando algum dinheiro. Mas, havia mês e meio, lembrou-se do endereço que lhe tinham indicado; tinha dois objetos bons para empenhar: o velho relógio de prata, de seu pai, e um anelzinho de ouro com três pedras vermelhas, que a irmã lhe oferecera como recordação na ocasião em que se despedira dela. Resolveu levar o anel; quando se viu diante da velha, à primeira vista, ainda sem saber nada de particular acerca dela, sentiu uma invencível antipatia; aceitou-lhe as duas cautelas e, já de volta, entrou numa taberna ordinária. Pediu chá, sentou e ficou muito pensativo. Um estranho pensamento acabava de nascer na sua cabeça, como um pinto que sai do ovo, e que muito, muito o preocupava...

Quase ao seu lado, noutra mesinha, estava sentado um estudante que lhe era completamente desconhecido, do qual não tinha a mais vaga reminiscência, e um oficial novo. Estiveram jogando bilhar e agora tomavam chá. De repente ouviu que o estudante falava com o oficial a respeito da usurária Alíona Ivânovna, viúva dum assessor de colégio, e lhe dava o seu endereço. Aquilo, só por si, pareceu já bastante estranho a Raskólhnikov; viera de lá, e eis que, aqui, ouvia também falar dela. Não havia dúvida de que era uma casualidade; ainda não se libertara de uma impressão muito extraordinária, e eis que acabavam ainda de vir fortalecê-la: o estudante, de repente, pôs-se a contar ao companheiro vários pormenores a respeito da tal Alíona Ivânovna.

— É formidável! — dizia. — Tem sempre dinheiro pronto. É rica como um judeu; pode emprestar de uma só vez cinco mil rublos e não perdoa um de juros. Há muitos dos nossos que vão ter com ela. Simplesmente, é uma tipa horrorosa...

E começou a contar-lhe como ela era má e teimosa: que bastava uma pessoa atrasar-se um dia em resgatar o penhor para que a considerasse perdida. Dava a quarta parte do que valia um objeto, mas cobrava cinco e até seis por cento de juro mensal, etc. O estudante falava pelos cotovelos e contou também ao amigo que a velha tinha uma irmã, Lisavieta, a qual, apesar de ser pequenina com, pelo menos, oito pés de altura, e franzina, apanhava continuamente e vivia numa autêntica servidão, como se fosse uma criança.

— É outro fenômeno! — exclamou o estudante, e pôs-se a rir.

Começaram a falar de Lisavieta. O estudante falava dela com certa satisfação pessoal, por entre risos, e o oficial pediu-lhe que lhe mandasse a tal Lisavieta para que lhe tratasse da roupa branca. Raskólhnikov não perdia uma só palavra e ficou assim a par de tudo. Lisavieta era a irmã mais nova, irmã (uterina) da usurária, e já tinha trinta e cinco anos. Trabalhava em casa da irmã dia e noite; fazia as vezes de cozinheira e de lavadeira, ao mesmo tempo, e, além disso, costurava para fora e ia esfregar casas, entregando tudo quanto ganhava à irmã. Não se atrevia a aceitar qualquer encargo ou trabalho sem pedir previamente autorização à velha. Esta fizera testamento, que a própria Lisavieta conhecia, e no qual não lhe deixava nem um *groch*, apenas uns móveis, umas tantas cadeiras, etc.; os cabedais legava-os a certo mosteiro, no governo de H***, para eterno descanso da sua alma. Lisavieta pertencia à classe média, e não à burocracia, era solteira e terrivelmente desgraciosa de figura, muito alta, com pés enormes, um pouco metidos para dentro, sempre calçados com uns sapatos cambados, mas de boa qualidade. O que mais fazia rir o estudante era que Lisavieta andava quase sempre grávida...

– Mas não disseste que ela é um mostrengo? – observou o oficial.

– Sim, tem uma cor terrosa e parece um soldado disfarçado; mas olha, não é completamente um monstro. Tem uma cara e uns olhos aproveitáveis. Até bem bonitos. A prova é que... há muito quem goste. É tão caladinha, tão mansa, tão dócil e acomodatícia, que a tudo se presta. E também tem uma maneira de sorrir muito simpática.

– A propósito, a ti também te agrada... – sorriu o oficial.

– Pela sua invulgaridade. Mas não; ouve onde eu queria chegar. Eu, a essa maldita velha, era capaz de a matar e de roubá-la, e juro-te que não teria nem ponta de remorsos – acrescentou o estudante, exaltado.

O oficial tornou a rir-se; Raskólhnikov teve um sobressalto. Que estranho era tudo aquilo!

– Dá-me licença que te faça uma pergunta a sério? – disse o estudante, ainda um pouco exaltado. – É claro que eu, há pouco, falava de brincadeira, mas olha: de um lado uma velha estúpida, imbecil, inútil, má, doente, que não dá proveito a ninguém, e que até, pelo contrário, a todos prejudica; que nem ela própria sabe para que vive e que amanhã acabará por morrer fatalmente... Compreendes? Compreendes?

– Sim, compreendo – respondeu o oficial olhando atentamente para o seu acalorado companheiro.

– Pois então continua a escutar-me. Do outro lado energias jovens, frescas, que se gastam em vão, sem apoio, e isto aos milhares e em toda a parte. Mil obras e boas iniciativas se poderiam fazer com o dinheiro que esta velha deixa ao mosteiro. Centenas, talvez milhares de existências conduzidas ao bom caminho; dezenas de famílias salvas da miséria, da dissolução, da ruína, da corrupção, dos hospitais venéreos... E tudo isso com o seu dinheiro. Matá-la, tirar-lhe esse dinheiro, para com ele se consagrar depois ao serviço de toda a humanidade e ao bem geral. Que te parece? Não ficaria apagada a mancha dum só crime, insignificante, com milhares de boas ações? Por uma vida... mil vidas salvas da miséria e da ruína! Uma morte, mas, em troca, mil vidas... É uma questão de aritmética. E que pesa nas balanças vulgares da vida essa velhota tísica, estúpida e má? Não mais que a vida dum piolho, duma barata, e pode ser que ainda menos, visto que se trata de uma velha malfazeja. Ela se alimenta da vida alheia, é má; ainda não há muito tempo que mordeu de raiva um dedo a Lisavieta; por um pouco quase lhe o arrancava rente.

– Com certeza que não merece viver – observou o oficial – mas a natureza é assim.

– Ah, meu amigo, sim; mas a natureza melhora-se e dirige-se, e sem isso nos afundaríamos em preconceitos! Sem isso não teria nascido nem um só grande homem... Dizem: "O dever, a consciência!". Eu não quero dizer nada contra o dever e a consciência... mas vamos a ver se nos entendemos! Espera, que vou fazer-te outra pergunta. Ouve.

– Não, espera tu, que sou eu quem vai perguntar. Escuta.

– Está bem.

– Tu, até agora, tens falado e discursado; mas diz-me: matarias tu próprio a velha ou não?

– Claro que não! Eu, segundo a justiça... Mas isso não me diz respeito...

– Pois, em meu entender, se tu próprio não te decides, é escusado falar em justiça. Anda, vamos jogar outra partidinha!

Raskólhnikov sentia uma comoção extraordinária. Não havia dúvida que tudo aquilo era do mais vulgar e frequente, e que já por mais de uma vez o ouvira, simplesmente, sob outras formas e a propósito de outros temas, em diálogos e raciocínios juvenis. Mas por que havia precisamente de acontecer-lhe agora ouvir aquele diálogo e aquelas ideias, agora que na sua cabeça começavam a germinar exatamente as mesmas ideias? E sobretudo, por que é que, agora que acabava de afugentar da sua mente o pensamento da velha, havia de ouvir um diálogo referente a ela? Pareceu-lhe singular essa coincidência. Aquele insignificante diálogo de taberna exerceu uma extraordinária influência sobre ele, no desenvolvimento ulterior do acontecimento; parecia que, efetivamente, havia em tudo aquilo um sinal, uma intimação...

*

De volta do Feno, deitou-se no divã e ficou aí uma hora inteira sentado imóvel. Entretanto escureceu; não tinha velas; aliás, nem sequer lhe passou pela cabeça acender uma. Mais tarde nunca pode lembrar-se se estivera ou não pensando qualquer coisa durante esse tempo. Finalmente tornou a sentir a febre noturna, calafrios, e concluiu com prazer que o divã também lhe podia servir de leito. Em breve um sono pesado, de chumbo, se abateu sobre ele. Dormiu durante um tempo anormalmente longo e sem sonhos. Nastássia, que entrou no quarto no dia seguinte, às oito, teve de despertá-lo à força. Trouxe-lhe chá e pão. O chá já fervera uma vez, e também o trazia na sua chaleira particular.

– Isso é que se chama dormir! – exclamou com desgosto. – Para ele acaba sempre tudo em dormir!

Ergueu-se, a custo. Doía-lhe a cabeça; levantou, deu uma volta pelo seu cubículo e tornou a cair sobre o divã.

– Dormindo outra vez! – exclamou Nastássia. – Mas estás doente ou que tens?

Ele não respondeu.

– Não queres chá?

– Logo – respondeu ele com esforço; tornou a fechar os olhos e virou-se de cara para a parede. Nastássia inclinou-se sobre ele.

– Pode muito bem ser que esteja doente – disse; deu meia volta e saiu.

Voltou de novo às duas, com a sopa. Ele continuava deitado como antes. O chá permanecia intacto. Nastássia zangou-se e pôs-se a increpá-lo, indignada:

– Por que estás tão amodorrado? – exclamou, olhando-o com antipatia.

Ele se ergueu e sentou, mas sem lhe dizer nada e com os olhos fixos no chão.

– Mas estás doente ou não? – perguntou-lhe Nastássia, que também desta vez não obteve resposta.

– Devias sair – disse, depois de um silêncio. – O ar vai te fazer bem. Vais almoçar ou não?

– Logo... – respondeu ele debilmente. – Vai-te embora! – e agitou a mão.

Ela tornou a inclinar-se um pouco, olhando-o compassiva, e depois retirou-se. Passados uns minutos ele ergueu a vista e ficou durante muito tempo olhando para o chá e para a sopa. Depois pegou no pão, segurou a colher e começou a comer.

Comeu pouco, sem apetite: três ou quatro colheradas, como maquinalmente. A cabeça doía-lhe menos. Depois de comer tornou a estender-se no divã, mas já não pode adormecer outra vez, e deixou-se ficar estendido, imóvel, de bruços, com a cabeça enterrada na almofada. Tudo se transformava em devaneios, e esses devaneios não podiam ser mais estranhos; o mais frequente era sonhar que estava em qualquer lugar na África, no Egito, em algum oásis. A caravana descansa à sombra, os camelos deitaram-se; em redor erguem-se palmeiras, formando um círculo; todos se preparam para a refeição. Ele não faz outra coisa senão beber água diretamente da fonte que nasce e borbulha ali mesmo, ao lado. E como o refrescava aquela água maravilhosa, maravilhosamente azul, fria, que manava por entre pedras multicores e de um fundo de areia tão clara, com reflexos dourados! De súbito, ouviu soar distintamente um relógio. Estremeceu, tornou a si, ergueu a cabeça, olhou para a janela, calculou a hora e levantou de um salto, como se alguém o tivesse empurrado do divã. Encaminhou-se nas pontas dos pés para a porta, abriu-a devagar e pôs-se a escutar da parte da escada. O coração batia-lhe com força. Na escada tudo estava silencioso, como se toda a gente dormisse... E pareceu-lhe muito estranho e importante o fato de ter podido estar amodorrado em tal inconsciência desde o dia anterior, sem ter feito nada, de maneira que, agora, encontrava-se desorientado... Podia ser que fossem já seis horas... E uma pressa enorme, febril e louca, o assaltou então: depois do sono, era o entorpecimento. No fim de contas, não precisava de grandes preparativos. Concentrou todas as suas forças no objetivo de pensar tudo bem e de não se esquecer de nada; o coração batia-lhe cada vez com mais violência, e com tanta força que lhe dificultava a respiração. Devia começar por fazer um nó corredio e cosê-lo ao casaco, o que era coisa de minutos. Tateou com a mão por debaixo da almofada e encontrou, entre a roupa branca que ali havia, uma camisa velha, suja, que era um autêntico andrajo. Arrancou-lhe uma tira de uns cinco centímetros de largura por trinta e seis de comprimento. Dobrou essa tira, foi buscar um amplo e forte casaco de verão, de um pano de lã grossa – o seu único sobretudo – e pôs-se a coser as duas pontas da tira por dentro e por debaixo do sovaco esquerdo. As mãos tremiam-lhe enquanto segurava a agulha; mas dominou-se e coseu de tal maneira as pontas da tira que, de fora, ninguém poderia notar nada quando ele vestisse o casaco. Arranjara com muita antecedência a agulha e linha que guardava embrulhadas num papel, dentro da mesinha. O nó era invenção sua, bem engenhosa, e destinava-se ao machado. Não se podia ir pela rua com o machado na mão. E se a levasse por debaixo do casaco, teria de segurá-la com a mão, o que também podia dar nas vistas. Mas, assim, não era preciso mais nada senão meter o machado naquele nó e levá-la pendurada debaixo do sovaco durante todo o caminho. E metendo a mão no bolso lateral do casaco, podia segurar também a extremidade do cabo do machado para que não balançasse, e como aquele casaco era muito folgado, um verdadeiro saco, ninguém poderia imaginar que estivesse segurando qualquer coisa com a mão metida no bolso. Imaginara aquele nó havia já duas semanas.

Assim que resolveu o caso do nó, meteu os dedos numa pequena fenda que havia entre o divã e o chão, rebuscou no canto da esquerda e tirou o penhor, preparado e metido ali havia muito tempo. De fato, esse penhor não era mais do que um pedaço de madeira, liso, com as dimensões e a espessura duma cigarreira. Encontrara essa tabuinha, casualmente, num dos seus passeios pelo pátio, onde havia uma oficina num lugar anexo. Depois colocou sobre a tabuinha uma fina e lisa lâmina de ferro, provavelmente restos de alguma coisa partida, e que também encontrara na rua. Ambas as coisas – a lâmina de ferro era a mais pequena – tinha-as unido e ligado fortemente com um cordel cruzado; depois embrulhou tudo, com muito cuidado e esmero, num simples papel branco, e apertou tanto que era impossível abri-lo à primeira vez. Fez isso assim para entreter por um momento a atenção da velha quando se pusesse a desfazer o embrulho, e aproveitar assim a ocasião. Tinha posto ali a lâmina de ferro, para fazer peso, a fim de que a velha não adivinhasse de imediato que o objeto era de madeira. Guardava tudo isso, havia muito tempo, debaixo do divã. Mal acabara de tirar o objeto, quando, de repente, se ouviu no pátio este grito:

– Já deram sete há muito tempo!

"Há muito tempo, meu Deus!"

Correu para a porta, pôs-se à escuta, pegou o chapéu e começou a descer os seus treze degraus devagarinho, suavemente, como um gato. Restava-lhe fazer o mais o importante: roubar o machado na cozinha. Que a coisa devia ser feita com um machado, havia já algum tempo que o decidira. Tinha também uma faca de jardineiro, de mola; mas, na faca, e sobretudo nas suas próprias forças, não tinha ele confiança; por isso optara definitivamente pelo machado. Observemos, de passagem, uma particularidade a propósito de todas estas resoluções definitivas, já adotadas por ele sobre este assunto. Possuíam uma propriedade estranha: quanto mais definitivas, tanto mais monstruosas e absurdas pareciam depois a seus olhos. Apesar de toda a dolorosa luta interior, nunca, nem por um instante, chegou a acreditar na realização dos seus projetos em todo esse tempo.

E se tivesse sucedido de maneira que tudo estivesse já previsto e definitivamente resolvido, até nos seus mais ínfimos pormenores, e não houvesse já lugar para dúvida nenhuma... ainda então teria desistido de tudo definitivamente, como de uma estupidez, um absurdo e uma coisa impossível. Mas, no que respeita aos pontos não resolvidos, restava-lhe ainda uma quantidade imensa de dúvidas. No que se refere ao lugar onde devia arranjar o machado, esse pormenor não o preocupava absolutamente nada, pois não havia coisa mais fácil. De fato, Nastássia, sobretudo à noite, mal parava em casa: ou ia para junto das vizinhas, ou ia à loja, e a porta ficava sempre aberta de par em par. A dona da casa andava sempre ralhando com ela, precisamente por causa disso. Portanto, não havia mais nada a fazer, em chegando o momento, do que entrar devagarinho e pegar no machado; e depois, passada uma hora (depois de tudo consumado), tornar a colocá-la outra vez no seu lugar. Mas também aqui surgiam algumas dúvidas: suponhamos que ele voltava passada uma hora para colocá-la outra vez no seu lugar, e que Nastássia voltara durante esse tempo. Não havia dúvida de que teria de passar de largo e esperar que tornasse a sair outra vez. Mas se durante todo esse tempo ela precisasse do machado e se punha a procurá-la e a gritar... ficaria imediatamente com suspeitas, ou, pelo menos, haveria lugar para suspeitas.

Mas isso eram pormenores, nos quais nem sequer queria pensar, além de que também não tinha tempo para isso. Pensava no principal e os pormenores adiava-os para quando estivesse completamente decidido. Mas isto parecia-lhe definitivamente irrealizável. Pelo menos era o que lhe parecia. Nunca pode imaginar que alguma vez chegasse a deixar de pensar, levantasse e… simplesmente, fosse até lá… Até aquela sua experiência recente (ou seja aquela sua visita com a intenção de inspecionar definitivamente o local), tinha-a feito apenas para experimentar; mas a sério, nunca apenas como quem diz: "Vamos até lá, caramba; irei e experimentarei, visto que se trata apenas de uma fantasia!", e não pôde aceitar a ideia; cuspiu e deitou a correr indignado consigo mesmo. No entanto parecia-lhe que, no ponto de vista moral, a questão podia considerar-se como resolvida. A sua casuística era aguçada como uma navalha de afiar, e não encontrava nenhuma objeção na sua consciência. Apesar do que não queria acreditar em si próprio e procurava com uma teimosia asinina objeções exteriores, por tentativas, como se alguém o obrigasse a fazê-lo e o puxasse para esse lado. O dia anterior, tão rico em elementos inesperados como decisivos, atuara sobre ele de uma maneira mecânica; era como se alguém lhe tivesse pegado pela mão e o tivesse obrigado a segui-lo irrevogavelmente, cegamente, com uma força sobrenatural, e sem que pudesse opor a menor objeção. Poderia dizer-se que deixara apanhar a ponta da roupa numa roda de engrenagem que começava a puxar por ele.

Em primeiro lugar – já pensara nisso – preocupava-o sobretudo uma questão: por que é que quase todos os crimes se descobrem tão facilmente e por que se encontram tão facilmente as provas de quase todos os assassinatos? Pouco a pouco chegou a conclusões tão variadas como curiosas. A seu ver, o motivo principal residia, não tanto na impossibilidade natural de ocultar o crime, como no próprio criminoso; todos os criminosos, sejam eles quais forem, experimentam no momento de cometer o seu crime uma espécie de enfraquecimento da vontade e do raciocínio, estado esse que vem depois a ser substituído por um atordoamento extraordinário e pueril, precisamente no momento em que mais necessárias lhe seriam a razão e a prudência. Esse eclipse do raciocínio, esse desfalecimento da vontade, segundo Raskólhnikov, apoderava-se do homem à maneira duma doença, desenvolvendo-se progressivamente e alcançando o seu máximo de intensidade momentos antes do cometimento do crime: persistia durante a execução deste último e algum tempo depois, conforme os indivíduos, acabando depois por desaparecer como qualquer outra doença. O problema estava em saber se é a doença que engendra o crime, ou se o próprio crime, por sua natureza, é que é sempre acompanhado de um certo gênero de doença; mas isto era uma questão que ele não se sentia capaz de resolver.

Quando chegou a estas deduções, decidiu que, pelo que lhe dizia respeito, pessoalmente e ao seu projeto, não era possível que se produzissem semelhantes colapsos morais, pois nem a sua razão nem a sua vontade haviam de abandoná-lo durante toda a execução da sua empresa, unicamente pela razão de que aquilo que se propunha levar a cabo não era um crime… Prescindimos do processo mediante o qual chegara a essa resolução suprema, pois já nos adiantamos sobre os acontecimentos… Acrescentamos apenas que as dificuldades práticas, de ordem puramente material, do assunto, não assumiam no seu espírito senão uma importância completamente secundária. – "Basta que conserve o domínio da minha vontade e da minha razão para que, chegando o momento, fiquem vencidas todas essas dificuldades quando se trata de tocar nos pormenores mais insignificantes do meu plano..." Mas a execução do seu desígnio ia-se adiando. Cada vez tinha menos fé na possibilidade de que as suas resoluções assumissem um caráter definitivo e, chegada a hora, os acontecimentos tomarem um rumo completamente diferente, imprevisto, para não dizer inesperado.

Uma circunstância das mais vulgares colocou-o num beco sem saída, ainda antes de ter chegado ao fundo da escada. Quando chegou ao patamar da cozinha, cuja porta estava, como sempre, aberta de par em par, deitou um olhar pelo cantinho do olho, para certificar-se previamente de uma coisa: da ausência de Nastássia. "E a senhoria também não estaria ali, teria a porta de seu quarto bem fechada, não poderia vê-lo quando entrasse para pegar no machado?" Mas qual não foi o seu espanto ao reparar, de repente, que Nastássia estava na cozinha e, além disso, trabalhava, ocupada em tirar roupa branca de uma cesta e a estendê-la sobre umas cordas! Quando o viu, ela suspendeu a sua tarefa, voltou-se para olhá-lo, e assim ficou até ele se afastar. Ele desviara os olhos, como se não tivesse reparado em nada. Mas era assunto arrumado: não havia machado! Ficou desolado. "Por que é que eu concluí – disse para consigo, ao atravessar a porta de serviço – por que teria eu concluído que, precisamente neste momento, ela devia estar ausente? Por quê? Por que decidi eu isto com tanta certeza?" Sentiu o desejo de rir de si próprio, tal era a sua indignação... Sentia no seu íntimo uma raiva estúpida e bestial. Parou à porta de serviço, indeciso. Sair para que, só por sair, para dissimular, repugnava-lhe; mas voltar para o quarto ainda lhe repugnava mais. "Perdi para sempre uma bela oportunidade!", resmungou, de pé e voltado, sem a menor intenção, para o escuro cubículo do porteiro, que também está aberto. De súbito, todo o corpo lhe estremeceu. Na portaria, a dois passos dali, sobre o banco da direita, acabava de ver brilhar alguma coisa... Olhou à volta... Ninguém. Aproximou-se do cubículo nas pontas dos pés, desceu os degraus e chamou o porteiro em voz baixa: "Pronto, não está em casa! Se bem que, no entanto, não deve andar muito longe, visto que deixou a porta escancarada." De um salto, lançou-se sobre o machado (era realmente um machado) e tirou-o de debaixo do banco, onde descansava entre dois pedaços de lenha; em seguida, e sem ter ainda saído da portaria, meteu-o no nó corredio, pôs as mãos no bolso e afastou-se. Ninguém o tinha visto! "Quando a inteligência fala, o diabo ajuda-a!" pensou, com um estranho sorriso. O acaso que acabava de lhe acontecer, até lhe fez sentir dores no ventre.

Saiu para a rua devagar e com um ar indiferente, sem se apressar, com o receio de levantar suspeitas. Nem sequer olhava para os transeuntes, e até se esforçava por não fixar a vista em ninguém, a fim de passar o mais possível despercebido. Nesse momento tornou a recordar-se do chapéu: "Meu Deus, pensar que anteontem tinha dinheiro e, em vez dele, não comprei antes um gorro!". Praguejou intimamente. Deitou uma olhadela para o interior duma loja e viu que eram já sete e dez. Tinha que andar depressa e, ao mesmo tempo, que fazer uma volta; o melhor era entrar pelo outro lado, pela porta traseira. Dantes, quando imaginava tudo isso, pensava que deveria estar muito excitado. Mas agora não estava absolutamente nada. O que o ocupava, de momento, eram pensamentos estranhos, e não por muito tempo. Enquanto rodeava o parque Iusúpovski, interessou-lhe muito a ideia de que deviam construir umas fontes que refrescassem deliciosamente o ar em volta às praças públicas. Depois, pouco a pouco, chegou à convicção de que a ampliação do Jardim de Verão até o Campo de Marte e a sua reunião com o Jardim do Palácio Mikhailóvski constituiriam uma inovação tão agradável como útil para Petersburgo. E, a propósito disso, a si próprio perguntou por que é que em todas as grandes cidades as pessoas hão de preferir, menos por necessidade do que por gosto, viver naqueles bairros onde não há jardins nem fontes, mas apenas lixo e mau cheiro, e a sujidade reina como dona e senhora. Lembrou-se então do passeio pelo Mercado do Feno e por um instante apercebeu-se da sua situação atual: "Que estupidez – disse – não, vale mais não pensar nisso!". Deve ser assim, com certeza, que os indivíduos que são levados ao patíbulo se agarram com o pensamento a todos os objetos que encontram pelo caminho. Esta ideia atravessou a sua mente como um relâmpago; mas apressou-se a afugentá-la... E, entretanto, ei-lo já muito próximo, eis aí a casa e ali a porta. E não se sabe onde, ouviu-se um relógio: "O que, já serão sete e meia? É impossível, com certeza que deve andar adiantado!".

Mas a sorte foi-lhe favorável quando ia entrando. Como de propósito, uma enorme carroça de feno entrava precisamente diante dele, pela porta cocheira, ocultando-a completamente no momento em que ele a atravessava, de maneira que, ainda mal a carroça entrara no pátio, já ele se escapulia para a direita. Uma vez aí, ouviu do outro lado da carroça várias vozes que gritavam e altercavam. Mas ninguém o vira, com ninguém se encontrara. Algumas das janelas que davam para aquele imenso pátio quadrado estavam abertas àquela hora; mas ele não levantou a cabeça, pois não tinha coragem para isso. A escada que conduzia ao andar da velha corria mesmo ao lado da porta da direita. Na escada já ele se encontrava...

Contendo a respiração e comprimindo com a mão as pulsações do coração, ao mesmo tempo que apalpava o machado e o endireitava uma vez mais, começou a subir os degraus suavemente, com muito cuidado e apurando o ouvido a todos os instantes. Mas a escada estava completamente deserta naquele momento; todas as portas estavam fechadas; não encontrou ninguém. É certo que no segundo andar havia um quarto para alugar, onde trabalhavam alguns pintores; mas não repararam nele. Parou um momento, reconsiderou e continuou a subir. "Lá isso é verdade, seria melhor que não estivessem aí; mas acima deles há mais andares..."

Agora vai já no quarto andar; ali está a porta, em frente, o andar está deserto. No terceiro andar, por debaixo do da velha, o mais provável é que também não haja ninguém; taparam o cartão de visita que estava fixado à porta, e isso é sinal de que os inquilinos se mudaram... Sufocava. Por um momento uma ideia atravessou o seu pensamento: "Não seria melhor ir-me embora?". Mas, sem dar resposta a essa pergunta, pôs-se a escutar junto do quarto da velha; reinava aí um silêncio de morte. Apurou ainda o ouvido no alto da escada e escutou atentamente durante muito tempo... Depois deitou uma última olhadela à sua volta e endireitou novamente o cabo do machado: "Não estarei demasiado pálido? – pensou, excessivamente, comovido. – Não seria melhor esperar que o meu coração se acalmasse?"

Mas o coração não lhe serenava. Pelo contrário, como se fosse de propósito, cada vez palpitava com mais força... Não pôde conter-se mais; lentamente, estendeu a mão até o cordão da campainha e puxou. Deixou passar meio minuto e tornou a chamar com um pouco mais de força. Nenhuma resposta... Para que tornar a chamar? Tal insistência não seria oportuna. Com certeza a velha estava em casa, e, se estivesse só naquela ocasião, sentiria certamente mais receio. Conhecia, em parte, os costumes de Alíona Ivânovna... e tornou a encostar o ouvido à porta. Seria que os sentidos se lhe aguçaram extraordinariamente (coisa difícil de admitir), ou aquele rumor era na verdade tão bem perceptível? Fosse como fosse, percebeu de repente o roçar duma mão sobre o ferrolho da fechadura, ao mesmo tempo que o roçagar dum vestido contra uma almofada da porta. Alguém invisível estava ali por detrás, escutando como ele, esforçando-se por dissimular a sua presença lá dentro e, segundo parecia, também com a orelha pegada à porta.

Movimentou-se de propósito e resmungou em voz alta, para que não parecesse que se estava escondendo, e depois tornou a chamar pela terceira vez, mas devagarinho, suavemente e sem a menor mostra de impaciência. Mais tarde recordaria aquele momento com toda a exatidão, tal foi a maneira como lhe ficou fielmente gravada na memória. Nunca chegou a compreender como é que foi capaz de empregar tanta astúcia naquela ocasião, pois houve momentos em que se lhe nublou o raciocínio e em que mal sentia o corpo... Passado pequeno momento percebeu que puxavam o ferrolho.

Capítulo VII

Como das outras vezes, a porta abriu-se devagarinho e de novo dois olhos penetrantes e receosos pousaram sobre ele, olhando do fundo da escuridão. Nesse momento Raskólhnikov perdeu o sangue frio e esteve quase a deitar tudo a perder por sua culpa. Receando que a velha se assustasse por se encontrar sozinha com ele, e não acreditando que a sua cara e o seu aspecto fossem próprios para tranquilizá-la, segurou a porta e puxou-a atrás de si, para que a velha não caísse na tentação de tornar a fechá-la. Por seu lado, ela não puxou a porta; mas também não a largou; de maneira que por um pouco não a arrasta, juntamente com a porta, até ao patamar. Quando viu que a velha continuava no umbral, estorvando-lhe a entrada, caminhou direito a ela. Muito admirada, deu um pulo para trás, quis dizer qualquer coisa mas não conseguiu, e ficou olhando com os olhos muito abertos. – Boa noite, Alíona Ivânovna – começou com o ar mais indiferente, mas com uma voz que já não lhe obedicia, entrecortada e tremente – trago-lhe um penhor... Mas entremos... vamos para a luz.

E, empurrando-a com um gesto brusco, entrou no quarto sem que ela o tivesse convidado. A velha correu atrás dele e começou a dar à língua:

– Meu Deus! Mas que deseja o senhor? Quem é o senhor? O que quer?

– Repare, Alíona Ivânovna, sou seu amigo... Raskólhnikov... Ouça: trago-lhe o penhor de que lhe falara ultimamente...

E estendeu-lhe o penhor. A velha ia para examiná-lo; mas tornou a fixar mais uma vez os seus olhos nos do intruso. Contemplava-o atentamente, com uma expressão maliciosa e receosa. Passou um minuto e ele julgou até perceber no olhar da velha qualquer coisa de irônico, como se ela tivesse já adivinhado tudo. Sentiu que perdia a cabeça, que tinha quase medo, e que, se o mutismo da velha se prolongasse meio minuto mais, acabaria por fugir.

— Mas por que me olha tanto, como se não me conhecesse? — disse ele também de repente, com malícia — aceite-o, se quiser... senão vou a outro lugar! Não posso perder tempo!

Disse essas palavras sem as ter pensado, como se lhe tivessem escapado de repente.

A velha reconsiderou; era evidente que o tom resoluto do visitante a animava.

— Mas, meu amigo, por que há de isto ser assim, tão de repente? Que é isso? — perguntou olhando para o objeto.

— Uma cigarreira de prata... Vamos... Já lhe falei dela da última vez que cá estive...

A velha estendeu a mão.

— O senhor está tão pálido! E tem as mãos trêmulas! Estará doente, não?

— Tenho febre — respondeu com uma voz convulsionada. — Como é que não se há de estar pálido, quando não se come! — acrescentou com muito custo. As forças tornavam a faltar-lhe. Mas a resposta parecia verossímil; a velha pegou no objeto.

— Que é isto? — perguntou, olhando outra vez de alto a baixo para Raskólhnikov e sopesando o objeto na mão.

— Pois esse objeto... A cigarreira... de prata... Mas veja-a!

— Hum! Nem parece prata! Vem muito bem embrulhada.

Enquanto se esforçava por desfazer o embrulhinho, aproximou-se da janela para ver melhor (tinha as janelas todas fechadas, apesar do calor sufocante), e por um momento afastou-se de Raskólhnikov, ficando de costas voltadas. Ele desabotoou o paletó e tirou o machado do nó corredio; mas, sem a tirar completamente, limitou-se a segurá-la com a mão direita por debaixo da roupa. Sentiu uma grande fraqueza nos braços, que lhe intumesciam de minuto a minuto, e que se tornavam pesados como chumbo. Tinha medo de deixar cair o machado. De repente pareceu-lhe que a cabeça lhe voava.

— Mas que ideia fazer um embrulho desta maneira! — exclamou a velha esboçando um movimento para Raskólhnikov.

Não havia um momento a perder. Tirou completamente o machado debaixo do casaco, brandiu-a com as duas mãos, sem se aperceber do que fazia, e quase sem esforço, com um gesto maquinal, deixou-a cair sobre a cabeça da velha. Estava esgotado. Mas ainda mal acabara de dar o golpe, quando lhe voltaram as forças.

Como sempre, a velha estava de cabeça nua. Os seus escassos cabelos brancos, disseminados e distantes, gordurosos e oleosos, também estavam, como sempre, entrançados em forma de rabo de rato e presos por um dente de pente, formando carrapito sobre a nuca.

Deu-lhe o golpe precisamente na saliência do crânio, para o que contribuiu a baixa estatura da vítima. Continuava ainda segurando o objeto de penhor numa das mãos. A seguir feriu-a pela segunda e pela terceira vez, sempre na saliência do crânio. O sangue brotou como de um copo entornado, e o corpo tombou para a frente, sobre o chão. Ele se deitou para trás para facilitar a queda e inclinou-se sobre o rosto da velha: estava morta. As pupilas dos olhos dilatadas pareciam querer saltar-lhe das órbitas; a fronte e o rosto contorciam-se nas convulsões da agonia.

Deixou o machado no chão, ao lado da morta, e começou imediatamente a revistar-lhe os bolsos, procurando não manchar as mãos no sangue que jorrava.

Começou pelo bolso da direita, aquele de onde ela tirara as chaves da última vez. Conservava toda a sua lucidez de espírito e já não sentia náuseas nem vertigens; apenas as mãos lhe tremiam ainda. Mais tarde havia de recordar a maneira sensata e prudente como se conduzira, como tivera o cuidado de não se manchar... Tirou as chaves; tal como antes, estavam todas juntas, num molho, por meio de um só aro de aço. Assim que as teve em seu poder, dirigiu-se correndo para o quarto. Era um cubículo pequenino, no qual havia uma redoma grande cheia de imagens e de santos. Em frente, encostada à parede, via-se uma grande cama, muito boa, com uma manta de seda acolchoada, de algodão, feita de retalhos. A cômoda estava no terceiro lado do quarto. Coisa estranha: ainda mal metera as chaves na fechadura desse móvel, apenas sentira o rangido do ferro, quando uma espécie de calafrio o percorreu todo. Sentiu novamente vontade de deixar tudo aquilo e de escapulir-se. Mas isso durou apenas um momento, pois era já demasiado tarde para sair. Já estava a rir de si próprio quando, de repente, outra ideia inquietante o assaltou. Lembrou-se que podia suceder perfeitamente que a velha estivesse ainda viva e voltasse a si. Deixando as chaves e a cômoda, correu para lá, para junto do cadáver, e levantou outra vez o machado sobre a velha; mas não a golpeou. Não havia dúvida de que estava morta. Agachando-se e contemplando-a outra vez de perto, ficou convencido de que tinha o crânio partido e até um pouco torcido. Sentiu vontade de apalpá-lo com o dedo; mas retirou a mão; era evidente que não tinha necessidade nenhuma disso. Entretanto, o sangue formara já um charco sobre o chão. De repente, reparou que ela trazia um cordãozinho ao pescoço, e puxou por ele; mas o cordão era forte e não se partiu; além disso estava empapado em sangue. Experimentou então tirá-lo por debaixo do peito; mas havia qualquer coisa que o estorvava. Cheio de impaciência, ia já a atirar outra vez o machado com o fim de cortar o cordão sobre o corpo; mas não se atreveu e, com grande trabalho, manchando as mãos e o machado de sangue, depois de dois minutos de esforço partiu o cordão sem tocar com o machado no cadáver e tirou-o; não se enganara... Uma bolsinha! Do cordão pendiam duas cruzes, uma de madeira de cipreste e a outra de cobre, e, além disto, uma pequena imagem de esmalte; e juntamente com elas havia um porta-moedas gorduroso, besuntado, de pele de gamo e com fecho de aço. O porta-moedas estava cheio; Raskólhnikov guardou-o no bolso sem o examinar. Pôs as cruzes ao peito da velha e, pegando outra vez no machado, voltou de novo para o quarto. Apressou-se terrivelmente, pegou nas chaves e de novo voltou a servir-se delas. Mas tudo parecia inútil; não acertavam bem na fechadura. Não que as mãos lhe tremessem, mas porque se enganasse sempre; e, embora visse que não era aquela a chave, que não entrava bem, persistia. De repente recordou-se e compreendeu que aquela chave grande, com o palhetão denteado, que estava ali entre outras chaves menores, não devia ser a da cômoda, sem dúvida alguma (conforme pensara anteriormente), mas a de algum cofre, e que talvez fosse nesse cofre que tudo estivesse escondido. Abandonou a cômoda e meteu-se imediatamente debaixo da cama, por saber que, geralmente, as velhas guardam os cofres debaixo da cama. De fato assim era; encontrou aí uma grande arca, de um *archin* de comprimento, de tampa abaulada, forrada de couro vermelho e pregueada com pregos de aço. A chave denteada entrou a primeira vez e abriu-a logo. Na parte de cima, por debaixo dum pano branco, havia uma peliça curta, de lebre, com guarnições vermelhas, e, debaixo dela, um vestido de seda, debaixo dum xale, e depois, no fundo, segundo parecia, só havia trapos. Começou por limpar as mãos manchadas de sangue sobre a guarnição vermelha: "Como é vermelha, o sangue não se notará sobre ela"; mas, de repente, caiu em si: "Meu Deus! Teria eu perdido o juízo?", pensou, assustado.

Mas, mal acabara de remexer aqueles trapos, quando, debaixo do casaco escorregou um relógio de ouro. Apressou-se a esvaziar o conteúdo do cofre. De fato, entre aqueles trapos havia objetos de ouro escondidos – provavelmente todos eles empenhados, resgatados e por resgatar – pulseiras, brincos, alfinetes de gravata, etc. Alguns guardados nos seus estojos; outros, simplesmente embrulhados em papel de jornal, com muito cuidado e perfeição, em duas folhas de papel, e atados por fora com cordéis. Sem se demorar absolutamente nada, pôs-se a guardá-los nos bolsos das calças, do casaco, sem abrir os estojos nem desfazer os invólucros; mas não teve tempo para apanhar muitos...

De súbito, pareceu-lhe ouvir passos no quarto onde jazia a velha. Ficou quieto e rígido como um cadáver. Mas estava tudo tranquilo; devia ter sido vítima de uma alucinação. Nesse momento ouviu-se distintamente um leve grito, ou melhor, como se alguém tivesse lançado um gemido surdo e depois tivesse voltado a calar-se. A seguir outro silêncio mortal, de um ou dois minutos. Sentou de cócoras junto da arca e aguardou, de alma suspensa, até que por fim levantou de um pulo, pegou no machado e saiu do quarto correndo!

No meio do quarto estava Lisavieta, com um grosso embrulho nos braços, e olhava estupefata para a irmã morta, completamente lívida, e como se não tivesse coragem para gritar. Quando o viu chegar correndo, pôs-se a tremer como a folha duma árvore, com um tremorzinho leve, e por todo o rosto lhe correram espasmos. Tinha erguido as mãos e aberto a boca; mas no entanto não chegou a gritar e, lentamente, foi recuando à sua frente, para um canto, olhando-o fixamente, com teimosia, mas sem lançar um grito, como se não lhe restasse coragem para gritar. Ele se lançou sobre ela com o machado; os seus lábios contraíam-se tão dolorosamente como os das criancinhas quando se assustam com qualquer coisa, e ficou olhando fixamente o objeto causador do seu espanto, e prontos a gritar. E a tal ponto era simplória aquela desditosa Lisavieta, tão pacífica e tímida, que nem sequer se lembrava de levantar as mãos para resguardar o rosto com elas, apesar de ser esse o gesto mais natural e instintivo nesse momento, visto que o machado se levantava já por cima do próprio rosto. A única coisa que fez foi levantar um pouco o braço direito, que tinha livre, estendê-lo pouco a pouco para ele, como se quisesse afastá-lo, A pancada acertou-lhe em cheio sobre o crânio, e fendeu-lhe de uma vez toda a parte superior até ao occipúcio. Tombou também sobre o chão. Raskólhnikov estava completamente fora de si, tirou-lhe o embrulho, para largá-lo logo em seguida, e deitou a correr para o vestíbulo.

O medo apoderava-se dele cada vez com mais força, sobretudo depois deste segundo homicídio, completamente inesperado.

Estava ansioso por ver-se longe dali o mais depressa possível. E, se nesse momento tivesse estado em condições de poder ver e considerar; se tivesse pelo menos podido imaginar todas as dificuldades da sua situação, toda a sua desolação, toda a sua vileza e toda a sua estupidez; pensar nisto, e também nos obstáculos que teria de vencer para sair dali e voltar para sua casa, poderia muito bem ter-se dado o

caso de que abandonasse tudo e fosse, ele sozinho, correr a denunciar-se, não por medo, mas unicamente por horror e aversão ao que fizera. A repugnância, sobretudo, surgia e crescia nele a cada momento. Por nada deste mundo se teria agora aproximado da arca, nem sequer da sala. Mas começou logo a apoderar-se dele uma certa abstração, uma espécie de ensimesmamento; de vez em quando parecia esquecer-se de tudo, ou, para melhor dizer, esquecia-se do principal para atentar só a insignificâncias. Aliás, ao ver na cozinha um balde meio cheio de água em cima dum banco, pensou lavar aí as mãos e o machado. Tinha as mãos ensanguentadas e viscosas. Primeiro deixou cair o machado a prumo dentro da água; pegou num pedaço de sabão que estava na janela, num prato esbeiçado, e pôs-se a lavar as mãos no mesmo balde. Depois de as ter lavado, tirou o machado, limpou o aço, e ficou lavando o cabo durante muito tempo, por dois ou três minutos, nas partes em que estava ensanguentado, servindo-se também do sabão. Depois limpou tudo muito bem num pano branco que estava pendurado numa corda, estendia através da cozinha, e em seguida pôs-se a observar o machado, vagarosa e atentamente, junto da janela. Já não tinha vestígios, mas o cabo ainda estava úmido. Com muito cuidado, pendurou o machado no nó, por debaixo do sobretudo. Uma vez feita essa operação, e até onde lhe consentia a luz da cozinha escura, remirou o sobretudo, a calça e as botas. Por fora, à simples vista, não se notava nada; só nas botas é que havia manchas. Pegou num trapo e limpou as botas. Mas apesar disso pensava ainda que podia não ter reparado bem, que podia haver qualquer coisa que saltasse aos olhos, e que ele, no entanto, não notasse. Estava parado e meditando, no meio do quarto. Dolorosos, tenebrosos pensamentos lhe atravessavam a mente... A ideia de que estava louco e de que naquele instante não tinha forças para discernir nem defender-se, que talvez não fosse preciso fazer o que fazia... "Meu Deus! Preciso mas é fugir...", murmurou, e correu para o corredor. Mas aí aguardava-o uma das maiores surpresas da sua vida.

Parou, olhou e não queria acreditar naquilo que os seus olhos viam: a porta, a porta exterior, e que dava para a escada, a mesma em que batera e pela qual entrara, estava entreaberta; nem sequer fechada à chave, nem sequer corrido o fecho, durante todo aquele tempo. A velha não a fechara atrás de si, talvez por precaução. Mas, santo Deus! Não tinha Lisavieta entrado por ela?! E como foi possível ter ele adivinhado que ela por alguma parte devia ter entrado! Mas, evidentemente, com certeza que não entrara pelas paredes!

Dirigiu-se para a porta e correu o trinco dela.

"Mas não, isto também não! O que eu tenho a fazer é ir-me embora, ir-me embora..."

Correu o fecho, entreabriu a porta e pôs-se a escutar do lado da escada.

Ficou escutando por muito tempo. Algures, certamente, lá embaixo, gritaram com força por duas vezes; deviam estar brigando e ralhando. "Quem seria?" Esperou com paciência. Por fim, repentinamente, tudo ficou em silêncio: já se tinham retirado. Ele se dispôs também a sair; mas de repente, no andar de baixo, abriu-se com estrépito uma porta que dava para a escada, e alguém começou a descer os degraus entoando uma cançoneta. "O barulho que fazem!", pensou. Tornou a fechar atrás de si e esperou. Finalmente, tudo ficou silencioso: nem vivalma. Já tinha dado um passo na escada, quando, de repente, se sentiram novas passadas. Soavam muito longe, essas passadas, mesmo no princípio da escada; mas ele compreendeu logo, desde o princípio do ruído, quando começou a suspeitar de alguma coisa, que se dirigiam infalivelmente para ali, para o quarto andar, para a casa da velha. Por quê? Seriam assim tão especiais e significativas aquelas passadas? Eram pesadas, certas, calmas. E ele vinha já no primeiro andar e continuava subindo, cada vez se ouvia melhor, cada vez se ouvia melhor! Sentia-se a respiração pesada do visitante. Começava já a subir o lance do terceiro andar... Ah! E, de súbito, pareceu-lhe que ficava petrificado como se aquilo fosse um sonho daqueles em que nos atacam de perto e nos querem matar e parece que estamos pregados ao chão e que nem um braço podemos mexer...

Até que, finalmente, quando o visitante estava já prestes a chegar ao quarto andar, ele estremeceu todo, de repente, e então recuou rápida e destramente do patamar e fechou a porta atrás de si. Depois pegou no trinco e correu-o devagarinho, sem fazer barulho. Valeu-lhe o instinto. Depois de ter feito isto, escondeu-se, sem respirar, acocorando-se junto da porta! O visitante desconhecido já ali estava. Encontravam-se agora os dois, um perto do outro, como ele estivera antes em relação à velha, quando a porta os separava e escutava de ouvido alerta.

O visitante respirou várias vezes afanosamente.

"Deve ser gordo e alto." De fato, tudo aquilo parecia um pesadelo. O visitante puxou pela campainha e chamou com força.

Ainda mal o som fraco da campainha soara, quando lhe pareceu, de súbito, que alguém se movia na sala. Ficou escutando, atento, durante uns segundos. O desconhecido tornou a chamar, esperou um momentinho e, de repente, impaciente, pôs-se a sacudir o puxador da porta com todas as suas forças. Raskólhnikov via com espanto o trinco saltar na corrediça e esperava com um medo estúpido que ele corresse, sozinho, de um momento para o outro. De fato isso parecia possível, tal era a maneira como balançavam a porta. Lembrou-se de segurar o fecho com a mão; mas o outro podia adivinhar. Sentia que perdia a cabeça, que ela lhe andava às voltas, como antes. "Estou encurralado!" pensou; mas o desconhecido começou a falar e ele reanimou-se imediatamente.

– Mas estarão elas dormindo ou teriam sido mortas? Malditas! – exclamou, como no fundo dum poço. – Eh, Alíona Ivânovna, velha bruxa! Lisavieta Ivânovna, beldade sem par! Abram! Mas vocês estão dormindo, malditas?

E, furioso, pôs-se outra vez a puxar pela campainha, dez vezes seguidas. Não havia dúvida de que era algum homem com autoridade e familiar naquela casa.

Nesse mesmo momento ouviram-se uns passos miúdos, leves, perto dali, na escada. Alguém se aproxima. A princípio, Raskólhnikov nem sequer os ouviu.

– Não estará ninguém? – exclamou ruidosa e alegremente o recém-chegado, dirigindo-se ao primeiro visitante, que continuava ainda puxando pela campainha. – Boa noite, Kotch!

"A julgar pela voz, deve ser muito novo", pensou Raskólhnikov, de repente.

– Não sei que, diabo, vem a ser isto; por um pouco que não dava cabo da fechadura – respondeu Kotch. –. Mas como é que sabes o meu nome?

– Essa é boa! Pois se há três dias jogamos juntos três partidas seguidas de bilhar, em casa de Gambrinus![14]

– Ah ... a ... a ... h!

---

[14] Espécie de cervejaria de estilo alemão, restaurante e local para encontros e bate-papos entre homens, com uma sala adjacente para o jogo de bilhar, muito em voga na época.

– Com que então não estão?! É estranho. Além disso é uma estupidez horrível. Onde hei de eu encontrar a velha? Precisava de tratar um assunto com ela.

– E eu também!

– Bem. Que se há de fazer? Temos de bater em retirada! Ah ... ah! E eu que contava já com o dinheiro! – exclamou o rapaz.

– É claro que temos de nos ir embora, mas então, para que marcou ela uma hora? Foi ela mesma, a velha bruxa, que me marcou esta hora. E da minha casa até aqui ainda é uma estirada. Também não percebo aonde teria ela ido! Todo o ano metida em casa, o diabo da velha, a resmungar e a dizer que lhe doem os pés, e de repente some e vai para a paródia!

– E se perguntássemos, ao porteiro?

– O quê?

– Aonde é que ela foi e quando volta.

– Hum! Ó diabo... Perguntar... Mas se ela nunca sai! – e tornou outra vez a sacudir a fechadura. – Que diabo, não temos outro remédio senão ir embora!

– Espere! – exclamou o rapaz de repente. – Olhe, não vê como a porta cede quando é sacudida?

– E então?

– Isto quer dizer que não tem a chave posta e apenas o fecho corrido! Não sente ranger o fecho? E para ter o fecho corrido é preciso estar em casa, compreende? Donde se conclui que estão em casa, mas que não querem abrir!

– O quê? Isso é possível! – objetou Kotch, admirado. – Com que então estão lá dentro? – e tornou a balançar a porta.

– Espere! – tornou a exclamar o rapaz. – Não puxe dessa maneira! Repare, aqui há qualquer coisa de estranho... O senhor chamou, abanou a porta... e não lhe abrem, o que quer dizer: ou que elas desmaiaram, ou que...

– Que, o quê?

– Olhe, vamos ter com o porteiro; pode ser que ele as faça despertar.

– É verdade! – e deslizaram ambos pelas escadas abaixo.

– Espere! Fique aí enquanto eu vou lá embaixo na portaria.

– Mas por que hei de eu ficar?

– Pelo sim, pelo não!

– Bem, então...

– Olhe, eu ando me preparando para juiz de instrução! É evidente, e...vi...den.... te... que aqui há qualquer coisa de estranho! – gritou-lhe o rapaz com veemência e se pôs a correr desabaladamente pelas escadas abaixo.

Kotch ficou em cima, tornou a puxar a campainha mais uma vez, suavemente, e esta deu um toque; depois, devagarinho, como se refletisse e usasse de prudência, pôs-se a sacudir o puxador da porta, sacudindo-a de um lado para o outro, como se quisesse certificar-se bem de que só tinha o fecho corrido. Depois, resfolgando, agachou-se e começou a olhar pelo buraco da fechadura; mas a chave estava posta por dentro, de maneira que não podia ver nada.

Raskólhnikov estava de pé e de machado em riste, quase delirando. Via-se já a atacá-los também quando entrassem. Enquanto eles chamavam à porta e conversavam, por mais de uma vez lhe ocorreu a ideia de sair, de repente, e de acabar com todos de uma vez ou interpelá-los da parte de dentro. De vez em quando sentia impulsos de pôr-se a insultá-los e a discutir com eles assim que abrissem. "Era como isto acabava mais depressa!", foi o pensamento que lhe atravessou a mente.

O tempo passava; um minuto, outro... Ninguém aparecia. Kotch começava a remexer-se.

– No fim de contas... – exclamou de repente, com impaciência, deixando o seu serviço de sentinela.

Correu pelas escadas abaixo, de roldão, e fazendo um grande barulho com as botas. Depois as passadas cessaram.

"Meu Deus, que hei de fazer?"

Raskólhnikov correu o fecho, entreabriu a porta, verificou que não se ouvia nada, e, de repente, sem se demorar a pensar, saiu, fechou outra vez a porta atrás de si o melhor que pôde e correu pelas escadas abaixo. Já tinha descido três lanços, quando, de repente, percebeu um grande alvoroço lá mais embaixo... onde esconder-se? Era impossível esconder-se em qualquer parte. Apressou-se a retroceder para o andar.

– Eh, esse sátiro, esse demônio! Apanhem-no! – Dando um grito, alguém saiu de qualquer andar, e não corria, mas parecia precipitar-se pela escada, gritando a plenos pulmões:

– Mitka! Mitka! Mitka! Mitka! Vai para o diabo... que te carregue!

O grito acabou em alarido; os últimos ruídos ouviram-se já no pátio; depois tudo ficou em silêncio. Mas nesse momento, alguns homens, falando em voz forte e alta, começaram a subir a escada no meio de grande alvoroço. Distinguiu a voz vibrante do rapaz: eram eles!

Completamente desesperado, foi e saiu-lhes diretamente ao encontro. "Seja! Se me apanham, está tudo perdido; se me deixam passar tudo está perdido também; hão de lembrar-se de mim." Estavam prestes a chegar; entre eles e ele havia apenas um lanço de escada... E, de repente, a salvação! Alguns degraus mais abaixo, à direita, havia um andar por alugar e com a porta aberta de par em par, aquele mesmo quarto no qual os pintores tinham estado trabalhando, os quais, como de propósito, já se tinham ido embora. Deviam ter sido eles que acabavam de sair naquela gritaria. O chão parecia recém-pintado, no meio do quarto via-se um pequeno balde, ao lado uma vasilha com tinta e uma brocha grossa. Esgueirou-se num ápice pela porta aberta e acocorou-se contra a parede: já era tempo; os outros chegavam já ao patamar; depois contornaram e passaram de largo para o quarto andar, falando alto. Ele esperou, saiu nas pontas dos pés e deitou a correr pelas escadas abaixo.

Ninguém na escada! Na porta cocheira, também não. Atravessou-a rapidamente e voltou à esquerda, para a rua.

Sabia muito bem, sabia perfeitamente que, naquele instante, teriam já chegado ao andar, que haviam de ficar muito admirados ao ver que a porta estava aberta, quando um momento antes ainda estava fechada, que já deviam ter visto os cadáveres e que não tardariam a adivinhar e a supor claramente que o assassino estivera ali um momento antes e não devia ter feito mais do que esconder-se em qualquer lugar, deslizar próximo deles e escapar-se, haviam de compreender também que devia ter-se escondido no quarto vazio, a ficar aí até que eles tivessem chegado lá acima. Mas, entretanto, não se atrevia de maneira nenhuma a acelerar o passo, embora lhe faltassem ainda cem desde ali até à primeira embocadura: "Não faria bem em esconder-se debaixo de alguma porta cocheira e esperar na escada de alguma casa desconhecida? Bolas, não! E largar o machado em qualquer parte? E tomar uma carruagem? Pior, pior!". Os seus pensamentos confundiam-se. Até que finalmente encontrou uma travessa; meteu-se por ela, meio morto; compreendia agora que já estava quase salvo, aí se tornava menos suspeito e, além disso, havia muita gente e ele perdia-se no meio daquele rebuliço como uma agulha em palheiro. Mas todas essas comoções esgotaram a tal ponto as suas forças, que mal podia dar um passo. O suor caía-lhe em bica; tinha o pescoço empapado. "Meteste-te em boa!", gritou alguém junto dele quando ia saindo ao canal. Naquele momento não tinha a cabeça muito firme; quanto mais avançava, tanto pior. Voltou completamente a si, quando, de repente, chegando junto do canal, se assustou ao ver que havia ali pouca gente, de maneira que quase retrocedera, para a ruela. Agora pouco lhe faltava para cair redondo, deu uma volta e foi ter a sua casa por um caminho completamente diferente.

Chegou a casa sem estar ainda em seu juízo perfeito; pelo menos ia já pelas escadas acima quando se lembrou do machado. E, no entanto, restava-lhe ainda por resolver uma questão gravíssima: a de tornar a devolvê-lo e a colocá-lo no seu lugar, sem que dessem por isso. Não havia dúvida de que já não tinha forças para pensar que o melhor teria sido não colocar o machado no seu lugar anterior, mas ir deixá-lo, ainda que fosse depois, no pátio de qualquer outra casa.

Mas correu-lhe tudo às mil maravilhas. A entrada da portaria estava fechada, mas não à chave, e o mais provável era que o porteiro estivesse em casa. Mas perdera a tal ponto a capacidade de raciocinar, que foi direto à porta e abriu-a. Se o porteiro lhe tivesse perguntado naquele momento: "Que deseja?", pode ser que tivesse pegado no machado e passado para as mãos dele. Mas o porteiro não estava e ele pôde colocar o machado no seu lugar anterior, debaixo do banco; até o cobriu com lenha, como estava antes. Depois não encontrou vivalma até chegar ao seu quarto; a porta da senhoria estava fechada. Quando entrou no quarto atirou-se para cima do divã, tal como estava. Não dormia, mas afundou-se num torpor. Se alguém tivesse entrado então no seu quarto, teria imediatamente dado um pulo e começado a gritar. Sombras e fragmentos de algo semelhante a ideias lhe atravessavam a mente; mas não pode apreender nem uma única, nem numa só pode deter-se, por mais esforços que fizesse...

Segunda parte

Capítulo primeiro

Ficou assim estendido durante muito tempo. Sucedia que, às vezes, despertava um pouco e nesses momentos reparava que era já noite cerrada; mas não se lembrava de levantar. Até que, por fim, notou que clareava já o novo dia. Estava deitado no divã, de rosto para cima, e ainda não se libertara da espécie de letargia que se apossara dele. Vindo da rua, chegava com força até ele um alarido enorme e tristonho, que, aliás, ouvia todas as noites junto da sua janela, às três horas. Também agora o despertavam: "Ah, são os bêbados que saem das tabernas – pensou. – Já são três horas – e, de súbito deu um pulo, como se alguém o tivesse feito saltar do divã.

– O quê?! Já três horas?!". Sentou no divã... e então se lembrou de tudo! De repente, num momento, lembrou-se de tudo!

No primeiro momento pensou que estava louco. Um frio tremendo se apoderou dele, um frio precursor da febre, que havia já alguns instantes sentira durante o sono. Agora, acometia-o também um tremor, os dentes parecia que iam saltar, e todo o seu corpo se agitava. Abriu a porta e apurou o ouvido; em casa estava tudo num sono profundo. Atônito, mirou-se a si próprio e passou o olhar por todo o quarto, sem compreender nada; como pudera ele entrar na noite anterior, sem ter fechado a porta no trinco e deitar-se no divã, não só vestido, como até de chapéu, o qual resvalara para o chão e ali estava caído, perto da almofada? "Se alguém tivesse entrado, que havia de pensar? Que eu estava embriagado, mas..." Assomou à janela, havia já bastante luz. A seguir pôs-se a examinar-se todo, dos pés à cabeça, todo o vestuário; não teria vestígios? Mas, assim, era impossível; tremia com os calafrios da febre, mas despiu-se e tornou a revistá-lo todo. Observou-o todo muito bem, fio por fio, dobra por dobra e, desconfiando de si próprio, repetiu a operação por três vezes. Segundo parecia, não havia nada: somente naquele lugar em que as calças, embaixo, formavam um rebordo, já a desfiar-se, só nesse rebordo é que havia umas espessas manchas de sangue. Pegou numa grande faca dobrável e cortou aquela franja. Pelo menos aparentemente não havia mais manchas. De repente lembrou-se de que o porta-moedas e os objetos que tirara da arca da velha, tudo isso estava guardado no seu bolso. E ainda não se lembrara de tirá-los e de escondê-los! Não se lembrara deles, nem sequer quando, um momento antes, estivera revistando o traje. Como pudera esquecer-se assim! Tirou-os do bolso num instante e lançou-os para cima da mesa. Depois de ter despejado tudo ali e esvaziado os bolsos, para ficar seguro de que já não tinham mais nada, levou tudo para um canto do quarto. Nesse canto, embaixo, havia um lugar onde pendiam tiras de papel da parede do quarto. Escondeu imediatamente tudo nesse buraco, por debaixo do papel: "Já está! Tudo para lá e o porta-moedas também!", pensou com alegria, endireitando-se e olhando rapidamente para o cantinho, onde se notava um volume. De repente murmurou, desolado. – Mas que fiz eu? Estará aquilo escondido, porventura? É assim que se escondem as coisas?

Verdadeiramente, não contara com esses objetos; pensava que tudo se reduzia a dinheiro, e por isso não tinha previamente preparado nenhum lugar. "Mas, agora, agora, por que hei de estar contente? – pensou. – Pode chamar-se a isto esconder? Não há dúvida de que perdi o juízo!" Extenuado, estendeu-se no divã e imediatamente um insuportável tremor o acometeu de novo. Maquinalmente, puxou pelo seu sobretudo de inverno, de estudante, que estava dobrado em cima duma cadeira, embora já todo feito em tiras; cobriu-se com ele e o sono e a febre voltaram a apoderar-se dele. Adormeceu.

Passados cinco minutos tornou a levantar de um salto e, atônito, pôs-se a examinar outra vez o traje. "Como é que eu pude tornar a adormecer sem ter feito nada? Mas adormeci, adormeci e ainda nem desmanchei o nó corredio, por debaixo da cava! Esqueci-me, esqueci-me disso! Seria um indício!" Tirou o nó e apressou-se a rasgá-lo em pedaços, que escondeu debaixo da almofada, juntando-os à roupa branca. "Tiras de roupa branca não devem levantar suspeitas; pelo menos é o que parece, o que parece!", repetiu, de pé, no meio do quarto, e, com uma atenção intensa, quase dolorosa, tornou a passar os olhos à sua volta, sobre o chão e por todos os lados, com medo de que lhe tivesse esquecido qualquer coisa. A convicção de que tudo, até a memória, até o simples discernimento, o tinham abandonado... Começou a atormentá-lo de uma maneira insuportável. "Será o caso de que comece, de que tenha começado já a expiação? Parece que sim, parece que sim, de fato!" Na verdade, os pedaços que arrancara das calças estavam ali caídos no chão, no meio do quarto, de maneira que qualquer pessoa que entrasse podia vê-los logo. "Mas que me aconteceu?", tornou a exclamar, alheado.

Então, uma ideia estranha lhe atravessou o pensamento: é que podia suceder que toda a peça estivesse manchada de sangue, que talvez tivesse até muitas manchas, mas que ele não as via nem as notava, porque o seu discernimento estava enfraquecido, nublado... o raciocínio obnubilado... De súbito lembrou-se também de que havia ainda sangue no porta-moedas. "É claro! Tinha de ser, e no bolso também deve haver, pois meti nela o porta-moedas ainda úmido!" Revirou o forro do bolso num instante, e assim era: no forro havia vestígios, manchas. "Parece que ainda não perdi o juízo completamente; parece que ainda conservo o raciocínio e a memória, visto que pensei nisto e acertei – pensou triunfante, respirando profundamente e com gosto, a plenos pulmões – trata-se simplesmente da fraqueza da febre, de um delírio momentâneo." E arrancou todo o forro do bolso esquerdo das calças. – Nesse momento um raiozinho de sol iluminou-lhe a bota esquerda; na ponta que assomava, notavam-se vestígios. Tirou a bota. "De fato, há vestígios. A ponta da bota está toda manchada de sangue." Provavelmente pisara descuidadamente o charco... "Mas que hei de fazer agora de tudo isto? Para onde atirar esta biqueira, esta franja e o pano do bolso?"

Amarrotou tudo isso na mão e ficou de pé, a meio do quarto. "Para o fogão? Mas o fogão será a primeira coisa que hão de ir ver. Queimá-los? Sim, mas com quê? Nem sequer tenho fósforos! Não, o melhor é sair e atirar tudo para qualquer lugar. Sim, é o melhor! – repetiu, tornando a sentar no divã. – E imediatamente, agora mesmo, sem perder um minuto..." Mas, em vez disto, a sua cabeça voltou a reclinar-se na almofada; outra vez o acometeu um tremor insuportável; tornou a embrulhar-se no sobretudo. E, essa ideia de ir "agora mesmo, sem perder tempo, por aí, a algum lugar, para desvencilhar-se de tudo aquilo, a fim de fazê-lo desaparecer da vista de toda a gente o mais depressa possível, o mais depressa possível", tornou a acometê-lo de instante a instante, ainda durante muito tempo, durante algumas horas. Saltou várias vezes do divã, tentou levantar, mas já não podia. Até que finalmente veio despertá-lo um forte soco dado na porta.

– Vamos, abre! Estás vivo ou morto? Não fazes mais nada senão dormir! – gritava Nastássia, batendo com os punhos na porta. – Todo o santo dia dormindo como um cão! És um cão! Abres ou não abres? Já são onze!

– Pode ser que não esteja em casa – disse uma voz de homem.

"Ora! É a voz do porteiro... Que virá ele fazer aqui?"

Ergueu-se bruscamente e sentou no divã. O coração palpitava-lhe com tal violência que até o incomodava.

– Deve ter o trinco corrido – insinuou Nastássia. – Agora dá-lhe para se fechar! Terá medo que o raptem? Abre, homem, acorda!

"Que querem eles de mim? Por que virá o porteiro? Já se vai ver! Abro ou recuso-me? Caí no laço..."

CRIME E CASTIGO

Endireitou-se, inclinou-se para a frente e abriu o ferrolho.

Todo o seu quarto era tão pequeno que podia abrir o ferrolho sem levantar completamente do divã.

Tinha adivinhado: eram o porteiro e Nastássia.

Nastássia olhou-o de uma maneira estranha. Olhou para o porteiro com uma expressão de desafio desesperado. Este lhe estendeu em silêncio um papelinho cinzento, dobrado e selado com cera de garrafa.

– É uma citação do Comissariado – disse ao entregar-lhe o papel.

– De que Comissariado?

– Comissariado da Polícia, está visto. Já se sabe de que Comissariado é que se trata.

– Da Polícia? Mas por quê?

– Disso, não sei nada. Chamam-no e portanto tem de ir.

Examinava o rapaz com atenção; olhou depois à sua volta e deu um passo para se retirar.

– Mas não estarás doente, a sério? – observou Nastássia sem tirar os olhos de cima dele. O porteiro voltou também a cabeça nesse momento. – Ontem teve febre – acrescentou ela.

Ele não respondeu e continuava com o papel nas mãos, sem o abrir.

– Se estás, não te levantes – continuou Nastássia condoída, quando o viu tirar os pés do divã. – Se estás doente, não saias; não há de ser assim tanta pressa... Que tens aí nas mãos?

Ele olhou: tinha ainda na mão direita os pedaços do rebordo das calças, que cortara, e o forro do bolso, que arrancara também. Tinha adormecido com eles na mão. Depois, quando pensou nisso, lembrou-se de que, quando se amodorrou, por causa da febre, tivera isso fortemente apertado na mão, e voltara a adormecer assim.

– Olhe os farrapos que arrancou e como ficou dormindo com eles!

E Nastássia riu-se com o seu risinho nervoso, doentio. Ele meteu tudo aquilo, num instante, debaixo do sobretudo, e fixou nela um olhar penetrante. Embora naquele momento não pudesse aperceber-se bem das coisas, sentia, no entanto, que não tratam assim uma pessoa quando vêm prendê-la. "Mas... a Polícia!"

– Tomaste chá? vais querer ou não? Vou buscar, espera...

– Não, eu vou; vou agora mesmo – murmurou ele, levantando.

– Mas se nem sequer podes descer a escada!

– Vou.

– Como quiseres.

Saiu atrás do porteiro. Observou imediatamente à luz a ponta da bota e a franja das calças. "Há uma pequena mancha, que mal se vê; está tudo sujo, esfiapado e desbotado. Quem não souber de nada... nada notará. Com certeza que Nastássia, de longe, não podia ter reparado em nada. Louvado seja Deus!" Depois, tremendo, rasgou o selo da citação e começou a lê-la; ficou a lê-la durante muito, muito tempo, até que finalmente compreendeu. Era a costumada citação do Comissariado da Polícia distrital para que comparecesse nesse mesmo dia, às dez e meia, nas suas repartições.

"Para que será? Eu não tenho nenhum assunto pendente na Polícia. E, além disso, por que há de ser hoje? – pensou com uma incerteza dolorosa. – Senhor, que seja quanto antes!"

Sentiu o impulso de prostrar-se de joelhos e de rezar; mas depois pôs-se a rir, não da reza, mas de si próprio. Começou a vestir-se à pressa. "Se me apanharem, apanharam, tanto me faz. Tenho de pôr esta bota – pensou de repente. – Sujo-a ainda mais com o pó e todos os vestígios desaparecerão." Mas assim que a pôs, tornou a tirá-la, tomado de medo e de repugnância. Tirou-a; mas, lembrando que não tinha outra, calçou-a outra vez... E começou outra vez a rir. "Tudo isto é convencional, relativo; fórmulas apenas – pensou por um momento, foi apenas uma ideia rapidíssima, e todo o corpo lhe tremia. – Tenho de calçá-la. E há de ficar tudo por aqui!" Mas esse seu riso transformou-se depois em desolação. "Não; não tenho coragem", disse para consigo. Os pés tremelicavam-lhe. "De medo", murmurou para si. A cabeça rodava e doía por causa da febre. "Isso é uma treta. Querem apanhar-me numa armadilha e depois demonstrarem-me tudo por surpresa – continuou dizendo para si, enquanto se dirigia para a escada. – É pena eu estar com febre... posso fazer qualquer disparate."

Mas na escada lembrou-se que deixara todos aqueles objetos assim, daquela maneira, no buraco debaixo do papel, e podia suceder que na sua ausência dessem ali uma busca. Parou um momento a refletir. Mas tal era o seu desespero e, por assim dizer, tal cinismo veio apoderar-se dele de repente, perante a ideia da sua perdição, que fez um gesto de indiferença com a mão e continuou o seu caminho.

"Contanto que seja já!"

Mas na rua havia outra vez um calor insuportável; nem uma gota de chuva durante todos aqueles dias. Outra vez o pó, os tijolos e a argamassa; outra vez o mau cheiro das lojas e tabernas; outra vez os ébrios a cada passo, os moços de esquina finlandeses e as carruagens meio desconjuntadas. O sol feria-lhe os olhos, de maneira que lhe era doloroso olhar, e tinha a cabeça completamente tonta: sensação costumada na pessoa febril, que sai de repente para a rua num dia de sol esplêndido.

Quando chegou à esquina da rua "da noite anterior", numa excitação dolorosa, lançou um olhar para "aquela" casa... mas desviou imediatamente a vista.

"Se me perguntarem, pode ser que diga", pensou, quando chegou ao Comissariado.

Este ficava a quarenta verstas de sua casa. Acabava de se mudar para um novo local, para uma nova casa, num quarto andar. Já estivera uma vez no local anterior; mas isso fora já há muito tempo. Quando atravessou a porta, viu uma escada à direita, pela qual descia um camponês com um livrinho na mão. "Deve ser o porteiro, com certeza; deve estar no Comissariado." E subiu as escadas. Não queria perguntar absolutamente nada a ninguém.

"Entro, ponho-me de joelhos e contarei tudo...", pensou, quando chegou ao quarto andar.

A escada era estreita, empinada e toda cheia de imundícies. As cozinhas de todas as casas dos quatro andares davam para a escada, e permaneciam com as portas escancaradas o dia inteiro. Por isso havia ali uma atmosfera horrível. Para cima e para baixo iam e vinham meirinhos com livros debaixo do braço, agentes da Polícia e pessoas de um e outro sexo, visitantes. A porta do Comissariado estava também aberta de par em par. Entrou e parou no corredor. Aí aguardavam, também de pé, alguns camponeses. Havia aí, igualmente, uma atmosfera pesadíssima, e, além disso, o cheiro da pintura ainda fresca, do andar pintado recentemente, entrava-lhe pelo nariz e dava-lhe náuseas. Depois de ter esperado um bocadinho, julgou conveniente avançar um pouco mais, até à sala seguinte, todas as dependências eram pequenas e de teto baixo. Uma impaciência feroz atormentava-o cada vez mais. Mas ninguém reparava nele. Na segunda sala havia alguns empregados, que escreviam, sentados, e que estavam um pouco mais bem vestidos do que ele, mas com uma cara bastante estranha. Dirigiu-se a um deles.

– Que deseja?

Mostrou o boletim do Comissariado.

– O senhor é estudante? – perguntou aquele depois de ter lido a citação.

– Sim, ex-estudante.

O empregado olhou para ele, mas sem a mínima curiosidade. Era um indivíduo completamente desgrenhado e com um olhar fixo.

"Não deve saber nada disto, porque, para ele, tudo lhe é indiferente", pensou Raskólhnikov.

– Dirija-se ali, ao secretário – disse o empregado e estendeu um dedo indicando-lhe a sala seguinte.

Penetrou nessa sala (que era já a quarta), onde se viam umas pessoas mais bem vestidas do que as das outras saletas. Entre os visitantes havia duas senhoras. Uma, de luto, pobremente vestida, estava sentada junto duma mesa, em frente do secretário, e escrevia qualquer coisa que lhe ditavam. A outra, muito gorda e de cara corada e sardenta, mulher vistosa e um tanto ou quanto espalhafatosamente vestida, com um broche do tamanho dum pires de chávena de chá, no peito, estava de pé, a um lado, e parecia esperar. Raskólhnikov apresentou a sua papeleta ao secretário, que lhe lançou uma olhadela e disse: "Queira esperar". E continuou a atender a senhora de luto.

Ele respirou mais livremente. "Com certeza que não é por causa daquilo." Pouco a pouco começou a cobrar ânimo; esforçou-se o mais possível por não se desencorajar e manter serenidade. "Alguma tolice, a mais leve imprudência, e posso deitar tudo a perder. Hum! É pena que aqui falte o ar – acrescentou – o ar... A cabeça continua rodando... e o juízo também."

Sentia que todo o seu ser estava horrivelmente transtornado. Tinha medo de não poder dominar-se. Esforçava-se por se agarrar a qualquer coisa e pensar em algo completamente secundário, mas estava muito longe de conseguir. Aliás, o secretário interessava-o muito; esforçava-se por adivinhar qualquer coisa acerca dele, deduzindo-o da sua cara, como se quisesse tomar-lhe o gosto de antemão. Era um homem ainda muito novo, de uns vinte e dois anos, embora a sua cara morena e animada o fizesse parecer de mais idade, vestido à moda com certa elegância, com o risco do cabelo até à nuca, muito frisado e untado, com uma enorme quantidade de anéis nos dedos brancos e delicadíssimos, e correntinha de ouro no colete. Trocara também duas ou três palavras num francês muito aceitável, com um estrangeiro que ali estava.

– Sente, Luísa Ivânovna, sente – disse para a senhora do vestido espalhafatoso e de cara corada e sardenta, a qual continuava de pé, como se não se atrevesse a sentar, apesar da fila de cadeiras que ali havia.

— *Ich danke*[15] — respondeu ela, e, devagarinho, sem fazer barulho, deixou-se cair sobre uma cadeira. O seu vestido, azul-celeste, com uma sobre-saia de renda branca, que parecia um balão cheio de ar, afofou-se em volta da cadeira, enchendo quase meia sala. Espalhou-se pelo ar uma lufada de perfume. Mas era evidente que a dama lamentava apanhar metade da sala e exalar uma tal baforada, embora sorrisse tímida e descaradamente ao mesmo tempo, mas com visível inquietação.

A senhora de luto acabou, finalmente, preparou-se para levantar. De repente entrou um oficial, com um certo barulho, muito fanfarrão e movendo os ombros a cada passo; deixou o gorro de roseta em cima da mesa e sentou num cadeirão. A dama vistosa levantou de um salto assim que o viu e fez-lhe uma reverência com uma certa solenidade especial; mas o oficial não lhe deu a mínima atenção, e ela já não se atreveu a sentar na sua presença. Era o ajudante do comissário do distrito, e tinha uns compridos bigodes ruivos, que se esticavam horizontalmente dos dois lados, e umas feições muito finas, mas afinal sem nada de particular, se não falarmos num certo ar de superioridade indescritível. Olhou de soslaio e mal-humorado para Raskólhnikov; o seu traje, só por si, era já bastante repugnante, mas, apesar da sua humildade, não parecia de acordo com a sua indumentária; por inadvertência, Raskólhnikov pôs-se a olhá-lo de frente e durante muito tempo, o que acabou por ofendê-lo.

— Que desejas? — gritou-lhe, com certeza admirado de que semelhante maltrapilho não pensasse sequer em desviar os olhos dele, perante o seu olhar fulminante.

— Fui chamado... com uma papeleta — respondeu Raskólhnikov conforme pôde.

— É o caso do "estudante", por causa de uma reclamação de dinheiro — apressou-se a dizer o secretário, deixando por um momento a sua papelada. — Olhe — e mostrou uma pequena caderneta a Raskólhnikov, apontando-lhe um ponto determinado. — Leia!

"Dinheiro? Que dinheiro? — pensou Raskólhnikov. — Mas... certamente não devia tratar-se daquilo..." Estremeceu de alegria. De repente sentiu um alívio, um peso saía de cima do seu peito.

— Mas a que hora foi o senhor citado? — gritou o tenente, cada vez mais ofendido e sem saber por quê. — Disseram-lhe às dez e já são onze.

— Há um quarto de hora que me entregaram a citação — respondeu Raskólhnikov em voz alta e forte, também de repente e inesperadamente, acalorando-se e sentindo até uma certa satisfação. — Muito fiz eu em vir, doente como estou, cheio de febre.

— Faça favor de não gritar!

— Eu não grito; eu estou falando com uma voz tranquila; o senhor é quem está gritando; e eu sou estudante e não consinto que me gritem.

O ajudante ficou tão furioso com aquilo que, no primeiro momento, não pode dizer nada, e apenas alguns perdigotos lhe saíram dos lábios. De um pulo, levantou do seu lugar.

— Faça favor de se ca...lar! Está no Comissariado! Não seja mal...criado!

— Também o senhor está — gritou Raskólhnikov — e, além de gritar, fuma; isto

---

15 Muito obrigada, em alemão.

é, falta ao respeito a toda a gente – e, depois de tudo isto, Raskólhnikov sentiu um prazer enorme.

O secretário olhava para ele e sorria. O fogoso oficial estava visivelmente desconcertado.

– Isso não é da sua conta! – gritou, finalmente, com uma voz exageradamente forte. – Faça mas é o favor de prestar a declaração que lhe pedem. Faça favor, Alieksandr Grigórievitch. Peço-lhe desculpa. O devedor não paga e ainda por cima se põe com basófias!

Mas Raskólhnikov já não o escutava e pôs-se avidamente a ler o documento, procurando o mais depressa possível a solução do enigma. Leu-o uma vez e outra; mas não o compreendia.

– Que quer dizer isto? – perguntou ao secretário.

– Quer dizer que lhe reclamam o dinheiro que deve; é uma reclamação. O senhor fica obrigado a pagar essa quantia, com todas as custas e demais despesas, ou a declarar por escrito quando poderá pagar, e comprometendo-se ao mesmo tempo a não se ausentar da cidade enquanto não tiver satisfeito a dívida e a não vender nem ocultar os seus bens. Quanto ao credor, tem o direito de vender os referidos bens e de conduzir-se para consigo segundo as normas da lei.

– Mas se eu... se eu não devo nada a ninguém!

– Isso já não é conosco. A nós entregaram-nos uma letra de câmbio, cuja data já expirou, protestada, no valor de cento e quinze rublos, entregue pelo senhor à viúva do assessor do colégio, Zarnítsin, há nove meses, e apresentada a pagamento ao Conselheiro da Corte, Krebárov, pela referida viúva; foi chamado para obtermos a sua declaração.

– Mas trata-se da minha senhoria!

– E que tem que seja a sua senhoria?

O secretário olhou-o com um sorriso de desprezo e de dó e, ao mesmo tempo, com certo orgulho, como um novato que começara a aprender à sua custa o que é ser caloteiro. Parecia querer dizer: "Hum?! Que te parece?". Mas que lhe importava a ele, agora, a letra de câmbio e a reclamação? Nada disso tinha agora interesse para ele, e nem sequer lhe merecia a mínima atenção. Estava de pé, lia, escutava, respondia, fazia até perguntas, mas tudo maquinalmente. O orgulho de ter escapado, de ver-se livre dos perigos recentes, eis o que absorvia nesse instante o seu ser, sem previsão, sem análise, sem futuros enigmas nem adivinhações, sem dúvidas nem interrogações. Era um momento de plena independência, de uma alegria puramente animal. Mas nesse momento sucedeu no Comissariado qualquer coisa tão fulminante como a queda dum raio ou o estampido dum trovão. O tenente, ainda enfurecido por aquela falta de respeito, encolerizado e desejando, pelo visto, recuperar os esforços da sua periclitante altivez, lançou-se com toda a sua ira sobre a infeliz senhora espaventosa, que estivera a contemplá-lo desde que entrou, sem tirar os olhos de cima dele, com um sorriso muitíssimo estúpido.

– És tu, tu – gritou, de repente, com toda a força dos seus pulmões (a senhora de luto já tinha saído). – Podes dizer-me o que se passou ontem em tua casa? Ah! Outra vez dando escândalo e a ser a vergonha de toda a rua? Outra vez brigas e bebedeiras? Estás interessada em que te mande para uma casa de correção? Pois eu já te disse, já avisei anteriormente por dez vezes, que na próxima te poria as mãos em cima! E tu voltas outra vez à mesma!

Raskólhnikov até deixou cair o documento das mãos e ficou olhando para a vistosa senhora, a quem ralhavam com tanta sem-cerimônia; mas não tardou a perceber do que se tratava, e depois toda essa história acabou por diverti-lo. Escutava com satisfação e até sentia vontade de rir, de rir... Tinha os nervos numa grande tensão...

– Iliá Pietróvitch – começou o secretário, solícito; mas deteve-se, para dar tempo, pois não era possível conter o enfurecido tenente senão pegando-lhe pela mão, conforme sabia por experiência própria.

Pelo que respeita à senhora vistosa, a princípio pôs-se a tremer perante aquela tempestade; mas, coisa estranha, quanto mais numerosos e violentos se iam tornando os insultos, tanto mais amável e sedutor se tornava o seu sorriso, voltada, como estava, para o iracundo tenente. Requebrava-se, sem no entanto sair do seu lugar, e desfazia-se em reverências, aguardando impaciente que, finalmente, acabassem por deixá-la falar em sua defesa.

– Não houve nenhum rebuliço nem nenhuma briga em minha casa, senhor capitão – exclamou, de súbito, atabalhoadamente e com um forte sotaque alemão, embora falasse o russo correntemente – e nenhum, absolutamente nenhum escândalo. Simplesmente, esse indivíduo apareceu embriagado, eu já lhe conto tudo, senhor capitão; mas eu não tenho a mínima culpa... A minha casa é uma casa decente, senhor capitão, onde toda a gente se porta como deve ser, senhor capitão; eu nunca gostei de escândalos. O que sucedeu foi que ele apareceu ali bêbado, e depois ainda pediu mais três "carrafas", e a seguir levantou um pé e pôs-se a tocar piano com ele; ora, isso não está certo numa casa decente, deixou-me o piano todo maltratado, isso não são maneiras, e então eu lhe chamei a atenção. Ele então pegou numa "carrafa" e pôs-se a bater em toda a gente, com ela, por detrás. E chamei o porteiro e Karl apareceu; ele agarrou Karl e pôs-lhe um olho roxo, e a Henriette também lhe deixou um olho maltratado, e a mim deu-me cinco sopapos na cara. O que não é nada delicado, tratando-se de uma casa decente, senhor capitão, e foi isso o que eu lhe fiz ver. Ele, então, abriu os fechos da janela e pôs-se aí a grunhir como um porquinho, de tal maneira que até era uma vergonha ouvi-lo. Então está certo, isso de pôr-se a grunhir como um porco, à janela que dá para a rua? Quim! Quim! Quim! Karl agarrou-o pelas abas do fraque e tirou-o da janela, e bem, lá isso é verdade, rasgou-lhe uma das abas. Depois ele se pôs a dizer em altos gritos que *man muss straff*,[16] que tinha que o seu fraque tinha de ser pago. É um indivíduo pouco correto, senhor capitão, que só sabe armar escândalos. "Eu – disse-me ele – posso dar-lhe uma surra publicamente, ao senhor, porque escrevo em todos os jornais."

– Isso quer dizer que é literato...

– Sim, senhor capitão, mas é um indivíduo muito pouco correto, senhor capitão, e não sabe respeitar uma casa decente...

– Bom, bom. Já chega! Eu já te disse, eu já te disse, eu já te disse...

– Iliá Pietróvitch! – tornou a dizer o secretário com uma expressão significativa. O tenente lançou-lhe um olhar rápido; o secretário fez-lhe um leve sinal com a cabeça.

– Bem, pois, minha respeitável Lavisa Ivânovna, pela última vez te aviso, pela

---

16 Tem que ser punido, em alemão.

última – continuou a dizer o tenente – que se na tua decente casa tornar a acontecer outro escândalo, serei eu próprio que te farei entrar na linha, como se costuma dizer em linguagem poética. Ouviste? Mas um literato, um escritor ser capaz de aceitar, numa casa decente, cinco rublos de prata pelas abas dum fraque... Esses tipos sempre são duma força! – e deitou um olhar de desprezo a Raskólhnikov. – Há três dias, numa tasca, foi a mesma história: um desses literatos comeu e depois se negou a pagar: "Olhe que posso dar-lhe uma sova nos jornais". Outro também, a semana passada, num barco, ofendeu a respeitável família dum conselheiro de Estado com as piores palavras. Ainda não há muito tempo que tiveram de expulsar vergonhosamente outro desses literatos de uma pastelaria. Por aqui já se vê de que classe são esses escritores, literatos, estudantes, esses insolentes. Ufa! Bem, podes sair! Ficas sob os meus olhos. Por isso tem cuidado. Ouviste?

Luísa Ivânovna pôs-se a fazer reverências para a direita e para a esquerda, com uma amabilidade solícita, e dirigiu-se para a porta sem deixar de fazê-las; aí deu de cara com um altivo oficial de cara franca e fresca, com umas suíças louras, magníficas, fartas. Era Nikodim Fomitch, o comissário da polícia do distrito. Luísa Ivânovna apressou-se a fazer-lhe uma reverência quase até ao chão e saiu com uns passinhos miúdos e saltitantes.

– Outra vez rebuliço, outra vez raios e coriscos, ciclones e furacões – disse Nikodim Fomitch, dirigindo-se, amável e amistosamente, a Iliá Pietróvitch – outra vez retraído, outra vez encolerizado. Já te ouvia na escada.

– O quê? – exclamou Iliá Pietróvitch com indolência bonachona (e nem sequer disse "o quê" mas "o... que!" mudando-se com alguns papéis para outra mesa e agitando os ombros, enquanto andava, de uma maneira pitoresca, movendo unicamente os pés e os ombros. – Faça favor de ver isto, quero dizer, o senhor literato, isto é, estudante, isto é, ex-estudante, não quer pagar o dinheiro que deve; assinou uma letra, nunca mais paga o quarto, recebemos constantemente queixas contra ele e até se permitiu chamar-me a atenção por eu estar fumando na sua presença. Mas olhe para ele: aí o tem, em toda a sua apresentação deslumbrante.

– A pobreza não é nenhuma vergonha, meu caro; mas, enfim, já sabemos que tu és como a pólvora, não podes suportar uma ofensa. Naturalmente, naturalmente o senhor ofendeu-o em qualquer coisa e ele não pode conter-se – continuou Nikodim Fomitch. – Mas o senhor não teve razão: é o me... lhor dos homens deste mundo, simplesmente, é como a pólvora, como a pólvora. Inflama-se, ferve, crepita e... nada! Já passou tudo! Em resumo, é um coração de ouro. No regimento lhe chamavam o Tenente Pórokhov[17]...

– Esse também era um regimento... – exclamou Iliá Pietróvitch, muito contente porque o tratassem com tanto carinho, mas ainda não completamente apaziguado.

Raskólhnikov sentiu, de repente, o impulso de dizer-lhe qualquer coisa de extraordinariamente lisonjeador.

– Dê-me licença, capitão, – começou num tom de à-vontade, encarando Nikodim Fomitch – ponha-se no meu caso... Eu estou disposto a apresentar-lhe as minhas desculpas se o ofendi em alguma coisa. Eu sou um estudante pobre e doente,

---

17 Literalmente: explosivo, violento. De *pórokh*, pólvora.

decaído – disse assim mesmo, decaído – por causa da miséria. Interrompi os estudos porque, agora, não tenho com que sustentar-me; mas em breve receberei dinheiro... Tenho mãe e uma irmã em... No governo de... Hão de mandar-me dinheiro e eu então pagarei. A minha senhoria é uma boa mulher; mas ficou tão aborrecida quando viu que eu perdera os meus alunos e havia já quatro meses que não lhe pagava, que até deixou de me dar de comer... Mas, quanto a essa letra, não compreendo absolutamente nada. Agora ela me exige que lhe pague por meio dessa promissória. Os senhores avaliem...

– Mas isso não é da nossa competência – tornou a observar o secretário.

– Com licença, com licença, eu estou absolutamente de acordo com o senhor, a esse respeito; mas, no entanto, permita que me explique – insistiu Raskólhnikov dirigindo-se não ao secretário mas a Nikodim Fomitch, embora esforçando-se também por dirigir-se ao mesmo tempo a Iliá Pietróvitch, ainda que este aparentasse estar apenas atendendo a sua papelada e se esforçasse depreciativamente por não olhar para ele. – Permita também que eu, pelo meu lado, lhe explique que o vi nessa casa já quase há três anos, desde que vim da província, e que antes disto, antes disto... aliás, não sei por que não hei de dizer também, tinha prometido casar com uma filha dela, promessa verbal, sem qualquer compromisso... tratava-se de uma moça... bem, não me desagradava, embora eu não estivesse apaixonado por ela; enfim, coisas da mocidade; quero dizer, a senhoria tinha-me concedido muito crédito, e eu, em parte, levava uma vida... Eu fui muito estouvado...

– Ninguém lhe pediu que entrasse em tais intimidades, e, além disso, não temos tempo para escutá-lo – interrompeu-o Iliá Pietróvitch, grosseiramente e com ar altivo; mas Raskólhnikov interrompeu-o impetuosamente, apesar de lhe custar muito falar.

– Mas permita, permita ao menos, que lhe conte tudo... Como é que isso sucedeu e... por minha vez... embora, no fim de contas, concorde consigo em que é inútil contar seja o que for; mas, há um ano, essa moça morreu de tifo, e eu continuei ali como hóspede, tal como antes, e a senhoria, quando eu me mudei para o quarto que agora ocupo, disse... disse-me amigavelmente... que tinha toda a confiança em mim e que tudo... mas que devia dar-lhe uma letra de cento e quinze rublos, que era, segundo ela dizia, a importância da minha dívida. Permita: ela me disse concretamente que, desde que eu lhe desse esse documento, continuaria a fiar-me tudo o que eu quisesse e que "nunca", "nunca", foram estas as suas próprias palavras, faria uso da referida letra, até que eu lhe pagasse... E veja: agora que eu já não tenho alunos nem de comer, é que ela vai e apresenta essa demanda contra mim... Que hei de eu dizer-lhe?

– Todos esses pormenores são lamentáveis, senhor; mas não são da nossa conta – disse Iliá Pietróvitch secamente. – O senhor é obrigado a assinar a sua declaração, comprometendo-se a pagar; mas tudo isso que se dignou contar-nos, a respeito do seu namoro e todas essas coisas trágicas, nos é completamente indiferente.

– Estás sendo... cruel – resmungou Nikodim Fomitch, sentando à sua mesa e pondo-se também a garatujar. Parecia envergonhado.

– Escreva – disse o secretário para Raskólhnikov.

– Mas o quê? – perguntou ele com mau modo.

– O que eu ditar.

Parecia a Raskólhnikov que o secretário o tratava agora com menos delicadeza e desdém do que antes de ter dado aquela explicação; mas, coisa estranha, de repente sentiu que lhe era indiferente a opinião que pudessem formar dele, e essa mudança operou-se num instante, num minuto. Se tivesse reconsiderado um pouco, ficaria admirado, sem dúvida, de um momento antes ter podido falar daquela maneira e de tê-los posto até a par dos seus sentimentos. Mas onde teria ele ido buscar esses sentimentos? Agora, pelo contrário, se aquela sala estivesse cheia, não de comissários, mas dos seus mais íntimos amigos, não teria tido para eles nem uma só palavra humana, tal era o vazio que, de súbito, se apoderara do seu coração. Uma impressão mortal de torturante, infinita solidão e alheamento se revelava subitamente à sua consciência. Não era o pudor das suas efusões cordiais com Iliá Pietróvitch, nem a soberba com que o tenente o tratara, que perturbavam assim tão inesperadamente o seu espírito. Oh, que lhe importavam a ele, agora, as baixezas pessoais, todas essas soberbas, todos os tenentes, os alemães, as reclamações, o Comissariado etc., etc.! Se o tivessem condenado a ser queimado vivo naquele momento, não se teria perturbado e, quando muito, teria escutado a sentença com atenção. Não que compreendesse, mas é que sentia claramente, com toda a sua sensibilidade, que não só não devia ter demonstrações sentimentais como a de há pouco, nem de gênero algum, com aquela gente do Comissariado, e que, mesmo que se tratasse de irmãos seus e não de tenentes da Polícia, até nesse caso não devia empregá-las, em nenhuma circunstância da sua vida as devia ter; até então nunca experimentara uma sensação tão estranha e incompreensível. E o mais doloroso de tudo... era mais precisamente a sensação que o seu reconhecimento, que a sua compreensão: sensação singular, a mais dolorosa de todas as que experimentara até ali na sua vida.

O secretário começou a ditar-lhe a sua declaração, nos termos do costume, isto é, que não podia pagar; mas que se comprometia a fazê-lo em tal data (uma qualquer), dava a sua palavra de que não se ausentaria da capital, até então, e comprometia-se também a não vender as suas coisas nem a oferecê-las a ninguém, etc., etc.

– O senhor não pode escrever, a pena escorrega-lhe das mãos – observou o secretário, olhando para Raskólhnikov com curiosidade. – Está doente?

– Sim... Tenho a cabeça tonta... Continue ditando.

– Já está tudo; assine.

O secretário pegou no documento e foi atender outras pessoas. Raskólhnikov largou a pena; mas, em vez de levantar, de se retirar, apoiou os cotovelos sobre a mesa e segurou a testa com as mãos. Parecia exatamente que lhe tinham dado uma martelada na cabeça.

Um estranho pensamento lhe ocorreu de repente: levantar imediatamente, aproximar-se de Nikodim Fomitch e contar-lhe tudo o que se passara na noite anterior, tudo, até o mais ínfimo pormenor, e depois levá-lo consigo ao seu quarto e mostrar-lhe todos os objetos que tinha escondidos num canto, naquele buraco. Essa ideia era tão poderosa que chegou até a levantar do seu lugar para ir pô-la em prática. "Não estará certo pensá-lo, ainda que seja só por um minuto? – proferiu mentalmente. – Não; o melhor é não pensar nisso e deitar este fardo para trás dos ombros." Mas, de repente, parou como se tivesse ficado pregado no seu lugar; Nikodim Fomitch falava acaloradamente com Iliá Pietróvitch, e até lhe chegaram ainda estas palavras:

— Não é possível; serão os dois postos em liberdade. Em primeiro lugar, há muitas contradições; ora veja: para que haviam de ir chamar o porteiro, se fossem eles os autores da façanha? Para se denunciarem a si próprios? Que fizeram isso por manha? Não, seria astúcia demasiada. E, finalmente, o estudante, o estudante Pie-triakov foi visto à porta por dois porteiros e por uma mulher, no momento em que entrava; ia em companhia de três amigos e separou-se deles nessa porta, perguntou pela inquilina na portaria, também em presença dos amigos. Teria perguntado pela inquilina se tivesse essa intenção? Quanto a Kotch, antes de subir para encontrar a velha, esteve lá embaixo meia hora em casa do ourives e deixou-o às oito menos um quarto em ponto, para subir até lá. Já pode fazer uma ideia...

— Mas, com licença: como é que caíram em tantas contradições? Eles próprios afirmam que chamaram à porta e que ela estava fechada, e que três minutos depois, quando tornaram a subir com o porteiro, encontraram já a porta aberta.

— Aí, precisamente, é que está a comédia; o assassino, fatalmente, que estava lá dentro, com a porta fechada no trinco; e seria apanhado aí, sem falta, se Kotch não tivesse feito o disparate de ir ele também à procura do porteiro. Entretanto, o outro teve tempo de deslizar pelas escadas e de escapulir-se lindamente nas barbas deles. Kotch benze-se com as duas mãos: "Se eu tivesse ficado lá, de sentinela, teria saído de repente e ia me liquidar com o machado". Até quer mandar celebrar um ofício religioso, à russa! Ah... Ah!

— E o assassino, ninguém o viu?

— Como é que haviam de vê-lo? Aquela casa é a Arca de Noé – observou o secretário, que ouvira tudo do seu lugar.

— A coisa está clara, a coisa está clara! – repetiu acaloradamente Nikodim Fomitch.

— Não, a coisa está muito escura – encareceu Iliá Pietróvitch. Raskólhnikov pegou o chapéu e dirigiu-se para a porta; mas não chegou até lá...

Quando recuperou os sentidos estava sentado numa cadeira; um indivíduo segurava-o pela direita, e outro pela esquerda, o qual segurava um copo amarelo meio cheio de um líquido amarelado: Nikodim Fomitch estava diante dele e olhava-o atentamente; ele levantou da cadeira.

— Que tem? Está doente? – perguntou-lhe Nikodim Fomitch num tom bastante rude.

— Quando escrevia a sua declaração, mal podia segurar a pena – observou o secretário, sentando no seu lugar e tornando a entregar-se à papelada.

— E já há muito tempo que está doente? – gritou-lhe Iliá Pietróvitch do seu lugar, remexendo também nos seus papéis. Com certeza que também ele levantara para olhar para o doente enquanto durara o desmaio, voltando em seguida para o seu lugar, assim que ele recuperou os sentidos.

— Desde ontem – foi a resposta única de Raskólhnikov.

— Saiu ontem?

— Saí.

— Doente?

— Doente.

— A que horas?

— Às oito da noite.

— Posso perguntar-lhe onde é que foi?
— À rua.
— Breve e claro.

Raskólhnikov respondia de uma maneira brusca e cortante, extremamente pálido e sem baixar os seus olhos negros e inflamados diante de Iliá Pietróvitch.

— Mal se tem de pé, e eu... – quis observar Nikodim Fomitch.
— Isso não interessa! – exclamou Iliá Pietróvitch num tom um pouco grosseiro.

Nikodim ainda tentou dizer mais qualquer coisa; mas, depois de olhar para o secretário, que também o olhou de alto abaixo, ficou calado. De súbito, todos se calaram. Aquilo era curioso.

— Bem, está bem – concluiu Iliá Pietróvitch. – Não o demoramos mais.

Raskólhnikov saiu. No entanto pode ainda perceber que, assim que ele saiu, se travou lá dentro, de repente, uma viva discussão, na qual se notava, acima de todas, a voz de Nikodim Fomitch... Na rua recuperou os sentidos por completo.

"Uma busca, uma busca; agora mesmo, uma busca! – repetia para consigo, apressando-se a chegar a casa. – Bandidos! Vão vasculhar tudo!"

O medo do dia anterior tornou a apoderar-se dele por completo; desde os pés até à cabeça.

Capítulo II

"E se já tivessem feito a busca? E se eu os encontrava agora em casa?" Mas já está no seu quarto. Nada, ninguém; ninguém tinha feito ali busca nenhuma. Nem sequer Nastássia tinha mexido em qualquer coisa. Mas, Senhor... Como é que pudera deixar aqueles objetos, no dia anterior, naquele buraco? Correu direito ao canto, meteu a mão por debaixo do papel e começou a tirá-los, enfiando-os nos bolsos. Eram ao todo oito peças: duas caixinhas que continham brincos de ouro ou qualquer coisa do gênero... não tinha visto bem; mais quatro pequenos estojos de marroquim. Havia também uma corrente simplesmente embrulhada em papel de jornal. E, além disso, ainda outra coisa embrulhada também em papel de jornal, e que parecia uma condecoração...

Guardou tudo isso em bolsos diferentes, no casaco e no bolso direito, único que lhe restava na peça, procurando que não se notassem. Guardou também a bolsinha, com os outros objetos. Depois saiu do quarto; mas dessa vez até deixou a porta aberta de par em par...

Caminhava depressa e com passo firme e, embora se sentisse extenuado, tinha plena consciência de tudo. Temia que o perseguissem, temia que dentro de meia hora, de um quarto de hora talvez, começassem a fazer sindicâncias sobre ele; em todo o caso era preciso aproveitar o tempo para fazer desaparecer todas as provas. Era preciso andar depressa, enquanto tinha ainda algumas forças e alguma lucidez... Para onde ir? Havia algum tempo que tinha já resolvido: "Lançaria tudo ao canal e assim se afundariam na água as provas e o próprio caso". Já tinha decidido isto na noite anterior, no meio do seu delírio, nos momentos em que – lembrou-se – se levantava e dispunha a sair. "Quanto antes, desfazer-se de tudo, quanto antes." Mas isso, agora, era muito difícil.

Havia já meia hora que vagueava pelo canal de Ekatieríninenski, ou até talvez mais, e várias vezes olhara para as escadinhas do canal sempre que passava por ali. Mas era escusado pensar nisso, porque, ou haveria barcos ao fundo dessas escadinhas, e neles lavadeiras que lavavam roupa, ou botes amarrados à margem, e as pessoas formigavam por todos os lados e podiam vê-lo e observá-lo de todas as partes e até das margens; seria de levantar suspeitas que um homem fosse até ali só com o fim de parar e lançar uns embrulhos à água. E se os estojos, em vez de se afundarem, ficassem flutuando? Era o mais certo. Toda a gente o veria. Mesmo sem isso, já toda a gente ficava olhando para ele quando o via passar; ficavam olhando, como se não tivessem mais nada que fazer. "Por que me olham eles assim, ou serei eu, por acaso, que imagino isto?"

Até que finalmente se lembrou de que talvez fosse melhor dirigir-se a outro canal, para os lados do Nieva. Aí havia menos gente, chamaria menos a atenção e, em qualquer dos casos, seria mais fácil e, sobretudo: "Estava mais longe daquele lugar." E, de repente, ficou admirado: "Como é que pudera passar meia hora de inquietação e de susto, em paragens perigosas, e não se lembrara disso há mais tempo?" Mas passara toda essa meia hora numa perplexidade, apenas porque se tratava de uma coisa decidida em sonhos, durante o delírio. Estava ficando muito distraído e esquecido, e percebia isso. Não havia dúvida, tinha de apressar-se.

Dirigiu-se ao Nieva pelo Próspekt V***; mas, durante o trajeto, ocorreu-lhe outra ideia: "Por que ao Nieva? Por que à água? Não seria preferível ir para qualquer outra parte, muito longe, ainda que fosse para as ilhas,[18] para um lugar ermo, para um bosque, e esconder o embrulho ao pé duma árvore... Marcando bem o lugar escolhido?" "E, se bem que sentisse que nesse momento não estava em condições de pensar com toda a lucidez, esse pensamento parecia-lhe infalível. Mas estava escrito que não havia de chegar às ilhas, pois as coisas correram-lhe de outra maneira: quando saiu do Próspekt V*** para a praça, reparou, de repente, numa entrada de pátio, à esquerda, rodeada por todos os lados de muros sem janelas. À direita, passada a porta cocheira, lá adiante, no pátio, erguia-se um paredão por caiar, pertencente a um prédio vizinho, de quatro andares. À esquerda, paralelamente a esse paredão e imediatamente ao lado da porta, havia uma cerca de madeira, a uns vinte passos de profundidade, no pátio, e depois fazia um cotovelo para a esquerda. Era um beco sem saída, onde havia alguns materiais armazenados. Mais além, ao fundo do pátio, via-se, do outro lado da cerca, o ângulo de um alpendre de pedra, de teto baixo e escurecido que, provavelmente, faria parte de alguma oficina. Devia tratar-se de alguma loja de carros, serralharia, ou algo do gênero; viam-se por todos os lados regos negros de pó de carvão. "Atirar tudo para aí e escapulir!", pensou de repente. Como não viu ninguém na porta, entrou e distinguiu então, junto da própria porta, um telhadinho (como costuma haver em todos os edifícios em que há fábricas, oficinas e cocheiras), e sobre ele, escrito com gesso, o costumado aviso, próprio desses lugares: "É proibido estacionar aqui!" De maneira que, tanto melhor: não havia receio de que alguém fosse até ali e se demorasse. "Lançar tudo ali, de uma vez, e fugir!"

---

[18] Ilhotas fluviais, urbanizadas, as quais ficavam na embocadura do Nieva, bairros de veraneio para os petersburgueses, dentro do perímetro urbano.

Depois de ter olhado bem outra vez, levou a mão ao bolso, mas, de repente, junto do muro exterior, entre a porta e o canal, onde a maior distância era ao máximo de um *archin*, chamou-lhe a atenção uma grande pedra lisa, talvez de *pud* e meio de peso, que estava encostada à parede da rua. Do outro lado do muro ficava a rua, o passeio, sentiam-se passar as pessoas, que eram sempre muitas, aí; mas, para além da porta, ninguém podia olhar, a não ser que entrasse alguém da rua, o que, afinal, podia muito bem acontecer, e portanto era preciso atuar depressa.

Agachou-se junto da pedra, pegou nela com toda a força, pela parte de cima, com as duas mãos, fez um esforço e deu-lhe meia volta. Debaixo da pedra ficou a descoberto uma cavidade, não muito grande; lançou imediatamente aí tudo o que levava no bolso. O porta-moedas ficou por cima; mas ainda havia lugar para o resto. Depois tornou a pegar na pedra, deu-lhe outra meia volta, até colocá-la no lugar de antes, de maneira que ficava apenas um pouco mais alta. Mas raspou terra e pisou-a com o pé contra os bordos. Não podia notar-se nada.

Depois dirigiu-se para a praça. Outra vez uma alegria violenta, quase intolerável, como a de há pouco, no Comissariado, tornou a apoderar-se dele por um instante. "Já estão enterradas as provas. E quem, quem é que se lembraria de vir ver debaixo desta pedra? Talvez esteja aí desde que foi construído o prédio, e quem sabe quanto tempo estará ainda. Mas... mesmo que encontrem tudo, quem havia de pensar em mim? Está tudo acabado! Não há provas!" E pôs-se a rir. Sim, depois lembrou-se que rira com um riso nervoso, leve, longo, imperceptível, e que ficou a rir durante todo o tempo que demorou a atravessar a praça. Mas quando ia entrando na alameda de K***, onde se encontrara com aquela mulher três dias antes, seu riso extinguiu-se de repente. Outro pensamento lhe passou pela mente. Pareceu-lhe também, de repente, que havia de achar muito pouca graça em passar em frente do banco onde, depois que a moça se afastou, ele sentara e estivera pensando, e que também não acharia graça nenhuma se tornasse a encontrar o guarda a quem dera dois *grívieni*. "Para o diabo, que o carregue!" Caminhava, olhando à sua volta com um olhar distraído e maldoso. Todos os seus pensamentos giravam, nesse momento, em torno dum ponto capital; e ele próprio sentia, com efeito, que era esse o ponto capital, e que, agora, precisamente agora, ficava sozinho em frente desse único ponto capital... e que era a primeira vez que isso lhe ocorria desde há dois meses.

"Tudo para o diabo! – pensou, de repente, num ímpeto de cólera irreprimível. – Bem; já começou; pois que comece, e vida nova, que vá para o diabo! Que estupidez!, Senhor, é tudo isto! E como menti e me rebaixei, hoje! Como me arrastei e humilhei perante esse repugnante Iliá Pietróvitch! Mas, no fim de contas, tudo isso são disparates! Cuspo em todos eles, cuspo também nisso do meu rebaixamento e da minha comédia! Não é nada disso que está em causa! Nada disso!"

De súbito, parou; uma interrogação completamente inesperada e extraordinariamente simples lhe tocou o pensamento, deixando-o estupefato.

"Se, na realidade, tivesses feito tudo isto de um modo consciente e não de uma maneira estúpida; se tu, efetivamente, tivesses tido uma finalidade concreta e firme, como seria possível que, até agora, nem sequer tivesses reparado no que estava dentro do porta-moedas e não saibas sequer quanto apuraste ao todo, nem por que te meteste em tantos trabalhos e cometeste deliberadamente um ato tão vil, bárbaro e selvagem? Até querias atirar o porta-moedas e os outros objetos à água, sem os teres visto sequer... Que significa isto? Sim, de fato, de fato." Aliás, ele já de antemão o sabia, e essa interrogação não o apanhava desprevenido; e quando na véspera tinha resolvido atirar tudo à água, resolveu-o sem hesitação nem dúvida alguma, mas como se fosse a única coisa que convinha fazer, visto que seria impossível fazer outra coisa... Sim, sabia tudo isto e bem o compreendia; talvez a sua resolução datasse da noite anterior, daquele próprio instante em que sentara em cima da arca e tirara os estojos dela... Por isso...

"A causa de tudo isto é estar eu doente – decidiu, finalmente, mal-humorado. – Eu próprio me atormento e martirizo, e não sei ao certo o que faço... E ontem, e anteontem, e todo este tempo tenho estado a atormentar-me... Quando ficar bom... deixarei de sofrer... Mas se eu não fico bom? Senhor! Como eu já estou farto de tudo isto!" Caminhava sem parar. Sentia uma ânsia feroz de distrair-se, fosse como fosse; mas não sabia que fazer nem que empreender. Uma sensação nova, invencível, se ia arraigando nele cada vez mais: era uma aversão infinita, quase física, por tudo quanto encontrava e via, uma sensação obstinada, maldosa, inflamada. Todas as pessoas pareciam odiosas, eram também odiosas as suas caras, a sua maneira de andar, todos os seus movimentos. Cuspiria nelas simplesmente, morderia quem quer que tivesse a intenção de lhe falar...

Parou de repente, depois de ter saído da margem do Pequeno Nieva, na ilha Vassílievski, junto da ponte. "É ali que ele vive, naquela casa – pensou. – E eu, que nunca tomei a iniciativa de ir visitar Razumíkhin! Outra vez a mesma história de antes... E, no entanto, é muito curioso; teria eu vindo já com essa intenção, ou, simplesmente, pus-me a andar e cheguei aqui? Tanto faz; já disse... anteontem... que iria vê-lo no dia seguinte àquilo, por isso, está bem, irei! Como se eu já não pudesse fazer visitas!"

Subiu ao quinto andar para ir ver Razumíkhin.

Ele estava em casa, no seu cubículo, e nesse instante, escrevia, mas veio ele mesmo abrir a porta. Havia já quatro meses que não se viam. Razumíkhin vestia um roupão esfarrapado, tinha os pés sem meias, metidos numas chinelas, e estava por pentear, barbear e lavar. O seu rosto exprimia assombro.

– Que tens? – exclamou, olhando de alto a baixo o amigo que acabava de chegar; depois calou-se e começou a assobiar. – Será possível que estejas assim tanto decaído? Tu, meu caro, ganhas de mim – acrescentou, reparando nos farrapos de Raskólhnikov – mas senta, porque deves estar cansado! – e quando ele se deixou cair no derreado divã, que estava ainda em pior estado do que o seu dono, Razumíkhin reparou de repente que o seu visitante estava doente.

– Mas tu estás doente de verdade, sabes? – e fez menção de lhe tomar o pulso. Raskólhnikov desviou-lhe a mão.

– Não é preciso – murmurou. – Eu vim... bom, é que não tenho alunos... Eu queria... aliás, não preciso de alunos para nada...

– Sabes uma coisa? Estás delirando! – declarou Razumíkhin, observando-o atentamente.

– Não, não estou delirando...

Raskólhnikov levantou do divã. Quando subiu até a casa de Razumíkhin não pensava que teria de encontrar-se frente a frente com ele. Agora adivinhava num instante, devido à experiência, que não havia coisa que mais o irritasse do que encontrar-se frente a frente com quem quer que fosse neste mundo. Toda a sua bílis se revolvia. Esteve quase para desabafar a cólera consigo mesmo, quando entrou no quarto de Razumíkhin.

— Adeus! — disse de repente e dirigiu-se para a porta.

— Mas espera aí, espera aí, criatura estranha!

— Não é preciso! — repetiu ele, tornando a afastar-lhe a mão.

— Então para que vieste? Enlouqueceste? Olha que isso... é quase uma ofensa. Não te deixo ir assim.

— Bem, escuta: vim procurar-te porque, a não seres tu, não conheço mais ninguém que pudesse ajudar-me... a abrir caminho... e, além disso, porque tu és o melhor de todos, isto é, o mais inteligente e o mais capacitado para julgar... Mas agora vejo que não preciso de nada, sabes?, absolutamente de nada... no que respeita a favores e simpatias alheias... Eu... sozinho... Bem, já chega! Deixa-me em paz!

— Mas espera um minuto, pareces um limpa-chaminés! Estás completamente amalucado! Por mim, procede como quiseres! Olha, eu não tenho alunos, mas também não quero saber de alunos para nada, porque há em Tolkutchka um livreiro antiquário, Khieruvímov, que vale todas essas aulas. E agora não o trocaria por cinco alunos em casa de comerciantes. Faz algumas edições e publica folhetos sobre ciências naturais... Precisa ver como saem! Só os títulos já valem qualquer coisa! Olha, tu sempre disseste que eu era um estúpido; mas, pelo amor de Deus, meu amigo, ainda os há mais tolos do que eu! Agora até se mete em literatura; não entende patavina disso, mas eu, é claro, incito-o. Aqui tens umas folhas de texto em alemão... A meu ver isto é uma charlatanice das mais estúpidas; bastará dizer que nelas se examina a questão de saber se a mulher pertence ou não à espécie humana. Claro que se demonstra vitoriosamente que pertence à espécie humana. Khieruvímov prepara isto por causa do problema feminino; eu estou a traduzi-lo; ele esticará estas duas folhas e meia de maneira que deem seis, põe-lhe um título atrativo na capa, que abranja meia página, e será vendido a cinquenta copeques cada exemplar. Vai ser um êxito! Pela tradução paga-me seis rublos de prata por página, o que faz ao todo quinze rublos; mas já lhe extorqui seis rublos adiantados. Quando tivermos traduzido isto, meteremos mão a um livro sobre as baleias, e depois investiremos contra a segunda parte das *Confissões*, traduzindo alguns passos curiosíssimos que nelas assinalamos. Disseram a Khieruvímov que Rousseau é uma espécie de Radíchtchev. Eu, é claro, não o contradigo, vá lá para o diabo! Bem, vamos ver: queres traduzir a segunda página do *Pertence a mulher à espécie humana*? Se quiseres, aqui tens o texto, pega na pena e no papel, tudo isto é por conta da Administração, e toma três rublos, pois visto que recebi o meu adiantamento por conta de toda a tradução, da primeira e da segunda páginas, três rublos é o que te cabe pela tua. E quando acabares a página receberás mais três rublos de prata. E não vás julgar que estou a fazer-te algum favor, hem? Pelo contrário, eu estava precisamente pensando que tu podias ser-me útil, quando tu entraste. Em primeiro lugar, a minha ortografia não está nada boa, e, além disso, em alemão sinto-me às vezes bastante fraco, de maneira que acabo por escrever coisas da minha lavra e consolo-me pensando que assim sairá melhor. Mas quem sabe se em vez de melhor não sairá pior... Bem, aceitas ou não?

Em silêncio, Raskólhnikov pegou nas folhas de texto alemão e nos três rublos, e saiu sem dizer uma palavra.

— Mas tu estás delirando! — exclamou finalmente Razumíkhin, alterado. — Por que representas essa comédia? Até me fazes perder a cabeça. Mas para que vieste, afinal?

— Não preciso... de traduzir — resmungou Raskólhnikov, que já ia na escada.

— Então de que, diabo, precisas tu? — gritou-lhe Razumíkhin lá em cima. O outro continuava descendo as escadas em silêncio.

— Olha, onde moras?

Não obteve resposta.

— Bem, para o diabo que te carregue!

Mas Raskólhnikov ia já na rua. Na ponte Nikoláievski tornou, mais uma vez, a recuperar a lucidez completa, em consequência de um acontecimento muito aborrecido. O cocheiro dum carro particular deu-lhe com o chicote fortemente nas costas, pela simples razão de ter estado quase a ser atropelado pelos cavalos, apesar do cocheiro lhe ter chamado a atenção duas ou três vezes, com os seus gritos. O chicote irritou-o a tal ponto que saltou de um pulo para o parapeito da ponte (sem saber por que ia pelo meio da ponte, por onde passam os carros e não costumam caminhar as pessoas), apertando e rangendo os dentes de raiva. À sua volta, como era natural, ouviram-se depois várias risadas.

— Foi bem feito!

— Deve ser algum vadio!

— Por certo que se fingiu bêbado e se atirou de propósito para debaixo das rodas para pedir depois uma indenização...

— Há quem viva disso, há quem viva disso...

Mas exatamente no momento em que ele, de pé contra o parapeito, ainda aturdido e furioso, seguia com a vista a carruagem que se afastava, e esfregava as costas ao mesmo tempo, sentiu que alguém lhe punha dinheiro nas mãos. Voltou-se para olhar; era uma mulher de certa idade, da classe dos mercadores, sem chapéu e com sapatos de pele de cabra, que ia acompanhada duma moça de chapéu e sombrinha verde, e que devia ser sua filha: "Tome, *bátiuchka*, pelo amor de Cristo." Ele o aceitou e elas continuaram o seu caminho. Deram-lhe dois *grívieni*. Pela roupa e pelo seu aspecto, podiam muito bem tomá-lo por um mendigo, por um verdadeiro colecionador de *grochi* na via pública, e não havia dúvida de que era à chicotada do cocheiro, que as fizera apiedar, que devia aquele donativo de dois *grívieni*.

Guardou a moeda na mão, caminhou para a frente uns dez passos, e voltou o rosto para o Nieva, na direção do Palácio. No céu não se via a mais pequena nuvem e a água estava quase azul, o que raramente sucede ao Nieva. A cúpula da Catedral, que se contempla melhor daí, da ponte, que fica a menos de vinte passos da capela, do que de qualquer outro ponto, refulgia tão clara que através do ar límpido podiam distinguir-se nitidamente cada uma das suas tonalidades. A dor da chicotada foi-lhe passando e Raskólhnikov chegou a esquecer-se dela; uma ideia inquietante e não completamente clara o absorvia agora exclusivamente. Estava parado e olhava longa e atentamente para o longe; conhecia aquele lugar muito bem. Geralmente, sempre que saía da Universidade — sobretudo quando voltava para casa — costumava acontecer-lhe, devia até ter-lhe acontecido muitíssimas vezes, ficar parado precisamente naquele mesmo lugar, contemplando com toda a atenção aquele panorama, verdadeiramente esplêndido, e quase sempre lhe acontecia ficar admirado com uma impressão sua, vaga e persistente. Aquele panorama infundia-lhe sempre uma frialdade inexplicável; uma alma muda e surda animava para ele aquele vistoso quadro... Admirava-se sempre da sua antipática e enigmática impressão e, por não ter confiança em si mesmo, adiava sempre para um futuro remoto a sua explicação. Agora, de repente, recordava-se com toda a clareza dessas suas dúvidas e interrogações de outro tempo, e parecia-lhe que não era por acaso que as recordava naquele momento. Só o fato de ter vindo até aquele mesmo lugar, como outrora, lhe parecia estranho e singular, como se efetivamente imaginasse que ia ter agora o mesmo pensamento de então e interessar-se pelos mesmos temas e quadros que tinham excitado o seu interesse... havia ainda tão pouco tempo. Esteve quase a ponto de começar a rir, apesar de, ao mesmo tempo, sentir uma dor no peito! Parecia-lhe que todo o seu passado e todas aquelas ideias pretéritas, e aqueles enigmas pretéritos, e aqueles temas antigos, e aquelas antigas impressões, e todo aquele panorama, e ele mesmo, e tudo, tudo, estava agora lá embaixo, a seus pés, não sabia a que profundidade... Parecia-lhe que tinha levantado voo, não sabia para onde, muito alto, e que tudo desaparecera diante dos seus olhos... Depois de ter feito um gesto involuntário com a mão, sentia de repente que segurava ainda a moeda de dois *grívieni*. Abriu a mão, contemplou a pequena moeda com toda a atenção, balançou-a no ar e atirou-a à água; depois deu meia volta e regressou a casa. Parecia-lhe que a sua pessoa tinha sido cortada de todos e de tudo, com uma faca.

Chegou a casa já de noite; estivera fora seis horas, ao todo. Por onde e como é que regressou não seria capaz de dizer. Depois de se despir, todo tremente, como um cavalo esfalfado, deitou-se no divã, puxou o sobretudo e ficou imediatamente amodorrado...

Despertou em plena escuridão, por causa de um grito espantoso. Santo Deus, mas que grito aquele! Um alvoroço tão grande como aquele, gritos, soluços, ranger de dentes, choros, pancadas e insultos como aqueles jamais até então ouvira nem presenciara.

Nem sequer poderia imaginar-se semelhante brutalidade, semelhante barbaridade. Transido de espanto levantou e sentou no leito, num grande sofrimento e sufocando a cada momento. Mas a bulha, os choros e os insultos redobraram cada vez com mais força. E, de súbito, reconheceu a voz da sua senhoria. Era ela, e guinchava, gritava precipitadamente, comendo as palavras a tal ponto que não era possível perceber o que ela pedia. Não havia dúvida que, agora, tinham parado de lhe bater, mas havia ainda pouco que a surravam na escada sem dó nem piedade. A voz da castigada era tão espantosa, devido ao furor e à raiva, que até já estertorava, mas o seu carrasco dizia também qualquer coisa, e também muito depressa, de uma maneira ininteligível, atropelando-se e arquejando. De repente, Raskólhnikov pôs-se todo a tremer: conhecia aquela voz; era a voz de Iliá Pietróvitch. Iliá Pietróvitch, ali, batendo na senhoria! Dava-lhe pontapés e fazia-a dar com a cabeça contra os degraus! Era o que se deduzia de todos aqueles choros e pancadas. Mas que seria aquilo? Parecia que vinha a casa abaixo! Percebia-se que em todo aquele andar, em toda a escada se vinha reunindo uma multidão, e ouviam-se vozes, exclamações, subidas e descidas, chamamentos, sacudidelas de portas e correrias.

"Mas por que será tudo isso, como e por que é possível uma coisa dessas?", repetia ele pensando a sério que tinha enlouquecido por completo. Mas não, ouvia tudo distintamente! Com certeza, depois, viriam prendê-lo também. Sim, devia ser assim. "Porque... com certeza que tudo isto deve ser por causa daquilo, por causa daquela noite... Senhor!" Sentiu o ímpeto de se fechar, correndo o ferrolho, mas não levantou sequer uma mão... Já não era preciso. O terror envolveu-lhe a alma, como uma camada de gelo, torturou-o, aniquilou-o... Mas, de repente, todo esse burburinho, que durara bem uns dez minutos, foi abrandando pouco a pouco. A senhoria gemia e suspirava, Iliá Pietróvitch continuava ainda a ameaçá-la e a insultá-la... Até que, finalmente, também ele pareceu aplacar-se; já ninguém o ouvia: "Deve ter-se ido embora! Meu Deus!". Sim, fora embora, e a senhoria também, ainda gemendo e chorando... E, de súbito, a sua porta fechou-se bruscamente... E as pessoas que se tinham reunido dispersam-se pela escada e pelos andares... Lançam ais, discutem, chamam-se uns aos outros; estes erguem a voz até ao diapasão do grito, aqueles baixam-na até ao murmúrio. Devia haver ali muita gente; todas as pessoas do prédio deviam ter acudido ali. Mas, Deus do Céu! Isso seria possível? E por que, por que tinha vindo ele?

Extenuado, Raskólhnikov deixou-se cair no divã, mas já não pode pregar olho; ficou assim estendido uma meia hora, num tal sofrimento, numa tal sensação de espanto infinito, como até então nunca sentira. De repente uma luz clara iluminou o seu quarto; Nastássia entrou com uma vela e um prato de sopa. Depois de contemplá-lo atentamente e de certificar-se de que dormia, pousou a vela em cima da mesa e começou a tirar o que trazia: pão, sal, um prato, uma colher.

– Talvez não tenha comido nada ontem. Andou girando todo o dia e tem uma febre de cavalo.

– Nastássia... por que é que bateram na senhoria?

Ela o olhou de alto a baixo.

– Quem é que bateu na senhoria?

– Ainda há um momento... há uma meia hora, Iliá Pietróvitch, o ajudante do comissário, na escada... Por que lhe bateu ele dessa maneira? E... por que veio?

Silenciosamente e franzindo o sobrolho, Nastássia pôs-se a mirá-lo de alto a baixo e assim ficou durante muito tempo. Para ele era muito desagradável esse exame quase feroz.

– Nastássia, por que está assim, calada? – perguntou-lhe ele, por fim, timidamente, com uma voz fraca.

– Isso é o sangue! – respondeu ela, finalmente, em voz baixa e como se falasse consigo própria.

– O sangue! Qual sangue? – murmurou ele empalidecendo e voltando a cara para a parede. Nastássia continuava olhando para ele em silêncio.

– Ninguém bateu na senhoria – disse outra vez com uma voz cortante e enérgica. Ele olhou para ela, respirando com dificuldade.

– Mas eu ouvi... Não estava dormindo... Estava fora da cama – disse ele com uma voz ainda mais sumida. – Ouvi durante muito tempo... Veio o ajudante do comissário... Acudiram todos à escada, de todos os quartos...

– Não veio ninguém. Isso é o sangue que grita em ti. Quando não encontra saída e começa a acumular-se no fígado, uma pessoa começa também a ter visões... Mas não comes?

Ele não respondeu. Nastássia inclinou-se sobre ele, olhou-o atentamente e não se decidia a ir embora.

– Dá-me de beber... Nástiuchka.

Ela saiu e, passados uns minutos, voltava com água num jarrinho de barro branco; mas ele já não se lembrava de mais nada. Recordava-se apenas de como tomou um gole de água fria e de como entornou o jarrinho sobre o peito. Depois perdeu os sentidos.

Capítulo III

Mas não ficou assim durante todo o tempo da sua doença; era um estado febril, com delírio e uma semiconsciência. De muitas coisas veio a recordar-se depois. Parecia-lhe que se tinha reunido muita gente à sua volta e que queriam levá-lo não sabia para onde, e que discutiam muito a seu respeito. De repente ficou sozinho no quarto, pois todos se foram embora, cheios de temor, e somente a porta se entreabria de quando em quando e era daí que o olhavam, o ameaçavam, cochichavam entre si, riam e censuravam. Lembrava-se de ter visto muitas vezes Nastássia a seu lado; e também tinha visto ali, à sua cabeceira, um indivíduo que lhe parecia bem seu conhecido, mas ao qual não podia identificar... com precisão, o que muito o exasperava e até o fazia chorar. Às vezes parecia-lhe que havia já um mês que estava de cama... Mas outras parecia-lhe que ainda não passara nem um dia. Daquilo... "daquilo" esquecera-se completamente; mas lembrava-se a todo o momento que se esquecera de qualquer coisa de que não era possível esquecer... e angustiava-se e afligia-se perante essa recordação; gemia, enfurecia-se ou espantava-se, ficava tomado de um medo indomável. Então erguia-se na cama, queria disparar; mas havia sempre alguém que o dominava à força e caía de novo na inércia e no torpor. Até que finalmente acabou por recuperar toda a lucidez.

Sucedeu isso uma manhã, aí pelas dez horas. A essa hora da manhã, nos dias bons, o sol projetava sempre um comprido raio de luz ao longo da parede da direita e iluminava um canto junto da porta. À sua cabeceira estava Nastássia e também um homem novo que o olhava com grande curiosidade e que lhe era completamente desconhecido. Era um rapaz de caftã, barbicha, e todo o aspecto de um caixeiro. A senhoria espreitava pela porta aberta. Raskólhnikov ergueu-se.

– Quem é, Nastássia? – perguntou, indicando-lhe o rapaz.

– Olhem, já voltou a si! – disse ela.

– Já! – repetiu o caixeiro.

Assim que viu que ele voltara a si, a senhoria, que espreitava à porta, apressou-se a fechá-la e desapareceu. Era muito tímida e não podia suportar discussões nem explicações; devia ter uns quarenta anos e era gorda, de sobrancelhas negras e olhos negros, e também bonacheirona por ser tão gorda e indolente, e também muito acomodatícia de seu normal. E exageradamente envergonhada.

– Quem é... o senhor? – insistiu ele, dirigindo-se ao próprio caixeiro.

Mas, nesse mesmo instante a porta tornou a abrir-se de par em par, e curvando-se um pouco por causa da sua elevada estatura, Razumíkhin entrou.

– Parece um beliche de barco! – exclamou quando entrou. – Hei de bater sempre com a testa na porta; e é a isto que chamam um quarto! Com que então já voltaste a ti? Foi o que me disse Páchenhka.

— Acabou agora mesmo de recuperar os sentidos – disse Nastássia.

— Sim, acabou agora mesmo de avivar – concordou também o caixeiro.

— Mas quem é o senhor? – perguntou Razumíkhin de repente, encarando-o. – Dê-me licença que me apresente: eu sou Vrazumíkhin[19], e não Razumíkhin, como costumam chamar-me, estudante, nobre de nascimento, e ele é meu amigo. Agora faça o senhor o favor de nos dizer quem é.

— Eu sou empregado da loja do comerciante Chelopáiev, e vim aqui tratar de um assunto.

— Pois faça o favor de sentar nesta cadeira – Razumíkhin sentou noutra, ao lado da mesa. – Muito bem, meu amigo, fizeste muito bem em te pores lúcido – continuou, dirigindo-se a Raskólhnikov. – Com hoje, já são quatro dias que levas sem comer quase absolutamente nada e sem beberes sequer uma gota. O que valeu foi te terem dado chá às colherzinhas. E Zósimov veio ver-te por duas vezes comigo. Lembras-te de Zósimov? Observou-te com muita atenção e disse redondamente que isso não era nada... mas que era assim como se tivesses recebido uma pancada na cabeça. "Qualquer desarranjo de nervos ou má alimentação, – dizia – falta de cerveja e de rábanos, mas isto não tem importância e em breve estará bom." Viva o Zósimov! Já começa a tornar-se célebre com as suas curas. Bem, mas eu não quero entretê-lo – e tornou a dirigir-se ao caixeiro. – Faça o favor de me dizer o que deseja. Rodka, participo-te que já é a segunda vez que vêm, da parte dessa loja; simplesmente, da outra vez não foi este quem veio, mas outro, e foi com ele que nos entendemos. Quem foi que veio da outra vez?

— Suponho que isso devia ter sido anteontem, foi isso, exatamente. Então devia ter sido Alieksiéi Siemiônovitch; também é empregado da nossa loja.

— É um pouco mais tagarela do que o senhor, segundo me parece.

— Sim, é um homem mais sensato.

— Dou-lhe os meus parabéns; bom, mas continue.

— Pois então ouça: por intermédio de Afanássi Ivânovitch Vakhrúchin, do qual suponho que já deve ter ouvido falar por mais de uma vez, e a pedido de sua mãe, recebeu-se na nossa loja uma encomenda para si – começou o caixeiro, dirigindo-se a Raskólhnikov. – Quando o senhor tivesse já recuperado o conhecimento... íamos entregar-lhe trinta e cinco rublos, que Afanássi Ivânovitch entregou a Siemion Siemiônovitch, da parte de sua mãe, como da outra vez, do que julgo que já deve estar prevenido, não é verdade?

— Sim... já me lembro... Vakhrúchin... – exclamou Raskólhnikov, pensativo.

— Estão ouvindo? Conhece o comerciante Vakhrúchin – exclamou Razumíkhin. – Portanto já está em seu perfeito juízo! Além disso, vejo agora que o senhor também é um homem eloquente. Sempre é agradável ouvir um bom discurso!

— É desse mesmo que se trata, de Vakhrúchin, Afanássi Ivânovitch, e da parte de sua mamãe, a qual se serviu do mesmo intermediário da outra vez, e agora, contando com a aquiescência de Siemion Siemiônovitch, encarregou-o de lhe entregar trinta e cinco rublos, enquanto não puder mandar mais.

— Olhe, esse "enquanto não puder mandar mais" foi o que me agradou mais;

---

19 Deturpação propositada do nome para Vrazumíkhin – ajuizador, derivado da mesma raiz de que se vale Dostoiévski para manifestar a opinião de Razumíkhin, sobre ele mesmo. No capítulo II da quarta parte, o A. recorre a outra deturpação do nome deste personagem.

embora também essa "de sua mamãe" não esteja mal de todo. Bem, vamos ver: que lhe parece? Está ou não está em seu perfeito juízo?

– A mim tanto me faz... Contanto que ele assine o respectivo recibo...

– Há de assinar. Tem aí o recibo?

– Ei-lo.

– Muito bem. Vamos, Rodka, levanta-te, que eu te amparo. Faz a tua assinatura; Raskólhnikov, pega na pena, porque, meu amigo, o dinheiro, agora, é-nos indispensável.

– Não é preciso! – disse Raskólhnikov afastando a pena.

– Não é preciso?!

– Não assino.

– Ó diabo, é o recibo?

– Eu não preciso de... dinheiro...

– Não precisas de dinheiro? Vamos, meu caro, tu estás mentindo e eu sou testemunha! O senhor, não se preocupe, ele diz isso apenas por... está outra vez delirando. Apesar de que, às vezes, quando está lúcido, também tem destas saídas... Mas o senhor é uma pessoa sensata e nós dois damos-lhe a mão[20], e ele assina. Vamos, ajude-me...

– O melhor será voltar noutro dia.

– Não, não. Para que há de incomodar-se? O senhor é um homem sensato... Vamos, Rodka, despacha o visitante... Olha que ele está à espera – e estava seriamente disposto a pegar na mão de Rodka.

– Deixa-me, eu, sozinho... – exclamou aquele e, pegando na caneta, assinou o recibo.

O caixeiro entregou o dinheiro e saiu.

– Bravo! E agora, diz-me cá, queres comer?

– Quero – respondeu Raskólhnikov.

– Há sopa?

– A de ontem – respondeu Nastássia, que durante todo este tempo não arredara dali.

– De batatas e arroz?

– De batatas e arroz.

– Já sei de cor. Traz-me a sopa e dá-me chá.

– Já trago tudo.

Raskólhnikov olhava para tudo profundamente assombrado e com um medo estúpido e absurdo. Decidiu calar-se e esperar. Que mais estaria para suceder? "Parece-me que, agora, não estou delirando – pensava – parece que é verdade..."

Dois minutos depois Nastássia voltava com a sopa e prevenia que daí a pouco traria o chá. Juntamente com a sopa trazia duas colheres, dois pratos e um serviço completo de mesa: saleiro, pimenteiro, mostarda para a carne e outras coisas que, antes, havia já muito tempo, não costumavam aparecer; até a toalha estava limpa.

– Nástiuchka, seria bem bom se Praskóvia Pávlovna mandasse vir duas garrafas de cerveja.

– Essa não está má... – resmungou Nastássia, e saiu para cumprir a ordem.

---

20 O autor faz aqui um jogo de palavras entre *rukodóvit* (guiar, exercer tutela sobre alguém) e *rokuvódit* (levar alguém pela mão).

Raskólhnikov continuava olhando para tudo, ávida e desconfiadamente. Entretanto, Razumíkhin já sentara a seu lado, sobre o divã e, desajeitado como um urso, segurou-lhe a cabeça com a mão esquerda, apesar de ele poder muito bem erguer-se sozinho, e com a direita levava-lhe à boca colheradas de sopa, que às vezes soprava previamente, para que ele não se queimasse. Mas a sopa estava morna, quando muito; Raskólhnikov engoliu sofregamente uma colherada, e a seguir outra e outra. Mas depois de lhe ter dado assim algumas colheradas, Razumíkhin, de repente parou e declarou que, para continuar, seria preciso consultar Zósimov.

Nastássia entrou trazendo as duas garrafas.

— E chá, queres?

— Quero.

— Vai buscar o chá depressa, Nastássia, porque quanto ao chá podemos tomá-lo sem consultar a Faculdade. Ora aqui está a cerveja!

Foi para a sua cadeira, serviu-se de sopa e de carne, e começou a comer com tal apetite que parecia ter uma fome de três dias.

— Eu, meu caro Rodka, passarei agora a almoçar todos os dias contigo – disse, com a boca cheia de carne – e tudo isto se deve a Páchenkha, a tua boa senhoria, que é quem manda tudo isto; está cheia de atenções para contigo. Eu não acho isso nada mal e, é claro, não me oponho. Ora aqui temos a Nastássia com o chá. És uma espertalhona! Queres cerveja, Nástienhka?

— Deixa-te de graças!

— E um bocadinho de chá?

— Chá, aceito.

— Então sirva. Mas espera, que eu mesmo te sirvo; senta-te à mesa.

E começou logo a servir-lhe o chá; a seguir encheu-lhe outra chávena, e depois deu o almoço por terminado e voltou para o divã. Tal como havia pouco, pegou na cabeça do doente com a mão esquerda, endireitou-a e começou a dar-lhe colheradas de chá, soprando também continuamente com todo o cuidado, como se isso de soprar fosse muito importante para o seu restabelecimento, para a sua salvação. Raskólhnikov estava calado e não opunha resistência, apesar de se sentir com forças suficientes para levantar e sentar no divã sem auxílio alheio, para segurar a colher ou a chávena do chá com a mão, como até para andar. Mas, por uma certa astúcia estranha, parecida com a dum animal, lembrara-se de repente de dissimular a sua força, de fingir, de fazer que não percebia nada, se preciso fosse, e entretanto ia escutando e vendo o que se passava. Aliás, não conseguia vencer completamente a sua repugnância; depois de ter engolido dez colheradas de chá, afastou repentinamente a cabeça, repudiou a colher, caprichoso, e tornou a recostar-se na almofada. Debaixo da sua cabeça havia agora, de fato, uma almofada de verdade, de penas, e com a fronha limpa, no que reparou, muito admirado.

— É preciso que Páchenhka nos envie ainda hoje doce de framboesa para lhe fazer um xarope – disse Razumíkhin, que voltara para o seu lugar e se atirara outra vez à sopa e à cerveja.

— Mas onde é que ela há de ir buscar framboesa para ti? – perguntou Nastássia, segurando o pires na palma da mão e sorvendo o chá através do açúcar[21].

---

21 As pessoas do povo introduziam os torrões de açúcar na boca e bebiam depois o chá.

— A framboesa, minha amiga, vai buscá-la à loja. Olha, Rodka: aqui sucedeu uma coisa de que tu não estás ainda a par. Quando tu saiste de minha casa, daquela maneira traiçoeira, sem me dares o teu endereço, fiquei tão indignado que jurei procurar-te até te encontrar e castigar-te. Nesse mesmo dia pus-me no teu rastro. Andei para cá e para lá, perguntei e tornei a perguntar. Bom, tinha-me esquecido da tua residência atual, embora, aliás, nunca pudesse lembrar-me dela porque não a sabia. Da tua antiga moradia só me lembro que vivias nas Cinco Esquinas, em casa de Kharlámov, mas afinal verificou-se que não era em casa de Kharlámov, mas sim na de Buck. É para que se veja como as palavras podem levar-nos a obras! Bem, eu estava furioso e no outro dia fui, à sorte, ao Registro de Endereços[22] e imagina: em dois minutos deram-me a tua direção. Tu próprio tinhas lá a tua assinatura.

— A minha assinatura?

— É assim mesmo; e, para que vejas: em compensação, pelo menos enquanto eu lá estive, não foram capazes de encontrar o endereço do General Kóbieliev. Mas, sobre isso, haveria muita coisa a dizer. Mal me apresentei, puseram-me imediatamente a par de tudo, sobre a tua pessoa, de tudo; sei tudo, e essa é testemunha. Fiquei conhecendo Nikodim Fomitch, Iliá Pietróvitch, o porteiro, o Senhor Zamiótov Alieksandr Grigórievitch, o secretário do Comissariado do distrito e, finalmente, fiquei conhecendo Páchenka... Mas isso foi no fim de tudo; essa bem o sabe...

— Deixaste-a doce como o mel — murmurou Nastássia com malícia.

— Devias era pôr o açúcar no chá, em vez de o beberes assim, Nastássia Nikíforovna.

— Cala-te, malcriado! — gritou Nastássia de repente, e pôs-se a rir. — Eu sou Pietrovna e não Nikíforovna — acrescentou de súbito assim que acabou de rir.

— Tomemos nota. Ora muito bem, meu caro, para não falar de coisas inúteis, eu gostaria de usar de grandes meios para extirpar de uma vez todos os preconceitos locais; mas Páchenka foi mais forte. Eu, meu caro, nunca poderia esperar que ela fosse tão... acomodatícia... hem? Que dizes a isto?

Raskólhnikov continuava calado, embora nem por um instante desviasse dele o seu olhar perscrutador, e ainda agora continuava a olhá-lo tenazmente.

— É até muito... — continuou Razumíkhin, sem se incomodar absolutamente nada com aquele silêncio e como se respondesse a uma resposta que tivesse recebido — é até muito como deve ser, sob todos os aspectos.

— Eh! Compadre! — tornou a exclamar Nastássia, à qual tudo aquilo dava evidentemente um prazer inexplicável.

— É pena, meu amigo, que não tenhas sabido compreendê-la desde o primeiro momento. Devias tê-la tratado de outra maneira. É, por assim dizer, o caráter mais inesperado. A respeito disso do caráter, falaremos depois... Mas... como chegaram até ao ponto de ela não te mandar comida? E, por exemplo, esse caso da letra? Mas tu estavas doido quando assinaste essa letra? E isto para não falar sobre essa proposta de casamento, quando ainda era viva Natália Iegórovna... Eu sei tudo! Embora, no fim de contas, perceba que isto é um assunto muito delicado e que eu sou um burro; desculpa. Mas já que falamos de disparates, que te parece?... Olha, meu amigo:

---

[22] Todos os habitantes das cidades russas importantes estavam registrados, por bairros, nos arquivos da polícia. Em Moscou e em Petersburgo existia uma repartição policial onde os particulares podiam obter todos os endereços, pessoalmente, e até pelo correio, pagando uma quantia por informação pedida.

Praskóvia Pávlovna não é tão tola como pode parecer à primeira vista, não achas?

– Sim... – balbuciou Raskólhnikov, olhando para o outro lado, mas compreendendo que era conveniente suportar aquela tagarelice.

– Então não é? – exclamou Razumíkhin, evidentemente satisfeito por lhe terem respondido. – Mas também é tola, não é verdade? Absolutamente, absolutamente, e o caráter mais desconcertante! Eu, meu caro, até certo ponto, todo eu me derreto, garanto-te... Deve ter quarenta, provavelmente. Ela diz trinta e seis e está no seu pleno direito. Além disso, juro-te que a opinião que formo acerca dela é puramente intelectual, metafísica; neste ponto, meu amigo, começo a fazer uns cálculos mais arrevesados do que os da álgebra. Não entendo patavina! Bom, mas tudo isto é absurdo; e ela, quando viu que tu já não eras estudante, que não tinhas alunos nem roupa, e que, falecida a moça, não podia considerar-te da família, ficou assustada, coitada; e como tu, pelo teu lado, ficavas amodornado no teu canto e não te davas já com ela, como antes, então resolveu pôr-te fora do teu quarto. E havia já muito tempo que ela tinha esta intenção; e isso da letra não lhe agradou nada. Além de que tu próprio lhe garantiste que a tua mãe lhe pagaria...

– Isso eu dizia por pura maldade. À minha mãe pouco lhe falta para pedir esmola... E eu mentia para que não me expulsassem do quarto e... continuassem a dar-me de comer – declarou Raskólhnikov em voz alta e clara. – Sim, e fazia bem. O pior foi que recorreram ao Senhor Tchebárov, conselheiro da Corte e homem de negócios. Sem ele, Páchenka não teria pensado nisso, porque é muito tímida; mas um homem de negócios não se sente coibido perante nada e, naturalmente, a primeira coisa que fez foi fazer-lhe esta pergunta: se havia esperança de receber a letra. Resposta: "Sim, visto ter uma mãe que, ainda que fique sem comer, não deixará de mandar qualquer coisa ao seu Rodka, dos cento e vinte e cinco rublos da sua pensão, e que a irmã, por ele, será capaz de vender-se como escrava". Era nisto que ele se fundamentava... Por que estás te remexendo dessa maneira? Eu, meu amigo, agora já conheço toda a história e não foi debalde que tu fizeste confidências a Páchenka quando ela ainda te tratava como seu parente; falo-te assim pela amizade que te tenho... Bom, o caso é este, um homem honrado e sensível fala com franqueza; mas um homem de negócios escuta e come, e depois continua também a comer. Eis aqui a razão por que ela endossou a letra como paga a esse tal Tchebárov, o qual exigiu, sem contemplação de espécie nenhuma, aquilo que era seu. Eu, quando soube disso tudo, também quis ajudar no que fosse possível, para tranquilidade da minha consciência, e como por esse tempo já estávamos em boas relações com Páchenka, mandei-a suspender a coisa, garantindo-lhe que tu pagarias. Eu respondi por ti, meu amigo, percebes? Mandamos chamar Tchebárov, calamos-lhe a boca com dez rublos de prata, e ele nos entregou a letra, a qual tenho a honra de te apresentar aqui – agora acreditam na tua palavra. – Aqui a tens, rasgada e tudo, por mim, como deve ser.

Razumíkhin pôs a promissória sobre a mesa; Raskólhnikov firmou os olhos sobre ela e, sem dizer nada, voltou-se de cara para a parede. Razumíkhin pareceu ficar ressentido.

– Já vejo, meu amigo – disse, passado um instante – que acabo de fazer um novo disparate. Pensava distrair-te e consolar-te com a minha conversa, mas, segundo parece, não fiz outra coisa senão azedar-te a bílis.

— Eras tu que eu via no meu delírio? – perguntou Raskólhnikov, também depois de um silêncio e sem voltar a cabeça.

— Era eu, sim, e a minha presença provocava-te crises, sobretudo de uma vez que eu trouxe Zamiótov comigo.

— Zamiótov? O secretário? Mas por quê? – Raskólhnikov voltou-se rapidamente e fixou o olhar em Razumíkhin.

— Mas que tens tu? Por que ficaste assim nervoso? Ele queria conhecer-te; foi ele quem se empenhou, visto termos falado tanto em ti. Senão, como podia eu estar tanto a par dos teus assuntos? É um bom rapaz, meu caro; pequenino, extravagante... no seu gênero, naturalmente. Agora nos tornamos amigos, vemo-nos quase todos os dias. Fica desde já sabendo que me mudei para este bairro. Ainda não sabias? Pois mudei; há pouco tempo. Já fomos juntos duas vezes a casa de Lavisa. Lembras-te de Lavisa? Lavisa Ivânovna.

— E eu estava delirando?

— Ai, não! Não sabias o que dizias!

— E que dizia eu?

— Essa é boa! Que dizias tu? Ora, as coisas que se costumam dizer quando se delira... Bem, meu amigo, deixemos isto, vamos ao assunto.

Levantou e pegou o gorro.

— Que dizia eu?

— E insiste! Tens medo de ter deixado transparecer algum segredo? Pois está descansado que não disseste nada a respeito da condessa, mas falavas não sei de que *bull-dog*, de uns brincos, sim, e também de umas correntes de relógio, e da ilha de Kriestóvski, e não sei de que porteiro, e de Nikodim Fomitch, e de Iliá Pietróvitch, o ajudante do comissário; falaste de tudo isso pelos cotovelos. E, além disso, também mostravas muito interesse pela ponta da tua bota, muito. Gemias: "Deem-me a ponta da minha bota, só quero isso". Até o próprio Zamiótov se pôs à procura, por todos os cantos, da ponta da tua bota, e entregou-te essa miséria com as suas próprias mãos ungidas de perfumes e enfeitadas de anéis. Então tu ficaste tranquilo e tiveste nas mãos essa porcaria, durante vinte e quatro horas, tão bem segura que ninguém te a podia arrancar. Ainda a deves ter contigo em qualquer lugar, debaixo da roupa da cama. E também perguntavas pela bainha das tuas calças, e se visses, por entre que lágrimas... Nós até já perguntávamos um ao outro: "Que bainha será essa?". E não havia meio de te percebermos... Mas vamos ao assunto. Aqui tens trinta e cinco rublos; eu levo dez e, dentro de umas duas horas, já os devolvo. Entretanto vou me informar sobre Zósimov, que já devia estar aqui há algum tempo, pois já deu meio dia. E Nástienhka venha vê-lo com frequência, enquanto eu estiver ausente, e traga-lhe de beber ou qualquer outra coisa de que ele possa precisar... E agora vou despedir-me também de Páchenka. Até à vista!

— Chama-lhe Páchenka, o velhaco! – exclamou Nastássia logo que ele saiu. Depois abriu a porta e pôs-se a escutar; mas não pode conter-se e desceu. Interessava-lhe muito saber o que ele falaria com a patroa, pois era evidente que ele lhe dera volta ao miolo.

Mal ela saiu o doente desvencilhou-se repentinamente do cobertor e saltou da cama como se estivesse meio doido. Esperara com uma impaciência febril que eles saíssem o mais depressa possível, para pôr imediatamente mãos à obra, na sua ausência. Mas que obra? Como se fosse de propósito, agora parecia-lhe que se esquecera. "Senhor, diz-me só uma coisa: eles estarão a par de tudo ou ainda não sabem? Ou já sabem mas fingem não saber, para não me afligirem enquanto eu estou de cama, e depois entrarem de repente e dizerem que já o sabiam há muito tempo? Que fazer agora? Nada, porque, nem de propósito, parece-me que me esqueceu; esqueceu-me de repente, porque ainda há um instante me lembrava."

Estava especado no meio do quarto e, com dolorosa perplexidade, olhou à sua volta; aproximou-se da porta, entreabriu-a e pôs-se a escutar; mas não era disso que se tratava. De repente, como se tivesse lembrado, foi até o canto, onde havia um buraco debaixo do papel que forrava a parede, e esquadrinhou-o atentamente; mas também não era isso. Dirigiu-se para o fogão, abriu-o e começou a olhar para as cinzas; o pedaço da bainha das calças e as tiras dos bolsos arrancados continuavam ali, tal como ele os deixara, sem que ninguém os tivesse visto. Então lembrou-se também da biqueira da bota, da qual Razumíkhin acabava de falar-lhe. De fato, ali estava, no divã, debaixo do cobertor; mas estava já tão suja e gasta pelas esfregadelas que ele lhe dera que, certamente, Zamiótov não podia ter notado nada nela.

"Oh! Zamiótov! O Comissariado! Mas por que me chamaram ali? Onde está a citação? Ora, eu estou fazendo confusão; já foi há tempos que me chamaram. Também já foi há algum tempo que eu limpei a ponta da bota, e agora... agora estou doente. Mas por que teria vindo Zamiótov? Por que o teria trazido Razumíkhin? – murmurava, extenuado, sentando-se outra vez no divã. – Mas que terei eu? Estarei ainda delirando ou tudo isto é realidade? De fato, parece ser realidade... Ah! Já me lembro! Fugir! Sim, mas para onde? Onde está a minha roupa? Sapatos, não tenho. Tiraram-nos! Esconderam-nos! Já percebo. Mas aqui está o meu casaco... Não repararam nele. E em cima da mesa há dinheiro, louvado seja Deus! Aqui está também a promissória... Pego no dinheiro, vou-me embora, mudo-me para outro quarto; não hão de dar comigo... Sim, e a repartição de endereços? Vão me encontrar! Razumíkhin encontrou-me. O melhor de tudo é fugir para longe... para a América, e cuspir na cara de todos eles. E levar também a promissória... aí poderia ser-me útil. Que hei de levar mais? Eles julgam que eu estou doente. Não sabem que posso sair à rua. Ah, ah, ah! Percebi nos olhos deles que estão a par de tudo. Não preciso de mais nada senão de descer a escada. E se puseram sentinelas, policiais, na escada? Que é isto? Chá? Ah, sim, e também ainda há cerveja, meia garrafa, viva!"

Pegou na garrafa, na qual ainda havia cerveja que chegava para encher um copo e, com prazer, bebeu-a de um trago, como se quisesse apagar um fogo na sua garganta. Mas ainda não passara um minuto já a cerveja lhe subia à cabeça e pelas costas lhe corria um leve e até agradável calafrio. Deitou-se e cobriu-se com a dobra do cobertor. As suas ideias, já de si doentias e incoerentes, começaram a embrulhar-se cada vez mais e não tardou que um sono leve e agradável se apoderasse dele. Afundou com prazer a cabeça na almofada, embrulhou-se bem no seu macio cobertor de papa, que substituía agora, na sua cama, o velho sobretudo esfarrapado, de outrora; suspirou suavemente e afundou-se num sono profundo, forte, benéfico.

Despertou ao sentir que alguém entrava no seu quarto, abriu os olhos e viu que era Razumíkhin, que escancarara a porta e estava parado à entrada, perplexo: devia entrar ou não? Raskólhnikov ergueu-se apressadamente no divã e ficou olhando para ele, como se se esforçasse por lembrar-se de qualquer coisa.

– Ah, não está dormindo! Bem, então entro, Nastássia, traz cá o embrulhinho – gritou Razumíkhin inclinando-se. – Agora vou dar-te conta de tudo...

– Que horas são? – perguntou Raskólhnikov, olhando à sua volta, constrangido.

– Dormiste bem, meu amigo; lá fora já é escuro; devem ser seis horas. Deves ter dormido umas boas seis horas...

– Meu Deus! Mas que tenho eu?

– Ora, que há de ser! É que vais já melhorar. Estás com pressa? Tens alguma entrevista? Agora temos o tempo por nossa conta. Há já três horas que eu estava à tua espera; entrei duas vezes e tu sempre dormindo. Fui a casa de Zósimov por duas vezes, mas não estava! Não faz mal, ele há de vir... Também tratei das minhas coisas. Porque eu me mudei, mudei-me definitivamente, em companhia de meu tio... Fica sabendo que, agora, tenho um tio... Bom, mas para o diabo tudo isso! Dá-me mas é cá o embrulhinho, Nástienhka! Olha, nós... Mas, meu amigo, diz-me primeiro como te sentes.

– Pois bem, já não estou doente... Razumíkhin, estavas aqui há muito tempo?

– Já te disse: há três horas que estou à tua espera.

– E antes?

– Antes o quê?

– Há quanto tempo chegaste?

– Mas se eu já te contei tudo em detalhes, ainda há pouco... Não te lembras?

Raskólhnikov ficou pensativo. Como num sonho, lembrou-se de tudo quanto acabava de se passar. Simplesmente não podia lembrar-se de tudo sozinho e olhava interrogativamente para Razumíkhin.

– Hum! – disse este. – Esqueceu-te! Há pouco parecia-me que tu não estavas ainda bem em teu perfeito juízo... Agora, com o dormir, ficaste mais recomposto... De fato, tens melhor aparência. Bravo! Bom, mas vamos ao assunto! Agora hás de lembrar-te. Olha para aqui, meu caro.

Começou a desembrulhar o volume, o qual, segundo lhe parecia, lhe merecia grande apreço.

– Nisto, acredita, meu amigo, tinha eu especial empenho. Porque é preciso fazer de ti um homem. Vamos lá, comecemos pela parte de cima. Vês um gorro? – Começou, tirando do embrulho um gorro muito bom, mas, ao mesmo tempo, do mais vulgar e barato. – Queres experimentá-lo?

– Logo, logo – disse Raskólhnikov, repelindo-o com brusquidão.

– Não faças oposição, meu caro Rodka, porque logo será tarde e eu não poderei pregar olho toda a noite ao pensar que me aventurei a comprá-lo sem saber a medida.

– Está otimamente! – exclamou triunfante, depois de tê-lo experimentado. – Otimamente! No vestir, meu amigo, o mais importante é o adorno da cabeça, é o que nos classifica. O meu amigo Tolstiakov tira sempre a sua carapuça quando entra em qualquer lugar público, onde toda a gente está de chapéu ou gorro. Todos pensam que ele faz isso por um sentimento servil, quando afinal o faz simplesmente porque tem vergonha do seu ninho de cegonhas. É tão pateta! Bom, Nástienhka, aqui tem duas coisas para a cabeça: este Palmerston – e tirava dum canto o amassado chapelão de Raskólhnikov, ao qual, sem saber por que, chamava um Palmerston

– a este mimo. Vamos ver, Rodka, faz lá um cálculo: quanto pensas que dei por ele? E tu também, Nástiuchka – acrescentou, dirigindo-se a ela ao ver que o outro ficava calado.

– Dois *grívieni*, pode muito bem ser que tenha dado – respondeu Nastássia.

– Dois *grívieni*, idiota – exclamou ele dando-se por ofendido. – Isso nem tu vales! Oito *grívieni* foi quanto me custou! E isto porque é em segunda mão. Se bem que o venderam com uma condição: desde que tu o uses, ano que vem te dão outro de graça. Deus é testemunha! Bem, passemos agora aos Países Baixos, como dizíamos no colégio. Previno-te de que... me sinto orgulhoso destas calças – e desdobrou à frente de Raskólhnikov umas calças cinzentas, de um tecido leve, de verão – nem um buraco, nem uma nódoa, ainda em ótimo estado, embora já muito usadas, assim como o colete duma só cor, como é moda. E o fato de já estar usado ainda é melhor: assim fica mais macio, mais suave... Olha, Rodka: para vencer na vida, em meu entender basta obedecer sempre à mudança das estações; se não pedires aspargos em janeiro, terás sempre dinheiro; pois o mesmo te digo a respeito desta compra. Agora é a temporada de verão, e eu fiz uma compra estival, porque no outono é preciso um tecido mais forte; por isso poderás desfazer-te deste, tanto mais que daqui até lá haverá tempo para ele se desfazer por si, se não por uma forçosa necessidade de luxo, pelo menos por efeito de decomposição interna. Bem, vamos ver, faz as contas. Quanto achas que custou? Pois custou dois rublos e vinte e cinco copeques. E repara, também com a mesma condição de há pouco: uma vez que o uses, ano que vem te dão outro de graça. Na loja de Fiediáiev é assim: assim que lhe pagas uma coisa, fica para toda a vida, porque não tornarás lá outra vez. Bem, agora vamos ao calçado. Que calçado! Repara, vê-se muito bem que estas botas já estão usadas; mas ainda poderás fazer muito bem uns dois meses com elas, porque é trabalho estrangeiro e artigo estrangeiro. O secretário da embaixada inglesa foi vendê-las, a semana passada, a Tolkutchka; só as tinha trazido uns seis dias; mas andava muito necessitado de dinheiro. Custaram um rublo e quinze copeques. É uma pechincha não é?

– Mas talvez não lhe estejam à medida – observou Nastássia.

– Não estão à medida? Qual! – e tirou do bolso a bota velha de Raskólnikov, encarquilhada, toda salpicada de lama seca – Eu sabia o que fazia e tomaram as medidas exatas por este mostrengo. Correu tudo muito bem. Para a roupa branca também me entendi com a senhoria. Aqui tem, em primeiro lugar, três camisas de linho com o colarinho à moda. Bem, vamos fazer as contas. O chapéu, oito *grívieni*; dois rublos e vinte e cinco copeques as outras peças do vestuário, isto é, três rublos e cinco copeques; um rublo e cinquenta as botas – porque são esplêndidas – total: quatro rublos e cinquenta e cinco copeques, mais cinco rublos pela roupa interior – porque regateamos bem – fazem ao todo nove rublos e cinquenta e cinco copeques. Sobraram quarenta e cinco copeques em miúdos, que aqui tens, faz o favor de aceitá-los... E, assim, Rodka, contas agora com um traje completo, porque, a meu ver, o teu casaco não só ainda pode servir como tem até um aspecto muito decente. Eis o que significa vestir-se em casa de Scharmer! Quanto às meias e outras coisas, deixo isso a teu cargo; restam-nos vinte e cinco rublozinhos e, quanto a Páchenka e ao pagamento do quarto, não tens que preocupar-te; já lhe falei: crédito ilimitado. Mas agora, meu amigo, faz o favor de mudares de roupa interior, porque pode ser que toda a tua doença esteja agora na camisa...

— Deixa-me! Não quero! – repudiou-o Raskólhnikov, que escutara de má vontade o relatório que Razumíkhin lhe apresentara da compra daquelas coisas.

— Isso não pode ser, meu amigo. Não havia de ter gasto as minhas solas debalde – insistiu Razumíkhin. – Nástiuchka, não tenhas vergonha e ajuda-me... Isso – e, apesar da resistência de Raskólhnikov, mudou-lhe a roupa interior. Este deixou cair a cabeça na almofada e não disse uma palavra.

"Quando é que eles se irão embora?", pensou.

— Com que dinheiro compraste isto tudo? – perguntou finalmente, voltando a cara para a parede.

— Com que dinheiro? Essa é boa! Pois com o teu! Há pouco esteve aqui um caixeiro da loja de Vakrúchin, por incumbência da tua mãe. Já te esqueceste?

— Agora já me lembro – disse Raskólhnikov depois dum longo e severo mutismo.

Razumíkhin franziu o sobrolho e ficou olhando para ele, inquieto.

A porta abriu-se e entrou um indivíduo alto e forte, que não pareceu completamente desconhecido a Raskólhnikov.

Era Zósimov: um homem alto e gordo, com uma cara cheia e pálida, esmeradamente barbeado; de cabelo louro, muito claro e cortado rente, com óculos e um grande anel de ouro num dos seus dedos moles, de gordos. Tinha vinte e sete anos. Vestia um casaco folgado e elegante, de meia-estação, e umas calças claras, de verão e, de maneira geral, tudo nele era amplo, elegante e cuidado; a roupa branca, irrepreensivelmente limpa; trazia uma grossa corrente de relógio. Os seus modos eram lentos, quase fleumáticos e, ao mesmo tempo, de uma desenvoltura afetada; por muito que escondesse, o seu preciosismo notava-se sempre. Toda a gente o achava antipático; mas diziam que era bom entendido na sua profissão.

— Fui duas vezes a tua casa, meu caro... Olha, já despertou – exclamou Razumíkhin.

— Bem vejo, bem vejo. Então que tal vai isso? – disse Zósimov dirigindo-se a Raskólhnikov, olhando-o atentamente e sentando-se no divã, a seus pés, onde, em seguida, tomou um ar despreocupado.

— Está muito suscetível – continuou Razumíkhin. – Há pouco mudamos-lhe a roupa e quase ia chorando.

— É compreensível; teria sido melhor deixar isso para depois, para quando já levantasse... O pulso está bem. A cabeça ainda lhe dói um pouco, não é verdade?

— Eu já estou bom, completamente bom! – declarou Raskólhnikov com brusquidão e irritação, erguendo-se repentinamente no divã e com os olhos chispantes; mas logo a seguir tornou a recostar-se na almofada e voltou-se contra a parede.

Zósimov não despregava os olhos de cima dele.

— Muito bem... Está tudo como deve ser – disse num tom indolente. – Comeu alguma coisa?

Disseram-lhe o que comera e perguntaram-lhe o que lhe podiam dar de comer.

— Podem dar-lhe tudo... Sopa, chá... Cogumelos e pepinos, é claro que não, nem carne de vaca, nem... Bom, mas temos tanto em que falar! – Trocou um olhar com Razumíkhin. – Nada de xaropes nem de maus remédios! Eu tornarei a passar por aqui amanhã... Talvez hoje já tivesse podido... enfim...

– Amanhã à tarde levo-o a dar um passeio, – decidiu Razumíkhin – ao jardim de Iusupóvski, e depois ao Palácio de Cristal...

– Eu, amanhã, deixava-o tranquilo, embora, no fim de contas... um passeiozinho... Bom, depois veremos.

– Ah, que pena! É hoje precisamente que eu inauguro a minha nova instalação, a dois passos daqui. Se ele pudesse vir também... Ainda que fosse só para nos acompanhar, estendido no divã... Mas tu não faltas, hem? – disse Razumíkhin, encarando de repente Zósimov. – Não te esqueças do que me prometeste.

– Sim, talvez possa passar por lá logo. Que arranjaste para nós?

– Pouca coisa: chá, aguardente, arenques. Também haverá um empadão; é uma coisa entre amigos.

– Quem mais é que vai... concretamente?

– Vão todos, os do bairro, e quase todos os meus novos conhecimentos, para dizer a verdade... sem falar no meu velho tio, se bem que também seja um novo conhecimento, pois está em Petersburgo apenas desde ontem, veio tratar de uns assuntos. Só nos vemos de cinco em cinco anos.

– Quem é?

– Passou toda a sua vida como chefe de postas num distrito... Recebe uma pensãozinha; sessenta e cinco anos; não vale a pena falar dele... Mas eu lhe tenho amizade. Porfíri Siemiônovitch também virá: é o juiz de instrução do bairro, um jurisconsulto. Mas tu já o conheces...

– Também é teu parente?

– É; mas muito afastado. Mas por que torces o nariz? Só porque discutiram os dois, daquela vez, já não virás?

– Quero lá saber dele para alguma coisa...

– Ora ainda bem. Bom, e além destes virão também estudantes, professores, um funcionário, um médico, um oficial, Zamiótov...

– Faz o favor de me dizeres que pode haver de comum entre ti e ele – Zósimov apontou com a cabeça para Raskólhnikov – e um Zamiótov qualquer.

– Oh, que desmancha-prazeres! Os princípios! Tu te moves por princípios, como por molas; não te atreves a atuar livremente; mas, para mim, o fundamental é que o homem seja bom. E, francamente, reparando bem, em todas as classes não há muitas pessoas boas. E mais, estou convencido de que não haveria quem desse nem um alho chocho por toda a minha pessoa e a tua juntas.

– Isso é muito pouco; eu, por ti, daria dois...

– Pois, eu, por ti só dava um, ora toma! Zamiótov ainda é uma criança; eu ainda lhe puxo as orelhas, e por isso é preciso atraí-lo e não espantá-lo. Não é repelindo o homem que ele se corrige; e muito menos um rapaz. Com o rapaz novo é preciso o dobro da prudência. É isto o que vocês, os tolos progressistas, não compreendem. Não respeitam o homem; ofendem-se a si mesmos... E se queres saber o que há de comum entre nós, digo-te que trazemos os dois um assunto entre mãos...

– Gostaria de saber...

– É um assunto relativo ao pintor, quero dizer ao pintor de paredes... Havemos de acabar por tirá-lo de lá! Embora, por agora, não corra perigo algum. A coisa já está clara, completamente clara. Matamos dois coelhos de uma cajadada!

— Mas que pintor de paredes é esse?

— O quê? Ainda não te contei? Não? É verdade que só comecei a contar-te o princípio... Bom, então ouve: no assassinato da velha usurária, da viúva do funcionário, encontra-se também implicado um pintor...

— Ah, sim! Já te ouvira falar desse crime outro dia e o assunto interessa-me... até certo ponto... por uma casualidade... Li os jornais. Continua.

— Também mataram Lisavieta! — exclamou Nastássia de repente, dirigindo-se a Raskólhnikov.

Permanecera durante todo este tempo no quarto, junto da porta, de ouvido apurado.

— Lisavieta? — murmurou Raskólhnikov, numa voz quase imperceptível.

— Lisavieta, sim, a revendedora. Não a conhecias? Pois vinha por aqui. Até te passou uma camisa a ferro.

Raskólhnikov voltou-se de cara para a parede, onde, no sujo papel amarelo com florinhas brancas, escolheu uma destas últimas, muito mal desenhada, toda crivadinha de pequeninas nervuras escuras, e pôs-se a contemplá-la. Quantas folhinhas teria, quantos bicos nas folhas e quantas nervuras? Sentia que as mãos e os pés lhe inchavam como se estivessem a paralisar-se; mas não se esforçava por mudar de posição e continuava com a vista teimosamente fixa na florzinha.

— Bom, e então o que se passa com o tal pintor? — perguntou Zósimov, interrompendo a loquaz Nastássia com certa má-vontade especial. Esta deu um suspiro e ficou calada.

— É que também lhe atribuíram o crime — prosseguiu Razumíkhin com veemência.

— Havia provas contra ele? Quais?

— Com mil diabos, que provas havia de haver? E, no fim de contas, quanto a provas há só uma, simplesmente não é uma prova, pois é preciso começar por prová-la. Passa-se o mesmo, com isto, que se passou quando prenderam e deram por implicados no caso esses... Kotch e Piestriakov. Ufa! Como isto está sendo mal conduzido! Sinto vergonha pelos outros! É possível que Piestriakov passe hoje também lá por casa... Olha, Rodka, tu já conheces essa história; deu-se antes da tua doença, precisamente na véspera do dia em que tiveste aquele desmaio no Comissariado, quando estavam comentando o acontecimento...

Zósimov olhou com curiosidade para Raskólhnikov; este não fez movimento nenhum.

— Sabes uma coisa, Razumíkhin? Estou admirado com o entusiasmo que tomas por este caso! — observou Zósimov.

— Está bem, mas havemos de tirá-lo a limpo — gritou Razumíkhin descarregando uma punhada sobre a mesa. — Sabes o que mais me irrita em tudo isto? Não é que eles sejam uns imbecis; os enganos podem sempre perdoar-se; o erro é uma boa coisa, porque conduz à verdade. Não. O que é para lamentar é que, além de se enganarem, ainda admirem os próprios erros. Eu, a Porfíri, respeito-o, mas... Olha, por exemplo: o que foi que os desorientou logo desde o princípio? A porta estava fechada e, quando voltaram com o porteiro... encontraram-na aberta. Bem, pois isso quer dizer que Kotch e Piestriakov foram os assassinos. Já vês qual é a lógica deles!

— Não te irrites; a única coisa que fizeram foi prendê-los; não podiam fazer outra coisa... Olha, eu conheço esse Kotch, parece que comprava à velha os objetos que não chegavam a ser resgatados, não era?

— Sim, é um velhaco. Também compra promissórias. É um boa-vida. O diabo que o carregue! Mas não é isso o que me preocupa, compreendes? O que me custa é a rotina dessa gente, essa rotina antiquada, estúpida, é isso o que me revolta... Porque, repara: pode descobrir-se uma pista nova em todo este assunto. Fundando-nos só no dado psicológico, pode demonstrar-se como é preciso conduzirmo-nos na perseguição da verdade. "Nós atendemos aos fatos, que diabo!" Sim, mas os fatos não são tudo; pelo menos metade do caso assenta na maneira como se interpretam esses fatos.

— E tu sabes interpretar os fatos?

— Sim, não é possível uma pessoa calar-se quando sente, quando sente de um modo palpável que pode ajudar à solução do caso, quando... Ah! Tu conheces todos pormenores da coisa?

— Estou à espera do que ias dizer-me acerca do caiador!

— Ah, bem! Então ouve a história. Justamente anteontem, passados três dias sobre o crime, de manhã, quando eles ainda estavam às voltas com Kotch e Piestriakov — apesar de estes terem explicado todos os seus passos, que eram evidentes! — aconteceu de repente um fato absolutamente inesperado. Um certo camponês, chamado Dúchkin, dono duma taberna que fica em frente da casa onde se deu o crime, compareceu ao Comissariado, depositou ali um estojo de joias com uns brincos de ouro e contou esta história: "Anteontem à noite, aí pelas nove (estás reparando no dia e na hora?), veio procurar-me um operário, um caiador, o qual já anteriormente frequentava o meu estabelecimento, e que se chama Nikolai, e trouxe-me este estojozinho, que continha uns brincos de ouro, pedindo que os aceitasse como penhor, em troca de dois rublos; e quando eu lhe perguntei qual a origem dos brincos, explicou-me que os apanhara na rua. Não lhe perguntei mais nada sobre isto — assim disse Dúchkin — e dei-lhe uma notinha, ou seja, um rublo — porque calculei que se eu não desse, outro daria e, ademais, vinha tudo a dar no mesmo... Era para a bebida, e mais valia que eu tivesse o objeto em meu poder; assim está mais seguro, tenho-o à mão, e se depois se descobre ou se espalha algum boato, então o apresento". Bem, não há dúvida que isto é uma história da carochinha e que ele mente com quantos dentes tem na boca, porque eu conheço de sobra o tal Dúchkin, que é prestamista e receptador de furtos, e ele não ia ficar com um objeto que vale trinta rublos a Nikolai, para apresentá-lo depois. O caso é que teve medo. Bom, mas tem paciência, continua a ouvir-me — é Dúchkin quem continua falando. — "Eu conheço esse camponês, Nikolai Diemiéntiev, desde pequeno, pois é do nosso mesmo governo e distrito, de Zaráisk, e eu também sou de Riazan. Nikolai, sem ser o que se chama um bêbado, gosta da pinga, e todos nós sabíamos que ele trabalhava nessa casa, pintando paredes, juntamente com Mitriéi, que é também seu conterrâneo. Depois de receber a cautela, trocou-a, bebeu dois copinhos, aceitou o troco e foi-se embora; mas nessa altura Mitriéi não estava com ele. No outro dia chegou-nos a notícia de que Alíona Ivânovna e a irmã, Lisavieta Ivânovna, tinham sido assassinadas à machadada, e nós conhecíamos as duas, e logo ficamos com a suspeita, por causa dos brincos.. porque nos constava que a falecida emprestava dinheiro sobre penhores.

CRIME E CASTIGO

Fui procurá-los nessa casa e pus-me a jogar verde, com muito cuidado; comecei por perguntar: 'Nikolai encontra-se aqui?'. Mitriéi respondeu-me que Nikolai andara na farra na noite anterior e que voltara para casa já de dia, bêbado, e depois de ter estado em casa uns dez minutos voltara a sair; e que ele, Mitriéi, não tornara a vê-lo, e que estava acabando o trabalho sozinho. O trabalho deles era feito um lance de escada abaixo da casa das vítimas, no segundo andar. Depois de ter ouvido aquilo não disse nada a ninguém – continuou dizendo Dúchkin – mas procurei informar-me de todos os pormenores que pude a respeito do duplo crime e voltei para casa com as suspeitas que já disse. Mas hoje de manhã, às oito, isto é, passados três dias, compreendem? vejo entrar Nikolai pela minha porta adentro, já um pouco embriagado, mas de maneira que ainda podia seguir uma conversa: senta num banco e fica calado. Além dele, nessa manhã estava ainda na taberna um homem desconhecido, e outro, um freguês, que dormia noutro banco, e os meus dois caixeiros: 'Viste Mitriéi?' – perguntei-lhe eu. 'Não – respondeu-me ele – não o vi.' 'E tu não estiveste ali?' 'Não – respondeu-me – desde anteontem?' 'E onde passaste esta noite?' 'Em Piéski – respondeu-me – com os de Kolomna.' 'E onde é que arranjaste esses brincos?' 'Encontrei-os na rua', e disse-o de uma maneira estranha, sem olhar para mim. 'Mas não ouviste dizer – disse-lhe eu – isto e aquilo, que tal noite, a tal hora, na escada tal, aconteceu...?' 'Não – disse ele – não ouvi dizer nada', e escutava-me com uns olhos muito abertos e, de repente, fez-se branco como a cal. Então lhe contei tudo, olhei para ele, ele pega o chapéu e se dispõe a levantar. Senti vontade de segurá-lo: 'Espera, Nikolai – digo-lhe eu – não queres beber qualquer coisa?'. E, entretanto, faço um sinal ao caixeiro para que segure na porta, saio de trás do balcão; eis senão que ele foge, mesmo nas minhas barbas, sai para a rua, escapole e enfia pela primeira ruela... Mal tive tempo de o ver". Então pus todas as minhas dúvidas de lado, porque o autor do crime é ele...

— Não há dúvida... – declarou Zósimov.

— Espera! Ouve o fim! É claro que se lançaram em perseguição de Nikolai com toda a força das suas pernas; prenderam Dúchkin, revistaram-lhe a casa, e a Mitriéi também; também fizeram investigações entre os de Kolomna, e passados três dias encontraram de repente o próprio Nikolai e prenderam-no nas imediações da barreira[23] de***, numa estalagem. Tinha ido para aí, depois de se ter desfeito duma cruz de prata, e pediu em troca um frasco de aguardente, que lhe deram. Passados uns minutos, uma mulher dirige-se ao estábulo e vê por uma fresta que ele atara o seu cinturão a uma viga dum alpendre contíguo e feito um nó corredio, e, encavalitado em cima dum cepo, se dispunha a meter a cabeça por esse nó: a mulher teve a feliz ideia de gritar e acorreu gente. "Que vais fazer?" "Levem-me – disse ele – a qualquer Comissariado, que eu confessarei tudo!" Bem, então levaram-no, com as honras devidas, a um Comissariado, o deste distrito. Bom, aí começaram com as perguntas de costume: quem era, como foi, que idade tinha – vinte e dois – etc., etc. Perguntaram-lhe: "Quando estavas trabalhando com Mitriéi não viste ninguém na escada a tais e tais horas?". Resposta: "Como toda a gente sabe, entra ali muita gente; mas nós não reparamos em ninguém". "Mas não ouviste nada, nenhum barulho, ou qualquer coisa?" "Não ouvimos nada de especial." "Mas tu não soubeste, Nikolai, que nesse

---

23   Nos limites da cidade.

mesmo dia e a tal hora, tinham assassinado e roubado uma certa viúva e a irmã?" "Saber, não sabia, e também não o imaginava. A primeira notícia que tive disso foi por Afanássi Pávlitch, quando, passados três dias, lhe ouvi dizer na taberna 'E onde arranjaste os brincos?' 'Encontrei-os na rua.' 'E por que não foste trabalhar com Mitriéi no dia seguinte?' 'Porque apanhei uma bebedeira.' 'E onde apanhaste essa bebedeira?' 'Por aí.' 'E por que fugiste de Dúchkin?' 'Porque fiquei cheio de medo.' 'Mas de que é que tinhas medo?' 'De que me prendessem.' 'Como podias ter medo disso, se te sentias completamente inocente?'" Bem, quer acredites ou não, Zósimov, mas fizeram-lhe essa perguntazinha, nos mesmos termos em que eu a formulei, e sei de boa fonte, a transmitiram a mim textualmente. Que tal? Que tal?

— Não; mas se há provas?

— Eu não estou agora falando-te das provas, mas das perguntas, e de como eles compreendem a sua missão! Que vão para o diabo! Bem, tanto o atenazaram e apertaram, que ele acabou por declarar-se culpado: "Não foi na rua, diacho, que encontrei os brincos, mas no andar onde estávamos trabalhando eu e Mitriéi." "Mas como?" "Depois de ter estado ali pintando com Mitriéi durante todo o dia, até às oito e nos preparávamos para ir embora, Mitriéi vai e pega numa brocha e enlambuza-me a cara toda de tinta, deita a correr, e eu atrás dele. Eu o sigo, gritando-lhe coisas, e, ao sair da escada para o pátio, dou de cara com o porteiro e uns senhores, não sei quantos eram; o porteiro vai e insulta-me, e o outro porteiro também, a mulher do primeiro aparece e põe-se também a insultar-me, e um cavalheiro que estava nesse momento com uma senhora pôs-se também a ofender-me, porque eu e Mitka tínhamos rebolado pelo chão e lhe estorvávamos o caminho; eu tinha agarrado Mitka pelos cabelos e dava-lhe uma sova; e Mitka, apesar de estar debaixo de mim, também me agarrava pelos cabelos e me batia; mas não o fazíamos por mal, era por pura amizade, de brincadeira. Mas depois Mitka safou-se e correu para a rua, e eu saí também correndo atrás dele; mas como não consegui apanhá-lo, fui e voltei para o andar sozinho... porque precisava de arranjar aí as minhas coisas. Pus-me a fazê-lo, esperando que Mitka talvez voltasse. E então, no vestíbulo, ao canto da parede, vou e encontro um pequeno estojo. Olho, vejo-o ali no chão, embrulhado num papel. Tiro o papel, vejo uns parafusos muito pequeninos, puxo por eles e vejo uns brincos..."

— Atrás da porta? Estavam atrás da porta? Atrás da porta? — exclamou Raskólhnikov, de repente, lançando um olhar vago e assustado a Razumíkhin, e ergueu-se lentamente, apoiando-se sobre a mão, no divã.

— Sim... Por quê? Que tens tu? Que te interessa isso? — e Razumíkhin levantou também do seu lugar.

— Nada! — respondeu Raskólhnikov com uma voz quase imperceptível, tornando a recostar-se na almofada e a voltar-se de cara para a parede. Todos ficaram calados durante um momento.

— Devia estar meio adormecido, sonhando — disse finalmente Razumíkhin, olhando inquisidoramente para Zósimov, que lhe fez um sinal negativo com a cabeça.

— Bem... continua — disse Zósimov. — Que mais?

— Que mais? Pois o nosso homem, assim que viu os brincos esqueceu-se imediatamente do andar e de Mitka, pegou o gorro e deitou a correr para a taberna de Dúchkin, o qual, como já se sabe, lhe deu um rublo por eles; ele lhe pregou uma mentira dizendo-lhe que os encontrara na rua, e, ato contínuo, foi embebedar-se.

Quanto ao duplo crime, mantém o que dissera: "Saber não sabia; estar a par, não estava, só três dias depois ouvi falar disso." "Mas por que não apareceste durante todo esse tempo?" "Porque tinha medo." "Mas por que querias enforcar-te?" "Por causa duma coisa". "Que coisa?" "Porque me iam processar." E aqui está a história toda resumida. E agora, sabes o que é que eles concluíram disto tudo?

— Nem sei o que hei de pensar. Seja como for, há provas, fatos. Mas puseram em liberdade o teu pintor?

— Sim, e o que fazem, agora, é imputar-lhe o duplo crime! Sobre este pormenor, já não têm a menor dúvida...

— Tu mentes, estás delirando. Pois vamos ver: e os brincos? Tu próprio hás de reconhecer que, quando nesse mesmo dia e a essa mesma hora, os brincos do estojo da velha vão parar às mãos de Nikolai... tu próprio hás de concordar que de alguma maneira foi. Não será nada despropositada uma investigação sobre esse ponto.

— Como é que aí foram parar? Como é que foram parar? — exclamou Razumíkhin. — Por casualidade, meu caro doutor; tu, que antes de mais nada, o que tens é obrigação de conhecer o homem e tens mais oportunidades do que os outros de estudar a natureza humana... não vês, por todos estes dados, que tipo de indivíduo é esse tal Nikolai? Não vês que tudo quanto ele declarou, desde o primeiro instante, em resposta a esse interrogatório, é uma verdade sacrossanta? Foi isso, vieram parar-lhe às mãos, conforme ele disse. Encontrou-os no estojo e apanhou-os rapidamente!

— Uma verdade sacrossanta! No entanto! No entanto, ele próprio confessou que, a princípio, mentira.

— Escuta-me, escuta-me atentamente: tanto o porteiro como Kotch e Piestriakov, e o outro porteiro, e a mulher do primeiro porteiro, e a vendedora que naquele momento se encontrava na portaria, e o conselheiro da Corte, Kriúkov[24], que precisamente nesse momento se apeava de um coche e entrava no pátio pelo braço duma senhora... Todos, isto é, oito ou dez testemunhas, afirmam unanimemente que Nikolai atirara Dmítri ao chão, que estava por cima dele e lhe batia, enquanto ele, por seu lado, segurava-o pelos cabelos e também lhe batia. Estavam os dois caídos transversalmente e estorvavam o caminho; todos os insultavam, como a uns rapazinhos (expressão literal das testemunhas), estavam um em cima do outro, guinchavam, batiam-se e riam, riam a bandeiras despregadas, com as chalaças mais pesadas, e depois perseguiam-se mutuamente, tal como as crianças que correm pela rua. Ouviste? Agora repara: os cadáveres, lá em cima, ainda estavam quentes, estás ouvindo, quentes, como também os encontraram assim! Se tivessem sido eles os criminosos, ou apenas Nikolai, se ele tivesse roubado a arca por arrombamento, ou tivesse simplesmente tomado parte no furto, peço-te o favor de fazeres somente esta pergunta: serão compatíveis, por acaso, tal disposição de espírito, isto é, esses gritos, essas risotas, essa rixa infantil mesmo à porta... Com o machado, o sangue, e a criminosa astúcia, os cuidados e o roubo? Imediatamente depois de terem cometido o duplo assassinato, uns cinco ou dez minutos depois... assim o confirmam os cadáveres, ainda quentes... deixam os cadáveres e o andar aberto, sabendo que de um momento para o outro entraria ali gente, e, abandonando o seu saque, eles, como umas criancinhas, atravessam-se no caminho, põem-se a rolar pelo chão e a

---

24 Literalmente: enganchador, aproveitador.

rir, chamando assim a atenção de toda a gente, e ainda por cima há dez testemunhas unânimes que dão fé de tudo isto!

– Não há dúvida que é estranho! É mesmo impossível; mas, no entanto...

– Não, meu amigo, não há mas, nem meio mas. Se os brincos, que nesse dia e àquela hora se encontravam em poder de Nikolai, constituem uma acusação importante contra ele, o que, aliás, as suas declarações explicam muito bem, sendo por conseguinte uma acusação discutível, neste caso é preciso tomar também em consideração os outros indícios favoráveis, tanto mais que são incontrovertíveis. E julgas tu que, pelo que respeita ao caráter da nossa jurisprudência, eles tomam ou são capazes de tomar esse fato, que se baseia só e exclusivamente na impossibilidade psicológica, na disposição de espírito, por um fato indiscutível, que deite por terra todos os fatos acusadores e materiais, sejam eles quais forem? Não, não o consideram assim, e não o consideram assim porque o indivíduo encontrou o estojo e depois quis suicidar-se, coisa que não teria sido possível se ele não se sentisse culpado! Aqui é que está o ponto mais importante, é isto o que me exaspera. Compreendes?

– Bem vejo que te exaspera! Mas espera, esqueci-me de perguntar: como é que puderam provar que o estojo e os brincos procediam do cofre da velha?

– Isso está demonstrado – respondeu Razumíkhin franzindo o sobrolho e como de má vontade – Kotch reconheceu o objeto e indicou o seu dono, e este declarou redondamente que era aquela.

– Mau. Agora outra coisa: ninguém viu Nikolai enquanto Kotch e Piestriakov subiram, e não seria possível provar tudo isto?

– Aí é que está o *quid*: é que ninguém o viu, – acrescentou Razumíkhin, contrariado. – Isso é que irrita; nem sequer Kotch e Piestriakov os viram subir ao andar, embora o seu testemunho não signifique grande coisa. "Viram – dizem eles – que o andar estava aberto, que devia lá haver gente trabalhando; mas, quando passaram, não repararam nisso, nem puderam ver se, exatamente nesse momento, havia ali operários trabalhando ou não."

– Hum! Em resumo: não há outra justificação para eles senão a de estarem a bater-se mutuamente e a rir. Admitamos que seja uma prova poderosa; mas... Deixa-me fazer outra pergunta: como explicas tu todo esse fato? O achado dos brincos, como o explicas tu, se, de fato, foram eles que os encontraram, como dizem?

– Como é que eu o explico? Mas há necessidade de explicá-lo? Se a coisa está claríssima! Pelo menos o caminho que o juiz de instrução, que superintende no assunto, é claro e terminante, e, sobretudo, é o estojo que o indica. O verdadeiro criminoso deixou cair esses brincos. O assassino estava lá em cima quando Kotch e Piestriekov chamaram à porta, e tinha-a fechada por dentro. Kotch fez uma tolice em descer também; então o assassino saiu e esgueirou-se pelas escadas abaixo, visto que não havia outra saída. Na escada escondeu-se de Kotch, de Piestriakov e do porteiro, no andar desalugado, precisamente no momento em que Dmítri e Nikolai acabavam de sair dali correndo; ficou à espreita atrás da porta, enquanto o porteiro e aqueles subiam; esperou que desaparecesse o ruído dos seus passos e então deslizou pelas escadas abaixo, com a maior tranquilidade, exatamente no momento em que Dmítri e Nikolai saíam correndo para a rua, e todos se dispersavam e já não havia ninguém na porta. Pode até ter sucedido que o tivessem visto, mas não repararam nele. Entra e sai ali tanta gente! Mas o estojo caiu-lhe do bolso enquanto estava escondido atrás da porta e ele não deu por isso, ele podia lá ter reparado então numa coisa dessas! O estojo demonstra claramente que ele esteve ali escondido. Aí tens como as coisas se passaram

– Bem imaginado! Não, meu amigo, não se pode negar que não esteja bem imaginado! Admiravelmente inventado!

– Mas por que, por que, por quê?

– Porque tudo isto está demasiadamente bem urdido... e combinado... Tal como no teatro.

"Ah!", esteve quase a gritar Razumíkhin; mas nesse momento a porta abriu-se e entrou uma nova personagem, que nenhum dos presentes conhecia.

Capítulo IV

Era um cavalheiro, já não muito jovem, muito empertigado e solene, o rosto reservado e sereno, o qual começou por ficar parado à porta, olhando à sua volta com um espanto que ostensivamente não procurava dissimular, e como se perguntasse com o olhar: "Onde é que eu me vim meter?". Contemplou com receio e fingindo até um certo susto e quase despeito, o estreito e baixo "camarote de barco" de Raskólnikov. Com a mesma estupefação mudou logo a direção do olhar e fixou-o em Raskólnikov, que, também imóvel, em trajes menores, despenteado, sem se ter ainda lavado, prostrado no seu divã misérrimo e ensebado, olhava para ele. Depois pôs-se a contemplar com a mesma meticulosidade a descuidada figura de Razumíkhin, por barbear e pentear, e que por sua vez o fixava diretamente nos olhos, de uma maneira impertinente e interrogativa, sem sequer se mover do seu lugar. O aborrecido silêncio prolongou-se por um momento, até que, finalmente, e como era de esperar, se produziu uma leve mudança no cenário. Tendo compreendido certamente, por alguns indícios, aliás bastante claros, que aquela solenidade altiva e severa não se impunha a ninguém naquele camarote de barco, o visitante dulcificou-se um pouco, e com um tom de voz cortês, ainda que um pouco arrastada, dirigiu-se a Zósimov, e, destacando as sílabas da sua pergunta, interrogou-o:

– Rodion Românovitch Raskólnikov? Um senhor estudante ou ex-estudante?

Zósimov endireitou-se lentamente, e pode ser que lhe tivesse respondido se Razumíkhin, ao qual não se tinham dirigido, não se tivesse apressado a responder:

– Ei-lo ali, estendido naquele divã! Mas que deseja?

A familiaridade daquele "Mas que deseja?" ofendeu o presumido senhor; esteve quase a encarar Razumíkhin; mas conseguiu dominar-se e voltou-se em seguida outra vez para Zósimov.

– Aí tem Raskólnikov – disse Zósimov com indolência, apontando com a cabeça para o doente, depois do que bocejou, abrindo desmedidamente a boca e mantendo-a durante um tempo excessivo nessa posição. Depois, lentamente, tirou do bolso do colete um relógio de ouro, enorme, maciço, levantou a tampa, viu as horas e, com a mesma lentidão e indolência, tornou a guardá-lo no bolso.

Por seu lado Raskólnikov permaneceu durante todo esse tempo estendido, silencioso, virado para cima e olhando o visitante obstinada mas distraidamente. O seu rosto, que acaba de desviar da curiosa florzinha do papel da parede, estava extremamente pálido e exprimia um sofrimento extraordinário, como se tivesse acabado de sofrer uma operação dolorosa e padecer uma tortura. Mas, pouco a pouco, o visitante começou a despertar nele uma atenção cada vez maior; depois uma suspeita, e, finalmente, desconfiança e até medo. Quando Zósimov o apontou dizendo: "Aí tem Raskólhnikov", ergueu-se de repente, quase de um salto; sentou no divã e, com uma voz quase arrastada, embora sincopada e fraca, proferiu:

– Sim! Eu sou Raskólhnikov! Que deseja?

O visitante olhou para ele atentamente, e, em tom digno, declarou:

– Piotr Pietróvitch Lújin. Estou absolutamente convencido de que o meu nome não lhe deve ser completamente desconhecido.

Mas Raskólhnikov, que esperava algo completamente diferente, continuou a olhá-lo de uma maneira estúpida e cavilosa, e nada respondeu, como se fosse essa a primeira vez que escutava o nome de Piotr Pietróvitch.

– O quê? É possível que não tenha sabido de nada até agora? – perguntou Piotr Pietróvitch um pouco enfadado.

A resposta de Raskólhnikov foi deixar cair lentamente a cabeça sobre a almofada, passar a mão debaixo da cabeça e pôr-se a olhar para o teto. A cara de Piotr Pietróvitch denotava aborrecimento. Zósimov e Razumíkhin observavam-no com grande curiosidade, até que ele, por fim, perdeu visivelmente a calma:

– Eu supunha, contava que... – balbuciou – a carta posta no correio já há mais de dez dias, talvez há duas semanas...

– Mas, escute, por que continua aí, à porta, de pé? – interrompeu-o Razumíkhin de repente. – Se tem alguma coisa a explicar, entre e sente; agora os dois, o senhor e Nastássia, não cabem os dois aí juntos! Nástiuchka, afasta-te para o lado, deixa passar! Entre de uma vez; olhe, tem aí uma cadeira, aí! Entre sem cerimônia!

Afastou a cadeira da mesa, deixou um espaço entre esta e os seus joelhos, e esperou, numa posição um pouco forçada, que o visitante atravessasse por esse intervalo. O momento era tão crítico que não era possível recusar, e o visitante passou por essa estreiteza, atropelando e tropeçando. Assim que chegou à cadeira sentou e ficou a olhar com indignação para Razumíkhin.

– Não se preocupe – disse-lhe ele – Rodka esteve cinco dias doente e três delirando; mas agora já não tem febre e até já comeu com apetite. Este, que aqui vê, é o médico dele, que acabou precisamente agora de observá-lo, e eu sou um companheiro de Rodka, também ex-estudante, e agora, como pode ver, estou a prestar-lhe assistência; por isso não se preocupe conosco, nem esteja com rodeios, e explique o que deseja.

– Muito obrigado. Mas não prejudicarei o doente com a minha presença e a minha conversa? – perguntou Piotr Pietróvitch dirigindo-se a Zósimov...

– Não... não! – balbuciou Zósimov. – Até pode ser que o distraia – e tornou a bocejar.

– Oh, há já algum tempo que recuperou a lucidez, desde esta manhã! – continuou Razumíkhin, cuja familiaridade tinha um tal cunho de ingenuidade que Piotr Pietróvitch reconsiderou e começou a ganhar coragem, talvez também, em parte, devido àquele charlatão insolente se ter apresentado como estudante.

– A sua mamãe... – começou Lújin.

– Hum! – pigarreou Razumíkhin com força. Lújin olhou-o interrogativamente.

— Não é nada, tenho este costume; continue...

Lújin encolheu os ombros.

— A sua mamãe, quando eu ainda estava lá, começou a escrever uma carta para o senhor. Quando eu cheguei aqui, deixei passar uns dias, de propósito, antes de vir vê-lo, para ter assim a certeza de que o senhor já estava a par de tudo; mas agora vejo com assombro...

— Já sei, já sei! — exclamou Raskólhnikov, de repente, com uma expressão do maior desgosto. — É o senhor! O noivo! Bem, pois já sei! E basta!

Piotr Pietróvitch sentiu-se vivamente ofendido, mas ficou calado. Esforçando-se por se dominar, procurava compreender que significava tudo aquilo. Houve um minuto de silêncio.

Entretanto, Raskólhnikov, que se voltara levemente para ele, para lhe responder, pôs-se de súbito a examiná-lo outra vez, de alto a baixo, com uma curiosidade especial, como se alguma coisa de novo nele lhe tivesse chamado a atenção, e para isso até se ergueu da almofada. De fato, em todo o aspecto de Piotr Pietróvitch havia qualquer coisa de especial que chocava e, sobretudo, algo que parecia justificar aquela denominação de "noivo" que acabavam de aplicar-lhe, assim de chofre. Em primeiro lugar era evidente, e era até sobretudo notável, que Piotr Pietróvitch se tivesse aproveitado dos poucos dias em que estava na capital para brunir-se e alindar-se, enquanto esperava a sua prometida, o que, afinal, era uma coisa natural e inocente. Até a sua impressão pessoal, demasiado satisfatória talvez, de que nele se operara uma transformação favorável, se podia perdoar naquela ocasião, visto que Piotr Pietróvitch pertencia à categoria dos noivos. O seu traje era acabadinho de sair do alfaiate, e era impecável, a não ser talvez por ser demasiado vistoso e deixar transparecer com demasiada evidência aquilo a que se destinava. Até o chapéu coco, elegante, novinho, mostrava a que se destinava: Piotr Pietróvitch parecia tratá-lo com excessivo respeito e segurava-o na mão com o maior cuidado. Também o magnífico par de luvas lilás, marca Jouvin, autêntica, mostrava o mesmo, embora fosse somente pelo fato de não as ter calçado, e apenas seguras na mão, para vista. No traje de Piotr Pietróvitch predominavam as cores claras e juvenis. Trazia uma bonita jaqueta cor de canela clara, umas calças de verão também claras, com colete igual, uma camisa fina, acabada de estrear, uma gravata de batista finíssima, com listras cor-de-rosa, e o melhor era que tudo isto se harmonizava perfeitamente com a figura de Piotr Pietróvitch. O seu rosto, muito fresco e até bonito, não precisava de nada disso para não parecer os seus quarenta e cinco anos. Umas suíças escuras, em forma de costeleta, punham uma nota agradável na sua cara e alargavam-se graciosamente de ambos os lados da barba, cuidadosamente rapada. Até o cabelo, aliás já um pouco grisalho, penteado e ondulado pelo cabeleireiro, não apresentava por isso nada de ridículo nem de estúpido, como costuma acontecer sempre com os cabelos frisados artificialmente, pois dá a um indivíduo uma semelhança fatal com um alemão quando vai casar-se. Se havia qualquer coisa de antipático e desagradável naquela fisionomia era devido a outras razões. Depois de ter olhado com o maior descaramento para o Senhor Lújin, Raskólhnikov sorriu amargamente, tornou a recostar-se na almofada e pôs-se, como anteriormente, a olhar para o teto.

Mas o Senhor Lújin ganhou coragem e, pelo visto, resolveu não reparar por enquanto nessas extravagâncias.

— Sinto muito, muitíssimo, vir encontrá-lo em semelhante estado — começou novamente, interrompendo o silêncio com um esforço. — Se soubesse que estava doente, já teria vindo. Mas, os negócios, como sabe... Além disso tenho agora um assunto importantíssimo da minha profissão forense, no Senado. É escusado falar-lhe desses assuntos, já deve calcular como são. Estou à espera da sua mãe e da sua irmãzinha, de um momento para o outro...

Raskólhnikov movimentou-se e parecia que ia dizer qualquer coisa: no seu rosto refletiu-se uma leve animação. Piotr Pietróvitch fez uma pausa, esperou, mas, como ele não dizia nada, continuou:

— De um momento para o outro. Por agora, já lhes arranjei quarto...

— Onde? — perguntou debilmente Raskólhnikov.

— Muito perto daqui, no edifício Bakaliéiev[25]...

— Fica no Próspekt Vosniessiénski — interrompeu-o Razumíkhin. — Aí há dois andares para hóspedes, cujo dono é o comerciante Iúchin; eu estive lá...

— Sim, tem quartos mobilados...

— Tudo quanto há de mais repugnante: sujidade, mau cheiro e, além disso, é uma casa suspeita; passaram-se lá coisas muito feias, e sabe Deus a gente que lá mora... Eu próprio fui lá por causa de uma aventurazinha... escandalosa. No entanto é baratinho, lá isso é...

— É claro que eu não podia saber tão bem dessas coisas, sou um estranho aqui — respondeu Piotr Pietróvitch um tanto azedo. — Mas, seja como for, ofereceram-me aí dois quartos esplêndidos e com tanta rapidez... Já escolhi um outro, que há de ser o nosso verdadeiro quarto — e dirigiu-se a Raskólhnikov — mas, agora, ainda o estão arrumando e, entretanto, eu também estou hospedado, a dois passos daqui, em casa da Senhora Lippewechsel, no andar dum jovem amigo meu, Andriéi Siemiônovitch Liebiesiátnikov; foi ele quem me indicou a casa Bakálieiev.

— Liebiesiátnikov? — interveio, imediatamente, Raskólhnikov, como se se tivesse lembrado de qualquer coisa.

— Sim, Andriéi Siemiônitch Liebiesiátnikov, que trabalha no Ministério. Conhece-o?

— Sim... Não... — respondeu Raskólhnikov.

— Desculpe, mas pareceu-me que o conhecia, a julgar pela sua pergunta. Em tempos, eu fui tutor dele... É um rapaz muito novo... e de ideias avançadas... Eu gosto muito de conviver com gente nova; deles, aprendem-se sempre coisas novas — e Piotr Pietróvitch olhou com esperança para todos os presentes.

— Em que sentido diz o senhor isso? — perguntou-lhe Razumíkhin.

— No sentido mais sério, por assim dizer, no sentido essencial — encareceu Piotr Pietróvitch, como se tivesse ficado satisfeito com a pergunta. — Havia já dez anos que eu não vinha a Petersburgo. Todas estas nossas novidades, reformas, ideias, tudo isto chega também até nós, os das províncias; mas para ver as coisas claramente — para ver tudo, é necessário estar em Petersburgo. Bem, e o meu pensamento era que a melhor maneira de observar e aprender era estudar as nossas novas gerações. Eu

---

25 Os prédios eram designados pelo nome do proprietário. Assim sendo, o autor deu ao dono desta casa este nome que vem de *bakaliéinaialavka* (venda).

confesso, fiquei entusiasmado.

– Com que, concretamente?

– A sua pergunta é muito vasta. Posso estar enganado, mas parece-me que aqui há vistas mais largas, por assim dizer; mais crítica, mais sentido prático...

– Lá isso é verdade – disse Zósimov com indiferença.

– Isso é mentira, esse sentido prático não existe – interveio Razumíkhin. – O sentido prático é difícil de criar, e não cai do céu aos trambolhões. E nós quase há duzentos anos que temos as costas voltadas a tudo quanto é prático... Ideias, sim, pululam – e encarou Piotr Pietróvitch – o desejo do bem existe, embora sob uma forma pueril, e honestidade também se encontra, apesar de que, visíveis ou encobertos, abundam os velhacos; mas pelo que respeita a sentido prático, não existe de maneira nenhuma. Quanto a senso prático, nada!

– Não estou de acordo com o senhor – objetou com visível prazer Piotr Pietróvitch – não há dúvida de que existem exageros, irregularidades; mas é preciso ser indulgente. Os exageros são o testemunho do entusiasmo pelos empreendimentos e do ambiente exterior anormal em que se realizam. Se o que está feito ainda é pouco, não se esqueça de que também ainda tivemos pouco tempo. Nos meios, nem falo. A minha opinião pessoal, se isso não lhe pesa, é que alguma coisa se tem feito; espalharam-se pensamentos novos, úteis; publicaram-se obras novas, úteis, em vez dessas antigas, sonhadoras e fantasistas; a literatura apresenta um caráter mais amadurecido; arrancaram-se e ridicularizaram-se muitos preconceitos... Enfim, afastamo-nos para sempre do passado, e parece-me que isto já é alguma coisa.

– Já trazia isso tudo engatilhado! Para fazer vista! – exclamou de repente Raskólhnikov.

– O quê? – perguntou Piotr Pietróvitch, que não ouvira bem, mas sem obter resposta.

– Tudo isso é verdade – apressou-se Zósimov a observar.

– Então não é? – prosseguiu Piotr Pietróvitch, dirigindo um olhar amigável a Zósimov. – O senhor mesmo há de reconhecer – continuou, dirigindo-se a Razumíkhin, mas já com indícios de uma certa arrogância e superioridade; e quase acrescentava: "rapaz" – que há um avanço, ou, como se diz agora, um progresso, ainda que seja apenas no terreno da ciência e do direito econômico...

– Isso é um lugar comum!

– Não, não é um lugar comum! Se a mim, por exemplo, em outro tempo, me tivessem dito: "Ama o teu próximo", e eu o tivesse amado, que teria resultado disso? – continuou a dizer Piotr Pietróvitch, talvez com demasiada pressa. – O resultado seria eu ter rasgado o meu caftã em dois, tê-lo repartido pelo próximo, e ficaríamos os dois desremediados, como diz o ditado russo: "Persegue várias lebres ao mesmo tempo que ficarás sem nenhuma". Mas a ciência diz: "Antes de mais ama-te a ti próprio, porque tudo no mundo está baseado no interesse pessoal. Se te amares a ti próprio farás os teus negócios como deve ser, e o teu caftã permanecerá inteiro". O direito econômico diz-nos que quanto mais negócios particulares existem na sociedade e, por assim dizer, mais caftãs inteiros, tanto melhor para a firmeza dos seus fundamentos e tanto melhor para a gestão do negócio coletivo. Por isso, cuidando única e exclusivamente de mim, é precisamente a maneira de também cuidar dos outros e fazer com que o meu próximo receba mais qualquer coisa do que um caftã partido em dois, e isto sem ser devido a mercês particulares e únicas, mas como consequência do progresso geral. Ideia simplicíssima, mas que, por infelicidade, só demasiado tarde se concebeu e acabou por ser suplantada pelos entusiasmos e pelos sonhos; apesar de que, segundo parece, não é preciso muita esperteza para compreender...

— Desculpe, mas eu também não sou nada esperto — atalhou bruscamente Razumíkhin. — Por isso não continue. Repare que eu comecei falando com uma finalidade concreta; mas, a mim, toda essa facúndia narcisista, todas essas vacuidades, todos esses intermináveis lugares comuns, e todo esse falar por falar me fartaram de tal maneira, durante três anos, que eu juro que me envergonho quando os outros, não eu, se põem a discutir assim na minha presença. O senhor, naturalmente, está ansioso por estender os seus conhecimentos, o que é muito digno, e eu não o censuro. Mas eu, agora, só queria saber quem é o senhor, porque, repare: ultimamente têm-se metido nos assuntos públicos tantos "cavalheiros de indústria", e a tal ponto se entregam à busca de tudo quanto se lhes afigura ser o seu próprio interesse, que, decididamente, deitaram tudo a perder. Bem, mas já chega!

— Com certeza — começou por dizer Lújin com um ar de dignidade ofendida — que o senhor não quer dar a entender, assim, sem mais nem menos, que eu também...

— Por favor, por favor... Eu não seria capaz disso! — respondeu Razumíkhin, e, bruscamente, pôs-se a reatar o seu anterior diálogo com Zósimov.

Piotr Pietróvitch. parecia ter suficiente inteligência para aceitar como boa essa explicação. Demais, havia já dois minutos que tomara a resolução de retirar-se.

— Espero que esta nossa nascente amizade — disse encarando Raskólhnikov — se fortalecerá ainda mais assim que esteja completamente restabelecido e em virtude das circunstâncias que já sabe... Desejo-lhe sobretudo saúde...

Raskólhnikov nem sequer moveu a cabeça; Piotr Pietróvitch começou a levantar da cadeira.

— Não há dúvida, quem a matou foi um dos seus clientes — afirmou Zósimov com energia.

— É mais que certo, foi um dos clientes! — concordou Razumíkhin. — A Porfíri, não há ninguém que lhe tire isto da cabeça, mas, no entanto, interrogou os clientes da velha...

— Interrogou os clientes? — perguntou Raskólhnikov em voz alta.

— Sim; por que perguntas isso?

— Por nada.

— Mas como é que ele dá com eles? — perguntou Zósimov.

— Uns, foi Kotch que indicou; outros tinham os nomes escritos nos invólucros dos objetos empenhados, e outros também se apresentaram espontaneamente, assim que souberam...

— Bem, mas devia ser um canalha astuto e habituado! Mas que resolução!

— Nada disso! — interrompeu Razumíkhin. — Isso é o que vos desorienta a todos. Mas, para mim... trata-se de um indivíduo inábil, sem prática e, com certeza, este deve ter sido o seu primeiro passo. Se supuserem que é um canalha astuto, tudo se torna inverossímil. Mas suponham, pelo contrário, que se trata de um indivíduo sem prática, verão logo claramente que foi apenas a casualidade que o livrou de apuros; o acaso pode muito. Até pode ser que ele não previsse o que ia fazer. Rouba objetos que podem valer dez, vinte rublos; guarda-os nos bolsos e põe-se a rebuscar no baú da velha, por entre os trapos... e, entretanto, na cômoda, na gaveta, numa caixinha, havia mil e quinhentos rublos em metal sonante, sem contar com as cautelas! E nem sequer soube roubar, só soube matar! Era o seu primeiro passo, repito-te, o seu primeiro passo; atrapalhou-se! E não foi o cálculo, mas apenas a casualidade, que o livrou de dificuldades!

— Pelo visto estão falando do recente assassinato da velha usurária — interveio, dirigindo-se a Zósimov, Piotr Pietróvitch, que já estava de pé com o chapéu e com as luvas na mão, mas que queria dizer algumas frases inteligentes antes de ir embora. Parecia que se esforçava por impressionar e a vaidade transtornava-lhe o raciocínio.

— Sim; ouviu falar disso?

— Claro que ouvi! Entre os vizinhos...

— E está a par de todos os pormenores?

— Não posso precisar; mas, a mim, em tudo isto há outra circunstância que me interessa e que é já, por assim dizer, um problema. Já não quero falar de que a delinquência, entre as classes baixas, nos últimos cinco anos sofreu um grande incremento; também não falo dos contínuos roubos e incêndios; o mais estranho de tudo, para mim, é que também nas classes elevadas da sociedade aumentou igualmente a criminalidade e, por assim dizer, paralelamente. Aqui é um antigo estudante que assalta uma carruagem de correio em plena estrada; ali, indivíduos de ideias avançadas e que ocupam uma boa posição social... põem-se a fabricar moeda falsa; além, em Moscou, prendem um bando inteiro de falsários que operavam na loteria do último sorteio... e vê-se que um dos principais comprometidos é um catedrático de História Universal; noutro lado assassinam um dos nossos secretários no estrangeiro para o roubarem e também por alguma outra obscura razão... E se agora se chega à conclusão de que essa velha prestamista foi assassinada por algum indivíduo das classes elevadas, uma vez que os camponeses não tem objetos de ouro para empenhar, como explicar este desenfreamento duma boa parte da nossa sociedade civilizada?

— A mudança das condições econômicas contribui grandemente para isso — disse Zósimov.

— Mas como explicá-lo? — interveio Razumíkhin. — Pode explicar-se pela nossa excessiva falta de sentido prático.

— Que quer dizer com isso?

— Sabe o que respondeu em Moscou esse catedrático a que se referiu, à pergunta sobre o motivo por que falsificara notas: "Toda a gente enriquece de várias maneiras e, por isso, eu também quis enriquecer". Não me recordo das palavras exatas, mas a ideia era essa: enriquecer fácil e rapidamente, e com pouco custo! Estão acostumados a viver com toda a moderação, apelam para os auxílios alheios, comem coisas já mastigadas. Bem, depois, quando lhes chega a hora, cada qual mostra aquilo que é...

— Não há dúvida, mas a moral? E, por assim dizer, as leis...

— Mas por que se preocupa? — interveio Raskólhnikov inesperadamente. — Tudo isso deriva das suas próprias teorias!

— Como das minhas teorias?

– Desenvolva o senhor até às suas consequências aquilo sobre que acaba de dissertar e verá como se pode matar toda a gente...

– Por favor! – exclamou Lújin.

– Não, não é isso! – observou Zósimov.

Raskólhnikov estava estendido, pálido, com o lábio superior tremente, e a respiração ofegante.

– Mas há um meio termo em tudo – continuou Lújin altivamente – a ideia econômica não é, no entanto, um convite ao assassinato, e supondo somente...

– Mas é verdade ou não? – tornou a atalhar Raskólhnikov, com uma voz trêmula de cólera e que deixava transparecer uma alegria ofensiva. – É verdade que o senhor disse à sua noiva... no próprio instante em que obteve o seu consentimento, que aquilo que lhe agradava acima de tudo era... o fato de ela ser pobre... porque é preferível casar com uma mulher pobre para ter domínio sobre ela... e poder lançar-lhe em rosto que é nossa protegida?

– Senhor! – exclamou Lújin colérico e irritado, muito vermelho e desconcertado. – Senhor! Desvirtuar assim o meu pensamento! Desculpe, mas eu tenho obrigação de demonstrar-lhe que os boatos que chegaram até aos seus ouvidos não têm o menor fundamento, e eu... eu já imagino quem... Numa palavra... Essa alusão... Em resumo: a sua mãe... Mesmo sem falar nisso, ela já tem demonstrado, juntamente com outras indubitáveis boas qualidades, uns certos entusiasmos fantasiosos na sua maneira de pensar... Mas eu, no entanto, estava muito longe de supor que pudesse vir a imaginar as coisas com esse aspecto deformado pela fantasia... E, finalmente...

– Sabe uma coisa? – exclamou Raskólhnikov endireitando-se na almofada e lançando-lhe um olhar fixo, penetrante e cintilante. – Sabe uma coisa?

– O quê? – Lújin deteve-se e aguardou com uma expressão ofendida e de desafio. Houve um silêncio durante uns segundos.

– Que, se alguma outra vez o senhor torna a ter a ousadia de dizer uma só palavra... a respeito da minha mãe... irá de roldão por essa escada abaixo!

– Mas que tens tu? – exclamou Razumíkhin.

– Ah, então é assim?! – Lújin empalideceu e mordeu o lábio. – Escute, senhor – começou depois de uma pausa e reunindo todas as suas energias para se conter, e respirando ofegantemente – eu, há um momento, desde que aqui entrei, adivinhei a sua antipatia, mas fiquei aqui para o conhecer melhor. Posso perdoar muita coisa a um doente e a um parente, mas agora já... ao senhor... nunca!

– Eu não sou um doente? – exclamou Raskólhnikov...

– É pior do que isso...

– Vá para o diabo!

E Lújin saiu sozinho, sem acabar a frase, tornando a abrir caminho dificilmente por entre a mesa e a cadeira; dessa vez Razumíkhin levantou para dar-lhe passagem. Sem olhar para ninguém e sem fazer sequer uma inclinação de cabeça a Zósimov, o qual lhe fazia sinais para que deixasse o doente em paz, Lújin retirou-se, levantando por precaução o chapéu à altura do ombro, e teve de agachar-se para atravessar a porta. Até a maneira de dobrar as costas revelava o terrível ressentimento que levava.

– Mas é possível, é possível que tu sejas assim? – disse Razumíkhin, perplexo, movendo a cabeça.

— Deixa-me, deixem-me todos! – gritou Raskólhnikov com fúria. – Deixem-me de uma vez, verdugos! Eu não tenho medo de vocês! E agora já não tenho medo de ninguém, de ninguém! Fora daqui! Quero estar só, só, só!

— Vamo-nos! – disse Zósimov fazendo um sinal a Razumíkhin.

— Mas nós podemos deixá-lo assim?

— Vamos! – insistiu Zósimov e saiu. Razumíkhin refletiu e foi atrás dele.

— Seria pior se não lhe tivéssemos ligado importância – disse Zósimov, já na escada. – Não convém irritá-lo...

— Mas que tem ele?

— Se ao menos lhe acontecesse qualquer coisa de agradável! Há pouco estava bem... Não há dúvida que imagina qualquer coisa! Qualquer ideia fixa, dolorosa... Tenho muito medo que seja isso, porque, então, já não teria remédio!

— Este senhor Piotr Pietróvitch está metido no caso! Das suas palavras conclui-se que vai casar com a irmã, e que Rodka, antes de cair doente, recebeu uma carta sobre o caso...

— Sim, foi o diabo ele ter aparecido agora; pode ser que tenha posto tudo a perder. Mas já reparaste que ele se mostra indiferente a tudo e está sempre calado, a não ser quando se toca num ponto, que o põe fora de si: esse tal crime?

— Sim, sim! – concordou Razumíkhin. – Eu também já reparei nisso! Fica interessado e assustado. Já no primeiro dia da sua doença ficou assustado; quando estava no Comissariado, onde desmaiou.

— Esta noite hás de contar-me isso mais pormenorizadamente, e eu depois também te contarei uma coisa. O caso interessa-me muito! Dentro de meia hora voltarei a vê-lo... Aliás, uma congestão não é de recear...

— Graças a ti! Entretanto eu esperarei por ti com Páchenka, e estarei a par de tudo por Nastássia!

Quando ficou sozinho, Raskólhnikov olhou com impaciência e aborrecimento para Nastássia; mas esta não se dispunha a sair.

— Queres chá? – pergunta-lhe.

— Logo! Agora, o que quero, é dormir. Deixa-me...

Voltou-se convulsivamente de cara para a parede; Nastássia saiu.

CAPÍTULO V

Mal ela saiu, ele levantou, fechou a porta, desfez o embrulho que Razumíkhin trouxera e que atara de novo, e começou a vestir-se. Coisa estranha: parecia que, de repente, se apoderara dele uma tranquilidade absoluta; não se encontrava no estado de semi-delírio, como antes, nem de temor pânico, como nos últimos tempos. Era esse o seu primeiro momento de certa, rara e repentina serenidade. Os seus movimentos eram precisos e claros, e neles transparecia uma intenção firme: "Hoje mesmo, hoje mesmo!" murmurava para consigo. Compreendia, no entanto, que ainda estava fraco, mas uma excitação espiritual violentíssima, que raiava pela apatia, pela ideia fixa, infundia-lhe forças e serenidade; quanto ao mais, esperava não cair na rua. Depois de se ter vestido completamente de novo, olhou para o dinheiro que estava em cima da mesa, refletiu um momento e guardou-o no bolso. Eram vinte e cinco rublos. Pegou também em todas as moedas de cobre, que constituíam a demasia dos dez rublos trocados por Razumíkhin na compra do vestuário. Depois, devagarinho, correu o fecho da porta, saiu do quarto, começou a descer as escadas e deitou um olhar para a porta da cozinha, aberta de par em par. Nastássia estava de costas e soprava sobre o samovar da dona da casa. Não deu por ele. E quem é que podia imaginar que ele fosse sair? Um minuto depois já estava na rua. Eram oito horas. O sol declinava já. O calor abafado era o mesmo de antes, mas aspirou com avidez aquela atmosfera mal-cheirosa, pulverulenta, que emanava da cidade. A princípio, a cabeça começou a dar-lhe algumas voltas, mas uma certa energia selvagem brilhou de repente nos seus olhos congestionados e no seu rosto macerado, de uma lividez amarelenta. Não sabia, nem sequer se preocupava com saber onde é que iria; só sabia uma coisa: que era preciso acabar com tudo aquilo hoje, de uma vez, naquele mesmo instante; que à sua casa não voltaria, pois não queria viver ali. Como acabar? Por que meio acabar? Disto não fazia a menor ideia e, pensar nisso, de maneira nenhuma. Afugentava essa ideia, essa ideia afligia-o. Só sentia e sabia que era preciso que tudo mudasse de uma maneira ou de outra, fosse como fosse, repetia com desolada, imperturbável segurança.

Seguindo um antigo costume, encaminhou-se diretamente para o Mercado do Feno, pelo caminho habitual dos seus antigos passeios. Antes de chegar aí, no passeio, diante duma mercearia estava parado um jovem, tocador de realejo, que tocava uma canção muito sentimental. Acompanhava-o uma mocinha, que estava também parada, devia ter os seus quinze anos, vestida como uma senhora, de crinolina, mantilha, luvas e um chapeuzinho de palha com uma pluma cor de fogo, tudo já velho e usado. Com uma voz de cana rachada e tremente, embora bastante agradável e forte, a mocinha entoava a sua canção, esperando que, na loja, lhe dessem alguns copeques. Raskólhnikov, que parara, juntando-se ao círculo de dois ou três ouvintes, puxou de uma *piatak* e a pôs na mão da mocinha. Esta, de repente, interrompeu o seu canto na nota mais impressionante e aguda, como se alguém a tivesse degolado; num tom seco gritou para o do realejo: "Basta!" e ambos seguiram para diante, até à loja próxima.

– Gosta das cantigas de rua? – perguntou Raskólhnikov, de súbito, dirigindo-se a um transeunte que parara junto dele a escutar o realejo e que tinha aspecto de ser um eterno passeante. Olhou para ele assustado e admirado. – Gosto – continuou Raskólhnikov, mas de uma maneira que não parecia referir-se às canções de rua – gosto quando são cantadas ao som do realejo, numa fria, escura e úmida tarde de outono; tem de ser uma tarde úmida, quando todos os transeuntes trazem umas caras de um verde pálido e doentio, ou, para melhor dizer, quando cai a neve derretida, completamente a direito, sem vento, está compreendendo, e através dela brilham as lâmpadas de gás...

– Não compreendo... Desculpe – murmurou o interpelado, assustado tanto pela pergunta como pelo aspecto estranho de Raskólhnikov, e passou para o outro passeio da rua.

Raskólhnikov seguiu para diante, a direito, e foi ter àquele canto do Feno onde tinha a sua pequena loja aquele casal que, da outra vez, estava falando em Lisavieta; mas agora não estava lá. Reconhecendo o lugar, Raskólhnikov parou, deitou uma olhadela para ali e reparou num rapaz de camisa vermelha que bocejava à entrada dum armazém de cereais.

— Ouça, que é feito desse comerciante que tem aí o seu lugar, juntamente com a mulher?

— Aqui todos são comerciantes — respondeu o rapaz olhando para Raskólhnikov por cima do ombro.

— Como se chama?

— Com o nome que lhe deram na pia do batismo.

— Tu não és de Zaráisk? De que Governo?

O rapaz tornou a medir Raskólhnikov com os olhos.

— O nome, meu senhor, não é Governo, mas distrito; era o meu irmão que ia e vinha, enquanto eu não saía de casa; por isso não sei nada. Mil desculpas, senhor.

— Aquilo lá em cima é uma taberna?

— É uma casa de pasto e tem sala de bilhar, até lá vão príncipes... Excelente!

Raskólhnikov atravessou a praça. Ali, num canto, via-se uma grande multidão, tudo homens. Abriu caminho por entre aquele aperto, examinando as caras. Sem saber por que, sentia vontade de falar com toda a gente. Mas os camponeses nem sequer reparavam nele e falavam uns com os outros, dispersos em grupos. Ele parou, reconsiderou e voltou à direita, no passeio, em direção à Avenida V***. Abandonando a praça, meteu-se por uma ruela.

Já antigamente era frequentador assíduo daquela curta ruela, que fazia um cotovelo e levava da praça à rua Sadóvaia. Nos últimos tempos, até lhe agradava vaguear por todos aqueles lugares, quando o tédio se apoderava dele, para se entediar ainda mais. Agora passava por ali sem pensar em nada. Há aí um grande prédio todo ocupado por tabernas e outros estabelecimentos de comidas e bebidas, de onde saíam continuamente mulheres vestidas como se andassem por casa, descobertas e em saia de baixo. Reuniam-se no passeio em dois ou três sítios, em grupos, sobretudo à porta do andar inferior, onde, subindo dois pequenos degraus de pedra, se podia passar para vários estabelecimentos muito divertidos. Num deles ouvia-se nesse instante uma algazarra e um rebuliço que ecoava por toda a rua; tocavam guitarras, vibravam canções e estavam todos muito alegres. Um grande grupo de mulheres se amalgamava à porta: umas estavam sentadas nos degraus; outras no passeio; outras ainda estavam de pé e conversavam. Ali perto, no passeio, um soldado embriagado, de cigarro na boca, cambaleava e lançava insultos em voz alta, e parecia que queria entrar em qualquer lugar, simplesmente tinha-se esquecido onde. Um andrajoso trocava injúrias com outro andrajoso, e um ébrio que não podia equilibrar-se dava tropeções no meio da rua. Raskólhnikov parou diante duma grande roda de mulheres. Falavam em voz alta; traziam todas saias de baixo de indiana, sapatos de pele de cabra e não tinham nada a cobrir-lhes a cabeça. Algumas passavam já dos quarenta, mas também as havia de dezessete, quase todas com olheiras.

Sem saber por que, atraíram-no as cantigas e todo aquele alvoroço e algazarra que vinha lá de baixo... Percebia-se que, aí, por entre ditos e gritos, acompanhado por uma voz fina de cana rachada e ao som da guitarra, alguém dançava desesperadamente, marcando o compasso com os tacões. Ele, atento, triste e pensativo, ficou escutando junto da porta e espreitando, curioso, do passeio para o interior.

Ó meu lindo soldadinho
Não me batas sem motivo,

dizia a voz fina do cantador. Raskólhnikov sentia uma terrível vontade de escutar os que cantavam, como se tudo se resumisse a isso.

"Por que não entrar? – pensou – Riem de bêbados. Por que não hei de eu beber também até embriagar-me?"

– Não entra, meu caro senhor? – perguntou-lhe uma das mulheres com uma voz bastante clara e ainda fresca. Era uma moça e não tinha nada de repulsivo... A única de todo o grupo.

– És muito bonita! – respondeu ele endireitando-se e contemplando-a.

Ela sorriu; aquele galanteio tinha-a lisonjeado muito.

– O senhor também é! – disse ela.

– Mas está tão fraquinho! – observou outra com voz de baixo. – Saiu agora do hospital, não?

– Parecem filhas de generais, mas nem por isso deixam de ter o nariz esborrachado – disse de repente um camponês que se aproximara do grupo, já um pouco "alegre", com o colete desabotoado e uma careta de esperteza trocista. – Estão muito bem dispostas!

– Entra, já que estás aqui.

– Pois então, com mil diabos, entro!

E entrou.

Raskólhnikov dispôs-se a continuar o seu caminho.

– Escute, meu senhor! – gritou a mulher atrás dele.

– O que é?

Ela ficou perturbada.

– Eu teria muito gosto em passar uns momentos com o senhor. Mas, agora, sinto-me envergonhada na sua presença. Vamos simpático, seis copeques para um copinho.

Raskólhnikov tirou tudo o que achou no bolso: três *piatáki*.

– Ah, que senhor tão bondoso!

– Como te chamas?

– Aqui sou Duklida.

– Ora vejam só! – observou de repente outra do grupo, movendo a cabeça. – Não sei como há quem possa pedir assim, dessa maneira! Eu, francamente, morreria de vergonha!

Raskólhnikov olhou com curiosidade para a que falara. Era uma mulher picada das bexigas, de uns trinta anos, toda coberta de vergões, com o lábio superior inchado. Falara e censurara a outra com muita calma e seriedade.

"Onde – pensou Raskólhnikov, continuando o seu caminho – onde é que eu li aquilo de um condenado à morte que no momento de morrer dizia ou pensava que se o deixassem viver num alto, numa rocha e num espaço tão reduzido que mal tivesse onde pousar os pés – e se à volta não houvesse mais que o abismo, o mar, trevas eternas, eterna solidão e tempestade perene – e tivesse de ficar assim, em todo esse espaço de um *archin*, a sua vida toda, mil anos, a eternidade... preferiria viver assim do que morrer imediatamente? O que interessa é viver, viver, viver! Viver, seja como for, mas viver! O homem é covarde!", acrescentou passado um minuto.

Foi ter a outra rua... "Ora! O Palácio de Cristal!" Não havia muito ainda que Razumíkhin falara do Palácio de Cristal. "Mas para que queria eu... ? Ah, sim, para ler! Zósimov disse que lera nos jornais."

– Há jornais? – perguntou ao entrar numa taberna muito grande e até de agradável aparência, composta de alguns gabinetes, por certo vazios.

Dois ou três clientes tomavam chá, e numa saleta mais ao fundo havia um grupo de quatro indivíduos que bebiam champanhe. Pareceu a Raskólhnikov que Zamiótov se encontrava entre eles. Embora de longe não se pudesse ver muito bem.

"Que me importa?", pensou.

– Quer vodca? – perguntou-lhe o rapaz.

– Traz-me chá. E traz-me também jornais atrasados, de há cinco dias, que eu te dou uma gorjeta.

– Muito bem. Aqui tem os de hoje. E aguardente, também quer?

Trouxeram-lhe os jornais atrasados e chá. Raskólhnikov sentou à vontade, à procura. "Isler... Isler... Os astecas!... Isler Bártola... Máximo... Os astecas!... Isler... Bártola... Máximo... Os astecas... Isler... Que diabo! Mas aqui estão já os acontecimentos: caída pela escada... Um comerciante carbonizado pelo abuso do álcool... Um incêndio em Piéski... Um incêndio em Petersburgo. Outro incêndio em Petersburgo... Outro incêndio em Petersburgo Isler... Isler... Isler... Máximo... Ora cá está!

Encontrou finalmente aquilo que procurava e pôs-se a ler; as linhas dançavam diante dos seus olhos e, no entanto, leu todas as notícias e pôs-se a procurar nos últimos números as informações mais recentes. As mãos tremiam-lhe ao voltar as folhas, com uma impaciência convulsiva. De repente alguém veio sentar junto dele, no outro lado da mesa. Ergueu os olhos... e viu Zamiótov, o mesmo Zamiótov e com o seu mesmo aspecto de sempre; com os seus anéis e as suas correntes, o seu risco nos cabelos negros e alisados à custa de cosmético, o seu elegante colete, o seu sobretudo um tanto coçado e a sua camisa um tanto suja. Estava de bom humor, ou pelo menos sorriu com muita jovialidade e com um ar bonachão. A sua cara morena estava um pouco afogueada devido às libações de champanhe.

– O quê? O senhor aqui? – começou, admirado e num tom que faria crer que eram amigos antigos. – Mas Razumíkhin disse-me ontem que o senhor ainda não recuperara a lucidez! É estranho! Mas olhe, eu estive em sua casa...

Raskólhnikov sabia muito bem que ele havia de aproximar-se. Pôs os jornais de lado e voltou-se para Zamiótov. Nos seus lábios havia um sorrisinho, no qual transparecia uma certa nova e irritante impaciência.

– Já sei que esteve lá – respondeu. – Disseram-me. Foi à procura da biqueira da bota... Mas quer saber uma coisa? É que Razumíkhin disse, levianamente, que o senhor esteve com ele em casa de Lavisa Ivânovna, aquela que o senhor queria defender fazendo sinais ao Tenente Pórokhov, que não os percebia, lembra-se? E, no entanto, como é que ele não compreendia? O assunto estava claro, não acha?

– Oh, que furacão!

– Quem? Pórokhov?

– Não, esse seu amigo, Razumíkhin...

– O senhor Zamiótov leva uma boa vida! Tem entrada livre nos lugares mais agradáveis! Quem é que o convidou para o champanhe?

– É que... bebemos um pouquinho... Mas por que pensa que me convidaram?
– Isso são os emolumentos. Tudo quanto vem é ganho! – riu-se Raskólhnikov. – E isso ainda não é nada, meu rapaz, nada – acrescentou, dando uma palmadinha no ombro de Zamiótov. – Olhe, não pense que eu o censure, e digo-o até por afeto, em tom de brincadeira, como dizia o seu operário quando batia em Mitka, esse tal do caso da velha.

– Ah! Mas está a par?
– Pode ser que saiba muito mais do que o senhor.
– O senhor é uma pessoa estranha! Com certeza que ainda está doente. Fez mal em ter saído.
– Com que então pareço-lhe estranho?
– Sim. Estava lendo jornais.
– Sim, eram jornais.
– Muita coisa dizem a respeito de incêndios...
– Não, eu não leio isso dos incêndios... – e olhou ambiguamente para Zamiótov; um sorrisinho sarcástico voltou a assomar aos seus lábios. – Não, eu não leio isso dos incêndios – continuou, fazendo uma piscadela de olhos para Zamiótov. – Mas confesse, meu caro amigo, que tem uma vontade enorme de saber o que eu leio.
– De maneira nenhuma; perguntei isso por perguntar. – Não se pode fazer uma pergunta? Por que é tão...?
– Ouça uma coisa. O senhor é um homem culto, letrado, não é?
– E da sexta classe do Ginásio – respondeu Zamiótov com certa dignidade.
– Da sexta classe! Olhem que melro! Penteadinho, com risca e de anéis... Oh! que rico homem! Que lindo menino!

Quando chegou a este ponto, Raskólhnikov foi acometido de um riso nervoso, a que deu largas nas próprias barbas de Zamiótov. Este inclinou-se um pouco para trás e não se deu por ofendido, mas mostrou ficar muito admirado.

– Oh, que estranho! – repetiu Zamiótov muito sério. – Era capaz de apostar em como está com febre.
– Com febre? Mentes, melro branco! Com que então te pareço estranho? Muito bem; excito a curiosidade, não? Curioso?
– Curioso.
– Bom. Por que quer que eu lhe diga o que estava lendo? Olhe quantos números mandei, trazer. É suspeito, não é?
– Diga.
– Tem as orelhas bem atentas?
– Mas por quê?
– Bem, depois explicarei isso das orelhas; por agora, meu caro, direi... ou melhor: confesso... Não, não é isso; declaro formalmente e o senhor tomará nota... É esta a fórmula! Bem, pois declaro-lhe formalmente que estava lendo, que me interessava e que procurava... procurava, – Raskólhnikov piscou um olho e esperou – procurava e para isso vim aqui, notícias do assassinato da velha viúva do funcionário – disse, finalmente, quase a meia voz, aproximando extraordinariamente o seu rosto do de Zamiótov.

Este ficou olhando para ele fixamente, sem se mover e sem desviar a cara da dele. O que pareceu depois mais estranho a Zamiótov foi que durante um minuto inteiro reinasse entre eles o silêncio e que durante esse minuto estivessem olhando um para o outro cara a cara.

– Bem; e que tem que estivesse lendo isso? – exclamou, de repente, perplexo e impaciente. – Que me importa isso a mim? Que tem de especial?

– É que se trata dessa mesma velha – continuou Raskólhnikov na mesma voz baixa e sem se afastar, diante da exclamação de Zamiótov – essa mesma da qual, veja se se lembra, estavam falando quando eu desmaiei no Comissariado. Compreende agora?

– Bom, e então? Que quer dizer isso de "compreende agora"? – exclamou Zamiótov, quase alarmado.

O rosto imperturbável e sério de Raskólhnikov mudou de expressão num momento, e, de súbito, começou outra vez naquele riso nervoso de há pouco, como se lhe faltassem forças para dominar-se. E, nesse momento, relembrou também, com extraordinária nitidez, aquela sensação recente que quando estava atrás da porta, de machado em riste, e o fecho oscilava, e os outros, ao lado dele, proferiam insultos e socavam a porta, e sentira de repente vontade de se pôr a gritar e a insultar ao mesmo tempo que eles, e puxar-lhes pela língua, a ralhar, e troçar, e rir, rir, rir, rir às gargalhadas.

– Mas o senhor está lou...co? – disse Zamiótov e deteve-se, como se uma ideia súbita tivesse cruzado o seu cérebro.

– O... quê? Vamos, diga o que tem a dizer!

– Nada! – respondeu Zamiótov furioso. – Isso é um disparate!

Ficaram ambos calados. Depois desse repentino e espasmódico ataque de riso, de súbito, Raskólhnikov ficou pensativo e triste. Assentou os cotovelos sobre a mesa e apoiou as mãos na testa. Parecia ter-se esquecido por completo da presença de Zamiótov. O silêncio prolongou-se durante bastante tempo.

– Não bebe o chá? Olhe que arrefece! – disse Zamiótov.

– Ah! O quê? O chá? Está bem.

Raskólhnikov bebeu um gole do copo, levou um bocadinho de pão à boca e olhou para Zamiótov como se se compenetrasse e procurasse sacudir o seu abatimento; o seu rosto tornou a adotar, naquele momento, a mesma expressão sarcástica do princípio. Continuou bebendo o chá.

– Agora se dão muitas façanhas dessas – disse Zamiótov. – Ainda não há muito, tempo eu li nas Notícias de Moscou que, nessa cidade, tinham detido um bando de moedeiros falsos. Formavam uma verdadeira sociedade. Falsificavam notas.

– Oh! Isso é uma velha história. Já deve haver um mês que li essa notícia – respondeu placidamente Raskólhnikov. – De maneira que, para o senhor, trata-se de bandidos? – acrescentou sorrindo.

– Então que haviam de ser?

– Por quê? Trata-se de fedelhos inexperientes não de bandidos. Terem-se reunido para isso, nada mais nada menos do que cinquenta indivíduos! É possível uma coisa dessas? Para uma empresa dessas, três já são demais, e para isso é preciso que cada um esteja mais seguro do outro que de si próprio. Bastaria que um deles, numa ocasião em que tivesse bebido, começasse a abrir o bico, para pôr tudo a perder. Tolos! Encomendam a missão de trocar as notas nos bancos a gente indigna de confiança; é possível, para uma coisa dessas, confiar em qualquer? Mas suponhamos que a coisa corre bem, inclusive se se tratar de uns incautos; suponhamos que cada um deles consegue passar um milhão. Bem, e depois? Para toda a vida! Cada um deles ficará a depender do outro para toda a vida. Mais vale entregar-se! Mas esses a que me referi, nem sequer souberam passar as notas. Um deles foi trocá-las ao banco; deram-lhe cinco mil rublos e as mãos até lhe tremiam. Contou até quatro mil, mas ao quinto milhar recebeu sem contar, à sorte, parecendo-lhe mentira o ir metê-los no bolso e deitar a correr. Por isso despertou suspeitas. De maneira que um só imbecil pôs tudo a perder. Mas acha que isso é possível?

– O quê? Que as mãos lhe tremessem? – respondeu Zamiótov. – Se é possível! Sim, estou absolutamente convencido de que é possível. Às vezes, uma pessoa não pode dominar-se.

– Qual!

– No caso dele, o senhor poderia dominar-se? Pois olhe, eu, não. Por cem rublos de ganho, expor-se a semelhante horror! Apresentar-se com notas falsas... e onde? No guichê dum banco, onde conseguem perceber todos os truques... Não, eu ficava desconcertado. E o senhor desconcertava-se?

A Raskólnikov tornara a entrar de repente uma vontade terrível de "deitar-lhe a língua de fora". Por momentos um calafrio lhe correu pela espinha.

– Eu teria procedido de outra maneira – começou com um ar longínquo. – Veja como eu teria passado as notas: teria contado o primeiro milhar quatro vezes, uma a seguir à outra, olhando muito bem cada nota, e depois teria começado a contar o segundo; teria começado a contá-lo, e depois, ao chegar à metade, teria escolhido uma nota de cinquenta rublos, ao acaso, e começaria a olhá-la contra-luz, viraria a nota do outro lado e observaria outra vez à contra-luz... "Não será falsa? Eu, que diabo, estou muito escaldado; ainda não há muito tempo que uma parenta minha, por causa disso, perdeu vinte e cinco rublos." E continuaria a contar esta história. E, assim, até chegar ao terceiro milhar; mas não, desculpe; parece-me que, no segundo milhar, contei mal a sexta centena e tenho as minhas dúvidas. E, assim, deixaria o terceiro milhar e voltaria outra vez ao segundo; e teria feito o mesmo com toda a quantia, até ao quinto milhar. E depois de ter acabado, do quinto e do segundo milhar teria tirado ao acaso uma nota do maço, começaria a examiná-la à contra-luz, e outra vez me poria com dúvidas: "Pode fazer o favor de trocar-me esta por outra?". E, contudo, teria feito suar tanto o do guichê, que o homem já não saberia o que havia de fazer para se livrar de mim. Depois de ter, enfim, acabado, sairia, abriria a porta... Não, desculpe, tornaria lá outra vez, perguntaria qualquer coisa, ia ouvir qualquer explicação... Aí tem como eu procederia!

– O senhor disse coisas tremendas! – exclamou Zamiótov sorrindo. – Tudo isso é garganta, porque, em chegando a ocasião, já seria outra coisa. Garanto-lhe que, nesse momento, não só eu e o senhor, como até o homem mais emperdenido e desesperado, é incapaz de dominar-se. Para que ir mais longe? Aí tem, por exemplo, o assassinato da velha, que se deu no nosso distrito. Segundo parece, trata-se de um rapaz ousado que, em pleno dia, se expôs a todos os perigos, e só se salvou por um milagre, e ao qual, no entanto, as mãos se lhe puseram a tremer, pois não conseguiu roubar, não pode dominar-se; são os próprios fatos que o demonstram...

Raskólnikov pareceu dar-se por ofendido. – Veja o que está dizendo! Pois então veja se é capaz de lhe deitar a mão agora! – exclamou Raskólnikov olhando

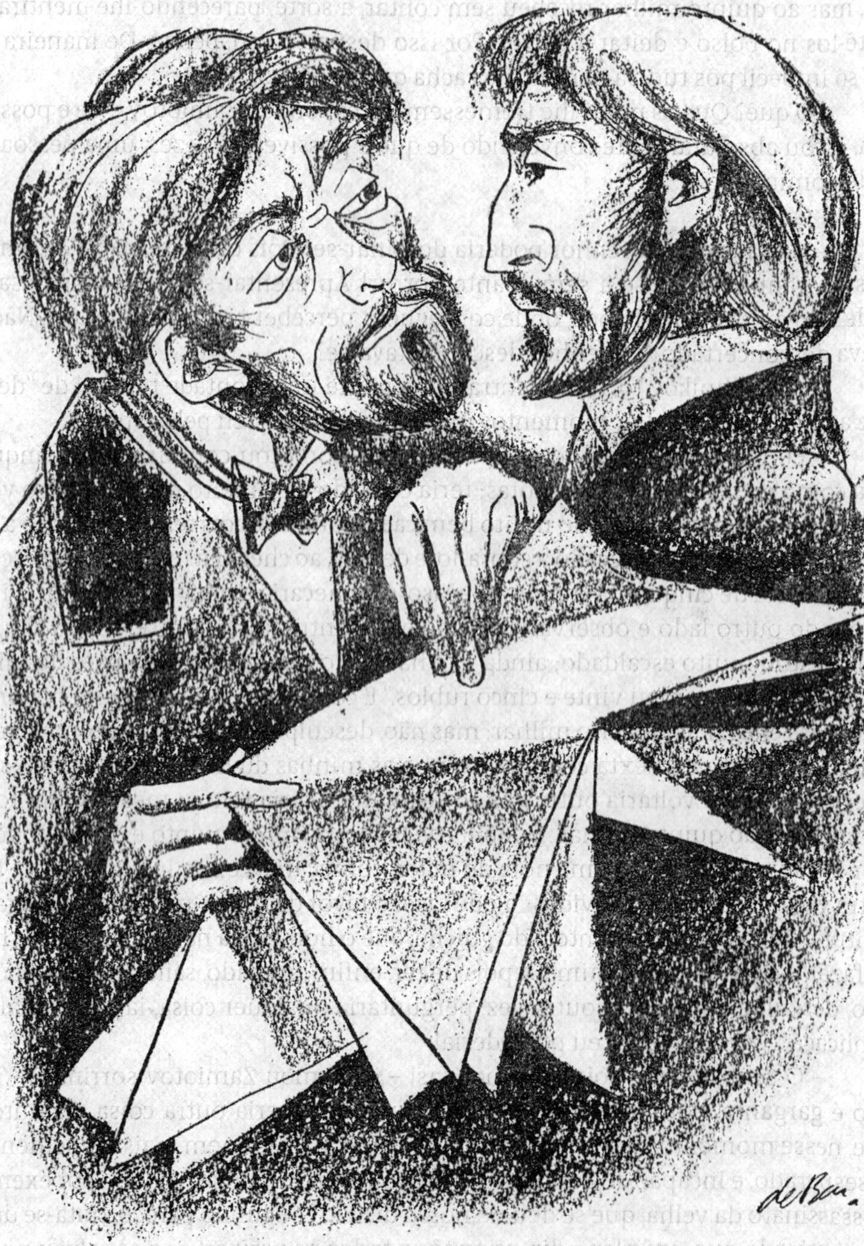

Zamiótov por cima do ombro.

– Qual! Já o apanharam.

– Quem? Os senhores? Os senhores apanharam-no? Sim, sim! Para os senhores, o principal é isso, verem se um homem gasta ou não gasta dinheiro. Dantes não tinha dinheiro e, de repente, começa a aparecer com ele: pronto, fatalmente que foi esse. Por isso, sempre que os outros querem, os senhores são ludibriados como moços pequenos.

– Mas é que isso acontece sempre – respondeu Zamiótov. – Assassinam com astúcia e conseguem escapar; mas, depois, vão logo para a taberna e aí caem na armadilha. Prendem-nos por causa do que gastam. Nem todos são tão espertos como o senhor. O senhor, naturalmente, não iria à taberna, não é verdade?

Raskólhnikov franziu o sobrolho e olhou fixamente para Zamiótov.

– O senhor, naturalmente, tem inveja, e gostaria de saber como me conduziria em caso semelhante – perguntou com aborrecimento.

– Lá isso gostaria – respondeu aquele em voz firme e séria.

Começava a notar-se uma grande seriedade nas suas palavras e nos seus olhares.

– Muito?

– Muito.

– Bem, então veja o que eu faria – respondeu Raskólhnikov, tornando a aproximar o seu rosto do de Zamiótov, a olhá-lo fixamente e a falar outra vez em voz baixa, de maneira que ele, desta vez, chegou a estremecer – veja o que eu faria: pegava no dinheiro e nos objetos, e saía dali imediatamente e, sem entrar em parte alguma, correria direito a um lugar deserto, onde não houvesse senão terrenos e onde não passasse ninguém... a algum jardim ou coisa do gênero. Previamente teria tido o cuidado de escolher uma certa pedra em certo pátio, de *pud ou pud* e meio de peso, em algum canto, junto dum muro, e que talvez tivesse sido posta aí desde que fizeram a casa; levantaria essa pedra – debaixo da qual devia existir uma cova e jogaria todo o dinheiro e os objetos nessa cova. Ia jogá-los aí e tornaria a colocar a pedra no seu lugar, tal como estava antes; depois pisaria a terra com o pé e fugiria daí imediatamente. Durante um ano, durante dois, não a levantaria; passariam três anos e também não... Bem, que procurassem. Que é dele, o ladrão?

– O senhor está doido – declarou Zamiótov num fio de voz, sem saber por que e, também sem saber por que, afastou-se subitamente de Raskólhnikov.

De repente os olhos deste começaram a chispar, empalideceu terrivelmente, e o lábio superior tremia-lhe sem proferir o menor som. Aproximou-se o mais que pôde de Zamiótov e começou a mover os lábios sem articular uma palavra; permaneceu assim meio minuto. Sabia o que fazia, mas não podia dominar-se. Uma palavra feroz aflorava aos seus lábios, como quando estivera atrás da tal porta, quase lhe escapava, estava quase a largá-la, a dizê-la.

– E se fosse eu quem tivesse assassinado a velha e Lisavieta? – exclamou de repente e... recuperou a sua lucidez.

Zamiótov olhou para ele assustado e ficou lívido. O seu rosto simulou um sorriso.

– Mas, será possível? – exclamou com uma voz quase imperceptível.

Raskólhnikov lançou-lhe um olhar de ódio.

– Confesse que acreditava – disse por fim, fria e ironicamente. – Claro que

acreditava!
— De maneira nenhuma! Agora menos do que nunca! — declarou Zamiótov precipitadamente.
— Acabou por cair na armadilha! O melro branco foi apanhado! Donde se conclui que, se agora o não crê menos do que nunca, é porque, dantes, acreditava nisso.
— Nada disso, nada disso! — exclamou Zamiótov, visivelmente sobressaltado. — Foi o senhor quem me assustou e me levou para esse campo.
— Então não acredita? Mas de que se puseram os senhores a falar na minha ausência, quando eu saí do Comissariado? E por que é que o Tenente Pórokhov me fez aquelas perguntas, depois que voltei a mim, do meu desmaio? Psiu! — chamou o criado, levantou e pegou o gorro. — A conta.
— Trinta copeques ao todo — respondeu aquele, que veio logo.
— Então toma mais vinte copeques para vodca. — Oh, tanto dinheiro! — e estendeu a Zamiótov a sua mão que tremia, cheia de notas vermelhas e azuis, vinte cinco rublos. — De onde vem tudo isso? Donde terá saído também a roupa nova? Porque o senhor sabe muito bem que eu não tinha nem um copeque! Pode ser que já o tenha perguntado à dona da casa... Bom, já chega. *Assez cause*[26]! Até à vista, terei muito gosto em tornar a vê-lo! — Saiu todo trêmulo, devido a uma violenta comoção histérica, à qual se misturava no entanto um certo prazer, e por outro lado sentia-se triste, esgotado de terrível cansaço. Fazia caretas como se tivesse acabado de ter um ataque. O seu abatimento agravou-se rapidamente. As suas energias despertavam e surgiam de repente, agora, ao primeiro choque, à primeira sensação irritante, mas com a mesma rapidez fraquejava, à medida que a comoção enfraquecia.
Quanto a Zamiótov, depois de ter ficado sozinho continuou por muito tempo sentado no seu lugar, dando voltas à imaginação. Desde o princípio que Raskólhnikov modificara todas as suas ideias a respeito do ponto já sabido e definitivamente assente na sua opinião.
— Iliá Pietróvitch... é um palerma! — decidiu definitivamente.
Ainda mal abrira a porta da rua, logo Raskólhnikov deu de cara, mesmo à entrada, com Razumíkhin, que vinha chegando. Ficaram ambos um momento a se medirem com o olhar. Razumíkhin estava no maior espanto. Mas, de repente, cólera, uma cólera verdadeira, assomou aos seus olhos, que cintilaram: — Tu aqui! — exclamou em alta voz. — Com que então fugiste da cama! E eu que andei à tua procura até debaixo do divã! E vens para a taberna! E pensar que estive quase a bater em Nastássia por tua causa! E ele, entretanto, por onde andava! Rodks, que significa isto? Diz-me francamente! Fala! Não ouves?
— Isto quer dizer que vocês todos me importunaram terrivelmente e que quero estar sozinho — respondeu Raskólhnikov muito tranquilo.
— Sozinho, quando ainda mal podes ficar de pé, quando estás pálido como um morto e respiras tão precipitadamente? Idiota! Que tinhas tu que ir ao Palácio de Cristal? Diz-me imediatamente!
— Deixa-me sair! — disse Raskólhnikov, dispondo-se a continuar o seu caminho. Mas isto acabou de exasperar Razumíkhin, que o segurou com força por um ombro.

---

26   Já falamos bastante.

– Deixar-te sair? Tu te atreves a dizer-me "Deixa-me sair!", depois do que fizeste? Tu não sabes o que é que eu te vou fazer imediatamente? Pois vou dobrar-te ao meio, fazer de ti um embrulho, levar-te às costas para casa e deixar-te lá trancado!

– Ouve, Razumíkhin – exclamou Raskólhnikov muito baixinho e, segundo parecia, com a maior serenidade – não compreendes que eu não quero que tu me faças qualquer benefício? Que gosto o teu de fazeres favores a quem... não quer saber disso para nada, a quem, no fim de contas, os acha muitíssimo aborrecidos! Ora vamos ver: por que foste buscar-me logo que adoeci? Não se podia dar o caso de que me apetecesse morrer? E não te dei eu hoje a entender claramente que estás a atormentar-me, que já estou farto de ti? Mas que gosto esse de torturar as pessoas! Juro-te que tudo isto é um obstáculo sério para a minha cura, por causa das irritações contínuas que me provoca. Não viste como Zóssimov saiu para não me irritar? Pois deixa-me tu também em paz, pelo amor de Deus! E, afinal, que direito tens tu de me reteres? Não vês que, agora, estou falando-te com toda a lucidez? Como, como é que hei de pedir-te que me deixes em paz e não me faças mais nenhum bem? Assim faço figura de ingrato e de mau; mas deixem-me todos, pelo amor de Deus, deixem-me em paz! Deixem-me, deixem-me!

Começara falando tranquilamente, gozando de antemão todo o desgosto que ia causar, mas acabou agitado e respirando afanosamente, como antes com Lújin.

Razumíkhin ficou um instante imóvel, pensativo, e largou a sua mão.

– Vai para o diabo que te carregue! – disse tranquilamente e até preocupado. – Mas... espera aí! – exclamou de repente, quando Raskólhnikov já se tinha posto a caminhar. – Ouve! Digo-te que vocês são todos, desde o primeiro até ao último, uns charlatães e uns fanfarrões. Quando têm uma dorzinha, pronto... é logo às voltinhas para cá e para lá, como uma galinha que vai pôr um ovo. Até nisto plagiam os autores estrangeiros. Não mostram nem um só indício de vida independente. Sois uns molengões e, em vez de sangue, o que vos corre nas veias é água chilra. Não tenho fé em nenhum de vocês! A primeira coisa, para vocês, quaisquer que sejam as circunstâncias, é não parecerem homens... Pa... ra! – gritou com raiva redobrada, ao ver que Raskólhnikov recomeçava a caminhar. – Ouve-me até ao fim. Já sabes que hoje há reunião na minha nova casa, e até pode ser que já lá estejam alguns amigos; deixei lá o meu tio para os receber e vim aqui correndo. Bem, pois se tu não fosses um imbecil, um perfeito idiota, um tolo da pior espécie, uma cópia de estrangeiro... Olha, Rodka, eu reconheço que tu és inteligente; mas és tolo... Bem, como ia dizendo, se tu não fosses idiota, virias passar o serão comigo, em vez de andares gastando as solas por aí. Agora já saíste, o mal já está feito! Eu te arranjava uma cadeira macia, o senhorio tem uma... Uma chavenazinha de chá, companhia, e, se não te sentisses bem assim, estendias-te no sofá... e, fosse como fosse, estarias junto de nós... Zósimov também vem. Então, vens ou não?

– Não.

– Men...tes! – gritou Razumíkhin impaciente. – Queres saber uma coisa? Tu não estás em estado de responder por ti mesmo. E, além disso, não compreendo nada disso... Tem-me acontecido muitas vezes desistir das pessoas e depois correr atrás delas. Uma pessoa envergonha-se... e torna a aproximar-se dos homens. Por isso não te esqueças: casa de Potchinkov, no terceiro andar.

– Segundo me parece, o senhor Razumíkhin seria capaz de consentir que lhe pagassem só para poder ser útil a alguém.

– A quem? A mim? Só de pensar nisso sou capaz de arrancar o nariz a quem quer que seja. Bem, já sabes, casa de Potchinkov número quarenta e sete, no andar do funcionário Bábuchkin...

– Não vou, Razumíkhin! – e Raskólhnikov afastou-se dando meia volta.

– Aposto em como vais! – gritou-lhe Razumíkhin, de longe. – Se não fores, se não fores, não faço mais caso de ti. Para, espera! Zamiótov está lá dentro?

– Está.

– Viu-te?

– Viu.

– Falou-te?

– Falou.

– De quê? Bem, vai para o diabo, não me digas nada! Potchinkov, quarenta e sete, Bábuchkin, não te esqueças.

Raskólhnikov continuou a caminhar até ao Sadóvaia e virou à esquina. Razumíkhin, pensativo, ficou a vê-lo desaparecer. Finalmente fez um gesto com a mão, entrou no estabelecimento, mas parou a meio da escada.

"Raios me partam! – continuou a dizer quase em voz alta. – Fala com lucidez e no entanto parece... Serei eu também um idiota? Por acaso os loucos não falam com lucidez? E, segundo me parece, Zósimov tinha-lhe um bocadinho de medo – bateu com um dedo na testa. – Bem, e se é assim, como deixá-lo agora sozinho? Podia dar-lhe para se atirar ao rio... Ah! Fiz uma tolice! Não é possível!" E deitou a correr em perseguição de Raskólhnikov; mas já não havia rastro dele. Cuspiu e, em passos rápidos, voltou ao Palácio de Cristal com o fim de interrogar Zamiótov o mais depressa possível.

Raskólhnikov continuou andando diretamente até à ponte de P***. Parou no meio, junto da amurada; apoiou nela os cotovelos e ficou olhando à distância. Quando se separou de Razumíkhin assaltou-o uma tal debilidade que só com muito custo chegou ali. Sentia vontade de sentar ou de estender-se no meio da rua. Inclinado sobre a água, contemplava os últimos reflexos rosados do sol poente; a fiada de casas, escurecidas pela obscuridade progressiva; uma janelinha afastada, ao longe, em qualquer trapeira, na margem esquerda, que brilhava precisamente na flama do último raio que nela batia por um instante; a água do canal, que ia escurecendo e, aparentemente, olhava para essa água com a maior atenção. Finalmente, alguns circulozinhos vermelhos dançaram diante dos seus olhos; as casas foram-se, à deriva; os transeuntes, as margens, as carruagens... tudo aquilo se pôs a dar voltas e a bailar na sua frente. De repente estremeceu, liberto talvez da vertigem por um espetáculo selvagem e horrível. Parecia-lhe que alguém estava a seu lado, à sua direita, ombro com ombro; voltou o rosto e viu uma mulher alta, de chapéu na cabeça, o rosto amarelo, afilado, vincado, e os olhos inflamados, encovados. Olhava-o nos olhos; mas era evidente que não via nada nem ninguém. De repente, apoiou a mão direita no peitoril, levantou o pé direito e subiu para o gradeamento de ferro, depois do que fez o mesmo com o esquerdo, e atirou-se ao canal. A água suja chapinhou e engoliu a vítima num instante; mas, passado um minuto, a afogada tornou à superfície, a corrente foi-a levando suavemente para baixo, com a cabeça e os pés mergulhados e o tronco para cima com as saias sopradas e flutuantes, fazendo balão.

— Afogou-se! Afogou-se! – gritaram dezenas de vozes; acudiu gente, as duas margens encheram-se de espectadores; na ponte, à volta de Raskólhnikov, apinhou-se um grande grupo de pessoas que o bloqueava e empurrava por detrás.

— *Bátiuchki*, é a nossa Afrossíniuchka! – ouviu-se, perto, um lamentoso grito de mulher. – Salvai-a, *bátiuchki*! *Bátiuchki* meus, salvai-a!

— Um barco! Um barco! – gritaram na multidão.

Mas já não eram precisos barcos; um guarda descia rapidamente a escada do canal e, tirando o capote e as botas, lançou-se à água. Não teve grande trabalho: a água trouxera a afogada a dois passos das escadinhas e ele agarrou-a pela roupa com a mão direita, e, com a esquerda, conseguiu atar-lhe uma corda que lhe atirara um companheiro, e assim tiraram-na imediatamente da água. Estenderam-na nas pedras de granito da muralha. Não tardou que ela recuperasse os sentidos, endireitou-se, sentou e começou a espirrar e a resfolegar, esfregando inconscientemente as suas roupas encharcadas. Não dizia uma palavra.

— Estava perdida de bêbada, *bátiuchki*, perdida de bêbada! – aquela voz de mulher soava já junto de Afrossíniuchka. – Já tinha querido enforcar-se e tiraram-na da corda. Eu, agora, tinha ido à loja e recomendei à moça que não a perdesse de vista... e vejam como esta desgraça aconteceu... É nossa vizinha, *bátiuchki*; vive perto de nós, no segundo prédio, lá ao fundo, ali...

As pessoas dispersaram-se; os dois guardas ficaram cuidando da suicida; alguém falou no Comissariado... Raskólhnikov assistia a tudo aquilo com uma estranha impressão de indiferença e desprendimento. Era-lhe desagradável. "Não, é bárbaro... a água... não vale a pena – resmungou para consigo. – Não há de haver nada – acrescentou. – Para que esperar? Pelo que se refere ao Comissariado... Mas por que não estaria lá Zamiótov? O Comissariado abre às dez."

Voltou-se de costas para a amurada e olhou à sua volta.

"Bem... então? Vamos!" – exclamou resoluto, afastando-se da ponte e encaminhando-se para o outro lado, onde ficava o Comissariado.

Tinha a alma vazia e insensível. Não queria pensar. Até lhe passara o aborrecimento; nem sequer tinha agora restos da magia de há um momento, quando saíra de casa, decidido a acabar de uma vez com tudo. Uma apatia total se apoderara agora dele.

"Isto também pode ser uma saída – pensou, enquanto caminhava devagar e cambaleando pela margem do canal. – Seja como for, acabarei com isto porque quero... Mas isso será uma saída? Demais, vem tudo a dar no mesmo. À distância de um *archin* há... Eh! Mas que final! Mas será esse o final? Digo-lhes isso ou não digo? Ah... diabo! Mas como estou cansado! Preciso estender-me já ou sentar em qualquer parte! O mais aborrecido de tudo é que isto é muito estúpido. Mas também já não me interessa. Oh, que tolice se meteu na minha cabeça!"

Para ir ao Comissariado era preciso seguir em frente o caminho e virar à esquerda no segundo cruzamento de ruas; daí eram só dois passos. Mas, ao chegar à primeira embocadura, reconsiderou, meteu-se por aquela ruela e deu uma volta por duas ruas, provavelmente sem nenhum objetivo, e pode ser também que para dar larga a qualquer coisa, ainda que fosse só por um minuto, e ganhar tempo. Caminhava com os olhos fixos no chão. De súbito, pareceu-lhe que alguém murmurava qualquer coisa ao ouvido. Ergueu a cabeça e viu que se encontrava junto "daquela" casa, precisamente junto da porta cocheira. Desde "aquela" noite que não estivera nem passara por ali.

Um invencível e inexplicável capricho se apoderou dele. Entrou no prédio, atravessou o portal e depois a primeira entrada à direita, e pôs-se a subir a conhecida escada que levava ao quarto andar. Essa escada, estreita e empinada, estava muito escura. Parava em cada patamar e examinava tudo com curiosidade. No patamar do primeiro andar faltavam os caixilhos numa janela. "Isso, da outra vez, não estava assim – pensou. – Este é o quarto do segundo andar, onde Nikolachka e Mitka estavam trabalhando. Estava fechado e a porta estava pintada de fresco; por conseguinte estava para alugar. Já vou no terceiro andar... e no quarto... Aqui!" Uma hesitação tomou conta dele; a porta desse andar encontrava-se aberta de par em par; lá dentro havia gente, ouviam-se vozes; nunca teria esperado isto. Depois de vacilar um pouco, subiu os últimos degraus da escada e entrou no andar.

Também este estava sendo reparado: havia operários, o que igualmente o chocou muito. Imaginara, sem saber por que, que ia encontrar tudo aquilo exatamente igual à maneira como estava dantes, talvez até com os cadáveres no mesmo lugar, no chão. Ao passo que, agora, as paredes estavam nuas e não havia um único móvel. Que estranho! Caminhou para a janela e sentou no parapeito.

Eram ao todo dois operários, dois mocetões; um, já mais velho, e o outro ainda muito novo. Ocupavam-se em forrar as paredes com papel novo, branco com flores-de-lis, em substituição do antigo, que estava amarelo, desbotado e rasgado. Sem que soubesse por que, aquilo impressionou Raskólhnikov desagradavelmente; olhava para o papel novo com olhos hostis, doía-lhe – esta é a palavra – que tivessem mudado tudo aquilo.

Pelo visto, os trabalhadores estavam já para se retirar, e começavam a enrolar à pressa as tiras de papel para irem para suas casas. O aparecimento de Raskólhnikov mal lhes chamou a atenção. Falavam de qualquer coisa. Raskólhnikov cruzou as mãos e pôs-se a escutar.

– Ela veio ver-me de manhã, logo de manhãzinha, toda embonecada. "Por que é que – disse eu – apareces diante de mim tão enfeitada? Por que é que te pões tão garrida para me vires ver?" "De hoje em diante, Tit Vassílitch – eu quero fazer-te a vontade em tudo." Foi assim mesmo. A maneira como ela vinha vestida! Parecia um figurino, tal qual um figurino!

– Ó velhote, mas que vem a ser um figurino? – perguntou o rapaz. Pelo visto era o velhote que o instruía.

– Um figurino, meu rapaz, é uma estampa, uma figura que os alfaiates daqui recebem todos os sábados, pelo correio, da estranja, e no qual se representa como as pessoas devem vestir-se, tanto as do sexo masculino como as do sexo feminino. São estampas. Os homens pintam-nos sempre de jaqueta comprida, e às senhoras põem-nas sempre tão bonitas que eu era capaz de dar por elas tudo e mais alguma coisa.

– E o que é que não há neste Píter[27] – exclamava o rapaz com admiração – a não ser companhia de pai e de mãe, tudo se pode ter aqui.

– Sim, tirando isso, meu amigo encontra-se de tudo aqui – concluiu o mais

---
27 Abreviação popular de Petersburgo.

velho em tom decisivo.

    Raskólhnikov levantou e passou para o outro quarto, onde dantes estavam a arca, a cama e a cômoda; o quarto pareceu-lhe terrivelmente pequeno sem os móveis. O papel das paredes era o mesmo de então; num canto, sobre o papel, ficara bem marcado o sinal do lugar que dantes ocupava o oratoriozinho com as imagens. Passou revista a tudo e depois voltou para a janela. O operário mais velho olhou-o de soslaio.

    – Que procura o senhor aqui? – perguntou de repente, encarando-o.

    Em vez de lhe responder, Raskólhnikov levantou, saiu do vestíbulo, pegou no cordão da campainha e puxou. A mesma campainha, o mesmo som de cana rachada! Puxou pela segunda e pela terceira vez: ouvia e recordava-se. A sensação anterior, dilacerante e monstruosa, começou a acudir à sua memória, cada vez mais clara e nítida; estremecia a cada campainhada e cada vez sentia maior prazer.

    – Mas que deseja o senhor? Quem é? – gritou o operário saindo à sua procura.

    Raskólhnikov entrou outra vez no quarto.

    – Quero alugar um quarto – disse – estava vendo este.

    – De noite não se alugam quartos, e quem trata disso é o porteiro.

    – Limparam o chão? Também vão pintá-lo[28]? – continuou Raskólhnikov. – Não havia sangue?

    – Sangue? Por quê?

    – Porque foi aqui que mataram a velha e a irmã. Havia um grande charco de sangue.

    – Mas quem é o senhor? – exclamou o operário, inquieto.

    – Eu?

    – Sim.

    – Queres saber? Então vamos ao Comissariado que aí o direi.

    O operário olhou para ele, estupefato.

    – Bem, nós temos de nos ir embora, já estamos atrasados. Vamos, Aliochka. Temos de fechar – disse o operário mais velho.

    – Pois vamos até lá – respondeu Raskólhnikov, e dirigiu-se ao porteiro, cambaleando pela escada. – Eh, porteiro! – gritou quando chegou à entrada.

    Havia algumas pessoas junto da porta do prédio, na rua, que viam passar os outros: os dois porteiros, uma mulher, um operário de bata e mais algumas pessoas. Raskólhnikov dirigiu-se a eles.

    – Que deseja? – perguntou-lhe um dos porteiros.

    – Estiveste no Comissariado?

    – Estive há um momento. Que deseja?

    – Ainda estão lá?

    – Ainda.

    – E o tenente, está lá?

    – Há pouco ainda lá estava. Mas que deseja o senhor?

    Raskólhnikov não respondeu e ficou ali, pensativo.

    – Veio ver o quarto – disse o operário mais velho, aproximando-se.

    – Qual quarto?

---

28 Era costume, neste tempo, na Rússia, pintar os soalhos.

— Aquele onde estávamos trabalhando. "Mas por que, diabo, limparam o sangue? Aqui – disse ele – cometeu-se um assassinato, e eu vim para alugar o andar." E pôs-se a puxar pela campainha de tal maneira que quase a arrancava. "Vamos ao Comissariado – disse ele depois – que, lá, direi tudo", insistia.

O porteiro olhava estupefato e de sobrancelhas erguidas para Raskólhnikov.

— Mas quem é o senhor? – exclamou mal-humorado.

— Eu sou Rodion Românitch Raskólhnikov, antigo estudante, e moro na rua Chilia, aqui, nesta travessa, perto, no quarto número catorze. Perguntem ao porteiro, ele me conhece.

Raskólhnikov disse isto tudo como se estivesse absorto, sem se voltar, de olhos fixos na rua, que se ia já tornando escura.

— Mas para que subiu o senhor até lá acima?

— Para ver.

— Mas que tinha que ver ali?

— Vamos agarrá-lo e levá-lo ao Comissariado? – intrometeu-se o operário, de súbito, mas depois calou-se.

Raskólhnikov lançou-lhe um olhar por cima do ombro, contemplou-o atentamente e disse depois devagar e com indolência:

— Vamos até lá!

— Isso, levem-no! – reforçou o operário entusiasmando-se. – Por que veio ele até aqui? O que é que ele queria?

— Bêbado ou não, sabe-se lá! – resmungou o operário.

— Bem, mas que deseja o senhor? – tornou a gritar o porteiro, que começava já a enfadar-se. – Que procuras aqui?

— Tens medo do Comissariado? – perguntou Raskólhnikov sarcasticamente.

— Por que havia de ter medo? Mas que queres daqui?

— És um malandro! – gritou a mulher.

— Mas para que havemos de lhe dar conversa? – exclamou o outro porteiro, um camponês enorme, com o capote desabotoado e um molho de chaves à cintura. – Fora daqui! Não há dúvida que é um malandro! Fora!

E, pegando em Raskólhnikov por um ombro, levou-o para o meio da rua. Ele deu um tropeção, mas não chegou a cair; endireitou-se, olhou em silêncio para todos os espectadores e continuou o seu caminho.

— Que tipo tão estranho! – disse o operário.

— Hoje toda a gente se tornou estranha! – disse a mulher.

— Por que é que não o levamos ao Comissariado? – acrescentou o operário.

— Não vale a pena preocuparmo-nos com um tipo destes – decidiu o porteiro grandalhão. – Se for um malandro, ele mesmo, por si próprio, irá lá ter; isso já é velho; se te apanha, já não te larga! Isso já se sabe!

"Vou ou não vou?" pensou Raskólhnikov parando no meio da rua, numa encruzilhada, e olhando à sua volta, como se esperasse de alguém uma palavra decisiva. Mas ninguém lhe respondeu: tudo estava surdo e mudo como as pedras que pisava, morto para ele, só para ele... De repente, ao longe, a uns duzentos passos de distância, ao fim da rua, na obscuridade cada vez mais densa, descobriu um grupo de pessoas, vozes, gritos... Entre as pessoas estava parada uma carruagem... No meio da rua brilhava uma luzinha.

"Que será aquilo?" Raskólhnikov deu meia volta à direita e dirigiu-se para o círculo das pessoas. Parecia, na verdade, que queria agarrar-se a tudo; e ria friamente ao pensar nisso, porque o caso de Comissariado era já uma coisa bem assente, e sabia que daí a um momento tudo acabaria.

Capítulo VI

A meio da rua estava parada uma carruagem, nobre e elegante, puxada por uma parelha de fogosos cavalos cinzentos; não levava ninguém dentro, e o cocheiro, que descera da boleia, estava ali, junto do carro; segurava os cavalos pelo freio, junto da boca. À volta juntara-se um círculo cerrado, de pessoas, com dois policiais na primeira fila, um dos quais tinha uma lanterna na mão, e com ela, agachado, iluminava qualquer coisa na rua, mesmo junto da carruagem. Todos falavam, gritavam e lançavam ais; o cocheiro parecia perplexo e, de quando em quando, repetia:

– Que pena, senhor, que pena!

Como pôde, Raskólhnikov abriu caminho por entre aquele aperto de gente e conseguiu finalmente ver qual era a causa de todo aquele rebuliço e curiosidade. No chão jazia, desmaiado, um homem que acabara de ser atropelado pelos cavalos, muito mal vestido, mas de uma maneira decente, todo ensopado em sangue, que lhe escorria da cara e dos cabelos; tinha a cara toda machucada, desfigurado, informe. Era evidente que o atropelamento fora grave.

– *Bátiuchki* – gritava o cocheiro – como é que eu podia imaginar uma coisa destas! Se eu trouxesse os cavalos a galope, está bem; mas se eu ia a passo, por assim dizer, sem pressa! Todos veem que eu não estou mentindo. Um bêbado não vê a luz, isso já se sabe... Eu o vi atravessar a rua tropeçando, quase caindo, e então gritei-lhe por uma, duas e até três vezes, e puxei as rédeas aos cavalos; mas ele veio mesmo direitinho meter-se debaixo das patas dos cavalos e caiu no chão. Parece mesmo que o fez de propósito, ou então estava completamente bêbado... Os cavalos são novos, espantadiços... Puxaram pelo freio. Ele deu um grito, os animais espantaram-se ainda mais e assim se deu a desgraça.

– Isso é verdade, foi assim mesmo! – exclamou entre a multidão alguma testemunha do sucedido.

– Ele gritou por três vezes, avisando, isso é verdade! – exclamou uma segunda voz.

– Por três vezes, de certeza, todos nós ouvimos – gritou uma terceira.

Aliás, o cocheiro não estava muito aflito nem assustado. Era evidente que a carruagem pertencia a algum potentado ricaço e conhecido, que devia estar à espera dele em alguma casa conhecida; os guardas, não havia dúvida que se preocupavam com a maneira de remediar esta última circunstância. A única coisa que faltava era transportar a vítima ao hospital. Ninguém sabia o seu nome.

Entretanto Raskólhnikov abriu caminho e agachou-se para olhar mais de perto. De repente, a lanterna iluminou em cheio o rosto do infeliz e então ele o reconheceu.

– Eu o conheço, conheço-o! – exclamou, aproximando-se da primeira fila. – É um funcionário aposentado: o conselheiro titular Marmieládov. Vive aqui perto, no edifício Kosel... Um médico, já! Eu pago! Aqui tem!

Tirou dinheiro do bolso e mostrou-o ao policial. Estava comovido de espanto.

Os policiais ficaram muito satisfeitos quando souberam o nome do atropelado. Raskólnikov disse-lhes também o seu, deu-lhes o endereço e tratou com o maior interesse da imediata remoção de Marmieládov para o seu domicílio.

– É ali, três prédios mais adiante – dizia – a casa de Kosel, um alemão riquíssimo... De fato, devia estar embriagado, devia ir para casa. Eu o conheço... era um beberrão... Tem família, filha, uma filha. Daqui até que o levem para o hospital... ao passo que ali, em sua casa, por certo que deve haver um médico. Eu pago, eu pago! Seja como for, aquela é a sua casa, terá logo quem trate dele, ao passo que daqui até chegar ao hospital pode, entretanto, morrer...

Até se apressou a meter uma moeda na mão dum dos policiais, embora o caso fosse claro e lícito e, em último caso, ali perto poderiam prestar-lhe auxílio. Ergueram o ferido e transportaram-no. Houve quem se prestasse a isso. A casa de Kosel ficava apenas a trinta passos dali. Raskólnikov ia atrás, amparando-lhe a cabeça com muito cuidado e indicando o caminho.

– Por aqui, por aqui! Quando subirem a escada é preciso porem-lhe a cabeça para a frente. Voltem-no... Assim! Eu pagarei tudo e ainda ficarei agradecido – murmurava.

Como de costume, assim que teve um momento livre Ekatierina Ivânovna pôs-se a dar voltas para um lado e para o outro no quarto exíguo, da janela até ao fogão e vice-versa, os braços cruzados e muito apertados contra o peito, falando sozinha e tossindo. Nos últimos tempos acostumara-se a falar mais frequentemente com a filhinha mais velha, Pólienhka, que tinha dez anos e que, embora ainda não compreendesse muitas coisas, entendia no entanto que era necessária à mãe, e por isso a seguia sempre para todos os lados com os seus olhos inteligentes e esforçava-se por imaginar tudo quanto poderia fazer para ajudá-la. Dessa vez, Pólienhka despira o irmãozinho, que estivera adoentado durante todo o dia, para o deitar. Enquanto lhe tirava a camisa, que queria deixar lavada nessa noite, o petiz permanecia sentado na cadeira, em silêncio, com uma expressão séria, direito e imóvel, com os pezinhos estendidos para a frente, os calcanhares juntos e os dedos para cima. Escutava o que diziam a mãe e a irmã, com os lábios abertos, uns olhos dilatados e sem se mexer, como de maneira geral costumam fazer todas as crianças sossegadas quando os despem para deitá-los. A outra irmãzinha, ainda mais pequena, toda esfarrapada, estava de pé, junto do biombo, esperando a sua vez. Tinham aberto a porta que dava para o patamar, para se libertarem, ainda que fosse por pouco tempo, daquela atmosfera de tabaco ordinário que vinha dos outros quartos e que a todos os momentos fazia tossir longa e dolorosamente a pobre tísica. Ekatierina Ivânovna parecia ter emagrecido ainda mais nessa semana e as rosetas vermelhas das suas faces brilhavam agora ainda mais do que antes.

– Tu não podes acreditar, não podes imaginar, Pólienhka – dizia, caminhando no quarto para um lado e para outro – como era feliz e brilhante a vida em casa do papai, como esse bêbado foi a minha ruína e há de ser a vossa. O papai era funcionário civil, era quase governador, pouco lhe faltava para isso. De maneira que todos iam visitá-lo e lhe diziam: "Nós já o consideramos como nosso governador, Ivan Mikháilovitch". Quando eu... ham! Quando eu... ham, ham, ham! Oh, maldita vida! – exclamou, expectorando e levando as mãos ao peito. – Quando eu... ah! quando no último baile... em casa do marechal da nobreza... a princesa Biesimiélnaia[29] me viu... aquela que depois foi minha madrinha, quando me casei com o teu pai, Pólia... perguntou depois: "Essa linda moça não é a que dançou com o xale, quando saiu do colégio?". (É preciso coser esse buraco; podias pegar já na agulha e arranjares isso como te ensinei... ou então amanhã... ham! amanhã... ham! ham! ham! Já estará maior) – exclamou, sufocada. – Nesse tempo chegara de Petersburgo o príncipe Chtchególski, que era um pajem e que dançou comigo uma mazurca, e no dia seguinte quis ir ver-me com qualquer pretexto; mas eu agradeci-lhe as suas frases amáveis e disse-lhe que o meu coração pertencia já a outro homem há muito tempo. Esse outro homem era o teu pai, Pólia: o meu pai ficou muito zangado... A água está pronta? Bem, dá-me cá a camisinha e as meias... Lida – e dirigia-se à filha mais nova – tu, esta noite, dormes sem camisa e põe as meias de lado... Lavamos tudo junto... Mas quando é que chegará esse desastrado? Bêbado! Traz aquela camisa, sabe-se lá há quanto tempo, e toda feita em farrapos... Queria lavar tudo junto para não passar duas más noites seguidas. Senhor... ha, ha, ha! Outra vez! Que será isto? – exclamou, ao ver um círculo de gente no patamar e uns indivíduos que se adiantavam transportando um vulto em direção ao seu quarto. – Que é isto? Que me trazem aqui? Meu Deus!

– Onde é que o pomos? – perguntou o guarda olhando à sua volta, assim que introduziram Marmieládov no quarto, ensanguentado e desmaiado.

– No divã! Ponham-no no divã, com a cabeça para este lado! – indicou Raskólhnikov.

– Atropelaram-no na rua, bêbado! – gritou alguém no patamar.

Ekatierina Ivânovna estava extremamente pálida e respirava dificilmente. Os petizes estavam assustados. A pequena Lídotchka gritava, apertava-se contra Pólienhka e abraçava-se a ela estreitamente, tremendo toda.

Depois de acomodar Marmieládov, Raskólhnikov olhou para Ekatierina Ivânovna.

– Pelo amor de Deus, acalme-se, não se assuste! – apressou-se a dizer-lhe. – Ia atravessando a rua e um coche atropelou-o; mas não se aflija: verá como há de recuperar os sentidos. Eu mandei que o trouxessem para aqui; eu, aqui há tempos, já estive em sua casa, não se lembra? Vai ver como recupera os sentidos! Eu pagarei tudo!

– Já conseguiu! – gritou Ekatierina Ivânovna, desolada, e atirou-se sobre o corpo do marido.

Raskólhnikov reparou então que aquela mulher não era das que desmaiam logo. Colocou imediatamente uma almofada debaixo da cabeça do atropelado, coisa de que ninguém se lembrara; Ekatierina Ivânovna começou a despi-lo e pôs-se a examiná-lo bem, com muito cuidado e sem perder a serenidade, esquecida de si própria, mordendo os lábios trêmulos e contendo os gritos que queriam sair-lhe do peito.

Entretanto Raskólhnikov encarregou alguém dos presentes que fosse em busca do médico. Segundo parecia, este morava numa rua um pouco mais adiante.

– Mandei chamar um médico – disse a Ekatierina Ivânovna. – Não se aflija que

---

29 Literalmente: endemoniada.

eu pago. Não tem água? Dê-me também uma toalha, um pano qualquer, já; ainda não sabem onde está a ferida. Porque ele está só ferido, não está morto, pode ter a certeza... Vamos a ver o que o médico diz.

Ekatierina Ivânovna correu à janela com ligeireza; aí, numa cadeira derreada, num canto, havia um grande alguidar de barro cheio de água, que estava preparado para a lavagem noturna da roupa das crianças e do marido. Esta lavagem noturna era a própria Ekatierina Ivânovna quem a fazia, por suas próprias mãos, pelo menos duas vezes por semana, e às vezes até mais frequentemente, pois encontravam-se em circunstâncias tais que quase não tinham roupa branca para mudar e cada membro da família tinha apenas uma peça.

Ekatierina Ivânovna não podia suportar a sujidade, e preferia passar uns maus momentos, à noite, quando todos dormiam, para poder tirá-la depois, de manhã, do estendedouro, e entregá-la limpa, do que ver sujidade na casa. Atendendo às indicações de Raskólhnikov, pegou no alguidar, mas quase que o deixava cair, de tão pesado. Ele, entretanto, descobrira uma toalha, e ensopando-a em água pôs-se a lavar o rosto de Marmieládov, manchado de sangue.

Ekatierina Ivânovna permanecia de pé, respirando afanosamente e sustendo o peito com as mãos. Também ela precisava de assistência. Raskólhnikov começou a compreender que talvez tivesse feito mal em mandar levar para ali o ferido. Também o guarda se mostrava perplexo.

– Pólia – exclamou Ekatierina Ivânovna – vai já chamar Sonha! Se não a encontrares em casa, não faz mal; deixa recado de que o pai foi atropelado por um coche e que venha imediatamente assim que chegar. Corre, Pólia! Toma, cobre-te com este lenço!

– Corre ligeira! – gritou-lhe de repente o rapazinho, da sua cadeira, e depois de dizer isto tornou a afundar-se no seu mutismo anterior; continuou muito direito, sentado na cadeira, com os olhos muito abertos, os calcanhares juntos e as pontas dos pés para fora.

Entretanto o quarto enchera-se completamente. Um dos guardas saiu, deixando o outro, o qual se esforçava por dispersar o público que se apinhara no patamar e fazê-lo retroceder para a escada. Depois, dos quartos interiores começaram a sair quase todos os hóspedes da senhora Lippewechsel, os quais se comprimiam à entrada da porta, acabando por entrar no quarto de tropel. Ekatierina Ivânovna ficou estupefata.

– Ao menos deixem as pessoas morrer em paz! – exclamou, encarando aquela multidão. – Querem é espetáculo! E com os cigarros! He, he, he, he! Só lhes falta trazerem o chapéu na cabeça! Olhem, ali está um com a cabeça coberta! Fora daqui! Um cadáver merece respeito!

Deu-lhe um ataque de tosse; mas a admoestação produziu efeito. Era evidente que os outros inquilinos tinham medo de Ekatierina Ivânovna; uns atrás dos outros, retrocederam para a porta, empurrando-se, com essa comoção íntima de satisfação que se observa sempre, até nas pessoas mais chegadas, à vista da inesperada desgraça do próximo, e à qual nenhum homem sem exceção escapa, apesar do mais sincero sentimento de piedade e simpatia.

Aliás, do outro lado da porta ouvia-se falar de hospital e de que não estava certo que se perturbasse assim, escusadamente, a tranquilidade duma casa.

– O quê? Não está certo que se morra? – gritou Ekatierina Ivânovna, e ia já correndo para abrir a porta e lançar sobre toda aquela gente uma torrente de ralhos, quando esbarrou com a senhora Lippewechsel, que acabava de ser informada daquela infelicidade e acorria a restabelecer a ordem. Era uma alma enredadeira e indiscreta.

– Ah, meu Deus! – exclamou, erguendo os braços. – Os cavalos atropelaram-lhe o marido, que ia embriagado! Pois então para o hospital! Eu sou a senhoria!

– Amália Liúdvigovna! Peço-lhe que repare no que está dizendo – admoestou-a Ekatierina Ivânovna com altivez (falava sempre com altivez à senhoria, para que ela soubesse o lugar que ocupava), e nem naquele momento conseguiu privar-se dessa satisfação. – Amália Liúdvigovna!

– Já lhe disse por mais de uma vez que não me chame Amália Liúdvigovna, mas sim Amalivan!

– A senhora não é Amalivan, mas sim Amália Liúdvigovna e, como eu não pertenço a esse grupo de vis aduladores que a senhora tem, como o senhor Liebiesiátnikov, que tem o descaramento de estar aí atrás da porta neste momento. – De fato, atrás da porta ouviram-se risos e uma voz que dizia: "Vão-se engalfinhar as duas" – eu sempre lhe chamarei Amália Liúdvigovna, embora nunca consiga explicar a mim própria por que é que não gosta que a chamem assim. A senhora bem vê o que aconteceu a Siemion Zakhárovitch, que está morrendo. Peço-lhe que feche imediatamente essa porta e não deixe entrar aqui ninguém. Deixem-no, ao menos, morrer tranquilo! Senão, previno-a de que amanhã mesmo levarei ao conhecimento do próprio general-governador a sua atitude. O príncipe conhece-me desde pequena e recorda-se muito bem de Siemion Zakhárovitch, ao qual algumas vezes concedeu alguns favores. Todos sabem que Siemion Zakhárovitch tinha muitos amigos e protetores, dos quais ele próprio se afastou por um sentimento de nobre orgulho, porque compreendia o infeliz vício que tinha; mas, agora – e apontou para Raskólhnikov, – há um senhor, jovem e generoso, que nos ajuda, que tem meios e relações, e que Siemion Zakhárovitch conheceu desde pequenino; e pode ter a certeza, Amália Liúdvigovna...

Disse tudo isso com extrema rapidez, que ia aumentando à medida que falava, até que um novo ataque de tosse veio interromper a eloquência de Ekatierina Ivânovna. Nesse momento o moribundo voltou a si, lançou um gemido e ela correu para o seu lado. O ferido abriu os olhos e, embora ainda sem compreender nem reconhecer ninguém, ficou olhando para Raskólhnikov, que estava de pé à sua cabeceira. Respirava com dificuldade, num ritmo profundo e espasmódico; tinha um pouco de sangue nas comissuras dos lábios; o suor corria-lhe pela testa. Ainda sem ter reconhecido Raskólhnikov, começou a fixar sobre ele olhares inquietos. Ekatierina Ivânovna olhou-o com uns olhos tristes mas severos, dos quais corriam lágrimas.

– Meu Deus! Tem o peito todo esfacelado! Tanto sangue, tanto sangue! – exclamou, desolada. – É preciso tirar-lhe a roupa toda que tem em cima! Levanta-te um pouco Siemion Zakhárovitch, se podes – gritou-lhe.

Marmieládov reconheceu-a.

– Um padre! – exclamou com voz rouca.

Ekatierina Ivânovna dirigiu-se para a janela, encostou a testa ao vidro e exclamou:

– Ó vida três vezes maldita!
– Um padre! – tornou a pedir o moribundo, depois de um minuto de silêncio.
– Chega! – gritou-lhe Ekatierina Ivânovna.

Ele obedeceu à reprimenda e calou-se. Com uma expressão tímida e triste pôs-se a procurá-la com os olhos; ela voltou para o seu lado e colocou-se à sua cabeceira, de pé. Ele serenou um pouco, mas não por muito tempo. Não tardou que os seus olhos pousassem sobre a pequena Lídotchka (a sua preferida), que tremia num canto como se tivesse um ataque, e que o contemplava com os seus olhos atônitos, infantilmente fixos.

– A... a... – e apontou a menina com inquietação. Queria dizer qualquer coisa.
– Que é? – gritou Ekatierina Ivânovna.
– Descalça! Descalça! – murmurou, apontando com um olhar quase desmaiado os pés descalços da pequena.
– Ca...la-te! – gritou-lhe com repugnância Ekatierina Ivânovna. – Tu bem sabes por que é que ela está descalça!
– Louvado seja Deus! O médico! – exclamou Raskólhnikcv com alvoroço.

O médico entrou; era já velhinho, um alemão, que olhava com olhos receosos; aproximou-se do ferido, tomou-lhe o pulso, examinou-lhe a cabeça com muita atenção e com o auxílio de Ekatierina Ivânovna desabotoou-lhe a camisa, toda empapada em sangue, deixando-lhe o peito a descoberto. Estava todo machucado, ferido, dilacerado; viam-se algumas costelas quebradas no lado direito. No lado esquerdo, mesmo junto do coração, via-se uma grande mancha, amarelada e negra: o terrível-sinal da patada do cavalo. O médico franziu o sobrolho. O policial contou-lhe que o ferido fora apanhado por uma roda e arrastado uns trinta passos pela rua.

– É espantoso que tenha podido recuperar os sentidos – murmurou o médico em voz baixa, dirigindo-se a Raskólhnikov.
– Que lhe parece? – perguntou-lhe ele.
– Que está para soltar o último suspiro de um momento para o outro.
– E não há nenhuma esperança?
– A mínima esperança. Está expirando. Demais, tem a cabeça gravemente ferida... Hum! Talvez se lhe pudesse fazer uma sangria... mas seria inútil. Não tem mais do que cinco ou dez minutos de vida.
– Sangre-o, senhor doutor.
– Está bem, mas previno-o de que será completamente inútil.

Nesse momento ouviram-se passos, o círculo dos curiosos abriu-se, no patamar, e à porta apareceu um sacerdote, um velhinho de cabelos brancos, que vinha trazer a extrema-unção. Atrás dele vinha um policial, que o escoltara já na rua. O médico cedeu-lhe logo o seu lugar e trocou com ele um olhar significativo. Raskólhnikov pediu ao médico que esperasse um pouco. Aquele encolheu os ombros e esperou.

Todos se afastaram. A confissão foi muito rápida. O moribundo não dava coisa por coisa nenhuma; apenas podia proferir sons entrecortados, indistintos. Ekatierina Ivânovna pegou em Lídotchka, levantou o pequenino da cadeira e, retirando-se com eles para um canto, junto do fogão, pôs-se de joelhos e obrigou também as crianças a ajoelharem à sua frente. Lídotchka tremia toda; e o menino, que estava sobre o chão com os seus joelhos nus, levantou maquinalmente a mãozinha, benzeu-se e dobrou-se até tocar no chão com a testa, o que parecia dar-lhe uma grande satisfação. Ekatierina Ivânovna mordia os lábios e reprimia as lágrimas; também ela rezava, arranjando de vez em quando a camisinha do petiz e indo buscar um xale que havia em cima da cómoda e deitando-o por sobre os ombros da menina, demasiado nus, sem levantar nem deixar de rezar. Entretanto, forçada pelos curiosos, a porta que dava para os quartos interiores tornou a abrir-se.

No patamar amontoavam-se grupos cada vez mais densos de curiosos: inquilinos de todos os andares que, entretanto, não ultrapassavam os umbrais. Só uma lamparina iluminava a cena.

Nesse momento, Pólienhka, que chegava correndo, depois de ter ido avisar a irmã, abriu rapidamente caminho por entre as pessoas.

Entrou, quase sem fôlego, da corrida veloz, tirou o lenço, procurou a mãe com os olhos, aproximou-se dela e disse-lhe: 'Ela vem! Encontrei-a na rua!'".

A mãe obrigou-a a ajoelhar-se e reteve-a a seu lado. Uma mocinha deslizou por entre as pessoas, discreta e timidamente; e era estranha a sua presença inopinada naquele quarto, no meio daquela miséria e de todos aqueles farrapos, morte e desolação. Também ela estava modestamente vestida; o seu traje era barato, mas arranjadinho no estilo da rua, ao gosto e segundo as regras que regiam o seu pequeno mundo especial, consagrado a um fim declarado e vergonhoso. Sonha parou no patamar, mesmo junto da porta, mas não entrou e ficou olhando daí, como uma louca, aparentemente sem se aperceber de nada, esquecida até do seu vestido berrante, comprado em quarta mão, de seda, indecoroso em tal lugar, e com uma gola ridícula, e da enorme crinolina que abrangia todo o vão da porta as suas botinas de cor, da sua pequena sombrinha, desnecessária de noite, mas que trazia consigo, e do seu grotesco chapelinho de palha, com uma brilhante pena cor de fogo. Por debaixo desse chapelinho, inclinado a um lado, como usam as crianças, assomava uma carinha fria, pálida e assustada, com a boquinha aberta e uns olhos imóveis de espanto. Sonha era de pequena estatura, de uns dezoito anos, delgadinha; mas, no conjunto era uma loura bastante graciosa, com uns olhos azuis que chamavam a atenção. Olhava o divã, o sacerdote, de alto a baixo; respirava também apressadamente, devido à corrida que dera. Até que finalmente deviam ter chegado até junto dela um cochichar, algumas palavras saídas de entre a multidão. Baixou a cabeça, avançou um passo transpondo a entrada e encontrou-se no quarto, mas ainda próximo da porta.

A confissão e a comunhão tinham acabado. Ekatierina Ivânovna tornou a aproximar-se do leito do marido. O sacerdote afastou-se e, ao retirar-se, voltou para dizer duas palavras de auxílio e consolo a Ekatierina Ivânovna.

— E para onde vou eu, agora, com estas crianças? — disse-lhe ela numa voz cortante e irritada, mostrando-lhe os pequenos.

— Deus é misericordioso; confie no auxílio do Altíssimo! — começou o sacerdote.

— Ah! Misericordioso, sim, mas não para nós!

— Isso é pecado, isso é um pecado, senhora! — observou o sacerdote, movendo a cabeça.

— E isto não é pecado? — exclamou Ekatierina Ivânovna apontando para o moribundo.

— Pode ser que aqueles que involuntariamente lhe causaram a morte cheguem a indenizá-la, ainda que seja apenas pela perda dos seus ganhos...

– O senhor não me compreende! – exclamou Ekatierina Ivânovna irritada, agitando as mãos. – Por que haviam de indenizar-me, se foi ele mesmo que, embriagado, se foi meter debaixo das patas dos cavalos? Quais ganhos? Não recebia nada dele, só me dava tormentos. O bêbado gastava tudo na bebida! Roubava-nos para ir gastar tudo na taberna. Gastava a vida dele e a minha pelas tabernas. Graças a Deus que morreu, finalmente! É uma despesa a menos!

– Deve perdoar-lhe na hora da morte; e isso é pecado, senhora, esses sentimentos são um grande pecado!

Ekatierina Ivânovna era incansável junto do doente: dava-lhe de beber, enxugava-lhe o suor e o sangue da cabeça, endireitava-lhe a almofada e discutia com o sacerdote, voltando-se de vez em quando para olhar para ele, sem abandonar a sua tarefa. Agora, de repente, dirigiu-se a ele quase com repugnância:

– Ah, *bátiuchka*! Uma palavra, só uma palavra! Perdoar! Andava sempre bêbado como é que não haviam de atropelá-lo? Não tinha senão uma camisa, toda rota, ou, para melhor dizer, um farrapo, com a qual havia de dormir esta noite, enquanto eu ficaria até de madrugada com as mãos metidas na água, lavando a sua roupa e a das crianças, e depois havia de ir estendê-la na varanda, e de manhã havia de me pôr a passá-la... aí tem o senhor o que teria sido a minha noite! E ainda me vem falar de perdão! Se bem que, afinal, eu já lhe perdoei...

Uma tosse profunda, terrível, cortou as suas palavras. Tossiu sobre o lenço e mostrou-o depois ao sacerdote, apertando dolorosamente o peito com a outra mão. O lenço estava manchado de sangue...

O padre baixou a cabeça em silêncio e não disse nada.

Marmieládov estava na agonia; não tirava os olhos do rosto de Ekatierina Ivânovna, que tornara a inclinar-se sobre ele. Queria dizer qualquer coisa e ainda começou fazendo um esforço para mover a língua; mas Ekatierina Ivânovna compreendendo que o que ele queria era pedir-lhe perdão, gritou-lhe imediatamente com uma voz imperiosa:

– Ca...la-te! Não é preciso! Eu sei o que tu queres dizer!

E o doente calou-se; mas, nesse mesmo momento, o seu olhar errante foi pousar-se na porta e viu Sonha.

Até então não reparara nela; estava num canto, encostada à parede.

– Quem é aquela? Quem é aquela? – exclamou, de repente, com uma voz estentórea, sobressaltado, apontando espantado para a porta onde estava a filha e esforçando-se por se erguer.

– Deita-te! Deita-te... e... e! – gritou-lhe Ekatierina Ivânovna.

Mas ele, com forças sobre-humanas, conseguiu apoiar-se sobre uma mão. Contemplou durante algum tempo a filha, ansiosa e fixamente, como se não a reconhecesse. Até então, nunca a vira vestida daquela maneira. De repente reconheceu-a, humilhada, abatida e envergonhada dentro dos seus atavios, esperando placidamente que chegasse a sua vez de despedir-se do pai moribundo. Uma dor imensa se refletia no seu rosto.

– Sonha... Filha... Perdoa-me! – exclamou ele e estendeu-lhe a mão; mas, como perdeu o apoio, resvalou, caiu do divã e rolou de cabeça para o chão; acorreram a levantá-lo, deitaram-no outra vez, mas estava já expirando.

Sonha lançou um pequeno grito, correu para abraçá-lo e nesse abraço ele soltou o último suspiro.

— Acabou! — exclamou Ekatierina Ivânovna ao ver o cadáver do marido. — Bem, agora que se há de fazer? Com que hei de eu amortalhá-lo? E a estes, que lhes hei de dar de comer amanhã?

Raskólhnikov aproximou-se de Ekatierina Ivânovna.

— Ekatierina Ivânovna — começou a dizer-lhe — a semana passada, o seu falecido marido contou-me toda a sua vida e todas as suas circunstâncias... Pode ter a certeza de que falou da senhora com um orgulho respeitoso. Desde essa noite em que eu pude ver até que ponto ele gostava de todos vós, e especialmente da senhora, Ekatierina Ivânovna, a respeitava e amava, apesar da sua lamentável fraqueza, desde essa noite ficamos amigos... Dê-me licença agora... que eu contribua... cumprindo o dever que tenho para com o meu defunto amigo. Aqui tem... vinte rublos, julgo que... e se pudesse ser-lhe útil em qualquer coisa... Enfim, tornarei a passar por aqui... Sim, sim, hei de passar, com certeza. Talvez passe já amanhã... Adeus!

E saiu rapidamente do quarto, abrindo como pôde caminho por entre as pessoas, até à escada; mas no patamar encontrou de repente Nikodim Fomitch, que já tomara conhecimento do desastre e desejava ser ele a adotar pessoalmente as disposições necessárias. Desde aquela cena no Comissariado que não tornara a vê-lo; mas Nikodim Fomitch reconheceu-o imediatamente.

— O quê? É o senhor? — perguntou-lhe.

— Morreu — respondeu-lhe Raskólhnikov. — Veio o médico, veio o padre; correu tudo como devia ser. Não aflija muito a pobre viúva, pois já lhe chega estar tísica. Procure animá-la com qualquer coisa, se puder... Segundo me consta, o senhor é boa pessoa... — acrescentou com um sorriso, olhando-o nos olhos.

— Mas o senhor está todo manchado de sangue! — observou Nikodim Fomitch, reparando, à luz do lampião, numas manchas frescas recentes, que havia no colete de Raskólhnikov.

— Sim, manchei-me... Estou todo salpicado de sangue! — confirmou Raskólhnikov com um gesto especial, depois do que sorriu, fez uma inclinação de cabeça e continuou a descer as escadas.

Descia devagar, imperturbável, mas febril e sem se aperceber disso, tomado de uma comoção nova, transbordante, que, como uma onda de vida plena e poderosa, o invadia de repente. Essa comoção podia comparar-se com a que experimenta o condenado à morte, ao qual, de súbito e do modo mais inesperado, participam o indulto. Quando ia a meio da escada foi alcançado pelo sacerdote, que voltava para casa; em silêncio, Raskólhnikov deixou-o passar adiante, trocando com ele uma saudação silenciosa. Mas ia já pondo os pés nos últimos degraus, quando sentiu de repente uns passos apressados atrás de si. Alguém se esforçava por alcançá-lo. Era Pólienhka que corria atrás dele e o chamava:

— Escute! Escute!

Voltou-se. A pequenina desceu correndo os últimos degraus, e ficou parada na frente dele, um degrau mais acima. Do pátio vinha uma luz fraca. Raskólhnikov contemplou a carinha da menina, vincada mas bonita, que lhe sorria alegre, infantilmente, e o olhava. Tinham-na mandado com alguma incumbência que, entretanto, não devia agradar-lhe muito.

— Escute, como se chama? E onde é que mora? — perguntou com uma voz ofegante.

Ele lhe pôs as mãos sobre os ombros e olhou-a com uma certa beatitude: era-lhe tão agradável olhar para ela, sem que, no entanto, soubesse por quê!

– Quem é que te mandou vir ter comigo?

– Foi a minha irmã Sonha – respondeu a menina, sorrindo-lhe ainda com mais agrado.

– Já sabia que foi a tua irmã Sonha que te mandou.

– A minha *mámienhka* também me mandou. Quando a minha irmã Sonha estava a dar-me o recado, a mãezinha chegou também e disse-me: "Corre depressa, Pólienhka!".

– Gostas muito da tua irmã Sonha?

– É a pessoa de quem gosto mais no mundo! – afirmou Pólienhka com uma convicção especial e, de repente, o seu sorriso tornou-se mais sério.

– E de mim, também és capaz de gostar?

Como resposta ela aproximou a sua carinha, com os lábios grossos ingenuamente estendidos para beijá-lo. De repente as suas mãozinhas, extremamente finas, puxaram por ele com força, com muita força, a sua cabeça pendeu sobre o ombro dele e a pequenina começou a chorar mansamente, apertando cada vez mais contra ele a sua carinha.

– Meu pobre paizinho! – exclamou, passado um minuto, erguendo a carinha chorosa e enxugando as lágrimas com as mãos. – Aconteceram-nos hoje tantas desgraças! – acrescentou de repente, com esse gesto especialmente sério que as crianças tomam forçadamente quando querem falar com gente grande.

– O vosso pai gostava de vocês?

– De quem ele gostava mais era de Lídotchka – continuou ela muito séria, sem um sorriso, tal como se exprimem as pessoas adultas – porque é a mais pequena e também porque está doentinha; trazia-lhe sempre uma prenda; a nós ensinava-nos a ler e a mim ensinava-me gramática e a Lei de Deus – acrescentou com dignidade. – A mãe não dizia nada; mas nós sabíamos que isso lhe agradava e o pai também sabia; a mãe, agora, quer que eu aprenda francês, porque já é tempo de instruir-me.

– E rezar, sabes?

– Com certeza que sabemos! Há muito tempo; eu, como sou mais velha, rezo sozinha; mas Pólia e Lídotchka rezam com a mãezinha; primeiro a Salve-Rainha, e depois uma oração que diz: "Senhor, perdoa e abençoa a nossa irmã Sonha", e depois também: "Senhor, perdoa e abençoa o nosso paizinho" porque o nosso outro pai já morreu, e este de agora é outro, e nós também rezamos por ele.

– Pólietchka, eu me chamo Rodion. Pede também algumas vezes a Deus por mim, pelo seu servo Rodion... só isto.

– Daqui em diante rezarei sempre pelo senhor – disse a pequenina com veemência, e de repente tornou a rir, atirando-se contra ele e voltando a abraçá-lo fortemente.

Raskólhnikov disse-lhe o seu nome, deu-lhe o endereço e prometeu-lhe que passaria por ali, sem falta, no dia seguinte. A pequenina separou-se dele cheia de entusiasmo. Eram onze horas quando ele chegou à rua. Passados cinco minutos estava já na ponte, precisamente no mesmo lugar em que a tal mulher se atirara à água.

– Basta! – exclamou com energia e entusiasmo. – Fora com ilusões, com medos absurdos, com visões! Ah, a vida! Não vivi eu, por acaso, há um momento? A minha vida não morreu ao mesmo tempo que a da velha viúva! Ela está no Céu e... Já chega, velhota; agora já é tempo de deixar os outros em paz! Que agora comece o reino da razão e da luz, da liberdade e da força, e depois veremos! Vamos ver qual de nós é quem ganha! – acrescentou com altivez, como se se dirigisse a alguma força oculta, em atitude de desafio. – Eu já me resignei a viver num *archin* de terreno! Neste momento estou muito fraco; mas parece que a doença me passou completamente. Eu já sabia que isto havia de ser assim, quando saí. E a propósito: a casa de Potchínkova fica a dois passos daqui. É infalível que hei de ir ver Razumíkhin, ainda que não estivesse a dois passos, iria da mesma maneira... Que ganhe a aposta! Que se divirta à minha custa... não há outro remédio! O que é preciso é energia, energia; sem energia não se consegue nada; e a energia obtém-se com a própria energia, eis o que muitos não sabem – acrescentou, ufano e convencido, e, mal podendo mexer os pés, afastou-se da ponte.

A ufania e uma altiva dignidade apoderavam-se dele a cada instante, de tal maneira que, de um momento para o outro, não era já a mesma pessoa que no minuto anterior. Mas que lhe acontecia de especial para ter mudado assim? Nem ele mesmo sabia. Como um náufrago que se agarra a uma tábua, parecia-lhe de repente que também ele poderia viver, que ainda lhe restava vida, que a sua vida não morrera juntamente com a da velha viúva. Pode ser que se tivesse apressado muito a tirar essa conclusão, mas não se detinha a pensar nisso.

"Pelo servo Rodion já eu pedi, apesar de não ter rezado – foi o pensamento que lhe passou pela cabeça. – Bem... quanto a isso... foi por acaso" – acrescentou e sorriu da sua infantil lembrança. Estava numa excelente disposição de espírito.

Foi-lhe fácil encontrar Razumíkhin: na casa Potchínkova conheciam já o novo vizinho, e o porteiro ensinou-lhe imediatamente o caminho do quarto. A meio da escada ouviu logo o burburinho e a animada conversa de uma reunião numerosa. A porta do andar estava completamente aberta: ouviam-se vozes e barulho de discussões. O quarto de Razúmikhin era bastante espaçoso e estavam nele reunidas quinze pessoas. Raskólhnikov parou no vestíbulo. Do outro lado do tabique, dois criados do dono da casa andavam atarefados em volta de dois grandes samovares, com garrafas, bandejas e pratos carregados de massas alimentícias e aperitivos, trazidos da cozinha do dono da casa. Raskólhnikov mandou chamar Razumíkhin. Este acorreu logo, pressuroso. Percebia-se à primeira vista que tinha bebido um pouco a mais e, embora Razumíkhin nunca bebesse até ficar embriagado, dessa vez notava-se um pouco.

– Ouve, – apressou-se a dizer-lhe Raskólhnikov – vim apenas para dizer-te que ganhaste a aposta e que, de fato, ninguém é capaz de saber o que pode acontecer-lhe. Mas entrar, não entro; estou tão fraco que me sinto quase desfalecer. Por isso, saúde e adeus! Mas, amanhã, não deixes de me ir ver.

– Olha, vou acompanhar-te a casa. Se tu próprio dizes que estás tão fraco...

– E os convidados? Quem é esse indivíduo de cabelos louros que ainda agora estava olhando para aqui?

– Esse? Sei lá! Deve ser um amigo do meu tio, mas também pode ser que tenha vindo sozinho... O meu tio, que é um homem admirável, ficará com eles; é pena que eu não possa te apresentar a ele agora. Mas, no fim de contas, que vão todos para o diabo! Neste momento não me preocupo com eles e, além disso, preciso de tomar um pouco de ar; chegaste mesmo a propósito: mais dois minutos e ficaria zangado com todos... juro-te! Sempre dizem tais mentiras... Não podes imaginar até que ponto o homem é capaz de mentir. Embora, no fim de contas, nos apercebamos muito bem! Por acaso não mentimos nós também? Bem, pois que mintam; em compensação, depois já não hão de mentir... espera um minuto que vou buscar Zósimov.

Zósimov veio afanosamente ao encontro de Raskólhnikov; notava-se nele uma curiosidade especial e não tardou que o rosto se lhe iluminasse.

— Já para a cama — decidiu, depois de examinar o melhor possível o doente. — Seria conveniente que tomasse qualquer coisa durante a noite, não acha? Eu arranjei... um papelinho...

— Ainda que fossem muitos — respondeu Raskólhnikov.

Tomou ali mesmo o conteúdo do papelinho.

— Fazes muito bem em acompanhá-lo — observou Zósimov, dirigindo-se a Razumíkhin. — Veremos como é que ele está amanhã, mas, por hoje, a coisa não vai mal, há um progresso notável de ontem para hoje. Um século de vida, um século de aprendizagem...

— Sabes o que me dizia há pouco Zósimov, em voz baixa, quando nós saíamos? — disse-lhe Razumíkhin assim que se viram na rua — Eu, meu caro, vou dizer-te tudo francamente, visto que eles são todos uns tolos. Zósimov mandou-me que fosse falando contigo pelo caminho e te fosse puxando pela língua, e depois lhe contasse tudo, pois diz que tem uma ideia: que tu estás doido ou pouco menos. Imagina! Em primeiro lugar, tu és três vezes mais inteligente do que ele; e, além disso, uma vez que não estás louco, devias não te importar com essa ideia dele; e, em último lugar, ele é um bruto e cirurgião de ofício, e deu-lhe agora para se intrometer nas doenças mentais e, pelo que te diz respeito, a tua conversa de hoje com Zamiótov desorientou-o completamente.

— Zamiótov contou-te tudo?

— Tudo, e fez muito bem. Agora já compreendo todos os pormenores do assunto, e o mesmo acontece a Zamiótov... Sim, de fato. Em resumo, Rodka, no fundo... Eu, agora, estou um pouco tocado... Mas não importa... No fundo, essa ideia... compreendes?... de fato, tinha-se arraigado neles, compreendes? É claro que eles nunca se atreveram a exprimi-la em voz alta, porque se trata de uma estúpida tolice, e sobretudo, quando prenderam esse pintor de paredes, tudo isso se desfez no ar e acabou para sempre. Mas por que serão eles tão idiotas? Eu, nessa altura — meu amigo, isto fica entre nós — o fiz dar à língua, não digas isto a ninguém e não te dês por achado perante ele; já reparei que és um bocadinho vaidoso; reparei nisso em casa de Lavisa... Mas hoje, hoje, ficou tudo claro. A principal culpa foi desse Iliá Pietróvitch. A princípio aproveitou-se do teu desmaio no Comissariado, mas depois, ele próprio se sentiu envergonhado: parece-me que...

Raskólhnikov escutava-o com ansiedade. Razumíkhin, na sua bebedeira, falava pelos cotovelos.

— Eu desmaiei por causa da atmosfera pesada e do cheiro a pintura fresca que havia lá — disse Raskólhnikov.

— E ainda estás com explicações! Mas é que não há só a questão da pintura:

havia já um mês que a congestão estava incubando; Zósimov pode afiançá-lo! Mas não podes imaginar como ele está abatido, coitado! "Nem sequer chego aos calcanhares dele!" Este "ele" eras tu! Às vezes, meu amigo, aparenta bons sentimentos. Mas a lição de hoje, a lição de hoje no Palácio de Cristal foi o cúmulo da perfeição. Começaste por meter-lhe medo, por fazer com que ele sentisse calafrios. Chegaste quase a obrigá-lo a obstinar-se de novo em todo esse monstruoso disparate e, depois, de repente, escapaste-te e puxaste-lhe pela língua. Vamos, vamos, ó diabo, já o apanhei! Ótimo! Agora está contrafeito, acabrunhado! És um mestre; e é assim que é preciso proceder com essa gente! Oh, por que não estaria eu presente? Esperava-te com uma impaciência horrível. Porfíri também queria conhecer-te...

— Ah! Esse também! Mas... por que se lhes teria metido na cabeça que eu estou louco?

— Mas eles, verdadeiramente, não dizem que tu estás louco. Parece-me que eu, meu amigo, já dei demais à língua contigo... O que o impressionou, fica sabendo, é que, há pouco, tivesses mostrado tanto interesse, unicamente por esse assunto... Agora já se percebe por que é que te interessavas, uma vez que conhecias todos os pormenores... e como isto te trouxe enervado e estava relacionado com a doença... Eu, meu caro, estou um bocadinho embriagado, mas só Deus sabe qual é a ideia deles... Repito-te: a esse, deu-lhe para as doenças mentais. Mas tu não lhe ligues e manda-o passear!

Ficaram ambos em silêncio por meio minuto.

— Ouve, Razumíkhin – exclamou Raskólhnikov – eu quero falar-te com a máxima franqueza: há pouco estive numa casa onde falecera certo funcionário... também lhes dei dinheiro... e, além disso, também aí acabou de beijar-me uma pessoa que, ainda que não tivesse morto ninguém, ainda que, bem, numa palavra, tive oportunidade de ver também aí uma criatura... com uma pluma cor de fogo... mas, além disso, eu dou o braço a torcer; estou muito fraco, segura-me... Já vamos na escada?

— Mas que tens tu? Que tens? – perguntou-lhe Razumíkhin, alarmado.

— Sinto a cabeça um pouco tonta; mas não se trata disso, é que tenho uma tristeza tão grande, tão grande! Pareço uma mulher... não achas? Olha, que é aquilo? Repara, repara!

— Que dizes?

— Mas não estás vendo? A luz do meu quarto... Não vês? Pela fresta...

Estavam já em frente do último patamar, para o qual dava a porta do andar da dona da casa e, de fato, ali debaixo notava-se que a luz estava acesa no cubículo de Raskólhnikov.

— É estranho! Talvez seja Nastássia – observou Razumíkhin.

— Não, ela nunca entra no meu quarto a esta hora e já há muito que deve dormir a sono solto; mas... tanto faz! Adeus!

— Que tens? Eu te acompanho, entramos juntos!

— Já sei que entramos juntos; mas eu quero apertar-te aqui a mão e despedir-me de ti. Bem, dá-me a mão! Adeus, até à vista!

— Mas que te aconteceu, Rodka?

— Nada. Entremos; tu serás testemunha...

Tornaram a subir as escadas e Razumíkhin pensou, por momentos, se Zósimov não teria razão: "Ah! Dei-lhe volta ao juízo com a minha conversa!", resmungou para consigo. De repente, quando iam já entrando, ouviram uma voz dentro do quarto.

– Quem será? – exclamou Razumíkhin.

Raskólhnikov foi o primeiro que puxou pela porta e a abriu de par em par; abriu-a e ficou parado à entrada, como se tivesse ficado pregado ao chão.

A mãe e a irmã estavam sentadas no divã e havia já hora e meia que esperavam por ele. Por que será que elas eram quem menos esperava e nelas que menos pensava, apesar da notícia confirmativa que tivera nesse dia, de que chegariam em breve, de que não tardariam a chegar, de que estariam ali de um momento para o outro? Tinham gasto aquela hora e meia interrogando Nastássia, que ainda ali estava junto delas e se tinha apressado a contar-lhes tudo com todos os pormenores. E não conseguiram compreender, de tão assustadas que estavam, quando ela lhes disse que ele se tinha escapulido doente, segundo se deduzia da narrativa, em autêntico estado de delírio... "Santo Deus, que lhe teria acontecido?" Começaram as duas a chorar, as duas sofreram um suplício cruciante naquela hora e meia de espera.

Jubiloso, triunfal clamor acolheu a presença de Raskólhnikov. Atiraram-se ambas contra ele. Mas ele ficou parado como um morto: um insuportável, súbito pensamento o feriu como um raio. Nem sequer ergueu as mãos para abraçá-las. Não podia! Mãe e filha apertaram-no fortemente nos braços, beijavam-no, riam e choravam... Ele deu um passo, cambaleou e caiu no chão desmaiado.

Alarme, gritos de horror, lamentos... Razumíkhin, que ficara de pé junto da porta do quarto, entrou como um relâmpago, pegou no doente com os seus braços vigorosos e colocou-o rapidamente sobre o divã.

– Não é nada, não é nada! – exclamou, dirigindo-se à mãe e à irmã. – Foi uma vertigem, uma coisa sem importância! Ainda há pouco o médico acabou de dizer que ele já está muito melhor, que já está completamente bom! Água! Eia! Ora vejam como está já tornando a si, como recupera os sentidos!

E, pegando na mão de Dunietchka, de uma maneira que quase lhe a desarticulava, fê-la agachar-se para que visse como ele já estava voltando a si. Tanto a mãe como a filha olharam para Razumíkhin como para um fantasma, com espanto e gratidão; elas já tinham ouvido Nastássia contar o que, durante todo aquele tempo da doença, fora para o seu Rodka aquele "rapaz expedito", como lhe chamou nessa mesma noite, em conversa íntima com Dúnia, a própria Pulkhiéria Aliekssándrovna Raskólhnikova.

Terceira parte

Capítulo primeiro

Raskólhnikov ergueu-se e sentou no divã.

Com gesto débil fez sinal a Razumíkhin para que pusesse fim a toda aquela torrente de incoerentes e fogosos consolos que prodigalizava a sua mãe e a sua irmã, pegou nas mãos de ambas e ficou dois minutos em silêncio, contemplando, ora uma, ora outra. A mãe assustou-se com o seu olhar. Notava-se nele um sentimento enérgico, quase doloroso; mas ao mesmo tempo deixava transparecer qualquer coisa de fixo e até de insensato. Pulkhiéria Alieksandrovna começou a chorar.

Avdótia Românovna estava pálida; a sua mão tremia na mão do irmão.

– Voltem para casa... com ele – exclamou com voz entrecortada, indicando-as a Razumíkhin – até amanhã; amanhã tudo... Já chegaram há muito tempo?

– Esta noite, Rodka – respondeu-lhe Pulkhiéria Alieksándrovna. – O trem trazia um atraso enorme. Mas, Rodka, agora não me separarei de ti, por nada deste mundo! Fico dormindo aqui, junto de...

– Não me atormentem! – exclamou ele movendo a mão com excitação.

– Eu fico com ele! – disse Razumíkhin. – Não o deixarei só nem um momento, e os outros, os que estão em minha casa, que vão todos para o diabo! O meu tio que presida à festa.

– Como é que eu lhe poderei agradecer?! – começou Pulkhiéria Alieksándrovna tornando a estreitar a mão de Razumíkhin; mas Raskólhnikov voltou a intrometer-se.

– Não posso, não posso! – repetiu excitado. – Não me atormentem! Já chega, vão-se embora... Não posso!

– Vamos, *mámienhka*, saiamos do quarto, ainda que seja só por um minuto... – murmurou Dúnia, assustada. – Estamos matando-o, bem se vê.

– Mas então eu não posso olhar para ele um pouco, depois de ter estado três anos sem o ver? – gemeu Pulkhiéria Alieksándrovna.

– Esperem aí! – gritou ele outra vez. – Não fazem outra coisa senão interromper e embrulhar-me as ideias... Viram Lújin?

– Não, Rodka, mas ele já sabe da nossa chegada. Ouvimos dizer, Rodka, que Piotr Pietróvitch teve a amabilidade de fazer-te hoje uma visita – acrescentou Pulkhiéria Alieksándrovna com certa timidez.

– Sim... Teve a amabilidade... Dúnia, há pouco eu disse a Lújin que ia atirá-lo pelas escadas abaixo e mandei-o para o diabo...

– Rodka, tu fizeste isso?... A sério que tu... Não queres dizer que... – começou, assustada, Pulkhiéria Alieksándrovna, mas parou quando olhou para Dúnia.

Avdótia Românovna olhava o irmão de alto a baixo e esperava que ele continuasse. As duas estavam já a par da disputa, por intermédio de Nastássia, na medida em que esta pudera compreender o que se passara, e sentiam-se perplexas e ansiosas.

– Dúnia – continuou Raskólhnikov com esforço – eu não quero esse casamento; por isso, amanhã mesmo, assim que começares a falar com ele terás logo de desdizer-te perante Lújin, para que não se torne a ver-lhe nem a sombra.

– Meu Deus! – exclamou Pulkhiéria Alieksándrovna.

– Irmão, por favor! Vê o que estás dizendo! – interveio Avdótia Românovna em tom vivo, mas conteve-se imediatamente. – Talvez tu, agora, não estejas em condições... estás cansado... – acrescentou suavemente.

– Estou delirando, não é? Não... Tu vais casar com Lújin por minha causa. E eu não quero vítimas. Por isso amanhã vais escrever-lhe uma cartinha... mandando-o passear... De manhã a trazes para que eu leia e acabou-se!

– Mas eu não posso fazer isso! – exclamou a moça, ofendida. – Com que direito...

— Dúnietchka, tu também estás nervosa; vai-te, por agora... amanhã... talvez tu não vejas... – disse a mãe inquieta, dirigindo-se a Dúnietchka. – Ah, o melhor que podemos fazer é irmo-nos embora!

— Está delirando! – exclamou Razumíkhin, embriagado. – Senão, como é que ele se atreveria... Mas, amanhã, todos esses disparates hão de acabar... Hoje, de fato, expulsou-o daqui. Assim mesmo. O outro, é claro, ficou aborrecido... Pôs-se a fazer um discurso para pôr em relevo a sua distinção e acabou por sair de orelha murcha...

— Mas isso será verdade? – gritou Pulkhiéria Alieksándrovna.

— Até amanhã... – disse-lhe Dúnia, compassiva. – Vamos embora, mamãe! Adeus, Rodka!

— Já ficaste sabendo – repetiu ele, juntando todas as suas últimas energias. – Eu não estou delirando; esse casamento... é uma vileza. Admitamos que eu seja um malandro; mas tu não tens obrigação... Um só já chega... e, ainda que eu seja um malandro, não quero considerar como tal também uma irmã minha. Ou eu ou Lújin! Vão-se embora!

— Tu perdeste o juízo! És um déspota! – encolerizou-se Razumíkhin, mas Raskólhnikov já não lhe respondeu, pode ser que lhe tivessem faltado forças para isso. Estendeu-se no divã e voltou-se de cara para a parede, completamente extenuado. Avdótia Românova olhou com curiosidade para Razumíkhin; os seus olhos negros brilhavam; Razumíkhin estremeceu perante aquele olhar. Pulkhiéria Alieksándrovna estava fora de si.

— Não sairei daqui por nada deste mundo! – murmurou em voz baixa a Razumíkhin, quase desesperada. – Eu fico aqui, em qualquer lugar... Acompanhe Dúnia.

— Olhe que vai deitar tudo a perder! – disse-lhe também Razumíkhin em voz baixa e excitado. – Saiamos daqui, ainda que seja só para o patamar. Nastássia, uma luz! Juro-lhes – continuou em voz baixa, já na escada – que há pouco quase nos batia, ao médico e a mim! Ora imagine! Ao próprio médico! Este resolveu não irritá-lo e foi-se embora. E, entretanto, eu fiquei lá embaixo, de olho atento, ele apressou-se a vestir-se e a sair para a rua... Agora, se fizer com que ele fique fora de si, também sairá para a rua e talvez até atente contra si próprio...

— Mas que diz o senhor!

— E veja ainda que também não está nada bem que Avdótia Românova vá sozinha para a pensão, sem a senhora! Lembre-se do lugar onde estão hospedadas! Esse velhaco de Piotr Pietróvitch podia ter arranjado um alojamento melhor para as senhoras... Se bem que, no fim de contas, eu estou um tanto ou quanto embriagado, e por isso... é que há pouco o insultei; as senhoras não façam caso...

— Bem, então falarei com a dona da casa daqui – insistiu Pulkhiéria Alieksándrovna. – Vou lhe pedir que nos arranje um cantinho por esta noite, para mim e para Dúnia. Eu não posso deixá-lo assim, não posso!

Com esta conversa ficaram parados na escada, num patamar, precisamente em frente da porta da dona da casa. Nastássia estava com uma luz no patamar abaixo. Razumíkhin estava numa agitação extraordinária. Meia hora antes, quando acompanhou Raskólnikov a casa, estava um pouco demasiado eloquente, o que ele próprio reconhecia, mas muito animado e quase desanuviado, apesar da tremenda quantidade de aguardente que ingerira naquela tarde. Agora o seu estado de espírito era também semelhante ao do entusiasmo; mas, ao mesmo tempo, parecia que o álcool que bebera lhe subia de repente à cabeça com dupla energia. Estava parado, junto das duas mulheres; segurava as mãos de ambas e expunha-lhes as suas razões, com uma franqueza espantosa e como se quisesse convencê-las absolutamente de todas as suas palavras; apertava-lhes as mãos com muita força, como num torno, até magoá-las, e parecia devorar Avdótia Românovna com os olhos, sem o menor constrangimento. Por causa da dor, elas retiravam de vez em quando as mãos da mão enorme e ossuda do rapaz; mas este, não só não se apercebia disso, como puxava por elas outra vez ainda com mais força. Se elas, nesse momento, lhe tivessem ordenado que, para as servir, ele se atirasse de cabeça para baixo, teria cumprido imediatamente, sem se deter a pensar nem a hesitar. Pulkhiéria Alieksándrovna, aflita com o pensamento no seu Rodka, apesar de notar claramente que aquele rapaz era muito excêntrico e lhe apertava a mão com demasiada liberdade, e que a sua intervenção era também um pouco abusiva, esforçava-se por não reparar em todos esses extravagantes pormenores. E, apesar da sua própria aflição, Avdótia Românovna, se bem que não fosse de caráter medroso, via com assombro e até com certo temor o fogo brilhante e selvático dos olhares do amigo de seu irmão, e só a ilimitada confiança que lhe tinham inspirado as referências de Nastássia acerca daquele homem impetuoso é que a livravam da tentação de deitar a correr e de esconder-se atrás da mãe. Mas compreendia também que talvez já não pudesse fugir dele. Passados dez minutos acabou finalmente por ficar completamente tranquila. Razumíkhin era de tal natureza que podia revelar-se completamente num momento, qualquer que fosse o estado de espírito em que se encontrasse; por isso todos compreendiam rapidamente com quem estavam lidando.

— Com a dona da casa é impossível, e além disso é uma tolice espantosa! — exclamava, procurando convencer Pulkhiéria Alieksándrovna. — Embora a senhora seja a mãe, ele ficará furioso, e sabe Deus o que pode acontecer! Ora ouça o que eu vou fazer: agora vou dizer a Nastássia que vá até lá em cima ver como é que ele está, e levarei as duas a casa, porque as senhoras não podem andar sozinhas pelas ruas; quanto a isso... aqui, em Petersburgo... Bem, não falemos nisso!... Depois de deixá-las em casa, voltarei aqui, e dou-lhes a minha palavra de honra de que lhes venho trazer notícias acerca dele, se dorme ou não, etc., etc. Depois, escutem, minhas senhoras: depois, da casa das senhoras à minha é um pulo; tenho lá convidados, todos já embriagados; pegarei em Zósimov... o médico que o tem tratado, que neste momento está em minha casa e não está embriagado. Esse não está bêbado, nunca está bêbado! Hei de trazê-lo aqui para ver Rodka, e depois irei com ele ver as senhoras, isto é, dentro de uma hora terão notícias dele... da própria boca do médico, compreendem? Do próprio médico, o que não é o mesmo que da minha! Se ele estiver pior juro-lhes que eu próprio as trarei aqui, e se estiver melhor, as senhoras deitam-se e vão dormir. Eu ficarei de vigia aqui, toda a noite, na escada, de maneira que ele não saberá de nada, e mandarei a Zósimov que passe a noite em casa da senhora, para estar a postos para o que for preciso. Agora digam-me o que é preferível para ele: o médico ou as senhoras. O médico é mais útil, muitíssimo útil. E pronto, agora vão para a vossa casinha. Ficar com a senhoria é impossível; impossível para mim, impossível para as senhoras; não insistam, porque ela... é uma imbecil. Terá ciúmes de Avdótia Românovna, fiquem sabendo, e da senhora também... De Avdótia Românovna, isso nem tem dúvida. Tem um feitio muito estranho! Embora, no fim de contas, eu também seja um idiota... Não falemos mais nisso! Vamos, então! Já estão convencidas? Estão ou não?

– Vamos, *mámienhka* – disse Avdótia Românovna – com certeza que cumprirá a sua promessa. Já lhe devemos a ressurreição de meu irmão, e, se é verdade que o médico vai passar aqui a noite, que mais podemos desejar?

– Veja como a senhora... a senhora... a senhora me compreende, porque a senhora... é um anjo! – exclamou Razumíkhin entusiasmado. – Vamos! Nastássia! Vai já lá acima e fica aqui a vigiá-lo, sem luz; eu estarei de volta dentro de um quarto de hora.

Embora não estivesse completamente convencida, Pulkhiéria Alieksándrovna deixou de fazer oposição. Razumíkhin pegou nas mãos de ambas e conduziu-as pelas escadas. No entanto ele ainda lhes inspirava desconfiança. "Embora seja tão expedito e bondoso, estará em condições de cumprir o que promete? Porque ele está de uma maneira!..."

– Eu compreendo que as senhoras hão de pensar que, no estado em que me encontro – disse Razumíkhin, adivinhando-lhes o fio dos pensamentos e pisando o passeio com as suas enormes passadas, de gigante, sem perceber que as duas mulheres mal podiam segui-lo. – Tolice! Isto é... eu estou demasiadamente bêbado, é verdade; mas não é de álcool. É que, quando eu vi as senhoras, o sangue subiu-me à cabeça e fiquei transtornado... Mas não façam caso de mim, minhas senhoras! Não reparem nisso; eu sou um trapalhão; não sou digno das senhoras... Nem de longe! Assim que as deixar vou direitinho ao canal, dou dois mergulhos na água e pronto... Se soubessem como eu já gosto das duas! Não se riam nem se aborreçam, minhas senhoras! Aborreçam-se com toda a gente, menos comigo! Eu sou amigo dele e das senhoras também. Aquele desejo... Meu coração já o adivinhava... O ano passado houve um momento... Aliás não é uma certeza absoluta que o meu coração me o tivesse adivinhado, porque as senhoras apareceram aqui como se tivessem caído do céu. Vou passar toda esta noite em claro... Há pouco, Zósimov estava com medo de que ele perdesse o juízo... Por isso é preciso não o irritar...

– Que disse o senhor? – exclamou a mãe.

– Mas foi o próprio médico quem disse isso? – perguntou Avdótia Românovna, assustada.

– Não, ele não disse isso, o que disse foi o contrário. E também lhe deu um remédio, uns papelinhos que eu vi, e foi então que as senhoras chegaram... Ah! Teria sido bem melhor que tivessem deixado isso para amanhã! Fizemos muito bem em nos virmos embora. Mas dentro de uma hora o próprio Zósimov as porá a par de tudo. Esse não está embriagado! E eu, então, já estarei desanuviado... Mas por que me teria eu embriagado desta maneira? E por que me teria eu metido em discussões com esses malvados? Jurara não tornar a discutir com eles! Mas dizem uns tais disparates! É impossível não discutir com eles! Deixei lá o meu tio, como presidente... Bem, talvez as senhoras não acreditem, mas eles exigem que o indivíduo não possua personalidade e acham que nisso é que está o mais importante da vida! Uma pessoa não ser ela própria, parecer-se o menos possível consigo mesmo! É isto que eles consideram o cúmulo do progresso. E nem sequer procuram mentir com graça; mas....

– Ouça – interrompeu-o timidamente Pulkhiéria Alieksándrovna, sem conseguir outra coisa senão entusiasmá-lo ainda mais.

– Que pensam as senhoras? – exclamou Razumíkhin elevando a voz ainda mais. – Julgam que eu me ponho assim porque eles mentem? Tolice! Eu gosto que eles mintam! A mentira é o único privilégio do homem sobre todos os outros animais. Vai mentindo... que depois hás de atingir a verdade! É precisamente por ser homem que eu minto. Nem uma só verdade poderias alcançar se antes não mentisses quatorze vezes, e até cento e quatorze vezes, o que representa uma honra *sui-generis*; simplesmente, nós nem sequer sabemos mentir com inteligência! Tu me mentes, mas mentes-me de uma maneira especial, e eu ainda por cima te dou um abraço. Mentir com graça, de uma maneira pessoal, é quase melhor que dizer a verdade à maneira de toda a gente; no primeiro caso é-se um homem e, no segundo, não se é mais do que um papagaio! A verdade não anda depressa, mas, à vida, podemos fazê-la correr; há exemplos disso. Ora vejamos: que somos nós presentemente? Todos, todos sem exceção, no campo das ciências, da cultura, do engenho, da invenção, da experiência, em todos os campos, em todos, em todos, não passamos das primeiras letras. Gostamos de nos regalar com a inteligência alheia! Da papinha já feita! Não é verdade? Não tenho razão? – exclamou Razumíkhin, exaltando-se e apertando as mãos das duas mulheres. – Não será verdade isto tudo?

– Oh, meu Deus, eu não sei! – declarou a pobre Pulkhiéria Alieksándrovna.

– Sim, é verdade... se bem que eu não esteja completamente de acordo com o senhor – acrescentou seriamente Avdótia Românovna, e esteve quase para gritar, tal era a força com que Razumíkhin lhe apertava a mão.

– Acha que sim? Disse que também acha que sim? Bem, então, uma vez que pensa assim... a senhora... – exclamou entusiasmado – a senhora é um poço de bondade, de pureza, de inteligência, e... uma perfeição! Dê-me a sua mão, dê! Dê-me a senhora também a sua, que quero beijar-lhas aqui mesmo, agora mesmo, de joelhos!

E pôs-se de joelhos, a meio passeio, que por acaso estava deserto.

– Mas o senhor sabe o que está fazendo? – exclamou Pulkhiéria Alieksándrovna no auge do espanto.

– Levante, levante! – disse Dúnia, sorridente e assustada.

– Não o farei por nada deste mundo se, primeiro, não me derem as vossas mãos! Bem, agora está bem; agora já me levanto e vamos andando! Eu sou uma pessoa muito infeliz, eu não sou digno das senhoras e, além disso, estou embriagado, do que me sinto muito envergonhado... Eu não sou digno de amá-las, mas inclino-me perante as senhoras... que é o que todos deveriam fazer, se não fossem uns idiotas completos! Foi por isso que eu me ajoelhei! Bem, aqui está a vossa casa e, de fato, Rodka teve muita razão para, esta tarde, expulsar o seu Piotr Pietróvitch! Como é que ele teve o atrevimento de hospedá-las nesta casa? É escandaloso! Sabem que gente é que vive aqui? E isto sendo a senhora sua noiva! É de fato noiva dele? Pois, ainda que o seja, eu não tenho nenhum pejo de lhe dizer, depois de ver isto, que o seu futuro marido é um velhaco!

– Ouça, senhor Razumíkhin, o senhor esquece-se... – começou Pulkhiéria Alieksándrovna.

– Sim, sim, a senhora tem razão; eu me esquecia e sinto-me envergonhado! – disse Razumíkhin, refreando-se. – Mas... mas... as senhoras não devem ficar zangadas comigo por eu me exprimir assim! Porque eu, ao falar assim, falo com toda a sinceridade, e não porque... hum! isso seria uma vileza; em resumo: não porque eu, à senhora... hum!... Bem, o fato é que, embora eu não diga a razão, não me atrevo... Mas todos nós compreendemos esta tarde, assim que ele entrou, que esse homem não é dos nossos. Não é pelo fato de ter chegado acabadinho de sair do cabeleireiro, com o cabelo frisado, nem porque se tivesse apressado tanto em mostrar a sua inteligência, mas sim porque é um espião e um especulador, porque é um judeu e um charlatão, e tudo isso salta logo aos olhos. As senhoras pensam que ele é inteligente? Pois olhem que não, é um burro, um asno! Oram vejam francamente: fará realmente um par condizente com a senhora? Oh, meu Deus! Reparem, minhas senhoras – e parou de repente, quando iam já subindo a escada da pensão – embora todos os que neste momento se encontram em minha casa estejam embriagados, isso não significa que não sejam todos umas pessoas decentes e, ainda que mintamos – porque eu também minto – mentindo acabaremos por alcançar a verdade, porque vamos por bom caminho, ao passo que Piotr Pietróvitch... não vai por caminho direito. E, embora há um momento eu estivesse a disparatar acerca deles, fiquem as senhoras sabendo que eu os respeito a todos; e até ao próprio Zamiótov, se bem que não o respeite, tenho-lhe amizade, apesar de tudo, porque... é um garoto. Até mesmo a esse idiota do Zósimov, porque... é honesto e sabe do seu ofício... Mas, basta, já está tudo dito e perdoado. Está perdoado, não é verdade? Ora cá estamos! Entremos. Este corredor não me é desconhecido; eu já estive aqui; aqui, no número três, houve uma vez um escândalo... Mas qual é o seu quarto? Que número é? É o oito? Bem, fechem-se à chave por dentro, de noite, e não abram a ninguém. Dentro de um quarto de hora estarei outra vez aqui com notícias e, passada outra meia hora, com Zósimov, vão ver! Então adeus, que vou já num pulo!

— Meu Deus, Dúnietchka! Que irá acontecer? — exclamou Pulkhiéria Alieksándrovna dirigindo-se à filha, cheia de medo e de inquietação.

— Acalme-se... *mámienhka* – respondeu Dúnia, tirando o chapéu e a mantilha. – Foi Deus quem nos enviou este rapaz, se bem que tenha bebido um pouco a mais. Podemos ter confiança nele, garanto-lhe. Sem falar em tudo o que ele já fez pelo meu irmão...

— Ah! Dúnietchka! Sabe Deus se ele voltará! Mas como é que eu fui capaz de me decidir a abandonar Rodka! Nem de longe imaginava vir encontrá-lo assim! Ficou tão sério... até parecia que a nossa presença o contrariava!

Assomaram lágrimas aos seus olhos.

— Não, isso não é bem assim, mãezinha. A mãe não reparou bem, porque não fazia mais nada senão chorar. É que ele está muito transtornado devido à doença tão grave... É por isso!

— Ah, essa doença! Que irá acontecer, que irá acontecer? E a maneira como ele te falou, a ti, Dúnia! – disse a mãe, olhando timidamente para os olhos da filha, a fim de neles ler todo o seu pensamento e já meio contente por ver que Dúnia até se punha na defesa de Rodka, e com certeza que lhe perdoava. – Estou convencida de que amanhã já deve ter reconsiderado – acrescentou, esforçando-se por chegar até ao fim.

— Também estou convencida de que amanhã até nos falará... daquilo – interrompeu Avdótia Românovna, e sem dúvida isso foi um remate à conversa, pois tinham tocado num ponto do qual Pulkhiéria Alieksándrovna não se atrevia a falar naquele momento. Dúnia aproximou-se da mãe e abraçou-a. Ela a abraçou também com força e em silêncio. Depois sentou e ficou à espera, num desassossego, do regresso de Razumíkhin e com os seus olhos tímidos seguia os movimentos da filha que, de braços cruzados e também ansiosa, se tinha posto a dar voltas para trás e para diante pelo quarto, pensativa. Esse andar, de uma ponta a outra, meditando, era um costume vulgar de Avdótia Românovna, e a mãe tinha sempre medo de interromper as sua meditações nesses momentos.

É claro que Razumíkhin era ridículo com aquela paixão súbita que, no meio da bebedeira, lhe nascera por Avdótia Românovna; mas muitas pessoas o teriam desculpado se tivessem visto Avdótia Românovna, sobretudo neste momento em que dava voltas pela sala, de braços cruzados, triste e pensativa, sem se deterem a considerar a extravagância da situação.

Avdótia Românovna era muito bonita, alta, maravilhosamente bem feita, forte, aprumada, o que se via em todos os seus gestos, e o que, aliás, não era de maneira nenhuma um obstáculo a que tivesse também movimentos ágeis e graciosos. No rosto parecia-se com o irmão, mas podia até dizer-se que era uma autêntica beleza. Tinha os cabelos castanhos, um pouco mais claros que os do irmão; os olhos quase negros, cintilantes, altivos e, ao mesmo tempo, às vezes, de uma doçura invulgar. Era pálida, mas não de palidez doentia; o seu rosto resplandecia fresco e são. Tinha a boca um tanto pequena; o lábio inferior, fresco e vermelho, era levemente saliente, bem como o queixo... o que era a única irregularidade naquele belíssimo rosto, mas que entretanto lhe infundia uma nota especial, e, entre outras coisas, uma certa altivez. A expressão do seu rosto era sempre verdadeiramente mais séria do que alegre, preocupada; mas o sorriso ficava bem a esse rosto; como lhe assentava bem o riso jovial, juvenil, despreocupado! Por isso era compreensível que o impetuoso Razumíkhin, franco, simples, honesto e forte como um homem antigo, que nunca na sua vida vira nada semelhante, perdesse o juízo assim que a viu. Além disso, o acaso, como de propósito, mostrou-lhe Dúnia nesse belíssimo instante de amor e alegria perante a presença de seu irmão. Teve assim ocasião de ver como ela estremecia, amuada, o lábio inferior projetado para a frente, em resposta às indicações bruscas, de uma ingratidão feroz, daquele... e, a partir desse momento, já não se dominou.

Além disso teve razão ao dizer, quando fizera aquela pausa, embriagado, na escada, que a extravagante senhoria de Raskólhnikov, Praskóvia Pávlovna, era capaz de sentir ciúmes, não só de Avdótia Românovna, mas até da própria Pulkhiéria Alieksándrovna. Apesar de ter já os seus quarenta anos, Pulkhiéria Alieksándrovna conservava ainda vestígios da sua passada formosura, isto sem falar em que parecia ter muito menos idade do que aquela que realmente tinha, como costuma acontecer às mulheres que conservaram a limpidez da alma, a frescura de impressões e o honesto e puro fervor do coração, até às proximidades da velhice. Digamos de passagem que conservar tudo isto é o único meio de não perder a beleza, até na velhice! Os seus cabelos começavam já a tornar-se brancos e a escassear, havia já algum tempo que pequenos pés-de-galinha se lhe desenhavam em volta dos olhos, tinha as faces murchas e vincadas devido às preocupações e aos desgostos e, apesar de tudo isso, o seu rosto era muito belo. Era o vivo retrato de Dúnietchka, simplesmente com vinte anos a mais, e a não ser também quanto ao lábio inferior, que não era proeminente, como o da filha. Pulkhiéria Alieksándrovna era muito sensível, embora não o fosse até à afetação; tímida e condescendente, mas só até certo limite; era capaz de fazer muitas concessões, podia conformar-se com muitas coisas, até com aquelas que eram contrárias às suas convicções, mas havia sempre um limite de honorabilidade, moralidade e convicções íntimas que nenhuma circunstância era bastante forte para obrigá-la a transpor.

Passados precisamente vinte minutos de Razumíkhin ter saído, ouviram-se duas pancadas na porta, não muito fortes, mas apressadas; era ele que voltava.

– Não posso entrar, não tenho tempo! – disse atabalhoadamente quando lhe abriram a porta. – Dorme como um anjo, com um sono plácido, tranquilo, e Deus queira que fique dormindo assim umas dez horas. Nastássia vela por ele; ordenei-lhe que não se afastasse de lá até que eu volte. Agora vou buscar Zósimov, ele as porá a par de tudo, e depois vão as senhoras dormir; estão cansadas, eu bem vejo...

E, retirando-se, afastou-se pelo corredor.

– Que expedito e que... leal! – exclamou muito contente Pulkhiéria Alieksándrovna.

– Parece ser uma excelente pessoa! – respondeu Avdótia Românovna com certo entusiasmo, e voltou novamente aos seus passeios pelo quarto, de um lado para o outro.

Passado pouco tempo ouviram-se passos no corredor e outras pancadinhas na porta. Desta vez, as duas mulheres tinham esperado, completamente tranquilas, o regresso de Razumíkhin e, de fato, ele conseguira trazer-lhes Zósimov. Este consentira, imediatamente, em deixar o festim e em vir ver como estava Raskólhnikov, mas visitar as senhoras foi de má vontade e com grande receio, desconfiado do bêbado Razumíkhin. Mas ficou imediatamente tranquilo e até lisonjeado no seu amor-próprio; percebeu que esperavam por ele como por um oráculo. Permaneceu ali dez minutos precisos e conseguiu convencer e tranquilizar completamente Pulkhiéria Alieksándrovna. Falou-lhes com a maior simpatia, mas energicamente e até com certa seriedade afetada, como um médico de vinte e sete anos chamado para um caso grave, e sem se afastar nem um momento do assunto, nem mostrar o menor desejo de entrar em relações mais pessoais e frequentes com as duas senhoras. Como, assim que entrou, reparou imediatamente como Avdótia Românovna era extraordinariamente graciosa, esforçou-se logo, desde o primeiro momento, por não reparar nela durante todo o tempo que durou a visita, dirigindo-se exclusivamente a Pulkhiéria Alieksándrovna, o que acabou por lhe proporcionar um extraordinária satisfação interior. Referindo-se especialmente ao doente, disse que acabava de encontrá-lo num estado muito satisfatório. A julgar pelas suas observações, aquela doença, além das péssimas condições em que ele vivera durante os últimos meses, obedecia também a certas causas morais, e, por por assim dizer, era produto de muitas e complexas influências morais e materiais, desassossego, inquietações, preocupações, certas ideias, etc., etc. Como observasse de soslaio que Avdótia Românovna o escutava com especial atenção, alargou-se um pouco mais sobre esse tema. Perante a inquieta e tímida pergunta de Pulkhiéria Alieksándrovna sobre se "tinha algumas suspeitas de alienação mental", respondeu com um sorriso plácido e sincero que haviam exagerado muito as suas palavras; que era verdade que, no doente, se notava uma espécie de ideia fixa, qualquer coisa que parecia denotar uma monomania – tanto mais que ele seguia agora com extraordinário interesse esse setor da medicina – mas que era preciso ter presente que até quase àquele dia o doente estivera delirando; e... e não havia dúvida de que a chegada das pessoas de família havia de fortalecê-lo, animá-lo e produzir nele um efeito de completo restabelecimento, "desde que lhe sejam evitadas novas comoções", acrescentou de maneira significativa. Depois levantou, fez uma reverência, ao mesmo tempo séria e jovial, acompanhado pelas bênçãos, pela veemente gratidão, pelas súplicas e até pela mãozinha de Avdótia Românovna, que a estendia espontaneamente, e retirou-se muitíssimo satisfeito com a sua visita e, sobretudo, consigo próprio.

– Amanhã falaremos; agora vão já deitar-se! – insistiu Razumíkhin, quando saía em companhia de Zósimov. – Amanhã voltarei por aqui, com notícias, o mais cedo que puder.

– É encantadora, essa Avdótia Românovna! – observou Zósimov, quase zangado, quando iam já na rua.

– Encantadora? Disseste que é encantadora? – exclamou Razumíkhin raivoso, e, de repente, atirando-se a Zósimov, agarrou-o pelo pescoço. – Como te atreves... Compreendes? Compreendes? – exclamou, sacudindo-o pelo colarinho e encostando-o à parede – Ouviste?

– Larga-me, bêbado dos diabos! – gritou Zósimov, esforçando-se por se libertar, e depois, já o outro o tinha largado, ficou a olhá-lo fixamente, e de repente desatou a rir. Razumíkhin, de pé, diante dele, deixou cair as mãos e quedou-se sombrio e pensativo.

– É claro que eu sou um burro – disse, sombrio como uma nuvem – mas olha... Tu também o és.

– Nada disso, meu amigo, nada disso. Eu não penso em disparates.

Continuaram caminhando em silêncio, e foi já próximo da casa de Raskólhnikov que Razumíkhin, muito preocupado, cortou aquele silêncio.

– Ouve – disse para Zósimov – tu és um bom rapaz, mas entre outros defeitos tens o de ser um libertino, sim, e dos porcos. És um autêntico crápula, nervoso, um fraco de caráter, um efeminado, um mimadão, que não podes privar-te de nada; é a isto que eu chamo porcaria, porque pode conduzir diretamente a ela. És um tal molengão que, confesso, não chego a compreender como é que, com tudo isso, ainda consegues ser um bom médico e até dedicado. Dormes em cama de penas (tu, um médico!) e levantas da cama de noite para ir ver um doente... Dentro de três anos já não levantarás... Mas, enfim, que diabo! Não se trata agora disso, mas disto; tu, esta noite, vais ficar dormindo no quarto da senhoria (lá a convenci, com muito custo) e eu fico na cozinha; estabelecerão assim intimidade rapidamente. Não é o que tu pensas! Olha, meu amigo, nem por sombras...

– Mas eu não imagino nada!

– Olha, meu amigo, fingimento, silêncio, timidez, uma castidade feroz, e contudo... suspira e derrete-se como cera, completamente babadinha! Livra-me dela, peço por todos os santos do Céu! Sê complacente, o mais que pode ser! Serei sempre muito agradecido!

Zósimov pôs-se a rir com mais vontade do que antes.

– Estás completamente fora dos eixos! Mas que vou eu fazer com ela?

– Garanto-te que não vais ter muito trabalho; bastará que lhe pespegues todas as ingenuidades que te venham à cabeça; basta que te sentes ao lado dela e lhe dês conversa. Além disso tu és médico, por isso podes dedicar-te a curá-la de qualquer coisa. Ela tem piano e eu, já sabes que canto um bocadinho; cantei-lhe uma cançãozinha russa autêntica: Vertendo estou ardentes lágrimas... Ela é doida por essas canções... Foi por aí que eu comecei; mas tu, para o piano, és um virtuose, um mestre, um Rubinstein[30]... Juro que não te vai custar...

— Mas tu prometeste-lhe qualquer coisa? Algum compromisso por escrito? Pode ser que lhe tenhas prometido casamento...

— Nada disso, nada disso; absolutamente nada! Ela também não é dessas; quem anda atrás dela é Tchebárov...

— Então, deixa-a!

— Mas como é que eu posso deixá-la assim, sem mais nem menos?

— Mas por que é que é impossível?

— Porque é, e pronto! Olha, meu amigo, há qualquer coisa que me prende.

— Seduziste-a talvez, não?

— Qual o quê! Pode até muito bem acontecer que o seduzido fosse eu, devido à minha inépcia; mas, para ela, tanto lhe faz que sejas tu como eu; pois o que ela quer, com certeza, é ter alguém ao lado por quem possa suspirar. Olha, meu amigo... não posso explicar bem. Olha... bem; tu sabes muito de matemática e ainda continuas a interessar-te por ela, bem sei; pois dedica-te a ensinar-lhe cálculo integral. Juro por Deus que não digo isto por brincadeira, que falo sério. Para ela tanto faz; vai se por a olhar para ti e a suspirar, e assim durante um ano. Eu, entre outras coisas, falei com ela durante muito tempo e, durante dois dias consecutivos, do parlamento prussiano, pois, de que havia eu de lhe falar? E ela, durante todo esse tempo, não fazia outra coisa senão suspirar e derreter-se. Ah! Mas não lhe fales de amor; a hipocrisia dela leva-a até fingir de arisca; o que deves é dar-lhe a entender que não podes sair de perto dela, é o suficiente. É terrivelmente comodista e, em casa dela, uma pessoa está como na sua própria: lê, senta-se, deita-se, escreve... Até podes beijá-la com cuidado...

— Mas que tenho eu a ver com ela?

— Ah, nunca poderei te explicar! Olha, é que tu e ela são muito parecidos. Eu já me lembrara de ti... É que é preciso acabar com isto! E tanto faz que seja mais tarde ou mais cedo. Aqui, meu amigo, terás uma espécie de colchão de penas... sim, e não só de penas, ah! Aqui, uma pessoa é amimada, aqui é o fim do mundo, a âncora de salvação, o porto de abrigo, o umbigo da terra, a base do mundo formada por três peixes[31]. São tortas de creme e empadas de peixe, é o samovar da tarde, os suspirozinhos plácidos e os cobertores quentes, as botijas para a cama; enfim, é como se tivesses morrido, mas, ao mesmo tempo, continuasses vivo e gozasses das vantagens de ambos os estados, ao mesmo tempo. Mas, está bem, meu amigo; eu pareço um mentiroso de feira e, com os diabos! já são horas de dormir. Ouve, eu costumo acordar de noite, por isso irei ver como é que ele está. Não há nada, é um disparate, vai tudo bem. Sobretudo tu, não fiques inquieto; mas se quiseres sobe também e vai até lá para dares uma olhada. Se notares a mais ínfima coisa, que delira, por exemplo,

---

30 Anton Rubinstein(1829-1894), pianista e compositor russo, autor da ópera *Demônio*. Fundou o Conservatório de São Petersburgo.
31 Alusão teosófica.

ou que tem febre, ou outra coisa, seja o que for, vens logo e me acordas. Embora, no fim de contas, não seja possível...

Capítulo II

No dia seguinte às oito, Razumíkhin acordou preocupado e sério. Muitas e imprevisíveis dúvidas e hesitações o assaltaram de repente nessa manhã. Nem sequer pudera ter imaginado na véspera que havia de acordar assim. Recordava tudo quanto se passara na noite anterior, até os mínimos pormenores, e compreendia que lhe acontecera algo de estranho, que recebera uma impressão completamente nova e que não podia comparar-se a nenhuma das anteriores. Ao mesmo tempo reconhecia com toda a clareza que aquilo era um sonho que germinara na sua cabeça, sem a mínima realidade, a tal extremo irreal, que até se envergonhava dele, e apressou-se a substituí-lo por outras preocupações e cuidados mais positivos, que lhe deixara em herança aquele "três vezes amaldiçoado dia anterior".

A reminiscência mais terrível de todas era a de que se postara no dia anterior como um velhaco e um selvagem, não só pelo fato de estar embriagado, como por se ter posto a troçar diante daquela moça, do seu próprio noivo, por uns ciúmes estúpidos, aproveitando-se da situação, sem saber sequer das relações e compromissos que entre eles pudessem existir e sem sequer conhecer também o homem a fundo. Isto é: que direito tinha ele de se pôr a julgar tão leviana e temerariamente? E quem é que o obrigava a formular um juízo? Por acaso, uma criatura como Avdótia Românovna poderia ser capaz de entregar-se a um homem indigno por dinheiro? Se era assim, é porque, com certeza, ele não era indigno. E o caso da pensão? Mas por que é que o homem havia de estar previamente informado da natureza da tal casa de hóspedes? Já lhes arranjará outro alojamento. Livra, e que reles era tudo aquilo! E que desculpa era essa de estar embriagado? Uma desculpa estúpida, que o humilhava ainda mais! No vinho está a verdade e, de fato, a verdade completa saíra à luz, isto é "aflorara à superfície toda a maldade do seu coração, grosseiramente invejoso". E, por acaso, seria lícito, tão pouco, de qualquer modo, que um homem como ele, Razumíkhin, acariciasse tais sonhos? Quem era ele, comparado com aquela moça... ele, o bêbado atrevido e fanfarrão do dia anterior? "Mas será possível estabelecer uma comparação tão cínica e grotesca?" Razumíkhin ruborizou-se perante tal pensamento e, de repente, como de propósito, naquele mesmo momento lembrou-se com toda a clareza de como lhes falara na noite anterior, de pé, na escada, dizendo-lhes que a senhoria ia sentir ciúmes de Avdótia Românovna. Só isso era insuportável! Descarregou uma pancada, com toda a força, sobre o fogão da cozinha, magoando a mão e partindo um dos tijolos.

"Não há dúvida – resmungou para consigo próprio, passado um minuto, com um certo sentimento de auto-humilhação – não há dúvida de que já não há maneira de emendar nem de desfazer todos esses disparates... e, portanto, é preciso não pensar mais nisso. O que eu farei é apresentar-me ali sem dizer nada e... cumprir a minha obrigação... também sem murmurar, e... e não apresentar desculpas nem dizer uma palavra do assunto; e... e também não há dúvida de que já está tudo perdido."

E, no entanto, quando foi vestir-se preocupou-se com o seu traje mais minuciosamente que de costume. Não tinha outra roupa; mas, ainda que a tivesse, é possível que também não a tivesse posto – e seria intencionalmente que não a teria posto. Mas, seja como for, não podia ficar, como um cínico e um grosseirão: não tinha o direito de ferir os sentimentos do próximo, tanto mais que esses próximos necessitavam dele e chamavam-no. Limpou cuidadosamente o traje com a escova. Quanto à roupa interior, tinha-a sempre apresentável: sobre este ponto era muito brioso.

Lavou-se nessa manhã com todo o esmero – encontrara sabão no quarto de Nastássia – lavou a cabeça, o pescoço e, sobretudo, as mãos. Quando a si próprio fez a pergunta, se havia ou não de barbear-se (Praskóvia Pávlovna possuía umas navalhas magníficas, que conservava ainda de seu falecido marido, Zarnítsin), resolveu-a com certa crueldade, em sentido negativo: ficaria como estava. "Não vá acontecer pensarem que eu me barbeei para... que, com certeza, o imaginariam. Pois, por nada deste mundo!"

E... o mais importante: era tão grosseiro, tão grosseiro; tinha uma maneira de conduzir-se tão ordinária... e suponhamos que ele sabe que também, embora em ponto pequeno, é um homem decente... "Bom: haverá motivo para uma pessoa se orgulhar de ser um homem decente? Toda a gente tem obrigação de o ser, e até mais qualquer coisa; mas, apesar de tudo (lembra-se), pesam-lhe sobre a consciência alguns pecadilhos... não que sejam desonrosos, mas, no entanto... E que intenções não tivera, às vezes! Hum! E pôr tudo isso em comparação com Avdótia Românovna! Mas bom, que diabo! Seja! Continuarei a ser de propósito grosseiro, sujo e ordinário e a cuspir! Ainda hei de fazer pior..."

Foi no meio desses monólogos que Zósimov o foi encontrar, o qual passara a noite na sala de Praskóvia Pávlovna.

Regressava a casa e, ao sair, de passagem, vinha dar uma olhada no doente, Razumíkhin informou-o de que ele passara a noite dormindo como um anjo. Zósimov deu indicações para que não o incomodassem até que ele acordasse por si. Prometeu tornar a passar por ali às onze.

– Supondo que o encontre em casa – acrescentou. – Ufa, que diabo! Se não se tem domínio sobre um doente, como é que se há de curá-lo? Não sabes se ele irá visitá-las, ou se serão elas que virão vê-lo?

– Elas – respondeu Razumíkhin, compreendendo a intenção da pergunta – creio que virão, sem dúvida, para tratar de assuntos de família. Eu me retirarei. Tu, como médico, naturalmente, tens mais direito do que eu.

– Eu também não sou nenhum diretor espiritual; irei e sairei logo a seguir: já tenho bastante que fazer, sem contar com isso...

– Só há uma coisa que me inquieta – acrescentou Razumíkhin, franzindo o sobrolho – ontem, eu, bêbado como estava, pus-me a falar-lhes pelos cotovelos, durante o caminho, e disse uma porção de asneiras... uma chusma delas... Entre outras coisas, disse-lhes que tu receavas que ele estivesse... com propensão a enlouquecer...

– Também falaste disso ontem, às senhoras?

– Foi uma estupidez, reconheço-o. Se quiseres, bate-me! Mas diz-me: tu tinhas pensado verdadeiramente nessa possibilidade com alguma insistência?

– Isso é um absurdo, afirmo-te. Uma ideia fixa! Foste tu que o descreveste como um monomaníaco, quando me trouxeste para o ver... Mas nós, ontem, quer dizer, tu, com essas suposições... a respeito do pintor, deste-lhe volta ao juízo: lindo assunto para conversa... até é possível que fosse isso que o tivesse transtornado! Se eu tivesse sabido ao certo o que aconteceu no Comissariado, e que aí, algum malandro, com essas suspeitas... o ofendera... hum! não teria consentido que lhe falassem disso ontem. Pois deves saber que esses monomaníacos tomam um mosquito por um elefante e veem em devaneios as coisas mais fantásticas... Se bem me lembro, ontem concluí claramente metade desse assunto, do relato de Zamiótov. Não tenho dúvidas! Conheço o caso dum neurótico, quarentão, que não era capaz de aguentar diariamente a troça que um rapazinho de oito anos fazia dele, à mesa, e que, por isso, o assassinou. E repara: tão mal vestido, obrigado a suportar as insolências dum polícia, uma doença em princípio, e uma suspeita dessas! Avalia, portanto: um hipocondríaco em último grau e com essa vaidade furiosa, esse amor-próprio! É aqui que pode estar a explicação da doença! Sim, que diabo! No fundo, esse Zamiótov é um bom rapaz, simplesmente... hum!... simplesmente fez mal, ontem, em falar disso. É um terrível tagarela!

– Mas a quem é que ele falou? A mim e a ti!

– E a Porfíri também.

– E que importância tem que o tenha contado também a Porfíri?

– Diz-me sinceramente: tens alguma influência sobre essas mulheres, a mãe e a irmã? É que é preciso que sejam muito discretas, hoje, com ele...

– Vão ser – respondeu Razumíkhin involuntariamente.

– E por que é que ele tratou esse tal Lújin daquela maneira? Um homem com dinheiro e que, segundo parece, não lhe desagrada, a ela, e ademais não tendo nada, não é verdade?

– Eu sei lá disso! – exclamou Razumíkhin, irritado. – Eu sei lá se elas têm muito ou pouco! Pergunta a quem quiseres, pode ser que te informem...

– Livra, que sempre te tornas às vezes muito estúpido! Ainda não te passou a bebedeira de ontem... Adeus. Agradece a Praskóvia Pávlovna, da minha parte, pela sua hospitalidade. Tinha a porta do quarto fechada, e quando eu lhe disse *bon jour*, do lado de fora, não me respondeu; mas às sete levantou e levaram-me o samovar da cozinha, passando pelo corredor. Não tive a honra de vê-la...

Às nove em ponto, Razumíkhin apresentou-se na pensão Bakaliéiev. Havia já muito tempo que as duas mulheres o aguardavam com impaciência histérica. Estavam fora da cama desde as sete, se é que não desde mais cedo ainda. Ele entrou sombrio como a noite e fez-lhes um cumprimento sem graça, e depois ficou aborrecido consigo mesmo, por causa disso. Mas não contara com a hóspeda: Pulkhiéria Alieksándrovna dirigiu-se para ele, pegou-lhe em ambas as mãos e quase as beijou. Ele lançou um olhar tímido para Avdótia Românovna; mas até naquele rosto altivo havia naquele momento tal expressão de reconhecimento e amizade, um tão delicado e exato respeito pela sua pessoa, em vez de olharzinhos trocistas e desprezo mal-disfarçado que, na verdade, se teria sentido mais à vontade se as tivesse vindo encontrar aborrecidas, de tal maneira que, agora, se sentia muito desconcertado. Felizmente trazia um assunto de conversa já preparado e agarrou-se imediatamente a esse pretexto.

Quando ouviu dizer que o seu filho "ainda não acordara", mas que "ia tudo bem", Pulkhiéria Alieksándrovna deu mostras de grande alegria, "e que tinha muita, mas muita, muitíssima necessidade de falar o mais depressa possível com Razumíkhin". Vieram logo a seguir a pergunta relativa ao chá e o convite para o tomarem juntos: elas ainda não o tinham tomado por estarem à espera dele. Avdótia Românovna chamou; acudiu um rapaz sujo e esfarrapado, e foi a ele que pediram o chá, que acabaram por lhes trazer, mas com um aspecto tão pouco limpo e desarranjado, que as senhoras ficaram muito aborrecidas. De boa vontade Razumíkhin se teria posto a censurar aquela pensão, mas, recordando-se de Lújin, calou-se, atrapalhou-se, e ficou muito contente quando as perguntas de Pulkhiéria Alieksándrovna começaram finalmente a chover sobre ele, umas atrás das outras, sem interrupção.

Enquanto lhes respondia esteve três quartos de hora falando, mas constantemente interrompido e novamente interrogado, e apressou-se a participar-lhes os fatos mais importantes e indispensáveis, os que conhecia do ano anterior, da vida de Rodion Românovitch, incluindo uma minuciosa exposição da sua doença. É claro que passou muitas coisas por alto: entre outras a cena do Comissariado, com todas as suas consequências. Elas escutavam o seu relato com avidez; mas quando ele pensava que já terminara e satisfeito as suas ouvintes, para elas parecia que ainda não começara.

– Diga-me, diga-me o que pensa... Ah, desculpe-me, mas ainda não sei o seu nome! – disse-lhe precipitadamente Pulkhiéria Alieksándrovna.

– Dmítri Prokófitch.

– Bem, pois veja, Dmítri Prokófitch, eu tenho muito, mas muito desejo de saber... assim, de maneira geral... Como é que ele, agora, encara as coisas; quero dizer, não sei se me faço entender, não sei como hei de exprimir-me... ou, para melhor dizer: o que é que, agora, lhe agrada, e que é que, agora, o aborrece? Está sempre tão excitado! Quais são os seus desejos e, por assim dizer, que ilusões alimenta? Quem é que exerce influência pessoal sobre ele? Numa palavra, eu queria...

– Ah, *mámienhka*! Mas como é possível responder assim, de repente, a tudo isso? – observou Dúnia.

– Ah, meu Deus, é que eu nem de longe esperava encontrá-lo assim, Dmítri Prokófitch!

– Tudo isso é muito natural – respondeu Dmítri Prokófitch. – Eu sou órfão de mãe; mas o meu tio vem ver-me todos os anos e nunca consegue compreender-me, nem sequer superficialmente, apesar de ser um homem esperto; além disso, durante os três anos que estiveram separados, passou-se muita coisa. Que hei de eu de dizer-lhes? Já há meio ano que convivo com Rodka: áspero, severo, altivo e orgulhoso; nos últimos tempos (e pode ser que até já muito antes) tornou-se rabugento e nevrótico. Lá generoso e bom é ele. Não gosta de exteriorizar os seus sentimentos e prefere proceder com dureza a revelar por meio de palavras aquilo que guarda no seu coração. Além disso, às vezes, não é nada nevrótico, mas apenas frio e de uma insensibilidade que toca a desumanidade; é assim mesmo, como se nele altercassem dois caracteres desencontrados, que se manifestassem alternadamente. Às vezes é terrivelmente taciturno. Não tem tempo para nada, toda a gente o incomoda, e fica deitado sem fazer nada. Não ouve o que as pessoas dizem. Nunca se interessa por uma coisa que noutro tempo o interessou. É terrivelmente orgulhoso, admira-se a si próprio e, segundo parece, tem algumas razões para isso. Bem, que mais? Eu creio que a vinda das senhoras há de exercer sobre ele uma influência salvadora...

– Ah, Deus queira! – exclamou Pulkhiéria Alieksándrovna, mortificada pelas referências de Razumíkhin acerca do seu Rodka.

Quanto a Razumíkhin, já acabara por olhar com mais atrevimento para Avdótia Românovna. Olhou-a com bastante frequência enquanto falava, embora de modo fugaz, só por um momento e afastando os olhos em seguida. Avdótia Românovna estava sentada à mesa e escutava atentamente; depois levantou e pôs-se outra vez a passear, como era seu costume, pelo quarto, de um lado a outro, de braços cruzados, lábios franzidos, formulando de quando em quando uma ou outra pergunta, sem interromper os seus passeios, pensativa. Também tinha o hábito de não escutar o que os outros diziam. Trazia um vestido escuro, de tecido leve, e, atado ao pescoço, um lenço branco com fios dourados. Por vários indícios, Razumíkhin observou imediatamente que a situação das duas mulheres não podia ser mais miserável. Se Avdótia Românovna estivesse ataviada como uma rainha, pensava ele que não lhe teria inspirado nenhum temor, ao passo que assim, talvez precisamente por ter vindo encontrá-la pobremente vestida e reparado em toda aquela desamparada miséria, mais aumentava o espanto no seu coração e temia qualquer das suas palavras ou gestos, o que, não havia dúvida, era inibidor para um homem que não precisava disso para duvidar de si próprio.

– Contou-nos muitas coisas curiosas acerca do caráter do meu irmão e... exprimiu-se imparcialmente, o que está muito bem; eu pensava que o senhor sentia admiração por ele – observou Avdótia Românovna sorrindo. – Eu pensei, e com certeza que deve ser isso, que, de permeio, haverá uma mulher... – acrescentou, pensativa.

– Eu não disse isso, embora, afinal, pode ser que a senhora tenha razão, simplesmente...

– O quê?

– É que ele não ama ninguém e é possível que nunca chegue a amar – disse Razumíkhin.

– Isso quer dizer que ele é incapaz de amar?

– Quer saber uma coisa, Avdótia Românovna? É que a senhora é muito parecida com o seu irmão, quase em tudo – disse-lhe ele, de repente, de uma maneira que para si próprio foi inesperada; mas recordando-se imediatamente do que acabava de dizer do irmão daquela moça, corou violentamente e ficou completamente atrapalhado. Avdótia Românovna não pode deixar de sorrir ao contemplá-lo.

– Pode ser que estejam os dois um pouco enganados a respeito de Rodka – interveio Pulkhiéria Alieksándrovna, um tanto melindrada. – Eu não falo do presente, Dúnietchka. O que Piotr Pietróvitch escreve nessa carta... e o que eu e tu supúnhamos... pode ser falso; mas não pode imaginar, Dmítri Prokófitch, como ele é fantasista, por assim dizer, voluntarioso. Nunca confiou no seu caráter, nem sequer quando tinha quinze anos. Estou convencida de que agora seria capaz de fazer qualquer coisa que nenhum homem pensaria algum dia fazer... E, sem ir mais longe, não sabe que, haverá ano e meio, ele me surpreendeu, desgostou e deixou quase às portas da morte, quando se lembrou de se casar com essa... sim, com a filha dessa Zarnítsina, a senhoria?

– Mas a mãe conhece a fundo essa história? – perguntou Avdótia Românovna.

– O senhor é capaz de imaginar – continuou Pulkhiéria Alieksándrovna com veemência – que nessa altura o teriam detido as minhas lágrimas, as minhas súplicas, a minha doença e até talvez a minha morte, devido à nossa angústia, à nossa miséria? Teria passado por cima de todos os obstáculos com a maior tranquilidade. Será o caso, será o caso de que não goste de nós?

— Ele nunca me disse uma palavra acerca dessa história — respondeu Razumíkhin, circunspecto — mas soube qualquer coisa a respeito disso da boca da própria senhora Zarnítsina, a qual, na sua classe, não é das mais mexeriqueiras, e aquilo que lhe ouvi era um tanto estranho...

— E que foi que lhe ouviu? — perguntaram ao mesmo tempo as duas mulheres.

— Não; no fundo não é nada de especial. Só me disse que esse casamento, que já estava combinado e que se não se realizou foi por causa do falecimento da noiva, não era muito do agrado da própria Senhora Zarnítsina. Além disso dizem que a tal noiva não tinha nada de graciosa, e afirmam até que era feia e muito fraquinha, e... e estranha... ainda que, segundo parece, tinha algumas boas qualidades. Não há dúvida de que, algumas devia ter, pois, de outra maneira, é impossível explicar... Dote também não tinha, de maneira que ele não podia ter criado ilusões sobre esse ponto... Em geral é difícil formar uma opinião sobre estes assuntos.

— Tenho a certeza de que devia ser uma moça digna — observou laconicamente Avdótia Românovna.

— Deus me perdoe, mas nessa ocasião fiquei tão satisfeita com a sua morte, embora não saiba ao certo qual dos dois teria ficado a perder com esse casamento: se ele ou ela! — concluiu Pulkhiéria Alieksándrovna, depois do que, com discrição e contínuos olhares para Dúnia, coisa que, evidentemente, era aborrecida para esta, tornou a perguntar pormenores da cena do dia anterior entre Rodion e Lújin. Aquele incidente, pelo visto, inquietava-a mais do que tudo, infundindo-lhe até medo e colocando-a em sobressalto. Razumíkhin tornou a contar-lhe tudo outra vez, com toda a espécie de pormenores; mas dessa vez acrescentou também a sua própria conclusão: culpou francamente Raskólhnikov pelo seu insulto propositado a Piotr Pietróvitch, sem insistir tanto na desculpa da doença.

— Já o tinha premeditado antes de ter adoecido — acrescentou.

— Também acho que é assim — exclamou Pulkhiéria Alieksándrovna com uma expressão cansada. Mas ficou muito chocada porque Razumíkhin se exprimisse com aquela discrição e até com certo respeito, a propósito de Piotr Pietróvitch. Também Avdótia Românovna ficou impressionada.

— Qual é a opinião que o senhor tem sobre Piotr Pietróvitch? — perguntou Pulkhiéria Alieksándrovna, sem se poder conter.

— Não posso ter senão uma boa opinião acerca do futuro de sua filha — respondeu Razumíkhin com firmeza e ardor — e não o digo apenas por motivos de falsa cortesia, mas sim porque... porque... ainda que fosse só porque foi a própria Avdótia Românovna que, por sua livre vontade, se dignou escolhê-lo. Se eu, ontem, me exprimi acerca dele dessa maneira, foi simplesmente porque eu estava vergonhosamente embriagado e até... até tinha perdido o juízo: sim, estava meio tonto, mareado, completamente louco... e hoje me sinto envergonhado.

Corou e ficou calado. Avdótia Românovna ruborizou-se também, mas não interrompeu o silêncio. Não dissera uma palavra enquanto se falou de Lújin.

Entretanto, Pulkhiéria Alieksándrovna, sem se poder reprimir, dava visíveis mostras de impaciência. Até que finalmente declarou, titubeando e sem desviar os olhos da filha, declarou que atualmente a preocupava muito uma circunstância.

— Ora veja, Dmítri Prokófitch – começou – e vou ser completamente franca com Dmítri Prokófitch, não é verdade, Dúnietchka?

— Claro que sim, *mámienhka*! – observou Avdótia Românovna sugestivamente.

— Aqui tem do que se trata – disse precipitadamente Pulkhiéria Alieksándrovna, como se lhe tivessem tirado um peso de cima ao autorizarem-na a contar os seus desgostos. – Hoje, muito cedo, recebemos uma carta de Piotr Pietróvitch, em resposta àquela que nós lhe escrevemos ontem, anunciando-lhe a nossa chegada. Ora repare: ontem devia ele ter vindo esperar-nos à estação, como tinha prometido. Em vez disso mandou lá um criado para nos receber, com o endereço da pensão e a incumbência de nos indicar o caminho e participar-nos que ele, Piotr Pietróvitch, viria aqui visitar-nos hoje de manhã. Mas, em vez disso, recebemos hoje, pela manhã, esta carta sua... O melhor é o senhor mesmo lê-la: há nela um ponto, e já vai ver qual é, que me deixa completamente desorientada... Já vai ver qual é e vai me dar a sua opinião sincera, Dmítri Prokófitch. O senhor conhece melhor do que nós o carácter de Rodka e é o mais indicado para aconselhar-nos. Previno-o de que Dúnietchka já tomou a sua decisão desde o primeiro momento, mas eu é que não sei o que hei de fazer, e... pus no senhor todas as minhas esperanças.

Razumíkhin desdobrou a carta, que tinha data do dia anterior, e leu o seguinte:

>Excelentíssima Senhora Pulkhiéria Alieksándrovna: Tenho a honra de comunicar-lhe que, devido a obstáculos imprevistos que surgiram, não pude ir esperá-las à estação, mas enviei para esse fim uma pessoa conveniente. Da mesma maneira me verei amanhã privado da honra de vê-la, devido a um assunto inadiável no Senado, e a fim de não me tornar um obstáculo para o seu encontro com seu filho e de Avdótia Românovna com seu irmão. Não poderei ter a honra de visitá-las e apresentar-lhes os meus respeitos no seu domicílio senão às oito da noite em ponto, a propósito do que me permito dirigir-lhe um pedido encarecido, e acrescentarei, terminante, o de que na nossa entrevista não se encontre presente Rodion Românovitch, pois ontem me insultou de uma maneira insolente e sem exemplo, na ocasião em que fui visitá-lo por estar doente e, além disso, porque temos de ter pessoalmente uma explicação indispensável e pormenorizada a respeito desse caso, acerca do qual desejo conhecer a sua opinião pessoal. Ao mesmo tempo tenho a honra de participar-lhe que, se apesar do meu pedido, me encontrasse aí com Rodion Românovitch, me veria precisamente obrigado a retirar-me imediatamente e então seriam as senhoras as culpadas. Escrevo isto supondo que Rodion Românovitch, que quando eu o visitei parecia tão doente, poderia curar-se no intervalo de duas horas, sair à rua e ir encontrar-se com as senhoras. Convenci-me disso pelos meus próprios olhos, em casa de certo ébrio atropelado por uma carruagem e que morreu em consequência do acidente, e a cuja filha, uma moça de má fama, entregou ontem nada menos do que vinte rublos, com o pretexto de ajudar as despesas do enterro, coisa que muito me surpreendeu, sabendo quanto lhe teria custado juntar essa quantia. Sem mais, com o testemunho da minha particular estima pela respeitável Avdótia Românovna, peço-lhe que se digne aceitar a expressão dos sentimentos de respeitoso afeto do seu humilde servidor.
>
>P. Lújin.

— Que devo eu fazer agora, Dmítri Prokófitch? – exclamou Pulkhiéria Alieksándrovna quase com as lágrimas nos olhos. – Como hei de eu avisar Rodka de que não venha? Ele, que ontem exigiu tão altivamente a ruptura com Piotr Pietróvitch, e vir agora este dizer-lhe que não venha! Pois se ele chegar a saber, há de vir intencionalmente. E que irá acontecer depois?

— Faça aquilo que decidiu, Avdótia Românovna – disse Razumíkhin tranquila e imediatamente.

— Ai, meu Deus! Ela disse... Sabe Deus o que ela disse, sem explicar-me o que se propõe! Ela disse que o melhor é dizer, o melhor, não, mas que terá de ser, fatalmente, é que Rodka esteja de propósito aqui às oito e que não tenham ambos outro remédio senão encontrarem-se... Eu, em compensação, estava disposta a não lhe mostrar esta carta e a pôr em prática, contando com o seu auxílio, qualquer estratagema para que ele não viesse, porque é tão irritável! E também não entendo nada a respeito desse caso do tal ébrio que morreu e dessa tal filha, e como é que ele pode entregar à tal filha o seu último dinheiro, que...

— Que tão caro lhe custou, *mámienhka* – acrescentou Avdótia Românovna.

— Ele, ontem, não estava no seu perfeito juízo – declarou Razumíkhin, pensativo – se soubessem o que ele fez ontem em certa taberna, se bem que com inteligência, isso sim, hum! Não há dúvida de que ontem ele me falou de certo morto e de uma moça, sim, de fato, quando vínhamos para casa, simplesmente eu não percebi nada... Se bem que, por outro lado, também eu ontem...

— O melhor é ir a própria *mámienhka* vê-lo; e asseguro-lhe que, assim, poderemos decidir sem rodeios o que se deve fazer. Sim, e devia ser já agora... Meu Deus, onze horas! – exclamou, consultando o seu magnífico relógio de ouro e esmalte, que trazia ao pescoço suspenso de um delicado fio veneziano, e que destoava terrivelmente do resto da sua apresentação. "Presente de casamento", pensou Razumíkhin.

— Ah, sim; já são horas! Anda, Dúnietchka, anda! – disse Pulkhiéria Alieksándrovna, alarmada. – É capaz de pensar que ainda estamos zangadas por causa do que se passou ontem, se demorarmos a ir vê-lo. Ai, meu Deus!

Enquanto dizia isto deitava o xale apressadamente por cima dos ombros e punha o chapéu. Dúnietchka acabou também de se arrumar. As suas luvas eram não só velhas, mas até rasgadas, no que Razumíkhin reparou e, no entanto, aquela evidente pobreza no vestir conferia às duas mulheres um aspecto de especial dignidade que se encontra sempre nas pessoas que sabem usar um traje pobre. Razumíkhin olhou com admiração para Dúnietchka e sentiu-se orgulhoso por acompanhá-la. "Parece aquela rainha – pensou para consigo – que lavava as suas meias na prisão, não há dúvida nenhuma, uma verdadeira rainha, parece-o neste momento ainda mais do que no dos seus brilhantes triunfos e na sua coroação."

— Meu Deus! – exclamou Pulkhiéria Alieksándrovna. – Como poderia eu imaginar que havia de vir a ter medo de me encontrar com o meu filho, com o meu tão querido Rodka? Pois tenho medo dele, Dmítri Prokófitch!

— Não tenha medo, *mámienhka* – disse Dúnia, beijando-a. – O melhor é ter confiança nele. Eu tenho.

— Ai, meu Deus! Eu também tenho e não pude dormir durante toda a noite! – exclamou a pobre mulher.

Saíram.

— Olhe, Dúnietchka, sabes uma coisa? Esta manhã, quando estava meio adormecida, apareceu-me em sonhos a falecida Marfa Pietrovna... toda de branco... aproximou-se de mim, pegou-me numa mão, inclinou a cabeça para mim, e estava com uma cara tão séria, tão séria, como se me censurasse... Será um bom agouro?

Ai, meu Deus! Dmítri Prokófitch, o senhor ainda não sabe: Marfa Pietrovna morreu.

– Não, não sabia; quem era Marfa Pietrovna?

– Morreu de repente! E imagine...

– Depois, *mámienhka* – interveio Dúnia. – Lembra-te de que ele ainda não sabe de que Marfa se trata.

– Ah! Não sabe? E eu pensando que o senhor já estava a par de tudo... Desculpe-me Dmítri Prokófitch... Desculpe-me, desde há uns dias que não ando bem da cabeça. Eu o considero verdadeiramente como a nossa providência; por isso estou convencida de que estará a par de tudo. Considero-o como da família... Não leve a mal que eu fale assim. Ai, meu Deus, que é isso que tem na mão direita? Machucou-se?

– Sim... – resmungou Razumíkhin, muito satisfeito.

– Eu, às vezes, me deixo levar demasiado pelos meus impulsos, tanto, que Dúnia me corrige... Mas, meu Deus! Em que buraco ele vive! Já estará acordado? Essa mulher, a senhoria, considera isto como um quarto? Escute: o senhor disse que ele não gosta de mostrar os seus sentimentos, por isso talvez eu vá aborrecê-lo com os meus... fraquezas... Não quererá ensinar-me, Dmítri Prokófitch? Como devo conduzir-me com ele? Eu, o senhor sabe, estou desorientada.

– Não lhe faça muitas perguntas se vir que ele franze o sobrolho; sobretudo não lhe fale muito acerca da saúde, isso contraria-o.

– Ah, Dmítri Prokófitch, quanto custa ser mãe! Mas aqui está a escada... Que escada tão horrorosa!

– A mãe até está pálida; acalme-se, minha querida mãe – disse Dúnia, acariciando-a. – Ele deve considerar uma felicidade vê-la e a mãe a martirizar-se dessa maneira! – acrescentou, de olhos faiscantes.

– Esperem, que eu, primeiro, vou ver se ele já acordou ou não.

As duas mulheres começaram a andar devagar atrás de Razumíkhin, que subia já as escadas, e quando chegaram ao quarto andar e passaram diante da porta da senhoria, observaram que ela estava aberta de maneira que deixava uma fresta pela qual espreitavam dois olhos negros e penetrantes, na escuridão. Quando os olhos se encontraram, a porta tornou-se a fechar, de repente, com tal estrépito que Pulkhiéria Alieksándrovna esteve quase a lançar um grito de medo.

Capítulo III

– Curado! Curado! – exclamou Zósimov alegremente, saindo a receber os que chegavam.

Havia dez minutos que tinha chegado e sentara no mesmo canto da véspera, no divã. Raskólhnikov estava sentado no extremo oposto, completamente vestido e até cuidadosamente lavado e penteado, coisa que, havia tempo, não lhe acontecia. O quarto ficou cheio; mas, fosse lá como fosse, Nastássia ainda lá coube, atrás dos visitantes, para ficar escutando.

De fato, Raskólhnikov estava quase completamente restabelecido, principalmente comparando o seu estado com o da noite anterior, a não ser que estava muito pálido, meditabundo e severo. Pelo seu aspecto exterior parecia um homem ferido ou que sofresse de alguma forte dor física: tinha o sobrolho franzido, os lábios apertados e os olhos alucinados; falava pouco e de má vontade, como se o fizesse à força ou para cumprir uma obrigação, e de quando em quando manifestava uma certa inquietação nos gestos.

Só lhe faltava um lenço do braço ao pescoço ou um curativo num dedo para que fosse completa a sua semelhança com um indivíduo que, por exemplo, tivesse um panarício ou se tivesse ferido na mão, ou qualquer outra coisa do gênero.

Aliás, aquele rosto pálido e sombrio iluminou-se num instante, como por efeito de uma luz, quando a mãe e a irmã entraram; mas isso não serviu senão para acrescentar à sua expressão, em vez da sua antiga severidade ensimesmada, algo de dor concentrada. Esse vislumbre não tardou a desaparecer; mas a dor persistiu, e Zósimov, que observava e atendia ao seu doente com todo o ardor juvenil dum médico que está no princípio da carreira, verificou nele, com o espanto consequente, à vista da família, em vez de alegria, qualquer coisa como a resolução dolorosa e secreta de suportar um mau bocado... qualquer contrariedade que não podia disfarçar. Mas pode notar depois como quase cada palavra do diálogo seguinte parecia irritar e acirrar alguma ferida do doente, embora, ao mesmo tempo, se admirasse de vê-lo naquele dia animado do poder de dominar-se a si próprio e ocultar os seus sentimentos de monomaníaco, prontos a estalar, à menor palavra, num acesso de fúria.

— Sim, eu próprio vejo agora que já estou quase completamente bem — disse Raskólhnikov beijando afetuosamente a mãe e a irmã, o que pôs logo radiante de alvoroço Pulkhiéria Alieksándrovna — e não digo como ontem — acrescentou, dirigindo-se a Razumíkhin e estendendo-lhe amistosamente a mão.

— Hoje até fiquei admirado por vir encontrá-lo assim — começou Zósimov, muito contente por ver chegar os que entravam, porque em dez minutos já tivera tempo de perder o fio da conversa com o seu doente. — Daqui a três... ou quatro dias, se isto continuar assim, estará outra vez como antes, isto é, como há um mês ou dois, ou até como há três. Porque ele andava incubando isto já há muito tempo... Confesso agora que até é possível que fosse o senhor mesmo quem teve a culpa — acrescentou com um sorriso discreto, como se ainda temesse irritá-lo.

— Pode muito bem ser assim — acrescentou friamente Raskólhnikov.

— Digo isso — continuou Zósimov em tom confidencial — porque o seu completo restabelecimento depende agora unicamente de si próprio. Agora que já se pode falar com o senhor, desejava dizer-lhe que é preciso investigar as causas primordiais, radicais, por assim dizer, que influíram na efetivação do seu estado mórbido, e será então que se há de curar completamente, pois, de contrário, talvez ainda seja pior. Essas causas primordiais, ignoro-as; mas não tem outro remédio senão conhecê-las. O senhor é um homem inteligente e que sem dúvida alguma se observa a si próprio. Parece-me que o começo da sua doença coincidiu, em parte, com a sua saída da Universidade. Para o senhor é impossível estar sem fazer nada e, além disso, tenho a convicção de que o trabalho e a perseguição de um fim concreto haviam de ser-lhe muito benéficos.

— Sim, sim, o senhor tem toda a razão... Vou ver se entro o mais cedo possível na Universidade, e então tudo caminhará sozinho... como sobre rodas.

Zósimov, que precipitara os seus sensatos conselhos, em parte para impressionar as senhoras, ficou um tanto desconcertado quando, ao terminar a sua arenga e passear o olhar sobre o seu interlocutor, lhe notou no rosto um acentuado sarcasmo. Aliás, isso durou apenas um momento. Pulkhiéria Alieksándrovna pôs-se imediatamente a exprimir a Zósimov a sua especial gratidão pela sua visita da noite anterior à hospedaria.

– Mas, como é que o senhor foi visitá-las de noite? – perguntou Raskólhnikov um tanto inquieto. – Então não descansaram da viagem?

– Ah, Rodka, isso foi às duas! Nós, em casa, tanto eu como Dúnietchka, nunca nos deitamos antes das duas.

– Eu também não sei como agradecer-lhe – continuou dizendo Raskólhnikov, que franziu de repente as sobrancelhas e baixou a cabeça. – Tirando a questão de dinheiro – desculpe que eu me refira a isto (dirigindo-se a Zósimov) – ignoro o que terei feito para merecer da sua parte uma atenção destas. Não compreendo... simplesmente... e isso... até fico chateado por não o compreender, digo com toda a franqueza.

– Não se excite – sorriu Zósimov forçadamente. – Lembre-se de que é o meu primeiro cliente, e quando um de nós começa a praticar a sua profissão, cria amizade ao seu primeiro doente, como se fosse seu filho, e alguns ficam quase apaixonados. E eu, já sabe, não tenho grande clientela.

– E nem quero falar desse – acrescentou Raskólhnikov, apontando Razumíkhin – que só tem recebido de mim insultos e aborrecimentos.

– Não mintas! Estarás hoje sentimental? – gritou Razumíkhin.

Se fosse mais perspicaz, poderia ter visto que tal sentimento estava muito longe de Raskólhnikov, e o que existia era completamente diferente. Avdótia Românova é que o percebeu. Atenta e alarmada, não perdia o irmão de vista.

– Da senhora também não me atrevo a falar, *mámienhka* – continuou, como se tivesse aprendido nessa manhã uma lição. – Só hoje pude imaginar pouco mais ou menos o que deve ter sofrido aqui ontem, esperando o meu regresso.

Depois de ter proferido estas palavras, de repente, em silêncio e sorrindo, estendeu a mão à irmã. Mas dessa vez deixou transparecer nesse sorriso um sentimento real, autêntico. Dúnia pegou na mão que se lhe estendia e estreitou-a com entusiasmo, alvoroçada e reconhecida. Era a primeira vez que ele se dirigia a ela depois do desgosto do dia anterior. O rosto da mãe iluminou-se de entusiasmo e de felicidade à vista definitiva da tácita reconciliação dos dois irmãos.

– Eia! É por isto que eu gosto dele – murmurou Razumíkhin, que apreciava a cena, recostando-se energicamente na sua cadeira. – Tem uns tais ímpetos!

"Como as coisas correm todas bem com ele! – pensou a mãe para si mesma. – Tem uns impulsos tão nobres, e com que delicadeza simples pôs ponto final a todo aquele mal-entendido de ontem com a irmã: bastou estender-lhe a mão num momento e olhá-la com ternura! E que olhos tão lindos ele tem, e que cara bonita! É mais bonito ainda do que Dúnietchka... Mas, meu Deus, a roupa que ele traz, que mal vestido está! Vássia, o caixeiro da mercearia de Afanássi Ivânovitch, anda mais bem vestido! Oh, que vontade eu tenho de abraçá-lo e... depois punha-me a chorar! Mas não me atrevo, não me atrevo! Como pode isto ser, meu Deus! Embora fale com ternura, tenho medo dele! Mas por que é que eu tenho medo dele?

— Ah, Rodka, talvez não acredites – disse ela de repente, apressando-se a responder à sua observação – que mau bocado passamos ontem, eu e Dúnietchka! Agora que já tudo passou e se acabou, e todos voltamos a ser felizes... pode-se dizer. Calcula que viemos correndo até aqui para te abraçarmos, viemos correndo quase desde o vagão do trem, e essa mulher... sim, essa...! Bom dia, Nastássia! Vai e diz-nos que tu estavas de cama com uma febre fortíssima e que tinhas acabado de levantar sem autorização do médico, que tinhas saído para a rua, delirante, e que tinham ido à tua procura. Não podes imaginar o que isso foi para nós! A mim, veio logo à ideia o trágico fim do Tenente Potántchikov, nosso conhecido, que era amigo do teu pai... não te lembras dele, Rodka?... que se escapou também de casa com febre e de uma maneira parecida, e foi cair no pátio, num poço, de onde só o puderam tirar no dia seguinte. Mas nós, não há dúvida de que ainda exagerávamos mais as coisas. Queríamos sair em busca de Piotr Pietróvitch para conseguir a sua ajuda... porque o certo é que nós estávamos sós – acrescentou com voz lastimosa e, de repente, parou, apercebendo-se de que mencionara Piotr Pietróvitch, e que isso era ainda muito perigoso, apesar de "serem já, agora, de novo, todos muito felizes".

— Sim, sim, tudo isso se vê, não há dúvida – resmungou Raskólhnikov como única resposta, mas com uma cara tão distraída e pouco atenta, que Dúnia até o olhou atônita.

— Não sei o que é que queria... – continuou ele fazendo esforços por recordar. – Sim, olha: *mámienhka* e tu, Dúnietchka, não vão pensar que eu não tinha intenção de ser o primeiro a ir hoje ver-vos e que estivesse à espera que vocês viessem.

— Por que dizes isso, Rodka? – exclamou Pulkhiéria Alieksándrovna, também estupefata.

"Será o caso de que esteja a responder-nos por obrigação – pensou Dúnietchka – e faça as pazes e peça perdão como quem cumpre uma tarefa ou recita uma lição?"

— Eu, assim que acordei, pensei ir ver as duas, mas não pude por causa da roupa; esqueci-me de o dizer ontem... Nastássia... lava este sangue... Acabei agora mesmo de me vestir.

— Sangue? Que sangue? – exclamou, assustada, Pulkhiéria Alieksándrovna.

— Este... Não se assuste, *mámienhka*. É sangue de ontem, de quando saí daqui com febre e encontrei um homem atropelado por um coche... Um funcionário...

— Com febre? Mas se tu te lembras de tudo! – interrompeu-o Razumíkhin.

— É verdade – concordou Raskólhnikov com certa preocupação – lembro-me de tudo, até o último pormenor; mas espera: por que fiz eu aquilo, onde ia, que dizia? Isso é que não consigo explicar.

— É um fenômeno muito conhecido – interveio Zósimov. – A execução do ato costuma ser magistral, esplêndida; mas a reconstituição dos trâmites é alterada e depende de várias impressões mórbidas. Qualquer coisa de semelhante ao que acontece no sonho.

"No fim de contas, não deixa de estar certo que me tomem pouco mais ou menos por um louco", pensou Raskólhnikov.

— Mas isso também acontece às pessoas sãs – observou Dúnietchka, olhando com inquietação para Zósimov.

– É uma observação absolutamente exata – respondeu aquele. – Neste sentido, efetivamente, todos nós, e com muita frequência, somos quase dementes, apenas com a diferença de que os doentes estão um pouco mais loucos do que nós, porque, repare, é preciso distinguir. Mas é uma verdade que não existe o homem normal, de maneira nenhuma; talvez entre dezenas, e pode até ser que entre centenas de milhares, apenas se encontre um, e, ainda assim, em exemplares bastante fracos...

Quando ouviu a palavra "loucos", que Zósimov, preocupado com o seu tema favorito, pronunciara indiscretamente, todos franziram o sobrolho. Raskólhnikov continuou pensativo, como se não tivesse dado atenção, e com um sorriso estranho nos lábios. Continuava pensando em qualquer coisa.

– Bem, e que foi feito desse homem atropelado? Interrompi-te! – exclamou Razumíkhin.

– O quê? – respondeu aquele, como se despertasse. – Ah, sim; bom!... É que estava escorrendo sangue quando eu ajudei a conduzi-lo a casa... Para dizer a verdade, *mámienhka*, eu, ontem, fiz uma coisa imperdoável; de fato, ontem, estava meio tolo. Então não fui e dei todo o dinheiro que me mandara... à viúva... para o enterro! É claro que se trata de uma pobre mulher tísica; três orfãozinhos, mortos de fome... e a casa vazia... e, além do mais, uma filha... Talvez a mãe também os tivesse dado, se os tivesse... aquela gente... Eu, reconheço que não tinha o mínimo direito, sabendo sobretudo quanto lhe custara juntar esse dinheiro. Para socorrer o próximo é preciso começar por ter direito a fazê-lo; se, não, *crevez, chiens, si vous n'êtes pas contents*[32]! – e pôs-se a rir. – Não é verdade, Dúnia?

– Não, isso não é assim – respondeu Dúnia com firmeza.

– Ora! Também tu... com opiniões! – resmungou ele, olhando-a quase com ódio e sorrindo sarcasticamente. – Eu devia ter contado com isso... Bem, seja como for, é louvável; para ti será melhor... e, se chegas a um limite do qual não podes passar... serás infeliz; mas, se o transpões... talvez ainda sejas mais infeliz... Embora, no fim de contas, tudo isso seja absurdo! – acrescentou irritado, de mau humor pela sua involuntária franqueza. – Eu só queria dizer que lhe peço perdão, *mámienhka* – terminou de modo cortante e brusco.

– Basta, Rodka; eu tenho a certeza de que tudo o que tu fazes é bem feito – exclamou a mãe, alvoroçada.

– Pois não deve ter essa certeza – respondeu ele, e franziu os lábios num sorriso. Continuou em silêncio. Havia qualquer coisa de incomodativo para todos, naquele diálogo, naquele silêncio, naquela reconciliação e naquele pedido de perdão, e todos o sentiam.

"Parece que têm medo de mim", pensou Raskólhnikov para consigo, olhando de soslaio a mãe e a irmã. De fato, quanto mais durava o silêncio, mais se inquietava Pulkhiéria Alieksándrovna.

"Na sua ausência, parecia-me que as amava!", passou pela mente dele.

– Ouve, Rodka: sabes que Marfa Pietrovna morreu? – exclamou, de repente, Pulkhiéria Alieksándrovna.

– Qual Marfa Pietrovna?

---

32 Rebentem, cães, se não estão contentes; isto é, cada um que se governe.

CRIME E CASTIGO

– Oh, meu Deus! Marfa Pietrovna, a Svidrigáilova! Escrevi-te tantas cartas a respeito dela...

– A... a... ah! Já me lembro... E de que morreu ela? Ah! A sério? – e de repente estremeceu, como se acabasse de perder o equilíbrio. – Com que morreu? De quê?

– Imagina, de repente! – disse primeiro Pulkhiéria Alieksándrovna, encorajada pela curiosidade. – Morreu quando eu estava escrevendo-te aquela carta... morreu nesse mesmo dia! Dizem que foi aquele homem terrível a causa da sua morte! Dizem que lhe dera uma surra enorme!

– Mas eles se davam assim tão mal? – perguntou ele, dirigindo-se à irmã.

– Não, pelo contrário; ele era sempre muito paciente com ela, até carinhoso. Em muitas ocasiões, era até demasiado condescendente com o seu gênio, e assim durante sete anos... Simplesmente, agora, a paciência dele acabou de repente.

– Sendo assim, não seria tão terrível, visto que suportou sete anos! Mas tu, Dúnietchka, pareces defendê-lo.

– Não, não, era um homem terrível! Eu não posso imaginar nada mais terrível! – respondeu Dúnia quase num tremor, franzindo as sobrancelhas e ficando pensativa.

– Isso aconteceu em casa dele, de manhã – continuou dizendo precipitadamente Pulkhiéria Alieksándrovna. – Depois ela mandou logo atrelar os cavalos para dirigir-se à cidade, assim que tivessem almoçado, porque nesses casos ela ia sempre à cidade; sentou à mesa e almoçou, segundo dizem, com muito apetite...

– Depois da sova?

– ... Aliás, tinha ela sempre esse costume; e logo a seguir, para não atrasar a partida, foi tomar banho... Ela fazia tratamento de banhos, tinha em casa uma fonte fria, e todos os dias, regularmente, lá dava um mergulho; e foi assim que ela entrou na água que lhe deu o ataque!

– Com certeza! – disse Zósimov.

– E ele batia-lhe até machucá-la?

– Isso tanto faz – respondeu Dúnia.

– Hum! A mãe tem uma predileção especial por certos assuntos! – declarou Raskólhnikov de repente, mal-humorado e quase aflito.

– Ai, meu querido, é que eu já não sabia de que havia de falar! – interrompeu-o Pulkhiéria Alieksándrovna.

– Mas a mãe tem medo de mim, todos têm medo de mim? – exclamou ele com um sorriso forçado.

– E nisso tem razão – disse Dúnia, olhando franca e severamente para o irmão. – A *mámienhka*, quando subia as escadas, vinha já a benzer-se de medo...

O rosto dele transtornou-se como se tivesse tido uma convulsão.

– Ah! Mas que disseste tu, Dúnia! Não fiques zangado, Rodka, por favor... Porque disseste isso, Dúnia? – gritou, fora de si, Pulkhiéria Alieksándrovna. – Eu, na verdade, quando vinha para aqui, no vagão do trem, não fazia outra coisa senão pensar no momento em que nos veríamos e poderíamos falar das nossas coisas... Sentia-me tão feliz que nem via o caminho! Era assim que eu vinha! E agora também me sinto feliz... Tu não, Dúnia? Eu sou feliz só por te ver, Rodka...

– Pronto, mãe – murmurou ele perturbado e, sem olhar para ela, apertou-lhe a mão. – Depois teremos tempo de falar disso!

Após ter pronunciado estas palavras tornou a ficar perplexo e empalideceu; outra vez uma como que nova e terrível sensação de frio mortal lhe correu pela alma; de repente compreendeu claramente que acabava de pronunciar uma horrível mentira, que não só não mais teria oportunidade de falar com ninguém, como jamais teria de que nem com quem falar. A impressão dessa dolorosa ideia foi tão violenta que, num momento, se esqueceu quase por completo de tudo, levantou do seu lugar e sem olhar para ninguém, quase que saiu do quarto.

– Que tens? – gritou Razumíkhin, pegando-lhe pelo braço.

Tornou a sentar e pôs-se a passear silenciosamente a vista à sua volta: todos olhavam para ele atônitos.

– Mas por que é que estão todos tão murchos? – exclamou de repente, de uma maneira completamente inesperada. – Digam qualquer coisa! Afinal, por que é que estão aqui? Vamos, falem! Vamos conversar... Reunimo-nos aqui e não dizemos nada... Vamos, digam qualquer coisa!

– Louvado seja Deus! E eu que pensava que ia dar-lhe a mesma coisa que lhe deu ontem... – disse Pulkhiéria Alieksándrovna persignando-se.

– Que tens tu, Rodka? – perguntou Avdótia Românova com desconfiança.

– Nada, é que estava lembrando-me de uma coisa – respondeu ele e, de repente, pôs-se a rir.

– Bom, se é assim, não está mal! Eu também estava pensando... – resmungou Zósimov, levantando-se do divã. – Eu, no entanto, tenho de retirar-me; talvez passe por aqui logo... se puder...

Cumprimentou e saiu.

– Que boa criatura! – observou Pulkhiéria Alieksándrovna.

– Sim, é muito bondoso, uma ótima pessoa, culta, inteligente... – disse de repente Raskólhnikov com certa ligeireza inesperada e uma animação que, até então, não manifestara. – Eu não me lembro de onde é que o conheço, ainda antes de adoecer... Creio que o conheci em qualquer parte... Mas este também é uma excelente pessoa! – disse, apontando Razumíkhin. – Simpatizas com ele, Dúnia? – perguntou e, de súbito, sem saber por que pôs-se a rir.

– Muito – respondeu Dúnia.

– Tu sempre tens coisas! Ordinário! – exclamou Razumíkhin, terrivelmente perturbado e corado, e levantou da cadeira. Pulkhiéria Alieksándrovna sorriu discreta e Raskólhnikov desatou numa gargalhada ruidosa.

– Mas onde é que vais?

– É que eu também... tenho que fazer.

– Tu não tens absolutamente nada que fazer! Fica! Zósimov foi-se embora e tu também queres ir. Não vás... Mas que horas são? Doze? Mas que relógio tão bonito que tu tens, Dúnia! Mas por que é que ficaram outra vez tão calados? Sou só eu que faço a despesa da conversa!

– É um presente de Marfa Pietrovna – respondeu Dúnia.

– E de muito valor – acrescentou Pulkhiéria Alieksándrovna.

– Ah... ah... ah! Mas que grande, quase não parece de senhora!

– Gosto dele assim – declarou Dúnia.

"Pelo visto não é o presente de casamento", pensou para si Razumíkhin e, sem saber por que, ficou alvoroçado.

— E eu pensando que era presente de Lújin... — observou Raskólhnikov.

— Não, ele ainda não ofereceu nada a Dúnietchka.

— Ah... ah... ah! *Mámienhka*, lembra-se de que eu estive apaixonado e com a intenção de casar? — disse ele de repente, olhando para a mãe, que estava impressionada pelo aspecto que tão inesperadamente a conversa estava tomando e pelo tom em que ele proferira aquelas palavras.

— Ah, sim, é verdade, meu querido! — Pulkhiéria Alieksándrovna olhou alternadamente para Dúnietchka e para Razumíkhin.

— Hum! Sim! Mas que é que eu ia contar-lhes? Já quase não me lembro. Era uma moça doente — continuou, como se tornasse a mergulhar nos seus pensamentos íntimos e de olhos baixos, perdidos no vago — gostava de socorrer os pobres e sonhava entrar para um convento, e uma vez pôs-se a chorar quando me falava disso; sim... sim... lembro-me, lembro-me muito bem. Feiazinha... de cara. Nem eu sei, verdadeiramente, por que é que me comprometi com ela; talvez por ela estar sempre doente... Se tivesse sido entrevada ou corcunda ainda gostaria mais dela... — sorriu pensativo. — Isso foi... uma febre de primavera.

— Não, não foi uma febre de primavera — disse Dúnia comovida.

Ele olhou para a irmã, atento e perturbado; mas, ou não ouviu ou não compreendeu as suas palavras. Depois, com um ar meditabundo, levantou, aproximou-se da mãe, abraçou-a, voltou para o seu lugar e tornou a sentar.

— Ainda gostas dela! — exclamou, comovida, Pulkhiéria Alieksándrovna.

— Dela? Agora? Ah, sim... está a referir-se a ela! Pois não. Tudo isso, agora, é como se fosse uma coisa de outro mundo... muito afastado. E tudo quanto me rodeia parece que não acontece aqui!

Contemplou todos atentamente.

— A você, por exemplo, é como se a visse a milhares de verstas de distância... Mas, sabe Deus por que digo eu estas coisas! Quem é que o há de saber? — acrescentou, desgostoso, e ficou calado, pondo-se a morder as unhas e afundado na sua meditação anterior.

— Este quarto é tão feio, Rodka; parece um sepulcro! — exclamou de repente Pulkhiéria Alieksándrovna, interrompendo o doloroso silêncio. — Tenho a certeza de que metade da tua melancolia se deve a este quarto.

— Quarto? — respondeu ele, ensimesmado. — Sim, o quarto contribui muito... Eu também pensava nisso... Mas se soubesse o estranho pensamento que acaba de exprimir, *mámienhka*? — acrescentou de repente, sorrindo de um modo enigmático.

Um pouco mais, e aquela reunião, aqueles parentes, que tornava a ver passados três anos de separação; aquele tom familiar do diálogo, uma vez que não podia fazer nada... iam se tornar para ele, é quase certo, completamente insuportáveis. Mas havia um assunto inadiável, que tinha de ficar sem falta resolvido naquele dia; era essa a decisão que tomara, havia pouco, quando acordara. Agora, esse assunto era uma saída, e isso alegrava-o.

— Sabes uma coisa, Dúnia? — começou, séria e secamente. — Eu, desde já te peço perdão por aquilo que aconteceu ontem; mas acho que é um dever prevenir-te de que, pelo que diz respeito ao principal, não cedo nem um milímetro. Ou eu ou Lújin. Suponhamos que eu seja uma má pessoa; mas, tu, não o deves ser. Chega um.

CRIME E CASTIGO

Se te casares com Lújin deixarei imediatamente de considerar-te como minha irmã.

— Rodka, Rodka! Mas, então, insistes no mesmo de ontem? – exclamou Pulkhiéria Alieksándrovna com amargura. – Para que hás de tu tomar essa atitude? Não posso suportar isso! Ontem dizias o mesmo...

— Meu irmão – respondeu Dúnia com dignidade e também com secura – em tudo isso há um erro da tua parte. Passei a noite meditando, à procura desse erro. Consiste tudo em que tu, pelo visto, supões que me entregam a alguém, e com algum fim, na qualidade de vítima. Mas não é assim, de maneira nenhuma. Eu caso, simplesmente, seguindo a minha inclinação, porque acho desagradável continuar solteira; além do mais, não há dúvida nenhuma de que me considerarei feliz se puder depois ser útil aos meus, simplesmente, isto não é o principal motivo da minha resolução...

"Mente! – pensou ele para consigo, mordendo as unhas quase com raiva. – Orgulhosa! Não quer confessar que está ansiosa por poder dizer que é uma benfeitora! Oh, que péssimos caracteres! Amam como se odiassem! Oh, e como eu... os odeio a todos!"

— Em resumo: vou me casar com Piotr Pietróvitch – continuou Dúnietchka – porque, de dois males, escolho o menor. Tenho a honesta intenção de fazer tudo o que ele espera de mim e, por isso não o engano. Por que sorris dessa maneira?

Também ela corara e pelos seus olhos passou um relâmpago de cólera.

— De fazer tudo? – perguntou ele sorrindo com rancor.

— Até certo ponto. Tanto a maneira como a forma com que Piotr Pietróvitch se comprometeu para comigo, me demonstraram logo aquilo de que ele precisa. Não há dúvida de que ele tem talvez demasiado amor-próprio; mas eu espero que também há de apreciar-me, a mim... Por que tornas a sorrir?

— E tu, por que tornas a corar? Tu mentes, Dúnia; mentes descaradamente, por simples teimosia feminina, para pores as coisas a teu gosto perante mim... Tu não podes sentir respeito por Lújin; eu o vi e falei com ele. Vendes-te com certeza por dinheiro, e não há dúvida que, seja como for, te conduzes com baixeza; mas estou muito satisfeito porque, ao menos, ainda sejas capaz de corar!

— Não é verdade, eu não estou mentindo! – exclamou Dúnietchka, perdendo toda a sua serenidade. – Não casaria com ele se não estivesse convencida de que ele sabia apreciar-me e estimar-me. Felizmente, posso certificar-me disto, sem ficar com dúvidas, hoje mesmo. E este casamento não é nenhuma coisa reles, como tu dizes. Mas, ainda admitindo que tu tenhas razão e que eu, de fato, estava decidida a cometer uma baixeza... de toda a maneira, não seria uma crueldade que tu me falasses como me falas? Por que me exiges assim esse heroísmo, que tu talvez não tenhas? Isso chama-se despotismo, coação. Se eu causo a ruína de alguém, é unicamente a minha! Mas eu não matei ninguém! Por que me olhas dessa maneira, Rodka? Que tens? Por que te puseste tão pálido? Rodka, que sentiste? Rodka, meu filho...

— Meu Deus! Quase que desmaia! – exclamou Pulkhiéria Alieksándrovna.

— Não, não! Foi uma tontura! Não é nada! Uma breve vertigem! Não chegou a ser um desmaio... Vocês têm a mania dos desmaios! Hum! Sim... Que é que eu ia dizendo? Ah, já sei! De que maneira pensas certificar-te hoje de que podes ter respeito por ele e de que ele... te aprecia ou não, conforme disseste? Creio que disseste que seria ainda hoje, se é que eu ouvi bem!

— *Mámienhka*, mostre a carta de Piotr Pietróvitch ao meu irmão – disse Dúnietchka.

Pulkhiéria Alieksándrovna entregou-lhe a carta com mãos trêmulas. Ele a recebeu com grande curiosidade. Mas, antes de abri-la, olhou de súbito para Dúnietchka com certa admiração.

— É estranho – exclamou, ato contínuo, como se de repente uma ideia nova tivesse acabado de assaltá-lo. – Por que me acaloro eu assim tanto? Para que toda esta gritaria? Vai e casa com quem quiseres!

Disse isso como que apenas para si, mas em voz alta e, durante um momento, ficou olhando para a irmã com um ar preocupado.

Finalmente abriu a carta, conservando ainda a expressão de um certo espanto estranho; depois procedeu à leitura, devagar e atentamente, e repetiu-a duas vezes. Pulkhiéria Alieksándrovna estava numa grande inquietação, embora todos os outros esperassem também alguma coisa de especial.

— O que para mim é assombroso – começou ele, depois de uns momentos de reflexão e devolvendo a carta à mãe, mas sem olhar para ninguém em especial – é que ele seja advogado, homem de negócios, e se exprima na conversação de uma maneira que é até... amaneirada... e, apesar disso, escreva tão mal.

Houve um movimento geral; não esperavam de maneira nenhuma aquela saída.

— Toda essa gente escreve assim – observou bruscamente Razumíkhin.

— Mas tu leste a carta?

— Li.

— Nós o deixamos ler, Rodka... Pedimos-lhe conselho... – começou Pulkhiéria Alieksándrovna, muito confusa.

— É um estilo processual – atalhou Razumíkhin. – É assim que redigem todos as folhas processuais.

— Processuais? Sim, é isso: processual, de advogado... Nem demasiado vulgar, nem demasiado literato, advocatício!

— Piotr Pietróvitch não esconde que recebeu uma educação de meia tigela, e até se gaba de se ter feito por si próprio – observou Avdótia Românova um pouco ressentida pelo novo tom do irmão.

— Pois se se gaba, lá deve ter as suas razões para isso; não digo o contrário. Tu, Dúnia, pelo visto ficaste ofendida por eu ter tomado esta carta como pretexto para uma observação sem importância, e pensas que me pus a falar intencionalmente desses pormenores para te aborrecer. Mas não é nada disso. É que me aconteceu, a propósito de estilo, uma observação que não é supérflua no caso presente. Há aí uma frase: "não culpem mais ninguém, senão a si próprias", que não pode ser mais taxativa e clara, sem contar com a ameaça de se ir imediatamente se eu me intrometer. Essa ameaça de retirar-se... equivale à ameaça de vos abandonar se não fordes obedientes, e de abandonar-vos, agora, que vos fez vir a Petersburgo. Bem, vamos a ver o que tu dizes: pode uma pessoa dar-se por ofendida perante essa frase de Lújin, como se fosse aquele que a tivesse escrito – e apontou Razumíkhin – ou Zósimov, ou qualquer outro de nós?

— Não... não! – respondeu Dúnietchka exaltando-se. – Eu compreendo muito bem que se trata de uma expressão perfeitamente ingênua e pode ser que tudo se reduza a que ele não sabe escrever... Nisso pensaste tu bem, irmão. Eu nem sequer esperava...

— Isso está escrito em estilo advocatício, e em estilo advocatício não era possível escrevê-lo de outra maneira, embora talvez lhe tenha saído mais tosco do que ele desejava. Além disso, eu tenho a obrigação de abrir-te um pouco os olhos; nesta carta há também uma calúnia contra mim e bastante reles. Eu dei ontem aquele dinheiro a uma viúva, tuberculosa e esgotada de trabalhar, e não com o pretexto de ajudar ao enterro, mas muito claramente, para o enterro e não por causa da filha... uma moça, como ele escreve, de má fama (e à qual eu nunca na minha vida vira até ontem); dei-o sobretudo a uma viúva. Vejo perfeitamente em tudo isto o confuso desejo de ofender-me e de provocar a discórdia entre nós. Expressão essa também processual; quer dizer, dirigida para um fim evidente e com um cuidado dos mais ingênuos. É um homem com alguma inteligência, mas para proceder com inteligência... é preciso mais qualquer coisa. Tudo isso nos diz quem é esse homem... e parece-me que não deve gostar muito de ti. Falo-te assim, irmã, unicamente para tua orientação, pois desejo sinceramente o teu bem...

Dúnietchka não respondeu; já tomara anteriormente a sua resolução e estava só à espera da noite.

— Bem, e que é que tu resolveste, Rodka? — perguntou Pulkhiéria Alieksándrovna, ainda mais alarmada do que na véspera, pelo súbito e novo tom prático da sua conversa.

— Que é isso de "resolver"?

— É que, repara: Piotr Pietróvitch diz-nos que tu não deverás estar conosco esta noite, e que, em caso contrário, ele se retirará. Por isso... tu pensas vir?

— Quanto a isso, não há dúvida alguma de que não me compete resolver, mas, em primeiro lugar, a você, se é que essa exigência de Piotr Pietróvitch não a ofende, e depois a Dúnia, se também não a ofende a ela. Quanto a mim, farei o que lhe parecer melhor — acrescentou secamente.

— Dúnietchka já tomou a sua resolução e eu estou completamente de acordo com ela — apressou-se a afirmar Pulkhiéria Alieksándrovna.

— Eu resolvera pedir-te, Rodka, tal qual, pedir-te que estivesses presente a essa entrevista, sem falta — disse Dúnia. — Vens?

— Vou.

— E peço-lhe também ao senhor que venha ver-nos às oito — acrescentou, dirigindo-se a Razumíkhin. — *Mámienhka*, eu também quero convidá-lo a ele.

— Fazes muito bem, Dúnietchka. Se é isso o que decidiram — acrescentou Pulkhiéria Alieksándrovna — é isso que há de ser! Isso, para mim, também é um alívio; não gosto de fingimentos nem de mentiras; o melhor de tudo é falar com absoluta franqueza... E agora é lá contigo, Piotr Pietróvitch!

Capítulo IV

Nesse momento a porta abriu-se devagarinho e, olhando timidamente à sua volta, uma mocinha entrou no quarto. Todos se voltaram para olhá-la com espanto e curiosidade. A princípio, Raskólhnikov não a reconheceu. Era Sônia Siemiônovna Marmieládova. Tinha-a visto pela primeira vez na noite anterior, mas apenas por um instante, num ambiente e com um traje tal, que na sua memória ficara a imagem de uma criatura totalmente diferente. Esta de agora era uma mocinha modesta, e até pobremente vestida, muito nova ainda, quase uma menina, modesta e decentezinha, com uma carinha ingênua, mas um pouco sobressaltada. Vestia uma roupinha simples, caseira; na cabeça um chapelinho velho, fora de moda; mas trazia na mão, como na noite anterior, a sua sombrinha. Ao ver o quarto cheio de gente, contra o que esperava, não só ficou embaraçada como completamente desorientada, corou como uma criança e até fez menção de retirar-se.

– Ah... é a menina? – disse Raskólhnikov profundamente admirado e, de súbito, também ele ficou perturbado.

Lembrou-se imediatamente de que a mãe e a irmã estavam já a par, graças à carta de Lújin, da existência de certa moça de má fama. Havia apenas um momento que protestara contra a calúnia de Lújin, declarando que nunca antes vira a referida moça, e eis que ela, de repente, vinha ter com ele. Tudo isto passou vagamente e durante um segundo pela sua imaginação. Mas, reparando mais atentamente, pode ver que ela era uma criatura humilde, a tal ponto humilde que, de repente, lhe inspirou piedade. Quando a moça fez aquele movimento para se retirar, assustada... qualquer coisa se revelou a ele.

– Não a esperava – disse atropeladamente, detendo-a com o olhar. – Faça favor de sentar! Deve vir, com certeza, da parte de Ekatierina Ivânovna. Dê-me licença, aí não, aqui; sentem-se todos!

À chegada de Sonha, Razumíkhin, que estava sentado em uma das três cadeiras de Raskólhnikov, mesmo junto da porta, levantou para que ela pudesse entrar. A princípio, Raskólhnikov indicou-lhe uma ponta do divã onde estivera sentado Zósimov, mas reconsiderando depois que o divã era um lugar demasiadamente "familiar", apressou-se a apontar-lhe a cadeira de Razumíkhin.

– Senta tu aqui – disse a Razumíkhin, acomodando-o na mesma ponta do divã que tinha ocupado Zósimov.

Sonha sentou quase tremendo de medo e olhou timidamente para as senhoras. Era evidente que nem ela própria compreendia como é que podia estar sentada ali, juntamente com elas. Quando pensou nisso sentiu-se tão atemorizada, que de repente tornou a levantar, e completamente desorientada, exclamou, dirigindo-se a Raskólhnikov:

– Eu... eu... vim só por um momento, desculpe ter vindo incomodá-lo – balbuciou. – Foi Ekatierina Ivânovna quem me mandou, porque não tinha outra pessoa de quem se valer... Ekatierina Ivânovna encarregou-me de lhe pedir que não faltasse amanhã ao funeral, de manhã... depois da missa... em São Mitrofan, e depois a casa... a sua casa... comer qualquer coisa... Seria para ela uma grande honra... Mandou-me que lhe pedisse isto muito encarecidamente.

Sonha acabou por ficar completamente confundida e não continuou.

– Farei todo o possível, sem dúvida alguma – respondeu Raskólhnikov levantando-se também, e, muito perturbado, não continuou. – Mas faça o favor de sentar, peço licença por dois minutos.

E ofereceu-lhe uma cadeira. Sonha tornou a sentar e a olhar timidamente, de soslaio e muito envergonhada, para aquelas duas senhoras, acabando por baixar os olhos...

O lívido semblante de Raskólhnikov ruborizou-se; o rapaz parecia completamente transtornado; os olhos brilhavam-lhe.

— *Mámienhka* — disse em tom firme e resoluto — é Sônia Siemiônovna Marmieládova, a filha desse mesmo infeliz Senhor Marmieládov, que ontem, na minha presença, foi atropelado por um carro e do qual já lhe falei...

Pulkhiéria Alieksándrovna lançou um olhar a Sonha e piscou levemente os olhos. Apesar de toda a sua perturbação, perante o firme e reprovador olhar de Rodka, não pode privar-se desse gosto. Dúnietchka olhou séria e atentamente para o rosto da pobre moça e ficou a contemplá-la com perplexidade. Sonha, quando ouviu pronunciar o seu nome, tornou a erguer os olhos, mas ficou ainda mais embaraçada do que antes.

— Eu queria perguntar-lhe — disse Raskólhnikov dirigindo-se a ela rapidamente — como é que passaram hoje. Não as incomodaram? Refiro-me à Polícia.

— Não, tudo tem corrido bem... Não vê que se percebia claramente de que é que ele morrera? Não nos incomodaram; os que se queixaram foram os vizinhos.

— Por quê?

— Porque o cadáver esteve ali muito tempo... Porque, o senhor bem vê, como agora faz este calor e está um ar tão abafado... Por isso ainda esta tarde o levam para o cemitério, onde ficará até amanhã, na capela. A princípio, Ekatierina Ivânovna não queria, mas acabou por compreender que não era possível outra coisa...

— De maneira que hoje...

— Por isso pede-lhe que lhe dê a honra de assistir amanhã ao funeral, na igreja, e de passar depois por sua casa para tomar parte no jantar de enterro.

— Mas ela preparou um jantar?

— Sim, qualquer coisa; encarregou-me com muita insistência de exprimir-lhe o seu agradecimento pelo donativo de ontem... Se não fosse o senhor, agora, não teria com que fazer o enterro — e de súbito tremeram-lhe os lábios e o queixo, mas dominou-se, fez-se forte e apressou-se outra vez a fixar a vista no chão.

Durante o diálogo, Raskólhnikov observava-a, atento. Era uma criaturinha magra e pálida, de feições bastante irregulares, com qualquer coisa de agudo em todo o rosto, com um narizinho e um queixo bicudos. Rigorosamente, não se podia dizer que fosse bonita; mas, em compensação, tinha uns olhos azuis tão claros, e, quando se animavam, a expressão do seu rosto assumia uma tal bondade e candura que cativavam involuntariamente. Havia no seu rosto e em toda a sua figura um traço predominante, característico; apesar dos seus dezoito anos parecia ainda mais nova, quase uma menina, o que transparecia, de uma maneira até cômica, em alguns dos seus gestos.

— Mas, como é que contando com tão poucos recursos, Ekatierina Ivânovna pode pensar em jantares? — perguntou Raskólhnikov, prolongando o diálogo com insistência.

— É que, repare, a sepultura será muito simples... e tudo será simples, de maneira que não sairá caro... Eu e Ekatierina Ivânovna já fizemos a conta e vimos que ainda nos fica qualquer coisa para essa refeição... e Ekatierina Ivânovna tinha o maior empenho em que fosse assim. Ela está... desolada... Ela assim... O senhor já a conhece...

— É compreensível, é compreensível... Claro... Mas por que está olhando tanto para o quarto? Ouça: *mámienhka* acaba de dizer que ele parece um sepulcro.

— O senhor deu-nos tudo quanto tinha, ontem! – exclamou Sonha, de repente, à maneira de resposta, com um murmúrio forçado e rápido, tornando a cravar os olhos no chão. Tremiam-lhe de novo os lábios e o queixo. Havia um momento que estava confusamente admirada perante o pobre quarto de Raskólhnikov, e agora aquelas palavras escaparam-lhe espontaneamente. Seguiu-se um silêncio. Os olhos de Dúnietchka iluminaram-se um pouco e Pulkhiéria Alieksándrovna olhou para Sonha até com afetuosidade.

— Rodka – disse, levantando-se – escusado será dizer que almoçamos juntos. Dúnietchka, vamos... Tu, Rodka, podias sair, passear um pouco, depois deitavas-te, descansavas e ias buscar-nos o mais depressa possível... Tenho medo de te termos cansado...

— Está bem, está bem, irei – disse, levantando-se com certa pressa.

— Mas suponho que não vão almoçar cada um por seu lado! – exclamou Razumíkhin olhando com assombro para Raskólhnikov. – Que dizes?

— Que sim, que irei, claro, claro... Mas fica aqui ainda um momento. Não precisa dele agora, não é verdade, *mámienhka*? Ou estarei eu a açambarcá-lo?

— Oh, não, não! Mas o senhor, Dmítri Prokófitch, podia ter a bondade de vir almoçar conosco!

— Sim, faça-nos o favor de aceitar – pediu Dúnietchka.

Razumíkhin fez-lhes um cumprimento e todo ele irradiou uma certa perturbação. Por um momento todos deram mostras de uma confusão estranha.

— Bem, então, adeus, Rodka, isto é, até logo! Não gosto de dizer adeus. Adeus, Nastássia! Ah, lá disse eu outra vez adeus!

Pulkhiéria Alieksándrovna fez também menção de cumprimentar Sonha, mas o seu gesto não chegou a definir-se bem, e saiu do quarto precipitadamente.

Mas Avdótia Românovna, como se esperasse a sua vez, ao passar atrás da mãe por diante de Sonha, fez a esta um cumprimento atento, cortês e completo. Sônietchka ficou envergonhada, correspondeu ao cumprimento com outro, rápido e alvoroçado, e uma espécie de comoção doentia se refletiu no seu rosto, como se a deferência e a cortesia de Avdótia Românovna lhe tivessem sido penosas e mortificantes.

— Dúnia, adeus a ti também! – exclamou Raskólhnikov já no patamar. – Dá-me a tua mão, ao menos!

— Mas se eu já dei, não te lembras? – respondeu Dúnia, dirigindo-se a ele com um modo afetuoso e coibido.

— Mas que importa isso! Quero apertá-la outra vez!

E apertou com força os seus dedinhos. Dúnietchka sorriu, corou, apressou-se a retirar a mão e correu atrás da mãe, toda alvoroçada, sem saber por quê.

— Ora, assim é que está bem! – disse ele a Sonha quando voltou para o seu lado, e olhou francamente para ela. – Deus tenha os mortos na sua paz, mas que deixe viver os vivos! Não é assim? Não é assim? Não é verdade?

Sonha contemplava quase com espanto o seu rosto subitamente iluminado; ele permaneceu um instante mirando-a de alto a baixo, em silêncio; de repente, toda a história do pai dela lhe acudiu à memória...

— Meu Deus, Dúnietchka! – exclamou Pulkhiéria Alieksándrovna assim que chegaram à rua. – Olha, sinto-me bem contente por ter saído dali, mais à minha vontade. Como é que eu podia imaginar ontem, no trem, que até isto havia de alegrar-me!

— Torno a repetir-lhe, *mámienhka*, que ele ainda está doente. Não reparou? Pode muito bem ser que tenha sofrido por causa de nós e se afligisse. Temos de ser compreensivas, e muito, muita coisa se pode perdoar.

— Pois tu não deste mostras de ser compreensiva! — interrompeu-a Pulkhiéria Alieksándrovna com veemência e aborrecimento. — Sabes uma coisa, Dúnia? É que eu estive olhando para vocês dois e tu és o seu vivo retrato, não tanto na cara como na alma; são os dois melancólicos, os dois arredios e arrebatados, os dois altivos e generosos... Porque não é possível que ele seja um egoísta, não é verdade, Dúnia? E quando penso que há de ir ter conosco esta noite, tenho um pressentimento!

— Não se preocupe, *mámienhka*, será o que tem de ser.

— Dúnietchka! Mas vê um momento só qual é a nossa situação! E se Piotr Pietróvitch se arrependesse? — exclamou, de repente, indiscreta, a pobre de Pulkhiéria Alieksándrovna.

— Mas como é que ele vai arrepender-se depois de tudo o que há pelo meio! — respondeu Dúnia em tom cortante e depreciativo.

— Fizemos muito bem em sairmos agora — interrompeu-a atabalhoadamente Pulkhiéria Alieksándrovna — ele tem de sair para tratar de qualquer coisa, mais não seja para tomar ar... Porque ali, naquele buraco, uma pessoa sufoca... Se bem que, onde é que se pode tomar ar aqui? Aqui, nas ruas, está-se como em quartos sem janelas. Meu Deus, que cidade esta... Espera, afasta-te para um lado! Senão esmagam-te... Trazem para aqui não sei o quê! É um piano, afinal... Como empurram essa... Olha, também me inquieta um pouco essa moça...

— Qual moça, *mámienhka*?

— Essa Sônia Siemiônovna, a que acabou de entrar ali...

— E por que?

— Porque meu coração adivinha, Dúnia. Bem, quer tu acredites ou não, assim que ela entrou pensei logo que ela é que é a chave de tudo...

— Nada disso! — exclamou Dúnia com ar desgostoso. — Lá está a *mámienhka* com os seus pressentimentos! Ele só a conhece desde ontem, e tanto que, quando ela entrou, nem a reconheceu.

— Pois então deixa ver! Tive um mau pressentimento, vais ver, vais ver! Pareceu-me que fiquei cheia de medo; mirava-me e remirava-me com tais olhos que eu não podia estar quieta na cadeira quando ele a apresentou, lembras-te? E o mais estranho para mim é ter Piotr Pietróvitch dito o que ela é, e ele, então, apresenta-a a mim e a ti também! Pelo visto gosta muito dela!

— Se fôssemos fazer caso de tudo o que nos dizem! De mim também falaram e escreveram. Já se esqueceu? Mas eu tenho a certeza de que ela... é muito boa e de que tudo isso são... mentiras!

— Deus queira!

— Piotr Pietróvitch é um vil caluniador — disse Dúnietchka inesperadamente.

Pulkhiéria Alieksándrovna baixou a cabeça. O diálogo foi interrompido.

— ...

— Olha, vou expor-te o assunto de que queria falar-te — disse Raskólhnikov, conduzindo Razumíkhin até ao janelo.

– Então digo a Ekatierina Ivânovna que o senhor irá... – balbuciou Sonha, fazendo um cumprimento de despedida.

– Agora estou consigo, Sônia Siemiônovna; nós não temos segredos, não nos incomoda... Ainda tenho que dizer-lhe umas coisas... Olha – disse, encarando de repente Razumíkhin, sem acabar a frase, e como se a tivesse interrompido. – Tu conheces esse... bem, já sabes a quem me refiro, não é verdade? Como se chama ele, Porfíri Pietrovitch?

– Sim. É meu parente. Mas de que se trata? – acrescentou aquele com uma certa expressão de curiosidade.

– É desse assunto... Bem, daquele crime... de que falamos ontem... e cujo processo ele está organizando, não é?

– Sim ... mas... – e Razumíkhin abriu de repente uns olhos enormes.

– É que ele anda investigando os nomes dos clientes da usurária e eu também tinha lá objetos, pouca coisa, é claro: um anel que a minha irmã me ofereceu como recordação quando eu vim para aqui, e um relógio de prata, que era do meu pai. Tudo isso valerá ao todo uns cinco ou seis rublos; mas eu tenho essas coisas em grande estima por serem recordações. Que hei de fazer agora? Não queria que esses objetos fossem vendidos, sobretudo o relógio. Há pouco até tremi com medo de que a minha mãe mostrasse desejo de vê-lo, quando a conversa caiu sobre o relógio de Dúnietchka. É a única coisa que nos resta de meu pai. Ela até ficaria doente se o vendessem! Coisas de mulheres! Por isso, diz-me o que hei de fazer! Já sei que há de ser preciso fazer alguma declaração. Mas não seria melhor dizer ao próprio Porfíri? Que te parece? O caso é urgente. É que tu bem vês: é muito provável que *mámienhka* me faça alguma pergunta à mesa!

– Não é preciso declaração nenhuma, o que é preciso é ir ter com Porfíri! – exclamou Razumíkhin com uma comoção invulgar. – Ah, como eu fico contente! Anda, vamos já lá, é daqui a dois passos; vamos encontrá-lo, com certeza!

– Bem, então, vamos!

– Ele vai ficar muito, muitíssimo, mil vezes contentíssimo por te conhecer. Eu lhe tenho falado muito de ti, em várias ocasiões... Ainda ontem estivemos falando de ti. Vamos então... Com que então conhecias a velha! Esta agora! Olha como as coisas se encadeiam... tão bem! Ah, sim... Sônia Ivânovna...

– Sônia Siemiônovna – retificou Raskólhnikov. – Sônia Siemiônovna, este é o meu amigo Razumíkhin, uma excelente pessoa...

– Se precisa sair... – começou Sonha, sem olhar para Razumíkhin, e ainda mais envergonhadinha por isso mesmo.

– Anda, vamos! – resolveu Raskólhnikov. – Eu passarei por sua casa ainda hoje, Sônia Siemiônovna; mas diga-me onde mora.

Não parecia perturbado; mas disse isso depressa e evasivamente e evitando os olhares da moça. Sonha deu-lhe o endereço e, quando o fez, corou. Saíram todos juntos.

– Mas não fechas o quarto à chave? – perguntou Razumíkhin quando saía para o patamar atrás dele.

– Nunca fecho! Além disso, há já dois anos que ando pensando em comprar uma fechadura – acrescentou despreocupadamente. – Felizes aqueles que não têm nada que guardar! – acrescentou, dirigindo-se a Sonha.

E na rua pararam à porta.

– Vai para a direita, não é verdade, Sônia Siemiônovna? E a propósito, como é que deu comigo? – perguntou, como se quisesse dizer-lhe qualquer coisa completamente diferente. Sentia vontade de olhar os seus olhos plácidos, transparentes, e não o conseguia completamente...

– Porque o senhor deu ontem o seu endereço a Pólietchka!

– A Pólia? Ah. sim... Pólietchka! É a sua irmãzinha... mais nova? De maneira que lhe deu a minha direção...

– Parece que já se esqueceu...

– Não... estou a lembrar-me...

– Eu já ouvira falar no senhor ao meu falecido... Simplesmente não sabia o seu nome... e hoje veio... e como já sabia o seu nome desde ontem, perguntei: "Onde mora o senhor Raskólhnikov?". Eu não sabia que o senhor também vivia num quarto sub-alugado... Mas adeus! Depois direi a Ekatierina Ivânovna...

Estava contentíssima por poder finalmente retirar-se; foi andando para trás, correndo, para que eles a perdessem o mais depressa possível de vista e poder percorrer rapidamente os vinte passos de distância que havia dali até à primeira embocadura, à direita, ver-se finalmente sozinha, e então, andando ligeira, sem olhar para ninguém nem reparar em nada, pôs-se a pensar, a recordar, a evocar na imaginação todas as palavras ditas, todas as circunstâncias. Nunca, nunca ela sentira nada parecido. Todo um mundo novo, desconhecido e insuspeitado surgira na sua alma. Lembrou-se de repente que Raskólhnikov tencionava ir vê-la naquele mesmo dia, talvez naquela mesma manhã, quem sabe se naquele mesmo momento.

"Oxalá não seja hoje, não seja hoje! – murmurava, de coração confrangido, como se implorasse a alguém, à maneira duma criança assustada. – Senhor! A minha casa... àquele quarto... E verá... Oh, meu Deus!"

E, não há dúvida de que por causa disso não pode reparar num cavalheiro, que ela não conhecia, que a seguia de perto e se lhe atravessou no caminho. Vinha-a seguindo desde a própria porta da casa. Precisamente no momento em que os três, Razumíkhin, Raskólhnikov e ela, pararam para trocar ainda as últimas palavras, já no passeio, esse transeunte, ao passar no lugar em que eles estavam, teve um estremecimento quando ouviu no ar as palavras de Sonha: "E perguntei: onde mora o Senhor Raskólhnikov?" Rápida, mas atentamente, o homem olhou para os três, sobretudo para Raskólhnikov, ao qual Sonha se dirigia; depois olhou para a casa e reparou bem nela. Tudo isto durou apenas um segundo, e o transeunte não deixou de andar e procurou não chamar a atenção, passou de largo, amortecendo os passos, como se esperasse alguém. Esperava por Sonha; viu que estavam já a despedir-se e que Sonha ia seguir outra direção, que ia para sua casa.

"Mas onde viverá ela? Parece-me que esta cara não me é desconhecida – pensava, recordando o rosto de Sonha. – Preciso conhecê-la."

Assim que chegou à embocadura da rua, mudou de passeio, tornou a olhar e viu que Sonha vinha já atrás dele, seguindo o mesmo caminho e sem reparar em nada. Quando chegou à esquina, ela meteu-se também pela embocadura. Ele caminhou atrás sem perdê-la de vista, desde o outro passeio; assim que andou cinquenta passos, atravessou o passeio onde Sonha ia, alcançou-a e pôs-se a escoltá-la a uma distância de cinco passos.

Era um homem de uns cinquenta anos, de estatura acima da média, de ombros largos e altos, que o faziam parecer encorcovado. Vestido com elegância e seriedade, parecia um importante cavalheiro. Levava na mão uma bonita bengala, com a qual batia no chão a cada passo, e calçava as mãos numas luvas flamantes. O seu rosto, largo, bochechudo, era bastante simpático, e a cor da pele, fresca, nada petersburguesa. Os cabelos, ainda fartos, eram completamente louros, e mal começavam a embranquecer, a barba ampla, farta, que lhe pendia como uma pá, era ainda mais clara de cor do que o cabelo da cabeça. Tinha os olhos azuis e o olhar frio, insistente e perscrutador, os lábios muito vermelhos. Era, de uma maneira geral, um homem muito bem conservado e parecia muito mais novo do que era.

Quando Sonha chegou junto do canal encontraram-se os dois no mesmo ponto do passeio.

No momento em que olhou para ela, ele viu o seu ensimesmamento e a sua distração. Assim que chegou a casa, Sonha entrou e ele fez outro tanto atrás dela e como se sentisse certa estranheza. Já no pátio, ela torceu para a direita, para um canto, de onde a escada partia até ao seu andar. "Espere!" – murmurou o incógnito cavalheiro e começou a subir os degraus atrás dela. Foi só então que Sonha reparou nele. A moça subiu ao terceiro andar, entrou logo por um corredor e chamou no número nove, em cuja porta estava escrito a giz: "Kapernaúmov, alfaiate". "Espere!", tornou a repetir o desconhecido, espantado com a estranha coincidência, e chamou também no número oito. As duas portas ficavam a uns seis passos uma da outra.

– Mora em casa de Kapernaúmov! – disse ele olhando Sonha e sorrindo. – Ontem, costurou-me um colete. Eu venho a esta outra porta, a casa de *Madame* Reslich, a Senhora Kárlovna. O que são as coisas!

Sonha olhou-o atentamente.

– Vizinhos – continuou ele dizendo com um especial bom humor. – Olhe, eu venho à cidade de três em três dias. Bem, até à vista!

Sonha não lhe respondeu; abriu a porta e meteu-se em casa. Sentia vergonha, não sabia de que, e uma espécie de receio.

A caminho da casa de Porfíri, Razumíkhin ia numa disposição de espírito particularmente alegre.

– Isto, meu caro, é formidável! – repetiu várias vezes. – Estou tão contente! Tão contente!

"Por que estará ele tão contente?", pensava Raskólhnikov em silêncio.

– Olha, é que eu não sabia que tu também figuravas entre os clientes da velha... E... e... há muito tempo que estiveste pela última vez em casa dela?

"Mas que tolo tão ingênuo!"

– Há muito tempo? – e Raskólhnikov parou a refletir. – Há uns três dias antes da sua morte, creio que foi. Aliás, não vou levantar os objetos neste momento – fez notar com certa pressa e como se eles o preocupassem muito – porque estou outra vez apenas com um rublo de prata... por causa desse três vezes maldito delírio de ontem...

Referiu-se ao delírio de uma maneira especialmente sugestiva.

– Bem, sim, sim, sim – concordou Razumíkhin apressadamente e sem saber por que. – Foi por isso que, daquela vez... a mim, em parte, chocou-me... Sabes uma coisa? No meio do delírio tu também falavas de umas correntes e de uns anéis! Era isso, era isso! Agora está tudo claro, claríssimo!

"Olá! Com que então já lhe tinha vindo isso à ideia! É um homem capaz de se sacrificar por mim e, no entanto, é ver como ele está tão contente por já poder explicar, agora, que eu, no meu desvario, falasse de correntes! Essa ideia devia ter-se arraigado em todos eles!"

– Mas vamos encontrá-lo? – perguntou em voz alta.

– Encontramos, encontramos – respondeu Razumíkhin, pressuroso. – É um homem formidável, meu caro, vais ver. Um pouco tolo; quero dizer, é um homem mundano, lá isso é; mas eu chamo-o tolo noutro sentido. – Um rapaz inteligente, mesmo muito inteligente, simplesmente, tem uma maneira de pensar um pouco extravagante... Desconfiado, cético, cínico... Gosta de enganar, isto é, de enganar, não, mas de atrapalhar as pessoas... E materialmente agarrado aos velhos métodos... Embora conheça o seu ofício, isso conhece... Foi ele quem descobriu o ano passado o autor daquele crime cuja pista se perdera completamente. Tinha muito, muito desejo de conhecer-te.

– Mas por que tem ele esse desejo assim tão grande?

– Não é porque... Olha, nos últimos tempos, quando tu caíste doente, eu falava de ti a cada momento... Pois bem; ele me ouvia... e como sabia que não tinhas podido terminar o teu curso de Direito, em virtude de determinadas circunstâncias, disse: "Que pena!" Donde eu concluí... bem... é tudo isso junto e mais alguma coisa. Ontem, Zamiótov... Olha, Rodka, eu, ontem, quando estava bêbado, pus-me a contar-te uma história qualquer, quando íamos para tua casa, e tenho medo, meu amigo, que tu exageres as coisas, estás ouvindo?

– Mas a que propósito vem isso? Talvez me tomem por louco... Sim, e é possível que tenham razão.

E soltou um riso forçado.

– Sim, sim... isto é, ufa! Não... Bem, tudo isso que acabo de dizer... (e o resto também) era tolice e efeito da bebida.

– Mas por que te desculpas? Já estou tão farto disto tudo! – exclamou Raskólhnikov com um aborrecimento exagerado. – Se bem que, além de tudo mais, estivesse, em parte, fingindo.

– Bem sei, bem sei, compreendo. Podes ter a certeza de que compreendo. Até tenho vergonha de falar nisso...

– Então, se tens vergonha, não fales!

Ficaram ambos calados. Razumíkhin estava mais que entusiasmado e Raskólhnikov reparava nisso com repugnância. O que o outro lhe disse acerca de Porfíri acabou por desassossegá-lo.

"A este também é preciso inspirar dó – pensou, empalidecendo e confrangido – e inspirar com toda a naturalidade. O mais natural de tudo seria não lhe inspirar, dominar-me para nada lhe inspirar. Não; isso de dominar-me já não seria natural... Bem; já se vai ver o aspecto que as coisas têm ali... Farei bem ou mal em ir até lá? A borboleta, é ela própria que voa para a chama. Sinto o pulsar do coração; sinal de que não faço bem."

– É nesse prédio cinzento – indicou Razumíkhin.

"O mais importante de tudo é o fato de Porfíri saber que eu estive ontem no andar daquela bruxa e perguntei pelo sangue. É preciso adivinhá-lo num momento, desde o primeiro olhar; ler na cara dele, assim que entrar, de contrário... sou um homem perdido, bem sei..."

— Sabes uma coisa? – disse, encarando de repente Razumíkhin e sorrindo maliciosamente. – Eu, meu amigo, já notei, desde esta manhã, que te encontras num estado de comoção invulgar. É verdade ou não?

— Que comoção? Estás absolutamente enganado – rebateu Razumíkhin.

— Não, meu amigo, vê-se. Estavas sentado na cadeira de uma maneira como nunca te sentas, quase mesmo à beira, e parecia que tinhas convulsões. Remexias-te para um lado e para outro. Tão depressa te aborrecias, como, sem se saber por que, ficavas com uma cara muito derretida. Até coravas; sobretudo quando te convidaram para almoçar, ficaste terrivelmente corado.

— Nada disso. Tudo isso é mentira! Por que me dizes isso?

— És tímido como um colegial! E lá tornaste tu a corar!

— És um porcalhão!

— Mas por que ficas assim, tão atrapalhado! Romeu! Deixa estar que ainda hoje o hei de dizer num certo lugar. Ah, ah, ah! Vou fazer com que *mámienhka* dê risada, e outra pessoa também...

— Ouve, ouve, ouve, olha que isso não é para brincadeiras, olha que...

— Que irá ele fazer, ó diabo?! – gritou finalmente Razumíkhin, transido de espanto. – Mas que vais tu contar-lhes? Eu, meu amigo... Sempre és um porcalhão!

— És simplesmente um botão de rosa primaveril. Se tu soubesses como isso te fica bem! Um Romeu com dez verstas de altura! E como te arranjaste hoje, está um primor. Mas quando é que se viu uma coisa destas?! Se até pôs brilhantina! Ora deixa lá ver, baixa a cabeça!

— Porcalhão!

Raskólhnikov riu com tal vontade, que parecia não se poder conter e, rindo assim, entraram ambos no quarto de Porfíri Pietróvich. Era isso que Raskólhnikov desejava: que, no quarto, pudessem ouvi-los entrar a rir, com um riso que se prolongava até à entrada.

— Nem uma palavra, ali, senão... acabo contigo! – disse Razumíkhin em voz baixa e furioso, a Raskólhnikov, puxando-lhe pelo ombro.

Capítulo V

Entraram no quarto. E ele fez isso com o aspecto de quem se esforça ao máximo por reprimir o riso. Atrás dele, com a cara completamente crispada pelo furor, vermelho como um tomate, desajeitado, ia Razumíkhin. Tanto o seu rosto como toda a sua pessoa eram naquele momento verdadeiramente grotescos e justificavam os risos de Raskólhnikov. Este, antes que tivessem dado por ele, fez uma reverência, parando a meio da sala, e ficou olhando interrogativamente para o seu dono enquanto lhe estendia a mão, esforçando-se no entanto, aparentemente, por conter a sua hilaridade. Mas, mal tivera tempo de pôr uma cara séria e murmurar alguns sons, quando, de repente, como se fosse involuntariamente, tornou a fixar os olhos sobre Razumíkhin e não pode reprimir-se: o riso contido brotou tanto mais irreprimível quanto mais esforço fizera até então para dominar-se. A extraordinária indignação que aquele riso "cordial" infundia em Razumíkhin comunicava à cena um caráter de franca alegria e, sobretudo, de naturalidade. Razumíkhin secundava-a intencionalmente.

– Ufa, que diabo! – exclamou iracundo, gesticulando e dando uma pancada num pequeno candeeiro sobre o qual havia um copinho de chá. Caiu tudo ao chão ruidosamente.

– Mas para que é tanta algazarra, meus senhores? Isso significa uma perda para o Estado – exclamou Porfíri Pietróvitch jovialmente.

A cena corria desta maneira: Raskólhnikov, com as suas risadas, esquecera a sua mão na do dono da casa; mas, consciente da sua ação, aguardava o momento de acabar o cumprimento da maneira mais rápida e natural; Razumíkhin, que acabara por ficar completamente atrapalhado com a queda do candeeiro e com a quebra do copo, contemplou os cacos com uma expressão sombria, cuspiu e afastou-se logo em direção à janela, onde ficou de costas para os amigos e de sobrolho ferozmente carregado, olhando para fora mas sem ver nada. Porfíri Pietróvitch pôs-se a rir, e ria com vontade, embora fosse evidente que lhe era indiferente ouvir uma explicação. Num canto, sentado na sua mesa, estava Zamiótov, que levantara um pouco quando viu entrar os visitantes e esperava, de boca aberta num sorriso, mas contemplando a cena com perplexidade e até receoso, e a Raskólhnikov, com uma evidente curiosidade. A inesperada presença de Zamiótov causou-lhe uma desagradável impressão.

"Eis aqui uma coisa que deve ser tomada em conta", pensou.

– Queira desculpar – começou Raskólhnikov, fingindo-se embaraçado.

– Ora essa! Tenho muito prazer, os senhores entraram de uma maneira muito engraçada. Mas, quê? nem ao menos nos quer dar os bons-dias? – e Porfíri Pietróvitch apontou Razumíkhin com um gesto.

– Por amor de Deus, não sei por que te puseste assim comigo! A única coisa que eu lhe fiz, foi dizer-lhe durante o caminho que ele parecia um Romeu e... demonstrar-lhe isso, e, que eu saiba, não se passou mais nada.

– Porco! – respondeu Razumíkhin sem se voltar.

– Isso quer dizer que ele tem sérias razões, quando se aborrece, assim, só por uma palavrinha – observou Porfíri rindo.

– Bem, tu, juiz de instrução... Vão todos para o diabo que os carregue! – exclamou Razumíkhin e, de repente, pondo-se também a rir, com a cara mais alegre deste mundo, como se nada se tivesse passado, aproximou-se de Porfíri Pietróvitch.

– Trocista! Vocês são todos uns imbecis. Vamos ao que interessa: aqui tens o meu amigo Rodion Românitch Raskólhnikov, o qual, antes de mais, me ouviu falar de ti e tinha muita vontade de conhecer-te, e, além disso, precisa de falar-te num assunto. Olá, Zamiótov! Então estás aqui? Mas, então, conhecem-se? Desde quando?

"Mais esta!", pensou Raskólhnikov.

Zamiótov pareceu ficar um tanto perturbado, mas não muito.

– Conhecemo-nos ontem em tua casa – disse com despreocupação.

– Então isso me poupou um trabalho; desde a semana passada que não fazia outra coisa senão insistir comigo para que o apresentasse a ti, Porfíri, e afinal não precisaram de mim para se conhecerem... Onde tens o tabaco?

Porfíri Pietróvitch estava em traje caseiro: de roupão, roupa interior muito limpa, e chinelos. Era um homem de uns trinta e cinco anos, de estatura um pouco abaixo da média, um tanto cheio e até com o ventre proeminente, de cara completamente rapada, sem bigode nem suíças, com o cabelo cortado rente na sua cabeça grande e redonda, que formava uma protuberância muito arredondada, sobretudo no cachaço. A cara, cheia, redonda e um pouco achatada, era de uma cor doentia, amarela escura, mas muito viva e até risonha. Se não fosse a expressão dos olhos de um certo brilho aquoso, cobertos por umas pestanas quase brancas, sempre em movimento, como se estivesse piscando os olhos a alguém, poderia ser qualificada de bonachona. O olhar desses olhos formava um contraste estranho com toda a sua figura, em que havia algo de feminino, e comunicava-lhe uma seriedade maior do que, à primeira vista, se podia esperar.

Assim que ouviu dizer que o visitante tinha um assunto a tratar consigo, Porfíri Pietróvitch pediu-lhe imediatamente que se sentasse no divã, sentando-se ele na outra ponta, e ficou olhando para ele, na expectativa imediata da exposição do assunto, com essa atenção forçada e demasiado séria que é até aborrecida e perturba pela primeira vez, sobretudo a um desconhecido, e, principalmente, se aquilo que se tem a dizer não tem importância proporcional, em vosso entender, a essa atenção desusadamente grave que vos mostram. Mas Raskólhnikov expôs-lhe o assunto em frases breves e despreocupadas, com toda a clareza e precisão, e ficou tão satisfeito consigo próprio que até teve tempo para reparar muito bem em Porfíri. Porfíri Pietróvitch também não afastou dele a vista nem uma só vez, durante todo esse tempo. Razumíkhin, que se colocara em frente deles na mesma mesa, seguia com ardor e impaciência a exposição do assunto, passeando alternadamente o olhar de um para o outro, o que, de certa maneira, era inconveniente.

"Imbecil", murmurou Raskólhnikov para consigo.

— Deve participar à Polícia — respondeu Porfíri com o ar mais objetivo deste mundo — comunicando-lhe que, estando a par desse acontecimento, ou seja, desse crime... pede, por sua vez, que seja comunicado ao juiz de instrução, encarregado do processo, que tais e tais objetos lhe pertencem e que os deseja reaver... ou então... mas depois lhe escreverão.

— O pior é que, agora, neste momento — objetou Raskólhnikov, fazendo o possível por parecer inquieto — ando muito mal de dinheiro... e nem sequer essa insignificância poderia... Eu, repare, só queria, por agora, apenas fazer constar que esses objetos são meus, e quando tiver dinheiro...

— Isso é indiferente — respondeu Porfíri Pietróvitch, acolhendo com toda a frieza aquela declaração financeira — além disso, se assim o desejar, o senhor pode me escrever, diretamente, nesse sentido, dizendo que, estando a par do caso, e como esses objetos lhe pertencem, pede...

— Em papel comum? — apressou-se a interrompê-lo Raskólhnikov, tornando a mostrar interesse pelo aspecto financeiro do assunto.

— Oh, em qualquer! — e, de repente, Porfíri Pietróvitch ficou olhando-o com certo sarcasmo, pestanejou e pareceu piscar-lhe os olhos. Se bem que isso pudesse ter sido uma ilusão de Raskólhnikov, porque foi apenas coisa de um segundo. Mas, pelo menos, houve qualquer coisa. Raskólhnikov era capaz de jurar que ele lhe piscara os olhos, sabia-se lá por que.

"Sabe tudo!", passou-lhe pela mente, num relâmpago.

— Desculpe ter vindo incomodá-lo por esta ninharia — continuou, um tanto apressado. – Os referidos objetos valerão, no máximo, cinco rublos; mas eu tenho uma estima especial por eles, porque são recordações daqueles que me presentearam e, francamente, quando soube daquilo, tive muito receio...

– Ah! Por isso ficaste tão impressionado quando eu disse ontem a Zósimov que Porfíri andava investigando quais eram os clientes da velha! – disse Razumíkhin intencionalmente.

Aquilo já era insuportável. Raskólnikov não pode conter-se e assestou sobre ele os olhos, fulgurantes de cólera. Mas em seguida dominou-se.

– Meu caro, pelo visto, tu queres troçar de mim – disse, encarando-o numa excitação habilmente fingida. – Concordo que talvez eu tenha demonstrado excessiva inquietação por causa dessas velharias; mas, por causa disso, ninguém me pode acusar, nem de egoísta nem de cobiçoso, pois essas insignificâncias podem muito bem não ser assim consideradas a meus olhos. Disse-te há pouco que esse relógio de prata, que não vale mais do que um *groch*, é a única coisa que me resta de meu pai. Podes dar risada de mim; mas veio da minha mãe – e encarou, de repente, Porfíri – e se ela soubesse – apressou-se a dirigir-se a Razumíkhin, esforçando-se sobretudo por fazer com que lhe tremesse a voz – que eu me tinha desfeito desse relógio, garanto-te que teria um desgosto enorme. Mulheres!

– Mas não é nada disso, não foi essa a minha intenção, muito pelo contrário! – gritou com amargura Razumíkhin.

"Teria eu dito isto com naturalidade? Não terei exagerado? – disse Raskólnikov para si mesmo. – Por que disse eu isso de 'mulheres'?"

– De maneira que, a sua mãe, veio visitá-lo? – perguntou Porfíri Pietróvitch, por qualquer motivo.

– Veio.

– E desde quando aqui se encontra?

– Desde ontem.

Porfíri ficou calado, como se refletisse.

– Os seus objetos não se encontram nesse caso e não podem ser vendidos – continuou a dizer, tranquila e friamente. – Havia já muito tempo que eu esperava vê-lo aqui.

E, como se não tivesse dito nada, aproximou com cuidado o cinzeiro de Razumíkhin, que deixava cair sem cuidado algum a cinza do cigarro sobre o tapete. Raskólnikov estremeceu; mas Porfíri parecia nem sequer olhar para ele, de tão preocupado com o cigarro de Razumíkhin.

– O quê? Já o esperavas? Mas, por acaso, sabias tu que ele tinha ali objetos empenhados? – exclamou Razumíkhin.

Porfíri Pietróvitch encarou diretamente Raskólnikov.

– Os dois objetos que lhe pertencem, o anel e o relógio, tinha-os ela embrulhados num papelinho, e neste papelinho estava escrito o seu nome, muito claro, a lápis, bem como o dia do mês em que os empenhara...

– É curioso como o senhor repara em tudo! – disse Raskólnikov, sorrindo sem jeito e lutando, sobretudo, por olhá-lo diretamente nos olhos; mas não pôde conter-se e em seguida acrescentou: – Há um momento eu imaginava que os clientes deviam ser muitos, com certeza... e que lhe devia ser muito difícil recordar-se de todos... O senhor, em compensação, tinha-os a todos afetuosamente no pensamento e... – interrompeu-

-se. "Estúpido! Fraco! Por que terei eu acrescentado isto?", pensou.

– Conhecemos já quase todos os clientes, de maneira que o senhor é o único que ainda não apresentou a sua reclamação – respondeu Porfíri com uns assomos, quase imperceptíveis, de zombaria.

– Eu não estava bem de saúde.

– Sim, ouvi falar nisso. Disseram-me também que o senhor estava muito excitado não sei por que motivo. Neste momento parece-me que também está um pouco pálido.

– Nada disso, pelo contrário, estou completamente restabelecido – disse Raskólhnikov grosseira e hostilmente, mudando subitamente de tom. Fervia em cólera e não podia conter-se. "Vou denunciar-me com esta cólera! – tornou a pensar. – Mas por que me martirizam?"

– Completamente bom, não está – contradisse Razumíkhin. – Ainda ontem estava quase sem conhecimento, delirando... Mas, queres acreditar, Porfíri... assim que pode ter-se de pé, e assim que nós saímos dali, eu e Zósimov, ontem, vestiu-se, escapou-se e foi não sei onde, e por lá andou quase até de madrugada, e isso no mais completo estado de delírio, garanto-te. Portanto já podes imaginar. É um caso interessante!

– Disseste no "mais completo estado de delírio?" Faz o favor de falar – e Porfíri moveu a cabeça num gesto um pouco feminino.

– Oh, é um disparate! Não acredite nele! Se bem que não é preciso ser eu a dizer-lhe que não acredite – e Raskólhnikov deixou transparecer já uma ira excessiva. Mas Porfíri procedeu como se não tivesse ouvido essas estranhas palavras.

– Mas como é que tu podias sair de casa se não estivesses delirando? – insistiu Razumíkhin. – Por que saíste? Para quê? E, sobretudo, por que saíste às escondidas? Ora vejamos: estarias tu em teu perfeito juízo? Agora que o perigo já passou, posso falar-te francamente.

– É que ontem todos me aborreceram – disse Raskólhnikov dirigindo-se a Porfíri com um sorrisinho indolente de censura – e eu saí de casa com a intenção de procurar outro quarto onde não pudessem dar comigo e levei a mão cheia de dinheiro. Ali está o senhor Zamiótov, que viu o dinheiro. Ora vamos ver, senhor Zamiótov: eu, ontem, estava em meu perfeito juízo ou estava delirando? Vamos, decida o senhor sobre esta questão!

Parecia que, nesse momento, de boa vontade teria estrangulado Zamiótov. O seu olhar e o seu silêncio desagradaram-lhe completamente.

– Em meu entender, o senhor falava muito sensatamente e até com malícia, simplesmente estava muito excitado – opinou secamente Zamiótov.

– Mas hoje, Nikodim Fomitch informou-me – interveio Porfíri Pietróvitch – que, ontem, já bastante tarde, o encontrou em casa de certo funcionário, atropelado por um carro.

– Isso mesmo, a propósito desse funcionário – interpôs Razumíkhin. – Só isso bastaria! Não te portaste aí como um tolo? Deste à viúva tudo quanto tinhas contigo, para o enterro. Porque, está bem, se querias socorrê-la... podias ter-lhe dado quinze rublos, vinte rublos, mas ficando ao menos com três para ti; mas tu, zás, entregaste-lhe nada mais nada menos do que vinte e cinco rublos.

– Mas tu não sabes que é possível que eu tenha encontrado um tesouro? Foi por isso que, ontem, me mostrei tão liberal... Olha, o Senhor Zamiótov sabe que eu encontrei um tesouro... Mas desculpe – disse, encarando Porfíri de lábios trêmulos – há já meia hora que estamos entretidos com tolices. Estamos a aborrecê-lo, não é verdade?

– Nada disso, pelo contrário. Se soubesse como me interessa! É curioso vê-lo e ouvi-lo... e, confesso-lhe, congratulo-me muito porque se tenha resolvido, finalmente, a reclamar...

– Mas dá-nos ao menos um pouco de chá! Já temos a garganta seca! – exclamou Razumíkhin.

– Ótima ideia! Fazemos-te todos companhia. Mas não quererás também qualquer coisa de mais substancial antes do chá?

– Claro que sim.

Porfíri Pietróvitch afastou-se para pedir o chá.

As ideias entrechocavam-se num redemoinho, no cérebro de Raskólhnikov. Estava terrivelmente excitado.

"O mais importante é que não procurem esconder-se e não andem por portas travessas. E a propósito de que, se não me conhecias, falaste de mim com Nikodim Fomitch? Pelo visto nem sequer pretendem ocultar que me seguiam a pista, como sabujos. Com que franqueza me cospem na cara! – e tremia de raiva. – Pois bem: batam de uma vez e não andem a brincar como o gato com o rato. Isso não é delicado. Porfíri Pietróvitch, olha que pode acontecer que eu não consinta! Vou levantar e direi toda a verdade, na sua cara, a verdade toda, e verão como os desprezo a todos! – respirava precipitadamente. – Mas se isto tudo fosse uma ilusão minha, se tudo isto fosse uma simples miragem, e eu estivesse enganado, e me enfurecesse pela minha inexperiência, e não soubesse sequer desempenhar o meu ignóbil papel? Pode ser que tudo isto não seja intencional! Todas as suas palavras são vulgares, mas encerram qualquer coisa... Tudo isso pode dizer-se sempre; mas, no entanto, há qualquer coisa. Por que disse diretamente 'ela'? Por que é que Zamiótov acrescentou que eu falara 'com malícia'? Por que falam nesse tom? Aí é que está, no tom... Ora vejamos Razumíkhin: por que não acha ele chocante nada disto? A esse simplório não há nada que o choque! Outra vez a febre! Foi realidade ou não o piscar de olhos que há pouco me fez Porfíri? Mas seria verdadeiramente absurdo que ele me piscasse os olhos. Serão os nervos ou querem eles irritar-me, exasperar-me? Será tudo isto uma miragem ou realmente sabem? Até Zamiótov se mostra insolente... Mostra-se insolente, Zamiótov? Zamiótov passou a noite numa apreensão. Eu nem calculava que havia de ser assim! Ele está aqui como em sua casa, e eu é a primeira vez que venho. Porfíri não o considera como uma visita: senta-se voltando-lhe as costas. Entendem-se os dois! É infalível que se entendem a meu respeito! Deviam estar falando de mim quando nós chegamos. Devem saber do caso do andar. Ah, quanto eu daria por saber agora mesmo! Quando eu disse que saíra de casa com a intenção de procurar quarto, eles não disseram nada... Foi uma bela ideia eu ter falado no quarto, pode vir a ser-me útil. A delirar, com mil diabos! Ah, ah, ah! Esse tipo está informado de tudo quanto se passou ontem à noite. Da chegada da minha mãe não sabia... Com que então aquela bruxa tinha apontado a data a lápis! Mentira... essa não engulo eu! Nada disso também é realidade, uma pura ilusão. Não, vocês tomam tudo isso como fatos. Mas isso do quarto não é um fato: é delírio. Eu sei o que hei de dizer-lhes. Saberão alguma coisa a respeito do quarto? Não sairei daqui sem averiguar. Mas, por que vim eu? Vejamos: o eu estar agora, aborrecido, será um fato também? Oh, e como estou excitado! Embora possa suceder que não me fique mal: faço o papel de doente... Vai espicaçar-me. Vai fazer com que eu perca a cabeça. Por que viria eu?"

Tudo isto passou num relâmpago pela sua mente.

Porfíri Pietróvitch voltou passado um segundo. De repente pareceu ficar alvoroçado.

– Olha, meu amigo, desde a tua festa de ontem que tenho a cabeça... Ainda me sinto tonto – começou num tom completamente diferente, dirigindo-se a Razumíkhin.

– O quê? A reunião esteve boa? Por acaso tive que deixar-vos no ponto mais interessante... Quem é que levou a melhor?

– Ninguém, naturalmente. Agitavam as eternas questões, exaltavam-se.

– Imagina, Rodka, o que chegaram a discutir: se o crime existe ou não. Fartaram-se de disparatar.

– Que tem isso de extraordinário? É uma questão social vulgar – respondeu Raskólnikov com ar distraído.

– Não foi assim que eles puseram a questão – observou Porfíri.

– É verdade – concordou logo Razumíkhin, atrapalhando-se e exaltando-se, conforme o seu costume. – Olha, Rodka, primeiro escuta, e depois dá a tua opinião. Gostaria que o fizesses. Eu, ontem, estava numa ansiedade, à tua espera, tinha-lhes prometido que tu irias... A coisa começou pelo ponto de vista dos socialistas. Já se sabe qual é: o crime é um protesto contra a anormalidade do regime social... isso e só isso, e é escusado procurar-lhe outras causas... Acabou-se!

– Mentira! – exclamou Porfíri Pietróvitch. Era notório que se entusiasmava, e sorria a cada instante, olhando para Razumíkhin.

– Qual mentira! Hei de mostrar-te livros; segundo eles, todos os crimes se devem ao ambiente deletério, e nada mais. Magnífica frase! De onde se deduz, diretamente, que, se a sociedade estivesse normalmente constituída, então acabariam imediatamente todos os crimes, visto que já não haveria contra que protestar e todos passariam de pronto a ser inocentes. Quanto à natureza, não a tomam em consideração, puseram-na no olho da rua, não toleram a natureza. Para eles não é a natureza que, desenvolvendo-se de um modo histórico, vivo, até ao fim, acabará por transformar-se ela própria numa sociedade normal, mas, pelo contrário, será o sistema social que, brotando de alguma cabeça matemática, procederá em seguida a estruturar toda a humanidade e, num abrir e fechar de olhos, a tornará justa e inocente, mais depressa do que qualquer processo vivo, sem seguir nenhum caminho histórico e natural. Por isso eles sentem instintivamente aversão pela história: nela só se encontra monstruosidade e estupidez; deitam todas as culpas para cima da estupidez. E por isso também não amam o processo "vital" da vida; não querem nada com a "alma viva". A alma viva da vida tem exigências; a alma viva não obedece mecanicamente; a alma viva é suspicaz; a alma viva é retrógrada. E, embora cheire a mortos, eles podem construir com a alma de borracha... que não será viva, nem terá vontade, será uma escrava e não se revoltará... E chegam ao resultado de idealizar um simples amontoado de tijolos, sim, a distribuição de corredores e quartos do falanstério. O falanstério está pronto; mas a vossa natureza ainda não está pronta para o falanstério; anseia pela vida, o processo vital ainda não terminou, ainda é cedo para a cova. É impossível saltar com a lógica apenas por cima da natureza. A lógica pressupõe três casos, ao passo que há milhões deles. Pois façam tábua rasa desses milhões e reduzam tudo ao simples problema do conforto! Essa é a solução mais fácil do enigma. Duma clareza sedutora e evita o incômodo de pensar. Porque o essencial é isso: não ter que pensar. Todos os mistérios da vida podem compendiar-se em duas folhas de papel impresso.

– Agora ele está como gosta! É preciso segurar o freio! – gracejou Porfíri. – Imagine seis pessoas metidas num quarto e, além disso, previamente encharcadas em álcool... Já pode fazer uma ideia! Não, meu amigo, tu mentes: o meio significa muito na criminalidade, isso afirmo eu.

– Eu também sei que influi muito; mas diz-me: um quarentão desonra uma menina de dez anos; foi o meio que o induziu a isso?

– Pois sim; no estrito sentido da palavra, pode dizer-se que foi o meio – observou Porfíri com uma grave firmeza – pode explicar-se o crime, em grande parte, pela menina, e, em grande parte também, pelo meio.

Razumíkhin ficou furioso.

– Bem, pois se quiseres, eu vou te demonstrar – disse, entusiasmando-se – que, se tu tens as pestanas brancas, é simplesmente porque Ivan, o Grande, tinha trinta e cinco *sajénhi* de estatura, e vou te demonstrar de um modo claro, exato, progressivo, e até com os seus laivos de liberalismo. Vamos? Queres apostar?

– Aposto! Venha daí essa demonstração!

– Irra, não faz outra coisa senão jogar com as palavras, que diabo! – exclamou Razumíkhin fora de si, e saltou da cadeira gesticulando. – Vale a pena falar contigo? Faz isto tudo intencionalmente, tu ainda não conheces, Rodka. Ontem pôs-se ao lado deles, só para gozá-los. E as coisas que ele disse ontem, meu Deus! E todos tão satisfeitos a ouvi-lo! E é capaz de continuar com a gracinha durante duas semanas. O ano passado quis convencer-nos a todos de que, por certos motivos, ia fazer-se frade; trouxe-nos dois meses nessa convicção! Há pouco tempo lembrou-se de vir com a patranha de que ia casar e que já estava tudo pronto para o casamento. Até mandou fazer um terno novo. Nós já tínhamos começado a dar-lhe os parabéns. Pois bem: era tudo mentira, nem sequer a noiva existia, era tudo chalaça.

– Mentes! O terno, mandei-o fazer antes. Foi precisamente o terno novo que me sugeriu a ideia dessa brincadeira.

– E, afinal de contas, por que é o senhor tão brincalhão? – perguntou Raskólhnikov naturalmente.

– Mas, pensava que eu não era? Deixe estar que também há de cair na minha rede... Ah, ah, ah! Não; olhe, vou dizer-lhe toda a verdade. A propósito de todas essas questões de crime, o meio, a pequena, veio-me agora à memória – aliás, sempre me interessou – um artigo seu: "Acerca do crime...", ou qualquer coisa do gênero, não me lembro bem do título. Tive a satisfação de lê-lo há dois meses na *Palavra Periódica*.

– Um artigo meu na *Palavra Periódica*? – perguntou Raskólhnikov assombrado. – De fato, há coisa de um ano, ao deixar a Universidade, escrevi um artigo a propósito de um livro; mas levei-o à *Palavra Semanal* e não à *Periódica*.

– Pois foi parar à *Periódica*.

– Mas se a *Palavra Semanal* deixara de publicar-se e o meu artigo ficou inédito!

– É verdade: mas quando deixou de publicar-se, a *Palavra Semanal* fundiu-se com a *Palavra Periódica*; foi por isso que o seu artigo se publicou, haverá coisa de dois meses, na *Palavra Periódica*. Mas não estava a par?

Efetivamente, Raskólhnikov não sabia de nada.

– É que podia reclamar-lhes a importância do artigo! Curioso, o seu caráter! Faz uma vida tão solitária que nem sequer vê as coisas que mais diretamente lhe dizem respeito. É um fato positivo.

– Bravo, Rodka! Eu também não sabia! – exclamou Razumíkhin. – Ainda hoje mesmo hei de passar por um gabinete de leitura para pedir um número. De há dois meses? Mas que número? Não faz mal, procurarei. Bela partida! E não dizia uma palavra!

– Mas como é que soube que o artigo era meu? Eu só assinava com as iniciais.

– Ah! Por casualidade e há apenas uns dias somente. Foi pelo diretor, é meu amigo. Interessou-me muito...

– Eu analisava, lembro-me, o estado psicológico dum criminoso no momento de cometer um crime.

– Isso mesmo; e afirmava que o ato de cometer o crime ia sempre acompanhado de um estado mórbido. Muito... muito original, mas... se bem que não foi esta a parte do seu artigo que mais me interessou, mas sim algumas ideias que expunha, no final, mas que o senhor expunha, e é pena, de uma maneira pouco clara, sob a forma de alusões... Em resumo: se se recorda, havia lá uma certa alusão ao fato de existirem no mundo alguns indivíduos que poderiam... isto é, não se trata de poderem, mas antes que teriam completo direito de cometerem toda a espécie de atos desonestos e de crimes, e para os quais a lei não existisse.

Raskólhnikov sorriu perante aquela forçada e laboriosa explicação da sua ideia.

– Como? Que vem a ser isso? O direito ao crime?! Mas não será por culpa do ambiente deletério! – perguntou Razumíkhim um pouco assustado.

– Não, não; não é nada disso – respondeu-lhe Porfíri. – O *quid* está em que no seu artigo o senhor divide os homens em ordinários e extraordinários. Os homens vulgares deviam viver na obediência e não têm direito a infringir as leis, pelo próprio fato de serem vulgares. Mas os extraordinários têm direito a cometer toda a espécie de crimes e a infringir as leis de todas as maneiras, pelo próprio fato de serem extraordinários. Se não estou enganado, parece-me que era isto o que o senhor dizia.

– Mas que é isso? Isso não pode ser! – resmungou Razumíkhin, perplexo.

Raskólhnikov tornou a sorrir. Compreendia finalmente do que se tratava e por que queriam fazê-lo falar; lembrava-se do seu artigo. Decidiu aceitar o desafio.

– Não era precisamente isso o que eu dizia – declarou com simplicidade e em voz alta. – Se bem que, reconheço-o, o senhor expôs a minha ideia quase fielmente e, se quiser, até com absoluta fidelidade... (Parecia que lhe agradava reconhecer essa fidelidade absoluta.) A diferença está só em que eu nem de longe afirmava que os homens extraordinários estejam obrigados ou tenham infalivelmente de cometer sempre todo gênero de atos desonestos, segundo o senhor diz. Parece-me até que a censura não o teria deixado passar. Eu me limitava simplesmente a insinuar que os indivíduos extraordinários tinham direito – claro que não um direito oficial – a autorizar a sua consciência a saltar por cima de certos obstáculos, e unicamente nos casos em que a execução do seu desígnio (às vezes salvador, talvez, para a humanidade) assim o exigisse. O senhor entendeu por bem dizer-me que o meu artigo não estava claro; eu estou disposto a explicá-lo até onde puder.

"É provável que eu não me engane supondo que é esse o seu desejo. A meu ver, se as descobertas de Kepler e de Newton, em consequência de certas circunstâncias, não tivessem chegado ao conhecimento dos homens de outra maneira senão mediante o sacrifício da vida de um, dez, cem ou mais homens, que se opusessem a essa descoberta ou se atravessassem no seu caminho como obstáculos, Newton, então, teria tido o direito e até o dever... de eliminar esses dez ou esses cem homens, a fim de que as suas descobertas chegassem ao conhecimento de toda a humanidade. Disto não se conclui, no entanto, de maneira alguma, que Newton tivesse qualquer direito de assassinar quem muito bem lhe parecesse, à toa, nem a ir todos os dias roubar para a praça pública. Lembro-me também de que eu, no meu artigo, desenvolvia a ideia de que todos... digamos, por exemplo, os legisladores e os fundadores da humanidade, começando pelos mais antigos e continuando por Licurgo, Sólon, Maomé, Napoleão, etc., etc., todos, desde o primeiro até o último, tinham sido criminosos, mais não fosse senão porque, ao promulgarem leis novas, aboliam as antigas, tidas por sagradas pela sociedade e pelos antepassados, e certamente que não se teriam detido perante o sangue, sempre que isto (derramado às vezes com toda a inocência e virtude, em defesa das velhas leis) pudesse ser-lhes útil. Também é significativo que a maior parte desses benfeitores e fundadores da humanidade fossem uns sanguinários, especialmente ferozes. Em resumo: eu concluía daqui que todos os indivíduos, não só os grandes, como também aqueles que se afastassem um pouco da vulgaridade, isto é, também aqueles que são capazes de dizer qualquer coisa de novo, teriam a obrigação, pela sua própria natureza, de serem infalivelmente criminosos... em maior ou menor grau, naturalmente. De outro modo, ia ser difícil para eles saírem da vulgaridade, e eles não podem conformar-se a ficar nela, até pela mesma razão da sua natureza e, a meu ver, têm até a obrigação de não se conformar. Em resumo: como o senhor vê, até aqui, isto não tem nada de particularmente novo. Isto já se imprimiu e foi lido milhares de vezes. Pelo que diz respeito à minha distinção entre homens vulgares e extraordinários, concordo em que é um tanto arbitrária; mas eu não citava números exatos. Eu só tenho fé na minha ideia essencial, que é aquela que consiste em dizer concretamente que os indivíduos se dividem, segundo a lei da natureza, em duas categorias: a inferior (a dos vulgares), isto é, se me permite a expressão, a material, que unicamente é proveitosa para a procriação da espécie, e a dos indivíduos que possuem o dom ou a inteligência para dizerem no seu meio uma palavra nova. É claro que as subdivisões são infinitas, mas os traços diferenciais de ambas as categorias são bem nítidos: a primeira categoria, ou seja, a matéria, falando em termos gerais, é formada por indivíduos conservadores por natureza, disciplinados, que vivem na obediência e gostam de viver nela. A meu ver têm a obrigação de ser obedientes, por ser esse o seu destino e não ter, de maneira nenhuma, para eles, nada de humilhante. A segunda categoria é composta por aqueles que infringem as leis, os destruidores e os propensos a isso, a julgar pelas suas faculdades. Os crimes destes são, naturalmente, relativos e muito diferentes; na sua maior parte exigem, segundo os mais diversos métodos, a destruição do presente em nome de qualquer coisa de melhor. Mas se necessitarem, para bem da sua ideia, de saltar ainda que seja por cima de um cadáver, por cima do sangue, então eles, no seu íntimo, na sua consciência, podem, em minha opinião, conceder a si próprios a autorização para saltarem por cima do sangue, atendendo unicamente à ideia e ao seu conteúdo, repare bem. E só neste sentido que eu falo no meu artigo do seu direito ao crime. (Lembre-se, o senhor, que partimos de uma questão jurídica.) Embora, no fim de contas, não haja razão nenhuma para se ficar demasiado assustado; quase nunca a massa lhes reconhece esse direito e até os castiga e os manda enforcar (mais ou menos); e assim, com absoluta justiça, cumpre o seu destino conservador, o que não é obstáculo para que, nas gerações seguintes, essa mesma massa erga os castigados sobre pedestais e se incline diante deles (mais ou menos). A primeira categoria é sempre a verdadeira dominadora: a segunda é... a futura dominadora. Os primeiros conservam o mundo e multiplicam-no matematicamente; os segundos movem-no e conduzem-no para a sua finalidade. Tanto uns como outros têm perfeito direito de existir. Em resumo: para mim, todos têm o mesmo direito, e... *vive la guerre éternelle!*... até à nova Jerusalém, naturalmente...

– Mas, o senhor, apesar de tudo, crê na nova Jerusalém?

– Creio – acrescentou firmemente Raskólnikov; quando disse isto, e durante toda a sua parlenda, teve os olhos fixos no chão, depois de ter escolhido um ponto do tapete.

– E... e... e... acredita em Deus? Desculpe a curiosidade.

– Acredito – respondeu Raskólnikov, erguendo os olhos para Porfíri.

– E... e na ressurreição de Lázaro, acredita?

– Creio. Mas a que propósito vem tudo isso?

– Literalmente: acredita?

– Literalmente.

– Então... era só por curiosidade. Desculpe. Peço licença, e, voltando ao assunto: nem sempre esses homens extraordinários são castigados; alguns, pelo contrário...

– São festejados em vida? Sim, é verdade: alguns chegam a triunfar na vida, e então...

– Começam eles também a atormentar os outros?

– Se lhes for necessário, sim; e repare: é isso o que acontece na maior parte das vezes. A sua observação foi muito aguda.

– Muito obrigado. Mas diga-me uma coisa: em que se diferenciam esses homens extraordinários dos vulgares? Pelo nascimento ou por qualquer sinal especial? Parece-me que seria necessário mais exatidão, por assim dizer, mais distinção no exterior: desculpe em mim a natural inquietação dum homem prático e bem intencionado, mas não seria possível, por exemplo, que usassem um traje especial, algum distintivo, alguma insígnia, qualquer coisa, enfim, que os desse a conhecer? Porque há de concordar, no caso de se dar um engano e algum indivíduo julgar-se pertencente a qualquer dessas categorias, pertencendo afinal à outra, e de se pôr a eliminar toda a espécie de obstáculos, como o senhor disse, numa expressão muito feliz, que sucederia então?

– Oh, isso acontece com muita frequência! A observação que acaba de formular ainda é mais aguda do que a anterior...

– Obrigado...

— Não tem de quê; mas não se esqueça de que esse engano só é possível em indivíduos da primeira categoria, isto é, nos indivíduos vulgares (segundo, talvez muito impropriamente, eu os designo). Apesar da sua propensão inata para a obediência, por alguma travessura da natureza, do que nem uma vaca está livre, muitos deles imaginam-se seres avançados, destruidores, e correm atrás da palavra nova, e isto com absoluta sinceridade. Na realidade, e com muita frequência, não sabem distinguir os novos e até os olham com desdém, como a pessoas atrasadas e que pensam baixamente. Mas, a meu ver, isso não é motivo sério para inquietação, e o senhor, verdadeiramente, não deve sentir o menor desassossego, pois esses indivíduos nunca vão longe. Sem dúvida que poderiam ser castigados uma vez, pela sua presunção, a fim de recordar-lhes qual é o seu lugar; mas, para isso, nem sequer é preciso incomodar o verdugo: são eles mesmos que se flagelam, porque possuem uma elevada moralidade; alguns prestam-se mutuamente esse serviço e outros açoitam-se por suas próprias mãos... além disso, impõem-se diversas penitências públicas... o que é belo e edificante, e em suma, o senhor não deve sentir a menor inquietação... É essa a regra.

— Muito bem; pelo menos, a este respeito, tranquiliza-me um pouco; mas veja outra coisa: pode dizer-me se são muitas essas pessoas que têm direito a assassinar os seus semelhantes, se são muitos esses homens "extraordinários"? Eu estou, desde já, disposto a inclinar-me perante eles; mas há de concordar comigo em que causa um certo arrepio pensar que podem ser muito numerosos!

— Oh, não se assuste também por causa disso! — continuou Raskólhnikov no mesmo tom. — De maneira geral, indivíduos com ideias novas, inclusive de algum modo capazes de dizer algo novo, nascem pouquíssimos, são de uma escassez verdadeiramente estranha. A única coisa certa é que a ordem de geração dos indivíduos de todas essas categorias e divisões deve estar fixamente marcada e definida por qualquer lei natural. Esta lei, claro, até agora nos é desconhecida; mas eu creio que existe e que, portanto, poderemos chegar a conhecê-la. A enorme massa de indivíduos, a material, vem ao mundo apenas para, finalmente, por meio de algum esforço, em virtude de algum processo até agora ignorado e mercê de algum cruzamento de raças e de espécies, engendrar e trazer ao mundo, ainda que seja só na proporção de um por mil, um homem verdadeiramente independente. E, com uma independência superior, talvez só nasça neste mundo um indivíduo por cada dez mil (isto, por alto, naturalmente). E com uma independência ainda maior, só um por cada cem mil. Homens geniais surgem um entre milhões, e os grandes gênios, os fundadores da humanidade, talvez ao longo de muitos milhões de milhões de seres sobre a Terra. Em resumo: eu não pude ver a retorta em que tudo isto se prepara. Mas não há dúvida de que deve haver uma determinada lei; isso não pode ser obra do acaso.

— Mas estão os dois de brincadeira, ou quê? — exclamou, finalmente, Razumíkhin. — Estão os dois troçando mutuamente, fingindo elogiarem-se? Sentaram aí para troçar um do outro? Falas a sério, Rodka?

Em silêncio, Raskólhnikov ergueu para ele o seu pálido rosto, quase medonho, e não respondeu nada. E pareceu estranho a Razumíkhin aquela cara tranquila e triste e, ao mesmo tempo, a cara franca, provocante, irritada e severa de Porfíri.

— Bem, meu amigo; se isso é a sério, então... Não há dúvida nenhuma que tu tens razão quando dizes que nada disso é novo e que é parecido com aquilo que temos já mil vezes lido e escutado; mas o que, de fato, é original em tudo isso... e, positivamente, te pertence a ti, com horror da minha parte o vejo, é tu chegares a dizer que se pode "em consciência" derramar sangue, "conscientemente", e desculpa-me, mas até com certo fanatismo... É possível que a ideia principal do teu artigo se resuma a isto. Mas essa autorização para derramar sangue conscientemente, isso... isso, a meu ver, é mais feroz do que a decisão oficial e legal de verter sangue...

– Perfeitamente... é mais feroz... – concordou Porfíri.

– Não, tu, nisto, vais demasiado longe! Isso é um erro. Hei de ler-te... tu exageras! Não é possível que tu penses assim... Hei de ler...

– No artigo não há nada disso, apenas há insinuações – declarou Raskólhnikov.

– De fato, assim é, assim é – concordou Porfíri – agora já percebo como é que o senhor deve considerar o crime, mas... desculpe a minha insistência... (estou a incomodá-lo muito e já tenho remorsos!); mas veja uma coisa: há pouco tranquilizou-me a respeito dos casos errôneos de confusão entre as duas categorias, mas agora tornam a inquietar-me alguns casos concretos. E se um dia, a um homem já feito e refeito, ou a um rapaz, lhes desse para se julgar um Licurgo ou um Maomé... futuro, naturalmente, e começassem a eliminar todos os obstáculos que se lhe atravessassem? "Que diabo, tenho de fazer uma grande viagem e, para uma viagem destas, é preciso dinheiro..." Bom, e começasse a fornecer-se para a viagem... Compreende?

De súbito, Zamiótov espirrou, no seu canto. Raskólhnikov nem sequer ergueu os olhos para ele.

– Não tenho outro remédio senão concordar que, de fato – respondeu muito tranquilo – se hão de dar casos desses. Especialmente os imbecis e os vaidosos costumam incorrer nesses erros, sobretudo os jovens...

– Ora, já vê! E então?

– Mas, ainda que seja assim – disse Raskólhnikov sorrindo – a culpa não é minha. É assim e sempre há de ser assim. Aí está aquele – e apontou Razumíkhin – que acaba de dizer que eu autorizo a efusão de sangue. E então? Para isso está a sociedade bem defendida mediante as deportações, as prisões, os juízes, os presídios... Para que hão de afligir-se? É correrem atrás do ladrão!

– Bem; e se o apanhamos?

– É porque o merece!

– Ao menos, o senhor é lógico. Mas, e quanto à sua consciência?

– Que lhe interessa isso?

– Sim, interessa-me por humanidade.

– Quem a tem, sofre ao reconhecer o seu erro. É essa a sua expiação... sem contar com o presídio.

– Seja, quanto aos verdadeiramente geniais – exclamou Razumíkhin franzindo o sobrolho. – Mas aqueles aos quais se concede o direito de assassinar não deverão sofrer, de maneira nenhuma, inclusive por causa do sangue derramado?

– A que propósito vem isso de "deverão"? Neste campo não há permissão nem proibição. Sofrerão, se sentirem piedade pela vítima... o sofrimento e a dor são inerentes a uma ampla consciência e a um coração profundo. Em minha opinião, os homens verdadeiramente grandes devem padecer neste mundo uma grande dor – acrescentou, de repente, pensativo, quase num tom diferente do do diálogo.

Ergueu os olhos, olhou para todos com ar meditabundo, sorriu e pegou no seu gorro. Sentia-se muito tranquilo, em comparação com o que estava há pouco, quando entrou, e não o escondia. Todos levantaram.

— Bem, quer me censure ou não, se aborreça ou não comigo, o certo é que eu não posso conter-me – declarou novamente Porfíri Pietróvitch. – Dê-me licença que lhe faça ainda uma pergunta (já o incomodei tanto!), uma única pequena pergunta, só para não esquecer...

— Bom, diga-me do que se trata – e Raskólhnikov, sério e pálido, parou diante dele, na expectativa.

— Pois fique sabendo... na verdade não sei como hei de exprimir-me menos desajeitadamente... Trata-se de uma ideia demasiado chistosa...psicológica... Pronto, vou dizer-lhe: quando o senhor escreveu esse artigo... com certeza que... he... he... he... se considerava a si mesmo... ainda que fosse só um pouquinho... um desses seres extraordinários e que dizem uma palavra nova... Quero dizer, no sentido que o senhor dá a esta frase... Não é verdade?

— É muito provável que assim fosse – respondeu depreciativamente Raskólhnikov.

Razumíkhin fez um gesto.

— Sendo assim, então, é porque o senhor também se julga com direito... no caso de contratempo e dificuldades na vida ou para acelerar o progresso da humanidade... a saltar por cima de todos os obstáculos... como, por exemplo, a matar e a roubar?

E, de repente, tornou a piscar-lhe o olho esquerdo e a rir-se de uma maneira imperceptível, exatamente como há um momento.

— Se eu saltasse por cima dos obstáculos, com certeza que não lhe diria – respondeu Raskólhnikov com desdém, provocante e altivo.

— É claro que não... Eu apenas lhe perguntei com o objetivo de compreender melhor o seu artigo, num sentido pura e exclusivamente literário...

"Oh, que palpável e claro é tudo isto!", pensou Raskólhnikov com repugnância.

— Dê-me licença de esclarecer – replicou secamente – que eu não me tenho por nenhum Maomé nem Napoleão... nem por nenhuma dessas personagens, e por isso não podia, não sendo nenhuma delas, dar-lhe uma explicação satisfatória da maneira como me conduziria...

— Ora! Quem é que agora, entre nós, aqui, na Rússia, não se tem por um Napoleão? – disse Porfíri com uma terrível familiaridade, até na entonação da sua voz havia, dessa vez, qualquer coisa de especialmente claro.

— Não terá sido algum futuro Napoleão que, na semana passada, matou a nossa Alíona Ivânovna à machadada? – lançou, inesperadamente, Zamiótov, do seu canto.

Raskólhnikov ficou calado e fixou um olhar atento, firme, em Porfíri. Razumíkhin franziu sinistramente as sobrancelhas. Havia já um momento que começava a suspeitar de qualquer coisa. Olhou, amuado, à sua volta. Decorreu um minuto de desconfiado silêncio. Raskólhnikov deu meia volta para retirar-se.

— Já se vai embora? – perguntou afetuosamente Porfíri, estendendo-lhe a mão com extraordinária amabilidade. – Estou muito contente, muito contente, por tê-lo conhecido. E, quanto ao seu pedido, não se preocupe. Mas escreva da maneira que lhe indiquei. E o melhor será vir pessoalmente entregar-me a petição... um dia destes... pode ser amanhã mesmo. Eu estarei aqui, sem falta, aí pelas onze. E trataremos de tudo... O senhor, como um dos que ultimamente estiveram lá, talvez pudesse dizer-nos qualquer coisa... – acrescentou com um ar muito bonacheirão.

– Deseja interrogar-me oficialmente, com todas as formalidades de praxe? – perguntou-lhe Raskólhnikov com rudeza.

– Para quê? Até agora não tem sido preciso. O senhor não compreendeu bem. Eu, olhe, não quero perder a ocasião e... e já falei com todos os clientes... de alguns dos quais obtive indicações... e o senhor, como é o último... Olhe, a propósito! – exclamou, subitamente alvoroçado por qualquer coisa. – A propósito: agora me lembro de, uma coisa; veja como eu sou! – disse, voltando-se para Razumíkhin. – Tu, ontem, atroaste-me os ouvidos por causa desse Nikolachka... Bem, pois eu também sei, estou informado – disse, encarando Raskólhnikov – que o pobre rapaz está inocente, mas que se há de fazer? Também foi preciso meter um susto a Mitka... tudo se reduz a isto: quando subia a escada naquele momento... deixe-me fazer-lhe uma pergunta: esteve ali às oito?

– Às oito – respondeu Raskólhnikov sentindo com desagrado nesse mesmo instante que podia não ter dito isso.

– E, quando subiu a escada, às oito, não viu no segundo andar, naquele que está aberto, lembra-se? uns operários ou, ao menos, um deles? Estavam pintando, não reparou? Isto é muito importante para eles, importantíssimo!

– Pintores de parede? Não, não vi nenhum... – respondeu Raskólhnikov lentamente e como se fizesse esforço para se lembrar, enquanto todo o seu ser ficava numa tensão e palpitava na ânsia de descobrir o mais depressa possível a que é que se resumia a armadilha e não cair nela. – Não, não os vi, nem também reparei que houvesse algum andar aberto...; mas olhe, no quarto andar – já tinha percebido qual era a armadilha e rejubilava com o seu triunfo – lembro-me bem de que um funcionário saiu do quarto... fronteiro ao de Alíona Ivânovna... estou a lembrar-me... estou a lembrar-me muito bem: uns soldados transportavam um divã e obrigaram-me a encostar-me à parede; mas, pintores, não me lembro de ter visto nenhuns... não; nem também havia aí qualquer andar aberto, que eu me lembre. Não; não havia...

– Mas que dizes tu? – exclamou de repente Razumíkhin, como se puxasse pela memória e reconsiderasse. – Se os pintores estiveram trabalhando lá no dia do crime e ele estivera três dias antes! Por que lhe perguntas isso?

– Ah! Fiz confusão! – disse Porfíri dando uma palmada na testa. – Raios me partam, ainda hei de acabar louco por causa deste processo! – exclamou, dirigindo-se a Raskólhnikov com ar de desculpa. – É que, repare, seria tão importante para mim comprovar se alguém os viu às oito no andar, que me lembrei de pensar se o senhor não poderia dizer-me qualquer coisa a esse respeito... mas que grande confusão!

– É preciso ter mais atenção! – observou Razumíkhin, mal-humorado.

As últimas palavras foram já ditas no vestíbulo. Porfíri Pietróvitch acompanhou-os a ambos mesmo até à porta, com muita amabilidade. Saíram os dois, amuados e desgostosos, e durante algum tempo não disseram uma palavra. Raskólhnikov lançou um profundo suspiro...

Capítulo VI

— Não acredito! Não posso acreditar! – repetia Razumíkhin, preocupado, esforçando-se com toda a energia por refutar os argumentos de Raskólhnikov. Iam chegando à pensão de Bakaliéiev, onde estavam instaladas Pulkhiéria Alieksándrovna e Dúnia; havia já bastante tempo que os esperavam. Razumíkhin parava a cada momento durante o caminho, no calor da discussão, perturbado e comovido pelo fato de ser aquela a primeira vez que ambos falavam "daquilo" com toda a clareza.

— Pois não acreditas! – acrescentou Raskólhnikov com um sorrizinho frio e indiferente. – Tu, segundo o teu costume, não reparaste em nada, mas eu ia pesando cada uma das suas palavras.

— Tu és melindroso e, por isso, é que as pesavas... Hum! De fato, concordo que o tom de Porfíri era bastante estranho e, sobretudo, esse pulha de Zamiótov. Tens razão, parecia que havia um subentendido... Mas por quê? Por quê?

— Devia ter passado a noite pensando nisso.

— Pelo contrário, pelo contrário! Se eles tivessem essa estúpida ideia, então procurariam dissimulá-la com todas as suas forças e esconder o seu jogo para te apanharem depois... Mas isso agora... é absurdo e imprudente!

— Se eles dispusessem de fatos, isto é, de fatos positivos, ou as suas suspeitas tivessem o menor fundamento, nesse caso iam se esforçar, efetivamente, por esconder o seu jogo, na esperança de tirar depois maiores proveitos (embora, no fim de contas, já tenha havido tempo para fazerem uma busca). Mas, como eles não contam com um fato, nem com um só, e tem apenas miragens, tudo resulta ambíguo e só tem uma ideia vaga, por isso procuram apanhar-me descaradamente numa contradição. Pode ser que ele mesmo esteja furioso ao ver que não há provas e se deixe levar pelo despeito. Pode ser também que abrigue alguma intenção... Pelo visto é um homem esperto... Talvez queira meter-me medo, deixar-me suspeitar que sabe... Aí tens a sua psicologia, meu amigo! Mas, no fim de contas, é uma banalidade explicar isto! Não importa!

— E, além disso, é ofensivo, ofensivo! Compreendo-te! Mas... já que estamos falando com toda a franqueza, o que mais me agrada é que, enfim, falemos disto com clareza; e digo-te, sendo franco, que há já algum tempo que eu lhes venho notando isto, essa ideia, durante todo este tempo, naturalmente, somente de maneira quase imperceptível, como uma insinuação; mas por que, como insinuação sequer? Como é que tem esse atrevimento? Onde, onde é que eles a fundamentam? Se tu soubesses como me fazem enfurecer! Qual! Lá porque um pobre estudante, angustiado pela miséria e pela hipocondria, em vésperas de uma cruel enfermidade, talvez já com os começos da febre (repara bem!), irritável, com o seu amor-próprio, imbuído da apreciação de si próprio, e depois de levar sete meses num buraco sem ver ninguém, com um traje esfarrapado e umas botas sem solas... comparece perante uns policiais e suporta os seus vexames, e de repente lhe metem pelos olhos uma suspeita inesperada, uma promissória protestada, do conselheiro da Corte, Tchebárov, e tudo isso junto ao cheiro da pintura fresca, a uma temperatura de trinta graus, numa atmosfera viciada, com muita gente, e à história dum crime ocorrido no dia anterior, e tudo isso... com a barriga vazia! Como é que uma pessoa não havia de desmaiar! E é só nisso que eles se fundam? Vão para o diabo que os carregue! Eu compreendo que isto seja desagradável, mas, no teu lugar, Rodka, eu ia ficar rindo diante deles, na sua cara, ou, ainda melhor, ia cuspir na cara de todos eles e, não contente com isso, ia lhes escarrar em plena cara uns escarros bem grossos, pois assim é que era preciso tratá-los, e pronto, tudo se acabava. Cospe-lhes! Tem coragem! É vergonhoso!

"Nisto tem ele razão", pensou Raskólhnikov.

– Cuspir, é fácil de dizer! E amanhã outra vez interrogatório! – exclamou com veemência. – Será preciso que eu tenha uma explicação com eles? Já me custa ter-me rebaixado perante Zamiótov na outra noite, na taberna!

– O diabo que os carregue! Irei eu mesmo procurar Porfíri! Vou lhe falar como a um parente, não te preocupes; ficarei sabendo tudo, tudo! Quanto a Zamiótov...

"Até que enfim adivinhou!", pensou Raskólhnikov.

– Espera! – exclamou Razumíkhin segurando-o de repente por um ombro. – Para! Tu estás delirando! Já reconsiderarei; tu deliras! Ora vejamos: onde é que está essa armadilha? Tu dizes que a pergunta a respeito dos trabalhadores era uma armadilha! Pensa; se tu tivesses feito "aquilo", irias dizer que tinhas visto que estavam pintando o andar... e os pintores? Pelo contrário, não terias visto nada, ainda que os tivesses visto! Quem é que faz declarações contra si mesmo?

– Se fosse eu que tivesse feito a coisa, teria infalivelmente dito que sim, que tinha visto pintar o quarto e os trabalhadores – respondeu Raskólhnikov de má vontade e com visível repugnância.

– Mas por que havias de fazer declarações contra ti próprio?

– Porque somente os camponeses e os mais inexperientes novatos mentem descarada e teimosamente nos interrogatórios. Em compensação, qualquer homem que tenha um pouco de inteligência e de prática, vai sem dúvida se esforçar o mais possível para reconhecer todos os fatos exteriores que é impossível deixar de lado; simplesmente vai atribuí-los a outras causas, indicará alguma nota especial e inesperada, que lhes empreste outro significado e os mostre a outra luz. Porfíri podia estar contando que eu havia de responder-lhe assim e de dizer-lhe, sem dúvida alguma, o que tivesse visto, por causa da verossimilhança, ainda que introduzisse também algum pormenor à guisa de explicação...

– Mas ele ia te dizer depois que dois dias antes não podiam os pintores estar ali e, portanto, não tinhas outro remédio senão teres estado ali no dia do crime, às oito. Ia te pegar com uma ninharia!

– Mas contaria também que eu não tinha tempo de me demorar a refletir e que me apressaria a responder da maneira mais verossímil e esqueceria o pormenor de que os operários não podiam ter estado ali dois dias antes...

– Mas como esquecer isso?

– É facílimo! É com essas coisas insignificantes que se apanham mais facilmente os indivíduos mais espertos! Quanto mais astuto é o indivíduo, menos receia que o vão apanhar com essas bagatelas. É precisamente ao homem mais esperto que é preciso apanhá-lo com a coisa mais simples. Porfíri nem de longe é tão tolo como tu imaginas!

– Nesse caso é um velhaco!

Raskólhnikov não pode deixar de rir. Nesse momento pareceram-lhe estranhos o deleite e o gosto com que expusera a explicação anterior, tanto mais que tinha vindo a conduzir o diálogo até ali com notória aversão, somente em atenção ao fim proposto, por ser indispensável.

"Irei eu tomar gosto por estas questões?", disse para consigo.

Mas quase nesse mesmo momento sentiu-se assaltado por súbita inquietação, pois lhe ocorrera uma ideia inesperada e assustadora. E a sua inquietação crescia cada vez mais. Estavam quase à entrada da pensão Bakaliéiev.

– Entra tu sozinho – disse-lhe, de repente, Raskólhnikov – eu já venho.

– Mas, onde vais? Se cá estamos já!

– Não tenho outro remédio, não tenho outro remédio; é um assunto... Dentro de meia hora estarei de volta... Diz-lhe isto a elas.

– Faz como quiseres, mas eu vou atrás de ti!

– Mas por que te empenhas em me mortificar? – exclamou ele com amarga irritação, com uma tal desolação no olhar que Razumíkhin deixou cair os braços.

Permaneceu ainda uns momentos à entrada e viu tristemente como o outro se dirigia rapidamente para a sua ruela. Por fim, rangendo os dentes e cerrando os punhos, jurando a si próprio que nesse mesmo dia havia de espremer Porfíri como a um limão, subiu até o quarto para tranquilizar Pulkhiéria Alieksándrovna, que já estava assustada com a sua longa ausência...

Quando chegou a casa... Raskólhnikov levava as fontes banhadas em suor e respirava com dificuldade. Subiu as escadas a toda a pressa, entrou no quarto, que estava aberto, e correu imediatamente o fecho. Depois, assustado e como louco, foi direito a um canto, àquele buraco por baixo do papel da parede, onde guardara os objetos, meteu nele a mão e ficou um momento explorando minuciosamente, sondando todas as fendas e todos os refegos do papel. Como não encontrou nada, levantou e lançou um fundo suspiro. Quando, havia um momento, chegara ao pátio de Bakaliéiev, ocorreu-lhe de repente que algum objeto, alguma pequena corrente, algum botão ou até o papel em que tinham estado embrulhados com a correspondente nota, do punho e letra da velha, podia ter resvalado e ficado no fundo de alguma greta, e depois surgir diante dele como prova inesperada e irrefutável.

Estava como que afundado numa meditação, e um sorriso estranho, humilde e quase inconsciente vagueava sobre os seus lábios. Suas ideias estavam confusas. Meditabundo, atravessou a porta da rua.

– Olhem, aqui está! – gritou uma voz forte; ele ergueu a cabeça.

O porteiro estava parado diante do seu cubículo e apontava francamente para um indivíduo, que lhe era desconhecido, baixinho, com uma cara de operário, que vestia uma espécie de bata, com colete, e que, de longe, se parecia muito com uma mulher. A cabeça, coberta por um gorro sebento, pendia-lhe para baixo e todo ele parecia corcovado. A sua cara decrépita, enrugada, indicava mais de cinquenta anos; os olhos pequeninos, encovados, tinham um vislumbre agastado, severo e descontente.

– Que há? – perguntou Raskólhnikov aproximando-se do porteiro.

O operário olhou-o de soslaio e ficou a mirá-lo de alto a baixo, sem pressa, depois do que deu meia volta devagarinho e, sem proferir uma palavra, saiu do pátio da casa para a rua.

– Mas de que se tratava? – perguntou Raskólhnikov.

– É que esse indivíduo veio perguntar se morava aqui um estudante com o seu nome e apelido, e com quem vivia. Foi nesse momento que o senhor apareceu, eu lhe disse que era o senhor, e ele se foi. Mais nada!

O porteiro estava também um pouco hesitante, embora a sua perplexidade tenha durado pouco, porque, depois de ter pensado no que aconteceu mais uns momentos, deu meia volta e entrou outra vez no seu abrigo.

Raskólhnikov pôs-se a andar atrás do operário e viu imediatamente que ele atravessava para o outro passeio, com o mesmo andar compassado e lento de antes, os olhos fixos no chão e como se pensasse em qualquer coisa. Não tardou a alcançá-lo; mas foi atrás durante algum tempo, até que, finalmente, emparelhou com ele e olhou-o de soslaio no rosto. O outro deu imediatamente por ele, lançou-lhe um olhar rápido mas tornou imediatamente a fixar os olhos no chão, e assim andaram durante um minuto um ao lado do outro e sem dizerem uma palavra.

– O senhor perguntou por mim... ao porteiro? – disse, finalmente, Raskólhnikov, mas em voz não muito alta.

O homem não respondeu e nem sequer olhou para ele. Continuaram outra vez em silêncio.

– Com que então o senhor... vai perguntar por mim... e agora cala-se... que significa isto? – e a voz de Raskólhnikov era entrecortada, poderia dizer-se que as palavras não queriam sair-lhe da boca.

Dessa vez o homem ergueu os olhos e fixou em Raskólhnikov o olhar mais sombrio e colérico.

– Assassino! – exclamou de repente, numa voz calma, mas clara e distinta.

Raskólhnikov ia andando ao seu lado. As pernas fraquejaram-lhe de repente, terrivelmente, um arrepio lhe correu pelas costas e pareceu-lhe que o coração lhe ia parar num instante, como se o tivessem arrancado do seu lugar. Caminharam assim uns cem passos, um junto do outro, e outra vez em silêncio.

O homem não olhava para ele.

– Mas por que diz o senhor... que... ? Quem é o assassino? – murmurou Raskólhnikov numa voz quase imperceptível.

– O assassino és tu! – disse o outro numa voz ainda mais clara e enérgica, e, com um certo sorrizinho de ódio triunfante, tornou a olhar para o pálido rosto de Raskólhnikov e para os seus olhos agonizantes.

Chegaram ambos ao mesmo tempo a uma encruzilhada. O homem entrou pela rua da esquerda e não voltou os olhos. Raskólhnikov ficou parado no seu lugar e seguiu-o durante muito tempo com a vista. E viu como o outro, depois de ter andado uns cinquenta passos, dava meia volta e ficava a olhar para ele, que continuava ainda imóvel no mesmo lugar. Teria sido impossível distingui-lo bem, mas a Raskólhnikov pareceu que o outro sorria também dessa vez com o seu sorriso de ódio frio e de triunfo.

Com passos lentos, inseguros, de joelhos trêmulos e tremendo todo de espanto, Raskólhnikov fez meia volta e dirigiu-se para o seu buraco. Tirou o gorro, colocou-o sobre a mesa e durante dez minutos permaneceu de pé, imóvel. Depois, sem forças, deitou sobre o divã e, como um doente, estendeu-se sobre ele com um fraco gemido; seus olhos fecharam. Devia ter ficado assim deitado uma meia hora.

Não pensava em nada. Vinham-lhe apenas fragmentos de ideias, visões sem ordem nem coerência... Caras de pessoas que tinha visto em criança ou encontrara em qualquer parte apenas uma vez e que nunca recordara; o campanário da igreja de V***; o bilhar de certa taberna e certo oficial junto do bilhar, cheiro a tabaco de alguma loja de venda a varejo, num saguão, a escada negra de algum estabelecimento de bebidas, completamente às escuras, toda manchada de águas sujas e semeada de cascas de ovos, enquanto ao longe se ouvia o badalar dos sinos dominicais... os objetos mudavam e sucediam-se num torvelinho. Alguns lhe eram agradáveis e tentou agarrar-se a eles, mas eles extinguiam-se e, de maneira geral, qualquer coisa o oprimia por dentro, embora não muito. Às vezes até se sentia bem... Uma ligeira tremura não o deixava e até essa sensação se tornava agradável.

Ouviu os passos apressados de Razumíkhin e a sua voz; fechou os olhos e fingiu que dormia. Razumíkhin entreabriu a porta e permaneceu uns momentos à entrada, indeciso. Depois, entrou devagarinho no quarto e aproximou-se do divã com muito cuidado. Ouviu-se um murmúrio de Nastássia:

– Não o acordes; deixa-o dormir; comerá depois...

– Tens razão – respondeu Razumíkhin.

Saíram ambos com muito cuidado e fecharam a porta. Decorreu outra meia hora. Raskólhnikov abriu os olhos e deixou-se cair outra vez sobre o divã, segurando a cabeça por detrás, com as duas mãos.

"Quem seria? Quem seria esse homem saído do chão? Onde estava e que viu? Viu tudo, disso não há dúvida. Mas onde é que estava e de onde é que olhava? E por que só agora é que surgiu de debaixo da terra? E que podia ele ter visto... por acaso era possível ver alguma coisa?... Hum! – continuou Raskólhnikov tiritando e estremecendo – e o estojo que Nikolai encontrou atrás da porta, seria isso possível? E as provas? Basta esquecermo-nos de uma insignificância... e a prova transforma-se numa pirâmide egípcia! Nem uma mosca voando podia ter visto! Deve ser isto!"

E sentiu de repente, com aborrecimento, que desfalecia, mas com um desfalecimento físico.

"Eu devia saber", pensou com um amargo sorriso, "e como me atrevi, sabendo como sou, pressentindo-me, a brandir o machado e a derramar o sangue? Eu tinha a obrigação de saber antecipadamente... Ah! Mas eu já sabia de antemão!", balbuciou, desolado.

Por um momento, ficou imóvel perante certa ideia.

"Não, esses indivíduos não são feitos desta massa; o verdadeiro dominador, ao qual tudo é permitido, bombardeia Toulon, assola Paris, esquece o seu exército no Egito, aniquila meio milhão de soldados na retirada de Moscou e livra-se de dificuldades com um trocadilho em Vilna; e, no entanto, depois de morto levantam-lhe estátuas... Segundo parece, tudo lhe era permitido. Não, esses seres, pelo visto não são feitos de carne e osso, mas de bronze!"

De súbito, uma ideia secundária quase o fez sorrir.

"Napoleão, as pirâmides, Waterloo... e uma imunda e estúpida viúva de assessor, uma velhinha, uma usurária, com um cofre vermelho debaixo da cama... Como fazer engolir isto, mesmo a um Porfíri Pietróvitch? Como podiam engolir? Até a estética o impedia. Um autêntico Napoleão iria se meter debaixo da cama duma velhota? Ora, fora daqui, porcalhão!"

Havia momentos em que lhe parecia delirar: caía numa disposição de espírito febrilmente triunfal.

"Isso da velha é um absurdo! – pensava com veemência, de vez em quando.

– Isso da velha é um erro, não pode tratar-se dela. A velha estava simplesmente doente... Eu não queria mais nada senão passar o mais depressa possível por cima do obstáculo... Eu não matei nenhuma pessoa humana; apenas matei um princípio. Um princípio, foi o que eu matei; mas saltar o obstáculo, não saltei; fiquei do lado de cá... Não soube fazer mais nada senão matar. E nem sequer isso soube fazer, segundo parece. Um princípio? Por que é que, há pouco, esse imbecil do Razumíkhin recriminava os socialistas? São pessoas que gostam do trabalho e são comerciantes... "ocupam-se da felicidade universal"... Não; a mim dão-me uma só vida e não terei outra; eu não quero esperar pela felicidade universal. Eu quero viver, eu, senão, mais vale não viver. Qual! Eu não queria passar em frente de uma mãe famélica, apertando na mão o meu único rublo, à espera da felicidade universal. Vou juntar, que diabo! uma pedra para a felicidade universal, e assim gozarei a paz do coração. Ah, ah! Por que se esqueceram de mim? Reparem que só tenho uma vida e que quero vivê-la... Ah, eu sou um piolho estético, e nada mais – acrescentou, começando de repente a rir como um demente. – Sim, eu sou, de fato, um piolho – continuou, apoderando-se com uma alegria maliciosa dessa ideia, esquadrinhando-a, jogando e divertindo-se com ela – em primeiro lugar, só pelo fato de estar discorrendo, agora, a propósito disso – de que era um piolho – e em segundo, porque durante um mês inteiro andei incomodando a Providência, que é infinitamente boa, tomando-a por testemunho de que eu não urdia tramas nem planos para meu proveito, que diabo! mas apenas com os olhos postos num fim magnífico e simpático... Ah, ah! Além disso, em terceiro lugar, porque, com a maior justiça possível, me propus guardar uns certos limites: de todos os piolhos escolhi o menos útil, e quando o matei apenas lhe tomei exatamente aquilo de que eu precisava para dar o primeiro passo, nem mais nem menos (o resto iria parar ao mosteiro, conforme o seu testemunho)... Ah, ah, ah! Depois, porque sou realmente um piolho – acrescentou, rangendo os dentes – porque talvez eu mesmo seja um piolho ainda mais repugnante e indigno do que o piolho assassinado, e já de antemão tinha o pressentimento de que havia de dizer a mim próprio tudo isto depois de ter assassinado. Mas há alguma coisa que possa comparar-se com este horror? Oh, vulgaridade! Oh, baixeza! Oh, e como eu compreendo o profeta, com a sua espada, a cavalo: é Alá que o manda, e inclina-se a trêmula criatura e... livra-te de desejar... porque isso não é da tua conta! Oh, por nada deste mundo, por nada deste mundo perdoarei à velhota!"

Tinha os cabelos encharcados em suor, os lábios trêmulos e secos, o olhar fixo apontando para o teto.

"Minha mãe, minha irmã, como vos amei! Por que lhes tenho ódio, agora? Sim, odeio-as, de um ódio físico; não posso suportá-las ao meu lado... Há pouco me aproximei e beijei a minha mãe, recordo-me... Abraçá-la e pensar que se ela soubesse... e se eu lhe tivesse dito tudo, nessa altura? Seria muito próprio de mim... Hum! Ela deve ser como eu – acrescentou, pensando com esforço, como se lutasse contra o delírio que se ia apoderando dele. – Oh, e que ódio eu tenho agora àquela velha! Creio que se ressuscitasse tornaria outra vez a matá-la! Pobre Lisavieta! Por que teria ela aparecido ali? Mas é estranho que eu me lembre tão pouco dela, como se não a tivesse assassinado... Lisavieta! Sônia! Pobres, ingênuas, com uns olhinhos tão doces! Simpáticas! Por que não choram? Por que não se queixam? Dão tudo... olham mansa e docemente... Sônia, Sônia! Doce Sônia!"

Perdeu os sentidos; pareceu-lhe estranho não compreender como é que conseguira chegar à rua. A tarde ia já avançada. As sombras adensavam-se, a lua cheia resplandecia cada vez mais radiante; mas no ambiente havia uma espécie de incandescência sufocante; as pessoas iam em grupos pelas ruas; operários e homens atarefados voltavam para as suas casas, outros passeavam, cheirava a cal, a pó, a água estagnada. Raskólhnikov ia triste pensativo; lembrava-se muito bem que saíra de casa com qualquer intenção, que tinha de fazer qualquer coisa e apressar-se, simplesmente... que se tinha esquecido. De repente parou e viu que do outro lado da rua, no passeio, estava parado um homem que fazia sinais com a mão. Dirigiu-se para ele atravessando a rua; mas, de repente, o indivíduo deu meia volta e afastou-se, como se não tivesse dado por nada, de cabeça baixa, sem voltar os olhos e sem dar o menor sinal de o ter chamado.

"Mas, vamos ver, o senhor não me chamou?", pensou Raskólhnikov, e, no entanto, lançou-se no seu encalço. Ainda não tinha dado dez passos quando, de repente, o reconheceu e ficou assustado: era o mesmo operário de antes, com a mesma bata e a mesma corcunda. Raskólhnikov seguia-o à distância, o coração pulsava-lhe: chegaram a uma ruela... O homem não se voltou.

"Pode ser que não se tenha apercebido que eu vou atrás dele", pensava Raskólhnikov. O homem atravessou o portão de uma grande casa. Raskólhnikov apressou-se a alcançar a porta e ficou olhando; não voltaria para olhá-lo e não o chamaria? De fato, depois de ter atravessado o portão e entrado no pátio, o homem voltou-se e pareceu outra vez chamá-lo com a mão. Raskólhnikov atravessou imediatamente o portão; mas o homem já não estava no pátio. Com certeza devia ter entrado imediatamente e começado a subir o primeiro lanço da escada. Raskólhnikov lançou-se atrás dele. De fato, dois lances mais acima ainda se ouviam os passos lentos, cadenciados, de alguém. Coisa estranha: parecia-lhe que conhecia aquela escada. Aquela é a janela do primeiro andar: triste e misteriosa, filtra-se pelos vidros a luz da lua: já estão no segundo andar. Ah! Este é o mesmo andar em que trabalhavam os pintores... Como é que não o reconheceu imediatamente? Os passos de homem que iam à frente sumiram-se. "Naturalmente parou ou escondeu-se em qualquer lugar. Este é o terceiro andar; continuemos. Que silêncio... É até espantoso... Mas ele continuou andando. O ruído dos seus passos assustava-o e sobressaltava-o. Santo Deus, que escuridão! O homem escondeu-se, com certeza, por aí, em qualquer canto. Ah! a porta do quarto está escancarada." Refletiu um pouco e entrou. O vestíbulo estava muito escuro e deserto; nem vivalma, como se tivessem levado tudo; devagarinho, nas pontas dos pés, entrou na sala; todo o quarto estava iluminado pelo brilho da lua; estava tudo como antes; as cadeiras, o espelho, o divã amarelo e os quadros nas suas molduras. Uma lua enorme, redonda, de um vermelho acobreado, espreitava diretamente pela janela. "Todo este silêncio é por causa da lua – pensou Raskólhnikov – com certeza que ela deve estar decifrando algum enigma." Parou e esperou, esperou durante muito tempo; e quanto mais silenciosa estava a lua, com mais força lhe palpitava o coração, até o ponto de incomodá-lo. E tudo em silêncio. De repente ouviu-se um pequeno ruído seco, instantâneo, como se tivesse saltado uma lasca de lenha, e outra vez tudo voltou a ficar mergulhado em silêncio. Uma mosca desequilibrada chocou, de súbito, no seu voo, com o espelho, e cambaleou, magoada. Nesse momento, num canto, entre o armário e a janela, distinguiu uma espécie de capa de mulher, pendurada na parede. "Que fará aqui esta capa? – pensou – Dantes não estava aqui." Aproximou-se devagarinho e adivinhou que atrás daquela capa se escondia alguém. Cautelosamente, afastou a capa com a mão e viu que havia ali uma cadeira, e na cadeira, num cantinho, estava sentada uma velhinha, toda feita num novelo e com a cabeça baixa, de maneira que ele não podia ver-lhe a cara; mas era a mesma. Ficou parado diante dela. "Tem medo", pensou. Tirou devagarinho o machado do nó corredio e descarregou-a sobre a velha, na sombra, uma e outra vez. Mas, coisa estranha: ela nem sequer estremecia debaixo dos golpes, tal como se fosse feita de pau. Ele se assustou, agachou-se mais e pôs-se a olhar para ela; mas ela, por sua vez, agachou também a cabeça. Então ele se pôs completamente de cócoras no chão e, de baixo, olhou-a no rosto; olhou-a e ficou hirto de espanto: a velha continuava sentada, e ria... retorcia-se num riso abafado, inaudível, esforçando-se por todos os modos para que não a ouvissem. De repente, pareceu-lhe que a porta do quarto se abria suavemente e que também ali dentro soavam risos e murmúrios. A raiva apoderou-se dele: pôs-se a bater na cabeça da velha com todas as forças; mas, a cada machadada, mais e mais fortes soavam os risos e os murmúrios no quarto, e a velha continuava a retorcer-se toda de riso. Deitou a correr mas o vestíbulo já estava cheio de gente; a porta do andar, aberta de par em par, e, no patamar, na escada e lá embaixo, tudo cheio de gente, cabeça contra cabeça, todos a olharem, mas todos escondidos e esperando em silêncio... Sentiu o coração oprimido, os pés ficaram paralisados, deitaram raízes na terra... Quis gritar... e acordou...

Respirou ruidosamente; mas, coisa estranha, parecia-lhe que continuava sonhando: a porta do quarto estava aberta de par em par e junto dos gonzos estava parado um homem que lhe era completamente desconhecido e que o mirava de alto a baixo. Raskólhnikov mal tivera tempo para abrir completamente os olhos; mas voltou a fechá-los. Estava estendido de barriga para cima e não se mexeu.

"Continuará o sonho?", disse, e, pouco a pouco, com muito cuidado, foi erguendo outra vez as pestanas para olhar: o desconhecido permanecia no mesmo lugar e continuava olhando-o. De repente, transpôs diretamente o limiar da entrada, fechou a porta atrás de si, com muito cuidado, aproximou-se da mesa, esperou um minuto sem deixar de olhá-lo durante todo esse tempo, e, devagarinho, sem ruído, sentou numa cadeira, junto do divã; pôs o chapéu de lado, no chão, e colocou as duas mãos no punho da bengala, apoiando depois o queixo sobre as mãos. Era evidente que se propunha esperar muito tempo. Tanto quanto era possível ver através das pálpebras descidas, verifica-se que aquele homem já não era jovem, mas era forte e tinha uma barba espessa, loura, quase branca...

Decorreram dez minutos. Ainda havia luz mas a noite estava já próxima. Reinava um silêncio absoluto no quarto. Na escada também não se sentia o menor ruído. Apenas volteava e zumbia por ali um moscardo, que chocava com o espelho nos seus volteios. Até que isso acabou por se tornar insuportável. De súbito, Raskólhnikov ergueu-se e sentou no divã.

– Bem, diga, o que deseja?
– Eu já sabia que o senhor não dormia, mas que fingia estar dormindo – respondeu o desconhecido de maneira estranha, sorrindo com placidez. – Dê-me licen-

ça que me apresente – Arkádi Ivânovitch Svidrigáilov...

Quarta parte

Capítulo primeiro

"Continuará o sonho?", tornou a pensar Raskólhnikov. Cauto e receoso, olhava para o visitante inesperado.

– Svidrigáilov? Que absurdo! Não pode ser! – exclamou finalmente em voz alta, perplexo.

Segundo parece, aquela exclamação não surpreendeu o visitante.

– Vim vê-lo por dois motivos: primeiro, porque desejava conhecê-lo pessoalmente, pois há algum tempo que ouvi contar coisas muito curiosas e interessantes a seu respeito, e segundo, porque tenho a convicção de que não se negará a prestar-me o seu auxílio num caso que afeta diretamente a sua irmã Avdótia Românovna. Sozinho e sem qualquer recomendação, eu teria probabilidades de ser posto por ela na rua, ao passo que, em consequência de certos preconceitos, graças ao seu auxílio, eu conto, pelo contrário, que...

– Não conte com isso – atalhou Raskólhnikov.

– Elas chegaram ontem mesmo, desculpe-me a pergunta... não é verdade?

Raskólhnikov não respondeu.

– Foi ontem, eu sei. Olhe, eu também só estou aqui há dois dias. Bem, repare no que eu tenho de dizer-lhe a esse respeito, Rodion Românovitch; mas me dê licença que lhe pergunte: que há de especialmente criminoso, do meu lado, em tudo isto, quero dizer, apreciando sem preconceitos, atendendo só à razão?

Raskólhnikov continuou a contemplá-lo em silêncio.

– Eu sou aquele que perseguiu, na sua própria casa, uma moça indefesa, e que a ofendeu com as suas feias propostas... Não é assim? (Eu mesmo me antecipo.) Mas bastará que o senhor leve em conta que eu sou homem *et nihil humanum*... enfim, eu também sou capaz de apaixonar-me e de amar (o que, não há dúvida, não acontece por nossa vontade), de maneira que tudo se explica assim muito naturalmente. Aqui tem o senhor o problema: sou eu o verdugo ou sou a vítima? Mas que vítima? Repare que eu, ao propor à minha adorada que fugisse comigo para a América ou para a Suíça, é possível que o tivesse feito animado dos sentimentos mais respeitosos e pensasse até que, assim, fazia a felicidade dos dois. A razão, já vê, está a serviço da paixão; faça-me a justiça de pensar que era possível que fosse eu aquele que ficasse a perder mais...

– Não era disso que se tratava, de maneira nenhuma – atalhou Raskólhnikov com repugnância – mas, simplesmente, de que, tenha ou não razão, o senhor é antipático, e que eu não quero conviver com o senhor, e que vou expulsá-lo neste momento; por isso vá-se...

De repente, Svidrigáilov desatou numa gargalhada.

– Não há quem faça nada com o senhor! – exclamou, pondo-se a rir francamente. – Eu pensava valer-me da astúcia das meias palavras; mas o senhor acertou em cheio de uma só vez.

— Mas até neste mesmo instante o senhor continua a empregar a astúcia.

— O quê? Que diz o senhor? — respondeu Svidrigáilov, rindo às escâncaras. — Olhe, isto é *bonne guerre*[33], o que se chama uma astúcia legítima... Mas o que é certo é que o senhor me interrompeu. E insistirei de novo em que nada de aborrecido se teria passado se no jardim não se encontrasse, por acaso, Marfa Pietrovna...

— Segundo dizem foi o senhor também quem matou Marfa Pietrovna — atalhou Raskólhnikov, mal-humorado.

— Mas, ouviu dizer isso? Embora, afinal, como não ouvir? Bem, a essa sua primeira pergunta, francamente, não sei como responder, ainda que tenha a consciência muito tranquila sobre o caso. Isto é, não vá o senhor pensar que eu corro qualquer perigo por causa disso; tudo se fez na maior ordem e com absoluta exatidão: a investigação médico-legal declarou uma apoplexia em consequência dum banho frio, tomado depois duma refeição abundante, durante a qual sorveu uma garrafa quase inteira de aguardente; não foi possível demonstrar mais nada, mais nada... Não; repare no que eu dizia a mim mesmo, durante o caminho, sentado na carruagem do trem: "Não teria eu contribuído para toda essa... desgraça, moralmente, com algum desgosto ou com qualquer outra coisa do gênero?". Mas acabei por chegar à conclusão de que também não podia tratar-se disso, de maneira nenhuma.

Raskólhnikov pôs-se a rir.

— Vontade de emendar-se?

— Por que ri o senhor dessa maneira? E imagine que eu só lhe bati duas vezes com um chicote, de maneira que não lhe ficaram sinais... Faça o favor de não me tomar por um cínico; eu sei muito bem que isso foi mal feito, ou pior ainda; mas também sei de certeza que Marfa Pietrovna estava muito contente com esse meu divertimento, chamemos-lhe assim. Ela espalhou essa história a respeito de sua irmã por toda a cidade. No terceiro dia Marfa Pietrovna teve de ficar em casa: não tinha com que apresentar-se na cidade e, além disso, tinha-os aborrecido a todos com aquela sua cartinha. (Não ouviu falar da leitura dessa carta?) E, de repente, essas duas chicotadas caíram como chovidas do céu. A primeira coisa que fez foi mandar atrelar a carruagem... E isto para não dizer que há certas ocasiões em que à mulher agrada muito, mas muito, que a ofendam, apesar de todo o seu aparente aborrecimento. Todas elas passam por transes semelhantes; ao homem, de maneira geral, também lhe agrada muito, muito, que o ofendam: não tem reparado? Bem, mas isso agrada sobretudo às mulheres. Até se pode dizer que é só assim que conseguem matar o tempo.

Houve um momento em que Raskólhnikov pensou em levantar, sair correndo e dar assim por terminada a entrevista. Mas retiveram-no a curiosidade e até uma certa intenção.

— Gosta de manejar o chicote? — perguntou com ar distraído.

— Não, nem por isso — respondeu Svidrigáilov tranquilamente. — Mal me servi dele, com Marfa Pietrovna. Nós nos dávamos muito bem e ela estava sempre satisfeita comigo. Em sete anos de casados só devo ter-lhe aplicado o chicote umas duas vezes (para não falar de um terceiro caso, aliás, bastante ambíguo): a primeira vez,

---

33 Uma guerra justa.

foi depois de dois meses de casados, assim que chegamos à aldeia, e a outra, esta última, a de agora... Mas o senhor imagina que eu era um monstro, um retrógrado, um partidário da servidão? Ah, ah! E a propósito, não se lembra, Rodion Românovitch, que há uns anos, ainda nos tempos da bendita liberdade de Imprensa, difamaram pública e literariamente a um nobre – cujo nome esqueci – por ter batido numa alemã, num vagão de trem? Não se lembra? Nessa altura, no mesmo ano, deu-se esse "horrível incidente do século" (bem, as *Noites Egípcias*, leitura pública, lembra-se?). Olhos negros! Oh! Onde estás, tempo áureo da nossa mocidade? Bem; pois ouça a minha opinião: por esse cavalheiro que surrou uma alemã, não tenho eu a menor simpatia, porque, realmente, no fundo, por que a teria? No entanto, ainda assim não posso deixar de reconhecer que às vezes se veem umas alemãs tão provocantes, que afirmo não existir um só progressista que pudesse considerar-se seguro. Não era deste ponto de vista que as pessoas olhavam então as coisas; mas, no entanto, é o verdadeiro ponto de vista humano, não é verdade?

Depois de ter falado assim, de repente, Svidrigáilov irrompeu numa gargalhada. Raskólnikov compreendeu claramente que aquele homem estava firmemente decidido a qualquer coisa e que saberia consegui-la.

– Com certeza deve já haver alguns dias seguidos que o senhor não fala com ninguém, não é verdade? – perguntou-lhe.

– Quase. Mas está, de fato, admirado com a minha complacência?

– Não, não me admira que a tenha em demasia.

– Isso é porque eu me dei por ofendido perante a grosseria das suas perguntas? É por isso que o diz? Sim, mas por que há de ofender-se? Eu lhe respondi de acordo com as suas perguntas – acrescentou, com uma surpreendente expressão de bonacheirice. – Ora veja: a mim, pessoalmente, nada me interessa, juro por Deus – continuou, como se meditasse. – Particularmente, agora, quase que não me ocupo de nada... Aliás, o senhor está no seu direito de pensar que eu procuro lisonjeá-lo, tanto mais que comecei por dizer-lhe que tenho um assunto para tratar, a respeito da sua irmã... Mas confesso-lhe, francamente, sinto-me muito aborrecido. Sobretudo nestes três dias, e fiquei muito contente por tê-lo encontrado... Não se aborreça, Rodion Raskólhnikov, mas o senhor, não sei por que, parece-me terrivelmente estranho. Diga o que quiser, mas sucedeu-lhe qualquer coisa e, concretamente, agora, quer dizer, não propriamente neste momento, mas de maneira geral, agora... Bem, bem; não continuarei, não continuarei, não franza o sobrolho. Olhe que eu não sou nenhum urso, como posso parecer.

Raskólnikov olhou para ele sombriamente.

– Pode ser que, realmente, o senhor não seja um urso – disse. – A mim até me parece que o senhor é uma pessoa de boa sociedade, ou que pelo menos saberia, em certas circunstâncias, portar-se como uma pessoa distinta.

– Não se esqueça de que a opinião dos outros não me interessa – respondeu Svidrigáilov secamente e até com um acento de altivez. – E por que não há de uma pessoa ser vulgar, quando estas maneiras são tão convenientes para o nosso país e... sobretudo, quando, por inclinação natural, uma pessoa tem já propensão para mostrá-las? – acrescentou, pondo-se outra vez a rir.

– Mas eu ouvira dizer que o senhor tinha aqui muitas amizades. O senhor não é o que se diz um homem sem relações. Porque é que, sendo assim, o senhor veio procurar-me, e não é com um objetivo.

– Nisso tem o senhor razão: eu tenho os meus amigos – concordou Svridigáilov, deixando sem resposta o ponto mais importante. – Já os encontrei; ando há três dias passeando pelas ruas; reconheço os outros, e eles, pelo visto, também me reconhecem. Não há dúvida de que ando bem vestido e passo por pessoa endinheirada; repare: a reforma agrária respeitou-me, ainda me restam bosques e prados, que ainda me dão um certo rendimento, mas... não reatarei antigas relações; já dantes estava farto delas; já vou no terceiro dia e não me dei a conhecer a ninguém... Para isso é esta cidade boa! É capaz de dizer-me como é que ela se formou? Cidade de empregados e de seminaristas de todo o gênero? Para dizer a verdade, eu não reparei muito bem quando estive aqui, haverá uns oito anos... Mas agora todas as minhas esperanças se resumem na anatomia, felizmente.

– Em qual anatomia?

– Refiro-me a esses clubes, a esses restaurantes e, além disso, ao progresso... Bem; isso será quando já tivermos morrido – continuou, outra vez sem dar importância à pergunta. – Mas, no fim de tudo, é um gosto fazer trapaça no jogo!

– Mas o senhor também é trapaceiro?

– Ai, não! Formávamos todos um grupo notável, haverá uns oito anos; passávamos o tempo, e repare, éramos todos pessoas finas: poetas, capitalistas. De maneira geral, entre nós, os russos, os modos mais finos tem-nos aqueles que levaram pancada... Já reparou nisso? Olhe, eu me aproximei agora um pouco do povo. Mas, nesse tempo, um certo grego de Nietchin quis meter-me na prisão por caloteiro; foi então que Marfa Pietrovna apareceu, a qual teve de entrar em contato com o meu credor e me resgatou da minha dívida por trinta mil rublos de prata (eu devia sessenta mil ao todo). Uni-me a ela por legítimo matrimônio e ela levou-me imediatamente consigo para a aldeia, como se eu fosse algum tesouro. Era mais velha do que eu cinco anos. Gostava muito de mim. Durante sete anos não saí da aldeia. E repare que ela toda a vida guardou o documento contra mim, noutro nome, no valor de trinta mil rublos, para o caso de que eu me lembrasse alguma vez de sacudir o jugo e poder logo me segurar outra vez. E teria feito! Nas mulheres estas coisas dão-se todas ao mesmo tempo.

– Mas se não fosse esse documento, o senhor teria escapado?

– Não sei como lhe responder. Aquele documento não me preocupava grande coisa. Eu não tinha vontade de ir para nenhum lugar, e isso apesar de Marfa Pietrovna, vendo que eu me aborrecia, ter me oferecido por duas vezes uma viagem ao estrangeiro. Mas quê! Eu já estivera no estrangeiro e sempre me aborreci lá muito belamente. Não que me aborrecesse de fato, mas depois de uma pessoa já ter visto o nascer do sol, o golfo napolitano, o mar, apodera-se de nós uma certa tristeza. E o mais desagradável é que, de fato, por que há de uma pessoa entristecer? Não, na nossa terra está-se melhor; aqui, ao menos, deita-se aos outros a culpa de tudo e uma pessoa sente-se justificada. Eu, agora, de boa vontade iria ao Polo Norte, porque *j'ai le vin mauvais*[34], a aguardente não me agrada e, excluída a bebida, já nada mais me resta. E a propósito: dizem que Bug subirá no domingo num globo enorme, no jardim de Iusúpovski, e que admitirá passageiros por uma determinada quantia. Será

---

34 Não me dou bem com vinho.

verdade?

– O quê? O senhor estaria disposto a subir?

– Eu? Não... sim... – murmurou Svidrigáilov, como se de fato estivesse afundado em meditações.

"Mas qual será, no fundo, a sua ideia?", pensou Raskólhnikov.

– Não, esse documento, a mim, não me preocupava – continuou Svidrigáilov, pensativo. – É que eu não queria deixar a aldeia. Além disso, haverá coisa de um ano, Marfa Pietrovna, por ocasião do meu aniversário, entregou-me o documento com o dobro da quantia nele declarada. Porque fique sabendo o senhor que ela possuía cabedais. "É para que vejas a confiança que tenho em ti, Arkádi Ivânovitch", disse-me ela tal qual. Não acredita que ela tivesse dito isto? Pois olhe que eu era um honrado proprietário na aldeia; conheciam-me nos arredores. Também encomendava alguns livros. A princípio, Marfa Pietrovna não se importava; mas depois chegou a ter medo que eu me enfronhasse demasiado no estudo.

– Mas, segundo parece, a perda de Marfa Pietrovna deixou-o muito aborrecido.

– A mim? Talvez. Pode ser que, de fato, assim fosse. E a propósito: o senhor acredita em aparições?

– Em que aparições?

– Nas aparições! Em quais havia de ser?

– E o senhor, acredita nelas?

– Talvez não acredite, *pour vous plaire*...[35] Isto é, não digo que não...

– Já teve alguma?

Svidrigáilov ficou olhando-o de uma maneira estranha.

– Marfa Pietrovna digna-se visitar-me – declarou, franzindo a boca num sorriso estranho.

– Digna-se visitá-lo?

– Sim; já me apareceu três vezes. A primeira foi no próprio dia do seu enterro, uma hora depois de eu ter voltado do cemitério. Foi na véspera da minha vinda para aqui. A segunda vez foi há três dias, no caminho, ao amanhecer, na pousada da Málaia Víchiera, e a terceira foi há coisa de duas horas, no quarto onde tenho ficado; estava sozinho.

– Acordado?

– Completamente. Estava acordado, dessas três vezes. Chega, fala-me um momento e sai pela porta, sempre pela porta. Até parece que a sinto.

– Parece que eu tinha razão em supor que deviam acontecer-lhe coisas desse gênero! – exclamou Raskólhnikov de repente e no mesmo momento ficou espantado por ter dito aquilo. Estava muito comovido.

– O que, o senhor supunha isso? – perguntou Svidrigáilov espantado. – Deveras? Eu não lhe disse já que nós tínhamos qualquer coisa de comum?

– O senhor não disse nada disso! – respondeu Raskólhnikov com brusquidão e veemência.

– Não disse?

– Não.

– Pois, a mim, parecia ter dito. Há pouco, quando entrei e o vi estendido, com

---

[35] Para lhe agradar.

os olhos fechados e fingindo que dormia... disse logo para comigo: "É ele mesmo!".

– Que é isso de é "ele mesmo"? A que se referia o senhor? – exclamou Raskólhnikov.

– A quê? De fato, não sei... – respondeu Svidrigáilov com franqueza e como se tivesse ficado confuso.

Ficaram em silêncio durante um minuto. Olhavam um para o outro com os olhos muito abertos.

– Tudo isso é um absurdo! – exclamou Raskólhnikov mal-humorado. – E que lhe diz ela quando aparece?

– Ela? Pois imagine: diz as coisas mais vulgares, e veja como as coisas são: isso me deixa de mau humor. Da primeira vez (quer saber? eu estava cansado: as cerimônias religiosas, a missa de réquiem, o enterro, o almoço fúnebre... até que, finalmente, me deixaram só no meu gabinete, acendi um cigarro e pus-me a pensar) entrou pela porta: "Olhe – disse ela – Arkádi Ivânovitch, hoje, com tanto que fazer, esqueceu-se de dar corda ao relógio da casa de jantar". De fato, durante sete anos fui eu quem teve o encargo de dar corda a esse relógio, e quando me esquecia ela lembrava-me sempre. No dia seguinte ponho-me a caminho para aqui. Ao clarear da alba, entro na pousada (eu estava cansado da noite, moído; meus olhos iam fechando), tomo um pouco de café, olho... e vejo Marfa Pietrovna sentada junto de mim, com um baralho de cartas na mão. "Não queres que deite as cartas por causa da viagem, Arkádi Ivânovitch?" Ela era mestra nisso de deitar as cartas. Bom, nunca perdoarei a mim próprio não lhe ter dito que sim. Pus-me a correr, assustado, e, além disso, era verdade que a campainha já se ouvia, a dar o sinal da partida. Hoje, estava eu sentado, descansando, depois dum péssimo almoço numa casa de pasto, com o estômago pesado... estou sentado, fumando... e, de repente, outra vez me aparece Marfa Pietrovna, toda arrebicada, com um vestido novo de seda verde e uma cauda compridíssima: "Bom dia, Arkádi Ivânovitch. Que tal achas, para teu gosto, o meu vestido? Aniska não sabia fazê-lo assim". (Aniska era a sua modista lá na aldeia; vinha dos antigos servos e aprendera o ofício em Moscou; era uma moça bastante jeitosa.) Para, dá uma volta diante de mim. Eu examino o vestido, depois olho-a atentamente, na cara. "Mas que vontade a tua – disse eu – Marfa Pietrovna, de me vires incomodar com essas ninharias!" "Ah, meu Deus, *bátiuchka*, nem sequer se pode fazer uma pergunta!" Então eu lhe disse para arreliá-la: "Marfa Pietrovna, eu quero casar". "Fique sabendo, Arkádi Ivânovitch, que não lhe fica muito bem que, com a mulher enterrada ainda há tão pouco tempo, torne já a casar. E ainda que escolhesse acertadamente, nem a ela nem ao senhor isso ficaria bem: o senhor havia de ser sempre o bobo de toda a gente." Disse isto e desapareceu, e a mim pareceu-me sentir o rumor da sua saia. Que absurdo, não é verdade?

– Mas não podia dar-se o caso de que tudo isso fosse mentira? – insinuou Raskólhnikov.

– Raramente minto... – respondeu Svidrigáilov, pensativo, e como se não tivesse, de maneira nenhuma, reparado na grosseria da pergunta.

– E, antes de agora, nunca teve aparições?

– Também... Não, só uma vez na minha vida, haverá uns seis anos. Foi com Filhka, um servo nosso; mal ele acabara de ser enterrado, gritei, num momento de distração: "Filhka, o cachimbo!"; ele entrou e foi direito ao armário onde eu guardava os cachimbos. Eu continuei sentado e disse para comigo: "Isto é uma vingança", porque um pouco antes da sua morte tivéramos uma briga séria. "Como é que te atreves – disse-lhe eu – a apresentar-te diante de mim com os cotovelos rotos? Fora daqui!" Deu meia volta, saiu e não voltou mais. Eu não disse nada a Marfa Pietrovna. Ainda tive a intenção de mandar dizer uma missa por alma dele, mas mudei de ideia.

– Devia consultar um médico.

– Ainda que o senhor não me dissesse, eu compreendo muito bem que isto é doentio, embora, para dizer a verdade, não sei por que, em minha opinião eu tenha mais saúde do que muita gente. Como o senhor. Eu não lhe perguntei se acreditava ou não que os espíritos apareçam, mas sim se acredita ou não nos espíritos.

– Não, nem por sombras! – exclamou Raskólhnikov, até com certa cólera.

– Que costumam dizer, de maneira geral? – murmurou Svidrigáilov, como para si mesmo, olhando de soslaio e baixando um pouco a cabeça. – As pessoas dizem: "Não há dúvida que tu estás doente; isso que tu imaginas ver é um desvario fantástico". Mas, reparando bem, isso não é rigorosamente lógico. Concordo que os fantasmas só apareçam aos doentes; mas isso só demonstra que os fantasmas não podem aparecer senão aos doentes, mas não que não existam.

– Com certeza que não existem! – insistiu Raskólhnikov excitado.

– Não? Acha que não? – continuou Svidrigáilov, examinando-o lentamente. – Bem, e se raciocinássemos dessa maneira? (Vamos, ajude-me o senhor!): "As aparições são, por assim dizer, pedaços ou fragmentos de outros mundos, o seu princípio. É claro que o homem são não tem motivo para vê-las, porque o homem são é o homem mais terreno, e deve viver uma vida terrestre, atendendo à harmonia e à ordem. Mas quando adoece, ou quando a ordem terrena se altera no organismo, começa imediatamente a mostrar-se a possibilidade de outro mundo, e, quanto mais doente, tanto mais em contacto se encontra com esse outro mundo, de maneira que, quando morre completamente, o homem vai direto para esse mundo". Já há muito tempo que medito nisso. Se o senhor acredita na outra vida, pode acreditar também nesse raciocínio.

– Eu não creio na outra vida – disse Raskólhnikov.

Svidrigáilov parecia pensativo.

– E se nela não existissem senão aranhas ou outra coisa do gênero, nada mais? – disse de repente.

"Está doido!", pensou Raskólhnikov.

– Para mim a eternidade é uma ideia impossível de compreender, algo de enorme, imenso. Mas por que há de ser precisamente enorme? E, de repente, em vez disso, imagine o senhor que existe aí um quarto, no gênero duma sala de banho em pleno campo, negra de fumo e com aranhas por todos os lados, e que a isso se resumisse a eternidade. Olhe, eu, imagino-a muitas vezes assim.

– Mas diga-me, diga-me: não pode imaginar nada de mais consolador e justo? – exclamou Raskólhnikov com um sentimento doentio.

– Mais justo? Quem sabe, talvez, se não será isto o justo? Olhe, eu o teria, sem dúvida, feito assim, com toda a intenção – respondeu Svidrigáilov com um vago sorriso.

Um certo frio se apoderou de repente de Raskólhnikov, perante aquela resposta monstruosa. Svidrigáilov ergueu a cabeça, ficou olhando para ele de alto a baixo e, de repente, soltou uma gargalhada.

– Não, o que o senhor pensa é isto, – exclamou – ainda há meia hora não nos tínhamos visto um ao outro, tínhamo-nos por inimigos, entre nós estava pendente um assunto por resolver, e pusemo-lo de lado e metemo-nos a falar de literatura... Bem, não tinha eu razão quando lhe disse que éramos frutos da mesma terra?

– Faça-me o favor – continuou Raskólhnikov irritado. – Permita-me que lhe peça que me explique o mais depressa possível e comunique a que devo a honra da sua visita... e... suponha que estou com pressa, que não disponho de tempo, que tenho de sair...

– Muito bem, muito bem. Sua irmã, Avdótia Românovna, vai-se casar com o senhor Lújin, com Piotr Pietróvitch?

– Não poderia evitar perguntas a respeito da minha irmã e não pronunciar o seu nome? Eu próprio não compreendo como é que se atreve a mencioná-lo diante de mim, se é, na verdade, o Senhor Svidrigáilov!

– Mas se eu vim precisamente para lhe falar dela, como é que não hei de pronunciar o seu nome?

– Bem, fale, mas seja breve.

– Tenho a certeza de que já formou a sua opinião acerca desse Senhor Lújin, meu parente por parte de minha mulher, contanto que o tenha visto pelo menos meia hora ou tenha referências seguras e exatas acerca da sua pessoa. Avdótia Românovna não faz um par conveniente com ele. A meu ver, Avdótia Românovna, neste assunto, sacrifica-se muito generosa e desinteressadamente por... pela família. A mim pareceu, depois de tudo o que me disseram a seu respeito, que o senhor, por seu lado, se consideraria muito feliz se de fato fosse possível desmanchar esse casamento sem prejuízo das conveniências. Agora que já o conheço pessoalmente, estou certo disso.

– Tudo isso é muito ingênuo da sua parte; desculpe: quero dizer insolente – disse Raskólhnikov.

– Isso significa que eu tenho cuidado com a minha bolsa. Não se preocupe, Rodion Românovitch: embora eu zelasse os meus interesses, não ia deixá-lo transparecer assim, do pé para a mão, pois de tolo não tenho nada. Quero expor-lhe uma singularidade psicológica, a este respeito. Há pouco, justificando o meu amor por Avdótia Românovna, disse que eu próprio era uma vítima. Bem; pois fique sabendo que agora não sinto nada de amor, a tal ponto que até a mim mesmo me parece estranho, visto que, de fato, chegara a sentir algum...

– Isso é devido à libertinagem e à corrupção – atalhou Raskólhnikov.

– De fato, sou um pervertido e um libertino. Mas, no fim de contas, a sua irmã reúne tantas boas qualidades, que não pode deixar de impressionar-me. Mas tudo isto é um disparate, como eu próprio vejo agora.

– Já há muito tempo que verificou isso?

– Já o notara antes, mas fiquei definitivamente convencido antes de ontem, quase no próprio momento da minha chegada a Petersburgo... Aliás, ainda em Moscou, imaginava que iria alcançar a mão de Avdótia Românovna e rivalizar com o Senhor Lújin.

– Desculpe interrompê-lo, mas faça-me o favor: não poderia abreviar e ir direito ao fim da sua visita? Estou com pressa, tenho de sair.

— Com o maior prazer. Uma vez aqui, e como resolvi empreender uma certa... viagem, quis tomar as disposições prévias indispensáveis. Deixei os meus filhos com a tia: são ricos e não precisam de mim. Além disso, eu sou um bom pai! Para mim fiquei apenas com o que me deixou há um ano Marfa Pietrovna. É o suficiente para mim. Desculpe, que eu vou já entrar no assunto. Antes da viagem, que é possível que não se realize, quero eu resolver o caso do Senhor Lújin. Não é que eu não tenha muita coragem para suportá-lo, mas é que foi por culpa dele que eu tive aquele desgosto com Marfa Pietrovna, quando soube que fora ela quem urdira esse casamento. O que eu queria, agora, era obter um encontro com Avdótia Românovna, por seu intermédio, e se assim o entendesse, na sua presença, para explicar-lhe que, do Senhor Lújin, não só não pode esperar nem a mais pequena utilidade, e que, pelo contrário, com certeza que lhe hão de vir amargos dissabores. Isso, em primeiro lugar; depois queria pedir-lhe perdão de todas essas recentes contrariedades, e, finalmente, pedir-lhe o seu consentimento para oferecer-lhe dez mil rublos e suavizar desta maneira a ruptura com o Senhor Lújin, ruptura que ela própria, tenho a certeza, provocaria com gosto, se fosse possível.

— Mas o senhor não estará verdadeiramente, verdadeiramente louco? – exclamou Raskólhnikov, mais indignado do que surpreendido. — Como é que o senhor tem o descaramento de falar dessa maneira?

— Eu já sabia que o senhor havia de ficar espantado com isto; mas, em primeiro lugar, embora eu não seja rico, disponho com toda a liberdade desses dez mil rublos, isto é, não me fazem falta absolutamente nenhuma. Se Avdótia Românovna não os aceitar, talvez eu os gaste mais tolamente. Isto em primeiro lugar. Em segundo, tenho a minha consciência completamente tranquila; ofereço-lhos sem nenhum interesse particular, quer acredite ou não; mas depois hão de saber que de fato assim era, tanto o senhor como Avdótia Românovna. Tudo se resume a que me sucedeu provocar-lhe um certo desgosto, algum dissabor à sua respeitabilíssima irmã; talvez movido de sincero arrependimento, desejo cordialmente... não compensar, não pagar-lhe esses dissabores, mas simplesmente fazer algo de proveitoso a seu favor, fundamentando-me em que, no fundo, não tenho o privilégio de praticar somente o mal. Ainda que no meu oferecimento houvesse um milionésimo de interesse, não iria agora oferecer-lhe dez mil, quando haverá ainda apenas umas cinco semanas lhe ofereci mais. Além de que é muito possível que, em breve, muito em breve, eu me case com uma moça, e assim toda a suspeita de que eu tento seduzir Avdótia Românovna fica destruída. Para acabar, ainda lhe digo que, quando se casar com o Senhor Lújin, Avdótia Românovna receberá essa mesma quantia, simplesmente por outra via... Mas não se aborreça, Rodion Românovitch; pense com serenidade e sangue frio.

Quando disse isto, o Senhor Svidrigáilov estava muitíssimo tranquilo e indiferente.

— Peço-lhe que acabe – disse Raskólhnikov. — Em todo caso, isto é de uma insolência imperdoável.

— Nada disso. Será o caso de que o homem só poderá fazer mal ao próximo, neste mundo, e nem uma amostra de bem, por causa de umas tantas inúteis formalidades convencionais? Isso é absurdo. Repare bem: se eu, por exemplo, morresse deixando à sua irmã essa quantia no meu testamento, ela se negaria, então, a aceitá-la?

— Podia muito bem ser que isso acontecesse.
— Não acredito. Mas, ainda que assim fosse! Simplesmente... dez mil rublos... não são para desprezar. Em todo caso, peço-lhe que transmita o que acabo de dizer-lhe a Avdótia Românovna.
— Não faço tenção disso.
— Então, Rodion Românovitch, sinto-me obrigado a ter uma entrevista pessoal com ela, e provavelmente a incomodá-la.
— E se eu me prestasse a comunicar-lhe as suas palavras, o senhor desistiria dessa entrevista pessoal?
— Verdadeiramente, não sei o que dizer-lhe. Desejava muito vê-la, ao menos uma vez.
— Não conte com isso.
— Isso custa-me. Além do mais, o senhor não me conhece. Olhe, olhe: talvez possamos conhecer-nos mais a fundo.
— O senhor pensa que havemos de chegar a conhecer-nos mais a fundo?
— E por que não? – e o senhor Svidrigáilov sorriu, levantando-se e pegando o chapéu. – Repare: eu não quis incomodá-lo e, quando vim aqui, não tinha muitas ilusões, embora, no fim de contas, a sua cara me tenha impressionado, esta manhã...
— Onde é que o senhor me viu esta manhã? – perguntou Raskólhnikov inquieto.
— Por acaso... Tenho a impressão de que o senhor tem qualquer coisa de parecido comigo... Além disso, não se preocupe, eu não sou nada incomodativo: tenho convivido com patifes, e para o príncipe Svirbiéi, meu parente afastado, um grande senhor, eu não era aborrecido, e escrevi uns versinhos dedicados à madona de Rafael no álbum da Senhora Prilúkova, e vivi sete anos com Marfa Pietrovna sem tentar escapar-me, e dormi em tempos na casa Viásiemski junto do Mercado do Feno, e é possível que suba no balão de Bug.
— Bem, dê-me licença que lhe faça uma pergunta: pensa pôr-se já a caminho?
— A caminho de quê?
— Referia-me a essa viagem... Foi o senhor quem falou nisso.
— Viagem? Ah, sim... De fato falei-lhe numa viagem... Mas isso é uma questão muito importante... Se o senhor soubesse a pergunta que me fez! – acrescentou, e, de repente, desatou num riso ruidoso e breve. – Podia ser que, em vez de viajar, eu casasse; apareceu-me uma noiva.
— Aqui?
— Sim.
— Mas já teve tempo para isso?
— No entanto desejo ardentemente ver Avdótia Românovna. Suplico-lhe com toda a seriedade. Bem, até à vista! Ah, sim! Já me esquecia! Rodion Românovitch, diga a sua irmã que Marfa Pietrovna lhe deixou no seu testamento um legado de três mil rublos. Isto é absolutamente exato. Marfa Pietrovna fez testamento uma semana antes da sua morte e na minha presença. Daqui a duas ou três semanas, Avdótia Românovna pode receber essa quantia.
— O senhor está falando a sério?
— A sério. Diga-lhe. Pronto, às suas ordens. Olhe, eu não estou longe daqui.
Quando saiu, Svidrigáilov encontrou Razumíkhin à porta.

Capítulo II

São já cerca de oito horas; encaminham-se os dois depressa para a pensão Bakaliéiev, com o fim de chegarem lá antes de Lújin.

— Bem, mas quem era esse tipo? — perguntou Razumíkhin, assim que se viu na rua.

— Era Svidrigáilov, esse tal burguês, em cuja casa ofenderam daquela maneira que te disse a minha irmã, quando ela fazia lá serviço como preceptora. Por causa dos assédios amorosos dele é que ela teve de sair da casa, expulsa pela mulher, Marfa Pietrovna. A tal Marfa Pietrovna pediu depois perdão a Dúnia, e agora sucedeu que ela morreu de repente. Já tinham dito isso quando se referiram a ela. Não sei por que, mas inspira-me muito receio esse homem. Veio cá, imediatamente depois do enterro da mulher. É um homem muito estranho e com certeza que traz qualquer intento... Parece que sabe qualquer coisa... É preciso defender Dúnia dele... Olha, queria dizer-te isto a ti, ouves?

— Defender! Mas que pode ele fazer contra Avdótia Românovna? Bem, Rodka, agradeço-te que me fales dessa maneira... Vamos defendê-la, é certo que vamos! Onde mora ele?

— Não sei.

— Por que não lhe perguntaste? Oh, que pena! Bom, não faz mal, vou me informar!

— Tu o viste? — perguntou Raskólhnikov depois de um breve silêncio.

— Claro que sim; reparei nele; reparei bem.

— Viste-o bem? Viste-o perfeitamente? — insistiu Raskólhnikov.

— Claro que sim, lembro-me muito bem dele; podia reconhecê-lo entre mil, eu sou bom fisionomista.

Ficaram outra vez calados.

— Hum! É que... — balbuciou Raskólhnikov. — Sabes uma coisa? É que me lembrei... parece-me... que tudo isto podia ser apenas uma fantasia.

— Que dizes? Não te compreendo bem.

— Olha, vocês todos — continuou Raskólhnikov franzindo os lábios num sorriso — andam dizendo que eu estou louco; pois a mim também me parece agora que pode ser que eu estivesse louco e só tivesse visto um fantasma.

— Mas que estás tu dizendo?

— Sim, quem sabe! Podia ser que eu estivesse declaradamente louco e que tudo quanto aconteceu nestes dias fosse unicamente obra da imaginação...

— Ah, Rodka! Já te transtornaram outra vez! Que te disse ele e que queria?

Raskólhnikov não respondeu; Razumíkhin ficou um momento pensativo.

— Bem, ouve o que te vou contar — começou. — Estive em tua casa: dormias. Depois almoçamos e a seguir fui ver Porfíri. Zamiótov está sempre em casa dele. Eu queria começar, mas não me ocorria nada. Nunca posso falar de uma maneira positiva. Eles, é como se não me compreendessem, e não podem compreender, mas não se atrapalham de maneira nenhuma. Levei Porfíri até junto da janela e comecei a falar-lhe, mas não atinava com as palavras apropriadas; ele olhava para um lado e eu para outro. Até que finalmente lhe assentei um punho no queixo e disse-lhe que havia de acertá-lo, como parente. Ele ficou olhando para mim e nada. Eu dei uma cuspidela e me vim embora, e não se passou mais nada. Uma estupidez completa. E não dei uma palavra a Zamiótov. Mas olha, pensava eu que deitara tudo a perder, quando, já na escada, me ocorreu uma ideia, que foi um autêntico bálsamo: por que é que tu e eu havemos de andar metidos nestes trabalhos? Se tu corresses algum perigo ou se intrometesse qualquer coisa do gênero, então sim, com certeza. Mas a ti, que te importa tudo isto? O que tu tens a fazer neste assunto é dar a todos o desprezo; e depois divertirmo-nos ambos à sua custa; eu, no teu lugar, gozaria troçando deles. Havia de envergonhá-los! Ao desprezo, que depois já podemos bater-lhes com força, e, por agora, o melhor é rirmos.

– Pois claro! – respondeu Raskólhnikov. "Que dirás tu quando souberes? – disse para consigo. Coisa estranha: até ali, nem uma só vez sequer esta ideia lhe passou pela cabeça. – Que dirá Razumíkhin quando souber?" Depois de ter pensado isto ficou olhando para ele de alto a baixo. A descrição que Razumíkhin acabava de fazer da sua visita a Porfíri, interessava-o muito pouco; tinham-se passado tantas coisas e continuavam a passar ainda agora!

No corredor encontrou-se cara a cara com Lújin; este apareceu às oito em ponto e pôs-se à procura do número, de maneira que entraram os três ao mesmo tempo, mas sem olharem uns para os outros e sem se cumprimentarem. Os rapazes passaram à frente, e Piotr Pietróvitch, para se distinguir deles, entreteve-se um pouco no vestíbulo, tirando o paletó. Pulkhiéria Alieksándrovna veio imediatamente ao seu encontro. Dúnia trocava saudações com o irmão.

Piotr Pietróvitch entrou e inclinou-se perante as senhoras com muita amabilidade, se bem que ainda com maior gravidade. Aliás parecia um tanto confuso e como se não tivesse ainda serenado completamente. Pulkhiéria Alieksándrovna, um pouco aturdida também, apressou-se a fazê-los sentar a todos em volta do velador em que fervia o samovar. Dúnia e Lújin acomodaram-se um em frente do outro, nas extremidades da mesa. Razumíkhin e Raskólhnikov ficaram em frente de Pulkhiéria Alieksándrovna. Razumíkhin junto de Lújin, e Raskólhnikov junto da irmã.

Houve um silêncio momentâneo. Sem se apressar, Piotr Pietróvitch puxou do seu lencinho de batista, que exalou uma onda de perfume, e assoou-se com o ar dum homem bonachão, se bem que ofendido na sua dignidade e que está firmemente resolvido a pedir explicações. Tinha-lhe ocorrido uma ideia no vestíbulo: não tirar o paletó e ir-se embora, castigando assim severamente as duas mulheres e dar-lhes tudo a entender de uma vez. Mas não foi capaz de se decidir. Além disso era homem que não gostava de mistérios e precisava de uma explicação: se não atendiam as suas ordens, de uma maneira tão ostensiva, era porque havia qualquer coisa de permeio; por isso era preferível tirar as dúvidas o mais depressa possível; havia muito tempo para dar-lhes o castigo e tinha-o na sua mão.

– Espero que tenham feito uma boa viagem – disse, dirigindo-se oficialmente a Pulkhiéria Alieksándrovna.

– Graças a Deus, Piotr Pietróvitch.

– Ainda bem. E Avdótia Românovna, não estará cansada?

– Sou nova e forte, não me canso. A mamãe é que se ressentiu com a viagem – respondeu Dúnietchka.

– Que havemos de fazer! As nossas ferrovias nacionais são tão longas... É grande a nossa "mãezinha Rússia"... como diz o povo. Eu, apesar de todo o meu desejo, não tive tempo para vir visitá-las ontem. Espero, entretanto, que não tenham tido qualquer dificuldade maior!

— Ai, não, Piotr Pietróvitch! Vimo-nos muito aflitas, muito aflitas – apressou-se a confessar Pulkhiéria Alieksándrovna com uma entonação especial – e se não fosse Deus ter-nos enviado ontem Dmítri Prokófitch, não teríamos sequer sabido como resolver o caso. Aqui tem o senhor Dmítri Prokófitch Razumíkhin – acrescentou, apresentando-o a Lújin.

— Já tive o prazer... ontem – murmurou Lújin olhando de revés para Razumíkhin; depois do que franziu o sobrolho e calou-se. De maneira geral, Piotr Pietróvitch pertencia a essa classe de indivíduos que se mostram extraordinariamente amáveis em sociedade e tem grandes pretensões, mas que, quando uma coisa não lhes interessa, perdem imediatamente todos os seus recursos e ficam mais parecidos com sacos de farinha do que com cavalheiros desenvoltos que amenizam uma reunião. Tornaram todos a ficar calados: Raskólhnikov conservava um silêncio obstinado; Avdótia Românovna não se decidia a rompê-lo extemporaneamente; Razumíkhin não tinha nada para dizer e tudo isto voltou a inquietar Pulkhiéria Alieksándrovna.

— Marfa Pietrovna morreu, já sabia? – começou, acudindo ao seu recurso principal.

— Sim, já sabia. Soube-o pelos primeiros boatos, e, além disso, queria agora informá-los a todos de que Arkádi Ivânovitch Svidrigáilov se pôs a toda a pressa a caminho de Petersburgo, imediatamente depois do enterro da mulher. Pelo menos é o que se conclui de notícias exatíssimas que recebi.

— De Petersburgo? Vem para cá? – perguntou Dúnietchka, inquieta, e trocou um olhar com a mãe.

— Parece que sim e, naturalmente, escusado será dizer que, cheio de razões, dadas a precipitação da viagem e, de maneira geral, as circunstâncias precedentes.

— Meu Deus! É capaz de não deixar Dúnietchka em paz! – exclamou Pulkhiéria Alieksándrovna.

— Parece-me que nem a senhora nem Avdótia Românovna tem motivo para ficar muito assustadas, uma vez que não tencionem travar com ele qualquer espécie de relações. Pelo que me respeita, ando-lhe na pista e estou vendo se consigo indagar onde é que ele está hospedado...

— Ah, Piotr Pietróvitch, não é capaz de calcular até que ponto me deixou assustada! – continuou Pulkhiéria Alieksándrovna. – Eu, a esse homem, só o vi umas duas vezes, e pareceu-me horrível, horrível! Estou convencida de que é ele o culpado da morte de Marfa Pietrovna.

— A respeito desse assunto, não se pode chegar a nenhuma conclusão. Tenho informações exatas. Não discuto se ele não teria podido contribuir para acelerar o curso dos acontecimentos, por assim dizer, com a influência moral da ofensa; mas, pelo que respeita à sua conduta, e, de maneira geral, às características morais da criatura, sou, em tudo, da sua opinião... Não sei se, atualmente, ele será rico, nem sei ao certo o que lhe teria deixado Marfa Pietrovna; disto informaram-me muito à pressa; mas uma vez aqui, em Petersburgo, não há dúvida de que, se dispuser de dinheiro, tornará imediatamente a fazer das suas. É o homem mais pervertido e vicioso de todos os indivíduos dessa laia. Tenho grandes fundamentos para supor que Marfa Pietrovna, que teve a infelicidade de apaixonar-se por ele e de pagar-lhe as suas dívidas, há sete anos, lhe prestou ainda outro grande serviço noutro ponto: graças unicamente aos seus esforços e sacrifícios ficou interrompido logo no início um processo criminal de caráter bestial e, por assim dizer, de uma crueldade fantástica, que poderia muito bem, mesmo muito bem, levá-lo direitinho à Sibéria. Se queriam conhecê-lo, aí tem quem é esse homem.

– Ah, meu Deus! – exclamou Pulkhiéria Alieksándrovna.

Raskólhnikov escutava atento.

– É verdade que tem informações exatas acerca disso? – perguntou Dúnia, séria e com ênfase.

– Eu só digo aquilo que me contou em segredo a falecida Marfa Pietrovna. É preciso reparar que, no ponto de vista jurídico, esse assunto é muito obscuro. Vivia aqui e continua ainda vivendo, segundo parece, uma tal Resslitch, estrangeira e, além disso, usurária em pequena escala, que também tratava de outros assuntos. O Senhor Svidrigáilov andava há algum tempo metido em relações muito íntimas e secretas com essa tal Resslitch. Morava com ela uma parenta afastada, uma sobrinha, segundo parece, surda-muda; uma mocinha dos seus quinze anos, e talvez não tivesse mais de catorze, à qual a tal Resslitch tinha um ódio infinito, jogando-lhe na cara até a mais pequena côdea de pão que ela comia; era desumana. Um dia encontraram-na enforcada na água-furtada. Acharam que se tratava de um suicídio. Depois das diligências próprias do caso, deu-se o assunto por terminado; mas no entanto, depois, recebeu-se uma denúncia, segundo a qual a mocinha fora objeto de... de um insulto cruel por parte de Svidrigáilov. De fato, tudo isto era um tanto turvo; a denúncia vinha de outra alemã, uma mulher de má fama, que não merecia a mínima consideração; finalmente, na realidade, também não houve denúncia; graças aos cuidados e ao dinheiro de Marfa Pietrovna, ficou tudo reduzido a um boato. Mas, no entanto, o tal boato era bastante significativo. A senhora, Avdótia Românovna, com certeza que ouviu falar em casa deles dessa história a respeito do tio Filip, que morreu em consequência de maus tratos haverá seis anos, ainda no tempo da servidão.

– Pelo contrário, ouvi dizer que o tal Filip se enforcou.

– De fato, assim foi, simplesmente foi obrigado ou, para melhor dizer, foi compelido a matar-se por causa do constante sistema de perseguição e vexames, posto em prática pelo Senhor Svidrigáilov.

– Não sabia disso – respondeu Dúnia secamente. – Só tinha ouvido contar uma estranha história a respeito do tal Filip, que ele era um hipocondríaco, uma espécie de filosofastro, do qual as pessoas diziam que tinha lido demasiado e que se enforcara mais por causa das troças do que das pancadas do Senhor Svidrigáilov. Mas este, durante todo o tempo em que eu estive em casa dele, tratava toda a gente muito bem, e todos lhe tinham até amizade, embora, de fato, o culpassem da morte de Filip.

– Vejo que a senhora, Avdótia Românovna, se sente desde já inclinada a justificá-lo – observou Lújin franzindo a boca num sorriso ambíguo. – De fato, para as senhoras ele é um homem esperto e sedutor, e disso poderia dar um lamentável testemunho Marfa Pietrovna, que acaba de morrer de uma maneira tão estranha. Eu só queria fazer-lhes um favor, à senhora e a sua mãe, com o meu conselho, por causa das suas novas e sem dúvida eminentes proezas. Pelo que me respeita, estou absolutamente convencido de que esse homem há de vir parar outra vez inevitavelmente à prisão, devido às suas tramoias. Marfa Pietrovna nunca teve a menor intenção de deixar-lhe qualquer coisa dos seus rendimentos, por causa dos filhos; e, supondo que lhe tenha deixado qualquer coisa, devia ter sido o mais dispensável, pouca coisa, algo de efêmero, que apenas chegará para um ano a um homem dos hábitos dele.

– Piotr Pietróvitch, peço-lhe – disse Dúnia – que deixe o tema do Senhor Svidrigáilov. Faz-me pena.

– Há pouco, ele veio visitar-me – disse Raskólhnikov de repente, interrompendo o silêncio pela primeira vez.

Ouviram-se exclamações em todos os lados; todos se voltaram para ele. Até Piotr Pietróvitch deu sinais de comoção.

– Haverá hora e meia, quando eu estava dormindo, entrou no meu quarto, acordou-me e apresentou-se – prosseguiu Raskólhnikov. – Mostrava-se bastante despreocupado e alegre e está muito certo de que havemos de ser amigos íntimos. Entre outras coisas, pede e procura ter um encontro contigo, Dúnia, e pediu-me que eu servisse de contato para essa entrevista. Deseja fazer-te uma proposta, que já me expôs a mim. Além disso comunicou-me terminantemente que Marfa Pietrovna, uma semana antes da sua morte, teve tempo de deixar-te a ti, Dúnia, no seu testamento, três mil rublos, quantia esta que poderás receber dentro de pouquíssimo tempo.

– Louvado seja Deus! – exclamou Pulkhiéria Alieksándrovna e persignou-se. – Reza por ela, Dúnia, reza!

– De fato, isso é verdade – deixou escapar Lújin.

– Bem, bem. E que mais? – disse Dúnietchka apressadamente.

– Depois disse-me que não é rico e que deixa todos os seus bens aos filhos, os quais se encontram atualmente com a tia. Depois disse que está instalado perto de mim, simplesmente, onde... não sei, não me perguntem...

– Mas que é isso, que é isso que ele quer propor a Dúnietchka? – perguntou Pulkhiéria Alieksándrovna, assustada. – Ele te disse?

– Sim, disse-me.

– Então que é?

– Depois te direi. – Raskólhnikov calou-se e aplicou-se a beber o seu chá.

Piotr Pietróvitch puxou do relógio e consultou-o.

– Não tenho outro remédio senão ir tratar de um assunto; por isso não me demoro – disse com certo ar ofendido e levantou do seu lugar.

– Deixe-se ficar, Piotr Pietróvitch – disse Dúnia. – Olhe, nós tencionávamos passar a tarde em sua companhia. Além disso, foi o senhor mesmo quem nos disse que desejava ter uma explicação com *mámienhka* acerca não sei de quê.

– De fato assim é, Avdótia Românovna – declarou Piotr Pietróvitch com ênfase, tornando a sentar, mas sem largar o chapéu da mão. – Efetivamente, eu queria ter uma explicação, tanto com a senhora como com a sua respeitabilíssima mãe, e acerca de pontos importantíssimos. Mas, visto que o seu irmão não pode ser mais explícito na minha presença a respeito das propostas do Senhor Svidrigáilov, também eu não quero nem posso ser mais explícito... diante de outras pessoas, a respeito de certos assuntos importantíssimos. Além do que ninguém teve em conta esse meu pedido, tão importante e categórico...

Lújin fez um gesto de desconsolo e ficou num silêncio solene.

– O seu pedido, acerca de que o meu irmão não estivesse presente à nossa entrevista, não foi atendido unicamente devido à minha insistência – disse Dúnia. – O senhor, quando me escreveu, dizia-me que o meu irmão o ofendera; eu penso que é preciso aclarar imediatamente esse ponto e que os dois devem fazer as pazes. E se de fato Rodka o ofendeu, então "tem a obrigação de pedir-lhe e vai lhe pedir perdão".

Piotr Pietróvitch recuperou logo o seu ar digno.

– Avdótia Românovna, há ofensas que, por maior que seja a nossa boa vontade, não é possível esquecer. Há em tudo um limite que é perigoso transpor, porque, uma vez transposto, já não há processo de voltar-se atrás.

– Eu não estava falando-lhe precisamente disso, Piotr Pietróvitch – interrompeu-o Dúnia com certa impaciência. – O senhor há de compreender perfeitamente que todo o nosso futuro depende agora de se aclarar e de se arranjar tudo o mais depressa possível ou não. Eu, desde já lhe digo francamente: não posso ver as coisas de outra maneira e se o senhor me estima por pouco que seja, ainda que lhe custe, toda essa história deve ter seu fim hoje. Repito-lhe que, se o meu irmão é culpado, lhe pedirá perdão.

– Admira-me que ponha a questão nesses termos, Avdótia Românovna – Lújin estava cada vez mais excitado. – Estimando-a e, por assim dizer, adorando-a, eu posso muito bem, ao mesmo tempo, não sentir o menor apreço por qualquer dos seus parentes. Aspirando à felicidade da sua mão, eu posso, ao mesmo tempo, não suportar obrigações incompatíveis...

– Ah, deixe-se de todos esses melindres, Piotr Pietróvitch! – disse-lhe Dúnia sinceramente – e seja o homem inteligente e digno por quem sempre o tive e quero continuar a ter. Eu lhe fiz uma grande promessa: sou sua noiva; tenha confiança em mim neste assunto e creia que hei de esforçar-me por julgar imparcialmente. Que eu tivesse de assumir o papel de árbitro, foi uma surpresa, tanto para o meu irmão como para o senhor. Quando eu hoje o convidei, depois da sua carta, para que assistisse sem falta ao nosso encontro, não lhe disse nada das minhas intenções. Veja se compreende que, se não se reconciliarem, então vou me ver obrigada a escolher entre os dois: ou o senhor ou ele. Foi assim que foi posta a questão pela sua parte e pela dele. Eu não quero nem devo enganar-me na escolha. Por sua causa tenho de cortar relações com o meu irmão; por causa do meu irmão tenho de romper com o senhor. Eu quero e posso saber agora a que ater-me: ele é ou não meu irmão? Quanto ao senhor, gosta de mim, aprecia-me, é meu marido?

– Avdótia Românovna, – proferiu Lújin em tom de ressentimento – as suas palavras são para mim muito dignas de meditação; e digo mais: são até ofensivas, dada a posição que tenho a honra de ocupar nas minhas relações com a senhora. E isto para não dizer nada sobre essa insultante ideia de colocar-me num mesmo plano com... com um rapaz despreocupado, pois as suas palavras deixam transparecer a possibilidade de uma ruptura da promessa que me fez. A senhora disse: "Ou o senhor ou ele", com o que está demonstrando já o pouco que eu significo para si... Eu não posso tolerar isso, dadas as relações... e os compromissos que existem entre nós.

– O quê? – e Dúnia corou. – Com que então eu ponho o seu interesse no mesmo plano que tudo quanto até agora tem sido para mim de mais valor nesta vida, que até agora tem constituído a minha vida inteira, e o senhor ofende-me assim, de um momento para o outro, dizendo que lhe tenho pouca amizade!

Raskólhnikov sorria sarcasticamente, em silêncio; Razumíkhin encolhia-se no seu lugar; mas Piotr Pietróvitch não admitia réplicas; pelo contrário, tornava-se mais arrogante e irritado a cada palavra, como se se sentisse muito à vontade.

– O amor ao futuro companheiro de toda a vida deve antepor-se ao amor fraterno – disse sentenciosamente – e, seja como fôr, eu não posso colocar-me no mesmo plano... Embora eu tivesse declarado anteriormente que, na presença de seu irmão, não podia explicar tudo quanto é preciso e para o que vim, no entanto tenho a intenção, agora, de dirigir-me a sua respeitabilíssima mãe, em busca de explicação para um ponto muitíssimo importante e que, para mim, considero ofensivo. Sua filha – disse, encarando Pulkhiéria Alieksándrovna – ontem, na presença do senhor Rassúdkin...[36] (é assim? desculpe, esqueci-me do seu nome) – e fez uma amável referência a Razumíkhin – ofendeu-me ao censurar uma ideia minha, que eu lhe comunicara à senhora, havia tempos, numa conversa particular, depois de termos tomado café, ou seja, disse que contrair matrimônio com uma menina pobre que já tivesse conhecido as amarguras da vida, era, a meu ver, mais conveniente para as relações conjugais do que não se casar com uma menina que as não tivesse conhecido, por ser mais útil no que respeita à moral. O seu filho exagerou intencionalmente o sentido das minhas palavras até ao absurdo, ofendendo-me ao atribuir-me desígnios maldosos, e, em minha opinião, apoiando-se na sua aprovação pessoal. Ficaria feliz, Pulkhiéria Alieksándrovna, se pudesse convencer-me do contrário, ficaria muitíssimo tranquilo com isso. Diga-me a senhora os termos exatos em que reproduzia as minhas palavras na sua carta a Rodion Românovitch!

– Não me lembro – respondeu, aturdida, Pulkhiéria Alieksándrovna. – Eu dizia isso à minha maneira. Não sei como é que Rodka o repetiu... Talvez tenha exagerado qualquer coisa.

– A não ser por sugestão sua, não podia ter exagerado nada.

– Piotr Pietróvitch – protestou com dignidade Pulkhiéria Alieksándrovna – a prova de que nem eu nem Dúnia supusemos mal nas suas palavras é nós estarmos aqui.

– Muito bem, *mámienhka*! – disse Dúnia, encorajando-a.

– De maneira que, assim, sou eu o culpado! – disse Lújin ressentido.

– Escute, Piotr Pietróvitch: o senhor joga todas as culpas sobre Rodka, e o senhor mesmo ainda não há muito nos dizia coisas injustas acerca dele na sua carta – acrescentou Pulkhiéria Alieksándrovna, ganhando coragem.

– Não me recordo do que diria nela de injusto para ele.

– Pois dizia – declarou bruscamente Raskólhnikov, sem se dirigir a Lújin – que eu, ontem, dera uma quantia, não à viúva dum funcionário atropelado, como de fato aconteceu, mas à filha dela (à qual até ontem nunca vira na minha vida). E o senhor dizia isso com o objetivo de indispor-me com a minha família, e ainda com o mesmo fim, acrescentava algumas declarações grosseiras acerca da reputação dessa moça, à qual não conhece. Tudo isto é calúnia e maldade.

– Desculpe-me, senhor – respondeu Lújin tremendo de cólera – eu, na mi-

---

36 Literalmente: sensato, ponderado. De *rassúdok*, inteligência, juízo, bom senso. Note-se o evidente propósito do A., nessa deturpação que faz do nome Razumíkhin, de manifestar opinião outra a respeito deste personagem. Já no capítulo III da parte segunda recorreu Dostoiévski a uma outra deturpação do nome do mesmo personagem.

nha carta, demorava-me acerca das suas qualidades e defeitos unicamente para responder às perguntas que as suas próprias mãe e irmã me fizeram na sua; falava da maneira como o encontrara e da impressão que me fizera. Pelo que respeita ao que exprimia na minha carta, demonstre-me o senhor que há nela uma só linha injusta, ou seja, não ser verdade que o senhor deu ali dinheiro, e que nessa família, por muito desgraçada que seja, não há uma pessoa de conduta indigna.

– Em minha opinião, o senhor, com toda a sua dignidade, não vale o dedo mínimo dessa infeliz moça à qual atira pedras.

– Ora vejamos: será o caso de que tenha resolvido introduzi-la no convívio de sua mãe e da sua irmã?

– Se lhe interessa saber, digo-lhe que já fiz isso. Já a fiz sentar hoje junto de *mámienhka* e de Dúnia.

– Rodka! – exclamou Pulkhiéria Alieksándrovna.

Dúnietchka corou; Razumíkhin franziu o sobrolho. Lújin sorriu, sarcástico e altivo.

– Faça o favor de me dizer, Avdótia Românovna – disse – se é possível algum acordo! Espero que, agora, este assunto ficará esclarecido e concluído de uma vez para sempre. Vou retirar-me para não estorvar o andamento ulterior de uma reunião e comunicação de segredos familiares – levantou e pegou o chapéu. – Mas antes, permito-me fazer notar que, daqui por diante, espero poder considerar-me a salvo de semelhantes encontros e, por assim dizer, compromissos. É especialmente à senhora, respeitabilíssima Pulkhiéria Alieksándrovna, que dirijo este pedido, tanto mais que era à senhora e a mais ninguém que era dirigida a minha carta.

Pulkhiéria Alieksándrovna mostrou-se um pouco ressentida.

– Mas o senhor quer ter-nos agora nas suas mãos completamente, Piotr Pietróvitch? Dúnia expôs-lhe o motivo por que não atendeu o seu desejo: procedeu nisso com boa intenção. Mas o senhor escrevia-me como se me desse ordens. Considerará o senhor como ordens cada um dos seus desejos? Pois então digo-lhe que, pelo contrário, o senhor devia mostrar-se agora para conosco especialmente delicado e benévolo, uma vez que nós deixamos tudo e por sua causa viemos para aqui, e assim estamos quase à sua mercê.

– Isso não é completamente exato, Pulkhiéria Alieksándrovna, e, sobretudo neste momento em que acabam de anunciar-lhe que Marfa Pietrovna lhes deixa três mil rublos no seu testamento, os quais, segundo parece, não podiam ter vindo mais a propósito, a avaliar pelo novo tom que empregam para me falar – acrescentou Lújin sarcástico.

– A julgar por essa observação, não temos outro remédio senão supor, de fato, que o senhor contava com o nosso desamparo – observou Dúnia irritada.

– Mas pelo menos, agora, não posso contar com isso e, sobretudo, não desejo ser um estorvo para a comunicação das propostas secretas de Arkádi Ivânovitch Svidrigáilov, a respeito das quais deu plenos poderes a seu irmão, e que, segundo vejo, têm para a senhora uma importância capital e talvez muito agradável.

– Ah, meu Deus! – exclamou Pulkhiéria Alieksándrovna.

Razumíkhin não podia estar quieto na sua cadeira.

– Não te sentes agora envergonhada, irmã? – perguntou Raskólhnikov.

– Sinto sim, Rodka – disse Dúnia. – Piotr Pietróvitch, saia daqui! – intimou, pálida de cólera.

Pelo visto, Piotr Pietróvitch não esperava semelhante desenlace. Confiava demasiado em si próprio, no seu poder e no desamparo das suas vítimas. E ainda não queria acreditar. Pôs-se lívido e contraiu os lábios.

— Avdótia Românovna, desde o momento em que eu transponha esta porta com uma despedida destas... fique sabendo... que será para nunca mais voltar! Pense bem! A minha palavra é firme.

— Que descaramento! — exclamou Dúnia levantando rapidamente do seu lugar. — Se sou eu que desejo que nunca mais volte na sua vida!

— O quê? O quê? — exclamou Lújin, fazendo resistência até o último momento, em acreditar neste desfecho e, além disso, completamente fora de si. — Mas como é possível? Fique sabendo, Avdótia Românovna, que eu poderia protestar!

— Que direito tem o senhor para falar-lhe dessa maneira? — exclamou com veemência Pulkhiéria Aleksándrovna. — Contra que é que o senhor vai protestar? Qual é o seu direito? Aquele de termos dado a um homem, como o senhor, a minha Dúnia? Vamos, saia e deixe-nos em paz! Nós é que somos as culpadas por nos termos metido numa história como esta, e eu sou a principal culpada!

— No entanto, Pulkhiéria Alieksándrovna — disse Lújin furioso — a senhora me dera a sua palavra e agora retrata-se... e, finalmente... finalmente, eu me metera, por assim dizer, em despesas...

Esta última alegação ajustava-se tão bem ao caráter de Lújin, que Raskólhnikov, pálido de cólera e incapaz de conter-se, não pôde mais e de repente... largou uma gargalhada. Mas Pulkhiéria Alieksándrovna parecia desvairada.

— Em despesas? Mas que despesas foram essas? Refere-se talvez ao nosso baú? Mas se o condutor o trouxe gratuitamente... Meu Deus, ele ficou comprometido! Reconsidere, Piotr Pietróvitch, e verá que não fomos nós, mas o senhor, quem nos amarrou de pés e mãos!

— Basta, *mámienhka*... por favor, basta! — pediu Avdótia Românovna. — Piotr Pietróvitch, faça favor, vá-se embora!

— Irei, sim; mas, uma última palavra! — disse, perdera já quase completamente o domínio de si próprio. — A sua mãe, pelo visto esquece-se completamente de que eu decidira tomá-la por esposa depois do boato que se espalhara por toda a comarca, acerca da sua reputação. Ao desafiar a opinião pública por sua causa, e ao reabilitar a sua boa fama, eu podia, sem dúvida alguma, contar com uma indenização e até exigir a sua gratidão... Eu tinha os olhos fechados! Mas agora vejo bem que talvez tivesse cometido um erro enorme ao desafiar a voz do povo...

— Mas o senhor está interessado em que lhe rachem a cabeça ao meio? — exclamou Razumíkhin, saltando do seu lugar e dispondo-se já a ir para cima dele.

— O senhor é um homem vil e cruel! — disse Dúnia.

— Nem uma palavra, nem um gesto! — gritou Raskólhnikov, contendo Razumíkhin; depois, aproximando-se de Lújin, que ia já quase à porta. — Faça o favor de sair de uma vez! — intimou-o com uma voz surda, mas audível — e nem uma palavra mais; senão...

Piotr Pietróvitch ficou olhando-o durante uns segundos com a cara lívida e contraída de cólera; depois, deu meia volta e saiu, e não há dúvida de que seria difícil encontrar quem levasse no seu coração tanto ódio como o daquele homem contra

Raskólhnikov. Era a ele e só a ele que lançava a culpa de tudo. E atentemos em que, quando descia a escada, continuava imaginando que as coisas talvez se pudessem ainda arranjar, no que respeitava às duas mulheres, que tudo era ainda muito reparável.

Capítulo III

O mais importante era que até o último momento não foi capaz de suspeitar de tal desenlace. Fez-se forte até o último extremo, sem supor sequer a possibilidade que duas pobres e desamparadas mulheres pudessem sacudir o seu domínio. Para essa convicção contribuíram muito a sua vaidade e essa confiança em si próprio que devia antes chamar-se amor-próprio. Piotr Pietróvitch, saído do nada, tinha um amor doentio por si mesmo, tinha em grande estima a sua inteligência e as suas aptidões, e até às vezes as solas dos seus sapatos, apaixonava-se pela sua cara ao espelho. Mas acima de tudo neste mundo amava e estimava o seu dinheiro, acumulado à custa de trabalho e de todos os meios: punha esse dinheiro ao nível de tudo quanto considerava superior.

Ao recordar-se agora de Dúnia, com amargura, e que decidira casar-se com ela apesar dos boatos prejudiciais para a sua reputação, Piotr Pietróvitch falava com absoluta sinceridade e sentia até uma profunda indignação perante tão negra ingratidão. E, no entanto, quando se tinha posto em relações com Dúnia, estava absolutamente convencido da estupidez daquelas calúnias, publicamente desmentidas pela própria Marfa Pietrovna, e que havia muito tempo já não se ouviam na povoação, onde todos estimavam muito Dúnia. Mas, por nada deste mundo teria reconhecido agora que tudo isso já ele o sabia então. Pelo contrário: punha muito alto a sua resolução de levantar Dúnia à sua altura e considerava isso uma façanha. Havia um instante, ao falar disso a Dúnia, punha a claro um pensamento secreto que já há mais tempo o assediava, no qual já por mais de uma vez se tinha comprazido e não podia compreender como é que as outras pessoas não podiam divertir-se com essa sua proeza. Quando, dessa vez, visitou Raskólhnikov, entrara em casa dele com o sentimento do protetor que se dispõe a colher os frutos do seu bom procedimento e a escutar os mais lisonjeiros cumprimentos. E agora também, sem dúvida, ao descer a escada, considerava-se altamente ofendido e incompreendido.

Dúnia era-lhe imprescindível; renunciar a ela, não podia, nem sequer podia pensar nisso. Havia já algum tempo, alguns anos, que vinha pensando com delícia em casar, enquanto ia acumulando dinheiro e esperava. Sonhava com embriaguez, no mais profundo do seu íntimo, com uma mocinha decente e pobre (tinha fatalmente de ser pobre), muito nova, muito graciosa, boa e instruída, muito pacata, que tivesse passado grandes dificuldades na vida e se encontrasse completamente desamparada perante ele, de maneira que toda a sua vida houvesse de considerá-lo... como o seu salvador e se mostrasse submissa, dócil e cheia de admiração para com ele e só para com ele. Quantas cenas, quantos doces episódios representava na sua imaginação acerca deste tema sedutor e gracioso, quando descansava das suas ocupações! E eis que o sonho de tantos anos se tinha já quase realizado; a beleza e a educação de Avdótia Românovna impressionaram-no; a sua situação de desamparo ainda mais o interessou. Era-lhe oferecido até mais do que aquilo que sonhara:

aparecia-lhe uma moça digna, enérgica, virtuosa, com mais experiência e cultura do que ele próprio (assim o pensava ele), e era uma criatura assim que haveria de ficar-lhe agradecida durante toda a sua vida em atenção ao seu gesto heroico, e de humilhar-se docilmente perante ele, podendo ele dominá-la ilimitada e plenamente... Como se fosse de propósito, algum tempo antes disso, depois de longos sonhos e muitas expectativas, decidira, por fim, mudar definitivamente de rumo e entrar num círculo de atividades mais amplo e, ao mesmo tempo, pouco a pouco, ir abrindo caminho numa sociedade mais elevada, com a qual havia já algum tempo sonhava com prazer...

Enfim, decidiu tentar fortuna em Petersburgo. Sabia que por meio das mulheres pode conseguir-se muito. O prestígio que irradiava uma mulher honrada e culta podia aplanar-lhe prodigiosamente o caminho, granjear-lhe simpatia, criar-lhe uma auréola... e eis que, agora, tudo desabava! Aquela ruptura imprevista, brutal, produzia-lhe o mesmo efeito que um raio. Aquilo era uma farsa absurda, uma estupidez! Ele não tinha feito mais nada senão mostrar um pouquinho de impertinência, mal tivera tempo de exprimir-se. Não fizera mais do que gracejar; distraiu-se um momento, e como acabara tudo tão seriamente! E, além disso, ele amava Dúnia à sua maneira, via-a já dominada nos seus sonhos... e, de repente... Não! Amanhã mesmo, amanhã mesmo é preciso pôr outra vez o problema, procurar um remédio, emendar e, o mais importante... aniquilar esse rapaz insolente que era o culpado de tudo.

Lembrava-se também involuntariamente de Razumíkhin, com uma sensação dolorosa... se bem que, no entanto, não tardasse em tranquilizar-se a este respeito: "Era o que faltava, pô-lo em pé de comparação consigo!". Mas quem no seu íntimo temia seriamente era Svidrigáilov. Em resumo, esperavam-no muitas dificuldades...

– Não! Eu sou a mais culpada! – dizia Dúnietchka abraçando-se à mãe e beijando-a. – Deixei-me seduzir pelo seu dinheiro; mas juro-te, meu irmão... Não podia imaginar que fosse um homem tão indigno! Se tivesse compreendido isso antes, por nada deste mundo lhe teria dado atenção... Não me culpes, irmão!

– Deus me livre disso! Deus me livre! – murmurou Pulkhiéria Alieksándrovna, um pouco inconscientemente, como se ainda não tivesse compreendido bem o que acontecera.

Todos ficaram mais alegres e, passados cinco minutos, até já riam. Somente Dúnietchka empalidecia de quando em quando e franzia o sobrolho, lembrando-se do que acontecera. E mal podia supor Pulkhiéria Alieksándrovna que ela própria havia de alegrar-se também; ainda nessa manhã a ruptura com Lújin se lhe afigurava como uma terrível desgraça. Mas Razumíkhin estava contentíssimo. Não se atrevia a manifestar o seu alvoroço; mas todo ele tremia como se estivesse com febre, como se lhe tivessem tirado uma tonelada de cima do coração. Agora já tinha direito a consagrar-lhes toda a vida, a servi-las... tudo o mais já não lhe importava! Mas, no fundo, repelia ainda com mais temor pensamentos ulteriores e receava que eles se impusessem. Raskólhnikov era o único que continuava no mesmo lugar, quase mal-humorado e até ensimesmado. Ele, que era quem mais insistira para que Lújin fosse afastado, parecia, de todos, o que menos se interessava pelo sucedido. Sem querer, Dúnia pensava que ele continuava zangado com ela e Pulkhiéria Alieksándrovna olhava-o timidamente, de soslaio.

– Que te disse Svidrigáilov? – perguntou-lhe Dúnia aproximando-se.

– Ah, sim, sim! – exclamou Pulkhiéria Alieksándrovna.

Raskólnikov levantou a cabeça.

– Que tem o maior interesse em te oferecer dez mil rublos e exprime ao mesmo tempo o seu desejo de ter uma entrevista contigo na minha presença.

– Uma entrevista! Mas para quê? – exclamou Pulkhiéria Alieksándrovna. – E como se atreve ele a oferecer-nos dinheiro?

Depois, Raskólnikov contou-lhes (muito secamente) a sua conversa com Svidrigáilov, passando por alto no caso das aparições de Marfa Pietrovna, para não se demorar muito, e sentindo repugnância em repetir no seu diálogo o que não fosse absolutamente indispensável.

– E tu, que lhe respondeste? – perguntou Dúnia.

– Primeiro disse-lhe que não te diria nada, a ti. Ao que ele me respondeu que, nesse caso, procuraria por todos os meios ter um encontro contigo. Que está convencido de que a paixão que tu lhe inspiraste, noutros tempos, foi uma tolice, e que, presentemente, não sente nada por ti. Não quer que te cases com Lújin... De maneira geral, exprimia-se em termos vagos...

– Que ideia tens tu acerca desse homem, Rodka? Como o achas tu?

– Confesso que não o compreendo bem. Oferece dez mil rublos e diz que não é rico. Diz que tem a intenção de ir não sei para onde e, passados dez minutos, já se esquecia do que dissera. De repente, começa também a dizer que se quer casar e que já tem noiva... Não há dúvida que tem qualquer objetivo e, com certeza... mau. Mas, nesse caso, também é estranho que se conduza tão estupidamente, se abriga contra ti más intenções. Eu recusei decididamente esse dinheiro em teu nome. De maneira geral, pareceu-me estranho e... até com certos indícios de alienação mental. Mas pode ser que eu esteja enganado: talvez se trate apenas de uma artimanha sua. Parece que a morte de Marfa Pietrovna o tocou...

– Que o Senhor tenha a sua alma em descanso! – exclamou Pulkhiéria Alieksándrovna. – Enquanto eu for viva, hei de pedir a Deus por ela! Que seria agora de nós sem esses três mil rublos? Meu Deus, vêm mesmo caídos do Céu! Ah, Rodka! Esta manhã tínhamos ao todo apenas três rublos de prata e eu e Dúnia já tínhamos pensado empenhar o relógio para não termos de pedir nada a Lújin, já que ele, por si, não compreendia a nossa situação!

Dúnia parecia ter ficado muito impressionada com o oferecimento de Svidrigáilov. Estava pensativa.

– Anda tramando alguma coisa terrível! – declarou, quase num fio de voz, para si mesma, quase tremendo.

Raskólnikov reparou naquele medo exagerado.

– Naturalmente terei ainda oportunidade de vê-lo – disse-lhe Dúnia.

– Temos de nos por no seu encalço! Vou fazer isso! – exclamou Razumíkhin. –

Não o perderei de vista! Rodka não se oporá a isso. Ainda há pouco me dizia: "Vela pela minha irmã!". A senhora também consentirá, não é verdade, Avdótia Românovna?

Dúnia sorriu e estendeu-lhe a mão; mas a preocupação continuava visível no seu rosto. Pulkhiéria Alieksándrovna olhava para ela com timidez; aliás, aqueles três mil rublos pareciam tê-la tranquilizado.

Durante um quarto de hora mantiveram todos um diálogo animadíssimo. Até Raskólhnikov, se bem que não tomasse parte na conversa, seguiu-a com interesse durante algum tempo. Razumíkhin esbanjava eloquência.

– Mas por que hão de ir-se embora? – dizia com exaltação, na sua veemência oratória. – Que vão fazer nessa aldeola? O principal é estarmos todos aqui reunidos e precisarmos todos uns dos outros... e até que ponto precisamos uns dos outros... não sei se me faço entender. Bom, ainda que seja só por algum tempo... A mim podem considerar-me como vosso companheiro, como vosso amigo, e tenho a certeza de que vamos fazer uma boa sociedade. Escutem-me, vou explicar-vos tudo pormenorizadamente... todos os meus projetos. Esta manhã, quando ainda não se passara nada disso, ocorreu-me uma ideia... Aqui têm do que se trata: eu tenho um tio (já o apresentei a vós, é um velhinho muito bondoso e respeitável) e este meu tio tem um capital de mil rublos e, além disso, vive de uma pensão; de maneira que não precisa de dinheiro. Há dois anos que me vem incitando a aceitar esses mil rublos e que eu lhe os pague depois a seis por cento. Eu estou vendo o jogo: o que ele quer é, muito simplesmente, ajudar-me; o ano passado não precisei deles; mas este ano só estava à espera que ele viesse para pedi-los. De maneira que, se vós todos acrescentardes depois outros mil rublos dos vossos três mil, já teríamos o bastante para começar e poderíamos associar-nos. Que poderíamos nós fazer?

Nesta altura Razumíkhin começou a apresentar um projeto e falou durante muito tempo e desenvolvidamente dos nossos livreiros e editores, dos quais poucos ou nenhuns conhecem o seu ofício e, além disso, costumam ser maus editores, ao passo que o negócio editorial, bem conduzido, pode, às vezes, dar um lucro considerável. Era com o comércio editorial que Razumíkhin sonhava, havia já dois anos que trabalhava para outros e conhecia muito bem três línguas europeias, apesar de seis dias antes ter dito a Raskólhnikov que estava fraco em alemão, com o fim de convencê-lo a aceitar metade do seu trabalho de tradução e para que ganhasse assim três rublos; nessa ocasião mentia e Raskólhnikov bem o sabia.

– Sim, por que, por que havíamos de perder a ocasião, se temos afinal um dos principais elementos: dinheiro próprio? – dizia Razumíkhin entusiasmado. – É certo que é preciso trabalhar duramente; mas trabalharemos, a senhora, Avdótia Românovna, eu, Rodka... Há edições que dão agora um lucro formidável. Mas a base principal da edição assenta em sabermos o que é preciso traduzir. Traduziremos e editaremos, e estudaremos ao mesmo tempo. Agora posso ser útil, porque já tenho experiência. Reparem que há já dois anos que convivo com editores e conheço bem o negócio; não é nada do outro mundo, acreditem. E por que, por que é que não havíamos de experimentar? Eu conheço e tenho em meu poder duas ou três obras, que, só pela ideia de traduzi-las e editá-las podia pedir cem rublos por exemplar, e uma delas nem por quinhentos a daria. E que pensam? Se eu o propusesse a algum deles, apesar disso diriam que não, tal é a maneira como são imbecis. E pelo que diz respeito ao trabalho de impressão, ao papel, à venda, isso fica a meu cargo. Conheço todos os meandros. Começaremos pouco a pouco, iremos alargando depois o negócio; pelo menos ganharemos a vida e, em qualquer dos casos, não perderemos.

Os olhos de Dúnia brilhavam.

– Tudo isso que diz me agrada muito, Dmítri Prokófitch – disse.

– Eu, repare, é claro que não percebo nada – concordou Pulkhiéria Alieksándrovna. – Mas acho isso tudo muito bem; no entanto, Deus é quem sabe. É uma coisa nova, desconhecida. Com certeza que temos de ficar aqui, ainda que seja só por algum tempo...

Lançou um olhar a Rodion.

– Que pensas tu, irmão? – disse Dúnia.

– Penso que ele teve uma excelente ideia – respondeu. – Com uma casa editorial em ponto grande, é claro que não pode sonhar; mas cinco ou seis livros, de fato, podem editar-se com indubitável êxito. Eu também conheço uma obra que havia de ter um êxito infalível. Pelo que respeita à sua capacidade para dirigir o negócio, não há a menor dúvida, conhece o assunto... Aliás, depois teremos oportunidade de continuar falando disto.

– Viva! – gritou Razumíkhin. – Agora esperem; há aqui uma parte de casa, neste mesmo prédio, dos mesmos senhorios. É independente, à parte, não comunica com estes e alugam-na mobilada, por um preço módico; tem três divisões. Podem instalar-se aí, logo. Eu vou amanhã empenhar-lhes o relógio, trago-lhes o dinheiro e tudo se há de arranjar. O principal é poderem viver os três juntos, contando com Rodka... Mas, Rodka, onde é que vais?

– Mas que é isso, Rodka? Já te vais embora? – perguntou também Pulkhiéria Alieksándrovna, inquieta.

– Logo nesta altura! – exclamou Razumíkhin.

Dúnia olhou para o irmão com um espanto receoso: estava com o gorro nas mãos, pronto a partir.

– Parece que estão para ir ao meu enterro ou que estão despedindo-se de mim para sempre – disse de uma maneira um pouco estranha.

Pareceu sorrir; mas aquilo não era um sorriso.

– E, afinal, quem sabe se não será a última vez que nos vemos! – acrescentou num tom desolado.

Pensara isto para consigo, mas escapara-lhe em voz alta.

– Mas que tens tu? – exclamou a mãe.

– Onde vais, Rodka? – perguntou Dúnia de um modo singular.

– É que não tenho outro remédio – respondeu ele com um ar vago, como se hesitasse a respeito daquilo que desejava dizer. Mas no seu pálido rosto notava-se uma resolução decidida.

– Eu queria dizer, quando vim aqui... Eu queria dizer-lhe, *mámienhka*... e a ti também, Dúnia. que será melhor não nos vermos durante algum tempo. Não me sinto bem, não estou tranquilo... Eu próprio virei depois, eu próprio virei quando... for possível. Lembrarei sempre de vós e amo-vos... Mas deixem-me em paz! Deixem-me sozinho! Era isso que eu já resolvera... Seriamente que já o decidira... Aconteça-me o que acontecer, quer eu me perca ou não, quero estar só. Esqueçam-se de mim completamente. É o melhor... Não procurem saber de mim. Quando for preciso, eu próprio virei ou vos mandarei chamar. Pode ser que tudo ressuscite...

mas, por agora, se me querem bem, deixem-me, deixem-me... Senão, vou criar ódio às duas, bem o sinto... Adeus!

– Meu Deus! – exclamou Pulkhiéria Alieksándrovna.

Mãe e filha sentiam um medo horrível e Razumíkhin também.

– Rodka! Rodka! Reconcilia-te conosco, sejamos como éramos dantes... – exclamou a pobre mãe.

Ele se dirigiu lentamente para a porta e lentamente saiu do quarto. Dúnia correu atrás dele e alcançou-o.

– Irmão! Que estás tu fazendo à nossa mãe? – murmurou com um olhar esgaseado de indignação.

Ele a fitou longamente.

– Não é nada, eu já volto, eu já volto! – murmurou ele em voz baixa, como se não se apercebesse perfeitamente do que queria dizer, e saiu do quarto.

– Egoísta, insensível, mau! – exclamou Dúnia.

– Louco é que ele é, e não insensível! Louco! Mas não estão percebendo? A senhora é que é insensível – murmurou ardentemente Razumíkhin aos seus ouvidos, ao mesmo tempo que lhe apertava a mão com força.

– Eu já venho! – exclamou, dirigindo-se à pobre Pulkhiéria Alieksándrovna, e saiu do quarto correndo.

Raskólhnikov esperava-o no fim do corredor.

– Eu já sabia que tu havias de vir atrás de mim. Volta para lá e fica ao pé delas... Fica também com elas amanhã... e para sempre. Eu... talvez venha... se puder. Adeus!

E afastou-se dele sem estender-lhe a mão.

– Mas, para onde vais? Que te aconteceu? Será possível que procedas assim? – murmurou Razumíkhin completamente atônito.

Raskólhnikov tornou a parar.

– De uma vez para sempre, não me perguntes mais nada, porque nunca te daria resposta... Não vás visitar-me. Talvez eu passe por aqui... Deixa-me a mim e não as deixes a elas. Estás percebendo?

O corredor já estava escuro; eles tinham parado perto da luz. Por um momento, olharam-se os dois um ao outro, em silêncio, e Razumíkhin recordou depois toda a sua vida naquele momento. O ardente e fixo olhar de Raskólhnikov parecia tornar-se mais forte a cada momento, penetrar na sua alma, na sua consciência. De repente, Razumíkhin recuou. Parecia que qualquer coisa de estranho se passara entre eles... Uma ideia, como que uma insinuação, lhe passara pela cabeça, algo de horrível, de monstruoso e de subitamente compreensível para ambos... Razumíkhin ficou pálido como um morto.

– Compreendes agora? – disse de súbito Raskólhnikov, com o rosto dolorosamente crispado. – Volta, fica ao pé delas – acrescentou de repente e, girando com rapidez sobre os calcanhares, saiu do prédio...

Não me demorarei a descrever o que se passou nessa noite em casa de Pulkhiéria Alieksándrovna, quando Razumíkhin voltou para o lado das duas mulheres; tentou tranquilizá-las; garantiu-lhes que era preciso deixar Raskólhnikov ir apanhar um pouco de ar livre, visto que estava doente, e que com certeza ele havia de vir vê-las todos os dias, todos os dias; que ele estava muito cansado, mesmo muito cansado, e que ninguém o irritasse; que ele, Razumíkhin, não havia de perder-lhe a

pista, ia lhe procurar um bom médico, o melhor, que lhe faria um exame completo...
Em resumo: desde essa noite, Razumíkhin passou a ser para elas filho e irmão.

Capítulo IV

Quanto a Raskólhnikov, encaminhou-se diretamente para a casa, junto do canal, onde morava Sônia Siemiônovna. Era um prédio de três andares, velho, pintado de verde. Perguntou ao porteiro e este deu-lhe umas vagas indicações sobre a morada de Kapernaúmov, o alfaiate. Depois de procurar num canto do pátio a passagem para a escada escura e estreita, subiu finalmente até ao segundo andar e foi dar a uma galeria que a rodeava pelo lado do pátio. Enquanto procurava no escuro, cheio de hesitação, onde é que poderia ser a entrada do andar de Kapernaúmov, de súbito, a três passos de distância de si próprio, abriu-se uma porta onde ele assomou, maquinalmente.

– Quem é? – perguntou, inquieta, uma voz de mulher.

– Sou eu... que vinha visitá-la – respondeu Raskólhnikov, e entrou pelo estreito corredor. Aí, sobre uma mesa descambada e num candeeiro amassado, ardia uma vela.

– Mas é o senhor? – exclamou Sonha com voz fraca, e ficou petrificada.

– Por onde é que se entra? Por aqui?

E Raskólhnikov, esforçando-se por não olhar para ela, entrou para o quarto.

Um minuto depois Sonha entrava também com uma luz; pousou-a e ficou parada na frente dele, estupefata, tomada de uma indescritível comoção e visivelmente assustada com aquela inesperada visita. De súbito o sangue subiu-lhe ao rosto pálido e aos seus olhos chegaram até lágrimas... Sentiu uma sufocação, uma vergonha e uma doçura... Raskólhnikov afastou-se bruscamente e sentou numa cadeira, junto da mesa. Num momento abrangera com um olhar todo o quarto.

Era um quarto espaçoso, mas com um teto baixíssimo, o único que os Kapernaúmovi tinham alugado, e cuja porta, fechada, ficava na parede do lado esquerdo. À frente, na parede da direita, havia outra porta, sempre hermeticamente fechada. Havia ali também outro quarto, contíguo, que tinha outro número. O quarto de Sonha parecia, de certa maneira, um alpendre; tinha a forma dum triângulo irregular, o que o tornava muito feio. A parede, com três janelas que davam para o canal, cortava o quarto a viés, e por isso um dos ângulos, terrivelmente agudo, sumia-se lá no fundo, de tal maneira que, quando havia pouca luz, não se lhe via bem o fim; o outro ângulo, em compensação, era excessivamente obtuso. Em todo esse quarto espaçoso, quase não havia móveis. Num canto, à direita, via-se uma cama; junto dela, próximo da porta, uma cadeira. Na mesma parede, junto da qual estava a cama, pegada à porta que dava para o outro quarto, havia uma simples mesa de pinho branca, coberta com um pano azul; junto da mesa, duas cadeiras de palha. Depois, na parede oposta, perto do ângulo agudo, havia uma simples cômoda de pinho, como se estivesse abandonada num deserto. Eis aqui tudo quanto havia no quarto. O papel que forrava as paredes, amarelecido, defumado e gasto, estava escuro em todos os cantos; com certeza que devia haver ali umidade e fuligem no inverno. A miséria era evidente; a cama nem sequer tinha cortinados.

Sonha contemplava em silêncio o visitante, o qual passava revista ao seu quarto, atenta e despreocupadamente, e, por último, até tinha começado a tremer de medo, como se se encontrasse diante de um juiz que fosse decidir a sua sorte.

– Cheguei tarde... Já são onze horas? – perguntou ele sem levantar os olhos para ela.

– Já – balbuciou Sonha. – Já são, já! – disse atabalhoadamente, de repente, como se aquilo lhe parecesse uma escapatória. – Acabaram de dar agora mesmo no relógio do senhorio... Eu ouvi... Já deram.

– Venho vê-la pela última vez – continuou Raskólhnikov, severo, apesar de ser aquela a primeira. – É possível que não torne mais a vê-la...

– Vai... embora?

– Não sei... amanhã...

– Então, amanhã, não vai visitar Ekatierina Ivânovna? – e a voz de Sonha tremia.

– Não sei. Tudo depende de amanhã... Mas não se trata disso; eu vim para dizer-lhe uma coisa...

Ergueu para ela o seu olhar pensativo, e de repente reparou que, enquanto ele estava sentado, ela continuava de pé, diante dele.

– Mas por que está de pé? Sente – disse ele com uma voz que, de repente, se tornara suave e afetuosa.

Ela sentou. Ele a contemplou por um momento com afabilidade e quase compassivamente.

– Está tão magra! Que mãozinhas tão transparentes! Estes dedinhos parecem os duma morta.

Pegara-lhe numa mão. Sonha sorriu debilmente.

– Fui sempre assim – disse.

– Quando vivia na sua casa também?

– Também.

– Está-se mesmo vendo! – disse ele com rudeza, e a expressão do seu rosto e o timbre da sua voz mudaram de repente. Tornou a passar novamente a vista à sua volta.

– São os Kapernaúmovi que lhe alugam isto?

– São.

– E eles vivem aí, atrás dessa porta?

– Sim... o quarto deles é como este.

– Vivem só num quarto?

– Só num.

– Eu teria medo num quarto destes, à noite – observou ele com ar sombrio.

– Os senhorios são muito bons, muito amáveis – respondeu Sonha como se reconsiderasse e não estivesse ainda refeita – e todos os móveis, e tudo... é tudo dos senhorios. São muito bons, e os meninos também vêm aqui muitas vezes.

– São gagos?

– São. Ele é gago e, além disso, também é estrábico. E a mulher também... Ela não é verdadeiramente gaga, mas custa-lhe muito pronunciar as palavras. Também é muito bondosa. Ele foi servo. E tem sete filhos, todos rapazes... só o mais velhinho é que é gago, os outros estão todos doentes, mas não têm esse defeito... Mas como é que os conhece? – acrescentou, um pouco admirada.

– Foi o seu pai que me contou tudo... também me falou de si... E contou-me que saíra uma tarde às seis e voltara a casa às nove, e que Ekatierina Ivânovna se lançou de joelhos aos pés da sua cama.

Ficou desorientada.

– Eu ainda hoje o vi – murmurou indecisa.

– A quem?

– A meu pai. Tinha ido à rua, aí ao lado, à esquina, às dez, e pareceu-me mesmo que ele passou diante de mim. Era tal qual ele. Eu até já queria ir a casa de Ekatierina Ivânovna...

– Fora dar um passeio?

– Sim – balbuciou Sonha rapidamente, tornando a ficar perturbada e baixando a cabeça.

– Ora diga-me: Ekatierina Ivânovna não lhe batia, em casa de seu pai?

– Ah, não! Que diz o senhor? Como é que pode pensar isso? Não! – e Sonha olhou para ele com uma certa inquietação.

– Gosta muito dela?

– Dela? Sim, muito! – exclamou Sonha condoída e, num impulso de piedade, juntou de repente as mãos. – Ah! Se o senhor, se o senhor a conhecesse... Olhe, é absolutamente como uma criança ... Parece que não está completamente boa da cabeça... faz pena. E era tão inteligente! Tão generosa! Tão boa. O senhor não a conhece, o senhor não a conhece, não a conhece de maneira nenhuma... Ah!

Sonha disse isto em tom desesperado, comovido e apiedada, juntando as mãos. As suas faces pálidas coraram, os olhos exprimiram sofrimento. Era evidente que estava terrivelmente comovida, que sentia uma grande vontade de exprimir, de dizer qualquer coisa, de se pôr em defesa da madrasta. Uma compaixão insaciável, se é lícito exprimirmo-nos assim, transpareceu subitamente em todas as suas feições.

– Que me batia... Mas que disse o senhor? Que me batia! E então, se me batesse? O senhor não sabe nada, não sabe nada... É tão infeliz, ah, tão infeliz! E doente... Procura sempre em tudo a justiça. É pura. Pensa que a justiça deve reinar sempre em tudo e reclama-a... E ainda que alguém a fira, não comete uma injustiça. Não compreende que não é possível que as pessoas sejam sempre justas, e irrita-se... É como uma criança, uma criancinha! Ela é justa, justa!

– Mas quem vai lhe valer?

Sonha interrogou-o com o olhar.

– A menina é a única coisa que lhes resta. É certo que já antes era o mesmo: estavam todos a seu cargo, e até o falecido, quando se embriagava, ia pedir-lhe dinheiro, a si. Mas agora, que vai ser de vós?

– Não sei – proferiu Sonha tristemente.

– Eles continuam ali?

– Não sei. Estavam endividados para com a senhoria; esta disse-lhe hoje mesmo que têm de abandonar o quarto e Ekatierina Ivânovna respondeu-lhe que também ela não queria ficar ali nem mais um minuto.

– Mas como é que ela consegue manter-se, assim, tão corajosa? Talvez esteja fiada na senhora...

– Ah, não, não fale assim! Nós vivemos as duas como se fôssemos uma só – e Sonha tornou outra vez a ficar agitada e até irritada, tal como um canário ou qualquer outro passarinho quando se irrita. – Mas como é que ela havia de ser? De que outra maneira havia ela de ser? – perguntou, exaltando-se e comovendo-se. – Como ela tem chorado hoje! Está transtornada do juízo, não reparou? Está transtornada: tão depressa se sobressalta como uma criança, para que amanhã não falte nada, até aperitivos, como torce as mãos, expectora sangue, põe-se a chorar e, de repente, começa a dar cabeçadas contra a parede e a chorar, desesperada. E depois consola-se, deposita todas as suas esperanças no senhor; diz que o senhor, agora, é o seu amparo, e que vai pedir a alguém uma quantia e voltará para a sua terra comigo, e abrirá aí uma pensão para meninas e, que me porá a mim como vigilante e começará para nós uma nova e linda vida, e beija-me e abraça-me e consola-me e, veja lá, acredita nisso tudo. Acredita nessas fantasias! Será possível contradizê-la? Passou hoje o dia inteiro esfregando o chão, lavando e passando a roupa a ferro; fraca como está, mudou a banheira e teve uma sufocação, até que se deixou cair esgotada sobre a cama; e além disso, de manhã saímos as duas para comprar uns sapatinhos a Pólienhka e a Liena, porque os que tinham já estavam todos rotos, mas o dinheiro não chegava, ainda nos faltava muito, entretanto ela escolheu uns sapatinhos muito engraçados, porque é uma mulher de gosto, o senhor não sabe... Olhe, pôs-se a chorar ali mesmo, na loja, porque o dinheiro não chegava... Ah, como fazia pena vê-la!

– Sim, depois disso compreende-se que a menina... viva assim – disse Raskólhnikov com um sorriso amargo.

– Mas, ao senhor, não lhe faz pena? Não lhe inspira dó? – exclamou Sonha outra vez. – Mas se eu sei que o senhor lhe deu tudo quanto lhe restava, e isso antes de saber! Que faria se soubesse! Oh, quantas vezes a fiz eu chorar! Ainda a semana passada, para não ir mais longe. Na semana antes da morte do meu pai. Portei-me cruelmente. E quantas, quantas vezes procedi eu assim! Ah, como me custa agora recordar todo esse dia!

Sônia juntou as mãos perante essa evocação.

– Portou-se cruelmente?

– Sim, eu, eu! Um dia – continuou ela, chorando – o meu pai disse-me: "Lê-me um pouco, Sonha, porque me dói a cabeça... lê-me qualquer coisa... olha, aqui tens o livro." Era um livrinho que, entre outros, lhe emprestara Andriéi Siemiônitch Liebiesiátnikov, que mora ali, e lhe emprestava esses livrinhos engraçados. E eu respondi-lhe: "Tenho de ir já embora". Não queria ler para ele porque eu fora lá, principalmente para mostrar umas golas a Ekatierina Ivânovna; porque Lisavieta, a revendedora, trazia-me golas e punhos muito baratos, bonitos, novinhos e com bordados. Ekatierina Ivânovna gostou muito dessas golas, experimentou-as e foi ver-se ao espelho com elas: agradavam-lhe muitíssimo. "Por que não mas dás, Sonha? Faz-me esse favor, faz-me esse favor", dizia, porque estava realmente interessada. Mas com que vestido havia ela de os usar? É assim: nunca se esquece dos bons tempos antigos. Olha-se ao espelho, admira-se, e não tem, mas é mesmo o que se diz não ter, roupa para vestir, nem uma coisa bonita para pôr há já tantos anos... E por nada deste mundo pede qualquer coisa a alguém; como é orgulhosa, até era mais capaz de dar a última coisa que tivesse do que ter de pedir uma a alguém; mas, nesse momento, pedia, tal era a maneira como as golas lhe tinham agradado! Mas, a mim, custava-me dá-las. "Para que as quer – digo-lhe eu – Ekatierina Ivânovna?" Foi isso o que eu lhe disse e não o devia ter feito. Olhou-me de uma maneira e sentiu aquilo tanto, tanto, que fazia pena vê-la! E não era por causa das golas, mas porque eu as negara, via-se bem. Ah, se eu pudesse agora mudar tudo isso, voltar atrás, apagar essas palavras! Oh, eu... mas para quê, se tudo isto lhe é indiferente?

– Conhecia Lisavieta, a revendedora?

– Conhecia... E o senhor também a conhecia? – interrogou-o Sonha por sua vez, com um certo espanto.

– Ekatierina Ivânovna está tuberculosa em último grau, não tarda que morra – disse Raskólhnikov depois de uma pausa e sem responder à pergunta.

– Oh, não, não, não! – e Sônia, inconscientemente, pegou-lhe nas mãos, como se lhe implorasse que isso não acontecesse.

– Sim, no fim de contas, é preferível que ela morra!

– Não, não é melhor, não é melhor! – exclamou ela assustada e inconsciente.

– E os filhos? Que vai fazer deles, se não os pode ter consigo?

– Oh, não sei! – exclamou Sônia quase desesperada e levando as mãos ao rosto. Era evidente que aquela ideia lhe passara pela cabeça já muitas vezes e que ele não fizera mais do que acordá-la.

– Além disso, se a menina cair doente, ainda que Ekatierina Ivânovna continue viva, se a levarem para o hospital, por exemplo, que sucederá então? – insistiu ele, inexorável.

– Ah! Que diz o senhor, que diz o senhor? Isso não é possível! – e o rosto de Sônia contraiu-se numa careta de espanto horrível.

– Não é possível? – prosseguiu Raskólhnikov com um sorriso cruel. – Tem algum seguro contra a doença? Que será deles então? Irão parar todos de uma vez ao meio da rua, e ela há de por-se a tossir, e a suplicar, e a dar cabeçadas contra a parede, como fez hoje, e as crianças a chorar... E acabará rolando sobre o chão, e vão pegá-la e levá-la ao Comissariado, e para um hospital, onde morrerá, e os filhos...

– Oh, não! Deus não há de permitir que assim seja! – foi o grito que saiu finalmente do oprimido peito de Sônia.

Tinha-o escutado em silêncio, de olhos fixos nele e mãos juntas numa prece muda, como se tudo dependesse dele.

Raskólhnikov levantou e começou a passear pelo quarto. Decorreu um minuto. Sônia continuava de pé, de testa e mãos baixas, sofrendo angustiosamente.

– E não há maneira de poupar, de guardar para os dias negros? – perguntou ele parando, de repente, diante dela.

– Não – balbuciou Sônia.

– Claro que não! Mas já experimentou? – acrescentou ele quase com um sarcasmo.

– Já experimentei, sim.

– E não lhe deu resultado, naturalmente! Para que perguntar?

E pôs-se outra vez a passear pelo quarto. Passou outro minuto.

– Não ganha qualquer coisa todos os dias?

Sônia ficou ainda mais confusa do que antes e tornou outra vez a corar.

– Não – murmurou, fazendo um esforço doloroso.

– Com certeza que Pólietchka vai ter a mesma sorte – disse de repente.

— Não! Não! Não é possível, não! – exclamou Sônia em voz alta, num desespero, como se, de repente, a tivessem atravessado com um punhal. – Deus, Deus não há de permitir tamanho horror!

— Para outras permitiu.

— Não, não! A ela, Deus há de protegê-la, Deus! – repetiu Sônia fora de si...

— Sim, mas até é possível que Deus não exista – respondeu Raskólhnikov com uma espécie de alegria maldosa; pôs-se a rir e ficou olhando para ela.

O rosto de Sônia mudou de repente de uma maneira terrível; parecia ter convulsões. Fixou nele os olhos cheios de censura; quis dizer qualquer coisa, mas não conseguiu dizer nada, e a única coisa que fez foi romper em soluços, cobrindo a cara com as mãos.

— A menina diz que Ekatierina Ivânovna está quase doida; pois com você está quase a passar-se o mesmo – disse, depois de um certo silêncio.

Decorreram cinco minutos. Ele continuava dando grandes passadas de um lado para o outro, em silêncio e sem olhar para ela. Finalmente, aproximou-se dela: as suas pupilas brilhavam. Pôs-lhe as mãos sobre os ombros e olhou-a diretamente nos olhos assustados. O olhar dele era sanguinário, agudo, e os lábios tremiam-lhe com força... De súbito agachou-se rapidamente e, ajoelhando-se no chão, beijou-lhe os pés. Sônia, assustada, afastou-se dele como de um louco. E, de fato, ele tinha todo o aspecto dum demente.

— Que faz o senhor, que faz o senhor diante de mim? – balbuciou ela, depois de ter empalidecido, e de repente, sentiu que o coração se lhe apertava dolorosamente.

Ele se ergueu imediatamente.

— Eu não me ajoelhei diante de ti, mas diante de toda a dor humana – disse ele num tom estranho, e retirou-se para junto da janela. – Escuta – acrescentou, voltando para junto dela, passado um minuto – eu, há pouco, disse a um desavergonhado que ele não valia nem o que vale o teu dedo mínimo... e que eu tinha dado uma honra à minha irmã ao sentá-la ao teu lado.

— Ah! Mas o senhor disse isso? Diante dela? – exclamou Sônia assustada. – Sentar ao meu lado? Uma honra! Mas se eu... olhe... eu estou desonrada... Ah, o que o senhor lhe disse!

— Não foi pela desonra nem pelo pecado que eu disse isso de ti, mas pelo teu grande sofrimento. Que tu és uma grande pecadora, é verdade – acrescentou quase com solenidade – mas o pior de tudo, aquilo em que mais pecaste foi por te teres entregue e sacrificado em vão. Não é um horror, não é um horror que tu vivas neste lodo que eu tanto odeio, e ao mesmo tempo tu própria saibas (não precisas de mais senão de abrir os olhos) que não és útil a ninguém, com isto, e que não salvas ninguém de nada? Mas diz-me finalmente – continuou, como num paroxismo – como é possível que coexistam em ti tanta baixeza e vileza e outros sentimentos opostos e sagrados? Teria sido muito melhor, mil vezes muito melhor, atirar-se à água e acabar de uma vez!

— E que seria deles? – perguntou Sônia com voz fraca, olhando-o dolorosamente mas, ao mesmo tempo, como se a proposta não lhe causasse grande admiração.

Raskólhnikov olhava-a de uma maneira estranha.

E compreendeu tudo nesse olhar. Com certeza que essa ideia já passara pela cabeça dela. Talvez até muitas vezes, e com toda a seriedade, tivesse pensado, no seu desespero, em acabar de uma vez, e por isso, agora, aquelas palavras dele já não a admiravam. Nem sequer reparava na crueldade da sua linguagem (não havia dúvida que não reparara no sentido das suas censuras e na sua maneira especial de considerar a sua desonra), foi o que ele notou. Mas Raskólhnikov compreendia perfeitamente até que ponto de monstruoso suplício a torturava, a ela, já há algum tempo, a ideia da desonra e da vergonha da sua situação. "Que será, que será – pensava ele – que tem podido conter até agora a sua resolução de acabar de uma vez?" E só então se apercebeu cabalmente do que significavam para ela aqueles pobres orfãozinhos e aquela lamentável Ekatierina Ivânovna, meia ensandecida, com a sua tísica e as suas cabeçadas contra as paredes.

Mas, ao mesmo tempo, também compreendia claramente que Sônia, com o seu caráter e a educação que recebera, não podia, de maneira nenhuma, continuar assim. Fosse como fosse, o problema surgia diante dele: como pudera ela continuar tanto tempo naquela situação sem perder o juízo, visto que lhe faltara coragem para se atirar à água? Era certo que ele compreendia que a situação de Sônia representava um fenômeno acidental na sociedade, embora, infelizmente, estivesse longe de ser único e exclusivo. Mas essa mesma acidentalidade, essa sua vaga educação e toda a honestidade da sua vida teriam podido matá-la de um golpe ao primeiro passo daquele repugnante caminho. Que a sustinha, então? Não seria o gosto da libertinagem? Toda aquela vergonha, que era evidente, só a roçava a ela de um modo maquinal; da verdadeira corrupção ainda não chegara ao seu coração nem uma ponta, era bem evidente.

"Há três caminhos – pensava Rodion – atirar-se ao canal, ir parar a um manicômio ou... ou, por fim, atirar-se ao vício, embrutecendo a alma e petrificando o coração."

Este último pensamento pareceu-lhe o mais repugnante de todos, mas ele já era cético, era novo, indiferente e talvez cruel, e não podia acreditar que esse último recurso, isto é, o vício, fosse o mais provável.

"Mas, e se fosse certo – murmurou para si – se inclusive esta criatura, que ainda conserva a sua pureza de alma, se lançasse conscientemente nessa terrível e hedionda cloaca? E se já tivesse começado essa queda, se ela só pudesse ter aguentado até agora aquela vida, porque o vício não lhe parecia tão repugnante? Não, não, isso não pode ser – exclamava ele, como Sônia, há pouco. – Não, do canal tem-na afastado até agora a ideia do pecado, e eles também... Se até agora não endoideceu... Mas quem é que disse que ela não perdeu já a razão? Estará, por acaso, em seu perfeito juízo? É possível, por acaso, falar como ela fala? É possível estar sentado assim, à beira dum abismo, precisamente em cima de um fétido cano de esgoto, no qual começou já a afundar-se, e a agitar as mãos, e a tapar os ouvidos, quando se ouve falar de perigo? Que milagre espera ela? Naturalmente, algum. E não será tudo isto um indício de loucura?"

Aferrava-se a essa ideia, com teimosia. Agradava-lhe mais essa saída do que as outras. Pôs-se a considerá-la com mais atenção.

– Rezas muito a Deus, Sônia? – perguntou-lhe.

Sônia permanecia calada; ele estava de pé ao seu lado e esperava a resposta.

– Que seria de mim sem Deus? – balbuciou ela rápida, energicamente; fixou nele por momentos os seus olhos brilhantes e, pegando-lhe na mão, estreitou-a fortemente entre as suas.

"Lá isso é verdade!", pensou ele.

– Mas que é que Deus faz por ti? – perguntou, levando mais longe a sua experiência.

Sônia ficou muito tempo calada, como se não pudesse responder. O seu peito fraco tremia de comoção.

– Cale-se! Não me pergunte! O senhor não é digno! – gritou, de repente, lançando-lhe um olhar severo e colérico.

"É verdade, é verdade!", repetia ele, teimoso, para consigo.

– Faz muito! – murmurou ela rapidamente, tornando a baixar a cabeça.

"Aí está o recurso! Aí está a explicação do recurso!", decidiu ele mentalmente, olhando-a com uma curiosidade ávida.

Contemplava com uma sensação quase doentia aquela carinha pálida, vincada e de feições irregulares e angulosas, com aqueles olhinhos pequeninos, azuis, capazes de lançar tais cintilações, de brilhar com uma expressão tão austera e enérgica; aquele corpinho frágil, que tremia ainda de indignação e de cólera, e tudo aquilo lhe parecia cada vez mais estranho, quase impossível. "Louca, louca!", concluiu no seu íntimo.

Sobre a cômoda havia um livro. Cada vez que lhe passava em frente, nos passeios de um lado para o outro, fixava os olhos sobre ele; agora pegou-lhe e examinou-o. Era o Novo Testamento, na sua versão russa. Era um livro velho e engordurado, encadernado em couro.

– De onde vem isto? – gritou-lhe, através do quarto. Ela continuava de pé, imóvel no mesmo lugar, a três passos da mesa.

– Trouxeram-me – respondeu ela, como se o fizesse de má vontade e sem olhar para ele.

– Quem é que trouxe?

– Foi Lisavieta, a meu pedido.

"Lisavieta? É estranho!", pensou ele.

Tudo quanto dizia respeito a Sônia lhe parecia cada vez mais estranho e assombroso. Aproximou o livro da luz e pôs-se a folheá-lo.

– Onde é que está o passo sobre Lázaro? – perguntou de repente.

Sônia olhava obstinadamente para o chão e não respondeu. Estava um pouco afastada da mesa.

– O lugar em que fala da ressurreição de Lázaro? Procura para mim, Sônia.

Ela olhou para ele de soslaio.

– Não procure aí... no quarto Evangelho... – murmurou com dureza, sem dar um passo para ele.

– Procura e lê para mim – disse ele.

Raskólnikov sentou, pôs os cotovelos em cima da mesa, segurou a cabeça com as mãos e inclinou-se um pouco de lado para escutar.

"Dentro de três semanas, para o manicômio! Também eu, provavelmente, irei para aí, senão para outro lugar pior!", murmurou para consigo.

Sônia aproximou-se, indecisa, da mesa, escutando com receio o desejo de

Raskólhnikov. Mas pegou no livro.
– Nunca o leu? – perguntou, olhando para ele do outro lado da mesa. A sua voz era cada vez mais dura.
– Há muito tempo... Na escola... Lê!
– E na igreja, não leu?
– Eu... não vou à igreja. E tu, vais muitas vezes?
– Não! – balbuciou Sônia.
Raskólhnikov pôs-se a rir.
– Compreendo... E amanhã, não vais ao enterro do teu pai?
– Hei de ir. Já lá estive a semana passada. Mandei dizer um responso.
– Por quem?
– Por Lisavieta. Foi morta à machadada.
Ele sentia os nervos cada vez mais crispados. Começou a sentir a cabeça andando à roda.
– Eras amiga de Lisavieta?
– Sim... Ela era muito boa... Vinha visitar-me... de quando em quando... Não podia. Líamos as duas e... falávamos. Ela irá para o Céu.
Soavam de uma maneira estranha aos seus ouvidos aquelas palavras livrescas; e outra vez a novidade: aquelas entrevistas misteriosas com Lisavieta, e as duas... umas tresloucadas.
"Também eu hei de acabar assim. É contagioso!", pensou.
– Lê! – exclamou, de repente, imperativo e excitado.
Sônia continuava indecisa. O seu coração batia com violência. Não se atrevia a ler para ele, que contemplava quase com pena aquela pobre louca.
– Mas para que hei de eu ler seja o que for? Se o senhor não acredita! – balbuciou em voz baixa e anelante.
– Lê! Quero que leias! – insistiu ele. – Não lias a Lisavieta?
Sônia abriu o livro e procurou o passo. As mãos tremiam-lhe, a voz não lhe saía. Começou a leitura por duas vezes e não chegou a articular claramente nem a primeira palavra.
– "Estava então enfermo um certo Lázaro, de Betânia..." – proferiu finalmente, fazendo um esforço; mas, de súbito, à terceira palavra a sua voz vibrou aguda e quebrou-se, como uma corda demasiado tensa. Faltava-lhe a respiração e sentia o peito oprimido.
Raskólhnikov compreendia, em parte, por que é que Sônia não se decidia a ler para ele, e quanto melhor compreendia, tanto mais grosseiramente e com maior nervosismo insistia para que ela lesse. Compreendia perfeitamente que aqueles sentimentos constituíam, efetivamente, de certo modo, o seu segredo, talvez desde a sua adolescência, quando vivia ainda com a família, junto de seu desgraçado pai e da madrasta, enlouquecida de amargura, entre umas criaturinhas famélicas, gritos e imprecações monstruosas. Mas, ao mesmo tempo, reconhecia, e reconhecia decididamente, que, ainda que ela agora estivesse aflita e tivesse um medo horrível de começar a leitura, por qualquer motivo, sentia no entanto uma ansiedade dolorosa de o fazer, apesar de toda a sua tristeza e inquietação, e sobretudo para ele, para que escutasse agora, infalivelmente... acontecesse depois o que acontecesse... Era isto o que ele lia nos olhos dela e deduzia da sua comoção tão séria... Ela fez um esforço,

dominou o aperto da garganta, que lhe cortara a voz, e continuou a ler o capítulo XI do Evangelho de S. João. Chegou assim ao versículo XIX:

– "E muitos dos judeus tinham vindo para junto de Marta e de Maria, para consolá-las por causa do irmão. Então Marta, como ouviu que Jesus vinha, saiu ao seu encontro; Maria ficou em casa. E Marta disse a Jesus: 'Senhor, se tivesses estado aqui, o meu irmão não estaria morto. Mas também sei agora que tudo o que pedires a Deus, Deus te dará...'."

Então tornou a parar, pressentindo, envergonhada, que a voz tornava a tremer-lhe e a ficar entrecortada...

– "... Disse-lhe Jesus: 'O teu irmão ressuscitará'. Marta disse-lhe: 'Eu sei que ressuscitará na ressurreição, ao último dia'. Disse-lhe Jesus: 'Eu sou a ressurreição e a vida; aquele que acreditar em mim, ainda que esteja morto, viverá. E todo aquele que vive e crê em mim não morrerá eternamente. Acreditas nisso?'. Disse-lhe..."

E, como se dolorosamente lhe faltasse o alento, Sônia leu distintamente e com energia, como se estivesse fazendo a sua profissão de fé:

– "... Sim, Senhor, eu acreditei que Tu eras o Cristo, o Filho de Deus, que veio ao mundo...'"

Fez uma pausa, lançou um olhar rápido aos olhos dele, mas em seguida dominou-se e continuou a leitura. Raskólhnikov escutava-a sem fazer um movimento, sem se voltar, de cotovelos sobre a mesa e olhando de soslaio. Ela chegou ao versículo XXXII:

– "... E como Maria tivesse vindo para o lugar onde estava Jesus, lançou-se a seus pés, dizendo-lhe: 'Senhor, se tivesses estado aqui, o meu irmão não estaria morto'. Como Jesus a visse chorar, a ela e aos judeus que tinham vindo juntamente com ela, comoveu-se em espírito e perturbou-se. E disse: 'Onde o pusestes?'. Disseram-lhe: 'Senhor, vem e vê'. E Jesus chorou. Disseram então os judeus: 'Olhai como o amava'. E alguns deles disseram: 'Não podia Este, que abriu os olhos do cego, fazer com que este homem não morresse?...'."

Raskólhnikov voltou-se para ela e contemplou-a comovido. "É isso mesmo." Toda ela tremia como se estivesse com febre. Era o que ele esperava. Ela se aproximava da narrativa do maior e mais inaudito milagre, e um sentimento de grande solenidade a possuía. A sua voz tornou-se vibrante, metálica; o entusiasmo e a alegria ressoavam na sua voz e apoiavam-na. As linhas confundiam-se diante dos seus olhos, porque estes se nublavam de lágrimas; mas ela sabia de cor o que ia lendo: Quando chegou ao último versículo: "Não podia Este, que abriu os olhos do cego...?", baixando a voz, ela exprimiu ardente e apaixonadamente a dúvida, a censura e a maldade dos incrédulos, dos torpes judeus, que logo a seguir, um minuto depois, apenas, como feridos por um raio, iam tombar por terra, romper em soluços e acreditar... "E ele, ele também, cego e incrédulo, também ele ouvirá imediatamente e também acreditará, sim, sim. Agora mesmo!", sonhava ela, e tremia na sua jubilosa expectativa.

– "...Jesus disse-lhe: 'Não te disse eu que se acreditasses verias a glória de Deus?'. E Jesus, comovendo-se outra vez no seu íntimo, veio até ao sepulcro. Era uma cova, que tinha uma pedra em cima. Jesus disse: 'Tirem a pedra'. Marta, a irmã do morto, disse-lhe: 'Senhor, vede que está já de quatro dias...'."

E pronunciou intencionalmente a palavra "quatro".

– "...Jesus disse-lhe: 'Não te disse eu que, se acreditares verás a glória de Deus?'. Então tiraram a pedra da cova onde o morto tinha sido posto. E Jesus, erguendo os olhos ao alto, disse: 'Pai, dou-Te graças por me teres ouvido. Eu sabia que Tu me ouves sempre, mas disse-lhe isto por causa do povo que está à minha volta, para que acreditem que foste Tu que me enviaste'. E, depois de ter dito isto, gritou em voz muito alta: 'Lázaro, sai...'. E aquele que estava morto saiu..."

Ela lia com voz forte e solene, tremente e franzida de frio, como se tivesse visto tudo aquilo com os seus próprios olhos.

– "... tinha as mãos e os pés ligados com ataduras, e o rosto envolvido num sudário. Disse-lhe Jesus: 'Desatem-no e deixem-no ir'. Então muitos dos judeus que tinham vindo ter com a casa de Maria e viram o que Jesus fizera, acreditaram nele."

A leitura ficou por aqui, pois ela já não podia continuar, e, fechando o livro, levantou rapidamente da cadeira.

– Isto é tudo o que há a respeito da ressurreição de Lázaro – murmurou com voz cortante e dura, e ficou imóvel, meio voltada de costas, sem se atrever a erguer os olhos para ele, como se estivesse envergonhada. Continuava ainda a agitá-la um tremor febril. A luzinha que, havia já algum tempo, começara a consumir-se no candeeiro, iluminava vagamente naquele mísero quarto um assassino e uma prostituta, estranhamente reunidos para ler o livro eterno. Decorreram cinco ou mais minutos.

– Vim para te dizer uma coisa – declarou Raskólhnikov de repente, com voz rouca e franzido o sobrolho; levantou e aproximou-se de Sônia. Esta ergueu os olhos para ele, em silêncio. Os dele estavam especialmente severos e denunciavam como que uma selvagem resolução.

– Abandonei hoje a minha família – disse – a minha mãe e a minha irmã. Não tornarei para junto delas.

– Por quê? – perguntou Sônia, assombrada. O seu encontro recente com a mãe e com a irmã dele lhe deixara uma impressão extraordinária, embora confusa para si própria. Escutou a notícia da ruptura quase com espanto.

– Eu, agora, não tenho mais ninguém senão tu – acrescentou ele. – Passemos a viver juntos. Venho buscar-te. Se somos os dois malditos, unamo-nos então!

Os olhos cintilavam-lhe: "Parece um louco!", pensou Sônia por sua vez.

– Mas para onde vamos? – perguntou ela, assustada e, involuntariamente, retrocedeu.

– Sei lá! Só sei que havemos de seguir um mesmo caminho, isso é que eu sei... Apenas isso! Um mesmo fim!

Ela olhava para ele e não compreendia. Compreendia unicamente que ele era terrível, infinitamente desgraçado.

– Nenhum deles te compreenderá nunca se lhes falares – continuou – mas eu te compreendo. Tu me eras necessária, por isso vim buscar-te.

– Não compreendo... – balbuciou Sônia.

– Depois hás de compreender-me. Não fizeste tu, por acaso, o mesmo que eu? Tu também infringiste a norma... Foste capaz de infringi-la. Tu levantaste a mão contra ti própria, perdeste para sempre a tua vida... A tua (tanto faz!). Tu podias ter vivido pelo espírito e pela razão e vieste parar no Mercado do Feno... Mas tu não te podes manter e, se ficas sozinha, acabarás por perder o juízo, como eu. Já estás meio louca; nós dois devemos caminhar juntos pelo mesmo caminho. Vamos!

— Por quê? Por que diz isso? – exclamou Sônia, estranha e violentamente comovida por aquelas palavras.

— Por quê? Porque é impossível ficarmos assim... Por isso! Acaba por ser necessário julgar as coisas reta e seriamente e não chorar e gritar como crianças, porque Deus não o consentirá! Porque vamos ver, afinal: que será de ti se amanhã te levam para um hospital? A outra está transtornada e tísica, e não tardará a morrer. E os pequenos? Não irá Pólietchka cair na perdição? Não vês por aqui, pelas ruas, crianças que as mães mandam pedir esmola? Eu sei muito bem onde vivem essas mães e em que pardieiros. Aí não é possível que as crianças se conservem crianças. Aí há prostitutas e ladrões de sete anos. E, bem sabes, as crianças são a imagem de Cristo: delas é o reino de Deus. Mandou que as honrássemos e amássemos; eles são a futura humanidade...

— Mas que hei de eu fazer? – repetia Sônia com um choro histérico e torcendo as mãos.

— Que fazer? Romper de uma vez para sempre, só isso, e suportar a dor. O quê? Não me compreendes? Hás de compreender-me depois... Liberdade e poder, sobretudo poder! Sobre toda a criatura que treme e sobre todo o formigueiro! É esse o objetivo! Vê se compreendes! É esse o testamento que eu te deixo! Talvez eu esteja falando contigo pela última vez. Se não vier ver-te amanhã, hás de saber tudo por ti mesma, e então recorda-te das palavras que agora te digo. E talvez algum dia, passados anos, ao longo da vida, chegues a compreender o que elas significam. Se vier amanhã vou te dizer quem matou Lisavieta. Adeus!

Sônia tremia de medo.

— Mas sabe quem a matou? – perguntou, transida de espanto e olhando para ele assombrada.

— Sei e vou te dizer... A ti, só a ti! Escolhi a ti. Não virei pedir-te perdão, mas simplesmente te dizer. Já faz algum tempo que te escolhi para contar isso, desde que o teu pai me falou de ti, e quando Lisavieta ainda era viva já o pensara. Adeus! Não me dês a mão. Até amanhã!

Saiu. Sônia seguiu-o com a vista, como a um louco; e ela própria também se sentia como louca. Sentia a cabeça rodar.

"Senhor! Como pode ele saber quem é que matou Lisavieta? Que quererão dizer aquelas palavras? Que horrível é tudo isto!" Mas, no entanto, aquela ideia não lhe passava pelo pensamento. "Nunca! Nunca! Oh, deve ser espantosamente infeliz! Abandonou a mãe e a irmã. Por quê? Que se teria passado? Quais serão as suas intenções? Que lhe dissera ele? Beijou-lhe os pés e disse-lhe... disse-lhe (sim, isso disse-o com bastante clareza) que não podia viver sem ela... Oh, Senhor!"

Passou toda a noite com febre e delirando. Às vezes sobressaltava-se, chorava, torcia as mãos; depois voltava a amodorrar-se numa sonolência febril e sonhava com Pólietchka, com Ekatierina Ivânovna, com Lisavieta, com a leitura do Evangelho e com ele... Com ele, com o seu rosto pálido e os seus olhos de fogo... Beijava-lhe os pés, chorava... Oh, Senhor!

Do outro lado da porta da direita, daquela mesma porta que separava o quarto de Sônia do de *Madame* Kárlovna Resslich, havia um quarto contíguo que já há muito tempo estava vazio, pertencente ao andar da Senhora Resslich, que esta alugava, tendo posto um cartãozinho na porta da casa e escritos nas janelas que davam para o canal. Havia algum tempo que Sônia se acostumara a considerar esse quarto como desabitado. E, no entanto, durante todo esse tempo, por detrás da porta do aposento vazio, o Senhor Svidrigáilov estivera espreitando e escutando. Quando Raskólhnikov saiu ele continuou no seu posto, meditando, e depois voltou nas pontas dos pés para o seu quarto, que ficava pegado a esse que estava desabitado, pegou numa cadeira e, sem fazer barulho, encostou-a à porta que dava para o quarto de Sônia. O diálogo tinha-lhe parecido interessante e significativo, e muito a seu gosto... tão de seu gosto que levou para ali a cadeira a fim de, para a outra vez, no dia seguinte, por exemplo, não ter de suportar novamente o incômodo de estar de pé uma hora inteira e instalar-se comodamente, para poder estar a seu gosto, em todos os sentidos.

Capítulo V

Quando na manhã seguinte, às onze em ponto, Raskólhnikov entrou no Comissariado, na seção do juiz de instrução, e pediu que anunciassem a sua visita a Porfíri Pietróvitch, ele próprio se admirou que demorassem tanto a recebê-lo; decorreram pelo menos dez minutos até que o mandassem entrar. Segundo os seus cálculos, deviam tê-lo feito entrar imediatamente. E, no entanto, ali estava ele no vestíbulo e pela sua frente passavam indivíduos que, evidentemente, não reparavam na sua presença. Na sala contígua, que tinha aspecto de repartição, havia alguns escriturários de pena em punho, e era evidente que nenhum deles fazia a menor ideia de quem fosse um tal Raskólhnikov. Ele seguia com olhos inquietos e desconfiados tudo quanto se passava à sua volta, inspecionando: "Não haveria por ali perto algum guarda, algum olhar secreto encarregado de espiá-lo, para que não fugisse?". Mas não havia nada disso, havia apenas as caras dos empregados, muito atentos ao seu trabalho, e algum ou outro indivíduo, nenhum dos quais reparava nele, sequer, ainda que percorresse os quatro cantos da sala. Cada vez se firmava com mais força na ideia de que se, de fato, aquele homem enigmático do dia anterior, aquele fantasma saído debaixo do chão, soubesse tudo e tivesse visto tudo... havia de deixá-lo à solta, como o estava deixando? E além disso, não o teriam esperado ali tranquilamente até às onze, até que lhe tivesse apetecido apresentar a sua declaração... Concluía-se que, ou aquele homem não tinha vindo ainda acusá-lo, ou... ou, simplesmente, que também ele não sabia nada, nem vira nada pelos seus próprios olhos (e como podia tê-lo visto?), e que tudo o que lhe sucedera, a ele, Raskólhnikov, no dia anterior, não fora mais que uma aparição, avultada pela sua imaginação excitada e doente. Esta explicação já no próprio dia anterior, no momento do seu maior medo e desolação, começara a criar raízes dentro de si. Depois de pensar em tudo isso, agora, e quando se preparava para uma nova luta, sentiu de repente que estava tremendo... e até ferveu de indignação só com a ideia de que podia tremer de medo perante aquele odioso Porfíri Pietróvitch. O mais terrível para ele era ter de ver-se outra vez em frente daquele homem; sentia por ele uma aversão sem limites, infinita, e até temia que esse ódio pudesse fazê-lo atraiçoar-se de qualquer maneira. E a sua indignação era tão veemente que o seu tremor cessou imediatamente; preparou-se para entrar com um aspecto sereno e altivo, e a si próprio jurou que havia de limitar-se, na medida do possível, a calar-se, a olhar, e que dessa vez pelo menos, acontecesse o que acontecesse, havia de dominar o seu temperamento, doentiamente irritável. Precisamente nesse instante chamaram-no da parte de Porfíri Pietróvitch.

Por acaso, nesse momento, Porfíri Pietróvitch encontrava-se só no seu gabinete. Este era uma sala de tamanho razoável, na qual havia uma grande mesa-escrivaninha diante dum divã forrado de oleado encerado, um bureau, um armário num canto e algumas cadeiras, tudo móveis do Estado, de madeira amarela, e que começava já a perder o verniz. Num canto, na parede do fundo, ou, para melhor dizer, no tabique, havia uma porta fechada; aí, do outro lado do tabique, devia haver, provavelmente, outras salas. Quando Raskólhnikov entrou, Porfíri Pietróvitch fechou imediatamente a porta por onde ele entrara e ficaram os dois absolutamente sozinhos. Aparentemente acolheu o seu visitante da maneira mais jovial e amável, e só passados alguns minutos Raskólhnikov, em virtude de certos indícios, lhe notou uma certa ansiedade... como se o tivessem vindo distrair de repente ou o tivessem apanhado em qualquer atitude muito íntima e secreta.

– Olá, meu caro! Já o temos aqui... nos nossos domínios... – começou Porfíri, estendendo-lhe as duas mãos. – Bem, sente-se, *bátiuchka*! Ou talvez não queira que lhe chame meu caro nem... *bátiuchka*... assim, *tout court*. Não leve isto à conta de familiaridade... Para aqui, venha para aqui, para o divãzinho.

Raskólhnikov sentou sem tirar os olhos de cima dele.

"Nos nossos domínios"; aquela desculpa por causa da familiaridade, aquela frasezinha francesa *tout court*, etc., etc., tudo aquilo eram sinais característicos. "Mas, no entanto, estendeu-me as duas mãos e não chegou a dar-me nenhuma, retirou-as a tempo", pensou, desconfiado. Vigiavam-se mutuamente, mas, quando os seus olhares se cruzavam, ambos os desviavam com uma rapidez fulminante.

– Trago-lhe um documento referente ao relogiozinho... Aqui tem. Está bem redigido ou será preciso fazê-lo outra vez?

– O quê? O documento? Sim, sim, não se preocupe, assim está bem – disse Porfíri Pietróvitch, como se tivesse pressa de qualquer coisa e, dizendo isto, pegou no papel e deitou-lhe uma vista de olhos. – Sim, é isto, precisamente. Não é preciso mais nada – afirmou com a mesma precipitação nas palavras e deixou o papel em cima da mesa. Depois, passado um minuto, falando já de outra coisa, tornou a tirá-lo dali e colocou-o no seu bureau.

– O senhor, segundo me parece, disse-me ontem que desejava interrogar-me... oficialmente... acerca do meu conhecimento com essa... mulher que foi assassinada – disse Raskólhnikov retomando o diálogo. "Mas, vamos ver, a que propósito veio isto de, 'segundo me parece?'", foi a ideia que lhe passou pela cabeça, como um raio.

E de repente sentiu que a sua irritabilidade, só ao contato com Porfíri e apenas perante aquelas duas palavras e dois olhares, se tinham já expandido num instante em proporções assombrosas... e que isso era terrivelmente perigoso; os seus nervos crispavam-se e a sua agitação aumentava cada vez mais. "Mau! Mau, mau! Vou outra vez dar com a língua nos dentes!"

– Sim... sim... sim! Não se preocupe! Temos tempo, temos tempo – murmurou Porfíri Pietróvitch dando voltas em torno da mesa, mas sem objetivo algum, dirigindo-se ora para a janela, ora para o bureau, voltando outra vez para junto da mesa, evitando o olhar desconfiado de Raskólhnikov e ficando outras vezes parado e a olhá-lo fixamente no rosto. A sua figura pequenina, gordalhufa e redonda como uma bola que parecia rolar em várias direções, e embater de seguida contra todas as paredes e todos os cantos, ficava assim muito estranha. – Temos tempo, temos tempo! Fuma? Tem cigarros? Então aqui tem um – continuou, oferecendo um cigarro ao seu visitante. – Olhe, recebo-o aqui, mas tenho a minha instalação particular ali, do outro lado do tabique... casa fornecida pelo Estado; mas, agora, de momento, tenho uma casa noutro lugar. Era preciso fazer umas obras, aqui. Agora já estão quase prontas... Moradia à custa do Estado, sabe? É uma grande coisa, não é verdade? Não lhe parece?

– Lá isso é, é uma grande coisa – respondeu Raskólhnikov olhando-o quase com sarcasmo.

– Uma grande coisa, uma grande coisa... – repetia Porfíri Pietróvitch como se, de repente, se tivesse posto a pensar em qualquer coisa completamente diferente. – Sim, uma grande coisa! – exclamou gritando quase, para terminar, fixando subitamente o olhar sobre Raskólhnikov e parando a dois passos dele. Essa monótona e estúpida reiteração, de que a moradia à custa do Estado era uma grande coisa, contrastava demasiado pela sua vulgaridade com o olhar sério, preocupado e enigmático com que fulminava agora o seu visitante.

E isso veio agravar ainda mais a cólera de Raskólhnikov, o qual não pôde dominar-se e proferiu um desafio sarcástico e bastante imprudente:

– Sabe uma coisa? – perguntou de repente, olhando-o quase com insolência e como se encontrasse prazer nessa insolência. – Segundo parece, há uma regra jurídica, um procedimento jurídico aplicável a todos os processos possíveis, que é o de começar de longe, por pormenores ou por qualquer coisa séria mas completamente secundária, com o fim de, por assim dizer, animar, ou, para melhor dizer, distrair o interrogado, adormecer a sua vigilância e, depois, de repente, da maneira mais inesperada, fazer-lhe de chofre uma pergunta fatal e perigosa. Não é assim? Parece que este processo continua a ser mencionado religiosamente em todos os manuais e textos, não é verdade?

– Assim é, de fato, assim é... Mas o senhor pensa que eu lhe falei da moradia do Estado para... hem? – e depois de dizer isto Porfíri Pietróvitch fez uma careta e piscou os olhos; as rugas miúdas da sua testa tornaram-se mais visíveis, mas apagaram-se logo a seguir, os olhos tornaram-se ainda mais pequenos, as feições dilataram-se e, de repente, desatou num riso nervoso, longo, ao mesmo tempo que retorcia todo o corpo e olhava Raskólhnikov de frente, nos olhos. Este começou também a rir um pouco, fazendo para isso um esforço sobre si mesmo; mas quando Porfíri, ao ver que ele também ria, sofreu um tal acesso de riso que ficou quase completamente vermelho, então a repugnância de Raskólhnikov ultrapassou repentinamente toda a prudência; deixou de rir, franziu o sobrolho e ficou olhando longa e rancorosamente para Porfíri, sem tirar a vista de cima dele, enquanto durava aquele riso prolongado, que de propósito parecia não desejar dominar. Aliás, a imprudência era visível nos dois; era como se Porfíri risse na própria cara do visitante, ao qual aquele riso ficava tão mal, e não se perturbava de maneira alguma por semelhante circunstância. Este último fato era muito significativo para Raskólhnikov; este compreendia que Porfíri Pietróvitch também não se atrapalhara, e que, pelo contrário, era ele, Raskólhnikov, quem se deixara cair na armadilha; que com certeza havia até de permeio qualquer coisa que ele ignorava, qualquer intenção; que talvez estivesse tudo preparado, e que logo a seguir, naquele mesmo instante, acabasse por revelar-se e ficar à vista...

    Foi imediatamente direto ao assunto, levantou do seu lugar e pegou o gorro:

    – Porfíri Pietróvitch – disse resolutamente, mas bastante excitado. – O senhor, ontem, exprimiu o desejo de que eu viesse aqui para me fazer não sei que interrogatório – acentuou especialmente a palavra "interrogatório". – Aqui estou, e se quiser interrogar-me, pode começar já; senão, permita que me retire. Não posso perder tempo, tenho de ir tratar de um assunto... Tenho de assistir ao enterro desse funcionário atropelado por uma carruagem, que o senhor... já sabe... – acrescentou, e imediatamente ficou aborrecido consigo próprio por causa daquela declaração, excitando-se depois ainda mais. – A mim, tudo isto já me aborrece, sabe o senhor? E já há muito tempo... e pode ser que, em parte, a minha doença seja por causa disto tudo; em resumo: queira interrogar-me ou deixe-me sair... agora mesmo; mas, se me interrogar, faça-o de acordo com a lei. De outra maneira não me presto a isso e, entretanto, adeus, pois agora não temos nada que fazer os dois.

    – Senhor! Mas que lhe aconteceu? Sobre que hei de eu interrogá-lo? – exclamou Porfíri mudando imediatamente de tom e de aspecto e acabando com o seu riso num abrir e fechar de olhos – Mas não se preocupe, por favor – encareceu, solícito, tornando a passear agitadamente de um lado para o outro e parando de repente para fazer sentar Raskólhnikov. – Há tempo de sobra, há tempo de sobra, e tudo isto são apenas pormenores! Eu, pelo contrário, estou muito contente porque tenha vindo visitar-me... Considero-o como um hóspede. E por causa desse maldito riso, o senhor, meu caro Rodion Românovitch, desculpe-me... É Rodion Românovitch? É este o seu nome? Sou muito nervoso e o senhor fez-me rir com a agudeza da sua observação; às vezes, é verdade, ponho-me a rebolar como uma bola de borracha e fico assim uma boa meia hora... Gosto de rir. Tenho medo de uma paralisia, dado o meu temperamento. Mas sente-se... que tem? Faça favor, meu caro, senão hei de pensar que está aborrecido...

    Raskólhnikov conservava-se calado, escutava e observava, cada vez mais iracundo. Aliás, sentou sem largar o gorro das mãos.

    – Vou dizer-lhe uma coisa a meu respeito, meu caro Rodion Românovitch, para explicar-lhe, por assim dizer, o meu caráter – continuou Porfíri Pietróvitch, dando voltas pela sala e parecendo, como há pouco, querer evitar que o seu olhar se cruzasse com o do visitante. – Eu, repare, sou solteiro, sou desconhecido e também não conheço ninguém e, além disso, sou um homem acabado, um homem endurecido, que se deixou ficar na sua concha e... e... e não sei se já reparou, Rodion Românovitch, que entre nós, aqui, na Rússia, e sobretudo no nosso ambiente petersburguês, que, quando se encontram dois homens inteligentes, que ainda não se conhecem bem, mas que, por assim dizer, se respeitam mutuamente, como sucede conosco neste caso, ficam uma meia hora sem acharem um tema para a conversa... e ficam muito hirtos um em frente do outro, atrapalhados. Toda a gente tem um assunto para conversar; as senhoras, por exemplo... e as pessoas da alta sociedade, nunca lhes falta sobre que falar, *c'est de rigueur*; mas os indivíduos da classe média, como nós, ficam atrapalhados e não conseguem dizer nada... Quero eu dizer com isto que são tímidos. A que será devido isto, meu caro? Será que não possuem interesse pelos assuntos sociais ou que somos muito honestos e não nos queremos enganar uns aos outros? Eu não sei. Que lhe parece? Mas deixe o gorro, assim parece que está disposto a ir já embora; faz-me verdadeiramente pena vê-lo assim... Eu, pelo contrário, estou tão contente...

Raskólhnikov largou o gorro e continuou calado, sério e sombrio, escutando o vazio e incoerente palavreado de Porfíri. "Será o caso de que a sua verdadeira intenção seja a de distrair a minha atenção com a sua estúpida loquacidade?"

– Café, não lhe ofereço, não é lugar para isso; mas por que não há de passar cinco minutos com um amigo, para se distrair? – continuou Porfíri sem interrupção. – E já sabe, todos esses deveres de cortesia... Olhe, meu caro, não se ofenda por eu andar às voltas de um lado para o outro; desculpe-me, *bátiuchka*; tenho muito medo de ofendê-lo, mas este exercício é-me imprescindível. Estou sempre sentado e para mim é uma alegria poder estar cinco minutos em movimento... as hemorroidas... tenciono tratá-las por meio da ginástica; dizem que homens de Estado, e até conselheiros secretos pulam corda regularmente; repare, é o que a ciência quer, no nosso tempo... é assim mesmo... Mas quanto a esses deveres daqui, interrogatórios e outros requisitos... repare, meu caro, foi o senhor quem se referiu a isso há pouco; de fato, foi o senhor quem falou disso... e veja uma coisa: na realidade, esses interrogatórios, às vezes, desorientam mais o que interroga do que o interrogado... A este respeito já o senhor, meu caro, fez há um momento uma observação tão justa como aguda – Raskólhnikov não tinha feito tal observação. – É um engano! Um autêntico engano! Porque, afinal, continua tudo na mesma, tudo na mesma, como a lesma! Mas qualquer dia temos aí a reforma e, pelo menos, hão de tratar-nos de outra maneira, he... he... he! Mas pelo que respeita aos nossos costumes jurídicos – segundo a sua exata expressão – estou absolutamente de acordo com o senhor. Mas vamos ver, diga-me uma coisa: qual dos nossos acusados, inclusive o mais lorpa, não saberá que a princípio deverão interrogá-lo acerca de coisas secundárias (conforme a sua feliz expressão), para depois, de repente, assestar-lhe uma machadada em cheio, na cabeça, he, he, he! Segundo o seu acertado símile? He... he! De tal maneira que, por causa disso, o senhor, no fundo chegou a pensar que eu lhe falava da moradia por conta do Estado... He, he! É um trocista. Bem, não faço nada consigo! Ah, sim, de fato, uma palavra chama outra, um pensamento sugere outro! Foi o que o senhor disse ontem também, referindo-se à forma dos interrogatórios, não sei se sabe, dos interrogatórios... Mas que importa a forma! A forma, em muitos casos, fique sabendo, representa um absurdo. Às vezes dá mais resultado conversar amigavelmente. A forma nunca desaparecerá; a respeito disto posso eu responder-lhe; mas que é a forma, na realidade? pergunto-lhe eu. Não é possível manietar a cada passo o juiz de instrução por causa da forma. A função do juiz de instrução é, por assim dizer, uma arte livre, no seu gênero, ou qualquer coisa do gênero... He... he... he!

Porfíri Pietróvitch parou um momento para tomar alento. Falava sem parar, atirando à toa frases ocas, e de repente soltava algumas palavras enigmáticas para, ato contínuo, continuar a despropositar desatinadamente. Agora eram já verdadeiras corridas que ele dava pelo gabinete, movimentando cada vez mais depressa as suas pernas gordalhufas, de olhos fixos no chão, com a mão direita encarrapitada nas costas e agitando sem cessar a esquerda em múltiplos gestos que, de maneira espantosa, nunca correspondiam às suas palavras. Raskólhnikov observou de repente que, enquanto corria assim pela sala, parou duas vezes junto da porta, mas apenas por um momento e com a intenção de escutar..."Estará à espera de alguém?"

– Olhe, o senhor, de fato, tem razão – encareceu de novo Porfíri, alegre, olhando para Raskólhnikov com um ar extraordinariamente bonachão, que o fez estremecer e ficar imediatamente desconfiado. – O senhor tem, de fato, razão em rir das fórmulas jurídicas com tanta graça... He, he! Porque não há dúvida de que algumas das nossas fórmulas, com as suas pretensões de profundidade psicológica, são sumamente risíveis, sim senhor, e além disso, inúteis no caso de nos coibirem demasiado. Lá isso é... Voltando novamente às fórmulas, vamos ver: suponhamos que eu reconheço ou, para melhor dizer, suspeito deste, daquele ou de outro indivíduo, como culpado de um crime, cujo processo me foi confiado... O senhor estudava Direito, não é verdade, Rodion Românovitch?

– Sim, estudava...

– Bem; pois aqui tem um pequeno exemplo que poderá ser-lhe útil no futuro... Isto é, não vá supor que eu me proponho dar-lhe lições, ao senhor, que escreveu aquele artigo sobre os crimes! Não se trata disso, mas apenas de apresentar-lhe um fato, como um pequeno exemplo... Assentemos em que eu passei a ter suspeitas deste, daquele ou daqueloutro, por me parecer que é o autor dum crime; vejamos: por que hei de eu ir incomodá-lo antes de tempo, embora possua algumas provas contra ele? Umas vezes vejo-me obrigado, por exemplo, a mandar prender um indivíduo urgentemente; mas outras, a pessoa em questão é de outro caráter, e, de fato, por que não havia eu de dar-lhe tempo a que passeasse todavia um pouco pela cidade? He... he! Não, o senhor, eu bem vejo, não está compreendendo o que eu lhe digo, e por isso vou explicar com mais clareza: se eu o mando prender demasiado cedo, presto-lhe, por assim dizer, um auxílio moral. He... he! O senhor ri – Raskólhnikov nem de longe pensava em rir, pelo contrário, rangia os dentes, não afastando o seu olhar inflamado dos olhos de Porfíri Pietróvitch. – E, no entanto, é assim, sobretudo tratando-se de alguns indivíduos, porque são tipos muito diferentes e, com eles, só a prática é que vale. O senhor há de dizer-me: e as provas? Suponhamos que as provas existam; mas repare, bátiuchka, as provas são, na sua maior parte, armas de dois gumes, e eu sou juiz de instrução, um homem fraco, reconheço; o que uma pessoa desejaria era estabelecer os resultados do seu processo com uma exatidão, por assim dizer, matemática; desejaria encontrar uma prova de tal natureza, qualquer coisa de gênero dois e dois são quatro. O que uma pessoa almejaria encontrar seria uma prova clara e incontestável! E veja, se o prendo antes do tempo, embora eu esteja convencido de que é "ele", sou eu próprio que acabo por privar-me do meio de desmascará-lo mais à vontade; e como? Porque dessa maneira lhe destino uma posição, por assim dizer, definida; defino-o psicologicamente e tranquilizo-o, e ele escapa e mete-se na sua concha; compreende, finalmente, que está preso. Dizem que em Sebastópol, quando do caso de Alma, algumas pessoas inteligentes temiam que o inimigo atacasse a povoação declaradamente e a tomasse de um golpe; mas vendo que o inimigo iniciava um assédio segundo todas as regras e abria a sua primeira trincheira, as tais pessoas inteligentes alvoroçaram-se e tranquilizaram-se; pelo menos durante dois meses a coisa duraria, até que a tomassem por um assalto em regra! Ri outra vez, duvida outra vez? Sim, é claro; também tem razão nisto. Tem razão, tem razão! Tudo isto são casos particulares, concordo com o senhor; o caso que lhe apresentei é, de fato, um caso particular. Mas repare, meu muito excelente Rodion Românovitch, é preciso lembrar-se de uma coisa; o caso geral, esse que apresenta todas as fórmulas e regras jurídicas, o que os livros consideram e escrevem, não existe na realidade, pela simples razão de que cada assunto, cada crime, por exemplo, assim que se deu na realidade, passa imediatamente a converter-se num caso particular; e às vezes em circunstâncias tais que não se parece em nada com o anterior. Às vezes acontecem casos muito cômicos, nesse gênero. Bem; eu deixo o homem completamente só; não o prendo nem o incomodo, mas de maneira que fique sabendo, em todas as horas e em todos os minutos, ou pelo menos suspeite que eu sei tudo, que sei tudo ponto por ponto, que lhe sigo a pista dia e noite, inutilizo as suas cautelas, e viva numa eterna suspeita e medo de mim, e de tal maneira o envolvo, juro, que ele próprio me há de vir ter às mãos ou fará qualquer coisa que será já muito parecida com o dois e dois são quatro, isto é, que tenha uma aparência, por assim dizer, matemática... Isso é que é agradável. Isto pode dar-se com um pacóvio, mas também se dá com o nosso irmão, com um homem perfeitamente inteligente e até culto na sua especialidade, e ainda há pouco tempo se deu! Porque, caríssimo, é uma coisa muito importante saber sobre que é que uma pessoa é culta. E depois há os nervos, os nervos, de que o senhor se esquece! Porque todos eles andam hoje doentes, débeis, excitados! E a bílis, todos eles têm tanta bílis! Olhe, sou eu quem lhe diz: em chegando a ocasião, pode ser esse o filão! Que pode importar-me a mim que ele ande à solta pelas ruas? Que passeie tudo o que lhe apetecer; eu não preciso de mais para saber que ele é a minha pequena vítima e que não há de escapar-me! Pois, para onde poderia ele fugir? He, he! Para o estrangeiro? Para o estrangeiro poderá fugir um polaco, mas não "ele", tanto mais que eu lhe sigo a pista e tomei as minhas medidas. Iria fugir para os confins do país? Mas aí vivem os camponeses verdadeiros, autênticos russos, e um homem imbuído de cultura contemporânea há de preferir sempre ir para o presídio a suportar o convívio com uma gente que lhe é tão estranha, os nossos camponeses, he... he! Mas tudo isto são absurdos e superficialidades! Que vem a ser isso de fugir? Isso é uma pura fórmula; o essencial não é isso; não só ele não me escapa por não ter para onde fugir, como também não me escapa por razões psicológicas, he... he! Esta frasezinha, hem? Não me escapa pela lei da natureza, ainda que tivesse para onde fugir. Já reparou numa borboleta à volta da luz? Bem; pois da mesma maneira se porá ele a dar voltas e voltas em meu redor, como em torno de uma vela; a liberdade deixará de ser agradável para ele, começará a matutar, a viver numa inquietação, a ficar preso nas suas próprias redes e a sofrer angústias mortais... E isso ainda não é tudo: ele próprio, espontaneamente, me proporcionará alguma prova matemática, do gênero de dois e dois são quatro... assim que eu lhe consinta um intervalo mais longo... E não fará mais do que traçar círculos e mais círculos cada vez mais apertados à minha volta, até que... pumba! Num desses voos me virá cair na boca e eu vou engoli-lo com todo o gosto, he... he! Não lhe parece?

Raskólhnikov não respondeu: continuava sentado, pálido e imóvel, contemplando com a mesma atenção concentrada o rosto de Porfíri.

"Boa lição! – pensava, transido de frio. – Isto já não é sequer o jogo do gato com o rato como ontem; e não iria demonstrar-me inutilmente a sua força e...

sugerir-me... é demasiado esperto para isso... Não há dúvida de que persegue outro objetivo, mas qual? Ah, é absurdo, meu caro, que tu queiras assustar-me e valer-te de estratagemas para comigo! Tu não tens provas e o homem de ontem não existe! O que tu queres é apenas me atrapalhar; o que queres é irritar-me adiantadamente e, uma vez que eu caia nessa disposição, deitar-me as garras; mas estás enganado, estás enganado, não hás de levar a melhor! Mas por que, por que me espremerá ele até este ponto? Contará com os meus nervos doentes? Não, meu caro, não, estás enganado, apanhas uma desilusão, embora andes tramando alguma. Bem, vamos ver o que é que andavas tramando."

E fez um esforço, juntando todas as suas energias, preparando-se para uma terrível e imprevista catástrofe. Às vezes sentia uma grande vontade de dar um salto e estrangular Porfíri ali mesmo. Já quando entrou sentira medo desses impulsos. Sentia que a boca lhe secava, que o coração lhe palpitava e que aos lábios lhe subia espuma. Mas, no entanto, decidiu calar-se e não falar senão quando chegasse a ocasião propícia. Compreendia que era essa a melhor tática, dada a sua situação, porque, assim, não só não se comprometia, como também, pelo contrário, incitava o adversário com o seu silêncio, e talvez ele soltasse alguma palavra imprudente. Pelo menos era o que ele esperava.

— Não; o senhor, eu bem vejo, não acredita, pensa que tudo o que eu lhe digo são graças inocentes – insistiu Porfíri tornando-se cada vez mais alegre e satisfeito e começando outra vez a dar voltas pelo seu gabinete. – O senhor, sem dúvida, tem razão, no seu ponto de vista; a mim, Deus deu até uma figura que só inspira aos outros ideias cômicas; sou um bobo; mas digo-lhe e repito-lhe que o senhor, Rodion Românovitch, deve perdoar-me, pois é um jovem na primeira juventude, por assim dizer, e eu sou um velho, e além disso deve perdoar-me também, visto que aprecia acima de tudo a inteligência humana, como todos os jovens. A sutileza da inteligência e as deduções abstratas da razão seduzem-no. E veja como é igual, sem tirar nem pôr, ao antigo Hofskriegsrat[37] austríaco, por exemplo, tanto quanto eu posso julgar das coisas da guerra; no papel eram eles que batiam Napoleão e o faziam prisioneiro, e ali, no seu gabinete, entregavam-se da maneira mais sutil aos seus cálculos, mas eis senão quando o General Mack se rende com todo o seu exército, he... he... he! Já vejo, já vejo, meu caro Rodion Românovitch, que ri de mim por ser um civil e ir procurar exemplos à crônica militar. Mas que se há de fazer? É o meu fraco: morro por assuntos marciais e perco a cabeça por ler descrições de guerras... Não há dúvida de que errei a minha carreira. Devia ter ido para o Exército, é verdade. Pode ser que não tivesse sido nenhum Napoleão; mas teria sido major, isso sim, he... he... he! Bem, pois agora, meu filho, vou dizer-lhe com todos os pormenores toda a verdade acerca do caso particular; a realidade, e a natureza também, meu caro senhor, são coisas importantes, e de vez em quando os cálculos mais sagazes falham por culpa dela. Ah! Escute um velho, que estou a falar sério, Rodion Românovitch, quando digo isto. – Porfíri Pietróvitch, apenas com trinta e cinco anos, todo ele parecia envelhecer de repente; até a voz mudara e todo ele pareceu encurvar-se – além disso sou um homem franco... Sou franco ou não sou? Que lhe parece? Não tem outro remédio senão reconhecer; estou confiando--lhe tantas coisas desinteressadamente e sem pedir por isso recompensa alguma, he...

---

[37] Conselho militar da Corte.

he! Bem, continuemos; a inteligência, a meu ver, é uma coisa magnífica; é, por assim dizer, uma beleza da Natureza e uma consolação na vida; podem fazer-se com ela muitas travessuras e desorientar um pobre juiz de instrução, que, além disso, se deixou levar pela sua fantasia, como costuma acontecer sempre, pois, e aí é que está o mal, é homem! Mas o pior é que a Natureza vem em auxílio do pobre juiz! E é isso o que o jovem compreende, deslumbrado pela sua sagacidade, que salta por cima de todos os obstáculos (segundo o senhor disse ontem numa frase agudíssima e sutilíssima). Suponhamos que ele mente, refiro-me a esse indivíduo, a esse caso particular, ao desconhecido, e que mente da maneira mais astuta e sábia; qualquer pessoa poderá dizer que triunfou e se regozija com os frutos da sua esperteza, quando, de repente, catrapuz! no lugar mais interessante, mais escandaloso, vai e desmaia. Admitamos que está doente, que às vezes há uma atmosfera irrespirável nas salas... Mas, apesar de tudo, apesar de tudo, isso dá que pensar! Soube fingir de uma maneira sem precedentes, mas, no entanto, não contou com a natureza! Foi aí que veio ter toda a sua astúcia! De outra vez, seduzido pela sagacidade da sua inteligência, põe-se a troçar do homem que suspeita dele; empalidece como se fosse de propósito, ou de brincadeira; mas empalidece com demasiada naturalidade, demasiadamente a sério, e dá outra vez que pensar. Embora tenha enganado a primeira vez, durante a noite reconsidera e pergunta se não terá cometido alguma tolice! Isso acontece-lhe a cada passo! Que digo? Ele próprio toma a dianteira, começa a meter-se onde não foi chamado, põe-se a falar pelos cotovelos daquilo de que, pelo contrário, não deveria falar, atreve-se a formular hipóteses... he... he! Ele próprio se apresenta e começa a perguntar: "Por que demorarão tanto a prender-me?". He... he... he! E isto, repare bem, pode acontecer ao homem mais esperto, com as suas pretensões de psicólogo e literato. A natureza é um espelho, um espelho, e o mais transparente! Olhe para ele e veja-se, é assim mesmo! Mas por que se pôs tão pálido, Rodion Românovitch? Falta-lhe o ar, quer que abra a janela?

– Oh, não se preocupe, por favor! – exclamou Raskólhnikov e, de repente, começou a rir. – Não se incomode!

Porfíri parou diante dele, esperou um momento e, de repente, também ele, imitando-o, desatou numa gargalhada. Raskólhnikov levantou do divã e reprimiu de súbito aquele riso, absolutamente convulsivo.

– Porfíri Pietróvitch! – disse numa voz forte e sonora, embora mal se aguentasse sobre as pernas trêmulas. – Até que enfim vejo claramente que o senhor suspeita decididamente de mim como autor do duplo assassinato dessa velha e de Lisavieta. Aviso-o de que, por meu lado, há já muito tempo que estou farto de tudo isto. Se julga que tem o direito de perseguir-me legalmente, ou de prender-me, faça-o. Mas não lhe consentirei nem mais um momento que se ria na minha cara.

De repente, os lábios tremeram-lhe, os olhos cintilaram-lhe de raiva e sua voz, que até ali mantivera firme, quebrou-se.

– Não consinto! – exclamou, de repente, dando sobre a mesa um soco com toda a força. – Ouviu bem, Porfíri Pietróvitch? Não consinto!

– Ah, senhor! Mas que tem, outra vez? – exclamou Porfíri Pietróvitch, aparentemente assustado. – Caríssimo Rodion Românovitch! *Bátiuchka*! Pai! Que lhe aconteceu?

– Não consinto! – tornou a gritar Raskólhnikov.

— *Bátiuchka*, mais baixo, que podem ouvi-lo e aparecem por aí! E depois, que lhes vai dizer? – murmurou com espanto Porfíri Pietróvitch, aproximando a sua cara da de Raskólhnikov, até roçá-la.

— Não consinto, não consinto! – repetia Raskólhnikov maquinalmente, mas de repente também, em voz baixa.

Porfíri deu rapidamente uma meia volta e correu a abrir a janela.

— É preciso ar fresco! E também lhe convinha beber um pouquinho de água, meu querido amigo; isso é um ataque! – e correu para a porta em busca de água, embora ali mesmo, num canto, houvesse uma garrafa com ela.

— *Bátiuchka*, beba um gole – murmurou, aproximando-se dele com a garrafa – talvez lhe faça bem... – o susto e a compaixão de Porfíri Pietróvitch eram tão naturais que Raskólhnikov ficou calado e a olhá-lo com uma curiosidade verdadeiramente ávida. Mas não provou a água.

— Rodion Românovitch! Meu amigo! Vamos ver! Parecia mesmo que perdera o juízo, afirmo-lhe! Ai, ai! Beba um golinho de água! Beba, nem que seja só um golinho!

Obrigou-o a segurar o copo de água na mão. Ele o levou aos lábios maquinalmente; mas, apercebendo-se a tempo, pousou-o com repugnância sobre a mesa.

— Foi isso mesmo, tornou a dar-lhe o ataque! O senhor, meu amigo, tornou a recair na sua doença – ponderou Porfíri com afetuosa simpatia, mas com um ar altivo. – Meu Deus! Mas é possível deixar-se arrebatar dessa maneira? Olhe, também Dmítri Prokófitch esteve a ver-me ontem... Concordo, concordo que tenho um caráter mau, antipático. Mas é preciso vermos o que ele concluiu daí! Meu Deus! Veio ver-me ontem, depois do senhor se ter ido embora; estávamos jantando, e pôs-se a falar, a falar, e eu não podia fazer mais nada senão abrir os braços, espantado; bem, mas eu penso... Ah, meu Deus! Não viria da sua parte? Mas sente-se, *bátiuchka*, sente-se por amor de Cristo!

— Não, da minha parte, não! Mas sabia que ele ia vê-lo, e também por que motivo – respondeu Raskólhnikov com brusquidão.

— Sabia?

— Sabia. Que tem isso de especial?

— Vamos, meu caro Rodion Românovitch, como se eu não conhecesse também todos os seus passos! Estou informado de tudo! É para que veja: sei que foi alugar um quarto, e quase de noite, ao escurecer, e que se pôs a puxar pela campainha, e que perguntou pelo sangue, e que irritou os trabalhadores e o porteiro. Olhe, eu compreendo o seu estado de espírito naquele momento... Mas, apesar de tudo, o senhor expõe-se, simplesmente, a perder o juízo! Por amor de Deus! Olhe que pode endoidecer! A cólera arde dentro do senhor com demasiada violência, por causa das ofensas recebidas, primeiro, do destino e depois dos policiais, e o senhor sonhava obrigá-los todos a falar, e acabar assim de uma vez, porque já está farto de todas essas parvoíces e de todas essas suspeitas. Não é verdade? Adivinhei o seu estado de espírito? Simplesmente, com isso, não só se expõe à loucura, como nos expõe ao mesmo a nós, a Razumíkhin e a mim; muito bom já é ele para que isso não lhe suceda; o senhor bem o sabe. O senhor está doente; mas ele é bom, e podia pegar essa doença... Olhe, *bátiuchka*, quando estiver mais tranquilo, hei de contar-lhe... Mas sente, pelo amor de Cristo! Faça favor, descanse um pouco, está transtornado, sente.

Raskólhnikov sentou; um calafrio lhe percorreu todo o corpo. Escutava com a maior estupefação Porfíri Pietróvitch que, assustado e solícito, o obrigava a sentar. Mas não acreditava em nenhuma das suas palavras, embora sentisse uma estranha inclinação para acreditar nelas. Sobressaltou-se com a inesperada alusão de Porfíri ao aluguel do quarto: "Como é possível que ele saiba isso do quarto? – pensou de repente. – Foi ele próprio quem me falou isso!".

— Sim, senhor, já uma vez encontrei um caso semelhante, psicológico, na minha vida judicial, um caso assim doentio – prosseguiu Porfíri, falando atabalhoadamente – também se tratava de um indivíduo que se acusara de um crime. E de que maneira se acusara! Era vítima de um autêntico estado alucinatório, apresentou fatos, referiu todos os pormenores, despistou-os e deixou toda a gente desorientada. E, afinal, ele apenas fora, em parte, só em parte, o causador absolutamente involuntário de um crime, e quando soube que dera azo ao assassino, ficou impressionado, começou a pensar, a pensar, desorientou-se e acabou por acreditar que tinha sido ele o verdadeiro criminoso. Até que o Tribunal de Cassação interveio no assunto e absolveu o infeliz, submetendo-o a uma observação. Graças ao Tribunal de Cassação! E então... então... e... e... que diz o senhor a isto, meu caro? É que uma pessoa até pode apanhar uma febre quando tem os nervos fracos e começa a ir de noite puxar pelas campainhas e perguntar pelo sangue! Eu, repare, aprendi toda esta psicologia na prática. Às vezes acontece a um indivíduo sentir a tentação de se atirar de uma janela ou do alto duma torre, e essa sensação tem algo de sedutora... Pois pode dizer-se o mesmo disso de puxar pelas campainhas... É uma doença, Rodion Românovitch, uma doença! O senhor descuidou excessivamente a sua doença. Devia ter consultado um médico experimentado e não esse tipo gordo... O senhor está delirando! Tudo o que se passa é apenas o efeito do delírio!

Por um momento, tudo se pôs a dar voltas em torno de Raskólhnikov.

"E se, e se – foi o que passou pela sua cabeça – tudo isto fosse fingido? É impossível, é impossível!", e repudiava esse pensamento, sentindo antecipadamente até que extremos a raiva e o furor podiam conduzi-lo, sentindo que se pode até enlouquecer de puro ódio.

— Eu não estava delirando, eu estava em meu perfeito juízo! – exclamou, empregando toda a capacidade da sua inteligência para ver claro no jogo de Porfíri. – No meu juízo, no meu juízo! Está ouvindo?

— Sim, compreendo e ouço. Também o senhor dizia, ontem, que não estava delirando e insistiu especialmente nesse ponto, em que não delirava! Compreendo tudo quanto o senhor possa dizer. Ah! Mas escute também Rodion Românovitch, meu amigo, ainda que seja só um pormenor. Suponhamos que, no fundo, o senhor era de fato culpado, ou que tivesse intervindo de qualquer forma neste maldito assunto. Poderá o senhor, faça favor de me dizer, afirmar que não tinha feito tudo isso num estado de delírio, mas, pelo contrário, em seu perfeito juízo? Mais ainda: afirmar especialmente, afirmar com essa especial teimosia... seria isso possível, seria isso possível, compreende? Mas veja: eu afirmo redondamente o contrário. Se o senhor se sentisse culpado, de qualquer modo, então, o que lhe conviria afirmar seria precisamente que, sem dúvida alguma, que diabo! estava delirando. Não é assim? Não tenho razão?

Algo de insidioso transparecia na pergunta. Raskólhnikov atirou-se para trás, para o recosto do divã, evitando Porfíri, que se inclinava para ele e o olhava perplexo, em silêncio e tenazmente.

— Agora, quanto ao Senhor Razumíkhin, isto é, quanto a pôr a claro se ele veio ver-me ontem espontaneamente, por sua livre vontade ou por mandado seu, o que o senhor devia dizer era que tinha vindo espontaneamente e não por recomendação sua. Mas repare que não o disse! O senhor afirma precisamente que veio por mandado seu.

Raskólhnikov não afirmara tal coisa. Um arrepio lhe percorreu as costas.

— Isso é tudo mentira — declarou lenta e debilmente, com um sorriso crispado e doloroso nos lábios. — O senhor está outra vez a querer-me demonstrar que percebe o meu jogo, que conhece de antemão todas as minhas contestações — sentindo ele próprio que as palavras já não lhe saíam como ele desejava. — O senhor quer meter-me medo... e está simplesmente troçando de mim...

Continuou olhando-o fixamente enquanto dizia isto e, de súbito, nos seus olhos tornou a brilhar uma cólera imensa.

— Tudo quanto disse é mentira! — exclamou. — O senhor sabe muito bem que, para um criminoso, o melhor recurso é dizer a verdade, na medida do possível. Não acredito no que disse.

— Mas que cara o senhor faz! — riu Porfíri. — Com o senhor, meu caro, não é possível uma pessoa entender-se, o senhor é um monomaníaco. Com que então não acredita em mim? Pois eu lhe digo que acredita, que já acredita em mim um quarto de *archin* e hei de fazer com que acredite um *archin* inteiro, porque lhe tenho sincera amizade e desejo verdadeiramente o seu bem.

Os lábios de Raskólhnikov tremiam.

— Sim, lá isso é, gosto do senhor, digo francamente — continuou, pegando leve, amistosamente, um braço de Raskólhnikov, um pouco acima do cotovelo — digo francamente: trate da sua doença. Além do mais, foi para isso que veio a sua família e lembre-se dela. Tranquilizar as pessoas da sua família e tratá-las com todo carinho é que é preciso; mas o senhor não faz outra coisa senão assustá-las...

— E, ao senhor, que lhe importa isso? Como sabe? Segue-me a pista e quer que eu saiba disso?

— Meu caro! Mas se eu sei tudo, pelo senhor mesmo! Por acaso não se apercebe de que no meio da sua comoção começa a dizer tudo diante de mim e dos outros? Pelo senhor Razumíkhin, Dmítri Prokófitch soube também alguns pormenores interessantes. Não, o senhor nega, mas eu devo dizer-lhe que, devido à sua irritabilidade, apesar de toda a sua astúcia o senhor chega até a perder a noção das coisas. Porque, vamos ver, embora tenhamos de voltar outra vez ao tema das campainhas: uma preciosidade dessas, um fato dessa importância (porque isso é, afinal, um fato), sou eu, o juiz de instrução, que lhe revelo assim, com toda a franqueza! E o senhor não vê nada nisso? Se eu suspeitasse decididamente do senhor, ia me conduzir desta maneira? Pelo contrário, o que me competia era começar por adormecer as suas desconfianças e não dar a entender que tinha conhecimento desse fato; procurar distraí-lo pelo lado contrário, e, de repente, aniquilá-lo com uma machadada na cabeça (segundo a sua expressão): "Olá, cavalheiro! Então vamos ver: que era que o senhor tinha a fazer no quarto da assassinada às dez e tanto da noite, quase às onze? E a que propósito veio isso de tocar a campainha e de perguntar pelo sangue? E por que procurou depois desorientar os porteiros e disse que o levassem ao Comissariado, à presença do tenente?". Aí tem o senhor a maneira como eu devia ter procedido, se tivesse contra o senhor a mais leve suspeita. Devia tê-lo submetido a um interrogatório em forma, efetuar uma busca em sua casa e, além disso, mandá-lo prender... Uma vez que me conduzo de um modo tão diferente, é sinal de que não suspeito do senhor de maneira nenhuma. O senhor perdeu a noção das coisas e não vê nada de nada, repito-lhe.

Todo o corpo de Raskólhnikov estremeceu, de tal maneira que Porfíri o notou claramente.

– Tudo quanto diz é mentira! – exclamou. – Não sei qual o fim com que o faz; mas não faz mais nada senão mentir... Há pouco, não me falava dessa maneira, e eu não devo estar enganado... O senhor mente!

– Eu minto? – insistiu Porfíri, exaltando-se aparentemente, mas sem perder o seu aspecto jovial e brincalhão e sem se preocupar absolutamente nada da opinião que dele pudesse fazer o senhor Raskólhnikov. – Eu minto? Vamos ver como é que eu (eu, o juiz), há pouco, me conduzi para com o senhor, indicando-lhe e proporcionando-lhe todos os meios para a sua defesa e apontando-lhe todas essas demonstrações psicológicas – doenças... que diabo! o delírio, o amor-próprio ofendido, a melancolia, e, para cúmulo, todos esses policiais – e todo o resto. Não foi isto? He, he, he! Embora, no fim de conta – não vou esconder – todos esses meios psicológicos de defesa, pretextos e subterfúgios sejam muito inconsistentes e semelhantes a espadas de dois gumes. "Doença, ó diabo! delírio, sonhos, tive uma alucinação, não compreendo...", tudo isto está muito bem; mas vamos ver: por que é que, meu caro, admitindo embora a doença e o delírio, lhe sucedeu ter precisamente essas alucinações e não outras? Porque, afinal, podia ter tido outras. Não é assim? He, he, he!

Raskólhnikov lançou-lhe um olhar orgulhoso e de desprezo.

– Em resumo – disse com altivez e em voz forte, levantando e dando, ao fazer isso, um pequenino empurrão a Porfíri – em resumo, eu quero saber: reconhece-me definitivamente fora de toda a suspeita ou não? Fale, Porfíri Pietróvitch, fale redonda e categoricamente, e já, neste momento!

– Mas que trabalho! Mas que trabalho que o senhor me dá! – exclamou Porfíri com uma cara perfeitamente jovial, insidiosa e sem ponta de inquietação. – Mas que quer o senhor saber, que quer o senhor saber com tanto empenho, se ainda não começaram a incomodá-lo? Olhe, o senhor é como uma criança brincando com fogo. Mas por que se preocupa tanto? Por que me fez essa pergunta e com que razão? Hem? He, he, he!.

– Repito – exclamou Raskólhnikov com veemência – que não posso suportar mais...

– Mas o quê? A incerteza? – interrompeu-o Porfíri.

– Não me exaspere! Não quero! Digo que não quero! Não posso nem quero! Ouça bem! Ouça-me bem! – gritou, tornando a descarregar um soco sobre a mesa.

– Mais baixo, mais baixo! Olhe que podem ouvi-lo! Previno-o seriamente. Domine-se. E não estou brincando! – declarou Porfíri em voz baixa; mas, dessa vez, o seu rosto não tinha aquela expressão efeminada, bonachona e precipitada de há pouco, e, pelo contrário, agora mandava severamente, franzindo o sobrolho e como se descobrisse de uma só vez todos os seus mistérios e todas as suas ambiguidades.

Mas isso durou apenas um instante.

O encolerizado Raskólhnikov ia entregar-se a um verdadeiro acesso de furor; mas, coisa estranha, voltou outra vez a obedecer à intimação de falar baixo, apesar de se encontrar em pleno paroxismo.

— Eu não me deixo torturar! — murmurou de repente, como há pouco apercebendo-se imediatamente, com dor e cólera, de que não pudera deixar de se submeter àquela ordem, pensamento que aumentava a sua fúria. — Mande-me prender, efetuar uma busca em minha casa; mas faça tudo isso segundo as regras, em vez de brincar comigo! Não se atreve, vai...

— Não se preocupe com as formalidades — atalhou Porfíri com o mesmo sorriso insidioso de antes e como se derretesse em ternura para com Raskólhnikov. — Eu, meu caro, convidei-o agora de uma maneira absolutamente familiar, amistosa.

— Eu não quero a sua amizade, cuspo em cima dela. Está ouvindo? Olhe, pego o gorro e vou-me embora. Que diz o senhor a isto, se tem a intenção de me prender?

Pegou o gorro e dirigiu-se à porta.

— Mas, o senhor não quer, talvez, ter uma surpresa? — exclamou Porfíri rindo às gargalhadas e tornando a segurá-lo um pouco mais acima do cotovelo e parando mesmo junto da porta. Segundo parecia, conservava-se jovial e gracejador como antes, o que acabou de exasperar Raskólhnikov.

— Que surpresa? De que se trata? — perguntou, parando e olhando para Porfíri com medo.

— Uma surpresa que tenho preparada aí, do outro lado da porta. He, he, he! — apontou com o dedo a porta fechada do tabique que conduzia à sua residência oficial. — Até a fechei à chave para que não fugisse.

— Mas quem? Onde está? De que se trata?

Raskólhnikov aproximou-se da porta e tentou abri-la; mas estava fechada.

— Está fechada; mas aqui tem a chave.

E, de fato, mostrou-lhe uma chave, que tirara do bolso.

— Tudo isso são patranhas! — gritou Raskólhnikov, já sem poder conter-se. — Estás mentindo, maldito polichinelo.

E atirou-se sobre Porfíri, que se retirava em direção à porta, mas sem dar o menor sinal de medo.

— Agora já compreendo tudo, tudo! — disse-lhe. — Tu mentes e irritas-me para que me entregue...

— Mas se já não é possível entregares-te mais, *bátiuchka* Rodion Românovitch! Olhe, o senhor está desesperado. Não grite, senão terei de chamar.

— Mentes, nada se passará! Pois chama e que venham! Tu sabias que eu estava doente e querias excitar-me até me ver colérico para que eu me entregasse, era este o teu objetivo. Mas não: arranja provas! Eu compreendi tudo! Tu não tens provas, tu só tens conjeturas porcas, miseráveis, as que Zamiótov te sugeriu... Tu conhecias o meu caráter, querias lançar-me no desespero e depois me pores em poder dos popes e dos delegados... Estás à espera deles? Eh! Por que esperas? Onde é que estão? Que venham!

— Mas de que delegados está falando, meu caro? Os homens sempre têm muita imaginação! Mas se não é possível proceder de acordo com as formalidades, como diz... Olhe, meu caro, o senhor não sabe... Mas as formalidades não hão de faltar, como verá... – murmurou Porfíri, escutando à porta.

Efetivamente, naquele momento, junto da porta da outra sala ouviu-se um ruído.

– Já aí vêm! – exclamou Raskólhnikov. – Mandaste-os chamar por minha causa... Estavas à espera deles! Contavas com... Bem, pois que venham todos; delegados, testemunhas, tudo o que quiseres... Que venham. Estou pronto! Pronto!

Mas então sucedeu uma coisa estranha, algo tão inesperado no curso vulgar dos acontecimentos, que não há dúvida alguma de que nem Raskólhnikov nem Porfíri Pietróvitch podiam imaginar tal desenlace.

Capítulo VI

Eis a recordação que esta cena deixou no espírito de Raskólhnikov.

Aquele ruído que ouvira na sala contígua cresceu rapidamente e a porta pouco a pouco entreabriu-se.

– Quem é? – perguntou Porfíri Pietróvitch contrariado. – Mas eu recomendara...

A resposta demorou; mas percebia-se perfeitamente que do outro lado da porta se encontravam vários homens que pareciam esforçar-se por afastar alguém.

– Mas que vem a ser isso? – repetiu Porfíri Pietróvitch, alarmado.

– Trazemos o preso, Nikolai – disse alguém.

– Não é preciso! Vão-se embora! Esperem! Mas para que o trouxeram para cá? Mas que desordem! – exclamou Porfíri, precipitando-se para a porta.

– É que ele... – tornou a dizer a voz de há pouco, e depois calou-se.

Durante uns segundos travou-se uma pequena batalha; depois, de repente, pareceu que tinham conseguido afastar alguém por meio da violência, e depois, finalmente, no gabinete de Porfíri entrou um homem muito pálido.

O aspecto daquele indivíduo, à primeira vista, não podia ser mais estranho. Olhava para frente, mas sem ver ninguém. Uma decisão brilhava nos seus olhos, mas, ao mesmo tempo, uma palidez mortal cobria o seu rosto, como se o conduzissem ao suplício. Os lábios tremiam-lhe, completamente descoloridos.

Muito novo ainda, trajava como as pessoas do povo; era de estatura mediana, magro, com o cabelo cortado em redondo, de feições finas e um tanto secas. O homem ao qual ele escapara entrou na sala atrás dele e conseguiu segurá-lo por um ombro: era um guarda; mas Nikolai estendeu o braço e conseguiu escapar-se novamente.

Juntaram-se alguns curiosos à porta. Alguns esforçavam-se por entrar. Tudo o que acabamos de contar sucedeu rapidamente.

– Saiam daqui! Ainda é cedo! Esperem que os chamem! Por que o trouxeram tão cedo? – murmurava Porfíri Pietróvitch, extremamente contrariado e como se estivesse fora de si. Mas, de repente, Nikolai ajoelhou-se no chão.

– Que é isso? – exclamou Porfíri estupefato.

– Eu sou culpado! A culpa é minha! Sou eu o assassino! – declarou inesperadamente Nikolai, como se lhe faltasse o fôlego, mas com uma voz bastante firme.

O silêncio prolongou-se durante dez segundos, como se todos tivessem caído em catalepsia; até o guarda deixou cair os braços e afastou-se para a porta, onde ficou imóvel.

— Mas que estás dizendo? – exclamou Porfíri Pietróvitch, saindo do seu espanto momentâneo.

— Que eu... que eu é que sou o assassino... – repetiu Nikolai, depois de um breve silêncio.

— O quê? Tu? Quem é que tu mataste?

Porfíri Pietróvitch estava visivelmente desconcertado.

Por um momento, Nikolai tornou outra vez a ficar calado.

— Alíona Ivânovna e a irmã, Lisavieta Ivânovna... eu... fui eu quem as matou... com o machado. Não estava em meu perfeito juízo... – acrescentou de repente, e novamente ficou calado. Continuava de joelhos.

Porfíri Pietróvitch permaneceu mudo uns segundos, como se refletisse; mas, de repente, estremeceu violentamente e gesticulou com a mão, afugentando os curiosos. Estes desapareceram logo e a porta voltou a fechar-se. Depois olhou para Raskólhnikov, que permanecia a um canto, de pé, olhando avidamente para Nikolai, e de repente fez o gesto de correr para ele, mas entretanto deteve-se, ficando a olhá-lo; pousou depois a vista sobre Nikolai e, de súbito, como se cedesse a um impulso, tornou a dirigir-se para Nikolai.

— Queres arranjar já de antemão uma desculpa com isso de que não estavas em teu juízo? – interpelou-o, quase colérico. – Eu não te fiz perguntas; estivesses ou não no teu juízo... fala. És tu o assassino?

— Sou eu o assassino... Posso prová-lo... – disse Nikolai.

— Ah! Com que é que cometeste o crime?

— Com o machado. Tinha-o levado.

— Ah, estás com muita pressa! Sozinho?

Nikolai não compreendeu a pergunta.

— Se foste tu sozinho quem cometeu o crime?

— Sozinho. Mitka está completamente inocente, não tomou parte em nada.

— Mas para que tens tanta pressa de falar em Mitka, hem? Mas, vamos ver, diz-me: como é que conseguiste fugir pela escada? O porteiro não os viu, aos dois?

— Fiz isso para despistar... Depois deitei a correr atrás de Mitka – disse Nikolai, como se estivesse a confundir-se e disposto de antemão a tudo.

— Pois sim! – exclamou Porfíri colérico. – Trazes a lição bem decorada! – murmurou Porfíri como se falasse consigo próprio, e de repente tornou a fixar os olhos em Raskólhnikov.

Aparentemente ficara tão entretido com Nikolai que até chegou, por um momento, a esquecer-se de Raskólhnikov. Agora, de repente, tornava a recordar-se dele e até parecia envergonhado.

— Rodion Românovitch, *bátiuchka*! Desculpe – disse-lhe. – Não é possível, na verdade... Faça favor... O senhor, aqui, não é preciso para nada... Eu mesmo... Veja que surpresa! Faça o favor...

E, pegando-lhe por um braço, indicou-lhe a porta.

— Pelo visto, o senhor não esperava isto? – disse Raskólhnikov, de fato sem compreender nada ainda, mas apressando-se a cobrar ânimo.

— Não, nem o senhor tampouco o esperava, meu caro. Olhe como o seu braço treme! He... he...

— Sim, e o senhor também está tremendo, Porfíri Pietróvitch.

— Sim, eu também estou tremendo. Não esperava isto!

Já tinham chegado à porta, Porfíri esperava impacientemente que Raskólhnikov passasse.

— E aquela surpresa de que falava, não quer mostrar-me? – perguntou Raskólhnikov, de repente.

— O senhor fala dos outros mas até os dentes lhe batem! He... he! É um trocista! Bem, até à vista!

— Pela minha parte, adeus!

"Será o que Deus quiser, o que Deus quiser!", murmurou Porfíri com um sorriso contrafeito.

Quando passou pela sala da repartição, Raskólhnikov reparou que muitas pessoas o olhavam curiosamente. Por acaso viu, no vestíbulo, no meio das outras pessoas, os dois porteiros "daquela casa", aqueles aos quais desafiara para que o levassem ao Comissariado na tal noite. Estavam de pé e pareciam esperar qualquer coisa. Mas, ainda mal chegara à escada, quando ouviu outra vez às costas a voz de Porfíri Pietróvitch. Voltou-se e verificou que ele corria afanosamente para alcançá-lo.

— Uma palavrinha, Rodion Românovitch: quanto ao passado, será o que Deus quiser; mas, no entanto, para cumprir as formalidades, terei de interrogá-lo... Por isso tornaremos a ver-nos em breve!

E Porfíri parou diante dele, sorrindo.

— Em breve – tornou a acrescentar.

Parecia que ainda tinha mais qualquer coisa para dizer, mas que não era capaz de fazê-lo.

— Porfíri Pietróvitch, desculpe-me aquilo que há pouco... Excitei-me – começou Raskólhnikov, já completamente reanimado, sentindo até vontade de gracejar.

— Não fale mais disso, não fale mais disso – insistiu Porfíri, quase alvoroçado. – Eu também... Maldito caráter o meu; confesso, reconheço! Bem, ficamos em que nos tornaremos a ver. Se Deus quiser, havemos de voltar a ver-nos muitas vezes!

— E acabaremos finalmente por nos conhecermos bem – acrescentou Raskólhnikov.

— E acabaremos finalmente por nos conhecermos bem – concordou Porfíri Pietróvitch e, piscando um olho, ficou depois olhando fixamente. – E agora, vai a um aniversário?

— A um enterro.

— Ah, é verdade, a um enterro! Acautele-se, acautele-se!

— Eu, pelo meu lado, não sei o que lhe hei de desejar – acrescentou Raskólhnikov, que começava já a descer a escada e, de repente, voltou-se para Porfíri. – Eu lhe desejo muitos êxitos, pois, de fato, a sua profissão é bem cômica!

— Cômica, por quê? – e imediatamente Porfíri, que já dera também meia volta para se retirar, aguçou o ouvido.

— Porque, bem vê: a esse pobre Mikolka[38] o senhor deve ter torturado e mortificado psicologicamente, à sua maneira, até que ele confessou; deve ter estado a

---

38 Forma popular de Nikolka.

dizer-lhe dia e noite: "És o assassino, és o assassino...". Bem, mas agora que ele já confessou, vai o senhor tornar a moer-lhe os miolos, dizendo-lhe: "Mentes, estupor; tu não és o assassino! Não é possível! Tu repetes uma lição decorada!". É capaz de me dizer, depois disto, que a sua profissão não é ridícula?

– He... he... he! Mas o senhor reparou nisso que eu disse a Nikolai, que ele repetia uma lição decorada?

– Como é que não havia de reparar?

– He... he! É engraçado, é engraçado. O senhor repara em tudo! É um grande pândego! E sabe escolher as notas mais cômicas... He... he! Ouça, dizem que Gógol, o escritor, possuía essa qualidade em alto grau.

– Sim, Gógol.

– É isso, Gógol... até ao nosso próximo agradabilíssimo encontro.

Raskólnikov foi direto a sua casa. Estava a tal ponto cansado, esgotado, que logo lá chegou estendeu-se no divã e assim esteve um quarto de hora, descansando simplesmente e esforçando-se por coordenar de qualquer maneira as suas ideias. Acerca de Nikolai, nem sequer formava qualquer juízo; era simplesmente espantoso; na confissão de Nikolai havia qualquer coisa de obscuro, de assombroso, qualquer coisa que, nesse momento, não conseguia explicar. Mas a confissão de Nikolai era um fato positivo. As consequências de tal fato apareceram-lhe imediatamente com clareza: a mentira não poderia manter-se e então se virariam outra vez contra ele. Mas pelo menos até então estava livre, e devia, sem dúvida alguma, fazer qualquer coisa que lhe fosse útil, visto que o perigo estava iminente.

Mas, no entanto, até que ponto? A situação começava a aclarar-se. Quando recordava, a posteriori, em grandes traços, a recente cena com Porfíri, não podia deixar de estremecer de espanto. É certo que ignorava ainda todas as intenções de Porfíri e não podia adivinhar todos os seus últimos planos. Mas o jogo estava descoberto, em parte, e podia já compreender, sem dúvida, melhor do que ninguém, como era terrível para si aquela vaza no jogo de Porfíri. Um pouco mais e estaria no terreno dos fatos. Conhecendo o aspecto mórbido do seu caráter, e tendo-o adivinhado desde o primeiro olhar, Porfíri procedia, se bem que com demasiada decisão, de um modo certeiro. É preciso andar depressa. Raskólnikov também andava depressa, e agora acabava de comprometer-se demasiado, não no terreno dos fatos, mas pouco faltara, tudo é relativo. Mas, no entanto, como, como interpretaria ele tudo isso agora? Não estaria enganado? A que resultado teria chegado atualmente Porfíri? Teria, de fato, preparado qualquer coisa? O que, concretamente? Não estaria deveras à espera de qualquer coisa? Como se teriam separado hoje os dois se não tivesse sobrevindo aquela inesperada catástrofe provocada por Nikolai?

Porfíri descobrira quase todo o seu jogo; não há dúvida que se arriscava, mas tinha-o descoberto, e (tudo isto era o que se afigurava a Raskólnikov) se efetivamente houvesse mais qualquer coisa, também a teria descoberto. Que surpresa seria aquela? Alguma brincadeira? Significaria qualquer coisa ou não? Poderia esconder-se debaixo dela qualquer coisa parecida com um fato, com uma acusação categórica? O homem da véspera? Onde estaria ele hoje? Porque se Porfíri contava com qualquer coisa de concreto, não havia dúvida de que isso devia estar relacionado com o homem da véspera...

Sentou no divã, deixando pender a cabeça, com os cotovelos sobre os joelhos e ocultando a cara com as mãos. Um tremor nervoso agitava ainda todo o seu corpo. Finalmente levantou, pegou o gorro, parou um momento a refletir, e depois encaminhou-se para a porta.

Tinha o pressentimento de que, pelo menos aquele dia, podia considerá-lo com toda a certeza isento de perigo. De súbito, sentiu uma espécie de alvoroço; desejava ver-se o mais depressa possível em casa de Ekatierina Ivânovna. Já era tarde para ir ao enterro, mas chegaria ainda a tempo para o banquete fúnebre, e aí, dentro dum momento, veria Sônia.

Parou, reconsiderou, e um sorriso doentio assomou aos seus lábios.

"Hoje! Hoje! – repetia para consigo. – Sim, hoje mesmo... Devo fazê-lo..."

Preparava-se para abrir a porta, quando, de repente, ela se abriu sozinha. Deu um pulo e retrocedeu. A porta abriu-se lenta e suavemente, e logo apareceu a figura... do homem da véspera, daquele que saíra "debaixo da terra"...

O homem parou à entrada, examinou Raskólhnikov em silêncio e adiantou uns passos dentro do quarto. Era precisamente o mesmo da véspera; a mesma figura, o mesmo traje; mas no seu rosto e no seu olhar notava-se uma grande mudança; agora parecia mortificado e, parando por um momento, lançou um fundo suspiro. Só faltou, nesse instante, levar a palma da mão à face e inclinar a cabeça para um lado, para que parecesse completamente uma mulher.

– Que tem? – perguntou Raskólhnikov meio morto.

O homem ficou calado e, de súbito, inclinou-se perante ele profundamente, quase até tocar o chão. Pelo menos roçou o chão com o anel da mão direita.

– Que faz o senhor? – exclamou Raskólhnikov.

– Sou culpado – diz o homem em voz baixa.

– De quê?

Olharam-se ambos um ao outro.

– Estava ressentido. Quando o senhor quis ir até lá, naquele dia, talvez embriagado, e desafiou os porteiros a que o levassem ao Comissariado e perguntou pelo sangue, eu me senti ofendido quando vi que eles não faziam caso das suas palavras e que o tomavam por um bêbado. Fiquei tão incomodado que nem pude dormir nessa noite. Mas, como me lembrava da sua morada, viemos aqui ontem e perguntamos pelo senhor...

– Quem é que veio? – interrompeu-o Raskólhnikov, que começava a lembrar-se naquele momento.

– Eu queria dizer que o ofendi.

– Então o senhor é daquela casa?

– Estava lá também à porta, com os outros, não se lembra? Tenho ali a minha oficina há algum tempo. Sou peleiro estabelecido, trabalho em minha casa; mas, de tudo, o que mais me revoltou...

E então Raskólhnikov recordou toda a cena de há três dias, atrás da porta; calculava que, além dos porteiros, haveria ali também alguns homens e mulheres. Lembrava-se de uma voz que tinha proposto que o levassem diretamente ao Comissariado. Da cara daquele que dissera isso não se podia lembrar, nem seria capaz de reconhecê-la agora; mas lembrava-se de ter-lhe respondido qualquer coisa então, encarando-o...

Pode assim ver-se, por aqui, em que vinha dar todo aquele terror da véspera. O mais terrível de tudo era pensar que, de fato, estivera quase a perder-se por causa daquele insignificante incidente. Via-se agora que, tirando o caso do aluguel do quarto e a pergunta sobre o sangue, aquele homem nada mais poderia contar. Donde se inferia que Porfíri também nada mais tinha em seu poder senão aquele delírio, mas não tinha nenhum fato, a não ser esse, psicológico, que é uma arma de dois gumes, de maneira nenhuma categórica. E assim, desde que não viessem a revelar-se mais fatos (e já não deviam vir a revelar-se, não deviam, não deviam!) que podiam fazer-lhe? Como poderiam acusá-lo de culpado, ainda que o prendessem? E, além disso, havia apenas um momento que Porfíri acabava de saber aquilo do quarto, coisa que, até aí, ignorava.

– O senhor disse hoje a Porfíri... isso de eu ter estado ali? – exclamou, assaltado por uma ideia súbita.

– A qual Porfíri?

– Ao juiz de instrução.

– Disse. Os porteiros não foram, mas eu me apresentei.

– Hoje?

– Um minuto antes do senhor ter entrado. E ouvi tudo, a maneira como ele o torturou...

– Onde? Como? Quando?

– Ali mesmo, atrás do tabique, estive todo o tempo sentado.

– O quê? Era essa então a surpresa? Mas é possível que tenha sido assim? Por favor!

– Quando eu vi – começou dizendo o outro – que os porteiros não queriam atender a minha indicação de irem ao Comissariado, alegando que já era tarde e que, além disso, haviam de censurá-los por não terem ido antes, aborreci-me, deixei de dormir e pus-me a pensar. E, de acordo com o que pensei, fui lá hoje. A primeira vez... não estava lá. Voltei lá passada uma hora... Não me receberam; mas voltei terceira vez e... mandaram-me entrar. Pus-me a contar-lhe tudo o que acontecera, e ele começou a dar passos rápidos pela sala e a dar socos no peito: "Que pretendes tu fazer comigo, bandido? – dizia. – Se sei isso, mandava-o trazer com um guarda". Depois saiu correndo, chamou não sei quem e pôs-se a falar com ele a um canto, e depois veio outra vez ter comigo para me fazer perguntas e insultar-me. Fazia-me uma porção de censuras; eu lhe contei tudo, disse-lhe que o senhor não se atrevera a responder às minhas palavras do dia anterior e que não me reconhecera. E então ele começou outra vez com as suas correrias e os seus socos no peito, e vociferava e corria, e quando vieram anunciá-lo ao senhor... "Vamos – disse ele – mete-te atrás do tabique, senta-te ali e não te mexas, ouças o que ouvires"; e ele próprio me levou uma cadeira e deixou-me ali escondido. "Pode ser – disse ele – que te interrogue." E só me libertou quando trouxeram Nikolai, depois de o senhor ter ido embora; e ainda me disse: "Preciso de ti, hei de interrogar-te...".

– E a Nikolai, interrogou-o na sua presença?

– Quando mandou o senhor sair, também me despediu e começou a interrogar Nikolai.

O homem parou, e de repente tornou a fazer outra reverência, roçando o chão com o anel.

— Desculpe-me a minha delação e o mal que lhe causei.

— Que Deus te perdoe – respondeu-lhe Raskólhnikov, e, mal acabara de o dizer, logo o homem fez outra reverência, não já até ao chão, mas de meio corpo para cima, deu lentamente meia volta e saiu do quarto. – Tudo tem, agora, dois aspectos, tudo tem, agora, dois aspectos – afirmou Raskólhnikov, e, mais animado do que nunca, saiu do quarto.

"Agora podemos continuar lutando", disse com um sorriso malicioso, já na escada. Essa malícia era dirigida contra si próprio; recordava com desprezo e vergonha a sua pusilanimidade.

Quinta parte

Capítulo primeiro

A manhã seguinte à explicação, para ele fatal, de Piotr Pietróvitch com Dúnietchka e Pulkhiéria Alieksándrovna, provocou também em Piotr Pietróvitch uma ação libertadora. Com grande contrariedade viu-se obrigado pouco a pouco a reconhecer o fato como consumado e irrevogável, aquele mesmo fato que na noite anterior lhe parecera um acontecimento quase fantástico, e, embora desorientador, algo impossível. Toda a noite a negra serpente do amor-próprio ferido lhe mordeu o coração. Quando levantou da cama, Piotr Pietróvitch foi imediatamente olhar-se ao espelho. Receava ter tido durante a noite um derramamento de bílis. Mas, até agora, quanto a isso ia tudo bem, e quando olhou para o seu rosto digno, branco e um pouco tumefato nos últimos tempos, Piotr Pietróvitch consolou-se quase instantaneamente, com a plena convicção de que encontraria noiva em qualquer outro lugar, sim, e até talvez de melhor posição social. Mas em seguida caiu em si e cuspiu energicamente um esguicho de saliva, com o que provocou um silencioso, mas sarcástico sorriso no seu jovem amigo e vizinho de quarto, Andriéi Siemiônovitch Liebiesiátnikov. Piotr Pietróvitch notou esse sorriso e pôs na conta, havia já algum tempo, muito pesada, daquele rapaz. A sua cólera redobrou quando compreendeu de repente que não devia ter dito nada a Andriéi Siemiônovitch, no dia anterior, acerca dos resultados daquela noite. Era essa a segunda tolice que cometera naquela noite, no seu arrebatamento, por causa da sua excessiva expansividade, devido à sua excitação... Depois, durante toda essa manhã, como de propósito não fez outra coisa senão sofrer contratempo atrás de contratempo. Até no Senado o esperava um certo revés num assunto com o qual tivera muita preocupação. Irritou-o especialmente o dono da casa por ele alugada por causa do seu próximo casamento, e reparada à sua custa; o referido senhorio, um operário alemão que enriquecera, não queria de maneira nenhuma modificar o contrato que tinha sido assinado há tão pouco tempo, e exigia o cumprimento de tudo quanto nele fora combinado, em todas as suas cláusulas, apesar de Piotr Pietróvitch desejar devolver-lhe o quarto quase todo renovado. Também o armazém de móveis não se prestava, de maneira nenhuma, a devolver-lhe nem um só rublo dos que abonara para pagamento dos móveis, que ainda não tinham sido mudados para o andar: "Não hei de ir agora casar à força por causa dos móveis!", vociferava Piotr Pietróvitch para consigo, e, ao mesmo tempo, uma esperança desesperada: "Mas é possível que tudo isto tenha ficado em nada, acabado irrevogavelmente? Não se poderia tentar ainda qualquer coisa?". A lembrança de Dúnietchka voltou a comovê-lo com um sedutor encanto, e não há dúvida de que se lhe tivesse sido possível, nesse momento, suprimir Raskólhnikov do mundo dos vivos só pela força da vontade, imediatamente Piotr Pietróvitch teria formulado esse voto.

"Cometi também outro erro em não lhe ter dado nenhum dinheiro – pensou, quando regressou tristemente ao abrigo de Liebiesiátnikov. – Mas por que, o diabo me carregue, fui eu tão avarento? Nem sequer se trata de uma questão de interesse! Eu queria mantê-las na miséria negra, depois levá-las, para que me considerassem como a sua providência, e elas, em troca... Ufa! Não; se eu, durante todo este tempo, lhes tivesse dado, por exemplo, mil e quinhentos rublos para o enxoval de noiva, e algum pequeno presente, umas tantas caixinhas, estojos com objetos de toucador, joias de cornalina, bagatelas, tudo arranjado em casa de Knop ou no armazém inglês, a coisa teria ficado mais clara e... mais séria! Não me teriam repudiado, assim, tão facilmente! Essa gente é de tal natureza que se teriam julgado infalivelmente obrigadas a devolver, em caso de ruptura, os presentes e o dinheiro, e o devolver ambas as coisas seria para elas muito duro e doloroso! Além disso teriam ficado com remorsos de consciência. Que diabo, como haviam de mandar passear assim, sem mais nem menos, um homem que, até então, fora tão generoso e tão delicado! Hum! Fiz uma tolice!" E, rangendo outra vez os dentes, Piotr Pietróvitch a si mesmo se chamou imbecil... no seu íntimo, é claro.

Quando chegou a essa conclusão voltou para casa mais furioso e irritado do que quando saiu. Os preparativos para o repasto fúnebre em casa de Ekatierina Ivânovna despertaram um tanto a sua curiosidade. Já no dia anterior ouvira dizer qualquer coisa a respeito de tal repasto fúnebre, parecia-lhe até lembrar-se de que também tinha sido convidado; simplesmente as suas ocupações particulares tinham absorvido toda a sua atenção. Apressando-se a informar-se pessoalmente junto da Senhora Lippewechsel, que, na ausência de Ekatierina Ivânovna (que nessa altura estava para o cemitério), se encarregara de pôr a mesa, ficou sabendo que o tal festim havia de ser solene, que quase todos os inquilinos tinham sido convidados, inclusive aqueles que não tinham convivido com o falecido, e que até o próprio Andriéi Siemiônovitch Liebiesiátnikov, apesar do grande aborrecimento que tivera com Ekatierina Ivânovna, e que, finalmente, ele mesmo, Piotr Pietróvitch, não só estava também convidado, como até o esperavam com grande impaciência, como ao hóspede de mais categoria. A própria Amália Ivânovna estava também convidada com muita honra, apesar dos aborrecimentos passados, e agora fazia as vezes de dona de casa e lidava, quase com prazer; além disso estava toda ataviada, embora de luto, com um vestido de seda novo, com grandes flores estampadas, de que se mostrava muito ufana. Todos esses pormenores e as informações que colheu sugeriram a Piotr Pietróvitch uma certa ideia, e dirigiu-se para o seu quarto, isto é, para o quarto de Andriéi Siemiônovitch Liebiesiátnikov, um tanto preocupado. Tudo isso porque acabava de ouvir dizer que Raskólhnikov pertencia também ao número dos convidados.

Fosse lá pelo que fosse, Andriéi Siemiônovitch não saíra de casa toda a manhã.

Piotr Pietróvitch mantinha umas relações um tanto estranhas com este cavalheiro, embora naturais, de certo modo; Piotr Pietróvitch desprezava-o e incomodava-se com ele desmesuradamente, quase desde o próprio dia em que se instalara em sua casa; mas, ao mesmo tempo, ele lhe inspirava um certo receio. Veio hospedar-se em casa dele, quando chegou a Petersburgo, não por simples motivo de economia, embora esta fosse a razão principal, mas porque havia ainda outro motivo. Já na província ele ouvira falar de Andriéi Siemiônovitch, seu antigo pupilo, como um dos jovens progressistas mais avançados, e que desempenhava um papel importante em alguns círculos muito curiosos e já lendários. Isto impressionou Piotr Pietróvitch. Esses círculos desavergonhados, que sabiam tudo e desprezavam e denunciavam toda a gente, havia já algum tempo que metiam um certo medo a Piotr Pietróvitch, aliás um medo vago. Porque, quando estava ainda na província, não pudera de maneira nenhuma formar uma ideia justa, ainda que apenas aproximada, de tudo quanto fosse daquela índole. Ouvira dizer, como toda a gente, que existiam, sobretudo em Petersburgo, progressistas, niilistas, planejadores de reformas, etc., etc.; mas, à semelhança de muitas outras pessoas, exagerava e deturpava até o absurdo a intenção e o significado de tais designações. O que maior terror lhe infundia, desde há alguns anos, era a denúncia pública, e era esse o fundamento do seu constante, exagerado desassossego, sobretudo pelo que dizia respeito aos seus sonhos de mudar as suas atividades para Petersburgo. A esse respeito estava, como costuma dizer-se, amedrontado, como costumam estar às vezes as crianças. Sucedeu-lhe ter conhecimento, alguns anos antes, na província, nos começos da sua carreira, de dois casos de pessoas importantes que sofreram cruelmente por causa dos denunciadores, e dos quais tomara a defesa e fora depois recompensado com a sua proteção. Um desses casos terminou de um modo bastante escandaloso e deu muito que fazer. Eis aqui o motivo por que Piotr Pietróvitch decidira, à sua chegada a Petersburgo, averiguar imediatamente ao certo de que se tratava e, caso fosse necessário, antecipar-se aos acontecimentos e apressar-se a ganhar as simpatias das nossas novas gerações. Para isto confiava em Andriéi Siemiônovitch, e, por exemplo, quando visitou Raskólhnikov, sabia já desembaraçar-se, melhor ou pior, com algumas frases aprendidas de cor...

É claro que não tardou a considerar Andriéi Siemiônovitch como um homem vulgar e ordinário. Mas isto de maneira nenhuma dissuadiu ou desencorajou Piotr Pietróvitch. Embora estivesse convencido de que os progressistas eram todos uns imbecis, nem por isso ficava mais sossegado. Pessoalmente não lhe interessavam absolutamente nada essas teorias, ideias e sistemas (com que Andriéi Siemiônovitch lhe atroava os ouvidos). A única coisa que lhe interessava esclarecer imediatamente era: "Que se passava ali? Tinham força esses indivíduos, ou não tinham? Havia sobretudo razão para receio ou não havia? Se se metesse em qualquer coisa, seria denunciado ou não? E, se denunciavam, por que, concretamente, e por que, em particular, costumavam denunciar agora?". Mas isso era pouco: "Não haveria maneira de fingir perante eles e de enganá-los, se tivessem realmente força? Era necessário fazê-lo ou não? Não poderia, por exemplo, valer-se deles para prosperar na sua carreira?". Em resumo, tinha uma quantidade de problemas.

Aquele Andriéi Siemiônovitch era um homem achacado e escrofuloso, baixinho, e fora funcionário em qualquer lugar, era de um louro-claro, com suíças em forma de costeleta, de que se orgulhava muito. Além disso tinha quase sempre os olhos doentes. Tinha um caráter demasiado brando, mas, às vezes, falava com muita dignidade e até com grande altivez... o que, dado o contraste com a sua pequena figura, o tornava quase sempre ridículo. E em casa de Amália Ivânovna era considerado como um dos hóspedes mais distintos, visto que não se embebedava e pagava pontualmente. Apesar de todas estas boas qualidades, Andriéi Siemiônovitch era, de fato, um imbecil. Aderira ao progresso e à nossa nova geração... apaixonadamente. Pertencia a essa inúmera e variada legião de indivíduos medíocres, de fracassados vulgares que não aprenderam nada a fundo, que aderem de um momento para o outro às ideias que estão na moda, para logo em seguida a degradarem e desacreditarem e, num abrir e fechar de olhos, ridicularizarem tudo quanto anteriormente apoiaram, ainda que fosse da maneira mais sincera.

Aliás, Liebiesiátnikov, apesar de ser muito bonachão, começava já também a não poder suportar o seu companheiro de quarto e antigo tutor, Piotr Pietróvitch. Fora, dos dois lados, algo de inicial e recíproco. Por muito ingênuo que Andriéi Siemiônovitch fosse, começava, no entanto, a ver que Piotr Pietróvitch o estava enganando e que, no seu íntimo, o desprezava, e que não era de maneira nenhuma o homem que aparentava. Tentou expor-lhe o sistema de Fourier e a teoria de Darwin; mas Piotr Pietróvitch, sobretudo desde há algum tempo, costumava escutá-lo com uma expressão demasiado sarcástica, e, ultimamente... até começara a contradizê-lo. O caso era que ele, no fundo, começara a compreender instintivamente que Liebiesiátnikov não só era um tipo vulgar e grosseiro como era também um embusteirozinho que estava muito longe de possuir relações de importância, mesmo no seu próprio círculo, e que até apenas sabia as coisas por vias indiretas; e, como se isto ainda fosse pouco, não compreendia, além disso, como devia ser a sua missão de "propagandista", porque às vezes descambava, e portanto... como poderia ser tomado por denunciador?

A propósito: note-se, de passagem, que Piotr Pietróvitch durante essa semana e meia aceitara com gosto, sobretudo no princípio, os mais estranhos elogios de Andriéi Siemiônovitch, isto é, não fazia objeções, por exemplo, e ficava calado quando Andriéi Siemiônovitch lhe atribuía a capacidade de contribuir para a futura e rápida organização da nova comuna em qualquer parte da Rua Miechtchánskaia, ou, por exemplo, a capacidade de não levantar dificuldades nenhumas a Dúnietchka, se esta tivesse o capricho de arranjar um amante logo no primeiro mês de casada, ou de não batizar os seus futuros rebentos, etc., etc., e outras coisas do gênero. Segundo o seu costume, Piotr Pietróvitch não punha objeção alguma a essas qualidades que lhe atribuíam, e deixava-se lisonjear, inclusive dessa maneira... A tal ponto todas as lisonjas lhe eram agradáveis.

Piotr Pietróvitch, que por qualquer razão trocara nessa manhã vários títulos de cinco por cento, estava sentado à mesa contando maços de notas e de papéis de crédito. Andriéi Siemiônovitch, que por essa altura não tinha quase dinheiro nenhum, passeava no quarto de um lado para o outro e parecia olhar todos esses maços com indiferença e até com desprezo. Por nada deste mundo Piotr Pietróvitch teria acreditado que Andriéi Siemiônovitch fosse capaz de olhar com indiferença todo aquele dinheiro; por seu lado, Andriéi Siemiônovitch, pensava com amargura que, no fundo, Piotr Pietróvitch era muito capaz de pensar isso dele e até talvez de alegrar-se por poder fazer-lhe inveja e humilhar o seu jovem amigo com aqueles maços de valores ali exibidos, recordando-lhe a sua insignificância e toda a distância que existia entre os dois.

Aconteceu, porém, encontrá-lo dessa vez nervoso e desatento mais do que nunca, apesar de ele, Andriéi Siemiônovitch, ter começado a desenvolver na sua presença o seu tema favorito, a organização da nova comuna especial. Objeções bruscas e certas observações lançadas por Piotr Pietróvitch, enquanto ia fazendo mover as bolinhas do seu ábaco, deixavam transparecer o mais aguerrido e intencionalmente grosseiro sarcasmo. Mas o "humanitário" Andriéi Siemiônovitch atribuía essa disposição de espírito de Piotr Pietróvitch à impressão que, na noite anterior, lhe deixara a ruptura com Dúnietchka, e ardia no desejo de tocar o mais brevemente possível no assunto; tinha umas palavras a dizer a esse respeito, que servissem de consolo ao seu estimado amigo e redundassem sem falha em proveito da sua evolução ulterior.

– Que preparativos de festim fúnebre são esses que fazem aí... no quarto da viúva? – perguntou, de repente, Piotr Pietróvitch, interrompendo Andriéi Siemiônovitch no passo mais interessante.

– O quê?! Não sabe? Mas eu não lhe falei ontem desse tema e não lhe expus as minhas ideias acerca de todas essas cerimônias? Pois olhe que ela também o convidou, segundo ouvi dizer. Além disso, o senhor esteve ontem falando com ela...

– Nunca eu imaginaria que a imbecil dessa pobretona fosse capaz de gastar tanto dinheiro nessa comezaina, dinheiro que talvez lhe tenha dado esse outro palerma de Raskólhnikov. Há pouco, até fiquei admirado, quando passei; mas que preparativos... até vinhos caros! Convidaram algumas pessoas... Sabe-se lá quem! – continuou Piotr Pietróvitch, que fizera aquela pergunta e tinha entabulado este diálogo com alguma intenção. – O quê? Que me diz? Que eu também fui convidado? – acrescentou, de repente, erguendo a cabeça. – Quando é que foi isso? Não me lembro. Aliás, não irei. Que tenho eu a fazer ali? Ontem falei com ela, de passagem, da possibilidade de que lhe dessem, na sua qualidade de viúva pobre dum funcionário, um ano de ordenado a título de gratificação única e definitiva. Seria talvez por isto que ela me convidou... He... he!

– Eu também não tenciono ir – disse Liebiesiátnikov.

– Era o que faltava! Depois de lhe bater com as próprias mãos! Compreende-se que esteja ofendida, he... he... he!

– Quem é que lhe bateu? A quem? – interveio Liebiesiátnikov com vivacidade, e até se ruborizou.

– O senhor, a Ekatierina Ivânovna, haverá um mês. Soube disto ontem... Ora veja lá, com as suas ideias! É assim que os senhores resolvem a questão feminina. He... he... he!

E Piotr Pietróvitch, como se tivesse ficado consolado com isto, embrenhou-se outra vez nas suas contas.

– Tudo isso é um disparate e uma calúnia! – replicou furioso Liebiesiátnikov, que tinha muito medo de que lhe trouxessem à luz esta história. – Não se passou nada disso! Foi uma coisa muito diferente... O senhor não compreendeu bem. Intrigas! A única coisa que eu fiz, simplesmente, foi defender-me. Foi ela a primeira a atirar-se sobre mim com unhas e dentes... Arrancou-me um cabelo inteiro. Parece-me que todas as pessoas têm o direito de defender o seu físico. Além disso eu não autorizo ninguém a empregar comigo a violência... É uma questão de princípio. Porque isso é um despotismo. Que havia eu de fazer, ficar quieto? O que eu fiz foi apenas repeli-la...

– He... he... he! – continuou Lújin com um risinho maldoso.

– O senhor está querendo pegar comigo, assim, porque está aborrecido e de mau humor... Mas isso é um absurdo e não tem absolutamente, absolutamente relação nenhuma com o problema da mulher. O senhor ouviu mal; eu até pensava que, se era uma coisa já admitida que a mulher é igual ao homem em tudo, até na força, segundo afirmam, então não há outro remédio senão aceitar também a igualdade nesse terreno. É claro que depois há de vir a compreender que, na realidade, esse problema não deve existir, pois não deve haver lutas, e não devemos pensar que venham a existir na sociedade futura... de onde se vê que é um pouco estranho procurar a igualdade numa peleja. Eu não sou tão tolo... embora, aliás, lutas, se as há... isto é, depois não hão de existir, mas, por agora, ainda as há... Ufa! Que diabo! Uma pessoa, com o senhor, fica estonteada! Não seria por ter havido entre nós esse pequeno aborrecimento que eu deixaria de ir ao banquete. Não vou simplesmente por uma questão de princípio, para não tomar parte nesse indigno preconceito dos banquetes fúnebres, e nada mais! Se bem que, no fim de contas, ainda pode ser que vá, ainda que seja só para rir um pouco. Mas é pena que não venham popes. Nesse caso é que eu iria infalivelmente.

– Isto é, ia comer o pão e o sal alheios e cuspir em cima deles, e ao mesmo tempo naqueles que o convidaram, não é?

– Cuspir, não, nada disso, mas protestar. Eu persigo um fim útil. Eu posso, de uma maneira indireta, contribuir para a evolução e para a propaganda. Todos nós temos obrigação de fomentar a cultura e a propaganda, e talvez quanto mais rudemente, melhor. Eu posso semear a ideia, a semente... Desta semente brotará o fato. A quem ofendo eu com isso? A princípio ficarão ofendidos, mas depois eles mesmos hão de ver que eu lhes trago qualquer coisa de proveitoso. Bem vê, a Tieriébieieva foi acusada (aquela que pertence agora à comuna) de sair de casa e... de se entregar a um homem, de escrever aos pais dizendo que não queria viver no meio de preconceitos, de se casar só pelo civil, e de que isto era tratar com demasiada dureza os pais, e diziam que podia tê-los tratado com mais consideração e escrito em termos mais suaves. A meu ver, tudo isto são disparates, e não havia absolutamente nenhuma razão para ela lhes escrever com mais brandura, até pelo contrário, até pelo contrário, visto que se tratava de protestar. Repare: a Senhora Varents viveu sete anos com um homem, abandonou os dois filhos e terminou de uma vez com o marido escrevendo-lhe isto: "Reconheço que não posso ser feliz com o senhor. Nunca lhe perdoarei o ter-me enganado, escondendo-me que existia outra organização social: a comuna. Soube disto há pouco tempo por um homem generoso, ao qual me entreguei, e, juntamente com ele, fundarei uma comuna. Falo-lhe francamente, porque considero pouco honesto enganá-lo. Arranje-se como puder. Não espere ver-me voltar para o seu lado, pois é demasiado reacionário. Desejo-lhe felicidades". É assim que se escrevem esse gênero de cartas!

– Essa Tieriébieieva é a mesma de que o senhor me contou uma vez que contraíra três uniões livres?

– Não passou da segunda, se virmos as coisas como deve ser. Mas ainda que tivesse chegado à quarta, ainda que tivesse chegado à décima quinta, tudo isso são disparates! E, se alguma vez eu senti pena por os meus pais já não serem vivos, foi por certo agora. Algumas vezes imagino que se eles ainda fossem vivos havia de lhes apresentar um protesto. E havia de fazê-lo intencionalmente... Até haviam de ficar banzados! Eu lhes mostraria... É pena que já não estejam mais aqui!

— Para ficarem banzados? He... he! Bem, o senhor pode fazer o que lhe der vontade — acrescentou Piotr Pietróvitch — mas ouça, diga-me uma coisa: conhece essa moça, a filha do falecido, essa magricela? É verdade o que dizem dela?

— E então? Segundo a minha opinião pessoal, a sua situação é a situação mais normal que existe para a mulher. Porque não havia de ser? Isto é, *distinguons*[39]. Na sociedade atual, não há dúvida nenhuma que não é absolutamente normal, porque é uma situação forçada, mas na sociedade futura será completamente normal, porque será livre. Mas, mesmo agora, estava no seu direito; sofria, e isso constitui, por assim dizer, os seus fundos, o seu capital, do qual tinha o pleno direito de dispor. É claro que na sociedade futura não existirá o capital; mas a sua profissão poderá ser designada por outro nome e regulada de maneira racional e normal. Pelo que se refere pessoalmente a Sófia Siemiônovna, nos tempos atuais, eu considero o seu procedimento como um enérgico e concreto protesto contra a estrutura da sociedade, e respeito-a profundamente por isso; até sinto alegria em olhá-la!

— Pois a mim contaram que o senhor, quando ela *começou*[40], fez com que a expulsassem daqui!

Liebiesiátnikov fez-se vermelho de cólera.

— Isso é outro mexerico! — gritou. — Nada disso, de maneira nenhuma, de maneira nenhuma! Tudo isso foi obra de Ekatierina Ivânovna, porque não compreende nada! Se calhar fiz alguma vez a corte a Sófia Siemiônovna, não? Eu apenas procurei instruí-la, de uma maneira completamente desinteressada, esforçando-me por despertar nela a atitude de protesto... O meu único fim era o protesto, e a própria Sófia Siemiônovna compreendeu muito bem que não podia continuar aqui.

— Destinava-se à comuna, não é verdade?

— O senhor faz chacota de tudo e de maneira que não vem nada a propósito, deixe que lhe diga! O senhor não entende nada! Na comuna não existe essa profissão. A comuna funda-se para que não haja essa profissão. Na comuna essa profissão perde todo o seu significado, e o que aqui é uma coisa estúpida, ali é inteligente, e o que aqui, nas circunstâncias atuais, é antinatural, ali é qualquer coisa de naturalíssimo. Tudo depende do ambiente, do meio em que o homem se encontra; tudo consiste no meio; o homem, em si mesmo, não é nada. Dou-me agora muito bem com Sófia Siemiônovna, o que deve servir para demonstrar-lhe que ela nunca me considerou nem seu inimigo nem seu ofensor. Aí é que está! Agora procuro atraí-la para a comuna, mas com outro objetivo, absolutamente, absolutamente. Por que se ri? Nós queremos estabelecer a nossa comuna especial, mas sobre bases mais amplas que as anteriores. Nós vamos mais longe! Se Dobrolíubov pudesse levantar do túmulo, teria muito que ver! E Bielínski também teria de nos ouvir! Mas, no momento, continuo a instruir Sófia Siemiônovna. Tem uma belíssima alma, belíssima!

---

39 Distingamos.
40 Realce da tradutora, para melhor compreensão da tradução, que teve de ser muito livre nesta frase.

— Claro; e o senhor aproveita-se dessa alma belíssima... não? He... he!

— Não, não! Oh, não! Pelo contrário!

— Bem; pelo contrário! He... he... he! É ele quem diz!

— E pode acreditar! Por que razão havia eu de andar com segredinhos para com o senhor, não quer fazer o favor de me dizer? Pelo contrário, eu próprio acho isto estranho: ela se conduz para comigo de maneira um pouco forçada, mostra-se tímida e envergonhadinha!

— E o senhor, naturalmente, vai instruindo-a... He... he! Trata de demonstrar-lhe que todos esses pudores são absurdos!

— Nada disso! De maneira nenhuma! Oh, desculpe, mas que grosseira, que estupidamente compreende o senhor a palavra instruir! O senhor não percebe nada! Oh, meu Deus, como o senhor está ainda mal preparado! Nós procuramos a liberdade da mulher, e o senhor só pensa numa coisa... Pondo de parte a questão da castidade e do pudor femininos, como coisas inúteis e até preconceituosas, eu compreendo plenamente, plenamente, a sua reserva para comigo, porque... essa é a sua vontade e está no seu direito. Claro que se ela própria me dissesse: "Quero que sejas meu!", eu, então, consideraria isso como um grande triunfo, porque a moça agrada-me extraordinariamente; mas, até agora, até agora, pelo menos nunca ninguém a tratou com mais deferência e respeito do que eu, com mais consideração pela sua dignidade... Eu aguardo e espero! Eis tudo!

— O senhor devia oferecer-lhe de vez em quando algum presentezinho. Ia jurar que o senhor nunca se lembrou disso...

— O senhor não percebe nada, repito-lhe! Claro que a sua situação é de tal índole, mas... isso é outra questão! Completamente diferente! E o senhor despreza-a, simplesmente! Referindo-se a um fato que erroneamente considera digno de desprezo, o senhor está a negar consideração humana a um ser humano. O senhor ainda não conhece a sua natureza! A única coisa que me custa é que nos últimos tempos ela tenha deixado de ler e já não me peça livros. Dantes eu lhe emprestava alguns. Também tenho pena que, apesar de toda a sua energia e resolução para protestar, que já uma vez revelou, sofra ainda de uma certa falta de firmeza, por assim dizer, de falta de independência, de pouca decisão para romper de uma vez com todo gênero de preconceitos... e de estupidez. Mas, apesar disso, ela compreende muito bem algumas questões. Compreende magnificamente, por exemplo, a questão do beija-mão, isto é, que um homem ofende moralmente uma mulher ao beijar-lhe a mão. Esta questão foi muito discutida entre nós e eu logo a expus a ela. Escutou também com muita atenção tudo quanto respeita às associações operárias da França. Agora ando a explicar-lhe a questão referente à entrada livre nos quartos da sociedade futura.

— Que questão é essa?

— Uma questão que tem sido ultimamente muito discutida: se um membro da comuna deve ter ou não o direito a entrar a qualquer hora no quarto de outro membro, homem ou mulher... Acabou por ficar decidido que sim, que tinha...

— Mesmo que nesse preciso instante se entregassem a alguma necessidade imprescindível? He... he!

Andriéi Siemiônovitch acabou por ficar aborrecido.

— O senhor vem sempre com essas malvadas "necessidades"! – exclamou, mal-humorado. – Apre! E que raiva me dá e como me contraria que, ao expor-lhe o sistema, lhe mencionasse antecipadamente essas malditas necessidades! Raios me partam! Essa é a pedra de toque para todos os que se parecem com o senhor, e o pior de tudo... é que se põem a falar antes de conhecer o assunto a fundo! Quem o ouvisse havia de dizer que tem razão! E ficam todos ufanos, como se tivessem razão! Ufa! Eu já afirmei várias vezes que toda esta questão não se pode expor aos noviços, mas sim ao mais antigo de todos, quando se tenham transformado já em homens bem informados e convictos. Além disso, será capaz de me dizer o que encontra, assim, de tão vergonhoso e desprezível nas latrinas? Eu sou o primeiro que está disposto a limpar as latrinas todas que o senhor quiser. Nisso não há o menor sacrifício! Isso é, simplesmente, um trabalho, uma atividade honesta, útil à sociedade, tão digna como qualquer outra e até mais elevada do que a de um Rafael ou Púchkin, visto que é mais útil.

– E mais nobre, mais nobre... He... he!

– Que é isso de mais elevada? Eu não compreendo tais expressões aplicadas a um determinado trabalho do homem. "Mais nobre, mais generoso..." Tudo isso são absurdos, tolices, velhas palavras preconceituosas que eu abomino! Tudo o que é útil à humanidade é nobre. Eu só compreendo uma palavra: útil! Dê risada quanto quiser, mas é assim!

Piotr Pietróvitch ria-se a bandeiras despregadas. Já acabara de contar e guardar o dinheiro, embora houvesse ainda um resto sobre a mesa. Aquela questão das latrinas já por várias vezes fora motivo de ruptura e de desentendimento, apesar da sua vulgaridade, entre Piotr Pietróvitch e o seu jovem amigo. A estupidez do caso estava em que Andriéi Siemiônovitch chegava a ficar zangado de verdade. Lújin, pelo contrário, aliviava assim o espírito, e presentemente sentia uma vontade especial de irritar Liebiesiátnikov.

– O senhor está assim, tão mal-humorado, por causa do seu insucesso de ontem – exclamou finalmente Liebiesiátnikov, o qual, para falar em termos gerais, apesar de toda a sua "independência" e de toda a sua atitude de protesto, parecia não ousar fazer frente a Piotr Pietróvitch e ainda lhe guardava algum daquele respeito que noutro tempo lhe tivera.

– Deixe lá essas coisas e diga-me – interrompeu-o Piotr Pietróvitch altivamente e com mau modo – se poderia... ou, para melhor dizer, se efetivamente tem tanta amizade com essa moça a que há pouco se referiu, pedir-lhe que venha aqui um momento... Segundo parece, já regressaram todos do cemitério... Ouvi barulho de passos... Convinha-me muito falar com essa criatura.

– O senhor, por quê? – perguntou Liebiesiátnikov assombrado.

– Sim, tenho necessidade. Tenho de me ir embora, ou hoje ou amanhã, e desejaria comunicar-lhe... Aliás, pode assistir ao nosso encontro. Até será melhor. Sabe Deus o que o senhor pode imaginar...

– Eu não imagino absolutamente nada... Só lhe pergunto se o deseja realmente, porque, nesse caso, nada mais fácil de que trazê-la aqui. Eu venho já. Pode ficar descansado de que não os incomodarei.

De fato, cinco minutos depois já Liebiesiátnikov ali estava outra vez com Sônietchka. Esta entrou, muito espantada, e segundo o seu costume, no maior sobressalto. Ficava sempre muito sobressaltada nestes casos e tinha sempre muito medo de encontrar caras novas e novos conhecimentos; desde a infância que os temia, e agora mais do que nunca... Piotr Pietróvitch dispensou-lhe um acolhimento afetuoso e cortês, embora com certos laivos de familiaridade alegre, que em sua própria opinião ficava muito bem a um homem tão respeitável e sério como ele, no trato com uma pessoa tão nova e, em certo sentido, tão interessante como aquela. Apressou-se a animá-la e a fez sentar junto da mesa, em frente dele. Sônia sentou e olhou em redor, fixando a vista... em Liebiesiátnikov, no dinheiro que ficara em cima da mesa, e depois tornou outra vez a pousá-la em Piotr Pietróvitch, e já não desviou os olhos dele, como se alguma coisa os fixasse sobre a sua figura. Liebiesiátnikov fez menção de se dirigir para a porta. Piotr Pietróvitch levantou, fez sinal a Sônia para que continuasse sentada e fez parar Liebiesiátnikov, que ia já saindo.

– Está aí um tal Raskólhnikov? Veio? – perguntou em voz baixa.

– Raskólhnikov? Sim, está aí. Por quê? Sim, ali o tem... Chegou apenas há um momento; já o vi... Mas por que pergunta isso?

– Bem, peço-lhe que fique aqui conosco e não me deixe a sós com essa... moça. Trata-se de um assunto sem importância, mas sabe Deus o que seriam capazes de dizer. Não quero que Raskólhnikov vá para ali dar à língua... Está percebendo?

– Estou, estou! – de súbito, Liebiesiátnikov adivinhou. – Sim, tem razão... Em minha opinião o senhor leva as suas apreensões longe demais, mas... no entanto, tem razão. Fico, com sua licença. Fico aqui, junto da janela, e não os estorvo... A meu ver, o senhor tem razão...

Piotr Pietróvitch voltou para o divã, sentou em frente de Sônia, olhou-a atentamente e, de repente, tomou um ar seríssimo e até um tanto severo: "Ó diabo, que pensarás tu de tudo isto, moça?". Sônia acabou por ficar completamente alvoroçada.

– Em primeiro lugar, há de pedir desculpa por mim, Sônia Siemiônovna, perante a sua respeitabilíssima mamãe... É assim, não? Ekatierina Ivânovna faz as vezes de sua mãe, não é verdade? – começou Piotr Pietróvitch muito seriamente, mas, aliás, bastante afetuoso. Era evidente que estava animado das melhores intenções.

– Faz sim, senhor; faz, sim, senhor, é como se fosse minha mãe – respondeu Sônia à pressa e sobressaltada.

– Bem, pois há de pedir-lhe desculpa, por mim, perante ela, visto que, por circunstâncias que não dependem de mim, me vejo obrigado a não assistir à reunião que ela dá... isto é, ao repasto fúnebre, apesar do amável convite da sua mãe.

– Está muito bem, eu digo-lhe; vou já dizer – e Sônia levantou do seu lugar, pressurosa.

– Ainda não lhe disse tudo – continuou Piotr Pietróvitch fazendo-a parar e sorrindo da sua simplicidade e da sua ignorância das conveniências. – Bem se vê que ainda não me conhece, amabilíssima Sônia Siemiônovna, se julga que eu ia incomodar e fazer vir aqui uma pessoa como a senhora, apenas por um motivo insignificante, que só a mim diz respeito. As minhas intenções são outras.

Sônia sentou logo. As notas de banco de várias cores, que ainda continuavam sobre a mesa, tornaram a atrair o seu olhar, mas depois afastou imediatamente os olhos delas e ergueu-os para Piotr Pietróvitch; pareceu-lhe de repente terrivelmente indecoroso, sobretudo tratando-se dela, pousar os olhos sobre dinheiro alheio. Pousou, pois, o olhar sobre as lunetas de ouro de Piotr Pietróvitch, que este tinha na mão esquerda, e também num grande anel maciço, muito bonito, com uma pedra amarela, que ostentava no dedo anelar da mesma mão; mas também afastou daí a vista subitamente, e, sem saber já onde havia de pousá-la, acabou por fixar outra vez os olhos no rosto de Piotr Pietróvitch. Depois de uma pausa, agora ainda mais sério do que antes, aquele prosseguiu:

– Tive ontem oportunidade de trocar, de passagem, duas palavras com a infeliz Ekatierina Ivânovna. Duas palavras que foram suficientes para compreender que ela se encontra numa situação... antinatural... se é lícito exprimir-me assim...

– Sim, sim... – apressou-se Sônia concordando.

– Embora fosse mais breve e claro dizer... mórbida.

– Sim, sim... mais breve e cla... pois é... mórbida.

– Pois bem; levado por um sentimento de humanidade... e... e, por assim dizer, de compaixão, eu desejaria, pela minha parte, ser-lhe útil em alguma coisa, pois vejo a sorte inevitavelmente desgraçada que ela vai ter. Segundo parece, esta misérrima família, agora, só conta consigo.

– Dê-me licença que lhe faça uma pergunta – interpôs Sônia, de repente – foi o senhor quem ontem se dignou falar-lhe da possibilidade de uma pensão? Porque ontem mesmo me disse ela que o senhor se oferecera para procurar obter-lhe uma pensão. É verdade?

– Não é bem isso e, em certo sentido, isso é até uma tolice. Eu me limitei a falar-lhe da possibilidade de obter-lhe um socorro, por uma vez, para a viúva dum funcionário falecido no ativo, desde que ela pudesse contar com pessoas influentes; mas, segundo parece, o seu falecido pai não só não serviu o tempo necessário, como ultimamente abandonara completamente o serviço. Em resumo: ainda que possa haver esperanças, são muito inseguras, porque, na realidade, não tem nenhum direito a socorro no caso presente, e até pelo contrário... E ela já contando com a pensão, he, he, he! A senhora é desembaraçada!

– Sim, com a pensão... Porque é muito crédula e muito boa, e por ser tão boa é que acredita em tudo e... e... e... tem esse jeito... É verdade... E o senhor desculpe – disse Sônia, e dispôs-se outra vez a retirar-se.

– Dê-me licença, ainda não acabei.

– É verdade, ainda não acabou – balbuciou Sônia.

– Por isso sente.

Sônia ficou terrivelmente sobressaltada e tornou a sentar pela terceira vez.

– Vendo a situação em que ela se encontra, com filhinhos pequenos, infelizes, eu desejaria... conforme disse já... ser-lhe útil em qualquer coisa, na medida das minhas forças; isto é, apenas na medida das minhas forças e nada mais. Poderia, por exemplo, organizar uma subscrição em seu benefício, ou, por assim dizer, uma loteria... ou alguma coisa do gênero... como nestes casos costumam fazer as pessoas chegadas e até as estranhas, que desejam ajudar o próximo. Era precisamente acerca disso que eu queria falar com a senhora. Isso podia fazer-se.

– Lá isso é; está muito bem... Deus o ajude por isso... – balbuciou Sônia, olhando fixamente Piotr Pietróvitch.

– A coisa é viável, mas... depois falaremos disso; isto é, seria possível começar hoje mesmo. Esta noite vamos nos encontrar, trocaremos impressões e lançaremos, por assim dizer, os fundamentos. Venha aqui esta noite às sete. Espero que Andriéi Siemiônovitch esteja também presente... Mas há uma circunstância de que é preciso tratar previamente com toda a atenção. Foi por isso que a incomodei precisamente, Sônia Siemiônovna, ao pedir-lhe que passasse por aqui. A minha opinião concreta... é que é impossível e também perigoso entregá-lo nas mãos de Ekatierina Ivânovna; a prova disso... é esse mesmo ágape que hoje se realiza. Não conta, por assim dizer, com uma côdea de pão para o dia seguinte, e... nem sequer com um par de meias, mas hoje comprou rum da Jamaica e, segundo parece, até vinho da Madeira e café. Vi tudo isso quando passei. Amanhã todos voltarão a ficar a seu cargo e terá de prover a todas as suas necessidades, arranjar-lhes até o último pedaço de pão, o que é um absurdo. Por esse motivo, em minha opinião pessoal, a subscrição deverá fazer-se de maneira que a pobre viúva, por assim dizer, não tome conhecimento da sua existência, e seja, por exemplo, a menina a única pessoa a saber. Acha bem?

— Eu não sei. Ela só fez isso hoje... uma só vez na vida... Tinha muita vontade de honrar a memória do falecido... e é muito inteligente. Mas eu farei o que o senhor me disser e vou lhe ficar muito, muito, muito... e todos lhe ficarão muito... e Deus também... e os orfãozinhos...

Sônia não conseguiu acabar de falar e começou a chorar...

— Bem, não se esqueça do que acabamos de dizer; e agora queira aceitar esta quantia, pela primeira vez, para sua mãe, o que representa a minha contribuição pessoal para a subscrição. E desejaria muito que não se fizessem referências ao fato. Aqui tem... Como tenho também os meus encargos, não estou em condições...

E Piotr Pietróvitch estendeu a Sônia uma nota de dez rublos bem aberta. Sônia pegou nela, corou, balbuciou umas palavras e apressou-se a fazer-lhe uma reverência. Piotr Pietróvitch acompanhou-a até à porta com muita solenidade. Ela saiu finalmente daquele quarto, muito comovida e admirada, e voltou para junto de Ekatierina Ivânovna na maior perturbação.

Durante todo o tempo que esta cena durou, Andriéi Siemiônovitch, ou permanecia junto da janela ou dava voltas pelo quarto para não interromper o diálogo; assim que Sônia saiu, aproximou-se imediatamente de Piotr Pietróvitch e estendeu-lhe solenemente a mão.

— Ouvi tudo e vi tudo — disse, acentuando a última palavra de maneira especial. — Isso é nobre, isto é, humano. O senhor queria evitar a gratidão, que eu bem vi. E, confesso-lhe, se bem que, por princípio, não admita a caridade privada, porque não só não extirpa radicalmente o mal como até o fomenta, não posso, no entanto, deixar de reconhecer que vi o seu procedimento com satisfação... Sim, senhor, foi uma coisa simpática.

— Tudo isso é absurdo! — murmurou Piotr Pietróvitch um tanto comovido e como se olhasse com certo receio para Liebiesiátnikov.

— Não, não é absurdo. Um homem que, ofendido e amargurado, como o senhor, por causa do que aconteceu ontem, ainda é capaz de pensar na desgraça alheia... um homem assim, ainda que com a sua conduta cometa um erro social... no entanto... é digno de respeito! Eu, de nenhuma maneira esperava isso do senhor, Piotr Pietróvitch, tendo em conta as suas ideias, oh! e quanto o prejudicam ao senhor essas suas ideias! Como o perturbou aquele insucesso de ontem! — exclamou o bonachão do Andriéi Siemiônovitch, sentindo outra vez renascer a sua amizade por Piotr Pietróvitch. — Mas por que, por que é que o senhor, meu bom Piotr Pietróvitch, tinha tanto interesse nesse casamento legal? Por que havia o senhor de exigir sem falta essa legalidade no casamento? Bem, se quiser, bata-me; mas estou tão contente, tão contente, por isso ter falhado, para que o senhor continue a ser livre e não seja um homem completamente perdido para a humanidade... Pronto, já desabafei!

– Pois fique sabendo que é por isto: não quero que me ponham os cornos com esse tal amor livre, nem quero manter filhos alheios; por isso é que eu exijo o casamento legal – disse Lújin, para responder qualquer coisa. Estava muito preocupado e pensativo.

– Filhos? O senhor falou em filhos? – exclamou Andriéi Siemiônovitch dando um pulo como um cavalo de guerra que ouve um clarim bélico. – Filhos! Eis aí um problema social e um problema de capital importância, concordo; mas esse problema dos filhos resolve-se de outra maneira. Alguns não só repudiam essa ideia de ter filhos, como toda e qualquer alusão à família. Mas deixemos os filhos para depois e vamos agora aos cornos. Confesso-lhe que esse é o meu ponto fraco. Essa repugnante expressão, própria de hussardos e tão peculiar a Púchkin, também não terá sentido algum no dicionário do futuro. Que vêm a ser os tais cornos? Oh, que deturpação! Que é isso de cornos? E por que, precisamente, cornos? Que absurdo! Pelo contrário, no amor livre não os haverá. Os cornos são simplesmente a consequência natural de todo matrimônio legal, são o seu corretivo, por assim dizer, o protesto, de maneira que, neste sentido, não têm nada de humilhantes... E se eu alguma vez – suposição absurda – chegar a casar legalmente, até terei muita honra nesses malvados cornos; nesse caso, direi à minha mulher: "Minha amiga, até hoje, a única coisa que sentia por ti era amor; mas, agora, também te respeito, pois tiveste coragem para protestar". O senhor ri? Isso é porque não tem coragem para se desprender dos preconceitos. Raios me partam, mas eu vou explicar em que consiste precisamente o aspecto desagradável de se ser enganado no casamento legal; mas isso é simplesmente a vil consequência dum ato reles, no qual são ambos humilhados. Quando os cornos se trazem à luz do dia, como no amor livre, então não existem, são uma coisa sem sentido e até perdem o nome de cornos. Pelo contrário, a sua mulher vai lhe demonstrar lindamente quanto o respeita ao julgá-lo incapaz de se opor à sua infelicidade, e bastante culto para não se vingar dela lá porque tenha arranjado um novo esposo. Raios me partam, mas às vezes sonho que, se me dessem uma mulher, livra! se casasse (dentro do amor livre ou legalmente, tanto faz), eu próprio levaria um amante a minha mulher, se ela não se decidisse a procurá-lo. "Minha amiga – havia de dizer-lhe eu – eu te amo, mas, além disso, quero que tu me estimes... é assim mesmo." Está certo ou não está?

Piotr Pietróvitch pôs-se a rir, enquanto o escutava, mas sem nenhum prazer especial. Não lhe tinha dado até uma grande atenção. De fato, parecia pensar noutra coisa, e o próprio Liebiesiátnikov acabou por reparar nisso. Tudo isso veio Andriéi Siemiônovitch a recordar mais tarde.

Capítulo II

Seria difícil apontar com precisão as razões pelas quais na alterada cabeça de Ekatierina Ivânovna se arraigou a ideia daquele disparatado festim. De fato, nele se foram quase dez rublos dos vinte que Raskólhnikov lhe entregara precisamente para o enterro de Marmieládov. Talvez Ekatierina Ivânovna se sentisse na obrigação de honrar a memória do falecido como devia ser, para que todos os vizinhos, a começar por Amália Ivânovna, ficassem sabendo que o falecido não só não era de classe inferior à deles, mas até muito superior, e que ninguém ali tinha direito de se dar ares. Também pode ser que, em grande parte, tivesse obedecido a esse orgulho especial que faz com que em algumas cerimônias sociais, obrigatórias para todos, dentro dos nossos costumes de vida, muitos pobres esgotem as suas últimas forças e até o último copeque apenas com o fim de não fazerem pior do que os outros e de que os outros não façam má opinião acerca deles. É também muito provável que Ekatierina Ivânovna desejasse nessa ocasião, precisamente nessa ocasião em que, segundo parecia, ficara só no mundo, demonstrar a todos aqueles insignificantes e antipáticos vizinhos que ela não só sabia viver e receber as pessoas, como até fora educada para aquela vida, pois fora criada numa casa nobre, e podia até dizer-se aristocrática, em casa dum coronel, e, portanto, não nascera para esfregar chãos e lavar à noite os trapinhos dos seus filhos. Estes paroxismos de vaidade costumam acometer as pessoas mais pobres e desvalidas, e às vezes tornam-se uma necessidade irritante, irresistível. Mas Ekatierina Ivânovna não era pessoa que se deixasse abater: as circunstâncias podiam oprimi-la, mas abatê-la moralmente, isto é, amedrontá-la e subjugá-la à dor, nunca. Além disso, conforme Sônietchka dissera com muito acerto, ela estava meia transtornada. É certo que isso não era coisa que pudesse desde já afirmar-se de maneira categórica; mas era verdade que, desde há algum tempo àquela parte, a sua pobre cabeça sofrera tanto que não tivera outro remédio senão ressentir-se até certo ponto. A violenta evolução da tísica, como os médicos diziam, contribuíra também para a perturbação das suas faculdades mentais

Vinho em abundância e de marcas variadas, não havia; Madeira, também não; tinham exagerado; mas havia vinho, de fato. Também havia vodca, rum e Porto, tudo de classe inferior, mas em quantidade suficiente. E quanto a iguarias, além da torta de arroz, havia três ou quatro pratos (entre outros, um de filhós), tudo preparado na cozinha de Amália Ivânovna, e além disso viam-se também, dispostos em fila, dois samovares para servir chá e ponche depois do repasto. Os aperitivos tinham sido preparados pela própria Ekatierina Ivânovna, ajudada por um dos hóspedes, um certo polaco famélico que só Deus sabe o motivo por que vivia em casa da senhora Lippewechsel, e que se ofereceu logo para tudo a Ekatierina Ivânovna, e que durante o dia anterior e toda aquela manhã andara numa correria, abanando a cabeça e de língua de fora, esforçando-se, especialmente, segundo parecia, para que esse último pormenor não passasse em claro. A propósito de qualquer minúcia ia logo consultar Ekatierina Ivânovna e corria até a buscá-la ao Gostíni Dvor, e chamava-a a todo instante *Pani joruntchina*[41], acabando finalmente por chegar a chateá-la terrivelmente, embora a princípio ela tivesse dito que, se não fosse aquele homem prestável e bondoso, não sabia como se teria arranjado. Era próprio de Ekatierina Ivânovna pôr-se imediatamente a pintar a primeira pessoa que lhe saía ao caminho com as cores mais belas e simpáticas, a elogiá-la com um exagero que às vezes desconcertava a pessoa em questão, a inventar para a louvar diversos pormenores que de fato não existiam, acreditando com a mais absoluta boa-fé na sua rea-

---

41 Senhora tenenta, em polaco.

lidade, e depois, de repente, ficava desiludida, desdizia-se, condenava-a ao desprezo e expulsava do seu convívio essa pessoa que ainda umas horas antes lhe inspirara uma verdadeira adoração. Era por natureza uma criatura de gênio alegre, jovial e aprazível; mas, devido às suas contínuas infelicidades e decepções, a tal ponto se entregara à ideia de querer e exigir ardentemente que toda a gente vivesse em paz e alegria, que a mais leve desarmonia na vida, o mais insignificante contratempo, logo a afundavam no desespero, e logo a seguir, às mais brilhantes ilusões e fantasias, começava a acusar o destino, a quebrar e a estragar tudo quanto lhe caía nas mãos e a dar cabeçadas contra as paredes. Amália Ivânovna inspirara também repentinamente, a Ekatierina Ivânovna, uma certa ideia de invulgar prestígio e estima, talvez apenas por se ir realizar este festim e por Amália Ivânovna se ter oferecido com a maior boa vontade para tomar parte nos preparativos; ela se encarregara de pôr a mesa, de fornecer a toalha, a baixela e tudo mais, e de preparar as iguarias na sua cozinha. Ekatierina Ivânovna deu-lhe todos os poderes e deixou-a em casa enquanto foi ao cemitério. De fato, ficou tudo arranjado otimamente; a mesa foi até posta com muito esmero; a louça, os garfos, as facas, as taças, os copos, não há dúvida de que tudo isso era desirmanado, de formas e tamanhos vários, emprestados pelos vizinhos, mas, à hora marcada, estava tudo no seu lugar; e Amália Ivânovna, sentindo que se desempenhara bem da sua função, veio receber, até com certo orgulho, toda ataviada, com uma touca de fitas pretas e com um vestido de luto, os que voltavam do cemitério. Esse orgulho, embora merecido, por qualquer razão desagradou a Ekatierina Ivânovna: "Afinal, havia de parecer que, se não fosse Amália Ivânovna, não havia ali quem pusesse aquela mesa". Também não lhe agradou a touca com as fitas novas. "Lá porque é a senhoria e porque, por caridade, se dignou prestar o seu auxílio a uns pobres inquilinos, é capaz de estar toda orgulhosa, esta estúpida alemãzeca, que não serve para nada! Por compaixão! Ora vejam! Quando em casa do pai de Ekatierina Ivânovna, que era coronel, e esteve quase para ser governador, se punha às vezes uma mesa para quarenta pessoas, de tal maneira que, a uma Amália Ivânovna qualquer, ou, melhor, Liúdvigovna, nem sequer a teriam admitido na cozinha..." Aliás, Ekatierina Ivânovna, por então resolveu não deixar transparecer o que sentia, se bem que decidira também intimamente que não havia outro remédio senão dar uma lição a Amália Ivânovna ainda naquele dia e recordar-lhe o seu verdadeiro lugar; senão, sabe Deus o que ela seria capaz de imaginar; mas, agora, apenas se conduziria friamente com ela. Outro contratempo contribuiu também, em parte, para irritar Ekatierina Ivânovna: que, no cemitério, dos vizinhos convidados para o funeral, além do polaco, que também se apressou a ir até lá, correndo, não estava quase ninguém; para o festim, isto é, para a comezaina, só apareceram os mais insignificantes e pobretões, alguns sem sequer se terem arrumado, todos esfarrapados. Os mais antigos e mais respeitáveis, todos eles, como se estivessem de acordo, tinham deixado de ir. Piotr Pietróvitch, por exemplo, que podia considerar-se o mais importante, não apareceu, e, no entanto, ainda no dia anterior, à noite, a própria Ekatierina Ivânovna se apressara a informar a toda a gente, isto é, Amália Ivânovna, a Pólietchka, a Sônia e ao polaco, que ele era um homem muito bondoso, muito generoso, com relações muito importantes, e pessoa de posição, que fora amigo de seu primeiro marido e frequentara a casa de seu pai, e que lhe prometera fazer tudo quanto estivesse ao seu alcance para arranjar-lhe uma boa pensão. Note-se que quando Ekatierina Ivânovna pensava nas relações e na posição social de alguém, o fazia sem interesse algum, sem nenhum cálculo pessoal, de maneira completamente desinteressada, com o coração transbordante de satisfação, por assim dizer, por poder gabar as pessoas e encarecer ainda mais os méritos de elogio.

Além de Lújin, provavelmente, levado pelo seu exemplo, também não assistira ao repasto fúnebre aquele antipático libertino de Liebiesiátnikov. "Mas que teria imaginado esse indivíduo? Se o convidamos foi apenas por caridade e também por ser companheiro de quarto e amigo de Piotr Pietróvitch." Também não apareceu certa dama importante, com uma filha solteirona que, apesar de haver apenas duas semanas que vivia em casa de Amália Ivânovna, já por várias vezes se queixara do burburinho e da gritaria que se ouvia no quarto dos Marmieladóvi, sobretudo quando o falecido voltava embriagado para casa, o que Ekatierina Ivânovna sabia, pela própria Amália Ivânovna, quando esta, ralhando com ela e ameaçando-a de expulsá-la de sua casa, dizia em altos gritos que eles estavam incomodando "uns hóspedes muito distintos, aos calcanhares dos quais estavam muito longe de poder chegar".

Ekatierina Ivânovna resolvera agora intencionalmente convidar essa tal senhora e a filha, aquelas aos calcanhares das quais estava muito longe de poder chegar, tanto mais que, até então, todas as vezes que se encontravam casualmente, aquela lhe voltara as costas altivamente... para que ficassem também sabendo que ela pensava e sentia com mais dignidade e que a convidava sem se importar com o mal recebido, e para que vissem ainda que Ekatierina Ivânovna não estava habituada a viver em semelhantes pardieiros. Resolvera com toda a decisão ter uma explicação com ela à mesa e falar-lhe também de seu falecido pai, o governador e, ao mesmo tempo, dar-lhe a entender, de passagem, que isso de voltar-lhe as costas não servia para nada, e que ela o considerava até como uma ingenuidade. Também não apareceu aquele obeso tenente-coronel (de fato, capitão reformado), mas veio a saber-se que desde a manhã do dia anterior não podia levantar. Em resumo: compareceram apenas o polaquinho, um empregadeco achacado e sardento, que não falava, com um fraque ensebado, sujo e mal-cheiroso, e um velhote surdo e quase cego, que noutros tempos trabalhara nos Correios, e ao qual alguém, desde tempos imemoriais e sem que se soubesse por que, pagava a pensão em casa de Amália Ivânovna. Veio também um tenente reformado, embriagado (na realidade era um simples empregado da Administração Militar), que não fazia outra coisa senão rir às gargalhadas de uma maneira indecente e estrepitosa e – calculem! – sem colete! Um desses convidados sentou diretamente à mesa, sem cumprimentar sequer Ekatierina Ivânovna. E, por fim, apareceu outro em roupão, pois não tinha um traje capaz de vestir; mas aquilo era já tão vergonhoso que Amália Ivânovna e o polaquinho juntaram os seus esforços para correrem com ele. O polaquinho, por sua vez, levou consigo outros dois polaquinhos, que nunca tinham vivido em casa de Amália Ivânovna nem ninguém vira nunca na pensão. Tudo isto irritou extraordinariamente Ekatierina Ivânovna: "Afinal, para quem é que eu estive fazendo todos estes preparativos?". Para arranjar mais espaço até deixara de sentar as crianças à mesa, que, mesmo sem elas, ocupava todo o quarto, e puseram a deles num canto, em cima duma arca, junto da qual sentaram os dois mais pequenos num banquinho, e ficando Pólietchka, por ser a mais velhinha, encarregada de atendê-los, de lhes dar de comer e de lhes assoar os narizinhos, como a meninos de boa família. Em suma, Ekatierina Ivânovna, quer quisesse, quer não, teve de recebê-los a todos com a maior gravidade e até com soberbia. Olhava alguns com especial severidade e foi com altivez que os convidou a sentarem à mesa. Como imaginasse que Amália Ivânovna era a culpada de os outros não terem vindo, começou de súbito a tratá-la com a maior indiferença, a tal ponto que ela o notou logo e ficou altamente ofendida. Semelhante começo não prometia um bom fim. Até que sentaram.

  Raskólhnikov entrou quase no mesmo instante em que regressavam do cemitério. Ekatierina Ivânovna ficou contentíssima quando o viu, em primeiro lugar por ser o único conviva bem educado, e, além disso, porque, como já se sabia, daí a dois anos havia de ocupar uma cátedra na Universidade; e em segundo lugar, porque veio imediatamente pedir-lhe desculpa, com o maior respeito, por não ter podido, contra sua vontade, comparecer no funeral. Ela se ocupou logo dele, obrigou-o a sentar à mesa ao seu lado, à sua esquerda (à direita sentava-se Amália Ivânovna), e apesar da sua contínua vigilância e cuidado para que as iguarias fossem devidamente distribuídas e chegassem junto de todos, apesar da tosse que a afligia e que a obrigava a cada momento a interromper-se, sufocada, e que, segundo parecia, se agravara nos dois últimos dias, dirigia-se constantemente a Raskólhnikov e apressava-se a desabafar com ele em voz baixa todos os sentimentos que naquele instante a possuíam, e toda a sua justa indignação pelo fracasso do repasto fúnebre, indignação que se transformava logo a seguir num riso alegre e irreprimível, à vista dos comensais ali reunidos, sobretudo à vista da senhoria.

  – A culpada de tudo é aquela. Não sei se percebe a quem me refiro: é a ela, a ela! – e Ekatierina Ivânovna piscou um olho, assinalando a senhoria. – Olhe para ela: está arregalando os olhos, percebe que estamos falando dela; como não pode compreender, abre os olhos! Livra! É mesmo uma coruja! Ah... ah... ah! Hi... hi... hi! Não sei o que ela parece com aquela touca! Hi... hi... hi! Já reparou? O que ela quer é que todos fiquem pensando que ela me protege e me dá uma grande honra em sentar à minha mesa. Como é natural, eu pedi-lhe que convidasse umas certas pessoas, que tivessem sido amigas do falecido, e veja que espécie de gente ela me trouxe: camponeses e mendigos! Olhe para aquele, nem sequer lavou a cara; parece um animalzinho sobre duas patas! E aqueles polaquinhos? Ah... ah... ah...! Hi... hi... hi! Ninguém, nunca nunca ninguém os viu aqui, nunca os vi na minha vida! Ora vamos ver, por que teriam eles vindo, é capaz de me dizer? Estão sentados em fila, muito cerimoniosamente. – *Pan*[42] escute – exclamou de repente, dirigindo-se a um deles – já comeu filhós? Coma mais! Cerveja, beba cerveja! Não quer vodca? Ora repare: levantou e cumprimenta; pareciam mortos de fome, os pobrezinhos! Não fazem outra coisa senão mastigar. Mas, ao menos, não fazem barulho; simplesmente... simplesmente, para dizer a verdade, tenho medo, por causa das colheres de prata da senhoria... "Amália Ivânovna – disse, de repente, encarando-a e quase em voz alta – se por casualidade lhe roubarem as colheres, fique sabendo que eu não me responsabilizo por elas, já a previno." Ha... ha... ha! – riu, dirigindo-se outra vez a Raskólhnikov, piscando outra vez o olho para indicar a senhoria e muito contente da sua esperteza. – Não deu por nada. Continua sentada,

---

42 Senhor, em polonês.

de boca aberta; olhe, parece um mocho, um autêntico mocho, com a sua touca de fitas novas... Ha... ha... ha!

Mas, de repente, aquele riso transformou-se numa tosse irreprimível que durou cinco minutos. Apareceu-lhe um pouco de sangue no lenço e corriam-lhe grossas gotas de suor pela testa. Em silêncio, mostrou o sangue a Raskólhnikov e, respirando com dificuldade, tornou a falar-lhe ao ouvido, extraordinariamente agitada e com rosetas vermelhas nas faces:

— Ora veja: eu lhe confiei a missão, bem delicada, de convidar essa senhora e a filha... percebe a quem me refiro? Para isso era preciso empregar maneiras muito corretas, proceder com a maior habilidade; mas ela se portou de tal maneira que a burra dessa forasteira, essa velha carga de ossos, essa insignificante provinciana, que não passa de viúva dum major e veio aqui tratar duma pensão e varrer as antecâmaras com a cauda do vestido, e que com cinquenta e cinco anos ainda pinta o cabelo, se empoa e põe carmim (toda gente sabe)... essa velha, como lhe disse, não só não se dignou vir, como nem sequer me mandou pedir desculpa, uma vez que não podia vir, como manda a mais elementar cortesia para estes casos. Também não consigo compreender como é que Piotr Pietróvitch não veio. Mas onde está Sonha? Ah, foi lá dentro. Olhe, aqui está, finalmente. Que foi isso, Sonha? Onde é que foste? É estranho que também tu tenhas sido tão pouco pontual ao enterro de teu pai. Rodion Românovitch, ela fica ao seu lado. Aqui tens o teu lugar, Sonha. Serve-te do que quiseres. Come peixe, é o melhor. As filhós já vêm... E aos meninos, deram filhós? Pólietchka, tens aí de tudo? Hi... hi... hi! Bem, bem. Vê se tens juizinho, Liena, e tu, Kólia, não mexas assim os pés; senta-te como um menino bem educado. Que dizes, Sônietchka?

Sonha apressou-se a transmitir-lhe as desculpas de Piotr Pietróvitch, esforçando-se por falar alto, para que todos pudessem ouvir, e, escolhendo as palavras, as mesmas que empregara Piotr Pietróvitch e que ela acentuava ainda mais. Acrescentou que Piotr Pietróvitch a encarregara especialmente de dizer que logo que lhe fosse possível viria ali para tratar de certos "assuntos" a sós e ver o que se poderia tentar fazer dali para diante, etc., etc...

Sonha sabia que aquilo aplacaria o mau humor e tranquilizaria Ekatierina Ivânovna, que a lisonjearia e, o que era mais importante, satisfaria o seu orgulho. Estava sentada junto de Raskólhnikov, ao qual fizera um leve cumprimento e lançara um olhar breve e curioso. Mas, durante todo o resto do tempo evitou olhá-lo e falar-lhe. Estava também com um ar pensativo, embora olhasse de frente Ekatierina Ivânovna, para lhe agradar. Nem ela nem Ekatierina Ivânovna estavam de luto, por não terem a roupa necessária; mas Sonha trazia um vestido cinzento-escuro, e Ekatierina Ivânovna o único que tinha, de indiana, escuro e com rigor. A notícia de Piotr Pietróvitch correu célere. Depois de ter escutado gravemente Sonha, Ekatierina Ivânovna perguntou-lhe com a mesma gravidade: "Como está de saúde Piotr Pietróvitch?". Depois, devagar e quase em voz alta, "sussurrou" a Raskólhnikov que, de fato, teria parecido estranho num cavalheiro tão respeitável e digno, como Piotr Pietróvitch, pôr-se ao lado daquela gente tão estranha, apesar de todas as ligações com a sua família e da velha amizade com seu pai.

— Já pode ver como eu lhe agradeço, a você muito especialmente, Rodion

Românovitch, por não ter recusado a minha hospitalidade[43], apesar do ambiente – acrescentou, quase em voz alta – embora, afinal, eu tenha a certeza de que foi apenas a sua especial amizade pelo meu falecido marido que o levou a cumprir a sua palavra.

Depois tornou outra vez a correr os olhos, com altivez e dignidade, pelos convivas e, de repente, perguntou num tom especialmente preocupado e em voz forte, ao velhote surdo: "Não quer mais carne assada? Deram-lhe vinho do Porto?". O velhote não respondeu e demorou muito a compreender aquilo que lhe perguntavam, até que os seus companheiros de mesa lhe explicaram, para se divertirem. Deixou-se ficar olhando, com a boca muito aberta, o que aumentou ainda a hilaridade geral.

– Mas que figura! Repare, repare! Mas por que o teriam trazido? Quanto a Piotr Pietróvitch, nunca duvidei – continuou a dizer-lhe Ekatierina Ivânovna – e é claro que, não se parece... – e falando assim, com uma voz rude e forte, e com uma cara muito severa, encarou Amália Ivânovna de tal maneira que esta ficou assustada – que não se parece com essas tipas emproadas, de rabona, que em casa de papai nem como cozinheiras seriam aceitas, e às quais o meu falecido marido fez uma honra em receber, e isso apenas devido à sua grande bondade.

– Sim, gostava de beber, era um apaixonado pela bebida – exclamou, de repente, o oficial reformado, esvaziando o seu duodécimo copo de vodca.

– O meu falecido marido, de fato, tinha esse fraco, toda gente sabe – respondeu, de repente, Ekatierina Ivânovna. – Mas era uma pessoa boa e séria, que gostava da família e a respeitava. O mal estava em que, na sua bondade, confiava demasiado em indivíduos reles e sabe Deus os companheiros que arranjava para a bebida, alguns dos quais não valiam nem a ponta do seu dedo mínimo. Calcule, Rodion Românovitch, que lhe encontramos no bolso um pequeno galo de pão de especiarias; andava meio morto, na sua bebedeira, mas lembrava-se dos filhos.

– Um galo? Disse um ga...lo? – exclamou o oficialzinho. Ekatierina Ivânovna não se dignou responder. Por qualquer motivo ficou pensativa e suspirou.

– O senhor há de pensar com certeza, como toda gente, que eu era demasiado severa com ele – continuou, dirigindo-se a Raskólnikov. – Mas olhe que não era. Ele me estimava muito, estimava-me muito. Era uma boa alma! E que pena eu tinha algumas vezes! Sentava-me num canto e começava a olhar para mim, e eu tinha muita pena dele e vontade de acarinhá-lo, mas depois pensava para comigo: "Dá-lhe carinhos que ele torna logo a embebedar-se". Só com a severidade se podia conseguir qualquer coisa dele.

– Sim, às vezes acontecia que eu o puxasse pelos cabelos, isso acontecia – tornou a dizer a mesma pessoa de há pouco, enchendo outro copo de vodca.

– Para alguns brutamontes não só seria conveniente puxar-lhes os cabelos como também sová-los com o pau de vassoura. Fique sabendo que não estou a referir-me ao falecido! – disse Ekatierina Ivânovna.

As rosetas vermelhas das suas faces tornavam-se cada vez mais vivas; o peito arquejava-lhe. Um minuto mais e estaria pronta a armar um escândalo. Muitos puseram-se a rir, outros deram mostras de se divertirem com aquilo. Começaram

---

43 Literalmente: o meu pão e o meu sal.

a atiçar o oficial reformado e a sussurrar-lhe qualquer coisa ao ouvido. Parecia que queriam excitá-lo.

– Será que eu poderia perguntar a quem se refere... – começou o ex-oficial – isto é, a que propósito... não me diz? Embora, no fim de contas, não seja preciso. Isso é um absurdo! Como se trata de uma viúva, de uma pobre viúva! Desculpo-lhe... Vá lá! – e tornou a encher o copo de vodca.

Raskólhnikov continuava sentado e escutava em silêncio e com repugnância. Por delicadeza fingia comer as iguarias que a cada momento Ekatierina Ivânovna lhe punha no prato, e apenas para não a desgostar. Olhava para Sonha com muita atenção. Mas Sonha estava muito inquieta e preocupada: tinha o pressentimento de que o festim fúnebre não iria acabar bem e seguia com receio o crescente nervosismo de Ekatierina Ivânovna. Sabia que, entre outros motivos, o principal, que levara as tais duas senhoras de fora a recusarem tão depreciativamente o convite de Ekatierina Ivânovna, fora ela, Sonha. Ouvira dizer à própria Amália Ivânovna que a mãe até se ofendera com o convite e que fizera esta pergunta: "Como seria possível sentar ela a sua filha ao lado 'daquela moça'?". Sonha pressentia que Ekatierina Ivânovna devia estar mais ou menos a par daquilo, e a ofensa que lhe tinham feito a ela, Sonha, significava para Ekatierina Ivânovna mais do que se a tivessem ofendido a ela pessoalmente, aos seus filhos, ou ao marido; enfim, aquilo era uma ofensa terrível e Sonha sabia bem que Ekatierina Ivânovna já não ficaria sossegada enquanto não tivesse demonstrado àquelas duas fedúncias que elas eram... etc., etc. Houve alguém que, do outro extremo da mesa, enviou a Sonha um prato no qual pusera dois corações de pão negro atravessados por uma flecha. Ekatierina Ivânovna ficou vermelha e declarou imediatamente em voz forte que aquele que fizera aquilo era com certeza um bêbado estúpido. Amália Ivânovna, que também pressentia qualquer coisa de desagradável, e ao mesmo tempo estava ofendida até ao mais profundo da sua alma pela altivez de Ekatierina Ivânovna, pôs-se a contar, de repente, sem vir nada a propósito, com o pretexto de distrair a aborrecida disposição de espírito dos convivas e de fazer, também, vista perante eles, que um certo amigo seu, Karl, o moço da farmácia, tomara certa noite uma carruagem e que "o cocheiro quisera matá-lo, que Karl pedira muito, muito, que não o matasse, e que se pusera a chorar, e se assustara, e o coração lhe rebentara de medo". Ekatierina Ivânovna ainda riu; mas logo a seguir fez notar a Amália Ivânovna que ela não tinha jeito para contar anedotas em russo. Ela ficou ainda mais ofendida e respondeu-lhe que o seu *Vater aus Berlin*[44] era uma personagem de muita, mesmo muita importância, e que andava sempre de mãos metidas nos bolsos... A trocista de Ekatierina Ivânovna não pode conter-se e desatou numa tremenda gargalhada, a tal ponto que Amália Ivânovna acabou por perder a paciência e só com muito custo conseguiu reprimir-se.

– Olhe para aquela coruja! – tornou a murmurar Ekatierina Ivânovna ao ouvido de Raskólhnikov, quase com alegria. – O que ela queria dizer era que o pai trazia as mãos metidas nos bolsos dos outros... Hi... hi... hi! Não sei se já reparou bem, Rodion Românovitch, que todos esses estrangeiros que há aqui, em Petersburgo, principalmente os alemães, que vieram sabe Deus de onde, são todos mais grosseiros do que nós? Por que há de concordar comigo que não é possível uma pessoa pôr-se

---

[44] Pai de Berlim (em alemão).

a contar isso de que a "Karl, o moço da farmácia, lhe rebentou de susto o coração", e que ele (monstrengão!), em vez de bater no cocheiro, "juntou as mãos, pôs-se a chorar e pediu-lhe muito"... Ah, que besta! E ainda se julga muito engraçada, sem perceber que é uma tola! Acho que esse oficialzinho reformado é mais inteligente do que ela; pelo menos vê-se bem que é um vadio que afogou toda a inteligência no copo, ao passo que esses... Olhe para eles, como estão ali pespegados, tão sérios... Olhe para os olhos que ela abre! Está arreliada! Está arreliada! Ah... ha... ha! Hi... hi... hi!

Já de bom humor, Ekatierina Ivânovna pôs-se a enumerar um nunca acabar de pormenores e, de repente, começou a dizer que assim que recebesse aquela pensão que andavam a arranjar-lhe, fundaria, por certo, na cidade onde nascera, T***, um internato para meninas nobres. Disto ainda Ekatierina Ivânovna não falara a Raskólhnikov, e pôs-se a descrever-lhe imediatamente o seu plano, com os pormenores mais sedutores. O certo é que, sem se saber como, apareceu de súbito nas suas mãos aquele diploma, do qual o falecido Marmieládov já falara a Raskólhnikov, na taberna, ao explicar-lhe que Ekatierina Ivânovna, sua mulher, quando saíra do Instituto dançara com um xale "em presença do governador e de outras personalidades". Esse diploma devia agora, pelo visto, servir de justificação para o direito que tinha Ekatierina Ivânovna de fundar o referido colégio; mas, no fundo, a sua finalidade era outra: a de reduzir definitivamente ao silêncio aquelas duas fedúncias, se, por acaso, tivessem vindo ao jantar, demonstrando-lhes com toda a clareza que Ekatierina Ivânovna era originária duma casa muito digna, podia mesmo dizer-se aristocrática; era filha dum coronel e, portanto, valia mais do que muitas aventureiras que abundavam tanto havia já algum tempo. O diploma andou em seguida pelas mãos dos convivas embriagados, ao que Ekatierina Ivânovna não se opôs, pois, de fato, nele estava escrito, com todas as letras, que ela era filha dum conselheiro da Corte, dum cavalheiro, o que equivalia quase a ser filha dum coronel. Entusiasmada, Ekatierina Ivânovna começou em seguida a expor todas as circunstâncias da sua futura e plácida existência em T***, dos professores do Liceu, que convidaria para dar lições no seu internato; de um respeitável ancião, o francês Mangot, que ensinara a sua língua à própria Ekatierina Ivânovna no Instituto, e que vivia ainda em T*** e, que, com certeza, ela poderia contratar por módica quantia. Chegou a vez de falar de Sonha, "que havia de mudar-se para T***, juntamente com Ekatierina Ivânovna, e que a ajudaria ali em tudo". Mas, neste momento houve alguém que deixou escapar um risinho contido, no outro extremo da mesa. Embora se esforçasse por fingir não ter notado aquele risinho sufocado na outra ponta da mesa, Ekatierina Ivânovna apressou-se a elevar a voz, pôs-se a falar comovidamente das indubitáveis aptidões de Sônia Siemiônovna para servir-lhe de auxiliar, "da sua suavidade, da sua paciência, abnegação, bondade e cultura", e, enquanto dizia isto deu umas palmadinhas nas faces de Sonha e, levantando-se, abraçou-a por duas vezes. Sonha corou e Ekatierina Ivânovna começou de repente a chorar, afirmando que era "uma tola fraca de nervos, que estava muito cansada e já era tempo de acabar com aquele jantar e, visto que a comida já se acabara, trariam a seguir o chá." Nesse mesmo instante, Amália Ivânovna, profundamente ressentida por não ter podido falar, e também por antes não a terem escutado, lançou-se de repente numa última tentativa e, com uma certa angústia interior, permitiu-se comunicar a Ekatierina Ivânovna uma observação muito prática e sensata: que no seu futuro pensionato deveria conceder uma atenção especial ao asseio da roupa branca das meninas, e que "haviam de precisar, infalivelmente, duma senhora séria para tratamento da roupa branca", e também "a fim de vigiar as moças, para que elas não lessem romances à noite". Ekatierina Ivânovna, que, de fato estava cansada, nervosa, e farta do jantar de enterro, "fechou logo a boca" a Amália Ivânovna, dizendo-lhe que "só lhe ocorriam disparates" e que não entendia nada do que ela queria dizer; que isso da roupa branca era da competência da despenseira e não da diretora do internato e, quanto à leitura de romances, tratava-se simplesmente duma inconveniência e pedia-lhe que se calasse". Amália Ivânovna corou de cólera e fez-lhe notar que ela "apenas velava pelo seu bem e que lhe desejava as maiores felicidades" e que "havia já algum tempo que ela não lhe dava o *Geld*[45] que lhe devia pelo quarto". Ekatierina Ivânovna caiu-lhe imediatamente em cima, dizendo-lhe que ela mentia ao afirmar que "velava pelo seu bem", visto que, para não ir mais longe, na noite anterior, quando o defunto estava ainda sobre a mesa, a tinha vindo afligir por causa do quarto. Amália Ivânovna respondeu muito oportunamente dizendo que ela "convidara aquelas senhoras, mas que elas não foram porque eram senhoras de boa família e não podiam conviver com quem não era". Ekatierina Ivânovna sublinhou em seguida que ela era uma qualquer e não podia avaliar o que era a verdadeira distinção. Amália Ivânovna não pode suportar isso e declarou imediatamente que o seu *Vater aus Berlin* era uma pessoa muito importante e andava com as mãos nos bolsos, dizendo sempre puf! puf! e, para dar ainda uma ideia melhor do que era o seu pai, Amália Ivânovna saltou da cadeira, meteu as duas mãos nos bolsos, encheu as bochechas de ar e começou a fazer uns vagos ruídos com a boca, semelhantes a puf! puf!, por entre as gargalhadas gerais de todos os hóspedes, que excitavam intencionalmente Amália Ivânovna com o seu aplauso, calculando que daí a pouco estariam puxando pelos cabelos uma da outra. Mas Ekatierina Ivânovna não se pode conter e declarou imediatamente, de maneira que todos ouvissem, que Amália Ivânovna nunca tivera pai, e que era simplesmente Amália Ivânovna, uma finlandesa de Petersburgo, uma bêbada, que, antes, devia ter sido cozinheira em algum lugar, se é que não fora qualquer coisa de pior. Amália Ivânovna ficou vermelha como um tomate e levantou a voz dizendo que aquilo talvez se pudesse aplicar a ela, Ekatierina Ivânovna, porque "com certeza não tivera *Vater*, ao passo que ela tivera um *Vater aus Berlin*, que usava uns sobretudos muito compridos e que estava sempre fazendo puf! puf! puf!". Ekatierina Ivânovna fez notar, num ar de desprezo, que a sua origem era bem conhecida de todos, e que naquele diploma que acabavam de ver constava, em letra de forma, que o pai era coronel, ao passo que o pai de Amália Ivânovna (supondo que tivesse tido pai) devia ter sido com certeza algum finlandês de Petersburgo, algum leiteiro, embora o mais certo de tudo era que não o tivesse tido, pois ainda não se sabia como se chamava Amália Ivânovna por parte do pai, se era Ivânovna ou Liúdvigovna. Quando ouviu isto, Amália Ivânovna, já fora de si, deu um soco sobre a mesa e começou a gritar que o seu *Vater* "se chamava Ivan e que era burgomestre", ao passo que o *Vater* de Ekatierina Ivânovna "nunca fora burgomestre na sua vida". Ekatierina Ivânovna levantou do seu lugar e, com uma voz severa e aparentemente tranquila (embora estivesse pálida e lhe arfasse o peito), respondeu-lhe que se ela se

---

45 Dinheiro (em alemão).

atrevesse "a pôr outra vez no mesmo nível o porco do seu *Vater* e o seu pai, ela, Ekatierina Ivânovna, ia então tirar a touca da cabeça dela e pisava-a a seus pés". Quando ouviu aquilo, Amália Ivânovna começou a correr pelo quarto, gritando com todas as forças que ela era a senhoria e que Ekatierina Ivânovna "tinha que abandonar o quarto naquele mesmo instante"; depois pôs-se a tirar as colheres de prata da mesa. Armou-se um grande burburinho e uma grande algazarra: as crianças puseram-se a chorar; Sonha correu a amparar Ekatierina Ivânovna; mas quando Amália Ivânovna fez uma alusão a respeito do boletim amarelo[46], Ekatierina Ivânovna afastou Sonha bruscamente e atirou-se a Amália Ivânovna para cumprir imediatamente a sua ameaça de arrancar-lhe a touca. Nesse momento a porta abriu-se e à entrada apareceu inesperadamente Piotr Pietróvitch Lújin. Ficou ali parado e percorreu com um olhar severo e perscrutador toda a assistência. Ekatierina Ivânovna foi ao encontro dele.

Capítulo III

— Piotr Pietróvitch! – gritou. – Defenda-me o senhor, ao menos! Faça ver a essa estúpida criatura que não tem o direito de tratar desta maneira uma senhora de boa família que se encontra na desgraça; lá estão os juízes... Eu, ao general governador... Há de prestar contas... Lembre-se da hospitalidade de meu pai, defenda uma órfã!

— Com licença, minha senhora! Com licença, minha senhora! – balbuciou Piotr Pietróvitch. – Como sabe, não tive o prazer de conhecer o seu pai... Com licença, minha senhora! – alguém se pôs a rir em voz alta. – E não faço tenção de tomar parte nas suas contínuas discussões com Amália Ivânovna... Eu vim para tratar de um assunto preciso... e quero ter imediatamente uma explicação com sua enteada, Sófia... Ivânovna... acho que é este o seu nome, não é? Faça o favor de me deixar passar...

E Piotr Pietróvitch, passando por detrás de Ekatierina Ivânovna, dirigiu-se para o canto oposto, onde estava Sonha.

Ekatierina Ivânovna ficou no mesmo lugar em que estava, como se tivesse sido atingida por um raio. Não podia compreender como é que Piotr Pietróvitch negava a hospitalidade do seu *papacha*. Depois de ter inventado isso da hospitalidade, ela própria acabara por acreditar. Ficou também impressionada com o tom decidido, seco e até com uma ponta de desdém e ameaça, de Piotr Pietróvitch. E, além do mais, quando ele apareceu, todos se tinham calado a pouco e pouco. Aliás, aquele homem decidido e sério estava em franca desarmonia com o resto dos presentes, além de que era evidente que ele fora ali por causa de alguma coisa importante, que algum motivo extraordinário o levara a misturar-se com semelhante gente, e que, de um momento para o outro, havia de suceder, de acontecer alguma coisa. Raskólhnikov, que estava de pé ao lado de Sonha, afastou-se para um lado para o deixar passar; aparentemente, Piotr Pietróvitch nem sequer reparou nele. Passado um minuto surgiu também à porta Liebiesiátnikov; não chegou a entrar; mas parou também ali com curiosidade especial, quase espantado e, segundo parece, ficou durante muito tempo sem perceber nada do que se passava.

---

46 Boletim de matrícula das prostitutas.

— Desculpem, se venho talvez interrompê-los; mas é que se trata de um assunto bastante importante – observou Piotr Pietróvitch, sem se dirigir especialmente a qualquer pessoa – e fico até contente porque seja tratado em público. Amália Ivânovna, peço-lhe encarecidamente que, como senhoria do quarto, preste especial atenção à conversa que vou ter imediatamente com Sófia Ivânovna. Sófia Ivânovna – continuou, dirigindo-se a Sonha, que estava assombrada e assustadíssima – de cima da mesa do quarto do meu amigo, Andriéi Siemiônovitch Liebiesiátnikov, imediatamente depois da sua visita desapareceu uma nota de cem rublos que me pertencia. Se for capaz de me dizer, seja lá como for, onde é que essa nota se encontra neste momento, dou-lhe a minha palavra de honra, e tomo todos por testemunhas, de que daremos o assunto por terminado. De outro modo vejo-me na contingência de tomar medidas muitíssimo sérias, e então... ponha a culpa sobre si própria!

Reinava o maior silêncio no quarto. Até as crianças, que estavam chorando, se acalmaram. Sonha empalideceu mortalmente, olhava para Lújin e não sabia que responder. Parecia que também não conseguia compreender. Decorreram alguns segundos.

— Bem, vamos ver, que me diz? – perguntou Lújin olhando-a de alto a baixo.

— Eu não sei... Eu não sei nada... – declarou Sonha, finalmente, com uma voz fraca...

— Não? Não sabe nada? – respondeu Lújin e ficou ainda calado por uns segundos. – Pense bem, *mademoiselle* – começou severamente, mas como se advertisse – veja se se lembra; é de boa vontade que lhe concedo ainda algum tempo para que reconsidere. Faça favor de reparar nisto; se eu não tivesse a certeza, então, é claro, dado a minha experiência, não me teria arriscado a acusá-la diretamente, pois que de uma acusação deste gênero, direta e terminante, mas que fosse falsa ou simplesmente errônea, eu teria, de certa maneira, que ficar responsável. Não ignoro. Esta manhã negociei, para atender às minhas necessidades, alguns títulos de cinco por cento, por um valor nominal de três mil rublos. Tenho a conta anotada num livrinho. Quando voltei a casa, e Andriéi Siemiônovitch é testemunha disso, tratei de contar o dinheiro e, pondo de parte dois mil e trezentos rublos, guardei-os numa carteira, que pus no bolso de lado do meu sobretudo. Em cima da mesa ficaram cerca de quinhentos rublos em notas, e, entre elas, três de cem rublos. Nesse momento chegou a menina (fui eu que a mandei chamar), e, durante todo o tempo que ali esteve, mostrou-se muito agitada; tanto que, durante metade da conversa, por três vezes levantou para ir embora, não sei por que, apesar da conversa ainda não ter acabado. Andriéi Siemiônovitch é testemunha de tudo quanto eu digo. Com certeza que a *mademoiselle* também não se negará a confirmar e corroborar que eu a chamei por intermédio de Andriéi Siemiônovitch, única e exclusivamente para lhe falar da orfandade e da desamparada situação de sua madrasta, Ekatierina Ivânovna (a cujo jantar não pude assistir), e de como seria conveniente abrir uma subscrição a seu favor e organizar uma loteria ou qualquer coisa no gênero. A senhora agradeceu-me e até chorou (eu conto tudo, tal como se passou; em primeiro lugar, para ajudá-la a lembrar-se e, além disso, para demonstrar-lhe que, na minha memória, não se apagou nem o mais pequeno pormenor). Depois tirei da mesa uma nota de dez rublos e a entreguei para contribuir pessoalmente para a subscrição a favor da sua madrasta, e a título de primeiro socorro. Tudo isto foi presenciado por Andriéi Siemiônovitch. Depois acompanhei-a até à porta; a menina continuava muito agitada, como antes, e depois disso, quando fiquei só com Andriéi Siemiônovitch, conversando uns dez minutos... ele saiu e, então, dirigi-me outra vez para a mesa e para o dinheiro que lá ficara, com a intenção de contá-lo e de pôr depois uma quantia de parte, como já decidira. Com grande espanto verifiquei que, das notas de cem rublos, faltava uma. Faça favor de ver: suspeitar de Andriéi Siemiônovitch, seria impossível; só de pensá-lo me envergonho. Que me tenha enganado na conta também não é possível, porque um minuto antes de a menina ter entrado, já eu acabara a contagem e verificara que o total estava exato. Há de concordar que, ao recordar a sua perturbação, a sua pressa de ir embora, e que durante algum tempo teve as mãos em cima da mesa e, por último, levando em conta a sua situação, de modo geral, e os costumes a ela inerentes, eu me vi obrigado, por assim dizer, com horror e até contra minha vontade, a conceber uma suspeita... cruel, sem dúvida, mas... justa! Acrescento e repito que, apesar de toda a minha aparente segurança, compreendo que, no entanto, há nesta minha acusação um certo risco para mim. Mas, como vê, eu não hesitei um minuto: revoltei-me e vou dizer-lhe por que: unicamente, minha senhora, unicamente por causa da sua ingratidão! Como não? Então eu a chamo por causa da sua pobre madrasta, dou-lhe eu mesmo um auxílio de dez rublos, e a senhora, a senhora, imediatamente, vai e paga-me com semelhante procedimento! Não, isso não está certo! Repare bem: apesar de tudo, como um amigo sincero (porque melhor amigo do que eu não pode a senhora ter neste momento), peço-lhe que reconsidere! Senão, serei inexorável! Portanto, vamos ver: que responde?

– Eu não tirei nada do seu quarto – balbuciou Sonha, horrorizada. – O senhor deu-me dez rublos, aqui os tem, fique com eles. – Sonha tirou um lenço do bolso, procurou o nó que lhe tinha dado, desatou-o, tirou a nota de dez rublos e estendeu a mão para Lújin.

– De maneira que não reconhece o caso dos outros cem rublos? – perguntou ele em tom recriminativo e insistente, sem aceitar a nota.

Sonha olhou à volta. Todos a fitavam com caras terríveis, severas, sarcásticas. Lançou um olhar a Raskólhnikov... que estava de pé, junto da parede, de braços cruzados e a contemplava com olhos de fogo.

– Oh, meu Deus! – deixou escapar Sonha.

– Amália Ivânovna, é preciso chamar a Polícia, e, entretanto, peço-lhe encarecidamente que vá chamar o porteiro – disse Lújin em voz baixa e até afetuosa.

– *Gott der barmherzige*[47]! Eu já sabia que ela era uma ladra! – exclamou Amália Ivânovna esfregando as mãos.

– Já sabia? – sublinhou Lújin. – Com certeza deve ter tido algum motivo para pensar assim, antes disto. Pois então lhe peço, respeitável Amália Ivânovna, que não se esqueça das palavras que acaba de pronunciar diante de testemunhas.

De todos os lados se ergueu uma forte vozeria. Todos se agitavam.

– O quê? – gritou Ekatierina Ivânovna, caindo em si, de repente, como se lhe tivessem carregado numa mola, e atirando-se a Lújin. – O quê? Com que então a acusa de roubo? A Sonha? Ah, malvados, malvados! – e, dirigindo-se a Sonha, apertou-a nos seus braços descarnados, como num torno.

---

47 Deus misericordioso! (em alemão).

– Sonha! Como te atreveste a aceitar-lhe esses dez rublos! Oh, minha tonta! Devolve-os já! Dá-lhe agora mesmo, esses dez rublos! Tome lá!

E, tirando a nota a Sonha, Ekatierina Ivânovna, depois de amarrotá-la entre as mãos, atirou-a à cara de Lújin. A bolinha acertou-lhe num olho e foi depois rebolando pelo chão. Amália Ivânovna agachou-se para recolher o dinheiro. Piotr Pietróvitch ficou furioso.

– Segurem essa doida! – gritou.

Nesse momento, ao lado de Liebiesiátnikov apareceram algumas pessoas, entre elas as duas senhoras de fora.

– O que, que vem a ser isso de doida? Com que então eu estou doida? Idiota! – gritou Ekatierina Ivânovna. – Tu é quem és um idiota, um advogado sem causas, um malvado! Sonha, Sonha seria incapaz de lhe tirar o dinheiro! Sonha, uma ladra! Se ela ainda tem que te dê a ti, imbecil! – e Ekatierina Ivânovna desatou num riso histérico. – Já se viu maior idiota do que isto? – disse, encarando todos e apontando Lújin. – O quê? Também tu? – disse, ao ver a senhoria, de repente – também tu, ignorante, afirmas que ela é uma ladra, reles prussiana, que pareces uma galinha choca com crinolina! Ai de ti! Ai de ti! Se ela não saiu do quarto e, assim que veio de lá de dentro, sentou logo ao lado de Rodion Românovitch! Reviste-a! Uma vez que ela não foi a parte nenhuma, ainda deve ter o dinheiro com ela! Procura, procura, procura! Se não encontrares nada, *golubtchik*, então, hás de pagá-las! Ao soberano, ao soberano, será ao próprio czar que eu recorrerei, porque é misericordioso, e vou me jogar a seus pés, agora mesmo, hoje mesmo! Eu... uma órfã! Hão de deixar-me entrar! Julgas que não me deixarão passar? Pois estás enganada, que hei de entrar! Hei de entrar! Contavas com a timidez dela? Era nisso que punhas as tuas ilusões? Pois, eu, em troca, meu caro, sou ousada! Tens que te haver comigo! Vamos, procura, procura, procura!

E Ekatierina Ivânovna, enfurecida, sacudia freneticamente a Lújin e arrastava-o para junto de Sonha.

– Eu estou disposto a isso, eu responderei... mas, veja se se acalma, veja se se acalma! Eu vejo muito bem que a senhora é ousada! É... é... isso – balbuciou Lújin – é com a Polícia... Embora, no fim de contas, haja bastantes testemunhas... E eu estou disposto a isso... Mas, em todo caso, para um homem é difícil... por uma questão de sexo... Só com a ajuda de Amália Ivânovna ... Embora, aliás, não é assim que se fazem as coisas... Que hei de eu fazer?

– Escolha quem quiser! Quem quiser que a reviste! – gritou Ekatierina Ivânovna. – Sonha, mostra-lhe o forro dos bolsos. Isso mesmo! Olha, monstrengo, está vazio, era aqui que estava o lenço, o bolso está vazio! Estás vendo? Agora o outro bolso: aqui está, aqui está! Vês, vês?

E Ekatierina Ivânovna não ficou satisfeita enquanto não virou do avesso os dois bolsos. Mas, do segundo, o da direita, voou de repente um papelzinho que, descrevendo no ar uma parábola, foi cair aos pés de Lújin. Todos o viram; muitos soltaram uma exclamação. Piotr Pietróvitch agachou-se, apanhou do chão o papelzinho, com os dedos, ergueu-o à vista de todos e desdobrou-o. Era a nota de cem rublos, dobrada em oito partes. Piotr Pietróvitch passeou a mão à volta, para que todos vissem a nota.

– Grande ladra! Fora desta casa! A Polícia, a Polícia! – gritou Amália Ivânovna.

– Deviam ser mandadas para a Sibéria! Fora!

De todos os lados se ergueram exclamações. Raskólhnikov estava calado, sem tirar os olhos de Sonha e lançando de quando em quando rápidos olhares a Lújin. Sonha continuava no mesmo lugar, alheada. Quase nem dava mostras de espanto. De súbito, todo o seu rosto se ruborizou; deu um grito e cobriu a cara com as mãos.

– Não, eu não sou isso! Eu não roubei! Eu não sei nada! – exclamou com uma voz entrecortada pelos soluços e lançou-se nos braços de Ekatierina Ivânovna. Esta recebeu-a e estreitou-a com força, como se quisesse defendê-la de todos contra o seu peito.

– Sonha! Sonha! Eu não acredito! Olha, eu não acredito! – gritava ainda Ekatierina Ivânovna, embalando-a nos braços como se ela fosse uma criancinha, dando-lhe muitos beijos, acariciando-a e beijando-lhe também as mãos, como se as sorvesse. – Diz que tu o tiraste! Mas que gente tão estúpida! Oh, meu Deus! São todos uns imbecis, uns tolos! – gritava, encarando todos. – Não sabem que coração ela tem, que mulher ela é! Ela não tirava nada, ela... Pois se ela é capaz de se desfazer do seu último vestido, vendê-lo e andar descalça para dar tudo a vocês, se precisarem! Ela é assim! E se tem o boletim amarelo foi porque os meus filhos morriam de fome! Foi por nós que ela se vendeu! Ah, homem que já estás morto, homem que já estás morto! Ah, homem que já estás morto, homem que já estás morto! Estás vendo? Estás vendo? Olha o jantar fúnebre que tiveste! *Góspod*[48]! Mas defendam-na! Que fazem aí todos parados? Rodion Românovitch! Por que não a defende? Também acredita nisto? Todos juntos, todos, todos, todos, não valem nem o seu dedo mínimo! *Góspod*! Mas defendam-na...

O choro da pobre Ekatierina Ivânovna, tísica, desprotegida, pareceu produzir finalmente uma grande impressão sobre os presentes. Havia tanto sofrimento, tanta dor naquela cara contraída pelo sofrimento, vincada pela tuberculose; naqueles lábios descorados, salpicados de sangue; naquela voz estertórica, naquele pranto entrecortado de soluços, parecido com o choro duma criança; naquela imploração ingênua, infantil, e, ao mesmo tempo, desolada, de defesa, que todos pareceram condoer-se da infeliz. Piotr Pietróvitch compadeceu-se também a seguir.

– Senhora! Senhora! – exclamou com ênfase. – Não é nada contra a senhora! Ninguém se atreveu a culpá-la, nem de má intenção nem sequer de conivência, tanto mais que foi a senhora mesma quem pôs a coisa a claro, ao esvaziar-lhe os bolsos; com certeza que a senhora não supunha nada! Eu estou disposto a ter piedade pela senhora, por assim dizer, pois foi a miséria o motivo que impulsionou Sófia Ivânovna. Mas por que não quis a menina confessar logo? Tinha medo da vergonha? Mas foi este o seu primeiro passo nesse caminho? Naturalmente não estava boa da cabeça! Compreende-se. Mas, no entanto, por que se deixou chegar a esta situação? Meu Deus! – encarou todos os presentes. – Meu Deus! Como tenho pena e estou, por assim dizer, condoído, sinto-me, no entanto, disposto a perdoar, apesar da ofensa que recebi. Mas olhe, menina, que esta vergonha lhe sirva de lição daqui para diante – disse, dirigindo-se a Sonha – e eu considero o assunto terminado e não o levarei para a frente. Já chega.

Piotr Pietróvitch lançou, de soslaio, um olhar a Raskólhnikov. Os seus olhares

---

48 Senhor! Meu Deus! (em russo).

encontraram-se. O olhar esbraseado de Raskólhnikov parecia querer pulverizá-lo. Enquanto tudo isto se passava, Ekatierina Ivânovna dava mostras de não conseguir entender nada; estava abraçada a Sonha e beijava-a loucamente. As crianças tinham-se também agarrado a Sonha por todo lado, com as suas mãozinhas, e Pólietchka – embora não compreendesse claramente o que se passava – tinha-se posto a chorar, com todo o corpo sacudido pelos soluços e escondendo a sua linda carinha, intumescida pelo choro, sobre um ombro de Sonha.

– Que maldade! – gritou, de repente, uma voz forte, à porta.

Piotr Pietróvitch voltou-se rapidamente para olhar.

– Que baixeza! – repetiu Liebiesiátnikov, olhando-o nos olhos.

Piotr Pietróvitch deu um pulo. O que não passou despercebido a nenhum dos presentes. Lembraram-se disso, depois. Liebiesiátnikov entrou no aposento.

– Como se atreve a tomar-me como testemunha – disse, aproximando-se de Piotr Pietróvitch.

– Que quer dizer isso, Andriéi Siemiônovitch? A quem se refere? – resmungou Lújin.

– Quer dizer que o senhor... é um caluniador, aí tem o que significam as minhas palavras! – declarou Liebiesiátnikov com veemência, olhando-o severamente com os olhinhos míopes. Estava terrivelmente zangado. Raskólhnikov parecia beber os seus olhares, como se estivesse ansioso por compreender e pesar cada palavra sua. Piotr Pietróvitch parecia também transtornado, principalmente no primeiro momento.

– Se o senhor, a mim... – começou, balbuciando. – Que lhe importa isso? O senhor perdeu o juízo?

– Não, ainda o tenho todo. O senhor é que é... um canalha. Ah, e que vil! Eu ouvi tudo e esperava de propósito para ver se conseguia compreender, porque, confesso-lhe, até mesmo agora, ainda não vejo a lógica do caso... O que não consigo explicar é... para que é que o senhor fez isso...

– Mas que é que eu fiz? Veja se deixa de falar por enigmas! Parece que bebeu...

– Você, seu velhaco, é que deve ter bebido, e não eu! Eu nunca provo vodca, porque me o proíbem as minhas convicções! Calculem os senhores que foi ele, ele mesmo, quem, por sua própria mão, deu essa nota de cem rublos a Sônia Siemiônovna... Vi-o muito bem, sou testemunha disso, e vou declará-lo diante de todos os juízes. Ele, ele – repetia Liebiesiátnikov, dirigindo-se a todos em geral e a cada um em particular.

– Mas você está maluco, seu pateta! – gritou Lújin. – Mas se ela, aqui mesmo, na sua frente, na sua cara... ela mesma aqui, há um momento, declarou... que, além desses dez rublos, eu não lhe dera nada! Como é que, então, eu os teria dado?

– Eu vi, eu vi! – gritou e afirmou Liebiesiátnikov. – E, ainda que tenha de ir contra as minhas convicções, estou disposto a declará-lo agora mesmo perante o juiz que escolher, porque vi muito bem como o senhor o entregava dissimuladamente! Simplesmente eu, grande tolo, julgava que o senhor procedia assim por bondade! À porta, ao despedir-se dela, quando ela se voltou, o senhor, enquanto lhe apertava uma mão, com a outra, com a esquerda, metia-lhe muito dissimuladamente a nota no bolso. Eu vi! Vi!

Lújin empalideceu.

— Isso é mentira! – exclamou em voz cortante. – Como é possível que você, que estava junto da janela, pudesse distinguir a nota? Você fez confusão... por causa dos seus olhos míopes. Você está delirando!

— Não, eu não fiz confusão! Embora estivesse um pouco afastado, vi tudo, tudo, tudo, e embora seja de fato difícil distinguir uma nota da janela, e nisso o senhor tem razão, eu, neste caso, pude saber muito bem que se tratava, sem dúvida nenhuma, de uma nota de cem rublos, porque quando o senhor deu a outra nota de dez, vi muito bem que tirava de cima da mesa uma nota de cem rublos (nessa ocasião eu estava perto da mesa e depois ocorreu-me uma ideia; de maneira que, por isso, não me esqueci que tinha essa nota na mão). O senhor pegou nela e teve-a apertada na mão durante todo o tempo. Depois esqueci esse pormenor; mas quando levantou, passou-a da mão direita para a esquerda, quase feita numa bolinha; e então voltei a lembrar-me, porque me tornou a ocorrer a ideia anterior, ou seja, que o senhor queria dar-lhe essa quantia sem que eu soubesse. Já pode ver qual não seria a minha curiosidade... e realmente vi muito bem como a metia, à socapa, dentro do bolso. Eu vi, eu vi, e estou disposto a declará-lo.

Liebiesiátnikov estava quase arquejante. De todos os lados começaram a ouvir-se várias exclamações que, na sua maior parte, exprimiam assombro; mas também se ouviam algumas que exprimiam um tom de ameaça. Todos se aglomeraram em redor de Piotr Pietróvitch e Ekatierina Ivânovna correu para Liebiesiátnikov!

— Andriéi Siemiônovitch! Eu estava enganada a seu respeito! Defenda-a! O senhor é a única pessoa que a defende! Ela é uma orfã; foi Deus quem o enviou! Andriéi Siemiônovitch, bom amigo, *bátiuchka*!

E Ekatierina Ivânovna, como se estivesse transtornada, lançou-se de joelhos a seus pés.

— Tolices! – exclamou Lújin, furioso. – Você não diz senão disparates. "Esqueci-me, lembrei-me, tornei-me a esquecer!" Que quer dizer isso? Se calhar quer dizer que eu lhe meti o bilhete no bolso intencionalmente? Com que fim? Com que fim? Que há de comum entre mim e essa...?

— Para quê? É isso, precisamente, o que eu não consigo explicar; mas o que eu acabo de contar é um fato certo, irrefutável! E tenho a tal ponto a certeza de que não estou enganado, seu reles canalha, que me lembro muito bem de que, ao ver aquilo, a mim próprio fiz imediatamente esta pergunta, enquanto o felicitava e lhe apertava a mão: "Por que lhe teria ele metido à socapa no bolso? Isto é, por que havia de tê-lo feito escondido?" Pensei que o fazia por querer ocultar de mim esse gesto, visto saber que eu professo convicções opostas e sou inimigo da beneficência privada, que não resolve nada de uma maneira radical. Pois bem: eu pensei, eu concluí que, ao senhor, de fato, lhe custava oferecer essa quantia, e que também, supus igualmente, lhe quisesse fazer uma surpresa, a ela, deixá-la admirada quando encontrasse no bolso nada mais nada menos do que cem rublos (porque eu sei que há muitas pessoas que gostam de praticar as suas obras caritativas dessa maneira). Depois também pensei que o senhor queria experimentá-la: isto é, ver se ela, quando tornasse a encontrá-lo, lhe agradecia! Pensei ainda que queria evitar os agradecimentos e, bom, para fazer como se costuma dizer: que a tua mão direita... não saiba... enfim, qualquer coisa dessas. Bem, pela minha cabeça passaram então muitos pensamentos, sobre os quais resolvi refletir depois com mais vagar; mas o certo é que me pareceu pouco delicado dar-lhe a entender que tinha surpreendido o seu segredo. Mas, no entanto, também fiz a mim próprio outra pergunta: "E se Sófia Siemiônovna acabasse por perder o dinheiro, antes de dar por ele?". Foi esse o motivo que me fez vir até cá, para chamá-la e avisá-la de que lhe tinham metido cem rublos no bolso. Mas antes passei pelo quarto da senhora Kobiliátnikova para lhe levar a *Apreciação Geral do Método Positivo* e recomendar-lhe especialmente um artigo de Piderit (e, é claro, o de Wagner também); e depois venho aqui e encontro toda esta história! Bem, vamos ver: poderia eu, de fato, ter tido todas essas ideias e perplexidades, se não tivesse visto que o senhor lhe metera os cem rublos no bolso?

Quando Andriéi Siemiônovitch acabou os seus loquazes raciocínios, conduzindo com tanta lógica a sua demonstração até ao final, ficou muito cansado e até lhe corria o suor pelo rosto. Mas, infelizmente, não sabia explicar-se corretamente em russo (e também não conhecia nenhuma outra língua); por isso disse aquilo tudo de uma assentada e até parecia ter enfraquecido quando acabou aquela proeza de advogado. Mas nem por isso a sua arenga deixou de causar uma extraordinária impressão. Exprimira-se com tanta propriedade, com tal convicção, que, via-se bem, todos o acreditavam; Piotr Pietróvitch percebia que o seu caso tomava mau aspecto.

— Que tenho eu a ver com que lhe passassem pela cabeça essas perguntas estúpidas? – exclamou. – Isso não prova nada, de maneira nenhuma! Tudo isso podia o senhor ter sonhado, e foi o que deve ter sido! Eu afirmo que mente, *Súdar*! Mente e calunia-me, levado por algum ressentimento contra mim; isto é, para falar claro, tem-me raiva por ver que eu não adiro às suas ideias socialistas, de livre-pensador e ateu! Essa é que é a verdade!

Mas essa tergiversação não foi de nenhuma utilidade para Piotr Pietróvitch. Pelo contrário, por toda a parte se ouviram murmúrios.

— Olha o que foste buscar! – exclamou Liebiesiátnikov. – Mentes! Chama a Polícia que eu farei a declaração sob juramento! Só há uma coisa que não consigo explicar! Por que praticou ele uma ação tão reles? Oh, que miserável, que vil!

— Eu posso explicar-lhe por que é que ele se lançou em semelhante baixeza, e, se for preciso, farei também a declaração sob juramento! – disse Raskólhnikov com voz firme, dando um passo para a frente.

Aparentemente estava sereno e tranquilo. Todos compreenderam, ao olhá-lo, que, de fato, sabia do que se tratava e que o desenlace da história estava iminente.

— Agora já compreendo tudo – continuou Raskólhnikov encarando diretamente Liebiesiátnikov. – Logo, desde o princípio do incidente, eu suspeitei de que devia tratar-se de um enredo vil; essa suspeita nasceu devido a certos pormenores particulares, que só eu conhecia, e que vou agora mesmo explicar a todos. Foi o senhor, Andriéi Siemiônovitch, com a sua valiosa declaração, quem acabou por explicar-me tudo! Peço a todos, a todos, que me escutem. Este cavalheiro – e apontou Lújin – estabeleceu relações, há pouco tempo, com uma jovem, falando claramente, que é minha irmã, Avdótia Românovna Raskólhnikov. Mas quando há três dias chegou a Petersburgo, no nosso primeiro encontro entrou logo em disputa comigo e eu o expulsei de minha casa, do que posso apresentar duas testemunhas. Trata-se de um indivíduo mau... Ainda há três dias eu ignorava que ele estava aqui hospedado, nesta pensão, em sua companhia, Andriéi Siemiônovitch, e no mesmo dia em que nós tivemos aquela altercação, sucedeu que ele assistiu à entrega que eu fiz de dinheiro para o enterro, à viúva do falecido Senhor Marmieládov, Ekatierina Ivânovna. Ele escreveu imediatamente uma carta a minha mãe participando-lhe que eu dera dinheiro, não a Ekatierina Ivânovna, mas a Sófia Siemiônovna, e, nessa carta, falava nos termos mais reles acerca do... caráter de Sófia Siemiônovna; isto é, aludia à índole das minhas relações com Sófia Siemiônovna. Tudo isto, como devem compreender, ele o fazia apenas com o fim de indispor-me com minha mãe e minha irmã, dando-lhes a entender que eu esbanjava, para fins censuráveis, os últimos cobres com que elas me ajudavam. Ontem, diante de minha mãe e de minha irmã, e na sua presença, empenhei-me em demonstrar a verdade, isto é, que dera aquele dinheiro a Ekatierina Ivânovna, para o enterro, e não a Sófia Siemiônovna, e que, três dias antes disso, ainda eu não conhecia Sófia Siemiônovna nem nunca a vira. E acrescentei que ele, Piotr Pietróvitch, com toda a sua soberbia, não valia sequer o dedo mínimo de Sófia Siemiônovna, da qual falava tão mal. E quando ele me perguntou se eu seria capaz de sentar Sófia Siemiônovna ao lado de minha irmã, respondi que já o fizera naquele mesmo dia. Furioso por ver que nem a minha mãe nem a minha irmã queriam indispor-se comigo, apesar das suas intrigas, pôs-se a dizer-lhes grosserias imperdoáveis. Deu-se a ruptura e expulsaram-no de casa. Tudo isto se passou ontem. Agora peço a vossa especial atenção: imaginem que ele conseguira provar agora que Sófia Siemiônovna... era uma ladra: em primeiro lugar teria demonstrado à minha mãe e à minha irmã que tivera razão nas suas suspeitas, que era com razão que se aborrecera por eu ter posto ao mesmo nível a minha irmã e Sófia Siemiônovna; e que ao pôr-se contra mim não fizera mais do que defender e velar pela honra de minha irmã, da sua noiva. Em resumo: com toda esta intriga podia indispor-me com a minha família e tinha assim a ilusão de que ganharia de novo as suas boas graças. Sem contar que também se vingava, assim, pessoalmente, de mim, já que tem motivos para supor que a honra e a felicidade de Sófia Siemiônovna me são muito caras. Aí tem o senhor os cálculos que ele fazia! É assim que eu explico toda esta história! É essa a razão e não pode haver outra.

Com estas ou semelhantes palavras pôs Raskólhnikov fim ao seu discurso, a cada passo interrompido pelas exclamações dos presentes, que o escutavam, atentos. Mas, apesar de todas essas interrupções, ele se tinha exprimido com dignidade e tranquilidade, com palavras exatas, claras e firmes. A sua voz vibrante, o seu tom de convicção e o seu rosto severo produziram em todos extraordinária impressão.

— É isso, é isso! — concordou Liebiesiátnikov, entusiasmado. — Há de ser isso, com certeza, porque assim que Sófia Siemiônovna entrou no nosso quarto, perguntou-me se o senhor estava aqui, se eu não o vira entre os convidados de Ekatierina Ivânovna. Levou-me à janela de propósito para isto e fez-me ali a pergunta em voz baixa. Pelo visto estava muito interessado em que o senhor estivesse aqui! É isso, assim fica tudo explicado!

Lújin sorria em silêncio, com uma expressão de desprezo. Mas estava muito pálido. Parecia meditar sobre a maneira de se livrar daquele aperto. É possível que de boa vontade tivesse deixado tudo e largado a correr; simplesmente, naquele instante, tal coisa teria sido impossível, pois equivaleria a reconhecer-se culpado da dupla acusação e a confessar que, de fato, caluniara Sófia Siemiônovna. Além disso, os que estavam presentes tinham já bebido à mesa e estavam muito excitados.

O oficial reformado, embora, no fundo, não tivesse chegado a compreender tudo muito bem, era o que mais gritava e propunha a adoção de medidas muito desagradáveis para Lújin. Mas havia alguns que não estavam embriagados, e até tinham acudido, reunindo-se nos quartos. Os três polaquinhos estavam terrivelmente excitados e gritavam continuamente: *Pan laidak*[49], resmungando ao mesmo tempo algumas ameaças em polaco. Sonha escutara com custo e parecia também não ter compreendido tudo, e parecia ter acabado de sair de um desmaio. A única coisa que fazia era não afastar os olhos de Raskólhnikov, sentindo que nele se resumia todo o seu amparo. Ekatierina Ivânovna arquejava, num estertor, e dava mostras de estar completamente esgotada. A mais comprometida de todas era Amália Ivânovna, que estava ali, de boca aberta e sem compreender nada. Só via que Piotr Pietróvitch dera um mau passo. Raskólhnikov tornou a pedir que o deixassem falar, mas não lhe deram tempo de acabar; todos gritavam e se amontoavam à volta de Lújin, insultando-o e ameaçando-o. Mas Piotr Pietróvitch não se intimidava. Quando viu que o caso da acusação de Sonha estava definitivamente perdido, apelou para o recurso do espalhafato:

— Façam favor, *gospodá*[50] ; façam favor; não empurrem dessa maneira e deixem-me passar! – disse abrindo caminho por entre a assistência. – E façam também o favor de não ameaçar; afianço-lhes que não acontecerá nada, que vocês não hão de fazer nada, pois eu não sou nenhum menino tímido de dez anos e, pelo contrário, hão de responder por terem encoberto um crime pela violência. O roubo está mais que provado e não levarei o assunto por diante. Os juízes não são tão cegos... nem tão bêbados, e não hão de acreditar nesses dois ateus convictos, rebeldes e livres-pensadores que me acusam por motivos de vingança pessoal, o que eles mesmos, apesar de serem estúpidos como são, reconhecem... Bem, vamos, deem-me licença!

— Que o meu quarto fique imediatamente livre do seu hálito; faça o favor de sair e, desde este momento, tudo acabou entre nós! E pensar que eu cansei a voz a reclamar-lhe...

— Não se esqueça que eu mesmo lhe disse que havia de ir-me embora antes que a senhora me expulsasse; agora acrescento unicamente que você é uma besta. Desejo-lhe que cure a sua alma e os seus olhinhos míopes! Deem-me licença, *gospodá*!

Abriu caminho por entre aquele aperto; entretanto, o oficial não esteve pelos ajustes de deixá-lo passar, assim, sem mais nem menos, só com insultos e, pegando num copo que estava sobre a mesa, atirou-o contra Piotr Pietróvitch, mas o copo voou em direção a Amália Ivânovna. Esta guinchou, e o oficialzinho, que tinha perdido o equilíbrio naquele lance, rebolou e foi parar debaixo da mesa. Piotr Pietróvitch foi para o seu quarto e, meia hora depois, já tinha saído do prédio.

Sonha era tímida por natureza e sabia muito bem que, a ela, podiam perseguir mais facilmente do que a ninguém, e que, quem quer que fosse, podia ofendê-la sem se expor a ser castigado. Mas, no entanto, até aquele mesmo momento parecera-lhe que se podia afastar a desgraça com prudência, humildade e submis-

---

49 Senhor canalha, alcoviteiro (em polonês).
50 Senhores (em russo).

são para com todos. É certo que pudera suportar tudo com paciência e quase sem abrir boca... até aquilo. Mas, a princípio, custou-lhe muito. Apesar do seu triunfo e da sua reabilitação, quando lhe passou o primeiro susto e o primeiro espanto, quando pode compreender e ver tudo claramente, um sentimento de desamparo e de vergonha lhe oprimiu dolorosamente o coração. Teve um ataque de histerismo. Finalmente, não podia mais; saiu do quarto correndo e dirigiu-se para sua casa. Isso sucedeu quase logo depois de Lújin se ter retirado. E Amália Ivânovna, quando, por entre as risadas sonoras dos presentes, se viu atingida pelo copo destinado a Lújin, também não pode conter-se e, dando um grito, lançou-se furiosamente contra Ekatierina Ivânovna, considerando-a culpada de tudo:

– Saia de minha casa! Agora mesmo! Marche! – e, enquanto dizia isto, começou a apanhar tudo quanto encontrava ao alcance da mão e pertencia a Ekatierina Ivânovna, e atirá-lo para o chão.

Ekatierina Ivânovna, que até sem isso já estava extenuada e arquejava penosamente, e tinha o rosto lívido, saltou da cama (na qual se deixara cair, esgotada) e lançou-se contra Amália Ivânovna. Mas a luta era muito desigual: aquela sacudiu-a como a uma pena.

– O quê? Como se ainda não chegasse essa impiedosa calúnia contra a outra... vem agora esta tipa meter-se comigo! O quê! Expulsar-me do quarto no próprio dia do enterro de meu marido, depois do meu jantar, pôr-me na rua com os meus órfãos? Mas para onde vou eu? – gritava, soluçava e arquejava a pobre mulher – Meu Deus! – gritou, de repente, de olhos chamejantes. – Não existirá a justiça? A quem defendes tu, se não defendes os órfãos? Mas já se vai ver! Há no mundo juízes e justiça, irei ter com eles! Agora mesmo, bruxa, ateia! Pólietchka, fica tomando conta dos meninos, por um momento, que eu já volto. Esperem por mim, ainda que seja na rua! Vamos a ver se há ou não justiça neste mundo!

E, lançando pela cabeça aquele mesmo lenço verde aos quadrados, ao qual o falecido Marmieládov se referira, Ekatierina Ivânovna abriu caminho por entre o desordenado e embriagado grupo dos vizinhos, que continuavam ainda apinhados no quarto, e por entre choros e soluços correu para a rua com a vaga intenção de ir a qualquer parte, imediatamente, fosse onde fosse, ao encontro da Justiça. Pólietchka, assustada, acocorou-se num canto com as crianças, em cima da arca, onde, abraçando-se aos dois irmãos, a tremer, ficou à espera do regresso da mãe. Amália Ivânovna andava no quarto de um lado para o outro; guinchava, esbravejava, atirava ao chão tudo quanto apanhava à mão e dizia insolências. Os vizinhos falavam aos gritos e desatinadamente. Alguns diziam o que tinham compreendido do incidente, outros discutiam e insultavam-se; alguns cantavam...

"Agora é a minha vez – pensou Raskólhnikov. – Vamos ver, Sófia Siemiônovna, que me diz a isto tudo?"

E encaminhou-se para casa de Sonha.

Capítulo IV

Raskólhnikov fizera de ativo e corajoso advogado de Sonha contra Lújin, apesar de ele próprio sentir um horror e uma dor especiais no seu íntimo. Mas, depois de ter sofrido tanto naquela manhã, era como se recebesse com alegria a oportunidade de mudar de impressões, que se tinham tornado insuportáveis, sem saber quanto havia de pessoal e cordial no seu impulso para defender Sonha. Além disso pensava no seu próximo encontro com Sonha, e isto afligia-o, às vezes, mais que tudo; tinha de explicar-lhe quem é que matara Lisavieta e pressentia que isso seria para si uma terrível tortura, quase se sentia já sem força nos braços. Por isso, quando, ao sair de casa de Ekatierina Ivânovna, lançou aquela exclamação: "Bem, vamos ver agora o que diz a isto tudo, Sófia Siemiônovna?", encontrava-se ainda debaixo da influência do estado de excitação interior da sua corajosa, justa e recente vitória sobre Lújin. Mas sucedeu-lhe uma coisa estranha. Quando chegou ao andar de Kapernaúmov sentiu-se de repente desanimado e assustado. Parou à porta, pensativo, formulando esta estranha pergunta: "Mas será realmente necessário revelar quem assassinou Lisavieta?". A pergunta era estranha, porque ele, de repente, ao mesmo tempo sentia que não só era impossível não lhe contar, mas que, além disso, era impossível também atrasar esse momento, por pouco que fosse. Não sabia ainda por que seria impossível; apenas o sentia, e essa dolorosa confissão da sua covardia perante o imprescindível, quase o sufocava. Para não se perder em meditações e para não se torturar, apressou-se a abrir a porta e logo à entrada procurou Sonha com os olhos. Ela estava sentada, de cotovelos sobre o velador, e ocultava o rosto nas mãos; mas quando viu Raskólhnikov, levantou logo e correu ao seu encontro, como se estivesse à espera dele.

– Que teria sido de mim sem o senhor? – exclamou, pressurosa, regressando com ele para o centro do compartimento. Via-se bem que foi isto o que lhe ocorreu mais rapidamente dizer. Depois ficou à espera.

Raskólhnikov aproximou-se da mesa e sentou numa cadeira, na mesma que ela acabava de deixar. Ela estava de pé diante dele, a dois passos de distância, tal como no dia anterior.

– Então, Sonha? – disse ele, e, de repente, sentiu que a voz lhe tremia. – Veja bem: todo este enredo assentava na sua posição social e costumes a ela inerentes. Não lhe pareceu?

O sofrimento refletia-se no rosto da moça.

– Não venha falar-me como ontem! – interrompeu-o. – Por favor, não comece já com isso. Já sofri bastante...

E em seguida sorriu, como se tivesse receio de que aquela censura não fosse do agrado dele.

– Saí dali quase tonta. Como é que acabou aquilo? Há um momento estive tentada a voltar, mas pensei que... o senhor havia de vir.

Ele contou como Amália Ivânovna os expulsara do quarto e como Ekatierina Ivânovna desavorara para a rua, em busca da justiça.

– Ai, meu Deus! – exclamou Sonha. – Vamos lá imediatamente.

E pegou no xale.

– É sempre a mesma coisa! – exclamou Raskólhnikov, mal-humorado. – Só os tem a eles, no seu pensamento! Fique aqui um pouco comigo!

– Mas... e Ekatierina Ivânovna?

– Ekatierina Ivânovna não pode passar com sua ausência: ela mesma virá buscá-la, visto que saiu de casa – acrescentou bruscamente. – Se vier e não a encontrar, a culpa é sua...

Sonha sentou na outra cadeira, numa indecisão dolorosa. Raskólhnikov estava calado, de olhos fixos no chão, e parecia refletir.

– Admitamos que não era isso o que Lújin queria... – começou, sem olhar para Sonha. – Mas se o tivesse desejado e isso tivesse entrado nos seus cálculos... teria podido metê-la na prisão, se não fôssemos nós, eu e Liebiesiátnikov, não é verdade?

– É! – concordou ela com voz fraca. – É! – repetiu, pensativa e assustada.

– De fato, podia ter sucedido eu não estar lá! Quanto a Liebiesiátnikov, foi uma casualidade ter voltado.

Sonha estava calada.

– Bem; e vamos ver, se a tivessem metido na prisão, que teria sucedido então? Lembra-se do que lhe disse ontem?

Ela também não respondeu. Ele ficou à espera.

– Eu pensava que ia já pôr-se a gritar: "Ah, não fale assim, não continue!" – disse Raskólhnikov sarcasticamente, mas um pouco forçado. – O quê? O silêncio continua? – perguntou, passado um minuto. – Olhe que devemos falar de qualquer coisa. Eu tinha um interesse especial em saber como é que resolveria essa questão, como diz Liebiesiátnikov. (Começava já a ficar amuado.) Não, no fundo, eu falei-lhe seriamente. Imagine, Sonha, que conhecia todas as intenções de Lújin antecipadamente, que teria sabido (isto é, de certeza), que esse tipo ia causar a perdição de Ekatierina Ivânovna e dos seus filhos, e a sua também, indiretamente (já sei que nunca se lembra dela mesma; por isso digo indiretamente). E a de Pólietchka também... porque também ela há de seguir esse caminho. Ora bem, aí está: se, de repente, estivesse na sua dependência resolver tudo isto, se era ele ou os outros que deviam continuar neste mundo, isto é, se Lújin devia continuar vivendo e cometendo más ações, ou Ekatierina Ivânovna morrer, qual teria sido a sua decisão, qual deles condenaria à morte? É o que eu lhe pergunto.

Sonha fixou sobre ele um olhar inquieto; percebia qualquer coisa de especial naquelas palavras inseguras e que lhe lembravam vagamente qualquer coisa.

– Eu já calculava que havia de perguntar-me qualquer coisa desse gênero – disse, olhando para ele com curiosidade.

– Está bem, seja; mas qual seria a sua resolução?

– Por que me pergunta aquilo que é impossível? – disse Sonha com uma expressão aborrecida.

– Naturalmente optava por consentir que Lújin vivesse e continuasse a fazer canalhices. Não tem coragem de o dizer?

– É que eu não posso conhecer os segredos da Providência Divina... Mas por que me faz perguntas sobre um caso impossível? Como poderia suceder que a existência dum homem dependesse da minha resolução, e quem é que me incumbiu de ser juiz para decidir quem deve viver ou não?

– Quando se trata da Divina Providência já não consigo nada – exclamou Raskólhnikov, mal-humorado.

– Diga com toda a franqueza o que deseja! – exclamou Sonha, magoada. – Com certeza que anda urdindo alguma... Veio aqui só para atormentar-me?

Não pode conter-se e, de repente, pôs-se a chorar. Olhou para ele sombriamente triste. Passaram cinco minutos.

— Olha, tens razão, Sonha – disse ele, finalmente, em voz baixa. E, de súbito, mudou de expressão: aquele seu tom de fingida insolência e provocação impotente desapareceu. Até a voz se lhe tornou mais fraca. – Já te disse, ontem, que não tinha vindo para te pedir perdão; mas, com isso, já começara quase a pedir... Isso de Lújin e da Providência dizia eu para mim... Por isso é que eu pedia perdão, Sonha!

Tentou sorrir; mas havia qualquer coisa de desalentado e de incompleto no seu pálido sorriso. Baixou a cabeça e cobriu o rosto com as mãos.

E, de repente, um estranho e inesperado sentimento, uma espécie de ódio amargo a Sonha se ergueu no seu coração. Como se tivesse ficado admirado e assustado por esse sentimento, levantou de repente a cabeça e olhou-a de alto a baixo; mas encontrou o olhar da moça, que estava aflitivamente inquieta e preocupada: ali havia amor; o seu ódio desapareceu como um fantasma. Não era o que ele pensava; tomara um sentimento por outro. Isso só significava que o momento chegara.

Tornou a cobrir o rosto com as mãos e baixou a cabeça. De súbito empalideceu, levantou da cadeira, ficou olhando para Sonha e, sem dizer nada, sentou maquinalmente no seu leito.

Aquele minuto era terrivelmente parecido com aquele outro em que estava atrás da velha, quando já tirara o machado do nó corredio e sentia que já não havia um momento a perder.

— Que tem? – perguntou Sonha, terrivelmente assustada.

Ele não pode responder. A sua intenção não fora de maneira nenhuma, de maneira nenhuma, explicar aquilo, assim, e nem ele mesmo poderia dizer o que se passava. Ela, devagarinho, aproximou-se dele, sentou na cama, ao seu lado, e esperou, sem tirar os olhos dele. O seu coração batia fortemente. Aquilo era insuportável; ele voltou o rosto para ela, mortalmente pálido; os seus lábios crispavam-se, sem forças, esforçando-se por dizer alguma coisa. Sonha sentia um autêntico pavor.

— Que tem? – repetiu, afastando-se um pouco dele.

— Nada, Sonha. Não tenhas medo. Tolices. De fato, se pensarmos nisso... – balbuciou, com o aspecto dum homem que não percebe que está delirando. – Por que teria eu vindo afligir-te? – acrescentou, de repente, olhando para ela. – Sim, por quê? É a pergunta que a mim próprio faço constantemente, Sonha.

É possível que tivesse feito essa pergunta um quarto de hora antes; mas agora falava no maior abatimento, quase sem se dar conta do que dizia e sentindo um contínuo tremor em todo o corpo.

— Oh, como sofre! – disse ela, compassiva, olhando para ele.

— Tudo isso é absurdo! Ouve uma coisa, Sonha – sorriu de repente, por qualquer motivo, pálido e exangue, durante alguns segundos – lembras-te daquilo que eu queria dizer-te ontem?

Sonha aguardava, inquieta.

— Quando me despedi, disse-te que talvez me despedisse de ti para sempre; mas que, se hoje voltasse, te diria... quem matou Lisavieta.

Todo o corpo dela se pôs a tremer, de repente.

— Pois bem, vim para te dizer.

— De fato... o senhor, ontem... – balbuciou ela com dificuldade. – Mas como é que sabe isso? – perguntou rapidamente, como se apercebesse de repente.

Sonha começava a respirar com dificuldade. Tinha o rosto cada vez mais pálido.

– Sei.

Ela ficou calada por um minuto.

– Encontraram-no? – perguntou timidamente.

– Não, não o encontraram.

– Então, como é que sabe? – tornou a perguntar com uma voz quase imperceptível e também passado um minuto de silêncio.

Ele se voltou para ela e ficou a olhá-la fixamente, fixamente.

– Vê se adivinhas – disse com o mesmo sorriso crispado e cada vez mais fraco. Era como se uma convulsão lhe percorresse todo o corpo.

– Mas por que me assusta... a mim... por que me... assusta dessa maneira? – exclamou ela, sorrindo como uma criança.

– Pode ser que eu seja muito amigo dele... visto que sei – prosseguiu Raskólhnikov, e continuou a olhá-la no rosto, como se não tivesse coragem para afastar os olhos. – Ele... a Lisavieta... não queria matá-la... Matou-a só por desespero... Era a velha que ele queria matar... quando estava sozinha... e foi... Mas nesse instante chegou Lisavieta... Ele estava ali... e matou-a...

Decorreu um minuto espantoso. Olharam-se ambos um ao outro.

– Então não consegues adivinhar? – perguntou ele de repente, com a mesma sensação que experimentaria se se lançasse de uma torre, de cabeça para baixo.

– Não... não – balbuciou Sonha com uma voz quase imperceptível.

– Pensa bem.

E mal pronunciara estas palavras quando, outra vez, aquela sensação já conhecida lhe gelou a alma de repente; olhou para ela e, de súbito, pareceu-lhe ver o rosto de Lisavieta no rosto dela. Lembrava-se claramente da expressão da cara de Lisavieta quando ele se aproximou dela com o machado e ela se afastou recuando até à parede, estendendo a mão, com um medo completamente pueril, no rosto, tal como uma criancinha quando, de súbito, começam a assustá-la com qualquer coisa e quando, de uma maneira tenaz e inquieta, fixa os olhos no objeto do seu terror, recua e, estendendo a mãozinha para a frente, se põe a chorar. Pois, pouco mais ou menos era o que se passava agora com Sonha; esteve olhando para ele durante algum tempo, com o mesmo desamparo, com o mesmo pavor e, de repente, estendendo de leve a mão esquerda para diante, como se lhe apontasse com os dedos para o peito, pouco a pouco foi levantando da cama e afastando-se cada vez mais dele, com o olhar imóvel, fixo nos seus olhos. O pavor dela contagiou imediatamente Raskólhnikov, um espanto semelhante se refletiu no seu rosto; ficou também olhando para ela fixamente e quase também com aquele mesmo sorriso pueril.

– Adivinhaste? – balbuciou finalmente.

– Meu Deus!

E um terrível soluço escapou do peito dela. Desfalecida, tombou sobre a cama, de braços sobre a almofada. Mas, passado um momento, ergueu-se rapidamente, correu ligeira para ele, pegou nas duas mãos dele e, apertando-as com força, como numa tenaz, com os seus dedinhos finos, fitou-o novamente com um olhar fixo, insistente. Com esse derradeiro e desolado olhar esperava ela descobrir algum último motivo de esperança. Mas já não havia esperança: era impossível duvidar; tudo tinha sido assim. Inclusive depois, mais para diante, quando ela recordava aquele momento, parecia-lhe estranho e singular, precisamente porque ela vira assim,

CRIME E CASTIGO

de um golpe, que já não havia nenhuma esperança. Poderia ela dizer também que pressentira algo de semelhante? E, no entanto, agora, ainda mal ele dissera aquilo, logo lhe pareceu, de repente, que já antes o pressentira.

– Basta, Sonha, basta! Não me aflijas! – implorou ele, dolorido.

Não pensara de maneira nenhuma, de maneira nenhuma, fazer-lhe assim a revelação; mas foi assim.

Ela saltou da cama com uma expressão de alheamento e, juntando as mãos, dirigiu-se para o meio do quarto, mas voltou-se logo rapidamente e tornou a sentar ao lado dele, quase ombro com ombro. De repente, estremeceu, deu um grito e, transfigurada, lançou-se a seus pés, de joelhos.

– Que fez, que fez contra sua pessoa? – clamou, desolada, e levantando da sua prostração, atirou-se ao pescoço dele, abraçou-o e cingiu-o com muita força, com as suas mãos.

Raskólhnikov retrocedeu e olhou-a com um triste sorriso.

– Como és estranha, Sonha! Abraças-me e beijas-me, quando acabo de dizer-te isto. Tu não me compreendes.

– Não, não; é que tu, agora, és mais desgraçado do que ninguém neste mundo – exclamou ela, transtornada, sem atender às suas observações. E, de súbito, começou a chorar de um modo entrecortado, como se estivesse com um ataque de histerismo.

O sentimento da dor, que de há muito lhe era já desconhecido, penetrou na sua alma e abrandou-a imediatamente. Não lhe opôs resistência; duas lágrimas brotaram dos seus olhos e ficaram suspensas das suas pestanas.

– Então não me abandonarás, Sonha? – disse, olhando-a quase sem esperança.

– Não, não; nunca e em parte alguma! – exclamou Sonha. – Irei atrás de ti, vou te seguir para todos os lados! Oh, meu Deus! Oh, e como eu sou infeliz! Mas por que, por que não te conheci eu antes? Por que não terias vindo? Oh, meu Deus!

– Aqui estou.

– Agora! Oh, que fazer, agora! Juntos, juntos! – repetia ela, alheada, e tornando a abraçá-lo. – Irei contigo para a prisão.

De repente ele pareceu sentir uma dor aguda e o sorriso odioso e quase altivo, de antes, assomou aos seus lábios.

– Eu, Sonha, apesar de tudo, é possível que não queira ir para a prisão – disse ele.

Sonha lançou-lhe um olhar rápido.

Depois da primeira compaixão dolorosa e lacerante pelo infeliz, outra vez a horrível ideia do crime voltava a horrizá-la. Na mudança de tom da voz dele reconhecera, de repente, o assassino. Olhou para ele, espantada. Ela ainda ignorava por que, como e para que ele se tornara um criminoso. Agora todas essas perguntas se amontoavam de súbito na sua consciência. E outra vez lhe custou a acreditar: "Ele, ele, assassino? Mas isso é possível?".

– Mas que é isto? Onde estou eu? – exclamou, na maior perplexidade, como se ainda não tivesse voltado a si. – Mas como é que o senhor, sendo como é, pode decidir-se a isso? Por que foi?

– Foi para roubar! Não continues, Sonha! – respondeu ele com um certo cansaço e um certo aborrecimento.

Sonha estava aterrada; mas, de repente, exclamou:

– Tinhas fome! Tu... para ajudar a tua mãe... Não foi?

– Não, Sonha, não – murmurou ele, voltando-se e deixando cair a cabeça. – Não tinha assim tanta fome... Eu, de fato, queria ajudar a minha mãe; mas... isso também não é completamente verdade... Não me atormentes, Sonha!

Sonha juntou as duas mãos.

– Mas, é possível que tudo isso seja verdade? Senhor, que verdade! Quem poderia acreditar? E como, como é que o senhor, que dá tudo quanto tem, matou para roubar? Ah! – tornou a exclamar de repente. – Esse dinheiro que deu a Ekatierina Ivânovna... esse dinheiro... Meu Deus, sim, esse dinheiro...

– Não, Sonha – apressou-se ele a interrompê-la. – Esse dinheiro não era... está descansada. Esse dinheiro foi a minha mãe quem o enviou, chegou-me às mãos quando eu estava doente, no mesmo dia em que os dei... Razumíkhin, viu; também lhe dei algum. Esse dinheiro era meu, apenas meu, verdadeiramente meu.

Sonha escutava-o perplexa e juntava as forças para concentrar os seus pensamentos.

– Quanto ao tal dinheiro... eu, no fim de contas, nem sequer sei se havia lá dinheiro – acrescentou ele em voz baixa e como se falasse para si. – O que eu levei foi um porta-moedas de camurça que estava cheio... e não vi o que tinha dentro, não tive tempo, com certeza... Bem, e algumas joias, quase tudo botões de punho, correntes... Todos esses objetos deixei-os no pátio duma casa qualquer, juntamente com o porta-moedas, no Próspekt V***, enterrados debaixo duma pedra, na manhã seguinte... Ainda lá deve estar tudo...

Sonha escutava-o corajosamente.

– De maneira que foi para... o senhor mesmo disse que foi para roubar, e não levou nada? – perguntou ela rapidamente, amparando-se a uma ombreira.

– Não sei... Ainda não decidi se ficarei ou não com esse dinheiro...

Tornou-se a calar, pensativo e, de repente, caindo em si, sorriu ironicamente e rapidamente:

– Ah, mas que disparates acabo de dizer!

Pelo pensamento de Sonha, passou uma ideia: "Não estará ele louco?". Mas imediatamente afugentou essa ideia. Não; aquilo era outra coisa. Não, não conseguia compreender aquela intriga!

– Olha, Sonha – disse ele, de repente, com uma espécie de inspiração – repara no que eu vou te dizer: se eu tivesse matado apenas por ter fome – continuou, acentuando cada palavra e olhando-a de uma maneira enigmática, mas sincera – então, agora... seria feliz. Fixa bem isto... Mas a ti, que te interessa, que te interessa? – exclamou ele, passado um momento, olhando-a com uma espécie de desespero. – Que te interessa que eu acabe por concluir que procedi mal? A que propósito vem esse estúpido triunfo sobre mim? Ah, Sonha, por que teria eu vindo ver-te agora?

Sonha tentou outra vez dizer qualquer coisa, mas ficou calada.

– Eu, ontem, te convidei a vires comigo, porque és a única coisa que me resta.

– Para onde me querias levar? – perguntou Sonha timidamente.

– Nem para roubar, nem para matar, não te preocupes, não era para nada disso – sorriu amargamente. – Nós somos seres diferentes... E olha, Sonha, até este momento, até há um momento, eu ainda não consegui compreender para onde é que queria levar-te ontem. Ontem, quando te convidava para vires comigo, nem eu mesmo sabia para onde era. Chamava-te só para uma coisa, só tinha vindo para uma coisa: para que não me abandonasses. Não me abandonarás, Sonha?

Ele lhe apertou a mão.

– Mas por que, por que o terei eu dito a ela, por que o terei revelado? – exclamou ele, desesperado, passado um minuto, olhando-a com infinita ternura. – Tu esperas de mim uma explicação, Sonha; estás aí e esperas, eu bem vejo; mas que que vou eu te dizer? Porque, vê: tu não compreenderias nada e não farias mais do que sofrer profundamente por minha causa. Bem, já estás outra vez chorando e a abraçar-me... Ora, vamos ver, por que me abraças? Porque eu mesmo não pude aguentar mais e vim desabafar com outrem: "Sofre tu também, porque, assim, tudo se tornará mais leve para mim". E tu podes amar um homem tão reles?

– Mas tu também não sofres? – exclamou Sonha.

Outra vez o sentimento de dor atravessou a sua alma e imediatamente a abrandou.

– Sonha, eu sou mau, lembra-te, e isto pode explicar muitas coisas; foi por isso que vim, porque sou mau. Muitos outros não teriam vindo. Mas eu sou covarde e vil. Mas... bom! Não é disto tudo que se trata... Agora é preciso falar e não sei por onde começar...

Deteve-se e reconsiderou:

– Ah, nós somos seres diferentes! – exclamou outra vez. – Não fazemos um par igual. Mas por que, por que teria eu vindo? Nunca o perdoarei a mim próprio.

– Não, não; não há mal nenhum em teres vindo – exclamou Sonha. – Foi melhor que eu ficasse sabendo. Muito melhor!

Ele olhou para ela dolorosamente.

– De fato, assim é – disse ele, pensativo. – Assim tinha de ser. Ouve uma coisa: eu queria ser um Napoleão... Foi por isso que matei... Pronto, compreendes agora?

– Não... Não! – balbuciou Sonha, ingênua e timidamente – Mas fala, fala! Eu compreendo, cá para comigo compreendo tudo! – pediu-lhe.

– O que é que tu compreendes? Bem, está bem; já vamos ver.

Conservou-se em silêncio e ficou pensativo.

– O fato foi este: eu, uma vez, fiz a mim mesmo esta pergunta: "Se Napoleão, por exemplo, se encontrasse no meu lugar e não tivesse tido, para começar a sua carreira, nem Toulon, nem o Egito, nem a passagem de Mont-Blanc, e em vez de todas essas coisas belas e monumentais tivesse tido simplesmente uma ridícula velhota, viúva dum assessor, à qual fosse preciso matar para lhe tirar o dinheiro que tinha na arca (para fazer a sua carreira, compreendes?), vamos ver, que teria ele feito, então, se não tivesse outro recurso? Não teria tido vergonha de que aquilo não fosse demasiadamente pouco monumental e delituoso?". Pois bem, eu te confesso que essa questão me atormentou horrivelmente durante muito tempo, e que senti uma vergonha atroz quando por fim adivinhei (como se fosse de repente) que, ele, não só não teria tido vergonha, como nem sequer lhe teria passado pela cabeça que aquilo não era monumental... e até não teria de maneira alguma compreendido por que é que havia de ter vergonha. E visto que não tinha outro recurso, teria estrangulado sem a menor hesitação, sem se deter a refletir. Bem; pois eu... afugentei as minhas considerações... e matei, como teria feito a autoridade. E isto foi exatamente como eu te digo. Parece ridículo? Sim, Sonha; pode ser que o mais ridículo de tudo seja o fato de que tenha sido precisamente assim...

Sonha estava muito séria.

– Seria melhor que me falasse francamente, sem exemplos – pediu ela com mais timidez ainda e com uma voz quase imperceptível.

Ele se voltou, olhou-a tristemente e pegou-lhe numa mão.

– Também tens razão, agora, Sonha. Tudo isto é um absurdo, é quase falar por falar. Olha, tu sabes que a minha mãe quase não tem nada. A minha irmã recebeu alguma educação por casualidade, e vê-se condenada a trabalhar como preceptora. Todas as suas esperanças se resumem unicamente em mim. Eu andava estudando, mas não podia continuar pagando a Universidade e tive de abandoná-la por algum tempo. Supondo ainda que tivesse continuado lá, ao fim de dez anos, ao fim de doze (se, por acaso, as coisas me tivessem corrido bem), teria podido colocar-me como professor ou empregado com mil rublos de ordenado... – falava como quem recita um lição. – Mas, entretanto, a minha mãe teria ficado reduzida à pele e aos ossos, à força de preocupações e de desgostos, e eu não teria podido proporcionar-lhe o sossego; quanto à minha irmã... bem... à minha irmã poderia ter-lhe acontecido qualquer coisa ainda pior. Olhem que prazer passar a vida desejando as coisas e a privar-se de tudo, abandonar a mãe e suportar a desonra da irmã... Para quê? Para, depois de elas terem morrido, poder fundar outro lar... com mulher e filhos, e deixá-los depois também sem um *groch* e sem um pedaço de pão? Ora, ora! Por isso decidi apoderar-me do dinheiro da velha, servir-me dele nos primeiros anos da minha carreira, não fazer sofrer a minha mãe com a minha saída da Universidade... e fazer tudo dentro de uma certa amplitude, de maneira radical, de modo que pudesse arranjar uma nova carreira e caminhar por um caminho novo, independente... Bem, bem; e foi isto... É claro que matei a velha, naturalmente... Fiz mal; mas... já chega!

Chegou ao final da sua narrativa um pouco deprimido e baixou a cabeça.

– Oh, não é isso, não é isso! – exclamou Sonha desgostosa. – Talvez pudesse ser assim... Não, não é assim, não é!

– Tu mesma vês que não é assim... Mas olha: eu te disse a verdade, com toda a sinceridade.

– Mas que verdade é essa? Oh, meu Deus!

– Mas repara: eu só matei um piolho, Sonha, e um piolho inútil, repugnante, prejudicial.

– Esse piolho era um ser humano!

– Eu bem sei que não era um piolho – respondeu ele, olhando-a de modo estranho. – Aliás, estou mentindo, Sonha – acrescentou – há muito tempo que minto... Não era isso, tu tinhas razão. Havia outras razões completamente, completamente diferentes... Já há muito tempo que eu não falava com ninguém, Sonha... Agora me dói muito a cabeça.

Os olhos brilhavam-lhe com um ardor de febre. Estava quase delirando; um sorriso inquieto errava sobre os seus lábios. Para além do seu estado de excitação psíquica transparecia um terrível esgotamento. A cabeça dela também começava a rodar. E ele falava de maneira tão estranha... Dava para entender alguma coisa mas... "Que seria? Que seria aquilo? Oh, Santo Deus!" E deixava cair os braços, desolada.

– Não, Sonha, não é isso! – começou ele outra vez, erguendo a cabeça, como se um novo surto do seu pensamento o surpreendesse e tornasse a reanimá-lo. Não era isso! Mais vale supor... (assim, de fato, mais vale!) supor que eu sou orgulhoso, invejoso, mau, reles, vingativo, sim, e, além disso, também um tanto propenso à loucura. (Admitamos tudo isso de uma vez. Foi devido à loucura que eu falei há pouco da maneira que falei. Eu sei.) Bem; eu te dissera que não podia continuar pagando os estudos na Universidade. Pois olha, talvez pudesse tê-lo feito... A minha mãe mandava-me o suficiente para continuar lá e, para o calçado, para a roupa e para a alimentação poderia eu ganhar, com certeza. Apareciam-me aulas: ofereciam-me um *poltínik*. Razumíkhin, também trabalhava. Mas eu ficava melindrado e não queria. "Melindrado" (é esta a palavra exata). E, como uma aranha, metia-me no meu canto. Tu já estiveste no meu cubículo, viste como é... E tu sabes, Sonha, que os quartinhos de teto baixo e estreitos oprimem a alma e o espírito? Oh, e que ódio eu tinha a esse buraco! E, no entanto, não queria largá-lo. Passava vinte e quatro horas consecutivas sem sair, e não queria trabalhar nem comer. Só queria ficar deitado. Se Nastássia me levava qualquer coisa, comia; se não me trazia nada, passava assim o dia inteiro; não lhe pedia nada, por ódio. Durante as noites, não tinha luz: estava deitado na escuridão e nem para me alumiar eu me esforçava. Precisava estudar e vendera os livros, e, em cima da mesa, sobre apontamentos e sobre os cadernos havia pó de altura de um dedo. Preferia estar estendido, pensando. Não fazia outra coisa senão meditar... E os meus pensamentos eram como sonhos, sonhos estranhos e diferentes. Que sonhos! Mas foi então que comecei a pensar que... Não, não foi assim. Já estou outra vez desfigurando a verdade! Olha, eu, por essa altura, não fazia outra coisa senão perguntar a mim próprio: "Pois se eu vejo a estupidez dos outros, por que não procuro ser mais inteligente do que os outros?". Porque eu sabia, Sonha, que se estivesse à espera de que os outros todos se tornassem inteligentes, tinha muito que esperar... Além disso reconhecia que os homens não mudam e não há quem seja capaz de mudá-los, e que não vale a pena uma pessoa incomodar-se em vão. Sim, é assim mesmo! É essa a tua lei... é a lei, Sonha! É assim mesmo! E agora sei também, Sonha, que quem é forte de alma e inteligência domina sobre eles. Quem se arrisca a muito é que tem razão, para eles. Quem é capaz de desprezar muitas coisas é que é para eles o legislador, e o que for mais atrevido de todos, é esse o que tem mais razão. Tem sido assim até hoje e assim será para sempre! Só o cego é que não vê!

Enquanto dizia isto, embora continuasse olhando para Sonha, Raskólhnikov já não se preocupava com o fato de que ela pudesse ou não compreendê-lo. A febre apoderara-se completamente dele. Parecia tomado de um sombrio entusiasmo. (De fato, havia já muito tempo que não falava com ninguém.) Sonha compreendia que aquela lúgubre catequese era nele sincera, que era a sua verdade.

– Então adivinhei, Sonha – continuou com entusiasmo – que o poder apenas se entrega a quem se atreve a inclinar-se e a apanhá-lo. Só é preciso uma coisa, só uma coisa: atrevimento para o fazer. Então me ocorreu, pela primeira vez na minha vida, um pensamento que antes nunca me acontecera. Nunca! De repente ficou claro como a água, surgiu-me em toda a evidência que, até hoje, ninguém se atrevera, nem se atreveria, ao passar junto a toda essa estupidez, a pegar-lhe simplesmente pelo rabo e a atirar com ela para o diabo. Eu... eu queria atrever-me, e matei...; a única coisa que eu queria era atrever-me, Sonha: aí tens a verdadeira razão.

– Oh, cale-se, cale-se! – exclamou Sonha, juntando as mãos. – O senhor tinha-se afastado de Deus, e Deus feriu-o, entregou-o ao poder do diabo!

– Mas diz-me, Sonha; quando eu estava ali, deitado na escuridão, e imaginava tudo isso, era o diabo que me tentava? Hem?

– Cale-se! Não ria, não blasfeme, que não percebe nada, nada! Oh, meu Deus! Nada, não compreende absolutamente nada!

– Está calada, Sonha, eu não estou a rir. Olha, eu mesmo sei que foi o diabo que me arrastou. Cala-te, Sonha, cala-te! – repetiu, sombria e teimosamente. – Eu sei tudo. Já pensei nisso tudo, e a mim próprio o disse quando estava estendido, ali, no escuro... Tudo isso discutia eu comigo mesmo, até aos seus mínimos pormenores, e sei tudo, tudo. E como me aborrecia, como me aborrecia a mim, então, todo esse palavreado! Eu queria esquecer tudo e começar de novo, Sonha, e deixar de pensar disparates. Achas que eu cheguei até onde cheguei, como um imbecil, como quem vai bater com a cabeça numa parede? Eu cheguei até lá pelo raciocínio e foi isso que me perdeu. Imaginas tu, por acaso, que eu não sabia que, por exemplo, se começasse a perguntar a mim próprio e a examinar: "Tenho ou não o direito de possuir o poder?", era porque então, provavelmente, não tinha esse direito? Ou que, se fizesse a pergunta: "É um piolho ou um ser humano?", então, com certeza que o ser humano já não seria para mim um piolho, mas só para aquele a quem isso não tivesse passado pela imaginação e que fosse direto até lá, sem fazer essas perguntas? Quando eu levei tantos dias neste tormento: "Napoleão faria isto ou não?", já eu compreendia claramente que não era um Napoleão... Todo, todo o suplício desse palavreado o sofri eu, Sonha, e foi tudo isso que eu quis sacudir de cima dos ombros; Sonha, eu queria matar sem casuística, matar para mim, para mim só. Não queria mentir nisto, nem a mim próprio! Não foi para ajudar a minha mãe que eu matei... Que absurdo! Também não foi para me tornar um benfeitor da humanidade, uma vez que dispusesse já de meios e poder, que eu matei. Que absurdo! Matei, simplesmente; matei só para mim, para mim apenas e, se em consequência disso eu me tivesse podido tornar um benfeitor, ou tivesse passado toda a vida, como a aranha, apanhando presas na teia e alimentando-me dos seus sucos vitais, para mim tudo isso teria sido indiferente... E também não precisava de dinheiro, nem isso era o principal, Sonha; quando matei, precisava mais de outra coisa do que de dinheiro... Tudo isto o sei eu agora... Vê se me compreendes; pode ser que, se tivesse de percorrer as mesmas pegadas, já não tornasse a repetir o crime. Eu precisava conhecer outra coisa, outra coisa me puxava pelo braço: então, eu precisava saber, e saber o mais depressa possível, se eu também era um piolho, como todos, ou um homem. Estava capacitado para transgredir a lei ou não estava? Tinha ousadia para ultrapassar os limites, para tomar este poder, ou não? Era eu uma criatura que treme ou tinha o direito?

– De matar? Se tinha o direito de matar? – exclamou Sonha, juntando as mãos.

– Ah, Sonha! – exclamou ele irritado, e parecia ir-lhe objetar qualquer coisa, mas calou-se, despeitado. – Não me interrompas, Sonha. Eu queria mostrar-te uma coisa: é que foi o diabo que me impeliu; mas depois disso explicou-me que eu não tinha o direito de me lançar naquilo, porque eu era precisamente um piolho como os outros e nada mais. Riu-se de mim, e aqui me tens; vim ver-te agora. Recebe o hóspede! Se eu não fosse um piolho teria vindo procurar-te? Escuta: quando eu fui à casa da velha, fi-lo apenas para provar... Fica sabendo!

— E matou! E matou!

— Mas que é isso de matar? É, porventura, assim que se mata? É assim que as pessoas vão matar, como eu fui? Hei de contar-te um dia os pormenores... Matei eu a velha? Eu me matei a mim mesmo, eu não matei a velha! Matei-me ali, de uma vez para sempre! Quem matou a velha foi o diabo e não eu... Basta, basta, Sonha, basta, basta! Deixa-me! – exclamou, de repente, num desespero de aborrecimento. – Deixa-me!

Deixou cair a cabeça sobre os joelhos e pegou-lhe com as duas mãos, como com duas tenazes.

— Que sofrimento! – deixou Sonha escapar, por entre um doloroso soluço.

— Mas vamos, diz-me, que fazer agora? – perguntou ele erguendo de súbito a cabeça e olhando-a no rosto com uma monstruosa experiência de desolação.

— Que fazer? – exclamou ela levantando-se, de repente, do seu lugar, e os seus olhos, até ali afogados em lágrimas, brilharam. – Levanta-te! – pegou-lhe por um ombro; ele se endireitou, olhando-a, estupefato. – Agora mesmo, neste mesmo instante, irás ter a uma encruzilhada, vais ficar de joelhos, beijarás primeiro a terra que manchaste, e depois vais ficar de joelhos perante todo o mundo, perante os quatro pontos cardiais, e dirás para toda a gente, em voz alta: "Eu matei!". Então Deus tornará a dar-te a vida. Vais, vais? – perguntou ela, tremendo toda, como se estivesse com um ataque; puxou-o com as duas mãos, apertou-o com força entre as suas e ficou olhando para ele com olhos ardentes.

Ele ficou atônito, até irritado, por aquele ataque súbito.

— Estás te referindo ao presídio, Sonha? Queres que eu vá apresentar-me? – perguntou ele sombrio.

— Aceitar o sofrimento e redimir-se por meio dele: aí tens o que é preciso fazer.

— Não, não me apresentarei, Sonha!

— Mas então, como é que vais viver, como é que vais viver? De que viverás? – exclamou Sonha. – Por acaso isso é já possível? Como é que ousarás falar a tua mãe? (Oh! Que vai ser delas, delas, agora?) Mas que digo eu? Se tu já abandonaste a tua mãe e a tua irmã! Oh, meu Deus! – exclamou. – Se ele próprio já sabe tudo isto! Mas vamos ver: como é possível viver sem ninguém? Que vai ser de ti agora?

— Não sejas criança, Sonha – disse ele com voz mansa. – De que sou eu culpado perante eles? Para que hei de eu ir até lá? Que hei de dizer-lhes? Tudo isto é apenas uma alucinação... Eles mesmos degolam milhões de seres e consideram-se virtuosos. São uns reles velhacos, Sonha! Não vou. E que iria eu dizer-lhes? Que matei, que não me atrevi a ficar com o dinheiro e que o escondi debaixo duma pedra? – acrescentou com um sorriso amargo. – Com certeza que eles próprios ririam de mim e me diriam: "Imbecil, por que não ficaste com ele? Covarde e idiota!". Nada, não compreenderiam nada, Sonha; até são indignos de compreender. Por que iria então? Não vou. Não sejas criança, Sonha.

— Vais sofrer, vais sofrer! – repetia ela num desespero implorativo, estendendo-lhe as mãos.

— É possível que eu me tenha caluniado a mim próprio – observou ele sombriamente, como se reconsiderasse. – Talvez eu, apesar de tudo, seja um homem e não um piolho, e me tenha julgado com demasiada precipitação... Apesar de tudo hei de lutar...

Um sorriso escarninho assomou aos seus lábios.

– Que tormento tão grande vais tu sofrer! Toda a vida, toda a vida!

– Vou me acostumar! – declarou ele, severo e pensativo. – Escuta – começou, passado um minuto – já chega de lágrimas; é tempo de começar a atuar; eu vim para te dizer que andam à minha procura, agora, que me vão prender...

– Ah! – exclamou Sonha assustada.

– Bem, a que propósito vêm essas exclamações? Eras tu mesma quem querias que eu fosse entregar-me ao presídio e agora assusta-te? Ouve bem isto: eu vou me render. Ainda vou lutar com eles e não vão poder fazer nada. Não têm nenhuma prova terminante. Ontem corri um grande perigo e cheguei a considerar-me perdido; mas, hoje, as coisas já se arranjaram – todas as provas que eles têm são espadas de dois gumes, isto é, posso pegar nas suas acusações e virá-las a meu favor, compreendes? E vou virá-las, porque agora já estudei o caso... Mas vão acabar me mandando para a prisão. Se não fosse um acaso, é muito possível que já me tivessem enviado hoje, e pode ser que ainda me mandem hoje... Simplesmente, isso, não tem importância, Sonha; se lá entrar, vão ter que me soltar... porque eles não possuem nem uma prova autêntica, nem conseguirão nenhuma, palavra! E, com aquilo que possuem, não é possível encarcerar um homem. Mas já chega! Isto era só para que ficasses sabendo... Com respeito à minha mãe e à minha irmã, hei de fazer qualquer coisa para convencê-las e para não as inquietar... A minha irmã, aliás, segundo parece, encontra-se agora a salvo da necessidade; a minha mãe, com certeza que... Bem, é tudo. Mas, sê prudente. Queres vir comigo para o presídio, se me mandarem para lá?

– Oh, sim, sim!

Estavam os dois sentados, um junto do outro, tristes e extenuados, como se tivessem sido lançados, depois de uma tempestade, para uma margem deserta. Ele olhava para Sonha e sentia quanto amor havia nela e, coisa estranha, de repente ficou-lhe que ela o amasse tanto. Sim, era um sentimento estranho e espantoso! Quando se encaminhava para casa de Sonha sentia que era nela que se cifrava toda a sua esperança e todo o seu amparo; pensava libertar-se, ainda que fosse apenas de parte dos seus tormentos, e agora que o coração dela se voltara completamente para ele, sentia e reconhecia de repente que era muito mais infeliz do que antes.

– Sonha – disse – é melhor que não me acompanhes quando eu for para o presídio!

Sonha não respondeu; chorava. Decorreram alguns minutos.

– Trazes alguma cruz contigo? – perguntou ela inesperadamente, como se se tivesse lembrado daquilo de repente.

Ele, a princípio não compreendeu a pergunta.

– Não trazes, pois não? Então toma esta, de madeira de cipreste. Ainda tenho outra, de cobre, que era de Lisavieta. Eu troquei uma cruz com Lisavieta, que me deu uma imagenzinha. A partir deste momento passarei a trazer a de Lisavieta, e esta é para ti. Toma... que é minha! Que é minha! – implorou ela. – Sofreremos os dois juntos, levaremos juntos a cruz!

– Então me dê! – disse Raskólhnikov. Não queria desgostá-la. Mas depois retirou a mão, que já lhe estendia.

– Agora, não, Sonha. É melhor depois – acrescentou para tranquilizá-la.

– Sim, sim, é melhor, é melhor! – concordou ela, admirada. – Quando partirmos para o sofrimento, então, vou entregar-te a cruz. Virás ter comigo e eu a penduro em ti; rezaremos e partiremos.

Naquele momento alguém chamou por três vezes à porta.

– Sófia Siemiônovna, pode-se entrar? – disse uma voz conhecida e afetuosa.

Sonha dirigiu-se para a porta, assustada. A cabeça loura do senhor Liebiesiátnikov lançou um olhar ao aposento.

CAPÍTULO V

Liebiesiátnikov parecia assustado.

– Venho vê-la a você, Sófia Siemiônovna. Desculpe... Bem me queria parecer que havia de encontrá-lo aqui – disse, dirigindo-se de repente a Raskólhnikov. – Isto é, não pensava nada... – neste gênero... Mas pensava... Ekatierina Ivânovna está ali, como louca – disse logo depois para Sonha.

Sonha deu um grito.

– Pelo menos é o que parece. E... nós não sabemos o que havemos de fazer, esse é que é o caso! Voltou... Parece que a expulsaram não sei de onde, e até é possível que lhe tenham batido... Pelo menos é o que parece... Foi procurar o chefe de Siemion Zakháritch e não o encontrou em casa; fora convidado para comer em casa de não sei que general... Calcule que ela, então, dirigiu-se à tal casa para onde ele fora convidado... Foi a casa desse general, e imagine... Tanto teimou que queria ver o chefe de Siemion Zakháritch, que, segundo parece, o obrigou a levantar da mesa. Já pode calcular o rebuliço que teria havido. É claro que correram com ela; mas ela disse que o cobriu de insultos e que até lhe atirou não sei com que à cabeça. É muito provável... O que eu não percebo... é como não a prenderam! Agora está ali contando tudo a toda a gente, até a Amália Ivânovna, mas é difícil entendê-la, e grita e estrebucha... Ah, sim! Diz e grita que, já que todos a abandonam, que pegará nas crianças e se lançará à rua, e que há de arranjar um realejo, e as crianças cantarão e dançarão, e ela também, e assim arranjará dinheiro, e que há de ir todos os dias cantar debaixo da janela do general... "Para que vejam – disse – como os honestos filhos dum falecido funcionário têm que andar pedindo esmola pelas ruas!" Bate nos filhos e eles choram. Ensina Liena a cantar a *Pequena herdade*; ao rapazinho, ensina a dançar, e a Polina Mikháilovna também, e rasgou-lhes os vestidinhos para lhes fazer uns gorros como os dos palhaços; e transportará uma frigideira para fazer com ela uma musicata... Não liga importância nenhuma ao que lhe dizem... Veja o que está acontecendo! Está, simplesmente, impossível de se aturar!

Liebiesiátnikov teria ainda continuado a falar; mas Sonha, que o escutara, de respiração suspensa, pegou de repente o xale e o chapéu e saiu do quarto correndo, vestindo-se enquanto corria. Raskólhnikov saiu atrás dela e Liebiesiátnikov atrás dele.

– Está completamente doida! – dizia para Raskólhnikov, quando iam os dois já na rua. – Simplesmente, eu não queria assustar Sófia Siemiônovna e foi por isso que disse "segundo parece", mas sobre isso não tenho dúvida; dizem que aos tísicos se lhe costumam formar tubérculos na cabeça; é pena eu não saber medicina. Além disso tentei dissuadi-la, mas ela não fez caso.

– Falou-lhe dos tubérculos?

– Não disse uma palavra a respeito disso. Não me teria compreendido. O que eu quero dizer é isto: se conseguirmos convencer uma pessoa por meio da lógica, de que, na realidade, não tem motivos para chorar, ela deixará de chorar. Isso está-se mesmo vendo. Que lhe parece?

– Nesse caso, a vida seria muito fácil – respondeu Raskólhnikov. – Com licença, com licença; não há dúvida de que Ekatierina Ivânovna teria muita dificuldade em compreender, mas sabe o senhor que, em Paris, se têm realizado já sérias experiências a respeito da possibilidade de curar os loucos valendo-se unicamente da persuasão lógica? Um professor dessa cidade, recentemente falecido, pensava que eles se poderiam curar dessa maneira. A sua ideia fundamental era a de que no organismo do louco não existe nenhum transtorno especial, e que a loucura é, por assim dizer, um erro de lógica, um erro no raciocínio, uma visão falsa das coisas. Ia refutando as palavras do doente, paulatinamente e, imagine!, dizem que obtinha resultados. Mas como, para esse efeito, se servia de argumentos psicológicos, os resultados desse tratamento sugerem dúvidas, indubitavelmente... Pelo menos é o que parece...

Havia já algum tempo que Raskólhnikov não o escutava. Quando chegou junto da sua casa fez uma inclinação de cabeça a Liebiesiátnikov e entrou. Liebiesiátnikov caiu em si, deitou um olhar à sua volta e depois começou a correr.

Raskólhnikov subiu ao seu cubículo e parou no meio dele: "Para que teria eu voltado?". Passou os olhos por aquele papel das paredes, amarelado e rasgado, por todo aquele pó, pela sua tarimba... Do pátio subia um ruído seco, insistente; parecia que, em qualquer parte, alguém pregava pregos... Assomou à janela, ficou nas pontas dos pés e, durante muito tempo, contemplou o pátio com um ar muito atento. Este estava deserto e não se via quem é que dava aquelas marteladas. À esquerda, nos prédios desse lado, havia umas janelas abertas; no peitoril viam-se vasos com uns gerânios murchos. Das janelas pendia roupa estendida... Tinha tudo isso gravado na memória. Deu meia volta e foi sentar no divã.

Nunca, nunca, até então, se sentira tão espantosamente só...

Sim, sentia mais uma vez que podia acontecer, de fato, que viesse a sentir ódio por Sonha e, sobretudo agora, que a tornara mais infeliz. "Por que teria eu ido vê-la, implorar as suas lágrimas? Por que havia eu de ter envenenado a sua vida? Oh, que malvadez! Ficarei só! – disse, de súbito, resolutamente. – Ela não há de ir para o presídio!"

Cinco minutos depois ergueu a cabeça e sorriu de um modo estranho. Tinha-lhe ocorrido um pensamento extraordinário: "Pode ser que, de fato, se esteja melhor no presídio", foi o que pensou de repente.

Perdeu a noção do tempo que levava já no seu cubículo, com a cabeça alvoroçada de vagos pensamentos. De súbito, a porta abriu-se e entrou Avdótia Românovna. A princípio deteve-se e ficou olhando para ele, à entrada, como um pouco antes ele fizera com Sonha; depois avançou e sentou em frente dele, numa cadeira, no mesmo lugar do dia anterior. Ele estava calado e parecia olhá-la sem pensar em nada.

– Não fiques aborrecido, meu irmão; vim só por um momento – disse Dúnia.

A expressão do seu rosto era pensativa, mas não severa. O seu olhar, claro e tranquilo. Ele percebia que também ela se aproximava dele com amor.

— Irmão, eu, agora, já sei tudo. Dmítri Prokófitch explicou-me e contou-me tudo. Perseguem-te e atormentam-te por causa de uma estúpida e ignóbil suspeita... Dmítri Prokófitch disse-me que tu não corres perigo nenhum e que é desnecessário levares isto tão a sério. Eu não penso assim, e compreendo perfeitamente como tudo isto te deixou transtornado, e que essa tua indignação pode deixar-te uma marca para toda a vida. Disso é que eu tenho medo. Quanto ao motivo por que nos abandonaste, não te julgo nem me atrevo a julgar-te, e desculpa-me por te ter censurado. Eu sinto por mim mesma que, se me visse num transe tão amargo, também me afastaria de toda a gente. Não direi nada disto à mãe, mas hei de falar-lhe constantemente de ti e vou lhe dizer, da tua parte, que não tardarás a voltar. Não te preocupes por causa dela; eu vou tranquilizá-la, mas tu não a aflijas... vem ver-nos, nem que seja só uma vez, lembra-te de que é a tua mãe! Eu, agora, vim só para te dizer que (Dúnia começou a levantar), se por acaso precisares de mim para alguma coisa... toda a minha vida, seja o que for... não deixes de chamar-me que eu virei. Adeus!

Deu bruscamente meia volta e dirigiu-se para a porta.

— Dúnia! — chamou Raskólhnikov, levantando e indo ao seu encontro. — Esse Razumíkhin, Dmítri Prokófitch, é um bom rapaz.

Dúnia pareceu ruborizar-se.

— E então? — perguntou, depois de ter esperado um momento.

— É um homem ativo, trabalhador, honesto e capaz de amar a valer... Adeus, Dúnia!

Dúnia corou fortemente, e depois, de repente, mostrou espanto:

— Mas que queres dizer com isso, irmão; parece que nos vamos separar em breve, para sempre, uma vez que... me fazes semelhante testamento...

— Vem a ser o mesmo... Adeus!

Deu meia volta e, afastando-se dela, aproximou-se da janela. Ela continuava de pé, olhando para ele, inquieta, e, finalmente, saiu alarmada.

Não, não se mostrara frio para com ela. Houve um momento (o último) em que sentiu um ímpeto terrível de abraçá-la e de despedir-se dela e de lhe dizer tudo; mas nem sequer se atreveu a dar-lhe a mão:

"Talvez depois estremecesse ao lembrar-se de que eu a abraçara agora e dissesse que eu lhe roubei esse abraço!"

"Mas resistirá a outra, ou não? — acrescentou para si, passados uns instantes. — Não, não resistirá; essas, assim, não resistem! Essas nunca o suportam!"

E pensou em Sonha.

Entrava uma brisa fresca pela janela. No pátio havia já menos luz. De repente pegou o gorro e saiu.

Não havia dúvida nenhuma que não queria nem podia preocupar-se com o seu estado doentio. Mas todo aquele incessante alarme e todo aquele terror espiritual não podiam deixar de ter consequências. E se não estava já deitado com autêntica febre, pode ser que fosse por causa daquela inquietação interior, contínua, que o mantinha de pé e ainda lúcido, mas de uma maneira artificial, por algum tempo.

Perambulou sem rumo fixo. O sol já se punha. Uma tristeza especial se apoderara dele nos últimos tempos. Não tinha nada de especialmente agudo ou azedo;

mas emanava dele algo de constante, de eterno; fazia pressentir anos sem refúgio, dessa dor fria, mortal; fazia pressentir toda uma eternidade num espaço de um *archin*. Essa sensação costumava afligi-lo com mais força ao cair da tarde.

"Como há de uma pessoa não fazer disparates, com estes estúpidos desfalecimentos, puramente físicos, dependentes do pôr do sol! Não só hás de ir ver a Sônia, como também a Dúnia", murmurou, mal-humorado.

Chamaram-no. Olhou à volta; Liebiesiátnikov corria para ele.

– Imagine, estive em sua casa, à sua procura! Veja que fez aquilo que dizia e saiu para a rua com as crianças! Encontramos todos com muito custo, eu e Sófia Siemiônovna. Ela se põe a bater uma frigideira e obriga os pequenos a dançar. Os petizes choram, faz com que parem nas encruzilhadas e à porta das lojas. Atrás deles corre uma multidão de papalvos. Vamos até lá.

– E Sonha? – perguntou Raskólhnikov, alarmado, estugando o passo atrás dele.

– Está doida, simplesmente. Quero dizer, quem está transtornada não é Sófia Siemiônovna, mas Ekatierina Ivânovna, embora, no fim de contas, Sófia Siemiônovna também o esteja. Asseguro-lhe que a outra perdeu completamente o juízo. Vão levá-la ao Comissariado. Pode calcular a impressão que isso lhe fará... Agora estão eles no canal, na ponte de***, muito perto da casa de Sófia Siemiônovna. É já ali.

No canal, perto da ponte, e apenas duas casas mais longe do lugar onde vivia Sonha, apinhara-se um círculo de pessoas.

Corriam para lá, sobretudo rapazes e moças. A voz rouca, entrecortada, de Ekatierina Ivânovna, ouvia-se já na ponte. E, de fato, era um espetáculo digno de interesse para a população do bairro. Ekatierina Ivânovna, com o seu vestido esfiado, com aquele xale aos quadrados e com o seu amassado chapeuzinho de palha, todo de banda, parecia verdadeiramente alheada. Estava esgotada e arquejava com dificuldade. O seu vincado rosto de tísica parecia agora mais dolorido do que nunca (pois na rua, ao sol, os tuberculosos parecem sempre mais doentes e desfigurados do que em casa); mas o seu estado de excitação estava na mesma e mostrava-se cada vez mais nervosa, de momento para momento. Corria para os filhos, dava-lhes gritos, ralhava com eles, ensinava-lhes ali mesmo, diante das pessoas, a maneira como haviam de dançar e de cantar, e punha-se a explicar-lhes por que é que tinham de fazer isso, desesperava-se perante a incompreensão deles e batia-lhes... Depois, ainda antes de ter acabado, dirigia-se ao público; assim que via algum sujeito bem vestido, que tivesse parado para olhar, aproximava-se imediatamente dele e punha-se a explicar-lhe que podia ver ali, que diabo! o extremo a que tinham chegado os filhos "duma família distinta e até aristocrática". Ouvia-se no círculo algum risinho ou alguma palavra mal soante? Logo ela notava o engraçado e ralhava com ele. Alguns, de fato, riam; outros abanavam a cabeça; de maneira geral, para todos se tornava curioso ver aquela louca, com os filhinhos assustados. A frigideira, de que Liebiesiátnikov falara, não existia; pelo menos Raskólhnikov não chegou a vê-la, mas, à falta de frigideira, Ekatierina Ivânovna punha-se a bater palmas com as suas esquálidas mãos quando obrigava Pólietchka a cantar e Liena e Kólia a dançar, e, além disso, punha-se ela também a cantarolar em voz baixa, embora tivesse de interromper-se logo à segunda nota, por causa da maldita tosse, o que tornava a exasperá-la, fazendo-a amaldiçoar aquela sua tosse, até que se punha a chorar. O que mais a enfurecia era o choro e o medo de Kólia e de Liena. De fato, tentara vestir os pequenos com trajes semelhantes àqueles que usavam os cantores e cantoras da rua. O rapazinho trazia na cabeça uma espécie de turbante vermelho e branco, para que imitasse um turco. Para Liena o pano já não chegara, e apenas lhe pusera na cabeça um gorro encarnado, de pelo de camelo (ou, para melhor dizer, o gorro de dormir do falecido Siemion Zakháritch), e no referido gorro prendera um resto duma pluma branca de avestruz, que pertencera à avó de Ekatierina Ivânovna e que esta guardara até ali, numa arca, como relíquia de família. Pólietchka trazia o mesmo vestidinho de sempre. Olhava para a mãe com olhos tímidos e alheados, sorvendo as suas lágrimas, adivinhando a sua loucura e olhando inquieta à sua volta. A rua e as pessoas infundiam-lhe um susto enorme. Sonha seguia de perto Ekatierina Ivânovna, chorando e suplicando-lhe insistentemente que voltasse para casa. Mas Ekatierina Ivânovna era inexorável.

— Deixa-me, Sonha, deixa-me! — gritava atabalhoadamente, à pressa, respirando com dificuldade e tossindo. — Tu não sabes o que estás pedindo, pareces uma criança! Já te disse que não voltarei para junto dessa bêbada alemã. E quero que toda a cidade de Petersburgo veja como andam pedindo esmola os filhos dum pai honesto, que toda a sua vida serviu lealmente e com fidelidade o Estado, e que, pode dizer-se, morreu ao serviço — Ekatierina Ivânovna apressara-se em forjar para ela mesma essa fantasia e a dar-lhe crédito. — Que o veja, que o veja esse antipático generalzinho. Mas tu estás tonta, Sonha? Que vamos nós comer agora, não me dizes? Já te exploramos bastante, a ti, não quero continuar assim! Ah, é o senhor, Rodion Românovitch — exclamou, ao ver Raskólhnikov, e dirigiu-se a ele. — Pois faça o favor de fazer ver a esta tolinha que isto é a coisa mais acertada que eu podia fazer! Até os tocadores de realejo tiram alguma coisa, e, a nós, vão distinguir imediatamente, pois hão de ver que eu sou uma pobre órfã, de boa família, que se vê reduzida à miséria, e até esse generalzinho há de ficar com a carreira arruinada! Vamos ficar todos os dias ao pé da janela dele, e quando o imperador passar, hei de prostrar-me a seus pés, de joelhos, empurrarei estes à minha frente e vou lhe dizer: "Protege-os, pai!". Ele é o pai dos órfãos. Ele é misericordioso e há de protegê-los, vai ver; mas esse generalzinho... Liena! *Tenez vous droit*[51]! Tu, Kólia, vamos lá dançar outra vez. Por que choramingas? Outra vez chorando? Mas vamos ver: de que é que tens medo, meu tolo? Senhor! Que hei de eu fazer com eles, Rodion Românovitch? Se soubesse como são tontinhos! Que hei de eu fazer com eles?

E, ela própria, também quase chorando (o que não era um estorvo para a sua atrapalhada e incessante loquacidade), apontava-lhe os filhos, que lamuriavam. Raskólhnikov tentou convencê-la a que voltasse para casa, e até lhe disse, pensando assim feri-la no seu amor-próprio, que não era nada decente isso de andar pelas ruas como tocadora de realejo, uma vez que tencionava ser diretora dum pensionato para meninas...

— O pensionato, ha, ha, ha! Castelos no ar — exclamou Ekatierina Ivânovna depois de umas risadas, interrompidas pela tosse. — Não, Rodion Românovitch; os sonhos desvaneceram-se! Todos nos abandonaram! E esse generalzinho... Olhe, Rodion Românovitch, eu cheguei a atirar-lhe com um tinteiro à cabeça... Havia lá um, no vestíbulo, estava em cima da mesa, junto duma folha de papel, no qual os visi-

---

51 Fica direita!

tantes escreviam o seu nome e onde eu também escrevera o meu; pois atirei-o e saí correndo. Oh, que canalhas, que canalhas! Dão nojo; pois, agora, quem dá de comer a estes sou eu e não terei de inclinar-me diante de ninguém! Já abusamos bastante dela! – e apontava para Sonha. – Pólietchka, quanto é que recolheste? Diz-me quanto! Dez copeques ao todo? Oh, que avarentos! Não nos dão nada, não fazem mais nada senão vir atrás de nós a mostrar a língua de fora! Olhe como esse estúpido dá risada! – e apontou para um do círculo. – Este tonto do Kólia é quem tem a culpa de que se riam de nós! Que te aconteceu, Pólietchka? Fala em francês: *parlez-moi français*. Olha que eu te ensinei e tu sabes algumas palavras! Se não for assim, como vão vocês dar a entender que são de boas famílias, crianças bem educadas, e não como esses tocadores de realejo? E também não viemos para a rua com "Pietruchka[52]", mas com canções nossas, de bom-tom. Ai, não! Que havemos de cantar? Vocês não fazem senão interromper-me, e eu... repare, Rodion Românovitch, nós paramos aqui para escolher o que havemos de cantar. Alguma coisa própria para Kólia cantar, porque, bem vê, fomos surpreendidos nesta situação; é preciso ficarmos todos de acordo para ensaiarmos tudo perfeitamente, depois iremos ao Próspekt Niévski, onde há muita gente importante, e hão de logo reparar em nós. Liena canta a Hospedaria... Simplesmente ela transforma tudo em Hospedaria e mais Hospedaria, e não sabe cantar mais nada. Nós temos de cantar qualquer coisa de mais distinto... Vamos ver: que pensas tu, Kólia? Se tu, ao menos, ajudasses um bocadinho a tua mãe... Memória, memória, é coisa que eu não tenho, porque, se a tivesse! Não poderíamos cantar o Hussardo apoiado à sua espada? Ah, vamos cantar em francês *Cinq sous*! Foi isso o que eu vos ensinei, o que vos ensinei, sim. E o mais importante é que, como está em francês, não têm outro remédio senão compreender imediatamente que nós somos nobres, e assim hão de comover-se mais... Também poderíamos cantar aquilo de *Marlborough s'en va-t-en guerre*!, que é uma canção infantil e se canta em todas as casas aristocráticas para embalar as crianças:

*Malborough s'en va-t-en guerre,
ne sait quand reviendra...*

Começou ela a cantarolar.

– Não, é melhor os *Cinq sous*. Vamos ver, Kólia: mãos nas ancas, imediatamente, e tu, Liena, vira para o outro lado, que eu me ponho a cantarolar e a bater palmas com Pólietchka!

*Cinq sous, cinq sous,
pour monter notre ménage...*

– Hi... hi... hi! – e a tosse cortou-lhe a voz. – Arruma a roupa, Pólietchka, está caindo dos ombros – observou, no meio dos acessos de tosse, respirando dificilmente. – Agora devem, mais do que nunca, fazer por se portarem bem e com distinção,

---

[52] O A. escreve este nome entre aspas por ele ser o nome tradicional da personagem principal do *guignol*, o polichinelo, como seria o equivalente em português no teatro de marionetes; e para caracterizar o personagem dostoievskiano assim chamado de engraçado.

para que toda a gente veja que sois meninos nobres. Eu já disse que essa blusa devia ter sido cortada mais comprida e com o dobro da largura. Tu é que foste a culpada, Sonha, com os teus conselhos: "mais curta, mais curta", do mal que ela fica a esta pequena... Bem, vamos começar tudo outra vez! Mas que têm vocês, tolinhos? Vamos ver, Kólia, começa já, já... Oh, que criança insuportável!

Cinq sous, cinq sous...

– Outra vez o guarda! Mas tu achas que precisas vir aqui?

De fato, por entre as pessoas abrira caminho um guarda urbano. Mas, ao mesmo tempo, um senhor com uniforme e capote, um respeitável funcionário de uns cinquenta anos, com uma condecoração ao pescoço (este último pormenor agradou-lhe muito e influiu no guarda), aproximou-se, e, em silêncio, entregou a Ekatierina Ivânovna uma nota esverdeada de três rublos. O seu rosto exprimiu sincera compaixão. Ekatierina Ivânovna aceitou o donativo e fez-lhe uma vénia cortês e até cerimoniosa.

– Muito obrigado, senhor – começou com uma expressão de altivez – há motivos que nos obrigam... Toma o dinheiro, Pólietchka. Oh, ainda existem no mundo pessoas nobres e generosas, sempre dispostas a ajudar uma senhora nobre, caída na pobreza. Estes que aqui vê, cavalheiro, são orfãozinhos de uma família distinta e pode dizer-se até, ligada a linhagens muito aristocráticas... Mas aquele generalzinho estava ali sentado, comendo perdizes... e a bater com os pés no chão; dizia que eu tinha ido incomodá-lo... "Excelência – disse-lhe eu – proteja uma órfã, já que conheceu bem o falecido Siemion Zakháritch e a sua filha legítima; o mais vil entre os vis permitiu-se caluniá-la no próprio dia da morte dele..." Outra vez aquele guarda! Proteja-nos! – exclamou, dirigindo-se ao funcionário. – Por que tem tanto interesse em chegar até mim? Já tivemos de fugir de um, além, em Miechtchánskaia... Bem, vamos ver, perdeu aqui alguma coisa, seu besta?

– É proibido fazer isso na rua. Faça favor de não armar burburinho!

– Tu é que estás fazendo burburinho! É a mesma coisa que se eu trouxesse um realejo; a ti, que te importa?

– Quanto ao realejo, é preciso tirar licença; e só com essas coisas já estão atraindo pessoas. Diga-me o seu endereço...

– Com que então é preciso licença – trovejou Ekatierina Ivânovna. – O meu marido foi hoje sepultado; aí tem a licença!

– Senhora, senhora, senhora, acalme-se – começou o funcionário. – Vamos, eu levo-a... Aqui, no meio das pessoas, não está bem, não está bem... A senhora está doente...

– Senhor, senhor, o senhor não sabe nada! – exclamou Ekatierina Ivânovna. – Nós vamos à Niévski... Sonha, Sonha! Mas que é que vocês têm? Kólia, Liena, onde é que vocês estão? – gritou de repente, assustada. – Oh, que crianças tão tolas! Kólia, Liena, onde é que vocês se meteram?

Sucedeu que Kólia e Liena, assustados com a presença da multidão da rua e com os disparates da mãe enlouquecida, quando, por fim, viram um guarda que queria apanhá-los e levá-los não sabiam para onde, de repente, como se tivessem combinado, deram as mãozinhas e saíram correndo. A pobre Ekatierina Ivânovna, com soluços e choros, lançou-se em sua perseguição. Era horrível e triste vê-la correr, chorando, sufocada. Sonha e Pólietchka foram também correndo atrás dela.

– Vai buscá-los, Sonha, vai buscá-los! Oh, que crianças tão tolas e tão más! Pólia! Apanha-os! Vão ver só...

Na sua correria tropeçou e caiu.

– Está toda ensanguentada! Oh, meu Deus! – exclamou Sonha inclinando-se sobre ela.

Todos correram e se apinharam à volta. Raskólhnikov e Liebiesiátnikov foram os primeiros a acudir; o funcionário apressou-se também e, atrás dele, o guarda, que resmungava "Ah!" e agitava os braços, pressentindo que o incidente ia lhe dar trabalho.

– Afastem-se! Afastem-se! – dizia dispersando as pessoas, que tinham formado círculo.

– Está morrendo! – gritou alguém.

– Enlouqueceu! – disse outro.

– Senhor, salva-a! – exclamou uma mulher, benzendo-se. – Não acharam as crianças? Sim, já vêm vindo, uma velhinha conseguiu apanhá-los... Seus malandrinhos!

Mas, assim que examinaram bem Ekatierina Ivânovna viram que não estava deitando sangue devido à pedra em que tropeçara, conforme Sonha pensara, mas que o sangue que encharcava o pavimento saía às golfadas dos seus pulmões.

– Eu já sabia, já via que isso havia de acontecer – murmurou o funcionário dirigindo-se a Raskólhnikov e a Liebiesiátnikov. – Está tísica: por isso o sangue corre assim e a sufoca. Ainda não há muito tempo que eu presenciei isto numa parenta minha, deitou copo e meio de sangue, e de repente... Mas que se há de fazer! É que não tardará a expirar!

– Aqui, aqui, em minha casa! – gritou Sonha. – Eu moro ali! Olhem, nessa casa, é a segunda, ali... Já, já para minha casa! – dizia para todos. – Corram à procura dum médico... Oh, meu Deus!

Graças aos esforços do funcionário tudo se arranjou, e até o guarda ajudou a transportar Ekatierina Ivânovna. Levaram-na quase morta para casa de Sonha e estenderam-na na cama. A hemorragia continuava, mas parecia que ela ia recuperando já os sentidos. No quarto entraram logo, além de Sonha, Raskólhnikov e Liebiesiátnikov, o funcionário e o guarda, depois de ter dispersado previamente os curiosos, alguns dos quais foram a escoltá-los mesmo até à porta de casa. Pólietchka entrou, trazendo pela mão Kólia e Liena, que tremiam e choravam. De casa dos Kapernaúmovi acudiu também gente; ele, coxo e estrábico, homem de cara estranha, com os cabelos da cabeça e com as costeletas espetadas e duras como os pelos duma escova; a mulher, que parecia estar sempre assustada, e alguns filhos, com caras de pau e bocas escancaradas. Entre toda essa assistência apareceu também Svidrigáilov. Raskólhnikov olhou para ele espantado, sem perceber de onde é que ele teria saído, pois não se lembrava de tê-lo visto entre as pessoas.

Houve quem falasse de um médico e de um padre. O funcionário, apesar de ter dito ao ouvido de Raskólhnikov que o médico já não era preciso, mandou chamá-lo. Foi o próprio Kapernaúmov quem se encarregou disso.

Entretanto, Ekatierina Ivânovna tinha-se tranquilizado; a hemorragia parara. Pousou o seu olhar fixo e penetrante na trêmula e pálida Sonha, que, com um lenço, lhe secava gotas de suor sobre a testa; por fim pediu que a soerguessem. Levantaram-na sobre a cama, amparada de ambos os lados.

– E as crianças, onde estão? – perguntou com voz fraca. – Trouxeste-os, Pólia? Oh, que tolinhos... Então me digam: por que fugistes? Oh!

Tinha ainda os lábios ressequidos salpicados de sangue. Olhou à volta, com um olhar perscrutador.

– Então é aqui que tu moras, Sonha? Nem uma só vez tinha estado em tua casa... Agora é que...

Contemplou-a, apiedada.

– Exploramos-te, Sonha! Pólia, Liena, Kólia, venham cá... Bem, aqui os tens todos, Sonha; toma-os... Nas duas mãos... que para mim já chega.., Acabou-se a penitência! Ah! Vão embora todos, deixem-me ao menos morrer em paz...

Tornaram a recliná-la na almofada.

– Que é isto? Um padre? Não é preciso... Tem um rublo que não lhe faça falta? Eu não tenho nenhum pecado! Deus tem obrigação de perdoar sem necessidade disso... Ele bem sabe o que eu sofri! Mas se não perdoar, tanto pior!

Um delírio desassossegado se ia apoderando dela cada vez com mais força. Estremecia de vez em quando, olhava à volta, reconhecendo-os a todos por um minuto; mas voltava logo a perder a consciência, no seu delírio. Respirava difícil e dolorosamente; parecia que qualquer coisa lhe fervia na garganta.

– Eu lhe conto, Excelência! – exclamou ela, parando para respirar, a cada palavra. – Essa Amália Ivânovna! Ah! Liena, Kólia! Nas pontas dos pés, imediatamente, imediatamente, *glissez, glissez, pas de basque*! Batam com os pés... Isso com graça, filho!

Du hast Diamanten und Perlen...

Então, que tal? Vocês deviam cantar...

*Du hast die schonsten Augen,
Madchen, was willst du mehr?..*[53]

Mau, não é assim! *Was willst du mehr*... Isso é o que pensa o imbecil! Ah, sim, aqui está outro:

No ardor da sesta, no vale de Daguestão

Ah, como eu gostava disso! Gostava loucamente desta *romanza*, Pólietchka... Olha, o teu pai, quando ainda era apenas meu noivo, cantava-a... Oh, que dias aqueles! Isso, isso é que nós devíamos cantar! Vamos ver como! Vamos ver... Como! Já me esqueci! Lembram-se como era?

Estava extraordinariamente agitada e esforçava-se por se erguer. Finalmente, com uma voz terrível, entrecortada pelo estertor, começou, gritando e sufocando a

---

53 Este e os dois versos seguintes pertencem a um poema de Heine: Tens diamantes e pérolas. / Tens os mais lindos olhos. / Mocinha, que mais queres?

cada palavra, com uma expressão de espanto crescente:

> No ardor da sesta... No vale de Daguestão
> Com chumbo dentro do peito![54]

— Excelência! — exclamou de repente com um soluço dilacerante e chorando. — Proteja estes órfãos! Em memória do pão e do sal que provou em casa do falecido Siemion Zakháritch! Pode até dizer-se aristocrática! Ah! — estremeceu, recuperando de repente a memória, olhou para todos com certo terror, e, tendo reconhecido Sonha nesse momento — Sonha, Sonha! — exclamou tímida e carinhosamente, como se estivesse muito admirada de vê-la ali, na sua frente — Sonha, querida tu também estás aqui?

Tornaram a soerguê-la.

> Tens diamantes e pérolas,
> Tens os mais belos olhos.
> Mocinha, que mais queres?

— Chega! Já é tempo! Adeus, pobrezinha! Derrearam a montaria! Rebenta! — gritou desesperadamente, com raiva, e deixou cair a cabeça na almofada.

Tornou novamente a ficar amodorrada, mas esse último torpor não durou muito. O seu rosto, lívido e descarnado, caiu para trás, a boca abriu, as pernas se estiraram convulsivamente. Lançou um fundo, fundo suspiro, e expirou.

Sonha lançou-se sobre o cadáver, agarrou-se a ele com as duas mãos e ficou com a cabeça reclinada no peito encovado da morta. Pólietchka ajoelhou-se aos pés da mãe e pôs-se a beijá-los, sem deixar de chorar. Kólia e Liena, que ainda não tinham chegado a compreender o que acabava de acontecer, mas pressentiam qualquer coisa de tremendo, colocaram as mãos nos ombros um do outro e ficaram a olhar-se mutuamente, até que, de repente, abriram os dois a boca ao mesmo tempo e começaram a gritar. Conservavam ainda os seus trajes cômicos: um, o turbante; a outra, o gorro com a pluma de avestruz.

E como é que aquele Diploma de Honra se veio a encontrar na cama, ao lado de Ekatierina Ivânovna? Estava ali, junto da almofada; Raskólhnikov viu-o.

Aproximou-se da janela. Não tardou que Liebiesiátnikov aparecesse.

— Expirou! — disse.

— Rodion Românovitch, preciso de lhe dizer duas palavras — anunciou-lhe Svidrigáilov, aproximando-se. Liebiesiátnikov cedeu-lhe imediatamente o lugar e retirou-se discretamente. Svidrigáilov levou Raskólhnikov, que estava muito admirado, para um canto da sala.

— Toda esta trapalhada, quero dizer, o funeral e tudo mais ficam por minha conta. O senhor sabe que tudo isto há de custar dinheiro e já lhe disse que tenho bastante. A esses dois franguinhos e a Pólietchka, havemos de metê-los em qualquer bom asilo de órfãos e depositarei por cada um, até à sua maioridade, mil e quinhentos rublos, para que Sófia Siemiônovna possa ficar tranquila. E, a ela, também a hei de tirar da lama, visto que é uma boa moça, não é verdade? Suponho que poderá

---
[54] Verso inicial dum poema de Liérmontov.

dizer a Avdótia Românovna a maneira como eu empreguei os seus dez mil rublos.

– Com que fim se dedica o senhor a tais generosidades? – perguntou Raskólhnikov.

– Ah! Que homem desconfiado! – sorriu Svidrigáilov. – Já lhe disse que esse dinheiro não me faz falta. Bem; mas diga lá, o senhor não acha que eu procedo humanamente? Olhe, aquela não era um piolho – e apontou com o dedo para o canto onde jazia a morta – como qualquer velhota usurária. Bem, há de concordar comigo: o que será melhor, que Lújin continue vivendo e cometendo canalhices, ou que ela morra? E, se eu não os ajudo, Pólietchka, então, há de ir pelo mesmo caminho...

Dizia tudo isto com o ar de um velhaco de bom humor, que piscava os olhos sem os afastar de Raskólhnikov. Este empalideceu e gelou ao escutar as suas expressões pessoais, aquelas que ele dissera a Sonha. Retrocedeu rapidamente e olhou avidamente para Svidrigáilov.

– Como é que sabe isso? – balbuciou, quase sem poder respirar.

– Olhe, porque eu estou instalado aqui, parede-meia, em casa de *Madame* Resslich. Aqui mora Kapernaúmov e ali *Madame* Resslich, uma minha antiga e leal amiga. Vizinhos.

– O senhor?

– Eu – continuou Svidrigáilov retorcendo-se a rir. – E posso afirmar-lhe, sob palavra de honra, querido Rodion Românovitch, que o senhor me inspira muito interesse. Olhe, eu disse-lhe que ainda havíamos de conviver, disse com antecedência... já vê como acertei. E vai ver como eu sou um homem maleável. Vai ver como se pode conviver comigo...

Sexta parte

Capítulo primeiro

Começou então para Raskólhnikov uma estranha época; era como se uma bruma se tivesse erguido de repente diante dele, envolvendo-o numa solidão irrespirável e densa. Ao evocar mais tarde este tempo, chegou a compreender como trouxera a consciência obnubilada, e que esse estado se prolongou, com leves intervalos, até que sobreveio a catástrofe definitiva. Estava firmemente convencido de se ter enganado em muitos pontos, por exemplo, na data e duração de certos acontecimentos. Pelo menos, depois, quando recordava e se esforçava por explicar o que evocava, não eram poucas as vezes que se reconhecia guiando-se por testemunhos alheios. Confundia, por exemplo, um acontecimento com outro; ou considerava-os como consequência de acontecimentos que só tinham acontecido na sua imaginação febril. De quando em quando apoderava-se dele uma grave e dolorosa inquietação, que chegava a degenerar em terror pânico. Mas lembrava-se também de que tinham existido minutos, horas e até dias, talvez, cheios de uma apatia que se apoderava dele como por reação contra o passado espanto; uma apatia semelhante a esse estado de alma de doentia indiferença de alguns moribundos. De maneira geral, naqueles últimos dias esforçara-se por se convencer de que compreendia clara e plenamente a sua situação; certos fatos vulgares que necessitavam de uma elucidação imediata causavam-lhe uma preocupação especial; mas, como teria ficado contente se pudesse libertar-se e evitar algumas precauções, cujo esquecimento, aliás, constituía na sua situação uma ameaça de realizada e irreparável rotina...

Era Svidrigáilov quem especialmente o assustava; poderia até dizer-se que, agora, a sua grande preocupação era Svidrigáilov. Desde que Svidrigáilov lhe dissera aquelas palavras tão ameaçadoras para ele e demasiadamente explícitas, no quarto de Sonha, por ocasião da morte de Ekatierina Ivânovna, parecia que o curso habitual das suas ideias se interrompera. Mas, apesar de esse novo fato o inquietar sobremaneira, Raskólhnikov não tinha a mínima pressa de esclarecer o assunto. Às vezes, quando se via de súbito em qualquer bairro solitário e afastado da cidade, em qualquer tasca miserável, sozinho, sentado a uma mesa, ensimesmado e sem perceber quase como é que havia chegado ali, recordava-se de repente de Svidrigáilov; e logo reconhecia claramente, e com inquietação, que era preciso falar o mais depressa possível com aquele homem e, se fosse possível, pôr um remate no assunto. De uma vez, em que passeava pelos arredores, chegou até a imaginar que Svidrigáilov estava à espera dele ali e que tinham combinado um encontro naquele lugar. De outra vez acordou ao romper do dia, prostrado no chão, sobre a erva, e quase não conseguia explicar a si próprio como é que fora parar ali. Aliás, nos dois ou três dias que se seguiram à morte de Ekatierina Ivânovna, encontrou-se umas duas vezes com Svidrigáilov, quase sempre no quarto de Sonha, onde ia sem objetivo, mas constantemente. Trocavam umas breves palavras e nem uma só vez sequer tocaram no ponto capital, como se entre eles existisse uma combinação tácita para não falar daquilo por então. O cadáver de Ekatierina Ivânovna ainda não tinha sido retirado. Svidrigáilov encarregara-se do funeral e andava muito atarefado. Sonha também estava muito ocupada. No seu último encontro com Svidrigáilov, este comunicou a Raskólhnikov que tratara, e bem, do caso dos filhos de Ekatierina Ivânovna: que, graças a certas amizades, conseguira chegar até certas pessoas com a ajuda das quais se podiam internar imediatamente os três orfãozinhos numa instituição muito indicada para esse fim, para o que também contribuíra muito o dinheiro que lhes doara, pois, colocar órfãos que possuíam algum capital sempre era mais fácil do que colocar órfãos pobres. Também lhe falou de Sonha; prometeu que iria visitá-lo daí a dias, a sua casa, e avisou-o de que queria pedir-lhe uns conselhos; que era muito necessário conversarem, que se tratava de um certo assunto... Tiveram esse diálogo no patamar, já na escada. Svidrigáilov olhou para Raskólhnikov de alto a baixo e, de súbito, depois de uma pausa, perguntou-lhe em voz baixa:

— Mas que lhe aconteceu, Rodion Románovitch, não parece o mesmo? Ouve e olha, mas parece que não compreende nada do que ouve e vê. Ganhe coragem. Olhe, temos de falar; é pena eu ter tantos assuntos alheios para tratar e não ter tempo para tratar dos meus... Ah, Rodion Románovitch – acrescentou de repente – toda a gente precisa de ar, de ar, de ar! Isso antes de mais!

De repente afastou-se para deixar passar o padre e o sacristão, que subiam a escada. Iam rezando um responso. Conforme as indicações de Svidrigáilov, diziam-lhe dois responsos por dia, escrupulosamente.

Svidrigáilov foi à sua vida. Raskólhnikov ficou pensativo e entrou atrás do padre no quarto de Sonha.

Parou junto da porta. O rito, tranquilo, solene e triste, começara. A ideia da morte e a comoção da presença dum morto sempre lhe tinham infundido uma espécie de sufocante e místico espanto, já desde a infância, e, além disso, havia já muito tempo que não ouvia um responso. Mas havia ainda outra coisa, de muito terrível e inquietante. Olhava para as crianças; estavam todas de joelhos, junto do caixão. Pólietchka chorava. Atrás deles Sonha rezava em voz baixa e timidamente chorosa. "Durante estes dias nem sequer olhou para mim uma só vez, e nem uma só palavra me disse", pensou Raskólhnikov. O sol iluminava claramente o aposento; a fumaça do incensório erguia-se em redemoinhos; o sacerdote lia: "Dai-nos a paz, Senhor!". Raskólhnikov assistiu a todo o responso. Quando deitou a bênção e se despediu, o sacerdote olhou à sua volta com um ar estranho. Terminada a cerimônia, Raskólhnikov aproximou-se de Sonha. Esta, de súbito, segurou-se a ele com as duas mãos e reclinou a cabeça sobre o seu ombro. Esse simples gesto afetuoso deixou Raskólhnikov perplexo; tinha também algo de estranho. O quê? Nem a menor repugnância, nem o menor espanto, nem o mais leve tremor na sua mão! Aquilo era já o cúmulo da abnegação pessoal. Pelo menos era o que lhe parecia. Sonha não disse nada. Raskólhnikov apertou-lhe a mão e saiu. Sentia um abatimento espantoso. Se lhe tivesse sido possível ir naquele momento a algum lugar e ficar aí completamente sozinho, ainda que fosse para toda a vida, teria se considerado feliz. Mas o certo era que, nos últimos tempos, embora estivesse quase sempre sozinho, não podia sentir-se só. Sucedia-lhe sair para os arredores, até à estrada e, de certa vez, até se meteu por entre um arvoredo; mas quanto mais deserto estava o lugar, mais vivamente ele sentia a seu lado como que uma presença inquietante, não a de nenhum estranho, mas antes qualquer coisa já de muito esperada, de tal maneira que acabava por regressar logo à cidade, e misturar-se entre as pessoas, entrava em alguma casa de pasto ou numa taberna, ia até Tolkútchi, ao Mercado do Feno. Aí sentia-se mais à vontade e mais só. Numa pequena taberna, à tardinha, cantavam canções; deixou-se ficar aí sentado uma hora inteira, ouvindo, e recordava-se de que isso lhe agradara muito. Mas, por fim, acabara por se levantar repentinamente, num desassossego, fora como se tivesse começado a ser atormentado por remorsos de consciência.

"Esta agora! Estou sentado, ouvindo canções; mas é isto, porventura, o que eu devo fazer – aliás, adivinhava que não era só isso o que o inquietava, mas algo que reclamava uma resolução urgente e acerca do que não era possível pensar nem dizer uma palavra. Tudo girava num torvelinho. – Não, o melhor seria uma disputa franca. O melhor seria outra vez Porfíri... ou Svidrigáilov... Um novo desafio, um novo ataque, o mais depressa possível... Sim, sim!", pensava. Saiu quase correndo da pequena taberna. A recordação de Dúnia e da mãe tornou a infundir-lhe de repente, sem que soubesse por que, um terror pânico. Nessa mesma noite, antes de amanhecer, despertou também entre o arvoredo da ilha Kriestóvski, tremendo inteiro, ardendo em febre; regressou a casa já de manhã, muito cedo. Passadas algumas horas de sono, a febre cessou-lhe, mas acordou já tarde, às duas horas.

Lembrou-se que o enterro de Ekatierina Ivânovna estava marcado para aquele dia e ficou satisfeito por não ter assistido. Nastássia levou-lhe comida; comeu e bebeu com grande apetite, quase com sofreguidão. Tinha a cabeça mais aliviada e sentia-se mais tranquilo do que nos últimos três dias. Até se admirou, por um momento, do seu terror pânico anterior. A porta abriu-se e Razumíkhin entrou.

– Ah! Estás comendo, portanto não estás doente – disse Razumíkhin pegando numa cadeira e sentando à mesa, em frente de Raskólhnikov; vinha muito excitado e não fazia esforços para dissimular; falava com visível aborrecimento, mas sem se atrapalhar nem levantar a voz de maneira especial. Poderia pensar-se que trazia alguma intenção pessoal e quase exclusiva. "Ouve, – disse resolutamente – pessoalmente, desejo que vás para o diabo; pelo que vejo agora, percebo perfeitamente de que não sou capaz de compreender nada; mas, por favor, não vás imaginar que te venho interrogar. Quero lá saber disso! Sou eu quem não quer! Agora já podes dizer-me tudo, todos os teus segredos, que eu talvez nem me demore a escutá-los, vire as costas e vá embora. Vim apenas com o objetivo de saber de uma maneira terminante e definitiva se é verdade, em primeiro lugar, se tu estás doido ou não. Tu bem sabes que existe quem esteja convencido (quem, não sei ao certo) de que tu estás completamente doido ou que pouco está faltando para isso. Confesso-te que eu também me sinto muito inclinado a aceitar essa opinião, em primeiro lugar, a avaliar pela tua estúpida e, até certo ponto, sórdida conduta (absolutamente inexplicável), e, além disso, levando também em conta teu recente comportamento para com a tua mãe e a tua irmã. Só um homem reles e indigno, não se tratando de um louco, poderia agir para com elas do modo como vens agindo; portanto, estás louco...

– Há quanto tempo estiveste com elas?

– Agora mesmo. Mas tu não tornaste a vê-las até agora? Por onde tens andado? Responde, por favor, pois já vim aqui três vezes, sem nunca te encontrar. A tua mãe, desde ontem que está muito doente. Queria vir ver-te; Avdótia Românovna não a deixa; mas ela não atende e insiste. "Se ele está doente – diz a tua mãe – se perdeu o juízo, quem poderá tratá-lo melhor do que eu?" Por isso viemos todos até aqui, para a não deixar sozinha. Estivemos a pedir-lhe que se tranquilizasse até o momento de chegarmos mesmo aqui, à porta. Entramos; tu não estavas. Olha, foi neste lugar que ela esteve sentada. Esteve dez minutos sentada; eu estava de pé, ao seu lado, sem falar. Até que ela levantou e disse: "Se saiu para a rua é sinal de que está bom e se esqueceu da sua mãe; por isso não é muito decente, é até um pouco vergonhoso que uma mãe esteja aqui, à sua porta, mendigando a sua amizade, como uma esmola". Voltou para casa e deitou-se; agora está com febre. "Afinal, para ela, tem tempo." Supõe que "ela" é Sófia Siemiônovna, tua noiva ou amante, ou lá o que seja. Eu fui imediatamente procurar Sófia Siemiônovna, porque queria tirar as coisas a limpo, meu amigo; mas assim que chego, deparo um caixão e duas criancinhas chorando. Sófia Siemiônovna estava provando-lhes uns vestidinhos de luto. Tu não estavas lá. Deitei uma vista de olhos naquilo tudo, apresentei as minhas desculpas e fui contar tudo a Avdótia Românovna. Não havia dúvida de que tudo aquilo era mentira, tu não tinhas nenhuma "ela", e, o mais provável, era que tu estivesses louco. Mas agora chego aqui e encontro-te muito bem sentado, a devorares o teu assado, como se não comesses há três dias. É claro que os loucos também comem; mas, neste mesmo instante, e sem precisar que tu me digas nada, declaro que... tu não estás louco. Juro! De maneira nenhuma, não estás louco. Por isso, vão todos para o diabo; aqui deve haver algum mistério, algum segredo; e eu não tenho a mínima vontade de quebrar a cabeça com os teus enigmas. Vim apenas para te censurar – concluiu, levantando – para aliviar a alma, e agora já sei o que tenho a fazer.

— Então que vais fazer agora?
— Que te interessa o que eu vá fazer agora?
— Olha, tu bebes demais.
— Quem te disse?
Razumíkhin ficou calado por um momento.
— Tu foste sempre um rapaz muito ajuizado e nunca estiveste louco – observou, de repente, com veemência. – Mas é verdade que bebo. Adeus! – e dispunha-se a partir.
— Há três dias, se não me engano, falei de ti à minha irmã, Razumíkhin.
— De mim? Como é que tu lhe falaste há três dias?
E Razumíkhin parou imediatamente, corando até um pouco. Era visível que, devido àquilo, tivera imediatamente um palpite.
— Foi ela quem veio aqui, sozinha; esteve aí sentada conversando comigo.
— Sozinha?
— Sozinha, sim.
— Mas que é que tu disseste... a meu respeito?
— Disse-lhe que tu eras um bom rapaz, honesto e capaz de amar a valer. Que tu gostas dela, isso não lhe disse, porque ela já sabe.
— Já sabe?
— Claro! Para onde quer que eu vá, aconteça-me o que acontecer... fica junto delas, serve-lhes de anjo da guarda. Eu as entrego a ti, por assim dizer, Razumíkhin. Falo assim porque sei perfeitamente que gostas muito dela e estou convencido da pureza do teu coração. Também sei que ela, pelo seu lado, pode gostar de ti e até é possível que já goste. Agora já podes decidir, visto que já estás melhor informado, se deves ou não deves beber.
— Rodka... Olha... Ora esta! Ah, malandro! Mas para onde é que tu tencionas ir? Olha, se isso é um segredo, está bem. Mas eu... eu conheço o segredo... E estou convencido de que se trata, com toda a certeza, de algum absurdo e de alguma insignificância, e que tu exageras tudo. Embora, no fundo, sejas um excelente rapaz... um excelente rapaz!
— Eu queria dizer-te também, quando tu me interrompeste, que pensavas muito bem, há pouco, ao dizeres que não querias conhecer estes mistérios e estes segredos. Deixa-me em paz por agora, não me perturbes. Hás de saber tudo a seu tempo, sobretudo quando for preciso. Ontem um indivíduo disse-me que o homem precisa de ar, ar, ar. E eu quero ir imediatamente à sua procura para que ele me explique o que é que queria dizer com isso.
Razumíkhin continuava de pé, pensativo e comovido, pensando em qualquer coisa.
"Deve ser um conspirador político! Com certeza! E no dia anterior deve ter dado qualquer passo decisivo, não há dúvida. Não pode ser outra coisa... e... e Dúnia sabe...", pensou, de repente.
— De maneira que Avdótia Românovna veio aqui ver-te – disse, acentuando as palavras – e tu queres avistar-te com um indivíduo que diz que o ar é necessário... O ar, e... provavelmente aquela carta... também deve ser do mesmo – concluiu intimamente.
— Qual carta?

— Uma que ela hoje recebeu e que a deixou muito perturbada. Muito. Talvez até demasiado, talvez. Eu me referi a ti... Ela me pediu que me calasse. Depois... depois disse-me que talvez nos tivéssemos de nos separar muito em breve. Depois pôs-se a agradecer-me encarecidamente, não sei o quê; finalmente foi para o quarto e fechou-se por dentro.

— Então recebeu uma carta? – perguntou Raskólhnikov pensativo.

— Sim, uma carta; mas não sabias? Hum!

Ficaram ambos calados.

— Adeus, Rodka! Eu, meu amigo... houve um tempo... mas nada, adeus! Eu também tenho de ir embora. Mas não vou beber. Agora já não é preciso... tu mentes...

Saiu rapidamente; mas, depois de ter saído e até quase fechado a porta, voltou outra vez e disse, olhando de soslaio:

— A propósito, lembras-te daquele crime, bem, daquele em que superintende Porfíri, o assassinato da tal velha? Pois bem, fica sabendo que já deram com o criminoso e este fez uma confissão completa e apresentou toda a espécie de provas. Calcula que é um daqueles operários pintores, lembras? E eu a defendê-los tão aloradamente! Toda aquela cena de briga e das risadinhas pela escada, com os seus companheiros, quando chegaram os tais indivíduos, o porteiro e as duas testemunhas, foi medida para despistar! Que astúcia, que presença de espírito em semelhante complicação! Custa a acreditar, mas ele confessou, e com todos os pormenores! Que te parece? A meu ver trata-se simplesmente de um gênio da imaginação e da dissimulação, de um gênio do álibi jurídico... embora, no fundo, talvez não haja razão para nos admirarmos. Não poderá haver desses gênios, por acaso? E o fato de não ter sido suficientemente firme para resistir e confessar, é mais uma razão para que eu o creia. Torna-se mais verossímil... Mas como, como é que eu me deixei enganar, naquela altura! Era capaz de ter posto as mãos no fogo por causa deles!

— Peço-te que me digas: quem te disse e por que estás tão interessado nisso? – perguntou Raskólhnikov, visivelmente comovido.

— Essa é boa! Por que é que me interesso? Que pergunta! Porfíri me disse, entre outros. Embora fosse ele quem me contasse quase tudo.

— Porfíri?

— Porfíri.

— E que... que é que ele disse? – perguntou Raskólhnikov com receio.

— Explicou-me tudo muito bem. Explicou psicologicamente, à sua maneira.

— Foi ele quem explicou? Ele próprio?

— Ele próprio! Ele próprio! Adeus! Depois te darei mais pormenores, porque agora tenho que fazer. Dantes... houve um tempo em que eu pensava... Mas não; depois... Para que hei de eu ir beber agora? Tu é que, sem vinho, me embriagaste. Estou tocadinho, Rodka. Até sem vinho, já estou embriagado; bem, vamos lá, adeus. Eu passarei por aqui em breve.

Saiu.

"É um conspirador político, com certeza, com certeza – decidiu definitivamente Razumíkhin para consigo, enquanto descia a escada devagar – também deve ter metido a irmã nisso, é muito provável, é muito provável, com o caráter de Avdótia Românovna. Tiveram um encontro... Ela já deu a entender algo assim. A avaliar por muitas das suas palavras... e palavrinhas... e alusões... não há dúvida, deve ser isso. Se não fosse isso, como é que se poderia explicar toda esta embrulhada? Hum! E eu que supunha... Oh, meu Deus, o que eu cheguei a pensar! Sim, foi uma alucinação, e agora sou culpado para com ele. Foi ele, naquela noite, junto da lâmpada, no corredor, quem me provocou essa alucinação! Livra! Que repugnante, estúpido e reles pensamento o meu! Ainda bem que Mikolka confessou! E como se explicam agora todas as coisas anteriores! Aquela doença dele, de há tempos, aquelas suas estranhas maneiras de conduzir-se e até aquele seu estranho caráter sombrio, sempre severo, já de muito antes, de quando andava ainda na Universidade... Mas que quererá dizer agora aquela carta? Deve haver aí qualquer coisa escondida. De quem será? Faz-me suspeitar... Hum! Não, hei de pôr tudo isso a claro..."

Não fazia outra coisa senão lembrar de Dúnietchka e pensar nela, e o coração batia-lhe com força. Conseguiu finalmente sair dali e acelerou muito o passo.

Assim que Razumíkhin saiu, Raskólhnikov levantou, aproximou-se da janela, começou a passear de um lado para o outro, como se estivesse esquecido da estreiteza do seu cubículo... e depois tornou a sentar no divã. Parecia cheio de novas energias: ia outra vez começar a luta, isto é, encontrara uma saída. "Sim, isso quer dizer que encontrei uma saída!" Um meio de escapar à situação terrível que o asfixiava, o oprimia dolorosamente e começara a provocar-lhe vertigens. Desde aquela cena anterior entre Mikolka e Porfíri que se vinha sentindo asfixiado, com falta de ar, em lugares acanhados. Depois do caso de Mikolka, nesse mesmo dia tinha sido aquela cena em casa de Sonha, que ele não conduziu nem terminou tal como imaginara previamente; fraquejou; isto é, fraquejara até muito, radicalmente. Fora de uma vez! Porque tinha finalmente reconhecido então, de acordo com Sonha, ele próprio tinha reconhecido, e reconhecido com sinceridade, que não lhe era possível viver sozinho com aquele peso sobre a alma. E Svidrigáilov? Svidrigáilov adivinhara... Não havia dúvida de que Svidrigáilov o inquietava, mas não por esse lado. Era possível que tivesse ainda que manter uma luta com Svidrigáilov. Talvez que Svidrigáilov fosse também outra saída; mas, com Porfíri, o caso era diferente.

De fato, fora o próprio Porfíri quem explicara as coisas a Razumíkhin, explicara psicologicamente. Lá começava ele outra vez a persegui-lo com a sua maldita psicologia! E Porfíri podia lá acreditar, por um instante que fosse, que era Mikolka o culpado, depois do que se passara entre os dois, depois daquela cena, dos dois, a sós, até à chegada de Mikolka, cena que apenas podia ter uma explicação racional, uma só! (Em todos esses dias, Raskólhnikov recordara por mais de uma vez, fragmentariamente, toda aquela cena com Porfíri, a cuja evocação completa não seria capaz de resistir). Então, tinham-se trocado tais palavras entre eles, realizados tais gestos e movimentos, trocados tais olhares, dito algumas coisas num tal tom de voz e chegado a tais extremos, que, depois daquilo, Mikolka (no íntimo do qual Porfíri penetrara desde a primeira palavra e do primeiro gesto), Mikolka não podia já abalar os fundamentos da sua convicção.

Mas como! Razumíkhin também já começara a suspeitar! A cena do corredor, junto da lâmpada, não se dera em vão. Porque ele se precipitara em ir ao encontro de Porfíri... Mas por que começaria ele a enganá-lo? Com que fim pretendia desviar para Mikolka o olhar de Razumíkhin? Não, andava tramando qualquer coisa, com certeza; havia ali alguma intenção; mas qual? Na verdade, já passara muito tempo desde aquela manhã... muito, muito, e de Porfíri não havia a menor notícia. O que, é claro, não era bom sinal...

Raskólhnikov pegou o gorro e, depois de reconsiderar um instante, saiu do quarto. Era o primeiro dia, durante todo aquele tempo, em que, pelo menos, se sentia num estado de perfeita lucidez. "É preciso arrumar as coisas com Svidrigáilov – pensou – seja como for e o mais depressa possível; ele, parece também estar à espera de que eu vá procurá-lo." E nesse momento ergueu-se de repente tal ódio no seu cansado coração, que é possível que nesse instante tivesse morto algum dos dois, Svidrigáilov ou Porfíri. Pelo menos sentia que, se não fosse naquele momento, estaria depois em condições de fazê-lo. "Veremos, veremos", repetia para consigo.

Mas, ainda mal abrira a porta, quando deu de cara com o próprio Porfíri. Este vinha precisamente procurá-lo. Raskólhnikov ficou estupefato por um momento, mas apenas por um momento. Coisa estranha: não se admirou muito de ver ali Porfíri e não sentiu quase medo algum. Teve apenas um leve sobressalto, do que se refez imediatamente. Talvez seja agora o tal desenlace! Mas como é que ele veio tão devagarinho, como um gato, de tal maneira que eu nem o senti? Terá estado à escuta?

– Não esperava a minha visita, Rodion Românovitch – exclamou Porfíri Pietróvitch, sorrindo. – Há já algum tempo que tencionava vir vê-lo. "Irei até lá – pensava – por que não hei de estar com ele uns cinco minutos?" Mas onde é que ia? Não quero entretê-lo. É só o tempo de fumar um cigarrinho, se me dá licença.

– Mas sente-se, Porfíri Pietróvitch, sente-se – pediu Raskólhnikov ao visitante, com um ar aparentemente tão satisfeito e amistoso, que até ele próprio teria ficado admirado se pudesse ver-se.

As suas impressões anteriores se esfumaram. Acontece às vezes que um homem suporta meia hora de susto mortal com um bandido, e quando este lhe põe, finalmente, o punhal sobre a garganta, o medo suma de repente. Sentou em frente de Porfíri e, sem pestanejar, ficou olhando para ele.

Porfíri piscou um olho e começou a acender lentamente o cigarro.

"Vamos, fale, fale! – de boa vontade lhe teria gritado Raskólhnikov, do fundo do coração. – Vamos! Que é isso? Então por que não falas?"

Capítulo II

– Estes cigarros! – disse finalmente Porfíri, que acabara de acender o seu e lançado uma fumaça. – Um veneno, um autêntico veneno e, no entanto, não posso deixá-los. Tusso, tenho pigarro na garganta e começo a sofrer de asma. Olhe, eu estou muito apreensivo e ainda não há muito tempo que fui consultar o doutor B***, que observa cada doente pelo menos durante meia hora... "O senhor – disse-me ele, entre outras coisas – deve abster-se do tabaco. Tem uma leve dilatação dos pulmões." Mas vamos ver: como é que vou deixar o tabaco? Pelo que hei de substituí-lo? É pena eu não beber... he... he... he! Aí é que está o mal, é eu não beber... Olhe, tudo é relativo, Rodion Românovitch; tudo é relativo.

"Pensará ele voltar às suas trapaças", pensou Raskólhnikov com aversão. Toda a cena recente do seu último encontro lhe veio à memória, e o mesmo sentimento de ira tornou a agitar-lhe o coração.

— Não sabe que vim procurá-lo anteontem? – perguntou Porfíri, passando revista ao quarto. – Estive aqui, aqui mesmo. Tal como hoje, também passei por aqui... e disse para comigo: "Por que não hei de fazer-lhe uma visita?". Subi e encontrei o quarto aberto; olhei... esperei e saí sem dizer o meu nome à sua criadinha... Mas não costuma fechar a porta?

O rosto de Raskólhnikov tornava-se cada vez mais sombrio. Porfíri pareceu adivinhar o seu pensamento.

— Vim para lhe dar uma explicação, meu caro Rodion Românovitch, para lhe dar uma explicação. Tenho a obrigação, o dever de lhe dar uma explicação – continuou com um sorrisinho e até deu uma leve palmadinha nos joelhos de Raskólhnikov. Mas, no mesmo instante o seu rosto tomou uma expressão séria e preocupada e pareceu até condoído, com espanto de Raskólhnikov. Nunca lhe vira essa expressão, nem podia suspeitar que ele pudesse fazer semelhante cara. – Foi uma estranha cena aquela que se passou entre nós da última vez, Rodion Românovitch. Também da primeira vez em que nos vimos se passou entre nós uma cena estranha; mas então... Enfim, tanto faz. Olhe, eu vou dizer-lhe do que se trata. O fato é que eu me considero culpado para com o senhor; é o que eu sinto. Lembra-se da maneira como nos separamos? O senhor estava nervoso e as pernas tremiam-lhe; eu também tinha os nervos crispados e as pernas também me tremiam. E olhe: houve também qualquer coisa de irregular entre nós, algo de impróprio de um *gentleman*. E, no entanto, nós somos *gentlemen*, isto é, seja em que circunstâncias for e acima de tudo, *gentlemen*; não nos devemos esquecer. Bem, o senhor deve lembrar-se até onde é que as coisas chegaram... até à incorreção.

"Mas onde é que ele quererá chegar, por quem me toma ele?", perguntou a si próprio Raskólhnikov, estupefato, erguendo a cabeça e olhando Porfíri de alto a baixo.

— Reconsiderei que, agora, é melhor procedermos com franqueza – continuou Porfíri Pietróvitch, inclinando um pouco a cabeça e desviando os olhos, como se não quisesse mais inibir a sua antiga vítima e como se desprezasse agora os seus antigos lemas e artimanhas. – Porque, de fato, essas suspeitas e cenas semelhantes não podem prolongar-se por muito tempo. Mikolka veio interromper-nos nessa ocasião; mas, senão fosse isso, não sei até onde teríamos chegado. Esse maldito operário tinha-se posto a escutar em minha casa, do outro lado do tabique... Já sabia, não é verdade? O senhor, com certeza que já sabe; e eu também não ignoro que, depois, veio vê-lo; mas, daquilo que o senhor, então, supunha, não havia nada; eu não mandara chamar ninguém, nem tomara ainda disposição nenhuma. Há de perguntar por que é que eu não tomara disposição nenhuma. Mas que vou lhe dizer? Tudo isso, então, me desorientara. E ainda bem que mandei chamar os porteiros (o senhor teria visto entrar os porteiros?). Então me ocorreu uma ideia, rápida como o relâmpago; repare: eu estava então convencido, Rodion Românovitch. "Ora... – pensava eu – ainda que o deixe à solta, por agora, a qualquer dos outros, em compensação, apanho-os pelos fundos das calças, e este, quanto a este, pelo menos, não o largarei." O senhor é muito irritável por natureza, Rodion Românovitch, até em excesso, e isso a par de todas as outras propriedades fundamentais do seu caráter e do seu coração, que eu me gabo de conhecer um pouco. Bem; eu, não há dúvida de que, então, não podia ainda deixar de dizer a mim mesmo que nem todos os dias acontece isto de vir um indivíduo que se põe a contar a uma pessoa tudo o que tem na alma. Embora isto aconteça algumas vezes, sobretudo quando a paciência dele acabou, seja como for, não é frequente. Eu não podia deixar de compreender isto. "Não – penso eu – concedam-me nem que seja apenas um só pequeno ponto de apoio. Por muito pequenino que seja e ainda que seja um apenas, mas de tal gênero que o possa agarrar com as mãos, que seja uma coisa e não apenas psicologia. Porque – dizia eu para comigo – se o indivíduo é culpado, já se pode, sem dúvida alguma, esperar dele algo de real, e até é lícito contar com o resultado mais imprevisto." Eu contava com o seu caráter, Rodion Românovitch; apenas com o seu caráter. Nessa altura tinha muitas ilusões a seu respeito!

– Mas... a que propósito vem tudo isso? – resmungou, finalmente, Raskólhnikov, até sem pensar na pergunta. – "A que se referirá ele?" – dizia para consigo, embrenhando em suposições. – Será o caso de que ele, no fundo, me considere culpado?

– A que propósito lhe digo eu tudo isto? É que vim dar-lhe uma explicação que, por assim dizer, considero um dever sagrado. Quero explicar-lhe tudo, com todas as letras; como se passou toda esta história dessa, por assim dizer, dessa miragem de então. Eu o fiz sofrer muito, Rodion Românovitch. Mas eu não sou nenhum monstro. Fique sabendo que compreendo até que ponto tudo isto pode afetar um homem, abatido pelo destino, mas altivo, dominante e impaciente; sobretudo, impaciente. Eu, no entanto, considero-o uma excelente pessoa, até com lampejos de grandeza de alma, embora não concorde consigo nas suas convicções, do que considero dever meu informá-lo, antes de mais nada, francamente e com a maior sinceridade, porque, acima de tudo, não quero enganá-lo. Quando o conheci, senti pelo senhor uma grande simpatia. Pode ser que dê risada ao ouvir as minhas palavras. Tem razão para isso. Sei que, para o senhor, desde o primeiro momento que lhe fui antipático, porque realmente não tenho nada de simpático. Mas, pense o que pensar, eu, agora, por meu lado, devo desfazer essa má impressão por todos os meios e demonstrar-lhe que eu também sou um homem de coração e de consciência. Estou falando com toda a sinceridade.

Porfíri Pietróvitch fez uma pausa e tomou um ar digno. Raskólhnikov sentia-se profundamente admirado. A ideia de que Porfíri o considerava culpado começou, de repente, a assustá-lo.

– Contar-lhe tudo pela ordem em que tudo aconteceu então, julgo que não é necessário – continuou Porfíri Pietróvitch – e até o considero supérfluo. E, além disso, não vejo como poderia fazê-lo. Porque, como havia eu de explicar-lhe circunstanciadamente? Em primeiro lugar, surgiram boatos. Onde tiveram origem estes boatos, quem, quando e a que propósito é que vieram a pensar em si especialmente... também é desnecessário referir. Pelo que me diz respeito, a coisa começou casualmente, por um acaso dos acasos, que tanto podia ser como não ser, absolutamente... Qual? Hum! Acho que também será inútil falar disto. Tudo isto, boatos e casualidades, se fundiu então, em mim, numa só ideia. Confesso-lhe francamente, já que estamos na hora das confissões, e é preciso haver uma confissão geral, que... o primeiro a reparar no senhor, então, fui eu. Aquelas anotações da velha nos objetos, etc., etc., tudo isto é um absurdo. Pormenores como esses podem encontrar-se às centenas. Tive também então oportunidade de conhecer a cena do Comissariado, com todos os pormenores, por pura casualidade, e não levianamente, mas da boca de uma testemunha minuciosa que, sem o suspeitar, fixara maravilhosamente a cena. Olhe, meu caro Rodion Românovitch, todas essas coisas, todas essas coisas se foram ligando umas às outras, umas às outras. Bem; estando as coisas neste pé, como não havia eu de me inclinar para certo lado? "De cem coelhos, nunca se faz um cavalo; de cem suspeitas, nunca se faz uma prova", diz um provérbio inglês, e veja quanta cautela encerra; mas as paixões... experimente lutar contra as paixões, porque o juiz também é homem. Lembrei-me então igualmente do seu artigo naquele jornal, recorda-se? do qual já me falou pormenorizadamente, na sua primeira visita. Eu, então, dei risada, mas foi para o levar a falar. Repito-lhe que o senhor é muito impaciente e irritável, Rodion Românovitch. Tive também ocasião de verificar que era temerário, arrebatado, e que sentira, sentira já muito, e tudo isso eu já sabia muito antes. Eu já conhecia todas essas sensações e li o seu artigo como qualquer coisa que me era familiar. Fora concebido em noites de insônia e de desespero, com palpitação e baques de coração, com um entusiasmo reprimido. Como é perigoso esse entusiasmo reprimido, orgulhoso, na juventude! Eu, então, troçava; mas agora lhe digo que me agrada muitíssimo, de maneira geral – falo como apaixonado – esse primeiro ensaio juvenil, fogoso, da sua pena. Vapores, brumas, a corda vibra por entre as névoas... O seu artigo é absurdo e fantástico; mas palpita nele a sinceridade, há nele orgulho juvenil indomável, respira-se ali a ousadia do desespero; é sombrio, o seu artigo; mas está bem feito. Li, separei-o, e... quando assim procedi, pensei: "Um homem destes não se contenta com isto!". Por isso diga-me agora: como é que, após um tal começo, não podia eu, depois, augurar a continuação? Ah, meu Deus! Mas estou eu dizendo alguma coisa? Afirmo eu alguma coisa, porventura? Por então, limitava-me a observar. "Que haverá em tudo isto? – pensava – Pois, em tudo isto, não há nada, simplesmente nada, é provável que não haja absolutamente nada." E, atirar-me nessas deduções, eu, um juiz, era até altamente indecoroso. Então caiu nas minhas mãos Mikolka, e já contava com fatos... aí, diga-se o que se disser, havia fatos. E recorri também à psicologia, era preciso pensar, pois tratava-se de um assunto de vida ou de morte. Mas, por que lhe explico eu agora tudo isto? Para que fique sabendo e, na sua inteligência e no seu coração, me considere culpado por aquela minha má conduta. Não procedia de má-fé, digo-lhe sinceramente, he... he! Que pensava o senhor? Que eu não iria fazer uma busca em sua casa? Pois sim; ela aconteceu, ela aconteceu... he, he!; aconteceu, quando o senhor estava doente, na cama. Não oficialmente, e na sua própria cara; mas foi feita. Examinamos até à última insignificância que havia no seu quarto como primeira diligência; mas... mas... *umsonst*[55]. Então eu pensei: "Agora esse indivíduo há de aparecer, ele mesmo se apresentará, e muito em breve; desde que seja culpado, não deixará de aparecer. Outro, não viria, mas este, sim, há de vir". E lembra-se de como o senhor Razumíkhin se pôs a censurá-lo? Tínhamos imaginado isso para o incitar, a si, à revolta, porque eu fiz correr intencionalmente o boato para que ele ralhasse consigo, pois o senhor Razumíkhin é um homem incapaz de dominar a sua indignação. O que chocou o senhor Zamiótov, em primeiro lugar, foi a sua cólera e a sua evidente ousadia; sobretudo aquilo que o senhor lhe atirou à cara, de repente, na taberna: "Eu matei!". Demasiado audaz, demasiado brusco, e, se é culpado, acho que é um tremendo cam-

---

[55] Em vão (em alemão).

peão! O que eu disse para mim mesmo, então, foi isto: "Esperarei!". E esperava-o com o maior ardor, ao passo que, a Zamiótov, o senhor tinha deixado simplesmente cheio de pavor... E olhe, o caso é este: a culpa, quem a tem é essa maldita psicologia de dois gumes. Bem; eu fico à sua espera; olhe, foi Deus quem o entregou a mim. Veio! Eu tive mesmo um pressentimento! Ah! Bem; por que veio o senhor, então? Aquelas suas risadas quando entrou, aquelas risadas, lembra-se? Adivinhei tudo através delas como de um cristal; mas se eu não estivesse à espera, como estava, não teria notado nada. Por aqui já pode ver o que significa estar de sobreaviso. Mas o Senhor Razumíkhin, nessa altura, lembra-se? Ah, Ah! E daquela pedra, daquela pedra... daquela pedra autêntica, debaixo da qual estão enterrados os objetos? Eu estou a vê-lo, ali, no pátio... porque o senhor falou primeiro de pátio a Zamiótov, e depois falou-me a mim pela segunda vez. Mas quando começamos a discutir o seu artigo, quando o senhor se pôs a explicar... cada uma das suas palavras continha um duplo sentido, como se debaixo delas houvesse outra coisa. Aqui está, senhor Rodion Românovitch, a maneira como a minha convicção se firmou pouco a pouco, e depois, quando tinha já certeza, caí em mim: "Não – disse comigo – mas que faço eu? Para que hei de querer tudo isto, até ao último pormenor? – disse – tudo isto pode ser explicado de outra maneira e até será mais natural". Que suplício! "Não – pensei – convinha-me muito mais uma provazinha." E então, quando soube das tais tocadelas de campainhas, quase que fiquei cheio de tremores. "Vamos – disse para comigo – já tenho a prova! Já tenho uma..." Porque eu, então, nem me detinha a refletir, não queria. Nesse momento seria capaz de dar mil rublos do meu bolso particular somente para ter podido vê-lo com os meus próprios olhos, quando andou aqueles cem passos juntamente com o operário, depois de ele lhe chamar assassino na sua própria cara, sem se atrever, durante esses cem passos que andou com ele, a perguntar-lhe o motivo por que ele o apostrofava assim... E esse tremor na espinha? Aquelas tocadelas de campainha foram obra da doença, do estado de quase delírio em que se encontrava! Vamos ver, ora diga-me, Rodion Românovitch, por que é que havia de se espantar, depois disso, que eu lhe dissesse umas gracinhas? E por que se apresentou espontaneamente naquele instante? Poderia dizer-se que alguém o impelira, e juro que se não tivessem chegado a levar-me ali Mikolka... então, lembra-se de Mikolka, nesse dia? lembra-se bem? Aquilo foi um autêntico raio que tivesse caído das nuvens, uma faísca de tempestade. A maneira como eu o recebi! Não acreditei nem um pouco, nesse raio, e bem o viu. E, além disso, depois, quando o senhor se retirou e ele começou a contar mais e mais concretamente alguns pontos, eu próprio fiquei admirado e não acreditei patavina do que ele disse. É isso que significa tornar-se duro como uma pedra. "Não – disse para comigo – *morgen früh*[56]. Ora este Mikolka!

— Razumíkhin acabou de dizer-me que o senhor, agora, considerava Nikolai como culpado, e até convencera disso o próprio Razumíkhin...

Faltou-lhe a respiração e não acabou. Ouvira com inexprimível comoção desdizer-se o homem que lhe adivinhara as intenções. Através de palavras ainda ambíguas, procurava avidamente captar algo de mais preciso e importante.

— O Senhor Razumíkhin! – exclamou Porfíri, como se tivesse ficado conten-

---

56 Até amanhã (em alemão). Equivalente a ora vai passear.

te com aquela pergunta de Raskólhnikov, que estivera calado até então. – He, he, he! Era conveniente não metermos nisto o Senhor Razumíkhin; com dois, dá gosto; três, são demais. Com o Senhor Razumíkhin, o caso é outro; é um homem estranho; veio procurar-me, muito pálido... Bem; Deus o proteja. Para que havemos de metê--lo nisto? Quanto a Mikolka, quer saber que espécie de homem é, de que maneira é que eu o compreendo? Em primeiro lugar é um rapazinho, ainda menor, e não é nenhum covarde, é assim, uma espécie de artista. Digo isto a sério, não se ria por eu defini-lo desta maneira. É um inocente, que fica impressionado com qualquer coisa. Tem coração e imaginação. Canta e dança, e conta histórias de tal maneira que até vêm pessoas de outras partes para o ouvir. Quando andava na escola, perante a mais insignificante brincadeira, caía no chão, rebolando de riso, e bebe até perder os sentidos, não por vício, mas às vezes, quando o fazem beber, por criancice. Já houve tempo em que roubou; mas ele não se apercebe disso, porque apanhar uma coisa do chão não é roubar. E sabe que ele é *raskólhnik*? Não é bem *raskólhnik*, mas simplesmente dissidente: na família dele houve desses a quem chamam vagabundos, e ele próprio, ainda há pouco tempo viveu no campo durante dois anos inteiros, sob a direção espiritual de um *stáriets*. Sei tudo isto pelo próprio Mikolka e pelos seus conterrâneos de Zaraisk. Mas, há mais: queria ir viver no deserto. Estava num estado de ardente fervor: implorava Deus durante a noite, lia e relia velhos livros, verdadeiros. Petersburgo causou-lhe grande impressão, sobretudo o belo sexo... bom, e há o álcool também. Deixou-se influenciar e esqueceu-se do *stáriets* e de tudo. Consta-me que havia aqui um artista que lhe ganhara amizade e se interessava por ele, quando, de repente, eis que surge este incidente. Bom, ficou colérico, furioso! Fugir! Mas que fazer, dada a ideia que as pessoas têm da nossa justiça? Para alguns, isso da justiça parece-lhes uma palavra tremenda. Quem é que tem a culpa disso? Esperemos que a nova jurisprudência arranje tudo. Oh, Deus o queira! Ora bem, agora, na prisão, deve ter-se lembrado, provavelmente, do *stáriets*, e a Bíblia também deve ter influído. Sabe o senhor, Rodion Românovitch, o que significa sofrer para essa gente, e não sofrer por algo determinado, mas, simplesmente, que é preciso sofrer? Significa aceitar o sofrimento, e, se for da parte do poder, tanto melhor. Houve no meu tempo um preso muito pacífico, que passou um ano inteiro na prisão, e à noite, encarrapitado no fogão, lia e relia a Bíblia, e não se cansava de lê-la, até que, quer saber, um dia, sem nenhum motivo foi e pegou um tijolo e o jogou no diretor, sem ter recebido deste a menor ofensa. E como é que ele o jogou? Intencionalmente, de um *archin* de distância, para não lhe fazer mal nenhum. Pois bem, o senhor deve saber qual é o fim que espera o preso que atenta com armas contra os seus superiores; mas aquele queria precisamente aceitar a dor[57]. Pois, agora, eu suspeito também de que Mikolka, o que quer é aceitar a dor, inclusive é uma convicção apoiada em fatos. Simplesmente, ele ignora que eu sei. O senhor acha que entre essa gente não há também indivíduos fantásticos? Pois é muito frequente. O *stáriets* deve ter começado agora a influir nele, sobretudo diante da lembrança de que se quis enforcar. Mas, além disso, ele próprio vai acabar por me contar tudo. Acredita que não o fará? Aguardemos, vamos ver quem está certo! Espero, momento a momento, que ele venha desmentir sua declaração. Eu tenho simpatia por esse Mikolka, e estudo-o a

---

[57] Este episódio é mencionado por Dostoiévski na obra *Memórias da casa dos mortos*.

fundo. E que pensa? Em alguns pontos respondeu-me muito concretamente, deu-me os pormenores que me faziam falta; pelo visto estava preparado; mas, sobre as outras questões, deixou uma lacuna, simplesmente: não sabe absolutamente nada, não dá pormenor algum, e nem sequer suspeita que não os deu. Não, *bátiuchka* Ródion Românovitch, não pode ser Mikolka. Isto é antes um assunto fantástico, sinistro, um assunto contemporâneo, um episódio do nosso tempo, em que o coração do homem anda tão torturado, em que se cita essa frase de que o "sangue remoça"; em que toda a vida se consome numa luta pelo bem-estar. Aqui, trata-se de... sonhos livrescos, de algum coração desesperado; aqui é notória a resolução de dar o primeiro passo, mas uma resolução de índole especial... e decidiu-se, sim, mas como quem se despenca por uma montanha abaixo ou se atira de cabeça, de uma torre, e pode ser dito literalmente que não foi levado ao crime pelos seus próprios pés. Esqueceu-se de fechar a porta atrás de si, e matou, matou duas pessoas, mas para pôr a sua teoria em prática. Matou; mas não conseguiu apoderar-se de dinheiro, e aquilo que conseguiu apanhar foi esconder debaixo de uma pedra. O menor tormento, para ele, ainda devia ter sido quando estava atrás da porta e começaram a sacudi-la e a puxar pela campainha... Não, depois, já no quarto vazio, quase em delírio, ao recordar aquela campainha devia ter sentido outra vez calafrios na espinha... Bem, suponhamos que isto fosse devido à doença; mas repare também nisto; matou; mas tem-se por um homem honesto, despreza as pessoas e quer fazer-se passar por santo... E esse não foi Mikolka, meu caro Ródion Românovitch, esse não é Mikolka!

Estas últimas palavras, depois de tudo quanto foi dito anteriormente, tão semelhantes a uma retratação, eram muito inesperadas. Raskólhnikov tremia dos pés à cabeça.

– Então... quem... é o assassino? – perguntou, sem poder conter-se, com uma voz ansiosa.

Porfíri Pietróvitch encostou-se para trás na sua cadeira, como se essa pergunta o apanhasse também de imprevisto e o deixasse estupefato.

– Quem é o assassino? – repetiu, como se não acreditasse no que acabava de ouvir. – Pois o assassino é o senhor, Ródion Românovitch! É o senhor o assassino! – acrescentou, quase em voz baixa, num tom de absoluta convicção.

Raskólhnikov saltou do divã, permaneceu de pé uns segundos e tornou a sentar sem dizer uma palavra. Uma leve convulsão lhe correu, de súbito, por todo o rosto.

– Aí está o seu lábio tremendo como da outra vez – murmurou Porfíri Pietróvitch, quase compassivo. – Parece-me que o senhor, Ródion Românovitch, não me compreendeu – acrescentou, depois de um silêncio – e foi essa a causa do meu espanto. Eu vim precisamente para lhe dizer tudo e ventilar o assunto claramente.

– Eu não sou o assassino – balbuciou Raskólhnikov, tal qual uma criança assustada, quando é apanhada em flagrante.

– Sim, é o senhor, Ródion Românovitch; é o senhor e só o senhor – exclamou Porfíri com voz severa e convicta.

Ficaram ambos em silêncio, e esse silêncio foi de uma duração extraordinariamente longa, pois prolongou-se durante dez minutos. Raskólhnikov apoiou os cotovelos sobre a mesa e pôs-se a revolver a cabeleira com os dedos. Porfíri Pietróvitch estava sentado e aguardava. De repente, Raskólhnikov olhou com desprezo

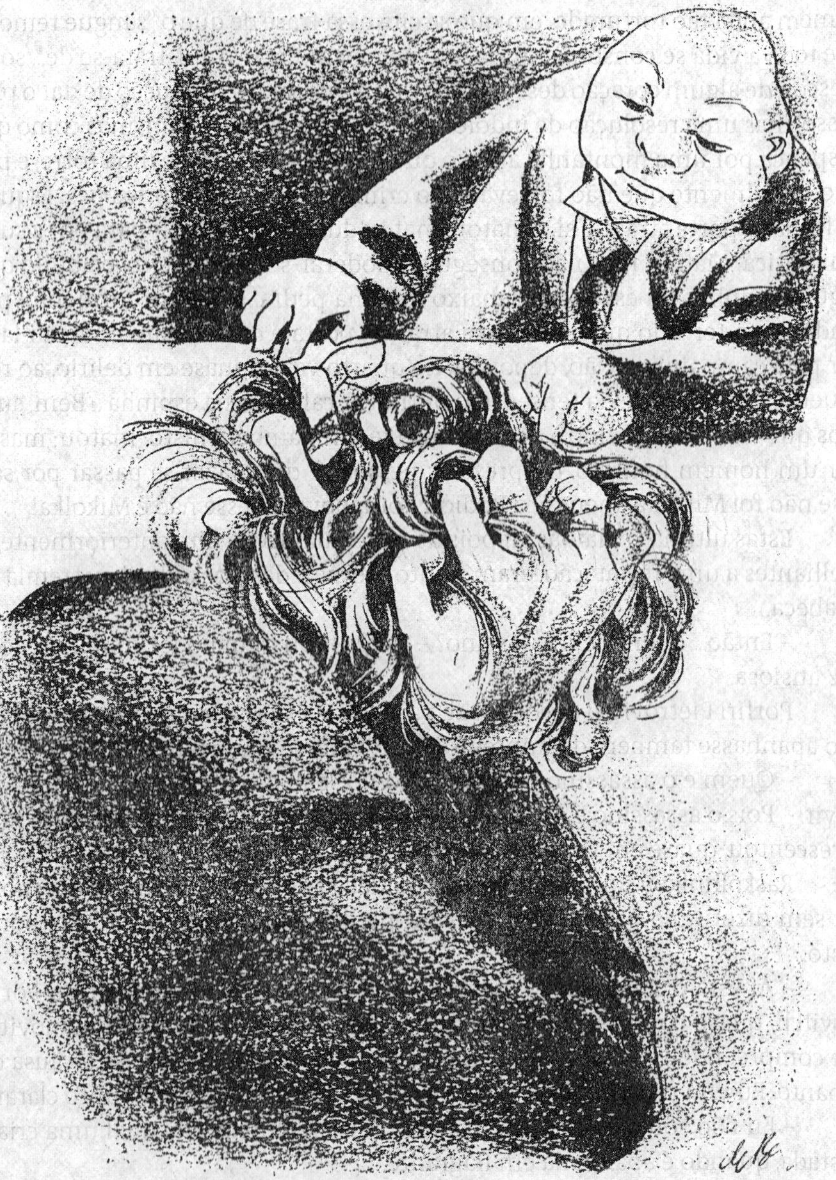

para Porfíri.

— Voltou outra vez com as mesmas cantigas, Porfíri Pietróvitch! Tudo isto está de acordo com as suas máximas. Como é que, no fundo, isso não acaba por aborrecê-lo?

— E, deixe-se disso! Que têm que ver, agora, as minhas máximas? Se houvesse testemunhas seria outra coisa; mas repare que estamos os dois falando sozinhos! O senhor bem vê que eu não vim a sua casa para tirá-lo da sua toca e caçá-lo como uma lebre. Quer o reconheça, quer não, a mim, neste momento, tanto faz. Eu, para mim, estou convencido, embora o senhor negue.

— Então, se é assim, para que veio? — perguntou Raskólhnikov, nervoso. — Torno a fazer-lhe a pergunta da outra vez: se me considera culpado, por que não me prende?

— Olhem que pergunta! Mas vou responder-lhe ponto por ponto; em primeiro lugar, porque não me convém mandá-lo prender, ao senhor, do pé para a mão.

— Não lhe convém! Se o senhor está convencido, é esse o seu dever!

— Ah, que importa que eu esteja convencido? Até agora, tudo isto são fantasias minhas. E por que havia eu de mandá-lo para lá, para "descansar"? O senhor bem sabe, já que pergunta. Se eu trouxesse, por exemplo, o tal operário, para fazer declarações contra a sua pessoa, o senhor podia responder-lhe: "Mas tu não estarás bêbado? Quem é que nos viu juntos? Limito-me a tomar-te simplesmente por um bêbado e, de fato, estavas bêbado...". Que poderia eu objetar a isto, tanto mais que a sua resposta resultaria mais verossímil que a dele, visto que as suas declarações não teriam outro fundamento senão a psicologia, ao passo que o senhor teria acertado no alvo por toda a gente saber que esse animal bebe como uma esponja! Não lhe confessei eu ao senhor, sinceramente, por mais de uma vez, que essa psicologia tem dois gumes e que o segundo oferece mais verossimilhança do que o primeiro, e que, além disso, eu não disponho, por agora, de nada de positivo para alegar contra o senhor? Vou mandar prendê-lo, sem dúvida, e embora eu tenha vindo (contra todas as regras) avisá-lo disso, declaro-lhe, no entanto (também contra as regras), que não me convém fazer isso. Em segundo lugar, vim para...

— Por que em segundo lugar? — Raskólhnikov continuava a ouvi-lo ainda arquejante.

— Já lhe disse: porque lhe devo explicações; não quero que o senhor me tome por um monstro, tanto mais que, quer acredite, quer não, tenho as melhores intenções a seu respeito. Por conseguinte, e esse é o terceiro ponto, vim fazer-lhe uma proposta franca e sem segunda intenção: exorto-o a que faça rebentar o tumor indo o senhor mesmo denunciar-se. Para o senhor, será infinitamente mais vantajoso, e também o será para mim, porque me verei livre deste peso. Então? Não sou bastante franco?

Raskólhnikov refletiu ainda um instante.

— Olhe, Porfíri Pietróvitch, foi o senhor mesmo quem disse: em tudo isto não há mais do que psicologia e, no entanto, o senhor invoca a matemática. E se estivesse enganado neste momento?

— Não, Rodion Românovitch. Seja como for, por outro lado, eu, a partir deste momento, já não tenho o direito de contemporizar; devo prendê-lo e vou fazer isso. Por isso, pense; agora já pouco me importa a sua atitude e só o faço atendendo ao seu interesse. Ponho Deus por testemunha, Rodion Românovitch, o melhor é o senhor mesmo ir denunciar-se.

Raskólhnikov riu-se maquinalmente.

– De fato, isto já deixa de ser ridículo, para ser simplesmente insolente. Ainda que eu fosse culpado (declaração que eu não fiz, de modo nenhum), por que havia eu de ir entregar-me, uma vez que foi o senhor mesmo quem me disse que lá, na prisão, eu descansaria?

– Eh, Rodion Românovitch, não tome as minhas palavras à letra! Isso está muito longe de ser um descanso. Trata-se simplesmente de uma teoria pessoal, que eu sustento. Mas que autoridade sou eu para o senhor? Talvez eu, neste momento, lhe esconda qualquer coisa. O senhor não pode ter a pretensão de receber de uma vez todas as minhas confidências e utilizá-las a seu bel-prazer. Quanto ao segundo ponto: que vantagem trará isso para o senhor... faz uma ideia da comutação de pena que poderia alcançar assim? Pense nisso. Se for outro a tomar conta do assassinato e a dar um novo aspecto à causa... Pelo que me respeita, juro perante Deus que hei de tomar tais disposições e hei de mexer-me de tal maneira que o senhor há de sair o melhor possível deste passo, sem disso nem suspeitar. Poremos de lado todos estes suportes psicológicos. Reduzirei a nada as suspeitas que levantaram contra o senhor, de maneira que o seu crime pareça o resultado de uma obsessão, visto que, no fim de contas, foi isso, uma obsessão. Eu sou um homem honesto, Rodion Românovitch, e cumprirei a minha palavra.

Triste e silencioso, Raskólhnikov baixou a cabeça, refletiu longamente e, por fim, sorriu de novo, mas com um sorriso doce e melancólico.

– Não é preciso – disse, sem pensar sequer em fingir perante Porfíri. – Não vale a pena, não preciso da sua indulgência!

– Era isso, precisamente, o que eu receava! – exclamou Porfíri com impetuosidade involuntária. – Era isso o que eu temia: que não quisesse aceitar a minha indulgência.

Raskólhnikov lançou-lhe um olhar triste e penetrante.

– Não tenha esse desgosto de viver – continuou Porfíri – porque ainda tem um longo caminho à sua frente! Como é que não há de ter necessidade de indulgência, como é que não há de tê-la? O senhor é muito exigente!

– Que perspectiva me espera?

– A vida! O senhor é profeta para saber tantas coisas? Procure que encontrará. Pode ser que Deus esteja lá à sua espera. A prisão não será perpétua.

– Haverá diminuição de pena... – disse Raskólhnikov sorrindo.

– O quê? Seria possível que o coibisse uma falsa vergonha burguesa? Pode ser que assim seja, sem o senhor o compreender, porque é novo. Mas o senhor não devia ter medo nem sentir vergonha de confessar o mal que o corrói.

– Eu cuspo em tudo isso! – exclamou Raskólhnikov com nojo e desprezo, e sem parecer decidido a falar. Fez até menção de ficar em pé, como se pensasse em sair; mas tornou a sentar, visivelmente desesperado.

– Cuspa, se quiser! O senhor é desconfiado e pensa que eu estou tentando levá-lo de uma maneira grosseira. Mas, é possível que já tenha vivido tanto? Que sabe o senhor de todas essas coisas? Imaginou uma teoria e está muito envergonhado por ela ter falhado, e por verificar que o que dela resultou é muito pouco original! Bem pior é o que ela lhe fez; mas, o senhor, apesar de tudo, não é um velhaco sem remédio! O senhor não é nenhum patife, de maneira nenhuma. O senhor, pelo menos, não hesitou; pôs as cartas todas na mesa, desde o primeiro momento. Sabe o que é que eu penso do senhor? Considero-o como um desses homens que antes se deixariam cortar em pedaços do que serem abatidos, e olhariam sorrindo para os seus verdugos, contanto que possuíssem uma fé qualquer ou acreditassem em Deus. Pois bem: encontre estas coisas e viverá. Em primeiro lugar, há muito tempo já que o senhor precisa mudar de ares. O sofrimento também é uma boa coisa. Sofra. Talvez Mikolka tenha razão em querer sofrer. Eu sei que o senhor não acredita em nada. Mas não queira ser tão radical. Abandone-se francamente à corrente da vida, sem raciocinar; afugente as inquietações, que ela mesma o conduzirá diretamente à margem e tornará a pôr-se de pé. Que margem será essa? Como vou saber? Eu acredito unicamente que ainda tem muito que viver. Já sei que tudo isto que neste momento lhe digo soa aos seus ouvidos como um sermão aprendido de memória; mas talvez mais tarde venha a repetir para si mesmo estas palavras, que então poderão ser-lhe proveitosas; é por isso que as digo. Ainda foi uma grande sorte não ter matado senão uma velha má. Se lhe tivesse ocorrido outra teoria, teria cometido uma ação mil vezes pior... Talvez ainda deva dar graças a Deus... Quem sabe? Pode ser que Deus o tenha reservado para qualquer coisa. Eleve o seu coração e não seja tão covarde. Sente medo da grande tarefa que tem a cumprir? Seria vergonhoso sentir esse medo! Já que passou a fronteira, não pense em retroceder. Há aqui uma questão de justiça... Realize aquilo que a justiça exige. Já sei que não me acredita; mas ponho Deus por testemunha de como a vida há de ser mais forte. Não tardará a tomar-lhe apego. Hoje, aquilo de que precisa é apenas de ar. Precisa de ar, ar!

– Mas quem é o senhor – exclamou – para adotar esse tom de profeta? Desde o alto de que Sinai está o senhor a proferir essas sentenças?

– Quem sou eu? Sou um homem acabado, nada mais. Um homem sensível, simplesmente, e que sente compaixão; não completamente desposuído de saber, mas completamente gasto. Quanto ao senhor, é outra coisa. Deus reserva-lhe a vida (e quem sabe se tudo isto não se desvanecerá da sua memória, como uma fumarada, sem deixar rastro?). Que importa que agora forme parte de outra categoria de pessoas? Com um caráter como o seu, irá o senhor sentir a falta das comodidades? Ou será o estar preso muito tempo, longe de todos os olhares? O tempo, em si mesmo, não é nada; quem importa é o senhor mesmo. Transforme-se num sol e todo o mundo o verá. O sol deve ser, antes de tudo, sol. Por que outra vez esse sorriso? Pensa que eu estou recitando Schiller? Era capaz de apostar qualquer coisa em como imagina que eu estou querendo passar-lhe a conversa com lisonjas! Juro que é muito possível, he, he, he! Pois bem, Rodion Românovitch, não creia em mim pelas minhas palavras, nem acredite absolutamente nada do que eu lhe digo; eu cumpro o meu dever, estou de acordo; mas quero apenas acrescentar uma coisa, que é esta: compete-lhe ao senhor avaliar se eu sou um homem honesto ou um patife.

– Quando é que pensa prender-me?

– Ainda posso deixá-lo passar livremente durante um dia e meio ou dois dias. Reflita, meu amigo; vá pedindo a Deus, que com ele sairá ganhando, afirmo-lhe eu, sairá ganhando.

— E se eu fujo? – perguntou Raskólhnikov, sorrindo com um ar estranho.

— Não, o senhor não fugirá. Fugiria um camponês, um partidário das ideias em voga, lacaio do pensamento alheio, porque basta pôr-lhe a mão em cima uma vez para que acredite em tudo quanto uma pessoa quiser. Mas vamos ver: o senhor também acredita nas suas teorias? Portanto, como é que havia de fugir? E, como fugitivo, que existência levaria? A vida do fugitivo é indigna e penosa, e o senhor precisa, primeiro que tudo, de uma vida tranquila, ordenada, de uma atmosfera que seja sua, e, algures, no estrangeiro, não estaria no seu ambiente. Se partisse, voltaria. Não poderia passar sem nós. Quando eu o tiver metido na prisão, passado um, dois, ou, digamos, três meses, as minhas palavras vão voltar-lhe à memória, vai confessar a si mesmo e talvez no instante em que menos o espere. Uma hora antes ainda o senhor não saberá que está maduro para essa confissão. Estou até convencido de que acabará por aceitar o sofrimento. Neste momento não acredita no que eu lhe digo; mas há de chegar a sua hora. A dor, Rodion Românovitch, é, de fato, uma grande coisa. Não se admire de me ouvir falar assim, eu, um homem que conta com o bem-estar; sei muito bem que isto faz sorrir; mas há um sentido na dor e Nikolai tem razão. O senhor não fugirá, Rodion Românovitch.

Raskólhnikov levantou do seu lugar e pegou o gorro. Porfíri levantou também.

— Tenciona dar um passeio? Vai fazer uma tarde bonita, desde que não se levante uma tempestade. Embora, no fim de contas, talvez fosse melhor, pois refrescaria a atmosfera.

Pegou também o seu gorro.

— Porfíri Pietróvitch – insistiu Raskólhnikov em tom duro – seria bom que não enfiasse na cabeça que eu, hoje, lhe fiz confissões. O senhor é tão estranho, que eu estive a escutá-lo por pura curiosidade. E não lhe confessei absolutamente nada. Não se esqueça disso.

— Bem sei, bem sei, e não me esqueço. Mas veja como está tremendo. Não se preocupe, meu amigo, respeitaremos a sua vontade. Vá dar um passeiozinho; mas não vá muito longe. De toda a maneira, tenho de fazer-lhe um pequeno pedido – acrescentou, baixando a voz – é uma coisa delicada, mas tem a sua importância: no caso de ter a intenção, embora eu não creia, considero-o incapaz disso, mas é bom prever-se tudo; no caso de lhe ocorrer a ideia, durante estas quarenta e oito horas, de acabar com a existência e atentar contra a sua vida (desculpe-me esta suposição absurda), deixe então uma cartinha suficientemente explícita. Apenas duas linhas, duas simples linhazinhas, indicando onde se encontra aquela pedra; isso será mais cavalheiresco. Bem, vamos lá... até à vista... Queira Deus que lhe ocorram bons pensamentos e que os ponha em prática.

Porfíri saiu. Poderia dizer-se que o seu corpo se dobrava, que evitava olhar para Raskólhnikov. Este foi até à janela e esperou com impaciência febril o momento em que, segundo os seus cálculos, o juiz de instrução já teria saído e afastado suficientemente. Depois saiu também do quarto, a toda a pressa.

Capítulo III

Era-lhe urgente ver Svidrigáilov. O que podia esperar desse homem, nem ele mesmo sabia. Mas esse homem exercia sobre ele um poder misterioso. A partir do momento em que compreendera isto, deixara de ter sossego e, além disso, já chegara o momento de deixar tudo claro.

Durante o caminho houve uma pergunta que, sobretudo, o torturava: teria Svidrigáilov falado com Porfíri? Tanto quanto ele podia perceber... não tinha. Raskólhnikov era capaz de jurar que não. No entanto, Raskólhnikov evocou ainda a visita de Porfíri, e ia sempre parar a esta conclusão: não, Svidrigáilov não se encontrara com o juiz da instrução, não tinha, com certeza!

Mas, se Svidrigáilov ainda não tinha ido, iria ou não procurar Porfíri? Pelo menos, de momento, parecia-lhe que essa visita não se realizaria. Por quê? A razão disso, não sabia; mas se lhe fosse possível explicá-lo, também não cansaria a cabeça por causa disso. Tudo isso o torturava, mas, ao mesmo tempo, esse ainda era o mais pequeno dos seus cuidados. Coisa estranha e até difícil de acreditar: a sua sorte atual, imediata, o preocupava muito pouco e pensava nela distraidamente. O que o atormentava era outra coisa, algo muito mais grave e excepcional, que só a ele dizia respeito, mas que era diferente e de capital importância. Experimentava, além disso, uma enorme lassidão moral, apesar de nessa manhã se encontrar em melhores condições para raciocinar que nos dias anteriores.

E, além disso, depois de tudo quanto acabava de acontecer, que necessidade tinha ele agora de procurar vencer todas essas míseras dificuldades, que de novo surgiam no seu caminho? Valia a pena, por exemplo, procurar enredar com Svidrigáilov para que este não fosse procurar Porfíri, perder tempo a desmascarar e desarmar um Svidrigáilov qualquer? Já estava farto de tudo isso. E, no entanto, corria em busca de Svidrigáilov; não poderia dar-se o caso de haver qualquer coisa de novo a esperar dele, alguma indicação, algum meio de acabar com aquilo tudo? Às vezes sucede agarrarmo-nos a uma palha! Não se daria o caso de o destino ou o instinto os impelir um para o outro? Talvez no caso de Raskólhnikov se tratasse simplesmente de cansaço, de desespero; talvez tivesse necessidade, não de Svidrigáilov, mas de outra pessoa; se ia atrás deste era porque não tinha outro recurso. E Sonha? Mas por que havia de ir ver Sonha naquele momento? Para mendigar de novo as suas lágrimas? Além disso, Sonha inspirava-lhe espanto. Sonha representava a sentença irrevogável, sem apelação. Ir vê-la era abdicar. Naquele instante, sobretudo, não se sentia capaz de suportar a sua presença. Portanto, não valia mais tentar a sorte com Svidrigáilov? Por que não, afinal? Não podia deixar de reconhecer no fundo de si mesmo que, havia já muito tempo, aquele homem lhe era necessário. Mas, no entanto, que podia haver entre eles de comum? Aquele homem, inclusive, tinha algo de extraordinariamente antipático; era, evidentemente, um libertino consumado, cauteloso e manhoso com toda a segurança; talvez até um refinado malandro. Corriam acerca dele muitas histórias desse gênero. É certo que tomara a seu cargo os filhos de Ekatierina Ivânovna; mas sabia-se lá com que intenção? Um homem da sua laia, com certeza que andava tramando qualquer coisa.

Havia já vários dias que um certo pensamento assaltava e obcecava Raskólhnikov, o qual tentava em vão afugentar, tão doloroso lhe era. Às vezes dizia para consigo: "Svidrigáilov anda sempre a dar voltas junto de mim e, neste momento, está a rondar-me; Svidrigáilov descobriu o meu segredo: Svidrigáilov teve intenções sobre Dúnia. E se agora ainda as tivesse? Pode-se quase afirmar que sim, sem receio de engano. Agora que conhece o meu segredo e estou na sua mão, de certa maneira, irá servir-se disso como de uma arma contra Dúnia?".

Essa ideia, às vezes até em sonhos o perturbava, mas a primeira vez que lhe surgiu à consciência, com toda a clareza, foi no momento em que se dirigia para casa de Svidrigáilov. Bastou esse pensamento para lhe provocar um surdo ataque de raiva. Em primeiro lugar, a situação mudava por completo, até mesmo naquilo que pessoalmente o afetava; não tinha outro remédio senão revelar o mais depressa possível o seu segredo a Dúnia. Não faria bem em ir ele próprio denunciar-se, com o fim de pôr Dúnia a salvo de algum passo imprudente? E aquela carta? Dúnia recebera nessa mesma manhã uma carta? Quem é que, em Petersburgo, poderia escrever-lhe? Seria de Lújin, essa carta? É certo que Razumíkhin era uma boa sentinela, mas Razumíkhin não sabia de nada. Não faria bem em ser franco com Razumíkhin? Mas, perante essa ideia, Raskólnikov experimentou uma sensação de espanto.

"Seja como for, é preciso ir imediatamente procurar Svidrigáilov – decidiu finalmente. – Graças a Deus, os pormenores têm aqui menos importância que o fundo do assunto; mas se for capaz disso... desde que Svidrigáilov intente a menor coisa contra Dúnia, nesse caso..."

Raskólnikov estava tão esgotado por aquele longo mês de lutas e comoções que não se sentia capaz de resolver questões semelhantes senão com estas palavras de frio desespero: "Nesse caso, terei de matá-lo". Um doloroso sentimento lhe oprimia o coração; parou no meio da rua e girou os olhos à sua volta. Que caminho seguira? Onde é que se encontrava? Encontrava-se na avenida de X***, a trinta ou quarenta passos do Mercado do Feno, que atravessara. O primeiro andar do prédio da esquerda era completamente ocupado por uma taverna. Todas as janelas estavam abertas de par em par. A taverna, a avaliar pelas figuras que assomavam às janelas, estava apinhada. Da sala, onde tocavam clarinete e violino, ao compasso de um repique de tambor, chegava um rumor de canção. Ouviam-se gritos agudos de mulher. Estava Raskólnikov quase decidido a voltar atrás, a si mesmo perguntando por que tomara o rumo da avenida X***, quando, de súbito, numa das últimas janelas do estabelecimento, descobriu Svidrigáilov, de cachimbo na boca, sentado a uma mesa de chá[58]. Sentiu um grande assombro, mesclado de terror. Svidrigáilov observava-o e contemplava-o em silêncio, e o que acabou de deixar Raskólnikov estupefato foi que lhe pareceu ter notado que Svidrigáilov queria levantar e escapulir suavemente antes que ele o visse. Raskólnikov fingiu não o ter visto e olhou para o outro lado com ar perplexo, embora sem o perder de vista pelo canto do olho. O coração pulsava-lhe de angústia. Era isso, sem dúvida, Svidrigáilov queria passar despercebido. Tirou o cachimbo da boca e procurou esconder-se, mas ao ficar em pé para afastar a cadeira reparou, provavelmente, que Raskólnikov o tinha visto e o estava contemplando. Passou-se entre ambos qualquer coisa semelhante à cena do seu primeiro encontro em casa de Raskólnikov, no momento em que este dormia. Um sorriso de velhacaria assomou ao rosto de Svidrigáilov que, aliás, se pavoneou. Um e outro se sabiam mutuamente espiados. Até que por fim Svidrigáilov rompeu numa estrepitosa gargalhada.

---

58 Nas tabernas servia-se também chá, uma das bebidas nacionais russas.

— Vamos, vamos! Entre, se quiser, eu aqui estou! – gritou da janela.

Raskólhnikov subiu à taberna.

Encontrou Svidrigáilov num pequeno gabinete traseiro, contíguo a um salão, onde, diante de umas vinte mesinhas, uma multidão de comerciantes, de funcionários e de pessoas de todos os gêneros tomava chá por entre a horrível algazarra dos cantadores, que berravam em coro. De qualquer lugar chegava um barulho de bolas de bilhar entrechocando-se. Svidrigáilov tinha na sua frente, em cima da mesa, uma garrafa de champanhe e um copo meio esvaziado. Havia também nesse pequeno gabinete um rapazinho que tocava realejo, acompanhado de uma cantora, uma mocetona de uns dezoito anos, bochechuda e corada, embrulhada numa saia às listas, de mangas arregaçadas e com um chapéu tirolês de fitas. Cantava umas coplas vulgares, apesar do coro ruidoso que se elevava do salão vizinho, acompanhada pelo realejo, com uma voz de contralto, muito zombeteira.

— Vamos! Já chega! – interrompeu-a Svidrigáilov, quando Raskólhnikov entrou.

A moça suspendeu a cantoria e ficou aguardando numa atitude respeitosa. Até quando estava cantando aquelas brejeirices com acompanhamento de música, também conservava no rosto essa mesma expressão de respeito e gravidade.

— Eh, Filip, um copo! – gritou Svidrigáilov.

— Eu não bebo vinho – disse Raskólhnikov.

— Como quiser, mas não estava chamando por sua causa. Vamos Kátia, bebe e vai-te embora! Já não preciso de ti.

Ofereceu-lhe um copo de vinho e meteu-lhe na mão uma pequena nota. Kátia bebeu o vinho como as mulheres costumam fazê-lo, sem tirar os lábios do copo, em vinte golinhos; depois pegou na nota, beijou a mão de Svidrigáilov, que a deixou beijar com o ar mais sério deste mundo, e abandonou a sala, seguida do rapaz do realejo. Eram ambos filhos da rua. Svidrigáilov estava apenas há oito dias em Petersburgo, mas já se encontrava aí tão à-vontade como na aldeia. O moço da sala, Filip, era já seu conhecido, e arrastava-se de um modo servil. Uma volta de chave na porta e Svidrigáilov estava ali como em sua casa, seria até possível que passasse ali dois dias inteiros. Aquela taberna suja, reles, nem sequer como de segunda categoria podia classificar-se.

— Ia a sua casa e andava à sua procura! – começou Raskólhnikov. – Mas, não sei por que, de repente torci para a avenida X***, ao sair do Mercado do Feno! Nunca passo nem venho por aqui. Volto sempre à direita do Mercado. Este também não é o caminho para ir a sua casa. E ainda mal dera a volta, eis senão quando o vejo; é estranho!

— Por que não diz o senhor, simplesmente, que é um milagre?

— Porque pode ser que não passe de casualidade.

— Que tipos tão engraçados! – disse Svidrigáilov pondo-se a rir. – Ainda que estejam intimamente convencidos do milagre, não querem reconhecê-lo! O senhor é o próprio a dizer que pode ser que não se trate senão de uma casualidade. E como são covardes a respeito das suas opiniões; o senhor não pode fazer uma ideia, Ródion Românovitch! O senhor possui uma opinião pessoal e não teve medo de tê-la. Foi precisamente por isso que despertou a minha curiosidade.

— Só por isso?

— E já é bastante!

Era visível que Svidrigáilov se encontrava num estado de excitação, mas não muito acentuado; não bebera mais do que meio copo de vinho.

— Tenho a impressão de que o senhor veio ao meu encontro ainda antes de saber se eu tinha ou não aquilo que chama uma opinião pessoal — insinuou Raskólhnikov.

— Nessa altura era diferente. Cada um procede à sua maneira. Pelo que respeita ao milagre, posso dizer que lhe noto uma cara como se tivesse estado a dormir durante estes dois ou três últimos dias. Eu próprio lhe indicara esta taberna, por isso não é nada estranho que tivesse vindo direto aqui. Eu lhe dissera o caminho que devia seguir, o lugar em que fica e as horas a que podia encontrar-me aqui. Não se lembra?

— Tinha esquecido — respondeu Raskólhnikov surpreendido.

— Acredito; mas eu disse duas vezes. O endereço deve ter se gravado maquinalmente na memória e maquinalmente o senhor se encaminhou para aqui, sem se lembrar já bem ao certo do endereço. Aliás, eu não tinha a menor ilusão de que estivesse a escutar-me enquanto eu lhe falava. O senhor é demasiado distraído, Rodion Românovitch. E, além disso, estou convencido de que há muitas pessoas, em Petersburgo, que andam pelas ruas falando sozinhas. Isto é uma cidade de gente meio doida. Se nós tivéssemos um pouco de ciência, alguns médicos, juristas e filósofos, poderiam fazer as observações mais interessantes, nas suas respectivas especialidades, em Petersburgo. Será difícil encontrar outra terra onde atuem sobre a alma humana influxos tão tenebrosos, tão intensos e tão estranhos como em Petersburgo. Talvez seja a ação do clima! Mas, como é o centro administrativo do País, o seu caráter deve refletir-se na Rússia inteira. Mas não é disso que se trata agora: o que eu lhe queria dizer era que o tenho observado por mais de uma vez; quando sai de casa leva a cabeça erguida. Mas, apenas dá vinte passos, logo abaixa e cruza as mãos atrás das costas. Olha, e percebe-se muito bem que não vê nada, nem do que se passa à sua frente nem ao seu lado. Até que acaba por se pôr a mexer os lábios e a falar sozinho; além disso gesticula muito enquanto fala, e depois para de repente no meio da rua e aí fica parado durante muito tempo. Isso não está certo. Poderiam outras pessoas observá-lo e, francamente, isso não é conveniente. No fundo, para mim tanto faz, e não serei eu quem pretenda curá-lo desse mau costume, mas espero que me compreenda.

— O senhor sabe se estou sendo espiado? — perguntou Raskólhnikov, olhando-o com curiosidade.

— Não, não sei nada disso — respondeu Svidrigáilov espantado.

— Bem, bem, não falemos mais no caso — resmungou Raskólhnikov franzindo o sobrolho.

— Muito bem, não falemos mais.

— O melhor seria que me dissesse como é que, vindo eu aqui para beber e tendo-me indicado por duas vezes este lugar para que viesse procurá-lo, por que é que, agora, quando eu olhava da rua para a janela, o senhor se escondeu e quis escapulir-se... Reparei muito bem.

— He, he! E o senhor, outro dia, quando eu estava à entrada da sua porta, não se deixou ficar de olhos fechados, no seu divã, fingindo dormir, embora estivesse perfeitamente acordado? Eu também percebi isso muito bem.

– Podia ter... as minhas razões... O senhor bem sabe.

– Pois também eu podia ter as minhas razões, que o senhor não sabe.

Raskólhnikov apoiou o cotovelo direito sobre a mesa, segurando o queixo com a mão, e olhou fixamente para Svidrigáilov. Havia um minuto que contemplava aquela cara, que sempre o chocara. Era uma cara singular, que parecia uma máscara: branca, vermelha, com uns lábios de vermelhão, uma barba de um louro avermelhado e o cabelo branco, ainda bastante espesso. Tinha os olhos demasiado azuis, de um olhar muito parado e fixo. Havia algo de terrivelmente antipático naquele belo rosto, que se conservara, apesar dos anos, incrivelmente jovem. Svidrigáilov trazia um traje de verão, de um tecido fino e leve, e distinguia-se sobretudo pela roupa interior. Um grande anel, com uma pedra preciosa, brilhava num dos seus dedos.

– O senhor ainda vai me dar preocupações? – perguntou Raskólhnikov de repente, indo direto ao assunto com febril impaciência. – Embora o senhor seja talvez o mais perigoso dos homens, se se decidir a fazer o mal, não procurarei dissimular por mais tempo e vou demonstrar-lhe agora mesmo que eu não ando querendo esconder-me. Fique sabendo, portanto, que eu vim para lhe dizer que, se persiste nos mesmos propósitos a respeito da minha irmã e pensa tirar partido do segredo que surpreendeu há pouco, vou matá-lo antes que tenha tido tempo de mandar-me para a prisão. Acredite no que eu lhe digo, já sabe que sou capaz de cumprir. Além disso, se tem alguma confidência a fazer-me, e já há muito tempo me parece que o senhor tem qualquer coisa para me dizer, apresse-se, porque o tempo é precioso e talvez muito em breve seja demasiado tarde...

– Mas para que tanta pressa? – perguntou Svidrigáilov olhando-o com curiosidade.

– Todos nós temos os nossos assuntos a tratar – respondeu Raskólhnikov impaciente e com um ar sombrio.

– O senhor acaba de convidar-me a ser franco e desde a primeira pergunta já evita responder – observou Svidrigáilov sorrindo. – O senhor sempre acha que eu trago entre mãos certos projetos e por isso me olha com olhos desconfiados. No fim de contas, quando uma pessoa se encontra nas suas circunstâncias, é perfeitamente compreensível. Mas, por mais que eu deseje viver em boas relações com o senhor, não me darei ao trabalho de tirá-lo desse erro. Meu Deus, isso não valeria a pena e, além do mais, eu não tinha a intenção de falar-lhe de maneira particular.

– Então por que é que eu lhe sou tão necessário? Por que é que o senhor não para de me rondar?

– Simplesmente por curiosidade, como objeto de observação. Interessa-me o lado fantástico do seu caso. Aí tem o porquê. Além disso o senhor é irmão de uma pessoa que me interessava muito e, finalmente, a essa pessoa ouvi eu, em tempos, falar muito a miúdo do senhor, de onde pude deduzir que exerce sobre ela uma grande influência; ainda lhe parece pouco tudo isto? He, he, he! Além disso confesso-lhe que a sua pergunta é demasiado complexa e muito difícil de responder. Ora vejamos, por exemplo: não teria o senhor vindo agora mais para comunicar-me algo novo do que para falar-me de qualquer assunto? Não será isto? Não será isto? – insistiu Svidrigáilov com um sorriso ladino. – Imagine, depois disto, que eu próprio, quando vinha ainda a caminho para aqui, no trem, tinha a ilusão de que o senhor havia de revelar-me qualquer coisa de novo e que eu havia de conseguir tirar de ti[59] algum proveito. Já vês como nós somos, nós, os ricos.

– Tirar algum proveito? De que maneira?

– Como explicar? Por acaso eu sei? Olha, eu passo a vida nas tabernas e encontro prazer nisto; quero dizer, não o faço tanto por gosto, como porque é preciso estar sentado em qualquer lugar. Ainda que apenas com essa pobre Kátia... Viu-a? Bem, se eu fosse, por exemplo, um glutão, um gastrônomo de Clube, mas olhe para o que eu posso comer! – estendeu o dedo para um canto onde, em cima de uma mesinha redonda, numa travessa de latão, se viam os restos de um horrível bife com batatas. – E, a propósito: já almoçou hoje? Eu já comi um pouco e não quero mais. Vinho, por exemplo, também não bebo, a não ser champanhe, e deste apenas um copo numa tarde, e até isto me faz doer a cabeça. Se o pedi, hoje, foi para me animar, porque tenho de ir a um lugar e preciso de ter uma certa disposição de espírito. Há pouco escondi-me como um colegial, porque julguei que o senhor vinha roubar-me tempo; mas pelo visto – puxou do relógio – ainda posso dedicar-lhe uma hora; sabe que são já quatro e meia? Ainda se eu fosse alguma coisa! Bem, proprietário ou pai de família, fotógrafo, jornalista... Mas nada, não tenho nenhuma profissão determinada! Às vezes aborreço-me. Eu pensava, de fato, que o senhor me traria novidades.

– Mas quem é o senhor e por que veio até aqui?

– Quem sou eu? O senhor já sabe: um nobre que serviu dois anos na Cavalaria, e depois veio para aqui, para Petersburgo, dar voltas pelas ruas, e, finalmente, casou-se com Marfa Pietrovna e foi viver no campo. Aí tem o senhor a minha biografia resumida!

– Segundo dizem, o senhor é jogador.

– Jogador, não. Trapaceiro...

– Trapaceiro?

– Acho que sim.

– E então nunca lhe deram uma sova?

– Algumas vezes. E então?

– É que podiam provocá-lo para um duelo... e, em geral, isso põe uma certa animação na vida.

– Não lhe digo que não, e neste ponto não sou forte em filosofias. Confesso-lhe que, acima de tudo, vim aqui por causa das mulheres.

– Logo depois da morte de Marfa Pietrovna?

– Claro – respondeu Svidrigáilov com subjugadora franqueza – que tem isso de especial? Não acha bem que eu fale, assim, das mulheres?

– Isso significa perguntar se eu condeno o vício?

– O vício! Deixe-se disso! Mas vou responder-lhe ordenadamente a respeito das mulheres, primeiro em termos gerais; repare, eu tenho inclinação para falar. Diga-me: por que havemos de virar as costas às mulheres, se elas nos agradam? Ao menos é uma ocupação.

– De maneira que, então, o que o trouxe aqui foi apenas o vício.

– Seja, visto que insiste, vamos chamar de vício. Admitamos. Ao menos, a sua pergunta, franca, agrada-me. É o principal. Neste vício, pelo menos, há qualquer

---

59 Svidrigáilov passa assim do tratamento de *senhor* para o de *tu*, no texto.

coisa de positivo, baseada inclusive na natureza e não preparada pela fantasia, algo que persiste como uma brasa acesa no sangue e que nem debaixo do peso dos anos se extingue facilmente. Há de concordar comigo que esta é uma ocupação, à sua maneira!

– Não é caso para felicitá-lo. Isso é uma doença, e perigosa.

– Que diz? Eu estou convencido de que isso é uma doença, como tudo o que ultrapassa os limites, e aí ultrapassa-se com certeza. Mas repare: em primeiro lugar, cada qual tem os seus limites, este tem um, aquele outro, e além disso, em tudo é preciso ter comedimento, embora isto seja um cálculo medíocre; mas que se há de fazer? Se procedermos de outra maneira, não nos resta mais nada senão dar um tiro na cabeça. Concordo que o homem morigerado tem obrigação de aborrecer-se, mas, apesar de tudo...

– E o senhor seria capaz de dar um tiro na cabeça?

– Que é isso! – respondeu Svidrigáilov com repugnância. – Faça favor de não falar dessas coisas – apressou-se a acrescentar, agora sem ponta dessa fanfarronice que deixava transparecer nas palavras anteriores; até mudou a expressão do seu rosto. – Reconheço que se trata de uma fraqueza imperdoável, mas que se há de fazer? Tenho medo da morte e não me agrada que falem nela, sequer. O senhor não sabe que eu tenho um pouco de místico?

– Ah, sim! As aparições de Marfa Pietrovna! Ainda continua a aparecer-lhe?

– Ah, não me faça lembrar dela! Em Petersburgo, ainda as não tive; que vão para o diabo! – exclamou com uma certa irritação. – Não, não falemos disso... mas, aliás... Hum! Já tenho pouco tempo, tenho pena de não poder continuar com o senhor! Tinha uma coisa para lhe contar.

– Mas por que está com essa pressa? Por causa de alguma mulher?

– Sim, é uma mulher; um caso completamente inesperado... Não me refiro a isto.

– Mas a vileza de todo este ambiente não o impressiona? O senhor já não tem forças para se dominar?

– O senhor faz-se forte, não? He, he, he! O senhor deixa-me admirado, Rodion Românovitch, embora eu soubesse já de antemão que havia de ser assim. É o senhor que me vem falar, a mim, de vício e de estética? O senhor... um Schiller! O senhor... um idealista! Mas, de fato, tudo isto tem a sua razão de ser, e o que seria estranho era se não fosse assim, embora, apesar de tudo, continue um tanto estranho, na realidade... Ah, é pena eu não ter mais tempo, porque o senhor é um indivíduo muito curioso! E, a propósito, o senhor aprecia Schiller? Eu sou doido por ele.

– O senhor sempre é um grande fanfarrão! – disse Raskólhnikov com uma certa repugnância.

– Juro-lhe que não sou! – respondeu Svidrigáilov rindo. – Embora, no fim de contas, não o discuta, admitamos que seja um fanfarrão; mas por que não há de uma pessoa gabar-se quando não ofende ninguém? Eu vivi anos na aldeia com Marfa Pietrovna, e depois, quando me encontrei agora com um homem inteligente, como o senhor... inteligente e extremamente curioso, pus-me a falar, simplesmente por alegria, sem contar com o que bebi, aliás só este meio copo de vinho e já me subiu um pouquinho à cabeça. Mas o principal foi uma certa circunstância que me produziu um grande alvoroço, mas da qual... não direi nada. Onde é que vai? – perguntou de repente Svidrigáilov com receio.

Raskólhnikov pôs-se de pé. Custava-lhe e parecia ter cometido uma vileza em ir ali. Estava convencido de que Svidrigáilov era o malandro mais vazio e insignificante do mundo.

– Ah! Sente-se, sente-se! – pediu-lhe Svidrigáilov. – Mas, ao menos, peça que lhe tragam chá. Vamos, sente-se, não pense que vou lhe contar disparates, isto é, continuar a falar-lhe de mim. Vou contar uma coisa. Vamos, fique, que eu vou contar como é que uma mulher, empregando a sua linguagem, me salvou. Com isso responderei também à sua primeira pergunta, visto que essa mulher é... a sua irmãzinha. O quê? Posso contar? Vamos e mataremos assim o tempo.

– Conte; mas espero que...

– Oh! Não se preocupe! Até ao homem mais abjeto e depravado como eu, Avdótia Românovna só pode inspirar o mais profundo respeito.

Capítulo IV

– É possível que o senhor saiba (e, além disso, eu próprio lhe contei) – começou Svidrigáilov – que eu estive aqui preso por dívidas, dívidas enormes, e que não tinha meio nenhum de pagar. É desnecessário contar-lhe com todos os pormenores como é que Marfa Pietrovna veio resgatar-me. Sabe até que grau de loucura podem apaixonar-se, às vezes, as mulheres? Esta era uma mulher honesta, muito esperta, embora sem a mínima cultura. Pois imagine que essa ciumenta e honesta mulher decidiu-se a assinar, depois de muitas cenas e censuras, a assinar comigo um contrato que cumpriu escrupulosamente durante todo o tempo que estivemos casados. No fundo, ela era muito mais velha do que eu, e, além disso, mascava constantemente um cravinho da índia. Eu tinha uma alma bastante baixa e, ao mesmo tempo, era honesto à minha maneira e, para falar-lhe com toda a franqueza, não podia ser-lhe absolutamente fiel. Esta confissão deixou-a estupefata; mas, segundo parece, a minha rude franqueza foi-lhe simpática, de certo modo – "Que diabo, isso é sinal de que ele não quer enganar-me, visto que começa por dizê-lo" – e, vamos lá, para uma mulher ciumenta, isso é o principal. Depois de muitos choros ficou combinado entre nós um contrato verbal deste teor: primeiro, que eu nunca abandonaria Marfa Pietrovna e seria sempre seu marido; segundo, que nunca me ausentaria sem a sua permissão; terceiro, que nunca teria a mesma amante; quarto, que, em troca disto, Marfa Pietrovna me autorizava a brincar uma vez por outra com as nossas criadas, mas informando-a sempre, em segredo; quinto, que Deus me livrasse de me apaixonar por uma mulher da nossa classe; sexto, que se por acaso (Deus me livrasse disso) eu chegasse a apaixonar-me a sério, ficava obrigado a comunicá-lo a Marfa Pietrovna. A respeito desta última cláusula, Marfa Pietrovna esteve sempre completamente tranquila; era uma mulher inteligente, por conseguinte, não podia considerar-me de outro modo senão como um ser corrompido, um libertino incapaz de amar seriamente. Mas uma mulher inteligente e uma mulher ciumenta... são duas coisas diferentes, e aí, precisamente, é que está o mal. Aliás, para julgar imparcialmente certas pessoas é preciso desprendermo-nos primeiro de certos hábitos cotidianos, abstermo-nos de julgar os indivíduos e os objetos que costumam rodear-nos. Eu tenho razão ao confiar mais no seu juízo do que no das outras pessoas. É possível que eu lhe tenha descrito Marfa Pietrovna como uma mulher ridícula e tola. De fato, tinha alguns costumes muito ridículos; mas digo-lhe francamente, que eu deploro com toda a sinceridade os inumeráveis desgostos que lhe dei. E, vamos lá, creio que isto já é bastante como decentíssima oração fúnebre do mais carinhoso marido para a sua amantíssima esposa. Na ocasião das nossas contendas, eu me calava, geralmente, e não me zangava, e esta conduta de *gentleman* produzia quase sempre efeito; influía nela e até lhe agradava; às vezes até se mostrava orgulhosa de mim. Mas, à sua irmã, apesar de tudo, não pôde suportá-la. Mas como foi possível que ela se tivesse atrevido a meter em casa uma beldade daquelas como preceptora! Eu explico isso calculando que Marfa Pietrovna era uma mulher inflamável e sensível, e que se apaixonou, simplesmente – essa é a palavra – pela sua irmã. Além disso foi Avdótia Românovna quem deu o primeiro passo. Não acredita? E não quero crer também que Marfa Pietrovna chegou até ao extremo de se zangar comigo, a princípio, por causa do meu eterno silêncio a respeito da sua irmã e por eu me mostrar tão indiferente perante os seus contínuos e apaixonados elogios de Avdótia Românovna? Eu não sei o que ela pretendia! É claro que Marfa Pietrovna deve ter posto Avdótia Românovna a par da minha maneira de ser. Ela possuía um hábito infeliz: o de ir contar a toda a gente os nossos segredos conjugais e de queixar-se constantemente de mim a toda a gente. Como não havia ela de fazer isso também com uma nova e tão bonita amiga? Calculo que, as duas, não deviam ter outro tema de conversa que não fosse eu, e sem dúvida que todos esses sombrios e misteriosos boatos que corriam a meu respeito... deviam ter chegado ao conhecimento dela: aposto em como o senhor também deve ter ouvido qualquer coisa do gênero.

– Ouvi. Lújin acusava até o senhor de ter sido a causa da morte de uma pequenina. É verdade?

– Faça favor de deixar em paz todas essas vilanias – respondeu Svidrigáilov com repugnância e brusquidão – se o senhor tem de fato empenho em conhecer a fundo todo esse disparate, talvez alguma vez lhe conte, mas, agora...

– Também falou de certo criado seu da aldeia e de que o senhor também tivera a culpa não sei de quê.

– Por favor, já chega! – atalhou Svidrigáilov com impaciência colérica.

– Não será o tal criado que, depois de morto, lhe foi buscar o cachimbo, conforme o senhor mesmo me contou? – insistiu Raskólnikov com irritação crescente.

Svidrigáilov olhou firme para Raskólnikov, e a este pareceu que naquele olhar houve por um momento um brilho fulminante, mau; mas Svidrigáilov conteve-se e respondeu com muita delicadeza: – É esse mesmo. Vejo que isso também lhe causa muita impressão, e considero um dever satisfazer a sua curiosidade com toda a espécie de pormenores na próxima oportunidade. Que vão para o diabo! Vejo que, de fato, posso passar por uma personagem de novela romântica. Portanto, sendo assim, veja até que ponto eu tenho obrigação de agradecer à Marfa Pietrovna ter já contado a sua irmã tantas coisas secretas e curiosas a meu respeito. Não me atrevo a avaliar a impressão; mas, em todo caso, isso, para mim, foi-me muito proveitoso. Apesar de toda a sua natural repugnância pela minha pessoa, e apesar do meu eterno aspecto sombrio e repelente, Avdótia Românovna acabou por chegar a sentir compaixão por mim, compaixão pelo homem vicioso. E quando o coração duma mulher começa a apiedar-se, isso, para ele, é, evidentemente, o mais perigoso. Então há de sentir infalivelmente anseios de salvar e de regenerar, de ressuscitar, de guiar para fins mais elevados, de chamar a uma nova vida e a uma nova atividade... bem, já sabe o que se pode imaginar dentro deste teor. Eu compreendi imediatamente que a borboleta andava rondando a chama e, por meu lado, pus-me de sobreaviso. Mas, parece que o senhor franze o sobrolho, Rodion Românovitch. Não é caso para isso, porque, como sabe, a coisa não foi além disso. (Raios partam o vinho que eu bebi!) Olhe, fique sabendo que, desde o primeiro momento, eu sempre lamentei que o destino não tivesse feito nascer a sua irmã no segundo ou terceiro século da nossa era, em qualquer parte, filha dum poderoso príncipe ou de algum governador ou procônsul da Ásia Menor. Não há dúvida nenhuma de que teria sido uma daquelas mulheres que sofriam o martírio, e certamente teria sorrido quando lhe dilacerassem o peito com tenazes em brasa. Teria se oferecido para isso espontaneamente, e nos séculos quarto ou quinto, teria se retirado para o deserto do Egito e aí teria vivido trinta anos alimentando-se de raízes, de fé e de visões. O que ela deseja e pede é unicamente sofrer o mais depressa possível um martírio por alguém e, desde que não lhe façam sofrer, é possível que se atire da ponte abaixo. Ouvi dizer qualquer coisa a respeito de um certo Senhor Razumíkhin. Segundo dizem, é rapaz sensato (o que o seu nome já indica; provavelmente é um seminarista). Pois bem, ele que vele pela sua irmã. Em resumo: eu julgo tê-la compreendido, com o que muito me honro. Mas, naquela altura, quero dizer, quando se conhece uma pessoa, a princípio, o senhor bem sabe que se fica sempre um pouco desorientado e incorremos sempre em incompreensão, não somos muito clarividentes, vemos aquilo que não existe; tentei tirar partido, além do mais ela era tão bonita! Eu não tinha culpa! Em resumo: desde o primeiro momento inspirou-me uma paixão irresistível. Avdótia Românovna é terrivelmente casta, de maneira inaudita e nunca vista. (Repare que eu digo isto da sua irmã como uma realidade. Ela é casta, talvez até a um grau doentio, apesar de toda a sua largueza de espírito, e isso prejudica-a.) Lá em nossa casa havia uma moça, Paracha, a Paracha dos olhos negros, que tinham enviado da outra aldeia como aia, e a qual eu não vira até então; uma moça muito engraçada, mas extraordinariamente estúpida; era muito chorona, enchia a casa de gritos e até provocou um escândalo. Uma vez, depois do jantar, Avdótia Românovna foi intencionalmente procurar-me a sós numa alameda do jardim, e exigir-me, com olhos faiscantes, que deixasse Paracha em paz. Foi essa a nossa primeira conversa a sós. Eu, é claro, considerei uma honra aceder ao seu desejo e esforcei-me por fingir-me contrariado, mortificado; numa palavra: desempenhei muito bem o meu papel. Devido a isso estabeleceram-se entre nós certas relações, diálogos secretos, lições de moral, admoestações, pedidos e até lágrimas... pode acreditar, até lágrimas. Veja o senhor onde a paixão pela catequese conduz algumas moças. Eu, é claro, deitei a culpa de tudo ao meu destino; pintei-me como um homem ávido de luz, deitei mão do meio mais poderoso e infalível para apoderar-me do coração duma mulher, um meio que nunca falha e que produz efeito em todas elas, desde a primeira à última. Esse meio, como toda a gente sabe, é a lisonja. Não há no mundo coisa mais difícil do que a sinceridade e mais fácil que a lisonja. Se à sinceridade se mistura a mais pequena nota falsa, surge imediatamente a dissonância e, atrás dela... o escândalo. Ao passo que a adulação, ainda que seja falsa até à última nota, torna-se simpática e ouve-se com satisfação: com satisfação grosseira, sim, mas com satisfação. E, por muito tosca que seja a lisonja, metade dela, pelo menos, parece sempre verdadeira. E isto para todos os graus de cultura e hierarquia social. Até a uma vestal seria possível seduzir com a lisonja. E nem é preciso falar das pessoas vulgares. Não posso deixar de sorrir quando me lembro de como seduzi uma vez uma mulher casada, com filhos e virtuosa, e que além disso gostava muito do marido. Como aquilo foi divertido e me deu tão pouco trabalho! Mas, de fato, a senhora era extremamente virtuosa, à sua maneira. Toda a minha tática se reduziu unicamente a mostrar-me sempre como se me sentisse esmagado pela sua castidade e cheio de adoração perante ela. Eu a adulava de uma maneira descarada, e apenas conseguira segurar-lhe na mão ou deter um olhar, logo me punha a recriminar-me a mim próprio por ter conseguido aquilo à força, porque ela não o queria; e não o queria a tal ponto que, eu, se não fosse tão vicioso, provavelmente nunca teria conseguido nada; ela, na sua inocência, não pressentia sequer o mal e entregou-se inconscientemente, sem saber... sem suspeitar, etc., etc. Enfim, consegui dela tudo, e a boa da senhora estava convencida de que era inocente e pudica, e que cumpria todos os seus deveres e obrigações e que caíra de um modo inesperado. E como ela ficou zangada comigo quando eu, no fim de tudo, acabei por explicar-lhe com toda a sinceridade que estava plenamente convencido de que ela, em tudo aquilo, procurara tanto o prazer como eu. A pobre Marfa Pietrovna também se rendia terrivelmente à lisonja, e se eu o tivesse desejado, não há dúvida de que, se ainda fosse viva, me teria cedido todos os seus bens. (Mas eu estou bebendo e falando à doida.) Espero que não irá ficar agora admirado por eu lhe dizer que esse mesmo efeito começou a manifestar-se em Avdótia Românovna. Simplesmente eu fui parvo e impaciente e pus tudo a perder. Antes disso já algumas vezes (e sobretudo uma certa vez) uma terrível expressão dos meus olhos a impressionara pessimamente, quer acreditar? É que neles fulgurava cada vez com mais violência e clareza um fogo que a assustava e que acabou por se lhe tornar odioso. Não quero contar-lhe pormenores; mas zangamo-nos. E então tornei a cometer outra estupidez. Pus-me a troçar, da maneira mais grosseira, de toda aquela catequese e conversão; Paracha tornou a entrar em cena e não ela apenas... Numa palavra, eu começava a levar uma vida infernal! Oh, se o senhor, Rodion Românovitch, tivesse visto, ao menos uma vez na vida, como os olhos da sua irmã brilhavam em certas ocasiões! Não é por eu estar agora embriagado e ter bebido um copo de vinho, que estou dizendo a verdade. Afirmo que esse olhar não me deixava dormir; por fim, já nem sequer podia suportar o rumor da sua saia. Era precisamente como se fossem dar-me ataques de epilepsia; nunca imaginara que pudesse chegar a me ver em tal estado de embevecimento. Em resumo: era absolutamente necessário obter uma reconciliação, simplesmente isso era já impossível. E imagine o que eu fiz então. Até que grau de estupidez a raiva pode levar um homem! Nunca faça nada quando estiver furioso, Rodion Românovitch. Pensando que Avdótia Românovna, no fundo, era uma pobre... (ah!, desculpe-me, eu não queria... mas que importa a expressão, sempre que designe a ideia?) enfim, que vivia do trabalho das suas mãos... que tinha de prover o sustento da mãe e de si mesma (oh, diabo, lá vai ficar outra vez aborrecido!), resolvi oferecer-lhe todos os meus capitais (trinta mil rublos era quanto eu podia arranjar nessa altura) se ela quisesse fugir comigo e vir para aqui, para Petersburgo. É claro que eu lhe jurava amor eterno, felicidade, etc., etc. Será capaz de acreditar que eu, então, estava tão louco que, se ela me tivesse dito "Corta-lhe o pescoço ou envenena Marfa Pietrovna e casa comigo", imediatamente o teria feito? Mas tudo acabou numa catástrofe, como o senhor já sabe, e pode calcular também até que ponto eu teria ficado furioso quando soube que Marfa Pietrovna fora buscar esse velhaco de Lújin e andava preparando um casamento... que, no fundo, teria sido o mesmo que eu lhe propunha. Não é assim? Não é assim? Não será verdade? Reparo que me escuta com muita atenção... é um rapaz interessante!

Impaciente, Svidrigáilov descarregou um soco sobre a mesa. Estava vermelho. Raskólnikov via claramente que aquele copo ou copo e meio de champanhe que ele bebera sem dar por isso, aos golinhos, lhe fazia mal... e decidiu aproveitar-se dessa circunstância. Svidrigáilov inspirava-lhe um grande receio.

– Muito bem... tudo isso me faz crer que o senhor veio a Petersburgo com intenções a respeito da minha irmã – disse a Svidrigáilov, francamente e sem a mínima dissimulação, para irritá-lo ainda mais.

– Ah, basta! – disse Svidrigáilov, como se se apercebesse de repente – já lhe disse... E, além disso, a sua irmã não me pode suportar.

– Disso estou eu certo; mas não é disso que se trata agora.

– Está certo de que ela não pode suportar-me? – Svidrigáilov piscou um olho e sorriu com sarcasmo. – Tem razão, ela não gosta de mim; mas nunca ponha as mãos no fogo quando se trata de coisas entre marido e mulher ou entre apaixonados. Há sempre aí um cantinho, que permanece ignorado para toda a gente, e que só eles, os dois, conhecem. É capaz de afirmar que Avdótia Românovna me olha com aversão?

– A avaliar por algumas frases e palavras que pronunciou durante a nossa conversa, pude concluir que o senhor mantém intenções, e das mais prementes, sobre Dúnia, intenções, naturalmente, vis.

– O quê? Eu pronunciei algumas frases e palavras? – e Svidrigáilov manifestou um terror muito ingênuo, mas sem dar a menor atenção ao epíteto atribuído às suas intenções.

– Acabou agora mesmo de pronunciá-las. Mas por que tem esse medo?

– Eu tenho medo? Eu estou com medo? Eu, ter medo do senhor? O senhor é que deve ter medo de mim, *mon cher*. Ora esta! Além do mais, estou bêbado, bem vejo! Por pouco que não dava outra vez com a língua nos dentes. Raios partam o vinho! Vou mas é beber água!

Pegou na garrafa e, sem mais cerimônias, atirou-a pela janela.

– Tudo isso são disparates – continuou Svidrigáilov, molhando um guardanapo que aplicou nas fontes. – Posso desenganá-lo com uma só palavra e reduzir a pó todas as suas suspeitas. O senhor, por exemplo, sabe que eu estou para casar?

– Já me dissera isso outro dia.

– Já lhe dissera? Pois já não me lembrava. Mas, nessa altura ainda não lhe devia ter dito de uma maneira definitiva, porque ainda não vira a minha futura noiva; a coisa não passava de uma intenção. Mas, agora, já tenho noiva e o assunto está decidido, e, embora não se trate de nenhum assunto urgente, vou já agarrá-lo e levá-lo a vê-la sem falta... porque quero pedir-lhe a sua opinião. Oh, diabo! Só temos dez minutos! Olhe para o relógio; aliás, já lhe vou contar, porque, no seu gênero, o meu casamento é uma coisa interessante... Mas que faz o senhor? Quer outra vez ir embora?

— Não, já não vou.

— Não vai? Sério? Vejamos. Quero levá-lo até lá, com certeza, para que conheça a minha futura esposa; mas agora não, porque agora o senhor está com pressa. O senhor vai para a direita; eu, para a esquerda. Conhece essa tal Resslich? Essa mesma Resslich em cuja casa estou hospedado... hem? Já ouviu falar dela? Mas em que está o senhor pensando? É aquela que é acusada de ter provocado o suicídio de uma moça, neste inverno... Bom; já ouviu o seu nome? Já ouviu falar dela? Bem; bem, pois foi ela quem me sugeriu essa ideia: "Olha – disse-me ela – tu andas aborrecido; precisas de distração". Porque eu, não sei se sabe, sou um homem triste, cheio de tédio. Pensava que eu era alegre? Não, sou um homem sombrio; mas não faço mal a ninguém; fico sentadinho num canto e, às vezes, não digo uma palavra durante três dias. Mas essa cabra da Resslich, é claro, posso lhe dizer francamente, tem o seu fim em vista: eu hei de aborrecer-me, abandonarei a minha mulher, e então ela tomará conta dela e vai explorá-la no nosso meio ou noutro mais elevado. Dizem que tem um pai decrépito, funcionário aposentado, que passa a vida sentado numa poltrona e fica três dias sem daí arredar pé. Dizem que também tem mãe, uma senhora muito decente, a sua *mamacha*. Além disso o filho faz serviço não sei onde, em qualquer governo, simplesmente não os ajuda. Uma filha casou-se e não sabem dela; mas tomaram conta de dois sobrinhos pequenos (como se já não tivessem bastantes bocas a sustentar); a outra filha, a mais nova, ainda só daqui a um mês é que faz dezesseis anos, o que significa que daqui a um mês já a podem casar. É esta que me destinam. Fomos ver essa gente. Que ridículo aquilo tudo! Eu me apresento: proprietário, viúvo, um nome conhecido, com relações, com dinheiro... Ora! Que importa que eu tenha já cinquenta anos e ela ainda não tenha feito dezesseis? Quem é que repara nisso? Então eu não sou um bom partido? Hem? Eu não sou um bom partido, hem? Ha... ha! Tinha que ter me visto falando com os pais dela! Impagável! Ela aparece, senta-se – bom, já pode imaginar, com as saias ainda pelo joelho, uma flor ainda em botão – cora, ruboriza-se como a alvorada (deviam tê-la enchido de recomendações). Eu não sei o que o senhor pensa quanto a mulheres; mas parece-me que esses dezesseis anos, esses olhares ainda infantis, essa timidez e essa vergonha, que chega até às lágrimas... é para mim qualquer coisa de superior à beleza, isto para não dizer que, neste sentido, ela é também uma autêntica estampa. Cabelo louro claro, fino, ondulado, com caracoizinhos; lábios carnudos, vermelhos, e uns pézinhos... um encanto! Bem; pois ficamos amigos; eu informo que, por certas razões domésticas, tenho pressa, e no dia seguinte, isto é, anteontem, já éramos oficialmente noivos. Desde então, sempre que vou até lá sento-a nos joelhos e não a largo... Ela, é claro, fica corada como uma romã; mas eu beijo-a a todos os momentos; a mãe, naturalmente, faz-lhe ver que, "para isso, que diabo! é que ele é teu marido; assim é que é"; enfim, uma pérola! E esta situação atual, de noivo, talvez seja verdadeiramente melhor que a de marido. Isto é o que se chama *la nature est la verité*. Ha... ha! Eu devo ter falado com ela umas duas vezes... e a pequena não é tola: às vezes olha-me de uma maneira, às furtadelas... e põe-se toda vermelha. Olhe, tem uma carinha que parece tal qual uma Madona de Rafael. Porque a Madona da Sixtina tem uma cara fantástica, uma cara de paixão louca, não o impressionou? Bem; pois ela é desse gênero. Assim que ficamos noivos, eu, no dia seguinte, fui até lá e levei-lhe presentes no valor de mil e quinhentos rublos: um adereço de brilhantes, outro de pérolas, uma caixinha de prata para o toucador... olhe... assim, grande, com tudo quanto é preciso para que também a ela, como à Madona, se lhe transfigure a carinha. Ontem à noite sentei-a nos joelhos e, como pode calcular, sem estar com cerimônias... e ela se pôs toda encarnada e derramou umas lagrimazinhas, não queria render-se, toda ela ardia. Todos se retiraram por um momento, de maneira que ficamos os dois a sós e, de repente, ela atira-se ao meu pescoço e abraça-me com as suas mãozinhas, e beija-me, e jura que me será obediente, fiel e boa esposa; que me fará feliz, que me consagrará toda a sua vida, cada minuto da sua vida; que se sacrificará completamente, e que, em troca disso, apenas deseja de mim unicamente estima e "nada mais – disse ela – nada, não preciso de nada, de presente nenhum". Há de concordar comigo que, escutar semelhante declaração, a sós, dos lábios de um anjo como este, de dezesseis anos incompletos, encendida em rubores virginais e com lagrimazinhas de entusiasmo nos olhos... há de concordar comigo que é bastante sedutor. Não é para arrebatar qualquer homem? Não vale qualquer coisa? Bem; ouça... há de vir ver a minha noiva... mas hoje.

— Em resumo: ao senhor, essa enorme diferença de idade e de experiência, produz-lhe volutuosidade. Mas pensa casar-se de fato?

— E que tem isso? Certamente... Toda a gente se arranja como pode e, de todos, aquele que melhor vive é o que melhor sabe iludir-se a si próprio... Ah... ah! O senhor, afinal, é um homem sério! Tenha piedade de mim, *papacha*, que sou um pecador, He, he, he!

— No entanto, o senhor tomou a seu cargo os filhinhos de Ekatierina Ivânovna. Se bem que, no fim de contas... no fim de contas, também deve ter tido as suas razões para isso... e agora já compreendo tudo...

— As crianças, de maneira geral, agradam-me, agradam-me muito as crianças – disse Svidrigáilov rindo às gargalhadas. – A propósito disto posso até contar-lhe um episódio muito curioso, que se prolonga ainda até agora. No próprio dia em que cheguei pus-me a percorrer todos estes bordéis; havia sete anos que não os frequentava. O senhor, provavelmente, já notou que quando estou ao seu lado não tenho pressa de ir ver as minhas antigas amizades e conhecimentos. Não, e até faço o possível por evitar o seu encontro. Repare numa coisa: com Marfa Pietrovna, lá na aldeia, era para mim um suplício mortal lembrar-me de todos estes lugarzinhos secretos, nos quais sabe lá as coisas que se podem encontrar. Raios me partam! A gente de baixa condição embriaga-se; a juventude instruída, devido à ociosidade, consome-se em sonhos e desvarios imprecisos, excita-se com teorias; de todos os lados acorrem os judeus, escondem o dinheiro, e os restantes entregam-se ao vício. Por isso, desde o princípio que esta cidade me enjoou. Aconteceu ir parar a uma *soirée* dançante, como lhe chamam: um lupanar horrível (e a mim agradam-me precisamente os lupanares sujos); é claro que se dançava aí um cancã tão descarado como em nenhum outro lugar e como até no meu tempo não se dançava. Nisto, sim, houve progresso. De repente, olho e vejo uma mocinha dos seus treze anos, muito bem vestida, dançando com um virtuose e com outro à frente, como seu vis-à-vis. A mãe estava sentada numa cadeira, junto da parede. Já pode ver que espécie de cancã era esse. A moça sobressalta-se, cora, e por fim dá-se por ofendida e desata a chorar. O virtuose segura-a e começa a obrigá-la a dar voltas e a fazer piruetas diante dela, e toda a gente à volta se ri e... Nesses momentos agrada-me a sua sociedade, ainda que seja a do cancã: ri e grita: "Assim é que é, assim é que se faz! Ou, então, não tragam para aqui meninas". A mim, é claro, tudo aquilo repugnava; mas, com lógica ou sem ela, a gente vai-se divertindo. Deixei imediatamente o meu lugar, dirigi-me para junto da mãe e disse-lhe que eu também não era da cidade, que ali eram todos muito indelicados, que não sabiam contribuir para a educação da moça ensinando-lhe o francês e a informei-a de que era um homem de dinheiro; convidei-a a subir para a minha carruagem, levei-a a casa e tornamo-nos amigos (elas estavam instaladas numa casa de hóspedes, pois tinham acabado de chegar à cidade). Confessaram-me que tanto ela como a filha não podiam considerar a minha amizade senão como uma honra; puseram-me a par de que se encontravam sem eira nem beira e que tinham vindo a Petersburgo tratar não sei de que assunto numa repartição do Estado. Ofereço-lhes os meus serviços, o meu dinheiro; dizem-me que tinham ido cair naquela *soirée* por engano, pensando que, de fato, ensinavam a dançar; ofereço-me, por meu lado, para contribuir para a educação da rapariga ensinando-lhe o francês e a dança. Aceitam, entusiasmadas, consideram isso como uma honra e ficamos amigos até hoje. Se quiser, iremos até lá... mas, agora, não.

— Acabe, acabe com as suas mesquinhas e vis anedotas, homem corrompido, velhaco e sensual!

— Mas será o senhor Schiller, o nosso Schiller? Schiller! *Où la vertu vat-elle se nicher*[60]! Mas ouça uma coisa: eu lhe contei tudo isto intencionalmente, para ouvir as suas recriminações. Um prazer!

— Era o que faltava, que eu lhe servisse de motivo de riso, ao senhor, neste momento! – resmungou Raskólhnikov mal-humorado.

Svidrigáilov pôs-se a rir a plenos pulmões; finalmente chamou Filip, pagou e pôs-se de pé.

— Vamos, que eu já estou bêbado! *Assez causé*[61].

— Era o que faltava, que eu não reagisse! – exclamou Raskólhnikov levantando também. – Naturalmente não é um prazer para um libertino consumado falar de coisas semelhantes, tendo em perspectiva qualquer intenção monstruosa do gênero... sobretudo em tais circunstâncias e diante dum homem como eu? Isso excita-o!

— Pois bem, sendo assim – respondeu Svidrigáilov até com certo espanto examinando Raskólhnikov – sendo assim, o senhor saiu-me um cínico de marca. Matéria para isso o senhor tem, e grande. O senhor é capaz de imaginar muitas coisas... vamos lá... e também de fazê-las. Mas já chega. Só lamento que a nossa conversa tenha sido tão breve. Mas não se vá já... Espere um momento...

Svidrigáilov saiu da taberna. Raskólhnikov correu atrás dele. Apesar de tudo, Svidrigáilov não estava muito embriagado; o vinho tinha-lhe subido à cabeça apenas por um momento e a embriaguez passava-lhe de minuto para minuto. Parecia preocupado com alguma coisa muito grave e franzira o sobrolho. Era evidente que se encontrava em qualquer expectativa que o agitava e inquietava. Pareceu mudar de repente de atitude para com Raskólhnikov, nos últimos momentos, e tornava-se cada vez mais grosseiro e trocista. Raskólhnikov observara tudo isto e estava tam-

---

60 Onde a virtude foi se esconder.
61 Chega de conversa.

bém desassossegado. Svidrigáilov levantava-lhe muitas suspeitas; resolveu segui-lo. Saíram juntos para a rua.

– O senhor pela direita e eu pela esquerda, ou, se preferir, ao contrário... *Adieu, mon plaisir*[62]! Até ao próximo agradável encontro! – e dirigiu-se, pela direita, para o Mercado do Feno.

Capítulo V

Raskólhnikov foi atrás dele.

– Que é isso! – exclamou Svidrigáilov, voltando-se. – Parece-me que já lhe disse...

– Isto quer dizer que, agora, não o largarei...

– O quê?

Pararam ambos e olharam-se mutuamente, como se se medissem.

– De todas as suas histórias de meio-bêbado – disse bruscamente Raskólhnikov – conclui categoricamente que o senhor não só não abandonou as suas baixíssimas intenções a respeito de minha irmã, como até são elas que mais o preocupam. Sei que a minha irmã recebeu esta manhã uma carta. O senhor, durante todo este tempo, não fez outra coisa senão agitar-se, num desassossego. Pode ser que, entretanto, o senhor tenha descoberto qualquer mulher, mas isso não quer dizer nada. Eu quero convencer-me pessoalmente...

Teria sido difícil para Raskólhnikov precisar o que desejava naquele momento e de que é que desejava ao certo convencer-se pessoalmente.

– Não há dúvida! O senhor, pelo visto, quer que chame já um policial!

– Chame-o!

Pararam novamente por um momento um em frente do outro. Finalmente o rosto de Svidrigáilov mudou de expressão. Depois de se ter convencido de que as suas ameaças não assustavam Raskólhnikov, adotou, de súbito, um semblante muito jovial e amistoso.

– O senhor é de força! Eu não quis, intencionalmente, falar-lhe do seu caso, embora me torture a curiosidade. É um caso fantástico. Queria deixar isso para outra vez; mas o senhor, de fato, é capaz de irritar um morto... Seja, iremos! Simplesmente, antes, vou dizer-lhe uma coisa: tenho de ir a casa, ainda que apenas por um momento, buscar dinheiro; depois fecho o quarto, chamo uma carruagem e vou passar a tarde nas ilhas. Que empenho tem em seguir-me?

– Porque eu também tenho de ir, não ao seu quarto, mas ao de Sófia Siemiônovna, pedir desculpas por não ter assistido o enterro.

– Como quiser; mas Sófia Siemiônovna não está em casa. Foi levar os pequenos a uma senhora, a uma senhora de idade, minha conhecida, uma antiga amiga que dirige certas instituições para órfãos. Essa senhora ficou encantada comigo quando eu lhe levei o dinheiro correspondente aos três pequeninos de Ekatierina Ivânovna, e além disso dediquei também uma quantia à instituição e, por fim, contei-lhe a história de Sófia Siemiônovna em todos os seus pormenores e sem esconder-lhe nada. Produziu um efeito extraordinário. E foi assim que indicaram a

---

62 Adeus, meu encanto!, por ironia.

Sófia Siemiônovna que se dirigisse hoje mesmo diretamente ao hotel de***, onde se encontra atualmente a referida senhora, de regresso do seu veraneio.

– Não faz mal; seja como for, irei.

– Como quiser, simplesmente eu não posso acompanhá-lo. Que tenho eu a fazer ali? Olhe, já chegamos a minha casa. Ora diga-me: eu tenho a certeza de que o senhor me olha com suspeita pela simples razão de eu ter sido tão delicado, que, até agora, não o importunei com perguntas... compreende? Ao senhor, isto parece-lhe um pouco extraordinário; era capaz de apostar qualquer coisa em como é assim. É a paga das delicadezas!

– E pôs-se a escutar atrás das portas!

– Ah, era por isso! – e Svidrigáilov desatou a rir. – Já estava admirado de que, no fim de tudo, se esquecesse dessa observação. Ah, ah! Eu já estava entendendo qualquer coisa daquilo que o senhor então... ali... dizia a Sófia Siemiônovna; mas, no entanto, não cheguei a compreender tudo. Talvez eu seja um indivíduo atrasado e incapaz de compreender o que quer que seja. Então me explique, pelo amor de Deus, meu amigo! Esclareça-me com as novíssimas ideias! Não é disso que eu estou falando, não é disso que eu estou falando (embora, aliás, tenha ouvido alguma coisa), não; o que quero dizer é que o senhor está sempre a queixar-se, sim, a queixar-se. O Schiller que há em si atormenta-o a todos os momentos. E vem o senhor dizer-me, agora, que não escute atrás das portas. Mas, nesse caso vá imediatamente ao Comissariado e explique, com mil demônios! que isto e mais aquilo, aconteceu-me uma coisa, a mim, um leve erro nas minhas teorias filosóficas. Se tem a certeza de que não se pode escutar atrás das portas, mas que se pode matar à mão armada uma velha que nos cai nas unhas, então fuja o mais depressa possível para qualquer parte da América. Corra, rapaz! Pode ser que ainda vá a tempo. Falo-lhe com toda a sinceridade. Tem dinheiro russo? Posso arrumar algum para a viagem.

– Nem de longe penso numa coisa dessas – respondeu Raskólhnikov enfadado.

– Compreendo (e aliás, não se preocupe; se não quiser, não fale); compreendo os problemas que deve ter; morais, não é verdade? Problemas respeitantes ao homem e ao cidadão, não é verdade? Mas o senhor não os pôs já de lado? Por que se preocupa agora com eles? He, he! Além disso, que significa afinal isso de cidadão e de homem? Se assim fosse não devia ter-se metido nessa embrulhada; ninguém deve lançar-se em nenhuma empresa superior às suas forças. Olhe, meta uma bala na cabeça. O que, não quer?

– Pelo que vejo, o senhor deseja excitar-me, para que eu me vá embora e o deixe em paz...

– Que homem tão singular! Mas se cá já estamos! Venha e suba a escada. Olhe, aqui tem a entrada do quarto de Sófia Siemiônovna. Vê como não está ninguém? O que, não acredita? Então pergunte aos Kapernaúmovi: ela lhes deixa sempre a chave. Aqui está a senhora Kapernaúmova em pessoa. Quê? (É um pouquinho surda.) Saiu? Onde foi? Ai está! Ouviu? Saiu e só voltará para casa ao fim da tarde. Então não quer vir? Bem, já estamos em minha casa. A Senhora Resslich também não está. É uma mulher que anda sempre de cá para lá; mas é uma boa pessoa, garanto... talvez lhe fosse útil, se o senhor tivesse juízo... Vamos... me dê licença por um momento; entro, tiro um título de cinco por cento do *bureau* (olhe quanto me resta ainda!), e que ainda hoje mesmo há de ser trocado em dinheiro-moeda. Viu? Agora já tenho o tempo por minha conta. Fecho o *bureau*, fecho o quarto, e cá estamos outra vez na escada. Bem; quer que tomemos uma carruagem? Olhe, eu vou para as ilhas. Não lhe agradaria dar um passeio de carruagem? Olhe, vou tomar essa caleche, que me levará a Ieláguin, quer? Não quer? Está farto? Venha, que daremos um passeiozinho. Parece que vamos ter chuva; mas não tem importância, levantaremos a capota.

Svidrigáilov já subira para a caleche, Raskólhnikov pensou que as suas suspeitas, pelo menos naquele momento, não tinham fundamento. Sem responder uma palavra deu meia volta e retrocedeu em direção ao Mercado do Feno. Se ao menos tivesse voltado a cabeça no caminho teria podido ver como Svidrigáilov, depois de fazer um trajeto de cem passos apenas, pagou o cocheiro e desceu. Mas não viu nada e virou a esquina. Uma profunda repugnância o impelia a afastar-se de Svidrigáilov.

"Que podia eu esperar, nem que fosse por um momento, desse tipo ordinário, desse vicioso, sensual e velhaco!", exclamou involuntariamente. De fato, Raskólhnikov pronunciou esse seu juízo demasiado depressa e levianamente. Havia qualquer coisa na maneira de conduzir-se de Svidrigáilov que, pelo menos, lhe conferia certa originalidade, para não dizer mistério. Pelo que em tudo isto respeitava a sua irmã, Raskólhnikov ficou convencido, apesar de tudo, de que Svidrigáilov não a deixaria em paz. Mas como ficava cada vez mais aborrecido e insuportável pensar em tudo isso!

Conforme o seu costume, assim que se encontrou só e andou vinte passos, afundou-se em reflexões. Quando chegou à ponte, parou junto do peitoril e pôs-se a olhar para a água. E, entretanto, Avdótia Românovna chegara junto dele.

Esbarrou com ela à entrada da ponte; mas passou de largo, sem a ver. Dúnietchka nunca o encontrara assim, na rua, e ficou desorientada e até assustada. Parou, sem saber se havia de chamá-lo ou não. De súbito, descobriu Svidrigáilov, que vinha muito ligeiro do lado do Feno.

Mas ele, pelo visto, aproximava-se misteriosa e cautelosamente. Não entrou pela ponte e parou a um lado, no passeio, esforçando-se o mais possível para que Raskólhnikov não o visse. A Dúnia havia já algum tempo que a vira e fazia-lhe sinais. Parecia à moça que, com aqueles sinais, ele lhe pedia que não chamasse o irmão e o deixasse em paz, aproximando-se, por outro lado, do lugar onde ela estava.

Foi o que Dúnia fez. Devagarinho, passou por detrás do irmão e aproximou-se de Svidrigáilov.

— Saiamos daqui o mais depressa possível – disse-lhe Svidrigáilov em voz baixa. – Não quero que Rodion Românovitch saiba deste nosso encontro. Informo-a de que acabo de estar com ele, perto daqui, numa taberna, onde ele foi procurar-me, e que tive de desprender-me dele quase à força. Está a par da carta que eu lhe escrevi e suspeita de alguma coisa. A senhora, com certeza, não lhe disse nada. Mas, se não foi a senhora, quem poderia ter sido?

— Já voltamos a esquina – interrompeu-o Dúnia – agora, o meu irmão, já não nos pode ver. Aviso-o de que não irei até mais longe na sua companhia. Diga-me tudo aqui; tudo isso pode dizer-se também em plena rua.

— Em primeiro lugar, é impossível falar disto na rua, e, além disso, temos de ouvir Sófia Siemiônovna; e, finalmente, tenho de mostrar-lhe alguns documentos... Bom, em resumo: se não consente em vir a minha casa, recuso dar a todas as explicações e vou embora agora mesmo. Peço-lhe, a propósito, que não se esqueça de que um segredo curiosíssimo do seu queridíssimo irmão se encontra em meu poder.

Dúnia parou indecisa e fixou em Svidrigáilov um olhar penetrante.

– Mas de que tem medo? – observou aquele tranquilamente. – Aqui não é a aldeia. E, na aldeia, faz-me a senhora mais mal a mim do que eu à senhora; por isso...

– Sófia Siemiônovna está prevenida?

– Não; eu não lhe disse nem uma palavra e, além disso, não tenho a certeza se ela estará em casa neste momento, embora esteja, provavelmente. Hoje teve que tratar do enterro da madrasta; não é um dia muito adequado para ir visitá-la. Por agora não quero falar disto a ninguém, e até já estou arrependido, de certa maneira, de ter sido franco. Neste campo, a mais leve imprudência equivale a uma delação. Olhe, eu, eu moro aqui, nesta casa em frente. Esse é o porteiro do prédio; o porteiro conhece-me muito bem; olhe como está já a cumprimentar-me. Vê que venho acompanhado duma senhora e com certeza que já deve ter fixado a sua cara, o que lhe é favorável, uma vez que tem tanto medo e suspeita de mim. Desculpe falar-lhe com tanta franqueza. Eu sou inquilino da casa. Sófia Siemiônovna e eu vivemos parede-meia; e também está subalugada. Em todos os andares há subaluguéis. Mas por que tem medo, como uma criança? Eu inspiro assim tanto medo?

A cara de Svidrigáilov contraiu-se num sorriso indulgente, mas que não chegou a definir-se completamente. O coração pulsava-lhe e faltava-lhe a respiração. Falava com voz forte de propósito para disfarçar a sua comoção crescente; mas Dúnia não pôde notar essa agitação especial: estava irritada por aquela observação sua de que ela tinha medo como uma criança e de que ele lhe inspirava terror.

– Embora saiba muito bem que o senhor é um homem... desonesto, não tenho medo do senhor, de maneira nenhuma. Vá à frente – disse, aparentemente tranquila, embora o seu rosto estivesse muito pálido.

Svidrigáilov parou diante do quarto de Sonha.

– Deixe-me ver se ela está em casa. Não. Que fiasco! Mas eu sei que não tardará a regressar. Saiu unicamente para ir ver uma senhora, por causa dos orfãozinhos. Morreu-lhes a mãe. Eu entrei no assunto e tomei providências. Se Sófia Siemiônovna não tiver regressado dentro de dez minutos, vou mandá-la hoje mesmo a sua casa, se quiser. Bem; aqui está o meu número. Aqui estão os meus dois aposentos. Atrás dessa porta vive a minha senhoria, a Senhora Resslich. Agora olhe para aqui, porque vou mostrar-lhe os meus principais documentos; a porta do meu quarto de dormir conduz a dois quartos que estão completamente vazios, que estão para alugar. Estas são... mas é preciso que repare com mais atenção...

Svidrigáilov alugara dois quartos mobilados, bastante espaçosos. Dúnietchka examinou-os, desconfiada, mas não observou nada de particular, nem no mobiliário nem na disposição dos quartos, embora tivesse podido muito bem reparar em qualquer coisa, por exemplo, que o quarto de Svidrigáilov ficava entre outros dois, quase completamente desabitados. A entrada não se fazia diretamente pelo corredor, mas por dois quartos pertencentes à senhoria e que estavam quase vazios. Do seu quarto de cama, Svidrigáilov, abrindo uma porta fechada com uma chave, mostrou a Dúnietchka aquele quarto desocupado, que estava para alugar. Dúnietchka ficou parada à entrada sem compreender por que a convidava ele a olhar; mas Svidrigáilov apressou-se a explicar.

— Venha, olhe para o lado de lá, para esse outro quarto grande. Repare nessa porta; está fechada à chave. Junto da porta está uma cadeira, que é o único móvel existente no quarto. Fui eu quem a levou para aí, do meu quarto, para escutar mais comodamente. Olhe, Sófia Siemiônovna tem a sua mesa logo atrás da porta e sentou-se aí e pôs-se a falar com Rodion Românovitch. Eu, aqui, sentadinho na minha cadeira, estive a escutá-los durante duas noites seguidas, durante duas horas... e é claro que alguma coisa fiquei sabendo, não lhe parece?

— Esteve escutando?

— Sim, estive escutando; agora venha para os meus aposentos; aqui não há onde sentar.

Levou outra vez Avdótia Românovna para o seu primeiro quarto, que fazia as vezes de sala, e ofereceu-lhe uma cadeira. Ele sentou na outra extremidade da mesa, pelo menos a uma *sajenh* de distância; mas nos seus olhos brilhava aquele mesmo fogo que tanto assustara Dúnietchka noutro tempo. Esta estremeceu e tornou a olhá-lo cheia de medo. O seu gesto foi involuntário: era evidente que não queria deixar transparecer a sua desconfiança. Mas a solidão do quarto de Svidrigáilov acabou por impressioná-la. Quis perguntar se a senhoria estava em casa, mas não o fez... por orgulho. Além disto, outro sofrimento, incomparavelmente maior do que o medo por si mesma, dilacerava o seu coração. Sentia uma tortura insuportável.

— Aqui está a sua carta – disse, colocando-a em cima da mesa. – É porventura possível, aquilo que nela escreve? O senhor alude a um crime que o meu irmão teria cometido. Alude a isso com demasiada clareza; não vai ter o atrevimento de negá-lo. Sabe que antes disto chegara até mim essa estúpida história e que não acreditei nem uma palavra acerca dela? Essa suspeita é reles e ridícula. Eu conheço essa história, como e quem a inventou. Não é possível que o senhor tenha alguma prova da sua veracidade. Prometia demonstrá-lo, então fale! Mas fique sabendo desde já que não lhe darei crédito. Não lhe darei!

Dúnietchka disse tudo isto precipitadamente e de afogadilho e, por um instante, as cores afluíram ao seu rosto.

— Se não acreditasse, como seria possível que se tivesse atrevido a vir comigo até aqui? Por que veio? Por simples curiosidade?

— Não me torture! Fale, fale!

— Não será preciso dizer que é mulher corajosa. Garanto-lhe que eu imaginava que a senhora havia de pedir ao senhor Razumíkhin que a acompanhasse até aqui. Mas não o vi nem ao seu lado nem perto da senhora, e olhei com atenção; está bem; isso significa que está empenhada em salvar Rodion Românovitch! Aliás, na senhora, tudo é divino... Que hei de eu dizer-lhe, a respeito de seu irmão? A senhora mesma acabou de o ver. Então, que tal?

— Mas é nisso, unicamente, que o senhor se funda?

— Não, não é nisso, mas nas suas próprias palavras. Olhe, veio ali duas noites seguidas visitar Sófia Siemiônovna. Já lhe mostrei o lugar onde eles conversam. Ele lhe fez uma confissão integral. É um criminoso. Matou uma velha, viúva dum funcionário, usurária, à qual levava coisas a empenhar, e matou também a irmã dela, uma revendedora, chamada Lisavieta, que entrou inesperadamente na casa quando ele acabara de assassinar a outra. Matou as duas com um machado com que ia prevenido. Matou-as para roubá-las e roubou; ficou com o dinheiro e com uns objetos... Tudo isto ele mesmo contou, palavra por palavra, a Sófia Siemiônovna, que é a única que sabe o segredo, mas que não teve a menor participação no crime, nem por palavras nem por ações, e até pelo contrário, a ela causou-lhe o mesmo horror que à senhora, agora; esteja tranquila, ela não o denunciará.

– Isso não pode ser! – balbuciou Dúnietchka, pálida, de lábios exangues; respirando afanosamente. – Isso não pode ser, não existe nenhuma, nem a mínima razão, motivo algum... Isso é mentira! Isso é mentira!

– Roubou e essa é toda a razão. Ficou com dinheiro e com objetos. Segundo ele próprio confessou, não se aproveitou nem do dinheiro dos objetos, mas foi enterrá-los em qualquer parte, debaixo de uma pedra, onde continuam ainda. Mas é porque não se atreveu a tirar proveito deles.

– Mas será possível que ele tenha sido capaz de roubar, de fato? Não teria a ideia dele sido outra? – exclamou Dúnietchka saltando do seu lugar. – O senhor conhece-o, falou com ele? É possível que seja um ladrão?

Parecia implorar Svidrigáilov; todo o seu medo desaparecera.

– Nisso, Avdótia Românovna, há milhares e milhões de combinações e categoria. Há ladrões que roubam e sabem que cometem uma ação baixa; mas ouvi falar de um indivíduo decente que assaltara um correio; e, quem sabe, pode ser que ele mesmo acreditasse, no fundo, que praticara uma ação digna! É claro que, no seu lugar, eu faria a mesma coisa, se a senhora me contasse tudo isso, eu não acreditaria. Mas, nos meus ouvidos, não tenho outro remédio senão acreditar. Ele explicou também os motivos a Sófia Siemiônovna; mas ela, a princípio, também não queria dar crédito aos seus ouvidos, até que acabou por dá-lo aos seus olhos, aos seus próprios olhos. Ele lhe contou pessoalmente.

– Mas quais foram... as causas?

– É uma longa história, Avdótia Românovna. Trata-se, não sei como explicar, de uma teoria especial, de sua invenção, pela qual eu posso, por exemplo, considerar lícito um só crime, desde que tenha um bom objetivo. Um só crime e cem ações boas! Não há dúvida, também é humilhante para um jovem, com méritos e com incomensurável amor-próprio, saber que se tivesse três mil rublos, toda a sua carreira, todo o seu futuro, a sua vida inteira, tomaria outra direção; e, no entanto, não ter esses três mil rublos... acrescente a isso o mau humor causado pelo frio, o cubículo estreito, os farrapos, o reconhecimento claro da sua brilhante posição social e, além disso, da posição da mãe e da irmã. O pior de tudo é a vaidade, o orgulho e a vanglória, embora no fim de contas, Deus é quem sabe a verdade; é possível que ele tenha boas inclinações... Porque fique sabendo que eu não o culpo a ele, não vá imaginar... isso não me compete. Há também de permeio uma teoria sua, pessoal, a sua teoria, segundo a qual os homens se dividem em seres materialistas e em seres especiais; isto é, em indivíduos para os quais, pela sua alta posição, a lei não foi escrita, antes pelo contrário, são eles quem ditam a lei aos outros homens; isto é, aos materialistas, ao povo. Essa é a sua teoria, contra a qual nada há a dizer; *une théorie comme une autre*. Napoleão o atrai enormemente; quer dizer, encantava-o especialmente que uns tantos seres geniais não se detivessem perante um só crime e passassem por cima dele sem se demorarem a pensar sobre o fato. Pelo visto ele imaginou que era um desses homens geniais... Isto é, acreditou nisso durante algum tempo.

Sofreu muito, e agora sofre também ao pensar que soube escrever a sua teoria, sim, mas que não é capaz de saltar a barreira sem se deter a pensar sobre o caso; isto é, que não é nenhum homem genial. Bom, isto, para um rapaz com amor-próprio, é também humilhante, sobretudo no nosso tempo.

– E os remorsos da consciência? Será possível que lhe negue todo o sentimento moral? Será ele assim?

– Ah, Avdótia Românovna! Agora anda tudo revoltado, embora, no fundo, nunca tenha havido tanta ordem. Os russos, de maneira geral, são gente de vistas amplas, como a sua terra, e muito propensos para o fantástico, para o desordenado; mas, infelizmente, trata-se de uma amplitude sem generalidade especial. E lembre-se das vezes que falamos destas coisas e destes temas, sentados à noite no terraço do jardim, depois do jantar. E mais: a senhora mesma me censurava, a mim, essa tal amplitude. Quem sabe se, enquanto nós falávamos ali dessas coisas, ele, aqui, deitado sobre o divã, estava meditando sobre a sua teoria! Entre nós, sobretudo nas classes cultas, não existe uma tradição sagrada, Avdótia Românovna; há quem a encontre nos livros... ou tire algo desse gênero da História. Mas isso costumam ser os eruditos e, repare, são tão antiquados que as pessoas comuns até os acham indecentes. Aliás, já sabe a minha opinião, em termos gerais: eu não culpo absolutamente ninguém. Eu vivo na ociosidade e não passo disso. Mas já falamos deste assunto por mais de uma vez. Até tive a sorte de interessá-la com as minhas opiniões... Mas está muito pálida, Avdótia Românovna!

– Conheço essa teoria dele. Li-a num artigo que ele publicou numa revista acerca dos indivíduos aos quais tudo é permitido... Foi Razumíkhin quem me deu a ler.

– O Senhor Razumíkhin? Um artigo do seu irmão? Numa revista? Com que então tinha escrito um artigo! Pois não sabia. Olhe, deve ser curioso! Mas onde vai, Avdótia Românovna?

– Vou ver Sófia Siemiônovna – disse Dúnia com voz fraca. – Por onde é que se vai ter ao quarto dela? Pode ser que já tenha voltado; tenho de vê-la sem falta, imediatamente. Talvez ela...

– Sófia Siemiônovna só voltará à noite. É o que eu suponho. Ou vinha muito cedo ou muito tarde.

– Ah, como tu mentes[63]! Agora vejo que mentiste! Tudo o que disseste é mentira! Eu não acredito em ti! Não acredito em ti! Não acredito em ti! – gritou Dúnietchka, verdadeiramente desorientada, completamente fora de si.

Quase desmaiada, deixou-se cair numa cadeira, que Svidrigáilov se apressou a aproximar dela.

– Que lhe aconteceu, Avdótia Românovna? Veja se se apercebe! Aqui tem água... Beba um golinho.

Salpicou-a com água. Dúnietchka estremeceu e voltou a si.

"Ficou muito impressionada", murmurou Svidrigáilov, franzindo o sobrolho.

– Avdótia Românovna – disse em voz alta – sossegue, sossegue! Olhe que ele tem amigos. Havemos de salvá-lo, havemos de salvá-lo para bem. Quer que o leve comigo para o estrangeiro? Eu tenho dinheiro; em três dias arranjo-lhe um passa-

---

63 Nesta altura, conforme o texto, Dúnietchka passa a tratar Svidrigáilov por tu.

porte. E, quanto ao fato de ter matado ou não, ainda pode realizar muitas boas ações e tudo ficará compensado; tranquilize-se. Ainda pode ser um grande homem; mas, vamos, que lhe aconteceu? Como se sente?

– Homem malvado! Ainda por cima dá risada. Leve-me daqui...

– Para onde? Para onde?

– Até ele. Onde é que ele está? Onde é que ele está? Para onde dá essa porta fechada? Entramos aqui por essa porta e agora está fechada à chave. Como é que teve oportunidade de fechá-la à chave?

– Não era conveniente que, dos outros quartos, ouvissem a nossa conversa. Eu não estou rindo, de maneira nenhuma; a mim, só falar disto me aborrece. Mas vamos ver: onde é que a senhora vai, assim? Quer entregá-lo às autoridades? Ficará furioso e irá ele próprio entregar-se. Não sabe que já o seguem, que já não lhe perdem a pista? A única coisa que a senhora conseguirá é que o apanhem. Olhe, eu acabei de vê-lo e de falar-lhe; ainda é possível salvá-lo. Espere, sente-se; pensaremos os dois juntos. Foi precisamente para isso que lhe pedi este encontro, para falarmos disto a sós e pensarmos melhor no caso. Mas sente-se!

– Mas como é que o senhor pode salvá-lo?

Dúnia sentou. Svidrigáilov sentou junto dela.

– Tudo depende da senhora, da senhora, e só da senhora – começou, de olhos chamejantes, quase em voz baixa, precipitadamente e até sem atinar, algumas vezes, com as palavras.

Dúnia, assustada, afastou-se um pouco dele. Além disso, ele tremia todo.

– Da senhora! Uma palavra sua e ele está salvo! Eu... cuidarei disso! Eu tenho dinheiro e amigos. Resolverei isso imediatamente e arranjo também um passaporte... e à sua mãe... Que lhe interessa Razumíkhin? Eu a amo tanto... Amo-a infinitamente. Deixe-me beijar, ao menos, a fímbria da sua saia, deixe! Não posso suportar o barulho que ela faz. Diga-me: "Faz isto!", que eu o farei logo. Farei o impossível. Naquilo que a senhora acreditar, eu acreditarei. Tudo, farei tudo! Não me olhe, não me olhe dessa maneira! Não sabe que me mata...

Começava até a delirar. De súbito foi como se lhe tivesse subido qualquer coisa à cabeça. Dúnia saltou da cadeira e correu para a porta.

– Abram! Abram! – gritou, de dentro, chamando as pessoas e batendo na porta com as mãos – abram! Mas não haverá aqui ninguém?

Svidrigáilov levantou e se apercebeu de tudo. Um sorriso maldoso e trocista assomou imediatamente aos seus lábios ainda trêmulos.

– Não está ninguém em casa – disse em voz baixa e lentamente. – A senhora saiu e é escusado gritar assim. Nada mais conseguirá senão agitar-se em vão.

– Onde está a chave? Abra imediatamente, seu canalha!

– Perdi a chave, não consigo encontrá-la!

– Ah! Com que então apela para a violência! – exclamou Dúnia.

Empalideceu como uma morta e atirou-se para um canto, onde se entrincheirou atrás de um velador que se encontrava à mão. Não gritava, mas fulminava o seu verdugo com os olhos e seguia todos os seus movimentos com atenção. Svidrigáilov também não se mexia do seu lugar e estava de pé, em frente dela, no outro extremo do quarto. Parecia dominar-se perfeitamente. Mas o seu rosto estava tão pálido como há pouco. O seu sarcástico sorriso não o abandonara.

— A senhora, Avdótia Românovna, acaba de falar em violência, sendo assim, a senhora mesma poderá calcular como eu devo ter tomado bem as minhas providências. Sófia Siemiônovna não está nesta casa; os Kapernaúmovi estão muito longe daqui, com cinco quartos fechados de permeio. Finalmente eu sou mais forte do que a senhora e não tenho medo de nada, porque a senhora, depois, não poderá denunciar-me, pois não há de querer provocar, assim, a perda de seu irmão. Além de que ninguém acreditaria na senhora. "Ora, para que foi essa mulher, sozinha, com um homem, a sua casa?" Por isso, ainda que causasse a perdição de seu irmão, nada provaria: é muito difícil provar a violência, Avdótia Românovna.

— Canalha! – balbuciou Dúnia com indignação.

— Como quiser; mas lembre-se de que eu falo apenas por hipótese. Segundo a minha convicção pessoal, penso que a senhora tem razão de sobra; a violação... é uma vileza. Só queria dizer que, em sua consciência, não teria nada a censurar-se, se bem que... de boa vontade, conforme lhe propus. Nada mais teria acontecido, senão que a senhora, simplesmente, se teria rendido perante as circunstâncias, perante a força, se é que quer teimar em manter esta palavra. Pense nisto: o destino do seu irmão e o da sua mãe estão nas suas mãos. Eu serei seu escravo... toda a vida... Por isso, repare: estou aqui, à espera...

Svidrigáilov sentou no divã, a oito passos de Dúnia. Esta não podia já ter a menor dúvida a respeito da sua inflexível decisão. Além disso, conhecia-o...

De repente puxou de um revólver, carregou-o e apoiou a mão, que segurava o revólver, em cima do velador. Svidrigáilov saltou do seu lugar.

— Ah! Então é assim! – exclamou, assombrado, mas sorrindo malevolamente. – Então, o caso toma outro aspecto. Tira-me um peso de cima de mim, Avdótia Românovna! Não seria o Senhor Razumíkhin que lhe deu? Ah! Mas é o meu revólver! Um velho amigo! E tanto que eu o procurei! Pelo visto, as lições que tive a honra de dar-lhe na aldeia deram os seus resultados.

— Não é o teu revólver, mas o de Marfa Pietrovna, que tu assassinaste, bandido! Tu não tinhas nada teu naquela casa. Fiquei com ele quando comecei a suspeitar daquilo de que eras capaz. Atreve-te a dar um passo e juro que te mato!

Dúnia estava desorientada. Empunhava o revólver carregado.

— Bem; e o seu irmão? Pergunto por curiosidade – disse Svidrigáilov ainda imóvel no seu lugar.

— Denuncia-o, se quiseres! Não se mexa! Não avance! Envenenaste a tua mulher, eu sei; tu também és um assassino.

— Tens certeza de que eu envenenei Marfa Pietrovna?

— Fôste tu! Tu próprio me falaste de um veneno... Sei que andaste à procura dele... Já o tinhas preparado... Fôste tu e só tu... Canalha!

— Supondo que isso fosse verdade, teria sido por tua causa... Tu é que serias a culpada.

— Mentes! Eu nunca te pude ver, nunca...

— Ai, Avdótia Românovna! Pelo visto já te esqueceste de como te inclinavas para mim, no entusiasmo da catequese, toda embevecida... Vi nos teus olhos; lembras-te daquela noite de lua em que até cantava um rouxinol?

— Mentes! – o furor brilhava nos seus olhos – mentes, caluniador!

— Minto? Bem; suponhamos que minto. Sim, menti. Às mulheres, não convém recordar-lhes certas pequenas coisas – e pôs-se a rir. – Já sei que és capaz de disparar sobre mim, minha linda ferazinha! Vamos, então, dispara!

Dúnia ergueu o revólver, e, mortalmente pálida, o lábio inferior tremente, com os seus grandes olhos negros que chispavam como brasas, apontou e ficou à espera do primeiro movimento do homem. Nunca ele a vira tão bela. O fogo, que os seus olhos expediam no momento de erguer o revólver, atingiu-o como uma queimadura e seu coração ficou apertado de dor. Adiantou um passo e ouviu-se um disparo. A bala passou roçando-lhe os cabelos e foi dar atrás das suas costas, na parede. Ele parou a sorrir tranquilamente.

– A vespa picou-me! Tinha-me apontado à cabeça... Mas que é isto? Sangue!

Tirou o lenço para enxugar o sangue que lhe corria num fio finíssimo, pela fronte direita; provavelmente, a bala, devia ter-lhe arranhado a pele do crânio. Dúnia largou o revólver e ficou olhando para Svidrigáilov, não com medo, mas com intensa perplexidade. Parecia não compreender o que acabava de fazer, nem o que acontecera.

– Bem, falhou! Atire outra vez, fico aqui à espera – disse tranquilamente Svidrigáilov, sem deixar de sorrir, mas com uma expressão um tanto sombria. – Senão, terei tempo para agarrá-la, antes que carregue a arma!

Dúnietchka estremeceu, carregou à pressa o revólver e ergueu-o de novo ao alto.

– Deixe-me! – disse desolada. – Juro-lhe que torno a disparar... Eu... mato-o!

– Vamos... a três passos de distância é impossível não matar. Mas se não me matar... então... – os seus olhos brilhavam e adiantou dois passos.

Dúnietchka disparou, mas o tiro não saiu.

– Carregou mal. Não importa! Ainda tem uma bala. Arranje-o, que eu espero.

Estava parado diante dela, a dois passos de distância; esperava-a e olhava-a com uma selvagem decisão, com os olhos inflamados de paixão, fixos. Dúnia compreendeu que ele antes morreria do que a deixaria. "E... e não tinha dúvidas de que o mataria, agora que o tinha a dois passos..." De repente, largou o revólver.

– Largou-o! – exclamou Svidrigáilov, atônito, e respirou profundamente. Parecia que qualquer coisa desaparecera de súbito de sobre o coração, e esse seria talvez mais do que o simples peso do terror da morte, embora fosse provável que se apercebesse disso naquele instante. Era a libertação de outro sentimento, mais medonho e sombrio, que ele mesmo não conseguia definir, por mais que se esforçasse.

Aproximou-se de Dúnia e, suavemente, cingiu-lhe a cintura com a mão. Ela não se opôs, mas, tremendo como a folha de uma árvore, olhou-o com olhos implorativos. Ele quis dizer qualquer coisa, mas não fez mais do que crispar os lábios, como se não fosse capaz de articular um som.

– Deixa-me! – disse Dúnia implorante. Svidrigáilov estremeceu; aquele "tu" foi pronunciado de maneira diferente da anterior.

– Então não me queres? – perguntou-lhe a medo.

Dúnia moveu negativamente a cabeça.

– E... não poderás? Nunca? – balbuciou ele com desespero.

– Nunca! – murmurou Dúnia.

Houve um momento de espanto e muda batalha na alma de Svidrigáilov e olhou para a mulher com uma expressão indescritível. De repente deixou cair a mão, deu meia volta, dirigiu-se rapidamente para a janela e ficou parado diante dela. Decorreu um instante.

– Aqui tem a chave! – Tirou-a do bolso esquerdo do casaco e colocou-a atrás de si, em cima da mesa, sem se voltar nem olhar para Dúnia. – Tome-a e saia imediatamente! – Olhava teimosamente para a janela.

Dúnia aproximou-se da mesa para pegar na chave.

– Imediatamente! Imediatamente! – repetia Svidrigáilov sem fazer um movimento e sem se voltar.

Mas percebia-se que naquele "imediatamente" vibrava uma entoação quase terrível. Foi o que pareceu a Dúnia, que pegou na chave, correu para a porta, abriu-a rapidamente e saiu do quarto. Passado um minuto, como louca, sem se compreender a si mesma, pôs-se a correr para o canal e dirigiu-se à ponte.

Svidrigáilov permaneceu ainda de pé junto da janela, durante três minutos, até que, por fim, devagarinho, voltou-se, relanceou a vista à sua volta e, tranquilamente, levou a mão à testa. Um estranho sorriso lhe contraiu o rosto, um pobre sorriso, triste, desesperado. O sangue, que já coagulara, ficou-lhe empapado sobre a mão; olhou para o sangue com ódio; depois molhou um lenço e estancou a fronte. De súbito, o revólver que Dúnia largara e que estava ali tombado, junto da porta, chamou-lhe a atenção. Apanhou-o e pôs-se a examiná-lo. Era um revólver pequeno, de bolso, de três tiros, de fabricação antiga; ainda lhe restavam dois carregadores e uma bala. Ainda podia disparar uma vez. Refletiu um momento, guardou o revólver no bolso, pegou o chapéu e saiu.

Capítulo VI

Nessa noite andou vagueando por várias tabernas e espeluncas, de uma para outra. Numa delas encontrou Kátia, a qual cantava outra canção própria da gente servil, alusiva a alguém mau e tirano que tinha ousado beijar Kátia.

Svidrigáilov deu de beber à Kátia e ao rapaz do realejo, e aos cantores, aos criados e a dois escriturariozinhos. Entabulara conversa especialmente com estes dois escriturariozinhos porque tinham o nariz torto: um tinha-o torcido para a direita e outro para a esquerda, o que impressionou Svidrigáilov. Até que por fim o levaram a um jardim divertidíssimo, onde ele lhes pagou a entrada. Nesse jardim havia, ao todo, um pequeno abeto muito delgado, de uns três anos, e três arbustos. Além disto havia aí um lugar chamado *vauxhall*[64], mas que na realidade era uma taberna, onde também se podia tomar chá, e havia ainda algumas mesinhas e luminárias pintadas de verde. Alegravam o público um coro de repugnantes cantoras e um ou outro alemão de Munich, embriagado, com tipo de camponês, de nariz vermelho, mas, sem se saber por que, muito triste. Os escriturários começaram a envolver-se em discussões com outros escriturários que por ali encontraram e produziu-se uma grande algazarra. Svidrigáilov foi escolhido por eles como árbitro. Julgou-os num quarto de hora, mas eles gritavam tanto que não havia meio de averiguar nada ao certo. Um deles roubara qualquer coisa, vendera-o a um judeu; mas, depois de ter vendido isso, não queria repartir a importância com o companheiro. Verificou-se, finalmente, que o ob-

---

[64] Local público de Londres para bailes e concertos, muito em voga no século XVIII, posteriormente imitado em Paris e outras cidades da Europa. O termo é empregado aqui no sentido restrito de casa de jogo, cassino.

jeto vendido era uma colherzinha de chá que pertencia à casa. Apanhara ali e o caso começava a tomar proporções aborrecidas. Svidrigáilov abonou o valor da colher, levantou e abandonou o jardim. Eram cerca de dez horas. Durante todo esse tempo não bebera nem uma gota de vinho, e no *vauxhall* só tinha tomado chá e apenas por obrigação. Estava uma noite pesada e sombria. Às dez horas começavam a surgir por todo lado nuvens terríveis; o trovão ribombou e começou a chover caudalosamente. A água caía, não em grossas gotas mas já sob a forma de verdadeiras torrentes que se precipitavam sobre a terra. Os relâmpagos brilhavam a cada momento e podia contar-se até cinco durante o tempo que durava cada um deles. Molhado até aos ossos, encaminhou-se para casa, entrou, fechou a porta, abriu o *bureau*, tirou dele todo o seu dinheiro e rasgou dois ou três papéis. A seguir meteu o dinheiro nos bolsos começou a mudar de roupa, mas, depois de ter olhado a janela e ouvido a tempestade e a chuva, deixou cair as mãos, pegou o chapéu e foi-se, sem fechar a porta. Encaminhou-se diretamente para o quarto de Sonha, que estava em casa.

Não estava sozinha; à sua volta estavam os quatro filhinhos da Kapernáumova. Sófia Siemiônovna tinha-os convidado a tomar chá. Viu entrar Svidrigáilov em silêncio e respeitosamente; reparou, com espanto, no seu traje encharcado, mas não disse uma palavra. Os petizes fugiram todos, apavorados. Svidrigáilov sentou à mesa e pediu a Sonha que se sentasse a seu lado. Ela se preparou timidamente para escutá-lo.

— Eu, Sófia Siemiônovna, é possível que vá para a América – disse Svidrigáilov – e, como, por conseguinte, é muito provável que esta seja a última vez que nos vejamos, vim visitá-la para deixar concluídas algumas disposições. Então foi hoje visitar a tal senhora? Já sei o que ela lhe disse, por isso não precisa me contar – Sonha fez um gesto e corou. – Já sabemos como essa gente é. Quanto aos seus irmãozinhos o caso está arrumado, de fato, e o dinheiro foi posto em nome de cada um, e já o entreguei, contra recibo, onde devia, em boas mãos. Além disso a senhora deve ficar com esses recibos, pode precisar deles. Aqui os tem, guarde-os! De maneira que, este assunto, já está arrumado. Aqui tem três títulos de cinco por cento; ao todo, três mil rublos. Isto dou-lhe eu à senhora, só à senhora, e não diga nada a ninguém, que ninguém chegue a saber disto, por mais coisas que possa ouvir. Esse dinheiro é-lhe necessário, porque, viver como até aqui, Sonha Siemiônovna... é horrível, e agora não é preciso.

— Fico-lhe muitíssimo grata, bem como os pequeninos e a falecida – disse Sonha apressadamente – e se até agora ainda não lhe agradeci devidamente... não pense que...

— Ah, pronto, pronto!

— Oh, este dinheiro, agradeço-lho muitíssimo, Arkádi Ivânovitch, mas, de fato, agora, não preciso dele. Eu, para mim sozinha, sempre terei o suficiente; não leve isto à conta de ingratidão; mas já que é tão bondoso, este dinheiro...

— É para a senhora, para a senhora, Sônia Siemiônovna, e prescinda de mais cumprimentos, pois, além do mais, não tenho muito tempo. Há de ser necessário. Rodion Românovitch tem à sua frente dois caminhos: ou mete uma bala na cabeça ou raspa-se para Vladímirka[65] – Sonha olhou para ele avidamen-

---

[65] Expressão idiomática: mandar às galés. Dava-se esse nome à condenação aos trabalhos forçados na Sibéria. Talvez topônimo derivado dalgum policial de nome Vladimir.

te e estremeceu. Não se preocupe, eu sei tudo, da sua própria boca, e não sou tagarela; não o direi a ninguém. O melhor que ele podia fazer seria apresentar-se pessoalmente e confessar tudo. Teria atenuada a pena. Bem, vamos ver: como é que hão de ir para Vladímirka? Ele primeiro e a senhora depois? Assim? Desta maneira? Bem, se for assim, isso quer dizer que hão de precisar de dinheiro. Hão de precisar de dinheiro para ele, compreende? Dá-lo à senhora é o mesmo que entregá-lo a ele. Além disso, a senhora tinha-lhe prometido pagar a sua dívida a Amália Ivânovna, segundo ouvi dizer. Mas como é que a senhora, Sófia Siemiônovna, toma tais compromissos e deveres tão levianamente? Porque quem devia a essa alemã era Ekatierina Ivânovna e não a senhora; por isso podia mandar passear a alemã. Assim não se pode viver neste mundo. Bem; agora, escute: se alguém lhe perguntar um dia por mim ou a meu respeito, amanhã ou depois de amanhã (e hão de perguntar, com certeza), não fale nesta visita que eu lhe fiz, nem mostre a ninguém o dinheiro que acabo de dar-lhe. E, agora, até à vista – levantou da cadeira. – Os meus cumprimentos a Rodion Românovitch. E, a propósito, peça a alguém para guardar o dinheiro até o momento oportuno, ainda que seja ao senhor Razumíkhin...Conhece o senhor Razumíkhin? Com certeza que deve conhecê-lo. É um bom rapaz. Leve-lhe o dinheiro amanhã, ou quando tiver tempo. Mas entretanto guarde-o bem.

Sonha levantou também e olhou para ele assustada. Queria dizer-lhe alguma coisa, perguntar-lhe alguma coisa; mas nos primeiros momentos não se atrevia nem sabia como havia de começar.

– De maneira que... Como é que o senhor vai sair, assim, com esta chuva?

– Ora! Então eu vou partir para a América e havia de ter medo da chuva, he, he! Adeus, caríssima Sófia Siemiônovna! Tenha muita saúde e viva muitos anos, porque há de ser muito útil a toda a gente. A propósito... diga ao Senhor Razumíkhin que eu lhe mando cumprimentos. Diga-lhe assim: "Arkádi, vamos, Ivânovitch Svidrigáilov, apresenta-lhe os seus cumprimentos". Não se esqueça.

Saiu deixando Sonha estupefata, assustada e possuída de uma vaga e aborrecida suspeita.

Sucedeu depois que nessa mesma noite, à meia-noite, fez ainda Svidrigáilov outra excêntrica e inesperada visita. Ainda não parara de chover. Todo molhado, dirigiu-se à meia-noite ao mesquinho cubículo onde viviam os pais da noiva, na ilha Vassílievski, na Terceira Linha, no Próspekt Máli. Chamou em voz alta e, a princípio, provocou grande alarme; mas, Arkádi Ivânovitch, quando queria era um homem de modos sedutores; de maneira que a primeira suspeita (aliás muito justificada), dos pais da noiva, de que Arkádi Ivânovitch se tinha provavelmente embriagado em qualquer lugar e já não sabia o que fazia... acabou por se desfazer automaticamente. A condescendente e discreta mãe da noiva ofereceu a poltrona do marido paralítico, e, conforme era seu costume, começou a dirigir-lhes perguntas indiretas. (Essa senhora nunca fazia perguntas francas, e começava sempre por sorrir e esfregar as mãos, e depois, se precisava de informar-se de qualquer coisa de maneira certa e precisa, por exemplo, para quando pensava Arkádi Ivânovitch marcar a data do casamento, começava a fazer perguntas cheias de curiosidade e até prementes acerca de Paris e da vida da alta sociedade parisiense, e depois ia-se aproximando gradualmente da Terceira Linha da ilha Vassílievski.) Tudo isso, noutra ocasião, teria inspirado, sem dúvida, um grande respeito; mas naquele momento Arkádi Ivânovitch parecia particularmente impaciente e manifestara imediatamente o desejo de ver o mais depressa possível a sua noiva, embora lhe tivessem dito que já estava deitada. Escusado será dizer que ela apareceu logo. Arkádi Ivânovitch participou-lhe, sem rodeios, que precisava ausentar-se por algum tempo de Petersburgo para tratar de um assunto importantíssimo, e por isso deixava-lhe quinze mil rublos, sob várias formas, e pedia-lhe que os aceitasse a título de presente, já que pensara oferecer-lhe essa bagatela antes do casamento. Não havia relação lógica entre o presente, a viagem iminente e a necessidade imprescindível de aparecer ali, com aquela chuva, e à meia-noite; mas ninguém lhe fez a mínima objeção. Até os inevitáveis oh! e ah!, perguntas e espantos foram muito comedidos e discretos; em compensação demonstraram-lhe a sua gratidão nos termos mais calorosos e exaltados e não faltaram sequer as lágrimas da discreta mãe. Arkádi Ivânovitch ficou em pé e começou a rir, deu à noiva um beijo e uma palmadinha na face, afirmou-lhe que não tardaria a estar de volta e, apercebendo nos seus olhos uma espécie de curiosidade infantil, e ao mesmo tempo uma séria e tácita interrogação, reconsiderou um pouco, tornou a beijá-la e lamentou sinceramente que o pequeno presente que acabava de dar-lhe fosse parar imediatamente às mãos da discreta mamãe, que o guardaria à chave, muito bem guardado. Saiu deixando todos num estado de extraordinária agitação. Mas a compassiva *mamacha* resolveu imediatamente, em voz baixa e sem pensar, algumas dúvidas gravíssimas e, sobretudo, considerou que Arkádi Ivânovitch era um homem importante, um homem que tinha negócios, negócios, relações ricas... Sabe Deus o que ele teria resolvido lá para consigo; devia ter pensado bem e partia, considerava isso oportuno e deixava aquele dinheiro, o que, com certeza, não tinha nada de extraordinário! É verdade que era estranho ele ter-se apresentado ali todo encharcado, mas os ingleses, por exemplo, ainda eram mais excêntricos, e isto para não falar nessas pessoas da alta sociedade que não se preocupam com o que possam dizer delas e não estão com cerimônias. Era até muito provável que se tivesse apresentado intencionalmente ali, daquela maneira, para demonstrar que não tinha medo de nada. Mas o mais importante era não dizer uma palavra a ninguém, pois só Deus sabia como é que tudo aquilo viria ainda a acabar; quanto ao dinheiro, o melhor era ir fechá-lo imediatamente à chave, e era uma sorte que Fiedóssia estivesse lá para a cozinha e, sobretudo, era preciso não dizer absolutamente nada do que se passara à Resslich, etc., etc. Ficaram acordados tagarelando em voz baixa até às duas. Aliás, a noiva foi dormir muito mais cedo, admirada e um pouco triste.

Quanto a Svidrigáilov, atravessava às doze em ponto a ponte de***, em direção ao Lado Petersburguês. A chuva parara, mas o vento zunia. Começou a tremer e, por um instante, com certa curiosidade e até de um modo interrogativo, olhou para as águas do Pequeno Nievá. Mas a seguir pensou que apanhava frio estando assim parado em cima da água; deu meia volta e encaminhou-se para o Próspekt***. Caminhou bastante tempo pelo interminável Próspekt***, cerca de meia hora, tropeçando na escuridão por mais de uma vez, no piso de madeira, mas sem deixar de procurar com curiosidade qualquer coisa no lado direito da avenida. Ao longe, no fim da avenida, notava ao passar por ali, não havia muito, uma estalagem de madeira, mas ampla, e o seu nome, tanto quanto podia recordar, era qualquer coisa assim como Adrianopol. Não se enganara nos seus cálculos: aquele hotel, que ficava no extremo dum bairro, era um ponto tão visível que se podia distinguir até no meio da escuridão. Era um grande edifício, comprido, de madeira, escurecido, no qual, apesar da hora avançada havia ainda luz e se notava certa animação. Entrou e pediu um número[66] ao criado que veio recebê-lo. O criado olhou Svidrigáilov de alto a baixo, espreguiçou-se e conduziu-o a um quarto afastado, abafado e pequeno, ao fundo do corredor, a um canto, ao pé da escada. Não havia outro; estavam todos ocupados. O criado ficou a olhá-lo interrogativamente.

– Há chá? – perguntou Svidrigáilov.
– Pode-se arranjar.
– Que mais há?
– Carne assada, aguardente, aperitivos.
– Traz-me carne assada e chá.
– Não deseja mais nada? – perguntou o criado com certa perplexidade...
– Mais nada, mais nada!

O homem afastou-se completamente desiludido. "Deve ser um lugar magnífico – pensou Svidrigáilov. – Como é que não havia de conhecê-lo! Naturalmente devo ter o ar dum homem que regressa de algum café-concerto e teve alguma aventurazinha pelo caminho. No entanto será curioso saber que espécie de gente vem aqui dormir à noite!"

Acendeu a vela e inspecionou mais demoradamente o aposento. Era um cubículo tão pequeno que Svidrigáilov quase batia com a cabeça no teto, e tinha apenas uma janela; uma cama muito suja, uma mesa simples, pintada, e uma cadeira ocupavam quase completamente o espaço do quarto. As paredes pareciam formadas de sólida madeira, forradas de papel velho e desbotado, a tal ponto cheio de pó e esfrangalhado que mal se podia adivinhar a sua cor (amarelo) e, quanto ao desenho, era impossível distingui-lo. Uma parte da parede e do teto eram inclinados obliquamente como os das águas-furtadas, e por cima desse declive passava a escada. Svidrigáilov deixou a luz, sentou na cama e ficou pensativo. Mas um estranho e contínuo murmúrio, que às vezes chegava quase a transformar-se num grito, acabou por prender-lhe a atenção. Esse murmúrio não cessara um momento desde que ali entrara. Pôs-se à escuta, ouviu alguém que censurava e, quase chorando, invectivava outra pessoa, mas só se ouvia uma voz. Svidrigáilov levantou, cobriu a vela com a mão, e imediatamente uma frincha brilhou na parede; aproximou-se e olhou. Naquele quarto, um pouco maior do que o seu, havia dois hóspedes. Um deles, sem sobretudo, com uma cabeça muito desgrenhada e uma cara vermelha e congestionada, estava de pé, numa atitude oratória, de pernas excessivamente abertas para manter o equilíbrio, e, dando socos no peito, censurava pateticamente o outro, dizendo-lhe que era miserável, que nem sequer tinha um ofício, que ele o tirara da lama, e, quando quisesse, poderia atirá-lo outra vez para lá, e que de tudo isto só Deus era testemunha. Aquele que era recriminado estava sentado numa cadeira e mostrava o aspecto dum homem que tem muita vontade de espirrar e não pode. De quando em quando pousava uns olhos mortiços e compungidos no orador, mas era evidente que não percebia nada do que aquele queria dizer e mal o

---

66 Isto é, um quarto.

escutava. Em cima da mesa acabava de consumir-se uma luz e viam-se aí também uma garrafa de aguardente, quase vazia, copos, pequenos, e um serviço de chá, que já tinha sido utilizado. Depois de observar atentamente aquele quadro, Svidrigáilov afastou-se da frincha com indiferença e sentou outra vez na cama.

    O criado, quando voltou com o chá e com a carne, não pode conter-se e tornou a perguntar-lhe se não queria mais nada; e, como ouvisse outra vez uma resposta negativa, afastou-se definitivamente. Svidrigáilov atirou-se ao chá, para se aquecer, e bebeu um copo; mas não conseguiu comer absolutamente nada por ter perdido completamente o apetite. Começava a sentir febre. Tirou o casaco e a samarra, embrulhou-se no cobertor e deitou-se. Estava contrariado. "Era muito melhor sentir-me bem, agora", pensou, e sorriu com sarcasmo. O ar do quarto era pesado; a luz ardia mortiça; mas lá fora o vento soprava, em qualquer lugar sentia-se bulir um rato, e em todo o quarto cheirava a ratos e a couro. Estava deitado e delirava completamente; passava de um pensamento para outro. Parecia que queria fixar na imaginação alguma coisa especial. "Ali, debaixo da janela, deve haver um jardim – pensou – sente-se o farfalhar das árvores; não me agrada nada o barulho das árvores à noite, quando há tempestade e escuridão; que impressão tão antipática..." E lembrou-se de como, ao passar pouco antes pelo parque Pietróvski, sentira quase repugnância. Lembrou-se também, a propósito disto, da ponte de*** e do Pequeno Nieva, e tornou outra vez a sentir frio, como há pouco... quando parara a olhar a água. "Nunca na minha vida gostei de água, nem sequer na paisagem – pensou outra vez, e tornou logo a rir, sarcasticamente, perante um estranho pensamento. – Agora, pelo visto, quanto a estética e a comodidade, tudo devia ser-me indiferente, e, no entanto, ponho-me com esquisitices, como o animal que tem de procurar sem outra escolha o lugar para o seu ninho... num caso destes. O que eu tinha feito bem era dirigir-me antes para Pietróvski. O céu estava escuro, fazia frio, he! he! Aquilo de que necessitava era precisamente de sensações desagradáveis... E, à propósito: por que não apago eu a vela? – e apagou-a. – Os vizinhos já se deitaram – pensou, uma vez que já não viu luz pela fresta. – Pronto, Marfa Pietrovna! Agora podes vir recriminar-me; está tudo às escuras, o lugar não pode ser mais adequado, e o momento tem a sua originalidade. E, no entanto, será precisamente agora que tu não hás de aparecer..."

    De súbito, sem saber por que, lembrou-se que havia pouco, antes de ter ido ao encontro de Dúnietchka, recomendara a Raskólhnikov que a entregasse à guarda de Razumíkhin. "No fundo disse-lhe isto por pura fanfarronice, conforme Raskólhnikov calculou. Mas que velhaco, apesar de tudo, é esse Raskólhnikov! Sempre fez uma! Pode ser que, com o tempo, venha a ser um grande homem, quando lhe tiver passado a loucura; mas, por agora, que ânsias tem de viver! Quanto a isso, todos esses tipos são... uns covardes. Mas bem, o diabo que o carregue e que faça o que quiser! E eu?"

    Não podia dormir. Pouco a pouco, a imagem recente de Dúnietchka começou a surgir na sua frente, e de repente correu-lhe um tremor por todo o corpo. "Não, deixemos isso, por agora – pensou num instante de lucidez – é preciso pensar em qualquer outra coisa. Coisa estranha e ridícula; nunca tive tanto ódio a ninguém e nunca tive ideias de vingança, e isso é mau sinal, mau sinal. Também nunca gostei de disputas nem de acalorar-me... outro mau sinal. E as promessas que eu lhe fiz...

livra, que vá para o diabo! No fim de contas, quem sabe se não teria feito de mim outro homem ..." Tornou a calar-se e a ranger os dentes; a imagem de Dúnietchka, tal como era na realidade, apareceu-lhe outra vez, como se fosse ela mesma, quando, ao disparar sobre ele pela primeira vez, sofreu um susto tremendo, atirou fora o revólver e, meio morta, ficou olhando para ele, de tal maneira que ele tivera tempo para apoderar-se dela por duas vezes e ela não teria levantado uma mão para se defender, se ele não a tivesse despertado. Lembrava-se da pena que lhe inspirou naquele instante, de como se sentira confrangido... Ah, que fosse para o diabo! Outra vez essas ideias! É preciso afugentar, afugentar, tudo isso!

Finalmente, quedou-se amodorrado; a tremura da febre diminuiu, de repente, pareceu-lhe que qualquer coisa lhe corria por debaixo do cobertor, por cima da mão e da pele. Estremeceu. "Livra, que diabo! Seria um rato? – pensou – Como deixei a carne em cima da mesa..." Repugnava-lhe muito ter de se destapar, levantar e apanhar frio; mas, de súbito, algo de desagradável lhe fez cócegas na pele; atirou com o cobertor e acendeu a vela. Tremendo de febre, agachou-se para examinar a cama... não havia nada; sacudiu o cobertor e, de repente, sobre a cama, saltou, lépido, um rato. Correu para apanhá-lo; mas o rato não corria por cima da cama, ziguezagueava por todos os lados, se esgueirava entre os dedos dele, escapulia pela mão acima e, de repente, ia e metia-se por debaixo da almofada. Puxou da almofada, mas por um momento sentiu que qualquer coisa lhe saltara sobre o ventre, lhe fazia cócegas por todo o corpo e até pelas costas, por debaixo da camisa. Começou a sentir um tremor, enervou-se e pôs-se alerta. O quarto estava às escuras e ele estendido no leito, embrulhado, como há pouco, no cobertor; junto da janela assobiava o vento. "Que nojo!", pensou com aborrecimento.

Levantou e ficou sentado na beira da cama, de costas para a janela. "O melhor é não dormir", resolveu. Demais entrava frio e umidade pela janela; sem levantar de onde estava, puxou pelo cobertor e embrulhou-se nele. Não acendera a luz. Não pensava nem queria pensar em coisa alguma; mas os sonhos sucediam-se uns atrás dos outros, e pelo seu cérebro deslizavam fragmentos de ideias, sem princípio nem fim, e sem coerência. Parecia que tinha caído num meio torpor. O frio, o aspecto macabro daquele quarto, o vento que zunia e sacudia as árvores junto da janela, tudo isso lhe infundia uma propensão e um desejo tenazes e fantásticos... mas, afinal, só via flores. A sua imaginação mostrou-lhe uma paisagem admirável; um dia claro, tépido, quase quente, um dia de festa, o dia da Trindade. Uma chácara no campo, rica, luxuriante, de estilo inglês, toda rodeada de túrgidos viveiros de flores e de platibandas que davam volta à construção; a pequena escada, afogada em trepadeiras e coberta de rosas; na escada principal, clara e fresca, atapetada com uma passadeira, havia em cada degrau jarros chineses com flores raras. Reparou especialmente nuns vasos com água, que havia nas janelas, e que tinham narcisos brancos, que se inclinavam sobre os seus longos caules, esguios e vaporosos, de forte aroma. Não queria afastar-se deles, mas subia a escada e entrava num grande salão, de teto alto; e aí também havia flores por todos os lados, junto das janelas e em volta da porta aberta sobre o terraço, e no próprio terraço. O chão estava todo atapetado de erva recém-cortada e cheirosa; as janelas abertas; um ar fresco, leve, penetrava no salão; os passarinhos gorjeavam junto das janelas e no meio do aposento, em cima da mesa, coberta com uma toalha branca de cetim, havia um caixão. Esse caixão estava forrado de tecido branco de Nápoles, guarnecido com uma *ruché*[67]. E rodeado de grinaldas de flores por todos os lados. Dentro dele jazia, completamente envolvida pelas flores, uma moça toda vestida de branco, com as mãos cruzadas sobre o peito, como se fossem esculpidas em mármore. Mas tinha os cabelos, de um louro claro, revoltos e molhados; uma coroa de rosas lhe cingia a fronte. O severo e já rígido perfil do seu rosto parecia também esculpido em mármore; mas o sorriso dos lábios pálidos deixava transparecer uma certa tristeza infantil, uma vaga e grande dor. Svidrigáilov conhecia aquela moça; em volta do caixão não havia imagens sagradas nem brandões, e não se ouvia o rumor das orações. Aquela moça matara-se... afogando-se. Parecia não ter mais de quatorze anos; mas já tinha os sentimentos formados e perdera-se, ofendida por uma afronta que enchera de horror e de assombro a sua terna, infantil consciência, repleta de imerecida vergonha a sua alma de angélica pureza, arrancando-lhe um supremo grito de desolação que ninguém ouvira, mas que ressoara agudamente na noite escura, nas trevas, no frio, no úmido degelo, quando o vento soprava.

Svidrigáilov acordou, levantou da cama tateando, abriu a janela do quarto. O vento irrompeu impetuoso no seu apertado aposento e, como um sopro glacial, açoitou-lhe o rosto e o peito, unicamente coberto pela camisa. De fato, por debaixo da janela devia haver qualquer coisa semelhante a um jardim, e segundo parecia, de recreio; provavelmente durante o dia entoariam ali canções e serviriam chá nas mesinhas. Agora, das árvores e dos arbustos caem grossas gotas de chuva na janela; a noite era um poço de escuridão, a tal ponto que mal podiam distinguir-se algumas manchas informes, indicativas dos objetos. Svidrigáilov agachou-se e, apoiando os cotovelos no parapeito, ficou olhando uns cinco minutos, sem poder afastar os olhos daquela escuridão. No meio do nevoeiro e da noite ouviu-se um estampido de canhão, e depois outro.

"Ah, é o sinal! As águas crescem[68] – pensou – quando amanhecer vão se infiltrar por ali, onde a terra está mais baixa; vão se estender pelas ruas, inundarão os porões e as covas, farão sair as ratazanas dos porões, e no meio da chuva e do vento, as pessoas, coitadas, começarão a lançar insultos, todas molhadas, enquanto mudam os móveis para os andares mais altos... Mas que horas serão neste momento?" E ainda mal o dissera quando, num relógio de parede que devia haver por ali perto, soaram as três, como se estivessem com muita pressa. "Ah, dentro de uma hora amanhecerá! Para que esperar mais? Sairei já e seguirei direito a Pietróvski; ali, em qualquer lugar, escolho um grande maciço de verdura todo regado pela chuva, de maneira que, assim que o roce com o ombro, milhões de gotas orvalhem a cabeça duma pessoa..."

Afastou-se da janela, acendeu a vela, pôs o colete e o casaco, enfiou o chapéu e saiu com a vela para o corredor, à procura do criado, que dormia num cubículo, entre toda a espécie de trastes e de velhos utensílios, para entregar-lhe a conta do quarto e despedir-se do hotel. "É este o melhor momento; não podia escolher melhor."

Caminhou durante bastante tempo por todo o comprido corredor, ainda dentro de casa, sem encontrar ninguém, e dispunha-se já a chamar com voz forte,

---

67 Babado.
68 Disparos de canhão na fortaleza de Pedro e Paulo anunciavam a subida das águas do Nieva.

quando, de repente, descobriu um estranho objeto entre um velho armário e a porta, qualquer coisa que parecia viva. Agachou-se com a vela na mão e viu com espanto que era uma criança, uma pequenina de uns cinco anos no máximo, embrulhada num vestidinho todo molhado, como um pano de cozinha, trêmula e chorosa. Parecia não ter medo nenhum de Svidrigáilov, mas olhava-o com os seus grandes olhos negros, de profundo assombro, e de quando em quando soluçava como as crianças que choraram muito mas que, embora se tenham já calado e até distraído, ainda não se aquietaram completamente e soluçam de quando em quando. A carinha da menina estava pálida e tinha um ar cansado; estava transida de frio; mas... "Como teria ela ido parar ali? É provável que se tivesse escondido aqui e não deve ter dormido durante toda a noite. Começou a fazer-lhe perguntas. A pequenina, então, animou-se e, muito depressa, disse-lhe qualquer coisa na sua linguagem infantil. Falava de *mámassia*[69] e de que a *mámassia* lhe bateria por culpa de uma tigela que ela tinha quebrado. A criança falava sem parar; podia calcular-se, por toda aquela tagarelice, que se tratava de uma pequenina que não queriam em casa, à qual a mãe, alguma cozinheira, eternamente embriagada, provavelmente daquele mesmo hotel, batia e metia medo; que a pequenina quebrara uma tigela da sua *mamacha* e que ficara tão amedrontada que fugira de casa naquela tarde; com certeza que devia ter estado escondida em qualquer lugar, no pátio, suportando a chuva e, finalmente, tinha vindo se meter ali, escondendo-se atrás do armário, e ali teria passado a noite inteira, chorando, tremendo de frio, de medo da escuridão, e de que agora lhe batessem também por tudo aquilo. Pegou-lhe na mão, levou-a para o seu quarto, sentou-a na cama e começou a despi-la. Os sapatos rotos da menina, nos seus pés sem meias, estavam tão molhados como se ela tivesse passado a noite deitada num charco. Após tê-la despido, deitou-a na cama e cobriu-a dos pés à cabeça com a manta. Depois disto tornou a pensar, mal-humorado:

"Eu não estou, agora, para assumir compromissos! – decidiu, de repente, com uma impressão de contrariedade e de cólera. – Que absurdo!"

Aborrecido, pegou na vela com o fim de encontrar o criado a todo o custo e sair dali logo a seguir. "Ora, ainda está nos cueiros!", pensou, soltando uma praga. E já abrira a porta quando tornou a olhar outra vez para a pequenina, para ver se dormia e como dormia. Com muito cuidado, levantou a manta. A criancinha dormia com um sono profundo e plácido. Aquecera-se debaixo do pano e as cores tinham já afluído à sua carinha pálida. Mas, coisa estranha: aquelas cores eram mais ardentes e intensas do que costumam ser as cores das crianças. "É o ardor da febre – pensou Svidrigáilov – mas parece mesmo... o rubor do vinho; era de dizer que bebeu um grande copo. Os lábios vermelhos ardem-lhe, deitam fogo; mas que é isto?" De repente pareceu-lhe que as suas compridas e negras pestanas se punham a tremer e a palpitar, como se se erguessem, e por debaixo delas escapava-se um olhar malicioso, trocista, nada infantil, como se a pequenina estivesse fingindo que dormia. Sim, é isso: os seus lábios estremecem num sorriso, as comissuras tremem-lhe, como se ainda se reprimisse. Mas agora já parou completamente de reprimir-e; agora o riso brotou já, um riso sarcástico. Algo de insolente, de provocante, brilha naquele rosto,

---

69 *Mamacha*, mãe, em linguagem infantil.

que nada tem de infantil; é o vício, é o rosto de uma camélia[70], o descarado rosto de uma camélia francesa. Sem estar já com fingimentos, abriu os dois olhos, que lançam o seu olhar inflamado e impudico, o chamam, sorriem... Algo de infinitamente monstruoso e afrontoso havia naquele sorriso, naqueles olhos, em toda aquela vileza num rosto de menina. "O quê?! Aos cinco anos! – balbuciou Svidrigáilov espantado. – Mas... será possível?" E eis que ela se voltou já para ele, com toda a sua carinha afogueada, e lhe estendeu os braços. "Ah, maldita!", chama Svidrigáilov com horror, erguendo a mão sobre ela... Mas nesse instante acordou.

Achou-se na sua cama, enrodilhado no cobertor: a vela já estava gasta e na janela branquejava a luz do novo dia.

"Toda esta noite foi um autêntico pesadelo!"

Levantou de mau humor, sentindo o corpo todo moído; doíam-lhe os ossos. No pátio havia ainda uma grande escuridão e não distinguia nada. Eram perto de cinco horas; dormira demasiado. Levantou, pôs o colete e o casaco, ainda úmidos. Apalpou o revólver no bolso, tirou-o e pôs-lhe uma bala; depois sentou, tirou um pequenino caderno do bolso e, sobre a mesa de cabeceira, escreveu rapidamente algumas linhas na folha mais visível. Releu-os, ficou pensativo e apoiou os cotovelos na mesa. O revólver e o caderninho estavam ali, debaixo do seu cotovelo. As moscas, que tinham já despertado, atiravam-se à travessa do assado, que ali ficara intacto também, em cima da mesa. Olhou-os durante muito tempo e, finalmente, começou a ver se apanhava uma mosca com a mão direita, que tinha livre. Esforçou-se durante muito tempo nessas tentativas, mas em vão. Por fim, ao dar consigo próprio naquela interessante ocupação, voltou a si, estremeceu, levantou e saiu resolutamente do quarto. Um minuto depois estava na rua. Uma névoa densa e leitosa pesava sobre a cidade. Svidrigáilov dirigiu-se ao escorregadio e sujo piso de madeira, com rumo ao Pequeno Nieva. Em imaginação via as águas do Pequeno Nieva, que crescera durante a noite, a ilha Pietróvski, os pequenos atalhos molhados, a erva úmida, as árvores e os arbustos molhados e, finalmente, aquele maciço... Contrariado, pôs-se a olhar para as casas com o fim de pensar em qualquer outra coisa.

Em toda a avenida não se via nem uma carruagem nem um transeunte. As pequenas casas de madeira tinham uma aparência insignificante e suja, de um amarelo claro, com as suas janelas fechadas. O frio e a umidade deixavam-lhe o corpo transido e começou a tiritar. De quando em quando parava diante das vitrines das lojas de comestíveis, ou das casas de frutas, e punha-se a vê-las com toda a atenção. "Até que enfim se acabou o passeio de tábuas!" Estava junto dum grande prédio de pedra. Um cãozinho sujo, tiritando, de rabo entre as pernas, cruzou o seu caminho. Alguém, perdido de bêbado, embrulhado num capote, jazia caído de bruços e atravessado no meio do passeio. Olhou-o um momento e seguiu para diante. À esquerda surgiu uma torre alta. "Ora! – pensou. – Aqui também há lugar. Para que hei de ir até Pietróvski? Pelo menos há uma testemunha oficial..." Esteve quase a rir-se daquele novo pensamento, e voltou à esquina da rua de ***. Erguia-se aí um alto edifício com uma torre. À porta fechada da casa encostava-se um homenzinho baixo, que vestia um casaco cinzento de soldado e cobria a cabeça com um aquileu capacete de bronze. Quando Svidrigáilov passou, olhou-o de soslaio com olhos so-

---

70 Alusão à *Dama das camélias*.

nolentos. Notava-se no seu rosto essa eterna melancolia que tão acentuadamente se imprime, sem exceção, em todos os rostos de raça hebraica. Contemplaram-se ambos, Svidrigáilov e Aquiles, durante um momento, em silêncio, mutuamente.

Até que aquele indivíduo acabou por parecer um tanto estranho a Aquiles, que embora não estivesse embriagado, se plantara diante dele, olhando-o a três passos de distância e sem dizer nada.

– Que procura por aqui? – disse, sem se mexer e sem mudar de posição.
– Eu, nada, meu caro. Bom dia – respondeu Svidrigáilov.
– Isto não é lugar...
– Eu, meu amigo, vou para o estrangeiro.
– Para o estrangeiro?
– Para a América.
– Para a América?

Svidrigáilov puxou do revólver e pôs uma bala no tambor. Aquiles franziu o sobrolho.

– A que propósito vem essa gracinha? Isto não é lugar.
– E por que não é lugar?
– Porque não.
– Bem, meu amigo, tanto faz. É um bom lugar; se te perguntarem, dirás, com mil diabos, que fui para a América.

Apoiou o revólver sobre a fronte direita.

– Ah, isso não, aqui não é lugar! – gritou Aquiles, abrindo cada vez mais os olhos. Svidrigáilov premeu o gatilho...

Capítulo VII

Nesse mesmo dia, mas já perto da noite, Raskólhnikov foi ver a mãe... naquele mesmo quarto, na casa de Bakaliéiev, que Razumíkhin lhes arranjara. A escada começava logo da rua. Raskólhnikov principiou a subir, retendo no entanto os passos e como se titubeasse. Entraria ou não? Mas não voltou atrás; a sua resolução estava tomada. "Além disso, tanto faz; elas não sabem nada – pensou – e já estão acostumadas a olhar-me como um ser estranho..." Tinha a roupa num estado deplorável, toda suja, enrugada e esfarrapada por ter passado a noite inteira debaixo de chuva. O rosto quase desfigurado pelo cansaço, pelo mau tempo, pela fadiga física e por aquela luta de quase vinte e quatro horas consigo mesmo. Passara toda essa noite sozinho, sabe Deus onde. Mas pelo menos tomara uma resolução.

Chamou à porta; foi a mãe quem veio abrir. Dúnietchka não estava em casa e a criada também não. A princípio, Pulkhiéria Alieksándrovna ficou muda de alegre espanto; depois pegou-lhe na mão e puxou-o para dentro do quarto.

– Ah, és tu! – exclamou, balbuciando de pura alegria. – Não fiques aborrecido comigo, Rodka, por te receber assim, tão tolamente, de lágrimas nos olhos; mas é porque estou rindo e não a chorar. Julgas que estou chorando? É de alegria, tenho este costume tão tolo: saltam-me as lágrimas. Isto acontece-me desde que o teu pai morreu, por qualquer coisa fico logo chorando. Mas senta, querido, que deves estar cansado, eu bem vejo. Ah, e como estás sujo!

— Apanhei uma chuvarada ontem, *mamacha* – disse Raskólhnikov.

— Não, não! – exclamou Pulkhiéria Alieksándrovna interrompendo-o. – Achas que vou começar a te fazer perguntas segundo o meu antigo costume de bisbilhoteira, mas não; fica sossegado. Eu, agora, sabes, compreendo tudo, compreendo tudo; agora já me habituei a isto, aqui, e vejo muito bem que é o melhor. Tomei esta resolução para comigo mesma: "Para que hei de meter-me a adivinhar-te os pensamentos e a pedir-te contas de tudo?". Sabe Deus os problemas e os planos que tu terás na cabeça, os pensamentos que andarás amadurecendo. Para que havia eu de te obrigar a dizer aquilo em que pensas? Qual! Porque, olha, eu... Ah, meu Deus! Mas por que hei de andar eu a esbracejar para aqui e para ali, como se me sentisse asfixiada? Rodka, fica sabendo que li o teu artigo no jornal três vezes seguidas; Dmítri Prokófitch o trouxe. Lancei um grito de surpresa quando o vi, porque eu, tonta que sou, pensava: "Olha, vê no que ele se ocupa: aí tens a explicação de tudo. Acontece o mesmo a todos os sábios. Pode ser que ele ande revolvendo novas ideias na sua cabeça neste momento, que esteja a amadurecê-las, enquanto eu o importuno e distraio". Li o teu artigo, meu querido, e é claro que não compreendo muitas coisas que há nele, e, aliás, é assim mesmo. Como é que eu havia de compreender tudo?

— Deixe vê-lo, *mamacha*.

Raskólhnikov pegou o jornal e lançou um olhar ao seu artigo. Por muito que estivesse em contradição com a sua situação e estado atuais, experimentou um estranho sentimento de acre doçura, como experimenta todo o autor que vê pela primeira vez impresso qualquer coisa sua; além disso tinha vinte e três anos. Isso durou apenas um instante. Depois de ler algumas linhas, franziu o sobrolho e uma tristeza horrível se apoderou do seu coração. Toda a sua luta espiritual dos últimos meses lhe veio de uma vez à memória. Atirou com o artigo para cima da mesa, com repugnância e aborrecimento.

— Mas olha, Rodka, por muito ignorante que eu seja, consegui compreender que, dentro de pouco tempo, tu serás uma das primeiras figuras do nosso mundo literário. E esses a pensarem que tu tinhas enlouquecido. Ah, ah, ah! Tu não sabes que eles chegaram a pensá-lo? Coitados! Como poderiam compreender que tu tinhas tanto talento? E olha, fica sabendo que até Dúnietchka, até Dúnietchka estava quase a dar-lhes razão. Que dizes a isto? O teu falecido pai também enviou por duas vezes coisas aos jornais: primeiro, versos (ainda conservo um caderninho, vou te mostrar um dia), e depois uma novela completa (eu própria lhe pedi que me deixasse copiá-la), e apesar dos grandes esforços que nós fizemos para que as publicassem... não quiseram. Eu, Rodka, há seis ou sete dias que andava aborrecida pensando na roupa que trazes, na maneira como tu vives, no que comerás e por onde andas. Mas agora vejo bem como fui tola, porque, agora, tudo quanto tu quiseres hás de consegui-lo facilmente com o teu talento e a tua inteligência. Simplesmente, por agora não desejas nada e dedicas-te a coisas muito mais importantes...

— Dúnia não está em casa, *mamacha*?

— Não, Rodka. Agora não para muito em casa, deixa-me sozinha. Dmítri Prokófitch, Deus lhe pague, vem fazer-me companhia, e não faz outra coisa senão falar-me de ti. Não quer falar da tua irmã, visto que ela me trata agora com muita indiferença. Mas não penses que me queixo. Ela tem o seu feitio, e eu, o meu; ela guarda os seus pequenos segredos, e eu não tenho nenhum para vocês. Claro que eu estou convencida de que Dúnia é muito sensata, e que além disso gosta de nós dois; mas no entanto não sei em que acabará tudo isto. Deste-me uma grande alegria por teres vindo, Rodka, porque ela saiu; quando voltar digo-lhe: "Esteve aqui o teu irmão e não te encontrou. Por onde é que andaste?". Tu, Rodka, não te contraries por minha causa; se puderes, vens, se não... não venhas, não te preocupes, que eu esperarei. Eu já sei que tu gostas de mim e é quanto me basta. Lerei as tuas obras, ouvirei falar de ti a toda a gente, ainda que não, não... irei eu mesma informar-me, é o melhor. Agora vieste para consolar a tua mãe, não penses que não compreendo...

E, de súbito, Pulkhiéria Alieksándrovna rompeu a chorar.

– Lá estou eu outra vez com isto! Não faças caso, eu sou uma tola! Ah, meu Deus, então não estou eu aqui sentada? – exclamou, saltando do seu lugar. – E tenho aqui café e não te ofereço! É para que se veja o egoísmo dos velhos! Eu já venho, eu já venho!

– Deixe, *mámienhka*, que eu já me vou embora. Não vim por causa disso. Olhe, faça favor de me escutar.

Pulkhiéria Alieksándrovna aproximou-se dele timidamente.

– *Mámienhka*, aconteça o que acontecer e ouça sobre mim o que ouvir, e digam-lhe de mim o que disserem, vai gostar de mim sempre o mesmo que agora? – perguntou ele de repente, impetuosamente, como se não se apercebesse das suas palavras nem se detivesse a pesá-las.

– Rodka, Rodka, que tens tu? Como é possível que me perguntes isso? Quem é que me há de dizer mal de ti? Eu não acreditaria em ninguém, fosse quem fosse, ia simplesmente expulsá-lo de minha frente.

– Vim para lhe afirmar que sempre gostei da senhora e que estou contente por tê-la encontrado agora sozinha e por Dúnietchka não estar em casa – continuou no mesmo ímpeto. – Vim para dizer-lhe com toda a sinceridade que, por muito infeliz que seja, fique certa de que o seu filho a ama mais do que a si mesmo e que tudo isso que a mãe pensava de mim que eu era um degenerado e não a queria, não era verdade. Eu nunca deixei de amá-la... E pronto, já chega; pareceu-me que devia fazer isto e começar por aqui...

Pulkhiéria Alieksándrovna abraçou-o em silêncio, apertou-o contra o seu peito e chorou brandamente.

– Não sei, Rodka, o que se passa contigo – disse finalmente. – Pensei durante todo este tempo que tu estavas simplesmente farto de mim; mas vejo agora, a avaliar por todos os indícios, que te atingiu algum grande desgosto e que te traz abatido. Já há muito o pressentia. Desculpa te dizer, mas não faço outra coisa senão pensar nisso e, durante a noite, não consigo dormir. A tua irmã também passou esta noite muito inquieta, falava, sonhando e dizia o teu nome. Eu ouvi algumas coisas que ela dizia, mas não compreendi nada. Esteve toda a manhã como se a esperasse um suplício, à espera de não sei que, cheia de pressentimentos, e olha... aí está ela. Rodka, Rodka, que te aconteceu? Pensas partir daqui?

– Sim, penso.

– Era isso mesmo que eu supunha! Mas, olha, eu também posso ir contigo, se precisares. E Dúnia também; ela te ama, ama-te muito, e até Sófia Siemiônovna, também poderá ir conosco, se for preciso; olha, eu teria muito gosto em adotá-la. Dmítri Prokófitch ajudará nossa reunião... Mas... onde pensas... ir?

— Adeus, *mámienhka*.
— O quê? É já hoje? — exclamou ela, como se fosse perdê-lo para sempre.
— Não posso demorar-me; já são horas, é indispensável...
— E não posso ir contigo?
— Não, mas ajoelhe e suplique a Deus. Talvez a sua prece chegue até Ele.
— Deixa-me persignar-te, abençoar-te! Assim, assim. Oh, meu Deus, que nos teria acontecido!

Sim; ele estava muito satisfeito, estava muito satisfeito porque ninguém estivesse presente, por se encontrar sozinho com a mãe. Era como se depois de todo aquele tempo horrível se lhe abrandasse de repente o coração. Caiu de joelhos, beijou-lhe os pés e choravam os dois abraçados. E, agora, ela já não mostrava nenhum espanto nem lhe fazia pergunta nenhuma. Havia já algum tempo que compreendia que qualquer coisa de horrível se passava com o seu filho e que aquele era para ele um instante decisivo.

— Rodka, meu querido, meu primeiro filho! — disse soluçando. — Agora é como se fosses pequenino, quando vinhas para junto de mim e me beijavas; então o teu pai ainda estava vivo, e quando tínhamos algum desgosto, tu nos servias de consolo por estar conosco e, já depois de o teu pai ter morrido, quantas vezes choramos os dois abraçados, como agora, sobre a sua sepultura! E se eu, de um tempo para cá choro tanto, é porque o adivinhava o meu coração de mãe, tu bem vês. Assim que te vi a primeira vez naquela noite, lembras-te? quando acabávamos de chegar de viagem, só de olhar para ti adivinhei tudo, de tal maneira que estremeci toda por dentro, e agora, quando te abri a porta, quando te vi, disse para comigo: "Pronto! Já chegou a hora fatal". Rodka, Rodka, não te vás já, assim, tão depressa.
— Não.
— E virás visitar-me?
— Sim... hei de vir.
— Rodka, não te aborreças, porque eu não me atrevo a perguntar-te. Sei que não me atrevo; mas diz-me ao menos duas palavrinhas. Vais para muito longe?
— Para muito longe.
— Mas que te leva para lá? Tens algum fim, é o teu futuro, que é? Diz-me!
— Será o que Deus quiser... Limite-se a pedir por mim...

Raskólhnikov dirigiu-se para a porta; mas ela o fez parar e ficou a olhá-lo nos olhos com uma expressão desolada. Tinha o rosto transtornado de assombro.

— Basta, *mámienhka* — disse Raskólhnikov, profundamente arrependido da ideia que tivera de ir ali.
— Não há de ser para sempre! Não há de ser para sempre, não é verdade? Porque tu virás, virás amanhã, sim?
— Virei, virei, adeus!

Finalmente, afastou-se.

Estava uma tarde fresca, suave e clara; o mau tempo cessara desde a manhã. Raskólhnikov dirigiu-se para sua casa e ia apressado. Queria terminar tudo antes do cair da tarde. Até então não queria encontrar-se com ninguém. Quando subia até ao seu quarto reparou que Nastássia, ao retirar o samovar, não tirava os olhos dele e seguia todos os seus gestos. "Não teria estado aqui alguém?", pensou. Lembrou-se de Porfíri com aborrecimento. Mas ao dirigir-se para o seu quarto e abri-lo, ficou surpreendido por encontrar Dúnietchka. Ela estava ali completamente sozinha, profundamente meditativa e, segundo parecia, havia já muito tempo que o esperava. Levantou do divã, assustada, e parou diante dele. O seu olhar, teimosamente fixo sobre ele, exprimia horror e uma dor infinita. E bastou aquele olhar para ele compreender imediatamente que ela sabia tudo.

– Devo entrar ou ir-me embora? – perguntou ele, receoso.

– Passei todo o dia com Sófia Siemiônovna; estivemos as duas à tua espera. Pensávamos que, com certeza, irias até lá.

Raskólhnikov entrou no quarto e deixou-se cair sobre uma cadeira, assustado.

– Estou um pouco fraco, Dúnia; muito cansado; e queria, neste momento, ter pleno domínio sobre mim próprio.

Olhou rapidamente para ele, desconfiada.

– Onde estiveste toda a noite passada?

– Não me lembro bem; olha, minha irmã, eu queria acabar, e por mais de uma vez me aproximei do Nieva; só disso é que me lembro. Queria acabar ali para sempre; mas... não tive coragem... – balbuciou, tornando a olhar para Dúnia, receoso.

– Louvado seja Deus! Era isso que nós receávamos, eu e Sófia Siemiônovna! Afinal, ainda acreditas na vida; louvado seja Deus, louvado seja Deus!

Raskólhnikov pôs-se a rir sarcasticamente.

– Eu não acreditava em nada disso; mas ainda há pouco estive abraçado à mãe, a chorar juntamente com ela; e pedi-lhe que rezasse por mim. Talvez Deus saiba o que isto significa, porque eu não compreendo.

– Estiveste com a mãe? E contaste tudo? – exclamou Dúnia horrorizada. – Tiveste coragem para contar?

– Não, não lhe contei... por palavras; mas compreendeu, em parte. Ouviu-te delirar esta noite. Tenho a certeza de que já sabe metade, pelo menos; é possível que eu tenha feito mal em ir vê-la. Nem sequer sei por que fui. Eu sou vil, Dúnia.

– És vil e estás disposto a suportar a dor! Porque é o que tu vais fazer, não é verdade?

– É. Agora mesmo. Sim, para evitar esta vergonha é que eu queria atirar-me à água, Dúnia; mas quando já estava mesmo à beira dela pensei que, se até agora me considerei forte, também não hei de morrer por causa da vergonha – disse, erguendo-se. – Será isto orgulho, Dúnia?

– É orgulho, Rodka.

Uma espécie de fogo brilhou nos seus olhos encovados; lisonjeava-o aquilo de conservar ainda o seu orgulho.

– E não vás imaginar que era a água que me fazia medo – disse, olhando-a no rosto com um sorriso indolente.

– Oh, Rodka, basta! – exclamou Dúnia com amargura. Houve dois minutos de silêncio. Ele estava sentado, de cabeça baixa e de olhos fitos no chão; Dúnietchka falava-lhe de pé, no outro extremo da mesa, e contemplava-o com dor. De repente, ele levantou.

– Esta tarde, chegou o momento. Vou agora mesmo denunciar-me. Mas não sei por que terei de fazer isso.

Grossas lágrimas correram pelas faces dela.

– Tu choras, minha irmã, e queres ajudar-me?

– Tens dúvidas?
Ele a abraçou com força.
– Então, ao te entregares ao castigo, não lavarás já metade do teu crime? – exclamou ela sem deixar de abraçá-lo e de beijá-lo.
– Crime? Qual crime? – exclamou ele de repente, como se tivesse sido acometido de um furor súbito. – O de ter morto um asqueroso e daninho piolho, uma velha usurária, que não fazia falta a ninguém, e por matar a qual nos deviam ser perdoados quarenta pecados, e que se alimentava do sangue dos pobres? É isso um crime? Eu não creio que o seja, nem penso em lavá-lo. Porque hão de gritar-me todos, por todos os lados: "É um crime, é um crime!"? Só agora vejo claramente toda a estupidez da minha pusilanimidade, agora que decidi já enfrentar essa vergonha desnecessária! Foi simplesmente pela minha vileza e fraqueza que tomei essa decisão, e talvez também por conveniência, como supunha esse... Porfíri!
– Irmão, irmão, que estás dizendo? Mas tu não derramaste o sangue? – exclamou Dúnia desolada.
– O que todos derramam – insistiu ele, como se estivesse fora de si – o que se verte e sempre se há de verter no mundo como uma torrente, o que corre como champanhe e pelo qual se coroam no Capitólio e chamam depois benfeitores da humanidade. Bastava que abrisses bem os olhos e olhasses! Eu também queria o bem das pessoas, e teria feito cem, mil boas ações em troca dessa única estupidez, que nem sequer foi estupidez, mas simplesmente uma inépcia, visto que todas essas ideias nunca são tão estúpidas como parecem depois, quando malogram... (No fracasso tudo parece estúpido!) Com essa estupidez queria eu fixar-me numa posição independente, dar o primeiro passo, arranjar recursos, e então tudo teria ficado compensado com uma utilidade relativamente incomparável... Mas eu, eu não posso aguentar o primeiro passo porque sou... reles! Aí tens tudo! E, no entanto, não posso ver as coisas com os mesmos olhos que tu; se houvesse triunfado, teria sido coroado, ao passo que, assim, caí por terra!
– Mas isso não é assim, de maneira nenhuma! Irmão, que dizes tu?
– Ah! Não é esta a forma, não é uma forma esteticamente boa! Pronto, não há dúvida de que não consigo compreender! Por que é que prostrar as pessoas com granadas, manter um cerco em forma há de ser uma coisa mais honrosa? A preocupação da estética é o primeiro sinal da impotência! Nunca, nunca reconheci isto mais claramente do que agora, e menos do que nunca compreendo agora o meu crime! Nunca estive tão forte e tão convencido como agora!
As cores tinham subido ao seu pálido e vincado rosto. Mas, ao proferir a última exclamação, os seus olhos encontraram-se com os olhos de Dúnia e percebeu nela tanta, tanta dor que, involuntariamente, dominou-se. Sentia que, apesar de tudo, tornava desgraçadas aquelas duas pobres mulheres. E que, entretanto, ele era a causa disso.
– Querida Dúnia... Sim, eu sou culpado, perdoa-me. Se bem que, a mim, não é possível perdoar-me, desde que eu seja culpado. Adeus! Não vamos agora zangar-nos! Já é tempo, está entardecendo. Não me sigas, peço-te. Ainda tenho de ir... Tu, vai já ter com a mãe. Peço-te! É este o último e o maior favor que te peço. Nunca te separes dela; eu a deixei numa inquietação que lhe há de ser difícil de suportar: ou morre ou enlouquece. Fica a seu lado! Razumíkhin vos fará companhia; foi o que ele

disse... Não chores por minha causa; hei de procurar ser corajoso e honesto toda a vida, embora seja um assassino. Pode ser que ouças falar no meu nome alguma vez. Não servirei para vos envergonhar, vais ver; ainda hei de mostrar... mas, por agora, até à vista – apressou-se a concluir, pois observara outra vez uma estranha expressão nos olhos de Dúnia ao proferir as últimas palavras e promessas. – Mas por que choras dessa maneira? Não chores, não chores; olha que não nos separamos para sempre! Ah, sim! Espera, já me esquecia!

Aproximou-se da mesa, pegou num volumoso e poeirento livro, abriu-o e tirou de entre as suas páginas um pequenino retrato à aquarela sobre marfim. Era o retrato daquela filha da senhoria que fora sua noiva e morrera de febres, daquela estranha moça que desejara ser freira. Contemplou por um momento aquele rosto expressivo e dolente, beijou o retrato e entregou-o a Dúnietchka.

– Olha, eu falei muito disso com ela – disse pensativo. – Confiei-lhe muitas coisas a respeito disso que depois me correu tão mal. Não te preocupes – disse, voltando-se para Dúnia – ela não estava de acordo comigo, como tu também não estás, e estou contente porque ela já não exista. O mais importante, o mais importante, nisto, é que tome agora um novo rumo e que tudo mude – exclamou de repente, recaindo na sua tristeza. – Tudo, tudo. Mas estarei eu preparado para isso? É o meu desejo? Dizem que isso há de ser para mim uma experiência necessária! Mas para que, para que todas estas absurdas experiências? Por que vou ver melhor as coisas depois, do que as vejo agora, abatido pelos sofrimentos, pela idiotice, pela impotência física, depois de vinte anos de presídio, e para que vou viver depois disso? Por que concordo eu em viver desse modo? Oh, eu não sabia que era covarde, quando esta manhã, ao clarear o dia, me encontrava à beira do Nieva!

Finalmente saíram os dois. Era tudo difícil para Dúnia suportar; mas ela gostava dele. Caminhou para a frente, e ainda mal andara cinquenta passos, quando se voltou novamente para olhá-lo. Ao chegar à embocadura de uma rua ele voltou-se também, e os seus olhos encontraram-se pela última vez; mas, quando reparou que ela o olhava, agitou a mão com impaciência e até com aborrecimento, para que ela se fosse embora, e virou rapidamente a esquina.

"Sou mau, bem vejo! – pensava, envergonhando-se, passado um minuto sobre o seu último gesto de aborrecimento para com Dúnia. – Mas por que me amam elas tanto se eu não o mereço? Oh, se eu fosse sozinho e ninguém gostasse de mim e eu também não amasse ninguém! Não aconteceria nada disto! Mas será curioso ver se nesses futuros quinze ou vinte anos a minha alma terá já serenado, ao ponto de eu me pôr a choramingar de enternecimento perante as pessoas e a chamar-me canalha a mim próprio. Sim, é isto, é isto! É para isso que eles me deportam agora; é disso que eles precisam... Eles caminham todos pelas ruas, para um lado e para o outro, e são todos uns canalhas e uns bandidos por natureza; ou pior ainda: são uns idiotas! Mas tenta evitar o presídio e todos eles se sentirão possuídos de uma piedosa indignação! Oh, como eles todos me aborrecem!"

Quedou-se profundamente meditativo, pensando nisto: "Como seria possível que ele acabasse finalmente por se reconciliar com todos eles, sem segunda intenção, se reconciliasse por uma autêntica convicção? E por que não? Com certeza que tinha de ser assim. Seria o caso de que vinte anos de contínua servidão não domariam uma pessoa definitivamente? A água acaba por romper a pedra

Mas por que, por que viver depois disso, para que ir para lá agora, quando eu próprio sei que tudo isto haverá de ser precisamente assim, como num livro, e não de outra maneira?" Seria talvez a centésima vez que fazia aquela pergunta desde a noite anterior; mas, no entanto, foi até lá.

Capítulo VIII

Quando entrou em casa de Sonha, já escurecia. Sonha estivera todo o dia à espera dele, numa agitação extraordinária. Esperou-o juntamente com Dúnia. Esta fora vê-la de manhã, pois lembrava-se das palavras que ouvira a Svidrigáilov no dia anterior: "que Sonha sabia tudo". Não nos demoraremos a contar pormenorizadamente o diálogo e as lágrimas das duas mulheres e até que ponto se sentiam irmanadas nos mesmos sentimentos. Nesse encontro Dúnia obteve pelo menos a consolação de saber que o irmão não estava só; para ela, para Sonha, antes de que para qualquer outra pessoa, tinha ido ele com a sua confissão; nela tinha procurado o ser humano quando este lhe fez falta, e agora também ela o acompanharia a ele, conforme o destino ordenasse. Não lhe perguntara; mas sabia que seria assim. Olhava para Sonha até com certa veneração, e a princípio, esta até se sentira incomodada com esse sentimento devoto com que era tratada. Sonha esteve quase a ponto de chorar; por seu lado, considerava-se indigna de olhar sequer para Dúnia. Ficara-lhe gravado para sempre na alma, como uma das visões mais belas e sublimes da sua vida, a maneira tão gentil como Dúnia a acolhera no seu primeiro encontro, em casa de Raskólhnikov, saudando-a com tanta deferência e respeito.

Até que Dúnia acabou por não poder suportar mais e deixou Sonha para ir esperar o irmão em sua casa; pensava que seria aí o primeiro lugar para onde ele devia se dirigir. Quando ficou sozinha, Sonha começou imediatamente a afligir-se com o receio que lhe inspirava a ideia de que, com efeito, ele se tivesse suicidado. Era o mesmo que Dúnia receava também. Tinham ambas passado o dia inteiro a procurarem convencer-se mutuamente, com todo o gênero de razões, de que isso não era possível, e sentiram-se mais tranquilas enquanto estiveram juntas. Mas agora, assim que se separaram, tanto uma como a outra não faziam mais do que pensar nisso. Sonha lembrava-se de que no dia anterior Svidrigáilov tinha dito que a Raskólhnikov só restavam dois caminhos: Vladímirka ou... Além disso conhecia o seu orgulho, a sua altivez, o seu amor-próprio e a sua incredulidade. "Seria o caso de que a falta de coragem e o medo da morte pudessem obrigá-lo a viver?", pensou finalmente, desolada. Entretanto, já o sol se tinha posto. Ela continuava de pé, triste, diante da janela, olhando atentamente para fora... mas daquela janela só se podia ver o grande paredão escurecido da casa em frente. Até que finalmente, quando estava já convencida da morte do infeliz... ele entrou no quarto.

Um grito de alegria escapou-lhe do peito. Mas quando olhou atentamente o rosto dele, empalideceu de súbito.

– Bem! – disse Raskólhnikov sorrindo sardonicamente – venho por causa das tuas cruzes, Sonha. Foste tu mesma quem me disse que fosse ter a uma encruzilhada; que tens tu, agora que tudo vai acabar? Terás medo?

Sonha olhou para ele estupefata. Parecia-lhe estranho aquele tom; um tremor frio lhe correu por todo o corpo, mas compreendeu imediatamente que tanto aquele tom de voz como aquelas palavras eram fingidos. Além disso ele falara-lhe, olhando a um canto, e parecia evitar falar-lhe olhando-a francamente no rosto.

– Olha, Sonha, eu pensei que, de fato, talvez isto seja o mais vantajoso. Há uma circunstância... Mas isso demoraria muito a contar, e, além disso, para quê? A mim, fica sabendo, só há uma coisa que me custa. Incomodam-me essas visões estúpidas, bestiais, que vão rodear-me agora, fixar sobre mim os seus olhos fosforescentes, oprimir-me com as suas perguntas tolas, às quais não terei outro remédio senão responder... e apontar-me com o dedo... Apre! Olha, não penso ir ter com Porfíri, estou farto dele. Prefiro dirigir-me ao meu amigo Pórokhov, que ficará espantado e conseguirá um triunfo na sua classe. Mas seria preciso ter mais sangue frio; tenho tido demasiadas birras nestes últimos tempos, acreditas? Há pouco quase que ameacei minha irmã com o punho, só porque ela se voltou para me olhar. É uma porcaria este estado de espírito! Ah, até onde eu cheguei! Bem, vamos ver, onde é que estão as cruzes?

Parecia alheado. Nem sequer podia estar um momento sossegado no seu lugar, nem fixar a atenção em nada; os seus pensamentos entrecruzavam-se, confundiam-se; as suas mãos tremiam levemente.

Em silêncio, Sonha tirou duas cruzes de uma caixinha, uma de madeira de cipreste e a outra de cobre, persignou-se, persignou-o a ele, e depois pendurou-lhe ao pescoço a cruz de cipreste.

– Isto é um símbolo, quer dizer que vou carregar esta cruz em cima de mim, he, he! Como se não tivesse já sofrido bastante até aqui! De madeira de cipreste; isto é, para o povo; de cobre... esta era de Lisavieta, que a trazia... Mostra, deixa que eu a veja! Estaria usando-a naquele momento? Eu também conheço duas cruzes semelhantes: uma de prata, e outra, que tem uma imagenzinha. Nessa altura atirei com elas ao peito da velha. Afinal, também me deviam pôr agora aquelas ao pescoço... Mas, no fim de contas, não faço mais nada senão divagar, esqueci-me do motivo que me trouxe, estou distraído! Olha, Sonha... eu vim com o fim especial de prevenir-te, para que fiques sabendo... Olha, é tudo... Foi só por isso que vim. Hum! No entanto eu queria dizer mais qualquer coisa. Olha, tu própria querias que eu fosse até lá; pois bem, irei para o presídio e o teu desejo vai se cumprir; mas por que choras? Que te aconteceu? Pronto, já chega; oh, como tudo isto me custa a suportar! – No entanto, um sentimento ia se formando nele; sentia o coração apertado quando olhava para ela: "Mas por que esta, esta? – pensou para si. – Que sou eu para ela? Por que chora, por que se dispõe a proceder comigo como a minha mãe e Dúnia? Vai ser a minha ama!".

– Persigna-te, reza, ainda que seja apenas uma vez – implorou Sonha com voz trêmula, tímida.

– Oh, todas as vezes que quiseres! E da melhor vontade, Sonha, da melhor vontade! Aliás queria dizer qualquer outra coisa.

Persignou-se várias vezes. Sonha pegou no lenço e o colocou sobre cabeça. Era um lenço verde, aos quadrados, provavelmente o mesmo a que Marmieládov tinha aludido daquela vez, o lenço da família. Essa ideia passou pela cabeça de Raskólhnikov; mas não perguntou nada. De fato, ele próprio sentia que estava muito distraído e que era presa de uma perturbação anormal. Isso assustava-o. De súbito, sentiu-se impressionado por que Sonha quisesse sair ao mesmo tempo que ele. – Que é isso? Onde vais tu? Fica aqui, fica aqui! – exclamou com rancor e, quase colérico, dirigiu-se para a porta.– Não preciso de escolta! – resmungou ao sair. Sonha ficou parada no meio do quarto. Ele nem sequer se despediu dela; tinha-a esquecido; uma dúvida dolorosa e teimosa se agitava na sua alma.

"Mas isto tem de ser assim, tudo isto há de ser assim? – tornou a pensar, enquanto descia a escada. – Não seria possível deter-se ainda e arranjar tudo de novo... não ir até lá?"

Mas, apesar de tudo, foi. De repente sentiu, de maneira definitiva, que não havia motivo para fazer perguntas. Quando se viu na rua lembrou-se de que não se despedira de Sonha, que esta ficara no meio do quarto, com o seu lencinho verde, sem ousar mexer-se perante a sua intimidação, e parou por um momento. Nesse instante, de súbito, um pensamento ficou claro para ele... Parecia que ficara esperando até então para acabar de transtorná-lo.

"Mas, vamos ver: por que será que eu fui vê-la agora? Eu lhe disse que tinha ido por causa de uma coisa; mas que coisa? Afinal, nenhuma! Dizer-lhe que "ia para lá"; seria para isso? Mas isso era por acaso necessário? Será que eu a amo? Não, não! Não acabo de enxotá-la agora como a um cão? A cruz... Mas precisava eu, por acaso, que ela me desse isso? Oh, que baixo eu caí! Não, do que eu necessitava era das suas lágrimas; o que eu precisava era de ver o seu medo, ver como o coração lhe doía e se despedaçava! Eu precisava de agarrar-me a qualquer coisa, de pactuar, de contemplar um ser humano! E tinha-me atrevido a resumir em mim mesmo tantas ilusões, e sonhar tantas coisas de mim, eu, que sou um mendigo, insignificante e reles, reles!"

Ladeava o cais do canal e já lhe faltava pouco. Mas quando chegou à ponte parou, e de repente voltou para o lado e dirigiu-se ao Feno.

Olhou avidamente para a direita e para a esquerda, contemplando com esforço todos os objetos e sem conseguir concentrar em nada a atenção; tudo escapava. "E pronto, dentro de uma semana, dentro de um mês, vão me levar, sabe-se lá para onde, dentro de um desses carros de presos, por esta mesma ponte. Como olharei eu então este canal? Vou me lembrar disto? – foi o pensamento que lhe atravessou a mente. – Ali está a vitrine dessa loja: como lerei eu então estas mesmas letras? Ali diz: 'Companhia'; bem, será que vou me lembrar, depois, daquele 'a', da letra 'a', e olharei dentro de um mês, esse mesmo 'a'; como o verei então? Que sentirei e que pensarei então? Meu Deus, como tudo isto tem de ser ordinário, todas estas minhas atuais... preocupações! Não há dúvida de que tudo isto deve ser curioso... no seu gênero... Ah, ha, ha; as coisas que eu penso! Estou a tornar-me criança, a dar ares de corajoso perante mim mesmo; mas, vamos ver; por que vou sentir vergonha? Hum! Estão sempre esbarrando numa pessoa! Ali vai esse gorducho... deve ser um alemão... que acaba de esbarrar em mim. Como é que ele podia saber a quem é que deu o empurrão? Uma velha com uma criança está me pedindo esmola e é curioso pensar que deve me considerar mais feliz que ela! E não deixa de ser engraçado eu ter-lhe dado esmola! Olhem, resta-me apenas um *piatak* no bolso, de onde viria isto? Vamos, vamos... tome lá, *mámienhka!*"

– Deus te guarde! – disse a voz chorosa da mendiga. Entrou no Feno. Era-lhe muito desagradável, de fato, acotovelar-se com as pessoas, mas, no entanto, dirigiu-

-se precisamente para o lugar onde havia mais gente. Teria dado tudo para estar sozinho; mas sabia muito bem que nem um momento sequer poderia ficar só. Por entre as pessoas havia um ébrio que fazia algazarra; esforçava-se por dançar, mas acabava sempre por cair de costas. Tinha-se formado um círculo à sua volta. Raskólhnikov abriu caminho por entre as pessoas, contemplou o bêbado por momentos, e de repente desatou num riso breve e entrecortado. Um minuto depois já se tinha esquecido dele e nem sequer o vira, apesar de o ter olhado. Afastou-se, finalmente, sem se ter sequer apercebido do lugar em que se encontrava; mas quando saiu do meio daquela praça, operou-se de repente nele um movimento, apoderou-se dele subitamente uma sensação que o invadiu todo, no corpo e na alma. De repente lembrou-se das palavras de Sonha: "Vai ter a uma encruzilhada, faz uma reverência às pessoas, beija a terra, porque também pecaste perante ela, e diz a toda a gente em voz alta: 'Sou um assassino!'". Todo ele tremia ao recordar isto. E a tal ponto se apoderou dele o sofrimento sem desabafo e o alarma de todo aquele tempo, e sobretudo o das últimas horas, que se rendeu a toda aquela sensação, nova, plena. Uma espécie de ataque o acometeu de repente; acendeu-se na sua alma uma centelha e, subitamente, como um fogo, envolveu-o todo. De repente, tudo se enterneceu nele e as lágrimas saltaram-lhe. Estava de pé, e assim, tal como estava, tombou sobre a terra...

Pôs-se de joelhos a meio do terreno, fez uma reverência à terra e beijou essa terra suja com prazer e felicidade. Levantou e tornou a ajoelhar-se outra vez.

— Olhem para o que lhe deu! — observou um rapazinho ao seu lado.

Ouviram-se risos.

— Naturalmente vai a Jerusalém e está despedindo-se dos filhos e da pátria, e saúda toda a gente, a capital de São Petersburgo e o seu chão — acrescentou um operário meio embriagado.

— O rapaz ainda é novo! — respondeu um terceiro.

— E é de boa família! — observou um, com voz séria.

— Hoje já não se distingue quem é de boa família e quem não é.

Todos estes comentários e ditos coibiam Raskólhnikov, e a frase "sou um assassino", já pronta talvez a brotar da sua boca, nela se extinguiu. Mas suportou tranquilamente todos esses dichotes e, sem olhar para ninguém, pôs-se a andar ao longo da ruela, em direção ao Comissariado. E uma só visão lhe vinha à mente pelo caminho; mas não lhe causava espanto. Já calculava que assim tinha de ser. Quando, no Feno, se prostrava perante a terra pela segunda vez, quando se voltou para a direita, viu com assombro Sonha a cinquenta passos de distância. Ela estava escondida dele atrás de uma das barracas de madeira que havia na esplanada; e assim, portanto, ela o acompanhava em todo o seu calvário. Raskólhnikov sentia e compreendia naquele instante, talvez de uma vez para sempre, que a partir de então Sonha estaria com ele eternamente e iria atrás dele nem que fosse até o fim do mundo, onde o destino o enviasse. O coração pulsou-lhe num rebate violento... Mas... já chegara ao lugar fatídico.

Atravessou o portão com bastante coragem. Era preciso subir até ao terceiro andar. "Por agora, subamos", pensou. De maneira geral tinha a impressão de que dali até ao momento fatal ainda faltava bastante, que ainda tinha muito tempo à sua frente — que ainda podia pensar em muitas coisas.

Outra vez a mesma sujidade de então, os mesmos restos na escada de caracol; outra vez as portas dos andares abertas de par em par; outra vez as mesmas cozinhas, das quais se exalavam vapores quentes e baforadas. Desde a outra vez que Raskólhnikov não voltara ali. Os pés fraquejavam e pareciam faltar-lhe, mas continuava caminhando. Parou um momento para respirar, para cobrar ânimo, para entrar como um homem. "Mas para quê? Para quê? – pensou, de repente, reparando no seu movimento – visto que tenho de esgotar este cálice, tanto faz! Quanto mais repugnante, melhor." Pela sua imaginação passou naquele momento a figura de Iliá Pietróvitch, o Pórokhov. "Mas irei ter com esse, de fato? Não podia dirigir-se a outro? Não podia dirigir-se a Nikodim Fomitch? Dar meia volta de repente e ir ter com o próprio chefe do Comissariado a sua casa? Pelo menos a coisa seria tratada em família... Não, não! Com o Pólvora, com o Pólvora! Visto que é preciso esgotá-lo, vamos fazer isso de uma vez..."

Empurrou a porta do Comissariado, transido de frio e quase de maneira inconsciente. Mas, dessa vez, havia aí pouca gente, somente o porteiro e um ou outro homem do povo. A sentinela nem sequer o olhou da sua guarita. Raskólhnikov passou à segunda sala. "Talvez ainda seja possível não falar", lembrou-se. Aí, um indivíduo pertencente à classe dos empregados, vestido à paisana, escrevia qualquer coisa no seu bureau. A um canto estava também sentado outro escriturário. Zamiótov não estava. E Nikodim Fomitch também não devia estar.

– Não está ninguém? – perguntou Raskólhnikov encarando o indivíduo do *bureau*.

– A quem procura?

– A... a... ah! Com o ouvido não ouvi, com os olhos não vi, é uma alma russa... conforme dizem num conto... de que já me esqueci. Os me...us respeitos! – gritou de repente uma voz conhecida.

Raskólhnikov estremeceu. Diante dele estava o Pólvora; saíra, de repente, da terceira sala. "É mesmo o destino – pensou Raskólhnikov – por que havia ele de estar aqui?"

– A mim, a quem? – exclamou Iliá Pietróvitch; era evidente que se achava em excelente disposição de espírito e até um tanto inspirado.– Se é para tratar de algum assunto, então, ainda é cedo... Eu estou aqui por casualidade... Mas em que posso...? Confesso-lhe que... O quê? O quê? Desculpe...

– Raskólhnikov.

– Isso mesmo! Raskólhnikov! Mas o senhor pensava que eu tinha me esquecido? Suponho que não vai julgar-me capaz de... Rodion Ro... Ro... Rodiónitch, não é assim?

– Rodion Românovitch.

– É isso, é isso, é isso! Rodion Românovitch, Rodion Românovitch! Era isto que eu queria dizer. Até tenho perguntado muitas vezes pelo senhor. Eu, confesso-lhe que fiquei sempre lamentando ter tido aquele incidente consigo... Depois explicaram-me, vim a saber que o senhor era um jovem literato e até um sábio... que, por assim dizer, fizera a sua estreia... Oh, meu Deus! E qual é o literato ou o sábio, que, a princípio, não tem as suas extravagâncias! Eu e a minha mulher gostamos os dois da literatura, e a minha mulher, essa, tem mesmo uma autêntica paixão! A literatura e a arte! Tirando a nobreza, tudo o mais se pode adquirir com o talento, a ciência, a razão, o gênio! O chapéu... ora vejamos, é um exemplo; que significa o chapéu? O chapéu é uma carapuça, eu os compro em casa de Zimmermann, mas aquilo que se esconde debaixo do chapéu e com o chapéu se cobre, não posso eu comprar! Eu, confesso-lhe, até pensei em ter uma explicação com o senhor, simplesmente reconsiderei e pensei que talvez o senhor... Mas, com isso tudo, não lhe perguntei: precisa de alguma coisa? Dizem que a sua família veio visitá-lo...

— Sim, minha mãe e minha irmã.

— Tive também a honra e a sorte de conhecer sua irmã... Pessoa culta e encantadora. Confesso-lhe que lamentei ter-me excedido então com o senhor daquela maneira. Que fiasco! Mas, o fato de eu lhe ter dirigido um certo olhar, por causa do seu desfalecimento... depois ficou completamente explicado. Crueldade e fanatismo! Compreendo a sua indignação. Tenciona mudar de casa por causa da chegada da sua família, não?

— Não... não, eu, simplesmente... Eu vinha para perguntar... Pensava que encontraria aqui Zamiótov.

— Ah, sim! Com que então, fizeram-se amigos? Ouvi dizer isso. Pois não, Zamiótov não está... aqui, não o encontra. Olhe, ficamos sem Alieksandr Grigórievitch! Desde ontem que deixamos de tê-lo aqui... foi transferido... e, quando saiu, até se zangou com todos... Chegou até esse ponto a sua descortesia... Não passa de um cabeça de vento, esse rapaz; ainda chegou a fazer alimentar esperanças, mas qual, vá lá uma pessoa acreditar na nossa brilhante juventude! Quer fazer o exame de não sei quê, só para se tornar importante e vangloriar-se diante de nós por ter feito o exame! Olhe, não é nada parecido com o seu amigo Razumíkhin, por exemplo! A sua carreira é científica e o senhor não se deixa abater pelas derrotas! Para o senhor, de todos estes atrativos da vida pode-se dizer: *Nihil est*[71]; o senhor é um asceta, um monge, um retraído... Para o senhor, os livros, a pena atrás da orelha, as investigações científicas... É a isto que aspira sua alma! Eu também, até certo ponto... Leu as memórias de Livingstone?

— Não.

— Pois eu as li. Aliás, agora, abundam muito os niilistas; muito bem, é compreensível; é capaz de dizer-me que tempos são estes em que vivemos? Se bem que, no fim de contas, eu, consigo... Porque suponho que não será um niilista! Responda-me com toda a franqueza, com toda a franqueza!

— N... não!

— Não; olhe, o senhor, comigo, pode falar francamente, não se retraia, como se estivesse a sós consigo mesmo! Uma coisa é o serviço e outra... o senhor imaginava que eu ia a dizer a "amizade"; pois não, não acertou! Não se trata da amizade, mas do sentimento de cidadão e do homem, do sentimento da humanidade e do amor do Altíssimo. Eu, por muito personagem oficial que possa ser, por muito funcionário que seja, sinto-me sempre, sempre obrigado a sentir em mim o cidadão e o homem e a comunicá-lo... O senhor dignou-se falar de Zamiótov. Zamiótov ama escândalos à maneira dos franceses, em estabelecimentos indecorosos, quando tem no corpo um copo de champanhe ou de vinho do Don... É para que veja quem é o seu Zamiótov! Em compensação, eu, ardo em zelo e sentimentos elevados, e, além disso,

---

71 Que nada significam.

tenho um nome, um cargo, ocupo um posto. Tenho mulher e filhos. Cumpro o dever de cidadão e de homem, ao passo que ele, quem é? deixe que lhe pergunte. Eu me conduzo para com o senhor como para com um homem enobrecido pela ilustração. Olhe, as parteiras diplomadas multiplicaram-se excessivamente...

Raskólhnikov arqueou interrogativamente as sobrancelhas. As palavras de Iliá Pietróvitch, que, via-se bem, acabara de levantar da mesa, soavam e passavam na sua frente como ruídos vagos. No entanto, compreendia qualquer coisa de tudo aquilo; olhava interrogativamente e não sabia em que iria acabar o caso.

– Refiro-me a essas mulheres de cabelo cortado – continuou o tagarela de Iliá Pietróvitch. – Eu lhes pus o nome de parteiras e acho que é uma denominação muito apropriada. He, he! Introduzem-se na Academia, estudam anatomia; ora vamos ver, diga-me: se eu adoecer, chamarei uma moça para que me trate? He, he!

Iliá Pietróvitch pôs-se a rir, muito satisfeito da sua esperteza.

– Suponhamos que se trata de uma ânsia intensa de se instruírem; mas que se instruam e pronto. Para que abusar? Por que ofender as pessoas decentes, como faz aqui esse vadio do Zamiótov? Por que ele tem de me lançar ofensas, será capaz de me dizer? É preciso vermos como tem aumentado o número dos suicidas... Nem pode imaginar. Toda essa gente gasta até os últimos cobres e depois mata-se. Moças, rapazes, velhos... Ainda esta manhã recebemos uma comunicação referente a certo cavalheiro recém-chegado a Petersburgo. Nil Pávlitch, parece-me... Nil Pávlitch! Como se chamava esse *gentleman* do qual nos anunciaram há pouco que dera um tiro na cabeça, no velho Petersburgo?

– Svidrigáilov... – responderam da outra sala com voz forte e indiferente.

Raskólhnikov teve um sobressalto.

– Svidrigáilov! Svidrigáilov matou-se?

– O quê? Mas conhecia Svidrigáilov?

– Sim... conhecia... Chegara há pouco...

– Ah, sim, chegara havia pouco. Perdera a mulher, era um homem de conduta licenciosa e, de repente, vai e mete uma bala na cabeça, e de uma maneira tão escandalosa que não é possível fazer uma ideia... Deixou no seu livro de apontamentos algumas palavras declarando que morria no uso pleno das suas faculdades e pedindo que ninguém fosse culpado da sua morte. Dizem que tinha dinheiro. Então o senhor o conhecia?

– Sim... conhecia... a minha irmã esteve em casa dele como preceptora...

– Ah, ah, ah! Então, o senhor podia dar-nos pormenores acerca dele. Não lhe levantara nenhuma suspeita?

– Vi-o ontem... Tinha bebido... Eu não sabia nada.

Raskólhnikov sentia que qualquer coisa lhe caíra em cima e o oprimia.

– Parece que o senhor tornou a empalidecer. Temos aqui uma atmosfera tão abafada...

– Sim, estou com pressa – balbuciou Raskólhnikov. – Desculpe ter vindo incomodar...

– Oh, de maneira nenhuma, tive muito prazer! Deu-me muito gosto e sinto-me contente por manifestar-lhe...

E Iliá Pietróvitch até lhe estendeu a mão.

– Eu queria unicamente... Vim para ver Zamiótov...

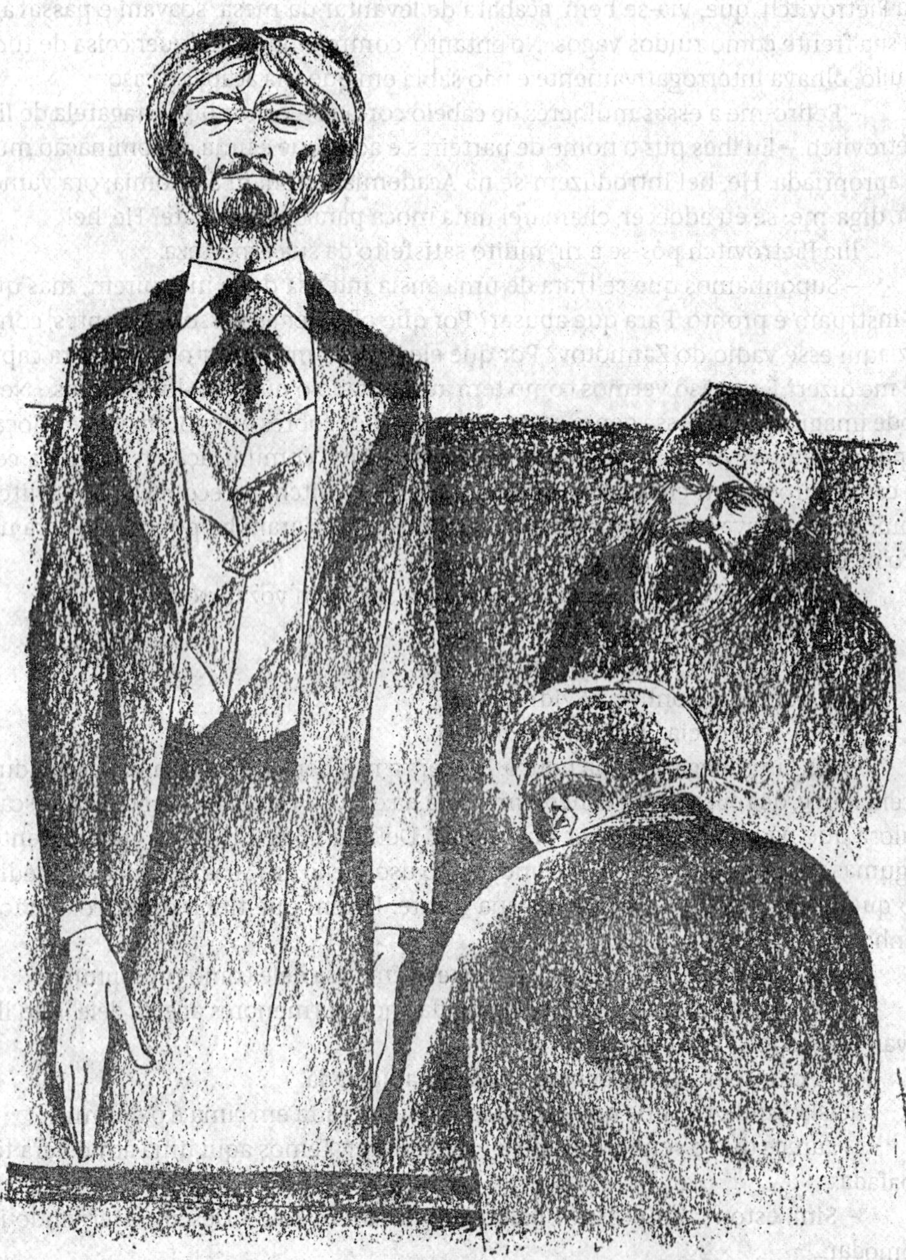

– Compreendo, compreendo, mas tive muito prazer.
– Eu... Tive muito gosto... Até à vista – disse Raskólhnikov com um sorriso.

Saiu; cambaleava. Tinha a cabeça rodando. Já nem sabia como é que se mantinha ainda de pé. Começou a descer a escada, apoiando a mão na parede. Teve a impressão que um porteiro, segurando um livrinho, lhe deu um empurrão quando cruzou com ele, ao entrar no Comissariado; que um cãozinho latia em qualquer lugar, no andar inferior, e que uma mulher lhe atirava uma pedra e lhe gritava. Conseguiu chegar lá embaixo e descer a escada. Já no nível da rua, quando ia saindo, verificou que Sonha estava ali, pálida como uma morta, e que o olhava na maior ansiedade. Parou diante dela. O seu rosto exprimia algo de doloroso, lancinante e desolado. Ergueu os braços. Um vago sorriso perdido assomou aos lábios dele. Ficou parado, riu sarcasticamente e voltou para cima, outra vez para o Comissariado. Iliá Pietróvitch estava sentado e remexia nuns papéis. À frente dele estava o mesmo camponês que acabava de dar-lhe aquele encontrão quando se encontrou com ele na escada.

– Ah... ah... ah! É o senhor outra vez! Esqueceu-se aqui de qualquer coisa? Que deseja?

Raskólhnikov, de lábios desmaiados, com o olhar fixo, aproximou-se devagar, aproximou-se até junto da mesa dele, apoiou uma mão sobre ela, quis dizer qualquer coisa e não pôde: apenas se ouviram alguns sons incoerentes.

– O senhor está mal disposto: uma cadeira! Aqui... sente nesta cadeira, sente. Água!

Raskólhnikov deixou-se cair na cadeira, mas sem afastar os olhos da cara desagradavelmente surpreendida de Iliá Pietróvitch. Olharam-se um ao outro por um momento e ficaram à espera. Trouxeram a água.

– É que eu – começou Raskólhnikov.
– Beba a água.

Raskólhnikov desviou a água com a mão e devagar, mas distintamente disse:

– É que fui eu quem matou aquela velha viúva dum funcionário e a sua irmã Lisavieta, com um machado, para roubá-la.

Iliá Pietróvitch abriu a boca. De todos os lados acudiu gente.

Raskólhnikov repetiu a sua declaração...

Epílogo

Capítulo primeiro

Sibéria. Na margem de um rio, ampla e deserta, ergue-se uma cidade, um dos centros administrativos da Rússia; na cidade, uma fortaleza, um presídio. Há já dois meses que nele está preso o deportado de segunda classe, para as galeras, Rodion Raskólhnikov. Decorreu já cerca de ano e meio desde o dia do seu crime.

O curso do seu processo não teve grandes dificuldades. O criminoso manteve firme, clara e exatamente a sua declaração, sem omitir nenhum pormenor nem atenuá-los a seu favor, sem falsear os fatos nem esquecer a menor circunstância.

Contou até aos mais insignificantes pormenores toda a preparação e execução do crime, aclarou o mistério do "penhor" (aquela tabuinha de madeira com o pedacinho de metal) que encontraram na mão da assassinada, referiu minuciosamente como tirou as chaves da morta, que descreveu, assim como descreveu também a arca e aquilo que continha; até enumerou alguns dos vários objetos que nela se guardavam; explicou o enigma do assassinato de Lisavieta; expôs a maneira como Kotch chegou e bateu à porta, e a seguir a ele, o estudante, repetindo tudo quanto disseram entre si; como ele, o criminoso, saiu depois para a escada e ouviu os gritos de Mikolka e de Mitka; como se escondeu no andar vazio e voltou depois para casa, e, para terminar, indicou a pedra daquele pátio do Próspekt Vosniessiénski, debaixo da qual se encontraram os objetos e o porta-moedas. Em resumo: o caso estava esclarecido. Entre outras coisas, os instrutores do processo e os juízes ficaram assombrados por ele ter escondido os objetos e o porta-moedas debaixo de uma pedra, sem se aproveitar de nada, e, sobretudo, por que não só não se lembrasse com precisão de todos os objetos que roubara, como até se enganasse quanto ao seu número. A circunstância especial de que nem uma só vez tivesse aberto a bolsinha nem chegasse a saber ao certo o dinheiro que continha pareceu-lhes inverossímil (na bolsinha apareceram trezentos e dezessete rublos de prata e três moedas de dois *grivieni*; devido a terem estado muito tempo debaixo da pedra, as notas de cima, as maiores, estavam muito deterioradas). Isso deu muito que pensar. Por que seria que o réu mentia precisamente neste único pormenor, quando em tudo o mais, as suas afirmações eram verdadeiras e espontâneas? Finalmente, alguns (principalmente entre os psicólogos) chegaram até a admitir a possibilidade de que, de fato, ele não tivesse revistado o porta-moedas, ignorando, portanto, aquilo que continha, e, sem o saber, o tivesse metido debaixo da pedra; mas disto mesmo concluíam que o crime não podia ter sido cometido senão num estado ocasional de loucura, por assim dizer, sob a ação de uma mórbida monomania de homicídio e de roubo, sem projetos ulteriores nem cálculos de lucro. Invocou-se a este respeito a novíssima teoria, que então estava na moda, da alienação mental temporária, a qual frequentemente se esforçam por aplicar, nestes nossos tempos, a alguns delinquentes. Além disso, o recente estado de hipocondria de Raskólhnikov foi terminantemente testemunhado por muitos, pelo Doutor Zósimov, pelos seus antigos camaradas, pela senhoria e pela criada. Tudo isto contribuiu grandemente para a conclusão de que Raskólhnikov não era de maneira nenhuma um assassino, um bandido ou um ladrão vulgar, mas que era preciso ver nele uma coisa diferente. Com enorme contrariedade por parte dos que sustinham esta tese, o próprio criminoso quase não fazia nada por defender-se, e até as perguntas terminantes como: "O que o teria, concretamente, inclinado ao homicídio e que foi que o induziu a cometer o roubo?" respondeu com toda a clareza e com a mais brutal precisão que a causa de tudo fora a sua tristíssima situação, a sua miséria e desamparo, o desejo de iniciar os primeiros passos na vida com o auxílio, pelo menos, de três mil rublos, que esperava encontrar em casa da vítima. Decidira também o crime devido ao seu desorientado e fraco caráter, irritado também pelas privações e pelos fiascos. À pergunta sobre o motivo por que se sentira impelido a denunciar-se, respondeu que o fizera por um sincero arrependimento. Tudo isto era quase brutal...

No entanto, a sentença foi mais benigna do que poderia esperar-se, tendo em conta o gênero de crime cometido; e talvez por o réu não ter querido justificar-se, mostrar até desejo de agravar a sua culpa. Todas as circunstâncias estranhas e especiais do caso foram tomadas em consideração. A situação patológica e a miséria do criminoso, antes do cometimento do crime, não se prestava à mais leve dúvida. Por não ter ele aproveitado do roubo, atribuiu-se em parte aos efeitos do arrependimento sentido, e em parte ao mau estado das suas faculdades mentais na época em que cometeu o crime. A circunstância do assassinato não premeditado de Lisavieta serviu também de exemplo, que veio corroborar a última hipótese; o homem comete os dois assassinatos e, ao mesmo tempo, esquece-se de que deixou a porta aberta. Finalmente apresenta-se para denunciar-se, quando o assunto se tinha já embrulhado extraordinariamente em consequência da falsa declaração dum fanático alucinado (Nikolai), e quando, além disso, não se tinham provas claras contra o verdadeiro culpado, e apenas quase só suspeitas (Porfíri Pietróvitch cumprira a sua palavra); tudo isso contribuiu definitivamente para aliviar a sorte do réu. Além disso aclararam-se outras circunstâncias completamente inesperadas, que favoreciam muito o processado. O ex-estudante Razumíkhin foi arranjar testemunhas, sabe-se lá onde, e trouxe provas de que o criminoso Raskólhnikov, no tempo em que esteve na Universidade, ajudou à sua custa um condiscípulo pobre e tuberculoso, mantendo-o quase completamente em tudo quanto ele necessitava, durante quase meio ano. E quando ele morreu foi buscar-lhe o pai, que ainda era vivo, mas era já velho e estava entrevado (o filho tinha-o sustentado e mantido com o seu trabalho quase desde os treze anos), fez pedidos e obteve o seu internamento num hospital, e, quando ele morreu, pagou-lhe o enterro. Todos estes testemunhos exerceram a sua influência na decisão dos magistrados. Até a senhoria, a mãe da falecida noiva de Raskólhnikov, a viúva Zarnítsina, testemunhou também que quando viviam ainda na outra casa, nas Cinco Esquinas, Raskólhnikov, por ocasião de um incêndio, de noite, retirou de um andar já atingido pelas chamas, duas crianças pequeninas, sofrendo ele também queimaduras. Este fato foi comprovado, muitas testemunhas o afirmaram. Em suma: o caso terminou por condenarem o réu a trabalhos forçados de segunda classe, apenas por oito anos, levando em consideração o haver-se denunciado ele próprio e algumas circunstâncias atenuantes da sua culpa.

 A mãe de Raskólhnikov adoeceu logo desde o princípio do processo. Dúnia e Razumíkhin encontraram maneira de tirá-la de Petersburgo durante todo o tempo que durou o julgamento; Razumíkhin escolheu uma cidade junto estrada de ferro e a pouca distância de Petersburgo, a fim de ele poder seguir regularmente todos os incidentes do processo e, ao mesmo tempo, ver-se o mais a miúdo possível com Avdótia Románovna. A doença de Pulkhiéria Alieksándrovna era uma enfermidade um pouco estranha, nervosa, e era acompanhada de uma espécie de alienação mental, senão completa, pelo menos parcial. No regresso da sua última entrevista com seu irmão, Dúnia encontrou a sua mãe já muito doente, com febre e delirando. Nessa mesma noite, a moça e Razumíkhin combinaram o que haviam de responder às perguntas da mãe a respeito do irmão, e até imaginaram entre si uma história completa para lhe contar acerca da ida de Raskólhnikov a algum ponto afastado, nas fronteiras da Rússia, onde ia desempenhar uma função especial, que acabaria por trazer-lhe dinheiro e fama. Mas ficaram impressionados porque nem então, nem depois, Pulkhiéria Alieksándrovna lhes perguntasse qualquer coisa sobre o assunto.

Pelo contrário: ela própria inventou uma história completa acerca da súbita partida do filho; contava com lágrimas que ele estivera a despedir-se dela e que lhe dera a entender, nessa ocasião, de maneira indireta, que ela era a única a conhecer as suas razões muito importantes e particulares, e que, por causa dos muitos e poderosos inimigos que ele, Rodion, tinha, se via obrigado a esconder-se. Pelo que se referia à sua futura carreira, sem dúvida que a tinha por indubitável e brilhante, desde o momento em que desaparecessem algumas circunstâncias hostis; afirmava a Razumíkhin que, com o tempo, o seu filho havia de vir a ser um senhor muito importante, conforme podia deduzir-se do seu artigo e do seu brilhante talento literário. Lia continuamente esse artigo, e às vezes lia-o também em voz alta, pouco faltando para que dormisse com ele, e, no entanto, nunca perguntava onde é que Rodka se encontrava agora, apesar de ser notório que todos evitavam falar-lhe sobre isso... o que poderia ter despertado suspeitas. Até que por fim começaram a ficar inquietos por causa do estranho silêncio de Pulkhiéria Aliéksándrovna a respeito de certos pontos. Por exemplo, nem sequer se queixava de não receber cartas dele, ao passo que dantes, quando vivia na aldeia, quase poderia dizer-se que vivia da ilusão e da esperança de receber o mais breve possível carta do seu queridíssimo Rodka. Esta última circunstância tornava-se já inexplicável e inquietava muito Dúnia; chegou a pensar se a mãe pressentiria algo de horrível no destino do seu filho, e receava fazer perguntas para não vir a saber qualquer coisa ainda de mais horrível. Em todo o caso Dúnia via claramente que Pulkhiéria Aliéksándrovna não estava em seu perfeito juízo.

Aliás, aconteceu por duas vezes que ela própria deu tal rumo à conversa que se tornou impossível, ao responder, não informar onde se encontrava atualmente Rodka; quando as respostas tinham forçosamente que se tornar pouco satisfatórias e suspeitas, ela se punha de repente muito triste, severa e taciturna, o que se prolongava durante muito tempo. Dúnia viu, finalmente, que era difícil mentir, e reconsiderou, chegando à conclusão definitiva de que era melhor fazer silêncio sobre certos pontos; mas cada vez se tornava mais claro, até à evidência, que a pobre mãe receava algo de horrível. Entre outras coisas, Dúnia lembrou-se das palavras do irmão, a respeito de que a mãe a ouvira delirar durante a noite, antes daquele dia fatal, depois da sua cena com Svidrigáilov. Não teria ouvido então alguma coisa? Às vezes, passados alguns dias e até semanas de arredio e desconfiado silêncio, e de lágrimas tristes, a doente tomava frequentemente uma animação histérica e começava de repente a falar em voz alta, quase sem parar, sobre o seu filho, das suas ilusões, do futuro... Em certas ocasiões as suas fantasias tornavam-se muito estranhas. Consolavam-na, davam-lhe razão (é possível que ela própria compreendesse que lhe davam razão para consolá-la); mas, apesar de tudo, continuava falando...

A sentença contra o réu foi proferida cinco meses depois da sua apresentação às autoridades. Razumíkhin ia vê-lo à prisão sempre que lhe era possível. Sonha também. Até que finalmente chegou a hora da separação. Dúnia jurou ao irmão que a sua separação não seria eterna; Razumíkhin também. Na jovem e fogosa cabeça de Razumíkhin tinha-se enraizado firmemente o projeto de, depois de juntar algum dinheiro, ir estabelecer-se na Sibéria, onde a terra é rica sob todos os aspectos e há falta de trabalhadores, gente e capital, ainda que fosse só no começo da sua futura carreira; ia se estabelecer aí, na mesma povoação em que se encontrasse Rodka, e...

todos juntos, começariam uma nova vida. À despedida, todos choraram. Raskólhnikov nos últimos dias mostrou-se muito pensativo; perguntava muito pela mãe; estava constantemente em desassossego por causa dela. Preocupava-se mesmo muito, o que assustava Dúnia. Quando soube pormenores sobre a doença da mãe, ficou muito sombrio. Fosse pelo que fosse, com Sonha esteve muito pouco comunicativo durante todo o tempo. Graças ao dinheiro que lhe deixara Svidrigáilov, havia já algum tempo que Sonha se preparara e apetrechara para seguir a leva de presos em que ele havia de ir. Nisto nunca ela e Raskólhnikov tinham tocado; mas sabiam ambos que assim seria. Na última despedida ele sorriu de uma maneira um tanto estranha perante a ardente convicção de sua irmã e de Razumíkhin a respeito da felicidade que havia de ser o seu futuro quando ele saísse do presídio, e teve o pressentimento de que a doença da mãe havia de ter em breve um triste desenlace. Até que, finalmente, ele e Sonha se puseram a caminho.

Dois meses depois Dúnia casava-se com Razumíkhin. A boda foi triste e íntima. No número dos convidados estavam Porfíri Pietróvitch e Zósimov. Nos últimos tempos, Razumíkhin tomara o aspecto dum homem de forte decisão. Dúnia acreditava cegamente, como não podia deixar de acreditar, que ele havia de levar a cabo todas as suas intenções; naquele homem notava-se uma vontade de ferro. Entre outras coisas, tornou a seguir as aulas na Universidade, com o fim de acabar os seus estudos. Faziam ambos, a cada passo, planos para o futuro; contavam ambos firmemente emigrar, ao fim de cinco anos, para a Sibéria. Até lá, confiavam em Sonha.

Alvoraçada, Pulkhiéria Alieksándrovna felicitou a filha pelo seu casamento com Razumíkhin, mas, depois disso, começou a mostrar-se ainda mais triste e preocupada. Com o fim de proporcionar-lhe um momento agradável, Razumíkhin comunicou-lhe, entre outras coisas, o fato relativo ao estudante e ao seu pai paralítico, assim como esse outro fato de Rodka ter sofrido também queimaduras e até ter tido que ficar na cama, no ano anterior, por causa de ter salvo da morte dois pequeninos. Estas duas notícias puseram o já transtornado juízo de Pulkhiéria Alieksándrovna num estado de entusiasmo frenético. Falava constantemente disso e entabulava conversação, a este respeito, com qualquer pessoa, em plena rua (embora Dúnia a acompanhasse constantemente). Nos carros, nas lojas, sempre que encontrasse alguém que a escutasse, conduzia a conversa sobre o seu filho, o seu artigo, a maneira como ajudara um estudante e se queimara num incêndio, etc. Dúnia já nem sabia como contê-la. Porque, além do perigo de tal entusiasmo, da sua exaltação doentia, havia também o risco de que alguém pudesse recordar o nome de Raskólhnikov por causa do processo recente e trazê-lo à baila. Pulkhiéria Alieksándrovna chegou até a informar-se da moradia da mãe das duas crianças que tinham sido salvas no incêndio e queria a todo o custo dirigir-se a ela. A sua intranquilidade chegou finalmente a limites extremos. De repente punha-se a chorar, e entrava com frequência num delírio que se agravava. No entanto, de manhã anunciava, sem mais nem menos, que, segundo os seus cálculos, Rodka já não tardaria a chegar, pois lembrava-se que, quando se despedira dela, lhe dissera que seria preciso esperar precisamente nove meses. Começava a arrumar a casa para que tudo estivesse pronto à sua chegada, e a preparar-lhe o quarto que lhe estava destinado (aquele que era seu), a limpar os móveis, a lavar e a pôr cortinas novas, etc. Dúnia enchia-se de inquietação; mas calava-se e até a ajudava a arrumar o quarto para a chegada do

CRIME E CASTIGO

irmão. Depois de um dia desassossegado, houve uma noite em que adoeceu, e na manhã seguinte estava com febre e delirava. Duas semanas depois morria. No seu delírio escapavam-lhe palavras das quais se podia concluir que suspeitava mais da horrível sorte de seu filho do que os outros supunham.

Raskólhnikov esteve durante muito tempo sem saber da morte da mãe, apesar de se ter iniciado a correspondência com Petersburgo desde o próprio início da sua partida para a Sibéria. Realizava-se por intermédio de Sonha, a qual escrevia escrupulosamente todos os meses para Petersburgo, para a morada de Razumíkhin, e recebia a resposta de Petersburgo. A princípio, as cartas de Sonha pareceram a Dúnia e a Razumíkhin um tanto secas e pouco satisfatórias; mas, por fim, concordaram ambos que até era impossível escrever melhor; porque, por aquelas cartas, no fim de contas, faziam uma completa e exata imagem da sorte do seu infeliz irmão. As cartas de Sonha respiravam a mais concreta realidade, a mais simples e clara descrição de todo o quadro da vida de Raskólhnikov como presidiário. Mal afloravam nelas as suas esperanças pessoais, não se demorava a interrogar os enigmas do futuro nem a descrever os seus sentimentos pessoais. Quanto às tentativas de explicação do estado moral dele e, em geral, de toda a sua vida interior, só havia fatos, isto é, palavras de Rodka: notícias pormenorizadas do seu estado de saúde, daquilo de que se queixara na sua visita, o que lhe pedira, aquilo de que a encarregara, etc. Comunicava estas notícias com todo o gênero de pormenores. Até que a imagem do infeliz irmão acabava por se destacar e se tornava precisa e clara; não podia haver engano, porque se tratava de fatos verídicos. Mas Dúnia e seu marido, pouca consolação puderam tirar dessas notícias, sobretudo a princípio. Sonha dizia sempre que ele estava constantemente sombrio, taciturno, às vezes sem demonstrar sequer interesse pelas notícias que ela lhe comunicava, das que recebia por carta; outras vezes perguntava-lhe pela mãe, e quando ela, ao ver que ele já quase adivinhava a verdade, lhe anunciou, por último, a sua morte, verificou, com grande assombro da sua parte, que já não lhe fazia grande impressão, pelo menos foi o que lhe pareceu, a avaliar pelo seu aspecto exterior. Comunicava, entre outras coisas, que, apesar de aparentemente estar tão absorvido em si próprio e como que fechado para toda a gente... adaptava-se, simples e francamente, à sua nova existência; que compreendia claramente a sua situação, que não esperava tão depressa nada de melhor, que não abrigava loucas ilusões (como costuma ser próprio nesse estado), e quase não se espantava de nada no novo ambiente que o rodeava, tão pouco semelhante a todas as coisas anteriores. Dizia também que a sua saúde era satisfatória. Saía para trabalhar em tarefas que não repudiava nem pedia. Mostrara-se indiferente perante a alimentação, que, tirando os domingos e os dias de festa, era tão má que por fim acabara por aceitar dela, Sonha, com prazer, algum dinheiro para fazer chá todos os dias; quanto a tudo mais, pedia-lhe a ela que não se preocupasse, afirmando-lhe que todas essas inquietações por causa dele não serviam senão para aborrecê-lo. Mais adiante comunicava Sonha que a sua situação no presídio era a mesma de todos; ela não vira o interior dos alojamentos, mas calculava que seriam estreitas, imundas e insalubres; que ele dormia nas esteiras, colocando um pedaço de feltro por debaixo e sem desejar mais comodidade. Mas o fato de viver tão tosca e pobremente não obedecia a nenhum plano ou intenção premeditados, mas simplesmente a um descuido e indiferença pela sua sorte. Sonha dizia francamente que ele, sobretudo a princípio, não só não se interessava pelas suas visitas, como até quase se mostrava aborrecido com ela, estava sombrio e até grosseiro; mas que, por fim, essas visitas tinham-se transformado num hábito, quase numa necessidade, de maneira que ficava muito triste se acontecia algum dia ela estar doente e não poder visitá-lo. Encontrava-se com ele nos dias de festa às portas do presídio ou no corpo da guarda, onde o chamavam por uns minutos; nos dias úteis, no lugar do trabalho, onde ela ia ter com ele, ou nas oficinas, nas olarias ou nos telheiros, nas margens do Irtich. De si mesma, Sonha anunciava que tinha conseguido fazer alguns conhecimentos e obtido algumas proteções; que trabalhava na costura, e que, como na cidade não havia modistas, ela tornava-se indispensável em muitas casas; mas não dizia que graças a ela o diretor da prisão aliviava a Raskólhnikov os trabalhos do presídio, etc. Finalmente chegou a notícia (Dúnia também tinha notado uma comoção e inquietação especiais nas suas últimas cartas) de que ele se afastava de todos, de que não era estimado no presídio; de que passava dias inteiros sem falar e se tornara muito pálido. De repente, Sonha escrevia na sua última carta que ele tinha caído gravemente doente e se encontrava no hospital, na enfermaria dos presos...

Capítulo II

Havia muito tempo que estava doente; mas nem os horrores da vida do presídio nem os trabalhos, nem o rancho, nem a cabeça rapada, nem as roupas miseráveis conseguiram abatê-lo. Oh, que lhe importavam a ele todos esses tormentos e mortificações! Pelo contrário, o trabalho proporcionava-lhe até uma alegria. Esgotado pelo trabalho físico, conseguia, pelo menos, algumas horas de sono tranquilo. E que significava para ele a comida... aquelas simples sopas de couves com baratas? Sucedera-lhe muitas vezes nem isso ter, na sua vida anterior, quando era estudante. As suas roupas de agasalho eram adequadas ao seu gênero de vida. Mal sentia as cadeias. Teria de envergonhar-se por ter a cabeça rapada e usar casaco de duas cores? Perante quem? Perante Sonha? Sonha temia e, diante dela, não tinha por que envergonhar-se.

Embora, no fim de contas... Também se envergonhasse diante de Sonha, a quem fazia sofrer com a sua conduta depreciativa e grosseira. Mas não se envergonhava da cabeça rapada nem das cadeias; o seu orgulho estava muito exasperado e caiu doente deste orgulho exasperado. Oh, e como teria sido feliz se pudesse ter-se acusado a si próprio! Teria suportado tudo, então, até a vergonha e a desonra.
– Mas julgava-se severamente e a sua rígida consciência não sentia nenhum horror particular no seu passado, a não ser talvez, simplesmente, no fracasso, que teria podido acontecer a qualquer. Sentia sobretudo vergonha de que ele, Raskólhnikov, inábil e absurdamente, devido a uma sentença do destino cego, se visse obrigado a conformar-se e inclinar-se perante o absurdo dessa sentença, se, de qualquer maneira, desejava estar tranquilo. Uma inquietação sem objetivo nem finalidade, no presente e no futuro, apenas um ininterrupto sacrifício que a nada conduziria... eis o que lhe restava no mundo. E que importava que dentro de oito anos ele tivesse apenas trinta e dois anos e pudesse de novo começar a sua vida? Para que viver? A que aspirar? Para que esforçar-se? Viver só para viver? Mas mil vezes antes já ele

tinha estado disposto a dar a sua vida por uma ideia, por uma ilusão, até por um sonho. A simples existência sempre tinha significado pouco para ele; sempre aspirara a mais. Talvez só pela força do seu desejo chegara a sentir-se então um homem ao qual era permitido mais do que aos outros.

Ainda se o destino, ao menos, lhe tivesse enviado o arrependimento... um arrependimento lancinante que lhe devorasse o coração e lhe tirasse o sono, um arrependimento desses perante cujos espantosos sofrimentos uma pessoa pensa em enforcar-se ou atirar-se à água, oh, como se teria, assim, alegrado! Torturas e lágrimas... isso também era vida! Mas ele não se arrependia da sua culpa.

Quando muito teria podido encolerizar-se pela sua estupidez, como se enfurecera antes pelas suas inábeis e desajeitadas ações, que o tinham levado ao presídio. Mas agora que tinha já caído em si, pôde de novo, com toda a liberdade, entregar-se a julgar e a rever todos os seus atos anteriores, e não os encontrou de maneira nenhuma tão inábeis e estúpidos como se lhe tinham afigurado outrora, no tempo fatal.

"Em quê, em quê – pensava – era a minha ideia mais estúpida que outras ideias e teorias que correm e se entrechocam pelo mundo, e assim farão, enquanto o mundo existir? O que é preciso é encarar o caso com olhos completamente independentes, amplos e livres de influências cotidianas, para que a minha ideia não pareça já tão... absurda. Oh, negadores e sábios do valor dum *piatak* de prata! Por que parais a meio do caminho? "Ora vejamos: por que é que a minha conduta vos parece tão ignominiosa? – dizia ele para consigo – Por que fui um... criminoso? Que significa a vossa criminalidade? A minha consciência está tranquila. É certo que se consumou um crime de pena capital; é certo que se infringiu a letra da lei e se derramou o sangue; pois bem... Tomem a minha cabeça pela letra da lei... e basta! É certo que, nesse caso, até muitos benfeitores da humanidade, que não receberam o poder por herança, mas o conquistaram, teriam merecido castigo desde os seus primeiros passos. Mas esses indivíduos seguiram para diante e depois tiveram razão, ao passo que eu não resisti e, portanto, não tinha direito a dar esse passo." Era unicamente nisto que ele se reconhecia culpado: em não ter persistido e em ter ido denunciar-se.

Sofria também perante esta ideia: "Por que não se suicidara então? Por que estivera ali, à beira da água, e optara por ir denunciar-se? Seria o caso de que o desejo de viver fosse tão forte e fosse tão difícil vencê-lo? Mas Svidrigáilov, que temia tanto a morte, não o vencera?".

Fazia com dor essa pergunta e não podia compreender que já então, quando estava à beira do rio, pressentisse talvez em si mesmo e nas suas convicções um erro profundo. Não compreendia que aquele pressentimento podia ser o anúncio duma futura crise na sua vida, da sua futura ressurreição, da sua futura nova maneira de ver a vida.

Preferia ver nisso simplesmente o peso cego do instinto, do qual não pudera desprender-se, e que também não tinha forças para rebaixar (devido à sua fraqueza e insignificância). Olhava para os seus companheiros de presídio e ficava espantado. Como todos eles amavam a vida, como a apreciavam! Parecia-lhe até que no presídio ainda a amavam e gostavam dela mais do que quando estavam livres. Quantos sofrimentos terríveis e mortificações não suportavam alguns deles, por exemplo, os vagabundos! Mas significaria assim tanto, para eles, um pequeno raio de sol, um bosque calmo, uma fonte fresca, além, na espessura, vislumbrada três anos atrás, e com a visita da qual o vagabundo sonha como com um encontro com a sua amada, e vê-a em sonhos com a erva verde à volta e um passarinho cantando numa árvore! Continuando as suas explorações, descobria exemplos ainda mais inexplicáveis.

No presídio, no ambiente que o rodeava, não reparava certamente em muitas coisas, e até não queria, de maneira nenhuma, reparar nelas. Vivia como de olhos baixos; olhar era para ele repugnante e odioso. Mas por fim muitas coisas começaram a causar-lhe admiração, e ele, quase sem querer, começou a reparar naquilo em que, antes, nem sequer suspeitara. De maneira geral, o que mais o assombrou foi o tremendo, intransponível abismo que havia entre ele e todos os outros. Era como se todos eles fossem de outra nação. Ele e eles olhavam-se entre si com desconfiança e antipatia. Ele sabia e compreendia as razões gerais de semelhante desacordo; mas nunca teria pensado antes que essas razões fossem tão verdadeiramente fundas e fortes. No presídio havia também uns exilados polacos, criminosos políticos. Estes consideravam toda aquela gente como uma reles população e olhavam-na por cima do ombro; mas Raskólhnikov não podia olhá-la assim: via claramente que aquela população, sob mais de um aspecto, era muito mais inteligente que os próprios polacos. Havia ali também russos que desprezavam igualmente aquela gente: um ex-oficial e dois seminaristas. Raskólhnikov percebia claramente o seu erro. A ele, não o queriam e todos o evitavam. Acabaram até por odiá-lo... Por quê? Não sabia. Desprezavam-no, davam risada dele, riam do seu crime aqueles que eram mais criminosos do que ele.

– És um fidalgote! – diziam-lhe. – Não estava certo que saísses para a rua com um machado! Isso não é próprio dum senhor!

Na segunda semana da quaresma calhou-lhe a vez de fazer as suas devoções juntamente com os do seu alojamento. Foi à igreja e rezou em conjunto com os outros. Mas, sem que soubesse a propósito de quê... armou-se uma briga! caíram todos, com raiva, sobre ele.

– Tu és um ateu! Tu não acreditas em Deus! – gritavam-lhe. – Temos de te matar.

Nunca falara com eles acerca de Deus nem da fé; mas queriam matá-lo por ateu; ele se calava e não lhes objetava. Um dos presos atirou-se a ele, furioso; Raskólhnikov esperou-o tranquilamente e em silêncio; não arqueou as sobrancelhas e nem sequer uma das suas feições se contraiu. A sentinela conseguiu intervir a tempo entre ele e o seu agressor... Se não fosse isso, teria havido sangue.

Havia outro ponto que se tornara insolúvel para ele: por que amavam todos tanto a Sonha? Ela não lhes procurava a simpatia; eles encontravam-na apenas de vez em quando, só nos pontos de trabalho, quando ela ia vê-lo apenas por um minuto. E no entanto já todos a conheciam; sabiam que ela fora para lá, seguindo-o, a ele; sabiam como e onde vivia. Ela não lhes dava dinheiro, nem lhes fazia serviços especiais. Somente uma vez, pelo Natal, levou um donativo para todo o presídio: pastelinhos e empadões. Mas, pouco a pouco, entre eles e Sonha foram-se estabelecendo relações um pouco mais estreitas; ela lhes escrevia cartas para os seus pais e as punha no correio. Quando os pais ou as mães vinham à cidade, deixavam, por indicação deles, os objetos e até o dinheiro que lhes traziam, nas mãos de Sonha. As mulheres deles e as noivas conheciam Sonha e visitavam-na. E quando ela aparecia nos campos de trabalho, à procura de Raskólhnikov, ou se encontrava com a leva de presos que iam para o trabalho... todos lhe tiravam os gorros, todos se inclinavam. "*Mátuchka*, Sófia Siemiônovna, és a nossa mãe, terna e delicada!", diziam aqueles presidiários brutais, estigmatizados, à frágil e delicada criatura. Ela sorria. E todos achavam graça à sua maneira de andar e se voltavam para olhá-la, seguindo-a com os olhos, enquanto caminhava, e dirigiam-lhe galanteios. Galanteavam-na até por ser tão pequenina, elogiavam-na sem eles mesmos saberem por quê. Iam ter com ela, até para que os tratasse.

    Ele ficou no hospital todo o final da quaresma e a semana da Paixão. Quando já estava restabelecido, recordou os seus sonhos dos momentos em que estivera com febre e delirando. Sonhou, durante a sua doença, que o mundo todo estava condenado a ser vítima de uma terrível, inaudita e nunca vista praga que, originária das profundidades da Ásia, cairia sobre a Europa. Todos teriam que perecer, exceto uns tantos, muito poucos, escolhidos. Surgira uma nova triquina, ser microscópico que se introduzia no corpo das pessoas. Mas esses parasitas eram espíritos dotados de inteligência e de vontade. As pessoas que os apanhavam tornavam-se imediatamente loucas. Mas que, nunca, nunca se consideraram os homens tão inteligentes e perseverantes na verdade como se consideravam estes que eram atacados pela moléstia. Nunca foram considerados mais infalíveis nos seus dogmas, nas suas conclusões científicas, nas suas convicções e crenças morais. Aldeias inteiras, cidades e povos inteiros foram contagiados e enlouqueceram. Todos estavam alarmados e não se entendiam uns aos outros; todos pensavam ser os únicos senhores da verdade, e só sofriam ao verem a dos outros e davam socos no peito, choravam e ficavam de braços caídos. Não sabiam a quem nem como julgar; não podiam pôr-se de acordo sobre o que fosse bom e o que fosse mau. Não sabiam a quem acusar nem a quem justificar. Os homens agrediam-se mutuamente, impelidos por um ódio insensato. Armavam-se contra os outros em exércitos inteiros; mas os exércitos, uma vez em marcha, começavam de repente a destroçarem-se a si mesmos, as fileiras desfaziam-se, os guerreiros lançavam-se uns contra os outros, mordiam-se e devoravam-se entre si. Nas cidades passava-se o dia inteiro tocando a rebate; todos eram chamados; mas quem os chamava e para que os chamavam ninguém sabia e todos andavam assustados. Abandonaram os ofícios mais corriqueiros, porque cada qual preconizava a sua ideia, os seus métodos, e não podiam chegar a um acordo; a agricultura também foi abandonada. Em alguns lugares, homens reuniam-se em grupos, faziam certas combinações e juravam não se desentender... Mas começavam em seguida a fazer outra coisa completamente diferente da que acabaram de combinar, começavam a acusar-se mutuamente, brigavam e degolavam-se. Houve incêndios, fome. Tudo e todos se perderam. E essa tal peste crescia e cada vez avançava mais. Somente alguns homens conseguiram salvar-se em todo o mundo, homens puros e escolhidos, destinados a dar início a uma nova linhagem humana e a uma nova vida, a renovar e a purificar a terra, mas ninguém via esses seres em parte alguma, ninguém ouvia a sua palavra e a sua voz.

    Raskólhnikov aborrecia-se porque esse absurdo delírio perdurasse tão triste e dolorosamente nas suas recordações, que demorasse tanto a apagar-se a impressão desses desvarios febris. Decorreu a segunda semana depois da Páscoa; vieram dias tépidos, claros, primaveris; na enfermaria dos presos abriram a janela (gradeada, debaixo da qual passavam as sentinelas). Durante todo o tempo da sua doença, Sonha só pode vê-lo duas vezes na enfermaria; era sempre preciso pedir autorização, e isso era difícil. Mas ela costumava vir ao pátio do hospital, por baixo da janela, sobretudo ao escurecer, e às vezes unicamente para estar ali um minuto e olhar, ainda que de longe, a janela da enfermaria. Uma vez, ao cair da tarde, Raskólhnikov, já quase completamente restabelecido, dormia: quando acordou, aproximou-se inesperadamente da janela, e, de súbito, viu Sonha ao longe, à porta do hospital. Estava ali e parecia esperar alguém. Houve qualquer coisa que pareceu agitar-lhe o peito naquele instante; estremeceu e depressa retirou-se da janela. No dia seguinte Sonha não foi, nem no outro; e percebeu que a esperava com ansiedade. Finalmente deram-lhe alta. Quando voltou ao presídio soube pelos presos que Sônia Siemiônovna estava doente de cama e não podia sair de casa.

Ficou num desassossego e mandou perguntar por ela. Não tardou a saber que a sua doença não era de cuidado. Por sua vez, Sonha, ao saber que ele estava triste e se inquietava por causa dela, escreveu-lhe uma carta, garatujada a lápis, na qual lhe participava que já estava muito melhor, que fora uma simples constipação, e que em breve, muito em breve, iria vê-lo ao campo de trabalho.

Tornou a fazer um dia morno e claro. Na manhã seguinte, às seis, ele encaminhou-se para o trabalho, na margem do rio, onde, debaixo dum telheiro, estava instalado o forno para o calcário, ao qual o tinham destinado. Enviaram para ali, ao todo, três operários. Um dos presos foi com a sentinela ao forte, buscar uma ferramenta; outro pôs-se a preparar a lenha para aquecer o forno. Raskólhnikov saiu do telheiro e dirigiu-se para a margem, sentou numa viga estendida ao longo do muro e ficou olhando o rio longo e deserto. Da margem elevada descobria-se um vasto espaço. Da outra margem longínqua mal chegava o eco duma canção. Ali, na estepe infindável, banhada pelo sol, apareciam pontos negros quase imperceptíveis, as tendas dos nômades. Para além havia liberdade e viviam outras pessoas, completamente diferentes das de aquém; ali era como se o tempo tivesse parado e não tivesse passado o século de Abraão e dos seus rebanhos. Raskólhnikov permanecia sentado e olhava fixamente, sem desviar os olhos; o seu pensamento transformou-se num desvario, numa contemplação; não pensava em nada, mas uma certa tristeza o comovia e afligia.

De repente, Sonha apareceu junto dele. Aproximou-se com um passo quase imperceptível e sentou ao seu lado. Ainda era muito cedo; corria ainda a frescura matinal. Ela trazia uma pobre e velha capa e um lencinho verde. O seu rosto mostrava ainda sinais da doença, emagrecera, estava pálida, de feições vincadas. Sorriu-lhe afetuosa e alegremente, mas, conforme era seu costume, estendeu-lhe timidamente a mão. Estendia-lhe sempre a mão com timidez, às vezes nem chegava quase a completar o gesto, como se receasse um insucesso. Ele lhe aceitava sempre a mão como se o fizesse de má vontade, parecia sempre acolhê-la com contrariedade, às vezes conservava um silêncio obstinado durante todo o tempo da sua visita. E então ela tremia diante dele e partia profundamente entristecida. Mas, agora, as suas mãos não se soltaram; ele lhe lançou um olhar rápido; não disse nada e baixou os olhos. Estavam sós; ninguém os via. A sentinela tinha-se afastado naquele momento.

Como aquilo foi, nem eles próprios o sabiam; mas, de repente, houve qualquer coisa que pareceu apoderar-se dele e fez com que ele se deitasse aos pés dela. Chorava e abraçava os seus joelhos. No primeiro momento ela ficou muito assustada e o seu rosto tornou-se parecido com o de uma morta. Saltou do seu lugar e, toda a tremer, ficou olhando para ele. Mas compreendeu tudo, imediatamente, naquele mesmo instante. Nos seus olhos brilhou uma infinita felicidade; compreendia, e para ela já não havia dúvida de que ele a amava, a amava infinitamente, e que chegara finalmente o momento.

Quiseram falar, mas não lhes foi possível. Havia lágrimas nos seus olhos. Estavam ambos pálidos e abatidos; mas naqueles rostos doentios e pálidos brilhava já a aurora de um renovado futuro, de uma plena ressurreição para uma nova vida. O amor ressuscitava-os, o coração dum encerrava infinitas fontes de vida para o coração do outro. Resolveram esperar e ter paciência. A ele, ainda lhe faltavam sete anos; e, até então, quantos sofrimentos insuportáveis e quanta felicidade infinita! Ele ressuscitara e sabia, sentia em todo o seu ser renovado, e ela... ela vivia unicamente da vida dele! Na noite desse mesmo dia, quando já tinham fechado os alojamentos, Raskólhnikov estava deitado nas esteiras e pensava nela. Nesse dia até se lhe afigurava que todos os presos, que antes tinham sido seus inimigos, o olhavam já com outros olhos. Até falava com eles e lhes respondia afetuosamente. Agora recordava-o, mas não teria de ser assim: não deveria talvez, agora, mudar tudo? Pensava nela. Lembrava-se de como a mortificara continuamente, destroçando-lhe o coração; recordava o seu rostinho pálido, mas, agora, essas recordações quase não o afligiam; sabia com que infinito amor ia recompensar agora as suas dores. E que eram agora todos, todos aqueles sofrimentos do passado? Tudo, até o seu crime, até a sua condenação e deportação, lhe pareciam agora, nesta primeira exaltação, um fato exterior, alheio, como se não tivesse relações com ele. Aliás, nessa noite não podia pensar longa e fixamente em nada, concentrar o pensamento em qualquer coisa; tão pouco poderia resolver, então, conscientemente, o que quer que fosse; a única coisa que fazia era sentir. Em vez da dialética surgia a vida, e já na sua consciência devia elaborar-se algo de totalmente distinto.

*

Tinha o Evangelho debaixo da almofada. Pegou nele maquinalmente. Aquele livro era dela, pois era o mesmo em que ela lera a passagem da Ressurreição de Lázaro. Nos primeiros tempos do presídio pensava que ela havia de importuná-lo com a religião e que se poria a falar do Evangelho e a aborrecê-lo com o livreco. Mas, com o maior assombro da sua parte, nem uma só vez ela lhe falou nisso, nem uma vez sequer lhe tinha proposto o Evangelho. Fora ele quem lhe pedira, um pouco antes de ter adoecido, e ela levou-o sem falar nada. Até então ele nem sequer o abrira. Agora também não o abriu, mas ocorreu-lhe um pensamento: "Poderia, por agora, a sua crença, não ser a dele também? Pelo menos os seus sentimentos, as suas aspirações...". Ela esteve também comovida todo aquele dia e, à noite, voltou a ficar doente. Mas era feliz a tal ponto que quase a assustava a sua felicidade. Sete anos, só sete anos! No princípio da sua felicidade, houve alguns momentos em que tinham estado dispostos a considerar aqueles sete anos como sete dias. Ele nem sequer sabia

que a vida nova não lhe seria dada gratuitamente, mas que ainda teria de comprá-la cara, pagar por ela uma grande façanha futura...

Mas aqui começa já uma nova história, a história da gradual renovação dum homem, a história do seu trânsito progressivo dum mundo para outro, do seu contato com outra realidade nova, completamente ignorada até ali. Isto poderia constituir o tema duma nova narrativa... mas a nossa presente narrativa termina aqui.

APÊNDICE E ÍNDICE

Glossário

De termos russos e de outras línguas respeitados na tradução*

ARCHIN. Medida de comprimento equivalente a 0,71 m.
ARKHIEPÍSKOP. Grau hierárquico no clero ortodoxo, intermediário entre bispo e metropolita.
ARKHIMANDRIT. Grau superior do padre-monge, geralmente prelado do mosteiro.
ÁRTIEL. Associação de trabalho comunitário.
AÚL. Povoado no Cáucaso e na Ásia Central.
BABA. Mulher casada na linguagem popular; mulher – em sentido pejorativo, aplicado às mulheres vulgares.
BÁBUCHKA. Vovó.
BABÚLINHKA. Vovózinha.
BAIGNOIRE, *fr.* Camarote que fica ao nível da plateia.
BALALAICA (*balalaika*). Instrumento musical, popular, de três cordas.
BÁRIN, BÁRINHA, BARÍTCHNIA. Senhor, senhora, senhorita. Tratamentos respeitosos dados outrora às pessoas da classe privilegiada. Atualmente empregam-se no sentido irônico de comodista, preguiçoso.
BÁTIUCHKA. Paizinho. Sinônimo arcaico de pope. Utilizado também na linguagem do povo, como sinônimo de papai, aplicado ao próprio pai ou a pessoas respeitosas, às quais se quer tratar com consideração e afeto ao mesmo tempo.
BIECHMIET. Casaco curto pespontado, usado pelos tártaros e povos do Cáucaso.
BIEKIECHA. Casaco de homem ajustado na cintura.
BIELKA. Esquilo.
BLIN. Panqueca. Prato típico da quaresma.
BOGOMÓLIETS. Crente, peregrino.
BOIARDO (*boiárin*). Na Rússia moscovita, senhor, grande latifundiário pertencente à classe reinante.
BOLVAN. Bobo.
BONHOME, *fr.* Bondade de caráter, unida à delicadeza nas maneiras.
BORCHTCH. Sopa de beterraba e outros legumes.
BOUDOIR, *fr.* Pequena sala de estar, geralmente de senhora.
BRAT. Irmão.
BRÁTIETS. Irmão. Forma arcaica usada em sentido figurado: irmão de armas, de religião, etc.
BRIOCHE, *fr.* Pequeno bolo macio, de farinha, manteiga, leite e ovos.
BRUDERSCHAFT, *al.* Fraternidade; irmandade. Costume dos estudantes alemães de beberem em conjunto, entrelaçando os braços, para em seguida usar, entre eles, a forma de tratamento tu.

---

* Constam também deste vocabulário os termos comuns russos já aportuguesados e registrados nos dicionários tais como *czar*, *rublo*, *vodca*, etc., seguidos, porém, da transliteração fonética, entre parêntesis. O mesmo não sucede com os vocábulos doutras línguas, que, por corriqueiros demais, faziam supérflua a sua inclusão, p. e. *adieu* do francês, e *pudding* do inglês.
al. alemão *fr.* francês *in.* inglês *it.* italiano *la.* latim *po.* polonês *ta.* tártaro

BURKA. Capa de pele de carneiro, muito usada nas montanhas do Cáucaso.
BURLAK. Homem que puxava outrora, da margem, as cordas com que eram arrastados os barcos contra a corrente.
CAFTÃ (*kaftan*). Antigo traje masculino; casaco comprido.
CHACHKA. Arma branca, do tipo do sabre, de curva pequena.
CHÁRIK. Bolinha.
CHARMANT, *fr.* Encantador, agradável, gentil.
CHIBUK. Cachimbo turco.
CHLIÚPKA. Barco largo e resistente.
CHTCHERBATI. Diz-se das pessoas que têm marcas de varíola no rosto, ou às que faltam dentes.
CHTCHI. Sopa de couves.
COCHON, *fr.* Porco, porcalhão.
COMPTOIR, *fr.* Balcão, caixa.
COPEQUE (*kopiéika*). Moeda divisionária, centésima parte do rublo.
COTTAGE, *in.* Casinha de campo.
CRÊPE, *fr.* Bolo folhado.
CZAR (*tsar*). Título do monarca na Rússia moscovita.
DATCHA. Casa de veraneio fora da cidade.
DÉBAT, *fr.* Conferência, palestra, debate.
DIÁDUCHKA. Tio. Em sentido figurado de afeto e respeito.
DIÁKON. Na igreja ortodoxa, auxiliar do padre durante o ofício religioso.
DIESIATINA. Medida de superfície da terra, equivalente a 1 hectare e 9 cm.
DINER, *in.* Janta; convidado para jantar; comensal.
DJIGUITOVKA. Conjunto de arriscados exercícios equestres, de que eram exímios os cossacos.
DOROGA. Estrada.
DRÓJKI. Carruagem leve.
DUGÁ. Parte dos arreios dos cavalos, um arco de madeira.
DVÓRNIK. Porteiro.
DVORÓVI. Servo do serviço doméstico do latifundiário.
EPARQUIA (*epárkhia*). Diocese ortodoxa administrada por um bispo ou arcebispo ou metropolita.
EPÍSKOP. Grau hierárquico superior a bispo ortodoxo.
FELDSCHER, *al.* Cirurgião militar.
FELDWEBEL, *al.* Primeiro-sargento ou sargento-ajudante.
FEUERBACH, *al.* Riacho de fogo.
FRAU, FRAULEIN, *al.* Senhora, senhorita.
FRAUENMILCH, *al.* Literalmente: leite de mulher.
FRÜH, *al.* Cedo, cedinho.
FRÜSHTÜCK, *al.* Pequeno almoço, café da manhã.
GLÁSNI. Representante eleito nas assembleias administrativas públicas.
GNIEDÓI. Cavalo baio.
GOLUBTCHIK. Pombinho, querido.
GELD. *al.* Dinheiro.
GORIÉLKI. Jogo popular russo semelhante à cabra-cega.

GÓROD. Cidade.
GORÓDSKAIA DUMA. Conselho Municipal ao qual estava confiada a administração da cidade, antes da revolução.
GOR. Montanha.
GOSPODIN, GOSPOJÁ, GOSPODÁ. Senhor, senhora, senhores.
GÓSPOD. Senhor! Meu Deus!
GRÍVIEN. Moeda equivalente a dez copeques.
GROCH. Antiga moeda russa equivalente a meio copeque.
GRUCHA. Pera.
GÚSLI. Antigo instrumento musical de cordas.
GVOSD. Prego, cravo.
HOFSKRIEGSRAT, *al.* Conselho militar da Corte.
IÁ. Pronome russo da primeira pessoa, singular.
IAMAN, *ta.* Mal! Exclamação tártara.
ÍCONE (*ikona*). Imagem de Deus, de um santo ou santos em forma de estampas.
IERARKH. Denominação oficial dos bispos.
IEROMONAKH. Padre-monge.
IGÚMIEN, IGÚMIENHA. Monge, freira superior dum mosteiro.
IKONOSTÁS. Parede enfeitada de ícones, a qual separa o altar da nave, na igreja ortodoxa.
INTIELIGÉNTSIA. Camada social composta dos intelectuais.
ISBÁ (*isbá*). Casa camponesa de madeira.
ISPRÁVNIK. Chefe de polícia de distrito na Rússia czarista.
ISVÓSTCHIK. Cocheiro de carro de aluguel.
JÁVORONOK. Calhandra. Fazem-se pãezinhos em forma de calhandras, quando elas regressam da migração às regiões quentes, simbolizando a chegada da primavera.
JORUNTCHIN. Tenente.
JUNKER, *al.* Suboficial nobre do Exército imperial russo.
KACHA. Mingau.
KALÁTCHI. Pães de trigo em forma de trança, os de Moscou são os mais famosos.
KAMÁRINSKAIA. Dança popular russa.
KAPITANCHKA. Capitoa, mulher do capitão.
KASATCHOK. Dança popular russa, em que o dançarino se mantém de cócoras e vai lançando as pernas para diante.
KÁTORGA. Galé, trabalhos forçados.
KATSAVIÉIKA. Casaco curto, sem botões.
KAVÁRDAK. Confusão.
KAZÁRM. Quartel.
KEEPSAKE, *in.* Literalmente: lembrança, presente. Peça ou objeto que se oferece como recordação; também livro ou álbum, ilustrados, muito em voga no fim do século XIX.
KHLIST. Adepto da seita *khlistóvstvo.* De *khlistat:* chicotear, fustigar.
KHUTOROK. Povoado.
KIBITKA. Carrocinha de ciganos.
KNUT. Azorrague de cordas, ou tiras de couro, presas a um cabo de madeira que servem para fustigar os cavalos.

KOCHKILDI, *ta.* Saudação tártara.
KOPIT. Reunir.
KORÓBOTCHKA. Caixinha.
KRAKOVIAK. Bailado polonês, um tanto agitado, da região de Cracóvia.
KRIEPOSTNÓI. Servo da gleba.
KULIEBIAKA. Empada recheada de carne, peixe, etc.
KULIK. Galinhola.
KULITCH. Pão doce em forma cilíndrica, típico, para festejos da Páscoa.
KUMATCH. Tecido de algodão de cor vermelho vivo.
KUNAK, *ta.* Amigo.
KUTIÁ. Arroz doce com passas e mel. Prato típico no dia de finados.
KVAS. Bebida feita de pão de centeio e de lúpulo ou de frutas.
LAIDAK, *po.* Canalha, alcoviteiro.
LANDAU, *fr.* Carruagem de quatro rodas e capota dupla que abre e fecha.
LÁPOT. Espécie de alpargatas feitas da entrecasca de tília.
LAVA. Arremesso. Ataque da cavalaria cossaca.
LIKHATCH. Cocheiro de cavalo veloz e carruagem elegante; hoje, chofer que despreza as regras do tráfego.
LINIÉIKA. Carruagem de vários lugares, dispostos lateralmente.
LUJA. Poça d'água.
LUTCHINA. Lasca de madeira comprida e fina, usada antigamente para acender luzes ou lume.
MADONNA, *it.* Gênero de quadro clássico reproduzindo o rosto da Virgem Maria.
MAIDAN. No sul da Rússia, feira, praça da feira.
MAMACHA, (*mamienhka, mamassia*) Mãezinha.
MARMIELAD. Marmelada, doce feito de marmelo, e, por extensão, doutras frutas.
MÁTUCHKA. Mãezinha; diminutivo arcaico, utilizado especialmente pelo povo para designar a mulher do pope.
MITKI. Irrequieto.
MIR OU SKHOD. Reunião, assembleia municipal nas aldeias.
MITROPOLIT. Grau hierárquico superior dos bispos ortodoxos.
MONAKH. Monge.
MONASTIR. Mosteiro.
MONPLAISIR, *fr.* Recanto de jardim, preparado para repouso e diversão nos parques das grandes mansões.
MORGEN, *al.* Manhã.
MORS. Mar.
MOST. Ponte.
MUJIQUE (*mujik*). Camponês.
NAGAIKA. Chicote usado pelos cossacos, curto e de couro.
NARÓDNIK. Movimento político russo da segunda metade do século XIX, conhecido como populista, que considerava os camponeses, e não o proletariado, como a classe revolucionária.
NA TCHAI. Para o chá. Gorjeta.
NEVÁLID. Inválido. Deturpação de *invalid.* Termo incorporado do francês por ocasião das guerras napoleônicas.

NHANHA. Babá.
NIET. Não.
OFITSIÁNSKAIA. Recinto destinado aos criados nas antigas mansões.
OKHRANA. Polícia secreta, especial e de segurança política do Estado imperial russo.
OKROCHKA. Sopa fria de *kvas*, legumes e carne ou peixe cortados em pedacinhos.
ONUTCHA. Faixa de pano grosseiro para enrolar as pernas antes de calçar as botas ou os *lápti*.
OSMÍNIK. Antiga unidade de peso, variável conforme o local. Oitava parte de um total.
ÓSTROV. Ilha.
OTIETS. Pai.
PAN, PANI, *po*. Senhor, Senhora.
PAPACHA. Pai, paizinho. Em sentido figurado, de respeito e afeto. Também boné de peles usado pelos cossacos.
PÁPOTCHKA. Paizinho, sendo este o verdadeiro diminutivo, quando se trata do próprio pai.
PARÁCHNIK. Preso escolhido para serviços leves.
PERSPECTIVA (*próspekt*). Avenida, rua larga e reta.
PFEFFERKUCHEN, *al*. Torta de pimenta.
PHRASEUR, *fr*. Fraseador, falador, tagarela.
PIATAK. PIATATCHOK (dimin.). Moeda de cinco copeques.
PICHKA. Pãozinho redondo e fofo, doce ou salgado.
PIELHMIÉNI. Prato típico siberiano, semelhante ao ravióli, recheado de carne.
PIKA. Arma branca, do tipo da lança longa, muito usada pelos cossacos.
PLHASSAT. Dançar.
PLÓCHTCHAD. Praça.
PODIOVKA. Casaco de homem comprido e justo na cintura.
PODPOLKÓVNIK. Tenente-coronel.
POLK. Regimento.
POLKÓVNIK. Coronel.
POLTÍNIK. Moeda que vale meio rublo, isto é: cinquenta copeques.
PONOMAR. Sacristão ortodoxo.
POPE (*pop*). Padre, sacerdote da hierarquia inferior na igreja ortodoxa.
PÓROKH. Pólvora.
PORÚTCHIK. Tenente, no Exército czarista.
PÓSLUCHNIK. Irmão converso ou noviço, que jurou obediência, no clero monástico ortodoxo.
PRÁPORCHTCHIK. Alferes.
PRIÁNIK. Biscoito de mel.
PROTODIÁKON. Diácono superior.
PROTOIEIRIÉI. Padre superior.
PROTOPOPE (*protopop*). Sinônimo de protoieriéi.
PSALOMCHTCHIK. Servidor da igreja ortodoxa, auxiliar do padre durante o ofício religioso.
PUD. Unidade de peso equivalente a 16,4 quilogramas.

PUSTINHA. Deserto.
QUADRILLE, *fr*. Contradança de salão, em que tomam parte vários pares em número par.
RASKOL. Cisão.
RASKÓLHNIK. Sectário da agrupação religiosa dos "velhos crentes".
RAZUM. Inteligência, juízo, bom senso.
RUBLO (*rubl*). Unidade monetária russa.
RUCHE, *fr*. Folho, franzido, pregueado.
SAD. Jardim.
SAJENH. Medida russa de comprimento equivalente a 2,13 metros.
SAMOVAR (*samovar*). Aparelho de metal, com aquecimento interno em forma de um tubo comprido, que se enche de carvão, destinado a ferver água.
SARAFAN. Vestimenta das camponesas russas, sem mangas.
SAUBUL, *ta*. Saudação tártara.
SELIM ALÊIKUM, *ta*. Louvado seja Alá! Fórmula de saudação nos países islâmicos.
SIROTÁ. Órfão.
SKHOD ou MIR. Reunião, assembleia municipal nas aldeias.
SKÓPIETS. Adepto da seita religiosa que tinha por base o voto de castidade. Castrado.
SKVIÉRNI. Ruim.
SOBOR. Catedral.
SPLEEN, *in*. Mau humor.
STABSKAPITAN, *al*. Capitão de Estado-Maior.
STANOVÓI. Chefe da polícia rural na Rússia czarista.
STARCHINÁ. Antes da revolução, representante eleito de uma das camadas sociais para administrar negócios públicos.
STÁRIETS. Homem idoso, mendigo, monge de grande reputação por sua sabedoria, meditação, etc.
STÁROSTA. Chefe eleito ou designado de uma entidade. Antes da revolução, chefe eleito da aldeia.
STAROVIER. Adepto de um movimento religioso composto de várias seitas, surgido na Rússia no século XVII como resultado da cisão da igreja. Os *staroviéri* procuravam conservar os velhos ritos da igreja e seu modo de vida.
STORONÁ. Bairro.
SÚDAR, SÚDARINHA, SÚDARI. Senhor, Senhora, Senhores. Termos arcaicos.
SUKHAR. Pão ressequido e grosseiro; espécie de pão de munição constante da ração dos soldados.
SVAKHA. Casamenteira; mulher que tinha por incumbência fazer a ligação entre as famílias dos noivos e combinar o casamento e o dote.
TARANTÁS. Carroça de quatro rodas, coberta ou descoberta.
TARATAIKA. Carro leve, de duas rodas, tipo charrete.
TCHAST. Distrito.
TCHÁSTNI. Particular.
TCHERKESKA. Casaco comprido e estreito, dos caucasianos e cossacos, justo na cintura, sem gola e decote em forma de V.
TCHERNOSIOM. Terras férteis, negras, ricas em substâncias orgânicas.

TCHERVÓNIETS. Nota de dez rublos, usada antigamente.
TCHÉTVIERT. Quartilho, antiga medida equivalente a um quarto de um total, aproximadamente dois litros.
TCHETVIERTAK. Moeda no valor de um quarto de rublo, 25 copeques.
TCHIEKMIEN. Vestimenta de homem, espécie de capa muito usada pelos cossacos.
TCHIN. Grau hierárquico dos militares e funcionários civis.
TCHIKIR, *ta*. Vinho do Cáucaso, pouco fermentado.
TCHINÓVNIK. Funcionário do Estado.
TIELIEGA. Carroça de quatro rodas para transporte de cargas.
TIERGARTEN, *al*. Jardim das feras, parque zoológico.
TIÚRIA. Prato de pão esmigalhado e *kvas*.
TRIEPAK. Dança popular russa, muito animada.
TROICA (*troika*). Trenó ou carro puxado por três cavalos.
TULUP. Casaco comprido de peles de carneiro com o pelo para dentro.
TUNGUS. Antiga denominação dos evenos, habitantes do norte e leste da Sibéria.
UCASSE (*ukás*). Decreto de uma instância superior do regime, equivalente a uma lei.
UGLOV. Esquina, canto.
UIESD. Na Rússia antiga, distrito ou cantão administrativo.
ÚLITSA. Rua.
UNIAT. Adepto da *unia*. Eclesiástico e crente da igreja greco-católica.
UNTEROFFIZIER, *al*. Suboficial.
UTCHÍTEL. Professor, preceptor.
VATER, *al*. Pai.
VATRUCHKA. Pãozinho com requeijão.
VAURIEN, *fr*. Velhaco, tratante, patife.
VAUXHALL, *in*. Lugar ao ar livre onde se davam concertos e bailes; cassino.
VERSTA (*vierstá*). Medida russa de comprimento, equivalente a 1,06 quilômetros.
VIÉRCHOK. Antiga medida russa de comprimento, equivalente a 4,4 centímetros.
VIÉRNI. Leal, fiel.
VODCA (*vodka*). Bebida alcoólica russa do tipo de aguardente de trigo.
VOIEVODA. Na antiga Rússia, chefe de exército ou distrito.
VÓLOST. Na Rússia antes da revolução, unidade administrativo-territorial, subdivisão de distrito nas regiões rurais.
VOROTÁ. Portão.
YÁKCHI, *ta*. Está bem!
YOK, *ta*. Não.
ZAKÚSKI. Frios para acompanhar o aperitivo.
ZÁVTRAK. Pequeno almoço, café da manhã.
ZIÉMSKI NATCHÁLHNIK. Na Rússia czarista, chefe de distrito com poderes administrativos, jurídicos e policiais.
ZIÉMSTVO. Antes da revolução, poder autônomo local nas regiões rurais, cujos representantes, em sua maioria, eram grandes latifundiários e nobres.
ZVIER. Besta, fera, alimária.

ÍNDICE DO VOLUME

Obras de transição

13 Prólogo geral

Humilhados e ofendidos

PRIMEIRA PARTE
20 Capítulo Primeiro
27 Capítulo II
29 Capítulo III
31 Capítulo IV
35 Capítulo V
37 Capítulo VI
42 Capítulo VII
43 Capítulo VIII
48 Capítulo IX
52 Capítulo X
55 Capítulo XI
58 Capítulo XII
63 Capítulo XIII
67 Capítulo XIV
69 Capítulo XV

SEGUNDA PARTE
77 Capítulo Primeiro
86 Capítulo II
93 Capítulo III
96 Capítulo IV
100 Capítulo V
106 Capítulo VI
110 Capítulo VII
115 Capítulo VIII
120 Capítulo IX
124 Capítulo X
130 Capítulo XI

TERCEIRA PARTE
136 Capítulo Primeiro
141 Capítulo II
149 Capítulo III
153 Capítulo IV
157 Capítulo V
163 Capítulo VI
171 Capítulo VII
174 Capítulo VIII
176 Capítulo IX
186 Capítulo X

QUARTA PARTE
199 Capítulo Primeiro
200 Capítulo II
205 Capítulo III
209 Capítulo IV
216 Capítulo V
224 Capítulo VI
233 Capítulo VII
239 Capítulo VIII
246 Capítulo IX

EPÍLOGO
249 Últimas recordações

Memórias da casa dos mortos

270 Introdução
273 Capítulo Primeiro - A Casa dos Mortos
283 Capítulo II - Primeiras impressões
296 Capítulo III - Primeiras impressões (continuação)
306 Capítulo IV - Primeiras impressões (continuação)
318 Capítulo V - O primeiro mês
328 Capítulo VI - O primeiro mês (continuação)
337 Capítulo VII - Novos conhecimentos. Pietrov
347 Capítulo VIII - Homens temíveis. Lutchka
351 Capítulo IX - Issai Fomitch. Vânia. A história de Baklúchin
363 Capítulo X - A festa do Natal
375 Capítulo XI - O espetáculo
388 Capítulo XII - O hospital
399 Capítulo XIII - O hospital (Continuação)
409 Capítulo XIV - O hospital (Conclusão)
421 Capítulo XV O marido da

	Akulka (Conto)		A PROPÓSITO DA NEVE
428	Capítulo XVI Tempo de verão		DERRETIDA
440	Capítulo XVII - Os animais do presídio	593	Capítulo Primeiro,
		601	Capítulo II
448	Capítulo XVIII - A reclamação	604	Capítulo III
461	Capítulo XIX – Companheiros	611	Capítulo IV
470	Capítulo XX - A evasão	617	Capítulo V
481	Capítulo XXI - Saída do presídio	620	Capítulo VI
		627	Capítulo VII7
		631	Capítulo VIII
		637	Capítulo IX

| 486 | **Uma história aborrecida** |

Romances de maturidade

Notas de inverno sobre impressões de verão

PRÓLOGO GERAL

648	A definição progressiva das personagens
526	Capítulo Primeiro - À maneira de prólogo
649	A problemática
529	Capítulo II - No trem	650	O complexo de Édipo
532	Capítulo III – E perfeitamente supérfluo	652	A técnica da transposição
		654	O problema da culpa
542	Capítulo IV - E não supérfluo para os cavalheiros	655	O elemento angélico
		657	A transposição autobiográfica
545	Capítulo V – Baal	659	A feminilidade transcendente
551	Capítulo VI - Ensaio sobre o burguês		
557	Capítulo VII - Continuação do anterior		**Crime e castigo**
564	Capítulo VIII - "Ma Biche" e "Bibi"		PRIMEIRA PARTE
		666	Capítulo Primeiro
		672	Capítulo II
		683	Capítulo III
	Memórias do subterrâneo	691	Capítulo IV
		700	Capítulo V
	O SUBTERRÂNEO	707	Capítulo VI
572	Capítulo Primeiro	716	Capítulo VII
574	Capítulo II		
576	Capítulo III		SEGUNDA PARTE
578	Capítulo IV	725	Capítulo Primeiro
579	Capítulo V	738	Capítulo II
580	Capítulo VI	746	Capítulo III
581	Capítulo VII	764	Capítulo IV
585	Capítulo VIII	772	Capítulo V
588	Capítulo IX	789	Capítulo VI
590	Capítulo X		
591	Capítulo XI		TERCEIRA PARTE
		802	Capítulo Primeiro

813	Capítulo II
821	Capítulo III
832	Capítulo IV
841	Capítulo V
856	Capítulo VI

QUARTA PARTE

864	Capítulo Primeiro
874	Capítulo II
883	Capítulo III
889	Capítulo IV
902	Capítulo V
916	Capítulo VI

QUINTA PARTE

922	Capítulo Primeiro
934	Capítulo II
944	Capítulo III
954	Capítulo IV
968	Capítulo V

SEXTA PARTE

978	Capítulo Primeiro
985	Capítulo II
997	Capítulo III
1004	Capítulo IV
1012	Capítulo V
1022	Capítulo VI
1032	Capítulo VII
1039	Capítulo VIII

EPÍLOGO

1047	Capítulo Primeiro
1053	Capítulo II

Apêndice e índice

1062	Glossário de termos russos e de outras línguas, respeitados nas traduções
1069	Índice do volume

Copyright© 2018 by Global Editora
2ª Edição, Editora Nova Aguilar, São Paulo 2018

Jefferson L. Alves – diretor editorial
Jiro Takahashi – editor executivo
Sebastião Lacerda – consultoria
Flávio Samuel – gerente de produção
Jefferson Campos – assistente de produção
**Luiz Maria Veiga, Eunice Nunes de Freitas
e Márcia Benjamim** – revisão
Homem de Melo & Troia Design – projeto de design
Tathiana A. Inocêncio e Evelyn Rodrigues do Prado – editoração eletrônica

Obra atualizada conforme o
NOVO ACORDO ORTOGRÁFICO DA LÍNGUA PORTUGUESA.

**Dados Internacionais de Catalogação na Publicação (CIP)
(Câmara Brasileira do Livro, SP, Brasil)**

Dostoiévski, Fiódor, 1821-1881
   Fiódor Dostoiévski : obra completa / versão anotada de Natália Nunes e Oscar Mendes ; precedida de uma introdução geral e prólogos às seções, por Natália Nunes ; acompanhada de extenso documentário gráfico, notas, glossários e outros subsídios, e ilustrada com uma centena de desenhos de Luis de Ben. – 2. ed. – São Paulo : Editora Nova Aguilar, 2019.

   Título original: Fiódor Dostoiévski
   Conteúdo: Obras de transição – Romances da maturidade.
   ISBN 978-85-210-0121-8 (obra completa)
   ISBN 978-85-210-0123-2 (v. 2)

   1. Dostoiévski, Fiódor, 1821-1881 2. Romance russo I. Nunes, Natália. II. Mendes, Oscar. III. Ben, Luis de. IV. Título.

18-21141   CDD-891.73

Índices para catálogo sistemático:

1. Romances : Literatura russa   891.73

Cibele Maria Dias – Bibliotecária – CRB-8/9427

**Editora
Nova
Aguilar**

Direitos Reservados

editora nova aguilar.
Rua Pirapitingui, 111 – Liberdade
CEP 01508-020 – São Paulo – SP
Tel.: (11) 3277-7999 – Fax: (11) 3277-8141
e-mail: global@globaleditora.com.br
www.novaaguilar.com.br

Colabore com a produção científica e cultural.
Proibida a reprodução total ou parcial desta obra
sem a autorização do editor.

Impresso na Índia

Nº de Catálogo: **10036**

Copyright © 2016 by Global Editora
1ª ed. pela Editora Nova Aguilar, São Paulo 2016

Jefferson L. Alves – Diretor-editorial
Tito Tarabanoff – Editor executivo
Sebastião Lacerda – Consultoria
Flávio Samuel – Gerente de produção
Jefferson Campos – assistente de produção
Luiz Maria Veiga, Eunice Nunes de Freitas
e Márcia Benjamim – revisão
Homem de Melo & Troia Design – projeto de design
Tatiana A. Znoczenko e Evelyn Rodrigues do Prado – realização eletrônica

Dora Aluguzuda conferência
NOVO ACORDO ORTOGRÁFICO DA LÍNGUA PORTUGUESA.

Dados Internacionais de Catalogação na Publicação (CIP)
(Câmara Brasileira do Livro, SP, Brasil)

Índice para catálogo sistemático:
1. Romances: Literatura russa 891.78
Olinda Mara Diaz – Bibliotecária – CRB-8/9852

EDITORA
NOVA
AGUILAR

Direitos Reservados

editora nova aguilar
Rua Prefeito, 111 – Liberdade
CEP 01509-020 – São Paulo – SP
Tel. (11) 3277-7008 • Fax (11) 3277-8741
e-mail: global@globaleditora.com.br
www.novaaguilar.com.br

Colabore com a produção científica e cultural.
Proibida a reprodução total ou parcial desta obra
sem a autorização do editor.

Impresso no Brasil

N° de Catálogo: 10054